LAROUSSE

diccionario
pocket

english-spanish
español-inglés

LAROUSSE

diccionario
pocket

english-spanish
español-inglés

LAROUSSE

For this edition
Para esta edición
Antonio Fortin, José A. Gálvez, Sharon J. Hunter, Janice McNeillie,
Carol Styles Carvajal, David Tarradas Agea

For previous editions
Para las ediciones anteriores
Joaquín A. Blasco, Dileri Borunda Johnston, Isabel Ferrer Marrades,
José A. Gálvez, Sharon J. Hunter, Ana Cristina Llompart Lucas,
Janice McNeillie, Julie Muleba, Victoria Ordóñez Diví, José María Ruiz
Vaca, Carol Styles Carvajal, Eduardo Vallejo

© Larousse 2015

ISBN: 978-84-8016-727-7
LAROUSSE EDITORIAL, S.L.
c/Mallorca, 45, 2ª planta
08029 Barcelona
larousse@larousse.es/www.larousse.es

Depósito legal: B.2106-2010
Imprime: CPI
2E8I

To our readers

This new edition of the Larousse POCKET dictionary continues to be a reliable and user-friendly tool for all your language needs, from language learning at school and at home to travelling abroad. This handy dictionary is designed to provide fast and practical solutions to the various problems encountered when reading present-day Spanish. With over 55,000 references and 80,000 translations, it enables the user to read and enjoy a wide range of texts and to translate everyday Spanish quickly and accurately. This new dictionary also features up-to-date coverage of common abbreviations and acronyms; proper names, business terms and computing vocabulary.

Writing basic Spanish accurately and confidently is no longer a problem thanks to the POCKET's detailed coverage of essential vocabulary, and helpful sense-markers which guide the user to the most appropriate translation.

Careful thought has gone into the presentation of the entries, both in terms of layout and typography. The POCKET is the ideal reference work for all learners from beginners up to intermediate level.

Send us your comments or queries – you will be helping to make this dictionary an even better book.

The Publisher

A nuestros lectores

El nuevo Diccionario POCKET Larousse es la herramienta de trabajo ideal para todas las situaciones lingüísticas, desde el aprendizaje de idiomas en la escuela y en casa hasta los viajes al extranjero.

Este diccionario está pensado para responder de manera práctica y rápida a los diferentes problemas que plantea la lectura del inglés actual. Con sus más de 55.000 palabras y expresiones y por encima de las 80.000 traducciones, este diccionario permitirá al lector comprender con claridad un amplio espectro de textos y realizar traducciones del inglés de uso corriente con rapidez y corrección.

Esta nueva obra recoge también numerosas siglas y abreviaturas actuales, además de nombres propios y términos comerciales e informáticos.

Gracias al análisis claro y detallado del vocabulario básico, así como de los indicadores de sentido que guían hacia la traducción más adecuada, se ayuda al usuario a escribir en inglés con precisión y seguridad.

Se ha puesto especial cuidado en la presentación de las entradas, tanto desde el punto de vista de su estructura como de la tipografía empleada. Para aquellos lectores que todavía están en un nivel básico o intermedio en su aprendizaje del inglés, el POCKET es el diccionario ideal.

Le invitamos a que se ponga en contacto con nosotros si tiene cualquier observación o crítica que hacer; entre todos podemos hacer del POCKET un diccionario aún mejor.

El Editor

Abbreviations

Abbreviations

Abbreviations

abbreviation	*abbr/abrev*	abreviatura
adjective	*adj*	adjetivo
administration	ADMIN	administración
adverb	*adv*	adverbio
aeronautics, aviation	AERON	aeronáutica
agriculture	AGR	agricultura
Latin American Spanish	*Amér*	español latinoamericano
anatomy	ANAT	anatomía
Andean Spanish	*Andes*	español de los Andes
before noun	*antes de s*	antes de sustantivo
archeology	ARCHEOL	arqueología
architecture	ARCHIT/ARQUIT	arquitectura
Argentinian Spanish	*Arg*	español de Argentina
article	*art*	artículo
astrology	ASTROL	astrología
astronomy	ASTRON	astronomía
automobile, cars	AUT(OM)	automóviles
auxiliary	*aux*	auxiliar
biology	BIOL	biología
Bolivian Spanish	*Bol*	español de Bolivia
botany	BOT	botánica
Central American Spanish	*CAm*	español de Centroamérica
Caribbean Spanish	*Carib*	español del Caribe
chemistry	CHEM	química
Chilean Spanish	*Chile*	español de Chile
cinema; film-making	CIN(EMA)	cine
Colombian Spanish	*Col*	español de Colombia
commerce, business	COM(M)	comercio
comparative	*compar*	comparativo
information technology	COMPUT	informática
conjunction	*conj*	conjunción
construction, building	CONSTR	construcción
continuous	*cont*	continuo
Costa Rican Spanish	*CRica*	español de Costa Rica
Cono Sur Spanish	*CSur*	español del Cono Sur
Cuban Spanish	*Cuba*	español de Cuba
culinary, cooking	CULIN	cocina
definite	*def*	determinado
demonstrative	*demos*	demostrativo
sport	DEP	deporte
juridical, legal	DER	derecho
pejorative	*despec*	despectivo
dated	*desus*	desusado
ecology	ECOLOG	ecología
economics	ECON	economía
school, education	EDUC	educación, escuela
electricity, electronics	ELEC(TR)	electricidad, electrónica
especially	*esp*	especialmente
exclamation	*excl*	interjección
feminine noun	*f*	sustantivo femenino
informal	*fam*	familiar
pharmacology, pharmaceuticals	FARM	farmacología, farmacia
figurative	*fig*	figurado
finance, financial	FIN	finanzas

Abbreviations

Abreviaturas

physics	FÍS	física
formal	*fml*	formal, culto
photography	FOTO	fotografía
soccer	FTBL	fútbol
inseparable	*fus*	inseparable
generally	*gen*	generalmente
geography	GEOGR	geografía
geology, geological	GEOL	geología
geometry	GEOM	geometría
grammar	GRAM(M)	gramática
Guatemalan Spanish	*Guat*	español de Guatemala
history	HIST	historia
humorous	*hum*	humorístico
industry	IND	industria
indefinite	*indef*	indeterminado
informal	*inf*	familiar
information technology	INFORM	informática
exclamation	*interj*	interjección
invariable	*inv*	invariable
ironic	*iro/irón*	irónico
juridical, legal	JUR	jurídico, derecho
linguistics	LING	lingüística
literal	*lit*	literal
literature	LITER	literatura
phrase(s)	*loc*	locución, locuciones
masculine noun	*m*	sustantivo masculino
mathematics	MAT(H)	matemáticas
mechanical engineering	MEC	mecánica
medicine	MED	medicina
metallurgy	METAL	metalurgia
weather, meteorology	METEOR	meteorología
Mexican Spanish	*Méx*	español de México
military	MIL	militar
mining	MIN	mineralogía
mythology	MYTH/MITOL	mitología
music	MUS/MÚS	música
noun	*n*	sustantivo
nautical, maritime	NAUT/NÁUT	náutica
Nicaraguan Spanish	*Nic*	español de Nicaragua
numeral	*num/núm*	número
oneself	*o.s*	
Panamanian Spanish	*Pan*	español de Panamá
pejorative	*pej*	despectivo
personal	*pers*	personal
Peruvian Spanish	*Perú*	español de Perú
pharmacology, pharmaceuticals	PHARM	farmacología, farmacia
photography	PHOT	fotografía
phrase(s)	*phr*	locución, locuciones
physics	PHYS	física
plural	*pl*	plural
politics	POL(ÍT)	política
possessive	*poss/poses*	posesivo
past participle	*pp*	participio pasado
press, journalism	PRENS	periodismo

Abbreviations

Abreviaturas

preposition	*prep*	preposición
Porto Rican Spanish	*PRico*	español de Puerto Rico
pronoun	*pron*	pronombre
psychology	PSYCH/PSICOL	psicología
past tense	*pt*	pasado, pretérito
chemistry	QUÍM	química
registered trademark	®	marca registrada
railways	RAIL	ferrocarril
relative	*relat*	relativo
religion	RELIG	religión
River Plate Spanish	*RP*	español del Río de la Plata
noun	*s*	sustantivo
someone, somebody	*sb*	
school, education	SCH	educación, escuela
Scottish English	*Scot*	inglés de Escocia
separable	*sep*	separable
singular	*sg*	singular
slang	*sl*	argot
sociology	SOCIOL	sociología
Stock Exchange	ST EX	bolsa
something	*sthg*	
subject	*subj/suj*	sujeto
superlative	*superl*	superlativo
bullfighting	TAUROM	tauromaquia
theatre	TEATR	teatro
technical, technology	TECH/TECN	técnico, tecnología
telecommunications	TELEC(OM)	telecomunicaciones
television	TV	televisión
printing, typography	TYPO	imprenta
uncountable noun	*U*	sustantivo 'incontable'
British English	*UK*	inglés británico
university	UNI	universidad
Uruguayan Spanish	*Urug*	español de Uruguay
American English	*US*	inglés americano
verb	*vb/v*	verbo
Venezuelan Spanish	*Ven*	español de Venezuela
veterinary science	VETER	veterinaria
intransitive verb	*vi*	verbo intransitivo
impersonal verb	*v impers*	verbo impersonal
pronominal verb	*vpr*	verbo pronominal
transitive verb	*vt*	verbo transitivo
vulgar	*vulg*	vulgar
zoology	ZOOL	zoología
cultural equivalent	≃	equivalente cultural
set phrases	▶▶▶	frases hectas

Spanish alphabetical order

The dictionary follows international alphabetical order. Thus entries with **ch** appear after **cg** and not at the end of **c**. Similarly, entries with **ll** appear after **lk** and not at the end of **l**. Note, however, that **ñ** is treated as a separate letter and follows **n**.

La ordenación alfabética en español

En este diccionario se ha seguido la ordenación alfabética internacional. Esto significa que las entradas con **ch** aparecerán después de **cg** y no al final de **c**; del mismo modo las entradas con **ll** vendrán después de **lk** y no al final de **l**. Adviértase, sin embargo, que la letra **ñ** sí se considera letra aparte y sigue a la **n**.

English compounds

A compound is a word or expression which has a single meaning but is made up of more than one word, e.g. **point of view**, **kiss of life** and **virtual reality**. It is a feature of this dictionary that English compounds appear in the A-Z list in strict alphabetical order. The compound **blood test** will therefore come after **bloodshot** which itself follows **blood pressure**.

Los compuestos en inglés

En inglés se llama compuesto a una locución sustantiva de significado único pero formada por más de una palabra; p.ej. **point of view**, **kiss of life** o **virtual reality**. Uno de los rasgos distintivos de este diccionario es la inclusión de estos compuestos con entrada propia y en riguroso orden alfabético. De esta forma **blood test** vendrá después de **bloodshot**, el cual sigue a **blood pressure**.

Trademarks

Words considered to be trademarks have been designated in this dictionary by the symbol ®. However, neither the presence nor the absence of such designation should be regarded as affecting the legal status of any trademark.

Marcas registradas

Los nombres de marca aparecen señalados en este diccionario con el símbolo ®. Sin embargo, ni este símbolo ni su ausencia son representativos de la situación legal de la marca.

Phonetics

English vowels

[ɪ]	pit, big, rid
[e]	pet, tend
[æ]	pat, bag, mad
[ʌ]	run, cut
[ɒ]	pot, log
[ʊ]	put, full
[ə]	mother, suppose

[iː]	bean, weed
[ɑː]	barn, car, laugh
[ɔː]	born, lawn
[uː]	loop, loose
[ɜː]	burn, learn, bird

English diphthongs

[eɪ]	bay, late, great
[aɪ]	buy, light, aisle
[ɔɪ]	boy, foil
[əʊ]	no, road, blow
[aʊ]	now, shout, town
[ɪə]	peer, fierce, idea
[eə]	pair, bear, share
[ʊə]	poor, sure, tour

English semi-vowels

[j]	you, spaniel
[w]	wet, why, twin

English consonants

[p]	pop, people
[b]	bottle, bib
[t]	train, tip
[d]	dog, did
[k]	come, kitchen
[g]	gag, great
[tʃ]	chain, wretched
[dʒ]	jet, fridge
[f]	fib, physical
[v]	vine, live
[θ]	think, fifth
[ð]	this, with
[s]	seal, peace
[z]	zip, his
[ʃ]	sheep, machine

Fonética

Vocales españolas

[i]	piso, imagen
[e]	tela, eso
[a]	pata, amigo
[o]	bola, otro
[u]	luz, luna

Diptongos españoles

[ei]	ley, peine
[ai]	aire, caiga
[oi]	soy, boina
[au]	causa, aula
[eu]	Europa, deuda

Semivocales españolas

[j]	hierba, miedo
[w]	agua, hueso

Consonantes españolas

[p]	papá, campo
[b]	vaca, bomba
[β]	curvo, caballo
[t]	toro, pato
[d]	donde, caldo
[k]	que, cosa
[g]	grande, guerra
[ɣ]	aguijón, iglesia
[tʃ]	ocho, chusma
[f]	fui, afán
[θ]	cera, paz
[ð]	cada, pardo
[s]	solo, paso
[z]	andinismo
[x]	gemir, jamón

[ʒ]	usual, measure	[m]	madre, cama
[h]	how, perhaps	[n]	no, pena
[m]	metal, comb	[ŋ]	banca, encanto
[n]	night, dinner	[ɲ]	caña
[ŋ]	sung, parking	[l]	ala, luz
[l]	little, help	[r]	atar, paro
[r]	right, carry	[r]	perro, rosa
		[ʎ]	llave, collar

The symbol ['] indicates that the following syllable carries primary stress and the symbol [ˌ] that the following syllable carries secondary stress.

Los símbolos ['] y [ˌ] indican que la sílaba siguiente lleva un acento primario o secundario respectivamente.

The symbol [ʳ] in English phonetics indicates that the final r is pronounced only when followed by a word beginning with a vowel. Note that it is nearly always pronounced in American English.

El símbolo [ʳ] en fonética inglesa indica que la r al final de palabra se pronuncia sólo cuando precede a una palabra que comienza por vocal. Adviértase que casi siempre se pronuncia en inglés americano.

CONJUGACIONES ESPANOLAS

ENGLISH VERB TABLES

Conjugaciones espanolas

Llave: A = presente indicativo, B = imperfecto indicativo, C = preterito perfecto simple, D = futuro, E = condicional, F = presente subjuntivo, G = imperfecto subjuntivo, H = imperativo, I = gerundio, J = participio

acertar A acierto, acertamos, etc., F acierte, acertemos, etc., H acierta, acierte, acertemos, acertad, etc.

adquirir A adquiero, adquirimos, etc., F adquiera, adquiramos, etc.,H adquiere, adquiramos, adquirid, etc.

AMAR A amo, amas, ama, amamos, amais, aman, B amaba, amabas, amaba, amabamos, amabais, amaban, C ame, amaste, amo, amamos, amasteis, amaron, D amare, amaras, amara, amaremos, amareis, amaran, E amaria, amarias, amaria, amariamos, amariais, amarian, F ame, ames, ame, amemos, ameis, amen, G amara, amaras, amara, amaramos, amarais, amaran, H ama, ame, amemos, amad, amen, I amando, J amado, -da

andar C anduve, anduvimos, etc., G anduviera, anduvieramos, etc.

avergonzar A averguenzo, avergonzamos, etc., C avergonce, avergonzo, avergonzamos, etc., F averguence, avergoncemos, etc., H averguenza, averguence, avergoncemos, avergonzad, etc.

caber A quepo, cabe, cabemos, etc., C cupe, cupimos, etc., D cabre, cabremos, etc., E cabria, cabriamos, etc., F quepa, quepamos, cabed, etc., G cupiera, cupieramos, etc., H cabe, quepa, quepamos, etc.

caer A caigo, cae, caemos, etc., C cayo, caimos, cayeron, etc., F caiga, caigamos, etc., G cayera, cayeramos, etc., H cae, caiga, caigamos, caed, etc., I cayendo

conducir A conduzco, conduce, conducimos, etc., C conduje, condujimos, etc., F conduzca, conduzcamos, etc., G condujera, conduje-ramos, etc., H conduce, conduzca, conduzcamos, conducid, etc.

conocer A conozco, conoce, conocemos, etc., F conozca, conozcamos, etc. H conoce, conozca, conozcamos, etc.

dar A doy, da, damos, etc., C di, dio, dimos, etc., F de, demos, etc., G diera, dieramos, etc., H da, de, demos, dad, etc.

decir A digo, dice, decimos, etc., C dije, dijimos, etc., D dire, diremos, etc., E diria, diriamos, etc., F diga, digamos, etc., G dijera, dijeramos, etc., H di, diga, digamos, decid, etc., I diciendo, J dicho, -cha

dormir A duermo, dormimos, etc., C durmio, dormimos, durmieron, etc., F duerma, durmamos, etc., G durmiera, durmieramos, etc., H duerme, duerma, durmamos, dormid, etc., I durmiendo

errar A yerro, erramos, etc., F yerre, erremos, etc., H yerra, yerre, erremos, errad, etc.

estar A estoy, esta, estamos, etc., C estuve, estuvimos, etc., F este, estemos, etc., G estuviera, estuvieramos, etc., H esta, este, estemos, estad, etc.

HABER A he, has, ha, hemos, habeis, han, B habia, habias, habia, habiamos, habiais, habian, C hube, hubiste, hubo, hubimos, hubisteis, hubieron, D habre, habras, habra, habremos, habreis, habran, E habria, habrias, habria, habriamos, habriais, habrian, F haya, hayas, haya, hayamos, hayais, hayan, G hubiera, hubieras, hubiera, hubieramos, hubierais, hubieran, H he, haya, hayamos, habed, hayan, I habiendo, J habido, -da

hacer A hago, hace, hacemos, etc., C hice, hizo, hicimos, etc., D hare, haremos, etc., E haria, hariamos, etc., F haga, hagamos, etc., G hiciera, hicieramos, etc., H haz, haga, hagamos, haced, etc., J hecho, -cha

huir A huyo, huimos, etc., C huyo, huimos, huyeron, etc. F huya, huyamos, etc. G huyera, huyeramos, etc. H huye, huya, huyamos, huid, etc., I huyendo

ir A voy, va, vamos, etc., C fui, fue, fuimos, etc., F vaya, vayamos, etc., G fuera, fueramos, etc., H ve, vaya, vaya-

mos, id, etc., I yendo

leer C leyo, leımos, leyeron, etc., G leyera, leyeramos, etc., I leyendo

lucir A luzco, luce, lucimos, etc., F luzca, luzcamos, H luce, luzca, luzcamos, lucid, etc.

mover A muevo, movemos, etc., F mueva, movamos, etc., H mueve, mueva, movamos, moved, etc.

nacer A nazco, nace, nacemos, etc., F nazca, nazcamos, etc., H nace, nazca, nazcamos, naced, etc.

oır A oigo, oye, oımos, etc., C oyo, oımos, oyeron, etc., F oiga, oigamos, etc., G oyera, oyeramos, etc., H oye, oiga, oigamos, oıd, etc., I oyendo

oler A huelo, olemos, etc., F huela, olamos, etc., H huele, huela, olamos, oled, etc.

parecer A parezco, parece, parecemos, etc., F parezca, parezcamos, etc., H parece, parezca, parezcamos, pareced, etc.

PARTIR A parto, partes, parte, partimos, partıs, parten, B partıa, partıas, partıa, partıamos, partıais, partıan, C partı, partiste, partio, partimos, partisteis, partieron, D partire, partiras, partira, partiremos, partireis, partiran, E partirıa, partirıas, partirıa, partirıamos, partirıais, partirıan, F parta, partas, parta, partamos, partais, partan, G partiera, partieras, partiera, partieramos, partierais, partieran, H parte, parta, partamos, partid, partan, I partiendo, J partido, -da.

pedir A pido, pedimos, etc., C pidio, pedimos, pidieron, etc., F pida, pidamos, etc., G pidiera, pidieramos, etc., H pide, pida, pidamos, pedid, etc., I pidiendo

poder A puedo, podemos, etc., C pude, pudimos, etc., D podre, podremos, etc., E podrıa, podrıamos, etc., F pueda, podamos, etc., H puede, pueda, podamos, poded, etc., I pudiendo

poner A pongo, pone, ponemos, etc., C puse, pusimos, etc., D pondre, pondremos, etc., E pondrıa, pondrıamos, etc., F ponga, pongamos, etc., G pusiera, pusieramos, etc., H pon, ponga, pongamos, poned, etc., J puesto, -ta

querer A quiero, queremos, etc., C quise, quisimos, etc., D querre, querremos, etc., E querrıa, querrıamos, etc., F quiera, queramos, etc., G quisiera, quisieramos, etc., H quiere, quiera, queramos, quered, etc.

reır A rıo, reımos, etc., C rio, reımos, rieron, etc., F rıa, riamos, etc., G riera, rieramos, etc., H rıe, rıa, riamos, reıd, etc., I riendo

saber A se, sabe, sabemos, etc., C supe, supimos, etc., D sabre, sabremos, etc., E sabrıa, sabrıamos, etc., F sepa, sepamos, etc., G supiera, supieramos, etc., H sabe, sepa, sepamos, sabed, etc.

salir A salgo, sale, salimos, etc., D saldre, saldremos, etc., E saldrıa, saldrıamos, etc., F salga, salgamos, etc., H sal, salga, salgamos, salid, etc.

sentir A siento, sentimos, etc., C sintio, sentimos, sintieron, etc., F sienta, sintamos, etc., G sintiera, sintieramos, etc., H siente, sienta, sintamos, sentid, etc., I sintiendo

SER A soy, eres, es, somos, sois, son, B era, eras, era, eramos, erais, eran, C fui, fuiste, fue, fuimos, fuisteis, fueron, D sere, seras, sera, seremos, sereis, seran, E serıa, serıas, serıa, serıamos, serıais, serıan, F sea, seas, sea, seamos, seais, sean, G fuera, fueras, fuera, fueramos, fuerais, fueran, H se, sea, seamos, sed, sean, I siendo, J sido, -da

sonar A sueno, sonamos, etc., F suene, sonemos, etc., H suena, suene, sonemos, sonad, etc.

TEMER A temo, temes, teme, tememos, temeis, temen, B temıa, temıas, temıa, temıamos, temıais, temıan, C temı, temiste, temio, temimos, temisteis, temieron, D temere, temeras, temera, temeremos, temereis, temeran, E temerıa, temerıas, temerıa, temerıamos, temerıais, temerıan, F tema, temas, tema, temamos, temais, teman, G temiera, temieras, temiera, temieramos, temierais, temieran, H teme, tema, temamos, temed, teman, I temiendo, J temido, -da

tender A tiendo, tendemos, etc., F tienda, tendamos, etc., H tiende, tendamos, etc.

tener A tengo, tiene, tenemos, etc., C tuve, tuvimos, etc., D tendré, tendremos, etc., E tendría, tendríamos, etc., F tenga, tengamos, etc., G tuviera, tuviéramos, etc., H ten, tenga, tengamos, tened, etc.

traer A traigo, trae, traemos, etc., C traje, trajimos, etc., F traiga, traigamos, etc., G trajera, trajéramos, etc., H trae, traiga, traigamos, traed, etc., I trayendo

valer A valgo, vale, valemos, etc., D valdré, valdremos, etc., F valga, valga-

mos, etc., H vale, valga, valgamos, valed, etc.

venir A vengo, viene, venimos, etc., C vine, vinimos, etc., D vendré, vendremos, etc., E vendría, vendríamos, etc., F venga, vengamos, etc., G viniera, viniéramos, etc., H ven, venga, vengamos, venid, etc., I viniendo

ver A veo, ve, vemos, etc., C vi, vio, vimos, etc., G viera, viéramos, etc., H ve, vea, veamos, ved, etc., I viendo, J visto, -ta.

English Irregular Verbs

Infinitive	Past Tense	Past Participle	Infinitive	Past Tense	Past Participle
arise	arose	arisen	forget	forgot	forgotten
awake	awoke	awoken	freeze	froze	frozen
be	was/were	been	get	got	got (US gotten)
bear	bore	born(e)			
beat	beat	beaten	give	gave	given
begin	began	begun	go	went	gone
bend	bent	bent	grind	ground	ground
bet	bet/betted	bet/betted	grow	grew	grown
			hang	hung/hanged	hung/hanged
bid	bid	bid			
bind	bound	bound	have	had	had
bite	bit	bitten	hear	heard	heard
bleed	bled	bled	hide	hid	hidden
blow	blew	blown	hit	hit	hit
break	broke	broken	hold	held	held
breed	bred	bred	hurt	hurt	hurt
bring	brought	brought	keep	kept	kept
build	built	built	kneel	knelt/kneeled	knelt/kneeled
burn	burnt/burned	burnt/burned			
			know	knew	known
burst	burst	burst	lay	laid	laid
buy	bought	bought	lead	led	led
can	could	-	lean	leant/leaned	leant/leaned
cast	cast	cast			
catch	caught	caught	leap	leapt/leaped	leapt/leaped
choose	chose	chosen			
come	came	come	learn	learnt/learned	learnt/learned
cost	cost	cost			
creep	crept	crept	leave	left	left
cut	cut	cut	lend	lent	lent
deal	dealt	dealt	let	let	let
dig	dug	dug	lie	lay	lain
do	did	done	light	lit/lighted	lit/lighted
draw	drew	drawn	lose	lost	lost
dream	dreamed/dreamt	dreamed/dreamt	make	made	made
			may	might	-
drink	drank	drunk	mean	meant	meant
drive	drove	driven	meet	met	met
eat	ate	eaten	mow	mowed	mown/mowed
fall	fell	fallen			
feed	fed	fed	pay	paid	paid
feel	felt	felt	put	put	put
fight	fought	fought	quit	quit/quitted	quit/quitted
find	found	found			
fling	flung	flung	read	read	read
fly	flew	flown	rid	rid	rid

Infinitive	Past Tense	Past Participle	Infinitive	Past Tense	Past Participle
ride	rode	ridden	spin	spun	spun
ring	rang	rung	spit	spat	spat
rise	rose	risen	split	split	split
run	ran	run	spoil	spoiled/ spoilt	spoiled/ spoilt
saw	sawed	sawn			
say	said	said	spread	spread	spread
see	saw	seen	spring	sprang	sprung
seek	sought	sought	stand	stood	stood
sell	sold	sold	steal	stole	stolen
send	sent	sent	stick	stuck	stuck
set	set	set	sting	stung	stung
shake	shook	shaken	stink	stank	stunk
shall	should	-	strike	struck	struck/ stricken
shed	shed	shed			
shine	shone	shone	swear	swore	sworn
shoot	shot	shot	sweep	swept	swept
show	showed	shown	swell	swelled	swollen/ swelled
shrink	shrank	shrunk			
shut	shut	shut	swim	swam	swum
sing	sang	sung	swing	swung	swung
sink	sank	sunk	take	took	taken
sit	sat	sat	teach	taught	taught
sleep	slept	slept	tear	tore	torn
slide	slid	slid	tell	told	told
sling	slung	slung	think	thought	thought
smell	smelt/ smelled	smelt/ smelled	throw	threw	thrown
			tread	trod	trodden
sow	sowed	sown/ sowed	wake	woke/ waked	woken/ waked
speak	spoke	spoken	wear	wore	worn
speed	sped/ speeded	sped/ speeded	weave	wove/ weaved	woven/ weaved
spell	spelt/ spelled	spelt/ spelled	weep	wept	wept
			win	won	won
spend	spent	spent	wind	wound	wound
spill	spilt/ spilled	spilt/ spilled	wring	wrung	wrung
			write	wrote	written

ENGLISH-SPANISH
INGLES-ESPANOL

ENGLISH-SPANISH
INGLÉS-ESPAÑOL

a¹ (pl as OR a's), **A** (pl As OR A's) [eɪ] n [letter] a f, A f. ◆ **A** n - **1.** MUS la m - **2.** SCH [mark] ≃ sobresaliente m.

a² (stressed [eɪ], unstressed [ə]) (before vowel or silent 'h' an) indef art - **1.** [gen] un (una); **a boy** un chico; **a table** una mesa; **an orange** una naranja; **an eagle** un águila; **a hundred/thousand pounds** cien/mil libras - **2.** [referring to occupation]: **to be a dentist/teacher** ser dentista/maestra - **3.** [to express prices, ratios etc] por; **£10 a person** 10 libras por persona; **50 kilometres an hour** 50 kilómetros por hora; **20p a kilo** 20 peniques el kilo; **twice a week/month** dos veces a la semana/al mes.

AA n - **1.** (abbr of **Automobile Association**), asociación británica del automóvil, ≃ RACE m - **2.** (abbr of **Alcoholics Anonymous**) AA mpl.

AAA n (abbr of **American Automobile Association**) asociación automovilística estadounidense, ≃ RACE m.

aback [ə'bæk] adv: **to be taken aback** quedarse desconcertado(da).

abandon [ə'bændən] ◇ vt [gen] abandonar; [soccer, rugby match] suspender. ◇ n: **with abandon** con desenfreno.

abashed [ə'bæʃt] adj avergonzado(da).

abate [ə'beɪt] vi [storm] amainar; [noise] disminuir; [fear] apaciguarse.

abattoir ['æbətwɑːr] n matadero m.

abbey ['æbɪ] n abadía f.

abbot ['æbət] n abad m.

abbreviate [ə'briːvɪeɪt] vt abreviar.

abbreviation [ə,briːvɪ'eɪʃn] n abreviatura f.

ABC n lit & fig abecé m.

abdicate ['æbdɪkeɪt] ◇ vi abdicar. ◇ vt responsibility] abdicar de.

abdomen ['æbdəmen] n abdomen m.

abduct [əb'dʌkt] vt raptar.

aberration [,æbə'reɪʃn] n aberración f.

abeyance [ə'beɪəns] n: **in abeyance** [custom] en desuso; [law] en suspenso.

abhor [əb'hɔːr] vt aborrecer.

abide [ə'baɪd] vt soportar, aguantar. ◆ **abide by** vt insep [law, ruling] acatar; [principles, own decision] atenerse a.

ability [ə'bɪlətɪ] n [capability] capacidad f.

abject ['æbdʒekt] adj - **1.** [poverty] vil, indigente - **2.** [person] sumiso(sa); [apology] humillante.

ablaze [ə'bleɪz] adj [on fire] en llamas.

able ['eɪbl] adj - **1.** [capable]: **to be able to do sthg** poder hacer algo; **to feel able to do sthg** sentirse capaz de hacer algo - **2.** [skilful] capaz, competente.

ably ['eɪblɪ] adv competentemente.

abnormal [æb'nɔːml] adj anormal.

aboard [ə'bɔːd] ◇ adv a bordo. ◇ prep [ship, plane] a bordo de; [bus, train] en.

abode [ə'bəʊd] n fml: **of no fixed abode** sin domicilio fijo.

abolish [ə'bɒlɪʃ] vt abolir.

abolition [,æbə'lɪʃn] n abolición f.

abominable [ə'bɒmɪnəbl] adj abominable, deplorable.

aborigine [,æbə'rɪdʒənɪ] n aborigen mf de Australia.

abort [ə'bɔːt] vt - **1.** [pregnancy, plan, project] abortar; [pregnant woman] provocar el aborto a - **2.** COMPUT abortar.

abortion [ə'bɔːʃn] n aborto m; **to have an abortion** abortar.

abortive [ə'bɔ:tɪv] *adj* frustrado(da).

abound [ə'baʊnd] *vi* - 1. [be plentiful] abundar - 2. [be full]: **to abound with** *OR* **in** abundar en.

about [ə'baʊt] <> *adv* - 1. [approximately] más o menos, como; **there were about fifty/a hundred** había (como) unos cincuenta/cien o así; **at about five o'clock** a eso de las cinco - 2. [referring to place] por ahí; **to leave things lying about** dejar las cosas por ahí; **to walk about** ir andando por ahí; **to jump about** dar saltos - 3. [on the point of]: **to be about to do sthg** estar a punto de hacer algo. <> *prep* - 1. [relating to, concerning] sobre, acerca de; **a film about Paris** una película sobre París; **what is it about?** ¿de qué trata?; **there's something odd about that man** hay algo raro en ese hombre - 2. [referring to place] por; **to wander about the streets** vagar por las calles.

about-turn *esp UK*, **about-face** *esp US* *n* MIL media vuelta *f*; *fig* cambio *m* radical.

above [ə'bʌv] <> *adv* - 1. [on top, higher up] arriba; **the flat above** el piso de arriba; **see above** [in text] véase más arriba - 2. [more, over]: **children aged five and above** niños de cinco años en adelante. <> *prep* - 1. [on top of] encima de - 2. [higher up than, over] por encima de - 3. [more, superior to] por encima de; **children above the age of 15** niños mayores de 15 años. **above all** *adv* sobre todo.

aboveboard [ə,bʌv'bɔ:d] *adj* limpio(pia).

abrasive [ə'breɪsɪv] *adj* - 1. [substance] abrasivo(va) - 2. [person] mordaz.

abreast [ə'brest] <> *adv*: **they were walking four abreast** caminaban en fila de a cuatro. <> *prep*: **to keep abreast of** mantenerse al día de.

abridged [ə'brɪdʒd] *adj* abreviado(da).

abroad [ə'brɔ:d] *adv* en el extranjero; **to go abroad** ir al extranjero.

abrupt [ə'brʌpt] *adj* - 1. [sudden] repentino(na) - 2. [brusque] brusco(ca).

abscess ['æbsɪs] *n* absceso *m*.

abscond [əb'skɒnd] *vi*: **to abscond (with/ from)** escaparse *OR* fugarse (con/de).

abseil ['æbseɪl] *vi*: **to abseil (down sthg)** descolgarse *OR* descender haciendo rápel (por algo).

abseiling ['æbseɪlɪŋ] *n* rappel *m*.

absence ['æbsəns] *n* - 1. [of person] ausencia *f* - 2. [of thing] falta *f*.

absent ['æbsənt] *adj* [not present] ausente; **to be absent from** faltar a.

absentee [,æbsən'ti:] *n* ausente *mf*; **absentee ballot** *US* voto *m* por correo.

absent-minded [-'maɪndɪd] *adj* [person] despistado(da); [behaviour] distraído(da).

absolute ['æbsəlu:t] *adj* absoluto(ta); **that's absolute rubbish!** ¡menuda tontería es eso!

absolutely ['æbsəlu:tlɪ] <> *adv* [completely] absolutamente, completamente; **it was absolutely delicious** estuvo riquísimo. <> *excl* ¡desde luego!

absolve [əb'zɒlv] *vt*: **to absolve sb (from)** absolver a alguien (de).

absorb [əb'sɔ:b] *vt* [gen] absorber; **to be absorbed in sthg** *fig* estar absorto *OR* embebido en algo.

absorbent [əb'sɔ:bənt] *adj* absorbente; **absorbent cotton** *US* algodón *m* hidrófilo.

absorption [əb'sɔ:pʃn] *n* [of liquid] absorción *f*.

abstain [əb'steɪn] *vi* [refrain, not vote]: **to abstain (from)** abstenerse (de).

abstemious [æb'sti:mjəs] *adj* *fml* sobrio(bria), moderado(da).

abstention [əb'stenʃn] *n* abstención *f*.

abstract <> *adj* ['æbstrækt] abstracto(ta). <> *n* ['æbstrækt] [summary] resumen *m*, sinopsis *f*.

absurd [əb'sɜ:d] *adj* absurdo(da).

ABTA ['æbtə] (*abbr of* Association of British Travel Agents) *n* asociación británica de agencias de viajes.

abundant [ə'bʌndənt] *adj* abundante.

abuse <> *n* [ə'bju:s] (*U*) - 1. [offensive remarks] insultos *mpl* - 2. [misuse, maltreatment] abuso *m*. <> *vt* [ə'bju:z] - 1. [insult] insultar - 2. [maltreat, misuse] abusar de.

abusive [ə'bju:sɪv] *adj* [person] grosero(ra); [behaviour, language] insultante.

abysmal [ə'bɪzml] *adj* pésimo(ma), nefasto(ta).

abyss [ə'bɪs] *n* abismo *m*.

a/c (*abbr of* account (current)) c/c.

AC *n* (*abbr of* alternating current) CA *f*.

academic [,ækə'demɪk] <> *adj* - 1. [of college, university] académico(ca) - 2. [studious] estudioso(sa) - 3. [hypothetical]: **that's completely academic now** eso carece por completo de relevancia. <> *n* - 1. [university lecturer] profesor *m* universitario, profesora *f* universitaria - 2. [intellectual] académico(ca).

academy [ə'kædəmɪ] *n* academia *f*.

ACAS ['eɪkæs] (*abbr of* Advisory, Conciliation and Arbitration Service) *n* organización británica para el arbitraje en conflictos laborales, ≃ IMAC *m*.

accede [æk'si:d] *vi* - 1. [agree]: **to accede to** acceder a - 2. [monarch]: **to accede to the throne** subir al trono.

accelerate [ək'seləreɪt] *vi* - 1. [car, driver] acelerar - 2. [inflation, growth] acelerarse.

acceleration [ək,selə'reɪʃn] *n* aceleración *f*.

accelerator [ək'seləreɪtəʳ] *n* acelerador *m*.

accent ['æksent] *n* lit & fig acento *m*.

accept [ək'sept] *vt* **- 1.** [gen] aceptar **- 2.** [difficult situation, problem] asimilar **- 3.** [defeat, blame, responsibility] asumir **- 4.** [agree]: **to accept that** admitir que **- 5.** [subj: machine - coins, tokens] admitir.

acceptable [ək'septəbl] *adj* aceptable.

acceptance [ək'septəns] *n* **- 1.** [gen] aceptación *f* **- 2.** [of piece of work, article] aprobación *f* **- 3.** [of defeat, blame, responsibility] reconocimiento *m* **- 4.** [of person - as part of group etc] admisión *f*.

access ['ækses] *n* **- 1.** [entry] acceso *m* **- 2.** [opportunity to use or see] libre acceso *m*; **to have access to** tener acceso a.

accessible [ək'sesəbl] *adj* **- 1.** [place] accesible **- 2.** [service, book, film] asequible **- 3.** [for the disabled] para discapacitados.

accessory [ək'sesəri] *n* **- 1.** [of car, vacuum cleaner] accesorio *m* **- 2.** LAW cómplice *mf*. ◆ **accessories** *npl* complementos *mpl*.

accident ['æksɪdənt] *n* accidente *m*; **to have an accident** [gen] tener un accidente; [in car] tener un accidente de coche; **it was an accident** fue sin querer; **by accident** [by chance] por casualidad.

accidental [,æksɪ'dentl] *adj* accidental.

accidentally [,æksɪ'dentəlɪ] *adv* **- 1.** [by chance] por casualidad **- 2.** [unintentionally] sin querer.

accident-prone *adj* propenso(sa) a los accidentes.

acclaim [ə'kleɪm] ◇ *n* (U) elogios *mpl*, alabanza *f*. ◇ *vt* elogiar, alabar.

acclimatize, -ise [ə'klaɪmətaɪz], **acclimate** ['æklɪmeɪt] US *vi*: **to acclimatize (to)** aclimatarse (a).

accolade ['ækəleɪd] *n* [praise] elogio *m*, halago *m*; [award] galardón *m*.

accommodate [ə'kɒmədeɪt] *vt* **- 1.** [provide room for people - subj: person] alojar; [- subj: building, place] albergar **- 2.** [oblige] complacer.

accommodating [ə'kɒmədeɪtɪŋ] *adj* complaciente, servicial.

accommodation UK [ə,kɒmə'deɪʃn] *n* [lodging] alojamiento *m*.

accommodations [ə,kɒmə'deɪʃnz] *npl* US **= accommodation**.

accompany [ə'kʌmpənɪ] *vt* acompañar.

accomplice [ə'kʌmplɪs] *n* cómplice *mf*.

accomplish [ə'kʌmplɪʃ] *vt* [aim, goal] conseguir, alcanzar; [task] realizar.

accomplished [ə'kʌmplɪʃt] *adj* [person] competente, experto(ta); [performance] logrado(da).

accomplishment [ə'kʌmplɪʃmənt] *n* **- 1.** [action] realización *f* **- 2.** [achievement] logro *m*.

accord [ə'kɔːd] ◇ *n*: **to do sthg of one's own accord** hacer algo por propia voluntad; **the situation improved of its own accord** la situación mejoró por sí sola. ◇ *vt*: **to accord sb sthg, to accord sthg to sb** conceder algo a alguien.

accordance [ə'kɔːdəns] *n*: **in accordance with** de acuerdo con, conforme a.

according [ə'kɔːdɪŋ] ◆ **according to** *prep* **- 1.** [as stated or shown by] según; **to go according to plan** ir según lo planeado **- 2.** [with regard to] de acuerdo con, conforme a.

accordingly [ə'kɔːdɪŋlɪ] *adv* **- 1.** [appropriately] como corresponde **- 2.** [consequently] por lo tanto.

accordion [ə'kɔːdjən] *n* acordeón *m*.

accost [ə'kɒst] *vt* abordar.

account [ə'kaʊnt] *n* **- 1.** [with bank, shop etc] cuenta *f* **- 2.** [report - spoken] relato *m*; [- written] informe *m* **- 3.** [client] cuenta *f*, cliente *m* ▸▸▸ **to take account of sthg, to take sthg into account** tener en cuenta algo; **of no account** sin importancia; **it is of no account to me** me es indiferente; **on no account** bajo ningún pretexto OR concepto. ◆ **accounts** *npl* [of business] cuentas *fpl*. ◆ **by all accounts** *adv* a decir de todos, según todo el mundo. ◆ **on account of** *prep* debido a. ◆ **account for** *vt insep* **- 1.** [explain] justificar **- 2.** [represent] representar.

accountable [ə'kaʊntəbl] *adj* [responsible]: **accountable (for)** responsable (de).

accountancy [ə'kaʊntənsɪ] *n* contabilidad *f*.

accountant [ə'kaʊntənt] *n* contable *mf*, contador *m*, -ra *f Amér*.

accrue [ə'kruː] *vi* acumularse.

accumulate [ə'kjuːmjʊleɪt] ◇ *vt* acumular. ◇ *vi* [money, things] acumularse; [problems] amontonarse.

accuracy ['ækjʊrəsɪ] *n* **- 1.** [of description, report] veracidad *f* **- 2.** [of weapon, marksman] precisión *f*; [of typing, figures] exactitud *f*.

accurate ['ækjʊrət] *adj* **- 1.** [description, report] veraz **- 2.** [weapon, marksman, typist] preciso(sa); [figures, estimate] exacto(ta).

accurately ['ækjʊrətlɪ] *adv* **- 1.** [truthfully] verazmente **- 2.** [precisely] con precisión.

accusation [,ækjuː'zeɪʃn] *n* **- 1.** [charge] acusación *f* **- 2.** LAW denuncia *f*.

accuse [əˈkjuːz] *vt*: to accuse sb of sthg/of doing sthg acusar a alguien de algo/de hacer algo.

accused [əˈkjuːzd] (*pl* accused) *n* LAW: the accused el acusado, la acusada.

accustomed [əˈkʌstəmd] *adj*: accustomed to acostumbrado(da) a; to grow accustomed to acostumbrarse a.

ace [eɪs] ◇ *n* - 1. [playing card] as *m*; to be within an ace of *fig* estar al borde de - 2. [in tennis] ace *m*. ◇ *vt* US: to ace an exam bordar un examen.

ache [eɪk] ◇ *n* [pain] dolor *m*. ◇ *vi* [hurt] doler; my back aches me duele la espalda.

achieve [əˈtʃiːv] *vt* [success, goal, fame] alcanzar, lograr; [ambition] realizar.

achievement [əˈtʃiːvmənt] *n* - 1. [accomplishment] logro *m*, éxito *m* - 2. [act of achieving] consecución *f*, realización *f*.

Achilles' tendon [əˈkɪliːz-] *n* tendón *m* de Aquiles.

acid [ˈæsɪd] ◇ *adj* - 1. CHEM ácido(da) - 2. [sharp-tasting] agrio(agria) - 3. *fig* [person, remark] mordaz. ◇ *n* [chemical, drug] ácido *m*.

acid house *n* acid house *m*.

acid rain *n* lluvia *f* ácida.

acknowledge [əkˈnɒlɪdʒ] *vt* - 1. [accept] reconocer - 2. [greet] saludar - 3. [letter etc]: to acknowledge receipt of acusar recibo de - 4. [recognize]: to acknowledge sb as reconocer OR considerar a alguien como.

acknowledg(e)ment [əkˈnɒlɪdʒmənt] *n* - 1. [acceptance] reconocimiento *m* - 2. [confirmation of receipt] acuse *m* de recibo. ◆ **acknowledg(e)ments** *npl* agradecimientos *mpl*.

acne [ˈækni] *n* acné *m*.

acorn [ˈeɪkɔːn] *n* bellota *f*.

acoustic [əˈkuːstɪk] *adj* acústico(ca). ◆ **acoustics** *npl* acústica *f*.

acquaint [əˈkweɪnt] *vt* [make familiar]: to acquaint sb with sthg [information] poner a alguien al corriente de algo; [method, technique] familiarizar a alguien con algo.

acquaintance [əˈkweɪntəns] *n* [person] conocido *m*, -da *f*; to make sb's acquaintance *fml* conocer a alguien.

acquire [əˈkwaɪəʳ] *vt* - 1. [buy, adopt] adquirir - 2. [obtain - information, document] procurarse.

acquisitive [əˈkwɪzɪtɪv] *adj* consumista.

acquit [əˈkwɪt] *vt* - 1. LAW: to acquit sb of sthg absolver a alguien de algo - 2. [perform]: to acquit o.s. well/badly hacer un buen/mal papel.

acquittal [əˈkwɪtl] *n* LAW absolución *f*.

acre [ˈeɪkəʳ] *n* acre *m*.

acrid [ˈækrɪd] *adj* lit & fig acre.

acrimonious [ˌækrɪˈməʊnjəs] *adj* [words] áspero(ra); [dispute] enconado(da).

acrobat [ˈækrəbæt] *n* acróbata *mf*.

acronym [ˈækrənɪm] *n* siglas *fpl*.

across [əˈkrɒs] ◇ *adv* - 1. [from one side to the other] de un lado a otro - 2. [in measurements]: the river is 2 km across el río tiene 2 kms de ancho. ◇ *prep* - 1. [from one side to the other] a través de, de un lado a otro de; to look across sthg mirar hacia el otro lado de algo - 2. [on the other side of] al otro lado de. ◆ **across from** *prep* enfrente de.

acrylic [əˈkrɪlɪk] ◇ *adj* acrílico(ca). ◇ *n* acrílico *m*.

act [ækt] ◇ *n* - 1. [action, deed] acto *m*, acción *f*; to catch sb in the act coger a alguien con las manos en la masa - 2. [pretence] farsa *f* - 3. [in parliament] ley *f* - 4. [THEAT - part of play] acto *m*; [- routine, turn] número *m*. ◇ *vi* - 1. [gen] actuar; to act as [person] hacer de; [thing] actuar como - 2. [behave]: to act (as if/like) comportarse (como si/como) - 3. *fig* [pretend] fingir. ◇ *vt* [part - in play, film] interpretar.

acting [ˈæktɪŋ] ◇ *adj* [interim] en funciones. ◇ *n* actuación *f*; I like acting me gusta actuar.

action [ˈækʃn] *n* - 1. [gen & MIL] acción *f*; to take action tomar medidas; to put sthg into action poner algo en práctica OR marcha; out of action [person] fuera de combate; [machine] averiado(da) - 2. [deed] acto *m*, acción *f* - 3. LAW demanda *f*.

activate [ˈæktɪveɪt] *vt* [device] activar; [machine] poner en funcionamiento.

active [ˈæktɪv] *adj* - 1. [person, campaigner, encouragement etc] activo(va) - 2. [volcano] en actividad; [bomb] activado(da); on active duty US MIL en servicio activo.

actively [ˈæktɪvlɪ] *adv* [encourage, discourage] activamente.

activity [ækˈtɪvətɪ] *n* - 1. [movement, action] actividad *f* - 2. [pastime, hobby] afición *f*.

actor [ˈæktəʳ] *n* actor *m*.

actress [ˈæktrɪs] *n* actriz *f*.

actual [ˈæktʃʊəl] *adj* [emphatic]: the actual cost is £10 el coste real es de 10 libras; the actual spot where it happened el sitio mismo en que ocurrió.

actually [ˈæktʃʊəlɪ] *adv* - 1. [really, in truth]: do you actually like him? ¿de verdad que te gusta?; no-one actually saw her en realidad, nadie la vio - 2. [by the way]: actually, I was there yesterday pues yo estuve ayer por allí.

acumen [ˈækjʊmen] *n*: business acumen vista *f* para los negocios.

acute [ə'kju:t] *adj* - **1.** [illness, pain] agudo(da); [danger] extremo(ma) - **2.** [perceptive - person] perspicaz - **3.** [hearing, smell] muy fino(na).

ad [æd] (*abbr of* **advertisement**) *n* anuncio *m*.

AD (*abbr of* **Anno Domini**) d. C.

adamant ['ædəmənt] *adj*: **to be adamant (that)** insistir (en que).

Adam's apple ['ædəmz-] *n* bocado *m* OR nuez *f* de Adán.

adapt [ə'dæpt] <> *vt* adaptar. <> *vi*: **to adapt (to)** adaptarse (a).

adaptable [ə'dæptəbl] *adj* [person] adaptable.

adapter, adaptor [ə'dæptər] *n* [ELEC - for several devices] ladrón *m*; [- for different socket] adaptador *m*.

add [æd] *vt* - **1.** [gen]: **to add sthg (to sthg)** añadir algo (a algo) - **2.** [numbers] sumar. ◆ **add on** *vt sep* [to bill, total]: **to add sthg on (to sthg)** añadir OR incluir algo (en algo). ◆ **add to** *vt insep* aumentar, acrecentar. ◆ **add up** <> *vt sep* [numbers] sumar. <> *vi inf* [make sense]: **it doesn't add up** no tiene sentido.

adder ['ædər] *n* víbora *f*.

addict ['ædɪkt] *n* - **1.** [taking drugs] adicto *m*, -ta *f*; **drug addict** drogadicto *m*, -ta *f*, toxicómano *m*, -na *f* - **2.** *fig* [fan] fanático *m*, -ca *f*.

addicted [ə'dɪktɪd] *adj* - **1.** [to drug]: **addicted (to)** adicto(ta) (a) - **2.** *fig* [to food, TV]: **to be addicted (to)** ser un fanático (de).

addiction [ə'dɪkʃn] *n* - **1.** [to drug]: **addiction (to)** adicción *f* (a) - **2.** *fig* [to food, TV]: **addiction (to)** vicio *m* (por).

addictive [ə'dɪktɪv] *adj lit & fig* adictivo(va).

addition [ə'dɪʃn] *n* - **1.** MATHS suma *f* - **2.** [extra thing] adición *f*, añadido *m* - **3.** [act of adding] incorporación *f*; **in addition** además; **in addition to** además de.

additional [ə'dɪʃənl] *adj* adicional.

additive ['ædɪtɪv] *n* aditivo *m*.

address [ə'dres] <> *n* - **1.** [of person, organization] dirección *f*, domicilio *m* - **2.** COMPUT dirección *f* - **3.** [speech] discurso *m*. <> *vt* - **1.** [letter, parcel, remark]: **to address sthg to** dirigir algo a - **2.** [meeting, conference] dirigirse a - **3.** [issue] abordar; **to address o.s. to sthg** enfrentarse a OR abordar algo.

address book *n* agenda *f* de direcciones.

adenoids ['ædɪnɔɪdz] *npl* vegetaciones *fpl* (adenoideas).

adept ['ædept] *adj*: **to be adept (at sthg/at doing sthg)** ser experto(ta) (en algo/en hacer algo).

adequate ['ædɪkwət] *adj* - **1.** [sufficient] suficiente - **2.** [good enough] aceptable.

adhere [əd'hɪər] *vi* - **1.** [to surface, principle]: **to adhere (to)** adherirse (a) - **2.** [to rule, decision]: **to adhere to** respetar, observar.

adhesive [əd'hi:sɪv] <> *adj* adhesivo(va), adherente. <> *n* adhesivo *m*.

adhesive tape *n* cinta *f* adhesiva.

adjacent [ə'dʒeɪsənt] *adj*: **adjacent (to)** adyacente OR contiguo(gua) (a).

adjective ['ædʒɪktɪv] *n* adjetivo *m*.

adjoining [ə'dʒɔɪnɪŋ] <> *adj* [table] adyacente; [room] contiguo(gua). <> *prep* junto a.

adjourn [ə'dʒɜ:n] *vt* [session] levantar; [meeting] interrumpir.

adjudge [ə'dʒʌdʒ] *vt* declarar.

adjudicate [ə'dʒu:dɪkeɪt] *vi* actuar como juez; **to adjudicate on** OR **upon sthg** emitir un fallo OR un veredicto sobre algo.

adjust [ə'dʒʌst] <> *vt* [machine, setting] ajustar; [clothing] arreglarse. <> *vi*: **to adjust (to)** adaptarse OR amoldarse (a).

adjustable [ə'dʒʌstəbl] *adj* [machine, chair] regulable.

adjustment [ə'dʒʌstmənt] *n* - **1.** [modification] modificación *f*, reajuste *m*; **to make an adjustment to sthg** hacer un reajuste a algo - **2.** (U) [change in attitude]: **adjustment (to)** adaptación *f* OR amoldamiento *m* (a).

ad lib [,æd'lɪb] <> *adj* [improvised] improvisado(da). <> *adv* [without preparation] improvisando; [without limit] a voluntad. ◆ **ad-lib** *vi* improvisar.

administer [əd'mɪnɪstər] *vt* [gen] administrar; [punishment] aplicar.

administration [əd,mɪnɪ'streɪʃn] *n* [gen] administración *f*; [of punishment] aplicación *f*.

administrative [əd'mɪnɪstrətɪv] *adj* administrativo(va).

admirable ['ædmərəbl] *adj* admirable.

admiral ['ædmərəl] *n* almirante *m*.

admiration [,ædmə'reɪʃn] *n* admiración *f*.

admire [əd'maɪər] *vt*: **to admire sb (for)** admirar a alguien (por).

admirer [əd'maɪərər] *n* admirador *m*, -ra *f*.

admission [əd'mɪʃn] *n* - **1.** [permission to enter] admisión *f*, ingreso *m* - **2.** [cost of entrance] entrada *f* - **3.** [of guilt, mistake] reconocimiento *m*; **by his/her** *etc* **own admission** como él mismo/ella misma lo reconoce.

admit [əd'mɪt] <> *vt* - **1.** [acknowledge, confess]: **to admit (that)** admitir OR reconocer (que); **to admit doing sthg** reconocer haber hecho algo; **to admit defeat** *fig* darse por vencido - **2.** [allow to enter or join] admitir; **'admits two'** [on ticket] 'válido para dos (personas)'. <> *vi*: **to admit to sthg** [crime] confesar algo

admittance [əd'mɪtəns] n: to gain admittance to conseguir entrar en; 'no admittance' 'prohibido el paso'.

admittedly [əd'mɪtɪdlɪ] adv sin duda.

admonish [əd'mɒnɪʃ] vt amonestar.

ad nauseam [ˌæd'nɔːzɪæm] adv hasta la saciedad.

ado [ə'duː] n: without further OR more ado sin más preámbulos, sin mayor dilación.

adolescence [ˌædə'lesns] n adolescencia f.

adolescent [ˌædə'lesnt] <> adj - 1. [teenage] adolescente - 2. pej [immature] pueril. <> n [teenager] adolescente mf.

adopt [ə'dɒpt] vt & vi adoptar.

adoption [ə'dɒpʃn] n adopción f.

adore [ə'dɔːr] vt - 1. [love deeply] adorar - 2. [like very much]: I adore chocolate me encanta el chocolate.

adorn [ə'dɔːn] vt adornar.

adrenalin [ə'drenəlɪn] n adrenalina f.

Adriatic [ˌeɪdrɪ'ætɪk] n: the Adriatic (Sea) el (mar) Adriático.

adrift [ə'drɪft] <> adj [boat] a la deriva. <> adv: to go adrift fig irse a la deriva.

adult [ˈædʌlt] <> adj - 1. [fully grown] adulto(ta) - 2. [mature] maduro(ra) - 3. [suitable for adults only] para adultos OR mayores. <> n adulto m, -ta f.

adultery [ə'dʌltərɪ] n adulterio m.

advance [əd'vɑːns] <> n - 1. [gen] avance m - 2. [money] anticipo m. <> comp: advance notice OR warning previo aviso m; advance booking reserva f anticipada. <> vt - 1. [improve] promover - 2. [bring forward in time] adelantar - 3. [give in advance]: to advance sb sthg adelantarle algo a alguien. <> vi avanzar. ◆ advances npl: to make advances to sb [sexual] hacerle proposiciones a alguien, insinuarse a alguien; [business] hacerle una propuesta a alguien. ◆ in advance adv [pay] por adelantado; [book] con antelación; [know, thank] de antemano.

advanced [əd'vɑːnst] adj - 1. [developed] avanzado(da); advanced in years euph entrado(da) en años - 2. [student, pupil] adelantado(da); [studies] superior.

advantage [əd'vɑːntɪdʒ] n: advantage (over) ventaja f (sobre); to be to one's advantage ir en beneficio de uno; to take advantage of sthg aprovechar algo; to have OR hold the advantage (over sb) llevar ventaja (sobre alguien); advantage Hewitt [in tennis] ventaja de Hewitt.

advent [ˈædvənt] n [arrival] advenimiento m. ◆ **Advent** n RELIG Adviento m.

adventure [əd'ventʃər] n aventura f.

adventure playground n UK parque m infantil.

adventurous [əd'ventʃərəs] adj - 1. [daring] aventurero(ra) - 2. [dangerous] arriesgado(da).

adverb [ˈædvɜːb] n adverbio m.

adverse [ˈædvɜːs] adj adverso(sa).

advert [ˈædvɜːt] n anuncio m.

advertise [ˈædvətaɪz] <> vt anunciar. <> vi anunciarse, poner un anuncio; to advertise for buscar (mediante anuncio).

advertisement [əd'vɜːtɪsmənt] n anuncio m; to be a great advertisement for fig hacerle una propaganda excelente a.

advertiser [ˈædvətaɪzər] n anunciante mf.

advertising [ˈædvətaɪzɪŋ] n publicidad f.

advice [əd'vaɪs] n (U) consejos mpl; to take sb's advice seguir el consejo de alguien; a piece of advice un consejo; to give sb advice aconsejar a alguien.

advisable [əd'vaɪzəbl] adj aconsejable.

advise [əd'vaɪz] <> vt - 1. [give advice to]: to advise sb to do sthg aconsejar a alguien que haga algo; to advise sb against sthg/against doing sthg desaconsejar a alguien algo/que haga algo - 2. [professionally]: to advise sb on sthg asesorar a alguien en algo - 3. [recommend: caution] recomendar - 4. fml [inform]: to advise sb (of sthg) informar a alguien (de algo). <> vi - 1. [give advice]: to advise against sthg desaconsejar algo; to advise against doing sthg aconsejar no hacer algo - 2. [professionally]: to advise on asesorar en (materia de).

advisedly [əd'vaɪzɪdlɪ] adv [deliberately] deliberadamente; [after careful consideration] con conocimiento de causa.

adviser UK, **advisor** US [əd'vaɪzər] n [of politician etc] consejero m, -ra f; [financial, professional] asesor m, -ra f.

advisory [əd'vaɪzərɪ] adj [body] consultivo(va), asesor(ra); in an advisory capacity OR role en calidad de asesor.

advocate <> n [ˈædvəkət] - 1. LAW abogado m defensor - 2. [supporter] defensor m, -ra f. <> vt [ˈædvəkeɪt] abogar por.

Aegean [iː'dʒiːən] n: the Aegean (Sea) el mar Egeo.

aerial [ˈeərɪəl] <> adj aéreo(a). <> n UK [antenna] antena f.

aerobics [eə'rəʊbɪks] n (U) aerobic m.

aerodynamic [ˌeərəʊdaɪ'næmɪk] adj aerodinámico(ca).

aeroplane [ˈeərəpleɪn] n UK avión m.

aerosol [ˈeərəsɒl] n aerosol m.

aesthetic, esthetic US [iːs'θetɪk] adj estético(ca).

afar [ə'fɑːr] adv: from afar desde lejos.

affable [ˈæfəbl] adj afable.

affair [ə'feəʳ] n - **1.** [concern, matter] asunto m - **2.** [extra-marital relationship] aventura f (amorosa) - **3.** [event, do] acontecimiento m.

affect [ə'fekt] vt - **1.** [influence, move emotionally] afectar - **2.** [put on] fingir.

affected [ə'fektɪd] adj [insincere] afectado(da).

affection [ə'fekʃn] n cariño m, afecto m.

affectionate [ə'fekʃnət] adj cariñoso(sa).

affirm [ə'fɜ:m] vt afirmar.

affix [ə'fɪks] vt fijar, pegar.

afflict [ə'flɪkt] vt aquejar, afligir; **to be afflicted with sthg** estar aquejado de algo.

affluence ['æfluəns] n prosperidad f.

affluent ['æfluənt] adj pudiente.

afford [ə'fɔ:d] vt - **1.** [gen]: **to be able to afford** poder permitirse (el lujo de); **we can't afford to let this happen** no podemos permitirnos el lujo de dejar que esto ocurra - **2.** fml [provide, give] brindar.

affront [ə'frʌnt] n afrenta f.

Afghanistan [æf'gænɪstæn] n Afganistán.

afield [ə'fɪəld] adv: **further afield** más lejos.

afloat [ə'fləʊt] adj lit & fig a flote.

afoot [ə'fʊt] adj [plan] en marcha; **there is a rumour afoot** that corre el rumor de que.

afraid [ə'freɪd] adj - **1.** [gen] asustado(da); **to be afraid of sb** tenerle miedo a alguien; **I'm afraid of them** me dan miedo; **to be afraid of sthg** tener miedo de algo; **to be afraid of doing OR to do sthg** tener miedo de hacer algo - **2.** [in apologies]: **to be afraid that** temerse que.

afresh [ə'freʃ] adv de nuevo.

Africa ['æfrɪkə] n África.

African ['æfrɪkən] <> adj africano(na). <> n africano m, -na f.

African American n afroamericano m, -na f.

aft [ɑ:ft] adv en popa.

after ['ɑ:ftəʳ] <> prep - **1.** [gen] después de; **after all my efforts** después de todos mis esfuerzos; **after you!** ¡pasa primero!; **day after day** día tras día; **the day after tomorrow** pasado mañana; **the week after next** no la semana que viene sino la otra - **2.** inf [in search of]: **to be after sthg** buscar algo; **to be after sb** andar detrás de alguien - **3.** [towards retreating person]: **to call after sb** llamar a alguien; **to run after sb** correr tras alguien - **4.** US [telling the time]: **it's twenty after three** son las tres y veinte. <> adv más tarde, después. <> conj después (de) que; **after you had done it** después de que lo hubieras hecho. ➡ **afters** npl UK inf postre m. ➡ **after all** adv - **1.** [in spite of everything] después de todo - **2.** [it should be remembered] al fin y al cabo.

afterlife ['ɑ:ftəlaɪf] (pl -lives [-laɪvz]) n más allá m, vida f de ultratumba.

aftermath ['ɑ:ftəmæθ] n [time] periodo m posterior; [situation] situación f posterior.

afternoon [,ɑ:ftə'nu:n] n tarde f; **in the afternoon** por la tarde; **at three in the afternoon** a las tres de la tarde; **good afternoon** buenas tardes.

aftershave ['ɑ:ftəʃeɪv] n loción f para después del afeitado.

aftertaste ['ɑ:ftəteɪst] n - **1.** [of food, drink] resabio m - **2.** fig [of unpleasant experience] mal sabor m de boca.

afterthought ['ɑ:ftəθɔ:t] n idea f a posteriori.

afterward(s) ['ɑ:ftəwəd(z)] adv después, más tarde.

again [ə'gen] adv [gen] otra vez, de nuevo; **never again** nunca jamás; **he's well again now** ya está bien; **to do sthg again** volver a hacer algo; **to say sthg again** repetir algo; **again and again** una y otra vez; **all over again** otra vez desde el principio; **time and again** una y otra vez ➡➡ **half as much again** la mitad otra vez; **twice as much again** dos veces lo mismo otra vez; **then OR there again** por otro lado, por otra parte.

against [ə'genst] <> prep contra; **I'm against it** estoy (en) contra (de) ello; **to lean against sthg** apoyarse en algo; **(as) against** a diferencia de. <> adv en contra.

age [eɪdʒ] <> n - **1.** [gen] edad f; **to be of age** US ser mayor de edad; **to come of age** alcanzar la mayoría de edad; **to be under age** ser menor de edad); **what age are you?** ¿qué edad tienes?; **to be forty years of age** tener cuarenta años (de edad); **at the age of thirty** a los treinta años - **2.** [state of being old] vejez f. <> vt & vi (cont ageing OR aging) envejecer. ➡ **ages** npl [long time]: **ages ago** hace siglos; **I haven't seen her for ages** hace siglos que no la veo.

aged npl ['eɪdʒɪd]: **the aged** los ancianos.

age group n (grupo m de) edad f.

agency ['eɪdʒənsɪ] n - **1.** [business] agencia f - **2.** [organization, body] organismo m, instituto m.

agenda [ə'dʒendə] n - **1.** [of meeting] orden m del día - **2.** [intentions] intenciones fpl.

agent ['eɪdʒənt] n - **1.** COMM [of company] representante mf; [of actor] agente mf - **2.** [substance] agente m - **3.** [secret agent] agente m (secreto).

aggravate ['ægrəveɪt] vt - **1.** [make worse] agravar, empeorar - **2.** [annoy] irritar.

aggregate ['ægrɪgət] <> adj total. <> n [total] total m.

aggressive [əˈgresɪv] *adj* - **1.** [belligerent - person] agresivo(va) - **2.** [forceful - person, campaign] audaz, emprendedor(ra).

aggrieved [əˈgriːvd] *adj* ofendido(da).

aghast [əˈgɑːst] *adj*: **aghast (at)** horrorizado(da) (ante).

agile [UK ˈædʒaɪl, US ˈædʒəl] *adj* ágil.

agitate [ˈædʒɪteɪt] ◇ *vt* - **1.** [disturb, worry] inquietar - **2.** [shake about] agitar. ◇ *vi* [campaign]: **to agitate for/against** hacer campaña a favor de/en contra de.

AGM *n abbr of* **annual general meeting**.

agnostic [ægˈnɒstɪk] ◇ *adj* agnóstico(ca). ◇ *n* agnóstico *m*, -ca *f*.

ago [əˈgəʊ] *adv*: **a long time/three days/three years ago** hace mucho tiempo/tres días/tres años.

agog [əˈgɒg] *adj* ansioso(sa), expectante.

agonizing [ˈægənaɪzɪŋ] *adj* angustioso(sa).

agony [ˈægənɪ] *n* - **1.** [physical pain] dolor *m* muy intenso; **to be in agony** morirse de dolor - **2.** [mental pain] angustia *f*; **to be in agony** estar angustiado.

agony aunt *n* UK *inf* consejera *f* sentimental.

agree [əˈgriː] ◇ *vi* - **1.** [be of same opinion]: **to agree (with sb about sthg)** estar de acuerdo (con alguien acerca de algo); **to agree on sthg** [reach agreement] ponerse de acuerdo en algo; **to agree on sthg** [be in agreement] estar de acuerdo en algo - **2.** [consent]: **to agree (to sthg)** acceder (a algo) - **3.** [approve]: **to agree with sthg** estar de acuerdo con algo - **4.** [be consistent] concordar - **5.** [food]: **to agree with sb** sentarle bien a alguien - **6.** GRAM: **to agree (with)** concordar (con). ◇ *vt* - **1.** [fix: date, time] acordar, convenir - **2.** [be of same opinion]: **to agree that** estar de acuerdo en que - **3.** [agree, consent]: **to agree to do sthg** acordar hacer algo - **4.** [concede]: **to agree (that)** reconocer que.

agreeable [əˈgriːəbl] *adj* - **1.** [pleasant] agradable - **2.** [willing]: **to be agreeable to sthg/doing sthg** estar conforme con algo/hacer algo.

agreed [əˈgriːd] ◇ *adj*: **to be agreed on sthg** estar de acuerdo sobre algo; **at the agreed time** a la hora acordada *OR* convenida. ◇ *adv* [admittedly] de acuerdo que.

agreement [əˈgriːmənt] *n* - **1.** [accord, settlement, contract] acuerdo *m*; **to be in agreement with** estar de acuerdo con - **2.** [consent] aceptación *f* - **3.** [consistency] correspondencia *f* - **4.** GRAM concordancia *f*.

agricultural [ˌægrɪˈkʌltʃərəl] *adj* agrícola.

agriculture [ˈægrɪkʌltʃər] *n* agricultura *f*.

aground [əˈgraʊnd] *adv*: **to run aground** encallar.

ahead [əˈhed] *adv* - **1.** [in front] delante - **2.** [forwards] adelante, hacia delante; **go ahead!** ¡por supuesto!; **right** *OR* **straight ahead** todo recto *OR* de frente - **3.** [in football, rugby etc]: **to be ahead** ir ganando - **4.** [in better position] por delante; **to get ahead** [be successful] abrirse camino - **5.** [in time]: **to look** *OR* **think ahead** mirar hacia el futuro. ◆ **ahead of** *prep* - **1.** [in front of] frente a - **2.** [beating]: **to be two points ahead of** llevar dos puntos de ventaja a - **3.** [in better position than] por delante de - **4.** [in time] con anterioridad a; **ahead of schedule** por delante de lo previsto.

aid [eɪd] ◇ *n* ayuda *f*; **medical aid** asistencia *f* médica; **to go to the aid of sb** *OR* **to sb's aid** ir en auxilio de alguien; **in aid of** a beneficio de. ◇ *vt* [help] ayudar.

aide [eɪd] *n* POL ayudante *mf*.

AIDS, Aids [eɪdz] (*abbr of* **acquired immune deficiency syndrome**) ◇ *n* SIDA *m*. ◇ *comp*: **AIDS patient** sidoso *m*, -sa *f*.

ailing [ˈeɪlɪŋ] *adj* - **1.** [ill] achacoso(sa) - **2.** *fig* [economy] renqueante.

ailment [ˈeɪlmənt] *n* achaque *m*, molestia *f*.

aim [eɪm] ◇ *n* - **1.** [objective] objetivo *m* - **2.** [in firing gun] puntería *f*; **to take aim at** apuntar a. ◇ *vt* - **1.** [weapon]: **to aim sthg at** apuntar algo a - **2.** [plan, action]: **to be aimed at doing sthg** ir dirigido *OR* encaminado a hacer algo - **3.** [campaign, publicity, criticism]: **to aim sthg at sb** dirigir algo a alguien. ◇ *vi* - **1.** [point weapon]: **to aim (at sthg)** apuntar (a algo) - **2.** [intend]: **to aim at** *OR* **for sthg** apuntar a *OR* pretender algo; **to aim to do sthg** pretender hacer algo.

aimless [ˈeɪmlɪs] *adj* sin un objetivo claro.

ain't [eɪnt] *inf* - **1.** (*abbr of* **am not**) ▷ **be** - **2.** (*abbr of* **are not**) ▷ **be** - **3.** (*abbr of* **is not**) ▷ **be** (*abbr of* **have not**) ▷ **have** - **5.** (*abbr of* **has not**) ▷ **have**.

air [eər] ◇ *n* - **1.** [gen] aire *m*; **into the air** al aire; **by air** en avión; **to clear the air** *fig* aclarar las cosas - **2.** RADIO & TV: **on the air** en el aire. ◇ *comp* aéreo(a). ◇ *vt* - **1.** [clothes, sheets] airear; [cupboard, room] ventilar - **2.** [views, opinions] expresar - **3.** US [broadcast] emitir. ◇ *vi* [clothes, sheets] airearse; [cupboard, room] ventilarse.

airbag [ˈeəbæg] *n* AUT airbag *m*.

airbase [ˈeəbeɪs] *n* base *f* aérea.

airbed [ˈeəbed] *n* UK colchón *m* inflable.

airborne [ˈeəbɔːn] *adj* - **1.** [troops] aerotransportado(da); [attack] aéreo(a) - **2.** [plane] en el aire, en vuelo.

air-conditioned [-kənˈdɪʃnd] *adj* climatizado(da), con aire acondicionado.

air-conditioning [-kənˈdɪʃnɪŋ] *n* aire *m* acondicionado.

aircraft ['eəkrɑ:ft] (*pl* **aircraft**) *n* [plane] avión *m*; [any flying machine] aeronave *f*.

aircraft carrier *n* portaaviones *m inv*.

airfield ['eəfi:ld] *n* campo *m* de aviación.

airforce ['eəfɔ:s] *n*: **the airforce** las fuerzas aéreas.

airgun ['eəgʌn] *n* pistola *f* de aire comprimido.

airhostess ['eə,həʊstɪs] *n* azafata *f*, aeromoza *f Amér*.

airlift ['eəlɪft] ⟨⟩ *n* puente *m* aéreo. ⟨⟩ *vt* transportar por avión.

airline ['eəlaɪn] *n* línea *f* aérea.

airliner ['eəlaɪnə'] *n* avión *m* (grande) de pasajeros.

airlock ['eəlɒk] *n* - 1. [in tube, pipe] bolsa *f* de aire - 2. [airtight chamber] cámara *f OR* esclusa *f* de aire.

airmail ['eəmeɪl] *n*: **by airmail** por correo aéreo.

airplane ['eəpleɪn] *n US* avión *m*.

airport ['eəpɔ:t] *n* aeropuerto *m*.

air raid *n* ataque *m* aéreo.

airsick ['eəsɪk] *adj*: **to be airsick** marearse (en el avión).

airspace ['eəspeɪs] *n* espacio *m* aéreo.

air steward *n* auxiliar *m* de vuelo, aeromozo *m Amér*.

airstrip ['eəstrɪp] *n* pista *f* de aterrizaje.

air terminal *n* terminal *f* aérea.

airtight ['eətaɪt] *adj* hermético(ca).

air-traffic controller *n* controlador aéreo *m*, controladora aérea *f*.

airy ['eərɪ] *adj* - 1. [room] espacioso(sa) y bien ventilado(da) - 2. [fanciful] ilusorio(ria) - 3. [nonchalant] despreocupado(da).

aisle [aɪl] *n* - 1. [in church] nave *f* lateral - 2. [in plane, theatre, supermarket] pasillo *m*.

ajar [ə'dʒɑ:'] *adj* entreabierto(ta).

aka (*abbr of* **also known as**) alias.

akin [ə'kɪn] *adj*: **akin to sthg/to doing sthg** semejante a algo/a hacer algo.

alacrity [ə'lækrətɪ] *n* presteza *f*.

alarm [ə'lɑ:m] ⟨⟩ *n* alarma *f*; **to raise OR sound the alarm** dar la (voz de) alarma. ⟨⟩ *vt* alarmar, asustar.

alarm clock *n* despertador *m*.

alarming [ə'lɑ:mɪŋ] *adj* alarmante.

alas [ə'læs] ⟨⟩ *adv* desgraciadamente. ⟨⟩ *excl liter* ¡ay!

Albania [æl'beɪnjə] *n* Albania.

Albanian [æl'beɪnjən] ⟨⟩ *adj* albanés(esa). ⟨⟩ *n* - 1. [person] albanés *m*, -esa *f* - 2. [language] albanés *m*.

albeit [ɔ:l'bi:ɪt] *conj fml* aunque, si bien.

album ['ælbəm] *n* - 1. [of stamps, photos] álbum *m* - 2. [record] elepé *m*.

alcohol ['ælkəhɒl] *n* alcohol *m*.

alcoholic [,ælkə'hɒlɪk] ⟨⟩ *adj* alcohólico(ca). ⟨⟩ *n* alcohólico *m*, -ca *f*.

alcopop ['ælkəʊpɒp] *n* refresco gaseoso que contiene un cierto porcentaje de alcohol.

alcove ['ælkəʊv] *n* hueco *m*.

alderman ['ɔ:ldəmən] (*pl* -men [-mən]) *n* ≈ concejal *m*, -la *f*.

ale [eɪl] *n* tipo de cerveza.

alert [ə'lɜ:t] ⟨⟩ *adj* - 1. [vigilant] atento(ta) - 2. [perceptive] despierto(ta) - 3. [aware]: **to be alert to** ser consciente de. ⟨⟩ *n* [gen & MIL] alerta *f*; **to be on the alert** estar alerta. ⟨⟩ *vt* alertar; **to alert sb to sthg** alertar a alguien de algo.

A level (*abbr of* **Advanced level**) *n UK* SCH nivel escolar necesario para acceder a la universidad.

alfresco [æl'freskəʊ] *adj* & *adv* al aire libre.

algae ['ældʒi:] *npl* algas *fpl*.

algebra ['ældʒɪbrə] *n* álgebra *f*.

Algeria [æl'dʒɪərɪə] *n* Argelia.

alias ['eɪlɪəs] ⟨⟩ *adv* alias. ⟨⟩ *n* (*pl* -es) alias *m inv*.

alibi ['ælɪbaɪ] *n* coartada *f*.

alien ['eɪljən] ⟨⟩ *adj* - 1. [from outer space] extraterrestre - 2. [unfamiliar] extraño(ña), ajeno(na). ⟨⟩ *n* - 1. [from outer space] extraterrestre *mf* - 2. LAW [foreigner] extranjero *m*, -ra *f*.

alienate ['eɪljəneɪt] *vt* [make unsympathetic] ganarse la antipatía de.

alight [ə'laɪt] ⟨⟩ *adj* [on fire] ardiendo; **to set sthg alight** prender fuego a algo. ⟨⟩ *vi* (*pt & pp* -ed) *fml* - 1. [land] posarse - 2. [get off]: **to alight from** apearse de.

align [ə'laɪn] *vt* [line up] alinear.

alike [ə'laɪk] ⟨⟩ *adj* parecido(da). ⟨⟩ *adv* [treat] de la misma forma; **to look alike** parecerse.

alimony ['ælɪmənɪ] *n* pensión *f* alimenticia.

alive [ə'laɪv] *adj* - 1. [living] vivo(va) - 2. [active, lively] lleno(na) de vida.

alkali ['ælkəlaɪ] (*pl* -s OR -ies) *n* álcali *m*.

all [ɔ:l] ⟨⟩ *adj* - 1. (*with sing n*) todo(da); **all the drink** toda la bebida; **all day** todo el día; **all night** toda la noche; **all the time** todo el tiempo *OR* el rato - 2. (*with npl*) todos(das); **all the boxes** todas las cajas; **all men** todos los hombres; **all three died** los tres murieron. ⟨⟩ *pron* - 1. (*sing*) [the whole amount] todo *m*, -da *f*; **she drank it all, she drank all of it** se lo bebió todo - 2. (*pl*) [everybody, everything] todos *mpl*, -das *f*; **all of them came, they all came** vinieron todos - 3. (*with superl*): **he's the cleverest of all** es el más listo de todos; **the**

most amazing thing of all lo más impresionante de todo; **best/worst of all...** lo mejor/peor de todo es que... ⬦ *adv* - 1. [entirely] completamente; **I'd forgotten all about that** me había olvidado completamente de eso; **all alone** completamente solo(la) - 2. [in sport, competitions]: **the score is two all** el resultado es de empate a dos - 3. *(with compar)*: **to run all the faster** correr aun más rápido. ➡ **all but** *adv* casi. ➡ **all in all** *adv* en conjunto. ➡ **all that** *adv*: **she's not all that pretty** no es tan guapa. ➡ **in all** *adv* en total.

Allah ['ælə] *n* Alá *m*.

all-around *US* = **all-round**.

allay [ə'leɪ] *vt fml* [suspicions, doubts] despejar; [fears] apaciguar.

all clear *n* - 1. [signal] señal *f* de cese de peligro - 2. *fig* [go-ahead] luz *f* verde.

allegation [,ælɪ'geɪʃn] *n* acusación *f*.

allege [ə'ledʒ] *vt* alegar; **to be alleged to have done/said** ser acusado de haber hecho/dicho.

allegedly [ə'ledʒɪdlɪ] *adv* presuntamente.

allegiance [ə'liːdʒəns] *n* lealtad *f*.

allergy ['ælədʒɪ] *n* alergia *f*.

alleviate [ə'liːvɪeɪt] *vt* aliviar.

alley(way) ['ælɪ(weɪ)] *n* callejuela *f*.

alliance [ə'laɪəns] *n* alianza *f*.

allied ['ælaɪd] *adj* - 1. [powers, troops] aliado(da) - 2. [subjects] afín.

alligator ['ælɪgeɪtə'] *(pl alligator OR -s) n* caimán *m*.

all-important *adj* crucial.

all-in *adj UK* [inclusive] todo incluido. ➡ **all in** ⬦ *adj inf* [tired] hecho(cha) polvo. ⬦ *adv* [inclusive] todo incluido.

all-night *adj* [party etc] que dura toda la noche; [chemist, bar] abierto(ta) toda la noche.

allocate ['æləkeɪt] *vt*: **to allocate sthg to sb** [money, resources] destinar algo a alguien; [task, tickets, seats] asignar algo a alguien.

allot [ə'lɒt] *vt* [job, time] asignar; [money, resources] destinar.

allotment [ə'lɒtmənt] *n* - 1. *UK* [garden] *parcela municipal arrendada para su cultivo* - 2. [share - of money, resources] asignación *f*; [- of time] espacio *m* (de tiempo) concedido.

allow [ə'lau] *vt* - 1. [permit] permitir, dejar - 2. [set aside - money] destinar; [- time] dejar - 3. [officially accept - subj: person] conceder; [- subj: law] admitir - 4. [concede]: **to allow that** admitir OR reconocer que. ➡ **allow for** *vt insep* contar con.

allowance [ə'lauəns] *n* - 1. [money received - from government] subsidio *m*; [- from employer] dietas *fpl* - 2. *US* [pocket money] paga *f* - 3. FIN

desgravación *f* - 4.: **to make allowances for sthg/sb** [forgive] disculpar algo/a alguien; [take into account] tener en cuenta algo/a alguien.

alloy ['ælɔɪ] *n* aleación *f*.

all right ⬦ *adv* - 1. [gen] bien - 2. [only just acceptably] (más o menos) bien - 3. [in answer - yes] vale, bueno. ⬦ *adj* - 1. [gen] bien - 2. [not bad]: **it's all right, but...** no está mal, pero... - 3. [OK]: **sorry - that's all right** lo siento - no importa.

all-round *UK*, **all-around** *US adj* [multiskilled] polifacético(ca).

all-terrain vehicle *n* todoterreno *m*.

all-time *adj* [favourite] de todos los tiempos; [high, low] histórico(ca).

allude [ə'luːd] *vi*: **to allude to** aludir a.

alluring [ə'ljuərɪŋ] *adj* [person] atrayente; [thing] tentador(ra).

allusion [ə'luːʒn] *n* alusión *f*.

ally *n* ['ælaɪ] aliado *m*, -da *f*.

almighty [ɔːl'maɪtɪ] *adj inf* [very big] descomunal.

almond ['ɑːmənd] *n* [nut] almendra *f*.

almost ['ɔːlməust] *adv* casi.

alms [ɑːmz] *npl dated* limosna *f*.

aloft [ə'lɒft] *adv* [in the air] en lo alto.

alone [ə'ləun] ⬦ *adj* solo(la); **to be alone with** estar a solas con. ⬦ *adv* - 1. [without others] solo(la) - 2. [only] sólo. ▶▶ **to leave sthg/sb alone** dejar algo/a alguien en paz. ➡ **let alone** *conj* y mucho menos.

along [ə'lɒŋ] ⬦ *adv* - 1. [forward] hacia delante; **to go OR walk along** avanzar; **she was walking along** iba andando - 2. [to this or that place]: **to come along** venir; **to go along** ir. ⬦ *prep* [towards one end of, beside] por, a lo largo de. ➡ **all along** *adv* todo el rato; **she knew all along** lo sabía desde el principio. ➡ **along with** *prep* junto con.

alongside [ə,lɒŋ'saɪd] ⬦ *prep* - 1. [next to] junto a - 2. [together with] junto con. ⬦ *adv*: **to come alongside** ponerse a la misma altura.

aloof [ə'luːf] ⬦ *adj* frío(a), distante. ⬦ *adv* distante; **to remain aloof (from)** mantenerse a distancia (de).

aloud [ə'laud] *adv* en alto, en voz alta.

alphabet ['ælfəbet] *n* alfabeto *m*.

alphabetical [,ælfə'betɪkl] *adj* alfabético(ca); **in alphabetical order** en OR por orden alfabético.

Alps [ælps] *npl*: **the Alps** los Alpes.

already [ɔːl'redɪ] *adv* ya.

alright [,ɔːl'raɪt] = **all right**.

Alsatian [æl'seɪʃn] *n* [dog] pastor *m* alemán.

also ['ɔːlsəu] *adv* también.

altar ['ɔːltə'] *n* altar *m*.

alter ['ɔ:ltər] ◇ *vt* [modify] alterar, modificar. ◇ *vi* cambiar.

alteration [,ɔ:ltə'reɪʃn] *n* - **1.** [gen] alteración *f*; **to make an alteration/alterations to** hacer una modificación/modificaciones en - **2.** [to dress] arreglo *m*.

alternate ◇ *adj* [UK ɔ:l'tɜ:nət, US 'ɒ:ltərnət] - **1.** [by turns] alterno(na) - **2.** [every other]: **on alternate days/weeks** cada dos días/semanas. ◇ *n* [UK ɔ:l'tɜ:nət, US 'ɒ:ltərnət] US sustituto(ta). ◇ *vi* ['ɔ:ltəneɪt] to **alternate (with/between)** alternar (con/entre).

alternating current ['ɔ:ltəneɪtɪŋ-] *n* ELEC corriente *f* alterna.

alternative [ɔ:l'tɜ:nətɪv] ◇ *adj* alternativo(va). ◇ *n* alternativa *f*, opción *f*; **to have no alternative (but to do sthg)** no tener más remedio (que hacer algo).

alternatively [ɔ:l'tɜ:nətɪvlɪ] *adv* o bien.

alternator ['ɔ:ltəneɪtər] *n* ELEC alternador *m*.

although [ɔ:l'ðəʊ] *conj* aunque.

altitude ['æltɪtju:d] *n* altitud *f*.

alto ['æltəʊ] *(pl -s) n* [female singer] contralto *f*; [male singer] contralto *m*.

altogether [,ɔ:ltə'geðər] *adv* - **1.** [completely] completamente; **not altogether** no del todo - **2.** [considering all things] en conjunto - **3.** [in total] en total.

aluminium UK [,æljʊ'mɪnɪəm], **aluminum** US [ə'lu:mɪnəm] *n* aluminio *m*.

always ['ɔ:lweɪz] *adv* siempre.

am [æm] *vb* ⊳ **be**.

a.m. *(abbr of ante meridiem):* **at 3 a.m.** a las tres de la mañana.

AM *(abbr of amplitude modulation) n* AM *f*.

amalgamate [ə'mælgəmeɪt] ◇ *vt* [ideas] amalgamar; [companies, organizations] fusionar. ◇ *vi* [of ideas] amalgamarse; [of companies, organizations] fusionarse.

amass [ə'mæs] *vt* [fortune, wealth] amasar.

amateur ['æmətər] ◇ *adj* aficionado(da); *pej* chapucero(ra). ◇ *n* aficionado *m*, -da *f*; *pej* chapucero *m*, -ra *f*.

amateurish [,æmə'tɜ:rɪʃ] *adj* chapucero(ra).

amaze [ə'meɪz] *vt* asombrar.

amazed [ə'meɪzd] *adj* asombrado(da).

amazement [ə'meɪzmənt] *n* asombro *m*.

amazing [ə'meɪzɪŋ] *adj* - **1.** [surprising] asombroso(sa) - **2.** [excellent] genial.

Amazon ['æməzɒn] *n* - **1.** [river]: **the Amazon** el Amazonas - **2.** [region]: **the Amazon (Basin)** la cuenca amazónica; **the Amazon rainforest** la selva amazónica.

ambassador [æm'bæsədər] *n* embajador *m*, -ra *f*.

amber ['æmbər] ◇ *adj* - **1.** [amber-coloured] de color ámbar - **2.** UK [traffic light] ámbar. ◇ *n* ámbar *m*.

ambiguous [æm'bɪgjʊəs] *adj* ambiguo (gua).

ambition [æm'bɪʃn] *n* ambición *f*.

ambitious [æm'bɪʃəs] *adj* ambicioso(sa).

amble ['æmbl] *vi* [walk] deambular.

ambulance ['æmbjʊləns] *n* ambulancia *f*.

ambush ['æmbʊʃ] ◇ *n* emboscada *f*. ◇ *vt* emboscar.

amenable [ə'mi:nəbl] *adj* receptivo(va); **amenable to** favorable a.

amend [ə'mend] *vt* [law] enmendar; [text] corregir; [schedule] modificar. ◆ **amends** *npl*: **to make amends for sthg** reparar algo.

amendment [ə'mendmənt] *n* [change - to law] enmienda *f*; [- to text] corrección *f*; [- to schedule] modificación *f*.

amenities [ə'mi:nətɪz] *npl* [of town] facilidades *fpl*; [of building] comodidades *fpl*.

America [ə'merɪkə] *n* América.

American [ə'merɪkn] ◇ *adj* americano(na). ◇ *n* [person] americano *m*, -na *f*.

American Indian *n* amerindio *m*, -dia *f*.

amiable ['eɪmɪəbl] *adj* amable, agradable.

amicable ['æmɪkəbl] *adj* amigable, amistoso(sa).

amid(st) [ə'mɪd(st)] *prep fml* entre, en medio de.

amiss [ə'mɪs] ◇ *adj*: **something's amiss** algo va mal. ◇ *adv*: **to take sthg amiss** tomarse algo a mal.

ammonia [ə'məʊnjə] *n* amoniaco *m*.

ammunition [,æmjʊ'nɪʃn] *n (U)* MIL municiones *fpl*.

amnesia [æm'ni:zjə] *n* amnesia *f*.

amnesty ['æmnəstɪ] *n* amnistía *f*.

amok [ə'mɒk], **amuck** *adv*: **to run amok** enloquecer atacando a gente de forma indiscriminada.

among(st) [ə'mʌŋ(st)] *prep* entre.

amoral [,eɪ'mɒrəl] *adj* amoral.

amorous ['æmərəs] *adj* apasionado(da).

amount [ə'maʊnt] *n* cantidad *f*. ◆ **amount to** *vt insep* - **1.** [total] ascender a - **2.** [be equivalent to] venir a ser.

amp [æmp] *n abbr of* **ampere**.

ampere ['æmpeər] *n* amperio *m*.

amphibian [æm'fɪbɪən] *n* anfibio *m*.

ample ['æmpl] *adj* - **1.** [enough] suficiente; [more than enough] sobrado(da); **to have ample time** tener tiempo de sobra - **2.** [garment, room] amplio(plia); [stomach, bosom] abundante.

amplifier ['æmplɪfaɪər] *n* amplificador *m*.

amputate ['æmpjʊteɪt] *vt & vi* amputar.

Amsterdam [ˌæmstə'dæm] n Amsterdam.

Amtrak ['æmtræk] n organismo que regula y coordina las líneas férreas en Estados Unidos.

amuck [ə'mʌk] = **amok**.

amuse [ə'mjuːz] vt - 1. [make laugh, smile] divertir - 2. [entertain] distraer; **to amuse o.s. (by doing sthg)** distraerse (haciendo algo).

amused [ə'mjuːzd] adj - 1. [person, look] divertido(da); **I was not amused** at OR **by that** no me hizo gracia eso - 2. [entertained]: **to keep o.s. amused** entretenerse, distraerse.

amusement [ə'mjuːzmənt] n - 1. [enjoyment] regocijo m, diversión f - 2. [diversion, game] atracción f.

amusement arcade n salón m de juegos.

amusement park n parque m de atracciones.

amusing [ə'mjuːzɪŋ] adj divertido(da).

an (stressed [æn], unstressed [ən]) ⊳ **a**.

anabolic steroid [ˌænə'bɒlɪk-] n esteroide m anabolizante.

anaemic UK, **anemic** US [ə'niːmɪk] adj [ill] anémico(ca).

anaesthetic UK, **anesthetic** US [ˌænɪs'θetɪk] n anestesia f.

analogue, analog US ['ænəlɒg] ⋄ adj [watch, clock] analógico(ca). ⋄ n fml equivalente m.

analogy [ə'nælədʒɪ] n analogía f.

analyse UK, **analyze** US ['ænəlaɪz] vt analizar.

analysis [ə'næləsɪs] (pl **analyses** [ə'næləsiːz]) n - 1. [examination] análisis m inv - 2. [psychoanalysis] psicoanálisis m inv.

analyst ['ænəlɪst] n - 1. [gen] analista mf - 2. [psychoanalyst] psicoanalista mf.

analytic(al) [ˌænə'lɪtɪk(l)] adj analítico(ca).

analyze US = **analyse**.

anarchist ['ænəkɪst] n anarquista mf.

anarchy ['ænəkɪ] n anarquía f.

anathema [ə'næθəmə] n: **the idea is anathema to me** la idea me parece aberrante.

anatomy [ə'nætəmɪ] n anatomía f.

ANC (abbr of **African National Congress**) n ANC m.

ancestor ['ænsestər] n lit & fig antepasado m.

anchor ['æŋkər] ⋄ n NAUT ancla f; **to drop anchor** echar el ancla; **to weigh anchor** levar anclas. ⋄ vt - 1. [secure] sujetar - 2. esp US TV presentar. ⋄ vi NAUT anclar.

anchovy ['æntʃəvɪ] (pl **anchovy** OR **-ies**) n, [salted] anchoa f; [fresh, in vinegar] boquerón m.

ancient ['eɪnʃənt] adj - 1. [gen] antiguo(gua) - 2. hum [very old] vetusto(ta).

ancillary [æn'sɪlərɪ] adj auxiliar.

and (strong form [ænd], weak form [ən]) conj - 1. [gen] y; (before 'i' or 'hi') e; **fish and chips** pescado con patatas fritas; **faster and faster** cada vez más rápido; **it's nice and easy** es sencillito - 2. [in numbers]: **one hundred and eighty** ciento ochenta; **one and a half** uno y medio; **2 and 2 is 4** 2 y 2 son 4 - 3. [to]: **try and come** intenta venir; **come and see the kids** ven a ver a los niños; **wait and see** espera a ver. ◆ **and so on, and so forth** adv etcétera, y cosas así.

Andalusia [ˌændə'luːzɪə] n Andalucía.

Andes ['ændiːz] npl: **the Andes** los Andes.

Andorra [æn'dɔːrə] n Andorra.

anecdote ['ænɪkdəʊt] n anécdota f.

anemic US = **anaemic**.

anesthetic etc US = **anaesthetic**.

anew [ə'njuː] adv de nuevo, nuevamente.

angel ['eɪndʒəl] n RELIG ángel m.

anger ['æŋgər] ⋄ n ira f, furia f. ⋄ vt enfadar.

angina [æn'dʒaɪnə] n angina f de pecho.

angle ['æŋgl] n - 1. [gen] ángulo m - 2. [point of view] enfoque m.

angler ['æŋglər] n pescador m, -ra f (con caña).

Anglican ['æŋglɪkən] ⋄ adj anglicano(na). ⋄ n anglicano m, -na f.

angling ['æŋglɪŋ] n pesca f con caña.

Anglo-Saxon [ˌæŋgləʊ'sæksn] ⋄ adj anglosajón(ona). ⋄ n - 1. [person] anglosajón m, -ona f - 2. [language] anglosajón m.

angry ['æŋgrɪ] adj [person] enfadado(da); [letter, look, face] furioso(sa), airado(da); **to be angry at** OR **with sb** estar enfadado con alguien; **to get angry with sb** enfadarse con alguien.

anguish ['æŋgwɪʃ] n angustia f.

angular ['æŋgjʊlər] adj [face, body] anguloso(sa).

animal ['ænɪml] ⋄ adj [instincts, kingdom] animal; [rights] de los animales. ⋄ n [creature] animal m; pej [person] animal mf.

animate ['ænɪmət] adj animado(da).

animated ['ænɪmeɪtɪd] adj animado(da).

aniseed ['ænɪsiːd] n anís m.

ankle ['æŋkl] ⋄ n tobillo m. ⋄ comp: **ankle boots** botines mpl; **ankle socks** calcetines mpl cortos.

annex esp US ['æneks] ⋄ n edificio m anejo. ⋄ vt anexionar.

annexe esp UK ['æneks] n edificio m anejo.

annihilate [ə'naɪəleɪt] vt [destroy] aniquilar.

anniversary [ˌænɪ'vɜːsərɪ] n aniversario m.

announce [ə'naʊns] vt anunciar.

announcement [ə'naʊnsmənt] n anuncio m.

announcer [əˈnaʊnsəʳ] n: radio/television announcer presentador m, -ra f OR locutor m, -ra f de radio/televisión.

annoy [əˈnɔɪ] vt fastidiar, molestar.

annoyance [əˈnɔɪəns] n molestia f.

annoyed [əˈnɔɪd] adj: **to be annoyed at sthg/ with sb** estar molesto(ta) por algo/con alguien; **to get annoyed at sthg/with sb** molestarse por algo/con alguien.

annoying [əˈnɔɪɪŋ] adj fastidioso(sa).

annual [ˈænjʊəl] <> adj anual. <> n - 1. [plant] planta f anual - 2. [book] anuario m.

annual general meeting n asamblea f general anual.

annul [əˈnʌl] vt anular.

annum [ˈænəm] n: **per annum** al año.

anomaly [əˈnɒməlɪ] n anomalía f.

anonymous [əˈnɒnɪməs] adj anónimo(ma).

anorak [ˈænəræk] n - 1. esp UK [garment] chubasquero m, anorak m - 2. UK inf [boring person] petardo m, -da f.

anorexia (nervosa) [ˌænəˈreksɪə(nɜːˈvəʊsə)] n anorexia f.

anorexic [ˌænəˈreksɪk] <> adj anoréxico(ca). <> n anoréxico m, -ca f.

another [əˈnʌðəʳ] <> adj otro(tra); **another one** otro(tra); **in another few minutes** en unos minutos más. <> pron otro m, -tra f; **one after another** uno tras otro, una tras otra; **one another** el uno al otro, la una a la otra; **we love one another** nos queremos.

answer [ˈɑːnsəʳ] <> n - 1. [gen] respuesta f; **in answer to** en respuesta a - 2. [to problem] solución f. <> vt - 1. [reply to] responder a, contestar a - 2. [respond to]: **to answer the door** abrir la puerta; **to answer the phone** coger OR contestar el teléfono. <> vi responder, contestar. **answer back** vt sep & vi replicar. **answer for** vt insep - 1. [accept responsibility for] responder por; **they have a lot to answer for** tienen mucho que explicar - 2. [suffer consequences of] responder de.

answerable [ˈɑːnsərəbl] adj: **answerable (to sb/for sthg)** responsable (ante alguien/de algo).

answering machine [ˈɑːnsərɪŋ-] n contestador m automático.

ant [ænt] n hormiga f.

antagonism [ænˈtægənɪzm] n antagonismo m.

antagonize, -ise [ænˈtægənaɪz] vt provocar la hostilidad de.

Antarctic [ænˈtɑːktɪk] <> adj antártico(ca). <> n: **the Antarctic** el Antártico.

Antarctica [ænˈtɑːktɪkə] n (la) Antártida.

antelope [ˈæntɪləʊp] (pl antelope OR -s) n antílope m.

antenatal [ˌæntɪˈneɪtl] adj prenatal.

antenatal clinic n clínica f de preparación al parto.

antenna [ænˈtenə] n - 1. (pl -nae [-niː]) [of insect] antena f - 2. (pl -s) US [aerial] antena f.

anthem [ˈænθəm] n himno m.

anthology [ænˈθɒlədʒɪ] n antología f.

antibiotic [ˌæntɪbaɪˈɒtɪk] n antibiótico m.

antibody [ˈæntɪˌbɒdɪ] n anticuerpo m.

anticipate [ænˈtɪsɪpeɪt] vt - 1. [expect] prever - 2. [look forward to] esperar ansiosamente - 3. [preempt] adelantarse a.

anticipation [ænˌtɪsɪˈpeɪʃn] n [excitement] expectación f; **in anticipation of** en previsión de.

anticlimax [ˌæntɪˈklaɪmæks] n decepción f.

anticlockwise [ˌæntɪˈklɒkwaɪz] UK adv en sentido contrario al de las agujas del reloj.

antics [ˈæntɪks] npl payasadas fpl.

anticyclone [ˌæntɪˈsaɪkləʊn] n anticiclón m.

antidepressant [ˌæntɪdɪˈpresnt] n antidepresivo m.

antidote [ˈæntɪdəʊt] n lit & fig: **antidote (to)** antídoto m (contra).

antifreeze [ˈæntɪfriːz] n anticongelante m.

antihistamine [ˌæntɪˈhɪstəmɪn] n antihistamínico m.

antiperspirant [ˌæntɪˈpɜːspərənt] n antitranspirante m.

antiquated [ˈæntɪkweɪtɪd] adj anticuado(da).

antique [ænˈtiːk] <> adj [furniture, object] antiguo(gua). <> n antigüedad f.

antique shop n tienda f de antigüedades.

anti-Semitism [-ˈsemɪtɪzm] n antisemitismo m.

antiseptic [ˌæntɪˈseptɪk] <> adj antiséptico(ca). <> n antiséptico m.

antisocial [ˌæntɪˈsəʊʃl] adj - 1. [against society] antisocial - 2. [unsociable] poco sociable.

anus [ˈeɪnəs] n ano m.

anvil [ˈænvɪl] n yunque m.

anxiety [æŋˈzaɪətɪ] n - 1. [worry] ansiedad f, inquietud f - 2. [cause of worry] preocupación f - 3. [keenness] afán m, ansia f.

anxious [ˈæŋkʃəs] adj - 1. [worried] preocupado(da); **to be anxious about** estar preocupado por - 2. [keen]: **to be anxious that/to do sthg** estar ansioso(sa) por que/por hacer algo.

any [ˈenɪ] <> adj - 1. (with negative) ninguno(na); **I haven't read any books** no he leído ningún libro; **I haven't got any money** no tengo nada de dinero - 2. [some] algún(una); **are there any cakes left?** ¿queda algún pastel?; **is there any milk left?** ¿queda algo de leche?; **have you got any money?** ¿tienes dinero? - 3. [no matter which] cualquier; **any box will do**

cualquier caja vale - **4.** ▷ **case, day, moment, rate.** ◇ *pron* - **1.** *(with negative)* ninguno *m*, -na *f*; **I didn't get any** a mí no me tocó ninguno - **2.** [some] alguno *m*, -na *f*; **can any of you do it?** ¿sabe alguno de vosotros hacerlo?; **I need some matches, do you have any?** necesito cerillas, ¿tienes? - **3.** [no matter which] cualquiera; **take any you like** coge cualquiera que te guste. ◇ *adv* - **1.** *(with negative)*: **I can't see it any more** ya no lo veo; **he's not feeling any better** no se siente nada mejor; **I can't stand it any longer** no lo aguanto más - **2.** [some, a little]: **do you want any more potatoes?** ¿quieres más patatas?; **is that any better/different?** ¿es así mejor/diferente?

anybody ['enɪ,bɒdɪ] = anyone.

anyhow ['enɪhaʊ] *adv* - **1.** [in spite of that] de todos modos - **2.** [carelessly] de cualquier manera - **3.** [in any case] en cualquier caso.

anyone ['enɪwʌn], **anybody** *pron* - **1.** *(in negative sentences)* nadie; **I don't know anyone** no conozco a nadie - **2.** *(in questions)* alguien - **3.** [any person] cualquiera.

anyplace ['enɪpleɪs] *US* = anywhere.

anything ['enɪθɪŋ] *pron* - **1.** *(in negative sentences)* nada; **I don't want anything** no quiero nada - **2.** *(in questions)* algo; **would you like anything else?** ¿quiere algo más? - **3.** [any object, event] cualquier cosa.

anyway ['enɪweɪ] *adv* - **1.** [in any case] de todas formas OR maneras - **2.** [in conversation] en cualquier caso.

anywhere ['enɪweəʳ], **anyplace** *US* ['enɪpleɪs] *adv* - **1.** *(in negative sentences)* en ningún sitio; **I didn't go anywhere** no fui a ninguna parte - **2.** *(in questions)* en algún sitio; **did you go anywhere?** ¿fuiste a algún sitio? - **3.** [wherever] cualquier sitio; **anywhere you like** donde quieras.

apart [ə'pɑːt] *adv* - **1.** [separated]: **we're living apart** vivimos separados - **2.** [aside] aparte; **joking apart** bromas aparte. ▶ **apart from** *prep* - **1.** [except for] aparte de, salvo - **2.** [as well as] aparte de.

apartheid [ə'pɑːtheɪt] *n* apartheid *m*.

apartment [ə'pɑːtmənt] *n esp US* piso *m*, apartamento *m*, departamento *m* *Amér*.

apartment building *n US* bloque *m* de pisos, bloque *m* de departamentos *Amér*.

apathy ['æpəθɪ] *n* apatía *f*.

ape [eɪp] ◇ *n* simio *m*. ◇ *vt pej* imitar.

aperitif [əperə'tiːf] *n* aperitivo *m*.

aperture ['æpə,tjʊəʳ] *n* abertura *f*.

apex ['eɪpeks] *(pl* -es OR apices*)* *n* [top] vértice *m*.

APEX ['eɪpeks] *(abbr of* advance purchase excursion*)* *n UK* (tarifa *f*) APEX *f*.

apices ['eɪpɪsiːz] *pl* ▷ **apex.**

apiece [ə'piːs] *adv* cada uno(na).

apocalypse [ə'pɒkəlɪps] *n* apocalipsis *m inv*.

apologetic [ə,pɒlə'dʒetɪk] *adj* [tone, look] lleno(na) de disculpas; **to be very apologetic (about)** no hacer más que disculparse (por).

apologize, -ise [ə'pɒlədʒaɪz] *vi*: **to apologize (to sb for sthg)** disculparse (ante alguien por algo); **I apologized to her** le pedí perdón.

apology [ə'pɒlədʒɪ] *n* disculpa *f*; **Tom sends his apologies** [can't come] Tom se excusa por no poder asistir.

apostle [ə'pɒsl] *n* RELIG apóstol *m*.

apostrophe [ə'pɒstrəfɪ] *n* apóstrofo *m*.

appal (*UK*), **appall** *US* [ə'pɔːl] *vt* horrorizar.

appalling [ə'pɔːlɪŋ] *adj* [shocking] horroroso(sa).

apparatus [,æpə'reɪtəs] *(pl* apparatus OR -es*)* *n* - **1.** [equipment] aparatos *mpl*; **a piece of apparatus** un aparato - **2.** POL aparato *m*.

apparel [ə'pærəl] *n US* ropa *f*.

apparent [ə'pærənt] *adj* - **1.** [evident] evidente, patente - **2.** [seeming] aparente.

apparently [ə'pærəntlɪ] *adv* - **1.** [it seems] por lo visto - **2.** [seemingly] aparentemente.

appeal [ə'piːl] ◇ *vi* - **1.** [request]: **to appeal (to sb for sthg)** solicitar (de alguien algo) - **2.** [to sb's honour, common sense]: **to appeal to** apelar a - **3.** LAW: **to appeal (against)** apelar (contra) - **4.** [attract, interest]: **to appeal (to)** atraer (a). ◇ *n* - **1.** [request] llamamiento *m*, súplica *f*; [fundraising campaign] campaña *f* para recaudar fondos - **2.** LAW apelación *f* - **3.** [charm, interest] atractivo *m*.

appealing [ə'piːlɪŋ] *adj* [attractive] atractivo(va).

appear [ə'pɪəʳ] *vi* - **1.** [gen] aparecer - **2.** [seem]: **to appear (to be/to do sthg)** parecer (ser/hacer algo); **it would appear that...** parece que... - **3.** [in play, film, on TV]: **to appear on TV/in a film** salir en televisión/en una película - **4.** LAW: **to appear (before)** comparecer (ante).

appearance [ə'pɪərəns] *n* - **1.** [gen] aparición *f*; **to make an appearance** aparecer - **2.** [of sportsman] actuación *f* - **3.** [look - of person, place, object] aspecto *m*.

appease [ə'piːz] *vt* aplacar, apaciguar.

append [ə'pend] *vt fml* [add]: **to append sthg (to sthg)** agregar algo (a algo).

appendices [ə'pendɪsiːz] *npl* ▷ **appendix.**

appendicitis [ə,pendɪ'saɪtɪs] *n (U)* apendicitis *f inv*.

appendix [ə'pendɪks] *(pl* -dixes OR -dices*)* *n* [gen & ANAT] apéndice *m*; **to have one's appendix out OR removed** operarse de apendicitis.

appetite ['æpɪtaɪt] n - 1. [for food] apetito m; **I no longer have any appetite for my food** ya no tengo ganas de comer - 2. fig [enthusiasm]: **appetite for** entusiasmo m por.

appetizer, -iser ['æpɪtaɪzər] n aperitivo m.

appetizing, -ising ['æpɪtaɪzɪŋ] adj [food] apetitoso(sa).

applaud [ə'plɔːd] vt & vi lit & fig aplaudir.

applause [ə'plɔːz] n (U) aplausos mpl.

apple ['æpl] n manzana f.

apple tree n manzano m.

appliance [ə'plaɪəns] n aparato m.

applicable [ə'plɪkəbl] adj: **to be applicable (to)** aplicarse (a).

applicant ['æplɪkənt] n: **applicant (for)** solicitante mf (de).

application [,æplɪ'keɪʃn] n - 1. [gen] aplicación f - 2. [for job, college, club]: **application (for)** solicitud f (para) - 3. COMPUT aplicación f.

application form n impreso m de solicitud.

applied [ə'plaɪd] adj [science] aplicado(da).

apply [ə'plaɪ] ⟨⟩ vt [gen] aplicar; [brakes] echar; **to apply o.s. (to sthg)** aplicarse (en algo). ⟨⟩ vi - 1. [for work, grant] presentar una solicitud; **to apply to sb for sthg** solicitar a alguien algo - 2. [be relevant] aplicarse; **to apply to** concernir a.

appoint [ə'pɔɪnt] vt [to job, position]: **to appoint sb (to sthg)** nombrar a alguien (para algo).

appointment [ə'pɔɪntmənt] n - 1. [to job, position] nombramiento m - 2. [job, position] puesto m, cargo m - 3. [with businessman, lawyer] cita f; [with doctor, hairdresser] hora f; **to have an appointment** [with businessman] tener una cita; [with doctor] tener hora; **to make an appointment** concertar una cita.

apportion [ə'pɔːʃn] vt [money] repartir; [blame] adjudicar.

appraisal [ə'preɪzl] n evaluación f.

appreciable [ə'priːʃəbl] adj [difference] apreciable, sensible.

appreciate [ə'priːʃɪeɪt] ⟨⟩ vt - 1. [value, like] apreciar - 2. [recognize, understand] darse cuenta de - 3. [be grateful for] agradecer. ⟨⟩ vi FIN revalorizarse.

appreciation [ə,priːʃɪ'eɪʃn] n - 1. [liking] aprecio m - 2. [recognition, understanding] entendimiento m - 3. [gratitude] agradecimiento m - 4. FIN revalorización f.

appreciative [ə'priːʃətɪv] adj [person, remark] agradecido(da); [audience] entendido(da).

apprehensive [,æprɪ'hensɪv] adj aprensivo(va).

apprentice [ə'prentɪs] n aprendiz m, -za f.

apprenticeship [ə'prentɪʃɪp] n aprendizaje m.

approach [ə'prəʊtʃ] ⟨⟩ n - 1. [arrival] llegada f - 2. [way in] acceso m - 3. [method] enfoque m - 4. [to person]: **to make approaches to sb** hacerle propuestas a alguien. ⟨⟩ vt - 1. [come near to] acercarse a - 2. [ask]: **to approach sb about sthg** dirigirse a alguien acerca de algo - 3. [problem, situation] abordar - 4. [level, speed] aproximarse a. ⟨⟩ vi acercarse.

approachable [ə'prəʊtʃəbl] adj accesible.

appropriate ⟨⟩ adj [ə'prəʊprɪət] apropiado(da), adecuado(da). ⟨⟩ vt [ə'prəʊprɪeɪt] LAW [take] apropiarse de.

approval [ə'pruːvl] n - 1. [admiration] aprobación f - 2. [official sanctioning] visto m bueno - 3. COMM: **on approval** a prueba.

approve [ə'pruːv] ⟨⟩ vi estar de acuerdo; **to approve of sthg/sb** ver con buenos ojos algo/a alguien. ⟨⟩ vt aprobar.

approx. [ə'prɒks] (abbr of approximately) aprox.

approximate adj [ə'prɒksɪmət] aproximado(da).

approximately [ə'prɒksɪmətlɪ] adv aproximadamente.

apricot ['eɪprɪkɒt] n [fruit] albaricoque m, chabacano m Méx, damasco m Andes.

April ['eɪprəl] n abril m; see also **September**.

April Fools' Day n primero m de abril, ≃ Día m de los Santos Inocentes.

apron ['eɪprən] n [clothing] delantal m, mandil m; **to be tied to sb's apron strings** inf estar pegado a las faldas de alguien.

apt [æpt] adj [pertinent] acertado(da).

aptitude ['æptɪtjuːd] n aptitud f.

aptly ['æptlɪ] adv apropiadamente.

aqualung ['ækwəlʌŋ] n escafandra f autónoma.

aquarium [ə'kweərɪəm] (pl -riums OR -ria [-rɪə]) n acuario m.

Aquarius [ə'kweərɪəs] n Acuario m.

aquatic [ə'kwætɪk] adj acuático(ca).

aqueduct ['ækwɪdʌkt] n acueducto m.

Arab ['ærəb] ⟨⟩ adj árabe. ⟨⟩ n [person] árabe mf.

Arabic ['ærəbɪk] ⟨⟩ adj árabe. ⟨⟩ n [language] árabe m.

Arabic numeral n número m arábigo.

arable ['ærəbl] adj cultivable.

arbitrary ['ɑːbɪtrərɪ] adj [random] arbitrario(ria).

arbitration [,ɑːbɪ'treɪʃn] n arbitraje m.

ARC (abbr of AIDS-related complex) n enfermedad relacionada con el sida.

arcade [ɑː'keɪd] n - 1. [shopping arcade] galería f comercial - 2. [covered passage] arcada f, galería f.

arcade game n videojuego m.

arch [ɑːtʃ] ⬦ n - 1. ARCHIT arco m - 2. [of foot] puente m. ⬦ vt arquear.

archaeologist, archeologist [,ɑːkɪ'ɒlədʒɪst] n arqueólogo m, -ga f.

archaeology, archeology [,ɑːkɪ'ɒlədʒɪ] n arqueología f.

archaic [ɑː'keɪɪk] adj arcaico(ca).

archbishop [,ɑːtʃ'bɪʃəp] n arzobispo m.

archenemy [,ɑːtʃ'enɪmɪ] n peor enemigo m, enemigo acérrimo.

archeologist = archaeologist.

archeology = archaeology.

archer ['ɑːtʃər] n arquero m.

archery ['ɑːtʃərɪ] n tiro m con arco.

archetypal [,ɑːkɪ'taɪpl] adj arquetípico(ca).

architect ['ɑːkɪtekt] n - 1. [of buildings] arquitecto m, -ta f - 2. fig [of plan, event] artífice mf.

architecture ['ɑːkɪtektʃər] n [gen & COMPUT] arquitectura f.

archives ['ɑːkaɪvz] npl [of documents] archivos mpl.

archway ['ɑːtʃweɪ] n [passage] arcada f; [entrance] entrada f en forma de arco.

ardent ['ɑːdənt] adj [supporter, admirer, desire] ardiente, ferviente.

arduous ['ɑːdjʊəs] adj arduo(dua).

are (weak form [ər], strong form [ɑːr]) ⬥ **be**.

area ['eərɪə] n - 1. [region, designated space] zona f, área f; **in the area** en la zona - 2. [of town] zona f, barrio m - 3. fig [approximate size, number]: **in the area of** del orden de, alrededor de - 4. [surface size] superficie f, área f - 5. [of knowledge, interest] campo m.

area code n US prefijo m (telefónico).

arena [ə'riːnə] n - 1. SPORT pabellón m - 2. fig [area of activity]: **she entered the political arena** saltó al ruedo político.

aren't [ɑːnt] (abbr of are not) ⬥ **be**.

Argentina [,ɑːdʒən'tiːnə] n (la) Argentina.

Argentine ['ɑːdʒəntaɪn] adj argentino(na).

Argentinian [,ɑːdʒən'tɪnɪən] ⬦ adj argentino(na). ⬦ n argentino m, -na f.

arguably ['ɑːgjʊəblɪ] adv probablemente.

argue ['ɑːgjuː] ⬦ vi - 1. [quarrel]: **to argue (with sb about sthg)** discutir (con alguien de algo) - 2. [reason]: **to argue (for)** abogar (por); **to argue (against)** oponerse (a). ⬦ vt: **to argue that** argumentar que.

argument ['ɑːgjʊmənt] n - 1. [gen] discusión f; **to have an argument (with)** tener una discusión (con) - 2. [reason] argumento m.

argumentative [,ɑːgjʊ'mentətɪv] adj propenso(sa) a discutir.

arid ['ærɪd] adj lit & fig árido(da).

Aries ['eəriːz] n Aries m.

arise [ə'raɪz] (pt arose, pp arisen [ə'rɪzn]) vi [appear]: **to arise (from)** surgir (de).

aristocrat [UK 'ærɪstəkræt, US ə'rɪstəkræt] n aristócrata mf.

arithmetic [ə'rɪθmətɪk] n aritmética f.

ark [ɑːk] n arca f.

arm [ɑːm] ⬦ n - 1. [of person, chair, record player] brazo m; **arm in arm** del brazo; **to keep sb at arm's length** fig guardar las distancias con alguien - 2. [of garment] manga f. ⬦ vt armar. ⬦ vi armarse. ➡ **arms** npl [weapons] armas fpl.

armaments ['ɑːməmənts] npl armamento m.

armband ['ɑːmbænd] n - 1. [indicating mourning, rank] brazalete m - 2. [for swimming] flotador m (en los brazos).

armchair ['ɑːmtʃeər] n sillón m.

armed [ɑːmd] adj - 1. [police, thieves] armado(da) - 2. fig [with information]: **armed with** provisto(ta) de.

armed forces npl fuerzas fpl armadas.

armhole ['ɑːmhəʊl] n sobaquera f, sisa f.

armour UK, **armor** US ['ɑːmər] n - 1. [for person] armadura f - 2. [for military vehicle] blindaje m.

armoured car [ɑːməd-] n MIL carro m blindado.

armoury UK, **armory** US ['ɑːmərɪ] n arsenal m.

armpit ['ɑːmpɪt] n sobaco m, axila f.

armrest ['ɑːmrest] n brazo m.

arms control ['ɑːmz-] n control m armamentístico.

army ['ɑːmɪ] ⬦ n lit & fig ejército m. ⬦ comp del ejército, militar.

aroma [ə'rəʊmə] n aroma m.

arose [ə'rəʊz] pt ⬥ **arise**.

around [ə'raʊnd] ⬦ adv - 1. [about, round] por ahí; **to walk/look around** andar/mirar por ahí - 2. [on all sides] alrededor - 3. [present, available]: **is John around?** [there] ¿está John por ahí?; [here] ¿está John por aquí? - 4. [turn, look]: **to turn around** volverse; **to look around** volver la cabeza. ⬦ prep - 1. [on all sides of] alrededor de - 2. [about, round - place] por - 3. [in the area of] cerca de - 4. [approximately] alrededor de.

arouse [ə'raʊz] vt [excite - feeling] despertar; [- person] excitar.

arrange [ə'reɪndʒ] vt - 1. [books, furniture] colocar; [flowers] arreglar - 2. [event, meeting, party] organizar; **to arrange to do sthg** acordar

hacer algo; **we've arranged to meet at nine** hemos quedado a las nueve; **to arrange for sb to do sthg** hacer lo necesario para que alguien haga algo - **3.** MUS arreglar.

arrangement [ə'reɪndʒmənt] *n* - **1.** [agreement] acuerdo *m*; **to come to an arrangement** llegar a un acuerdo - **2.** [of furniture] disposición *f*; [of flowers] arreglo *m* - **3.** MUS arreglo *m*.   ➤ **arrangements** *npl* preparativos *mpl*.

array [ə'reɪ] *n* [of objects] surtido *m*.

arrears [ə'rɪəz] *npl* [money owed] atrasos *mpl*; **in arrears** [retrospectively] con retraso; [late] atrasado en el pago.

arrest [ə'rest] <> *n* detención *f*, arresto *m*; **under arrest** detenido(da), bajo arresto. <> *vt* - **1.** [subj: police] detener - **2.** [sb's attention] captar - **3.** *fml* [stop] poner freno a.

arrival [ə'raɪvl] *n* llegada *f*; **late arrival** [of train, bus, mail] retraso *m*; **new arrival** [person] recién llegado *m*, recién llegada *f*; [baby] recién nacido *m*, recién nacida *f*.

arrive [ə'raɪv] *vi* - **1.** [gen] llegar; **to arrive at** [conclusion, decision] llegar a - **2.** [baby] nacer.

arrogant [ˈærəgənt] *adj* arrogante.

arrow [ˈærəʊ] *n* flecha *f*.

arse UK [ɑːs], **ass** US [æs] *n v inf* [bottom] culo *m*.

arsenic [ˈɑːsnɪk] *n* arsénico *m*.

arson [ˈɑːsn] *n* incendio *m* premeditado.

art [ɑːt] *n* arte *m*. ➤ **arts** *npl* - **1.** SCH & UNIV [humanities] letras *fpl* - **2.** [fine arts]: **the arts** las bellas artes. ➤ **arts and crafts** *npl* artesanía *f*.

artefact [ˈɑːtɪfækt] = **artifact**.

artery [ˈɑːtərɪ] *n* arteria *f*.

art gallery *n* [public] museo *m* (de arte); [commercial] galería *f* (de arte).

arthritis [ɑːˈθraɪtɪs] *n* artritis *f inv*.

artichoke [ˈɑːtɪtʃəʊk] *n* alcachofa *f*.

article [ˈɑːtɪkl] *n* artículo *m*; **article of clothing** prenda *f* de vestir.

articulate <> *adj* [ɑːˈtɪkjʊlət] [person] elocuente; [speech] claro(ra), bien articulado(da). <> *vt* [ɑːˈtɪkjʊlet] [express clearly] expresar.

articulated lorry [ɑːˈtɪkjʊletɪd-] *n* UK camión *m* articulado.

artifact [ˈɑːtɪfækt] *n* artefacto *m*.

artificial [ˌɑːtɪˈfɪʃl] *adj* artificial.

artillery [ɑːˈtɪlərɪ] *n* [guns] artillería *f*.

artist [ˈɑːtɪst] *n* artista *mf*.

artiste [ɑːˈtiːst] *n* artista *mf*.

artistic [ɑːˈtɪstɪk] *adj* - **1.** [gen] artístico(ca) - **2.** [good at art]: **to be artistic** tener sensibilidad artística.

artistry [ˈɑːtɪstrɪ] *n* maestría *f*.

artless [ˈɑːtlɪs] *adj* ingenuo(nua).

as (*unstressed* [əz], *stressed* [æz]) <> *conj* - **1.** [referring to time - while] mientras; [- when] cuando; **she told it to me as we walked along** me lo contó mientras paseábamos; **as time goes by** a medida que pasa el tiempo; **she rang (just) as I was leaving** llamó justo cuando iba a salir - **2.** [referring to manner, way] como; **do as I say** haz lo que te digo - **3.** [introducing a statement] como; **as you know,...** como (ya) sabes,... - **4.** [because] como, ya que ➤➤ **as it is** (ya) de por sí. <> *prep* como; **I'm speaking as a friend** te hablo como amigo; **she works as a nurse** trabaja de OR como enfermera; **as a boy, I lived in Spain** de niño vivía en España; **it came as a shock** fue una gran sorpresa. <> *adv* (*in comparisons*): **as... as** tan... como; **as tall as I am** tan alto como yo; **I've lived as long as she has** he vivido durante tanto tiempo como ella; **twice as big** el doble de grande; **it's just as fast** es igual de rápido; **as much as** tanto como; **as many as** tantos(tas) como; **as much wine as you like** tanto vino como quieras. ➤ **as for, as to** *prep* en cuanto a. ➤ **as from, as of** *prep* a partir de. ➤ **as if, as though** *conj* como si. ➤ **as to** *prep* UK con respecto a.

a.s.a.p. (*abbr of as soon as possible*) a la mayor brevedad posible.

asbestos [æsˈbestəs] *n* amianto *m*, asbesto *m*.

ascend [əˈsend] <> *vt* subir. <> *vi* ascender.

ascendant [əˈsendənt] *n*: **in the ascendant** en auge.

ascent [əˈsent] *n* - **1.** [climb] ascensión *f* - **2.** [upward slope] subida *f*, cuesta *f* - **3.** *fig* [progress] ascenso *m*.

ascertain [ˌæsəˈteɪn] *vt* determinar.

ASCII [ˈæskɪ] (*abbr of American Standard Code for Information Interchange*) *n* ASCII *m*.

ascribe [əˈskraɪb] *vt*: **to ascribe sthg to** atribuir algo a.

ash [æʃ] *n* - **1.** [from cigarette, fire] ceniza *f* - **2.** [tree] fresno *m*.

ashamed [əˈfeɪmd] *adj* avergonzado(da), apenado(da) *Andes, Amér C & Méx*; **I'm ashamed to do it** me da vergüenza hacerlo; **I'm ashamed of...** me da vergüenza...

ashen-faced [ˈæʃnˌfeɪst] *adj*: **to be ashen-faced** tener la cara pálida.

ashore [əˈʃɔːr] *adv* [swim] hasta la orilla; **to go ashore** desembarcar.

ashtray [ˈæʃtreɪ] *n* cenicero *m*.

Ash Wednesday *n* miércoles *m inv* de ceniza.

Asia [UK ˈeɪʃə, US ˈeɪʒə] *n* Asia.

Asian [UK ˈeɪʃn, US ˈeɪʒn] <> *adj* asiático(ca); **Asian American** americano(na) de origen asiático. <> *n* asiático *m*, -ca *f*.

aside [ə'saɪd] <> adv - **1.** [to one side] a un lado; **to move aside** apartarse; **to brush** OR **sweep sthg aside** dejar algo aparte OR de lado - **2.** [apart] aparte; **aside from** aparte de. <> n - **1.** [in play] aparte m - **2.** [remark] inciso m.

ask [ɑːsk] <> vt - **1.** [put - question]: **to ask a question** hacer una pregunta - **2.** [request, demand] pedir; **to ask sb (to do sthg)** pedir a alguien (que haga algo); **to ask sb for sthg** pedirle algo a alguien - **3.** [invite] invitar. <> vi - **1.** [question] preguntar - **2.** [request] pedir. ◆ **ask after** vt insep preguntar por. ◆ **ask for** vt insep - **1.** [person] preguntar por - **2.** [thing] pedir. ◆ **ask out** vt sep [ask to be boyfriend, girlfriend] pedir salir.

askance [ə'skæns] adv: **to look askance at sb** mirar a alguien con recelo.

askew [ə'skjuː] adj torcido(da).

asking price ['ɑːskɪŋ-] n precio m inicial.

asleep [ə'sliːp] adj dormido(da); **she's asleep** está dormida OR durmiendo; **to fall asleep** quedarse dormido; **to be fast** OR **sound asleep** estar profundamente dormido.

asparagus [ə'spærəgəs] n (U) [plant] espárrago m; [shoots] espárragos mpl.

aspect ['æspekt] n - **1.** [of subject, plan] aspecto m - **2.** [appearance] cariz m, aspecto m - **3.** [of building] orientación f.

aspersions [ə'spɜːʃnz] npl: **to cast aspersions on sthg** poner en duda algo.

asphalt ['æsfælt] n asfalto m.

asphyxiate [əs'fɪksɪeɪt] vt asfixiar.

aspiration [ˌæspə'reɪʃn] n aspiración f.

aspire [ə'spaɪər] vi: **to aspire to** aspirar a.

aspirin ['æsprɪn] n aspirina f.

ass [æs] n - **1.** [donkey] asno m, -na f - **2.** UK inf [idiot] burro m, -rra f - **3.** US v inf = **arse**.

assailant [ə'seɪlənt] n agresor m, -ra f.

assassin [ə'sæsɪn] n asesino m, -na f.

assassinate [ə'sæsɪneɪt] vt asesinar.

assassination [əˌsæsɪ'neɪʃn] n asesinato m.

assault [ə'sɔːlt] <> n MIL: **assault (on)** ataque m (contra). <> vt [physically] asaltar, agredir; [sexually] abusar de.

assemble [ə'sembl] <> vt - **1.** [gather] juntar, reunir - **2.** [fit together] montar. <> vi reunirse.

assembly [ə'semblɪ] n - **1.** [meeting, law-making body] asamblea f - **2.** [gathering together] reunión f - **3.** UK [at school] reunión de todos los profesores y alumnos de un centro al comienzo de cada día escolar - **4.** [fitting together] montaje m.

assembly line n cadena f de montaje.

assent [ə'sent] <> n consentimiento m. <> vi: **to assent (to)** asentir a.

assert [ə'sɜːt] vt - **1.** [fact, belief] afirmar - **2.** [authority] imponer.

assertive [ə'sɜːtɪv] adj enérgico(ca).

assess [ə'ses] vt evaluar.

assessment [ə'sesmənt] n - **1.** [evaluation] evaluación f - **2.** [calculation] cálculo m.

assessor [ə'sesər] n tasador m, -ra f.

asset ['æset] n - **1.** [valuable quality - of person] cualidad f positiva; [- of thing] ventaja f - **2.** [valuable person] elemento m importante. ◆ **assets** npl COMM activo m.

assign [ə'saɪn] vt - **1.** [gen]: **to assign sthg (to sb)** asignar algo (a alguien); **to assign sb to sthg** asignar a alguien algo; **to assign sb to do sthg** asignar a alguien que haga algo - **2.** [designate for specific use, purpose]: **to assign sthg (to)** destinar algo (a).

assignment [ə'saɪnmənt] n - **1.** [task] misión f; SCH trabajo m - **2.** [act of assigning] asignación f.

assimilate [ə'sɪmɪleɪt] vt - **1.** [learn] asimilar - **2.** [absorb]: **to assimilate sb (into)** integrar a alguien (en).

assist [ə'sɪst] <> vt: **to assist sb (with sthg/doing sthg)** ayudar a alguien (con algo/a hacer algo). <> vi ayudar.

assistance [ə'sɪstəns] n ayuda f, asistencia f; **to be of assistance (to)** ayudar (a).

assistant [ə'sɪstənt] <> n ayudante mf; **(shop) assistant** dependiente m, -ta f. <> comp adjunto(ta); **assistant manager** director adjunto m, directora adjunta f; **assistant referee** árbitro m, asistente f.

associate <> adj [ə'səʊʃɪət] asociado(da). <> n [ə'səʊʃɪət] socio m, -cia f. <> vt [ə'səʊʃɪeɪt] asociar; **to associate sthg/sb with** asociar algo/a alguien con; **to be associated with** [organization, plan, opinion] estar relacionado con; [people] estar asociado con. <> vi [ə'səʊʃɪeɪt]: **to associate with sb** relacionarse con alguien.

association [əˌsəʊsɪ'eɪʃn] n - **1.** [organization, act of associating] asociación f; **in association with** en colaboración con - **2.** [in mind] connotación f.

assorted [ə'sɔːtɪd] adj - **1.** [of various types] variado(da) - **2.** [biscuits, sweets] surtido(da).

assortment [ə'sɔːtmənt] n surtido m.

assume [ə'sjuːm] vt - **1.** [suppose] suponer - **2.** [power, responsibility] asumir - **3.** [appearance, attitude] adoptar.

assumed name [ə'sjuːmd-] n nombre m falso.

assuming [ə'sjuːmɪŋ] conj suponiendo que.

assumption [ə'sʌmpʃn] n - **1.** [supposition] suposición f - **2.** [of power] asunción f.

assurance [ə'ʃʊərəns] n - **1.** [promise] garantía f - **2.** [confidence] seguridad f de sí mismo - **3.** [insurance] seguro m.

assure [ə'ʃʊəʳ] vt asegurar, garantizar; **to assure sb of sthg** garantizar a alguien algo; **to be assured of sthg** tener algo garantizado; **rest assured that...** ten por seguro que...

assured [ə'ʃʊəd] adj [confident] seguro(ra).

asterisk ['æstərɪsk] n asterisco m.

astern [ə'stɜ:n] adv NAUT a popa.

asthma ['æsmə] n asma f.

astonish [ə'stɒnɪʃ] vt asombrar.

astonishment [ə'stɒnɪʃmənt] n asombro m.

astound [ə'staʊnd] vt asombrar.

astray [ə'streɪ] adv: **to go astray** [become lost] extraviarse; **to lead sb astray** [into bad ways] llevar a alguien por el mal camino.

astride [ə'straɪd] <> adv a horcajadas. <> prep a horcajadas de.

astrology [ə'strɒlədʒɪ] n astrología f.

astronaut ['æstrənɔ:t] n astronauta mf.

astronomical [,æstrə'nɒmɪkl] adj lit & fig astronómico(ca).

astronomy [ə'strɒnəmɪ] n astronomía f.

astute [ə'stju:t] adj astuto(ta).

asylum [ə'saɪləm] n - 1. [mental hospital] manicomio m - 2. [protection] asilo m.

asylum seeker [ə'saɪləm'si:kəʳ] n peticionario m, -ria f de asilo.

at (unstressed [ət], stressed [æt]) prep - 1. [indicating place] en; **at my father's** en casa de mi padre; **standing at the window** de pie junto a la ventana; **at the bottom of the hill** al pie de la colina; **at school/work/home** en la escuela/el trabajo/casa - 2. [indicating direction] a - 3. [indicating a particular time]: **at a more suitable time** en un momento más oportuno; **at midnight/noon/eleven o'clock** a medianoche/mediodía/las once; **at night** por la noche; **at Christmas/Easter** en Navidades/Semana Santa - 4. [indicating speed, rate, price] a; **at 100 mph/high speed** a 100 millas por hora/gran velocidad; **at £50 (a pair)** a 50 libras (el par) - 5. [indicating particular state, condition]: **at peace/war** en paz/guerra; **she's at lunch** está comiendo; **to work hard at sthg** trabajar duro en algo - 6. [indicating a particular age] a; **at 52/your age** a los 52/tu edad - 7. (after adjectives): **delighted at** encantado con; **experienced at** experimentado en; **puzzled/horrified at** perplejo/horrorizado ante; **he's good/bad at sport** se le dan bien/mal los deportes. ◆ **at all** adv - 1. (with negative): **not at all** [when thanked] de nada; [when answering a question] en absoluto; **she's not at all happy** no está nada contenta - 2. [in the slightest]: **anything at all will do** cualquier cosa valdrá; **do you know her at all?** ¿la conoces (de algo)?

ate [UK et, US eɪt] pt ▷ **eat**.

atheist ['eɪθɪɪst] n ateo m, -a f.

Athens ['æθɪnz] n Atenas.

athlete ['æθli:t] n atleta mf.

athletic [æθ'letɪk] adj atlético(ca). ◆ **athletics** npl atletismo m.

Atlantic [ət'læntɪk] <> adj atlántico(ca). <> n: **the Atlantic (Ocean)** el (océano) Atlántico.

atlas ['ætləs] n atlas m inv.

ATM (abbr of automatic teller machine) n cajero automático.

atmosphere ['ætmə,sfɪəʳ] n - 1. [of planet] atmósfera f - 2. [air in room, mood of place] ambiente m.

atmospheric [,ætməs'ferɪk] adj - 1. [pressure, pollution] atmosférico(ca) - 2. [attractive, mysterious] sugerente.

atom ['ætəm] n PHYS átomo m.

atom bomb, atomic bomb n bomba f atómica.

atomic [ə'tɒmɪk] adj atómico(ca).

atomic bomb = **atom bomb**.

atomizer, -iser ['ætəmaɪzəʳ] n atomizador m.

atone [ə'təʊn] vi: **to atone for** reparar.

A to Z n guía f alfabética; [map] callejero m.

atrocious [ə'trəʊʃəs] adj [very bad] atroz.

atrocity [ə'trɒsətɪ] n [terrible act] atrocidad f.

attach [ə'tætʃ] vt - 1. [with pin, clip]: **to attach sthg (to)** sujetar algo (a); [with string] atar algo (a) - 2. [document & COMPUT] adjuntar - 3. [importance, blame]: **to attach sthg (to sthg)** atribuir algo (a algo).

attaché case n maletín m.

attached [ə'tætʃt] adj [fond]: **to be attached to** tener cariño a.

attachment [ə'tætʃmənt] n - 1. [device] accesorio m - 2. COMPUT archivo m adjunto - 3. [fondness]: **attachment (to)** cariño m (por).

attack [ə'tæk] <> n: **attack (on)** ataque m (contra); **terrorist attack** atentado m terrorista; **to be under attack** estar siendo atacado. <> vt - 1. [gen] atacar - 2. [job, problem] acometer. <> vi atacar.

attacker [ə'tækəʳ] n atacante mf.

attain [ə'teɪn] vt lograr, alcanzar.

attainment [ə'teɪnmənt] n logro m.

attempt [ə'tempt] <> n: **attempt (at doing sthg)** intento m (de hacer algo); **attempt on sb's life** atentado m contra la vida de alguien. <> vt: **to attempt sthg/to do sthg** intentar algo/hacer algo.

attend [ə'tend] <> vt [go to] asistir a. <> vi - 1. [be present] asistir - 2. [pay attention]: **to attend (to)** atender (a). ◆ **attend to** vt insep - 1. [matter] ocuparse de - 2. [customer] atender a; [patient] asistir a.

attendance [ə'tendəns] n asistencia f; the attendance for the match was over 10,000 más de 10.000 personas asistieron al partido.

attendant [ə'tendənt] ⟨⟩ adj concomitante. ⟨⟩ n [at museum] vigilante mf; [at petrol station, in swimming pool] encargado m, -da f.

attention [ə'tenʃn] ⟨⟩ n (U) - 1. [gen] atención f; to bring sthg to sb's attention, to draw sb's attention to sthg llamar la atención de alguien sobre algo; to attract OR catch sb's attention atraer OR captar la atención de alguien; to pay/pay no attention (to) prestar/no prestar atención (a); for the attention of COMM a la atención de; your attention please! ¡atención! - 2. [care] asistencia f. ⟨⟩ excl MIL ¡firmes!

attentive [ə'tentɪv] adj atento(ta).

attic ['ætɪk] n desván m, entretecho m Amér.

attitude ['ætɪtjuːd] n [posture] postura f.

attn. (abbr of for the attention of) a/a.

attorney [ə'tɜːnɪ] n US abogado m, -da f.

attorney general (pl attorneys general) n fiscal m general del estado.

attract [ə'trækt] vt - 1. [gen] atraer - 2. [support, criticism] suscitar.

attraction [ə'trækʃn] n - 1. [gen]: attraction (to sb) atracción f (hacia OR por alguien) - 2. [attractiveness - of thing] atractivo m.

attractive [ə'træktɪv] adj atractivo(va).

attribute ⟨⟩ vt [ə'trɪbjuːt]: to attribute sthg to atribuir algo a. ⟨⟩ n ['ætrɪbjuːt] atributo m.

attrition [ə'trɪʃn] n desgaste m; war of attrition guerra de desgaste.

aubergine ['əʊbəʒiːn] n UK berenjena f.

auburn ['ɔːbən] adj castaño rojizo.

auction ['ɔːkʃn] ⟨⟩ n subasta f; to put sthg up for auction sacar algo a subasta. ⟨⟩ vt subastar.

auctioneer [ˌɔːkʃə'nɪər] n subastador m, -ra f.

audacious [ɔː'deɪʃəs] adj [daring] audaz; [cheeky] atrevido(da).

audible ['ɔːdəbl] adj audible.

audience ['ɔːdjəns] n - 1. [of play, film] público m - 2. [formal meeting, TV viewers] audiencia f.

audiotypist ['ɔːdɪəʊ,taɪpɪst] n mecanógrafo m, -fa f por dictáfono.

audiovisual ['ɔːdɪəʊ-] adj audiovisual.

audit ['ɔːdɪt] ⟨⟩ n auditoría f. ⟨⟩ vt auditar.

audition [ɔː'dɪʃn] n prueba f (a un artista).

auditor ['ɔːdɪtər] n auditor m, -ra f.

auditorium [ˌɔːdɪ'tɔːrɪəm] (pl -riums OR -ria [-rɪə]) n auditorio m.

augment [ɔːg'ment] vt acrecentar.

augur ['ɔːgər] vi: to augur well/badly ser un buen/mal augurio.

August ['ɔːgəst] n agosto m; see also **September**.

Auld Lang Syne [ˌɔːldlæn'saɪn] n canción escocesa en alabanza de los viejos tiempos que se canta tradicionalmente en Nochevieja.

aunt [ɑːnt] n tía f.

auntie, aunty ['ɑːntɪ] n inf tita f.

au pair [ˌəʊ'peər] n au pair f.

aura ['ɔːrə] n aura f, halo m.

aural ['ɔːrəl] adj auditivo(va).

auspices ['ɔːspɪsɪz] npl: under the auspices of bajo los auspicios de.

auspicious [ɔː'spɪʃəs] adj prometedor(ra).

Aussie ['ɒzɪ] n inf australiano m, -na f.

austere [ɒ'stɪər] adj austero(ra).

austerity [ɒ'sterətɪ] n austeridad f.

Australia [ɒ'streɪljə] n Australia.

Australian [ɒ'streɪljən] ⟨⟩ adj australiano(na). ⟨⟩ n australiano m, -na f.

Austria ['ɒstrɪə] n Austria.

Austrian ['ɒstrɪən] ⟨⟩ adj austriaco(ca). ⟨⟩ n austriaco m, -ca f.

authentic [ɔː'θentɪk] adj auténtico(ca).

author ['ɔːθər] n [by profession] escritor m, -ra f; [of particular book, text] autor m, -ra f.

authoritarian [ɔː,θɒrɪ'teərɪən] adj autoritario(ria).

authoritative [ɔː'θɒrɪtətɪv] adj - 1. [person, voice] autoritario(ria) - 2. [study] autorizado(da).

authority [ɔː'θɒrətɪ] n - 1. [gen] autoridad f; to be an authority on ser una autoridad en - 2. [permission] autorización f. ◆ **authorities** npl: the authorities las autoridades fpl.

authorize, -ise ['ɔːθəraɪz] vt: to authorize (sb to do sthg) autorizar (a alguien a hacer algo).

autism ['ɔːtɪzm] n autismo m.

autistic [ɔː'tɪstɪk] adj autista.

auto ['ɔːtəʊ] (pl -s) n US coche m.

autobiography [ˌɔːtəbaɪ'ɒgrəfɪ] n autobiografía f.

autocratic [ˌɔːtə'krætɪk] adj autocrático(ca).

autograph ['ɔːtəgrɑːf] ⟨⟩ n autógrafo m. ⟨⟩ vt autografiar.

automate ['ɔːtəmeɪt] vt automatizar.

automatic [ˌɔːtə'mætɪk] ⟨⟩ adj automático(ca). ⟨⟩ n - 1. [car] coche m automático - 2. [gun] arma f automática - 3. [washing machine] lavadora f automática.

automatically [ˌɔːtə'mætɪklɪ] adv automáticamente.

automation [ˌɔːtə'meɪʃn] n automatización f.

automobile [ˈɔːtəməbiːl] n US coche m, automóvil m.

autonomous [ɔːˈtɒnəməs] adj autónomo(ma).

autonomy [ɔːˈtɒnəmi] n autonomía f.

autopsy [ˈɔːtɒpsɪ] n autopsia f.

autumn [ˈɔːtəm] n otoño m.

auxiliary [ɔːgˈzɪljərɪ] <> adj auxiliar. <> n [medical worker] auxiliar sanitario m, auxiliar sanitaria f.

Av. (abbr of avenue) Av.

avail [əˈveɪl] <> n: to no avail en vano. <> vt: to avail o.s. of sthg aprovechar algo.

available [əˈveɪləbl] adj - 1. [product, service] disponible; this product is no longer available ya no comercializamos este producto - 2. [person] libre, disponible.

avalanche [ˈævəlɑːnʃ] n lit & fig avalancha f, alud m.

avant-garde [ˌævɒŋˈgɑːd] adj de vanguardia, vanguardista.

avarice [ˈævərɪs] n avaricia f.

Ave. (abbr of avenue) Avda.

avenge [əˈvendʒ] vt vengar.

avenue [ˈævənjuː] n - 1. [wide road] avenida f - 2. fig [method, means] vía f.

average [ˈævərɪdʒ] <> adj - 1. [mean, typical] medio(dia) - 2. [mediocre] regular. <> n media f, promedio m; on average de media, por término medio. <> vt alcanzar un promedio de. ◆ **average out** vi: to average out at salir a una media de.

aversion [əˈvɜːʃn] n [dislike]: aversion (to) aversión f (a).

avert [əˈvɜːt] vt - 1. [problem, accident] evitar, prevenir - 2. [eyes, glance] apartar, desviar.

aviary [ˈeɪvjərɪ] n pajarera f.

avid [ˈævɪd] adj: avid (for) ávido(da) (de).

avocado [ˌævəˈkɑːdəʊ] (pl -s OR -es) n: avocado (pear) aguacate m, palta f Andes & R Plata.

avoid [əˈvɔɪd] vt: to avoid (sthg/doing sthg) evitar(hacer algo); she's been avoiding me me ha estado esquivándome.

avoidance [əˈvɔɪdəns] ▷ **tax avoidance**.

await [əˈweɪt] vt esperar, aguardar.

awake [əˈweɪk] <> adj [not sleeping] despierto(ta). <> vt (pt awoke OR awaked, pp awoken) lit & fig despertar. <> vi lit & fig despertarse.

awakening [əˈweɪkɪŋ] n lit & fig despertar m.

award [əˈwɔːd] <> n - 1. [prize] premio m, galardón m - 2. [compensation] indemnización f.

<> vt: to award sb sthg, to award sthg to sb [prize] conceder OR otorgar algo a alguien; [compensation] adjudicar algo a alguien.

aware [əˈweəʳ] adj - 1. [conscious]: aware of consciente de; to become aware of darse cuenta de - 2. [informed, sensitive] informado(da), al día; aware of sthg al día de algo; to be aware that estar informado de que.

awareness [əˈweənɪs] n conciencia f.

awash [əˈwɒʃ] adj lit & fig: awash (with) inundado(da) (de).

away [əˈweɪ] <> adv - 1. [move, walk, drive]: to walk away (from) marcharse (de); to drive away (from) alejarse (de) (en coche); to turn OR look away apartar la vista - 2. [at a distance - in space, time]: away from a distancia de; 4 miles away a 4 millas de distancia; a long way away muy lejos; the exam is two days away faltan dos días para el examen - 3. [not at home or office] fuera - 4. [in safe place]: to put sthg away poner algo en su sitio - 5. [indicating removal or disappearance]: to fade away desvanecerse; to give sthg away regalar algo; to take sthg away from sb quitarle algo a alguien - 6. [continuously]: he was working away when... estaba muy concentrado trabajando cuando... <> adj SPORT [team, supporters] visitante; away game partido m fuera de casa.

awe [ɔː] n sobrecogimiento m; to be in awe of sb sentirse intimidado por alguien.

awesome [ˈɔːsəm] adj alucinante Esp, macanudo(da) Andes & R Dom, padrísimo(ma) Méx.

awful [ˈɔːfʊl] adj - 1. [terrible] terrible, espantoso(sa); I feel awful me siento fatal - 2. inf [very great] tremendo(da); I like it an awful lot me gusta muchísimo.

awfully [ˈɔːflɪ] adv inf [very] tremendamente.

awhile [əˈwaɪl] adv liter un rato.

awkward [ˈɔːkwəd] adj - 1. [clumsy - movement] torpe; [- person] desgarbado(da) - 2. [embarrassed, embarrassing] incómodo(da) - 3. [unreasonable] difícil - 4. [inconvenient - shape, size] poco manejable; [- moment] inoportuno(na).

awning [ˈɔːnɪŋ] n toldo m.

awoke [əˈwəʊk] pt ▷ **awake**.

awoken [əˈwəʊkn] pp ▷ **awake**.

awry [əˈraɪ] <> adj torcido(da), ladeado(da). <> adv: to go awry salir mal.

axe UK, **ax** US [æks] <> n hacha f. <> vt [project, jobs] suprimir.

axes [ˈæksiːz] npl ▷ **axis**.

axis [ˈæksɪs] (pl axes) n eje m.

axle [ˈæksl] n eje m.

aye [aɪ] <> adv sí. <> n sí m.

azalea [əˈzeɪljə] n azalea f.

Aztec [ˈæztek] <> adj azteca. <> n [person] azteca mf.

B

b (pl **b's** OR **bs**), **B** (pl **B's** OR **Bs**) [biː] n [letter] b f, B f. ◆ **B** n - **1.** MUS si m - **2.** SCH [mark] ≃ bien m.

BA n (abbr of **Bachelor of Arts**), (titular de una) licenciatura de letras.

babble ['bæbl] vi [person] farfullar.

baboon [bə'buːn] n babuino m.

baby ['beɪbɪ] ◇ n - **1.** [newborn child] bebé m; [infant] niño m - **2.** inf [term of affection] cariño m. ◇ comp: **baby brother** hermanito m; **baby sister** hermanita f.

baby buggy n - **1.** UK [foldable pushchair] sillita f de niño (con ruedas) - **2.** US = **baby carriage**.

baby carriage n US cochecito m de niños.

baby food n papilla f.

baby-sit vi cuidar a niños.

baby-sitter [-'sɪtər] n canguro mf.

bachelor ['bætʃələr] n soltero m; **bachelor party** US despedida f de soltero.

Bachelor of Arts n ≃ licenciado m en Letras.

Bachelor of Science n ≃ licenciado m en Ciencias.

back [bæk] ◇ adv - **1.** [in position] atrás; **stand back!** ¡échense para atrás!; **to push back** empujar hacia atrás - **2.** [to former position or state] de vuelta; **to come back** volver; **to go back** volver; **to look back** volver la mirada; **to walk back** volver andando; **to give sthg back** devolver algo; **to be back (in fashion)** estar de vuelta; **he has been there and back** ha estado allí y ha vuelto; **I spent all day going back and forth** pasé todo el día yendo y viniendo - **3.** [in time]: **two weeks back** hace dos semanas; **it dates back to 1960** data de 1960; **back in March** allá en marzo - **4.** [phone, write] de vuelta; **to pay sb back** [give back money] devolverle el dinero a alguien. ◇ n - **1.** [of person] espalda f; [of animal] lomo m; **lying on one's back** tumbado de espaldas; **to break the back of** sthg pasar lo peor OR la peor parte de - **2.** [of hand, cheque] dorso m; [of coin, page] reverso m; [of car, book, head] parte f trasera; [of chair] respaldo m; [of queue] final m; [of room, cupboard] fondo m - **3.** SPORT [player] defensa m. ◇ adj (in compounds) - **1.** [at the back - door, legs, seat] trasero(ra); [- page] último(ma) - **2.** [overdue - pay, rent] atrasado(da). ◇ vt - **1.** [support] respaldar - **2.** [bet on] apostar por - **3.** [strengthen with material] reforzar.

◇ vi [drive backwards] ir marcha atrás; [walk backwards] ir hacia atrás. ◆ **back to back** adv [with backs facing] espalda con espalda. ◆ **back to front** adv al revés. ◆ **back down** vi echarse OR volverse atrás. ◆ **back out** vi echarse OR volverse atrás. ◆ **back up** ◇ vt sep - **1.** [support] apoyar - **2.** COMPUT hacer una copia de seguridad de. ◇ vi - **1.** [reverse] ir marcha atrás - **2.** COMPUT hacer copias de seguridad.

backache ['bækeɪk] n dolor m de espalda.

backbencher [,bæk'bentʃər] n UK diputado sin cargo en el gabinete del gobierno o la oposición.

backbone ['bækbəʊn] n lit & fig columna f vertebral.

backcloth ['bækklɒθ] UK = **backdrop**.

backdate [,bæk'deɪt] vt: **a pay rise backdated to March** un aumento de sueldo con efecto retroactivo desde marzo.

back door n puerta f trasera; **the team qualified through the back door** fig el equipó se clasificó por la puerta trasera.

backdrop ['bækdrɒp], **backcloth** n lit & fig telón m de fondo.

backfire [,bæk'faɪər] vi - **1.** [motor vehicle] petardear - **2.** [go wrong]: **it backfired on him** le salió el tiro por la culata.

backgammon ['bæk,gæmən] n backgammon m.

background ['bækgraʊnd] n - **1.** [in picture, view] fondo m; **in the background** [of painting etc] al fondo; [out of the limelight] en la sombra - **2.** [of event, situation] trasfondo m - **3.** [upbringing] origen m; **family background** antecedentes mpl familiares - **4.** [knowledge, experience]: **a background in** conocimientos mpl de.

backhand ['bækhænd] n revés m.

backhanded ['bækhændɪd] adj fig equívoco(ca).

backhander ['bækhændər] n UK inf: **to give sb a backhander** untarle la mano a alguien, coimear a alguien Andes & R Dom, morder a alguien Amér C & Méx.

backing ['bækɪŋ] n - **1.** [support] apoyo m, respaldo m - **2.** [lining] refuerzo m - **3.** MUS acompañamiento m.

backlash ['bæklæʃ] n reacción f violenta.

backlog ['bæklɒg] n acumulación f.

back number, back issue n número m atrasado.

backpack ['bækpæk] n mochila f.

back pay n (U) atrasos mpl.

back seat n asiento m trasero OR de atrás; **to take a back seat** fig situarse en segundo plano.

backside [,bæk'saɪd] n inf trasero m.

backstage [ˌbækˈsteɪdʒ] *adv* entre bastidores.

back street *n* UK callejuela *f* de barrio.

backstroke [ˈbækstrəʊk] *n* espalda *f (en natación)*; **to do the backstroke** nadar a espalda.

backup [ˈbækʌp] ⬦ *adj* - **1.** [plan] de emergencia; [team] de apoyo - **2.** COMPUT de seguridad. ⬦ *n* - **1.** [support] apoyo *m* - **2.** COMPUT copia *f* de seguridad.

backward [ˈbækwəd] ⬦ *adj* - **1.** [movement, look] hacia atrás - **2.** [country, person] atrasado(da). ⬦ *adv* US = **backwards**.

backwards [ˈbækwədz], **backward** US *adv* - **1.** [move, go] hacia atrás; **backwards and forwards** [movement] de un lado a otro - **2.** [back to front] al OR del revés.

backwater [ˈbækˌwɔːtəʳ] *n fig* páramo *m*, lugar *m* atrasado.

backyard [ˌbækˈjɑːd] *n* - **1.** UK [yard] patio *m* - **2.** US [garden] jardín *m* (trasero).

bacon [ˈbeɪkən] *n* bacon *m*, tocino *m*.

bacteria [bækˈtɪərɪə] *npl* bacterias *fpl*.

bad [bæd] (*comp* **worse**, *superl* **worst**) *adj* - **1.** [gen] malo(la); **he's bad at French** se da mal el francés; **to have a bad back** estar mal de la espalda; **to go bad** [food] echarse a perder; **too bad!** ¡mala suerte!; **it's not bad (at all)** no está nada mal; **how are you? – not bad** ¿qué tal? – bien - **2.** [illness] grave - **3.** [guilty]: **to feel bad about sthg** sentirse mal por algo.

badge [bædʒ] *n* - **1.** [for decoration - metal, plastic] chapa *f*; [- sewn-on] insignia *f* - **2.** [for identification] distintivo *m*.

badger [ˈbædʒəʳ] ⬦ *n* tejón *m*. ⬦ *vt*: **to badger sb (to do sthg)** ponerse pesado(da) con alguien (para que haga algo).

badly [ˈbædlɪ] (*comp* **worse**, *superl* **worst**) *adv* - **1.** [not well] mal; **to think badly of sb** pensar mal de alguien - **2.** [seriously] gravemente; **I'm badly in need of help** necesito ayuda urgentemente.

badly-off *adj* - **1.** [poor] apurado(da) de dinero - **2.** [lacking]: **to be badly-off for sthg** estar OR andar mal de algo.

bad-mannered [-ˈmænəd] *adj* maleducado(da).

badminton [ˈbædmɪntən] *n* bádminton *m*.

bad-tempered [-ˈtempəd] *adj* - **1.** [by nature]: **to be bad-tempered** tener mal genio - **2.** [in a bad mood]: **to be bad-tempered** estar malhumorado(da).

baffle [ˈbæfl] *vt* desconcertar.

bag [bæg] ⬦ *n* - **1.** [container, bagful] bolsa *f*; **to pack one's bags** *fig* hacer las maletas - **2.** [handbag] bolso *m*, cartera *f* Andes & R Plata. ⬦ *vt* UK *inf* [reserve] pedirse, reservarse.

⬦ **bags** *npl* - **1.** [under eyes]: **to have bags under one's eyes** *inf* tener ojeras - **2.** [lots]: **bags of** *inf* un montón de.

bagel [ˈbeɪgəl] *n* bollo de pan en forma de rosca.

baggage [ˈbægɪdʒ] *n esp* US (U) equipaje *m*.

baggage reclaim *n* recogida *f* de equipajes.

baggy [ˈbægɪ] *adj* holgado(da).

bagpipes [ˈbægpaɪps] *npl* gaita *f*.

Bahamas [bəˈhɑːməz] *npl*: **the Bahamas** las Bahamas.

bail [beɪl] *n* (U) fianza *f*; **on bail** bajo fianza.

⬦ **bail out** ⬦ *vt sep* - **1.** [pay bail for] obtener la libertad bajo fianza de - **2.** [rescue] sacar de apuros. ⬦ *vi* [from plane] tirarse en paracaídas *(antes de que se estrelle el avión)*.

bailiff [ˈbeɪlɪf] *n* alguacil *m*.

bait [beɪt] ⬦ *n lit & fig* cebo *m*; **to rise to OR take the bait** *fig* picarse, morder el anzuelo. ⬦ *vt* - **1.** [put bait on] cebar - **2.** [tease, torment] hacer sufrir, cebarse con.

bake [beɪk] ⬦ *vt* [food] cocer al horno. ⬦ *vi* [food] cocerse al horno.

baked beans [beɪkt-] *npl* alubias *fpl* cocidas en salsa de tomate.

baked potato [beɪkt-] *n* patata *f* asada OR al horno.

baker [ˈbeɪkəʳ] *n* panadero *m*; **baker's (shop)** panadería *f*.

bakery [ˈbeɪkərɪ] *n* panadería *f*.

baking [ˈbeɪkɪŋ] *n* cocción *f*.

balaclava (helmet) [bæləˈklɑːvə-] *n* pasamontañas *m inv*.

balance [ˈbæləns] ⬦ *n* - **1.** [equilibrium] equilibrio *m*; **to keep/lose one's balance** mantener/perder el equilibrio; **it caught me off balance** me pilló desprevenido(da) - **2.** *fig* [counterweight] contrapunto *m* - **3.** [of evidence etc] peso *m* - **4.** [scales] balanza *f*; **to be OR hang in the balance** estar en el aire - **5.** [of account] saldo *m*. ⬦ *vt* - **1.** [keep in balance] poner en equilibrio - **2.** [compare] sopesar. ⬦ *vi* - **1.** [maintain equilibrium] sostenerse en equilibrio - **2.** [in accounting] cuadrar. ⬦ **on balance** *adv* tras pensarlo detenidamente.

balanced diet *n* dieta *f* equilibrada.

balance of payments *n* balanza *f* de pagos.

balance of trade *n* balanza *f* comercial.

balance sheet *n* balance *m*.

balcony [ˈbælkənɪ] *n* - **1.** [on building - big] terraza *f*; [- small] balcón *m* - **2.** [in theatre] anfiteatro *m*, galería *f*.

bald [bɔːld] *adj* - **1.** [without hair] calvo(va) - **2.** [tyre] desgastado(da) - **3.** *fig* [blunt] escueto(ta).

bale [beɪl] n bala f. ◆ **bale out** vi UK - 1. [remove water] achicar agua - 2. [from plane] tirarse en paracaídas (antes de que se estrelle el avión).

Balearic Islands [ˌbælɪˈærɪk-], **Balearics** [ˌbælɪˈærɪks] npl: the Balearic Islands las Baleares.

baleful [ˈbeɪlfʊl] adj maligno(na).

balk, baulk [bɔːk] vi: to balk (at doing sthg) resistirse (a hacer algo).

Balkans [ˈbɔːlkənz], **Balkan States** npl: the Balkans los Balcanes.

ball [bɔːl] n - 1. [for tennis, cricket] pelota f; [for golf, billiards] bola f; [for football, basketball, rugby] balón m - 2. [round shape] bola f - 3. [of foot] pulpejo m - 4. [dance] baile m. ◆ **balls** v inf ◇ npl [testicles] pelotas fpl. ◇ n (U) [nonsense] gilipolleces fpl.

ballad [ˈbæləd] n balada f.

ballast [ˈbæləst] n lastre m.

ball bearing n cojinete m de bolas.

ball boy n recogepelotas m inv.

ballerina [ˌbæləˈriːnə] n bailarina f.

ballet [ˈbæleɪ] n ballet m.

ballet dancer n bailarín m, -ina f.

ball game n US [baseball match] partido m de béisbol.

balloon [bəˈluːn] n - 1. [toy] globo m - 2. [hot-air balloon] globo m (aerostático) - 3. [in cartoon] bocadillo m.

ballot [ˈbælət] ◇ n [voting process] votación f. ◇ vt: to ballot the members on an issue someter un asunto a votación entre los afiliados.

ballot box n [container] urna f; to decide sthg at the ballot box decidir algo en las urnas.

ballot paper n voto m, papeleta f, balota f Perú, boleta f electoral Méx & R Plata.

ballpoint (pen) [ˈbɔːlpɔɪnt-] n bolígrafo m, pluma f atómica Méx, esfero m Col, birome f R Plata, lápiz m de pasta Chile.

ballroom [ˈbɔːlrʊm] n salón m de baile.

ballroom dancing n (U) baile m de salón.

balm [bɑːm] n bálsamo m.

balmy [ˈbɑːmɪ] adj apacible.

balti [ˈbɔːltɪ] n [pan] cacerola utilizada en la cocina india; [food] plato indio sazonado con especias y preparado en un 'balti'.

Baltic [ˈbɔːltɪk] ◇ adj báltico(ca). ◇ n: the Baltic (Sea) el (mar) Báltico.

Baltic Republic n: the Baltic Republics las repúblicas bálticas.

bamboo [bæmˈbuː] n bambú m.

bamboozle [bæmˈbuːzl] vt inf camelar, engatusar.

ban [bæn] ◇ n: ban (on) prohibición f (de). ◇ vt: to ban (sb from doing sthg) prohibir (a alguien hacer algo).

banal [bəˈnɑːl] adj pej banal.

banana [bəˈnɑːnə] n plátano m, banana f Amér.

band [bænd] n - 1. [musical group - pop] grupo m; [- jazz, military] banda f - 2. [of thieves etc] banda f - 3. [strip] cinta f, tira f - 4. [stripe, range] franja f. ◆ **band together** vi juntarse.

bandage [ˈbændɪdʒ] ◇ n venda f. ◇ vt vendar.

Band-Aid® n US ≃ tirita® f Esp, ≃ curita f Amér.

b and b, B and B n abbr of bed and breakfast.

bandit [ˈbændɪt] n bandido m, -da f.

bandstand [ˈbændstænd] n quiosco m de música.

bandwagon [ˈbændwægən] n: to jump on the bandwagon subirse OR apuntarse al carro.

bandy [ˈbændɪ] adj [legs] arqueado(da). ◆ **bandy about, bandy around** vt sep sacar a relucir.

bandy-legged [-ˌlegd] adj de piernas arqueadas.

bang [bæŋ] ◇ n - 1. [blow] golpe m - 2. [loud noise] estampido m, estruendo m. ◇ vt - 1. [hit - drum, desk] golpear; [- knee, head] golpearse - 2. [door] cerrar de golpe. ◇ vi golpear. ◇ adv [exactly]: bang in the middle of justo en mitad de; bang on [correct] muy acertado(da). ◆ **bangs** npl US flequillo m.

banger [ˈbæŋər] n UK - 1. inf [sausage] salchicha f - 2. inf [old car] carraca f, cacharro m - 3. [firework] petardo m.

Bangladesh [ˌbæŋgləˈdeʃ] n Bangladesh.

bangle [ˈbæŋgl] n brazalete m.

banish [ˈbænɪʃ] vt lit & fig desterrar.

banister [ˈbænɪstər] n barandilla f, pasamanos m inv.

bank [bæŋk] ◇ n - 1. [gen & FIN] banco m - 2. [by river, lake] ribera f, orilla f - 3. [slope] loma f - 4. [of clouds etc] masa f. ◇ vi - 1. FIN: to bank with tener una cuenta en - 2. [plane] ladearse. ◆ **bank on** vt insep contar con.

bank account n cuenta f bancaria.

bank balance n saldo m bancario.

bank card = banker's card.

bank charges npl comisiones fpl bancarias.

bank details npl datos mpl bancarios.

bank draft n giro m bancario.

banker [ˈbæŋkər] n banquero m, -ra f.

banker's card, bank card n UK tarjeta f de identificación bancaria.

bank holiday n UK día m festivo.

bases

banking ['bæŋkɪŋ] *n* banca *f*.

bank manager *n* director *m*, -ra *f* de banco.

bank note *n* billete *m* de banco.

bank rate *n* tipo *m* de interés bancario.

bankrupt ['bæŋkrʌpt] ⬦ *adj* [financially] quebrado(da), en quiebra; **to go bankrupt** quebrar. ⬦ *vt* llevar a la quiebra.

bankruptcy ['bæŋkrəptsɪ] *n* quiebra *f*, bancarrota *f*; *fig* [of ideas] falta *f* total.

bank statement *n* extracto de cuenta.

banner ['bænər] *n* - **1.** [carrying slogan] pancarta *f* - **2.** [comput] banner *m*, pancarta *f* publicitaria.

banoffee [bə'nɒfiː] *n* (U) postre hecho con galletas, plátano, mantequilla y leche condensada.

banquet ['bæŋkwɪt] *n* banquete *m*.

banter ['bæntər] *n* (U) bromas *fpl*.

bap [bæp] *n* UK bollo *m* de pan.

baptism ['bæptɪzm] *n* bautismo *m*.

baptize, -ise [UK bæp'taɪz, US 'bæptaɪz] *vt* bautizar.

bar [bɑːr] ⬦ *n* - **1.** [of soap] pastilla *f*; [of gold] lingote *m*; [of wood] barrote *m*; [of metal] barra *f*; **a bar of chocolate** una chocolatina; **to be behind bars** estar entre rejas - **2.** [drinking place] bar *m* - **3.** [counter] barra *f* - **4.** *fig* [obstacle] barrera *f*; [ban] prohibición *f* - **5.** MUS compás *m*. ⬦ *vt* - **1.** [close with a bar] atrancar - **2.** [block]: **to bar sb's way** impedir el paso a alguien - **3.** [ban]: **to bar sb (from doing sthg)** prohibir a alguien (hacer algo); **to bar sb from somewhere** prohibir a alguien la entrada en un sitio. ⬦ *prep* [except] menos, salvo; **bar none** sin excepción. ➡ **Bar** *n* LAW: **the Bar** UK *conjunto de los abogados que ejercen en tribunales superiores*; US *la abogacía*.

barbaric [bɑː'bærɪk] *adj* salvaje.

barbecue ['bɑːbɪkjuː] *n* barbacoa *f*.

barbed wire [bɑːbd-] *n* alambre *m* de espino.

barber ['bɑːbər] *n* barbero *m*; **barber's** peluquería *f*.

barbershop ['bɑːbəʃɒp] *n* US barbería *f*.

barbiturate [bɑː'bɪtjʊrət] *n* barbitúrico *m*.

bar code *n* código *m* de barras.

bare [beər] ⬦ *adj* - **1.** [without covering - legs, trees, hills] desnudo(da); [- feet] descalzo(za) - **2.** [absolute, minimum] esencial - **3.** [empty] vacío(a). ⬦ *vt* descubrir; **to bare one's teeth** enseñar los dientes.

bareback ['beəbæk] *adj* & *adv* a pelo.

barefaced ['beəfeɪst] *adj* descarado(da).

barefoot(ed) [,beə'fʊt(ɪd)] *adj* & *adv* descalzo(za).

barely ['beəlɪ] *adv* [scarcely] apenas.

bargain ['bɑːgɪn] ⬦ *n* - **1.** [agreement] trato *m*, acuerdo *m*; **into the bargain** además - **2.** [good buy] ganga *f*. ⬦ *vi*: **to bargain (with sb for sthg)** negociar (con alguien para obtener algo). ➡ **bargain for, bargain on** *vt insep* contar con.

barge [bɑːdʒ] ⬦ *n* barcaza *f*. ⬦ *vi inf*: **to barge into** [person] chocarse con; [room] irrumpir en. ➡ **barge in** *vi inf*: **to barge in (on)** [conversation etc] entrometerse (en).

baritone ['bærɪtəʊn] *n* barítono *m*.

bark [bɑːk] ⬦ *n* - **1.** [of dog] ladrido *m* - **2.** [on tree] corteza *f*. ⬦ *vi*: **to bark (at)** ladrar (a).

barley ['bɑːlɪ] *n* cebada *f*.

barley sugar *n* UK azúcar *m* o *f* cande.

barley water *n* UK hordiate *m*.

barmaid ['bɑːmeɪd] *n* camarera *f*.

barman ['bɑːmən] (*pl* -men [-mən]) *n* camarero *m*, barman *m*.

barn [bɑːn] *n* granero *m*.

barometer [bə'rɒmɪtər] *n* barómetro *m*; *fig* [of public opinion etc] piedra *f* de toque.

baron ['bærən] *n* barón *m*; **press/oil baron** *fig* magnate *m* de la prensa/del petróleo.

baroness ['bærənɪs] *n* baronesa *f*.

barrack ['bærək] *vt* UK abroncar. ➡ **barracks** *npl* cuartel *m*.

barrage ['bærɑːʒ] *n* - **1.** [of firing] descarga *f*, fuego *m* intenso de artillería - **2.** [of questions] aluvión *m*, alud *m* - **3.** UK [dam] presa *f*, dique *m*.

barrel ['bærəl] *n* - **1.** [for beer, wine, oil] barril *m* - **2.** [of gun] cañón *m*.

barren ['bærən] *adj* estéril.

barricade [,bærɪ'keɪd] ⬦ *n* barricada *f*. ⬦ *vt* levantar barricadas en.

barrier ['bærɪər] *n* lit & fig barrera *f*.

barring ['bɑːrɪŋ] *prep* salvo; **barring a miracle** a menos que ocurra un milagro.

barrister ['bærɪstər] *n* UK abogado *m*, -da *f* (de tribunales superiores).

barrow ['bærəʊ] *n* carrito *m*.

bartender ['bɑːtendər] *n* esp US camarero *m*, -ra *f*.

barter ['bɑːtər] ⬦ *n* trueque *m*. ⬦ *vt*: **to barter (sthg for sthg)** trocar (algo por algo).

base [beɪs] ⬦ *n* base *f*. ⬦ *vt* - **1.** [place, establish] emplazar; **he's based in Paris** vive en París - **2.** [use as starting point]: **to base sthg on** OR **upon** basar algo en. ⬦ *adj pej* bajo(ja), vil.

baseball ['beɪsbɔːl] *n* béisbol *m*.

baseball cap *n* gorra *f* de visera.

basement ['beɪsmənt] *n* sótano *m*.

base rate *n* tipo *m* de interés base.

bases ['beɪsiːz] *npl* ▷ **basis**.

bash [bæʃ] *inf* ⬦ n - 1. [attempt]: **to have a bash at sthg** intentar algo - 2. [party] juerga f. ⬦ vt [hit - person, thing] darle un porrazo a; [- one's head, knee] darse un porrazo en.

bashful ['bæʃfʊl] *adj* [person] vergonzoso(sa); [smile] tímido(da).

basic ['beɪsɪk] *adj* básico(ca). ◆ **basics** *npl* - 1. [rudiments] principios *mpl* básicos - 2. [essentials] lo imprescindible.

basically ['beɪsɪklɪ] *adv* - 1. [essentially] esencialmente - 2. [really] en resumen.

basil ['bæzl] *n* albahaca f.

basin ['beɪsn] *n* - 1. UK [bowl] balde m, barreño m - 2. [wash basin] lavabo m - 3. GEOG cuenca f.

basis ['beɪsɪs] (*pl* **bases**) *n* base f; **on the basis of** de acuerdo con, a partir de; **on a weekly basis** semanalmente; **on a monthly basis** mensualmente.

bask [bɑːsk] *vi* [sunbathe]: **to bask in the sun** tostarse al sol.

basket ['bɑːskɪt] *n* - 1. [container] cesta f - 2. [in basketball] canasta f.

basketball ['bɑːskɪtbɔːl] *n* baloncesto m.

Basque [bɑːsk] ⬦ *adj* vasco(ca). ⬦ n - 1. [person] vasco m, -ca f - 2. [language] vascuence m, euskera m.

basmati (rice) [bæz'mɑːtɪ-] *n* (U) CULIN arroz m basmati.

bass [beɪs] ⬦ *adj* bajo(ja). ⬦ n - 1. [singer, bass guitar] bajo m - 2. [double bass] contrabajo m - 3. [on hi-fi, amplifier] graves *mpl*.

bass drum [beɪs-] *n* bombo m.

bass guitar [beɪs-] *n* bajo m.

bassoon [bə'suːn] *n* fagot m.

bastard ['bɑːstəd] *n* - 1. [illegitimate child] bastardo m, -da f - 2. v inf pej cabrón m, -ona f.

bastion ['bæstɪən] *n* bastión m.

bat [bæt] *n* - 1. [animal] murciélago m - 2. [for cricket, baseball] bate m - 3. [for table-tennis] pala f, paleta f.

batch [bætʃ] *n* - 1. [of bread] hornada f - 2. [of letters etc] remesa f - 3. [of work] montón m - 4. [of products] lote m.

bated ['beɪtɪd] *adj*: **with bated breath** con el aliento contenido.

bath [bɑːθ] ⬦ n - 1. [bathtub] bañera f, bañadera f Arg, tina f Amér - 2. [act of washing] baño m, bañada f Amér; **to have OR take a bath** darse un baño, bañarse. ⬦ vt bañar. ◆ **baths** *npl* UK [public swimming pool] piscina f municipal, alberca f municipal Méx, pileta f municipal R Plata.

bathe [beɪð] ⬦ vt [wound] lavar. ⬦ vi bañarse.

bathing ['beɪðɪŋ] *n* (U) baños *mpl*.

bathing cap *n* gorro m de baño.

bathing costume, bathing suit *n* traje m de baño, bañador m, malla f Amér.

bathrobe ['bɑːθrəʊb] *n* - 1. [made of towelling] albornoz m - 2. [dressing gown] batín m, bata f.

bathroom ['bɑːθrʊm] *n* - 1. UK [room with bath] (cuarto m de) baño m - 2. [toilet] servicio m.

bath towel *n* toalla f de baño.

bathtub ['bɑːθtʌb] *n* bañera f.

baton ['bætən] *n* - 1. [of conductor] batuta f - 2. [in relay race] testigo m - 3. UK [of policeman] porra f.

batsman ['bætsmən] (*pl* -men [-mən]) *n* bateador m.

battalion [bə'tæljən] *n* batallón m.

batten ['bætn] *n* listón m (de madera).

batter ['bætər] ⬦ n pasta f para rebozar; US [for cakes] mezcla f pastelera. ⬦ vt - 1. [child, woman] pegar - 2. [door, ship] golpear. ◆ **batter down** vt sep echar abajo.

battered ['bætəd] *adj* - 1. [child, woman] maltratado(da) - 2. [car, hat] abollado(da) - 3. [fish, vegetables etc] rebozado(da).

battery ['bætərɪ] *n* [of radio, toy] pila f; [of car, guns] batería f.

battle ['bætl] ⬦ n - 1. [in war] batalla f - 2. [struggle]: **battle (for/against/with)** lucha f (por/contra/con). ⬦ vi: **to battle (for/against/with)** luchar (por/contra/con).

battlefield ['bætlfiːld], **battleground** ['bætlgraʊnd] *n* lit & fig campo m de batalla.

battlements ['bætlmənts] *npl* almenas *fpl*.

battleship ['bætlʃɪp] *n* acorazado m.

bauble ['bɔːbl] *n* - 1. [ornament] baratija f - 2. [for Christmas tree] bola f de Navidad.

baulk [bɔːk] = balk.

bawdy ['bɔːdɪ] *adj* verde, picante.

bawl [bɔːl] *vi* - 1. [shout] vociferar - 2. [cry] berrear.

bay [beɪ] ⬦ n - 1. [of coast] bahía f - 2. [for loading] zona f de carga y descarga - 3. [for parking] plaza f
▸▸▸ **to keep sthg/sb at bay** mantener algo/a alguien a raya. ⬦ vi aullar.

bay leaf *n* (hoja f de) laurel m.

bay window *n* ventana f saledizd.

bazaar [bə'zɑːr] *n* - 1. [market] bazar m - 2. UK [charity sale] mercadillo m benéfico.

B & B *abbr of* **bed and breakfast**.

BBC (*abbr of* British Broadcasting Corporation) *n* BBC f, compañía estatal británica de radiotelevisión.

BC (*abbr of* before Christ) a.C.

Bcc [,biː'siː'siː] (*abbr of* blind carbon copy) *n* Cco.

be [biː] (*pt* was OR were, *pp* been) ⬦ *aux vb* - 1. *(in combination with present participle: to*

49 beautifully

form cont tense) estar; **what is he doing?** ¿qué hace OR está haciendo?; **it's snowing** está nevando; **I'm leaving tomorrow** me voy mañana; **they've been promising it for years** han estado prometiéndolo durante años - 2. *(in combination with pp: to form passive)* ser; **to be loved** ser amado; **there was no one to be seen** no se veía a nadie; **ten people were killed** murieron diez personas - 3. *(in question tags)*: **you're not going now, are you?** no irás a marcharte ya ¿no?; **the meal was delicious, wasn't it?** la comida fue deliciosa ¿verdad? - 4. *(followed by 'to' + infinitive)*: **I'm to be promoted** me van a ascender; **you're not to tell anyone** no debes decírselo a nadie. ◇ *cop vb* - 1. *(with adj, n)* [indicating innate quality, permanent condition] ser; [indicating state, temporary condition] estar; **snow is white** la nieve es blanca; **she's intelligent/tall** es inteligente/alta; **to be a doctor/plumber** ser médico/fontanero; **I'm Welsh** soy galés; **1 and 1 are 2** 1 y 1 son 2; **your hands are cold** tus manos están frías; **I'm tired/angry** estoy cansado/enfadado; **he's in a difficult position** está en una situación difícil - 2. [referring to health] estar; **she's ill/better** está enferma/mejor; **how are you?** ¿cómo estás?, ¿qué tal? - 3. [referring to age]: **how old are you?** ¿qué edad OR cuántos años tienes?; **I'm 20 (years old)** tengo 20 años - 4. [cost] ser, costar; **how much is it?** ¿cuánto es?; **that will be £10, please** son 10 libras; **apples are only 40p a kilo today** hoy las manzanas están a tan sólo 40 peniques el kilo. ◇ *vi* - 1. [exist] ser, existir; **the worst prime minister that ever was** el peor primer ministro de todos los tiempos; **be that as it may** aunque así sea; **there is/are** hay; **is there life on Mars?** ¿hay vida en Marte? - 2. [referring to place] estar; **Valencia is in Spain** Valencia está en España; **he will be here tomorrow** estará aquí mañana - 3. [referring to movement] estar; **where have you been?** ¿dónde has estado? ◇ *impers vb* - 1. [referring to time, dates] ser; **it's two o'clock** son las dos; **it's the 17th of February** estamos a 17 de febrero - 2. [referring to distance]: **it's 3 km to the next town** hay 3 kms hasta el próximo pueblo - 3. [referring to the weather]: **it's hot/cold/windy** hace calor/frío/viento - 4. [for emphasis] ser; **it's me** soy yo.

beach [biːtʃ] ◇ *n* playa *f*. ◇ *vt* varar.

beacon ['biːkən] *n* - 1. [warning fire] almenara *f* - 2. [lighthouse] faro *m* - 3. [radio beacon] radiofaro *m*.

bead [biːd] *n* - 1. [of wood, glass] cuenta *f*, abalorio *m* - 2. [of sweat] gota *f*.

beagle ['biːgl] *n* beagle *m*.

beak [biːk] *n* pico *m*.

beaker ['biːkər] *n* taza *f (sin asa)*.

beam [biːm] ◇ *n* - 1. [of wood, concrete] viga *f* - 2. [of light] rayo *m*. ◇ *vt* transmitir. ◇ *vi* - 1. [smile] sonreír resplandeciente - 2. [shine] resplandecer.

bean [biːn] *n* CULIN [haricot] judía *f*, habichuela *f*, frijol *m Amér*, poroto *m Andes*, caraota *f Ven*; [of coffee] grano *m*.

beanbag ['biːnbæg] *n* cojín grande relleno de bolitas de polietileno.

beanshoot ['biːnʃuːt], **beansprout** ['biːnspraʊt] *n* brote *m* de soja.

bear [beər] ◇ *n* [animal] oso *m*, -sa *f*. ◇ *vt (pt* bore, *pp* borne) - 1. [carry] llevar - 2. [support] soportar - 3. [responsibility] cargar con - 4. [marks, signs] llevar - 5. [endure] aguantar - 6. [fruit, crop] dar - 7. [feeling] guardar, albergar. ◇ *vi*: **to bear left** torcer OR doblar a la izquierda; **to bring pressure/influence to bear on** ejercer presión/influencia sobre. ◆ **bear down** *vi*: **to bear down on** echarse encima de. ◆ **bear out** *vt sep* corroborar. ◆ **bear up** *vi* resistir. ◆ **bear with** *vt insep* tener paciencia con; **if you could just bear with me a moment...** si no le importa esperar un momento...

beard [biəd] *n* barba *f*.

bearer ['beərər] *n* - 1. [of stretcher, news, cheque] portador *m*, -ra *f* - 2. [of passport] titular *mf*.

bearing ['beərɪŋ] *n* - 1. [connection]: **bearing (on)** relación *f* (con) - 2. [deportment] porte *m* - 3. [for shaft] cojinete *m* - 4. [on compass] rumbo *m*; **to get one's bearings** orientarse; **to lose one's bearings** desorientarse.

beast [biːst] *n* lit & fig bestia *f*.

beastly ['biːstlɪ] *adj dated* atroz.

beat [biːt] ◇ *n* - 1. [of drum] golpe *m* - 2. [of heart, pulse] latido *m* - 3. MUS [rhythm] ritmo *m*; [individual unit of time] golpe *m (de compás)* - 4. [of policeman] ronda *f*. ◇ *vt (pt* beat, *pp* beaten) - 1. [hit - person] pegar; [- thing] golpear; [- carpet] sacudir - 2. [wings, eggs, butter] batir - 3. [defeat]: **to beat sb (at sthg)** ganar a alguien (a algo); **it beats me** *inf* no me lo explico - 4. [be better than] ser mucho mejor que; **beat it!** *inf* ¡largo! ◇ *vi (pt* beat, *pp* beaten) - 1. [rain] golpear - 2. [heart, pulse] latir; [drums] redoblar. ◆ **beat off** *vt sep* [attackers] repeler. ◆ **beat up** *vt sep inf* dar una paliza a; **to beat o.s. up (about sth)** castigarse (por algo). ◆ **beat up on** *vt sep US inf* dar una paliza a.

beating ['biːtɪŋ] *n* - 1. [hitting] paliza *f* - 2. [defeat] derrota *f*.

beautiful ['bjuːtɪfʊl] *adj* - 1. [person] guapo(pa) - 2. [thing, animal] precioso(sa) - 3. *inf* [very good - shot, weather] espléndido(da).

beautifully ['bjuːtəflɪ] *adv* - 1. [attractively] bellamente - 2. *inf* [very well] espléndidamente.

beauty ['bju:tɪ] *n* belleza *f*.

beauty parlour, beauty salon *n* salón *m* de belleza.

beauty salon = beauty parlour.

beauty spot *n* - **1**. [picturesque place] bello paraje *m* - **2**. [on skin] lunar *m*.

beaver ['bi:vər] *n* castor *m*.

became [bɪ'keɪm] *pt* ▷ **become**.

because [bɪ'kɒz] *conj* porque. **because of** *prep* por, a causa de.

beck [bek] *n*: **to be at sb's beck and call** estar siempre a disposición de alguien.

beckon ['bekən] ◇ *vt* [signal to] llamar (con un gesto). ◇ *vi* [signal]: **to beckon to sb** llamar (con un gesto) a alguien.

become [bɪ'kʌm] (*pt* **became**, *pp* **become**) *vi* hacerse; **to become happy** ponerse contento; **to become suspicious** volverse receloso; **to become angry** enfadarse; **he became Prime Minister in 1991** en 1991 se convirtió en primer ministro.

becoming [bɪ'kʌmɪŋ] *adj* - **1**. [attractive] favorecedor(ra) - **2**. [appropriate] apropiado(da).

bed [bed] *n* - **1**. [to sleep on] cama *f*; **to go to bed** irse a la cama; **to make the bed** hacer la cama; **to put sb to bed** acostar a alguien - **2**. [flowerbed] maciso *m*; **a bed of roses** *fig* un lecho de rosas - **3**. [of sea] fondo *m*; [of river] lecho *m*.

bed and breakfast *n* [service] cama *f* y desayuno; [hotel] ≃ pensión *f*.

bedclothes ['bedkləʊðz] *npl* ropa *f* de cama.

bedlam ['bedləm] *n* jaleo *m*, alboroto *m*.

bed linen *n* ropa *f* de cama.

bedraggled [bɪ'drægld] *adj* mojado y sucio(mojada y sucia).

bedridden ['bed,rɪdn] *adj* postrado(da) en cama.

bedroom ['bedrʊm] *n* - **1**. [at home] dormitorio *m*, recámara *f* *Amér C & Méx* - **2**. [in hotel] habitación *f*, recámara *f* *Amér C & Méx*.

bedside ['bedsaɪd] *n* [side of bed] lado *m* de la cama; [of ill person] lecho *m*; **bedside table** mesita *f* de noche.

bedsore ['bedsɔ:r] *n* úlcera *f* por decúbito.

bedspread ['bedspred] *n* colcha *f*.

bedtime ['bedtaɪm] *n* hora *f* de irse a la cama.

bee [bi:] *n* abeja *f*.

beef [bi:f] *n* carne *f* de vaca, carne *f* de res *Amér*. **beef up** *vt sep inf* reforzar.

beefburger ['bi:f,bɜ:gər] *n* hamburguesa *f*.

beeline ['bi:laɪn] *n*: **to make a beeline for** *inf* irse derechito(ta) hacia.

been [bi:n] *pp* ▷ **be**.

beeper ['bi:pər] *n* buscapersonas *m inv*.

beer [bɪər] *n* cerveza *f*.

beet [bi:t] *n* - **1**. [sugar beet] remolacha *f* azucarera - **2**. *US* [beetroot] remolacha *f*, betabel *m* *Méx*, betarraga *f* *Chile*.

beetle ['bi:tl] *n* escarabajo *m*.

beetroot ['bi:tru:t] *n* remolacha *f*, betabel *m* *Méx*, betarraga *f* *Chile*.

before [bɪ'fɔ:r] ◇ *adv* antes; **we went the year before** fuimos el año anterior. ◇ *prep* - **1**. [in time] antes de; **they arrived before us** llegaron antes que nosotros - **2**. [in space - facing] ante, delante de. ◇ *conj* antes de; **before it's too late** antes de que sea demasiado tarde.

beforehand [bɪ'fɔ:hænd] *adv* con antelación, de antemano.

befriend [bɪ'frend] *vt* hacer OR entablar amistad con.

beg [beg] ◇ *vt* - **1**. [money, food] mendigar, pedir - **2**. [favour, forgiveness] suplicar; **to beg sb to do sthg** rogar a alguien que haga algo; **to beg sb for sthg** rogar algo a alguien. ◇ *vi* - **1**. [for money, food]: **to beg (for sthg)** pedir OR mendigar (algo) - **2**. [for favour, forgiveness]: **to beg (for sthg)** suplicar OR rogar (algo).

began [bɪ'gæn] *pt* ▷ **begin**.

beggar ['begər] *n* [poor person] mendigo *m*, -ga *f*.

begin [bɪ'gɪn] (*pt* **began**, *pp* **begun**, *cont* -ning) ◇ *vt*: **to begin (doing** OR **to do sthg)** empezar OR comenzar (a hacer algo). ◇ *vi* empezar, comenzar; **to begin with** para empezar, de entrada.

beginner [bɪ'gɪnər] *n* principiante *mf*.

beginning [bɪ'gɪnɪŋ] *n* comienzo *m*, principio *m*; **at the beginning of the month** a principios de mes.

begrudge [bɪ'grʌdʒ] *vt* - **1**. [envy]: **to begrudge sb sthg** envidiar a alguien algo - **2**. [give, do unwillingly]: **to begrudge doing sthg** hacer algo de mala gana OR a regañadientes.

begun [bɪ'gʌn] *pp* ▷ **begin**.

behalf [bɪ'hɑ:f] *n*: **on behalf of** *UK*, **in behalf of** *US* en nombre OR en representación de.

behave [bɪ'heɪv] ◇ *vt*: **to behave o.s.** portarse bien. ◇ *vi* - **1**. [in a particular way] comportarse, portarse - **2**. [in an acceptable way] comportarse OR portarse bien.

behaviour *UK*, **behavior** *US* [bɪ'heɪvjər] *n* comportamiento *m*, conducta *f*.

behead [bɪ'hed] *vt* decapitar.

beheld [bɪ'held] *pt* & *pp* ▷ **behold**.

behind [bɪ'haɪnd] ◇ *prep* - **1**. [in space] detrás de - **2**. [causing, responsible for] detrás de - **3**. [in support of]: **we're behind you** nosotros te apoyamos - **4**. [in time]: **to be behind schedule** ir retrasado(da) - **5**. [less successful than] por detrás de. ◇ *adv* - **1**. [in space] detrás - **2**. [in

time]: **to be behind (with)** ir atrasado(da) (con) - **3.** [less successful] por detrás. ◇ *n inf* trasero *m*.

behold [bɪ'həʊld] (*pt & pp* **beheld**) *vt liter* contemplar.

beige [beɪʒ] *adj* beige.

being ['biːɪŋ] *n* - **1.** [creature] ser *m* - **2.** [state of existing]: **it is no longer in being** ya no existe; **to come into being** ver la luz, nacer.

belated [bɪ'leɪtɪd] *adj* tardío(a).

belch [beltʃ] ◇ *vt* arrojar. ◇ *vi* - **1.** [person] eructar - **2.** [smoke, fire] brotar.

beleaguered [bɪ'liːɡəd] *adj* - **1.** MIL asediado(da) - **2.** *fig* [harassed] acosado(da).

Belgian ['beldʒən] ◇ *adj* belga. ◇ *n* belga *mf*.

Belgium ['beldʒəm] *n* Bélgica.

Belgrade [,bel'ɡreɪd] *n* Belgrado.

belie [bɪ'laɪ] (*cont* **belying**) *vt* - **1.** [disprove] desmentir - **2.** [give false idea of] encubrir.

belief [bɪ'liːf] *n* - **1.** [faith, principle]: **belief (in)** creencia *f* (en) - **2.** [opinion] opinión *f*.

believe [bɪ'liːv] ◇ *vt* creer; **believe it or not** lo creas o no. ◇ *vi* [know to exist, be good]: **to believe in** creer en.

believer [bɪ'liːvər] *n* - **1.** [religious person] creyente *mf* - **2.** [in idea, action]: **believer in sthg** partidario *m*, -ria *f* de algo.

belittle [bɪ'lɪtl] *vt* menospreciar.

bell [bel] *n* [of church] campana *f*; [handbell] campanilla *f*; [handbell, on door, bike] timbre *m*.

belligerent [bɪ'lɪdʒərənt] *adj* - **1.** [at war] beligerante - **2.** [aggressive] belicoso(sa).

bellow ['beləʊ] *vi* - **1.** [person] rugir - **2.** [bull] bramar.

bellows ['beləʊz] *npl* fuelle *m*.

belly ['belɪ] *n* - **1.** [of person] barriga *f* - **2.** [of animal] vientre *m*.

bellyache ['belɪeɪk] *inf* ◇ *n* dolor *m* de barriga. ◇ *vi* gruñir.

belly button *n inf* ombligo *m*.

belong [bɪ'lɒŋ] *vi* - **1.** [be property]: **to belong to** pertenecer a - **2.** [be member]: **to belong to** ser miembro de - **3.** [be situated in right place]: **where does this book belong?** ¿dónde va este libro?; **he felt he didn't belong there** sintió que no encajaba allí.

belongings [bɪ'lɒŋɪŋz] *npl* pertenencias *fpl*.

beloved [bɪ'lʌvd] ◇ *adj* querido(da). ◇ *n* amado *m*, -da *f*.

below [bɪ'ləʊ] ◇ *adv* - **1.** [gen] abajo; **the flat below** el piso de abajo - **2.** [in text] más abajo; **see below** véase más abajo - **3.** [with temperatures]: **thirty degrees below** treinta grados bajo cero. ◇ *prep* - **1.** [lower than in position] (por) debajo de, bajo - **2.** [lower than in

rank, number] por debajo de - **3.** [with temperatures]: **thirty degrees below zero** treinta grados bajo cero.

belt [belt] ◇ *n* - **1.** [for clothing] cinturón *m* - **2.** TECH [wide] cinta *f*; [narrow] correa *f* - **3.** [of land, sea] franja *f*. ◇ *vt inf* arrear. ◇ *vi UK inf* ir a toda mecha.

beltway ['belt,weɪ] *n US* carretera *f* de circunvalación.

bemused [bɪ'mjuːzd] *adj* perplejo(ja).

bench [bentʃ] ◇ *n* - **1.** [seat] banco *m* - **2.** [in lab, workshop] mesa *f* de trabajo - **3.** [in sport] banquillo *m*. ◇ *vt* SPORT mandar al banquillo.

bend [bend] ◇ *n* curva *f*; **round the bend** *inf* majareta, majara. ◇ *vt* (*pt & pp* **bent**) doblar. ◇ *vi* (*pt & pp* **bent**) [person] agacharse; [tree] doblarse; **to bend over backwards for** hacer todo lo humanamente posible por.

beneath [bɪ'niːθ] ◇ *adv* debajo. ◇ *prep* - **1.** [under] debajo de, bajo - **2.** [unworthy of] indigno(na) de.

benefactor ['benɪfæktər] *n* benefactor *m*.

beneficial [,benɪ'fɪʃl] *adj*: **beneficial (to)** beneficioso(sa) (para).

beneficiary [,benɪ'fɪʃərɪ] *n* - **1.** LAW [of will] beneficiario *m*, -ria *f* - **2.** [of change in law, new rule] beneficiado *m*, -da *f*.

benefit ['benɪfɪt] ◇ *n* - **1.** [advantage] ventaja *f*; **for the benefit of** en atención a; **to be to sb's benefit, to be of benefit to sb** ir en beneficio de alguien - **2.** ADMIN [allowance of money] subsidio *m*; **to be on benefit** *UK* estar cobrando un subsidio estatal. ◇ *vt* beneficiar. ◇ *vi*: **to benefit from** beneficiarse de.

Benelux ['benɪlʌks] *n* (el) Benelux; **the Benelux countries** los países del Benelux.

benevolent [bɪ'nevələnt] *adj* benevolente.

benign [bɪ'naɪn] *adj* - **1.** [person] bondadoso(sa) - **2.** MED benigno(na).

bent [bent] ◇ *pt & pp* ▷ **bend**. ◇ *adj* - **1.** [wire, bar] torcido(da) - **2.** [person, body] encorvado(da) - **3.** *UK inf* [dishonest] corrupto(ta) - **4.** [determined]: **to be bent on sthg/on doing sthg** estar empeñado(da) en algo/en hacer algo. ◇ *n* [natural tendency] inclinación *f*; **bent for** don *m* OR talento *m* para.

bento box ['bentəʊ-] *n* plato en forma de caja con varios compartimentos típico de la comida japonesa.

bequest [bɪ'kwest] *n* legado *m*.

berate [bɪ'reɪt] *vt* regañar.

bereaved [bɪ'riːvd] (*pl* **bereaved**) *n*: **the bereaved** la familia del difunto.

beret ['bereɪ] *n* boina *f*.

berk [bɜːk] *n UK inf* imbécil *mf*.

Berlin [bɜː'lɪn] *n* Berlín.

berm [bɜːm] *n US* arcén *m*.

Bermuda [bə'mju:də] *n* las Bermudas.

Bern [bɜːn] *n* Berna.

berry ['beri] *n* baya *f*.

berserk [bə'zɜːk] *adj*: **to go berserk** ponerse hecho(cha) una fiera.

berth [bɜːθ] <> *n* - **1.** [in harbour] amarradero *m*, atracadero *m* - **2.** [in ship, train] litera *f*. <> *vt & vi* atracar.

beseech [bɪ'siːtʃ] (*pt & pp* besought OR beseeched) *vt liter*: **to beseech (sb to do sthg)** suplicar (a alguien que haga algo).

beset [bɪ'set] (*pt & pp* beset) *adj*: **beset with** OR **by** [subj: person] acosado(da) por; [subj: plan] plagado(da) de.

beside [bɪ'saɪd] *prep* - **1.** [next to] al lado de, junto a - **2.** [compared with] comparado(da) con ▶▶ **that's beside the point** eso no importa, eso no viene al caso; **to be beside o.s. with rage** estar fuera de sí; **to be beside o.s. with joy** estar loco(ca) de alegría.

besides [bɪ'saɪdz] <> *adv* además. <> *prep* aparte de.

besiege [bɪ'siːdʒ] *vt lit & fig* asediar.

besotted [bɪ'sɒtɪd] *adj*: **besotted with** embobado(da) con.

besought [bɪ'sɔːt] *pt & pp* ▷ **beseech**.

best [best] <> *adj* mejor; **best before...** [on packaging] consumir preferentemente antes de... <> *adv* mejor; **which did you like best?** ¿cuál te gustó más? <> *n*: **she's the best** es la mejor; **we're the best** somos los mejores; **to do one's best** hacerlo lo mejor que uno puede; **to make the best of sthg** sacarle el mayor partido posible a algo; **for the best** para bien. ◆ **at best** *adv* en el mejor de los casos.

best man *n* ≃ padrino *m* de boda.

bestow [bɪ'stəʊ] *vt fml*: **to bestow sthg on sb** [gift] otorgar OR conceder algo a alguien; [praise] dirigir algo a alguien; [title] conferir algo a alguien.

best-seller *n* [book] best seller *m*, éxito *m* editorial.

bet [bet] <> *n* - **1.** [gen]: **bet (on)** apuesta *f* (a) - **2.** *fig* [prediction] predicción *f*; **to hedge one's bets** cubrirse, guardarse las espaldas. <> *vt* (*pt & pp* bet OR -ted) apostar. <> *vi* (*pt & pp* bet OR -ted) - **1.** [gamble]: **to bet (on)** apostar a - **2.** [predict]: **to bet on sthg** contar con (que pase) algo; **you bet!** *inf* ¡ya lo creo!

betray [bɪ'treɪ] *vt* - **1.** [person, trust, principles] traicionar - **2.** [secret] revelar - **3.** [feeling] delatar.

betrayal [bɪ'treɪəl] *n* - **1.** [of person, trust, principles] traición *f* - **2.** [of secret] revelación *f*.

better ['betər] <> *adj* (*compar of* good) mejor; **to get better** mejorar. <> *adv* (*compar of* well) - **1.** [in quality] mejor - **2.** [more]: **I like it better** me gusta más - **3.** [preferably]: **we had**

better be going más vale que nos vayamos ya. <> *n* [best one] mejor *mf*; **to get the better of sb** poder con alguien. <> *vt* mejorar; **to better o.s.** mejorarse.

better off *adj* - **1.** [financially] mejor de dinero - **2.** [in better situation]: **you'd be better off going by bus** sería mejor si vas en autobús.

betting ['betɪŋ] *n* (U) apuestas *fpl*.

betting shop *n* UK casa *f* de apuestas.

between [bɪ'twiːn] <> *prep* entre; **closed between 1 and 2** cerrado de 1 a 2. <> *adv*: **(in) between** en medio, entremedio.

beverage ['bevərɪdʒ] *n fml* bebida *f*.

beware [bɪ'weər] *vi*: **to beware (of)** tener cuidado (con).

bewildered [bɪ'wɪldəd] *adj* desconcertado(da).

bewitching [bɪ'wɪtʃɪŋ] *adj* hechizante.

beyond [bɪ'jɒnd] <> *prep* más allá de; **beyond midnight** pasada la medianoche. <> *adv* más allá.

bias ['baɪəs] *n* - **1.** [prejudice] prejuicio *m* - **2.** [tendency] tendencia *f*, inclinación *f*.

biased ['baɪəst] *adj* parcial; **to be biased towards/against** tener prejuicios en favor/en contra de.

bib [bɪb] *n* [for baby] babero *m*.

Bible ['baɪbl] *n*: **the Bible** la Biblia.

bicarbonate of soda [baɪ'kɑːbənət-] *n* bicarbonato *m* sódico.

biceps ['baɪseps] (*pl* biceps) *n* bíceps *m inv*.

bicker ['bɪkər] *vi* reñir.

bicycle ['baɪsɪkl] <> *n* bicicleta *f*. <> *comp* de bicicleta.

bicycle path *n* camino *m* para bicicletas.

bicycle pump *n* bomba *f* de bicicleta.

bid [bɪd] <> *n* - **1.** [attempt]: **bid (for)** intento *m* (de hacerse con) - **2.** [at auction] puja *f* - **3.** [financial offer]: **bid (for sthg)** oferta *f* (para adquirir algo). <> *vt* (*pt & pp* bid) [money] ofrecer; [at auction] pujar.

bidder ['bɪdər] *n* postor *m*, -ra *f*.

bidding ['bɪdɪŋ] *n* (U) [at auction] puja *f*.

bide [baɪd] *vt*: **to bide one's time** esperar el momento oportuno.

bifocals [ˌbaɪ'fəʊklz] *npl* gafas *fpl* bifocales.

big [bɪg] *adj* - **1.** [large, important] grande, gran (*before singular nouns*); **a big problem** un gran problema; **big problems** grandes problemas - **2.** [older] mayor - **3.** [successful] popular.

bigamy ['bɪgəmɪ] *n* bigamia *f*.

big deal *inf* <> *n*: **it's no big deal** no tiene (la menor) importancia. <> *excl* ¡y a mí qué!

Big Dipper [-'dɪpər] *n* UK [rollercoaster] montaña *f* rusa.

bigheaded [ˌbɪg'hedɪd] *adj inf pej* creído(da).

bigot ['bɪgət] n intolerante mf.

bigoted ['bɪgətɪd] adj intolerante.

bigotry ['bɪgətrɪ] n intolerancia f.

big time n inf: **the big time** el éxito, la fama.

big toe n dedo m gordo (del pie).

big top n carpa f.

big wheel n UK [at fairground] noria f.

bike [baɪk] n inf [bicycle] bici f; [motorcycle] moto f.

bikeway ['baɪkweɪ] n US [lane] carril-bici m.

bikini [bɪ'ki:nɪ] n biquini m, bikini m.

bile [baɪl] n [fluid] bilis f inv.

bilingual [baɪ'lɪŋgwəl] adj bilingüe.

bill [bɪl] ⟨⟩ n - 1. [statement of cost]: **bill (for)** [meal] cuenta f (de); [electricity, phone] factura f (de) - 2. [in parliament] proyecto m de ley - 3. [of show, concert] programa m - 4. US [banknote] billete m - 5. [poster]: **'post OR stick no bills'** 'prohibido fijar carteles' - 6. [beak] pico m. ⟨⟩ vt [send a bill]: **to bill sb for** mandar la factura a alguien por. ◆ **Bill** n UK inf [police]: **the Bill** la pasma.

billboard ['bɪlbɔ:d] n cartelera f.

billet ['bɪlɪt] n acantonamiento m.

billfold ['bɪlfəʊld] n US billetera f.

billiards ['bɪljədz] n billar m.

billion ['bɪljən] num - 1. [thousand million] millar m de millones; **three billion** tres mil millones - 2. UK dated [million million] billón m.

Bill of Rights n: **the Bill of Rights** las diez primeras enmiendas de la Constitución estadounidense.

bimbo ['bɪmbəʊ] (pl -s OR -es) n inf pej niña f mona.

bin [bɪn] n - 1. UK [for rubbish] cubo m de la basura; [for paper] papelera f - 2. [for grain, coal] depósito m.

bind [baɪnd] vt (pt & pp bound) - 1. [tie up] atar - 2. [unite - people] unir - 3. [bandage] vendar - 4. [book] encuadernar - 5. [constrain] obligar.

binder ['baɪndər] n [cover] carpeta f.

binding ['baɪndɪŋ] ⟨⟩ adj obligatorio(ria). ⟨⟩ n [on book] cubierta f, tapa f.

binge [bɪndʒ] inf n: **to go on a binge** irse de juerga.

bingo ['bɪŋgəʊ] n bingo m.

binoculars [bɪ'nɒkjʊləz] npl prismáticos mpl, gemelos mpl.

biochemistry [ˌbaɪəʊ'kemɪstrɪ] n bioquímica f.

biodegradable [ˌbaɪəʊdɪ'greɪdəbl] adj biodegradable.

bioethics [ˌbaɪəʊ'eθɪks] n (U) bioética f.

biography [baɪ'ɒgrəfɪ] n biografía f.

biological [ˌbaɪə'lɒdʒɪkl] adj biológico(ca).

biological mother n madre f biológica.

biology [baɪ'ɒlədʒɪ] n biología f.

bionic [baɪ'ɒnɪk] adj biónico(ca).

bionics [baɪ'ɒnɪks] n (sing) biónica f.

bioterrorism [ˌbaɪəʊ'terərɪzm] n bioterrorismo m.

biowarfare [ˌbaɪəʊ'wɔ:feər] n guerra f biológica.

bipolar disorder [baɪ'pəʊlədɪs,ɔ:də*] n MED trastorno m bipolar.

birch [bɜ:tʃ] n [tree] abedul m.

bird [bɜ:d] n - 1. [animal - large] ave f; [- small] pájaro m - 2. UK inf [woman] tía f.

birdie ['bɜ:dɪ] n [in golf] birdie m.

bird's-eye view n vista f panorámica.

bird-watcher [-ˌwɒtʃər] n observador m, -ra f de pájaros.

Biro® ['baɪərəʊ] n bolígrafo m, birome f R Plata, lápiz m de pasta Chile, esfero m Col, pluma f atómica Méx.

birth [bɜ:θ] n [gen] nacimiento m; [delivery] parto m; **by birth** de nacimiento; **to give birth (to)** dar a luz (a).

birth certificate n partida f de nacimiento.

birth control n control m de natalidad.

birthday ['bɜ:θdeɪ] n cumpleaños m inv.

birthmark ['bɜ:θmɑ:k] n antojo m.

birth mother n madre f biológica.

birthrate ['bɜ:θreɪt] n índice m de natalidad.

Biscay ['bɪskɪ] n: **the Bay of Biscay** el golfo de Vizcaya.

biscuit ['bɪskɪt] n [in UK] galleta f; US [scone] masa cocida al horno que se suele comer con salsa de carne.

bisect [baɪ'sekt] vt [gen] dividir en dos; MATHS bisecar.

bishop ['bɪʃəp] n - 1. [in church] obispo m - 2. [in chess] alfil m.

bison ['baɪsn] (pl bison OR -s) n bisonte m.

bit [bɪt] ⟨⟩ pt ▷ **bite**. ⟨⟩ n - 1. [piece] trozo m; **a bit of un poco de**; **a bit of advice** un consejo; **a bit of news** una noticia; **to take sthg to bits** desmontar algo - 2. [amount]: **a bit of** un poco de; **a bit of shopping** algunas compras; **quite a bit of** bastante - 3. [short time]: **(for) a bit** un rato - 4. [of drill] broca f - 5. [of bridle] bocado m, freno m - 6. COMPUT bit m. ◆ **a bit** adv un poco; **a bit easier** un poco más fácil. ◆ **bit by bit** adv poco a poco.

bitch [bɪtʃ] ⟨⟩ n - 1. [female dog] perra f - 2. v inf pej [unpleasant woman] bruja f. ⟨⟩ vi inf [talk unpleasantly]: **to bitch about** poner a parir a.

bitchy ['bɪtʃɪ] adj inf malicioso(sa).

bite [baɪt] ⟨⟩ n - 1. [by dog, person] mordisco m; [by insect, snake] picotazo m - 2. inf [food]: **to have a bite (to eat)** comer algo

- **3.** [wound - from dog] mordedura *f*; [- from insect, snake] picadura *f*. ◇ *vt* (*pt* **bit**, *pp* **bitten**) - **1.** [subj: person, animal] morder - **2.** [subj: insect, snake] picar. ◇ *vi* (*pt* **bit**, *pp* **bitten**) - **1.** [animal, person]: **to bite (into sthg)** morder (algo) - **2.** [insect, snake] picar - **3.** [grip] agarrar.

biting ['baɪtɪŋ] *adj* - **1.** [very cold] gélido(da), cortante - **2.** [caustic] mordaz.

bitten ['bɪtn] *pp* ⊳ **bite**.

bitter ['bɪtər] ◇ *adj* - **1.** [coffee, chocolate] amargo(ga) - **2.** [icy] gélido(da) - **3.** [causing pain] amargo(ga) - **4.** [acrimonious] encona-do(da) - **5.** [resentful] amargado(da). ◇ *n UK* [beer] *tipo de cerveza amarga*.

bitter lemon *n* bíter *m* de limón.

bitterness ['bɪtənɪs] *n* - **1.** [of taste] amargor *m* - **2.** [of wind, weather] gelidez *f* - **3.** [resentment] amargura *f*.

bizarre [bɪ'zɑːr] *adj* [behaviour, appearance] extravagante; [machine, remark] singular, extraordinario(ria).

blab [blæb] *vi inf* irse de la lengua.

black [blæk] ◇ *adj* - **1.** [gen] negro(gra); **black and blue** amoratado(da); **black and white** [films, photos] en blanco y negro; [clear-cut] extremadamente nítido(da) - **2.** [coffee] solo; [milk] sin leche - **3.** [angry] furioso(sa). ◇ *n* - **1.** [colour] negro *m* - **2.** [person] negro *m*, -gra *f*

▸▸ **in black and white** [in writing] por escrito; **to be in the black** tener saldo positivo. ◇ *vt UK* [boycott] boicotear. ◆ **black out** *vi* desmayarse.

blackberry ['blækbərɪ] *n* - **1.** [fruit] mora *f* - **2.** [bush] zarzamora *f*.

blackbird ['blækbɜːd] *n* mirlo *m*.

blackboard ['blækbɔːd] *n* pizarra *f*, pizarrón *m Amér*.

blackcurrant [ˌblæk'kʌrənt] *n* grosella *f* negra, casis *m*.

blacken ['blækn] *vt* - **1.** [make dark] ennegrecer - **2.** [tarnish] manchar.

black eye *n* ojo *m* morado.

blackhead ['blækhed] *n* barrillo *m*.

black ice *n* hielo transparente en las carreteras.

blackleg ['blækleg] *n pej* esquirol *m*.

blacklist ['blæklɪst] *n* lista *f* negra.

blackmail ['blækmeɪl] *lit & fig* ◇ *n* chantaje *m*. ◇ *vt lit & fig* chantajear.

black market *n* mercado *m* negro.

blackout ['blækaʊt] *n* - **1.** [in wartime, power cut] apagón *m* - **2.** [of news] censura *f* - **3.** [fainting fit] desmayo *m*.

black pudding *n UK* morcilla *f*.

Black Sea *n*: **the Black Sea** el mar Negro.

black sheep *n* oveja *f* negra.

blacksmith ['blæksmɪθ] *n* herrero *m*.

black spot *n* punto *m* negro.

bladder ['blædər] *n ANAT* vejiga *f*.

blade [bleɪd] *n* - **1.** [of knife, saw] hoja *f* - **2.** [of propeller] aleta *f*, paleta *f* - **3.** [of grass] brizna *f*, hoja *f*.

blame [bleɪm] ◇ *n* culpa *f*; **to take the blame for** hacerse responsable de; **to be to blame for** ser el culpable de. ◇ *vt* echar la culpa a, culpar.

bland [blænd] *adj* soso(sa).

blank [blæŋk] ◇ *adj* - **1.** [sheet of paper] en blanco; [wall] liso(sa) - **2.** [cassette] virgen - **3.** *fig* [look] vacío(a). ◇ *n* - **1.** [empty space] espacio *m* en blanco - **2.** MIL [cartridge] cartucho *m* de fogueo.

blank cheque *n* cheque *m* en blanco; *fig* carta *f* blanca.

blanket ['blæŋkɪt] *n* - **1.** [bed cover] manta *f*, frazada *f Amér* - **2.** [layer] manto *m*.

blare [bleər] *vi* resonar, sonar.

blasé [*UK* 'blɑːzeɪ, *US* ˌblɑː'zeɪ] *adj*: **to be blasé about** estar de vuelta de.

blasphemy ['blæsfəmɪ] *n* blasfemia *f*.

blast [blɑːst] ◇ *n* - **1.** [of bomb] explosión *f* - **2.** [of wind] ráfaga *f*; **we had a blast** *US* lo pasamos genial. ◇ *vt* [hole, tunnel] perforar (con explosivos). ◇ *excl UK inf* ¡maldita sea! ◆ **(at) full blast** *adv* a todo trapo.

blasted ['blɑːstɪd] *adj inf* maldito(ta).

blast-off *n* despegue *m*.

blatant ['bleɪtənt] *adj* descarado(da).

blaze [bleɪz] ◇ *n* - **1.** [fire] incendio *m* - **2.** *fig* [of colour] explosión *f*; [of light] resplandor *m*; **a blaze of publicity** una ola de publicidad. ◇ *vi lit & fig* arder.

blazer ['bleɪzər] *n* chaqueta *f* de sport generalmente con la insignia de un equipo, colegio etc.

bleach [bliːtʃ] ◇ *n* lejía *f*. ◇ *vt* [hair] blanquear; [clothes] desteñir.

bleached [bliːtʃt] *adj* [hair] teñido(da) de rubio; [jeans] desteñido(da).

bleachers ['bliːtʃəz] *npl US* SPORT graderío *m* descubierto.

bleak [bliːk] *adj* - **1.** [future] negro(gra) - **2.** [place, person, face] sombrío(a) - **3.** [weather] desapacible.

bleary-eyed [ˌblɪərɪ'aɪd] *adj* con los ojos nublados.

bleat [bliːt] *vi* - **1.** [sheep] balar - **2.** *fig* [person] quejarse.

bleed [bliːd] (*pt & pp* **bled**) ◇ *vt* [radiator etc] purgar. ◇ *vi* sangrar.

bleeper ['bliːpər] *n* busca *m*.

blemish ['blemɪʃ] *n* [mark] señal *f*, marca *f*; *fig* mancha *f*.

blend [blend] ⟨⟩ n - **1.** [mix] mezcla f - **2.** COMPUT degradado m. ⟨⟩ vt: **to blend (sthg with sthg)** mezclar (algo con algo). ⟨⟩ vi: **to blend (with)** combinarse (con).

blender ['blendər] n licuadora f.

bless [bles] (pt & pp -ed OR blest) vt RELIG bendecir

▶▶ **bless you!** [after sneezing] ¡jesús!; [thank you] ¡gracias!

blessing ['blesɪŋ] n - **1.** RELIG bendición f - **2.** fig [good wishes] aprobación f.

blest [blest] pt & pp ⟩ **bless**.

blew [blu:] pt ⟩ **blow**.

blight [blaɪt] vt [hopes, prospects] malograr, arruinar.

blimey ['blaɪmɪ] excl UK inf ¡ostias!

blind [blaɪnd] ⟨⟩ adj [unsighted, irrational] ciego(ga); **a blind man** un ciego; **to go blind** quedarse ciego. ⟨⟩ n [for window] persiana f. ⟨⟩ npl: **the blind** los ciegos. ⟨⟩ vt [permanently] dejar ciego(ga); [temporarily] cegar; **to blind sb to sthg** fig no dejar a alguien ver algo.

blind alley n lit & fig callejón m sin salida.

blind corner n curva f sin visibilidad.

blind date n cita f a ciegas.

blinders ['blaɪndəz] npl US anteojeras fpl.

blindfold ['blaɪndfəʊld] ⟨⟩ adv con los ojos vendados. ⟨⟩ n venda f. ⟨⟩ vt vendar los ojos a.

blindly ['blaɪndlɪ] adv - **1.** [unable to see] a ciegas - **2.** fig [guess] a boleo; [accept] ciegamente.

blindness ['blaɪndnɪs] n lit & fig: **blindness (to)** ceguera f (ante).

blind spot n - **1.** [when driving] ángulo m muerto - **2.** fig [inability to understand] punto m débil.

blink [blɪŋk] ⟨⟩ vt - **1.** [eyes]: **to blink one's eyes** parpadear - **2.** US AUT: **to blink one's lights** dar las luces (intermitentemente). ⟨⟩ vi parpadear.

blinkers ['blɪŋkəz] npl UK anteojeras fpl.

bliss [blɪs] n gloria f, dicha f.

blissful ['blɪsfʊl] adj dichoso(sa), feliz.

blister ['blɪstər] ⟨⟩ n ampolla f. ⟨⟩ vi ampollarse.

blithely ['blaɪðlɪ] adv alegremente.

blitz [blɪts] n MIL bombardeo m aéreo.

blizzard ['blɪzəd] n ventisca f (de nieve).

bloated ['bləʊtɪd] adj hinchado(da).

blob [blɒb] n - **1.** [drop] gota f - **2.** [indistinct shape] bulto m borroso.

bloc [blɒk] n bloque m.

block [blɒk] ⟨⟩ n - **1.** [gen] bloque m - **2.** US [of buildings] manzana f - **3.** [obstruction - physical or mental] bloqueo m. ⟨⟩ vt - **1.** [road] cortar; [pipe] obstruir; [sink, toilet] atascar; **my nose is blocked** tengo la nariz tapada - **2.** [view] ta-

par - **3.** [prevent] bloquear, obstaculizar - **4.** COMPUT: **to block a stretch of text** seleccionar un bloque de texto.

blockade [blɒ'keɪd] ⟨⟩ n bloqueo m. ⟨⟩ vt bloquear.

blockage ['blɒkɪdʒ] n obstrucción f.

blockbuster ['blɒkbʌstər] n inf [book] (gran) éxito m editorial; [film] (gran) éxito de taquilla.

block capitals npl mayúsculas fpl (de imprenta).

block letters npl mayúsculas fpl (de imprenta).

bloke [bləʊk] n UK inf tío m, tipo m.

blond [blɒnd] adj rubio(bia).

blonde [blɒnd] ⟨⟩ adj rubia, catira Col & Ven. ⟨⟩ n [woman] rubia f.

blood [blʌd] n sangre f; **in cold blood** a sangre fría; **new OR fresh blood** savia f nueva.

bloodbath (['blʌdbɑ:θ], pl [-bɑ:ðz]) n matanza f, carnicería f.

blood cell n glóbulo m.

blood donor n donante mf de sangre.

blood group n grupo m sanguíneo.

bloodhound ['blʌdhaʊnd] n sabueso m.

blood poisoning n septicemia f.

blood pressure n tensión f arterial; **to have high/low blood pressure** tener la tensión alta/baja.

bloodshed ['blʌdʃed] n derramamiento m de sangre.

bloodshot ['blʌdʃɒt] adj inyectado(da) (de sangre).

bloodstream ['blʌdstri:m] n flujo m sanguíneo.

blood test n análisis m inv de sangre.

bloodthirsty ['blʌd,θ3:stɪ] adj sanguinario(ria).

blood transfusion n transfusión f de sangre.

bloody ['blʌdɪ] ⟨⟩ adj - **1.** [war, conflict] sangriento(ta) - **2.** [face, hands] ensangrentado(da) - **3.** UK v inf maldito(ta), pinche Méx; **bloody hell!** ¡hostia! ⟨⟩ adv UK v inf: **he's bloody useless** es un puto inútil; **it's bloody brilliant** es de puta madre.

bloody-minded [-'maɪndɪd] adj UK inf puñetero(ra).

bloom [blu:m] ⟨⟩ n flor f; **in bloom** en flor. ⟨⟩ vi florecer.

blooming ['blu:mɪŋ] ⟨⟩ adj UK inf [to show annoyance] condenado(da). ⟨⟩ adv UK inf: **he's blooming useless** es un inútil del copón.

blossom ['blɒsəm] ⟨⟩ n flor f; **in blossom** en flor. ⟨⟩ vi lit & fig florecer.

blot [blɒt] ⬦ n [of ink] borrón m; fig mancha f. ⬦ vt - **1.** [paper] emborronar - **2.** [ink] secar. ◆ **blot out** vt sep [gen] cubrir, ocultar; [memories] borrar.

blotchy ['blɒtʃɪ] adj lleno(na) de manchas.

blotting paper ['blɒtɪŋ-] n (U) papel m secante.

blouse [blaʊz] n blusa f.

blow [bləʊ] ⬦ vi (pt blew, pp blown) - **1.** [gen] soplar - **2.** [in wind] salir volando, volar - **3.** [fuse] fundirse. ⬦ vt (pt blew, pp blown) - **1.** [subj: wind] hacer volar - **2.** [whistle, horn] tocar, hacer sonar - **3.** [bubbles] hacer - **4.** [kiss] mandar - **5.** [fuse] fundir - **6.** [clear]: **to blow one's nose** sonarse la nariz - **7.** inf [money] ventilarse; inf [chance] echar a perder. ⬦ n [hit, shock] golpe m. ◆ **blow out** vt sep apagar. ⬦ vi - **1.** [candle] apagarse - **2.** [tyre] reventar. ◆ **blow over** vi - **1.** [storm] amainar - **2.** [scandal] calmarse. ◆ **blow up** ⬦ vt sep - **1.** [inflate] inflar - **2.** [destroy] volar - **3.** [photograph] ampliar. ⬦ vi saltar por los aires.

blow-dry n secado m (con secador).

blowlamp UK ['bləʊlæmp], **blowtorch** esp US ['bləʊtɔːtʃ] n soplete m.

blown [bləʊn] pp ▷ **blow**.

blowout ['bləʊaʊt] n [of tyre] pinchazo m, reventón m.

blowtorch esp US = **blowlamp**.

blubber ['blʌbər] vi pej lloriquear.

blue [bluː] ⬦ adj - **1.** [colour] azul - **2.** inf [sad] triste - **3.** [pornographic - film] equis (inv), porno; [- joke] verde. ⬦ n azul m; **out of the blue** en el momento menos pensado. ◆ **blues** npl: **the blues** MÚS el blues; inf [sad feeling] la depre.

bluebell ['bluːbel] n campanilla f.

blueberry ['bluːbərɪ] n arándano m.

bluebottle ['bluːˌbɒtl] n moscardón m, moscón m.

blue cheese n queso m azul.

blue-collar adj: **blue-collar worker** obrero m, -ra f.

blue jeans npl US vaqueros mpl, tejanos mpl.

blueprint ['bluːprɪnt] n - **1.** CONSTR cianotipo m - **2.** fig [description] proyecto m.

bluff [blʌf] ⬦ adj brusco(ca). ⬦ n [deception] farol m. ⬦ vi tirarse un farol.

blunder ['blʌndər] ⬦ n metedura f de pata. ⬦ vi - **1.** [make mistake] meter la pata - **2.** [move clumsily] ir tropezando; **to blunder into sthg** tropezar con algo.

blunt [blʌnt] adj - **1.** [knife, pencil] desafilado(da) - **2.** [point, edge] romo(ma) - **3.** [forthright] directo(ta), franco(ca).

blur [blɜːr] ⬦ n imagen f borrosa. ⬦ vt - **1.** [vision] nublar - **2.** [distinction] desdibujar.

blurb [blɜːb] n inf texto publicitario en la cubierta o solapa de un libro.

blurt [blɜːt] ◆ **blurt out** vt sep espetar, decir de repente.

blush [blʌʃ] ⬦ n rubor m. ⬦ vi ruborizarse.

blusher ['blʌʃər] n colorete m.

blustery ['blʌstərɪ] adj borrascoso(sa).

BMX (abbr of bicycle motorcross) n ciclocross m.

BO n (abbr of body odour), olor a sudor.

boar [bɔːr] n - **1.** [male pig] verraco m - **2.** [wild pig] jabalí m.

board [bɔːd] ⬦ n - **1.** [plank] tabla f - **2.** [for notices] tablón m - **3.** [for games] tablero m - **4.** [blackboard] pizarra f - **5.** COMPUT placa f - **6.** [of company]: **board (of directors)** consejo m de administración - **7.** [committee] comité m, junta f - **8.** UK [at hotel, guesthouse]: **board and lodging** comida y habitación; **full board** pensión completa; **half board** media pensión - **9.:** **on board** [ship, plane] a bordo; [bus, train] dentro ▶▶ **above board** en regla. ⬦ vt [ship, plane] embarcar en; [train, bus] subirse a.

boarder ['bɔːdər] n - **1.** [lodger] huésped mf - **2.** [at school] interno m, -na f.

boarding card ['bɔːdɪŋ-] n tarjeta f de embarque.

boardinghouse ['bɔːdɪŋhaʊs], pl [-haʊzɪz]) n casa f de huéspedes.

boarding school ['bɔːdɪŋ-] n internado m.

Board of Trade n UK: **the Board of Trade** ≈ el Ministerio de Comercio.

boardroom ['bɔːdruːm] n sala f de juntas.

boast [bəʊst] ⬦ vt disfrutar de. ⬦ vi: **to boast (about)** alardear OR jactarse (de), compadrear (de) Amér.

boastful ['bəʊstfʊl] adj fanfarrón(ona).

boat [bəʊt] n [large] barco m; [small] barca f; **by boat** en barco.

boater ['bəʊtər] n [hat] canotié m.

boatswain ['bəʊsn], **bosun** n NÁUT contramaestre m.

bob [bɒb] ⬦ n - **1.** [hairstyle] corte m de chico - **2.** UK inf dated [shilling] chelín m - **3.** = **bobsleigh**. ⬦ vi [boat] balancearse.

bobbin ['bɒbɪn] n bobina f.

bobby ['bɒbɪ] n UK inf poli m.

bobsleigh ['bɒbsleɪ], **bob** n bobsleigh m.

bode [bəʊd] vi liter: **to bode ill/well for** traer malos/buenos presagios para.

bodily ['bɒdɪlɪ] ⬦ adj corporal. ⬦ adv: **to lift/move sb bodily** levantar/mover a alguien por la fuerza.

body ['bɒdɪ] *n* - **1.** [gen] cuerpo *m* - **2.** [corpse] cadáver *m* - **3.** [organization] entidad *f*; **a body of thought/opinion** una corriente de pensamiento/opinión - **4.** [of car] carrocería *f*; [of plane] fuselaje *m* - **5.** [item of clothing] body *m*.

body building *n* culturismo *m*.

bodyguard ['bɒdɪgɑːd] *n* guardaespaldas *mf inv*, guarura *m* Méx.

body language *n* lenguaje *m* corporal.

body odour *n* olor *m* corporal.

body piercing *n* piercing *m*.

bodywork ['bɒdɪwɜːk] *n* carrocería *f*.

bog [bɒg] *n* - **1.** [marsh] cenagal *m* - **2.** *UK v inf* [toilet] baño *m*.

bogged down [ˌbɒgd-] *adj* - **1.** [in details, work]: **bogged down (in)** empantanado(da) (en) - **2.** [in mud, snow]: **bogged down in** atascado(da) en.

boggle ['bɒgl] *vi*: **the mind boggles!** ¡es increíble!

bogus ['bəʊgəs] *adj* falso(sa).

boil [bɔɪl] <> *n* - **1.** MED pústula *f* - **2.** [boiling point]: **to bring sthg to the boil** hacer que algo hierva; **to come to the boil** romper a hervir. <> *vt* - **1.** [water] hervir; **to boil the kettle** poner el agua a hervir - **2.** [food] cocer. <> *vi* hervir. ◆ **boil down to** *vt insep* reducirse a. ◆ **boil over** *vi fig* [feelings] desbordarse.

boiled [bɔɪld] *adj* cocido(da); **boiled egg** [hard-boiled] huevo *m* duro; [soft-boiled] huevo *m* pasado por agua; **boiled sweets** *UK* caramelos *mpl* (duros).

boiler ['bɔɪlər] *n* caldera *f*.

boiler room *n* sala *f* de calderas.

boiler suit *n UK* mono *m*.

boiling ['bɔɪlɪŋ] *adj inf* [hot]: **I'm boiling** estoy asado(da) de calor; **it's boiling** hace un calor de muerte.

boiling point *n* punto *m* de ebullición.

boisterous ['bɔɪstərəs] *adj* ruidoso(sa), alborotador(ra).

bold [bəʊld] *adj* - **1.** [brave, daring] audaz - **2.** [lines, design] marcado(da) - **3.** [colour] vivo(va) - **4.** TYPO: **bold type** OR **print** negrita *f*.

Bolivia [bə'lɪvɪə] *n* Bolivia.

Bolivian [bə'lɪvɪən] <> *adj* boliviano(na). <> *n* boliviano *m*, -na *f*.

bollard ['bɒlɑːd] *n* [on road] poste *m*.

bollocks ['bɒləks] *UK v inf npl* cojones *mpl*.

bolster ['bəʊlstər] *vt* reforzar. ◆ **bolster up** *vt insep* reforzar.

bolt [bəʊlt] <> *n* - **1.** [on door, window] cerrojo *m* - **2.** [type of screw] perno *m*. <> *adv*: **bolt upright** muy derecho(cha). <> *vt* - **1.** [fasten together] atornillar - **2.** [door, window] echar el cerrojo a - **3.** [food] tragarse. <> *vi* salir disparado(da).

bomb [bɒm] <> *n* - **1.** bomba *f* - **2.** *US inf* [failure] desastre *m*. <> *vt* bombardear. <> *vi US inf* [fail] fracasar estrepitosamente.

bombard [bɒm'bɑːd] *vt fig* & MIL: **to bombard (with)** bombardear (a).

bombastic [bɒm'bæstɪk] *adj* grandilocuente, rimbombante.

bomb disposal squad *n* equipo *m* de artificieros.

bomber ['bɒmər] *n* - **1.** [plane] bombardero *m* - **2.** [person] terrorista *mf* que pone bombas.

bombing ['bɒmɪŋ] *n* bombardeo *m*.

bombshell ['bɒmʃel] *n fig* bombazo *m*; **a blonde bombshell** *inf* una rubia explosiva.

bona fide ['bəʊnə'faɪdɪ] *adj* auténtico(ca).

bond [bɒnd] <> *n* - **1.** [between people] lazo *m*, vínculo *m* - **2.** [binding promise] compromiso *m* - **3.** FIN bono *m*. <> *vt* [glue] adherir; *fig* [people] unir.

bone [bəʊn] <> *n* [gen] hueso *m*; [of fish] raspa *f*, espina *f*; **to make no bones about doing sthg** no tener ningún reparo en hacer algo. <> *vt* [fish] quitar las espinas a; [meat] deshuesar.

bone-dry *adj* completamente seco(ca).

bone-idle *adj* haragán(ana), gandul(la).

bonfire ['bɒn,faɪər] *n* hoguera *f*.

Bonn [bɒn] *n* Bonn.

bonnet ['bɒnɪt] *n* - **1.** *UK* [of car] capó *m* - **2.** [hat] toca *f*.

bonny ['bɒnɪ] *adj Scotland* majo(ja).

bonus ['bəʊnəs] (*pl* **-es**) *n* [extra money] prima *f*; [for increased productivity] plus *m*; *fig* beneficio *m* adicional.

bony ['bəʊnɪ] *adj* - **1.** [person, hand] huesudo(da) - **2.** [meat] lleno(na) de huesos; [fish] espinoso(sa).

boo [buː] <> *excl* ¡bu! <> *n* (*pl* **-s**) abucheo *m*. <> *vt* & *vi* abuchear.

boob [buːb] *n inf* [mistake] metedura *f* de pata. ◆ **boobs** *npl UK v inf* [woman's breasts] tetas *fpl*.

booby trap ['buːbɪ-] *n* [bomb] bomba *f* camuflada.

book [bʊk] <> *n* - **1.** [for reading] libro *m*; **to throw the book at sb** castigar duramente a alguien - **2.** [of stamps] librillo *m*; [of tickets, cheques] talonario *m*; [of matches] caja *f* (*de solapa*). <> *vt* - **1.** [reserve] reservar; **to be fully booked** estar completo - **2.** *inf* [subj: police] multar - **3.** *UK* FTBL mostrar una tarjeta amarilla a. <> *vi* hacer reserva. ◆ **books** *npl* COMM libros *mpl*; **to be in sb's good/bad books** estar a bien/a mal con alguien. ◆ **book up** *vt sep*: **to be booked up** estar completo.

bookcase ['bʊkkeɪs] *n* estantería *f*.

bookie ['bʊkɪ] n inf corredor m, -ra f de apuestas.

booking ['bʊkɪŋ] n - 1. esp UK [reservation] reserva f - 2. UK FTBL tarjeta f amarilla.

booking office n esp UK taquilla f.

bookkeeping ['bʊk,ki:pɪŋ] n contabilidad f.

booklet ['bʊklɪt] n folleto m.

bookmaker ['bʊk,meɪkər] n corredor m, -ra f de apuestas.

bookmark ['bʊkmɑ:k] n - 1. separador m - 2. COMPUT marcador m.

bookseller ['bʊk,selər] n librero m, -ra f.

bookshelf ['bʊkʃelf] (pl **-shelves** [-ʃelvz]) n [shelf] estante m; [bookcase] estantería f, librero m Chile & Méx.

bookshop UK ['bʊkʃɒp], **bookstore** US ['bʊkstɔ:r] n librería f.

book token n esp UK vale m para comprar libros.

boom [bu:m] ◇ n - 1. [loud noise] estampido m - 2. [increase] auge m, boom m - 3. [for TV camera, microphone] jirafa f. ◇ vi - 1. [make noise] tronar - 2. ECON estar en auge.

boon [bu:n] n gran ayuda f.

boost [bu:st] ◇ n - 1. [in profits, production] incremento m - 2. [to popularity, spirits] empujón m. ◇ vt - 1. [increase] incrementar - 2. [improve] levantar.

booster ['bu:stər] n MED inyección f de refuerzo.

boot [bu:t] ◇ n - 1. [item of footwear] bota f; [ankle boot] botín m - 2. UK [of car] maletero m, cajuela f Méx, baúl m Col & R Plata, maletera f Perú. ◇ vt - 1. inf [kick] dar una patada a - 2. COMPUT arrancar. ◆ **to boot** adv además. ◆ **boot out** vt sep inf echar, poner (de patitas) en la calle. ◆ **boot up** vt sep COMPUT arrancar.

booth [bu:ð] n - 1. [at fair] puesto m - 2. [for phoning, voting] cabina f.

booty ['bu:tɪ] n - 1. botín m - 2. US inf [sexual intercourse]: **to get some booty** mojar el churro Esp OR bizcocho R Plata, echarse un caldito Méx.

booze [bu:z] inf ◇ n (U) priva f. ◇ vi privar, empinar el codo.

bop [bɒp] inf ◇ n - 1. [disco] disco f - 2. [dance] baile m. ◇ vi bailar.

border ['bɔ:dər] ◇ n - 1. [between countries] frontera f - 2. [edge] borde m - 3. [in garden] arriate m. ◇ vt - 1. [country] limitar con - 2. [edge] bordear. ◆ **border on** vt insep rayar en.

borderline ['bɔ:dəlaɪn] ◇ adj: **a borderline case** un caso dudoso. ◇ n fig límite m.

bore [bɔ:r] ◇ pt ▷ **bear**. ◇ n - 1. [person] pelmazo m, -za f; [situation, event] rollo m, lata f - 2. [of gun] calibre m. ◇ vt

- 1. [not interest] aburrir; **to bore sb stiff** OR **to tears** OR **to death** aburrir a alguien un montón - 2. [drill] horadar.

bored [bɔ:d] adj aburrido(da); **to be bored stiff** OR **to tears** OR **to death** aburrirse como una ostra.

boredom ['bɔ:dəm] n aburrimiento m.

boring ['bɔ:rɪŋ] adj aburrido(da).

born [bɔ:n] adj - 1. [given life] nacido(da); **to be born** nacer - 2. [natural] nato(ta).

borne [bɔ:n] pp ▷ **bear**.

borough ['bʌrə] n [area of town] distrito m; [town] municipio m.

borrow ['bɒrəʊ] vt: **to borrow sthg from sb** coger OR tomar algo prestado a alguien; **can I borrow your bike?** ¿me prestas tu bici?

Bosnia ['bɒznɪə] n Bosnia.

Bosnia-Herzegovina [-,hɜ:tsəgə'vi:nə] n Bosnia-Hercegovina.

Bosnian ['bɒznɪən] ◇ adj bosnio(nia). ◇ n bosnio m, -nia f.

bosom ['bʊzəm] n [of woman] busto m, pecho m.

boss [bɒs] ◇ n jefe m, -fa f. ◇ vt pej mangonear, dar órdenes a. ◆ **boss about, boss around** vt sep pej mangonear, dar órdenes a.

bossy ['bɒsɪ] adj mandón(ona).

bosun ['bəʊsn] = **boatswain**.

botany ['bɒtənɪ] n botánica f.

botch [bɒtʃ] ◆ **botch up** vt sep inf estropear, hacer chapuceramente.

both [bəʊθ] ◇ adj los dos, las dos, ambos(bas). ◇ pron: **both (of them)** los dos, las dos f, ambos mpl, -bas fpl; **both of us are coming** vamos los dos. ◇ adv: **she is both pretty and intelligent** es guapa e inteligente.

bother ['bɒðər] ◇ vt - 1. [worry] preocupar; [irritate] fastidiar; **I/she can't be bothered to do it** no tengo/tiene ganas de hacerlo - 2. [pester] molestar. ◇ vi: **to bother (doing** OR **to do sthg)** molestarse (en hacer algo); **to bother about** preocuparse por. ◇ n (U) - 1. [inconvenience] problemas mpl - 2. [pest, nuisance] molestia f.

bottle ['bɒtl] ◇ n - 1. [gen] botella f - 2. [of shampoo, medicine - plastic] bote m; [- glass] frasco m - 3. [for baby] biberón m - 4. (U) UK inf [courage] agallas fpl. ◇ vt [wine] embotellar. ◆ **bottle up** vt sep reprimir.

bottle bank n contenedor m de vidrio.

bottleneck ['bɒtlnek] n - 1. [in traffic] embotellamiento m - 2. [in production] atasco m.

bottle-opener n abrebotellas m inv.

bottom ['bɒtəm] ◇ adj - 1. [lowest] más bajo(ja), de abajo del todo - 2. [least successful] peor. ◇ n - 1. [lowest part - of glass, bottle] culo m; [- of bag, mine, sea] fondo m; [- of ladder,

hill] pie m; [- of page, list] final m - **2**. [farthest point] final m, fondo m - **3**. [of class etc] parte f más baja - **4**. [buttocks] trasero m - **5**. [root]: **to get to the bottom of** llegar al fondo de.
→ **bottom out** vi tocar fondo.

bottom line n fig: **the bottom line is...** a fin de cuentas...

bough [baʊ] n rama f.

bought [bɔːt] pt & pp ▷ **buy**.

boulder ['bəʊldər] n roca f grande y de forma redonda.

bounce [baʊns] ◇ vi - **1**. [gen] rebotar - **2**. [person]: **to bounce (on sthg)** dar botes (en algo) - **3**. [cheque] ser rechazado(da) por el banco. ◇ vt botar. ◇ n bote m.

bouncer ['baʊnsər] n inf matón m, gorila m (de un local).

bound [baʊnd] ◇ pt & pp ▷ **bind**. ◇ adj - **1**. [certain]: **it's bound to happen** seguro que va a pasar - **2**. [obliged]: **bound (by sthg/to do sthg)** obligado(da) (por algo/a hacer algo); **I'm bound to say** OR **admit** tengo que decir OR admitir - **3**. [for place]: **to be bound for** ir rumbo a. ◇ n salto m. ◇ vi ir dando saltos. → **bounds** npl [limits] límites mpl; **out of bounds** (en) zona prohibida.

boundary ['baʊndərɪ] n [gen] límite m; [between countries] frontera f.

bouquet [bəʊ'keɪ] n [of flowers] ramo m.

bourbon ['bɜːbən] n bourbon m, whisky m americano.

bourgeois ['bɔːʒwɑː] adj burgués(esa).

bout [baʊt] n - **1**. [attack] ataque m, acceso m - **2**. [session] racha f - **3**. [boxing match] combate m.

bow¹ [baʊ] ◇ n - **1**. [act of bowing] reverencia f - **2**. [of ship] proa f. ◇ vt inclinar. ◇ vi - **1**. [make a bow] inclinarse - **2**. [defer]: **to bow to sthg** ceder OR doblegarse ante algo.

bow² [bəʊ] n - **1**. [weapon, for musical instrument] arco m - **2**. [knot] lazo m.

bowels ['baʊəlz] npl lit & fig entrañas fpl.

bowl [bəʊl] ◇ n [gen] cuenco m, bol m; [for soup] plato m; [for washing clothes] barreño m, balde m. ◇ vi lanzar la bola. → **bowls** n (U) juego similar a la petanca que se juega sobre césped. → **bowl over** vt sep - **1**. [knock over] atropellar - **2**. fig [surprise, impress] dejar atónito(ta).

bow-legged [,bəʊ'legɪd] adj de piernas arqueadas, estevado(da).

bowler ['bəʊlər] n - **1**. CRICKET lanzador m - **2**.: **bowler (hat)** bombín m, sombrero m hongo.

bowling ['bəʊlɪŋ] n (U) bolos mpl.

bowling alley n - **1**. [building] bolera f - **2**. [alley] calle f.

bowling green n campo de césped para jugar a los 'bowls'.

bow tie [bəʊ-] n pajarita f.

box [bɒks] ◇ n - **1**. [container, boxful] caja f; [for jewels] estuche m - **2**. THEAT palco m - **3**. UK inf [television]: **the box** la tele - **4**. [in printed questionnaire etc] casilla f. ◇ vt [put in boxes] encajonar. ◇ vi boxear.

boxer ['bɒksər] n - **1**. [fighter] boxeador m, púgil m - **2**. [dog] boxer m.

boxer shorts npl calzoncillos mpl, boxers mpl.

boxing ['bɒksɪŋ] n boxeo m.

Boxing Day n fiesta nacional en Inglaterra y Gales el 26 de diciembre (salvo domingos) en que tradicionalmente se da el aguinaldo.

boxing glove n guante m de boxeo, guante m de box Amér C & Méx.

box office n taquilla f, boletería f Amér.

boxroom ['bɒksrʊm] n UK trastero m.

boy [bɔɪ] ◇ n - **1**. [male child] chico m, niño m, pibe m R Plata - **2**. inf [young man] chaval m. ◇ excl: **(oh) boy!** US inf ¡jolín!, ¡vaya, vaya!

boycott ['bɔɪkɒt] ◇ n boicot m. ◇ vt boicotear.

boyfriend ['bɔɪfrend] n novio m.

boyish ['bɔɪɪʃ] adj [man] juvenil.

bra [brɑː] n sujetador m, sostén m.

brace [breɪs] ◇ n - **1**. [on teeth] aparato m corrector - **2**. [pair] par m. ◇ vt [steady] tensar; **to brace o.s. (for)** lit & fig prepararse (para). → **braces** npl UK tirantes mpl, tiradores mpl Bol & R Plata.

bracelet ['breɪslɪt] n brazalete m, pulsera f.

bracing ['breɪsɪŋ] adj tonificante.

bracken ['brækn] n helechos mpl.

bracket ['brækɪt] ◇ n - **1**. [support] soporte m, palomilla f - **2**. [parenthesis - round] paréntesis m inv; [- square] corchete m; **in brackets** entre paréntesis - **3**. [group] sector m, banda f. ◇ vt [enclose in brackets] poner entre paréntesis.

brag [bræg] vi fanfarronear, jactarse.

braid [breɪd] ◇ n - **1**. [on uniform] galón m - **2**. [hairstyle] trenza f. ◇ vt trenzar.

brain [breɪn] n lit & fig cerebro m. → **brains** npl cerebro m, seso m.

brainchild ['breɪntʃaɪld] n inf invención f, idea f.

brainwash ['breɪnwɒʃ] vt lavar el cerebro a.

brainwave ['breɪnweɪv] n idea f genial.

brainy ['breɪnɪ] adj inf listo(ta).

brake [breɪk] ◇ n lit & fig freno m. ◇ vi frenar.

brake light n luz f de freno.

bramble ['bræmbl] n [bush] zarza f, zarzamora f; [fruit] mora f.

bran [bræn] n salvado m.

branch [brɑːntʃ] ⬦ *n* - **1.** [of tree, subject] rama *f* - **2.** [of river] afluente *m*; [of railway] ramal *m* - **3.** [of company, bank] sucursal *f*. ⬦ *vi* bifurcarse. ⬧ **branch out** *vi* [person] ampliar horizontes; [firm] expandirse, diversificarse.

brand [brænd] ⬦ *n* - **1.** [of product] marca *f* - **2.** *fig* [type] tipo *m*, estilo *m* - **3.** [mark] hierro *m*. ⬦ *vt* - **1.** [cattle] marcar (con hierro) - **2.** *fig* [classify]: **to brand sb (as sthg)** tildar a alguien (de algo).

brandish ['brændɪʃ] *vt* [weapon] blandir; [letter etc] agitar.

brand name *n* marca *f*.

brand-new *adj* flamante.

brandy ['brændɪ] *n* coñac *m*.

brash [bræʃ] *adj pej* enérgico e insolente.

brass [brɑːs] *n* - **1.** [metal] latón *m* - **2.** MUS: **the brass** el metal.

brass band *n* banda *f* de metal.

brassiere [*UK* 'bræsɪəʳ, *US* brə'zɪr] *n* sostén *m*, sujetador *m*.

brat [bræt] *n inf pej* mocoso *m*, -sa *f*.

bravado [brə'vɑːdəʊ] *n* bravuconería *f*.

brave [breɪv] ⬦ *adj* valiente. ⬦ *vt* [weather, storm] desafiar; [sb's anger] hacer frente a.

bravery ['breɪvərɪ] *n* valentía *f*.

brawl [brɔːl] *n* gresca *f*, reyerta *f*.

brawn [brɔːn] *n (U)* - **1.** [muscle] musculatura *f*, fuerza *f* física - **2.** *UK* [meat] *carne de cerdo en gelatina.*

bray [breɪ] *vi* [donkey] rebuznar.

brazen ['breɪzn] *adj* [person] descarado(da); [lie] burdo(da).

brazier ['breɪzjəʳ] *n* brasero *m*.

Brazil [brə'zɪl] *n* (el) Brasil.

Brazilian [brə'zɪljən] ⬦ *adj* brasileño(ña), brasilero(ra) *Amér.* ⬦ *n* brasileño *m*, -ña *f*, brasilero *m*, -ra *f Amér.*

brazil nut *n* nuez *f* de Pará.

breach [briːtʃ] ⬦ *n* - **1.** [act of disobedience] incumplimiento *m*; **breach of confidence** abuso *m* de confianza; **to be in breach of sthg** incumplir algo; **breach of contract** incumplimiento de contrato - **2.** [opening, gap] brecha *f* - **3.** *fig* [in friendship, marriage] ruptura *f*. ⬦ *vt* - **1.** [disobey] incumplir - **2.** [make hole in] abrir (una) brecha en.

breach of the peace *n* alteración *f* del orden público.

bread [bred] *n* - **1.** [food] pan *m*; **bread and butter** [buttered bread] pan con mantequilla; *fig* [main income] sustento *m* diario - **2.** *inf* [money] pasta *f*.

bread bin *UK*, **bread box** *US n* panera *f*.

breadcrumbs ['bredkrʌmz] *npl* migas *fpl* (de pan); CULIN pan *m* rallado.

breadline ['bredlaɪn] *n*: **to be on the breadline** vivir en la miseria.

breadth [bretθ] *n* - **1.** [in measurements] anchura *f* - **2.** *fig* [scope] amplitud *f*.

breadwinner ['bred,wɪnəʳ] *n*: **he's the breadwinner** es el que mantiene a la familia.

break [breɪk] ⬦ *n* - **1.** [gap - in clouds] claro *m*; [- in transmission] corte *m* - **2.** [fracture] fractura *f* - **3.** [pause]: **break (from)** descanso *m* (de); **to have OR take a break** tomarse un descanso - **4.** [playtime] recreo *m* - **5.** *inf* [chance] oportunidad *f*; **a lucky break** un golpe de suerte. ⬦ *vt* (*pt* **broke**, *pp* **broken**) - **1.** [gen] romper; [arm, leg etc] romperse; **to break sb's hold** escaparse OR liberarse de alguien - **2.** [machine] estropear - **3.** [journey, contact] interrumpir - **4.** [habit, health] acabar con; [strike] reventar - **5.** [law, rule] violar; [appointment, word] faltar a - **6.** [record] batir - **7.** [tell]: **to break the news (of sthg to sb)** dar la noticia (de algo a alguien). ⬦ *vi* (*pt* **broke**, *pp* **broken**) - **1.** [come to pieces] romperse - **2.** [stop working] estropearse - **3.** [pause] parar; [weather] cambiar - **4.** [start - day] romper; [- storm] estallar - **5.** [escape]: **to break loose** OR **free** escaparse - **6.** [voice] cambiar - **7.** [news] divulgarse

⬫ **to break even** salir sin pérdidas ni beneficios. ⬧ **break away** *vi* escaparse; **to break away (from)** [end connection] separarse (de); POL escindirse (de). ⬧ **break down** ⬦ *vt sep* - **1.** [destroy - gen] derribar; [- resistance] vencer - **2.** [analyse] descomponer. ⬦ *vi* - **1.** [collapse, disintegrate, fail] venirse abajo - **2.** [stop working] estropearse - **3.** [lose emotional control] perder el control - **4.** [decompose] descomponerse. ⬧ **break in** ⬦ *vi* - **1.** [enter by force] entrar por la fuerza - **2.** [interrupt]: **to break in (on sthg/sb)** interrumpir (algo/a alguien). ⬦ *vt sep* - **1.** [horse, shoes] domar - **2.** [person] amoldar. ⬧ **break into** *vt insep* - **1.** [house, shop] entrar (por la fuerza) en; [box, safe] forzar - **2.** [begin suddenly]: **to break into song/a run** echarse a cantar/correr. ⬧ **break off** ⬦ *vt sep* - **1.** [detach] partir - **2.** [end] romper; [holiday] interrumpir. ⬦ *vi* - **1.** [become detached] partirse - **2.** [stop talking] interrumpirse. ⬧ **break out** *vi* - **1.** [fire, fighting, panic] desencadenarse; [war] estallar - **2.** [escape]: **to break out (of)** escapar (de). ⬧ **break up** ⬦ *vt sep* - **1.** [ice] hacer pedazos; [car] desguazar - **2.** [relationship] romper; [talks] poner fin a; [fight] poner fin a; [crowd] disolver. ⬦ *vi* - **1.** [into smaller pieces] hacerse pedazos - **2.** [relationship] deshacerse; [conference] concluir; [school, pupils] terminar; **to break up with sb** romper con alguien - **3.** [crowd] disolverse.

breakage ['breɪkɪdʒ] *n* rotura *f*.

breakdown ['breɪkdaʊn] *n* - **1.** [of car, train] avería *f*; [of talks, in communications] ruptura *f*; [of law and order] colapso *m* - **2.** [analysis] desglose *m*.

breakfast ['brekfəst] *n* desayuno *m*; **to have breakfast** desayunar.

breakfast television *n* UK programación *f* matinal de televisión.

break-in *n* robo *m* (con allanamiento de morada).

breaking ['breɪkɪŋ] *n*: **breaking and entering** LAW allanamiento *m* de morada.

breakneck ['breɪknek] *adj*: **at breakneck speed** a (una) velocidad de vértigo.

breakthrough ['breɪkθruː] *n* avance *m*.

breakup ['breɪkʌp] *n* ruptura *f*.

breast [brest] *n* - 1. [of woman] pecho *m*, seno *m*; [of man] pecho *m*. - 2. [meat of bird] pechuga *f*.

breast-feed *vt* & *vi* amamantar.

breast milk *n* (U) leche *f* materna.

breaststroke ['breststrəʊk] *n* braza *f*.

breath [breθ] *n* - 1. [act of breathing] respiración *f*; **to take a deep breath** respirar hondo; **to get one's breath back** recuperar el aliento; **to say sthg under one's breath** decir algo en voz baja - 2. [air from mouth] aliento *m*; **out of breath** sin aliento.

breathalyse UK, **-yze** US ['breθəlaɪz] *vt* hacer la prueba del alcohol a.

breathe [briːð] <> *vi* respirar. <> *vt* - 1. [inhale] respirar - 2. [exhale] despedir.
◆ **breathe in** *vt sep* & *vi* aspirar.
◆ **breathe out** *vi* espirar.

breather ['briːðə˚] *n inf* respiro *m*.

breathing ['briːðɪŋ] *n* respiración *f*.

breathless ['breθlɪs] *adj* - 1. [out of breath] jadeante - 2. [with excitement] sin aliento (por la emoción).

breathtaking ['breθ,teɪkɪŋ] *adj* sobrecogedor(ra), impresionante.

breed [briːd] <> *n* - 1. [of animal] raza *f*. - 2. *fig* [sort] especie *f*. <> *vt* (*pt* & *pp* bred [bred]) [animals] criar; [plants] cultivar. <> *vi* (*pt* & *pp* bred [bred]) procrear.

breeding ['briːdɪŋ] *n* - 1. [of animals] cría *f*; [of plants] cultivo *m* - 2. [manners] educación *f*.

breeze [briːz] <> *n* brisa *f*. <> *vi*: **to breeze in/out** entrar/salir como si tal cosa.

breezy ['briːzɪ] *adj* - 1. [windy]: **it's breezy** hace aire - 2. [cheerful] jovial, despreocupado(da).

brevity ['brevɪtɪ] *n* brevedad *f*.

brew [bruː] <> *vt* [beer] elaborar; [tea, coffee] preparar. <> *vi* - 1. [tea] reposar - 2. [trouble] fraguarse.

brewer ['bruːə˚] *n* cervecero *m*, -ra *f*.

brewery ['bruːərɪ] *n* fábrica *f* de cerveza.

bribe [braɪb] <> *n* soborno *m*. <> *vt*: **to bribe (sb to do sthg)** sobornar (a alguien para

que haga algo), coimear (a alguien para que haga algo) *Andes & R Dom*, mordar (a alguien para que haga algo) *Méx*.

bribery ['braɪbərɪ] *n* soborno *m*.

brick [brɪk] *n* ladrillo *m*.

bricklayer ['brɪk,leɪə˚] *n* albañil *m*.

bridal ['braɪdl] *adj* nupcial; **bridal dress** traje *m* de novia.

bride [braɪd] *n* novia *f*.

bridegroom ['braɪdgrʊm] *n* novio *m*.

bridesmaid ['braɪdzmeɪd] *n* dama *f* de honor.

bridge [brɪdʒ] <> *n* - 1. [gen] puente *m* - 2. [on ship] puente *m* de mando - 3. [of nose] caballete *m* - 4. [card game] bridge *m*. <> *vt fig* [gap] llenar.

bridle ['braɪdl] *n* brida *f*.

bridle path *n* camino *m* de herradura.

brief [briːf] <> *adj* - 1. [short, to the point] breve; **in brief** en resumen - 2. [clothes] corto(ta). <> *n* - 1. LAW [statement] sumario *m*, resumen *m* - 2. UK [instructions] instrucciones *fpl*. <> *vt*: **to brief sb (on)** informar a alguien (acerca de). ◆ **briefs** *npl* [underpants] calzoncillos *mpl*; [knickers] bragas *fpl*.

briefcase ['briːfkeɪs] *n* maletín *m*, portafolios *m inv*.

briefing ['briːfɪŋ] *n* [meeting] reunión *f* informativa; [instructions] instrucciones *fpl*.

briefly ['briːflɪ] *adv* - 1. [for a short time] brevemente - 2. [concisely] en pocas palabras.

brigade [brɪ'geɪd] *n* brigada *f*.

brigadier [,brɪgə'dɪə˚] *n* brigadier *m*, general *m* de brigada.

bright [braɪt] *adj* - 1. [light] brillante; [day, room] luminoso(sa); [weather] despejado(da) - 2. [colour] vivo(va) - 3. [lively - eyes] brillante; [- smile] radiante - 4. [intelligent - person] listo(ta); [- idea] genial - 5. [hopeful] prometedor(ra).

brighten ['braɪtn] *vi* - 1. [become lighter] despejarse - 2. [become more cheerful] alegrarse.
◆ **brighten up** <> *vt sep* animar, alegrar. <> *vi* - 1. [become more cheerful] animarse - 2. [weather] despejarse.

brilliance ['brɪljəns] *n* - 1. [cleverness] brillantez *f* - 2. [of colour, light] brillo *m*.

brilliant ['brɪljənt] *adj* - 1. [clever] genial - 2. [colour] vivo(va) - 3. [light, career, future] brillante - 4. *inf* [wonderful] fenomenal, genial.

Brillo pad ® ['brɪləʊ-] *n* estropajo *m* (jabonoso) de aluminio.

brim [brɪm] <> *n* - 1. [edge] borde *m* - 2. [of hat] ala *f*. <> *vi lit* & *fig*: **to brim with** rebosar de.

brine [braɪn] *n* - 1. [for food] salmuera *f* - 2. [sea water] agua *f* de mar.

bring [brɪŋ] (*pt* & *pp* **brought**) *vt* [gen] traer; **to bring sthg to an end** poner fin a algo. ➮ **bring about** *vt sep* producir. ➮ **bring around, bring round, bring to** *vt sep* [make conscious] reanimar. ➮ **bring back** *vt sep* - 1. [books etc] devolver; [person] traer de vuelta - 2. [memories] traer (a la memoria) - 3. [practice, hanging] volver a introducir; [fashion] recuperar. ➮ **bring down** *vt sep* - 1. [from upstairs] bajar - 2. [plane, bird] derribar; [government, tyrant] derrocar - 3. [prices] reducir. ➮ **bring forward** *vt sep* - 1. [meeting, elections etc] adelantar - 2. [in bookkeeping] sumar a la siguiente columna. ➮ **bring in** *vt sep* - 1. [introduce - law] implantar; [- bill] presentar - 2. [earn] ganar. ➮ **bring off** *vt sep* [plan] sacar adelante; [deal] cerrar. ➮ **bring out** *vt sep* - 1. [new product, book] sacar - 2. [the worst *etc* in sb] revelar, despertar. ➮ **bring round, bring to** *vt sep* = **bring around**. ➮ **bring up** *vt sep* - 1. [raise - children] criar - 2. [mention] sacar a relucir - 3. [vomit] devolver.

brink [brɪŋk] *n*: **on the brink of** al borde de.

brisk [brɪsk] *adj* - 1. [quick] rápido(da) - 2. [trade, business] boyante, activo(va) - 3. [efficient, confident - manner] enérgico(ca); [- person] eficaz.

bristle ['brɪsl] <> *n* [gen] cerda *f*; [of person] pelillo *m*. <> *vi* - 1. [stand up] erizarse, ponerse de punta - 2. [react angrily]: **to bristle (at)** enfadarse (por).

Brit [brɪt] *n inf* británico *m*, -ca *f*.

Britain ['brɪtn] *n* Gran Bretaña.

British ['brɪtɪʃ] <> *adj* británico(ca). <> *npl*: **the British** los británicos.

British Isles *npl*: **the British Isles** las Islas Británicas.

Briton ['brɪtn] *n* británico *m*, -ca *f*.

brittle ['brɪtl] *adj* quebradizo(za), frágil.

broach [brəʊtʃ] *vt* abordar.

B road *n UK* ≃ carretera *f* comarcal.

broad [brɔːd] <> *adj* - 1. [shoulders, river, street] ancho(cha); [grin] amplio(plia) - 2. [range, interests] amplio(plia) - 3. [description, outline] general - 4. [hint] claro(ra) - 5. [accent] cerrado(da). ▸▸▸ **in broad daylight** a plena luz del día. <> *n US inf* tía *f*, tipa *f*.

broad bean *n* haba *f*.

broadcast ['brɔːdkɑːst] <> *n* emisión *f*. <> *vt* (*pt* & *pp* **broadcast**) emitir.

broaden ['brɔːdn] <> *vt* - 1. [road, pavement] ensanchar - 2. [scope, appeal] ampliar. <> *vi* [river, road] ensancharse; [smile] hacerse más amplia.

broadly ['brɔːdlɪ] *adv* - 1. [gen] en general - 2. [smile] abiertamente.

broadsheet ['brɔːdʃiːt] *n* periódico de calidad (con hojas de gran tamaño).

broccoli ['brɒkəlɪ] *n* brécol *m*.

brochure ['brəʊʃəʳ] *n* folleto *m*.

broil [brɔɪl] *vt US* asar a la parrilla.

broke [brəʊk] <> *pt* ▷ **break**. <> *adj inf* sin blanca, sin un duro.

broken ['brəʊkn] <> *pp* ▷ **break**. <> *adj* - 1. [gen] roto(ta) - 2. [not working] estropeado(da) - 3. [interrupted - sleep] entrecortado(da); [- journey] discontinuo(nua).

broker ['brəʊkəʳ] *n* [of stock] corredor *m*; [of insurance] agente *mf*.

brolly ['brɒlɪ] *n UK inf* paraguas *m inv*.

bronchitis [brɒŋ'kaɪtɪs] *n* (*U*) bronquitis *f inv*.

bronze [brɒnz] *n* [metal, sculpture] bronce *m*.

brooch [brəʊtʃ] *n* broche *m*, alfiler *m*.

brood [bruːd] <> *n* - 1. [of birds] nidada *f* - 2. *inf* [of children] prole *f*. <> *vi*: **to brood (over OR about)** dar vueltas (a).

brook [brʊk] *n* arroyo *m*.

broom [bruːm] *n* - 1. [brush] escoba *f* - 2. [plant] retama *f*.

broomstick ['bruːmstɪk] *n* palo *m* de escoba.

Bros., bros. (*abbr of* **brothers**) Hnos.

broth [brɒθ] *n* caldo *m*.

brothel ['brɒθl] *n* burdel *m*.

brother ['brʌðəʳ] *n* [relative, monk] hermano *m*.

brother-in-law (*pl* **brothers-in-law**) *n* cuñado *m*.

brought [brɔːt] *pt* & *pp* ▷ **bring**.

brow [braʊ] *n* - 1. [forehead] frente *f* - 2. [eyebrow] ceja *f* - 3. [of hill] cima *f*.

brown [braʊn] <> *adj* - 1. [gen] marrón; [hair, eyes] castaño(ña) - 2. [tanned] moreno(na). <> *n* marrón *m*. <> *vt* [food] dorar.

brown bread *n* pan *m* integral.

brownie ['braʊnɪ-] *n US* bizcocho de chocolate y nueces.

brown paper *n* (*U*) papel *m* de embalar.

brown rice *n* arroz *m* integral.

brown sugar *n* azúcar *m* moreno.

browse [braʊz] <> *vi* - 1. [person] echar un ojo, mirar; **to browse through** hojear - 2. COMPUT navegar. <> *vt* COMPUT navegar por.

bruise [bruːz] <> *n* cardenal *m*. <> *vt* - 1. [person, arm] magullar; [fruit] magullar - 2. *fig* [feelings] herir.

brunch [brʌntʃ] *n* brunch *m* (combinación de desayuno y almuerzo que se toma tarde por la mañana).

brunette [bruː'net] *n* morena *f*.

brunt [brʌnt] *n*: to bear OR take the brunt of aguantar lo peor de.

brush [brʌʃ] ◇ *n* - **1.** [for hair, teeth] cepillo *m*; [for shaving, decorating] brocha *f*; [of artist] pincel *m*; [broom] escoba *f* - **2.** [encounter] roce *m.* ◇ *vt* - **1.** [clean with brush] cepillar; **to brush one's hair** cepillarse el pelo - **2.** [move with hand] quitar, apartar - **3.** [touch lightly] rozar. ◆ **brush aside** *vt sep* [dismiss] hacer caso omiso de. ◆ **brush off** *vt sep* [dismiss] hacer caso omiso de. ◆ **brush up** ◇ *vt sep* *fig* [revise] repasar. ◇ *vi*: to brush up on repasar.

brushwood ['brʌʃwʊd] *n* leña *f*.

brusque [bru:sk] *adj* brusco(ca).

Brussels ['brʌslz] *n* Bruselas.

brussels sprout *n* col *f* de Bruselas.

brutal ['bru:tl] *adj* brutal.

brute [bru:t] ◇ *adj* bruto(ta). ◇ *n* - **1.** [large animal] bestia *f*, bruto *m* - **2.** [bully] bestia *mf*.

BS *US* (*abbr of* **Bachelor of Science**) *n* (titular de una) licenciatura de ciencias.

BSc (*abbr of* **Bachelor of Science**) *n* (titular de una) licenciatura de ciencias.

BTW (*abbr of* **by the way**) *adv* por cierto.

bubble ['bʌbl] ◇ *n* [gen] burbuja *f*; [of soap] pompa *f.* ◇ *vi* - **1.** [produce bubbles] burbujear - **2.** [make a bubbling sound] borbotar.

bubble bath *n* espuma *f* de baño.

bubble gum *n* chicle *m* (de globo).

bubblejet printer ['bʌbldʒet-] *n* COMPUT impresora *f* de inyección.

buck [bʌk] ◇ *n* (*pl* **buck** OR **-s**) - **1.** [male animal] macho *m* - **2.** *esp US inf* [dollar] dólar *m* - **3.** *inf* [responsibility]: **to pass the buck to sb** echarle el muerto a alguien. ◇ *vt inf* [oppose] oponerse a, ir en contra de. ◇ *vi* covear. ◆ **buck up** *inf* ◇ *vt sep* [improve] mejorar; **buck your ideas up** más vale que espabiles. ◇ *vi* - **1.** [hurry up] darse prisa - **2.** [cheer up] animarse.

bucket ['bʌkɪt] *n* [container, bucketful] cubo *m*.

buckle ['bʌkl] ◇ *n* hebilla *f.* ◇ *vt* - **1.** [fasten] abrochar con hebilla - **2.** [bend] combar. ◇ *vi* [wheel] combarse; [knees] doblarse.

bud [bʌd] ◇ *n* [shoot] brote *m*; [flower] capullo *m.* ◇ *vi* brotar, echar brotes.

Buddha ['bʊdə] *n* Buda *m*.

Buddhism ['bʊdɪzm] *n* budismo *m*.

budding ['bʌdɪŋ] *adj* en ciernes.

buddy ['bʌdɪ] *n esp US inf* [friend] amiguete *m*, -ta *f*, colega *mf*.

budge [bʌdʒ] ◇ *vt* mover. ◇ *vi* [move] moverse; [give in] ceder.

budgerigar ['bʌdʒərɪgɑː] *n* periquito *m*.

budget ['bʌdʒɪt] ◇ *adj* económico(ca). ◇ *n* presupuesto *m.* ◆ **budget for** *vt insep* contar con.

budgie ['bʌdʒɪ] *n inf* periquito *m*.

buff [bʌf] ◇ *adj* color de ante. ◇ *n inf* [expert] aficionado *m*, -da *f*.

buffalo ['bʌfələʊ] (*pl* **buffalo**, **-s** OR **-es**) *n* búfalo *m*.

buffer ['bʌfəʳ] *n* - **1.** *UK* [for trains] tope *m* - **2.** *US* [of car] parachoques *m inv* - **3.** [protection] defensa *f*, salvaguarda *f* - **4.** COMPUT búfer *m*.

buffet[1] [*UK* 'bʊfeɪ, *US* bə'feɪ] *n* - **1.** [meal] bufé *m* - **2.** [cafeteria] cafetería *f*.

buffet[2] ['bʌfɪt] *vt* [physically] golpear.

buffet car ['bʊfeɪ-] *n* coche *m* restaurante.

bug [bʌg] ◇ *n* - **1.** *esp US* [small insect] bicho *m* - **2.** *inf* [illness] virus *m* - **3.** [listening device] micrófono *m* oculto - **4.** COMPUT error *m* - **5.** [enthusiasm] manía *f.* ◇ *vt* - **1.** *inf* [spy on - room] poner un micrófono oculto en; [- phone] pinchar - **2.** *esp US inf* [annoy] fastidiar, jorobar.

bugger ['bʌgəʳ] *UK v inf n* - **1.** [unpleasant person] cabrón *m*, -ona *f* - **2.** [difficult, annoying task] coñazo *m.* ◆ **bugger off** *vi v inf*: **bugger off!** ¡vete a tomar por culo!

buggy ['bʌgɪ] *n* - **1.** [carriage] calesa *f* - **2.** [pushchair] sillita *f* de ruedas; *US* [pram] cochecito *m* de niño.

bugle ['bju:gl] *n* corneta *f*, clarín *m*.

build [bɪld] ◇ *vt* (*pt* & *pp* **built**) - **1.** [construct] construir - **2.** *fig* [form, create] crear. ◇ *n* complexión *f*, constitución *f.* ◆ **build (up)on** ◇ *vt insep* [further] desarrollar. ◇ *vt sep* [base on] fundar en. ◆ **build up** ◇ *vt sep* - **1.** [business - establish] poner en pie; [- promote] fomentar - **2.** [person] fortalecer. ◇ *vi* acumularse.

builder ['bɪldəʳ] *n* constructor *m*, -ra *f*.

building ['bɪldɪŋ] *n* - **1.** [structure] edificio *m* - **2.** [profession] construcción *f*.

building and loan association *n US* ≃ caja *f* de ahorros.

building site *n* obra *f*.

building society *n UK* ≃ caja *f* de ahorros.

buildup ['bɪldʌp] *n* [increase] acumulación *f*; [of troops] concentración *f*.

built [bɪlt] *pt* & *pp* ▷ **build**.

built-in *adj* - **1.** [physically integrated] empotrado(da) - **2.** [inherent] incorporado(da).

built-up *adj* urbanizado(da).

bulb [bʌlb] *n* - **1.** [for lamp] bombilla *f* - **2.** [of plant] bulbo *m* - **3.** [bulb-shaped part] parte *f* redondeada.

Bulgaria [bʌl'geərɪə] *n* Bulgaria.

Bulgarian [bʌl'geərɪən] <> adj búlgaro(ra).
<> n - **1.** [person] búlgaro m, -ra f - **2.** [language] búlgaro m.

bulge [bʌldʒ] <> n [lump] protuberancia f, bulto m. <> vi: **to bulge (with)** rebosar (de), estar atestado(da) (de).

bulk [bʌlk] <> n - **1.** [mass] bulto m, volumen m - **2.** [large quantity]: **in bulk** a granel - **3.** [majority, most of]: **the bulk of** la mayor parte de. <> adj a granel.

bulky ['bʌlkɪ] adj voluminoso(sa).

bull [bul] n - **1.** [male cow] toro m - **2.** [male animal] macho m.

bulldog ['buldɒg] n buldog m.

bulldozer ['buldəʊzər] n bulldozer m.

bullet ['bulɪt] n - **1.** [of gun] bala f - **2.** [typo] topo m.

bulletin ['bulətɪn] n - **1.** [news] boletín m; [medical report] parte m - **2.** [regular publication] boletín m, gaceta f.

bullfight ['bulfaɪt] n corrida f (de toros).

bullfighter ['bul,faɪtər] n torero m, -ra f.

bullfighting ['bul,faɪtɪŋ] n toreo m.

bullion ['buljən] n (U) lingotes mpl.

bullock ['bulək] n buey m, toro m castrado.

bullring ['bulrɪŋ] n - **1.** [stadium] plaza f (de toros) - **2.** [arena] ruedo m.

bull's-eye n diana f.

bully ['bulɪ] <> n abusón m, matón m. <> vt intimidar; **to bully sb into doing sthg** obligar a alguien con amenazas a hacer algo.

bum [bʌm] n - **1.** esp UK v inf [bottom] cola f Amér, poto m Chile & Perú, traste m - **2.** US inf pej [tramp] vagabundo m, -da f.

bumblebee ['bʌmblbi:] n abejorro m.

bump [bʌmp] <> n - **1.** [lump - on head] chichón m; [- on road] bache m - **2.** [knock, blow, noise] golpe m. <> vt [car] chocar con OR contra; [head, knee] golpearse en; **I bumped my head on the door** me di con la cabeza en la puerta. ◆ **bump into** vt insep [meet by chance] toparse con.

bumper ['bʌmpər] <> adj abundante; **bumper edition** edición especial. <> n - **1.** AUT parachoques m inv - **2.** US RAIL tope m.

bumptious ['bʌmpʃəs] adj pej engreído(da).

bumpy ['bʌmpɪ] adj - **1.** [road] lleno(na) de baches - **2.** [ride, journey] con muchas sacudidas.

bun [bʌn] n - **1.** [cake, bread roll] bollo m - **2.** [hairstyle] moño m. ◆ **buns** npl US inf trasero m, culo m.

bunch [bʌntʃ] <> n [of people] grupo m; [of flowers] ramo m; [of fruit] racimo m; [of keys] manojo m. <> vi agruparse. ◆ **bunches** npl [hairstyle] coletas fpl.

bundle ['bʌndl] <> n - **1.** [of clothes] lío m, bulto m; [of notes, papers] fajo m; [of wood] haz m; **to be a bundle of nerves** fig ser un manojo de nervios - **2.** COMPUT paquete m. <> vt [clothes] empaquetar de cualquier manera; [person] empujar. ◆ **bundle up** vt sep [put into bundles] liar.

bung [bʌŋ] <> n tapón m. <> vt UK inf - **1.** [throw] tirar - **2.** [pass] alcanzar.

bungalow ['bʌŋgələʊ] n bungalow m.

bungle ['bʌŋgl] vt chapucear.

bunion ['bʌnjən] n juanete m.

bunk [bʌŋk] n [bed] litera f.

bunk bed n litera f.

bunker ['bʌŋkər] n - **1.** [shelter, in golf] bunker m - **2.** [for coal] carbonera f.

bunny ['bʌnɪ] n: **bunny (rabbit)** conejito m, -ta f.

bunting ['bʌntɪŋ] n (U) [flags] banderitas fpl.

buoy [UK bɔɪ, US 'bu:ɪ] n boya f. ◆ **buoy up** vt sep [encourage] alentar.

buoyant ['bɔɪənt] adj - **1.** [able to float] boyante - **2.** [optimistic - gen] optimista; [- market] con tendencia alcista.

burden ['bɜ:dn] <> n - **1.** [heavy load] carga f - **2.** fig [heavy responsibility]: **burden on** carga f para. <> vt: **to burden sb with** cargar a alguien con.

bureau ['bjʊərəʊ] (pl -x) n - **1.** [government department] departamento m - **2.** [office] oficina f - **3.** UK [desk] secreter m; US [chest of drawers] cómoda f.

bureaucracy [bjʊə'rɒkrəsɪ] n burocracia f.

bureaux ['bjʊərəʊz] npl ▷ **bureau.**

burger ['bɜ:gər] n hamburguesa f.

burglar ['bɜ:glər] n ladrón m, -ona f.

burglar alarm n alarma f antirrobo.

burglarize US = **burgle.**

burglary ['bɜ:glərɪ] n robo m (de una casa).

burgle ['bɜ:gl], **burglarize** ['bɜ:gləraɪz] US vt robar, desvalijar (una casa).

burial ['berɪəl] n entierro m.

burly ['bɜ:lɪ] adj fornido(da).

Burma ['bɜ:mə] n Birmania f.

burn [bɜ:n] <> vt (pt & pp burnt OR -ed) - **1.** [gen] quemar - **2.** [injure - by heat, fire] quemarse - **3.** COMPUT tostar, grabar. <> vi (pt & pp burnt OR -ed) - **1.** [gen] arder - **2.** [be alight] estar encendido(da) - **3.** [food] quemarse - **4.** [cause burning sensation] escocer - **5.** [become sunburnt] quemarse. <> n quemadura f. ◆ **burn down** <> vt sep incendiar. <> vi [be destroyed by fire] incendiarse.

burner ['bɜ:nər] n quemador m.

Burns' Night n fiesta celebrada en Escocia el 25 de enero en honor del poeta escocés Robert Burns.

burnt [bɜːnt] *pt & pp* ⊏▷ **burn**.

burp [bɜːp] *inf vi* eructar.

burqa [ˈbɜːkə] *n* burqa *m*.

burrow [ˈbʌrəʊ] ◇ *n* madriguera *f*. ◇ *vi* - 1. [dig] escarbar (un agujero) - 2. *fig* [in order to search] hurgar.

bursar [ˈbɜːsəʳ] *n* tesorero *m*, -ra *f*.

bursary [ˈbɜːsərɪ] *n UK* beca *f*.

burst [bɜːst] ◇ *vi* (*pt & pp* burst) - 1. [gen] reventarse; [bag] romperse; [tyre] pincharse - 2. [explode] estallar. ◇ *vt* (*pt & pp* burst) [gen] reventar; [tyre] pinchar. ◇ *n* [of gunfire, enthusiasm] estallido *m*. ◆ **burst into** *vt insep* - 1. [tears, song]: **to burst into tears/song** romper a llorar/cantar - 2. [flames] estallar en. ◆ **burst out** *vi* [begin suddenly]: **to burst out laughing/crying** echarse a reír/llorar.

bursting [ˈbɜːstɪŋ] *adj* - 1. [full] lleno(na) a estallar - 2. [with emotion]: **bursting with** rebosando de - 3. [eager]: **to be bursting to do sthg** estar deseando hacer algo.

bury [ˈberɪ] *vt* - 1. [in ground] enterrar - 2. [hide - face, memory] ocultar.

bus [bʌs] ◇ *n* autobús *m*; **by bus** en autobús. ◇ *vt US*: **to bus tables** [in restaurant] recoger mesas.

bush [bʊʃ] *n* - 1. [plant] arbusto *m* - 2. [open country]: **the bush** el campo abierto, el monte ▶▶ **to beat about the bush** andarse por las ramas.

bushy [ˈbʊʃɪ] *adj* poblado(da), espeso(sa).

business [ˈbɪznɪs] *n* - 1. (U) [commerce, amount of trade] negocios *mpl*; **to be away on business** estar en viaje de negocios; **to mean business** *inf* ir en serio; **to go out of business** quebrar - 2. [company] negocio *m*, empresa *f* - 3. [concern, duty] oficio *m*, ocupación *f*; **to have no business doing** *OR* **to do sthg** no tener derecho a hacer algo; **mind your own business!** *inf* ¡no te metas donde no te llaman!; **that's none of your business** eso no es asunto tuyo - 4. (U) [affair, matter] asunto *m*.

business class *n* clase *f* preferente.

businesslike [ˈbɪznɪslaɪk] *adj* formal y eficiente.

businessman [ˈbɪznɪsmæn] (*pl* -men [-men]) *n* empresario *m*, hombre *m* de negocios.

business studies *npl* empresariales *mpl*.

business trip *n* viaje *m* de negocios.

businesswoman [ˈbɪznɪsˌwʊmən] (*pl* -women [-ˌwɪmɪn]) *n* empresaria *f*, mujer *f* de negocios.

busker [ˈbʌskəʳ] *n UK* músico *m* ambulante *OR* callejero.

bus-shelter *n* marquesina *f* (de parada de autobús).

bus station *n* estación *f* *OR* terminal *f* de autobuses.

bus stop *n* parada *f* de autobús, paradero *m* *Amér C, Andes & Méx*.

bust [bʌst] ◇ *adj inf* - 1. [broken] fastidiado(da), roto(ta) - 2. [bankrupt]: **to go bust** quebrar. ◇ *n* [bosom, statue] busto *m*. ◇ *vt inf* [break] fastidiar, estropear.

bustle [ˈbʌsl] ◇ *n* bullicio *m*. ◇ *vi* apresurarse.

busy [ˈbɪzɪ] ◇ *adj* - 1. [occupied] ocupado(da); **to be busy doing sthg** estar ocupado haciendo algo - 2. [hectic - life, week] ajetreado(da); [- town, office] concurrido(da); [- road] con mucho tráfico - 3. [active] activo(va). ◇ *vt*: **to busy o.s. (doing sthg)** ocuparse (haciendo algo).

busybody [ˈbɪzɪˌbɒdɪ] *n pej* entrometido *m*, -da *f*.

busy signal *n US* TELEC señal *f* de comunicando.

but [bʌt] ◇ *conj* pero; **we were poor but happy** éramos pobres pero felices; **she owns not one but two houses** tiene no una sino dos casas. ◇ *prep* menos, excepto; **everyone but Jane was there** todos estaban allí, menos Jane; **we've had nothing but bad weather** no hemos tenido más que mal tiempo; **he has no one but himself to blame** la culpa no es de otro más que él *OR* sino de él. ◇ *adv fml*: **had I but known** de haberlo sabido; **we can but try** por intentarlo que no quede. ◆ **but for** *conj* de no ser por.

butcher [ˈbʊtʃəʳ] ◇ *n* - 1. [occupation] carnicero *m*, -ra *f*; **butcher's (shop)** carnicería *f* - 2. [indiscriminate killer] carnicero *m*, -ra *f*, asesino *m*, -na *f*. ◇ *vt* [animal - for meat] matar; *fig* [kill indiscriminately] hacer una carnicería con.

butler [ˈbʌtləʳ] *n* mayordomo *m*.

butt [bʌt] ◇ *n* - 1. [of cigarette, cigar] colilla *f* - 2. [of rifle] culata *f* - 3. [for water] tina *f* - 4. [of joke, remark] blanco *m* - 5. *US* [bottom] trasero *m*, culo *m*. ◇ *vt* topetar. ◆ **butt in** *vi* [interrupt]: **to butt in on sb** cortar a alguien. ◆ **butt out** *vi US* dejar de entrometerse.

butter [ˈbʌtəʳ] ◇ *n* mantequilla *f*. ◇ *vt* untar con mantequilla.

buttercup [ˈbʌtəkʌp] *n* ranúnculo *m*.

butter dish *n* mantequera *f*.

butterfly [ˈbʌtəflaɪ] *n* - 1. [insect] mariposa *f* - 2. [swimming style] (estilo *m*) mariposa *f*.

buttocks [ˈbʌtəks] *npl* nalgas *fpl*.

button [ˈbʌtn] ◇ *n* - 1. [gen & COMPUT] botón *m* - 2. *US* [badge] chapa *f*. ◇ *vt* = **button up**. ◆ **button up** *vt sep* abotonar, abrochar.

button mushroom *n* champiñón *m* pequeño.

buttress ['bʌtrɪs] *n* contrafuerte *m*.

buxom ['bʌksəm] *adj* [woman] maciza, pechugona.

buy [baɪ] ◇ *vt* (*pt* & *pp* bought) *lit* & *fig* comprar; **to buy sth from sb** comprar algo a alguien; **to buy sb sth** comprar algo a alguien, comprar algo para alguien. ◇ *n* compra *f*. ◆ **buy up** *vt sep* acaparar.

buyer ['baɪə'] *n* [purchaser] comprador *m*, -ra *f*.

buyout ['baɪaʊt] *n adquisición de la mayoría de las acciones de una empresa.*

buzz [bʌz] ◇ *n* [of insect, machinery] zumbido *m*; [of conversation] rumor *m*; **to give sb a buzz** [on phone] dar un toque OR llamar a alguien. ◇ *vi* - **1.** [make noise] zumbar - **2.** *fig* [be active]: **to buzz (with)** bullir (de).

buzzer ['bʌzə'] *n* timbre *m*.

buzzword ['bʌzwɜːd] *n inf* palabra *f* de moda.

by [baɪ] *prep* - **1.** [indicating cause, agent] por; **caused/written by** causado/escrito por; **a book by Joyce** un libro de Joyce - **2.** [indicating means, method, manner]: **to travel by bus/train/plane/ship** viajar en autobús/tren/avión/barco; **to pay by cheque** pagar con cheque; **he got rich by buying land** se hizo rico comprando terrenos; **by profession/trade** de profesión/oficio - **3.** [beside, close to] junto a; **by the sea** junto al mar - **4.** [past] por delante de; **to walk by sb/sth** pasear por delante de alguien/algo; **we drove by the castle** pasamos por el castillo (conduciendo) - **5.** [via, through] por; **we entered by the back door** entramos por la puerta trasera - **6.** [with time - at or before, during] para; **I'll be there by eight** estaré allí para las ocho; **by now** ya; **by day/night** de día/noche - **7.** [according to] según; **by law/my standards** según la ley/mis criterios - **8.** [in division] entre; [in multiplication, measurements] por; **to divide 20 by 2** dividir 20 entre 2; **to multiply 20 by 2** multiplicar 20 por 2; **twelve feet by ten** doce pies por diez - **9.** [in quantities, amounts] por; **by the day/hour** por día/horas; **prices were cut by 50%** los precios fueron rebajados (en) un 50% - **10.** [indicating gradual change]: **day by day** día a día; **one by one** uno a uno - **11.** [to explain a word or expression]: **what do you mean by 'all right'?** ¿qué quieres decir con 'bien'?; **what do you understand by the word 'subsidiary'?** ¿qué entiendes por 'subsidiariedad'? ◆ **(all) by oneself** solo(la); **did you do it all by yourself?** ¿lo hiciste tú solo?

bye(-bye) [baɪ(baɪ)] *excl inf* ¡hasta luego!

bye-election = **by-election**.

byelaw ['baɪlɔː] = **bylaw**.

by-election, bye-election *n* elección *f* parcial.

bygone ['baɪɡɒn] *adj* pasado(da). ◆ **bygones** *npl*: **let bygones be bygones** lo pasado, pasado está.

bylaw, byelaw ['baɪlɔː] *n* reglamento *m* OR estatuto *m* local.

bypass ['baɪpɑːs] ◇ *n* - **1.** [road] carretera *f* de circunvalación - **2.** MED: **bypass (operation)** (operación *f* de) by-pass *m*. ◇ *vt* evitar.

by-product *n* - **1.** [product] subproducto *m* - **2.** [consequence] consecuencia *f*.

bystander ['baɪˌstændə'] *n* espectador *m*, -ra *f*.

byte [baɪt] *n* COMPUT byte *m*.

byword ['baɪwɜːd] *n*: **to be a byword (for)** ser sinónimo de.

c[1] (*pl* **c's** OR **cs**), **C** (*pl* **C's** OR **Cs**) [siː] *n* [letter] c *f*, C *f*. ◆ **C** *n* - **1.** MUS do *m* - **2.** (*abbr of* **celsius, centigrade**) C.

c[2] (*abbr of* **cent(s)**) cént.

c. (*abbr of* **circa**) h.

c/a (*abbr of* **current account**) c/c.

cab [kæb] *n* - **1.** [taxi] taxi *m* - **2.** [of lorry] cabina *f*.

cabaret ['kæbəreɪ] *n* cabaret *m*.

cabbage ['kæbɪdʒ] *n* col *f*, repollo *m*.

cabin ['kæbɪn] *n* - **1.** [on ship] camarote *m* - **2.** [in aircraft] cabina *f* - **3.** [house] cabaña *f*.

cabinet ['kæbɪnɪt] *n* - **1.** [cupboard] armario *m*; [with glass pane] vitrina *f* - **2.** POL consejo *m* de ministros, gabinete *m*.

cable ['keɪbl] ◇ *n* - **1.** [rope, wire] cable *m* - **2.** [telegram] cablegrama *m*. ◇ *vt* cablegrafiar.

cable car *n* teleférico *m*.

cable television, cable TV *n* televisión *f* por cable.

cache [kæʃ] *n* - **1.** [store] alijo *m* - **2.** COMPUT caché *f*.

cache memory *n* COMPUT memoria *f* caché.

cackle ['kækl] *vi* - **1.** [hen] cacarear - **2.** [person] reírse.

cactus ['kæktəs] (*pl* -**tuses** OR -**ti** [-taɪ]) *n* cactus *m inv*.

cadet [kə'det] *n* cadete *m*.

cadge [kædʒ] *UK inf vt*: **to cadge sthg (off** OR **from sb)** gorronear algo (a alguien).

caesarean (section) *UK*, **cesarean (section)** *US* [sɪ'zeərɪən-] *n* cesárea *f*.

cafe, café ['kæfeɪ] *n* café *m*, cafetería *f*.

cafeteria [,kæfɪ'tɪərɪə] *n* (restaurante *m*) autoservicio *m*, cantina *f*.

caffeine ['kæfiːn] *n* cafeína *f*.

cage [keɪdʒ] *n* jaula *f*.

cagey ['keɪdʒɪ] (*comp* -**ier**, *superl* -**iest**) *adj inf* reservado(da).

cagoule [kə'guːl] *n UK* chubasquero *m*.

cajole [kə'dʒəʊl] *vt*: **to cajole sb (into doing sthg)** engatusar a alguien (para que haga algo).

cake [keɪk] *n* - **1.** [sweet food] pastel *m*, tarta *f*, torta *f Amér* - **2.** [of fish, potato] medallón *m* empanado - **3.** [of soap] pastilla *f*.

caked [keɪkt] *adj*: **caked with mud** cubierto(ta) de barro seco.

CAL (*abbr of* computer assisted learning) & (*abbr of* computer aided learning) *n* enseñanza *f* asistida por ordenador.

calcium ['kælsɪəm] *n* calcio *m*.

calculate ['kælkjʊleɪt] *vt* - **1.** [work out] calcular - **2.** [plan]: **to be calculated to do sthg** estar pensado(da) para hacer algo.

calculating ['kælkjʊleɪtɪŋ] *adj pej* calculador(ra).

calculation [,kælkjʊ'leɪʃn] *n* cálculo *m*.

calculator ['kælkjʊleɪtə*r*] *n* calculadora *f*.

calendar ['kælɪndə*r*] *n* calendario *m*.

calendar month *n* mes *m* civil.

calendar year *n* año *m* civil.

calf [kɑːf] (*pl* **calves**) *n* - **1.** [young animal - of cow] ternero *m*, -ra *f*, becerro *m*, -rra *f*; [- of other animals] cría *f* - **2.** [leather] piel *f* de becerro - **3.** [of leg] pantorrilla *f*.

calibre, caliber *US* ['kælɪbə*r*] *n* - **1.** [quality] nivel *m* - **2.** [size] calibre *m*.

California [,kælɪ'fɔːnjə] *n* California.

calipers *US* = **callipers**.

call [kɔːl] ◇ *n* - **1.** [cry, attraction, vocation] llamada *f*, llamado *m Amér*; [cry of bird] reclamo *m* - **2.** TELEC llamada *f*, llamado *m Amér*; **to give sb a call** llamar a alguien - **3.** [visit] visita *f*; **to pay a call on sb** hacerle una visita a alguien - **4.** [demand]: **call for** llamamiento *m* a - **5.** [summons]: **on call** de guardia. ◇ *vt* - **1.** [gen & TELEC] llamar; **I'm called Joan** me llamo Joan; **what is it called?** ¿cómo se llama?; **he called my name** me llamó por el nombre; **we'll call it £10** dejémoslo en 10 libras - **2.** [announce - flight] anunciar; [- strike, meeting, election] convocar. ◇ *vi* - **1.** [gen & TELEC] llamar; **who's calling?** ¿quién es? - **2.** [visit] pasar. ◆ **call at** *vt insep* [subj: train] efectuar parada en. ◆ **call back** ◇ *vt sep* - **1.** [on phone] volver a llamar - **2.** [ask to return] hacer volver. ◇ *vi* - **1.** [on phone] volver a llamar - **2.** [visit again] volver a pasarse. ◆ **call for** *vt insep* - **1.** [collect] ir a buscar - **2.** [demand] pedir. ◆ **call in** *vt sep* - **1.** [send for] llamar - **2.** [recall - product, banknotes] retirar; [- loan] exigir pago de. ◆ **call off** *vt sep* - **1.** [meeting, party] suspender; [strike] desconvocar - **2.** [dog etc] llamar *(para deje de atacar)*. ◆ **call on** *vt insep* [visit] visitar. ◆ **call out** ◇ *vt sep* - **1.** [order to help - troops] movilizar; [- police, firemen] hacer intervenir - **2.** [cry out] gritar. ◇ *vi* gritar. ◆ **call round** *vi* pasarse. ◆ **call up** *vt sep* - **1.** MIL llamar a filas - **2.** *esp US* [on telephone] llamar (por teléfono).

CALL (*abbr of* computer assisted (or aided) language learning) *n* enseñanza *f* de idiomas asistida por ordenador.

call box *n UK* cabina *f* telefónica.

call centre *n* centro *m* de atención telefónica.

caller ['kɔːlə*r*] *n* - **1.** [visitor] visita *f* - **2.** [on telephone] persona *f* que llama.

caller (ID) display *n* [on telephone] identificador *m* de llamada.

call-in *n US* RADIO & TV programa *m* a micrófono abierto.

calling ['kɔːlɪŋ] *n* - **1.** [profession] profesión *f* - **2.** [vocation] vocación *f*.

calling card *n US* tarjeta *f* de visita.

callipers *UK*, **calipers** *US* ['kælɪpəz] *npl* - **1.** MED aparato *m* ortopédico - **2.** [for measuring] calibrador *m*.

callous ['kæləs] *adj* despiadado(da).

calm [kɑːm] ◇ *adj* - **1.** [not worried or excited] tranquilo(la) - **2.** [evening, weather] apacible - **3.** [sea] en calma. ◇ *n* calma *f*. ◇ *vt* calmar. ◆ **calm down** ◇ *vt sep* calmar. ◇ *vi* calmarse.

Calor gas® ['kælə*r*-] *n UK* (gas *m*) butano *m*.

calorie ['kælərɪ] *n* caloría *f*.

calves [kɑːvz] *npl* ▷ **calf**.

camber ['kæmbə*r*] *n* [of road] peralte *m*.

Cambodia [kæm'bəʊdjə] *n* Camboya.

camcorder ['kæm,kɔːdə*r*] *n* camcorder *m*, videocámara *f*.

came [keɪm] *pt* ▷ **come**.

camel ['kæml] *n* camello *m*.

cameo ['kæmɪəʊ] (*pl* -**s**) *n* - **1.** [jewellery] camafeo *m* - **2.** [in acting] actuación *f* breve y memorable; [in writing] excelente descripción *f*.

camera ['kæmərə] *n* cámara *f*. ◆ **in camera** *adv fml* a puerta cerrada.

cameraman ['kæmərəmæn] (pl -men [-men]) n cámara m.

camouflage ['kæməflɑːʒ] ◇ n camuflaje m. ◇ vt camuflar.

camp [kæmp] ◇ n - 1. [gen & MIL] campamento m - 2. [temporary mass accommodation] campo m; **(summer) camp** US colonia f, campamento m de verano - 3. [faction] bando m. ◇ vi acampar. ◇ adj inf amanerado(da). ◆ **camp out** vi acampar (al aire libre).

campaign [kæm'peɪn] ◇ n campaña f. ◇ vi: **to campaign (for/against)** hacer campaña (a favor de/en contra de).

camp bed n cama f plegable.

camper ['kæmpər] n - 1. [person] campista mf - 2.: **camper (van)** autocaravana f.

campground ['kæmpgraʊnd] n US camping m.

camping ['kæmpɪŋ] n camping m; **to go camping** ir de acampada.

camping site, campsite ['kæmpsaɪt] n camping m.

campus ['kæmpəs] (pl -es) n campus m inv, ciudad f universitaria.

can¹ [kæn] ◇ n [for drink, food] lata f, bote m; [for oil, paint] lata; US [for garbage] cubo m. ◇ vt (pt & pp -ned, cont -ning) enlatar.

can² (weak form [kən], strong form [kæn], conditional and preterite form could; negative form cannot and can't) modal vb - 1. [be able to] poder; **can you come to lunch?** ¿puedes venir a comer?; **I can't OR cannot afford it** no me lo puedo permitir; **can you see/hear something?** ¿ves/oyes algo? - 2. [know how to] saber; **I can speak French** hablo francés, sé hablar francés; **I can play the piano** sé tocar el piano; **can you drive/cook?** ¿sabes conducir/cocinar? - 3. [indicating permission, in polite requests] poder; **you can use my car if you like** puedes utilizar mi coche si quieres; **can I speak to John, please?** ¿puedo hablar con John, por favor? - 4. [indicating disbelief, puzzlement]: **you can't be serious** estás de broma ¿no?; **what can she have done with it?** ¿qué puede haber hecho con ello? - 5. [indicating possibility] poder; **you could have done it** podrías haberlo hecho; **I could see you tomorrow** podríamos vernos mañana.

Canada ['kænədə] n (el) Canadá.

Canadian [kə'neɪdjən] ◇ adj canadiense. ◇ n [person] canadiense mf.

canal [kə'næl] n canal m.

canary [kə'neərɪ] n canario m.

Canary Islands, Canaries [kə'neərɪz] npl: **the Canary Islands** las (islas) Canarias.

cancel ['kænsl] (UK pt & pp -led, cont -ling, US pt & pp -ed, cont -ing) vt - 1. [call off] cancelar, suspender - 2. [invalidate - cheque, debt] cancelar; [- order] anular. ◆ **cancel out** vt sep anular.

cancellation [,kænsə'leɪʃn] n suspensión f.

cancer ['kænsər] n [disease] cáncer m. ◆ **Cancer** n Cáncer m.

candelabra [,kændɪ'lɑːbrə] n candelabro m.

candid ['kændɪd] adj franco(ca).

candidate ['kændɪdət] n: **candidate (for)** candidato m, -ta f (a).

candle ['kændl] n vela f.

candlelight ['kændllaɪt] n: **by candlelight** a la luz de una vela.

candlelit ['kændllɪt] adj [dinner] a la luz de las velas.

candlestick ['kændlstɪk] n candelero m.

candour UK, **candor** ['kændər] US n franqueza f, sinceridad f.

candy ['kændɪ] n esp US - 1. (U) [confectionery] golosinas fpl; **candy bar** chocolatina f - 2. [sweet] caramelo m.

candyfloss UK ['kændɪflɒs], **cotton candy** US n azúcar m hilado, algodón m.

cane [keɪn] n - 1. (U) [for making furniture, supporting plant] caña f, mimbre m - 2. [walking stick] bastón m - 3. [for punishment]: **the cane** la vara.

canine ['keɪnaɪn] ◇ adj canino(na). ◇ n: **canine (tooth)** (diente m) canino m, colmillo m.

canister ['kænɪstər] n [for tea] bote m; [for film] lata f; [for gas] bombona f; **smoke canister** bote de humo.

cannabis ['kænəbɪs] n cannabis m.

canned [kænd] adj [food, drink] enlatado(da), en lata.

cannibal ['kænɪbl] n caníbal mf.

cannon ['kænən] n (pl cannon OR -s) cañón m.

cannonball ['kænənbɔːl] n bala f de cañón.

cannot ['kænɒt] fml (abbr of can not) ▷ **can**.

canny ['kænɪ] adj [shrewd] astuto(ta).

canoe [kə'nuː] n [gen] canoa f; SPORT piragua f.

canoeing [kə'nuːɪŋ] n piragüismo m.

canon ['kænən] n - 1. [clergyman] canónigo m - 2. [general principle] canon m.

can opener n esp US abrelatas m inv.

canopy ['kænəpɪ] n [over bed, seat] dosel m.

can't [kɑːnt] (abbr of cannot) ▷ **can**.

cantankerous [kæn'tæŋkərəs] adj [person] refunfuñón(ona), cascarrabias (inv).

canteen [kæn'tiːn] n - 1. [restaurant] cantina f - 2. [set of cutlery] (juego m de) cubertería f.

canter ['kæntər] <> *n* medio galope *m*. <> *vi* ir a medio galope.

cantilever ['kæntɪliːvəʳ] *n* voladizo *m*.

Cantonese [ˌkæntəˈniːz] <> *adj* cantonés(esa). <> *n* - **1.** [person] cantonés *m*, -esa *f* - **2.** [language] cantonés *m*.

canvas ['kænvəs] *n* - **1.** [cloth] lona *f* - **2.** [for painting on, finished painting] lienzo *m*.

canvass ['kænvəs] <> *vt* - **1.** POL [person] solicitar el voto a - **2.** [opinion] pulsar. <> *vi* *solicitar votos yendo de puerta en puerta*.

canyon ['kænjən] *n* cañón *m*.

cap [kæp] <> *n* - **1.** [hat - peaked] gorra *f*; [- with no peak] gorro *m*; **to go cap in hand to sb** acudir a alguien en actitud humilde - **2.** [on bottle] tapón *m*; [on jar] tapa *f*; [on pen] capuchón *m* - **3.** [limit] tope *m* - **4.** UK [contraceptive device] diafragma *m*. <> *vt* - **1.** [top]: **to be capped with** estar coronado(da) de - **2.** [outdo]: **to cap it all** para colmo.

capability [ˌkeɪpəˈbɪlətɪ] *n* capacidad *f*.

capable ['keɪpəbl] *adj* - **1.** [able]: **to be capable of sthg/of doing sthg** ser capaz de algo/de hacer algo - **2.** [competent] competente.

capacity [kəˈpæsɪtɪ] *n* - **1.** [gen]: **capacity (for)** capacidad *f* (de); **seating capacity** aforo *m* - **2.** [position] calidad *f*.

cape [keɪp] *n* - **1.** GEOG cabo *m* - **2.** [cloak] capa *f*

caper ['keɪpəʳ] *n* - **1.** [food] alcaparra *f* - **2.** *inf* [escapade] treta *f*.

capita ⊳ **per capita**.

capital ['kæpɪtl] <> *adj* - **1.** [letter] mayúscula - **2.** [punishable by death] capital. <> *n* - **1.** [of country, main centre] capital *f* - **2.**: **capital (letter)** mayúscula *f* - **3.** [money] capital *m*; **to make capital (out) of** *fig* sacar partido de.

capital expenditure *n* (U) inversión *f* de capital.

capital gains tax *n* impuesto *m* sobre plusvalías.

capital goods *npl* bienes *mpl* de capital.

capitalism ['kæpɪtəlɪzm] *n* capitalismo *m*.

capitalist ['kæpɪtəlɪst] <> *adj* capitalista. <> *n* capitalista *mf*.

capitalize, -ise ['kæpɪtəlaɪz] *vi*: **to capitalize on sthg** aprovechar algo, capitalizar algo.

capital punishment *n* (U) pena *f* capital.

Capitol Hill ['kæpɪtl-] *n* el Capitolio.

capitulate [kəˈpɪtjʊleɪt] *vi*: **to capitulate (to)** capitular (ante).

Capricorn ['kæprɪkɔːn] *n* Capricornio *m*.

capsize [kæpˈsaɪz] <> *vt* hacer volcar OR zozobrar. <> *vi* volcar, zozobrar.

capsule ['kæpsjuːl] *n* cápsula *f*.

captain ['kæptɪn] *n* [gen] capitán *m*, -ana *f*; [of aircraft] comandante *mf*.

caption ['kæpʃn] *n* [under picture etc] leyenda *f*; [heading] encabezamiento *m*.

captivate ['kæptɪveɪt] *vt* cautivar.

captive ['kæptɪv] <> *adj* - **1.** [imprisoned] en cautividad - **2.** *fig* [market] asegurado(da). <> *n* cautivo *m*, -va *f*.

captivity [kæpˈtɪvətɪ] *n*: **in captivity** en cautividad, en cautiverio.

captor ['kæptəʳ] *n* apresador *m*, -ra *f*.

capture ['kæptʃəʳ] <> *vt* - **1.** [gen] capturar - **2.** [audience, share of market] hacerse con; [city] tomar - **3.** [scene, mood, attention] captar - **4.** [comput] introducir. <> *n* [of person] captura *f*; [of city] toma *f*.

car [kɑːʳ] <> *n* - **1.** [motorcar] coche *m*, automóvil *m*, carro *m* Amér, auto *m* - **2.** [on train] vagón *m*, coche *m*. <> *comp* [door, tyre etc] del coche; INDUST del automóvil; [accident] de automóvil.

carafe [kəˈræf] *n* garrafa *f*.

car alarm *n* alarma *f* de coche.

caramel ['kærəmel] *n* - **1.** [burnt sugar] caramelo *m* (líquido), azúcar *m* quemado - **2.** [sweet] tofe *m*.

carat ['kærət] *n* UK quilate *m*.

caravan ['kærəvæn] *n* caravana *f*, roulotte *f*.

caravan site *n* UK camping *m* para caravanas OR roulottes.

carbohydrate [ˌkɑːbəʊˈhaɪdreɪt] *n* CHEM hidrato *m* de carbono. ◆ **carbohydrates** *npl* [in food] féculas *fpl*.

carbon ['kɑːbən] *n* - **1.** [element] carbono *m* - **2.** copia en papel carbón.

carbonated ['kɑːbəneɪtɪd] *adj* con gas.

carbon copy *n* [document] copia *f* en papel carbón; *fig* [exact copy] calco *m*.

carbon dioxide [-daɪˈɒksaɪd] *n* bióxido *m* OR dióxido *m* de carbono.

carbon monoxide [-mɒˈnɒksaɪd] *n* monóxido *m* de carbono.

carbon paper, carbon *n* (U) papel *m* carbón.

car-boot sale *n* venta de objetos usados colocados en el portaequipajes del coche.

carburettor UK, **carburetor** US [ˌkɑːbəˈretəʳ] *n* carburador *m*.

carcass ['kɑːkəs] *n* [meat] cadáver *m* (de animal); [of bird] carcasa *f*; [at butcher's] canal *m*.

card [kɑːd] <> *n* - **1.** [playing card] carta *f*, naipe *m* - **2.** [for information, greetings, computers] tarjeta *f*; [for identification] carné *m* - **3.** [postcard] postal *f* - **4.** [cardboard] cartulina *f*. <> *vt* US [ask for ID] pedir el carné a. ◆ **cards** *npl* las cartas, los naipes. ◆ **on the cards** UK, **in the cards** US *adv* *inf* más que probable.

cardboard ['kɑːdbɔːd] <> *n* (U) cartón *m*. <> *comp* de cartón.

cardboard box n caja f de cartón.
cardiac ['kɑːdiæk] adj cardíaco(ca).
cardigan ['kɑːdɪgən] n rebeca f.
cardinal ['kɑːdɪnl] ⋄ adj capital. ⋄ n RELIG cardenal m.
card index n UK fichero m.
cardphone ['kɑːdfəʊn] n tarjeta f telefónica.
card table n mesita f plegable (para jugar a cartas).
care [keər] ⋄ n - 1. [gen] cuidado m; **medical care** asistencia f médica; **in sb's care** al cargo OR cuidado de alguien; **to be in/be taken into care** estar/ser internado en un centro de protección de menores; **to take care of** [person] cuidar de; [animal, machine] cuidar; [deal with] encargarse de; **take care!** [goodbye] ¡nos vemos!, ¡cuídate!; **to take care (to do sthg)** tener cuidado (de hacer algo) - 2. [cause of worry] preocupación f. ⋄ vi - 1. [be concerned]: **to care (about)** preocuparse (de OR por) - 2. [mind]: **I don't care** no me importa.
⬥ **care of** prep al cuidado de, en casa de.
⬥ **care for** vt insep dated [like]: **I don't care for cheese** no me gusta el queso.
career [kə'rɪər] ⋄ n carrera f. ⋄ vi ir a toda velocidad.
careers adviser n asesor m, -ra f de orientación profesional.
carefree ['keəfriː] adj despreocupado(da).
careful ['keəfʊl] adj [gen] cuidadoso(sa); [driver] prudente; [work] esmerado(da); **be careful!** ¡ten cuidado!; **to be careful with money** ser mirado OR cuidadoso con el dinero; **to be careful to do sthg** tener cuidado de hacer algo.
carefully ['keəflɪ] adv - 1. [cautiously] cuidadosamente, con cuidado; [drive] con cuidado - 2. [thoroughly] detenidamente.
careless ['keəlɪs] adj - 1. [inattentive] descuidado(da) - 2. [unconcerned] despreocupado(da).
caress [kə'res] ⋄ n caricia f. ⋄ vt acariciar.
caretaker ['keə,teɪkər] n UK conserje mf.
car ferry n transbordador m OR ferry m de coches.
cargo ['kɑːgəʊ] (pl -es OR -s) n carga f, cargamento m.
car hire n UK alquiler m OR renta f Méx de coches, arrendamiento m de autos.
Caribbean [UK kærɪ'bɪən, US kə'rɪbɪən] n: **the Caribbean (Sea)** el (mar) Caribe.
caring ['keərɪŋ] adj solícito(ta), dedicado(da).
carnage ['kɑːnɪdʒ] n carnicería f.
carnal ['kɑːnl] adj liter carnal.
carnation [kɑː'neɪʃn] n clavel m.

carnival ['kɑːnɪvl] n carnaval m.
carnivorous [kɑː'nɪvərəs] adj carnívoro(ra).
carol ['kærəl] n villancico m.
carousel [,kærə'sel] n - 1. esp US [at fair] tiovivo m - 2. [at airport] cinta f transportadora.
carp [kɑːp] ⋄ n (pl carp OR -s) carpa f. ⋄ vi: **to carp (about)** refunfuñar OR renegar (de).
car park n UK aparcamiento m, parqueadero m Col & Pan, estacionamiento m Amér.
carpenter ['kɑːpəntər] n carpintero m, -ra f.
carpentry ['kɑːpəntrɪ] n carpintería f.
carpet ['kɑːpɪt] ⋄ n lit & fig alfombra f; **fitted carpet** moqueta f; **to sweep sthg under the carpet** fig echar tierra a algo. ⋄ vt [fit with carpet] enmoquetar.
carpet slipper n zapatilla f.
carpet sweeper [-'swiːpər] n cepillo m mecánico (de alfombras).
car rental n US alquiler m OR renta f Méx de coches, arrendamiento m de autos.
carriage ['kærɪdʒ] n - 1. [horsedrawn vehicle] carruaje m - 2. UK [railway coach] vagón m - 3. [transport of goods] transporte m; **carriage forward** UK porte a cuenta del destinatario - 4. [on typewriter] carro m.
carriage return n retorno m de carro.
carriageway ['kærɪdʒweɪ] n UK calzada f.
carrier ['kærɪər] n - 1. COMM transportista mf - 2. [airline] aerolínea f - 3. [of disease] portador m, -ra f - 4. = **carrier bag**.
carrier bag n bolsa f (de papel o plástico).
carrot ['kærət] n - 1. [vegetable] zanahoria f - 2. inf [incentive] aliciente m.
carry ['kærɪ] ⋄ vt - 1. [transport] llevar - 2. [have about one's person] llevar encima - 3. [disease] ser portador de - 4. [involve] acarrear, conllevar - 5. [motion, proposal] aprobar - 6. [be pregnant with] estar embarazada de - 7. MATHS llevarse. ⋄ vi [sound] oírse.
⬥ **carry away** vt insep: **to get carried away** exaltarse. ⬥ **carry forward, carry over** vt sep llevar a la página siguiente. ⬥ **carry off** vt sep - 1. [make a success of] llevar a cabo - 2. [win] llevarse. ⬥ **carry on** ⋄ vt insep - 1. [continue] continuar, seguir; **to carry on doing sthg** continuar OR seguir haciendo algo - 2. [conversation] mantener. ⋄ vi inf [make a fuss] exagerar la nota. ⬥ **carry out** vt insep - 1. [perform] llevar a cabo - 2. [fulfil] cumplir. ⬥ **carry through** vt sep [accomplish] llevar a cabo.
carryall ['kærɪɔːl] n US bolsa f de viaje.
carrycot ['kærɪkɒt] n esp UK moisés m.
carry-out n US & Scotland comida f para llevar.
carsick ['kɑː,sɪk] adj mareado(da) (al ir en coche).

cart [kɑːt] <> n - 1. [for horse] carro m, carreta f - 2. US [trolley] carrito m. <> vt inf acarrear.

carton ['kɑːtn] n - 1. [strong cardboard box] caja f de cartón - 2. [for liquids] cartón m, envase m.

cartoon [kɑː'tuːn] n - 1. [satirical drawing] chiste m (en viñeta) - 2. [comic strip] tira f cómica - 3. [film] dibujos mpl animados.

cartridge ['kɑːtrɪdʒ] n - 1. [for gun, camera & COMPUT] cartucho m - 2. [for pen] recambio m.

cartwheel ['kɑːtwiːl] n voltereta f lateral.

carve [kɑːv] <> vt - 1. [wood] tallar; [stone] esculpir - 2. [meat] trinchar - 3. [name, message] grabar. <> vi trinchar. ◆ **carve out** vt sep [niche, place] conquistar. ◆ **carve up** vt sep repartir.

carving ['kɑːvɪŋ] n - 1. [art, work - wooden] tallado m; [- stone] labrado m - 2. [object - wooden, stone] talla f.

carving knife n cuchillo m de trinchar.

car wash n lavado m de coches.

case [keɪs] n - 1. [gen & GRAM] caso m; **to be the case** ser el caso; **in that/which case** en ese/cuyo caso; **as OR whatever the case may be** según sea el caso; **in case of** en caso de - 2. [argument] argumentos mpl; **the case for/against (sthg)** los argumentos a favor/en contra (de algo) - 3. LAW [trial, inquiry] pleito m, causa f - 4. [container - of leather] funda f; [- of hard material] estuche m - 5. UK [suitcase] maleta f, petaca f Méx, valija f R Plata. ◆ **in any case** adv en cualquier caso. ◆ **in case** conj & adv por si acaso; **in case she doesn't come** por si no viene.

cash [kæʃ] <> n - 1. [notes and coins] (dinero m) efectivo m; **to pay (in) cash** pagar al contado OR en efectivo - 2. inf [money] dinero m - 3. [payment]: **cash in advance** pago m al contado OR por adelantado; **cash on delivery** entrega f contra reembolso. <> vt cobrar, hacer efectivo. ◆ **cash in** vi: **to cash in on** inf sacar partido de.

cash and carry n almacén m de venta al por mayor.

cashbook ['kæʃbʊk] n libro m de caja.

cash box n caja f con cerradura (para el dinero).

cash card n esp US tarjeta f de cajero automático.

cash desk n UK caja f.

cash dispenser [-dɪ'spensər], **cash machine, cash point** n esp US cajero m automático.

cashew (nut) ['kæʃuː-] n (nuez f de) anacardo m.

cashier [kæ'ʃɪər] n cajero m, -ra f.

cashless ['kæʃlɪs] adj sin dinero en efectivo.

cash machine = **cash dispenser**.

cashmere [kæʃ'mɪər] n cachemira f.

cash point ['kæʃpɔɪnt] = **cash dispenser**.

cash register n caja f (registradora).

casing ['keɪsɪŋ] n [of electric cable] revestimiento m.

casino [kə'siːnəʊ] (pl -s) n casino m.

cask [kɑːsk] n tonel m, barril m.

casket ['kɑːskɪt] n - 1. [for jewels] estuche m - 2. US [coffin] ataúd m.

casserole ['kæsərəʊl] n - 1. [stew] guiso m - 2. [pan] cazuela f, cacerola f.

cassette [kæ'set] n cinta f, casete f.

cassette player n casete m, magnetófono m.

cassette recorder n casete m, magnetófono m.

cast [kɑːst] <> n [of play, film] reparto m. <> vt (pt & pp cast) - 1. [look] echar, lanzar - 2. [light] irradiar; [shadow] proyectar - 3. [throw] arrojar, lanzar - 4. [vote] emitir - 5. [metal, statue] fundir. ◆ **cast off** vi NAUT soltar amarras.

castanets [,kæstə'nets] npl castañuelas fpl.

castaway ['kɑːstəweɪ] n náufrago m, -ga f.

caste [kɑːst] n casta f.

caster, castor ['kɑːstər] n [wheel] ruedecilla f.

caster sugar, castor sugar n UK azúcar m extrafino.

casting vote n voto m de calidad.

cast iron n hierro m fundido.

castle ['kɑːsl] n - 1. [building] castillo m - 2. [in chess] torre f.

castor ['kɑːstər] = **caster**.

castor oil n aceite m de ricino.

castor sugar = **caster sugar**.

castrate [kæ'streɪt] vt castrar.

casual ['kæʒʊəl] adj - 1. [relaxed, indifferent] despreocupado(da) - 2. pej [offhand] descuidado(da), informal - 3. [chance - visitor] ocasional; [- remark] casual - 4. [informal - clothes] de sport, informal - 5. [irregular - labourer etc] eventual.

casually ['kæʒʊəlɪ] adv - 1. [in a relaxed manner, indifferently] con aire despreocupado - 2. [informally] informalmente.

casualty ['kæʒjʊəltɪ] n - 1. [gen] víctima f; MIL baja f - 2. (U) [ward] urgencias fpl.

casualty department n unidad f de urgencias.

cat [kæt] n - 1. [domestic] gato m, -ta f; **to think that one is the cat's whiskers** UK creerse que uno es el oro y el moro - 2. [wild] felino m.

Catalan ['kætə,læn] <> adj catalán(ana). <> n - 1. [person] catalán m, -ana f - 2. [language] catalán m.

catalogue UK, **catalog** US ['kætəlɒg] ⟨⟩ n
- 1. [of items] catálogo m - 2. fig [series] serie f.
⟨⟩ vt - 1. [make official list of] catalogar - 2. fig
[list] enumerar.

Catalonia [ˌkætə'ləʊnɪə] n Cataluña.

Catalonian [ˌkætə'ləʊnɪən] ⟨⟩ adj cata-
lán(ana). ⟨⟩ n [person] catalán m, -ana f.

catalyst ['kætəlɪst] n lit & fig catalizador m.

catalytic convertor [ˌkætə'lɪtɪk kən'vɜːtər]
n catalizador m.

catapult ['kætəpʌlt] UK n - 1. [hand-held] ti-
rachinas m inv - 2. HIST [machine] catapulta f.

cataract ['kætərækt] n [waterfall, in eye] cata-
rata f.

catarrh [kə'tɑːr] n (U) catarro m.

catastrophe [kə'tæstrəfɪ] n catástrofe f.

catch [kætʃ] ⟨⟩ vt (pt & pp caught) - 1. [gen]
coger, agarrar Amér; [ball] atrapar - 2. [fish]
pescar; [stop - person] parar - 3. [be in time for]:
I've got a train to catch tengo que coger un
tren; to catch the (last) post UK llegar a la (úl-
tima) recogida del correo - 4. [hear clearly] en-
tender, llegar a oír - 5. [interest, imagination]
despertar - 6. [see]: to catch sight OR a glimpse
of alcanzar a ver - 7. [hook - shirt etc] engan-
charse; [shut in door - finger] pillarse - 8. [strike]
golpear. ⟨⟩ vi (pt & pp caught) - 1. [become
hooked, get stuck] engancharse - 2. [start to
burn] prenderse. ⟨⟩ n - 1. [of ball etc] para-
da f - 2. [of fish] pesca f, captura f - 3. [fastener
- on door] pestillo m; [- on necklace] cierre m
- 4. [snag] trampa f. ◆ **catch on** vi - 1. [be-
come popular] hacerse popular - 2. inf [under-
stand]: to catch on (to) caer en la cuenta (de).
◆ **catch out** vt sep [trick] pillar. ◆ **catch
up** ⟨⟩ vt sep alcanzar. ⟨⟩ vi: we'll soon catch
up pronto nos pondremos a la misma altura;
to catch up on [sleep] recuperar; [work, reading]
ponerse al día con. ◆ **catch up with** vt in-
sep - 1. [group etc] alcanzar - 2. [criminal] pillar,
descubrir.

catching ['kætʃɪŋ] adj contagioso(sa).

catchment area ['kætʃmənt-] n UK zona f
de captación.

catchphrase ['kætʃfreɪz] n muletilla f.

catchy ['kætʃɪ] adj pegadizo(za).

categorically [ˌkætɪ'gɒrɪklɪ] adv [state] cate-
góricamente; [deny] rotundamente.

category ['kætəgərɪ] n categoría f.

cater ['keɪtər] ⟨⟩ vi proveer comida. ⟨⟩ vt
US [party, event] dar el servicio de comida y be-
bida de. ◆ **cater for** vt insep UK [tastes,
needs] atender a; [social group] estar destina-
do(da) a; I hadn't catered for that no había
contado con eso. ◆ **cater to** vt insep com-
placer.

caterer ['keɪtərər] n [firm] empresa f de hos-
telería.

catering ['keɪtərɪŋ] n [at wedding etc] servi-
cio m de banquetes; [trade] hostelería f.

caterpillar ['kætəpɪlər] n oruga f.

caterpillar tracks npl (rodado m de) oru-
ga f.

cathedral [kə'θiːdrəl] n catedral f.

Catholic ['kæθlɪk] ⟨⟩ adj católico(ca). ⟨⟩ n
católico m, -ca f. ◆ **catholic** adj diverso(sa).

Catseyes® ['kætsaɪz] npl UK catafaros mpl.

cattle ['kætl] npl ganado m (vacuno).

catty ['kætɪ] adj inf pej [spiteful] malintencio-
nado(da).

catwalk ['kætwɔːk] n pasarela f.

caucus ['kɔːkəs] n [political group] comité m.
◆ **Caucus** n US congreso de los principales
partidos estadounidenses.

caught [kɔːt] pt & pp ▷ **catch**.

cauliflower ['kɒlɪˌflaʊər] n coliflor f.

cause [kɔːz] ⟨⟩ n - 1. [gen] causa f
- 2. [grounds]: **cause (for)** motivo m (para);
cause for complaint motivo de queja; **cause to
do sthg** motivo para hacer algo. ⟨⟩ vt causar;
to cause sb to do sthg hacer que alguien haga
algo.

caustic ['kɔːstɪk] adj - 1. CHEM cáustico(ca)
- 2. [comment] mordaz, hiriente.

caution ['kɔːʃn] ⟨⟩ n - 1. (U) [care] precau-
ción f, cautela f - 2. [warning] advertencia f.
⟨⟩ vt - 1. [warn - against danger] prevenir;
[- against behaving rudely etc] advertir - 2. UK
[subj: policeman]: **to caution sb (for)** amonestar
a alguien (por).

cautious ['kɔːʃəs] adj prudente, cauto(ta).

cavalier [ˌkævə'lɪər] adj arrogante, desdeño-
so(sa).

cavalry ['kævlrɪ] n caballería f.

cave [keɪv] n cueva f. ◆ **cave in** vi [roof,
ceiling] hundirse.

caveman ['keɪvmæn] (pl -men [-men]) n ca-
vernícola mf.

caviar(e) ['kævɪɑːr] n caviar m.

cavity ['kævətɪ] n - 1. [in object, structure] ca-
vidad f - 2. [in tooth] caries f inv.

cavort [kə'vɔːt] vi retozar, brincar.

cc n - 1. (abbr of cubic centimetre) cc - 2. (abbr
of carbon copy) cc.

CD n - 1. (abbr of compact disc) CD m
- 2. (abbr of Corps Diplomatique) CD.

CD burner n grabadora f de CD.

CD player n reproductor m de CD.

CD-R (abbr of compact disc recordable) n CD-
R m.

CD-R drive n grabadora f de CD-R.

CD-ROM burner n estampadora f de CD.

CD-RW (abbr of compact disc rewritable) n CD-RW m.

CD tower n torre f de almacenamiento de CDs.

cease [si:s] fml <> vt cesar. <> vi cesar.

cease-fire n alto m el fuego.

ceaseless ['si:slɪs] adj fml incesante.

cedar (tree) ['si:dər-] n cedro m.

ceiling ['si:lɪŋ] n - 1. [of room] techo m - 2. [limit] tope m, límite m.

celebrate ['selɪbreɪt] vt & vi celebrar.

celebrated ['selɪbreɪtɪd] adj célebre.

celebration [,selɪ'breɪʃn] n - 1. (U) [activity, feeling] celebración f - 2. [event] fiesta f, festejo m.

celebrity [sɪ'lebrətɪ] n celebridad f.

celery ['selərɪ] n apio m.

celibate ['selɪbət] adj célibe.

cell [sel] n - 1. BIOL & POL célula f - 2. COMPUT celda f - 3. [prisoner's, nun's or monk's room] celda f - 4. ELEC pila f.

cellar ['selər] n - 1. [basement] sótano m - 2. [stock of wine] bodega f.

cello ['tʃeləʊ] (pl -s) n violoncelo m.

Cellophane® ['seləfeɪn] n celofán® m.

Celsius ['selsɪəs] adj centígrado(da); **20 degrees Celsius** 20 grados centígrados.

Celt [kelt] n celta mf.

Celtic ['keltɪk] <> adj celta. <> n celta m.

cement [sɪ'ment] <> n - 1. [for concrete] cemento m - 2. [glue] cola f. <> vt - 1. [glue] encolar - 2. [agreement, relationship] cimentar, fortalecer.

cement mixer n hormigonera f.

cemetery ['semɪtrɪ] n cementerio m.

censor ['sensər] <> n censor m, -ra f. <> vt censurar.

censorship ['sensəʃɪp] n censura f.

censure ['senʃər] vt censurar.

census ['sensəs] (pl -uses) n censo m.

cent [sent] n centavo m.

centenary UK [sen'ti:nərɪ], **centennial** US [sen'tenjəl] n centenario m.

center US = **centre**.

centigrade ['sentɪgreɪd] adj centígrado(da); **20 degrees centigrade** 20 grados centígrados.

centilitre UK, **centiliter** US ['sentɪ,li:tər] n centilitro m.

centimetre UK, **centimeter** US ['sentɪ,mi:tər] n centímetro m.

centipede ['sentɪpi:d] n ciempiés m inv.

central ['sentrəl] adj - 1. [gen] central; in **central Spain** en el centro de España - 2. [easily reached] céntrico(ca).

Central America n Centroamérica.

Central Europe n Europa Central.

central heating n calefacción f central.

centralize, -ise ['sentrəlaɪz] vt centralizar.

central locking [-'lɒkɪŋ] n cierre m centralizado.

central reservation n UK mediana f.

centre UK, **center** US ['sentər] <> n centro m; **centre of attention/gravity** centro de atención/gravedad; **the centre** POL el centro. <> adj - 1. [middle] central - 2. POL centrista. <> vt centrar.

centre back, centre half n defensa mf central.

centre forward n delantero m, -ra f centro (inv).

centre half = centre back.

century ['sentʃʊrɪ] n siglo m.

ceramic [sɪ'ræmɪk] adj de cerámica, cerámico(ca). **ceramics** n cerámica f.

cereal ['sɪərɪəl] n - 1. [crop] cereal m - 2. [breakfast food] cereales mpl.

ceremonial [,serɪ'məʊnjəl] adj ceremonial.

ceremony ['serɪmənɪ] n ceremonia f; **to stand on ceremony** andarse con cumplidos OR ceremonias.

certain ['sɜ:tn] adj - 1. [gen] seguro(ra); **he's certain to be late** (es) seguro que llega tarde; **to be certain (of)** estar seguro (de); **to make certain (of)** asegurarse (de); **for certain** con toda seguridad - 2. [particular, some] cierto(ta); **to a certain extent** hasta cierto punto - 3. [named person]: **a certain...** un(una) tal...

certainly ['sɜ:tnlɪ] adv desde luego; **certainly not!** ¡claro que no!

certainty ['sɜ:tntɪ] n seguridad f.

certificate [sə'tɪfɪkət] n [gen] certificado m; SCH & UNIV diploma m, título m; [of birth, death] partida f.

certified ['sɜ:tɪfaɪd] adj [document] certificado(da); [person] diplomado(da).

certified mail n US correo m certificado.

certified public accountant n US contable diplomado m, contable diplomada f, contador público m, contadora pública f Amér.

certify ['sɜ:tɪfaɪ] vt - 1. [declare true] certificar - 2. [declare insane] declarar demente.

cervical [sə'vaɪkl] adj cervical.

cervical smear n citología f, frotis f cervical.

cervix ['sɜ:vɪks] (pl -ices [-ɪsi:z]) n [of womb] cuello m del útero.

cesarean (section) = caesarean (section).

cesspit ['sespɪt], **cesspool** ['sespu:l] n pozo m negro.

cf. (abbr of confer) cf., cfr.

CFC (abbr of chlorofluorocarbon) n CFC m.

Chad [tʃæd] n el Chad.

chafe [tʃeɪf] vt [rub] rozar.

chaffinch ['tʃæfɪntʃ] n pinzón m.

chain [tʃeɪn] <> n cadena f; **chain of mountains** cordillera f, cadena f montañosa; **chain of events** serie f OR cadena f de acontecimientos. <> vt [person, object] encadenar.

chain reaction n reacción f en cadena.

chain saw n motosierra f, sierra f mecánica.

chain-smoke vi fumar un cigarrillo tras otro.

chain store n tienda f (de una cadena).

chair [tʃeəʳ] <> n - 1. [gen] silla f; [armchair] sillón m - 2. [university post] cátedra f - 3. [of meeting] presidencia f. <> vt presidir.

chair lift n telesilla m.

chairman ['tʃeəmən] (pl -men [-mən]) n presidente m.

chairperson ['tʃeə,pɜːsn] (pl -s) n presidente m, -ta f.

chalet ['ʃæleɪ] n chalé m, chalet m.

chalk [tʃɔːk] n - 1. [for drawing] tiza f, gis m Méx - 2. [type of rock] creta f.

chalkboard ['tʃɔːkbɔːd] n US pizarra f.

challenge ['tʃælɪndʒ] <> n desafío m, reto m. <> vt - 1. [to fight, competition]: **to challenge sb (to sthg/to do sthg)** desafiar a alguien (a algo/a que haga algo) - 2. [question] poner en tela de juicio.

challenging ['tʃælɪndʒɪŋ] adj - 1. [task, job] estimulante, que supone un reto - 2. [look, tone of voice] desafiante.

chamber ['tʃeɪmbəʳ] n [room] cámara f.

chambermaid ['tʃeɪmbəmeɪd] n [at hotel] camarera f.

chamber music n música f de cámara.

chamber of commerce n cámara f de comercio.

chameleon [kə'miːljən] n camaleón m.

champagne [,ʃæm'peɪn] n champán m.

champion ['tʃæmpjən] <> n - 1. [of competition] campeón m, -ona f - 2. [of cause] defensor m, -ra f. <> vt defender.

championship ['tʃæmpjənʃɪp] n campeonato m.

chance [tʃɑːns] <> n - 1. [luck] azar m, suerte f; **by chance** por casualidad - 2. [likelihood] posibilidad f; **not to stand a chance (of)** no tener ninguna posibilidad (de); **by any chance** por casualidad, acaso - 3. [opportunity] oportunidad f - 4. [risk] riesgo m; **to take a chance (on)** correr un riesgo OR arriesgarse (con). <> adj fortuito(ta), casual. <> vt arriesgar; **to chance it** arriesgarse.

chancellor ['tʃɑːnsələʳ] n - 1. [chief minister] canciller m - 2. US UNIV ≃ rector m.

Chancellor of the Exchequer n UK Ministro m, -tra f de Economía y Hacienda.

chandelier [,ʃændə'lɪəʳ] n (lámpara f de) araña f.

change [tʃeɪndʒ] <> n - 1. [gen] cambio m; **change of clothes** muda f; **for a change** para variar - 2. [from payment] vuelta f, cambio m, vuelto m Amér - 3. [coins] suelto m, calderilla f, sencillo m Andes, feria f Méx, menudo m Col - 4. [money in exchange]: **have you got change for £5?** ¿tienes cambio de 5 libras? <> vt - 1. [gen] cambiar; **to change sthg into** transformar algo en; **to change pounds into euros** cambiar libras en Esp OR a euros; **to change direction** cambiar de rumbo; **to change one's mind** cambiar de idea OR opinión - 2. [goods in shop] cambiar - 3. [switch - job, gear, train] cambiar de; **to change hands** COMM cambiar de mano; **to change one's shirt** cambiarse de camisa; **to get changed** cambiarse de ropa. <> vi - 1. [alter] cambiar; **to change into sthg** transformarse en algo - 2. [change clothes] cambiarse - 3. [change trains, buses] hacer transbordo. ◆ **change over** vi [convert]: **to change over to** cambiar a.

changeable ['tʃeɪndʒəbl] adj variable.

change machine n máquina f de cambio.

changeover ['tʃeɪndʒ,əʊvəʳ] n: **changeover (to)** cambio m (a).

changing ['tʃeɪndʒɪŋ] adj cambiante.

changing room n - 1. SPORT vestuario m - 2. [in clothes shop] probador m.

channel ['tʃænl] <> n canal m. <> vt (UK pt & pp -led, cont -ling, US pt & pp -ed, cont -ing) lit & fig canalizar. ◆ **Channel** n: **the (English) Channel** el Canal de la Mancha. ◆ **channels** npl [procedure] conductos mpl, medios mpl.

Channel Islands npl: **the Channel Islands** las islas del Canal de la Mancha.

Channel tunnel n: **the Channel tunnel** el túnel del Canal de la Mancha.

chant [tʃɑːnt] <> n - 1. RELIG canto m - 2. [of demonstrators] consigna f; [at sports match] cántico m. <> vt - 1. RELIG cantar - 2. [words] corear.

chaos ['keɪɒs] n caos m inv.

chaotic [keɪ'ɒtɪk] adj caótico(ca).

chap [tʃæp] n UK inf tipo m, tío m.

chapel ['tʃæpl] n capilla f.

chaperon(e) ['ʃæpərəʊn] <> n carabina f, acompañanta f. <> vt acompañar.

chaplain ['tʃæplɪn] n capellán m.

chapped [tʃæpt] adj agrietado(da).

chapter ['tʃæptəʳ] n lit & fig capítulo m.

char [tʃɑːʳ] <> n UK [cleaner] mujer f de la limpieza. <> vt [burn] carbonizar, calcinar.

character ['kærəktəʳ] n - 1. [nature, quality, letter] carácter m; **to be out of/in character (for)** no ser/ser típico (de) - 2. [in film, book, play]

personaje *m* - **3.** *inf* [person of stated kind] tipo *m* - **4.** *inf* [person with strong personality]: **to be a character** ser todo un carácter.

characteristic [ˌkærəktəˈrɪstɪk] <> *adj* característico(ca). <> *n* característica *f*.

characterize, -ise [ˈkærəktəraɪz] *vt* [typify] caracterizar.

charade [ʃəˈrɑːd] *n* farsa *f*. **charades** *n* (U) charadas *fpl*.

charcoal [ˈtʃɑːkəʊl] *n* [for barbecue etc] carbón *m* (vegetal); [for drawing] carboncillo *m*.

charge [tʃɑːdʒ] <> *n* - **1.** [cost] precio *m*; **free of charge** gratis; **will that be cash or charge?** *US* ¿pagará en efectivo o con tarjeta? - **2.** LAW cargo *m*, acusación *f* - **3.** [responsibility]: **to have charge of sthg** tener algo al cargo de uno; **to take charge (of)** hacerse cargo (de); **to be in charge** ser el encargado(la encargada); **in charge of** encargado(da) de - **4.** ELEC carga *f* - **5.** MIL [of cavalry] carga *f*. <> *vt* - **1.** [customer, sum] cobrar; **to charge sthg to sb** cargar algo en la cuenta de alguien - **2.** [attack] cargar contra - **3.** [battery] cargar. <> *vi* [rush] cargar; **to charge in/out** entrar/salir en tromba.

charge card *n* tarjeta de compra.

charger [ˈtʃɑːdʒəʳ] *n* [for batteries] cargador *m*.

chariot [ˈtʃærɪət] *n* carro *m*, cuadriga *f*.

charisma [kəˈrɪzmə] *n* carisma *m*.

charitable [ˈtʃærətəbl] *adj* - **1.** [person, remark] caritativo(va) - **2.** [organization] benéfico(ca).

charity [ˈtʃærətɪ] *n* - **1.** [kindness, money] caridad *f* - **2.** [organization] institución *f* benéfica.

charity shop *n* UK tienda de una entidad benéfica en la que se venden productos de segunda mano donados por simpatizantes.

charm [tʃɑːm] <> *n* - **1.** [appeal, attractiveness] encanto *m* - **2.** [spell] hechizo *m* - **3.** [on bracelet] dije *m*, amuleto *m*. <> *vt* dejar encantado(da).

charming [ˈtʃɑːmɪŋ] *adj* encantador(ra).

chart [tʃɑːt] <> *n* - **1.** [diagram] gráfico *m* - **2.** [map] carta *f*. <> *vt* - **1.** [plot, map] representar en un mapa - **2.** *fig* [describe] trazar. **charts** *npl*: **the charts** la lista de éxitos.

charter [ˈtʃɑːtəʳ] <> *n* [document] carta *f*. <> *comp* chárter *(inv)*. <> *vt* [plane, boat] fletar.

chartered accountant [ˈtʃɑːtəd-] *n* UK contable colegiado *m*, contable colegiada *f*, contador colegiado *m*, contadora colegiada *f* Amér.

charter flight *n* vuelo *m* chárter.

chase [tʃeɪs] <> *n* [pursuit] persecución *f*. <> *vt* - **1.** [pursue] perseguir - **2.** [drive away] ahuyentar - **3.** [money, jobs] ir detrás de.

chasm [ˈkæzm] *n* [deep crack] sima *f*; *fig* [divide] abismo *m*.

chassis [ˈʃæsɪ] *(pl* chassis*)* *n* [of vehicle] chasis *m inv*.

chaste [tʃeɪst] *adj* casto(ta).

chat [tʃæt] <> *n* [gen & COMPUT] charla *f*. <> *vi* [gen & COMPUT] charlar. **chat up** *vt sep* UK *inf* intentar ligar con, tirarse un lance con.

chat line *n* línea *f* compartida.

chat room *n* COMPUT sala *f* de conversación.

chatter [ˈtʃætəʳ] <> *n* - **1.** [of person] cháchara *f* - **2.** [of bird] gorjeo *m*; [of monkey] chillidos *mpl*. <> *vi* - **1.** [person] parlotear - **2.** [teeth] castañetear.

chatterbox [ˈtʃætəbɒks] *n inf* parlanchín *m*, -ina *f*.

chatty [ˈtʃætɪ] *adj* - **1.** [person] dicharachero(ra) - **2.** [letter] informal.

chauffeur [ˈʃəʊfəʳ] *n* chófer *mf*.

chauvinist [ˈʃəʊvɪnɪst] *n* - **1.** [sexist] sexista *mf*; **male chauvinist** machista *m* - **2.** [nationalist] chovinista *mf*.

cheap [tʃiːp] <> *adj* - **1.** [inexpensive] barato(ta) - **2.** [low - quality] de mala calidad - **3.** [vulgar - joke etc] de mal gusto - **4.** *US* [stingy] mezquino(na). <> *adv* barato.

cheapen [ˈtʃiːpn] *vt* [degrade] rebajar.

cheaply [ˈtʃiːplɪ] *adv* barato.

cheat [tʃiːt] <> *n* tramposo *m*, -sa *f*. <> *vt* engañar, estafar. <> *vi* [in exam] copiar; [at cards] hacer trampas.

check [tʃek] <> *n* - **1.** [inspection, test]: **check (on)** inspección *f* OR control *m* (de); **to keep a check on** controlar - **2.** [restraint]: **check (on)** restricción *f* (en) - **3.** *US* [cheque] cheque *m* - **4.** *US* [bill] cuenta *f* - **5.** *US* [tick] señal *f* de visto bueno - **6.** [pattern] cuadros *mpl* - **7.** [in chess] jaque *m*. <> *vt* - **1.** [test, verify] comprobar - **2.** [inspect - machine, product] inspeccionar; [- ticket, passport] revisar, controlar - **3.** [restrain, stop] refrenar. <> *vi* comprobar; **to check (for/on sthg)** comprobar (algo). **check in** <> *vt sep* [luggage, coat] facturar. <> *vi* - **1.** [at hotel] inscribirse, registrarse - **2.** [at airport] facturar. **check out** <> *vt sep* - **1.** [luggage, coat] recoger - **2.** [investigate] comprobar - **3.** *inf* [look at] mirar. <> *vi* [from hotel] dejar el hotel. **check up** *vi*: **to check up (on sthg)** informarse (acerca de algo); **to check up on sb** hacer averiguaciones sobre alguien.

checkbook *US* = **chequebook**.

checked [tʃekt] *adj* a cuadros.

checkered *US* = **chequered**.

checkers [ˈtʃekəz] *n* (U) *US* damas *fpl*.

check-in *n* facturación *f*.

check-in desk *n* mostrador *m* de facturación.

checking account [ˈtʃekɪŋ-] *n* US cuenta *f* corriente.

checkmate ['tʃekmeɪt] *n* jaque *m* mate.

checkout ['tʃekaʊt] *n* caja *f*.

checkpoint ['tʃekpɔɪnt] *n* control *m*.

checkup ['tʃekʌp] *n* chequeo *m*.

Cheddar (cheese) ['tʃedə-] *n* (queso *m*) cheddar *m*.

cheek [tʃiːk] *n* - 1. [of face] mejilla *f* - 2. *inf* [impudence] cara *f*, descaro *m*.

cheekbone ['tʃiːkbəʊn] *n* pómulo *m*.

cheeky ['tʃiːkɪ] *adj* descarado(da).

cheer [tʃɪə⁻] ◇ *n* [shout] aclamación *f*; **cheers** vítores *mpl*. ◇ *vt* - 1. [shout approval, encouragement at] aclamar - 2. [gladden] animar. ◇ *vi* gritar con entusiasmo. ◆ **cheers** *excl* [when drinking] ¡salud!; *UK inf* [thank you] ¡gracias!; *inf* [goodbye] ¡hasta luego! ◆ **cheer up** ◇ *vt sep* animar. ◇ *vi* animarse.

cheerful ['tʃɪəfʊl] *adj* [gen] alegre.

cheerio [,tʃɪərɪ'əʊ] *excl UK inf* ¡hasta luego!

cheese [tʃiːz] *n* queso *m*.

cheeseboard ['tʃiːzbɔːd] *n* tabla *f* de quesos.

cheeseburger ['tʃiːz,bɜːgə⁻] *n* hamburguesa *f* con queso.

cheesecake ['tʃiːzkeɪk] *n* pastel *m* OR tarta *f* de queso.

cheetah ['tʃiːtə] *n* guepardo *m*, onza *f*.

chef [ʃef] *n* chef *m*, jefe *m* de cocina.

chemical ['kemɪkl] ◇ *adj* químico(ca). ◇ *n* sustancia *f* química.

chemist ['kemɪst] *n* - 1. *UK* [pharmacist] farmacéutico *m*, -ca *f*; **chemist's (shop)** farmacia *f* - 2. [scientist] químico *m*, -ca *f*.

chemistry ['kemɪstrɪ] *n* [science] química *f*.

cheque *UK*, **check** *US* [tʃek] *n* cheque *m*, talón *m*.

chequebook *UK*, **checkbook** *US* ['tʃekbʊk] *n* talonario *m* de cheques, chequera *f* Amér.

cheque card *n UK* tarjeta *f* de identificación bancaria.

chequered *UK* ['tʃekəd], **checkered** *US* ['tʃekərd] *adj* - 1. [patterned] a cuadros - 2. [varied] lleno(na) de altibajos.

cherish ['tʃerɪʃ] *vt* - 1. [hope, memory] abrigar - 2. [privilege, right] apreciar - 3. [person, thing] tener mucho cariño a.

cherry ['tʃerɪ] *n* [fruit] cereza *f*; **cherry (tree)** cerezo *m*.

chess [tʃes] *n* ajedrez *m*.

chessboard ['tʃesbɔːd] *n* tablero *m* de ajedrez.

chest [tʃest] *n* - 1. ANAT pecho *m*; **to get sth off one's chest** *inf* contar algo para desahogarse - 2. [box, trunk - gen] arca *f*, cofre *m*; [- for tools] caja *f*.

chestnut ['tʃesnʌt] ◇ *adj* [colour] castaño(ña). ◇ *n* [nut] castaña *f*; **chestnut (tree)** castaño *m*.

chest of drawers (*pl* chests of drawers) *n* cómoda *f*.

chew [tʃuː] *vt* - 1. [food] masticar - 2. [nails] morderse; [carpet] morder. ◆ **chew up** *vt sep* [food] masticar; [slippers] mordisquear; [tape] destrozar.

chewing gum ['tʃuːɪŋ-] *n* chicle *m*.

chic [ʃiːk] *adj* chic (*inv*), elegante.

chick [tʃɪk] *n* - 1. [baby bird] polluelo *m* - 2. *inf* [woman] nena *f*.

chicken ['tʃɪkɪn] *n* - 1. [bird] gallina *f* - 2. [food] pollo *m* - 3. *inf* [coward] gallina *mf*. ◆ **chicken out** *vi inf*: to chicken out (of sth/of doing sth) rajarse (a la hora de algo/de hacer algo).

chickenpox ['tʃɪkɪnpɒks] *n* varicela *f*.

chickpea ['tʃɪkpiː] *n* garbanzo *m*.

chicory ['tʃɪkərɪ] *n* achicoria *f*.

chief [tʃiːf] ◇ *adj* principal. ◇ *n* jefe *m*, -fa *f*.

Chief Executive *n US* [US president] presidente *m*, -ta *f*.

chief executive officer *n US* [head of company] director *m*, -ra *f* general.

chiefly ['tʃiːflɪ] *adv* - 1. [mainly] principalmente - 2. [especially, above all] por encima de todo.

chiffon ['ʃɪfɒn] *n* gasa *f*.

chilblain ['tʃɪlbleɪn] *n* sabañón *m*.

child [tʃaɪld] (*pl* children) *n* - 1. [boy, girl] niño *m*, -ña *f* - 2. [son, daughter] hijo *m*, -ja *f*.

child benefit *n (U) UK* subsidio pagado a todas las familias por cada hijo.

childbirth ['tʃaɪldbɜːθ] *n (U)* parto *m*.

childcare ['tʃaɪldkeə⁻] *n* cuidado *m* de los niños.

childhood ['tʃaɪldhʊd] *n* infancia *f*, niñez *f*.

childish ['tʃaɪldɪʃ] *adj pej* infantil.

childlike ['tʃaɪldlaɪk] *adj* [person] como un niño; [smile, trust] de niño.

childminder ['tʃaɪld,maɪndə⁻] *n UK* niñera *f* (*durante el día*).

childproof ['tʃaɪldpruːf] *adj* a prueba de niños.

children ['tʃɪldrən] *npl* ▷ **child**.

children's home *n* hogar *m* infantil.

Chile ['tʃɪlɪ] *n* Chile.

Chilean ['tʃɪlɪən] ◇ *adj* chileno(na). ◇ *n* chileno *m*, -na *f*.

chili ['tʃɪlɪ] = **chilli**.

chill [tʃɪl] ◇ *n* - 1. [illness] resfriado *m* - 2. [in temperature]: **there's a chill in the air** hace un poco de fresco. ◇ *vt* - 1. [drink, food] (dejar) enfriar - 2. [person - with cold] enfriar; [- with fear] hacer sentir escalofríos. ◆ **chill out** *vi inf* relajarse.

chilli ['tʃɪlɪ] (*pl* -ies), **chili** (*pl* -ies) *n* guindilla *f*, chile *m*, ají *m* Andes & R Plata.

chilling ['tʃɪlɪŋ] adj [frightening] escalofriante.

chilly ['tʃɪli] adj frío(a).

chime [tʃaɪm] <> n [of clock] campanada f; [of bells] repique m. <> vi [bell] repicar; [clock] sonar.

chimney ['tʃɪmnɪ] n chimenea f.

chimneypot ['tʃɪmnɪpɒt] n cañón m de chimenea.

chimneysweep ['tʃɪmnɪswiːp] n deshollinador m, -ra f.

chimp [tʃɪmp], **chimpanzee** [,tʃɪmpən'ziː] n chimpancé mf.

chin [tʃɪn] n barbilla f.

china ['tʃaɪnə] n porcelana f.

China ['tʃaɪnə] n la China.

Chinese [,tʃaɪ'niːz] <> adj chino(na). <> n - 1. [person] chino m, -na f - 2. [language] chino m. <> npl: **the Chinese** los chinos.

Chinese leaves npl UK (hojas fpl de) col f china.

chink [tʃɪŋk] <> n - 1. [narrow opening] grieta f; [of light] resquicio m - 2. [sound] tintineo m. <> vi tintinear.

chip [tʃɪp] <> n - 1. UK [fried potato chip] patata f frita; US [potato crisp] patata f frita (de bolsa o de churrería) - 2. [fragment - gen] pedacito m; [- of wood] viruta f; [- of stone] lasca f - 3. [flaw - in cup, glass] desportilladura f - 4. COMPUT chip m - 5. [token] ficha f. <> vt [damage] desportillar. ◆ **chip in** vi inf - 1. [pay money] poner dinero - 2. [in conversation] intervenir. ◆ **chip off** vt sep desconchar.

chipboard ['tʃɪpbɔːd] n aglomerado m.

chip shop n UK tienda en la que se vende pescado y patatas fritas.

chiropodist [kɪ'rɒpədɪst] n podólogo m, -ga f, pedicuro m, -ra f.

chirp [tʃɜːp] vi [bird] piar; [insect] chirriar.

chirpy ['tʃɜːpɪ] adj esp UK inf alegre.

chisel ['tʃɪzl] n [for wood] formón m, escoplo m; [for stone] cincel m.

chit [tʃɪt] n [note] nota f.

chitchat ['tʃɪttʃæt] n (U) inf cháchara f.

chivalry ['ʃɪvlrɪ] n - 1. liter [of knights] caballería f - 2. [good manners] caballerosidad f.

chives [tʃaɪvz] npl cebollana f.

chlorine ['klɔːriːn] n cloro m.

choc-ice ['tʃɒkaɪs] n UK bombón m helado.

chock [tʃɒk] n cuña f, calzo m.

chock-a-block, chock-full adj inf: chock-a-block (with) hasta los topes (de).

chocolate ['tʃɒklət] <> n - 1. [food, drink] chocolate m - 2. [sweet] bombón m. <> comp de chocolate.

choice [tʃɔɪs] <> n - 1. [gen] elección f; **to do sthg by** OR **from choice** elegir hacer algo

- 2. [person chosen] preferido m, -da f; [thing chosen] alternativa f preferida - 3. [variety, selection] surtido m. <> adj de primera calidad.

choir ['kwaɪəʳ] n coro m.

choirboy ['kwaɪəbɔɪ] n niño m de coro.

choke [tʃəʊk] <> n AUT estárter m. <> vt - 1. [subj: person] estrangular - 2. [subj: fumes] asfixiar; [subj: fishbone etc] hacer atragantarse - 3. [block - pipes, gutter] atascar. <> vi [on fishbone etc] atragantarse; [to death] asfixiarse.

cholera ['kɒlərə] n cólera m.

choose [tʃuːz] (pt chose, pp chosen) <> vt - 1. [select] elegir, escoger; **there's little** OR **not much to choose between them** no se sabe cuál es mejor - 2. [decide]: **to choose to do sthg** decidir hacer algo; **do whatever you choose** haz lo que quieras. <> vi elegir, escoger.

choos(e)y ['tʃuːzɪ] (comp -ier, superl -iest) adj [gen] quisquilloso(sa); [about food] exigente, remilgado(da).

chop [tʃɒp] <> n - 1. CULIN chuleta f - 2. [blow - with axe] hachazo m. <> vt [vegetables, meat] picar; [wood] cortar. <> vi: **to chop and change** cambiar cada dos por tres. ◆ **chops** npl inf morros mpl, jeta f. ◆ **chop down** vt sep talar. ◆ **chop up** vt sep [vegetables, meat] picar; [wood] cortar.

chopper ['tʃɒpəʳ] n - 1. [for wood] hacha f; [for meat] cuchillo m de carnicero - 2. inf [helicopter] helicóptero m.

choppy ['tʃɒpɪ] adj picado(da).

chopsticks ['tʃɒpstɪks] npl palillos mpl.

chord [kɔːd] n MUS acorde m.

chore [tʃɔːʳ] n - 1. [task] tarea f, faena f - 2. inf [boring thing] lata f.

chortle ['tʃɔːtl] vi reírse con satisfacción.

chorus ['kɔːrəs] n - 1. [part of song, refrain] estribillo m - 2. [choir, group of singers or dancers] coro m.

chose [tʃəʊz] pt ▷ **choose**.

chosen ['tʃəʊzn] pp ▷ **choose**.

Christ [kraɪst] n Cristo m.

christen ['krɪsn] vt bautizar.

christening ['krɪsnɪŋ] n bautizo m.

Christian ['krɪstʃən] <> adj cristiano(na). <> n cristiano m, -na f.

Christianity [,krɪstɪ'ænətɪ] n cristianismo m.

Christian name n nombre m de pila.

Christmas ['krɪsməs] n Navidad f; **happy** OR **merry Christmas!** ¡Feliz Navidad!

Christmas card n crismas m inv.

Christmas carol n villancico m.

Christmas Day n día m de Navidad.

Christmas Eve n Nochebuena f.

Christmas pudding n UK pudín de frutas que se come caliente el día de Navidad.

Christmas tree n árbol m de Navidad.

chrome [krəʊm], **chromium** ['krəʊmɪəm] <> n cromo m. <> comp cromado(da).

chronic ['krɒnɪk] adj - **1.** [illness, unemployment] crónico(ca) - **2.** [liar, alcoholic] empedernido(da).

chronicle ['krɒnɪkl] n crónica f.

chronological [,krɒnə'lɒdʒɪkl] adj cronológico(ca).

chrysanthemum [krɪ'sænθəməm] (pl -s) n crisantemo m.

chubby ['tʃʌbɪ] adj [person, hands] rechoncho(cha); **to have chubby cheeks** ser mofletudo(da).

chuck [tʃʌk] vt inf - **1.** [throw] tirar, arrojar; **to chuck sb out** echar a alguien - **2.** [job, girlfriend] dejar. ➤ **chuck away, chuck out** vt sep inf tirar.

chuckle ['tʃʌkl] vi reírse entre dientes.

chug [tʃʌg] vi [train] traquetear; [car] resoplar.

chum [tʃʌm] n inf [gen] amiguete m, -ta f, manito m Méx; [at school] compañero m, -ra f.

chunk [tʃʌŋk] n [piece] trozo m.

church [tʃɜ:tʃ] n iglesia f; **to go to church** ir a misa.

Church of England n: **the Church of England** la Iglesia Anglicana.

churchyard ['tʃɜ:tʃjɑ:d] n cementerio m, camposanto m.

churlish ['tʃɜ:lɪʃ] adj descortés.

churn [tʃɜ:n] <> n - **1.** [for making butter] mantequera f - **2.** [for transporting milk] lechera f. <> vt [stir up] agitar. ➤ **churn out** vt sep inf hacer como churros OR en cantidades industriales.

chute [ʃu:t] n [for water] vertedor m; [slide] tobogán m; [for waste] rampa f.

chutney ['tʃʌtnɪ] n salsa agridulce y picante de fruta y semillas.

CIA (abbr of **Central Intelligence Agency**) n CIA f.

CID (abbr of **Criminal Investigation Department**) n UK ≃ Brigada f de Policía Judicial.

cider ['saɪdər] n - **1.** sidra f - **2.** US [non-alcoholic] zumo m Esp OR jugo m Amér de manzana.

cigar [sɪ'gɑ:r] n puro m.

cigarette [,sɪgə'ret] n cigarrillo m.

cigarette paper n papel m de fumar.

cinch [sɪntʃ] n inf: **it's a cinch** está tirado, es pan comido.

cinder ['sɪndər] n ceniza f.

Cinderella [,sɪndə'relə] n Cenicienta f.

cine-camera ['sɪnɪ-] n cámara f cinematográfica.

cine-film ['sɪnɪ-] n película f cinematográfica.

cinema ['sɪnəmə] n cine m.

cinnamon ['sɪnəmən] n canela f.

cipher, cypher ['saɪfər] n [secret writing system] código m, cifra f.

circa ['sɜ:kə] prep hacia.

circle ['sɜ:kl] <> n - **1.** [gen] círculo m; **to go round in circles** darle (mil) vueltas al mismo tema - **2.** [in theatre] anfiteatro m; [in cinema] entresuelo m. <> vt - **1.** [draw a circle round] rodear con un círculo - **2.** [move round] describir círculos alrededor de. <> vi dar vueltas.

circuit ['sɜ:kɪt] n - **1.** [gen] circuito m - **2.** [of track] vuelta f.

circuitous [sə'kju:ɪtəs] adj tortuoso(sa).

circular ['sɜ:kjʊlər] <> adj [gen] circular. <> n circular f.

circulate ['sɜ:kjʊleɪt] <> vi - **1.** [gen] circular - **2.** [socialize] alternar. <> vt [rumour, document] hacer circular.

circulation [,sɜ:kjʊ'leɪʃn] n - **1.** [of blood, money] circulación f - **2.** [of magazine, newspaper] tirada f.

circumcise ['sɜ:kəmsaɪz] vt circuncidar.

circumference [sə'kʌmfərəns] n circunferencia f.

circumspect ['sɜ:kəmspekt] adj circunspecto(ta).

circumstance ['sɜ:kəmstəns] n circunstancia f; **circumstances** circunstancias fpl; **under OR in no circumstances** bajo ningún concepto; **in OR under the circumstances** dadas las circunstancias.

circumvent [,sɜ:kəm'vent] vt fml burlar.

circus ['sɜ:kəs] n - **1.** [for entertainment] circo m - **2.** [in place names] glorieta f.

CIS (abbr of **Commonwealth of Independent States**) n CEI f.

cistern ['sɪstən] n - **1.** UK [in roof] depósito m de agua - **2.** [in toilet] cisterna f.

cite [saɪt] vt citar.

citizen ['sɪtɪzn] n ciudadano m, -na f.

Citizens' Advice Bureau n oficina británica de información y asistencia al ciudadano.

Citizens' Band n banda de radio reservada para radioaficionados y conductores.

citizenship ['sɪtɪznʃɪp] n ciudadanía f.

citrus fruit ['sɪtrəs-] n cítrico m.

city ['sɪtɪ] n ciudad f. ➤ **City** n UK: **the City** la City (barrio financiero de Londres).

city centre n centro m de la ciudad.

city hall n US ayuntamiento m.

city technology college n UK centro de formación profesional financiado por la industria.

civic ['sɪvɪk] adj - **1.** [duty, pride] cívico(ca) - **2.** [leader, event] público(ca).

civic centre n UK zona de la ciudad donde se encuentran los edificios públicos.

civics ['sɪvɪks] *n (U)* SCH educación *f* cívica.

civil ['sɪvl] *adj* - **1.** [involving ordinary citizens] civil - **2.** [polite] cortés.

civil engineering *n* ingeniería *f* civil.

civilian [sɪ'vɪljən] <> *n* civil *mf*. <> *comp* [organization] civil; [clothes] de paisano.

civilization [,sɪvɪlaɪ'zeɪʃn] *n* civilización *f*.

civilized ['sɪvɪlaɪzd] *adj* civilizado(da).

civil law *n* derecho *m* civil.

civil liberties *npl* libertades *fpl* civiles.

civil rights *npl* derechos *mpl* civiles.

civil servant *n* funcionario *m*, -ria *f* público, -ca *f*.

civil service *n* administración *f* pública.

civil war *n* guerra *f* civil.

CJD *(abbr of Creutzfeldt-Jakob disease) n* enfermedad *f* de Creutzfeldt-Jakob.

clad [klæd] *adj liter*: **clad in** vestido(da) de.

claim [kleɪm] <> *n* - **1.** [for pay, insurance, expenses] reclamación *f* - **2.** [of right] reivindicación *f*; **to have a claim on sb** tener un derecho sobre alguien; **to lay claim to sthg** reclamar algo - **3.** [assertion] afirmación *f*. <> *vt* - **1.** [allowance, expenses, lost property] reclamar - **2.** [responsibility, credit] atribuirse - **3.** [maintain]: **to claim (that)** mantener que. <> *vi*: **to claim on one's insurance** reclamar al seguro.

claimant ['kleɪmənt] *n* [to throne] pretendiente *mf*; [of unemployment benefit] solicitante *mf*; LAW demandante *mf*.

clairvoyant [kleə'vɔɪənt] *n* clarividente *mf*.

clam [klæm] *n* almeja *f*.

clamber ['klæmbər] *vi* trepar.

clammy ['klæmɪ] *adj* [hands] húmedo(da), pegajoso(sa); [weather] bochornoso(sa).

clamour UK, **clamor** US ['klæmər] <> *n (U)* - **1.** [noise] clamor *m* - **2.** [demand]: **clamour (for)** demandas *fpl* (de). <> *vi*: **to clamour for sthg** exigir a voces algo.

clamp [klæmp] <> *n* [gen] abrazadera *f*; [for car wheel] cepo *m*. <> *vt* - **1.** [with clamp] sujetar (con una abrazadera) - **2.** [with wheel clamp] poner un cepo a. ◆ **clamp down** *vi*: **to clamp down on** poner freno a.

clan [klæn] *n* clan *m*.

clandestine [klæn'destɪn] *adj* clandestino(na).

clang [klæŋ] *vi* hacer un ruido metálico.

clap [klæp] <> *vt*: **to clap one's hands** dar palmadas. <> *vi* aplaudir.

clapping ['klæpɪŋ] *n (U)* aplausos *mpl*.

claret ['klærət] *n* burdeos *m inv*.

clarify ['klærɪfaɪ] *vt* aclarar.

clarinet [,klærə'net] *n* clarinete *m*.

clarity ['klærətɪ] *n* claridad *f*.

clash [klæʃ] <> *n* - **1.** [difference - of interests] conflicto *m*; [- of personalities] choque *m* - **2.** [fight, disagreement]: **clash (with)** conflicto *m* (con) - **3.** [noise] estruendo *m*. <> *vi* - **1.** [fight, disagree]: **to clash (with)** enfrentarse (con) - **2.** [opinions, policies] estar en desacuerdo - **3.** [date, event]: **to clash (with)** coincidir (con) - **4.** [colour]: **to clash (with)** desentonar (con).

clasp [klɑːsp] <> *n* [on necklace, bracelet] broche *m*; [on belt] cierre *m*. <> *vt* [person] abrazar; [thing] agarrar.

class [klɑːs] <> *n* - **1.** [gen] clase *f* - **2.** [category] clase *f*, tipo *m*. <> *vt*: **to class sb (as)** clasificar a alguien (de).

classic ['klæsɪk] <> *adj* [typical] clásico(ca). <> *n* clásico *m*.

classical ['klæsɪkl] *adj* clásico(ca).

classified ['klæsɪfaɪd] *adj* [secret] reservado(da), secreto(ta).

classified ad *n* anuncio *m* por palabras.

classify ['klæsɪfaɪ] *vt* clasificar.

classmate ['klɑːsmeɪt] *n* compañero *m*, -ra *f* de clase.

classroom ['klɑːsrʊm] *n* aula *f*, clase *f*.

classroom assistant *n* SCH ayudante *mf* del profesor.

classy ['klɑːsɪ] *adj inf* con clase.

clatter ['klætər] *n* [gen] estrépito *m*; [of pots, pans, dishes] ruido *m* (de cacharros); [of hooves] chacoloteo *m*.

clause [klɔːz] *n* - **1.** [in legal document] cláusula *f* - **2.** GRAM oración *f*.

claw [klɔː] <> *n* - **1.** [of animal, bird] garra *f*; [of cat] uña *f* - **2.** [of crab, lobster] pinza *f*. <> *vi*: **to claw at sthg** [cat] arañar algo; [person] intentar agarrarse a algo.

clay [kleɪ] *n* arcilla *f*.

clean [kliːn] <> *adj* - **1.** [gen] limpio(pia) - **2.** [page] en blanco - **3.** [environmentally-friendly] no contaminante - **4.** [record, reputation] impecable; [driving licence] sin multas - **5.** [joke] inocente - **6.** [outline] nítido(da). <> *vt* & *vi* limpiar. ◆ **clean out** *vt sep* - **1.** [clear out] limpiar el interior de - **2.** *inf* [take everything from]: **the burglars cleaned us out** (los ladrones) nos limpiaron la casa. ◆ **clean up** *vt sep* [clear up] ordenar, limpiar; **to clean o.s. up** asearse.

cleaner ['kliːnər] *n* - **1.** [person] limpiador *m*, -ra *f* - **2.** [substance] producto *m* de limpieza.

cleaning ['kliːnɪŋ] *n* limpieza *f*.

cleanliness ['klenlɪnɪs] *n* limpieza *f*.

cleanse [klenz] *vt* [gen] limpiar; [soul] purificar; **to cleanse sthg/sb of sthg** limpiar algo/a alguien de algo.

cleanser ['klenzər] *n* crema *f* OR loción *f* limpiadora.

clean-shaven [-'ʃeɪvn] *adj* [never growing a beard] barbilampiño(ña); [recently shaved] bien afeitado(da).

clear [klɪə^r] ⟨⟩ *adj* - 1. [gen] claro(ra); [day, road, view] despejado(da); **to make sthg clear (to)** dejar algo claro (a); **it's clear that...** está claro que...; **are you clear about it?** ¿lo entiendes?; **to make o.s. clear** explicarse con claridad - 2. [transparent] transparente - 3. [well-defined] [sound, picture] nítido(da) - 4. [free of blemishes - skin] terso(sa) - 5. [free - time] libre - 6. [not touching]: **to be clear of the ground** no tocar el suelo - 7. [complete - day, week] entero(ra); [- profit] neto(ta). ⟨⟩ *adv* [out of the way]: **stand clear!** ¡aléjense!; **to jump/step clear** saltar/dar un paso para hacerse a un lado. ⟨⟩ *vt* - 1. [remove objects, obstacles from] despejar; [forest] talar; [pipe] desatascar; **they cleared the area of mines** limpiaron el área de minas; **to clear a space** hacer sitio; **to clear the table** quitar la mesa - 2. [remove] quitar - 3. [jump] saltar - 4. [pay] liquidar - 5. [authorize] aprobar - 6. [prove not guilty] declarar inocente; **to be cleared of sthg** salir absuelto de algo. ⟨⟩ *vi* despejarse. ⬦ **clear away** *vt sep* poner en su sitio. ⬦ **clear off** *vi UK inf* largarse. ⬦ **clear out** *vt sep* limpiar a fondo. ⬦ **clear up** ⟨⟩ *vt sep* - 1. [room, mess] limpiar; [toys, books] recoger - 2. [disagreement] aclarar; [mystery] resolver. ⟨⟩ *vi* - 1. [weather] despejarse; [infection] desaparecer - 2. [tidy up] ordenar, recoger.

clearance ['klɪərəns] *n* - 1. [removal - of rubbish, litter] despeje *m*, limpieza *f*; [of slums, houses] eliminación *f* - 2. [permission] autorización *f*, permiso *m* - 3. [free space] distancia *f* libre.

clear-cut *adj* [issue, plan] bien definido(da); [division] nítido(da).

clearing ['klɪərɪŋ] *n* claro *m*.

clearing bank *n UK* banco *m* de compensación.

clearly ['klɪəlɪ] *adv* - 1. [gen] claramente - 2. [plainly] obviamente.

clearway ['klɪəweɪ] *n UK* carretera donde no se puede parar.

cleavage ['kliːvɪdʒ] *n* [between breasts] escote *m*.

cleaver ['kliːvə^r] *n* cuchillo *m* OR cuchilla *f* de carnicero.

clef [klef] *n* clave *f*.

cleft [kleft] *n* grieta *f*.

clench [klentʃ] *vt* apretar.

clergy ['klɜːdʒɪ] *npl*: **the clergy** el clero.

clergyman ['klɜːdʒɪmən] (*pl* **-men** [-mən]) *n* clérigo *m*.

clerical ['klerɪkl] *adj* - 1. [work] de oficina; [worker] administrativo(va) - 2. [in church] clerical.

clerk [*UK* klɑːk, *US* klɜːrk] *n* - 1. [in office] oficinista *mf* - 2. [in court] secretario *m* - 3. *US* [shop assistant] dependiente *m*, -ta *f*.

clever ['klevə^r] *adj* - 1. [intelligent] listo(ta), inteligente - 2. [idea, invention] ingenioso(sa); [with hands] hábil.

cliché ['kliːʃeɪ] *n* cliché *m*.

click [klɪk] ⟨⟩ *vt* [fingers, tongue] chasquear. ⟨⟩ *vi* - 1. [heels] sonar con un taconazo; [camera] hacer clic - 2. *inf* [fall into place]: **suddenly, it clicked** de pronto, caí en la cuenta.

client ['klaɪənt] *n* cliente *m*, -ta *f*.

cliff [klɪf] *n* [on coast] acantilado *m*; [inland] precipicio *m*.

climate ['klaɪmɪt] *n* [weather] clima *m*; *fig* [atmosphere] ambiente *m*.

climax ['klaɪmæks] *n* [culmination] clímax *m*, culminación *f*.

climb [klaɪm] ⟨⟩ *n* [gen] subida *f*; [up mountain] escalada *f*. ⟨⟩ *vt* [stairs, ladder] subir; [tree] trepar a; [mountain] escalar. ⟨⟩ *vi* - 1. [clamber]: **to climb over sthg** trepar por algo; **to climb into sthg** meterse en algo - 2. [plant] trepar; [road, plane] subir - 3. [increase] subir.

climb-down *n* vuelta *f* atrás.

climber ['klaɪmə^r] *n* [mountaineer] alpinista *mf*, andinista *mf Amér*; [rock climber] escalador *m*, -ra *f*.

climbing ['klaɪmɪŋ] *n* montañismo *m*, andinismo *m Amér*.

clinch [klɪntʃ] *vt* [deal] cerrar.

cling [klɪŋ] (*pt & pp* clung) *vi* - 1. [hold tightly]: **to cling (to)** agarrarse (a) - 2. [clothes, person]: **to cling (to)** pegarse (a).

clingfilm ['klɪŋfɪlm] *n UK* film *m* de plástico adherente.

clinic ['klɪnɪk] *n* clínica *f*.

clinical ['klɪnɪkl] *adj* - 1. MED clínico(ca) - 2. [cold] frío(a).

clink [klɪŋk] *vi* tintinear.

clip [klɪp] ⟨⟩ *n* - 1. [for paper] clip *m*; [for hair] horquilla *f*; [on earring] cierre *m* - 2. [of film] fragmento *m*, secuencias *fpl* - 3. [cut]: **to give sb's hair a clip** cortarle el pelo a alguien. ⟨⟩ *vt* - 1. [fasten] sujetar - 2. [cut - lawn, newspaper cutting] recortar; [punch - tickets] picar.

clipboard ['klɪpbɔːd] *n* - 1. [for writing] tablóncillo *m* con pinza sujetapapeles - 2. COMPUT portapapeles *m inv*.

clippers ['klɪpəz] *npl* [for nails] cortaúñas *m inv*; [for hair] maquinilla *f* para cortar el pelo; [for hedges, grass] tijeras *fpl* de podar.

clipping ['klɪpɪŋ] *n* - 1. [from newspaper] recorte *m* - 2. [of nails] pedazo *m*.

clique [kliːk] *n pej* camarilla *f*.

cloak [kləuk] *n* [garment] capa *f*.

cloakroom ['kləʊkrʊm] n - **1.** [for clothes] guardarropa m - **2.** UK [toilets] servicios mpl.

clock [klɒk] n - **1.** [timepiece] reloj m; **round the clock** día y noche, las 24 horas - **2.** [mileometer] cuentakilómetros m inv. ◆ **clock in, clock on** vi UK fichar (a la entrada). ◆ **clock off, clock out** vi UK fichar (a la salida).

clockwise ['klɒkwaɪz] adj & adv en el sentido de las agujas del reloj.

clockwork ['klɒkwɜːk] comp de cuerda.

clog [klɒg] vt atascar, obstruir. ◆ **clogs** npl zuecos mpl. ◆ **clog up** ⋄ vt sep [drain, pipe] atascar; [eyes; nose] congestionar. ⋄ vi atascarse.

close¹ [kləʊs] ⋄ adj - **1.** [near] cercano(na); **close to** cerca de; **close to tears/laughter** a punto de llorar/reír; **close up, close to** de cerca; **close by, close at hand** muy cerca; **we arrived on time, but it was a close shave** OR **thing** llegamos a tiempo, pero por los pelos - **2.** [relationship, friend] íntimo(ma); **to be close to sb** estar muy unido(da) a alguien - **3.** [relative, family] cercano(na); [resemblance]: **to bear a close resemblance to sb** parecerse mucho a alguien; [link, tie, cooperation] estrecho(cha) - **4.** [questioning] minucioso(sa); [examination] detallado(da); [look] de cerca; **to keep a close watch on** vigilar de cerca - **5.** [room, air] cargado(da); [weather] bochornoso(sa) - **6.** [contest, race] reñido(da); [result] apretado(da). ⋄ adv cerca; **close on, close to** cerca de. ◆ **close on, close to** prep [almost] cerca de.

close² [kləʊz] ⋄ vt - **1.** [gen] cerrar - **2.** [meeting, conference] clausurar; [discussion, speech] terminar - **3.** [gap] reducir - **4.** COMPUT [window, application] cerrar. ⋄ vi - **1.** [gen] cerrarse - **2.** [shop] cerrar - **3.** [meeting, film, day] terminar. ⋄ n final m. ◆ **close down** ⋄ vt sep cerrar (definitivamente). ⋄ vi [factory etc] cerrarse (definitivamente).

closed [kləʊzd] adj cerrado(da).

close-knit [ˌkləʊs-] adj muy unido(da).

closely ['kləʊslɪ] adv - **1.** [of connection, relation etc] estrechamente; **to be closely involved in sthg** estar muy metido en algo; [resemble] mucho - **2.** [carefully] atentamente.

closet ['klɒzɪt] ⋄ adj inf en secreto. ⋄ n US armario m
▸▸▸ **to come out of the closet** salir del armario.

close-up ['kləʊs-] n primer plano m.

closing time n hora f de cierre.

closure ['kləʊʒər] n cierre m.

clot [klɒt] ⋄ n - **1.** [in blood] coágulo m - **2.** UK inf [fool] bobo m, -ba f. ⋄ vi [blood] coagularse.

cloth [klɒθ] n - **1.** (U) [fabric] tela f - **2.** [piece of cloth] trapo m.

clothe [kləʊð] vt fml vestir.

clothes [kləʊðz] npl ropa f; **to put one's clothes on** ponerse la ropa, vestirse; **to take one's clothes off** quitarse la ropa, desvestirse.

clothes brush n cepillo m para la ropa.

clothesline ['kləʊðzlaɪn] n cuerda f para tender la ropa.

clothes peg UK, **clothespin** US ['kləʊðzpɪn] n pinza f (para la ropa).

clothing ['kləʊðɪŋ] n ropa f.

cloud [klaʊd] n nube f. ◆ **cloud over** vi lit & fig nublarse.

cloudy ['klaʊdɪ] adj - **1.** [overcast] nublado(da) - **2.** [murky] turbio(bia).

clout [klaʊt] inf n - **1.** [blow] tortazo m - **2.** (U) [influence] influencia f.

clove [kləʊv] n: **a clove of garlic** un diente de ajo. ◆ **cloves** npl [spice] clavos mpl.

clover ['kləʊvər] n trébol m.

clown [klaʊn] n [performer] payaso m.

cloying ['klɔɪɪŋ] adj empalagoso(sa).

club [klʌb] ⋄ n - **1.** [organization, place] club m - **2.** [nightclub] discoteca f - **3.** [weapon] porra f, garrote m - **4.**: **(golf) club** palo m de golf. ⋄ vt apalear, aporrear. ◆ **clubs** npl [cards] tréboles mpl. ◆ **club together** vi UK recolectar dinero.

club car n US RAIL vagón m OR coche m club.

clubhouse ['klʌbhaʊs, pl -haʊzɪz] n [for golfers] (edificio m del) club m.

cluck [klʌk] vi [hen] cloquear.

clue [kluː] n - **1.** [in crime] pista f; **not to have a clue (about)** no tener ni idea (de) - **2.** [in crossword] pregunta f, clave f.

clued-up [kluːd-] adj UK inf al tanto.

clump [klʌmp] n [of bushes] mata f; [of trees, flowers] grupo m.

clumsy ['klʌmzɪ] adj - **1.** [ungraceful] torpe - **2.** [unwieldy] difícil de manejar - **3.** [tactless] torpe, sin tacto.

clung [klʌŋ] pt & pt ▸ **cling**.

cluster ['klʌstər] ⋄ n [group] grupo m; [of grapes] racimo m. ⋄ vi agruparse.

clutch [klʌtʃ] ⋄ n AUT embrague m. ⋄ vt [hand] estrechar; [arm, baby] agarrar. ⋄ vi: **to clutch at sthg** tratar de agarrarse a algo.

clutter ['klʌtər] ⋄ n desorden m. ⋄ vt cubrir desordenadamente.

cm (abbr of centimetre) cm.

CND (abbr of Campaign for Nuclear Disarmament) n organización británica contra el armamento nuclear.

CNG (abbr of compressed natural gas) n GNC m, gas m natural comprimido.

c/o (abbr of care of) c/d.

Co. - **1.** (abbr of Company) Cía. - **2.** abbr of County.

coach [kəʊtʃ] ⬦ n - 1. [bus] autocar m - 2. RAIL vagón m - 3. [horsedrawn] carruaje m - 4. SPORT entrenador m, -ra f - 5. [tutor] profesor m, -ra f particular - 6.: **coach (class)** US clase f turista. ⬦ vt - 1. SPORT entrenar - 2. [tutor] dar clases particulares a.

coal [kəʊl] n carbón m.

coalfield ['kəʊlfi:ld] n yacimiento m de carbón.

coalition [ˌkəʊə'lɪʃn] n coalición f.

coalman ['kəʊlmæn] (pl -men [-men]) n UK carbonero m.

coalmine ['kəʊlmaɪn] n mina f de carbón.

coarse [kɔ:s] adj - 1. [skin, hair, sandpaper] áspero(ra); [fabric] basto(ta) - 2. [person, joke] ordinario(ria).

coast [kəʊst] ⬦ n costa f. ⬦ vi - 1. [in car] ir en punto muerto - 2. [progress easily]: **they coasted into the semifinals** se metieron en las semifinales sin ningún esfuerzo.

coastal ['kəʊstl] adj costero(ra).

coaster ['kəʊstər] n [small mat] posavasos m inv.

coastguard ['kəʊstɡɑ:d] n [person] guardacostas mf inv.

coastline ['kəʊstlaɪn] n litoral m.

coat [kəʊt] ⬦ n - 1. [overcoat] abrigo m, sobretodo m R Plata; [for women] tapado m R Plata; [jacket] chaqueta f - 2. [of animal] pelo m, pelaje m - 3. [layer] capa f. ⬦ vt: **to coat sthg (with)** cubrir algo (de).

coat hanger n percha f, gancho m Amér C, Andes & Méx.

coating ['kəʊtɪŋ] n [of dust etc] capa f; [of chocolate, silver] baño m.

coat of arms (pl coats of arms) n escudo m de armas.

coax [kəʊks] vt: **to coax sb (to do OR into doing sthg)** engatusar a alguien (para que haga algo).

cob [kɒb] ⬥ **corn**.

cobbled ['kɒbld] adj adoquinado(da).

cobbler ['kɒblər] n zapatero (remendón) m, zapatera (remendona) f.

cobbles ['kɒblz], **cobblestones** ['kɒblstəʊnz] npl adoquines mpl.

cobweb ['kɒbweb] n telaraña f (abandonada).

Coca-Cola® [ˌkəʊkə'kəʊlə] n Coca-Cola® f.

cocaine [kəʊ'keɪn] n cocaína f.

cock [kɒk] ⬦ n - 1. [male chicken] gallo m - 2. [male bird] macho m - 3. vulg [penis] polla f. ⬦ vt - 1. [gun] amartillar - 2. [head] ladear. ⬥ **cock up** vt sep UK v inf jorobar.

cockerel ['kɒkrəl] n gallo m joven.

cockeyed ['kɒkaɪd] adj inf - 1. [lopsided] torcido(da) - 2. [foolish] disparatado(da).

cockle ['kɒkl] n berberecho m.

Cockney ['kɒknɪ] (pl Cockneys) n - 1. [person] persona procedente del este de Londres - 2. [dialect, accent] dialecto del este de Londres.

cockpit ['kɒkpɪt] n [in civil aviation] cabina f.

cockroach ['kɒkrəʊtʃ] n cucaracha f.

cocksure [ˌkɒk'ʃʊər] adj presuntuoso(sa).

cocktail ['kɒkteɪl] n cóctel m.

cock-up n v inf pifia f.

cocky ['kɒkɪ] adj inf chulo(la).

cocoa ['kəʊkəʊ] n - 1. [powder] cacao m - 2. [drink] chocolate m.

coconut ['kəʊkənʌt] n coco m.

cod [kɒd] (pl cod OR -s) n bacalao m.

COD (abbr of cash on delivery) entrega contra reembolso.

code [kəʊd] ⬦ n - 1. [gen] código m - 2. [for telephone] prefijo m. ⬦ vt [encode] codificar, cifrar.

cod-liver oil n aceite m de hígado de bacalao.

coed [ˌkəʊ'ed] adj (abbr of coeducational) mixto(ta).

coerce [kəʊ'ɜ:s] vt: **to coerce sb (into doing sthg)** coaccionar a alguien (para que haga algo).

coffee ['kɒfɪ] n café m.

coffee bar n UK cafetería f.

coffee break n descanso m para el café.

coffee morning n UK reunión matinal, generalmente benéfica, en la que se sirve café.

coffeepot ['kɒfɪpɒt] n cafetera f (para servir).

coffee shop n - 1. UK [shop] cafetería f - 2. US [restaurant] café m.

coffee table n mesita f baja (de salón).

coffin ['kɒfɪn] n ataúd m.

cog [kɒg] n [tooth on wheel] diente m; [wheel] rueda f dentada.

cognac ['kɒnjæk] n coñac m.

coherent [kəʊ'hɪərənt] adj coherente.

cohesive [kəʊ'hi:sɪv] adj [group] unido(da).

coil [kɔɪl] ⬦ n - 1. [of rope, wire] rollo m; [of hair] tirabuzón m; [of smoke] espiral f - 2. ELEC bobina f - 3. UK [contraceptive device] DIU m, espiral f. ⬦ vi enrollarse, enroscarse. ⬦ vt enrollar, enroscar. ⬥ **coil up** vt sep enrollar.

coin [kɔɪn] ⬦ n moneda f. ⬦ vt [invent] acuñar.

coinage ['kɔɪnɪdʒ] n [currency] moneda f.

coin-box n depósito m de monedas.

coincide [ˌkəʊɪn'saɪd] vi: **to coincide (with)** coincidir (con).

coincidence [kəʊ'ɪnsɪdəns] n coincidencia f.

coincidental [kəʊ,ɪnsɪ'dentl] *adj* fortuito(ta).

coke [kəʊk] *n* [fuel] coque *m*.

Coke® [kəʊk] *n* Coca-Cola® *f*.

cola ['kəʊlə] *n* (bebida *f* de) cola *f*.

colander ['kʌləndər] *n* colador *m*, escurridor *m*.

cold [kəʊld] <> *adj* frío(a); **it's cold** hace frío; **my hands are cold** tengo las manos frías; **I'm cold** tengo frío; **to get cold** enfriarse. <> *n* - 1. [illness] resfriado *m*, constipado *m*; **to catch (a) cold** resfriarse, coger un resfriado - 2. [low temperature] frío *m*.

cold-blooded [-'blʌdɪd] *adj* - 1. [animal] de sangre fría - 2. [person] despiadado(da); [killing] a sangre fría.

cold sore *n* calentura *f*.

cold war *n*: **the cold war** la guerra fría.

coleslaw ['kəʊlslɔ:] *n* ensalada de col, zanahoria, cebolla y mayonesa.

colic ['kɒlɪk] *n* cólico *m*.

collaborate [kə'læbəreɪt] *vi*: **to collaborate (with)** colaborar (con).

collapse [kə'læps] <> *n* - 1. [of building] derrumbamiento *m*; [of roof] hundimiento *m* - 2. [of marriage, system] fracaso *m*; [of government, currency] caída *f*; [of empire] derrumbamiento *m* - 3. MED colapso *m*. <> *vi* - 1. [building, person] derrumbarse; [roof, prices] hundirse; **to collapse with laughter** partirse de risa - 2. [plan, business] venirse abajo - 3. MED sufrir un colapso.

collapsible [kə'læpsəbl] *adj* plegable.

collar ['kɒlər] *n* - 1. [on clothes] cuello *m* - 2. [for dog] collar *m* - 3. TECH collar *m*.

collarbone ['kɒləbəʊn] *n* clavícula *f*.

collate [kə'leɪt] *vt* - 1. [compare] cotejar - 2. [put in order] poner en orden.

collateral [kɒ'lætərəl] *n* garantía *f* subsidiaria, seguridad *f* colateral.

colleague ['kɒli:g] *n* colega *mf*.

collect [kə'lekt] <> *vt* - 1. [gather together] reunir, juntar; **to collect o.s.** concentrarse - 2. [as a hobby] coleccionar - 3. [go to get - person, parcel] recoger - 4. [money, taxes] recaudar. <> *vi* - 1. [gather] congregarse, reunirse - 2. [accumulate] acumularse - 3. [for charity, gift] hacer una colecta. <> *adv* US TELEC: **to call (sb) collect** llamar (a alguien) a cobro revertido.

collection [kə'lekʃn] *n* - 1. [of stamps, art etc] colección *f* - 2. [of poems, stories etc] recopilación *f* - 3. [of rubbish, mail] recogida *f*; [of taxes] recaudación *f* - 4. [of money] colecta *f*.

collective [kə'lektɪv] <> *adj* colectivo(va). <> *n* colectivo *m*.

collector [kə'lektər] *n* - 1. [as a hobby] coleccionista *mf* - 2. [of taxes] recaudador *m*, -ra *f* - 3. [of debts, rent] cobrador *m*, -ra *f*.

college ['kɒlɪdʒ] *n* - 1. [for further education] instituto *m*, escuela *f* - 2. US [university] universidad *f* - 3. UK [of university] *colegio universitario* que forma parte de ciertas universidades - 4. [organized body] colegio *m*.

college of education *n* UK escuela de formación de profesores de enseñanza primaria y secundaria.

collide [kə'laɪd] *vi*: **to collide (with)** [gen] chocar (con); [vehicles] colisionar OR chocar (con).

collie ['kɒlɪ] *n* collie *m*.

colliery ['kɒljərɪ] *n* mina *f* de carbón.

collision [kə'lɪʒn] *n* lit & fig: **to be on a collision course (with)** *fig* estar al borde del enfrentamiento (con).

colloquial [kə'ləʊkwɪəl] *adj* coloquial.

collude [kə'lu:d] *vi*: **to collude with** estar en connivencia con.

Colombia [kə'lɒmbɪə] *n* Colombia.

Colombian [kə'lɒmbɪən] <> *adj* colombiano(na). <> *n* colombiano *m*, -na *f*.

colon ['kəʊlən] *n* - 1. ANAT colon *m* - 2. [punctuation mark] dos puntos *mpl*.

colonel ['kɜ:nl] *n* coronel *mf*.

colonial [kə'ləʊnjəl] *adj* colonial.

colonize, -ise ['kɒlənaɪz] *vt* colonizar.

colony ['kɒlənɪ] *n* colonia *f*.

color US = **colour**.

colossal [kə'lɒsl] *adj* colosal.

colour UK, **color** US ['kʌlər] <> *n* color *m*. <> *adj* en color. <> *vt* - 1. [give colour to] dar color a; [with pen, crayon] colorear - 2. [dye] teñir - 3. [affect] influenciar. <> *vi* [blush] ruborizarse.

colour bar *n* discriminación *f* racial.

colour-blind *adj* daltónico(ca).

coloured UK, **colored** US ['kʌləd] *adj* - 1. [pens, sheets etc] de colores - 2. [with stated colour]: **maroon-coloured** de color granate; **brightly-coloured** de vivos colores - 3. [person - black] de color.

colourful UK, **colorful** US ['kʌləfʊl] *adj* - 1. [brightly coloured] de vivos colores - 2. [story] animado(da) - 3. [person] pintoresco(ca) - 4. [language] expresivo(va).

colouring UK, **coloring** US ['kʌlərɪŋ] *n* - 1. [in food] colorante *m* - 2. [complexion, hair] tez *f* - 3. [of animal's skin] color *m*.

colour scheme *n* combinación *f* de colores.

colt [kəʊlt] *n* potro *m*.

column ['kɒləm] *n* - 1. [gen] columna *f* - 2. [of people, vehicles] hilera *f*.

columnist ['kɒləmnɪst] *n* columnista *mf*.

coma ['kəʊmə] *n* coma *m*.

comb [kəʊm] <> *n* peine *m*. <> *vt* lit & fig peinar.

combat ['kɒmbæt] ◇ n combate m. ◇ vt combatir.

combination [,kɒmbɪ'neɪʃn] n combinación f.

combine ◇ vt [kəm'baɪn]: **to combine sthg (with)** combinar algo (con). ◇ vi [kəm'baɪn] combinarse. ◇ n ['kɒmbaɪn] - **1.** [group] grupo m - **2.** = **combine harvester**.

combine harvester [-'hɑːvɪstər], **combine** n cosechadora f.

come [kʌm] vi (pt **came**, pp **come**) - **1.** [move] venir; [arrive] llegar; **coming!** ¡ahora voy!; **the news came as a shock** la noticia constituyó un duro golpe; **he doesn't know whether he's coming or going** fig no sabe si va o viene - **2.** [happen] pasar; **come what may** pase lo que pase - **3.** [become]: **to come true** hacerse realidad; **to come unstuck** despegarse; **my shoelaces have come undone** se me han desatado los cordones - **4.** [begin gradually]: **to come to do sthg** llegar a hacer algo - **5.** [be placed in order]: **to come first/last in a race** llegar el primero/el último en una carrera; **she came second in the exam** quedó segunda en el examen; **P comes before Q** la P viene antes de la Q. ◆ **to come** adv: **in (the) days/years to come** en días/años venideros. ◆ **come about** vi [happen] pasar, ocurrir. ◆ **come along** vi - **1.** [arrive by chance - opportunity] surgir; [- bus] aparecer, llegar - **2.** [progress] ir; **the project is coming along nicely** el proyecto va muy bien. ◆ **come apart** vi deshacerse. ◆ **come back** vi - **1.** [in talk, writing]: **to come back to sthg** volver a algo - **2.** [memory]: **to come back to sb** volverle a la memoria a alguien. ◆ **come by** vt insep [get, obtain] conseguir. ◆ **come down** vi - **1.** [from upstairs] bajar - **2.** [decrease] bajar - **3.** [descend - plane, parachutist] aterrizar; [- rain] caer. ◆ **come down to** vt insep reducirse a. ◆ **come down with** vt insep coger, agarrar *(enfermedad)*. ◆ **come forward** vi presentarse. ◆ **come from** vt insep [noise etc] venir de; [person] ser de. ◆ **come in** vi - **1.** [enter] entrar, pasar; **come in!** ¡pase! - **2.** [arrive - train, letters, donations] llegar. ◆ **come in for** vt insep [criticism etc] recibir, llevarse. ◆ **come into** vt insep - **1.** [inherit] heredar - **2.** [begin to be]: **to come into being** nacer, ver la luz. ◆ **come off** ◇ vi - **1.** [button] descoserse; [label] despegarse; [lid] soltarse; [stain] quitarse - **2.** [plan, joke] salir bien. ◇ vt insep [medicine] dejar de tomar

▶▶▶ **come off it!** inf ¡venga ya! ◆ **come on** vi - **1.** [start] empezar - **2.** [start working - lights, heating] encenderse - **3.** [progress] ir; **it's coming on nicely** va muy bien

▶▶▶ **come on!** [expressing encouragement, urging haste] ¡vamos!; [expressing disbelief] ¡venga ya! ◆ **come out** vi - **1.** [screw, tooth] caerse

- **2.** [stain] quitarse - **3.** [become known] salir a la luz - **4.** [appear - product, book, sun] salir; [- film] estrenarse - **5.** [go on strike] ponerse en huelga - **6.** [as homosexual] declararse homosexual. ◆ **come over** ◇ vt insep [subj: feeling] sobrevenir; **I don't know what has come over her** no sé qué le pasa. ◇ vi [to visit] pasarse. ◆ **come round** vi - **1.** [to visit] pasarse - **2.** [change opinion]: **to come round (to sthg)** terminar por aceptar (algo) - **3.** [regain consciousness] volver en sí. ◆ **come through** vt insep [difficult situation, period] pasar por; [operation, war] sobrevivir a. ◆ **come to** ◇ vt insep - **1.** [reach]: **to come to an end** tocar a su fin; **to come to a decision** alcanzar una decisión - **2.** [amount to] ascender a; **the plan came to nothing** el plan se quedó en nada. ◇ vi [regain consciousness] volver en sí. ◆ **come under** vt insep - **1.** [be governed by] estar bajo - **2.** [suffer]: **to come under attack** ser atacado. ◆ **come up** vi - **1.** [name, topic, opportunity] surgir - **2.** [be imminent] estar al llegar - **3.** [sun, moon] salir. ◆ **come up against** vt insep tropezarse OR toparse con. ◆ **come up with** vt insep [idea] salir con; [solution] encontrar.

comeback ['kʌmbæk] n [return] reaparición f; **to make a comeback** [fashion] volver (a ponerse de moda); [actor] hacer una reaparición; [in match] recuperarse.

comedian [kə'miːdjən] n cómico m.

comedown ['kʌmdaʊn] n inf degradación f.

comedy ['kɒmədɪ] n - **1.** [film, play] comedia f; [on television] serie f de humor - **2.** [humorous entertainment] humorismo m - **3.** [amusing nature] comicidad f.

comet ['kɒmɪt] n cometa m.

come-uppance [,kʌm'ʌpəns] n: **to get one's come-uppance** inf llevarse uno su merecido.

comfort ['kʌmfət] ◇ n - **1.** [gen] comodidad f - **2.** [solace] consuelo m. ◇ vt consolar, confortar.

comfortable ['kʌmftəbl] adj - **1.** [gen] cómodo(da) - **2.** [financially secure] acomodado(da) - **3.** [victory, job, belief] fácil; [lead, majority] amplio(plia).

comfortably ['kʌmftəblɪ] adv - **1.** [sit, sleep] cómodamente - **2.** [without financial difficulty] sin aprietos - **3.** [easily] fácilmente.

comfort station n US euph aseos mpl.

comic ['kɒmɪk] ◇ adj cómico(ca). ◇ n - **1.** [comedian] cómico m, -ca f - **2.** [magazine - for children] tebeo m; [- for adults] cómic m.

comical ['kɒmɪkl] adj cómico(ca).

comic strip n tira f cómica.

coming ['kʌmɪŋ] ◇ adj [future] próximo(ma). ◇ n: **comings and goings** idas fpl y venidas.

comma ['kɒmə] n coma f.

command [kə'mɑ:nd] ◇ n - **1.** [order] orden f - **2.** (U) [control] mando m - **3.** [of language, skill] dominio m; **to have sthg at one's command** dominar algo - **4.** COMPUT comando m. ◇ vt - **1.** [order]: **to command sb (to do sthg)** ordenar OR mandar a alguien (que haga algo) - **2.** MIL [control] comandar - **3.** [deserve - respect, attention] hacerse acreedor(ra) de.

commandeer [,kɒmən'dɪər] vt requisar.

commander [kə'mɑ:ndər] n - **1.** [in army] comandante mf - **2.** [in navy] capitán m, -ana f de fragata.

commandment [kə'mɑ:ndmənt] n RELIG mandamiento m.

commando [kə'mɑ:ndəʊ] (pl -s OR -es) n comando m.

commemorate [kə'meməreɪt] vt conmemorar.

commemoration [kə,memə'reɪʃn] n conmemoración f.

commence [kə'mens] fml ◇ vt: **to commence (doing sthg)** comenzar OR empezar (a hacer algo). ◇ vi comenzar, empezar.

commend [kə'mend] vt - **1.** [praise] alabar - **2.** [recommend]: **to commend sthg (to)** recomendar algo (a).

commensurate [kə'menʃərət] adj fml: **commensurate with** acorde OR en proporción con.

comment ['kɒment] ◇ n comentario m; **no comment** sin comentarios. ◇ vi comentar; **to comment on** hacer comentarios sobre.

commentary ['kɒməntrɪ] n - **1.** [on match, event] comentarios mpl - **2.** [analysis] comentario m.

commentator ['kɒmənteɪtər] n comentarista mf.

commerce ['kɒmɜ:s] n (U) comercio m.

commercial [kə'mɜ:ʃl] ◇ adj comercial. ◇ n anuncio m (televisivo o radiofónico).

commercial break n pausa f publicitaria.

commiserate [kə'mɪzəreɪt] vi: **I commiserated with her** le dije cuánto lo sentía.

commission [kə'mɪʃn] ◇ n - **1.** [money, investigative body] comisión f - **2.** [piece of work] encargo m. ◇ vt encargar; **to commission sb (to do sthg)** encargar a alguien (que haga algo).

commissionaire [kə,mɪʃə'neər] n UK portero m (uniformado).

commissioner [kə'mɪʃnər] n comisario m, -ria f.

commit [kə'mɪt] vt - **1.** [crime, sin etc] cometer - **2.** [pledge - money, resources] destinar; **to commit o.s. (to)** comprometerse (a) - **3.** [consign - to mental hospital] ingresar; **to commit sb to prison** encarcelar a alguien; **to commit sthg to memory** aprender algo de memoria.

commitment [kə'mɪtmənt] n compromiso m.

committee [kə'mɪtɪ] n comisión f, comité m.

commodity [kə'mɒdətɪ] n producto m básico.

common ['kɒmən] ◇ adj - **1.** [gen]: **common (to)** común (a) - **2.** [ordinary - man, woman] corriente, de la calle - **3.** UK pej [vulgar] vulgar, ordinario(ria). ◇ n campo m común. ➡ **in common** adv en común.

common law n derecho m consuetudinario. ➡ **common-law** adj [wife, husband] de hecho.

commonly ['kɒmənlɪ] adv generalmente, comúnmente.

Common Market n: **the Common Market** el Mercado Común.

commonplace ['kɒmənpleɪs] adj corriente, común.

common room n [for pupils] sala f de estudiantes; [for teachers] sala f de profesores.

Commons ['kɒmənz] npl UK: **the Commons** la Cámara de los Comunes.

common sense n sentido m común.

Commonwealth ['kɒmənwelθ] n: **the Commonwealth** la Commonwealth.

Commonwealth of Independent States n: **the Commonwealth of Independent States** la Comunidad de Estados Independientes.

commotion [kə'məʊʃn] n alboroto m.

communal ['kɒmjʊnl] adj comunal.

commune ◇ n ['kɒmju:n] comuna f. ◇ vi [kə'mju:n]: **to commune with** estar en comunión OR comulgar con.

communicate [kə'mju:nɪkeɪt] ◇ vt transmitir, comunicar. ◇ vi: **to communicate (with)** comunicarse (con).

communication [kə,mju:nɪ'keɪʃn] n - **1.** [contact] comunicación f - **2.** [letter, phone call] comunicado m.

communication cord n UK alarma f (de un tren o metro).

communion [kə'mju:njən] n [communication] comunión f. ➡ **Communion** n (U) RELIG comunión f.

communiqué [kə'mju:nɪkeɪ] n comunicado m.

Communism ['kɒmjʊnɪzm] n comunismo m.

Communist ['kɒmjʊnɪst] ◇ adj comunista. ◇ n comunista mf.

community [kə'mju:nətɪ] n comunidad f.

community centre n centro m social.

commutation ticket [,kɒmju:'teɪʃn-] n US abono m, boleto m de abono Amér.

commute [kə'mju:t] ⟨⟩ vt LAW conmutar. ⟨⟩ vi [to work] viajar diariamente al lugar de trabajo.

commuter [kə'mju:tər] n persona que viaja diariamente al lugar de trabajo.

compact ⟨⟩ adj [kəm'pækt] [small and neat] compacto(ta). ⟨⟩ n ['kɒmpækt] - 1. [for face powder] polvera f - 2. US [car] utilitario m.

compact disc n compact disc m.

compact disc player n compact m (disc), reproductor m de discos compactos.

companion [kəm'pænjən] n compañero m, -ra f.

companionship [kəm'pænjənʃɪp] n [friendly relationship] compañerismo m.

company ['kʌmpənɪ] n [gen] compañía f; [business] empresa f, compañía f; to keep sb company hacer compañía a alguien; to part company (with) separarse (de).

company secretary n secretario del consejo de administración.

comparable ['kɒmprəbl] adj: comparable (to OR with) comparable (a).

comparative [kəm'pærətɪv] ⟨⟩ adj - 1. [relative] relativo(va) - 2. [study] comparado(da) - 3. GRAM comparativo(va). ⟨⟩ n GRAM comparativo m.

comparatively [kəm'pærətɪvlɪ] adv relativamente.

compare [kəm'peər] ⟨⟩ vt: to compare sthg/sb (with), to compare sthg/sb (to) comparar algo/a alguien (con); compared with OR to [as opposed to] comparado con; [in comparison with] en comparación con. ⟨⟩ vi: to compare (with) compararse (con); to compare favourably/unfavourably with ser mejor/peor que.

comparison [kəm'pærɪsn] n comparación f; in comparison (with OR to) en comparación (con).

compartment [kəm'pɑ:tmənt] n - 1. [container] compartimento m - 2. RAIL departamento m, compartimento m.

compass ['kʌmpəs] n [magnetic] brújula f. ➨ **compasses** npl compás m.

compassion [kəm'pæʃn] n compasión f.

compassionate [kəm'pæʃənət] adj compasivo(va).

compatible [kəm'pætəbl] adj: compatible (with) compatible (con).

compel [kəm'pel] vt [force] obligar; to compel sb to do sthg forzar OR obligar a alguien a hacer algo.

compelling [kəm'pelɪŋ] adj - 1. [argument, reason] convincente - 2. [book, film] absorbente.

compensate ['kɒmpenseɪt] ⟨⟩ vt: to compensate sb for sthg [financially] compensar OR indemnizar a alguien por algo. ⟨⟩ vi: to compensate for sthg compensar algo.

compensation [,kɒmpen'seɪʃn] n - 1. [money]: compensation (for) indemnización f (por) - 2. [way of compensating]: compensation (for) compensación f (por).

compete [kəm'pi:t] vi - 1. [gen]: to compete (for/in) competir (por/en); to compete (with OR against) competir (con) - 2. [be in conflict] rivalizar.

competence ['kɒmpɪtəns] n [proficiency] competencia f.

competent ['kɒmpɪtənt] adj competente, capaz.

competition [,kɒmpɪ'tɪʃn] n - 1. [rivalry] competencia f - 2. [competitors, rivals]: the competition la competencia - 3. [race, sporting event] competición f - 4. [contest] concurso m.

competitive [kəm'petɪtɪv] adj - 1. [match, exam, prices] competitivo(va) - 2. [person, spirit] competidor(ra).

competitor [kəm'petɪtər] n competidor m, -ra f.

compile [kəm'paɪl] vt recopilar.

complacency [kəm'pleɪsnsɪ] n autocomplacencia f.

complacent [kəm'pleɪsnt] adj autocomplaciente.

complain [kəm'pleɪn] vi - 1. [moan]: to complain (about) quejarse (de) - 2. MED: to complain of sthg sufrir algo.

complaint [kəm'pleɪnt] n - 1. [gen] queja f - 2. MED problema m, dolencia f.

complement ⟨⟩ n ['kɒmplɪmənt] - 1. [gen & GRAM] complemento m - 2. [number]: we offer a full complement of services ofrecemos una gama completa de servicios. ⟨⟩ vt ['kɒmplɪ,ment] complementar.

complementary [,kɒmplɪ'mentərɪ] adj - 1. [gen] complementario(ria) - 2. [medicine] alternativo(va).

complete [kəm'pli:t] ⟨⟩ adj - 1. [total] total - 2. [lacking nothing] completo(ta); bathroom complete with shower baño con ducha - 3. [finished] terminado(da). ⟨⟩ vt - 1. [finish] terminar - 2. [form] rellenar - 3. [make whole - collection] completar; [- disappointment, amazement] colmar.

completely [kəm'pli:tlɪ] adv completamente.

completion [kəm'pli:ʃn] n finalización f, terminación f.

complex ['kɒmpleks] ⟨⟩ adj complejo(ja). ⟨⟩ n complejo m.

complexion [kəm'plekʃn] n [of face] tez f, cutis m inv.

compliance [kəm'plaɪəns] *n* [obedience]: **compliance (with)** cumplimiento *m* (de), acatamiento *m* (de).

complicate ['kɒmplɪkeɪt] *vt* complicar.

complicated ['kɒmplɪkeɪtɪd] *adj* complicado(da).

complication [ˌkɒmplɪ'keɪʃn] *n* complicación *f*.

compliment ⋄ *n* ['kɒmplɪmənt] cumplido *m*; **my compliments to the cook** felicitaciones a la cocinera. ⋄ *vt* ['kɒmplɪment]: **to compliment sb (on)** felicitar a alguien (por). ➡ **compliments** *npl fml* saludos *mpl*.

complimentary [ˌkɒmplɪ'mentərɪ] *adj* - **1.** [remark] elogioso(sa); [person] halagador(ra) - **2.** [drink, seats] gratis *(inv)*.

complimentary ticket *n* entrada *f* gratuita.

comply [kəm'plaɪ] *vi*: **to comply with sthg** [standards] cumplir (con) algo; [request] acceder a algo; [law] acatar algo.

component [kəm'pəʊnənt] *n* TECH pieza *f*; [element] elemento *m*.

compose [kəm'pəʊz] *vt* - **1.** [constitute] componer; **to be composed of** estar compuesto OR componerse de - **2.** [music, poem, letter] componer - **3.** [calm]: **to compose o.s.** calmarse.

composed [kəm'pəʊzd] *adj* tranquilo(la).

composer [kəm'pəʊzər] *n* compositor *m*, -ra *f*.

composition [ˌkɒmpə'zɪʃn] *n* - **1.** [gen] composición *f* - **2.** [essay] redacción *f*.

compost [UK 'kɒmpɒst, US 'kɒmpəʊst] *n* compost *m*, abono *m*.

composure [kəm'pəʊʒər] *n* compostura *f*, calma *f*.

compound *n* ['kɒmpaʊnd] - **1.** [gen & CHEM] compuesto *m* - **2.** [enclosed area] recinto *m*.

compound fracture *n* fractura *f* complicada.

comprehend [ˌkɒmprɪ'hend] *vt* comprender.

comprehension [ˌkɒmprɪ'henʃn] *n* comprensión *f*.

comprehensive [ˌkɒmprɪ'hensɪv] ⋄ *adj* - **1.** [wide-ranging] completo(ta) - **2.** [defeat, victory] rotundo(da) - **3.** [insurance] a todo riesgo. ⋄ *n UK* = **comprehensive school**.

comprehensive school, comprehensive *n* instituto de enseñanza media no selectiva en Gran Bretaña.

compress [kəm'pres] *vt* - **1.** [squeeze, press & COMPUT] comprimir - **2.** [shorten] reducir.

comprise [kəm'praɪz] *vt* - **1.** [consist of] comprender - **2.** [form] constituir.

compromise ['kɒmprəmaɪz] ⋄ *n* arreglo *m*, término *m* medio. ⋄ *vt* comprometer. ⋄ *vi* llegar a un arreglo, transigir.

compulsion [kəm'pʌlʃn] *n* - **1.** [strong desire] ganas *fpl* irrefrenables - **2.** (U) [force] obligación *f*.

compulsive [kəm'pʌlsɪv] *adj* - **1.** [gambler] empedernido(da); [liar] compulsivo(va) - **2.** [fascinating, compelling] absorbente.

compulsory [kəm'pʌlsərɪ] *adj* [gen] obligatorio(ria); [redundancy, retirement] forzoso(sa).

computer [kəm'pju:tər] *n* ordenador *m*, computadora *f Amér*.

computer game *n* juego *m* de ordenador.

computer-generated [kəmˌpju:tə-'dʒenəreɪtɪd] *adj* generado(da) por ordenador.

computer graphics *npl* infografía *f*.

computerized [kəm'pju:təraɪzd] *adj* informatizado(da), computerizado(da).

computing [kəm'pju:tɪŋ], **computer science** *n* informática *f*.

comrade ['kɒmreɪd] *n* camarada *mf*.

con [kɒn] *inf* ⋄ *n* [trick] timo *m*. ⋄ *vt* timar, estafar; **to con sb out of sthg** timarle algo a alguien; **to con sb into doing sthg** engañar a alguien para que haga algo.

concave [ˌkɒn'keɪv] *adj* cóncavo(va).

conceal [kən'si:l] *vt* [object, substance, information] ocultar; [feelings] disimular; **to conceal sthg from sb** ocultarle algo a alguien.

concede [kən'si:d] ⋄ *vt* - **1.** [defeat, a point] admitir, reconocer - **2.** [goal] encajar. ⋄ *vi* [gen] ceder; [in sports, chess] rendirse.

conceit [kən'si:t] *n* engreimiento *m*.

conceited [kən'si:tɪd] *adj* engreído(da).

conceive [kən'si:v] ⋄ *vt* concebir. ⋄ *vi* - **1.** MED concebir - **2.** [imagine]: **to conceive of sthg** imaginarse algo.

concentrate ['kɒnsəntreɪt] ⋄ *vt* concentrar. ⋄ *vi*: **to concentrate (on)** concentrarse (en).

concentration [ˌkɒnsən'treɪʃn] *n* concentración *f*.

concentration camp *n* campo *m* de concentración.

concept ['kɒnsept] *n* concepto *m*.

concern [kən's3:n] ⋄ *n* - **1.** [worry, anxiety] preocupación *f* - **2.** [company] negocio *m*, empresa *f*. ⋄ *vt* - **1.** [worry] preocupar; **to be concerned about** preocuparse por - **2.** [involve] concernir; **those concerned** los interesados; **to be concerned with** [subj: person] ocuparse de; **to concern o.s. with sthg** preocuparse de OR por algo; **as far as... is concerned** por lo que a... respecta.

concerned [kən's3:nd] *adj* [person] preocupado(da); [expression] de preocupación.

concerning [kən's3:nɪŋ] *prep* en relación con.

concert ['kɒnsət] n concierto m.

concerted [kən'sɔ:tɪd] adj conjunto(ta).

concert hall n sala f de conciertos.

concertina [,kɒnsə'ti:nə] n concertina f.

concerto [kən'tʃeətəʊ] (pl -s) n concierto m.

concession [kən'seʃn] n - 1. [allowance, franchise] concesión f - 2. UK [special price] descuento m, rebaja f - 3. UK [reduced ticket - for cinema, theatre] entrada f con descuento; [- for public transport] billete m con descuento.

concise [kən'saɪs] adj conciso(sa).

conclude [kən'klu:d] <> vt - 1. [bring to an end] concluir, terminar - 2. [deduce]: **to conclude (that)** concluir que - 3. [agreement] llegar a; [business deal] cerrar; [treaty] firmar. <> vi terminar, concluir.

conclusion [kən'klu:ʒn] n - 1. [decision] conclusión f - 2. [ending] conclusión f, final m - 3. [of business deal] cierre m; [of treaty, agreement] firma f.

conclusive [kən'klu:sɪv] adj concluyente.

concoct [kən'kɒkt] vt - 1. [excuse, story] ingeniar - 2. [food] confeccionar; [drink] preparar.

concoction [kən'kɒkʃn] n [drink] brebaje m; [food] mezcla f.

concourse ['kɒŋkɔ:s] n [of station etc] vestíbulo m.

concrete ['kɒŋkri:t] <> adj [definite, real] concreto(ta). <> n hormigón m, concreto m Amér. <> comp [made of concrete] de hormigón.

concur [kən'kɜ:r] vi [agree]: **to concur (with)** estar de acuerdo OR coincidir (con).

concurrently [kən'kʌrəntlɪ] adv simultáneamente, al mismo tiempo.

concussion [kən'kʌʃn] n conmoción f cerebral.

condemn [kən'dem] vt - 1. [gen]: **to condemn sb (for/to)** condenar a alguien (por/a) - 2. [building] declarar en ruinas.

condensation [,kɒnden'seɪʃn] n [on walls] condensación f; [on glass] vaho m.

condense [kən'dens] <> vt condensar. <> vi condensarse.

condensed milk [kən'denst-] n leche f condensada.

condescending [,kɒndɪ'sendɪŋ] adj altivo(va), condescendiente.

condition [kən'dɪʃn] <> n - 1. [state] estado m; **in good/bad condition** en buen/mal estado; **to be out of condition** no estar en forma - 2. MED [disease, complaint] afección f - 3. [provision] condición f; **on condition that** a condición de que; **on one condition** con una condición. <> vt [gen] condicionar.

conditional [kən'dɪʃənl] <> adj condicional; **to be conditional on** OR **upon** depender de. <> n: **the conditional** el condicional.

conditioner [kən'dɪʃnər] n suavizante m.

condolences [kən'dəʊlənsɪz] npl pésame m; **to offer one's condolences** dar el pésame.

condom ['kɒndəm] n preservativo m, condón m.

condominium [,kɒndə'mɪnɪəm] n US - 1. [apartment] piso m, apartamento m - 2. [apartment block] bloque m de pisos OR apartamentos.

condone [kən'dəʊn] vt perdonar.

conducive [kən'dju:sɪv] adj: **conducive to** favorable para.

conduct <> n ['kɒndʌkt] - 1. [behaviour] conducta f - 2. [carrying out] dirección f. <> vt [kən'dʌkt] - 1. [carry out] dirigir, llevar a cabo - 2. [behave]: **to conduct o.s. well/badly** comportarse bien/mal - 3. MUS dirigir - 4. PHYS conducir.

conducted tour [kən'dʌktɪd-] n visita f con guía.

conductor [kən'dʌktər] n - 1. [of orchestra, choir] director m, -ra f - 2. [on bus] cobrador m - 3. US [on train] revisor m, -ra f.

conductress [kən'dʌktrɪs] n [on bus] cobradora f.

cone [kəʊn] n - 1. [shape] cono m - 2. [for ice cream] cucurucho m - 3. [from tree] piña f.

confectioner [kən'fekʃnər] n confitero m, -ra f; **confectioner's (shop)** confitería f.

confectionery [kən'fekʃnərɪ] n (U) dulces mpl, golosinas fpl.

confederation [kən,fedə'reɪʃn] n confederación f.

confer [kən'fɜ:r] <> vt fml: **to confer sthg (on)** otorgar OR conferir algo (a). <> vi: **to confer (with)** consultar (con).

conference ['kɒnfərəns] n congreso m, conferencia f.

confess [kən'fes] <> vt confesar. <> vi - 1. [to crime & RELIG] confesarse; **to confess to sthg** confesar algo - 2. [admit]: **to confess to sthg** admitir algo.

confession [kən'feʃn] n confesión f.

confetti [kən'fetɪ] n confeti m.

confide [kən'faɪd] vi: **to confide (in)** confiarse (a).

confidence ['kɒnfɪdəns] n - 1. [self-assurance] confianza f OR seguridad f (en sí mismo/misma) - 2. [trust] confianza f; **to have confidence in sb** tener confianza en alguien - 3. [secrecy]: **in confidence** en secreto - 4. [secret] intimidad f, secreto m.

confidence trick n timo m, estafa f.

confident ['kɒnfɪdənt] *adj* - **1.** [self-assured - person] seguro de sí mismo(segura de sí misma); [- smile, attitude] confiado(da) - **2.** [sure]: **confident (of)** seguro(ra) (de).

confidential [,kɒnfɪ'denʃl] *adj* [gen] confidencial; [secretary, clerk] de confianza.

confine [kən'faɪn] *vt* - **1.** [limit, restrict] limitar, restringir; **to be confined to** limitarse a - **2.** [shut up] recluir, encerrar.

confined [kən'faɪnd] *adj* [space] reducido(da).

confinement [kən'faɪnmənt] *n* [imprisonment] reclusión *f*.

confines ['kɒnfaɪnz] *npl* confines *mpl*.

confirm [kən'fɜ:m] *vt* confirmar.

confirmation [,kɒnfə'meɪʃn] *n* confirmación *f*.

confirmed [kən'fɜ:md] *adj* [non-smoker] inveterado(da); [bachelor] empedernido(da).

confiscate ['kɒnfɪskeɪt] *vt* confiscar.

conflict ⬦ *n* ['kɒnflɪkt] conflicto *m*. ⬦ *vi* [kən'flɪkt]: **to conflict (with)** estar en desacuerdo (con).

conflicting [kən'flɪktɪŋ] *adj* contrapuesto(ta).

conform [kən'fɔ:m] *vi* - **1.** [behave as expected] amoldarse a las normas sociales - **2.** [be in accordance]: **to conform (to OR with)** [expectations] corresponder (a); [rules] ajustarse (a).

confound [kən'faʊnd] *vt* [confuse, defeat] confundir, desconcertar.

confront [kən'frʌnt] *vt* - **1.** [problem, task] hacer frente a - **2.** [subj: problem, task] presentarse a - **3.** [enemy etc] enfrentarse con - **4.** [challenge]: **to confront sb (with)** poner a alguien cara a cara (con).

confrontation [,kɒnfrʌn'teɪʃn] *n* enfrentamiento *m*, confrontación *f*.

confuse [kən'fju:z] *vt* - **1.** [bewilder] desconcertar, confundir - **2.** [mix up]: **to confuse (with)** confundir (con) - **3.** [complicate, make less clear] complicar.

confused [kən'fju:zd] *adj* - **1.** [person] confundido(da), desconcertado(da) - **2.** [reasoning, situation] confuso(sa).

confusing [kən'fju:zɪŋ] *adj* confuso(sa).

confusion [kən'fju:ʒn] *n* - **1.** [gen] confusión *f* - **2.** [of person] desconcierto *m*.

congeal [kən'dʒi:l] *vi* [fat] solidificarse; [blood] coagularse.

congenial [kən'dʒi:njəl] *adj* ameno(na), agradable.

congested [kən'dʒestɪd] *adj* - **1.** [road] congestionado(da); [area] superpoblado(da) - **2.** MED congestionado(da).

congestion [kən'dʒestʃn] *n* [of traffic & MED] congestión *f*.

conglomerate [kən'glɒmərət] *n* COMM conglomerado *m*.

congratulate [kən'grætʃʊleɪt] *vt*: **to congratulate sb (on)** felicitar a alguien (por).

congratulations [kən,grætʃʊ'leɪʃənz] ⬦ *npl* felicitaciones *fpl*. ⬦ *excl* ¡enhorabuena!

congregate ['kɒŋgrɪgeɪt] *vi* [people] congregarse; [animals] juntarse.

congregation [,kɒŋgrɪ'geɪʃn] *n* RELIG feligreses *mpl*.

congress ['kɒŋgres] *n* congreso *m*. ➡ **Congress** *n* [in US]: **(the) Congress** el Congreso.

congressman ['kɒŋgresmən] (*pl* -men [-mən]) *n* US congresista *m*.

conifer ['kɒnɪfəʳ] *n* conífera *f*.

conjugate ['kɒndʒʊgeɪt] *vt* conjugar.

conjugation [,kɒndʒʊ'geɪʃn] *n* conjugación *f*.

conjunction [kən'dʒʌŋkʃn] *n* - **1.** GRAM conjunción *f* - **2.** [combination]: **in conjunction with** juntamente con.

conjunctivitis [kən,dʒʌŋktɪ'vaɪtɪs] *n* conjuntivitis *f inv*.

conjure ['kʌndʒəʳ] *vi* hacer juegos de manos. ➡ **conjure up** *vt sep* [evoke] evocar.

conjurer, conjuror ['kʌndʒərəʳ] *n* prestidigitador *m*, -ra *f*.

conk [kɒŋk] *n inf* [nose] napia *f*. ➡ **conk out** *vi inf* - **1.** [break down] escacharrarse - **2.** [fall asleep] quedarse roque.

conker ['kɒŋkəʳ] *n* UK castaña *f* (*del castaño de Indias*).

conman ['kɒnmæn] (*pl* -men [-men]) *n* estafador *m*, timador *m*.

connect [kə'nekt] ⬦ *vt* - **1.** [join]: **to connect sthg (to)** conectar algo (a); **to get connected** conectarse - **2.** [on telephone]: **I'll connect you** now ahora le paso OR pongo - **3.** [associate]: **to connect sthg/sb (with)** asociar algo/a alguien (con) - **4.** ELEC: **to connect sthg to** conectar algo a. ⬦ *vi* [train, plane, bus]: **to connect (with)** enlazar (con).

connected [kə'nektɪd] *adj* [related]: **connected (with)** relacionado(da) (con).

connection, connexion [kə'nekʃn] *n* - **1.** [gen, ELEC & COMPUT]: **connection (between/with)** conexión *f* (entre/con); **in connection with** con relación OR respecto a - **2.** [plane, train, bus] enlace *m* - **3.** [professional acquaintance] contacto *m*; **to have good connections** tener mucho enchufe.

connive [kə'naɪv] *vi* - **1.** [plot]: **to connive (with)** confabularse (con) - **2.** [allow to happen]: **to connive at sthg** hacer la vista gorda con algo.

connoisseur [,kɒnə'sɜ:ʳ] *n* entendido *m*, -da *f*.

conquer ['kɒŋkər] vt - 1. [take by force] conquistar - 2. [gain control of, overcome] vencer.

conqueror ['kɒŋkərər] n conquistador m, -ra f.

conquest ['kɒŋkwest] n conquista f.

cons [kɒnz] npl - 1. UK inf: **all mod cons** con todas las comodidades - 2. ⊳ **pro**.

conscience ['kɒnʃəns] n conciencia f.

conscientious [ˌkɒnʃi'enʃəs] adj concienzudo(da).

conscious ['kɒnʃəs] adj - 1. [gen] consciente; **to be conscious of** ser consciente de; **to become conscious of** darse cuenta de - 2. [intentional] deliberado(da).

consciousness ['kɒnʃəsnɪs] n - 1. [gen] conciencia f - 2. [state of being awake] conocimiento m; **to lose/regain consciousness** perder/recobrar el conocimiento.

conscript n recluta mf.

conscription [kən'skrɪpʃn] n servicio m militar obligatorio.

consecutive [kən'sekjʊtɪv] adj consecutivo(va); **on three consecutive days** tres días seguidos.

consent [kən'sent] ⟨⟩ n (U) - 1. [permission] consentimiento m - 2. [agreement]: **by general OR common consent** de común acuerdo. ⟨⟩ vi: **to consent (to)** consentir (en).

consequence ['kɒnsɪkwəns] n - 1. [result] consecuencia f; **in consequence** por consiguiente - 2. [importance] importancia f.

consequently ['kɒnsɪkwəntlɪ] adv por consiguiente.

conservation [ˌkɒnsə'veɪʃn] n [gen] conservación f; [environmental protection] protección f del medio ambiente.

conservative [kən'sɜːvətɪv] adj - 1. [not modern] conservador(ra) - 2. [estimate, guess] moderado(da). ⟨⟩ **Conservative** ⟨⟩ adj POL conservador(ra). ⟨⟩ n POL conservador m, -ra f.

Conservative Party n: **the Conservative Party** el Partido Conservador.

conservatory [kən'sɜːvətrɪ] n pequeña habitación acristalada adosada a una casa.

conserve ⟨⟩ n ['kɒnsɜːv] compota f. ⟨⟩ vt [kən'sɜːv] [energy, supplies] ahorrar; [nature, wildlife] conservar.

consider [kən'sɪdər] vt - 1. [gen] considerar; **to consider doing sthg** considerar hacer algo; **to consider whether to do sthg** pensarse si hacer algo; **to consider o.s. lucky** considerarse afortunado(da) - 2. [take into account] tener en cuenta; **all things considered** teniéndolo todo en cuenta.

considerable [kən'sɪdrəbl] adj considerable.

considerably [kən'sɪdrəblɪ] adv considerablemente, sustancialmente.

considerate [kən'sɪdərət] adj considerado(da).

consideration [kənˌsɪdə'reɪʃn] n - 1. [gen] consideración f - 2. [factor] factor m - 3. [amount of money] retribución f.

considering [kən'sɪdərɪŋ] ⟨⟩ prep habida cuenta de. ⟨⟩ conj después de todo.

consign [kən'saɪn] vt: **to consign sthg/sb to** relegar algo/a alguien a.

consignment [ˌkən'saɪnmənt] n remesa f.

consist [kən'sɪst] ⟨⟩ **consist in** vt insep consistir en. ⟨⟩ **consist of** vt insep constar de.

consistency [kən'sɪstənsɪ] n - 1. [coherence - of behaviour, policy] consecuencia f, coherencia f; [of work, performances] regularidad f - 2. [texture] consistencia f.

consistent [kən'sɪstənt] adj - 1. [regular] constante - 2. [coherent]: **consistent (with)** consecuente (con).

consolation [ˌkɒnsə'leɪʃn] n consuelo m.

console ⟨⟩ n ['kɒnsəʊl] consola f. ⟨⟩ vt [kən'səʊl] consolar.

consonant ['kɒnsənənt] n consonante f.

consortium [kən'sɔːtjəm] (pl -tiums OR -tia [-tjə]) n consorcio m.

conspicuous [kən'spɪkjʊəs] adj [building] visible; [colour] llamativo(va).

conspiracy [kən'spɪrəsɪ] n conspiración f.

conspire [kən'spaɪər] ⟨⟩ vt: **to conspire to do sthg** conspirar para hacer algo. ⟨⟩ vi - 1. [plan secretly]: **to conspire (against/with)** conspirar (contra/con) - 2. [combine] confabularse.

constable ['kʌnstəbl] n policía mf.

constabulary [kən'stæbjʊlərɪ] n policía f (de una zona determinada).

constant ['kɒnstənt] ⟨⟩ adj [gen] constante. ⟨⟩ n constante f.

constantly ['kɒnstəntlɪ] adv [forever] constantemente.

consternation [ˌkɒnstə'neɪʃn] n consternación f.

constipated ['kɒnstɪpeɪtɪd] adj estreñido(da).

constipation [ˌkɒnstɪ'peɪʃn] n estreñimiento m.

constituency [kən'stɪtjʊənsɪ] n [area] distrito m electoral.

constituent [kən'stɪtjʊənt] n - 1. [element] componente m o f - 2. [voter] votante mf.

constitute ['kɒnstɪtjuːt] vt constituir.

constitution [ˌkɒnstɪ'tjuːʃn] n constitución f.

constraint [kən'streɪnt] n - **1.** [restriction]: **constraint (on)** limitación f (de) - **2.** [coercion] coacción f.

construct vt [kən'strʌkt] lit & fig construir.

construction [kən'strʌkʃn] n construcción f.

constructive [kən'strʌktɪv] adj constructivo(va).

construe [kən'struː] vt fml: **to construe sthg as** interpretar algo como.

consul ['kɒnsəl] n cónsul mf.

consulate ['kɒnsjʊlət] n consulado m.

consult [kən'sʌlt] <> vt consultar. <> vi: **to consult with sb** consultar a OR con alguien.

consultant [kən'sʌltənt] n - **1.** [expert] asesor m, -ra f - **2.** UK [hospital doctor] (médico) especialista m, (médica) especialista f.

consultation [,kɒnsəl'teɪʃn] n - **1.** [gen] consulta f - **2.** [discussion] discusión f.

consulting room [kən'sʌltɪŋ-] n consultorio m, consulta f.

consume [kən'sjuːm] vt lit & fig consumir.

consumer [kən'sjuːmər] n consumidor m, -ra f.

consumer goods npl bienes mpl de consumo.

consumer society n sociedad f de consumo.

consummate <> adj [kən'sʌmət] - **1.** [skill, ease] absoluto(ta) - **2.** [liar, politician, snob] consumado(da). <> vt ['kɒnsəmeɪt] [marriage] consumar.

consumption [kən'sʌmpʃn] n [use] consumo m.

contact ['kɒntækt] <> n contacto m; **in contact (with)** en contacto (con); **to lose contact with** perder (el) contacto con; **to make contact with** ponerse en contacto con. <> vt ponerse en contacto con.

contact lens n lentilla f, lente f de contacto.

contagious [kən'teɪdʒəs] adj contagioso(sa).

contain [kən'teɪn] vt contener; **to contain o.s.** contenerse.

container [kən'teɪnər] n - **1.** [box, bottle etc] recipiente m, envase m - **2.** [for transporting goods] contenedor m.

contaminate [kən'tæmɪneɪt] vt contaminar.

cont'd (abbr of continued): **'cont'd page 30** sigue en la página 30.

contemplate ['kɒntempleɪt] <> vt - **1.** [consider] considerar, pensar en; **to contemplate doing sthg** contemplar la posibilidad de hacer algo - **2.** fml [look at] contemplar. <> vi reflexionar.

contemporary [kən'tempərərɪ] <> adj contemporáneo(a). <> n contemporáneo m, -a f.

contempt [kən'tempt] n - **1.** [scorn]: **contempt (for)** desprecio m OR desdén m (por); **to hold sb in contempt** despreciar a alguien - **2.** LAW desacato m.

contemptuous [kən'temptʃʊəs] adj despreciativo(va); **to be contemptuous of sthg** despreciar algo.

contend [kən'tend] <> vi - **1.** [deal]: **to contend with** enfrentarse a - **2.** [compete]: **to contend for/against** competir por/contra. <> vt fml: **to contend that** sostener OR afirmar que.

contender [kən'tendər] n [gen] contendiente mf; [for title] aspirante mf.

content <> adj [kən'tent]: **content (with)** contento(ta) OR satisfecho(cha) (con). <> n ['kɒntent] contenido m. <> vt [kən'tent]: **to content o.s. with/with doing sthg** contentarse con algo/con hacer algo. **contents** npl - **1.** [of container, letter etc] contenido m - **2.** [heading in book] índice m.

contented [kən'tentɪd] adj satisfecho(cha), contento(ta).

contention [kən'tenʃn] n fml - **1.** [argument, assertion] argumento m - **2.** (U) [disagreement] disputas fpl.

contest <> n ['kɒntest] - **1.** [competition] concurso m; [in boxing] combate m - **2.** [for power, control] lucha f. <> vt [kən'test] - **1.** [seat, election] presentarse como candidato(ta) a - **2.** [dispute - statement] disputar; [- decision] impugnar.

contestant [kən'testənt] n [in quiz show] concursante mf; [in race] participante mf; [in boxing match] contrincante mf.

context ['kɒntekst] n contexto m.

continent ['kɒntɪnənt] n continente m. **Continent** n UK: **the Continent** Europa continental.

continental [,kɒntɪ'nentl] adj - **1.** GEOG continental - **2.** UK [European] de Europa continental.

continental breakfast n desayuno m continental.

continental quilt n UK edredón m.

contingency [kən'tɪndʒənsɪ] n contingencia f.

contingency plan n plan m de emergencia.

continual [kən'tɪnjʊəl] adj continuo(nua), constante.

continually [kən'tɪnjʊəlɪ] adv continuamente, constantemente.

continuation [kən,tɪnjʊ'eɪʃn] n continuación f.

continue [kən'tɪnjuː] ⬦ vt: **to continue (doing OR to do sthg)** continuar (haciendo algo); **'to be continued'** 'continuará'. ⬦ vi: **to continue (with sthg)** continuar (con algo).

continuous [kən'tɪnjuəs] adj continuo(nua).

continuously [kən'tɪnjuəslɪ] adv continuamente, ininterrumpidamente.

contort [kən'tɔːt] vt retorcer.

contortion [kən'tɔːʃn] n contorsión f.

contour ['kɒn,tʊəʳ] n - 1. [outline] contorno m - 2. [on map] curva f de nivel.

contraband ['kɒntrəbænd] ⬦ adj de contrabando. ⬦ n contrabando m.

contraception [,kɒntrə'sepʃn] n anticoncepción f.

contraceptive [,kɒntrə'septɪv] ⬦ adj anticonceptivo(va). ⬦ n anticonceptivo m.

contract ⬦ n ['kɒntrækt] contrato m. ⬦ vt [kən'trækt] - 1. [through legal agreement]: **to contract sb (to do sthg)** contratar a alguien (para hacer algo) - 2. fml [illness, disease] contraer. ⬦ vi [kən'trækt] [decrease in size, length] contraerse.

contraction [kən'trækʃn] n contracción f.

contractor [kən'træktəʳ] n contratista mf.

contradict [,kɒntrə'dɪkt] vt contradecir.

contradiction [,kɒntrə'dɪkʃn] n contradicción f.

contraflow ['kɒntrəfləʊ] n habilitación del carril contrario.

contraption [kən'træpʃn] n chisme m, artilugio m.

contrary ['kɒntrərɪ] ⬦ adj - 1. [opposite] contrario(ria); **contrary to** en contra de - 2. [kən'treərɪ] [awkward] puñetero(ra). ⬦ n: **the contrary** lo contrario; **on the contrary** al contrario. ⬝ **contrary to** prep en contra de.

contrast ⬦ n ['kɒntrɑːst]: **contrast (between)** contraste m (entre); **by OR in contrast** en cambio; **to be a contrast (to OR with)** contrastar (con). ⬦ vt [kən'trɑːst]: **to contrast sthg with** contrastar algo con. ⬦ vi [kən'trɑːst]: **to contrast (with)** contrastar (con).

contravene [,kɒntrə'viːn] vt contravenir.

contribute [kən'trɪbjuːt] ⬦ vt [give] contribuir, aportar. ⬦ vi - 1. [gen]: **to contribute (to)** contribuir (a) - 2. [write material]: **to contribute to** colaborar con.

contribution [,kɒntrɪ'bjuːʃn] n - 1. [gen]: **contribution (to)** contribución f (a) - 2. [article] colaboración f - 3. [to social security] cotización f.

contributor [kən'trɪbjʊtəʳ] n - 1. [of money] contribuyente mf - 2. [to magazine, newspaper] colaborador m, -ra f.

contrive [kən'traɪv] fml vt [engineer] maquinar, idear.

contrived [kən'traɪvd] adj inverosímil.

control [kən'trəʊl] ⬦ n - 1. [gen & COMPUT] control m; [on spending] restricción f; **beyond OR outside one's control** fuera del control de uno; **in control of** al mando de; **to be in control of the situation** dominar la situación - 2. [of emotions] dominio m. ⬦ vt - 1. [gen] controlar; **to control o.s.** dominarse, controlarse - 2. [operate - machine, plane] manejar; [- central heating] regular. ⬝ **controls** npl [of machine, vehicle] mandos mpl.

controller [kən'trəʊləʳ] n FIN interventor m, -ra f; RADIO & TV director m, -ra f.

control panel n tablero m de instrumentos OR de mandos.

control tower n torre f de control.

controversial [,kɒntrə'vɜːʃl] adj polémico(ca).

controversy ['kɒntrəvɜːsɪ, UK kən'trɒvəsɪ] n polémica f, controversia f.

convalesce [,kɒnvə'les] vi convalecer.

convene [kən'viːn] ⬦ vt convocar. ⬦ vi reunirse.

convenience [kən'viːnjəns] n comodidad f, conveniencia f; **do it at your convenience** hágalo cuando le venga bien; **at your earliest convenience** en cuanto le sea posible.

convenience store n tienda f de ultramarinos (que abre hasta tarde).

convenient [kən'viːnjənt] adj - 1. [suitable] conveniente; **is Monday convenient?** ¿te viene el lunes? - 2. [handy - size] práctico(ca); [- position] adecuado(da); **convenient for** [well-situated] bien situado(da) para.

convent ['kɒnvənt] n convento m.

convention [kən'venʃn] n convención f.

conventional [kən'venʃənl] adj convencional.

converge [kən'vɜːdʒ] vi lit & fig: **to converge (on)** converger (en).

conversant [kən'vɜːsənt] adj fml: **conversant with** familiarizado(da) con.

conversation [,kɒnvə'seɪʃn] n conversación f.

conversational [,kɒnvə'seɪʃənl] adj coloquial.

converse ⬦ n ['kɒnvɜːs]: **the converse** lo contrario OR opuesto. ⬦ vi [kən'vɜːs] fml: **to converse (with)** conversar (con).

conversely [kən'vɜːslɪ] adv fml a la inversa.

conversion [kən'vɜːʃn] n [gen, COMPUT & RELIG] conversión f.

convert ⬦ vt [kən'vɜːt] - 1. [gen & COMPUT]: **to convert sthg (to OR into)** convertir algo (en)

- **2.** [change belief of]: **to convert sb (to)** convertir a alguien (a). ⬦ *n* ['kɒnvɜ:t] converso *m*, -sa *f*.

convertible [kən'vɜ:təbl] ⬦ *adj* - **1.** [sofa]: **convertible sofa** sofá-cama *m* - **2.** [currency] convertible - **3.** [car] descapotable. ⬦ *n* (coche *m*) descapotable *m*.

convex [kɒn'veks] *adj* convexo(xa).

convey [kən'veɪ] *vt* - **1.** *fml* [transport] transportar - **2.** [express]: **to convey sthg (to)** transmitir algo (a).

convict ⬦ *n* ['kɒnvɪkt] presidiario *m*, -ria *f*. ⬦ *vt* [kən'vɪkt]: **to convict sb of** condenar a alguien por.

conviction [kən'vɪkʃn] *n* - **1.** [belief, fervour] convicción *f* - **2.** LAW condena *f*.

convince [kən'vɪns] *vt*: **to convince sb (of sthg/to do sthg)** convencer a alguien (de algo/ para que haga algo).

convincing [kən'vɪnsɪŋ] *adj* convincente.

convoluted ['kɒnvəlu:tɪd] *adj* [tortuous] enrevesado(da).

convoy ['kɒnvɔɪ] *n* convoy *m*.

convulse [kən'vʌls] *vt*: **to be convulsed with** [pain] retorcerse de; [laughter] troncharse de.

convulsion [kən'vʌlʃn] *n* MED convulsión *f*.

coo [ku:] *vi* arrullar.

cook [kʊk] ⬦ *n* cocinero *m*, -ra *f*. ⬦ *vt* [gen] cocinar, guisar; [prepare] preparar. ⬦ *vi* - **1.** [prepare food] cocinar, guisar - **2.** [subj: food] cocerse. ◆ **cook up** *vt sep* [plan, deal] tramar, urdir; [excuse] inventarse.

cookbook ['kʊk,bʊk] = **cookery book**.

cooker ['kʊkər] *n esp UK* cocina *f (aparato)*.

cookery ['kʊkərɪ] *n* cocina *f (arte)*.

cookery book, cookbook *n* libro *m* de cocina.

cookie ['kʊkɪ] *n* - **1.** *US* [biscuit] galleta *f* - **2.** COMPUT cookie *m*.

cooking ['kʊkɪŋ] *n* [food] cocina *f*.

cool [ku:l] ⬦ *adj* - **1.** [not warm] fresco(ca); [lukewarm] tibio(bia); **it's cool** hace fresco - **2.** [calm] tranquilo(la) - **3.** [unfriendly] frío(a) - **4.** *inf* [hip] guay, chachi. ⬦ *vt* refrescar. ⬦ *vi* [become less warm] enfriarse. ⬦ *n*: **to keep/lose one's cool** mantener/perder la calma. ◆ **cool down** *vi* - **1.** [become less warm] enfriarse - **2.** [become less angry] calmarse.

cool box *n* nevera *f* portátil.

coop [ku:p] *n* gallinero *m*. ◆ **coop up** *vt sep inf* encerrar.

cooperate [kəʊ'ɒpəreɪt] *vi*: **to cooperate (with)** cooperar (con).

cooperation [kəʊ,ɒpə'reɪʃn] *n* cooperación *f*.

cooperative [kəʊ'ɒpərətɪv] ⬦ *adj* - **1.** [helpful] servicial - **2.** [collective] cooperativo(va). ⬦ *n* cooperativa *f*.

coordinate ⬦ *n* [kəʊ'ɔ:dɪnət] coordenada *f*. ⬦ *vt* [kəʊ'ɔ:dɪneɪt] coordinar. ◆ **coordinates** *npl* [clothes] conjuntos *mpl*.

coordination [kəʊ,ɔ:dɪ'neɪʃn] *n* coordinación *f*.

cop [kɒp] *n inf* poli *mf*; **the cops** la poli.

cope [kəʊp] *vi* arreglárselas; **to cope with** [work] poder con; [problem, situation] hacer frente a.

copier ['kɒpɪər] *n* fotocopiadora *f*.

cop-out *n inf* escaqueo *m*.

copper ['kɒpər] *n* - **1.** [metal] cobre *m* - **2.** *UK inf* [policeman] poli *mf*, paco *m*, -ca *f* Andes.

coppice ['kɒpɪs], **copse** [kɒps] *n* bosquecillo *m*.

copy ['kɒpɪ] ⬦ *n* - **1.** [imitation, duplicate] copia *f* - **2.** [of book, magazine] ejemplar *m*. ⬦ *vt* - **1.** [imitate & COMPUT] copiar - **2.** [photocopy] fotocopiar.

copyright ['kɒpɪraɪt] *n (U)* derechos *mpl* de autor.

coral ['kɒrəl] *n* coral *m*.

cord [kɔ:d] *n* - **1.** [string] cuerda *f*; [for tying clothes] cordón *m* - **2.** [cable] cable *m*, cordón *m* - **3.** [fabric] pana *f*. ◆ **cords** *npl* pantalones *mpl* de pana.

cordial ['kɔ:djəl] ⬦ *adj* cordial. ⬦ *n* refresco *m (hecho a base de concentrado de fruta)*.

cordon ['kɔ:dn] *n* cordón *m*. ◆ **cordon off** *vt sep* acordonar.

corduroy ['kɔ:dərɔɪ] *n* pana *f*.

core [kɔ:r] ⬦ *n* - **1.** [of fruit] corazón *m* - **2.** [of Earth, nuclear reactor, group] núcleo *m* - **3.** [of issue, matter] meollo *m*. ⬦ *vt* quitar el corazón de.

Corfu [kɔ:'fu:] *n* Corfú.

corgi ['kɔ:gɪ] *(pl* -s*)* *n* corgi *mf*.

coriander [,kɒrɪ'ændər] *n* cilantro *m*.

cork [kɔ:k] *n* corcho *m*.

corkscrew ['kɔ:kskru:] *n* sacacorchos *m inv*.

corn [kɔ:n] *n* - **1.** *UK* [wheat, barley, oats] cereal *m* - **2.** *US* [maize] maíz *m*, choclo *m* Andes & R Plata; **corn on the cob** mazorca *f* - **3.** [callus] callo *m*.

cornea ['kɔ:nɪə] *(pl* -s*)* *n* córnea *f*.

corned beef [kɔ:nd-] *n* fiambre de carne de vaca cocinada y enlatada.

corner ['kɔ:nər] ⬦ *n* - **1.** [angle - of street, page, screen] esquina *f*; [- of room, cupboard] rincón *m*; [- of mouth] comisura *f*; **just around the corner** a la vuelta de la esquina - **2.** [bend -

in street, road] curva f - **3.** [faraway place] rincón m - **4.** [in football] córner m. ⬦ vt - **1.** [trap] arrinconar - **2.** [monopolize] acaparar.

corner shop n pequeña tienda de barrio que vende comida, artículos de limpieza etc.

cornerstone ['kɔ:nəstəʊn] n fig piedra f angular.

cornet ['kɔ:nɪt] n - **1.** [instrument] corneta f - **2.** UK [ice-cream cone] cucurucho m.

cornflakes ['kɔ:nfleɪks] npl copos mpl de maíz, cornflakes mpl.

cornflour UK ['kɔ:nflaʊər], **cornstarch** US ['kɔ:nstɑ:tʃ] n harina f de maíz, maicena® f.

Cornwall ['kɔ:nwɔ:l] n Cornualles.

corny ['kɔ:nɪ] adj inf trillado(da).

coronary ['kɒrənrɪ], **coronary thrombosis** [-θrɒm'bəʊsɪs] (pl coronary thromboses [-θrɒm'bəʊsi:z]) n trombosis f inv coronaria, infarto m.

coronation [,kɒrə'neɪʃn] n coronación f.

coroner ['kɒrənər] n juez de instrucción que investiga los casos de muerte sospechosa.

Corp. (abbr of corporation) Corp.

corporal ['kɔ:pərəl] n cabo mf.

corporal punishment n castigo m corporal.

corporate ['kɔ:pərət] adj - **1.** [business] corporativo(va); [strategy, culture] empresarial - **2.** [collective] colectivo(va).

corporation [,kɔ:pə'reɪʃn] n - **1.** [company] ≃ sociedad f anónima - **2.** UK [council] ayuntamiento m.

corps [kɔ:r] (pl corps) n cuerpo m.

corpse [kɔ:ps] n cadáver m.

correct [kə'rekt] ⬦ adj - **1.** [accurate - time, amount, forecast] exacto(ta); [- answer, spelling, information] correcto(ta) - **2.** [socially acceptable] correcto(ta) - **3.** [appropriate, required] apropiado(da). ⬦ vt corregir.

correction [kə'rekʃn] n corrección f.

correctly [kə'rektlɪ] adv - **1.** [gen] correctamente; **I don't think I can have heard you correctly** no estoy segura de haberte oído bien - **2.** [appropriately, as required] apropiadamente.

correlation [,kɒrə'leɪʃn] n: **correlation (between)** correlación f (entre).

correspond [,kɒrɪ'spɒnd] vi - **1.** [correlate]: **to correspond (with OR to)** corresponder (con OR a) - **2.** [match]: **to correspond (with OR to)** coincidir (con) - **3.** [write letters]: **to correspond (with)** cartearse (con).

correspondence [,kɒrɪ'spɒndəns] n: **correspondence (with/between)** correspondencia f (con/entre).

correspondence course n curso m por correspondencia.

correspondent [,kɒrɪ'spɒndənt] n [reporter] corresponsal mf.

corridor ['kɒrɪdɔ:r] n pasillo m.

corroborate [kə'rɒbəreɪt] vt corroborar.

corrode [kə'rəʊd] ⬦ vt corroer. ⬦ vi corroerse.

corrosion [kə'rəʊʒn] n corrosión f.

corrugated ['kɒrəgeɪtɪd] adj ondulado(da).

corrugated iron n chapa f ondulada.

corrupt [kə'rʌpt] ⬦ adj [gen & COMPUT] corrupto(ta). ⬦ vt [gen & COMPUT] corromper; **to corrupt a minor** pervertir a un menor.

corruption [kə'rʌpʃn] n corrupción f.

corset ['kɔ:sɪt] n corsé m.

Corsica ['kɔ:sɪkə] n Córcega.

cortege, cortège [kɔ:'teɪʒ] n cortejo m.

cosh [kɒʃ] ⬦ n porra f. ⬦ vt aporrear.

cosmetic [kɒz'metɪk] ⬦ n cosmético m. ⬦ adj fig superficial.

cosmopolitan [kɒzmə'pɒlɪtn] adj cosmopolita.

cosset ['kɒsɪt] vt mimar.

cost [kɒst] ⬦ n coste m, costo m; **at cost** [comm] a precio de coste; **at no extra cost** sin costo adicional; **at the cost of** a costa de; **at all costs** a toda costa. ⬦ vt (pt & pp cost OR -ed) - **1.** [gen] costar; **it cost us £20/a lot of effort** nos costó 20 libras/mucho esfuerzo; **how much does it cost?** ¿cuánto cuesta OR vale? - **2.** [estimate] presupuestar, preparar un presupuesto de. ◆ **costs** npl LAW litisexpensas fpl.

co-star ['kəʊ-] n coprotagonista mf.

Costa Rica [,kɒstə'ri:kə] n Costa Rica.

Costa Rican [,kɒstə'ri:kən] ⬦ adj costarricense. ⬦ n costarricense mf.

cost-effective adj rentable.

costing ['kɒstɪŋ] n cálculo m del coste.

costly ['kɒstlɪ] adj costoso(sa).

cost of living n: **the cost of living** el coste de la vida.

costume ['kɒstju:m] n - **1.** [gen] traje m - **2.** [swimming costume] traje m de baño.

costume jewellery n (U) bisutería f.

cosy UK, **cozy** US ['kəʊzɪ] ⬦ adj - **1.** [warm and comfortable - room] acogedor(ra) - **2.** [intimate] agradable, amigable. ⬦ n funda f para tetera.

cot [kɒt] n - **1.** UK [for child] cuna f - **2.** US [folding bed] cama f plegable.

cottage ['kɒtɪdʒ] n casa f de campo, chalé m.

cottage cheese n queso m fresco.

cottage pie n UK pastel de carne picada con una capa de puré de patatas.

cotton ['kɒtn] n - 1. [fabric, plant] algodón m - 2. [thread] hilo m (de algodón). ◆ **cotton on** vi inf: to cotton on (to) caer en la cuenta (de).

cotton candy n US azúcar m hilado, algodón m.

cotton wool n algodón m (hidrófilo).

couch [kaʊtʃ] ◇ n - 1. [sofa] sofá m - 2. [in doctor's surgery] diván m. ◇ vt: to couch sthg in formular algo en.

couchette [ku:'ʃet] n UK litera f.

cough [kɒf] ◇ n tos f; to have a cough tener tos. ◇ vi toser.

cough mixture, cough syrup n UK jarabe m para la tos.

cough sweet n UK caramelo m para la tos.

cough syrup = **cough mixture**.

could [kʊd] pt, cond ⊳ **can²**.

couldn't ['kʊdnt] (abbr of could not) ⊳ **can²**.

could've ['kʊdəv] (abbr of could have) ⊳ **can²**.

council ['kaʊnsl] n - 1. [of a town] ayuntamiento m; [of a county] ≃ diputación f - 2. [group, organization] consejo m - 3. [meeting] junta f, consejo m.

council estate n urbanización de viviendas de protección oficial.

council house n UK ≃ casa f de protección oficial.

councillor ['kaʊnsələr] n concejal m, -la f.

council tax n UK impuesto municipal basado en el valor de la propiedad, ≃ contribución f urbana.

counsel ['kaʊnsəl] n - 1. (U) fml [advice] consejo m; to keep one's own counsel reservarse su opinión - 2. [lawyer] abogado m, -da f.

counsellor UK, **counselor** US ['kaʊnsələr] n - 1. [gen] consejero m, -ra f - 2. [therapist] psicólogo m, -ga f - 3. US [lawyer] abogado m, -da f.

count [kaʊnt] ◇ n - 1. [total] total m; [of votes] recuento m; to keep/lose count of llevar/perder la centa de - 2. [aristocrat] conde m. ◇ vt - 1. [add up] contar; [total, cost] calcular - 2. [consider]: to count sb as considerar a alguien como - 3. [include] incluir, contar. ◇ vi contar; to count (up) to contar hasta; to count for nothing no contar para nada. ◆ **count against** vt insep perjudicar. ◆ **count (up)on** vt insep contar con. ◆ **count up** vt insep contar.

countdown ['kaʊntdaʊn] n cuenta f atrás.

counter ['kaʊntər] ◇ n - 1. [in shop] mostrador m; [in bank] ventanilla f; [over the counter sin receta médica - 2. [in board game] ficha f. ◇ vt: to counter sthg with responder a algo

mediante; to counter sthg by doing sthg contrarrestar algo haciendo algo. ◆ **counter to** adv contrario a.

counteract [,kaʊntər'ækt] vt contrarrestar.

counterattack [,kaʊntərə'tæk] ◇ n contraataque m. ◇ vt & vi contraatacar.

counterclockwise [,kaʊntə'klɒkwaɪz] adv US en sentido opuesto a las agujas del reloj.

counterfeit ['kaʊntəfɪt] ◇ adj falsificado(da). ◇ vt falsificar.

counterfoil ['kaʊntəfɔɪl] n matriz f.

countermand [,kaʊntə'mɑːnd] vt revocar.

counterpart ['kaʊntəpɑːt] n homólogo m, -ga f.

counterproductive [,kaʊntəprə'dʌktɪv] adj contraproducente.

countess ['kaʊntɪs] n condesa f.

countless ['kaʊntlɪs] adj innumerables.

country ['kʌntrɪ] ◇ n - 1. [nation] país m - 2. [population]: the country el pueblo - 3. [countryside]: the country el campo - 4. [terrain] terreno m. ◇ comp campestre.

country dancing n (U) baile m tradicional.

country house n casa f solariega.

countryman ['kʌntrɪmən] (pl -men [-mən]) n [from same country] compatriota m.

country park n UK parque natural abierto al público.

countryside ['kʌntrɪsaɪd] n [land] campo m; [landscape] paisaje m.

county ['kaʊntɪ] n condado m.

county council n UK organismo que gobierna un condado, ≃ diputación f provincial.

coup [ku:] n - 1. [rebellion]: coup (d'état) golpe m (de estado) - 2. [masterstroke] éxito m.

couple ['kʌpl] ◇ n - 1. [two people in relationship] pareja f - 2. [two objects, people]: a couple (of) un par (de) - 3. [a few - objects, people]: a couple (of) un par (de), unos (unas). ◇ vt [join]: to couple sthg (to) enganchar algo (con).

coupon ['ku:pɒn] n [gen] vale m, cupón m; [for pools] boleto m.

courage ['kʌrɪdʒ] n valor m.

courageous [kə'reɪdʒəs] adj valiente.

courgette [kɔ:'ʒet] n UK calabacín m, calabacita f Méx, zapallito m (italiano).

courier ['kʊrɪər] n - 1. [on holiday] guía mf - 2. [to deliver letters, packages] mensajero m, -ra f.

course [kɔ:s] n - 1. [gen] curso m; [of lectures] ciclo m; UNIV carrera f; **course of treatment** MED tratamiento m; to change course cambiar de rumbo; to run OR take its course seguir su curso; off course fuera de su rumbo; **course (of action)** camino m (a seguir); **in the course of** a lo largo de - 2. [of meal] plato m - 3. SPORT [for golf] campo m; [for race] circuito m. ◆ **of**

course adv - 1. [inevitably, not surprisingly] naturalmente - 2. [certainly] claro; **of course not** claro que no.

coursebook ['kɔ:sbʊk] n libro m de texto.

coursework ['kɔ:swɜ:k] n (U) trabajo m realizado durante el curso.

court [kɔ:t] ◇ n - 1. [place of trial, judge, jury etc] tribunal m - 2. SPORT cancha f, pista f - 3. [of king, queen etc] corte f. ◇ vi dated [go out together] cortejarse.

courteous ['kɜ:tjəs] adj cortés.

courtesy ['kɜ:tɪsɪ] ◇ n cortesía f. ◇ comp de cortesía. ➡ **(by) courtesy of** prep [the author] con permiso de; [a company] por cortesía OR gentileza de.

courthouse ['kɔ:thaʊs, pl -haʊzɪz] n US palacio m de justicia.

courtier ['kɔ:tjəʳ] n cortesano m.

court-martial n (pl court-martials OR courts-martial) consejo m de guerra.

courtroom ['kɔ:trʊm] n sala f del tribunal.

courtyard ['kɔ:tjɑ:d] n patio m.

cousin ['kʌzn] n primo m, -ma f.

cove [kəʊv] n cala f, ensenada f.

covenant ['kʌvənənt] n - 1. [of money] compromiso escrito para el pago regular de una contribución especialmente con fines caritativos - 2. [agreement] convenio m.

cover ['kʌvəʳ] ◇ n - 1. [covering] cubierta f; [lid] tapa f; [for seat, typewriter] funda f - 2. [blanket] manta f; **under the covers** debajo de las sábanas - 3. [of book] tapa f, cubierta f; [of magazine - at the front] portada f; [- at the back] contraportada f - 4. [protection, shelter] refugio m; **under cover** [from weather] a cubierto - 5. [concealment] tapadera f; **under cover of** al amparo OR abrigo de - 6. [insurance] cobertura f. ◇ vt - 1. [gen]: **to cover sthg (with)** cubrir algo (de); [with lid] tapar algo (con) - 2. [include] abarcar - 3. [report on] informar sobre - 4. [discuss, deal with] abarcar. ➡ **cover up** vt sep - 1. [place sthg over] tapar - 2. [conceal] encubrir.

coverage ['kʌvərɪdʒ] n [of news] cobertura f informativa.

cover charge n cubierto m.

covering ['kʌvərɪŋ] n - 1. [for floor etc] cubierta f - 2. [of snow, dust] capa f.

covering letter UK, **cover letter** US n [with CV] carta f de presentación; [with parcel, letter] nota f aclaratoria.

cover note n UK póliza f provisional.

covert ['kʌvət] adj [operation] encubierto(ta), secreto(ta); [glance] furtivo(va).

cover-up n encubrimiento m.

covet ['kʌvɪt] vt codiciar.

cow [kaʊ] ◇ n - 1. [female type of cattle] vaca f - 2. [female elephant, whale, seal] hembra f - 3. UK inf pej [woman] bruja f. ◇ vt acobardar, intimidar.

coward ['kaʊəd] n cobarde mf.

cowardly ['kaʊədlɪ] adj cobarde.

cowboy ['kaʊbɔɪ] n [cattlehand] vaquero m, tropero m R Plata.

cower ['kaʊəʳ] vi encogerse.

cox [kɒks], **coxswain** ['kɒksən] n timonel mf.

coy [kɔɪ] adj tímido(da).

cozy US = cosy.

crab [kræb] n cangrejo m.

crab apple n manzana f silvestre.

crack [kræk] ◇ n - 1. [split - in wood, ground] grieta f; [- in glass, pottery] raja f - 2. [gap] rendija f - 3. [sharp noise - of whip] chasquido m; [- of twigs] crujido m - 4. inf [attempt]: **to have a crack at sthg** intentar algo - 5. [cocaine] crack m. ◇ adj de primera. ◇ vt - 1. [cause to split] romper, partir - 2. [egg, nut] cascar - 3. [whip etc] chasquear - 4. [bang]: **to crack one's head** golpearse la cabeza - 5. [code] dar con la clave de; [problem] resolver - 6. inf [tell - joke] contar. ◇ vi - 1. [split - skin, wood, ground] agrietarse; [- pottery, glass] partirse - 2. [break down] hundirse - 3. [make sharp noise - whip] chasquear; [- twigs] crujir - 4. UK inf [act quickly]: **to get cracking** ponerse manos a la obra. ➡ **crack down** vi: **to crack down (on)** tomar medidas severas (contra). ➡ **crack up** vi - 1. [under pressure] venirse abajo - 2. inf [laugh] partirse de risa.

cracker ['krækəʳ] n - 1. [biscuit] galleta f (salada) - 2. UK [for Christmas] cilindro de papel que produce un estallido al abrirlo y que tiene dentro un regalito de Navidad.

crackers ['krækəz] adj UK inf majareta.

crackle ['krækl] vi [fire] crujir, chasquear; [radio] sonar con interferencias.

cradle ['kreɪdl] ◇ n [baby's bed, birthplace] cuna f. ◇ vt acunar, mecer.

craft [krɑ:ft] n - 1. [trade] oficio m; [skill] arte m - 2. (pl craft) [boat] embarcación f. ➡ **crafts** npl artesanía f.

craftsman ['krɑ:ftsmən] (pl -men [-mən]) n artesano m.

craftsmanship ['krɑ:ftsmənʃɪp] n (U) - 1. [skill] destreza f, habilidad f - 2. [skilled work] artesanía f.

crafty ['krɑ:ftɪ] adj astuto(ta).

crag [kræg] n peñasco m.

cram [kræm] ◇ vt - 1. [push - books, clothes] embutir; [people] apiñar - 2. [overfill]: **to cram**

sthg with atiborrar OR atestar algo de; **to be crammed (with)** estar repleto(ta) (de). ◇ vi [study] empollar.

cramp [kræmp] n calambre m; **stomach cramps** retortijones mpl de vientre.

cranberry ['krænbərɪ] n arándano m (agrio).

crane [kreɪn] n - **1.** [machine] grúa f - **2.** [bird] grulla f.

crank [kræŋk] ◇ n - **1.** [handle] manivela f - **2.** inf [eccentric] majareta mf. ◇ vt [wind] girar.

crankshaft ['kræŋkʃɑːft] n cigüeñal m.

cranny ['krænɪ] ▷ **nook**.

crap [kræp] v inf ◇ n (U) [gen] mierda f. ◇ adj UK de mierda, muy chungo(ga).

crash [kræʃ] ◇ n - **1.** [accident] choque m - **2.** [loud noise] estruendo m - **3.** FIN crac m. ◇ vt [plane] estrellar. ◇ vi - **1.** [collide - two vehicles] chocar; [one vehicle - into wall etc] estrellarse - **2.** FIN quebrar - **3.** COMPUT colgarse, bloquearse. ◆ **crash out** vi dormir.

crash course n curso m acelerado, cursillo m intensivo de introducción.

crash helmet n casco m protector.

crash-land vi realizar un aterrizaje forzoso.

crass [kræs] adj burdo(da); **a crass error** un craso error.

crate [kreɪt] n caja f (para embalaje o transporte).

crater ['kreɪtər] n cráter m.

cravat [krə'væt] n pañuelo m (de hombre).

crave [kreɪv] ◇ vt ansiar. ◇ vi: **to crave for** sthg ansiar algo.

crawl [krɔːl] ◇ vi - **1.** [baby] andar a gatas - **2.** [insect, person] arrastrarse - **3.** [move slowly, with difficulty] avanzar lentamente. ◇ n [swimming stroke]: **the crawl** el crol.

crayon ['kreɪɒn] n (barra f de) cera f.

craze [kreɪz] n moda f.

crazy ['kreɪzɪ] adj inf - **1.** [mad - person] loco(ca); [- idea] disparatado(da); **like crazy** como un loco - **2.** [enthusiastic]: **to be crazy about** estar loco(ca) por.

creak [kriːk] vi [floorboard, bed] crujir; [door, hinge] chirriar.

cream [kriːm] ◇ adj [in colour] (color) crema (inv). ◇ n - **1.** [food] nata f - **2.** [cosmetic, mixture for food] crema f - **3.** [colour] (color m) crema m - **4.** [elite]: **the cream** la flor y nata, la crema.

cream cake n UK pastel m de nata, pastel m de crema Amér, masa f de crema R Plata.

cream cheese n queso m cremoso OR blanco.

cream cracker n UK galleta f sin azúcar (que generalmente se come con queso).

cream tea n UK merienda a base de de té con bollos con nata y mermelada.

crease [kriːs] ◇ n [deliberate - in shirt] pliegue m; [- in trousers] raya f; [accidental] arruga f. ◇ vt arrugar. ◇ vi [gen] arrugarse; [forehead] fruncirse.

create [kriː'eɪt] vt [gen] crear; [interest] producir.

creation [kriː'eɪʃn] n creación f.

creative [kriː'eɪtɪv] adj [gen] creativo(va); [energy] creador(ra); **creative writing** creación f literaria.

creature ['kriːtʃər] n criatura f; **a creature of habit** un animal de costumbres.

crèche [kreʃ] n UK guardería f (infantil).

credence ['kriːdns] n: **to give** OR **lend credence to** dar crédito a.

credentials [krɪ'denʃlz] npl credenciales fpl.

credibility [ˌkredə'bɪlətɪ] n credibilidad f.

credit ['kredɪt] ◇ n - **1.** [financial aid] crédito m; **to be in credit** tener saldo acreedor OR positivo; **on credit** a crédito - **2.** (U) [praise] reconocimiento m; **to do sb credit** decir mucho en favor de alguien; **to give sb credit for** reconocer a alguien el mérito de - **3.** [towards qualification, degree] crédito m - **4.** [money credited] saldo m acreedor OR positivo. ◇ vt - **1.** FIN [add] abonar; **we'll credit your account to** abonaremos en su cuenta - **2.** [believe] creer - **3.** [give the credit to]: **to credit sb with** atribuir a alguien el mérito de. ◆ **credits** npl [on film] títulos mpl.

credit card n tarjeta f de crédito.

credit note n [from shop] vale m de compra.

creditor ['kredɪtər] n acreedor m, -ra f.

creed [kriːd] n credo m.

creek [kriːk] n - **1.** [inlet] cala f - **2.** US [stream] riachuelo m.

creep [kriːp] ◇ vi (pt & pp **crept**) - **1.** [person] deslizarse, andar con sigilo - **2.** [insect] arrastrarse; [traffic etc] avanzar lentamente - **3.** inf [grovell]: **to creep (to sb)** hacer la pelota (a alguien). ◇ n inf - **1.** [unctuous person] pelotillero m, -ra f - **2.** [horrible person] asqueroso m, -sa f. ◆ **creeps** npl: **to give sb the creeps** inf ponerle a alguien la piel de gallina.

creeper ['kriːpər] n enredadera f.

creepy ['kriːpɪ] adj inf horripilante.

creepy-crawly [-'krɔːlɪ] (pl **-ies**) n inf bicho m.

cremate [krɪ'meɪt] vt incinerar.

crematorium [ˌkremə'tɔːrɪəm] (pl **-riums** OR **-ria** [-rɪə]) UK, **crematory** ['kremətrɪ] US n crematorio m.

crepe [kreɪp] n - **1.** [cloth] crespón m - **2.** [rubber] crepé m - **3.** [thin pancake] crep f.

crepe bandage n UK venda f de gasa.

crepe paper n (U) papel m crespón.

crept [krept] pt & pp ▷ **creep**.

crescendo [krɪ'ʃendəʊ] (pl -s) n crescendo m.

crescent ['kresnt] n - 1. [shape] medialuna f - 2. [street] calle en forma de medialuna.

cress [kres] n berro m.

crest [krest] n - 1. [on bird's head, of wave] cresta f - 2. [of hill] cima f, cumbre f - 3. [on coat of arms] blasón m.

crestfallen ['krest,fɔːln] adj alicaído(da).

Crete [kriːt] n Creta.

cretin ['kretɪn] n inf [idiot] cretino m, -na f.

Creutzfeldt-Jakob disease [,krɔɪtsfelt'jækɒb-] n enfermedad f de Creutzfeldt-Jakob.

crevasse [krɪ'væs] n grieta f, fisura f.

crevice ['krevɪs] n grieta f, hendidura f.

crew [kruː] n - 1. [of ship, plane] tripulación f - 2. [on film set etc] equipo m.

crew cut n rapado m, corte m al cero.

crew-neck(ed) [-nek(t)] adj con cuello redondo.

crib [krɪb] n - 1. [cot] cuna f - 2. US inf [place] casa f, cantón f Méx.

crick [krɪk] n [in neck] tortícolis f inv.

cricket ['krɪkɪt] n - 1. [game] cricket m - 2. [insect] grillo m.

crime [kraɪm] ◇ n - 1. [serious offence] crimen m; [less serious offence] delito m - 2. [criminal behaviour - serious] criminalidad f; [- less serious] delincuencia f - 3. [immoral act] crimen m. ◇ comp: crime novel novela f policíaca; crimes against humanity crímenes contra la humanidad.

criminal ['krɪmɪnl] ◇ adj LAW [act, behaviour] criminal, delictivo(va); [law] penal; [lawyer] criminalista. ◇ n [serious] criminal mf; [less serious] delincuente mf.

crimson ['krɪmzn] ◇ adj [in colour] carmesí. ◇ n carmesí m.

cringe [krɪndʒ] vi - 1. [out of fear] encogerse - 2. inf [with embarrassment] sentir vergüenza ajena.

crinkle ['krɪŋkl] vt arrugar.

cripple ['krɪpl] ◇ n dated & offens tullido m, -da f. ◇ vt - 1. MED dejar inválido(da) - 2. [country, industry] paralizar.

crisis ['kraɪsɪs] (pl crises ['kraɪsiːz]) n crisis f inv.

crisp [krɪsp] adj - 1. [pastry, bacon, snow] crujiente; [banknote, vegetables, weather] fresco(ca) - 2. [brisk] directo(ta). ◆ **crisps** npl UK patatas fpl fritas (de bolsa).

crisscross ['krɪskrɒs] adj entrecruzado(da).

criterion [kraɪ'tɪərɪən] (pl -ria [-rɪə] OR -rions) n criterio m.

critic ['krɪtɪk] n crítico m, -ca f.

critical ['krɪtɪkl] adj [gen] crítico(ca); [illness] grave; to be critical of criticar.

critically ['krɪtɪklɪ] adv [gen] críticamente; critically important de vital importancia; critically acclaimed aclamado(da) por la crítica; [ill] gravemente.

criticism ['krɪtɪsɪzm] n crítica f.

criticize, -ise ['krɪtɪsaɪz] vt & vi criticar.

croak [krəʊk] vi - 1. [frog] croar; [raven] graznar - 2. [person] ronquear.

Croat ['krəʊæt], **Croatian** [krəʊ'eɪʃn] ◇ adj croata. ◇ n - 1. [person] croata mf - 2. [language] croata m.

Croatia [krəʊ'eɪʃə] n Croacia.

Croatian = Croat.

crochet ['krəʊʃeɪ] n ganchillo m.

crockery ['krɒkərɪ] n loza f, vajilla f.

crocodile ['krɒkədaɪl] (pl crocodile OR -s) n cocodrilo m.

crocus ['krəʊkəs] (pl -es) n azafrán m (planta).

croft [krɒft] n UK pequeña granja que proporciona sustento a la familia propietaria.

crony ['krəʊnɪ] n inf amiguete m.

crook [krʊk] n - 1. [criminal] ratero m, -ra f - 2. inf [dishonest person] ladrón m, -ona f, sinvergüenza mf - 3. [shepherd's staff] cayado m.

crooked ['krʊkɪd] adj - 1. [teeth, tie] torcido(da) - 2. [back] encorvado(da); [path] sinuoso(sa) - 3. inf [dishonest - person, policeman] corrupto(ta).

crop [krɒp] ◇ n - 1. [kind of plant] cultivo m - 2. [harvested produce] cosecha f - 3. [whip] fusta f. ◇ vt [cut short] cortar (muy corto). ◆ **crop up** vi surgir.

croquette [krɒ'ket] n croqueta f.

cross [krɒs] ◇ adj enfadado(da); to get cross (with) enfadarse (con). ◇ n - 1. [gen] cruz f - 2. [hybrid] cruce m; a cross between [combination] una mezcla de - 3. SPORT centro m. ◇ vt - 1. [gen & FIN] cruzar - 2. [face - subj: expression] reflejarse en - 3. SPORT centrar - 4. [oppose] contrariar - 5. RELIG: to cross o.s santiguarse. ◇ vi [intersect] cruzarse ◆ **cross off, cross out** vt sep tachar.

crossbar ['krɒsbɑːr] n - 1. [on goal] travesaño m - 2. [on bicycle] barra f.

cross-Channel adj [ferry] que hace la travesía del Canal de la Mancha; [route] a través de Canal de la Mancha.

cross-country ◇ adj & adv a campo traviesa. ◇ n cross m.

cross-examine vt interrogar (para comprobar veracidad).

cross-eyed ['krɒsaɪd] *adj* bizco(ca).

crossfire ['krɒs,faɪəʳ] *n* fuego *m* cruzado.

crossing ['krɒsɪŋ] *n* - **1.** [on road] cruce *m*, paso *m* de peatones; [on railway line] paso a nivel - **2.** [sea journey] travesía *f*.

crossing guard *n* - **1.** US persona encargada de ayudar a cruzar la calle a los colegiales; [on railway line] paso a nivel - **2.** [sea journey] travesía *f*.

cross-legged ['krɒslegd] *adv* con las piernas cruzadas.

cross-purposes *npl*: **I think we're at cross-purposes** creo que estamos hablando de cosas distintas.

cross-reference *n* remisión *f*, referencia *f*.

crossroads ['krɒsrəʊdz] (*pl* **crossroads**) *n* cruce *m*.

cross-section *n* - **1.** [drawing] sección *f* transversal - **2.** [sample] muestra *f* representativa.

crosswalk ['krɒswɔːk] *n* US paso *m* de peatones.

crosswind ['krɒswɪnd] *n* viento *m* de costado.

crosswise ['krɒswaɪz], **crossways** *adv* en diagonal.

crossword (puzzle) ['krɒswɜːd-] *n* crucigrama *m*.

crotch [krɒtʃ] *n* entrepierna *f*.

crotchety ['krɒtʃɪtɪ] *adj* UK inf refunfuñón(ona).

crouch [kraʊtʃ] *vi* [gen] agacharse; [ready to spring] agazaparse.

crow [krəʊ] ◇ *n* corneja *f*. ◇ *vi* - **1.** [cock] cantar - **2.** inf [gloat] darse pisto.

crowbar ['krəʊbɑːʳ] *n* palanca *f*.

crowd [kraʊd] ◇ *n* - **1.** [mass of people] multitud *f*, muchedumbre *f*; [at football match etc] público *m* - **2.** [particular group] gente *f*. ◇ *vi* agolparse, apiñarse; **to crowd in/out** entrar/salir en tropel. ◇ *vt* - **1.** [room, theatre etc] llenar - **2.** [people] meter, apiñar.

crowded ['kraʊdɪd] *adj*: **crowded (with)** repleto(ta) OR abarrotado(da) (de).

crown [kraʊn] ◇ *n* - **1.** [of royalty, on tooth] corona *f* - **2.** [of hat] copa *f*; [of head] coronilla *f*; [of hill] cumbre *f*, cima *f*. ◇ *vt* [gen] coronar; **to crown it all** para colmo. ◆ **Crown** *n*: **the Crown** [monarchy] la Corona.

crown jewels *npl* joyas *fpl* de la corona.

crown prince *n* príncipe *m* heredero.

crow's feet *npl* patas *fpl* de gallo.

crucial ['kruːʃl] *adj* crucial.

crucifix ['kruːsɪfɪks] *n* crucifijo *m*.

Crucifixion [ˌkruːsɪ'fɪkʃn] *n*: **the Crucifixion** la Crucifixión.

crude [kruːd] *adj* - **1.** [rubber, oil, joke] crudo(da) - **2.** [person, behaviour] basto(ta) - **3.** [drawing, sketch] tosco(ca).

crude oil *n* crudo *m*.

cruel [krʊəl] *adj* [gen] cruel; [blow] duro(ra); [winter] crudo(da).

cruelty ['krʊəltɪ] *n* (U) crueldad *f*.

cruet ['kruːɪt] *n* vinagreras *fpl*.

cruise [kruːz] ◇ *n* crucero *m*. ◇ *vi* - **1.** [sail] hacer un crucero - **2.** [drive, fly] ir a velocidad de crucero.

cruiser ['kruːzəʳ] *n* - **1.** [warship] crucero *m* - **2.** [cabin cruiser] yate *m* (para cruceros).

crumb [krʌm] *n* - **1.** [of food] miga *f*, migaja *f* - **2.** [of information] pizca *f*.

crumble ['krʌmbl] ◇ *n* postre a base de compota de fruta con masa quebrada dulce por encima. ◇ *vt* desmigajar. ◇ *vi* - **1.** [building, cliff] desmoronarse; [plaster] caerse - **2.** fig [relationship, hopes] venirse abajo.

crumbly ['krʌmblɪ] *adj* que se desmigaja con ʃ̣ilidad.

crumpet ['krʌmpɪt] *n* - **1.** [food] bollo que se come tostado - **2.** (U) inf [women] tías *fpl*.

crumple ['krʌmpl] *vt* [dress, suit] arrugar; [letter] estrujar.

crunch [krʌntʃ] ◇ *n* crujido *m*. ◇ *vt* [with teeth] ronzar.

crunchy ['krʌntʃɪ] *adj* crujiente.

crusade [kru:'seɪd] *n* lit & fig cruzada *f*.

crush [krʌʃ] ◇ *n* - **1.** [crowd] gentío *m* - **2.** fig [infatuation]: **to have a crush on sb** estar colado(da) OR loco(ca) por alguien. ◇ *vt* - **1.** [squash] aplastar - **2.** [grind - garlic, grain] triturar; [- ice] picar; [- grapes] exprimir - **3.** [destroy] demoler.

crust [krʌst] *n* - **1.** [on bread, of snow, earth] corteza *f* - **2.** [on pie] parte *f* dura.

crutch [krʌtʃ] *n* - **1.** [stick] muleta *f*; fig [support] apoyo *m* - **2.** [crotch] entrepierna *f*.

crux [krʌks] *n*: **the crux of the matter** el quid de la cuestión.

cry [kraɪ] ◇ *n* - **1.** [weep] llorera *f* - **2.** [shout] grito *m*. ◇ *vi* - **1.** [weep] llorar - **2.** [shout] gritar. ◆ **cry off** *vi* volverse atrás.

cryogenics [ˌkraɪə'dʒenɪks] *n* (sing) criogenia *f*.

crystal ['krɪstl] *n* cristal *m*.

crystal clear *adj* - **1.** [transparent] cristalino(na) - **2.** [clearly stated] claro(ra) como el agua.

CTC *n abbr of* **city technology college**.

cub [kʌb] *n* - **1.** [young animal] cachorro *m* - **2.** [boy scout] lobato *m*, boy scout de entre 8 y 11 años.

Cuba ['kjuːbə] *n* Cuba.

Cuban ['kju:bən] ⟨> *adj* cubano(na). ⟨> *n* [person] cubano *m*, -na *f*.

cubbyhole ['kʌbɪhəʊl] *n* [room] cuchitril *m*; [cupboard] armario *m*.

cube [kju:b] ⟨> *n* [gen] cubo *m*; [of sugar] terrón *m*. ⟨> *vt* - **1.** MATHS elevar al cubo - **2.** [cut up] cortar en dados.

cubic ['kju:bɪk] *adj* cúbico(ca).

cubicle ['kju:bɪkl] *n* [at swimming pool] caseta *f*; [in shop] probador *m*; [in toilets] cubículo *m*.

Cub Scout *n* lobato *m*, boy scout de entre 8 y 11 años.

cuckoo ['kʊku:] *n* cuco *m*, cuclillo *m*.

cuckoo clock *n* reloj *m* de cuco.

cucumber ['kju:kʌmbər] *n* pepino *m*.

cuddle ['kʌdl] ⟨> *n* abrazo *m*. ⟨> *vt* abrazar. ⟨> *vi* abrazarse.

cuddly toy ['kʌdlɪ-] *n* muñeco *m* de peluche.

cue [kju:] *n* - **1.** RADIO, THEAT & TV entrada *f*; **on cue** justo en aquel instante - **2.** *fig* [stimulus, signal] señal *f* - **3.** [in snooker, pool] taco *m*.

cuff [kʌf] *n* - **1.** [of sleeve] puño *m*; **off the cuff** [speech, remarks] improvisado(da), sacado(da) de la manga - **2.** US [of trouser leg] vuelta *f* - **3.** [blow] cachete *m*.

cuff link *n* gemelo *m*, collera *f* Andes.

cuisine [kwɪ'zi:n] *n* cocina *f*.

cul-de-sac ['kʌldəsæk] *n* callejón *m* sin salida.

cull [kʌl] *vt* - **1.** [animals] sacrificar *(selectivamente)* - **2.** *fml* [information, facts] recoger.

culminate ['kʌlmɪneɪt] *vi*: **to culminate in** culminar en.

culmination [,kʌlmɪ'neɪʃn] *n* culminación *f*.

culottes [kju:'lɒts] *npl* falda *f* pantalón.

culpable ['kʌlpəbl] *adj fml*: **culpable (of)** culpable (de); **culpable homicide** homicidio *m* involuntario.

culprit ['kʌlprɪt] *n* culpable *mf*.

cult [kʌlt] ⟨> *n* RELIG culto *m*. ⟨> *comp* [series, movie] de culto.

cultivate ['kʌltɪveɪt] *vt* - **1.** [gen] cultivar - **2.** [get to know - person] hacer amistad con.

cultivated ['kʌltɪveɪtɪd] *adj* - **1.** [cultured] culto(ta) - **2.** [land] cultivado(da).

cultivation [,kʌltɪ'veɪʃn] *n* (U) cultivo *m*.

cultural ['kʌltʃərəl] *adj* cultural.

culture ['kʌltʃər] *n* - **1.** [gen] cultura *f* - **2.** [of bacteria] cultivo *m*.

cultured ['kʌltʃəd] *adj* culto(ta).

cumbersome ['kʌmbəsəm] *adj* - **1.** [package] abultado(da); [machinery] aparatoso(sa) - **2.** [system] torpe.

cunning ['kʌnɪŋ] ⟨> *adj* [gen] astuto(ta); [device, idea] ingenioso(sa). ⟨> *n* (U) astucia *f*.

cup [kʌp] ⟨> *n* - **1.** [gen] taza *f* - **2.** [prize, of bra] copa *f*. ⟨> *vt* ahuecar.

cupboard ['kʌbəd] *n* armario *m*.

cupcake ['kʌpkeɪk] *n* US magdalena *f*.

cup tie *n* UK partido *m* de copa.

curate ['kjʊərət] *n* coadjutor *m*, -ra *f*.

curator [,kjʊə'reɪtər] *n* conservador *m*, -ra *f*.

curb [kɜ:b] ⟨> *n* - **1.** [control]: **curb (on)** control *m* OR restricción *f* (de); **to put a curb on sthg** poner freno a algo - **2.** US [in road] bordillo *m*, bordo *m* de la banqueta *Méx*, cordón *m* de la vereda *R Plata*, cuneta *f* *Chile*, sardinel *m* *Col.* ⟨> *vt* controlar, contener.

curdle ['kɜ:dl] *vi* [milk] cuajarse; *fig* [blood] helarse.

cure [kjʊər] ⟨> *n* - **1.** MED: **cure (for)** cura *f* (para) - **2.** [solution]: **cure (for)** remedio *m* (a). ⟨> *vt* - **1.** MED curar - **2.** [problem, inflation] remediar - **3.** [food, tobacco] curar; [leather] curtir.

cure-all *n* panacea *f*.

curfew ['kɜ:fju:] *n* toque *m* de queda.

curio ['kjʊərɪəʊ] (*pl* -s) *n* curiosidad *f*.

curiosity [,kjʊərɪ'ɒsətɪ] *n* curiosidad *f*.

curious ['kjʊərɪəs] *adj* curioso(sa); **to be curious about** sentir curiosidad por.

curl [kɜ:l] ⟨> *n* [of hair] rizo *m*. ⟨> *vt* - **1.** [hair] rizar - **2.** [twist] enroscar. ⟨> *vi* - **1.** [hair] rizarse - **2.** [paper] abarquillarse. ◆ **curl up** *vi* [person, animal] acurrucarse; [leaf, paper] abarquillarse.

curler ['kɜ:lər] *n* rulo *m*.

curling tongs *npl* tenacillas *fpl* de rizar.

curly ['kɜ:lɪ] *adj* [hair] rizado(da); [pig's tail] enroscado(da).

currant ['kʌrənt] *n* pasa *f* de Corinto.

currency ['kʌrənsɪ] *n* - **1.** FIN moneda *f*; **foreign currency** divisa *f* - **2.** *fml* [acceptability]: **to gain currency** ganar aceptación.

current ['kʌrənt] ⟨> *adj* [price, method, girlfriend] actual; [year] en curso; [issue] último(ma); [ideas, expressions, customs] corriente. ⟨> *n* corriente *f*.

current account *n* UK cuenta *f* corriente.

current affairs *npl* temas *mpl* de actualidad.

currently ['kʌrəntlɪ] *adv* actualmente.

curriculum [kə'rɪkjələm] (*pl* -**lums** OR -**la** [-lə]) *n* [course of study] plan *m* de estudios, temario *m*.

curriculum vitae [-'vi:taɪ] (*pl* **curricula vitae**) *n* UK currículum *m* (vitae).

curry ['kʌrɪ] *n* curry *m*.

curse [kɜ:s] ⟨> *n* - **1.** [evil charm] maldición *f* - **2.** [swearword] taco *m*, palabrota *f*. ⟨> *vt* maldecir. ⟨> *vi* [swear] soltar tacos.

cursor ['kɜ:sər] *n* COMPUT cursor *m*.

cursory ['kɜ:sərɪ] *adj* superficial.

curt [kɜ:t] *adj* brusco(ca), seco(ca).

curtail [kɜ:'teɪl] *vt* - **1.** [visit] acortar - **2.** [expenditure] reducir; [rights] restringir.

curtain ['kɜ:tn] *n* - **1.** [gen] cortina *f* - **2.** [in theatre] telón *m*.

curts(e)y ['kɜ:tsɪ] <> *n* reverencia *f (de mujer).* <> *vi (pt & pp* **curtsied)** hacer una reverencia *(una mujer).*

curve [kɜ:v] <> *n* curva *f.* <> *vi* [river] hacer una curva; [surface] curvarse.

cushion ['kʊʃn] <> *n* - **1.** [for sitting on] cojín *m* - **2.** [protective layer] colchón *m.* <> *vt lit & fig* amortiguar.

cushy ['kʊʃɪ] *adj inf* cómodo(da); **a cushy job** OR **number** un chollo (de trabajo).

custard ['kʌstəd] *n (U)* natillas *fpl.*

custodian [kʌ'stəʊdjən] *n* - **1.** [of building, museum] conservador *m*, -ra *f* - **2.** [of tradition, values] guardián *m*, -ana *f.*

custody ['kʌstədɪ] *n* custodia *f*; **to take sb into custody** detener a alguien; **in custody** bajo custodia.

custom ['kʌstəm] <> *n* - **1.** [tradition, habit] costumbre *f* - **2.** *(U) fml* [trade] clientela *f.* <> *adj* hecho(cha) de encargo. ◆ **customs** *n* [place] aduana *f.*

customary ['kʌstəmrɪ] *adj* acostumbrado(da), habitual.

customer ['kʌstəməʳ] *n* - **1.** [client] cliente *mf* - **2.** *inf* [person] tipo *m.*

customize, -ise ['kʌstəmaɪz] *vt* [gen & COMPUT] personalizar.

Customs and Excise *n (U)* UK oficina del gobierno encargada de la recaudación de derechos arancelarios.

customs duty *n (U)* derechos *mpl* de aduana, aranceles *mpl.*

customs officer *n* agente *mf* de aduanas.

cut [kʌt] <> *n* - **1.** [gen] corte *m* - **2.** [reduction]: **cut (in)** reducción *f* (de); **wage cut** recorte *m* salarial - **3.** *inf* [share] parte *f.* <> *vt (pt & pp* **cut)** - **1.** [gen & COMPUT] cortar; [one's finger etc] cortarse; **to cut sb's hair** cortarle el pelo a alguien; **to cut a hole** hacer un agujero; **to cut class** US faltar a clase; **to cut o.s.** cortarse - **2.** [spending, staff etc] reducir, recortar; [text] acortar - **3.** *inf* [lecture] fumarse. <> *vi (pt & pp* **cut)** [gen & COMPUT] cortar. ◆ **cut back** *vt sep* - **1.** [plant] podar - **2.** [expenditure, budget] recortar. ◆ **cut down** <> *vt sep* - **1.** [chop down] cortar, talar - **2.** [reduce] reducir. <> *vi*: **to cut down on smoking** OR **cigarettes** fumar menos. ◆ **cut in** *vi* - **1.** [interrupt]: **to cut in (on sb)** cortar OR interrumpir (a alguien) - **2.** [in car] colarse. ◆ **cut off** *vt sep* - **1.** [gen] cortar - **2.** [interrupt] interrumpir - **3.** [town, village] quedarse incomunicado(da) (de). ◆ **cut out** *vt sep* - **1.** [remove] recortar - **2.** [dress, pattern etc] cortar; **to be cut out for sth** *fig* [person] estar hecho(cha) para algo - **3.** [stop]: **to cut out smoking** OR **cigarettes** dejar de fumar; **cut it out!** *inf* ¡basta ya! - **4.** [exclude - light etc] eliminar; **to cut sb out of one's will** desheredar a alguien. ◆ **cut up** *vt sep* [chop up] cortar, desmenuzar.

cutback ['kʌtbæk] *n*: **cutback (in)** recorte *m* OR reducción *f* (en).

cute [kju:t] *adj* [appealing] mono(na), lindo(da).

cuticle ['kju:tɪkl] *n* cutícula *f.*

cutlery ['kʌtlərɪ] *n (U)* cubertería *f.*

cutlet ['kʌtlɪt] *n* chuleta *f.*

cutout ['kʌtaʊt] *n* - **1.** [on machine] cortacircuitos *m inv* - **2.** [shape] recorte *m.*

cut-price, cut-rate US *adj* de oferta.

cutthroat ['kʌtθrəʊt] *adj* [ruthless] encarnizado(da).

cutting ['kʌtɪŋ] <> *adj* [sarcastic] cortante, hiriente. <> *n* - **1.** [of plant] esqueje *m* - **2.** [from newspaper] recorte *m* - **3.** UK [for road, railway] desmonte *m.*

CV *(abbr of* **curriculum vitae)** *n* UK CV *m.*

cwt. *abbr of* **hundredweight.**

cyanide ['saɪənaɪd] *n* cianuro *m.*

cybercafe ['saɪbəˌkæfeɪ] *n* cibercafé *m.*

cybercrime ['saɪbəkraɪm] *n* ciberdelito *m.*

cyberspace ['saɪbəspeɪs] *n* ciberespacio *m.*

cycle ['saɪkl] <> *n* - **1.** [series of events, poems, songs] ciclo *m* - **2.** [bicycle] bicicleta *f.* <> *comp*: **cycle lane** carril *m* bici; **cycle path** carril *m* bici. <> *vi* ir en bicicleta.

cycling ['saɪklɪŋ] *n* ciclismo *m*; **to go cycling** ir en bicicleta.

cyclist ['saɪklɪst] *n* ciclista *mf.*

cygnet ['sɪgnɪt] *n* pollo *m* de cisne.

cylinder ['sɪlɪndəʳ] *n* - **1.** [shape, engine component] cilindro *m* - **2.** [container - for gas] bombona *f.*

cynic ['sɪnɪk] *n* cínico *m*, -ca *f.*

cynical ['sɪnɪkl] *adj* cínico(ca).

cynicism ['sɪnɪsɪzm] *n* cinismo *m.*

cypress ['saɪprəs] *n* ciprés *m.*

Cypriot ['sɪprɪət] <> *adj* chipriota. <> *n* chipriota *mf.*

Cyprus ['saɪprəs] *n* Chipre.

cyst [sɪst] *n* quiste *m.*

cystitis [sɪs'taɪtɪs] *n* cistitis *f inv.*

czar [zɑ:ʳ] *n* zar *m*; **government drugs czar** UK jefe *m*, -fa *f* de la lucha contra el narcotráfico.

Czech [tʃek] <> *adj* checo(ca). <> *n* - **1.** [person] checo *m*, -ca *f* - **2.** [language] checo *m.*

Czech Republic *n*: **the Czech Republic** la República Checa.

D octor

d (pl **d's** OR **ds**), **D** [di:] (pl **D's** OR **Ds**) n [letter] d f, D f. ➡ **D** n - **1.** MUS re m - **2.** SCH ≃ suspenso m - **3.** US abbr of **Democrat**, **Democratic**.

D.A. n US abbr of **district attorney**.

dab [dæb] ⬦ n [small amount] toque m, pizca f; [of powder] pizca f. ⬦ vt - **1.** [skin, wound] dar ligeros toques en - **2.** [cream, ointment]: **to dab sthg on** OR **onto** aplicar algo sobre.

dabble ['dæbl] vi: **to dabble (in)** pasar el tiempo OR entretenerse (con).

dachshund ['dækshund] n perro m salchicha.

dad [dæd], **daddy** ['dædɪ] n inf papá m.

daddy longlegs [-'lɒŋlegz] (pl **daddy longlegs**) n típula f.

daffodil ['dæfədɪl] n narciso m.

daft [dɑːft] adj UK inf tonto(ta).

dagger ['dægə'] n daga f, puñal m.

daily ['deɪlɪ] ⬦ adj diario(ria). ⬦ adv diariamente; **twice daily** dos veces al día. ⬦ n [newspaper] diario m.

dainty ['deɪntɪ] adj delicado(da), fino(na).

dairy ['deərɪ] n - **1.** [on farm] vaquería f - **2.** [shop] lechería f - **3.** [factory] central f lechera.

dairy farm n vaquería f.

dairy products npl productos mpl lácteos.

dais ['deɪɪs] n tarima f, estrado m.

daisy ['deɪzɪ] n margarita f (flor).

daisy wheel n margarita f (de máquina de escribir).

dale [deɪl] n valle m.

dam [dæm] ⬦ n [across river] presa f. ⬦ vt represar.

damage ['dæmɪdʒ] ⬦ n - **1.** [physical harm]: **damage (to)** daño m (a); **to cause damage to sthg** ocasionar daños a algo - **2.** [harmful effect]: **damage (to)** perjuicio m (a). ⬦ vt dañar. ➡ **damages** npl LAW daños mpl y perjuicios.

damn [dæm] ⬦ adj inf maldito(ta). ⬦ adv inf tela de, muy; **don't be so damn stupid** no seas tan rematadamente estúpido. ⬦ n inf: **I don't give OR care a damn (about it)** me importa un bledo. ⬦ vt - **1.** [gen & RELIG] condenar - **2.** v inf [curse]: **damn it!** ¡maldita sea!

damned [dæmd] inf ⬦ adj maldito(ta); **I'm damned if I know why she did it que me maten si se por qué lo hizo; well I'll be OR I'm damned!** ¡ostras! ⬦ adv tela de, muy.

damning ['dæmɪŋ] adj condenatorio(ria).

damp [dæmp] ⬦ adj húmedo(da). ⬦ n humedad f. ⬦ vt [make wet] humedecer.

dampen ['dæmpən] vt - **1.** [make wet] humedecer - **2.** fig [emotion] apagar.

damson ['dæmzn] n (ciruela f) damascena f.

dance [dɑːns] ⬦ n baile m. ⬦ vt bailar. ⬦ vi - **1.** [to music] bailar - **2.** [move quickly and lightly] agitarse, moverse.

dancer ['dɑːnsə'] n bailarín m, -ina f.

dancing ['dɑːnsɪŋ] n (U) baile m.

dandelion ['dændɪlaɪən] n diente m de león.

dandruff ['dændrʌf] n caspa f.

Dane [deɪn] n danés m, -esa f.

danger ['deɪndʒə'] n: **danger (to)** peligro m (para); **in/out of danger** en/fuera de peligro; **to be in danger of doing sthg** correr el riesgo de hacer algo.

dangerous ['deɪndʒərəs] adj peligroso(sa).

dangle ['dæŋgl] ⬦ vt colgar; fig: **to dangle sthg before sb** tentar a alguien con algo. ⬦ vi colgar, pender.

Danish ['deɪnɪʃ] ⬦ adj danés(esa). ⬦ n - **1.** [language] danés m - **2.** US = **Danish pastry**. ⬦ npl [people]: **the Danish** los daneses.

Danish pastry, **Danish** n pastel de hojaldre con crema o manzana o almendras etc.

dank [dæŋk] adj húmedo(da) e insalubre.

dapper ['dæpə'] adj pulcro(cra).

dappled ['dæpld] adj - **1.** [light] moteado(da) - **2.** [horse] rodado(da).

dare [deə'] ⬦ vt - **1.** [be brave enough]: **to dare to do sthg** atreverse a hacer algo, osar hacer algo - **2.** [challenge]: **to dare sb to do sthg** desafiar a alguien a hacer algo ▶▶▶ **I dare say (...)** supongo OR me imagino (que...) ⬦ vi atreverse, osar; **how dare you!** ¿cómo te atreves? ⬦ n desafío m, reto m.

daredevil ['deə,devl] n temerario m, -ria f.

daring ['deərɪŋ] ⬦ adj atrevido(da), audaz. ⬦ n audacia f.

dark [dɑːk] ⬦ adj - **1.** [night, colour, hair] oscuro(ra); **it's getting dark** está oscureciendo; **it was already dark** ya era de noche - **2.** [person, skin] moreno(na) - **3.** [thoughts, days, mood] sombrío(a), triste - **4.** [look, comment, side of character etc] siniestro(tra). ⬦ n - **1.** [darkness]: **the dark** la oscuridad; **to be in the dark about sthg** estar a oscuras sobre algo - **2.** [night]: **before/after dark** antes/después del anochecer.

darken ['dɑːkn] ⬦ vt oscurecer. ⬦ vi [become darker] oscurecerse.

dark glasses npl gafas fpl oscuras, anteojos mpl OR lentes mpl oscuros Amér.

darkness ['dɑːknɪs] n oscuridad f.

darkroom ['dɑːkrʊm] *n* PHOT cuarto *m* oscuro.

darling ['dɑːlɪŋ] ◇ *adj* [dear] querido(da). ◇ *n* - **1.** [loved person] encanto *m* - **2.** *inf* [addressing any woman] maja *f*.

darn [dɑːn] ◇ *adj inf* maldito(ta), condenado(da). ◇ *adv inf* tela de, muy; **don't be so darn stupid** no seas tan rematadamente estúpido. ◇ *vt* zurcir. ◇ *excl inf* ¡maldita sea!

dart [dɑːt] ◇ *n* [arrow] dardo *m*. ◇ *vi* precipitarse. **darts** *n* (*U*) [game] dardos *mpl*.

dartboard ['dɑːtbɔːd] *n* blanco *m*, diana *f*.

dash [dæʃ] ◇ *n* - **1.** [of liquid] gotas *fpl*, chorrito *m*; [of colour] toque *m* - **2.** [in punctuation] guión *m*. ◇ *vt* - **1.** *liter* [throw] arrojar - **2.** [hopes] frustrar, malograr. ◇ *vi* ir de prisa.

dashboard ['dæʃbɔːd] *n* salpicadero *m*.

dashing ['dæʃɪŋ] *adj* gallardo(da).

data ['deɪtə] *n* (*U*) datos *mpl*.

database ['deɪtəbeɪs] *n* COMPUT base *f* de datos.

data management *n* COMPUT gestión *f* de datos.

data processing *n* proceso *m* de datos.

data protection *n* COMPUT protección *f* de datos.

date [deɪt] ◇ *n* - **1.** [in time] fecha *f*; **to date** hasta la fecha - **2.** [appointment] cita *f* - **3.** *US* [person] pareja *f* (*con la que se sale*) - **4.** [performance] actuación *f* - **5.** [fruit] dátil *m*. ◇ *vt* - **1.** [establish the date of] datar - **2.** [mark with the date] fechar - **3.** *US* [go out with] salir con.

dated ['deɪtɪd] *adj* anticuado(da).

date of birth *n* fecha *f* de nacimiento.

daub [dɔːb] *vt*: **to daub sthg with** embadurnar algo con.

daughter ['dɔːtər] *n* hija *f*.

daughter-in-law (*pl* **daughters-in-law** OR **daughter-in-laws**) *n* nuera *f*.

daunting ['dɔːntɪŋ] *adj* amedrantador(ra).

dawdle ['dɔːdl] *vi* remolonear.

dawn [dɔːn] ◇ *n* - **1.** [of day] amanecer *m*, alba *f* - **2.** [of era, period] albores *mpl*. ◇ *vi* [day] amanecer. **dawn (up)on** *vt insep*: **it dawned on me that...** caí en la cuenta de que...

day [deɪ] *n* - **1.** [gen] día *m*; **I work an eight-hour day** trabajo una jornada de ocho horas; **the day before/after** el día anterior/siguiente; **the day before yesterday** anteayer; **the day after tomorrow** pasado mañana; **any day now** cualquier día de estos; **from day to day** de un día para otro - **2.** [period in history]: **in those days** en aquellos tiempos; **these days** hoy día. **days** *adv* de día.

daybreak ['deɪbreɪk] *n* amanecer *m*, alba *f*; **at daybreak** al amanecer.

daydream ['deɪdriːm] ◇ *n* sueño *m*, ilusión *f*. ◇ *vi* soñar despierto(ta).

daylight ['deɪlaɪt] *n* - **1.** [light] luz *f* del día; **in broad daylight** a plena luz del día; **it was still daylight** todavía era de día - **2.** [dawn] amanecer *m*.

day off (*pl* **days off**) *n* día *m* libre.

day return *n* UK billete *m* de ida y vuelta (*en el día*).

daytime ['deɪtaɪm] ◇ *n* (*U*) día *m*. ◇ *comp* de día, diurno(na).

day-to-day *adj* cotidiano(na).

daytrader ['deɪtreɪdər] *n* [St Ex] operador *m*, -ra *f* de posiciones diarias.

day trip *n* excursión *f* (*de un día*).

daze [deɪz] ◇ *n*: **in a daze** aturdido(da). ◇ *vt lit & fig* aturdir.

dazzle ['dæzl] *vt lit & fig* deslumbrar.

DC *n* - **1.** (*abbr of* **direct current**) CC *f* - **2.** *abbr of* **District of Columbia**.

D-day ['diːdeɪ] *n* el día D.

DEA (*abbr of* **Drug Enforcement Administration**) *n organismo estadounidense para la lucha contra la droga*.

deacon ['diːkn] *n* diácono *m*.

deactivate [ˌdiːˈæktɪveɪt] *vt* desactivar.

dead [ded] ◇ *adj* - **1.** [person, animal, plant] muerto(ta); **a dead body** un cadáver; **to be dead on arrival** ingresar cadáver - **2.** [numb - leg, arm] entumecido(da); **my arm has gone dead** se me ha dormido el brazo - **3.** [telephone] cortado(da); [car battery] descargado(da) - **4.** [silence] absoluto(ta) - **5.** [lifeless - town, party] sin vida. ◇ *adv* - **1.** [directly, precisely] justo - **2.** [completely] totalmente, completamente; **to be dead set on sthg** estar decidido a hacer algo; **'dead slow'** 'al paso' - **3.** *inf* [very] la mar de, muy - **4.** [suddenly]: **to stop dead** parar en seco. ◇ *npl*: **the dead** los muertos.

deaden ['dedn] *vt* atenuar.

dead end *n lit & fig* callejón *m* sin salida.

dead heat *n* empate *m*.

deadline ['dedlaɪn] *n* [period] plazo *m*; [date] fecha *f* tope.

deadlock ['dedlɒk] *n* punto *m* muerto.

dead loss *n inf* - **1.** [person] inútil *mf* - **2.** [thing] inutilidad *f*.

deadly ['dedlɪ] ◇ *adj* - **1.** [gen] mortal - **2.** [accuracy] absoluto(ta). ◇ *adv* [boring] mortalmente, terriblemente; [serious] totalmente.

deadpan ['dedpæn] *adj* [expression] inexpresivo(va), serio(ria); [humour] socarrón(ona).

deaf [def] ⟨⟩ *adj* [unable to hear] sordo(da). ⟨⟩ *npl*: **the deaf** los sordos.

deaf-and-dumb *adj* sordomudo(da).

deafen ['defn] *vt* ensordecer.

deaf-mute *n* sordomudo *m*, -da *f*.

deafness ['defnɪs] *n* sordera *f*.

deal [di:l] (*pt & pp* dealt) ⟨⟩ *n* - **1.** [quantity]: **a good** OR **great deal (of)** mucho - **2.** [agreement] acuerdo *m*; [business agreement] trato *m*; **to do** OR **strike a deal with sb** hacer un trato con alguien; **it's a deal!** ¡trato hecho! - **3.** *inf* [treatment] trato *m*; **big deal!** ¡vaya cosa! - **4.** [price]: **to get a good deal on sthg** conseguir algo a un precio barato. ⟨⟩ *vt* - **1.** [strike]: **to deal sb/sthg a blow, to deal a blow to sb/sthg** *lit & fig* asestar un golpe a alguien/algo - **2.** [cards] repartir, dar. ⟨⟩ *vi* - **1.** [in cards] repartir, dar - **2.** [in drugs] traficar con droga. ◆ **deal in** *vt insep* COMM comerciar en. ◆ **deal out** *vt sep* repartir. ◆ **deal with** *vt insep* - **1.** [handle - situation, problem] hacer frente a, resolver; [- customer] tratar con - **2.** [be about] tratar de - **3.** [be faced with] enfrentarse a.

dealer ['di:lər] *n* - **1.** [trader] comerciante *mf* - **2.** [in drugs, arms] traficante *mf* - **3.** [in cards] repartidor *m*, -ra *f*.

dealing ['di:lɪŋ] *n* comercio *m*. ◆ **dealings** *npl* [personal] trato *m*; [in business] tratos *mpl*.

dealt [delt] *pt & pp* ▷ **deal**.

dean [di:n] *n* - **1.** [of university] ≃ decano *m* - **2.** [of church] deán *m*.

dear [dɪər] ⟨⟩ *adj* - **1.** [loved] querido(da); **dear to sb** preciado(da) para alguien - **2.** [expensive] caro(ra) - **3.** [in letter]: **Dear Sir** Estimado señor, Muy señor mío; **Dear Madam** Estimada señora; **Dear Daniela** Querida Daniela. ⟨⟩ *n*: **my dear** cariño *m*, -ña *f*. ⟨⟩ *excl*: **oh dear!** ¡vaya por Dios!

dearly ['dɪəlɪ] *adv* [very much]: **I love you dearly** te quiero muchísimo; **I would dearly love to...** me encantaría...

death [deθ] *n* muerte *f*; **to frighten sb to death** dar un susto de muerte a alguien.

death certificate *n* partida *f* OR certificado *m* de defunción.

death duty UK, **death tax** US *n* impuesto *m* de sucesiones.

deathly ['deθlɪ] ⟨⟩ *adj* [silence] sepulcral. ⟨⟩ *adv*: **he was deathly pale** estaba pálido como un muerto.

death penalty *n* pena *f* de muerte.

death rate *n* índice *m* OR tasa *f* de mortalidad.

death tax US = **death duty**.

death trap *n inf* trampa *f* mortal, sitio *m* muy peligroso.

debar [di:'bɑːr] *vt*: **to debar sb from** [place] prohibir a alguien la entrada en; **to debar sb from doing sthg** prohibir a alguien hacer algo.

debase [dɪ'beɪs] *vt*: **to debase o.s.** rebajarse.

debate [dɪ'beɪt] ⟨⟩ *n* debate *m*; **that's open to debate** eso es discutible. ⟨⟩ *vt* - **1.** [issue] discutir, debatir - **2.** [what to do]: **to debate (whether to do sthg)** pensarse (si hacer algo). ⟨⟩ *vi* discutir, debatir.

debating society [dɪ'beɪtɪŋ-] *n* asociación que organiza debates en una universidad.

debauchery [dɪ'bɔːtʃərɪ] *n* depravación *f*, libertinaje *m*.

debit ['debɪt] ⟨⟩ *n* debe *m*, débito *m*. ⟨⟩ *vt*: **to debit sb** OR **sb's account with an amount, to debit an amount to sb** adeudar OR cargar una cantidad en la cuenta de alguien.

debit card *n* tarjeta *f* de débito.

debit note *n* nota *f* de cargo.

debris ['deɪbriː] *n* (U) [of building] escombros *mpl*; [of aircraft] restos *mpl*.

debt [det] *n* deuda *f*; **to be in debt (to sb)** tener una deuda (con alguien); **to get into debt** endeudarse; **to be in sb's debt** *fig* estar en deuda con alguien.

debt collector *n* cobrador *m*, -ra *f* de morosos.

debtor ['detər] *n* deudor *m*, -ra *f*.

debug [ˌdiː'bʌg] *vt* COMPUT depurar.

debunk [ˌdiː'bʌŋk] *vt* desmentir.

debut ['deɪbjuː] *n* debut *m*.

decade ['dekeɪd] *n* década *f*.

decadent ['dekədənt] *adj* decadente.

decaffeinated [dɪ'kæfɪneɪtɪd] *adj* descafeinado(da).

decamp [dɪ'kæmp] *vi inf* escabullirse.

decanter [dɪ'kæntər] *n* licorera *f*.

decathlon [dɪ'kæθlɒn] *n* decatlón *m*.

decay [dɪ'keɪ] ⟨⟩ *n* (U) - **1.** [of tooth] caries *f inv*; [of body, plant] descomposición *f* - **2.** *fig* [of building] deterioro *m*; [of society] degradación *f*. ⟨⟩ *vi* - **1.** [tooth] picarse; [body, plant] pudrirse - **2.** *fig* [building] deteriorarse; [society] degradarse.

deceased [dɪ'siːst] *fml n* (*pl* deceased): **the deceased** el difunto(la difunta).

deceit [dɪ'siːt] *n* engaño *m*.

deceitful [dɪ'siːtful] *adj* [person, smile] embustero(ra); [behaviour] falso(sa).

deceive [dɪ'siːv] *vt* engañar; **to deceive o.s.** engañarse (a uno mismo/una misma).

December [dɪ'sembər] *n* diciembre *m*; *see also* **September**.

decency ['diːsnsɪ] *n* - **1.** [respectability] decencia *f* - **2.** [consideration]: **to have the decency to do sthg** tener la delicadeza de hacer algo.

decent ['di:snt] *adj* - 1. [gen] decente - 2. [considerate]: **that's very decent of you** es muy amable de tu parte.

deception [dɪ'sepʃn] *n* engaño *m*.

deceptive [dɪ'septɪv] *adj* engañoso(sa).

decide [dɪ'saɪd] <> *vt* - 1. [gen]: **to decide (to do sthg)** decidir (hacer algo); **to decide (that)** decidir que - 2. [person] hacer decidirse - 3. [issue, case] resolver. <> *vi* decidir; **I couldn't decide** no me decidía; **I decided against doing it** decidí no hacerlo. ← **decide (up)on** *vt insep* decidirse por.

decided [dɪ'saɪdɪd] *adj* - 1. [advantage, improvement] indudable - 2. [person] decidido(da); [opinion] categórico(ca).

decidedly [dɪ'saɪdɪdlɪ] *adv* - 1. [clearly] decididamente - 2. [resolutely] con decisión.

deciduous [dɪ'sɪdjʊəs] *adj* de hoja caduca.

decimal ['desɪml] <> *adj* decimal. <> *n* (número *m*) decimal *m*.

decimal point *n* coma *f* decimal.

decimate ['desɪmeɪt] *vt* diezmar.

decipher [dɪ'saɪfəʳ] *vt* descifrar.

decision [dɪ'sɪʒn] *n* decisión *f*; **to make a decision** tomar una decisión.

decisive [dɪ'saɪsɪv] *adj* - 1. [person] decidido(da) - 2. [factor, event] decisivo(va).

deck [dek] *n* - 1. [of ship] cubierta *f*; [of bus] piso *m* - 2. [of cards] baraja *f* - 3. *US* [of house] entarimado *m* (junto a una casa).

deckchair ['dektʃeəʳ] *n* tumbona *f*.

declaration [,deklə'reɪʃn] *n* declaración *f*.

Declaration of Independence *n*: **the Declaration of Independence** la declaración de independencia estadounidense de 1776.

declare [dɪ'kleəʳ] *vt* declarar.

decline [dɪ'klaɪn] <> *n* declive *m*; **in decline** en decadencia; **on the decline** en declive. <> *vt* [offer] declinar; [request] denegar; **to decline to do sthg** rehusar hacer algo. <> *vi* - 1. [number, importance] disminuir - 2. [refuse] negarse.

decode [,di:'kəʊd] *vt* descodificar.

decompose [,di:kəm'pəʊz] *vi* descomponerse.

decongestant [,di:kən'dʒestənt] *n* descongestionante *m*.

décor ['deɪkɔ:ʳ] *n* decoración *f*.

decorate ['dekəreɪt] *vt* - 1. [make pretty]: **to decorate sthg (with)** decorar algo (de) - 2. [with paint] pintar; [with wallpaper] empapelar - 3. [with medal] condecorar.

decoration [,dekə'reɪʃn] *n* - 1. [gen] decoración *f* - 2. [ornament] adorno *m* - 3. [medal] condecoración *f*.

decorator ['dekəreɪtəʳ] *n* [painter] pintor *m*, -ra *f*; [paperhanger] empapelador *m*, -ra *f*.

decorum [dɪ'kɔ:rəm] *n* decoro *m*.

decoy <> *n* ['di:kɔɪ] señuelo *m*. <> *vt* [dɪ'kɔɪ] atraer (mediante un señuelo).

decrease <> *n* ['di:kri:s]: **decrease (in)** disminución *f* (de), reducción *f* (de). <> *vt* & *vi* [dɪ'kri:s] disminuir.

decree [dɪ'kri:] <> *n* - 1. [order, decision] decreto *m* - 2. *US* [judgment] sentencia *f*, fallo *m*. <> *vt* decretar.

decree nisi [-'naɪsaɪ] (*pl* **decrees nisi**) *n UK* LAW sentencia *f* provisional de divorcio.

decrepit [dɪ'krepɪt] *adj* - 1. [person] decrépito(ta) - 2. [thing] deteriorado(da).

dedicate ['dedɪkeɪt] *vt* - 1. dedicar; **to dedicate o.s. to sthg** consagrarse OR dedicarse a algo - 2. *US* [open for public use] inaugurar.

dedication [,dedɪ'keɪʃn] *n* - 1. [commitment] dedicación *f* - 2. [in book] dedicatoria *f*.

deduce [dɪ'dju:s] *vt*: **to deduce (sthg from sthg)** deducir (algo de algo).

deduct [dɪ'dʌkt] *vt*: **to deduct (from)** deducir (de), descontar (de).

deduction [dɪ'dʌkʃn] *n* deducción *f*.

deed [di:d] *n* - 1. [action] acción *f*, obra *f* - 2. LAW escritura *f*.

deem [di:m] *vt fml* estimar; **to deem it wise to do sthg** estimar prudente hacer algo.

deep [di:p] <> *adj* - 1. [gen] profundo(da); **to be 10 feet deep** tener 10 pies de profundidad - 2. [sigh, breath, bowl] hondo(da); **to take a deep breath** respirar hondo - 3. [colour] intenso(sa) - 4. [sound, voice] grave. <> *adv* [dig, cut] hondo; **to go** OR **run deep** estar muy arraigado(da).

deepen ['di:pn] <> *vt* [hole, channel] ahondar. <> *vi* - 1. [river, sea] ahondarse - 2. [crisis, recession] agudizarse; [emotion, darkness] hacerse más intenso(sa).

deep freeze *n* congelador *m*.

deeply ['di:plɪ] *adv* [gen] profundamente; [dig, breathe, sigh] hondo.

deep-sea *adj*: **deep-sea diving** buceo *m* de profundidad.

deer [dɪəʳ] (*pl* **deer**) *n* ciervo *m*.

deface [dɪ'feɪs] *vt* pintarrajear.

defamatory [dɪ'fæmətrɪ] *adj fml* difamatorio(ria).

default [dɪ'fɔ:lt] <> *n* - 1. [on payment, agreement] incumplimiento *m*; [failure to attend] incomparecencia *f* (del contrario); **by default** [win] por incomparecencia - 2. COMPUT: **default (setting)** configuración *f* por defecto. <> *vi* incumplir un compromiso; **to default on sthg** incumplir algo.

defeat [dɪ'fi:t] <> *n* derrota *f*; **to admit defeat** darse por vencido(da). <> *vt* [team, opponent] derrotar; [motion] rechazar; [plans] frustrar.

defeatist [dɪ'fiːtɪst] adj derrotista.

defect ⬦ n ['diːfekt] [fault] defecto m. ⬦ vi [dɪ'fekt] POL desertar; **to defect to the other side** pasarse al otro bando.

defective [dɪ'fektɪv] adj defectuoso(sa).

defence UK, **defense** US [dɪ'fens] n defensa f.

defenceless UK, **defenseless** US [dɪ'fenslɪs] adj indefenso(sa).

defend [dɪ'fend] vt defender.

defendant [dɪ'fendənt] n acusado m, -da f.

defender [dɪ'fendər] n - 1. [gen] defensor m, -ra f - 2. SPORT defensa mf.

defense US = **defence**.

defenseless US = **defenceless**.

defensive [dɪ'fensɪv] ⬦ adj - 1. [weapons, tactics] defensivo(va) - 2. [person]: **to be defensive** ponerse a la defensiva. ⬦ n: **on the defensive** a la defensiva.

defer [dɪ'fɜːr] ⬦ vt aplazar. ⬦ vi: **to defer to sb** deferir con OR a alguien.

deferential [,defə'renʃl] adj deferente.

defiance [dɪ'faɪəns] n desafío m; **in defiance of** en desafío de, a despecho de.

defiant [dɪ'faɪənt] adj desafiante.

deficiency [dɪ'fɪʃnsɪ] n - 1. [lack] escasez f - 2. [inadequacy] deficiencia f.

deficient [dɪ'fɪʃnt] adj - 1. [lacking]: **to be deficient in** ser deficitario(ria) en, estar falto(ta) de - 2. [inadequate] deficiente.

deficit ['defɪsɪt] n déficit m.

defile [dɪ'faɪl] vt [desecrate] profanar; fig [mind, purity] corromper.

define [dɪ'faɪn] vt definir.

definite ['defɪnɪt] adj - 1. [plan, date, answer] definitivo(va) - 2. [improvement, difference] indudable - 3. [sure - person] seguro(ra); **I am quite definite (about it)** estoy bastante seguro (de ello) - 4. [categorical] tajante, concluyente.

definitely ['defɪnɪtlɪ] adv - 1. [without doubt] sin duda - 2. [for emphasis] desde luego, con (toda) seguridad; **definitely not** desde luego que no.

definition [defɪ'nɪʃn] n - 1. [gen] definición f; **by definition** por definición - 2. [clarity] nitidez f.

deflate [dɪ'fleɪt] ⬦ vt [balloon] desinflar; fig [person] bajar los humos a. ⬦ vi desinflarse.

deflation [dɪ'fleɪʃn] n ECON deflación f.

deflect [dɪ'flekt] vt [gen] desviar; [criticism] soslayar.

defogger [,diː'fɒgər] n US AUT dispositivo m antivaho, luneta f térmica.

deformed [dɪ'fɔːmd] adj deforme.

defragment [,diːfræg'ment] vt COMPUT desfragmentar.

defraud [dɪ'frɔːd] vt defraudar, estafar.

defibrillator [diː'fɪbrɪleɪtər] n MED desfibrilador m.

defrost [,diː'frɒst] ⬦ vt - 1. [gen] descongelar - 2. US AUT [demist] desempañar. ⬦ vi descongelarse.

deft [deft] adj habilidoso(sa), diestro(tra).

defunct [dɪ'fʌŋkt] adj [body, organization] desaparecido(da); [plan] desechado(da).

defuse [,diː'fjuːz] vt UK - 1. [bomb] desactivar - 2. [situation] distender.

defy [dɪ'faɪ] vt - 1. [disobey - person, authority] desobedecer; [law, rule] violar - 2. [challenge]: **to defy sb to do sthg** retar OR desafiar a alguien a hacer algo - 3. [attempts, efforts] hacer inútil; **to defy description** ser indescriptible; **to defy explanation** ser inexplicable.

degenerate ⬦ adj [dɪ'dʒenərət] degenerado(da). ⬦ vi [dɪ'dʒenəreɪt]: **to degenerate (into)** degenerar (en).

degrading [dɪ'greɪdɪŋ] adj denigrante.

degree [dɪ'griː] n - 1. [unit of measurement, amount] grado m; **a degree of risk** un cierto riesgo; **by degrees** paulatinamente, poco a poco - 2. [qualification] título m universitario, ≃ licenciatura f; **to have/take a degree (in sthg)** tener/hacer una licenciatura (en algo) - 3. [course] ≃ carrera f.

dehydrated [,diːhaɪ'dreɪtɪd] adj deshidratado(da).

de-ice [diː'aɪs] vt quitar el hielo de.

deign [deɪn] vt: **to deign to do sthg** dignarse a hacer algo.

deity ['diːɪtɪ] n deidad f.

dejected [dɪ'dʒektɪd] adj abatido(da).

delay [dɪ'leɪ] ⬦ n retraso m. ⬦ vt retrasar; **to delay starting sthg** retrasar el comienzo de algo. ⬦ vi: **to delay (in doing sthg)** retrasarse (en hacer algo).

delayed [dɪ'leɪd] adj: **to be delayed** [person] retrasarse; [train, flight] llevar retraso.

delectable [dɪ'lektəbl] adj - 1. [food] deleitable - 2. [person] apetecible.

delegate ⬦ n ['delɪgət] delegado m, -da f. ⬦ vt ['delɪgeɪt]: **to delegate sthg (to sb)** delegar algo (en alguien); **to delegate sb to do sthg** delegar a alguien para hacer algo.

delegation [,delɪ'geɪʃn] n delegación f.

delete [dɪ'liːt] vt [gen & COMPUT] borrar, suprimir; [cross out] tachar.

delete key n COMPUT tecla f de borrado.

deli ['delɪ] n inf abbr of **delicatessen**.

deliberate ⬦ adj [dɪ'lɪbərət] - 1. [intentional] deliberado(da) - 2. [slow] pausado(da). ⬦ vi [dɪ'lɪbəreɪt] fml deliberar.

deliberately [dɪ'lɪbərətlɪ] adv - 1. [on purpose] adrede - 2. [slowly] pausadamente.

delicacy ['delɪkəsɪ] n - **1.** [gracefulness, tact] delicadeza f - **2.** [food] exquisitez f, manjar m.

delicate ['delɪkət] adj - **1.** [gen] delicado(da) - **2.** [subtle - colour, taste] suave, sutil - **3.** [tactful] delicado(da), prudente; [instrument] sensible.

delicatessen [,delɪkə'tesn] n ≃ charcutería f, ≃ (tienda f de) ultramarinos m inv.

delicious [dɪ'lɪʃəs] adj delicioso(sa).

delight [dɪ'laɪt] ◇ n [great pleasure] gozo m, regocijo m; **to our delight** para gran alegría nuestra; **to take delight in doing sthg** disfrutar haciendo algo. ◇ vt encantar. ◇ vi: **to delight in sthg/in doing sthg** disfrutar con algo/haciendo algo.

delighted [dɪ'laɪtɪd] adj encantado(da), muy contento(ta); **delighted by** OR **with** encantado con; **to be delighted to do sthg/that** estar encantado de hacer algo/de que; **I'd be delighted (to come)** me encantaría (ir).

delightful [dɪ'laɪtfʊl] adj [gen] encantador(ra); [meal] delicioso(sa); [view] muy agradable.

delinquent [dɪ'lɪŋkwənt] ◇ adj [behaviour] delictivo(va); [child] delincuente. ◇ n delincuente mf.

delirious [dɪ'lɪrɪəs] adj [with fever] delirante; fig [ecstatic] enfervorizado(da).

deliver [dɪ'lɪvər] vt - **1.** [hand over] entregar; [distribute] repartir; **to deliver sthg to sb** entregar algo a alguien - **2.** [give - speech, verdict, lecture] pronunciar; [- message, warning, ultimatum] transmitir; [- blow, kick] asestar - **3.** [service] prestar - **4.** [baby] traer al mundo - **5.** fml [free] liberar, libertar - **6.** US POL [votes] captar.

delivery [dɪ'lɪvərɪ] n - **1.** [handing over] entrega f; [distribution] reparto m - **2.** [goods delivered] partida f - **3.** [way of speaking] (estilo m de) discurso m - **4.** [birth] parto m.

delude [dɪ'lu:d] vt engañar; **to delude o.s.** engañarse (a uno mismo/una misma).

deluge ['delju:dʒ] n [flood] diluvio m; fig [huge number] aluvión m.

delusion [dɪ'lu:ʒn] n espejismo m, engaño m.

de luxe [də'lʌks] adj de lujo.

delve [delv] vi: **to delve (into)** [bag, cupboard] hurgar (en); fig [mystery] profundizar (en).

demand [dɪ'mɑ:nd] ◇ n - **1.** [claim, firm request] exigencia f, reclamación f; **on demand** a petición - **2.** [need & ECON]: **demand for** demanda f de; **in demand** solicitado(da). ◇ vt [gen] exigir; [pay rise] reivindicar, demandar; **to demand to do sthg** exigir hacer algo.

demanding [dɪ'mɑ:ndɪŋ] adj - **1.** [exhausting] que exige mucho esfuerzo - **2.** [not easily satisfied] exigente.

demean [dɪ'mi:n] vt: **to demean o.s.** humillarse, rebajarse.

demeaning [dɪ'mi:nɪŋ] adj denigrante.

demeanour UK, **demeanor** US [dɪ'mi:nər] n (U) fml comportamiento m.

demented [dɪ'mentɪd] adj demente.

demise [dɪ'maɪz] n fml - **1.** [death] defunción f - **2.** [end] desaparición f.

demister [,di:'mɪstər] n UK AUT dispositivo m antivaho, luneta f térmica.

demo ['deməʊ] (abbr of **demonstration**) n inf - **1.** mani f - **2.** MUS maqueta f.

democracy [dɪ'mɒkrəsɪ] n democracia f.

democrat ['deməkræt] n demócrata mf. ◆ **Democrat** n US demócrata mf.

democratic [demə'krætɪk] adj democrático(ca). ◆ **Democratic** adj US demócrata.

Democratic Party n US Partido m Demócrata.

demolish [dɪ'mɒlɪʃ] vt [building] demoler; [argument, myth] destrozar.

demonstrate ['demənstreɪt] ◇ vt - **1.** [prove] demostrar - **2.** [show] hacer una demostración de. ◇ vi manifestarse; **to demonstrate for/against sthg** manifestarse a favor/en contra de algo.

demonstration [demən'streɪʃn] n - **1.** [of machine, product] demostración f - **2.** [public meeting] manifestación f.

demonstrator ['demənstreɪtər] n - **1.** [in march] manifestante mf - **2.** [of machine, product] demostrador m, -ra f comercial.

demoralized [dɪ'mɒrəlaɪzd] adj desmoralizado(da).

demote [,di:'məʊt] vt descender de categoría.

demure [dɪ'mjʊər] adj recatado(da).

den [den] n [lair] guarida f.

denial [dɪ'naɪəl] n - **1.** [refutation] negación f, rechazo m; **she's in denial about her drink problem** se niega a aceptar que tiene un problema con la bebida - **2.** [of rumour] desmentido m - **3.** [refusal] denegación f.

denier ['denɪər] n denier m.

denigrate ['denɪgreɪt] vt fml desacreditar.

denim ['denɪm] n tela f vaquera. ◆ **denims** npl (pantalones mpl) vaqueros mpl.

denim jacket n cazadora f vaquera.

Denmark ['denmɑ:k] n Dinamarca.

denomination [dɪ,nɒmɪ'neɪʃn] n - **1.** [religious group] confesión f - **2.** [of money] valor m.

denounce [dɪ'naʊns] vt denunciar.

dense [dens] adj - **1.** [gen] denso(sa); [trees] tupido(da) - **2.** inf [stupid] bruto(ta).

density ['densətɪ] n densidad f.

dent [dent] ◇ n [on car] abolladura f. ◇ vt [car] abollar.

dental ['dentl] adj dental.

dental floss n hilo m OR seda f dental.

dental surgeon n odontólogo m, -ga f.

dentist ['dentɪst] n dentista mf; **to go to the dentist's** ir al dentista.

dentures ['dentʃəz] npl dentadura f postiza.

deny [dɪ'naɪ] vt - **1.** [refute] negar, rechazar; **to deny doing sthg** negar haber hecho algo - **2.** [rumour] desmentir - **3.** fml [refuse]: **to deny sb sthg** denegar algo a alguien.

deodorant [di:'əʊdərənt] n desodorante m.

depart [dɪ'pɑ:t] vi fml - **1.** [leave]: **to depart (from)** salir (de); **this train will depart from Platform 2** este tren efectuará su salida por la vía 2 - **2.** [differ]: **to depart from sthg** apartarse de algo.

department [dɪ'pɑ:tmənt] n - **1.** [gen] departamento m - **2.** [in government] ministerio m.

department store n grandes almacenes mpl.

departure [dɪ'pɑ:tʃər] n - **1.** [of train, plane] salida f; [of person] marcha f, partida f - **2.** [change]: **departure (from)** abandono m (de); **a new departure** un nuevo enfoque.

departure lounge n [in airport] sala f de embarque; [in coach station] vestíbulo m de salidas.

depend [dɪ'pend] vi: **to depend on** depender de; **you can depend on me** puedes confiar en mí; **it depends** depende; **depending on** según, dependiendo de.

dependable [dɪ'pendəbl] adj fiable.

dependant [dɪ'pendənt] n: **my dependants** las personas a mi cargo.

dependent [dɪ'pendənt] adj - **1.** [gen]: **to be dependent (on)** depender (de) - **2.** [addicted] adicto(ta).

depict [dɪ'pɪkt] vt [in picture] retratar.

deplete [dɪ'pli:t] vt mermar, reducir.

deplorable [dɪ'plɔ:rəbl] adj deplorable.

deplore [dɪ'plɔ:r] vt deplorar.

deploy [dɪ'plɔɪ] vt desplegar.

depopulation [di:,pɒpjʊ'leɪʃn] n despoblación f.

deport [dɪ'pɔ:t] vt deportar.

depose [dɪ'pəʊz] vt deponer.

deposit [dɪ'pɒzɪt] <> n - **1.** GEOL yacimiento m - **2.** [sediment] poso m, sedimento m - **3.** [payment into bank] ingreso m - **4.** [down payment - on house, car] entrada f; [- on hotel room] señal f, adelanto m; [- on hired goods] fianza f; [- on bottle] dinero m del envase OR casco. <> vt - **1.** [put down] depositar - **2.** [in bank] ingresar.

deposit account n UK cuenta f de ahorro a plazo fijo.

depot ['depəʊ] n - **1.** [storage facility] almacén m; [for weapons] depósito m - **2.** [for buses] cochera f - **3.** US [bus or train terminus] terminal f.

depreciate [dɪ'pri:ʃɪeɪt] vi depreciarse.

depress [dɪ'pres] vt - **1.** [person] deprimir - **2.** [economy] desactivar - **3.** [price, share value] reducir.

depressed [dɪ'prest] adj deprimido(da).

depressing [dɪ'presɪŋ] adj deprimente.

depression [dɪ'preʃn] n - **1.** [gen & ECON] depresión f; **to suffer from depression** sufrir depresiones - **2.** fml [in pillow] hueco m.

deprivation [,deprɪ'veɪʃn] n - **1.** [poverty] miseria f - **2.** [lack] privación f.

deprive [dɪ'praɪv] vt: **to deprive sb of sthg** privar a alguien de algo.

depth [depθ] n profundidad f; **in depth** a fondo; **to be out of one's depth** [in water] no hacer pie; **he was out of his depth with that job** ese trabajo le venía grande. ◆ **depths** npl: **in the depths of winter** en pleno invierno; **to be in the depths of despair** estar en un abismo de desesperación.

deputation [,depjʊ'teɪʃn] n delegación f.

deputize, -ise ['depjʊtaɪz] vi: **to deputize (for)** actuar en representación (de).

deputy ['depjʊtɪ] <> adj: **deputy head** subdirector m, -ra f; **deputy prime minister** vicepresidente m, -ta f del gobierno. <> n - **1.** [second-in-command] asistente mf, suplente mf - **2.** POL diputado m, -da f - **3.** US [deputy sheriff] ayudante mf del sheriff.

derail [dɪ'reɪl] vt & vi [train] descarrilar.

deranged [dɪ'reɪndʒd] adj perturbado(da), trastornado(da).

derby [UK 'dɑ:bɪ, US 'dɜ:rbɪ] n - **1.** [sports event] derby m (local) - **2.** US [hat] sombrero m hongo.

deregulate [,di:'regjʊleɪt] vt liberalizar.

derelict ['derəlɪkt] adj abandonado(da), en ruinas.

deride [dɪ'raɪd] vt mofarse de.

derisory [də'raɪzərɪ] adj - **1.** [puny, trivial] irrisorio(ria) - **2.** [derisive] burlón(ona).

derivative [dɪ'rɪvətɪv] n derivado m.

derive [dɪ'raɪv] <> vt - **1.** [draw, gain]: **to derive sthg from sthg** encontrar algo en algo - **2.** [come]: **to be derived from** derivar de. <> vi: **to derive from** derivar de.

derogatory [dɪ'rɒgətrɪ] adj despectivo(va).

derrick ['derɪk] n - **1.** [crane] grúa f - **2.** [over oil well] torre f de perforación.

derv [dɜ:v] n UK gasóleo m, gasoil m.

descend [dɪ'send] <> vt fml [go down] descender por. <> vi - **1.** fml [go down] descender - **2.** [subj: silence, gloom]: **to descend**

(on sthg/sb) invadir (algo/a alguien) - **3.** [stoop]: **to descend to sthg/to doing sthg** rebajarse a algo/a hacer algo.

descendant [dɪ'sendənt] n descendiente mf.

descended [dɪ'sendɪd] adj: **to be descended from** ser descendiente de, descender de.

descent [dɪ'sent] n - **1.** [downwards movement] descenso m, bajada f - **2.** [origin] ascendencia f.

describe [dɪ'skraɪb] vt describir; **to describe o.s. as** definirse como.

description [dɪ'skrɪpʃn] n - **1.** [account] descripción f - **2.** [type]: **of all descriptions** de todo tipo.

desecrate ['desɪkreɪt] vt profanar.

desert ◇ n ['dezət] GEOG desierto m. ◇ vt [dɪ'zɜːt] abandonar. ◇ vi MIL desertar.

deserted [dɪ'zɜːtɪd] adj [place] desierto(ta).

deserter [dɪ'zɜːtə^r] n desertor m, -ra f.

desert island ['dezət-] n isla f desierta.

deserve [dɪ'zɜːv] vt merecer.

deserving [dɪ'zɜːvɪŋ] adj encomiable; **deserving of** fml merecedor(ra) de.

design [dɪ'zaɪn] ◇ n - **1.** [gen] diseño m; [of garment] corte m - **2.** [pattern] dibujo m - **3.** fml [intention] designio m; **by design** adrede; **to have designs on** tener las miras puestas en. ◇ vt - **1.** [gen] diseñar - **2.** [conceive, intend] concebir.

designate ◇ adj ['dezɪgnət] designado(da). ◇ vt ['dezɪgneɪt] designar; **to designate sb as sthg/to do sthg** designar a alguien algo/para hacer algo.

designer [dɪ'zaɪnə^r] ◇ adj [clothes, drugs] de diseño; [glasses] de marca. ◇ n [gen] diseñador m, -ra f; THEAT escenógrafo m, -fa f.

desirable [dɪ'zaɪərəbl] adj - **1.** fml [appropriate] deseable, conveniente - **2.** [attractive] atractivo(va), apetecible.

desire [dɪ'zaɪə^r] ◇ n: **desire (for sthg/to do sthg)** deseo m (de algo/de hacer algo). ◇ vt desear.

desk [desk] n - **1.** [gen] mesa f, escritorio m; [in school] pupitre m - **2.** [service area]: **information desk** (mostrador m de) información f.

desktop publishing n COMPUT autoedición f.

desolate ['desələt] adj [place, person] desolado(da); [feeling] desolador(ra).

despair [dɪ'speə^r] ◇ n desesperación f; **to do sthg in despair** hacer algo desesperadamente. ◇ vi desesperarse; **to despair of sb** desesperarse con alguien; **to despair of sthg/doing sthg** perder la esperanza de algo/hacer algo.

despairing [dɪ'speərɪŋ] adj [attempt] desesperado(da); [look, cry] de desesperación.

despatch [dɪ'spætʃ] = **dispatch**.

desperate ['despərət] adj desesperado(da); **to be desperate for sthg** necesitar algo desesperadamente.

desperately ['desprətlɪ] adv - **1.** [want, fight, love] desesperadamente - **2.** [ill] gravemente; [poor, unhappy, shy] tremendamente.

desperation [,despə'reɪʃn] n desesperación f; **in desperation** con desesperación.

despicable [dɪ'spɪkəbl] adj despreciable.

despise [dɪ'spaɪz] vt despreciar.

despite [dɪ'spaɪt] prep a pesar de, pese a.

despondent [dɪ'spɒndənt] adj descorazonado(da).

dessert [dɪ'zɜːt] n postre m.

dessertspoon [dɪ'zɜːtspuːn] n [spoon] cuchara f de postre.

destination [,destɪ'neɪʃn] n destino m.

destined ['destɪnd] adj - **1.** [fated, intended]: **destined for sthg/to do sthg** destinado(da) a algo/a hacer algo - **2.** [bound]: **destined for** con destino a.

destiny ['destɪnɪ] n destino m.

destitute ['destɪtjuːt] adj indigente.

de-stress [diː'stres] vi desestresarse.

destroy [dɪ'strɔɪ] vt - **1.** [ruin] destruir - **2.** [defeat] aplastar - **3.** [put down] matar, sacrificar.

destruction [dɪ'strʌkʃn] n destrucción f.

detach [dɪ'tætʃ] vt - **1.** [pull off]: **to detach sthg (from)** quitar OR separar algo (de) - **2.** [disassociate]: **to detach o.s. from sthg** distanciarse de algo.

detachable [dɪ'tætʃəbl] adj [handle etc] de quita y pon; [collar] postizo(za).

detached [dɪ'tætʃt] adj [objective] objetivo(va); [aloof] distante.

detached house n casa f OR chalé m individual.

detachment [dɪ'tætʃmənt] n - **1.** [objectivity] objetividad f; [aloofness] distanciamiento m - **2.** MIL destacamento m.

detail ['diːteɪl] ◇ n - **1.** [small point] detalle m - **2.** (U) [facts, points] detalles mpl; **to go into detail** entrar en detalles; **in detail** con detalle - **3.** MIL destacamento m. ◇ vt [list] detallar.
◆ **details** npl [information] información f; [personal] datos mpl.

detailed ['diːteɪld] adj detallado(da).

detain [dɪ'teɪn] vt [gen] retener; [in police station] detener.

detect [dɪ'tekt] vt [gen] detectar; [difference] notar, percibir.

detection [dɪ'tekʃn] (U) n - **1.** [gen] detección f - **2.** [of crime] investigación f; [of drugs] descubrimiento m.

detective [dɪ'tektɪv] n [private] detective mf; [policeman] agente mf.

detective novel n novela f policíaca.

détente [deɪ'tɒnt] n POL distensión f.

detention [dɪ'tenʃn] n - 1. [of suspect, criminal] detención f, arresto m - 2. [at school] *castigo consistente en tener que quedarse en la escuela después de clase.*

deter [dɪ'tɜːʳ] vt: **to deter sb (from doing sthg)** disuadir a alguien (de hacer algo).

detergent [dɪ'tɜːdʒənt] n detergente m.

deteriorate [dɪ'tɪərɪəreɪt] vi [health, economy] deteriorarse; [weather] empeorar.

determination [dɪ,tɜːmɪ'neɪʃn] n determinación f.

determine [dɪ'tɜːmɪn] vt determinar; **to determine to do sthg** fml decidir OR resolver hacer algo.

determined [dɪ'tɜːmɪnd] adj decidido(da); **determined to do sthg** decidido(da) OR resuelto(ta) a hacer algo.

deterrent [dɪ'terənt] n elemento m de disuasión; **to serve as a deterrent** tener un efecto disuasorio; **nuclear deterrent** armas fpl nucleares disuasorias.

detest [dɪ'test] vt detestar.

detonate ['detəneɪt] ◇ vt hacer detonar. ◇ vi detonar.

detour ['diː,tʊəʳ] n desvío m; **to make a detour** dar un rodeo.

detox ['diːtɒks] n desintoxicación f.

detract [dɪ'trækt] vi: **to detract from sthg** [gen] mermar algo, aminorar algo; [achievement] restar importancia a algo.

detriment ['detrɪmənt] n: **to the detriment of** en detrimento de.

detrimental [,detrɪ'mentl] adj perjudicial.

deuce [djuːs] n (U) TENNIS deuce m, cuarenta f.

devaluation [,diːvæljʊ'eɪʃn] n devaluación f.

devastated ['devəsteɪtɪd] adj [area, city] asolado(da); fig [person] desolado(da).

devastating ['devəsteɪtɪŋ] adj - 1. [destructive - hurricane etc] devastador(ra) - 2. [effective - remark, argument] abrumador(ra) - 3. [upsetting - news, experience] desolador(ra) - 4. [attractive] imponente, irresistible.

develop [dɪ'veləp] ◇ vt - 1. [idea, argument, product, method] desarrollar - 2. [land] urbanizar; [region] desarrollar - 3. [illness] contraer; [habit] adquirir; **to develop a fault** estropearse - 4. PHOT revelar. ◇ vi - 1. [grow] desarrollarse; **to develop into sthg** transformarse en algo - 2. [appear] presentarse.

developing country [dɪ'veləpɪŋ-] n país m en vías de desarrollo.

development [dɪ'veləpmənt] (U) n - 1. [growth] desarrollo m - 2. [of design] elaboración f; [of product] desarrollo m - 3. [developed land] urbanización f - 4. [new event] (nuevo) acontecimiento m; **recent developments** la evolución reciente - 5. [advance - in science etc] avance m.

device [dɪ'vaɪs] n - 1. [gen] dispositivo m - 2. COMPUT dispositivo m periférico.

devil ['devl] n diablo m, demonio m; **poor devil** pobre diablo; **you lucky devil!** ¡vaya suerte que tienes!; **who/where/why the devil...?** ¿quién/dónde/por qué demonios...?
➤ **Devil** n [Satan]: **the Devil** el Diablo, el Demonio.

devious ['diːvjəs] adj - 1. [person, scheme] retorcido(da); [means] enrevesado(da) - 2. [route] sinuoso(sa).

devise [dɪ'vaɪz] vt [instrument, system] diseñar; [plan] concebir.

devoid [dɪ'vɔɪd] adj fml: **devoid of** desprovisto(ta) de.

devolution [,diːvə'luːʃn] n POL ≃ autonomía f, ≃ traspaso m de competencias.

devote [dɪ'vəʊt] vt: **to devote sthg to** dedicar OR consagrar algo a.

devoted [dɪ'vəʊtɪd] adj [lovers] unido(da); [follower, admirer] ferviente; **to be devoted to sb** tenerle mucho cariño a alguien.

devotee [,devə'tiː] n [fan] devoto m, -ta f, admirador m, -ra f.

devotion [dɪ'vəʊʃn] (U) n - 1. [commitment]: **devotion (to)** dedicación f (a) - 2. [to family, lover & RELIG] devoción f.

devour [dɪ'vaʊəʳ] vt lit & fig devorar.

devout [dɪ'vaʊt] adj RELIG devoto(ta).

dew [djuː] n rocío m.

dexterity [dek'sterətɪ] n destreza f.

diabetes [,daɪə'biːtiːz] n diabetes f inv.

diabetic [,daɪə'betɪk] ◇ adj [person] diabético(ca). ◇ n diabético m, -ca f.

diabolic(al) [,daɪə'bɒlɪk(l)] adj inf [very bad] pésimo(ma).

diagnose ['daɪəgnəʊz] vt MED diagnosticar; **she was diagnosed as having cancer** le diagnosticaron cáncer.

diagnosis [,daɪəg'nəʊsɪs] (pl -oses [-əʊsiːz]) n MED [verdict] diagnóstico m; [science, activity] diagnosis f inv.

diagonal [daɪ'ægənl] ◇ adj diagonal. ◇ n diagonal f.

diagram ['daɪəgræm] n diagrama m.

dial ['daɪəl] ◇ n - 1. [of watch, clock] esfera f - 2. [of meter] cuadrante m - 3. [of telephone] disco m; [of radio] dial m. ◇ vt (UK & US) [number] marcar.

dialect ['daɪəlekt] n dialecto m.

dialling code ['daɪəlɪŋ-] n UK prefijo m (telefónico).

dialling tone UK ['daɪəlɪŋ-], **dial tone** US n señal f de llamada.

dialogue UK, **dialog** US ['daɪəlɒg] n diálogo m.

dial tone US = **dialling tone**.

dialysis [daɪ'ælɪsɪs] n diálisis f inv.

diameter [daɪ'æmɪtər] n diámetro m.

diamond ['daɪəmənd] n - **1.** [gem, playing card, in baseball] diamante m - **2.** [shape] rombo m. ➡ **diamonds** npl diamantes mpl.

diaper ['daɪpər] n US pañal m.

diaphragm ['daɪəfræm] n diafragma m.

diarrh(o)ea [,daɪə'rɪə] n diarrea f.

diary ['daɪərɪ] n - **1.** [appointment book] agenda f - **2.** [journal] diario m.

dice [daɪs] ◇ n (pl dice) dado m. ◇ vt cortar en cuadraditos.

dictate vt [dɪk'teɪt]: **to dictate sthg (to sb)** dictar algo (a alguien).

dictation [dɪk'teɪʃn] n dictado m.

dictator [dɪk'teɪtər] n dictador m, -ra f.

dictatorship [dɪk'teɪtəʃɪp] n dictadura f.

dictionary ['dɪkʃənrɪ] n diccionario m.

did [dɪd] pt ⊳ **do**.

diddle ['dɪdl] vt inf timar.

didn't ['dɪdnt] (abbr of did not) ⊳ **do**.

die [daɪ] ◇ vi (pt & pp died, cont dying) - **1.** [gen] morir; **to be dying; to be dying for sthg/to do sthg** morirse por algo/por hacer algo - **2.** liter [feeling, fire] extinguirse. ◇ n (pl dice) esp US [dice] dado m. ➡ **die away** vi desvanecerse. ➡ **die down** vi [wind] amainar; [sound] apaciguarse; [fire] remitir; [excitement, fuss] calmarse. ➡ **die out** vi extinguirse.

diehard ['daɪhɑːd] n intransigente mf.

diesel ['diːzl] n - **1.** [fuel] gasóleo m, gasoil m - **2.** [vehicle] vehículo m diésel.

diesel engine n AUT motor m diésel; RAIL locomotora f diésel.

diesel fuel, **diesel oil** n gasóleo m.

diet ['daɪət] ◇ n - **1.** [eating pattern] dieta f - **2.** [to lose weight] régimen m; **to be on a diet** estar a régimen. ◇ comp [low-calorie] light (inv). ◇ vi estar a régimen.

differ ['dɪfər] vi - **1.** [be different] ser diferente; **to differ from sthg** distinguirse OR diferir de algo - **2.** [disagree]: **to differ with sb (about sthg)** disentir OR discrepar de alguien (en algo).

difference ['dɪfrəns] n diferencia f; **it didn't make any difference** [changed nothing] no cambió nada.

different ['dɪfrənt] adj: **different (from)** diferente OR distinto(ta) (de).

differentiate [,dɪfə'renʃɪeɪt] ◇ vt: **to differentiate (sthg from sthg)** diferenciar OR distinguir (algo de algo). ◇ vi: **to differentiate between** diferenciar OR distinguir entre.

difficult ['dɪfɪkəlt] adj difícil.

difficulty ['dɪfɪkəltɪ] n dificultad f; **to have difficulty in doing sthg** tener dificultad en OR para hacer algo.

diffident ['dɪfɪdənt] adj retraído(da).

diffuse vt [dɪ'fjuːz] difundir.

dig [dɪg] ◇ vt (pt & pp dug) - **1.** [hole - with spade] cavar; [- with hands, paws] escarbar - **2.** [garden] cavar en; [mine] excavar - **3.** [press]: **to dig sthg into** clavar OR hundir algo en. ◇ vi (pt & pp dug) - **1.** [with spade] cavar; [with hands, paws] escarbar - **2.** [press]: **to dig into** clavarse OR hundirse en. ◇ n - **1.** [unkind remark] pulla f - **2.** ARCHAEOL excavación f. ➡ **dig out** vt sep inf [find - letter, object] desempolvar; [- information] encontrar. ➡ **dig up** vt sep [body, treasure, information] desenterrar; [plant, tree] arrancar.

digest ◇ n ['daɪdʒest] compendio m. ◇ vt [dɪ'dʒest] lit & fig digerir.

digestion [dɪ'dʒestʃn] n digestión f.

digestive biscuit [dɪ'dʒestɪv-] n UK galleta f integral.

digit ['dɪdʒɪt] n - **1.** [figure] dígito m - **2.** [finger, toe] dedo m.

digital ['dɪdʒɪtl] adj digital.

digital camera n cámara f digital.

digital radio n radio f digital.

digital television, **digital TV** n televisión f digital.

dignified ['dɪgnɪfaɪd] adj [gen] digno(na); [ceremonious] ceremonioso(sa).

dignity ['dɪgnətɪ] n dignidad f.

digress [daɪ'gres] vi apartarse del tema; **to digress from** apartarse OR desviarse de.

digs [dɪgz] npl UK inf alojamiento m; **to live in digs** vivir en un cuarto de alquiler.

dike, **dyke** [daɪk] n [wall, bank] dique m.

dilapidated [dɪ'læpɪdeɪtɪd] adj [building] derruido(da); [car] destartalado(da).

dilate [daɪ'leɪt] vi dilatarse.

dilemma [dɪ'lemə] n dilema m.

diligent ['dɪlɪdʒənt] adj diligente.

dilute [daɪ'luːt] vt diluir.

dim [dɪm] ◇ adj - **1.** [light] tenue; [room] sombrío(bría) - **2.** [eyesight] débil - **3.** [memory] vago(ga) - **4.** inf [stupid] tonto(ta), torpe. ◇ vt atenuar. ◇ vi [light] atenuarse.

dime [daɪm] n US moneda de diez centavos.

dimension [dɪ'menʃn] n dimensión f.

diminish [dɪ'mɪnɪʃ] vt & vi disminuir.

diminutive [dɪ'mɪnjʊtɪv] fml ◇ adj diminuto(ta). ◇ n GRAM diminutivo m.

dimmers ['dɪməz] *npl US* [dipped headlights] luces *fpl* cortas OR de cruce; [parking lights] luces *fpl* de posición OR situación.

dimple ['dɪmpl] *n* hoyuelo *m*.

din [dɪn] *n inf* estrépito *m*.

dine [daɪn] *vi fml* cenar. ◆ **dine out** *vi* cenar fuera.

diner ['daɪnər] *n* - **1.** [person] comensal *mf* - **2.** *US* [restaurant - cheap] restaurante *m* barato; [- on the road] ≃ restaurante *m* OR parador *m* de carretera.

dinghy ['dɪŋgɪ] *n* [sailing boat] bote *m*; [made of rubber] lancha *f* neumática.

dingy ['dɪndʒɪ] *adj* [room, street] lóbrego(ga); [clothes, carpet] deslustrado(da).

dining car ['daɪnɪŋ-] *n* vagón *m* restaurante, coche *m* comedor *Amér.*

dining room ['daɪnɪŋ-] *n* comedor *m*.

dinner ['dɪnər] *n* - **1.** [evening meal] cena *f*; [midday meal] comida *f*, almuerzo *m*; **to have dinner** [in the evening] cenar; [at lunchtime] comer, almorzar - **2.** [formal event] cena *f* de gala, banquete *m*.

dinner jacket *n* esmoquin *m*.

dinner party *n* cena *f (en casa con amigos).*

dinnertime ['dɪnətaɪm] *n* [in the evening] la hora de la cena; [at midday] la hora del almuerzo OR de la comida.

dinosaur ['daɪnəsɔːr] *n* [reptile] dinosaurio *m*.

dint [dɪnt] *n fml*: **by dint of** a base de.

dip [dɪp] ◇ *n* - **1.** [in road, ground] pendiente *f* - **2.** [sauce] salsa *f* - **3.** [swim] chapuzón *m*; **to for/take a dip in** a darse/darse un chapuzón ◇ *vt* - **1.** [into liquid]: **to dip sthg in** OR **into sthg** mojar algo en algo - **2.** *UK* [headlights]: **to dip one's lights** poner las luces de cruce. ◇ *vi* descender suavemente.

diploma [dɪ'pləʊmə] (*pl* -s) *n* diploma *m*.

diplomacy [dɪ'pləʊməsɪ] *n* diplomacia *f*.

diplomat ['dɪpləmæt] *n* - **1.** [official] diplomático *m*, -ca *f* - **2.** [tactful person] persona *f* diplomática.

diplomatic [ˌdɪplə'mætɪk] *adj* diplomático(ca).

dipstick ['dɪpstɪk] *n* AUT varilla *f* del aceite *(para medir el nivel).*

dire ['daɪər] *adj* - **1.** [consequences] grave; [warning] serio(ria); [need, poverty] extremo(ma) - **2.** *UK inf* [terrible] fatal.

direct [dɪ'rekt] ◇ *adj* directo(ta). ◇ *vt* - **1.** [gen]: **to direct sthg at sb** dirigir algo a alguien - **2.** [person to place]: **to direct sb (to)** indicar a alguien el camino (a) - **3.** [order]: **to direct sb to do sthg** mandar a alguien hacer algo. ◇ *adv* directamente.

direct current *n* corriente *f* continua.

direct debit *n UK* domiciliación *f* (de pago).

direction [dɪ'rekʃn] *n* dirección *f*; **sense of direction** sentido *m* de la orientación. ◆ **directions** *npl* - **1.** [instructions to place] señas *fpl*, indicaciones *fpl* - **2.** [instructions for use] modo *m* de empleo.

directly [dɪ'rektlɪ] *adv* - **1.** [gen] directamente - **2.** [immediately] inmediatamente - **3.** [very soon] pronto, en breve.

director [dɪ'rektər] *n* director *m*, -ra *f*.

directory [dɪ'rektərɪ] *n* - **1.** [gen] guía *f* (alfabética) - **2.** COMPUT directorio *m*.

directory assistance *n US* (servicio *m* de) información *f* telefónica.

directory enquiries *n UK* (servicio *m* de) información *f* telefónica.

dirt [dɜːt] *n* (*U*) - **1.** [mud, dust] suciedad *f* - **2.** [earth] tierra *f*.

dirty ['dɜːtɪ] ◇ *adj* - **1.** [gen] sucio(cia); **to get dirty** ensuciarse - **2.** [joke] verde; [film] pornográfico(ca); [book, language] obsceno(na); **dirty word** palabrota *f*. ◇ *vt* ensuciar.

disability [ˌdɪsə'bɪlətɪ] *n* discapacidad *f*, minusvalía *f*; **people with disabilities** los discapacitados, los minusválidos.

disabled [dɪs'eɪbld] ◇ *adj* [person] discapacitado(da), minusválido(da); **disabled toilet** servicio *m* para discapacitados OR minusválidos. ◇ *npl*: **the disabled** los minusválidos, los discapacitados.

disadvantage [ˌdɪsəd'vɑːntɪdʒ] *n* desventaja *f*; **to be at a disadvantage** estar en desventaja.

disagree [ˌdɪsə'griː] *vi* - **1.** [have different opinions]: **to disagree (with)** no estar de acuerdo (con) - **2.** [conflict] contradecirse, no concordar - **3.** [subj: food, drink]: **to disagree with sb** sentar mal a alguien.

disagreeable [ˌdɪsə'griːəbl] *adj* desagradable.

disagreement [ˌdɪsə'griːmənt] *n* - **1.** [fact of disagreeing] desacuerdo *m* - **2.** [argument] discusión *f*.

disallow [ˌdɪsə'laʊ] *vt* - **1.** *fml* [appeal, claim] rechazar - **2.** [goal] anular.

disappear [ˌdɪsə'pɪər] *vi* desaparecer.

disappearance [ˌdɪsə'pɪərəns] *n* desaparición *f*.

disappoint [ˌdɪsə'pɔɪnt] *vt* [person] decepcionar; [expectations, hopes] defraudar.

disappointed [ˌdɪsə'pɔɪntɪd] *adj* - **1.** [person]: **disappointed (in** OR **with sthg)** decepcionado(da) (con algo) - **2.** [expectations, hopes] defraudado(da).

disappointing [ˌdɪsə'pɔɪntɪŋ] *adj* decepcionante.

disappointment [,dɪsə'pɔɪntmənt] *n* decepción *f*, desilusión *f*; **to be a disappointment** ser decepcionante.

disapproval [,dɪsə'pruːvl] *n* desaprobación *f*.

disapprove [,dɪsə'pruːv] *vi* estar en contra; **to disapprove of sthg** desaprobar algo; **to disapprove of sb** no ver con buenos ojos a alguien.

disarm [dɪs'ɑːm] <> *vt* *lit* & *fig* desarmar. <> *vi* desarmarse.

disarmament [dɪs'ɑːməmənt] *n* desarme *m*.

disarray [,dɪsə'reɪ] *n*: **in disarray** [clothes, hair] en desorden; [army, political party] sumido(da) en el desconcierto.

disaster [dɪ'zɑːstər] *n* [gen] desastre *m*; [earthquake, eruption] catástrofe *f*.

disastrous [dɪ'zɑːstrəs] *adj* desastroso(sa).

disband [dɪs'bænd] <> *vt* disolver, disgregar. <> *vi* disolverse, disgregarse.

disbelief [,dɪsbɪ'liːf] *n*: **in OR with disbelief** con incredulidad.

disc *UK*, **disk** *US* [dɪsk] *n* disco *m*.

discard [dɪ'skɑːd] *vt* [old clothes etc] desechar; [possibility] descartar.

discern [dɪ'sɜːn] *vt* - **1.** [gen] discernir; [improvement] percibir - **2.** [figure, outline] distinguir.

discerning [dɪ'sɜːnɪŋ] *adj* refinado(da); [audience] entendido(da).

discharge <> *n* ['dɪstʃɑːdʒ] - **1.** [of patient] alta *f*; [of prisoner, defendant] puesta *f* en libertad; [of soldier] licencia *f* - **2.** [of gas, smoke] emisión *f*; [of sewage] vertido *m* - **3.** [MED - from wound] supuración *f* - **4.** ELEC descarga *f*. <> *vt* [dɪs'tʃɑːdʒ] - **1.** [patient] dar de alta; [prisoner, defendant] poner en libertad; [soldier] licenciar - **2.** *fml* [duty etc] cumplir - **3.** [gas, smoke] despedir; [sewage] verter; [cargo] descargar.

disciple [dɪ'saɪpl] *n* [follower & RELIG] discípulo *m*, -la *f*.

discipline ['dɪsɪplɪn] <> *n* disciplina *f*. <> *vt* - **1.** [control] disciplinar - **2.** [punish] castigar.

disc jockey *n* pinchadiscos *mf inv*.

disclaim [dɪs'kleɪm] *vt fml* negar.

disclose [dɪs'kləʊz] *vt* revelar.

disclosure [dɪs'kləʊʒər] *n* revelación *f*.

disco ['dɪskəʊ] (*pl* **-s**) (*abbr of* **discotheque**) *n* - **1.** [place] discoteca *f* - **2.** [event] baile *m* - **2.** [type of music] música *f* disco.

discomfort [dɪs'kʌmfət] *n* - **1.** [uncomfortableness] incomodidad *f* - **2.** [pain] molestia *f*.

disconcert [,dɪskən'sɜːt] *vt* desconcertar.

disconnect [,dɪskə'nekt] <> *vt* - **1.** [detach] quitar, separar - **2.** [from gas, electricity - appliance] desconectar; [- house, subscriber] cortar el suministro a - **3.** [on phone - person] cortar la línea a. <> *vi* [from Internet] desconectarse.

disconsolate [dɪs'kɒnsələt] *adj* desconsolado(da).

discontent [,dɪskən'tent] *n*: **discontent (with)** descontento *m* (ta) (con).

discontented [,dɪskən'tentɪd] *adj* descontento(ta).

discontinue [,dɪskən'tɪnjuː] *vt* interrumpir.

discord ['dɪskɔːd] *n* - **1.** [disagreement] discordia *f* - **2.** MUS disonancia *f*.

discotheque ['dɪskəʊtek] *n* discoteca *f*.

discount <> *n* ['dɪskaʊnt] descuento *m*; **at a discount** con descuento. <> *vt* [UK dɪs'kaʊnt, US 'dɪskaʊnt] [report, claim] descartar.

discourage [dɪ'skʌrɪdʒ] *vt* - **1.** [dispirit] desanimar - **2.** [crime, behaviour] impedir; [thieves, tourists] ahuyentar; **to discourage sb from doing sthg** disuadir a alguien de hacer algo.

discover [dɪ'skʌvər] *vt* descubrir.

discovery [dɪ'skʌvərɪ] *n* descubrimiento *m*.

discredit [dɪs'kredɪt] <> *n* descrédito *m*. <> *vt* - **1.** [person, organization] desacreditar - **2.** [idea, report] refutar.

discreet [dɪ'skriːt] *adj* discreto(ta).

discrepancy [dɪ'skrepənsɪ] *n*: **discrepancy (in/between)** discrepancia *f* (en/entre).

discretion [dɪ'skreʃn] (*U*) *n* - **1.** [tact] discreción *f* - **2.** [judgment] criterio *m*; **at the discretion of** a voluntad de.

discriminate [dɪ'skrɪmɪneɪt] *vi* - **1.** [distinguish]: **to discriminate (between)** discriminar OR distinguir (entre) - **2.** [treat unfairly]: **to discriminate against sb** discriminar a alguien.

discriminating [dɪ'skrɪmɪneɪtɪŋ] *adj* refinado(da); [audience] entendido(da).

discrimination [dɪ,skrɪmɪ'neɪʃn] *n* - **1.** [prejudice]: **discrimination (against)** discriminación *f* (hacia) - **2.** [judgment] (buen) gusto *m*.

discus ['dɪskəs] (*pl* **-es**) *n* [object] disco *m* (*en atletismo*); **the discus** [competition] el lanzamiento de disco.

discuss [dɪ'skʌs] *vt* [subj: book, lecture] tratar de.

discussion [dɪ'skʌʃn] *n* discusión *f*.

disdain [dɪs'deɪn] *fml* <> *n*: **disdain (for)** desdén *m* OR desprecio *m* (hacia). <> *vt* desdeñar, despreciar.

disease [dɪ'ziːz] *n* *lit* & *fig* enfermedad *f*.

disembark [,dɪsɪm'bɑːk] *vi* desembarcar.

disenchanted [,dɪsɪn'tʃɑːntɪd] *adj*: **disenchanted (with)** desencantado(da) (con).

disengage [,dɪsɪn'geɪdʒ] *vt* TECH [gears] quitar; [clutch] soltar.

disfavour UK, **disfavor** US [dɪsˈfeɪvər] n - **1.** [disapproval] desaprobación f - **2.** [state of being disapproved of] desgracia f.

disfigure [dɪsˈfɪɡər] vt desfigurar.

disgrace [dɪsˈɡreɪs] ◇ n vergüenza f; **he's a disgrace to his family** es una deshonra para su familia; **to be in disgrace** [child, pet] estar castigado(da). ◇ vt deshonrar.

disgraceful [dɪsˈɡreɪsfʊl] adj vergonzoso(sa); **it's disgraceful** es una vergüenza.

disgruntled [dɪsˈɡrʌntld] adj disgustado(da).

disguise [dɪsˈɡaɪz] ◇ n disfraz m. ◇ vt disfrazar.

disgust [dɪsˈɡʌst] ◇ n: **disgust (at)** [physical] asco m (hacia); [moral] indignación f (ante). ◇ vt [physically] repugnar; [morally] indignar.

disgusting [dɪsˈɡʌstɪŋ] adj [physically] asqueroso(sa); [morally] indignante.

dish [dɪʃ] n - **1.** [container] fuente f - **2.** [plate] plato m - **3.** [course] plato m. ● **dishes** npl platos mpl; **to do** OR **wash the dishes** fregar (los platos). ● **dish out** vt sep inf repartir. ● **dish up** vt sep inf servir.

dish aerial UK, **dish antenna** US n (antena f) parabólica f.

dishcloth [ˈdɪʃklɒθ] n [for washing, wiping] bayeta f; [for drying] paño m (de cocina).

disheartened [dɪsˈhɑːtnd] adj descorazonado(da).

dishevelled UK, **disheveled** US [dɪˈʃevəld] adj desaliñado(da); [hair] despeinado(da).

dishonest [dɪsˈɒnɪst] adj deshonesto(ta), nada honrado(da).

dishonor US = **dishonour**.

dishonour UK, **dishonor** US [dɪsˈɒnər] fml ◇ n deshonra f. ◇ vt deshonrar.

dishonourable UK, **dishonorable** US [dɪsˈɒnərəbl] adj deshonroso(sa).

dish soap n US lavavajillas m inv (detergente).

dish towel n US paño m (de cocina).

dishwasher [ˈdɪʃˌwɒʃər] n - **1.** [machine] lavavajillas m inv (electrodoméstico) - **2.** [person] lavaplatos mf inv.

dishwashing liquid n US lavavajillas m inv (detergente).

disillusioned [ˌdɪsɪˈluːʒnd] adj desilusionado(da).

disincentive [ˌdɪsɪnˈsentɪv] n traba f.

disinclined [ˌdɪsɪnˈklaɪnd] adj: **to be disinclined to do sthg** no tener ganas de hacer algo.

disinfect [ˌdɪsɪnˈfekt] vt desinfectar.

disinfectant [ˌdɪsɪnˈfektənt] n desinfectante m.

disintegrate [dɪsˈɪntɪɡreɪt] vi lit & fig desintegrarse.

disinterested [ˌdɪsˈɪntrəstɪd] adj - **1.** [objective] desinteresado(da) - **2.** inf [uninterested]: **disinterested (in)** indiferente (a).

disjointed [dɪsˈdʒɔɪntɪd] adj deslabazado(da).

disk [dɪsk] n - **1.** COMPUT disco m; [diskette] disquete m - **2.** US = **disc**.

disk drive n COMPUT disquetera f, unidad f de disco.

diskette [dɪskˈet] n disquete m.

dislike [dɪsˈlaɪk] ◇ n - **1.** [feeling]: **dislike (for)** [things] aversión f (a); [people] antipatía f (por); **to take a dislike to** cogerle manía a - **2.** [thing not liked]: **her likes and dislikes** las cosas que le gustan y las que no le gustan. ◇ vt: **I dislike her** no me gusta; **I dislike them** no me gustan.

dislocate [ˈdɪsləkeɪt] vt MED dislocar; **to dislocate one's shoulder** dislocarse el hombro.

dislodge [dɪsˈlɒdʒ] vt: **to dislodge sthg/sb (from)** sacar algo/a alguien (de).

disloyal [ˌdɪsˈlɔɪəl] adj: **disloyal (to)** desleal (a).

dismal [ˈdɪzml] adj - **1.** [weather, future] sombrío(a); [place, atmosphere] deprimente - **2.** [attempt, failure] lamentable.

dismantle [dɪsˈmæntl] vt [machine] desmontar; [organization] desmantelar.

dismay [dɪsˈmeɪ] ◇ n (U) consternación f; **to my/his** etc **dismay** para mi/su etc consternación. ◇ vt consternar.

dismiss [dɪsˈmɪs] vt - **1.** [refuse to take seriously] desechar - **2.** [from job]: **to dismiss sb (from)** despedir a alguien (de) - **3.** [allow to leave]: **to dismiss sb** dar a alguien permiso para irse.

dismissal [dɪsˈmɪsl] n [from job] despido m.

dismount [ˌdɪsˈmaʊnt] vi: **to dismount (from sthg)** desmontar (de algo).

disobedience [ˌdɪsəˈbiːdjəns] n desobediencia f.

disobedient [ˌdɪsəˈbiːdjənt] adj: **disobedient (to)** desobediente (con).

disobey [ˌdɪsəˈbeɪ] vt & vi desobedecer.

disorder [dɪsˈɔːdər] n - **1.** [disarray]: **in disorder** en desorden - **2.** (U) [rioting] disturbios mpl - **3.** MED [physical] afección f, dolencia f; [mental] trastorno m.

disorderly [dɪsˈɔːdəlɪ] adj - **1.** [untidy] desordenado(da) - **2.** [unruly - behaviour] incontrolado(da).

disorganized, -ised [dɪsˈɔːɡənaɪzd] adj desorganizado(da).

disorientated UK [dɪsˈɔːrɪənteɪtɪd], **disoriented** US [dɪsˈɔːrɪəntɪd] adj desorientado(da).

disown [dɪsˈəʊn] vt [gen] renegar de; [statement] no reconocer como propio(pia).

disparaging [dɪ'spærɪdʒɪŋ] *adj* menospreciativo(va).

dispassionate [dɪ'spæʃnət] *adj* desapasionado(da).

dispatch, despatch [dɪ'spætʃ] ◇ *n* - **1.** [message] despacho *m* - **2.** [sending] envío *m*. ◇ *vt* [goods, parcel] expedir; [message, messenger, troops] enviar.

dispel [dɪ'spel] *vt* disipar.

dispensary [dɪ'spensərɪ] *n* dispensario *m*.

dispense [dɪ'spens] *vt* - **1.** [advice] ofrecer; [justice] administrar - **2.** [drugs, medicine] despachar. ◆ **dispense with** *vt insep* prescindir de.

disperse [dɪ'spɜːs] ◇ *vt* dispersar. ◇ *vi* dispersarse.

dispirited [dɪ'spɪrɪtɪd] *adj* desanimado(da).

displace [dɪs'pleɪs] *vt* [supplant] reemplazar, sustituir.

display [dɪ'spleɪ] ◇ *n* - **1.** [arrangement - in shop window] escaparate *m*; [- in museum] exposición *f*; [- on stall, pavement] muestrario *m* - **2.** [demonstration, public event] demostración *f* - **3.** [sporting] exhibición *f* - **4.** COMPUT pantalla *f*. ◇ *vt* - **1.** [arrange] exponer - **2.** [show] demostrar - **3.** [on screen] mostrar.

displease [dɪs'pliːz] *vt* [annoy] disgustar; [anger] enfadar.

displeasure [dɪs'pleʒər] *n* [annoyance] disgusto *m*; [anger] enfado *m*.

disposable [dɪ'spəʊzəbl] *adj* desechable; **disposable income** poder *m* adquisitivo.

disposal [dɪ'spəʊzl] *n* - **1.** [removal] eliminación *f* - **2.** US trituradora *f* de basuras - **3.** [availability]: **to have sthg at one's disposal** disponer de algo.

dispose [dɪ'spəʊz] ◆ **dispose of** *vt insep* [rubbish] deshacerse de; [problem] quitarse de encima OR de en medio.

disposed [dɪ'spəʊzd] *adj* [willing]: **to be disposed to do sthg** estar dispuesto(ta) a hacer algo.

disposition [ˌdɪspə'zɪʃn] *n* [temperament] carácter *m*.

disprove [ˌdɪs'pruːv] *vt* refutar.

dispute [dɪ'spjuːt] ◇ *n* - **1.** [quarrel] disputa *f* - **2.** (U) [disagreement] conflicto *m*, desacuerdo *m*; **in dispute** [people] en desacuerdo; [matter] en litigio, en entredicho - **3.** INDUST conflicto *m* laboral. ◇ *vt* cuestionar.

disqualify [ˌdɪs'kwɒlɪfaɪ] *vt* - **1.** [subj: authority, illness etc]: **to disqualify sb (from doing sthg)** incapacitar a alguien (para hacer algo) - **2.** SPORT descalificar - **3.** UK [from driving] retirar el permiso de conducir a.

disquiet [dɪs'kwaɪət] *n* inquietud *f*.

disregard [ˌdɪsrɪ'gɑːd] ◇ *n*: **disregard (for)** indiferencia *f* (a), despreocupación *f* (por). ◇ *vt* hacer caso omiso de.

disrepair [ˌdɪsrɪ'peər] *n*: **in a state of disrepair** deteriorado(da).

disreputable [dɪs'repjʊtəbl] *adj* [person, company] de mala fama; [behaviour] vergonzante.

disrepute [ˌdɪsrɪ'pjuːt] *n*: **to bring sthg into disrepute** desprestigiar OR desacreditar algo.

disrupt [dɪs'rʌpt] *vt* [meeting] interrumpir; [transport system] trastornar, perturbar; [class] revolucionar, enredar en.

disruption [dɪs'rʌpʃn] *n* [of meeting] interrupción *f*; [of transport system] trastorno *m*.

dissatisfaction ['dɪsˌsætɪs'fækʃn] *n* descontento *m*.

dissatisfied [ˌdɪs'sætɪsfaɪd] *adj*: **dissatisfied (with)** insatisfecho(cha) OR descontento(ta) (con).

dissect [dɪ'sekt] *vt* MED disecar; *fig* [study] analizar minuciosamente.

disseminate [dɪ'semɪneɪt] *vt* difundir.

dissent [dɪ'sent] ◇ *n* [gen] disconformidad *f*, disentimiento *m*; SPORT: **he was booked for dissent** lo amonestaron por protestar. ◇ *vi*: **to dissent (from)** disentir (de).

dissertation [ˌdɪsə'teɪʃn] *n* - **1.** US [doctoral] tesis *f inv* - **2.** UK [lower degree] tesina *f*.

disservice [ˌdɪs'sɜːvɪs] *n*: **to do sb a disservice** hacer un flaco servicio a alguien.

dissident ['dɪsɪdənt] *n* disidente *mf*.

dissimilar [ˌdɪ'sɪmɪlər] *adj*: **dissimilar (to)** distinto(ta) (de).

dissipate ['dɪsɪpeɪt] *vt* - **1.** [heat, fears] disipar - **2.** [efforts, money] desperdiciar.

dissociate [dɪ'səʊʃɪeɪt] *vt* disociar.

dissolute ['dɪsəluːt] *adj* disoluto(ta).

dissolve [dɪ'zɒlv] ◇ *vt* disolver. ◇ *vi* - **1.** [substance] disolverse - **2.** *fig* [disappear] desvanecerse, desaparecer.

dissuade [dɪ'sweɪd] *vt*: **to dissuade sb (from doing sthg)** disuadir a alguien (de hacer algo).

distance ['dɪstəns] *n* distancia *f*; **at a distance** a distancia; **from a distance** desde lejos; **in the distance** a lo lejos.

distance learning *n* enseñanza *f* a distancia.

distant ['dɪstənt] *adj* - **1.** [place, time, relative] lejano(na); **distant from** distante de - **2.** [person, manner] frío(a), distante.

distaste [dɪs'teɪst] *n*: **distaste (for)** desagrado *m* (por).

distasteful [dɪs'teɪstfʊl] *adj* desagradable.

distended [dɪ'stendɪd] *adj* dilatado(da).

distil UK, **distill** US [dɪ'stɪl] *vt* [liquid] destilar.

distillery [dɪˈstɪlərɪ] n destilería f.

distinct [dɪˈstɪŋkt] adj - 1. [different]: **distinct (from)** distinto(ta) (de); **as distinct from** a diferencia de - 2. [clear - improvement] notable, visible; [- possibility] claro(ra).

distinction [dɪˈstɪŋkʃn] n - 1. [difference, excellence] distinción f - 2. [in exam result] sobresaliente m.

distinctive [dɪˈstɪŋktɪv] adj característico(ca), particular.

distinguish [dɪˈstɪŋgwɪʃ] vt [gen]: **to distinguish sthg (from)** distinguir algo (de).

distinguished [dɪˈstɪŋgwɪʃt] adj distinguido(da).

distinguishing [dɪˈstɪŋgwɪʃɪŋ] adj distintivo(va).

distort [dɪˈstɔːt] vt - 1. [shape, face] deformar; [sound] distorsionar - 2. [truth, facts] tergiversar.

distracted [dɪˈstræktɪd] adj ausente.

distraction [dɪˈstrækʃn] n [interruption, diversion] distracción f.

distraught [dɪˈstrɔːt] adj consternado(da).

distress [dɪˈstres] ◇ n - 1. [anxiety] angustia f; [pain] dolor m - 2. [danger, difficulty] peligro m. ◇ vt afligir, apenar.

distressing [dɪˈstresɪŋ] adj angustioso(sa).

distribute [dɪˈstrɪbjuːt] vt distribuir, repartir.

distribution [ˌdɪstrɪˈbjuːʃn] n distribución f.

distributor [dɪˈstrɪbjʊtəʳ] n - 1. COMM distribuidor m, -ra f - 2. AUT delco® m.

district [ˈdɪstrɪkt] n - 1. [area - of country] zona f, región f; [- of town] barrio m - 2. [administrative area] distrito m.

district attorney n US fiscal mf (del distrito).

district council n UK ADMIN ≃ municipio m.

district nurse n UK enfermera encargada de atender a domicilio a los pacientes de una zona.

distrust [dɪsˈtrʌst] ◇ n desconfianza f. ◇ vt desconfiar de.

disturb [dɪˈstɜːb] vt - 1. [interrupt - person] molestar; [- concentration, sleep] perturbar - 2. [upset, worry] inquietar - 3. [alter - surface, arrangement] alterar; [- papers] desordenar.

disturbance [dɪˈstɜːbəns] n - 1. [fight] tumulto m; **there were a number of minor disturbances throughout the night** se produjeron algunos disturbios durante la noche - 2. [interruption] interrupción f - 3. [of mind, emotions] trastorno m.

disturbed [dɪˈstɜːbd] adj - 1. [upset, ill] trastornado(da) - 2. [worried] inquieto(ta).

disturbing [dɪˈstɜːbɪŋ] adj inquietante.

disuse [ˌdɪsˈjuːs] n: **to fall into disuse** [regulation] caer en desuso; [building, mine] verse paulatinamente abandonado(da).

disused [ˌdɪsˈjuːzd] adj abandonado(da).

ditch [dɪtʃ] ◇ n [gen] zanja f; [by road] cuneta f. ◇ vt inf - 1. [end relationship with] romper con - 2. [get rid of] deshacerse de.

dither [ˈdɪðəʳ] vi vacilar.

ditto [ˈdɪtəʊ] adv ídem.

dive [daɪv] ◇ vi (UK pt & pp -d, US pt -d OR dove, pp -d) - 1. [into water - person] zambullirse, tirarse al agua; [- submarine, bird, fish] sumergirse - 2. [with breathing apparatus] bucear - 3. [through air - person] lanzarse; [- plane] caer en picado - 4. [into bag, cupboard]: **to dive into** meter la mano en. ◇ n - 1. [of person - into water] zambullida f - 2. [of submarine] inmersión f - 3. [of person - through air] salto m; SPORT [- by goalkeeper] estirada f; **it was a dive** se ha tirado - 4. [of plane] picado m - 5. inf pej [bar, restaurant] garito m, antro m.

diver [ˈdaɪvəʳ] n [underwater] buceador m, -ra f; [professional] buzo m; [from diving board] saltador m, -ra f (de trampolín).

diverge [daɪˈvɜːdʒ] vi - 1. [gen]: **to diverge (from)** divergir (de) - 2. [disagree] discrepar.

diversify [daɪˈvɜːsɪfaɪ] ◇ vt diversificar. ◇ vi diversificarse.

diversion [daɪˈvɜːʃn] n - 1. [of traffic, river, funds] desvío m - 2. [distraction] distracción f.

diversity [daɪˈvɜːsətɪ] n diversidad f.

divert [daɪˈvɜːt] vt - 1. [traffic, river, funds] desviar - 2. [person, attention] distraer.

divide [dɪˈvaɪd] ◇ vt: **to divide sthg (between OR among)** dividir algo (entre); **to divide sthg into** dividir algo en; **to divide sthg by** dividir algo entre OR por; **divide 3 into 89** divide 89 entre 3. ◇ vi - 1. [river, road, wall] bifurcarse - 2. [group] dividirse.

dividend [ˈdɪvɪdend] n FIN dividendo m; [profit] beneficio m.

divine [dɪˈvaɪn] adj divino(na).

diving [ˈdaɪvɪŋ] (U) n - 1. [into water] salto m - 2. [with breathing apparatus] buceo m.

divingboard [ˈdaɪvɪŋbɔːd] n trampolín m.

divinity [dɪˈvɪnətɪ] n - 1. [godliness, deity] divinidad f - 2. [study] teología f.

division [dɪˈvɪʒn] n - 1. [gen] división f - 2. [of labour, responsibility] reparto m.

divorce [dɪˈvɔːs] ◇ n divorcio m. ◇ vt [husband, wife] divorciarse de. ◇ vi divorciarse.

divorced [dɪˈvɔːst] adj divorciado(da).

divorcee [dɪvɔːˈsiː] n divorciado m, -da f.

divulge [daɪˈvʌldʒ] vt divulgar, revelar.

DIY abbr of **do-it-yourself**.

dizzy ['dɪzɪ] *adj* - 1. [because of illness etc] mareado(da) - 2. [because of heights]: **to feel dizzy** sentir vértigo.

DJ *n abbr of* **disc jockey**.

DNA (*abbr of* **deoxyribonucleic acid**) *n* ADN *m*.

DNS (*abbr of* **Domain Name System**) *n* COMPUT DNS *m*.

do [duː] ◇ *aux vb* (*pt* **did**) - 1. (*in negatives*): **don't leave it there** no lo dejes ahí - 2. (*in questions*): **what did he want?** ¿qué quería?; **do you think she'll come?** ¿crees que vendrá? - 3. (*referring back to previous vb*): **do you think so?** – **yes, I do** ¿tú crees? – sí; **she reads more than I do** lee más que yo; **so do I/they** yo/ellos también - 4. (*in question tags*): **you know her, don't you?** la conoces, ¿no?; **so you think you can dance, do you?** así que te crees que sabes bailar, ¿no? - 5. (*for emphasis*): **I did tell you but you've forgotten** sí que te lo dije, pero te has olvidado; **do come in** ¡pase, por favor! ◇ *vt* (*pt* **did**, *pp* **done**) - 1. (*gen*) hacer; **she does aerobic/gymnastics** hace aeróbic/ gimnasia; **to do the cooking/cleaning** hacer la comida/limpieza; **to do one's hair** peinarse; **to do one's teeth** lavarse los dientes; **what can I do for you?** ¿en qué puedo servirle?; **what can we do?** ¿qué le vamos a hacer? - 2. (*referring to job*): **what do you do?** ¿a qué te dedicas? - 3. [study] hacer; **I did physics at school** hice física en la escuela - 4. [travel at a particular speed] ir a; **the car can do 110 mph** el coche alcanza las 110 millas por hora - 5. [be good enough for]: **will that do you?** ¿te vale eso? ◇ *vi* (*pt* **did**, *pp* **done**) - 1. [perform] hacer; **do as she says** haz lo que te dice; **they're doing really well** les va muy bien; **he could do better** lo podría hacer mejor; **how did you do in the exam?** ¿qué tal te salió el examen? - 2. [be good enough, sufficient] servir, valer; **this kind of behaviour won't do** ese tipo de comportamiento no es aceptable; **that will do (nicely)** con eso vale; **that will do!** [showing annoyance] ¡basta ya! ▶▶▶ **how do you do?** [greeting] ¿cómo está usted?; [answer] mucho gusto. ◇ *n* [party] fiesta *f*. ◆ **dos** *npl* (*pl* **dos** OR **do's**): **dos and don'ts** normas *fpl* básicas. ◆ **do away with** *vt insep* [disease, poverty] acabar con; [law, reforms] suprimir. ◆ **do down** *vt sep inf*: **to do sb down** menospreciar a alguien; **to do o.s. down** menospreciarse. ◆ **do over** *vt sep US* volver a hacer. ◆ **do up** *vt sep* - 1. [fasten - shoelaces, tie] atar; [- coat, buttons] abrochar; **do your shoes up** átate los zapatos; **do your coat up** abróchate el abrigo - 2. [decorate] renovar, redecorar; **to do o.s. up** arreglarse - 3. [wrap up] envolver. ◆ **do with** *vt insep* - 1. [need]: **I could do with a drink/new car** no me vendría

mal una copa/un coche nuevo - 2. [have connection with]: **that has nothing to do with it** eso no tiene nada que ver (con ello). ◆ **do without** ◇ *vt insep* pasar sin; **I can do without your sarcasm** podrías ahorrarte tu sarcasmo. ◇ *vi* apañárselas.

Doberman ['dəʊbəmən] (*pl* **-s**) *n*: **Doberman (pinscher)** dóberman *m*.

docile [*UK* 'dəʊsaɪl, *US* 'dɒsəl] *adj* dócil.

dock [dɒk] ◇ *n* - 1. [in harbour] dársena *f*, muelle *m* - 2. [in court] banquillo *m* (de los acusados). ◇ *vi* [ship] atracar; [spacecraft] acoplarse.

docker ['dɒkər], **dockworker** ['dɒk,wɜːkər] *n* estibador *m*.

docklands ['dɒkləndz] *npl UK* barrio *m* portuario.

dockyard ['dɒkjɑːd] *n* astillero *m*.

doctor ['dɒktər] ◇ *n* - 1. [of medicine] médico *m*, -ca *f*; **to go to the doctor's** ir al médico - 2. [holder of PhD] doctor *m*, -ra *f*. ◇ *vt* - 1. [results, text] amañar - 2. [food, drink] adulterar.

doctorate ['dɒktərət], **doctor's degree** *n* doctorado *m*.

doctrine ['dɒktrɪn] *n* doctrina *f*.

document *n* ['dɒkjʊmənt] [gen & COMPUT] documento *m*.

documentary [,dɒkjʊ'mentərɪ] ◇ *adj* documental. ◇ *n* documental *m*.

dodge [dɒdʒ] ◇ *n inf* [fraud] artimaña *f*. ◇ *vt* esquivar. ◇ *vi* echarse a un lado.

dodgy ['dɒdʒɪ] *adj UK inf* [business, plan] arriesgado(da); [brakes, weather, situation] chungo(ga).

doe [dəʊ] *n* - 1. [female deer] gama *f* - 2. [female rabbit] coneja *f*.

does (*weak form* [dəz], *strong form* [dʌz]) *vb* ➤ **do**.

doesn't ['dʌznt] (*abbr of* **does not**) ➤ **do**.

dog [dɒg] ◇ *n* - 1. [animal] perro *m* - 2. *US* [hot dog] perrito *m* caliente. ◇ *vt* - 1. [subj: person] seguir - 2. [subj: problems, bad luck] perseguir.

dog collar *n* - 1. [of dog] collar *m* de perro - 2. [of priest] alzacuello *m*.

dog-eared [-ɪəd] *adj* manoseado(da).

dogged ['dɒgɪd] *adj* tenaz.

dogsbody ['dɒgz,bɒdɪ] *n UK inf* último mono *m*, burro *m* de carga.

doing ['duːɪŋ] *n*: **this is all your doing** es de tu entera responsabilidad. ◆ **doings** *npl* actividades *fpl*.

do-it-yourself *n* bricolaje *m*.

doldrums ['dɒldrəmz] *npl fig*: **to be in the doldrums** [trade] estar estancado(da); [person] estar abatido(da).

dole [dəʊl] n (subsidio m de) paro m; **to be on the dole** estar parado(da). ◆ **dole out** vt sep distribuir, repartir.

doleful ['dəʊlful] adj lastimero(ra).

doll [dɒl] n [toy] muñeca f.

dollar ['dɒlər] n dólar m.

dolphin ['dɒlfɪn] n delfín m.

domain [də'meɪn] n - **1.** [sphere of interest] campo m, ámbito m - **2.** [land] dominios mpl - **3.** COMPUT dominio m.

dome [dəʊm] n [roof] cúpula f; [ceiling] bóveda f.

domestic [də'mestɪk] ⟨⟩ adj - **1.** [internal - policy, flight] nacional - **2.** [chores, water supply, animal] doméstico(ca) - **3.** [home-loving] hogareño(ña), casero(ra). ⟨⟩ n [servant] criado m, -da f.

domestic appliance n electrodoméstico m.

dominant ['dɒmɪnənt] adj dominante.

dominate ['dɒmɪneɪt] vt dominar.

domineering [ˌdɒmɪ'nɪərɪŋ] adj dominante.

dominion [də'mɪnjən] n - **1.** (U) [power] dominio m - **2.** [land] dominios mpl.

domino ['dɒmɪnəʊ] (pl -es) n dominó m. ◆ **dominoes** npl dominó m.

don [dɒn] n UK UNIV profesor m, -ra f de universidad.

donate [də'neɪt] vt donar.

done [dʌn] ⟨⟩ pp ▷ **do**. ⟨⟩ adj - **1.** [finished] listo(ta) - **2.** [cooked] hecho(cha); **well-done** muy hecho. ⟨⟩ adv [to conclude deal]: **done!** ¡(trato) hecho!

donkey ['dɒŋkɪ] (pl donkeys) n burro m.

donor ['dəʊnər] n donante mf.

donor card n carné m de donante.

don't [dəʊnt] (abbr of do not) ▷ **do**.

donut ['dəʊnʌt] n US [with hole] donut® m.

doodle ['du:dl] vi garabatear.

doom [du:m] n perdición f, fatalidad f.

doomed [du:md] adj [plan, mission] condenado(da) al fracaso.

door [dɔ:r] n - **1.** [gen] puerta f; **to open the door to** fig abrir la puerta a - **2.** [doorway] entrada f.

doorbell ['dɔ:bel] n timbre m (de la puerta).

doorknob ['dɔ:nɒb] n pomo m.

doorman ['dɔ:mən] (pl -men [-mən]) n portero m.

doormat ['dɔ:mæt] n [mat] felpudo m.

doorstep ['dɔ:step] n peldaño m de la puerta.

doorway ['dɔ:weɪ] n entrada f.

dope [dəʊp] ⟨⟩ n inf - **1.** [cannabis] maría f - **2.** [for athlete, horse] estimulante m - **3.** [fool] bobo m, -ba f. ⟨⟩ vt drogar, dopar.

dopey ['dəʊpɪ] (comp -ier, superl -iest) adj inf - **1.** [groggy] atontado(da), grogui - **2.** [stupid] bobo(ba).

dormant ['dɔ:mənt] adj [volcano] inactivo(va).

dormitory ['dɔ:mɪtrɪ] n dormitorio m (colectivo).

Dormobile® ['dɔ:mə,bi:l] n combi m.

DOS [dɒs] (abbr of disk operating system) n DOS m.

dose [dəʊs] n lit & fig dosis f inv.

dosser ['dɒsər] n UK inf gandul m, -la f.

dosshouse ['dɒshaʊs, pl -haʊzɪz] n UK inf pensión f de mala muerte.

dot [dɒt] ⟨⟩ n punto m; **on the dot** en punto. ⟨⟩ vt salpicar.

dotcom ['dɒtkɒm] adj puntocom.

dote [dəʊt] ◆ **dote (up)on** vt insep adorar.

dot-matrix printer n COMPUT impresora f matricial.

double ['dʌbl] ⟨⟩ adj - **1.** [gen] doble - **2.** [repeated] repetido(da); **it's double the price** cuesta el doble; **double three eight two** treinta y tres, ochenta y dos. ⟨⟩ adv - **1.** [twice] el doble; **to cost double** costar el doble - **2.** [in two - fold] en dos; **to bend double** doblarse, agacharse. ⟨⟩ n - **1.** [twice as much] el doble - **2.** [drink] doble m - **3.** [lookalike] doble mf. ⟨⟩ vt doblar. ⟨⟩ vi [increase twofold] doblarse. ◆ **doubles** npl TENNIS dobles mpl.

double-barrelled UK, **double-barreled** US [-'bærəld] adj - **1.** [shotgun] de dos cañones - **2.** [name] con dos apellidos unidos con guión.

double bass [-beɪs] n contrabajo m.

double bed n cama f de matrimonio.

double-breasted [-'brestɪd] adj cruzado(da).

double-check vt & vi verificar dos veces.

double chin n papada f.

double-click ⟨⟩ n COMPUT doble clic m ⟨⟩ vt COMPUT hacer doble clic en. ⟨⟩ vi COMPUT hacer doble clic.

double cream n nata f enriquecida.

double-cross vt traicionar.

double-decker [-'dekər] n autobús m de dos pisos.

double-dutch n UK hum: **it's double-dutch to me** me suena a chino.

double-glazing [-'gleɪzɪŋ] n doble acristalamiento m.

double room n habitación f doble.

double vision n visión f doble.

doubly ['dʌblɪ] adv doblemente.

doubt [daʊt] ⟨⟩ n duda f; **there is no doubt that** no hay OR cabe duda de que; **without (a) doubt** sin duda (alguna); **to be in doubt about sthg** estar dudando acerca de algo; **te**

cast doubt on poner en duda; **no doubt** sin duda. <> vt - **1.** [not trust] dudar de - **2.** [consider unlikely] dudar; **I doubt it** lo dudo; **to doubt whether** OR **if** dudar que.

doubtful ['daʊtfʊl] adj - **1.** [gen] dudoso(sa) - **2.** [unsure] incierto(ta); **to be doubtful about** OR **of** tener dudas acerca de.

doubtless ['daʊtlɪs] adv sin duda.

dough [dəʊ] n (U) - **1.** [for baking] masa f, pasta f - **2.** v inf [money] pasta f.

doughnut ['dəʊnʌt] n [without hole] buñuelo m; [with hole] donut® m.

douse [daʊs] vt - **1.** [put out] apagar - **2.** [drench] mojar, empapar.

dove[1] [dʌv] n paloma f.

dove[2] [dəʊv] US pt ▷ **dive**.

dovetail ['dʌvteɪl] vt & vi encajar.

dowdy ['daʊdɪ] adj poco elegante.

down [daʊn] <> adv - **1.** [downwards] (hacia) abajo; **to fall down** caer; **to bend down** agacharse; **down here/there** aquí/allí abajo - **2.** [along]: **I'm going down the pub** voy a acercarme al pub - **3.** [southwards] hacia el sur; **we're going down to Brighton** vamos a bajar a Brighton - **4.** [lower in amount]: **prices are coming down** los precios van bajando - **5.** [including]: **down to the last detail** hasta el último detalle - **6.** [as deposit]: **to pay £5 down** pagar 5 libras ahora (y el resto después). <> prep - **1.** [downwards]: **they ran down the hill** corrieron cuesta abajo; **he walked down the stairs** bajó la escalera; **rain poured down the window** la lluvia resbalaba por la ventana - **2.** [along]: **she was walking down the street** iba andando por la calle. <> adj - **1.** [depressed] deprimido(da) - **2.** [not in operation]: **the computer is down again** el ordenador se ha estropeado otra vez. <> n [feathers] plumón m; [hair] pelusa f, vello m; US [in American football] cada uno de los cuatro intentos de avance que tiene el equipo atacante. <> vt - **1.** [knock over] derribar - **2.** [swallow] beberse de un trago. ➧ **downs** npl UK montes, especialmente los del sur de Inglaterra. ➧ **down with** excl: **down with the King!** ¡abajo el rey!

down-and-out n vagabundo m, -da f.

down-at-heel adj esp UK desastrado(da).

downbeat ['daʊnbiːt] adj inf pesimista.

downcast ['daʊnkɑːst] adj fml [sad] alicaído(da), triste.

downfall ['daʊnfɔːl] n [of person] ruina f; [of regime] caída f.

downhearted [,daʊn'hɑːtɪd] adj desanimado(da).

downhill [,daʊn'hɪl] <> adj cuesta abajo. <> adv - **1.** [downwards] cuesta abajo - **2.** [worse]: **to be going downhill** ir cuesta abajo. <> n [skiing] descenso m.

Downing Street ['daʊnɪŋ-] n calle londinense donde se encuentran las residencias del Primer Ministro y del ministro de Finanzas; por extensión designa al gobierno británico.

down payment n entrada f.

downpour ['daʊnpɔːr] n chaparrón m.

downright ['daʊnraɪt] <> adj patente, manifiesto(ta). <> adv completamente.

downstairs [,daʊn'steəz] <> adj de abajo. <> adv abajo; **to come/go downstairs** bajar (la escalera).

downstream [,daʊn'striːm] adv río OR aguas abajo.

down-to-earth adj realista.

downtown [,daʊn'taʊn] US <> adj del centro (de la ciudad). <> n centro m (urbano). <> adv [live] en el centro; [go] al centro; **he gave me a lift downtown** me llevó OR me dio Amér C, Méx & Perú un aventón al centro.

downturn ['daʊntɜːn] n bajón m.

down under adv en/a Australia o Nueva Zelanda.

downward ['daʊnwəd] <> adj - **1.** [towards the ground] hacia abajo - **2.** [decreasing] descendente. <> adv US = **downwards**.

downwards ['daʊnwədz], **downward** adv [gen] hacia abajo; **face downwards** boca abajo.

dowry ['daʊərɪ] n dote f.

doze [dəʊz] <> n sueñecito m; **to have a doze** echar una cabezada. <> vi dormitar. ➧ **doze off** vi quedarse adormilado(da).

dozen ['dʌzn] <> num adj: **a dozen eggs** una docena de huevos. <> n docena f; **50p a dozen** 50 peniques la docena. ➧ **dozens** npl inf: **dozens of** montones mpl de.

dozy ['dəʊzɪ] adj - **1.** [sleepy] soñoliento(ta), amodorrado(da) - **2.** UK inf [stupid] tonto(ta).

Dr. - 1. (abbr of **Doctor**) Dr - **2.** (abbr of **Drive**) ≃ c/.

drab [dræb] adj [colour] apagado(da); [building, clothes] soso(sa); [lives] monótono(na).

draft [drɑːft] <> n - **1.** [early version] borrador m - **2.** [money order] letra f de cambio, giro m - **3.** US MIL: **the draft** la llamada a filas - **4.** US = **draught**. <> vt - **1.** [write] redactar, hacer un borrador de - **2.** US MIL llamar a filas - **3.** [transfer - staff etc] transferir.

draftsman US = **draughtsman**.

drafty US = **draughty**.

drag [dræg] <> vt - **1.** [gen & COMPUT] arrastrar; **to drag and drop sthg** arrastrar y soltar algo - **2.** [lake, river] dragar. <> vi - **1.** [dress, coat] arrastrarse - **2.** [time, play] ir muy despacio. <> n inf - **1.** [bore - thing] rollo m; [- person] pesado m, -da f - **2.** [on cigarette] calada f - **3.** [cross-dressing]: **in drag** vestido de mujer. ➧ **drag on** vi ser interminable.

dragon ['drægən] n - **1.** [beast] dragón m - **2.** inf [woman] bruja f.

dragonfly ['drægənflaɪ] n libélula f.

drain [dreɪn] <> n [for water] desagüe m; [for sewage] alcantarilla f; [grating] sumidero m. <> vt - **1.** [marsh, field] drenar; [vegetables] escurrir - **2.** [energy, resources] agotar - **3.** [drink, glass] apurar. <> vi - **1.** [dishes] escurrirse - **2.** [colour, blood, tension] desaparecer poco a poco.

drainage ['dreɪnɪdʒ] n - **1.** [pipes, ditches] alcantarillado m - **2.** [of land] drenaje m.

draining board UK ['dreɪnɪŋ-], **drainboard** US ['dreɪnbɔːrd] n escurridero m.

drainpipe ['dreɪnpaɪp] n tubo m de desagüe.

dram [dræm] n chupito m.

drama ['drɑːmə] n - **1.** [gen] drama m - **2.** [subject] teatro m - **3.** [excitement] dramatismo m.

dramatic [drə'mætɪk] adj - **1.** [concerned with theatre] dramático(ca) - **2.** [gesture, escape, improvement] espectacular.

dramatist ['dræmətɪst] n dramaturgo m, -ga f.

dramatize, -ise ['dræmətaɪz] vt - **1.** [rewrite as play] adaptar - **2.** pej [make exciting] dramatizar.

drank [dræŋk] pt ⊳ **drink**.

drape [dreɪp] vt: to drape sthg over sthg cubrir algo con algo; **draped with** OR **in** cubierto con. ◆ **drapes** npl US cortinas fpl.

draper ['dreɪpər] n pañero m, -ra f.

drastic ['dræstɪk] adj [extreme, urgent, noticeable] drástico(ca).

draught UK, **draft** US [drɑːft] n - **1.** [air current] corriente f de aire - **2.** [beer]: **on draught** de barril. ◆ **draughts** n UK (U) damas fpl.

draught beer n UK cerveza f de barril.

draughtboard ['drɑːftbɔːd] n UK tablero m de damas.

draughtsman UK, **draftsman** US ['drɑːftsmən] (pl -men [-mən]) n delineante mf.

draughty UK, **drafty** US ['drɑːftɪ] adj que tiene corrientes de aire; **it's draughty** hay corriente.

draw [drɔː] <> vt (pt drew, pp drawn) - **1.** [sketch] dibujar; [line, circle] trazar; [a picture] hacer - **2.** [pull - cart etc] tirar de; **she drew the comb through her hair** se pasó el peine por el pelo - **3.** [curtains - open] descorrer; [- close] correr - **4.** [gun, sword] sacar - **5.** [pension, benefit] percibir - **6.** [cheque] librar - **7.** [conclusion] sacar, llegar a - **8.** [distinction, comparison] establecer - **9.** [attract - criticism, praise, person] atraer; **to be** OR **feel drawn to** sentirse atraído(da) a OR por. <> vi (pt drew, pp drawn) - **1.** [sketch] dibujar - **2.** [move] moverse; **to draw away** alejarse; **to draw closer** acercarse; **to draw to an**

end OR **a close** llegar a su fin - **3.** SPORT: **to draw (with)** empatar (con). <> n - **1.** SPORT empate m - **2.** [lottery] sorteo m. ◆ **draw out** vt sep - **1.** [encourage to talk] hacer hablar - **2.** [prolong] prolongar - **3.** [money] sacar. ◆ **draw up** <> vt sep [draft] preparar, redactar. <> vi [stop] pararse.

drawback ['drɔːbæk] n inconveniente m, desventaja f.

drawbridge ['drɔːbrɪdʒ] n puente m levadizo.

drawer [drɔːr] n [in desk, chest] cajón m.

drawing ['drɔːɪŋ] n dibujo m.

drawing board n tablero m de delineante.

drawing pin n UK chincheta f.

drawing room n salón m.

drawl [drɔːl] n manera lenta y poco clara de hablar, alargando las vocales.

drawn [drɔːn] pp ⊳ **draw**.

dread [dred] <> n pavor m. <> vt: **to dread (doing sthg)** temer (hacer algo).

dreadful ['dredfʊl] adj - **1.** [very unpleasant - pain, weather] terrible - **2.** [poor - play, English] horrible, fatal - **3.** [for emphasis - waste, bore] espantoso(sa).

dreadfully ['dredfʊlɪ] adv terriblemente.

dream [driːm] <> n lit & fig sueño m; **bad dream** pesadilla f. <> adj ideal. <> vt (pt & pp -ed OR dreamt): **to dream (that)** soñar que; **I never dreamt this would happen** jamás creí OR imaginé que esto pudiera suceder. <> vi (pt & pp -ed OR dreamt) lit & fig: **to dream of doing sthg** soñar con hacer algo; **to dream (of** OR **about)** soñar (con); **I wouldn't dream of it** ¡ni hablar!, ¡de ninguna manera! ◆ **dream up** vt sep inventar, idear.

dreamt [dremt] pp ⊳ **dream**.

dreamy ['driːmɪ] adj - **1.** [distracted] soñador(ra) - **2.** [peaceful, dreamlike] de ensueño.

dreary ['drɪərɪ] adj - **1.** [weather, day] triste - **2.** [job, life] monótono(na); [persona] gris.

dredge [dredʒ] vt dragar. ◆ **dredge up** vt sep - **1.** [with dredger] sacar del agua (al dragar) - **2.** fig [from past] sacar a relucir.

dregs [dregz] npl - **1.** [of liquid] posos mpl - **2.** fig [of society] escoria f.

drench [drentʃ] vt empapar; **drenched to the skin** calado(da) hasta los huesos; **to be drenched in** OR **with** estar empapado(da) en.

dress [dres] <> n - **1.** [woman's garment] vestido m - **2.** (U) [clothing] traje m. <> vt - **1.** [clothe] vestir; **to be dressed in** ir vestido(da) de; **to be dressed** estar vestido(da); **to get dressed** vestirse - **2.** [bandage] venda - **3.** CULIN aliñar. <> vi - **1.** [put on clothing] vestirse - **2.** [wear clothes] vestir; **to dress well badly** vestir bien/mal.

dress circle n palco m de platea.

dresser ['dresər] *n* - **1.** [for dishes] aparador *m* - **2.** *US* [chest of drawers] cómoda *f*.

dressing ['dresɪŋ] *n* - **1.** [bandage] vendaje *m* - **2.** [for salad] aliño *m* - **3.** *US* [for turkey etc] relleno *m*.

dressing gown *n* bata *f*.

dressing room *n* THEAT camerino *m*; SPORT vestuario *m*.

dressing table *n* tocador *m*.

dressmaker ['dres,meɪkər] *n* costurero *m*, -ra *f*, modisto *m*, -ta *f*.

dressmaking ['dres,meɪkɪŋ] *n* costura *f*.

dress rehearsal *n* ensayo *m* general.

dressy ['dresɪ] *adj* elegante.

drew [dru:] *pt* ▷ **draw**.

dribble ['drɪbl] ◇ *n* - **1.** [saliva] baba *f* - **2.** [trickle] hilo *m*. ◇ *vt* SPORT [ball] regatear. ◇ *vi* - **1.** [drool] babear - **2.** [spill] gotear, caer gota a gota.

dried [draɪd] *adj* [gen] seco(ca); [milk, eggs] en polvo.

drier ['draɪər] = **dryer**.

drift [drɪft] ◇ *n* - **1.** [trend, movement] movimiento *m*, tendencia *f*; [of current] flujo *m* - **2.** [meaning] sentido *m* - **3.** [mass - of snow] ventisquero *m*; [- of sand, leaves] montículo *m*. ◇ *vi* - **1.** [boat] ir a la deriva - **2.** [snow, sand, leaves] amontonarse.

driftwood ['drɪftwʊd] *n* madera *f* de deriva.

drill [drɪl] ◇ *n* - **1.** [tool - gen] taladro *m*; [- bit] broca *f*; [- dentist's] fresa *f*; [- in mine, oilfield] perforadora *f* - **2.** [exercise - for fire, battle] simulacro *m*. ◇ *vt* - **1.** [tooth, wood, oil well] perforar - **2.** [instruct - people, pupils] adiestrar, entrenar; [- soldiers] instruir; **to drill sthg into sb** inculcar algo en alguien. ◇ *vi*: **to drill into/ for** perforar en/en busca de.

drink [drɪŋk] ◇ *n* - **1.** [gen] bebida *f*; **a drink of water** un trago de agua - **2.** [alcoholic beverage] copa *f*; **would you like a drink?** ¿quieres tomar algo (de beber)?; **to have a drink** tomar algo, tomar una copa. ◇ *vt* (*pt* **drank**, *pp* **drunk**) beber. ◇ *vi* (*pt* **drank**, *pp* **drunk**) beber; **to drink to sb/sb's success** beber a la salud de alguien/por el éxito de alguien.

drink-driving *UK*, **drunk-driving** *US n* conducción *f* en estado de embriaguez.

drinker ['drɪŋkər] *n* - **1.** [of alcohol] bebedor *m*, -ra *f* - **2.** [of tea, coffee]: **tea/coffee drinker** persona que bebe té/café.

drinking water ['drɪŋkɪŋ-] *n* agua *f* potable.

drip [drɪp] ◇ *n* - **1.** [drop] gota *f*; [drops] goteo *m* - **2.** MED gota a gota *m inv*. ◇ *vi* [liquid, tap, nose] gotear.

drip-dry *adj* de lava y pon.

drive [draɪv] ◇ *n* - **1.** [outing] paseo *m* (en coche); **to go for a drive** ir a dar una vuelta en coche - **2.** [journey] viaje *m* (en coche) - **3.** [urge]

instinto *m* - **4.** [campaign] campaña *f* - **5.** [energy] vigor *m*, energía *f* - **6.** [road to house] camino *m* (de entrada) - **7.** [street] calle *f* - **8.** [in golf, tennis] drive *m* - **9.** COMPUT unidad *f* de disco. ◇ *vt* (*pt* **drove**, *pp* **driven**) - **1.** [vehicle] conducir, manejar *Amér* - **2.** [passenger] llevar (en coche) - **3.** [fuel, power] impulsar - **4.** [force to move - gen] arrastrar; [- cattle] arrear; **it drove people from their homes** obligó a la gente a abandonar sus hogares - **5.** [motivate] motivar - **6.** [force]: **to drive sb to do sthg** inducir OR llevar a alguien a hacer algo; **to drive sb to despair** hacer desesperar a alguien; **to drive sb mad** OR **crazy** volver loco a alguien - **7.** [hammer] clavar. ◇ *vi* (*pt* **drove**, *pp* **driven**) AUT conducir, manejar *Amér*; **I don't drive** no sé conducir; **I drove there** fui en coche.

drive-by *n* (*pl* **drive-bys**) *tiroteo* OR *asesinato desde un vehículo*.

drivel ['drɪvl] *n* (U) *inf* tonterías *fpl*.

driven ['drɪvn] *pp* ▷ **drive**.

driver ['draɪvər] *n* [gen] conductor *m*, -ra *f*; RAIL maquinista *mf*; [of racing car] piloto *mf*.

driver's license *US* = **driving licence**.

drive shaft *n* (eje *m* de) transmisión *f*.

driveway ['draɪvweɪ] *n* camino *m* (de entrada).

driving ['draɪvɪŋ] ◇ *adj* [rain] torrencial; [wind] huracanado(da). ◇ *n* (U) conducción *f*, el conducir.

driving instructor *n* profesor *m*, -ra *f* de autoescuela.

driving lesson *n* clase *f* de conducir OR conducción.

driving licence *UK*, **driver's license** *US n* carné *m* OR permiso *m* de conducir.

driving mirror *n* retrovisor *m*.

driving school *n* autoescuela *f*.

driving test *n* examen *m* de conducir.

drizzle ['drɪzl] ◇ *n* llovizna *f*. ◇ *impers vb* lloviznar.

droll [drəʊl] *adj* gracioso(sa).

drone [drəʊn] *n* - **1.** [hum] zumbido *m* - **2.** [bee] zángano *m*.

drool [dru:l] *vi* - **1.** [dribble] babear - **2.** *fig* [admire]: **he was drooling over her** se le caía la baba con ella.

droop [dru:p] *vi* [shoulders] encorvarse; [eyelids] cerrarse; [head] inclinarse; [flower] marchitarse.

drop [drɒp] ◇ *n* - **1.** [of liquid, milk, whisky] gota *f* - **2.** [sweet] pastilla *f* - **3.** [decrease]: **drop (in)** [price] caída *f* (de); [temperature] descenso *m* (de); [demand, income] disminución *f* (en) - **4.** [distance down] caída *f*. ◇ *vt* - **1.** [let fall - gen] dejar caer; [- bomb] lanzar - **2.** [decrease] reducir - **3.** [voice] bajar - **4.** [abandon - subject, course] dejar; [- charges] retirar; [- person, lover]

abandonar; [- player] excluir, no seleccionar
- **5.** [utter - hint, remark] lanzar, soltar - **6.** [write]:
to drop sb a line mandar unas líneas a alguien
- **7.** [let out of car] dejar. ◇ *vi* - **1.** [fall down]
caer; **it dropped onto the ground** se cayó al
suelo; **to drop to one's knees** arrodillarse; **we
walked until we dropped** estuvimos andando
hasta no poder más - **2.** [fall away - ground] ce-
der - **3.** [decrease - temperature, price, voice] ba-
jar; [- attendance, demand, unemployment] dis-
minuir; [- wind] amainar. ◆ **drops** *npl* MED
gotas *fpl*. ◆ **drop in** *vi inf*: **to drop in on** pa-
sarse por casa de. ◆ **drop off** ◇ *vt sep* [per-
son, letter] dejar. ◇ *vi* - **1.** [fall asleep] quedar-
se dormido(da) - **2.** [grow less] bajar. ◆ **drop
out** *vi*: **to drop out (of** OR **from)** [school, college]
dejar de asistir (a); [competition] retirarse (de).

dropout ['drɒpaʊt] *n* [from society] margina-
do *m*, -da *f*; [from university] persona *f* que ha
dejado los estudios.

droppings ['drɒpɪŋz] *npl* excrementos *mpl*
(de animal).

drought [draʊt] *n* sequía *f*.

drove [drəʊv] *pt* ▷ **drive**.

drown [draʊn] ◇ *vt* [kill] ahogar. ◇ *vi* aho-
garse.

drowsy ['draʊzɪ] *adj* [person] somnolien-
to(ta).

drudgery ['drʌdʒərɪ] *n* trabajo pesado y mo-
nótono.

drug [drʌg] ◇ *n* - **1.** [medicine] medicamen-
to *m* - **2.** [narcotic] droga *f*; **to be on** OR **take
drugs** drogarse. ◇ *vt* - **1.** [person] drogar
- **2.** [food, drink] echar droga a.

drug abuse *n* consumo *m* de drogas.

drug addict *n* drogadicto *m*, -ta *f*.

drugstore ['drʌgstɔːr] *n* US farmacia *f* (que
también vende productos de perfumería, cos-
méticos, periódicos etc).

drum [drʌm] ◇ *n* - **1.** [instrument, of ma-
chine] tambor *m*; **drums** batería *f* - **2.** [container,
cylinder] bidón *m*. ◇ *vt* [fingers] tamborilear
con. ◇ *vi* [rain, hoofs] golpetear. ◆ **drum
up** *vt sep* intentar conseguir.

drummer ['drʌmər] *n* [in orchestra] tam-
bor *mf*; [in pop group] batería *mf*.

drumstick ['drʌmstɪk] *n* - **1.** [for drum] pali-
llo *m* - **2.** [food] muslo *m*.

drunk [drʌŋk] ◇ *pp* ▷ **drink**. ◇ *adj* [on
alcohol] borracho(cha); **to get drunk** emborra-
charse; **to be drunk** estar borracho(cha). ◇ *n*
borracho *m*, -cha *f*.

drunkard ['drʌŋkəd] *n* borracho *m*, -cha *f*.

drunk-driving US = **drink-driving**.

drunken ['drʌŋkn] *adj* - **1.** [person] borra-
cho(cha) - **2.** [talk, steps, stupor] de borra-
cho(cha).

drunken driving = **drink-driving**.

dry [draɪ] ◇ *adj* - **1.** [gen] seco(ca) - **2.** [day]
sin lluvia - **3.** [earth, soil] árido(da). ◇ *vt* [gen]
secar; [hands, hair] secarse; **to dry o.s.** secarse;
to dry one's eyes secarse las lágrimas. ◇ *vi*
secarse. ◆ **dry up** ◇ *vt sep* secar. ◇ *vi*
- **1.** [river, well] secarse - **2.** [stop - supply] agotar-
se - **3.** [stop speaking] quedarse en blanco
- **4.** [dry dishes] secar.

dry cleaner *n*: **dry cleaner's (shop)** tintore-
ría *f*.

dryer ['draɪər] *n* [for clothes] secadora *f*.

dry land *n* tierra *f* firme.

dry rot *n* putrefacción *f* de la madera.

dry ski slope *n* pista *f* de esquí artificial.

drysuit ['draɪsuːt] *n* traje *m* de neopreno.

DSS (*abbr of* **Department of Social Security**) *n*
ministerio británico de la seguridad social.

DTI (*abbr of* **Department of Trade and In-
dustry**) *n* ministerio británico de comercio e in-
dustria.

DTP (*abbr of* **desktop publishing**) *n* autoed. *f*.

dual ['djuːəl] *adj* doble.

dual carriageway *n* UK carretera de dos
sentidos y doble vía separados, ≃ autovía *f*.

dubbed [dʌbd] *adj* - **1.** CIN doblado(da)
- **2.** [nicknamed] apodado(da).

dubious ['djuːbjəs] *adj* - **1.** [questionable - per-
son, deal, reasons] sospechoso(sa); [- honour,
distinction] paradójico(ca) - **2.** [uncertain, unde-
cided] dudoso(sa).

Dublin ['dʌblɪn] *n* Dublín.

duchess ['dʌtʃɪs] *n* duquesa *f*.

duck [dʌk] ◇ *n* - **1.** [bird] pato *m*, -ta *f*; **to
take to sthg like a duck to water** encontrarse
en seguida en su salsa con algo - **2.** [food] pa-
to *m*. ◇ *vt* - **1.** [lower] agachar, bajar - **2.** [try
to avoid - duty] esquivar. ◇ *vi* [lower head] aga-
charse.

duckling ['dʌklɪŋ] *n* patito *m*.

duct [dʌkt] *n* conducto *m*.

dud [dʌd] ◇ *adj* [gen] falso(sa); [mine] que
no estalla; [cheque] sin fondos. ◇ *n* persona
o cosa inútil.

dude [djuːd] *n* US inf [man] tipo *m*, tío *m* Esp;
[term of address] colega *m* Esp, tío *m* Esp, ma-
no *m* Andes, Amér C & Méx, flaco *m* R Plata.

due [djuː] ◇ *adj* - **1.** [expected] esperado(da);
it's due out in May saldrá en mayo; **she's due
back soon** volverá dentro de poco; **the train's
due in half an hour** el tren debe llegar den-
tro de media hora - **2.** [appropriate] debido(da);
with all due respect sin ganas de ofender; **in
due course** [at appropriate time] a su debido
tiempo; [eventually] al final - **3.** [owed, owing]
pagadero(ra); **I'm due a bit of luck** ya sería ho-
ra que tuviera un poco de suerte; **to be due to**
deberse a. ◇ *n* [deserts]: **to give sb their due**

hacer justicia a alguien. $\diamond$ *adv*: **due north/south** derecho hacia el norte/sur. $\Leftarrow$ **dues** *npl* cuota *f*. $\Leftarrow$ **due to** *prep* debido a.

duel ['dju:əl] *n* duelo *m*.

duet [dju:'et] *n* dúo *m*.

duffel bag, duffle bag ['dʌfl-] *n* morral *m*.

duffel coat, duffle coat ['dʌfl-] *n* trenca *f*.

duffle bag ['dʌfl-] = **duffel bag**.

duffle coat ['dʌfl-] = **duffel coat**.

dug [dʌg] *pt* & *pp* $\Longrightarrow$ **dig**.

duke [dju:k] *n* duque *m*.

dull [dʌl] $\diamond$ *adj* **- 1.** [boring] aburrido(da) **- 2.** [listless] torpe **- 3.** [dim] apagado(da) **- 4.** [cloudy] gris, triste **- 5.** [thud, boom, pain] sordo(da). $\diamond$ *vt* [senses] embotar, entorpecer; [pain] aliviar; [pleasure, memory] enturbiar.

duly ['dju:lɪ] *adv* **- 1.** [properly] debidamente **- 2.** [as expected] como era de esperar.

dumb [dʌm] *adj* **- 1.** [unable to speak] mudo(da); **to be struck dumb** quedarse de una pieza **- 2.** *esp US inf* [stupid] estúpido(da).

dummy ['dʌmɪ] $\diamond$ *adj* falso(sa). $\diamond$ *n* **- 1.** [of ventriloquist] muñeco *m*; [in shop window] maniquí *m* **- 2.** [copy] imitación *f* **- 3.** *UK* [for baby] chupete *m* **- 4.** SPORT amago *m* **- 5.** *inf* [idiot] imbécil *mf*.

dump [dʌmp] $\diamond$ *n* **- 1.** [for rubbish] basurero *m*, vertedero *m* **- 2.** [for ammunition] depósito *m* **- 3.** COMPUT volcado *m* de memoria **- 4.** *inf* [ugly place - house] casucha *f*. $\diamond$ *vt* **- 1.** [put down - sand, load] descargar; [- bags, washing] dejar **- 2.** [dispose of] deshacerse de. $\diamond$ *vi* *vulgar* jiñar.

dumper (truck) *UK* ['dʌmpə-], **dump truck** *US* *n* volquete *m*.

dumping ['dʌmpɪŋ] *n* [of rubbish] vertido *m*; **'no dumping'** 'prohibido verter basura'.

dumpling ['dʌmplɪŋ] *n* bola de masa que se guisa al vapor con carne y verduras.

dump truck *US* = **dumper (truck)**.

dumpy ['dʌmpɪ] *adj* *inf* bajito y regordete (bajita y regordeta).

dunce [dʌns] *n* zoquete *mf*.

dune [dju:n] *n* duna *f*.

dung [dʌŋ] *n* [of animal] excremento *m*; [used as manure] estiércol *m*.

dungarees [,dʌŋgə'ri:z] *npl* *UK* [for work] mono *m*, overol *m* *Amér*; [fashion garment] pantalones *mpl* de peto, mameluco *m*.

dungeon ['dʌndʒən] *n* calabozo *m*.

duo ['dju:əu] *n* dúo *m*.

dupe [dju:p] $\diamond$ *n* primo *m*, -ma *f*, inocente *mf*. $\diamond$ *vt*: **to dupe sb (into doing sthg)** embaucar a alguien (para que haga algo).

duplex ['dju:pleks] *n* *US* **- 1.** [apartment] dúplex *m* **- 2.** [house] casa *f* adosada.

duplicate $\diamond$ *adj* ['dju:plɪkət] duplicado(da). $\diamond$ *n* ['dju:plɪkət] copia *f*, duplicado *m*; **in duplicate** por duplicado. $\diamond$ *vt* ['dju:plɪkeɪt] [copy] duplicar.

durable ['djuərəbl] *adj* duradero(ra).

duration [dju'reɪʃn] *n* duración *f*; **for the duration of** durante.

duress [dju'res] *n*: **under duress** bajo coacción.

Durex® ['djuəreks] *n* [condom] preservativo *m*, condón *m*.

during ['djuərɪŋ] *prep* durante.

dusk [dʌsk] *n* crepúsculo *m*, anochecer *m*.

dust [dʌst] $\diamond$ *n* polvo *m*; **to gather dust** [get dusty] cubrirse de polvo; *fig* [be ignored] quedar arrinconado(da). $\diamond$ *vt* **- 1.** [clean] quitar el polvo a, limpiar **- 2.** [cover with powder]: **to dust sthg (with)** espolvorear algo (con).

dustbin ['dʌstbɪn] *n* *UK* cubo *m* de la basura.

dustcart ['dʌstkɑːt] *n* *UK* camión *m* de la basura.

dustcloth ['dʌstklɒθ] *n* *US* trapo *m* del polvo.

duster ['dʌstər] *n* [cloth] bayeta *f*, trapo *m* (del polvo).

dust jacket, dust cover *n* sobrecubierta *f*.

dustman ['dʌstmən] (*pl* **-men** [-mən]) *n* *UK* basurero *m*.

dustpan ['dʌstpæn] *n* recogedor *m*.

dusty ['dʌstɪ] *adj* [covered in dust] polvoriento(ta).

Dutch [dʌtʃ] $\diamond$ *adj* holandés(esa). $\diamond$ *n* [language] holandés *m*. $\diamond$ *npl*: **the Dutch** los holandeses.

Dutch elm disease *n* hongo que ataca los olmos.

dutiful ['dju:tɪful] *adj* obediente, sumiso(sa).

duty ['dju:tɪ] *n* **- 1.** (U) [moral, legal responsibility] deber *m*; **to do one's duty** cumplir con su deber **- 2.** [work] servicio *m* **- 3.** [tax] impuesto *m*. $\Leftarrow$ **duties** *npl* tareas *fpl*.

duty-free $\diamond$ *adj* libre de impuestos. $\diamond$ *n* (U) *inf* artículos *mpl* libres de impuestos.

duvet ['du:veɪ] *n* *UK* edredón *m*.

duvet cover *n* *UK* funda *f* del edredón.

DVD (*abbr of* Digital Versatile Disk) *n* DVD *m*.

DVD player *n* reproductor *m* de DVD.

DVD recorder *n* grabador *m* de DVD.

DVD ROM (*abbr of* Digital Versatile Disk read only memory) *n* DVD ROM *m*.

dwarf [dwɔːf] $\diamond$ *n* (*pl* **-s** OR **dwarves** [dwɔːvz]) enano *m*, -na *f*. $\diamond$ *vt* achicar, empequeñecer.

dwell [dwel] *vi* (*pt* & *pp* **-ed** OR **dwelt**) *liter* morar, habitar. $\Leftarrow$ **dwell on** *vt insep* darle vueltas a.

dwelling ['dwelɪŋ] *n liter* morada *f*.

dwelt [dwelt] *pt & pp* ▷ **dwell**.

dwindle ['dwɪndl] *vi* ir disminuyendo.

dye [daɪ] ⬦ *n* tinte *m*. ⬦ *vt* teñir; **to dye one's hair** teñirse el pelo.

dying ['daɪɪŋ] ⬦ *cont* ▷ **die**. ⬦ *adj* - **1.** [person, animal] moribundo(da) - **2.** [activity, practice] en vías de desaparición.

dyke [daɪk] = **dike**.

dynamic [daɪ'næmɪk] *adj* dinámico(ca).

dynamite ['daɪnəmaɪt] *n lit & fig* dinamita *f*.

dynamo ['daɪnəməʊ] (*pl* **-s**) *n* dinamo *f*.

dynasty [*UK* 'dɪnəstɪ, *US* 'daɪnəstɪ] *n* dinastía *f*.

dysfunctional [dɪs'fʌŋkʃənəl] *adj* disfuncional.

dyslexia [dɪs'leksɪə] *n* dislexia *f*.

dyslexic [dɪs'leksɪk] *adj* disléxico(ca).

E at

e (*pl* **e's** OR **es**), **E** (*pl* **E's** OR **Es**) [i:] *n* [letter] e *f*, E *f*. ⬥ **E** *n* - **1.** MUS mi *m* - **2.** SCH [mark] ≃ suspenso *m* - **3.** (*abbr of* **east**) E *m* - **4.** *inf* [drug] (*abbr of* **ecstasy**) éxtasis *m inv*.

each [i:tʃ] ⬦ *adj* cada. ⬦ *pron* cada uno *m*, una *f*; **one each** uno cada uno; **each of us/the boys** cada uno de nosotros/los niños; **two of each** dos de cada (uno); **each other** el uno al otro; **they kissed each other** se besaron; **we know each other** nos conocemos.

e-account *n* cuenta *f* electrónica.

eager ['i:gər] *adj* [pupil] entusiasta; [smile, expression] de entusiasmo; **to be eager for sthg/ to do sthg** estar ansioso(sa) por algo/por hacer algo.

eagle ['i:gl] *n* águila *f*.

ear [ɪər] *n* - **1.** [outer part] oreja *f*; [inner part] oído *m*; **to have** OR **keep one's ear to the ground** *inf* mantenerse al corriente - **2.** [of corn] espiga *f*.

earache ['ɪəreɪk] *n* dolor *m* de oídos.

eardrum ['ɪədrʌm] *n* tímpano *m*.

earl [ɜ:l] *n* conde *m*.

earlier ['ɜ:lɪər] ⬦ *adj* anterior. ⬦ *adv* antes; **earlier on** antes.

earliest ['ɜ:lɪəst] ⬦ *adj* primero(ra). ⬦ *n*: **at the earliest** como muy pronto.

earlobe ['ɪələʊb] *n* lóbulo *m* (de la oreja).

early ['ɜ:lɪ] ⬦ *adj* - **1.** [before expected time, in day] temprano(na); **she was early** llegó temprano; **I'll take an early lunch** almorzaré pronto OR temprano; **to get up early** madrugar - **2.** [at beginning]: **early morning** la madrugada; **in the early 1950s** a principios de los años 50. ⬦ *adv* - **1.** [before expected time] temprano, pronto; **we got up early** nos levantamos temprano; **it arrived ten minutes early** llegó con diez minutos de adelanto - **2.** [at beginning]: **as early as 1920** ya en 1920; **early this morning** esta mañana temprano; **early in the year** a principios de año; **early on** temprano.

early retirement *n* prejubilación *f*, jubilación *f* anticipada.

earmark ['ɪəmɑ:k] *vt*: **to be earmarked for** estar destinado(da) a.

earn [ɜ:n] *vt* - **1.** [be paid] ganar - **2.** [generate - subj: business, product] generar - **3.** *fig* [gain - respect, praise] ganarse.

earnest ['ɜ:nɪst] *adj* [gen] serio(ria); [wish] sincero(ra). ⬥ **in earnest** *adv* [seriously] en serio.

earnings ['ɜ:nɪŋz] *npl* [of person] ingresos *mpl*; [of company] ganancias *fpl*.

earphones ['ɪəfəʊnz] *npl* auriculares *mpl*.

earplugs ['ɪəplʌgz] *npl* tapones *mpl* para los oídos.

earring ['ɪərɪŋ] *n* pendiente *m*, arete *m* *Amér*.

earshot ['ɪəʃɒt] *n*: **within/out of earshot** al alcance/fuera del alcance del oído.

earth [ɜ:θ] ⬦ *n* - **1.** [gen] tierra *f*; **to cost the earth** *UK* costar un dineral - **2.** [in electric plug, appliance] toma *f* de tierra. ⬦ *vt* *UK*: **to be earthed** estar conectado(da) a tierra.

earthenware ['ɜ:θnweər] *n* loza *f*.

earthquake ['ɜ:θkweɪk] *n* terremoto *m*.

earthworm ['ɜ:θwɜ:m] *n* lombriz *f* (de tierra).

earthy ['ɜ:θɪ] *adj* - **1.** [rather crude] natural, desinhibido(da) - **2.** [of, like earth] terroso(sa).

earwig ['ɪəwɪg] *n* tijereta *f*.

ease [i:z] ⬦ *n* (*U*) - **1.** [lack of difficulty] facilidad *f*; **with ease** con facilidad - **2.** [comfort] comodidad *f*; **at ease** cómodo(da); **ill at ease** incómodo(da). ⬦ *vt* - **1.** [pain, grief] calmar, aliviar; [problems, tension] atenuar - **2.** [move carefully]: **to ease sthg open** abrir algo con cuidado; **to ease o.s. out of sthg** levantarse despacio de algo. ⬦ *vi* [problem] atenuarse; [pain] calmarse; [rain, wind] amainar; [grip] relajarse.

⬥ **ease off** *vi* [problem] atenuarse; [pain] cal-

marse; [rain, wind] amainar. ◆ **ease up** vi - **1.** inf [treat less severely]: **to ease up on sb** no ser tan duro(ra) con alguien - **2.** [rain, wind] amainar - **3.** [relax - person] tomarse las cosas con más calma.

easel ['i:zl] n caballete m.

easily ['i:zɪlɪ] adv - **1.** [without difficulty] fácilmente - **2.** [without doubt] sin lugar a dudas - **3.** [in a relaxed manner] tranquilamente, relajadamente.

east [i:st] <> n - **1.** [direction] este m - **2.** [region]: **the east** el este. <> adj oriental; [wind] del este. <> adv: **east (of)** al este (de). ◆ **East** n: **the East** POL el Este; [Asia] el Oriente.

East End n: **the East End** el este de Londres.

Easter ['i:stər] n - **1.** [period] Semana f Santa - **2.** [festival] Pascua f.

Easter egg n huevo m de Pascua.

easterly ['i:stəlɪ] adj del este.

eastern ['i:stən] adj del este, oriental. ◆ **Eastern** adj [gen & POL] del Este; [from Asia] oriental.

East German <> adj de Alemania Oriental. <> n [person] alemán m, -ana f oriental.

East Germany n: **(the former) East Germany** (la antigua) Alemania Oriental.

eastward ['i:stwəd] <> adj hacia el este. <> adv = **eastwards**.

eastwards ['i:stwədz], **eastward** adv hacia el este.

easy ['i:zɪ] adj - **1.** [not difficult] fácil - **2.** [life, time] cómodo(da) - **3.** [manner] relajado(da).

easy chair n [armchair] sillón m.

easygoing [,i:zɪ'gəʊɪŋ] adj [person] tolerante; [manner] relajado(da).

easy-peasy n inf hum chupado(da).

eat [i:t] (pt **ate**, pp **eaten**) vt & vi comer. ◆ **eat away**, **eat into** vt sep - **1.** [corrode] corroer - **2.** [deplete] mermar.

eaten ['i:tn] pp ▷ **eat**.

eau de cologne [,əʊdəkə'ləʊn] n (agua f de) colonia f.

eaves ['i:vz] npl alero m.

eavesdrop ['i:vzdrɒp] vi: **to eavesdrop (on)** escuchar secretamente (a).

e-banking n banca f electrónica.

ebb [eb] <> n reflujo m. <> vi [tide, sea] bajar.

ebony ['ebənɪ] n ébano m.

e-business n - **1.** [company] empresa f electrónica - **2.** [electronic commerce] comercio m electrónico.

EC (abbr of **European Community**) n CE f.

e-cash n dinero m electrónico.

eccentric [ɪk'sentrɪk] <> adj excéntrico(ca). <> n excéntrico m, -ca f.

echo ['ekəʊ] <> n lit & fig eco m. <> vt [words] repetir; [opinion] hacerse eco de. <> vi resonar.

eclipse [ɪ'klɪps] <> n lit & fig eclipse m; **a total/partial eclipse** un eclipse total/parcial. <> vt fig eclipsar.

eco- ['ekəʊ] (abbr of **ecology** or **ecological**) prefix eco-.

eco-friendly ['i:kəʊ'frendlɪ] adj ecológico(ca).

ecological [,i:kə'lɒdʒɪkl] adj - **1.** [pattern, balance, impact] ecológico(ca) - **2.** [group, movement, person] ecologista.

ecology [ɪ'kɒlədʒɪ] n ecología f.

e-commerce n comercio m electrónico.

economic [,i:kə'nɒmɪk] adj - **1.** [of money, industry] económico(ca) - **2.** [profitable] rentable.

Economic and Monetary Union n Unión f Económica y Monetaria.

economical [,i:kə'nɒmɪkl] adj económico(ca); **to be economical with the truth** no decir toda la verdad.

economics [,i:kə'nɒmɪks] <> n (U) economía f. <> npl [of plan, business] aspecto m económico.

economize, -ise [ɪ'kɒnəmaɪz] vi: **to economize (on)** economizar (en).

economy [ɪ'kɒnəmɪ] n economía f.

economy class n clase f turista.

economy-class syndrome n síndrome m de la clase turista.

ecotax ['i:kəʊtæks] n ecotasa f.

ecotourism [,i:kəʊ'tʊərɪzm] n ecoturismo m.

ecstasy ['ekstəsɪ] n - **1.** [great happiness] éxtasis m inv - **2.** [drug] éxtasis m inv.

ecstatic [ek'stætɪk] adj extático(ca).

Ecuador ['ekwədɔːr] n (el) Ecuador.

Ecuadoran [,ekwə'dɔːrən], **Ecuadorian** [,ekwə'dɔːrɪən] <> adj ecuatoriano(na). <> n ecuatoriano m, -na f.

eczema ['eksɪmə] n eczema m.

Eden ['i:dn] n: **(the Garden of) Eden** (el jardín del) Edén m.

edge [edʒ] <> n - **1.** [of cliff, table, garden] borde m; **to be on the edge of** estar al borde de - **2.** [of coin] canto m; [of knife] filo m. <> vi: **to edge away/closer** ir alejándose/acercándose poco a poco. ◆ **on edge** adj con los nervios de punta.

edgeways ['edʒweɪz], **edgewise** ['edʒwaɪz] adv de lado.

edgy ['edʒɪ] adj nervioso(sa).

edible ['edɪbl] adj comestible.

edict ['i:dɪkt] n edicto m.

Edinburgh ['edɪnbrə] n Edimburgo.

edit ['edɪt] vt - 1. [correct - text] corregir, revisar - 2. COMPUT editar - 3. [select material for - book] editar - 4. CIN, RADIO & TV montar - 5. [run - newspaper, magazine] dirigir.

edition [ɪ'dɪʃn] n edición f.

editor ['edɪtər] n - 1. [of newspaper, magazine] director m, -ra f - 2. [of section of newspaper, programme, text] redactor m, -ra f - 3. [compiler - of book] editor m, -ra f - 4. CIN, RADIO & TV montador m, -ra f - 5. COMPUT editor m.

editorial [ˌedɪ'tɔːrɪəl] <> adj editorial; **editorial staff** redacción f. <> n editorial m.

educate ['edʒʊkeɪt] vt - 1. [at school, college] educar - 2. [inform] informar.

education [ˌedʒʊ'keɪʃn] n (U) - 1. [activity, sector] enseñanza f - 2. [process or result of teaching] educación f.

educational [ˌedʒʊ'keɪʃənl] adj educativo(va); [establishment] docente.

EEC (abbr of European Economic Community) n CEE f.

eel [iːl] n anguila f.

efface [ɪ'feɪs] vt borrar.

effect [ɪ'fekt] <> n efecto m; **to have an effect on** tener OR surtir efecto en; **to do sthg for effect** hacer algo para causar efecto; **to take effect** [law, rule] entrar en vigor; [drug] hacer efecto; **words to that effect** palabras por el estilo. <> vt efectuar, llevar a cabo. ➡ **effects** npl: **(special) effects** efectos mpl especiales.

effective [ɪ'fektɪv] adj - 1. [successful] eficaz - 2. [actual, real] efectivo(va) - 3. [law, ceasefire] operativo(va).

effectively [ɪ'fektɪvlɪ] adv - 1. [well, successfully] eficazmente - 2. [in fact] de hecho.

effectiveness [ɪ'fektɪvnɪs] n eficacia f.

effeminate [ɪ'femɪnət] adj pej afeminado(da).

effervescent [ˌefə'vesənt] adj efervescente.

efficiency [ɪ'fɪʃənsɪ] n [gen] eficiencia f; [of machine] rendimiento m.

efficient [ɪ'fɪʃənt] adj [gen] eficiente; [machine] de buen rendimiento.

effluent ['efluənt] n aguas fpl residuales.

effort ['efət] n - 1. [gen] esfuerzo m; **to be worth the effort** merecer la pena; **to make the effort to do sthg** hacer el esfuerzo de hacer algo; **to make an/no effort to do sthg** hacer un esfuerzo/no hacer ningún esfuerzo por hacer algo - 2. inf [result of trying] tentativa f.

effortless ['efətlɪs] adj sin gran esfuerzo.

effusive [ɪ'fjuːsɪv] adj efusivo(va).

e.g. (abbr of exempli gratia) adv p. ej.

egg [eg] n [gen] huevo m. ➡ **egg on** vt sep incitar.

eggcup ['egkʌp] n huevera f.

eggplant ['egplɑːnt] n US berenjena f.

eggshell ['egʃel] n cáscara f de huevo.

egg white n clara f (de huevo).

egg yolk [-jəʊk] n yema f (de huevo).

ego ['iːgəʊ] (pl -s) n - 1. [opinion of self] amor m propio - 2. [psych] ego m.

egoism ['iːgəʊɪzm] n egoísmo m.

egoistic [ˌiːgəʊ'ɪstɪk] adj egoísta.

egotistic(al) [ˌiːgə'tɪstɪk(l)] adj egotista.

Egypt ['iːdʒɪpt] n Egipto.

Egyptian [ɪ'dʒɪpʃn] <> adj egipcio(cia). <> n [person] egipcio m, -cia f.

eiderdown ['aɪdədaʊn] n esp UK edredón m.

eight [eɪt] num ocho; see also **six**.

eighteen [ˌeɪ'tiːn] num dieciocho; see also **six**.

eighth [eɪtθ] num octavo(va); see also **sixth**.

eighty ['eɪtɪ] num ochenta; see also **sixty**.

Eire ['eərə] n Eire.

either ['aɪðər, 'iːðər] <> adj - 1. [one or the other] cualquiera de los dos; **she couldn't find either jumper** no podía encontrar ninguno de los dos jerseys; **you can do it either way** lo puedes hacer como quieras; **I don't care either way** me da igual - 2. [each] cada; **on either side** a ambos lados. <> pron: **either (of them)** cualquiera de ellos(ellas); **I don't like either (of them)** no me gusta ninguno de ellos (ninguna de ellas). <> adv (in negatives) tampoco; **she can't and I can't either** ella no puede y yo tampoco. <> conj: **either... or** o...; **either you or me** o tú o yo; **I don't like either him or his wife** no me gusta ni él ni su mujer.

eject [ɪ'dʒekt] vt - 1. [object] expulsar - 2. [person]: **to eject sb (from)** expulsar a alguien (de).

eke [iːk] ➡ **eke out** vt sep [money, supply] estirar.

elaborate <> adj [ɪ'læbrət] [ceremony] complicado(da); [carving] trabajado(da); [explanation, plan] detallado(da). <> vi [ɪ'læbəreɪt]: **to elaborate on sthg** ampliar algo, explicar algo con más detalle.

elapse [ɪ'læps] vi transcurrir.

elastic [ɪ'læstɪk] <> adj - 1. [gen] elástico(ca) - 2. fig [flexible] flexible. <> n elástico m.

elasticated [ɪ'læstɪkeɪtɪd] adj elástico(ca).

elastic band n UK gomita f.

elated [ɪ'leɪtɪd] adj eufórico(ca).

elbow ['elbəʊ] n codo m.

elder ['eldər] <> adj mayor. <> n - 1. [older person] mayor mf - 2. [of tribe, church] anciano m - 3.: **elder (tree)** saúco m.

elderly ['eldəlɪ] <> adj mayor, anciano(na). <> npl: **the elderly** los ancianos.

eldest ['eldɪst] adj mayor.

elect [ɪ'lekt] <> adj electo(ta); **the president elect** el presidente electo. <> vt - 1. [by voting]

elegir; **to elect sb (as) sthg** elegir a alguien (como) algo - **2.** *fml* [choose]: **to elect to do sthg** optar por *OR* decidir hacer algo.

election [ɪ'lekʃn] *n* elección *f*.

electioneering [ɪ,lekʃə'nɪərɪŋ] *n pej* electoralismo *m*.

elector [ɪ'lektər] *n* elector *m*, -ra *f*.

electorate [ɪ'lektərət] *n*: **the electorate** el electorado.

electric [ɪ'lektrɪk] *adj* [gen] eléctrico(ca).
◆ **electrics** *npl UK inf* sistema *m* eléctrico.

electrical [ɪ'lektrɪkl] *adj* eléctrico(ca).

electrical shock *US* = **electric shock**.

electric blanket *n* manta *f* eléctrica, frazada *f* eléctrica *Amér*, cobija *f* eléctrica *Amér*.

electric cooker *n* cocina *f* eléctrica.

electric fire *n* estufa *f* eléctrica.

electrician [,ɪlek'trɪʃn] *n* electricista *mf*.

electricity [,ɪlek'trɪsətɪ] *n* electricidad *f*.

electric shock *UK*, **electrical shock** *US n* descarga *f* eléctrica.

electrify [ɪ'lektrɪfaɪ] *vt* - **1.** [rail line] electrificar - **2.** *fig* [excite] electrizar.

electrocute [ɪ'lektrəkju:t] *vt* electrocutar; **to electrocute o.s., to be electrocuted** electrocutarse.

electrolysis [,ɪlek'trɒləsɪs] *n* electrólisis *f inv*.

electron [ɪ'lektrɒn] *n* electrón *m*.

electronic [,ɪlek'trɒnɪk] *adj* electrónico(ca).
◆ **electronics** ◇ *n (U)* [technology] electrónica *f*. ◇ *npl* [equipment] sistema *m* electrónico.

electronic banking *n* banca *f* electrónica.

electronic data processing *n* proceso *m* electrónico de datos.

electronic mail *n* correo *m* electrónico.

electronic mailbox *n* buzón *m* electrónico.

electronic tag *n* brazalete *m* electrónico *(que permite conocer la localización de presos en libertad condicional)*.

electronic tagging *n* sistema electrónico que permite conocer la localización de presos en libertad condicional gracias al brazalete electrónico que están obligados a llevar.

elegant ['elɪgənt] *adj* elegante.

element ['elɪmənt] *n* - **1.** [gen] elemento *m* - **2.** [amount, proportion] toque *m* - **3.** [in heater, kettle] resistencia *f*. ◆ **elements** *npl* - **1.** [basics] elementos *mpl* - **2.** [weather]: **the elements** los elementos.

elementary [,elɪ'mentərɪ] *adj* elemental; **elementary education** enseñanza *f* primaria.

elementary school *n US* escuela *f* primaria.

elephant ['elɪfənt] *(pl elephant OR -s)* *n* elefante *m*.

elevate ['elɪveɪt] *vt*: **to elevate sthg/sb (to** *OR* **into)** elevar algo/a alguien (a la categoría de).

elevator ['elɪveɪtər] *n US* ascensor *m*, elevador *m Méx*.

eleven [ɪ'levn] *num* once *m*; *see also* **six**.

elevenses [ɪ'levnzɪz] *n (U) UK* tentempié *m (que se toma sobre las once de la mañana)*.

eleventh [ɪ'levnθ] *num* undécimo(ma); *see also* **sixth**.

elicit [ɪ'lɪsɪt] *vt fml* - **1.** [response, reaction]: **to elicit sthg (from sb)** provocar algo (en alguien) - **2.** [information]: **to elicit sthg (from sb)** sacar algo (a alguien).

eligible ['elɪdʒəbl] *adj* [suitable, qualified] elegible; **to be eligible for sthg/to do sthg** reunir los requisitos para algo/para hacer algo.

eliminate [ɪ'lɪmɪneɪt] *vt* eliminar; **to be eliminated from sthg** ser eliminado(da) de algo.

elite [ɪ'li:t] ◇ *adj* selecto(ta). ◇ *n* élite *f*.

elitist [ɪ'li:tɪst] *pej adj* elitista.

elk [elk] *(pl elk OR -s)* *n* - **1.** [in Europe] alce *m* - **2.** [in North America] ciervo *m* canadiense.

elm [elm] *n*: **elm (tree)** olmo *m*.

elocution [,elə'kju:ʃn] *n* dicción *f*.

elongated ['i:lɒŋgeɪtɪd] *adj* alargado(da).

elope [ɪ'ləʊp] *vi*: **to elope (with)** fugarse (con).

eloquent ['eləkwənt] *adj* elocuente.

El Salvador [,el'sælvədɔːr] *n* El Salvador.

else [els] *adv*: **anything else?** ¿algo más?; **I don't need anything else** no necesito nada más; **everyone else** todos los demás(todas las demás); **everywhere else** en *OR* a cualquier otra parte; **little else** poco más; **nothing/nobody else** nada/nadie más; **someone/something else** otra persona/cosa; **somewhere else** en *OR* a otro sitio; **who else?** ¿quién si no?; **who else came?** ¿quién más vino?; **what else?** ¿qué más?; **where else?** ¿en *OR* a qué otro sitio? ◆ **or else** *conj* [or if not] si no, de lo contrario.

elsewhere [els'weər] *adv* a *OR* en otro sitio.

elude [ɪ'lu:d] *vt* [gen] escaparse de, eludir a; [blow] esquivar.

elusive [ɪ'lu:sɪv] *adj* [person, success] esquivo(va); [quality] difícil de encontrar.

emaciated [ɪ'meɪʃɪeɪtɪd] *adj* demacrado(da).

e-mail *(abbr of electronic mail) n COMPUT* correo *m* electrónico; **e-mail account** cuenta *f* de correo electrónico; **e-mail address** dirreción *f* electrónica; **e-mail phone** teléfono *m* con correo electrónico.

emanate ['eməneɪt] *fml vi*: **to emanate from** emanar de.

emancipate [ɪ'mænsɪpeɪt] *vt*: **to emancipate sb (from)** emancipar a alguien (de).

embankment [ɪm'bæŋkmənt] n - **1.** RAIL terraplén m - **2.** [of river] dique m.

embark [ɪm'bɑːk] vi embarcar; **to embark on** fig embarcarse en.

embarkation [ˌembɑː'keɪʃn] n [gen] embarque m; [of troops] embarco m.

embarrass [ɪm'bærəs] vt - **1.** [gen] avergonzar; **it embarrasses me** me da vergüenza - **2.** [financially] poner en un aprieto.

embarrassed [ɪm'bærəst] adj [ashamed] avergonzado(da); [uneasy] violento(ta).

embarrassing [ɪm'bærəsɪŋ] adj embarazoso(sa), violento(ta); **how embarrassing!** ¡qué vergüenza!

embarrassment [ɪm'bærəsmənt] n [feeling] vergüenza f, pena f Andes, Amér C & Méx.

embassy ['embəsɪ] n embajada f.

embedded [ɪm'bedɪd] adj [buried & COMPUT]: **embedded (in)** incrustado(da) (en).

embellish [ɪm'belɪʃ] vt: **to embellish sthg (with)** adornar algo (con).

embers ['embəz] npl rescoldos mpl.

embezzle [ɪm'bezl] vt malversar.

embittered [ɪm'bɪtəd] adj amargado(da), resentido(da).

emblem ['embləm] n emblema m.

embody [ɪm'bɒdɪ] vt personificar, encarnar; **to be embodied in sthg** estar plasmado en algo.

embossed [ɪm'bɒst] adj - **1.** [heading, design]: **embossed (on)** [paper] estampado(da) (en); [leather, metal] repujado(da) (en) - **2.** [paper]: **embossed (with)** estampado(da) (con) - **3.** [leather, metal]: **embossed (with)** repujado(da) (con).

embrace [ɪm'breɪs] ⋄ n abrazo m. ⋄ vt - **1.** [hug] abrazar, dar un abrazo a - **2.** fml [convert to] convertirse a - **3.** fml [include] abarcar. ⋄ vi abrazarse.

embroider [ɪm'brɔɪdər] vt - **1.** SEW bordar - **2.** pej [embellish] adornar.

embroidery [ɪm'brɔɪdərɪ] n (U) bordado m.

embroil [ɪm'brɔɪl] vt: **to get/be embroiled (in)** enredarse/estar enredado(da) (en).

embryo ['embrɪəʊ] (pl -s) n embrión m.

emerald ['emərəld] ⋄ adj [colour] esmeralda m inv; **the Emerald Isle** Irlanda. ⋄ n [stone] esmeralda f.

emerge [ɪ'mɜːdʒ] ⋄ vi - **1.** [gen]: **to emerge (from)** salir (de) - **2.** [come into existence, become known] surgir, emerger. ⋄ vt: **it emerged that...** resultó que...

emergence [ɪ'mɜːdʒəns] n surgimiento m, aparición f.

emergency [ɪ'mɜːdʒənsɪ] ⋄ adj [case, exit] de emergencia; [ward, services] de urgencia; [supplies] de reserva; [meeting] extraordinario(ria). ⋄ n emergencia f.

emergency exit n salida f de emergencia.

emergency landing n aterrizaje m forzoso.

emergency services npl servicios mpl de urgencia.

emery board ['emərɪ-] n lima f de uñas.

emigrant ['emɪɡrənt] n emigrante mf.

emigrate ['emɪɡreɪt] vi: **to emigrate (to/from)** emigrar (a/de).

eminent ['emɪnənt] adj eminente.

emission [ɪ'mɪʃn] n emisión f.

emit [ɪ'mɪt] vt [gen] emitir; [smell, smoke] despedir.

emoticon [ɪ'məʊtɪkɒn] n COMPUT emoticono m.

emotion [ɪ'məʊʃn] n emoción f.

emotional [ɪ'məʊʃənl] adj - **1.** [gen] emotivo(va) - **2.** [needs, problems] emocional; **to get emotional** emocionarse.

empathize, -ise ['empəθaɪz] vi: **to empathize (with)** identificarse (con).

emperor ['empərər] n emperador m.

emphasis ['emfəsɪs] (pl -ases [-əsɪːz]) n: **emphasis (on)** énfasis m inv (en); **to lay** OR **place emphasis on** poner énfasis en, hacer hincapié en.

emphasize, -ise ['emfəsaɪz] vt [word, syllable] acentuar; [point, fact, feature] subrayar, hacer hincapié en; **to emphasize that...** subrayar que...

emphatic [ɪm'fætɪk] adj [denial] rotundo(da), categórico(ca); [victory] convincente.

emphatically [ɪm'fætɪklɪ] adv - **1.** [deny] rotundamente, enfáticamente; [win] convincentemente - **2.** [certainly] ciertamente.

empire ['empaɪər] n imperio m.

employ [ɪm'plɔɪ] vt - **1.** [give work to] emplear; **to be employed as** estar empleado(da) de - **2.** fml [use] utilizar, emplear; **to employ sthg as sthg/to do sthg** utilizar algo de algo/ para hacer algo.

employee [ɪm'plɔɪiː] n empleado m, -da f.

employer [ɪm'plɔɪər] n - **1.** [individual] patrono m, -na f, empresario m, -ria f - **2.** [company]: **one of the country's biggest employers** una de las empresas que más trabajadores tiene en el país.

employment [ɪm'plɔɪmənt] n empleo m; **to be in employment** tener trabajo.

employment agency n agencia f de trabajo.

empower [ɪm'paʊər] vt fml: **to be empowered to do sthg** estar autorizado(da) a OR para hacer algo.

empress ['emprɪs] n emperatriz f.

empty ['emptɪ] ⋄ adj - **1.** [gen] vacío(a); [town] desierto(ta) - **2.** pej [words, threat, promise] vano(na). ⋄ vt vaciar. ⋄ vi vaciarse. ⋄ n inf casco m.

empty-handed [-'hændɪd] *adv* con las manos vacías.

EMS (*abbr of* **European Monetary System**) *n* SME *m*.

EMU (*abbr of* **Economic and Monetary Union**) *n* UEM *f*.

emulate ['emjʊleɪt] *vt* emular.

emulsion [ɪ'mʌlʃn] *n*: **emulsion (paint)** pintura *f* al agua.

enable [ɪ'neɪbl] *vt* COMPUT ejecutar.

enact [ɪ'nækt] *vt* - **1.** LAW promulgar - **2.** [act] representar.

enamel [ɪ'næml] *n* - **1.** [gen] esmalte *m* - **2.** [paint] pintura *f* de esmalte.

encampment [ɪn'kæmpmənt] *n* campamento *m*.

encapsulate [ɪn'kæpsjʊleɪt] *vt*: **to encapsulate sthg (in)** sintetizar algo (en).

encase [ɪn'keɪs] *vt*: **encased in** revestido(da) de.

enchanted [ɪn'tʃɑːntɪd] *adj*: **enchanted (by** *OR* **with)** encantado(da) (con).

enchanting [ɪn'tʃɑːntɪŋ] *adj* encantador(ra).

encircle [ɪn'sɜːkl] *vt* rodear.

enclose [ɪn'kləʊz] *vt* - **1.** [surround, contain] rodear; **enclosed by** *OR* **with** rodeado de; **an enclosed space** un espacio cerrado - **2.** [put in envelope] adjuntar; **'please find enclosed...'** 'envío adjunto...'

enclosure [ɪn'kləʊʒəʳ] *n* - **1.** [place] recinto *m* (vallado) - **2.** [in letter] anexo *m*.

encompass [ɪn'kʌmpəs] *vt fml* [include] abarcar.

encore ['ɒŋkɔːʳ] ◇ *n* bis *m*. ◇ *excl* ¡otra!

encounter [ɪn'kaʊntəʳ] ◇ *n* encuentro *m*. ◇ *vt fml* encontrarse con.

encourage [ɪn'kʌrɪdʒ] *vt* - **1.** [give confidence to]: **to encourage sb (to do sthg)** animar a alguien (a hacer algo) - **2.** [foster] fomentar.

encouragement [ɪn'kʌrɪdʒmənt] *n* [confidence boosting] aliento *m*; [fostering] fomento *m*.

encroach [ɪn'krəʊtʃ] *vi*: **to encroach on** *OR* **upon** [rights, territory] usurpar; [privacy, time] invadir.

encrypt [ɪn'krɪpt] *vt* COMPUT encriptar.

encyclop(a)edia [ɪn,saɪklə'piːdjə] *n* enciclopedia *f*.

end [end] ◇ *n* - **1.** [last part, finish] fin *m*, final *m*; **at the end of May/2002** a finales de mayo/2002; **at the end of the week** al final de la semana; **my patience is at an end** se me está agotando la paciencia; **to be at the end of one's tether** *UK OR* **rope** *US* estar hasta la coronilla; **to bring sthg to an end** poner fin a algo; **to come to an end** llegar a su fin; **'the end'** [in films] 'FIN'; **at the end of the day** *fig* a fin de cuentas, al fin y al cabo; **in the end** al final

- **2.** [of two-ended thing] extremo *m*; [of pointed thing] punta *f*; [of stadium] fondo *m*; [of phone line] lado *m*; **end to end** extremo con extremo; **to turn sthg on its end** poner algo boca abajo; **cigarette end** colilla *f* - **3.** *fml* [purpose] fin *m*. ◇ *vt*: **to end sthg (with)** terminar algo (con). ◇ *vi* [finish] acabarse, terminarse.

● **on end** *adv* - **1.** [upright - hair] de punta; [- object] de pie - **2.** [continuously]: **for days on end** durante días y días. ● **end up** *vi* acabar, terminar; **to end up doing sthg** acabar *OR* terminar por hacer algo/haciendo algo; **to end up in** ir a parar a.

endanger [ɪn'deɪndʒəʳ] *vt* poner en peligro.

endearing [ɪn'dɪərɪŋ] *adj* simpático(ca).

endeavour *UK*, **endeavor** *US* [ɪn'devəʳ] *fml* ◇ *n* esfuerzo *m*. ◇ *vt*: **to endeavour to do sthg** procurar hacer algo.

ending ['endɪŋ] *n* final *m*, desenlace *m*.

endive ['endaɪv] *n* - **1.** [curly lettuce] escarola *f* - **2.** [chicory] endibia *f*, achicoria *f*.

endless ['endlɪs] *adj* [gen] interminable; [patience, resources] inagotable.

endorse [ɪn'dɔːs] *vt* - **1.** [approve] apoyar, respaldar - **2.** [cheque] endosar.

endorsement [ɪn'dɔːsmənt] *n* - **1.** [approval] apoyo *m*, respaldo *m* - **2.** *UK* [on driving licence] *nota de sanción que consta en el carné de conducir*.

endoscope ['endəskəʊp] *n* MED endoscopio *m*.

endow [ɪn'daʊ] *vt* - **1.** *fml* [equip]: **to be endowed with** estar dotado(da) de - **2.** [donate money to] donar fondos a.

endurance [ɪn'djʊərəns] *n* resistencia *f*.

endure [ɪn'djʊəʳ] ◇ *vt* soportar, aguantar. ◇ *vi fml* perdurar.

endways ['endweɪz] *adv* - **1.** [not sideways] de frente - **2.** [with ends touching] extremo con extremo.

enemy ['enɪmɪ] *n* enemigo *m*, -ga *f*.

energetic [,enə'dʒetɪk] *adj* - **1.** [lively, physically taxing] enérgico(ca) - **2.** [enthusiastic] activo(va), vigoroso(sa).

energy ['enədʒɪ] *n* energía *f*.

enforce [ɪn'fɔːs] *vt* [law] hacer cumplir, aplicar; [standards] imponer.

enforced [ɪn'fɔːst] *adj* forzoso(sa).

engage [ɪn'geɪdʒ] ◇ *vt* - **1.** [attract] atraer; **to engage sb in conversation** entablar conversación con alguien - **2.** [TECH - clutch] pisar; [- gear] meter - **3.** *fml* [employ] contratar; **to be engaged in** *OR* **on** dedicarse a. ◇ *vi* [be involved]: **to engage in** [gen] dedicarse a; [conversation] entablar.

engaged [ɪn'geɪdʒd] *adj* - **1.** [to be married]: **engaged (to)** prometido(da) (con); **to get en-**

gaged prometerse - 2. [busy, in use] ocupado(da); **engaged in** sthg ocupado en algo - 3. TELEC comunicando.

engaged tone n UK señal f de comunicando.

engagement [in'geidʒmənt] n - 1. [to be married] compromiso m; [period] noviazgo m - 2. [appointment] cita f.

engagement ring n anillo m de compromiso.

engaging [in'geidʒiŋ] adj atractivo(va).

engender [in'dʒendər] vt fml engendrar.

engine ['endʒin] n - 1. [of vehicle] motor m - 2. RAIL locomotora f, máquina f.

engine driver n UK maquinista mf.

engineer [ˌendʒi'niər] ◇ n - 1. [gen] ingeniero m, -ra f - 2. US [engine driver] maquinista mf. ◇ vt - 1. [construct] construir - 2. [contrive] tramar.

engineering [ˌendʒi'niəriŋ] n ingeniería f.

England ['iŋglənd] n Inglaterra.

English ['iŋgliʃ] ◇ adj inglés(esa). ◇ n [language] inglés m. ◇ npl [people]: **the English** los ingleses.

English breakfast n desayuno m inglés.

English Channel n: **the English Channel** el canal de la Mancha.

Englishman ['iŋgliʃmən] (pl -men [-mən]) n inglés m.

Englishwoman ['iŋgliʃˌwʊmən] (pl -women [-ˌwimin]) n inglesa f.

engrave [in'greiv] vt lit & fig: **to engrave** sthg **(on)** grabar algo (en).

engraving [in'greiviŋ] n grabado m.

engrossed [in'grəʊst] adj: **to be engrossed (in)** estar absorto(ta).

engulf [in'gʌlf] vt: **to be engulfed in** [flames etc] verse devorado(da) por; [fear, despair] verse sumido(da) en.

enhance [in'hɑːns] vt [gen] aumentar; [status, position] elevar; [beauty] realzar.

enjoy [in'dʒɔi] vt - 1. [like] disfrutar de; **did you enjoy the film/book?** ¿te gustó la película/ el libro?; **she enjoys reading** le gusta leer; **enjoy your meal!** ¡que aproveche!, ¡buen provecho!; **to enjoy o.s.** pasarlo bien, divertirse - 2. fml [possess] gozar OR disfrutar de.

enjoyable [in'dʒɔiəbl] adj agradable.

enjoyment [in'dʒɔimənt] n [pleasure] placer m.

enlarge [in'lɑːdʒ] vt [gen, PHOT & POL] ampliar.

enlargement [in'lɑːdʒmənt] n [gen, PHOT & POL] ampliación f.

enlighten [in'laitn] vt fml iluminar.

enlightened [in'laitnd] adj amplio(plia) de miras.

enlightenment [in'laitnmənt] n (U) aclaración f. ◆ **Enlightenment** n: **the Enlightenment** la Ilustración.

enlist [in'list] ◇ vt - 1. [person] alistar, reclutar - 2. [support] obtener. ◇ vi MIL: **to enlist (in)** alistarse (en).

enmity ['enməti] n enemistad f.

enormity [i'nɔːməti] n [extent] enormidad f.

enormous [i'nɔːməs] adj enorme.

enough [i'nʌf] ◇ adj bastante, suficiente; **do you have enough glasses?** ¿tienes suficientes vasos? ◇ pron bastante; **is this enough?** ¿basta con eso?; **more than enough** más que suficiente; **to have had enough (of)** [expressing annoyance] estar harto(ta) (de). ◇ adv bastante, suficientemente; **I was stupid enough to believe her** fui lo bastante tonto como para creerla; **he was good enough to lend me his car** fml tuvo la bondad de dejarme su coche; **strangely enough** curiosamente.

enquire [in'kwaiər] vi [ask for information] informarse; **to enquire about** sthg informarse de algo; **to enquire when/how/whether...** preguntar cuándo/cómo/si... ◆ **enquire into** vt insep investigar.

enquiry [in'kwaiəri] n - 1. [question] pregunta f; **'Enquiries'** 'Información' - 2. [investigation] investigación f.

enraged [in'reidʒd] adj enfurecido(da).

enrol UK, **enroll** US [in'rəʊl] ◇ vt matricular. ◇ vi: **to enrol (on)** matricularse (en).

en route [ˌɒn'ruːt] adv: **en route (from/to)** en el camino (de/a).

ensign ['ensain] n - 1. [flag] bandera f - 2. US [sailor] ≈ alférez m de fragata.

ensue [in'sjuː] vi fml seguir; [war] sobrevenir.

ensure [in'ʃʊər] vt: **to ensure (that)** asegurar que.

ENT (abbr of Ear, Nose & Throat) n otorrinolaringología f.

entail [in'teil] vt [involve] conllevar, suponer.

enter ['entər] ◇ vt - 1. [gen] entrar en - 2. [join - profession, parliament] ingresar en; [- university] matricularse en; [- army, navy] alistarse en - 3. [become involved in - politics etc] meterse en; [- race, examination etc] inscribirse en - 4. [register]: **to enter sthg/sb for** sthg inscribir algo/a alguien en algo - 5. [write down] apuntar - 6. [appear in] presentarse OR aparecer en. ◇ vi - 1. [come or go in] entrar - 2. [participate]: **to enter (for)** inscribirse (en algo).
◆ **enter into** vt insep entrar en; [agreement] comprometerse a; [conversation, negotiations] entablar.

enter key n COMPUT tecla f enter.

enterprise ['entəpraiz] n - 1. [project, company] empresa f - 2. [initiative] iniciativa f.

enterprise zone n zona del Reino Unido donde se fomenta la actividad industrial y empresarial.

enterprising ['entəpraiziŋ] adj emprendedor(ra).

entertain [,entə'tein] vt - 1. [amuse] divertir, entretener - 2. [invite] recibir (en casa) - 3. fml [idea, proposal] considerar.

entertainer [,entə'teinər] n artista mf.

entertaining [,entə'teiniŋ] adj divertido(da), entretenido(da).

entertainment [,entə'teinmənt] n - 1. (U) [amusement] diversión f - 2. [show] espectáculo m.

enthral UK, **enthrall** US [in'θrɔ:l] vt embelesar.

enthusiasm [in'θju:ziæzm] n - 1. [passion, eagerness]: **enthusiasm (for)** entusiasmo m (por) - 2. [interest] pasión f, interés m.

enthusiast [in'θju:ziæst] n entusiasta mf.

enthusiastic [in,θju:zi'æstik] adj [person] entusiasta; [cry, response] entusiástico(ca).

entice [in'tais] vt seducir, atraer; **nothing could entice me to do that** no haría eso de ninguna manera.

entire [in'taiər] adj entero(ra); **the entire evening** toda la noche.

entirely [in'taiəli] adv completamente; **I'm not entirely sure** no estoy del todo seguro.

entirety [in'tairəti] n fml: **in its entirety** en su totalidad.

entitle [in'tait] vt [allow]: **to entitle sb to sthg** dar a alguien derecho a algo; **to entitle sb to do sthg** autorizar a alguien a hacer algo.

entitled [in'taitld] adj - 1. [allowed]: **to be entitled to sthg/to do sthg** tener derecho a algo/a hacer algo - 2. [book, song, film] titulado(da).

entourage [,ɒntu'rɑ:ʒ] n séquito m.

entrails ['entreilz] npl entrañas fpl.

entrance ◇ n ['entrəns]: **entrance (to)** entrada f (a OR de); **to gain entrance to** fml [building] lograr acceso a; [society, university] lograr el ingreso en. ◇ vt [in'trɑ:ns] encantar, hechizar.

entrance examination n examen m de ingreso.

entrance fee n [for museum] (precio m de) entrada f.

entrant ['entrənt] n participante mf.

entreat [in'tri:t] vt: **to entreat sb (to do sthg)** suplicar OR rogar a alguien (que haga algo).

entrepreneur [,ɒntrəprə'nɜ:r] n empresario m, -ria f.

entrust [in'trʌst] vt: **to entrust sthg to sb, to entrust sb with sthg** confiar algo a alguien.

entry ['entri] n - 1. [gen]: **entry (into)** entrada f (en); **'no entry'** 'se prohíbe la entrada', 'prohibido el paso' - 2. fig [joining - of group, society] ingreso m - 3. [in competition] participante mf - 4. [in diary] anotación f; [in ledger] partida f.

entry form n boleto m OR impreso m de inscripción.

envelop [in'veləp] vt: **to envelop sthg/sb in** envolver algo/a alguien en.

envelope ['envələup] n sobre m.

envious ['enviəs] adj [person] envidioso(sa); [look] de envidia; **to be envious of** tener envidia de.

environment [in'vaiərənmənt] n - 1. [natural world]: **the environment** el medio ambiente; **Department of the Environment** UK ministerio m del medio ambiente - 2. [surroundings] entorno m - 3. [atmosphere] ambiente m.

environmental [in,vaiərən'mentl] adj - 1. [gen] medioambiental; **environmental pollution** contaminación f del medio ambiente - 2. [group, campaigner] ecologista.

environmentally [in,vaiərən'mentəli] adv ecológicamente; **environmentally friendly** ecológico(ca).

envisage [in'vizidʒ], **envision** US [in'viʒn] vt prever.

envoy ['envɔi] n enviado m, -da f.

envy ['envi] ◇ n envidia f. ◇ vt: **to envy (sb sthg)** envidiar (algo a alguien).

epic ['epik] ◇ adj épico(ca). ◇ n [poem, work] epopeya f; [film] película f épica.

epidemic [,epi'demik] n epidemia f.

epileptic [,epi'leptik] ◇ adj epiléptico(ca). ◇ n epiléptico m, -ca f.

episode ['episəud] n - 1. [event] episodio m - 2. [of story, TV series] capítulo m.

epistle [i'pisl] n epístola f.

epitaph ['epitɑ:f] n epitafio m.

epitome [i'pitəmi] n: **the epitome of** [person] la personificación de; [thing] el vivo ejemplo de.

epitomize, -ise [i'pitəmaiz] vt [subj: person] personificar; [subj: thing] representar el paradigma de.

epoch ['i:pɒk] n época f.

equable ['ekwəbl] adj [calm, reasonable] ecuánime.

equal ['i:kwəl] ◇ adj igual; **equal to** [sum] igual a; **to be equal to** [task etc] estar a la altura de. ◇ n igual mf; **to treat sb as an equal** tratar a alguien de igual a igual. ◇ vt (UK pt & pp -led, cont -ling, US pt & pp -ed, cont -ing) - 1. MATHS ser igual a - 2. [person, quality] igualar.

equality [i:'kwɒləti] n igualdad f.

equalize, -ise ['i:kwəlaiz] vi SPORT empatar.

equalizer ['i:kwəlaizər] n SPORT gol m del empate.

equally [ˈiːkwəlɪ] *adv* - **1.** [gen] igualmente; **equally important** de igual importancia - **2.** [share, divide] a partes iguales, por igual - **3.** [just as likely] de igual modo.

equal opportunities *npl* igualdad *f* de oportunidades.

equanimity [ˌekwəˈnɪmətɪ] *n* ecuanimidad *f*.

equate [ɪˈkweɪt] *vt*: **to equate sthg with** equiparar algo con.

equation [ɪˈkweɪʒn] *n* ecuación *f*.

equator [ɪˈkweɪtər] *n*: **the Equator** el Ecuador.

equilibrium [ˌiːkwɪˈlɪbrɪəm] *n* equilibrio *m*.

equip [ɪˈkwɪp] *vt* - **1.** [provide with equipment]: **to equip sthg (with)** equipar algo (con); **to equip sb (with)** proveer a alguien (de) - **2.** [prepare]: **to be equipped for** estar preparado(da) para.

equipment [ɪˈkwɪpmənt] *n (U)* equipo *m*.

equitable [ˈekwɪtəbl] *adj* equitativo(va).

equity [ˈekwətɪ] *n (U)* FIN [of company] capital *m* social; [of shareholders] fondos *mpl* propios. ← **equities** *npl* FIN acciones *fpl* ordinarias.

equivalent [ɪˈkwɪvələnt] ◇ *adj* equivalente; **to be equivalent to** equivaler a. ◇ *n* equivalente *m*.

equivocal [ɪˈkwɪvəkl] *adj* equívoco(ca).

er [ɜːr] *excl* ¡ejem!

era [ˈɪərə] *(pl -s)* *n* era *f*, época *f*.

eradicate [ɪˈrædɪkeɪt] *vt* erradicar.

erase [ɪˈreɪz] *vt* *lit & fig* borrar.

eraser [ɪˈreɪzər] *n esp US* goma *f* de borrar.

erect [ɪˈrekt] ◇ *adj* [person, posture] erguido(da). ◇ *vt* - **1.** [building, statue] erigir, levantar - **2.** [tent] montar.

erection [ɪˈrekʃn] *n* - **1.** *(U)* [of building, statue] construcción *f* - **2.** [erect penis] erección *f*.

ERM *(abbr of Exchange Rate Mechanism) n* mecanismo de tipos de cambio del SME.

ermine [ˈɜːmɪn] *n* armiño *m*.

erode [ɪˈrəʊd] *vt* - **1.** [rock, soil] erosionar; [metal] desgastar - **2.** [confidence, rights] mermar.

erosion [ɪˈrəʊʒn] *n* - **1.** [of rock, soil] erosión *f*; [of metal] desgaste *m* - **2.** [of confidence, rights] merma *f*.

erotic [ɪˈrɒtɪk] *adj* erótico(ca).

err [ɜːr] *vi* equivocarse, errar.

errand [ˈerənd] *n* recado *m*, mandado *m*; **to go on** OR **run an errand** hacer un recado.

erratic [ɪˈrætɪk] *adj* irregular.

error [ˈerər] *n* error *m*; **spelling error** falta *f* de ortografía; **in error** por equivocación.

erupt [ɪˈrʌpt] *vi* [volcano] entrar en erupción; *fig* [violence, war] estallar.

eruption [ɪˈrʌpʃn] *n* - **1.** [of volcano] erupción *f* - **2.** [of violence, war] estallido *m*.

escalate [ˈeskəleɪt] *vi* - **1.** [conflict] intensificarse - **2.** [costs] ascender.

escalator [ˈeskəleɪtər] *n* escalera *f* mecánica.

escapade [ˌeskəˈpeɪd] *n* aventura *f*.

escape [ɪˈskeɪp] ◇ *n* - **1.** [gen] fuga *f* - **2.** [leakage - of gas, water] escape *m*. ◇ *vt* - **1.** [avoid] escapar a, eludir - **2.** [subj: fact, name]: **her name escapes me right now** ahora mismo no me sale su nombre. ◇ *vi* - **1.** [gen]: **to escape (from)** escaparse (de) - **2.** [survive] escapar.

escapism [ɪˈskeɪpɪzm] *n (U)* evasión *f*.

escort ◇ *n* [ˈeskɔːt] - **1.** [guard] escolta *f* - **2.** [companion] acompañante *mf*. ◇ *vt* [ɪˈskɔːt] escoltar.

ESF [iːesˈef] *(abbr of European Social Fund) n* FSE *m*.

Eskimo [ˈeskɪməʊ] *n (pl -s)* [person] esquimal *mf*.

espadrille [ˌespəˈdrɪl] *n* alpargata *f*.

especially [ɪˈspeʃəlɪ] *adv* - **1.** [more than usually, specifically] especialmente - **2.** [in particular] sobre todo.

espionage [ˈespɪəˌnɑːʒ] *n* espionaje *m*.

esplanade [ˌespləˈneɪd] *n* paseo *m* marítimo.

Esquire [ɪˈskwaɪər] *n* Sr. Don; **B. Jones Esquire** Sr. Don B. Jones.

essay [ˈeseɪ] *n* - **1.** SCH redacción *f*; UNIV trabajo *m* - **2.** LIT ensayo *m*.

essence [ˈesns] *n* esencia *f*.

essential [ɪˈsenʃl] *adj* - **1.** [absolutely necessary]: **essential (to** OR **for)** esencial OR indispensable (para) - **2.** [basic] fundamental, esencial. ← **essentials** *npl* [most important elements] los elementos esenciales.

essentially [ɪˈsenʃəlɪ] *adv* [basically] esencialmente.

establish [ɪˈstæblɪʃ] *vt* - **1.** [gen] establecer - **2.** [facts, cause] verificar.

establishment [ɪˈstæblɪʃmənt] *n* establecimiento *m*. ← **Establishment** *n*: **the Establishment** el sistema.

estate [ɪˈsteɪt] *n* - **1.** [land, property] finca *f* - **2.**: **(housing) estate** urbanización *f* - **3.**: **(industrial) estate** polígono *m* industrial - **4.** LAW [inheritance] herencia *f*.

estate agency *n UK* agencia *f* inmobiliaria.

estate agent *n UK* agente inmobiliario *m*, agente inmobiliaria *f*.

estate car *n UK* ranchera *f*.

esteem [ɪˈstiːm] ◇ *n* estima *f*. ◇ *vt* estimar, apreciar.

esthetic *US* = **aesthetic**.

estimate ◇ n ['estɪmət] - **1.** [calculation, judgment] cálculo m, estimación f - **2.** [written quote] presupuesto m. ◇ vt ['estɪmeɪt] estimar.

estimation [ˌestɪˈmeɪʃn] n - **1.** [opinion] juicio m - **2.** [calculation] cálculo m.

Estonia [eˈstəʊnɪə] n Estonia.

estranged [ɪˈstreɪndʒd] adj [from husband, wife] separado(da); **his estranged son** su hijo, con el que no se habla.

estuary ['estjʊərɪ] n estuario m.

e-tailer ['iːteɪləʳ] n tienda f electrónica.

etc. (abbr of etcetera) etc.

etching ['etʃɪŋ] n aguafuerte m o f.

eternal [ɪˈtɜːnl] adj [gen] eterno(na); fig [complaints, whining] perpetuo(tua).

eternity [ɪˈtɜːnətɪ] n eternidad f.

ethic ['eθɪk] n ética f. ◆ **ethics** ◇ n (U) [study] ética f. ◇ npl [morals] moralidad f.

ethical ['eθɪkl] adj ético(ca).

Ethiopia [ˌiːθɪˈəʊpɪə] n Etiopía.

ethnic ['eθnɪk] adj - **1.** [traditions, groups, conflict] étnico(ca) - **2.** [food] típico de una cultura distinta a la occidental.

ethos ['iːθɒs] n código m de valores.

etiquette ['etɪket] n etiqueta f.

e-trade n (U) comercio m electrónico.

EU (abbr of European Union) n UE f.

euphemism ['juːfəmɪzm] n eufemismo m.

euphoria [juːˈfɔːrɪə] n euforia f.

euro ['jʊərəʊ] n [currency] euro m.

Eurocheque ['jʊərəʊˌtʃek] n eurocheque m.

Europe ['jʊərəp] n Europa f.

European [ˌjʊərəˈpiːən] ◇ adj europeo(a). ◇ n europeo m, -a f.

European Central Bank n: **the European Central Bank** el Banco Central Europeo.

European Commission n: **the European Commission** la Comisión Europea.

European Community n: **the European Community** la Comunidad Europea.

European Monetary System n: **the European Monetary System** el Sistema Monetario Europeo.

European Union n: **the European Union** la Unión Europea.

Eurosceptic ['jʊərəʊˌskeptɪk] ◇ adj euroescéptico(ca). ◇ n euroescéptico m, -ca f.

Eurostar ['jʊərəʊstɑːʳ] n Euroestar m.

euro zone n FIN zona f euro.

euthanasia [ˌjuːθəˈneɪzjə] n eutanasia f.

evacuate [ɪˈvækjʊeɪt] vt evacuar.

evade [ɪˈveɪd] vt [gen] eludir; [taxes] evadir.

evaluate [ɪˈvæljʊeɪt] vt evaluar.

evaporate [ɪˈvæpəreɪt] vi [liquid] evaporarse; fig [feeling] desvanecerse.

evaporated milk [ɪˈvæpəreɪtɪd-] n leche f evaporada.

evasion [ɪˈveɪʒn] n - **1.** [of responsibility, payment etc] evasión f - **2.** [lie] evasiva f.

evasive [ɪˈveɪsɪv] adj evasivo(va).

eve [iːv] n: **on the eve of** en la víspera de.

even ['iːvn] ◇ adj - **1.** [regular] uniforme, constante - **2.** [calm] sosegado(da) - **3.** [flat, level] llano(na), liso(sa) - **4.** [equal - contest, teams] igualado(da); [- chance] igual; **to get even with** ajustarle las cuentas a - **5.** [number] par. ◇ adv - **1.** [gen] incluso, hasta; **even now/then** incluso ahora/entonces; **not even** ni siquiera - **2.** [in comparisons] aun; **even more** aun más. ◆ **even if** conj aunque, aun Amér. ◆ **even so** conj aun así. ◆ **even though** conj aunque. ◆ **even out** vi igualarse.

evening ['iːvnɪŋ] n - **1.** [end of day - early part] tarde f; [- later part] noche f; **in the evening** por la tarde/noche - **2.** [event, entertainment] velada f. ◆ **evenings** adv [early] por la tarde; [late] por la noche.

evening class n clase f nocturna.

evening dress n - **1.** [worn by man] traje m de etiqueta - **2.** [worn by woman] traje m de noche.

event [ɪˈvent] n - **1.** [happening] acontecimiento m, suceso m; **in the event of** en caso de; **in the event that it rains** (en) caso de que llueva - **2.** SPORT prueba f. ◆ **in any event** adv en todo caso. ◆ **in the event** adv UK al final.

eventful [ɪˈventfʊl] adj accidentado(da).

eventual [ɪˈventʃʊəl] adj final.

eventuality [ɪˌventʃʊˈælətɪ] n eventualidad f.

eventually [ɪˈventʃʊəlɪ] adv finalmente.

ever ['evəʳ] adv - **1.** [at any time] alguna vez; **have you ever done it?** ¿lo has hecho alguna vez?; **the best ever** el mejor de todos los tiempos; **hardly ever** casi nunca - **2.** [all the time] siempre; **all he ever does is complain** no hace más que quejarse; **as ever** como siempre; **for ever** para siempre - **3.** [for emphasis]: **ever so big** muy grande; **ever such a mess** un lío tan grande; **why/how ever did you do it?** ¿por qué/cómo diablos lo hiciste?; **what ever can it be?** ¿qué diablos puede ser? ◆ **ever since** ◇ adv desde entonces. ◇ conj desde que. ◇ prep desde.

evergreen ['evəgriːn] ◇ adj de hoja perenne. ◇ n árbol m de hoja perenne.

everlasting [ˌevəˈlɑːstɪŋ] adj eterno(na).

every ['evrɪ] adj cada; **every day** cada día, todos los días; **every week** todas las semanas. ◆ **every now and then**, **every so often** adv de vez en cuando. ◆ **every other** adj: **every other day** un día sí y otro no, cada dos días.

everybody ['evrɪˌbɒdɪ] = **everyone**.

everyday ['evrɪdeɪ] *adj* diario(ria), cotidiano(na).

everyone ['evrɪwʌn], **everybody** *pron* todo el mundo, todos(das).

everyplace *US* = **everywhere**.

everything ['evrɪθɪŋ] *pron* todo; **money isn't everything** el dinero no lo es todo.

everywhere ['evrɪweəʳ], **everyplace** *US* ['evrɪ,pleɪs] *adv* en OR por todas partes; [with verbs of motion] a todas partes; **everywhere you go** dondequiera que vayas.

evict [ɪ'vɪkt] *vt*: **to evict sb from** desahuciar a alguien de.

evidence ['evɪdəns] *(U) n* - **1.** [proof] pruebas *fpl* - **2.** LAW [of witness] declaración *f*; **to give evidence** dar testimonio.

evident ['evɪdənt] *adj* evidente, manifiesto(ta).

evidently ['evɪdəntlɪ] *adv* - **1.** [seemingly] por lo visto, al parecer - **2.** [obviously] evidentemente.

evil ['i:vl] <> *adj* [person] malo(la), malvado(da); [torture, practice] perverso(sa), vil. <> *n* - **1.** [evil quality] maldad *f* - **2.** [evil thing] mal *m*.

evocative [ɪ'vɒkətɪv] *adj* evocador(ra).

evoke [ɪ'vəʊk] *vt* - **1.** [memory, emotion] evocar - **2.** [response] producir.

evolution [,i:və'lu:ʃn] *n* - **1.** BIOL evolución *f* - **2.** [development] desarrollo *m*.

evolve [ɪ'vɒlv] <> *vt* desarrollar. <> *vi* - **1.** BIOL: **to evolve (into/from)** evolucionar (en/de) - **2.** [develop] desarrollarse.

ewe [ju:] *n* oveja *f*.

ex [eks] *n inf* [former spouse, lover etc] ex *mf*.

ex- [eks] *prefix* ex-.

exacerbate [ɪg'zæsəbeɪt] *vt* exacerbar.

exact [ɪg'zækt] <> *adj* exacto(ta); **to be exact** para ser exactos. <> *vt*: **to exact sthg (from)** arrancar algo (a).

exacting [ɪg'zæktɪŋ] *adj* - **1.** [job, work] arduo(dua) - **2.** [standards] severo(ra); [person] exigente.

exactly [ɪg'zæktlɪ] <> *adv* [precisely] exactamente; **it's exactly ten o'clock** son las diez en punto; **not exactly** [not really] no precisamente; [as reply] no exactamente. <> *excl* ¡exacto!

exaggerate [ɪg'zædʒəreɪt] *vt & vi* exagerar.

exaggeration [ɪg,zædʒə'reɪʃn] *n* exageración *f*.

exalted [ɪg'zɔːltɪd] *adj* [person, position] elevado(da).

exam [ɪg'zæm] *(abbr of* **examination***) n* examen *m*.

examination [ɪg,zæmɪ'neɪʃn] *n* - **1.** = **exam** - **2.** [inspection] inspección *f*, examen *m* - **3.** MED reconocimiento *m* - **4.** [consideration] estudio *m*.

examine [ɪg'zæmɪn] *vt* - **1.** [gen] examinar - **2.** MED reconocer - **3.** [consider - idea, proposal] estudiar - **4.** LAW interrogar.

examiner [ɪg'zæmɪnəʳ] *n* examinador *m*, -ra *f*.

example [ɪg'zɑ:mpl] *n* ejemplo *m*; **for example** por ejemplo; **to make an example of sb** imponer un castigo ejemplar a alguien.

exasperate [ɪg'zæspəreɪt] *vt* exasperar.

exasperation [ɪg,zæspə'reɪʃn] *n* exasperación *f*.

excavate ['ekskəveɪt] *vt* excavar.

exceed [ɪk'si:d] *vt* - **1.** [amount, number] exceder, sobrepasar - **2.** [limit, expectations] rebasar.

exceedingly [ɪk'si:dɪŋlɪ] *adv* extremadamente.

excel [ɪk'sel] <> *vi*: **to excel (in OR at)** sobresalir (en). <> *vt*: **to excel o.s.** UK lucirse.

excellence ['eksələns] *n* excelencia *f*.

excellent ['eksələnt] *adj* excelente.

except [ɪk'sept] <> *prep & conj*: **except (for)** excepto, salvo. <> *vt*: **to except sb (from)** exceptuar OR excluir a alguien (de).

excepting [ɪk'septɪŋ] *prep* excepto, salvo.

exception [ɪk'sepʃn] *n* - **1.** [exclusion]: **exception (to)** excepción *f* (a); **with the exception of** a excepción de - **2.** [offence]: **to take exception to** ofenderse por.

exceptional [ɪk'sepʃənl] *adj* excepcional.

excerpt ['eksɜ:pt] *n*: **excerpt (from)** extracto *m* (de).

excess <> *adj* [ɪk'ses] excedente. <> *n* ['ekses] exceso *m*.

excess baggage, excess luggage *n* exceso *m* de equipaje.

excess fare *n* UK suplemento *m*.

excessive [ɪk'sesɪv] *adj* excesivo(va).

exchange [ɪks'tʃeɪndʒ] <> *n* - **1.** [gen] intercambio *m*; **in exchange (for)** a cambio (de) - **2.** FIN cambio *m* - **3.** TELEC: **(telephone) exchange** central *f* telefónica - **4.** *fml* [conversation]: **a heated exchange** una acalorada discusión. <> *vt* [swap] intercambiar; [goods in shop] cambiar; **to exchange sthg for sthg** cambiar algo por algo; **to exchange sthg with sb** intercambiar algo con alguien.

exchange rate *n* FIN tipo *m* de cambio.

Exchequer [ɪks'tʃekəʳ] *n* UK: **the Exchequer** ≃ Hacienda.

excise ['eksaɪz] *n (U)* impuestos *mpl* sobre el consumo interior.

excite [ɪk'saɪt] *vt* [suspicion, interest] despertar.

excited [ɪk'saɪtɪd] *adj* emocionado(da).

excitement [ɪk'saɪtmənt] *n* emoción *f*.

exciting [ɪk'saɪtɪŋ] *adj* emocionante.

exclaim [ɪk'skleɪm] <> *vt* exclamar. <> *vi*: **to exclaim (at)** exclamar (ante).

exclamation [ˌeksklə'meɪʃn] *n* exclamación *f*.

exclamation mark UK, **exclamation point** US *n* signo *m* de admiración.

exclude [ɪk'sklu:d] *vt*: **to exclude sthg/sb (from)** excluir algo/a alguien (de).

excluding [ɪk'sklu:dɪŋ] *prep* sin incluir, con excepción de.

exclusive [ɪk'sklu:sɪv] <> *adj* - 1. [sole] exclusivo(va) - 2. [high-class] selecto(ta). <> *n* [news story] exclusiva *f*. ➡ **exclusive of** *prep* excluyendo.

excrement ['ekskrɪmənt] *n* excremento *m*.

excruciating [ɪk'skru:ʃɪeɪtɪŋ] *adj* insoportable.

excursion [ɪk'skɜ:ʃn] *n* excursión *f*.

excuse <> *n* [ɪk'skju:s] excusa *f*; **to make an excuse** dar una excusa, excusarse. <> *vt* [ɪk'skju:z] - 1. [gen]: **to excuse o.s. (for doing sthg)** disculparse (por haber hecho algo) - 2. [let off]: **to excuse sb (from)** dispensar a alguien (de) ➤➤➤ **excuse me** [to attract attention] oiga (por favor); [when coming past] con permiso; [apologizing] perdone; US [pardon me?] ¿perdón?, ¿cómo?

ex-directory *adj* UK que no figura en la guía telefónica.

execute ['eksɪkju:t] *vt* [gen & COMPUT] ejecutar.

execution [ˌeksɪ'kju:ʃn] *n* ejecución *f*.

executioner [ˌeksɪ'kju:ʃnər] *n* verdugo *m*.

executive [ɪg'zekjʊtɪv] <> *adj* [decision-making] ejecutivo(va). <> *n* - 1. [person] ejecutivo *m*, -va *f* - 2. [committee] ejecutiva *f*, órgano *m* ejecutivo.

executive director *n* director ejecutivo *m*, directora ejecutiva *f*.

executor [ɪg'zekjʊtər] *n* albacea *m*.

exemplify [ɪg'zemplɪfaɪ] *vt* ejemplificar.

exempt [ɪg'zempt] <> *adj*: **exempt (from)** exento(ta) (de). <> *vt*: **to exempt sthg/sb (from)** eximir algo/a alguien (de).

exercise ['eksəsaɪz] <> *n* - 1. [gen] ejercicio *m* - 2. MIL maniobra *f*. <> *vt* - 1. [dog] llevar de paseo; [horse] entrenar - 2. *fml* [power, right] ejercer; [caution, restraint] mostrar. <> *vi* hacer ejercicio.

exercise book *n* cuaderno *m* de ejercicios.

exert [ɪg'zɜ:t] *vt* ejercer; **to exert o.s.** esforzarse.

exertion [ɪg'zɜ:ʃn] *n* esfuerzo *m*.

exhale [eks'heɪl] <> *vt* exhalar, despedir. <> *vi* espirar.

exhaust [ɪg'zɔ:st] <> *n* (U) [fumes] gases *mpl* de combustión; **exhaust (pipe)** tubo *m* de escape. <> *vt* agotar.

exhausted [ɪg'zɔ:stɪd] *adj* [person] agotado(da).

exhausting [ɪg'zɔ:stɪŋ] *adj* agotador(ra).

exhaustion [ɪg'zɔ:stʃn] *n* agotamiento *m*.

exhaustive [ɪg'zɔ:stɪv] *adj* exhaustivo(va).

exhibit [ɪg'zɪbɪt] <> *n* - 1. ART objeto *m* expuesto; US [exhibition] exposición *f* - 2. LAW prueba *f* (instrumental). <> *vt* - 1. *fml* [feeling] mostrar, manifestar - 2. ART exponer.

exhibition [ˌeksɪ'bɪʃn] *n* - 1. ART exposición *f* - 2. [of feeling] manifestación *f*.

exhilarating [ɪg'zɪləreɪtɪŋ] *adj* estimulante.

exile ['eksaɪl] <> *n* - 1. [condition] exilio *m*; **in exile** en el exilio - 2. [person] exiliado *m*, -da *f*. <> *vt*: **to exile sb (from/to)** exiliar a alguien (de/a).

exist [ɪg'zɪst] *vi* existir.

existence [ɪg'zɪstəns] *n* existencia *f*; **to be in existence** existir; **to come into existence** nacer.

existing [ɪg'zɪstɪŋ] *adj* existente, actual.

exit ['eksɪt] <> *n* salida *f*. <> *vi* [gen & COMPUT] salir; THEAT hacer mutis.

exodus ['eksədəs] *n* éxodo *m*.

exonerate [ɪg'zɒnəreɪt] *vt*: **to exonerate sb (from)** exonerar a alguien (de).

exorbitant [ɪg'zɔ:bɪtənt] *adj* [cost] excesivo(va); [demand, price] exorbitante.

exotic [ɪg'zɒtɪk] *adj* exótico(ca).

expand [ɪk'spænd] <> *vt* ampliar. <> *vi* extenderse, ampliarse; [materials, fluids] expandirse, dilatarse. ➡ **expand (up)on** *vt insep* desarrollar.

expanse [ɪk'spæns] *n* extensión *f*.

expansion [ɪk'spænʃn] *n* expansión *f*.

expect [ɪk'spekt] <> *vt* - 1. [gen] esperar; **to expect sb to do sthg** esperar que alguien haga algo; **to expect sthg (from sb)** esperar algo (de alguien); **to expect the worst** esperar lo peor; **as expected** como era de esperar - 2. [suppose] imaginarse, suponer; **I expect so** supongo que sí. <> *vi* - 1. [anticipate]: **to expect to do sthg** esperar hacer algo - 2. [be pregnant]: **to be expecting** estar embarazada OR en estado.

expectancy ➢ **life expectancy**.

expectant [ɪk'spektənt] *adj* expectante.

expectant mother *n* futura madre *f*.

expectation [ˌekspek'teɪʃn] *n* esperanza *f*; **against all expectation** OR **expectations**, **contrary to all expectation** OR **expectations** contrariamente a lo que se esperaba; **to live up to/fall short of expectations** estar/no estar a la altura de lo esperado.

expedient [ɪk'spiːdjənt] *fml* ⟨⟩ *adj* conveniente. ⟨⟩ *n* recurso *m*.

expedition [ˌekspɪ'dɪʃn] *n* - **1.** [journey] expedición *f* - **2.** [outing] salida *f*.

expel [ɪk'spel] *vt* - **1.** [person]: **to expel sb (from)** expulsar a alguien (de) - **2.** [gas, liquid]: **to expel sthg (from)** expeler algo (de).

expend [ɪk'spend] *vt*: **to expend sthg (on)** emplear algo (en).

expendable [ɪk'spendəbl] *adj* reemplazable.

expenditure [ɪk'spendɪtʃəʳ] *n (U)* gasto *m*.

expense [ɪk'spens] *n (U)* gasto *m*; **to go to great expense (to do sthg)** incurrir en grandes gastos (para hacer algo); **at the expense of** [sacrificing] a costa de; **at sb's expense** *lit* & *fig* a costa de alguien; **to spare no expense** no repararse en gastos. ⮞ **expenses** *npl* COMM gastos *mpl*.

expense account *n* cuenta *f* de gastos.

expensive [ɪk'spensɪv] *adj* caro(ra).

experience [ɪk'spɪərɪəns] ⟨⟩ *n* experiencia *f*. ⟨⟩ *vt* experimentar.

experienced [ɪk'spɪərɪənst] *adj*: **experienced (at OR in)** experimentado(da) (en).

experiment [ɪk'sperɪmənt] ⟨⟩ *n* experimento *m*. ⟨⟩ *vi*: **to experiment (with/on)** experimentar (con), hacer experimentos (con).

expert ['ekspɜːt] ⟨⟩ *adj*: **expert (at sthg/at doing sthg)** experto(ta) en algo/en hacer algo); **expert advice** la opinión de un experto. ⟨⟩ *n* experto *m*, -ta *f*.

expertise [ˌekspɜː'tiːz] *n (U)* pericia *f*.

expire [ɪk'spaɪəʳ] *vi* [licence, membership] caducar; [lease, deadline] vencer.

expiry [ɪk'spaɪərɪ] *n* [of licence, membership] caducación *f*; [of lease, deadline] vencimiento *m*.

explain [ɪk'spleɪn] ⟨⟩ *vt*: **to explain sthg (to sb)** explicar algo (a alguien). ⟨⟩ *vi* explicar; **to explain to sb about sthg** explicarle algo a alguien.

explanation [ˌeksplə'neɪʃn] *n*: **explanation (for)** explicación *f* (de).

explicit [ɪk'splɪsɪt] *adj* explícito(ta).

explode [ɪk'spləʊd] ⟨⟩ *vt* [bomb] hacer explotar; [building etc] volar; *fig* [theory] reventar. ⟨⟩ *vi lit* & *fig* estallar.

exploit ⟨⟩ *n* ['eksplɔɪt] proeza *f*, hazaña *f*. ⟨⟩ *vt* [ɪk'splɔɪt] explotar.

exploitation [ˌeksplɔɪ'teɪʃn] *n (U)* explotación *f*.

exploration [ˌeksplə'reɪʃn] *n* exploración *f*.

explore [ɪk'splɔːʳ] *vt* & *vi lit* & *fig* explorar.

explorer [ɪk'splɔːrəʳ] *n* explorador *m*, -ra *f*.

explosion [ɪk'spləʊʒn] *n* explosión *f*.

explosive [ɪk'spləʊsɪv] ⟨⟩ *adj* explosivo(va). ⟨⟩ *n* explosivo *m*.

exponent [ɪk'spəʊnənt] *n* - **1.** [supporter] partidario *m*, -ria *f* - **2.** [expert] experto *m*, -ta *f*.

export ⟨⟩ *n* ['ekspɔːt] - **1.** [act] exportación *f* - **2.** [exported product] artículo *m* de exportación. ⟨⟩ *comp* de exportación. ⟨⟩ *vt* [ɪk'spɔːt] COMM & COMPUT exportar.

exporter [ek'spɔːtəʳ] *n* exportador *m*, -ra *f*.

expose [ɪk'spəʊz] *vt* - **1.** [to sunlight, danger etc & PHOT] exponer; **to be exposed to sthg** estar OR verse expuesto a algo - **2.** [reveal, uncover] descubrir.

exposed [ɪk'spəʊzd] *adj* [land, house, position] expuesto(ta), al descubierto.

exposure [ɪk'spəʊʒəʳ] *n* - **1.** [to light, radiation] exposición *f* - **2.** MED hipotermia *f* - **3.** PHOT [time] (tiempo *m* de) exposición *f*; [photograph] fotografía *f* - **4.** [publicity] publicidad *f*.

exposure meter *n* fotómetro *m*.

expound [ɪk'spaʊnd] *fml vt* exponer.

express [ɪk'spres] ⟨⟩ *adj* - **1.** *UK* [letter, delivery] urgente - **2.** [train, coach] rápido(da) - **3.** *fml* [specific] expreso(sa). ⟨⟩ *adv* urgente. ⟨⟩ *n* [train] expreso *m*. ⟨⟩ *vt* expresar; **to express o.s.** expresarse.

expression [ɪk'spreʃn] *n* expresión *f*.

expressive [ɪk'spresɪv] *adj* [full of feeling] expresivo(va).

expressly [ɪk'spreslɪ] *adv* [specifically] expresamente.

expressway [ɪk'spresweɪ] *n US* autopista *f*.

exquisite [ɪk'skwɪzɪt] *adj* exquisito(ta).

ext., extn. (*abbr of* extension) ext.

extend [ɪk'stend] ⟨⟩ *vt* - **1.** [gen] extender; [house] ampliar; [road, railway] prolongar; [visa, deadline] prorrogar - **2.** [offer - welcome, help] brindar; [- credit] conceder. ⟨⟩ *vi* - **1.** [become longer] extenderse - **2.** [from surface, object] sobresalir.

extension [ɪk'stenʃn] *n* - **1.** [gen & TELEC] extensión *f* - **2.** [to building] ampliación *f* - **3.** [of visit] prolongación *f*; [of deadline, visa] prórroga *f* - **4.** ELEC: **extension (lead)** alargador *m*.

extension cable *n* alargador *m*.

extensive [ɪk'stensɪv] *adj* [gen] extenso(sa); [changes] profundo(da); [negotiations] amplio(plia).

extensively [ɪk'stensɪvlɪ] *adv* [gen] extensamente; [change] profundamente; **to use sthg extensively** hacer (un) gran uso de algo.

extent [ɪk'stent] *n* - **1.** [size] extensión *f* - **2.** [of problem, damage] alcance *m* - **3.** [degree]: **to what extent...?** ¿hasta qué punto...?; **to the extent that** [in that, in so far as] en la medida en que; [to the point where] hasta tal punto que; **to some/a certain extent** hasta cierto punto; **to a large OR great extent** en gran medida.

extenuating circumstances [ɪk'sten-juːeɪtɪŋ-] *npl* circunstancias *fpl* atenuantes.

exterior [ɪk'stɪərɪər] ⬦ *adj* exterior. ⬦ *n* exterior *m*.

exterminate [ɪk'stɜːmɪneɪt] *vt* exterminar.

external [ɪk'stɜːnl] *adj* externo(na).

extinct [ɪk'stɪŋkt] *adj* extinto(ta).

extinguish [ɪk'stɪŋgwɪʃ] *vt fml* [gen] extinguir; [cigarette] apagar.

extinguisher [ɪk'stɪŋgwɪʃər] *n* extintor *m*.

extn. = **ext**.

extol *UK*, **extoll** *US* [ɪk'stəʊl] *vt* [merits, values] ensalzar.

extort [ɪk'stɔːt] *vt*: **to extort sthg from sb** [confession, promise] arrancar algo a alguien; [money] sacar algo a alguien.

extortionate [ɪk'stɔːʃnət] *adj* desorbitado(da), exorbitante.

extra ['ekstrə] ⬦ *adj* [additional] adicional; [spare] de más; **take extra care** pon sumo cuidado. ⬦ *n* - **1.** [addition] extra *m* - **2.** [additional charge] suplemento *m* - **3.** CIN & THEAT extra *mf*. ⬦ *adv* extra; **to pay/charge extra** pagar/cobrar un suplemento; **be extra careful** pon sumo cuidado.

extra- ['ekstrə] *prefix* extra-.

extract ⬦ *n* ['ekstrækt] - **1.** [from book, piece of music] fragmento *m* - **2.** CHEM extracto *m*. ⬦ *vt* [ɪk'strækt]: **to extract sthg (from)** [gen] extraer algo (de); [confession] arrancar algo (de).

extradite ['ekstrədaɪt] *vt*: **to extradite sb (from/to)** extraditar a alguien (de/a).

extramarital [ˌekstrə'mærɪtl] *adj* extramatrimonial.

extramural [ˌekstrə'mjʊərəl] *adj* UNIV *fuera de la universidad pero organizado por ella*.

extraordinary [ɪk'strɔːdnrɪ] *adj* extraordinario(ria).

extraordinary general meeting *n* junta *f* (general) extraordinaria.

extravagance [ɪk'strævəgəns] *n* - **1.** (U) [excessive spending] derroche *m*, despilfarro *m* - **2.** [luxury] extravagancia *f*.

extravagant [ɪk'strævəgənt] *adj* - **1.** [wasteful] derrochador(ra) - **2.** [expensive] caro(ra) - **3.** [exaggerated] extravagante.

extreme [ɪk'striːm] ⬦ *adj* extremo(ma). ⬦ *n* [furthest limit] extremo *m*.

extremely [ɪk'striːmlɪ] *adv* [very] sumamente, extremadamente.

extremist [ɪk'striːmɪst] ⬦ *adj* extremista. ⬦ *n* extremista *mf*.

extricate ['ekstrɪkeɪt] *vt*: **to extricate sthg from** lograr sacar algo de; **to extricate o.s. from** lograr salirse de.

extrovert ['ekstrəvɜːt] ⬦ *adj* extrovertido(da). ⬦ *n* extrovertido *m*, -da *f*.

exultant [ɪg'zʌltənt] *adj* [person] jubiloso(sa); [cry] de júbilo.

eye [aɪ] ⬦ *n* ojo *m*; **before my** *etc* **(very) eyes** ante mis *etc* propios ojos; **to have an eye for sthg** tener buen ojo para algo; **to keep one's eyes open for, to keep an eye out for** estar atento(ta) a. ⬦ *vt* (*cont* **eyeing** OR **eying**) mirar.

eyeball ['aɪbɔːl] *n* globo *m* ocular.

eyebath ['aɪbɑːθ] *n* lavaojos *m inv*.

eyebrow ['aɪbraʊ] *n* ceja *f*.

eyebrow pencil *n* delineador *m* de cejas.

eye candy *n* (U) *inf hum & pej* persona o cosa atractiva superficialmente pero sin mucho contenido.

eyedrops ['aɪdrɒps] *npl* colirio *m*.

eyelash ['aɪlæʃ] *n* pestaña *f*.

eyelid ['aɪlɪd] *n* párpado *m*.

eyeliner ['aɪˌlaɪnər] *n* lápiz *m* de ojos.

eye-opener *n inf* [revelation] revelación *f*; [surprise] sorpresa *f*.

eye shadow *n* sombra *f* de ojos.

eyesight ['aɪsaɪt] *n* vista *f*.

eyesore ['aɪsɔːr] *n* monstruosidad *f*.

eyestrain ['aɪstreɪn] *n* vista *f* cansada.

eye test *n* revisión *f* ocular.

eyewitness [ˌaɪ'wɪtnɪs] *n* testigo *mf* ocular.

e-zine ['iːziːn] *n* fanzine *m* electrónico.

Fall

f (*pl* **f's** OR **fs**), **F** (*pl* **F's** OR **Fs**) [ef] *n* [letter] f *f*, F *f*. ◆ **F** ⬦ *n* - **1.** MUS fa *m* - **2.** SCH ≃ muy deficiente *m*. ⬦ *adj* (*abbr of* **Fahrenheit**) F.

fab [fæb] *adj inf* genial.

fable ['feɪbl] *n* [traditional story] fábula *f*.

fabric ['fæbrɪk] *n* - **1.** [cloth] tela *f*, tejido *m* - **2.** [of building, society] estructura *f*.

fabrication [ˌfæbrɪ'keɪʃn] *n* - **1.** [lying, lie] invención *f* - **2.** [manufacture] fabricación *f*.

fabulous ['fæbjʊləs] *adj inf* [excellent] fabuloso(sa).

facade [fə'sɑːd] *n* fachada *f*.

face [feɪs] ⬦ *n* - **1.** [of person] cara *f*, rostro *m*; **face to face** cara a cara; **to look sb in the**

face mirar a alguien a la cara; **to lose face** quedar mal; **to save face** salvar las apariencias; **face time** [meeting] tiempo *m* de contacto personal; **in your face** *inf* atrevido(da) - 2. [expression] semblante *m* - 3. [person] cara *f* - 4. [of cliff, mountain, coin] cara *f*; [of building] fachada *f* - 5. [of clock, watch] esfera *f* - 6. [appearance, nature] aspecto *m* - 7. [surface] superficie *f*; **on the face of it** a primera vista. ⟨⟩ *vt* - 1. [point towards] mirar a - 2. [confront, accept, deal with] hacer frente a; **let's face it** no nos engañemos - 3. *inf* [cope with] aguantar, soportar. ⟨⟩ *vi*: **to face forwards/south** mirar hacia delante/al sur. ➡ **face down** *adv* boca abajo. ➡ **face up** *adv* boca arriba. ➡ **in the face of** *prep* [in spite of] ante. ➡ **face up to** *vt insep* hacer frente a.

facecloth ['feɪsklɒθ] *n* UK toallita *f (para lavarse)*.

face cream *n* crema *f* facial.

face-lift *n* [on face] lifting *m*; **to have a face-lift** hacerse un lifting; *fig* [on building etc] lavado *m* de cara.

face powder *n* (U) polvos *mpl* (para la cara).

face-saving [-'seɪvɪŋ] *adj* para salvar las apariencias.

facet ['fæsɪt] *n* faceta *f*.

facetious [fə'siːʃəs] *adj* guasón(ona).

face value *n* [of coin, stamp] valor *m* nominal; **to take sthg at face value** tomarse algo literalmente.

facility [fə'sɪlətɪ] *n* [feature] prestación *f*. ➡ **facilities** *npl* [amenities] instalaciones *fpl*; [services] servicios *mpl*.

facing ['feɪsɪŋ] *adj* opuesto(ta).

facsimile [fæk'sɪmɪlɪ] *n* facsímil *m*.

fact [fækt] *n* - 1. [piece of information] dato *m*; [established truth] hecho *m*; **to know sthg for a fact** saber algo a ciencia cierta - 2. (U) [truth] realidad *f*. ➡ **in fact** *conj* & *adv* de hecho, en realidad.

fact of life *n*: **it's a fact of life** es un hecho indiscutible. ➡ **facts of life** *npl euph*: **to tell sb (about) the facts of life** contar a alguien cómo nacen los niños.

factor ['fæktər] *n* factor *m*.

factory ['fæktərɪ] *n* fábrica *f*.

fact sheet *n* UK hoja *f* informativa.

factual ['fæktʃʊəl] *adj* basado(da) en hechos reales.

faculty ['fækltɪ] *n* - 1. [gen] facultad *f* - 2. US [in college]: **the faculty** el profesorado.

fad [fæd] *n* [of society] moda *f* pasajera; [of person] capricho *m*.

fade [feɪd] ⟨⟩ *vt* descolorar, desteñir. ⟨⟩ *vi* - 1. [jeans, curtains, paint] descolorarse, deste-

ñirse; [flower] marchitarse - 2. [light, sound, smile] irse apagando - 3. [memory, feeling, interest] desvanecerse.

faeces UK, **feces** US ['fiːsiːz] *npl* heces *fpl*.

fag [fæg] *n inf* - 1. UK [cigarette] pitillo *m* - 2. US *pej* [homosexual] marica *m*, joto *m Méx*.

Fahrenheit ['færənhaɪt] *adj* Fahrenheit *(inv)*.

fail [feɪl] ⟨⟩ *vt* - 1. [exam, test, candidate] suspender - 2. [not succeed]: **to fail to do sthg** no lograr hacer algo - 3. [neglect]: **to fail to do sthg** no hacer algo - 4. [let down] fallar. ⟨⟩ *vi* - 1. [not succeed] fracasar; **if all else fails** en último extremo - 2. [not pass exam] suspender - 3. [stop functioning] fallar - 4. [weaken] debilitarse.

failing ['feɪlɪŋ] ⟨⟩ *n* [weakness] fallo *m*. ⟨⟩ *prep* a falta de; **failing that** en su defecto.

failure ['feɪljər] *n* - 1. [lack of success, unsuccessful thing] fracaso *m* - 2. [person] fracasado *m*, -da *f* - 3. [in exam] suspenso *m* - 4. [act of neglecting]: **her failure to do it** el que no lo hiciera - 5. [breakdown, malfunction] avería *f*, fallo *m*.

faint [feɪnt] ⟨⟩ *adj* - 1. [weak, vague] débil; [outline] impreciso(sa); [memory, longing] vago(ga); [trace, hint, smell] leve - 2. [chance] reducido(da) - 3. [dizzy] mareado(da). ⟨⟩ *vi* desmayarse.

fair [feər] ⟨⟩ *adj* - 1. [just] justo(ta); **it's not fair!** ¡no hay derecho! - 2. [quite large] considerable - 3. [quite good] bastante bueno(na); **'fair'** SCH 'regular' - 4. [hair] rubio(bia) - 5. [skin, complexion] claro(ra) - 6. [weather] bueno(na) - 7. *liter* [beautiful] hermoso(sa). ⟨⟩ *n* - 1. UK [funfair] feria *f* - 2. [trade fair] feria *f*. ⟨⟩ *adv* [fairly] limpio. ➡ **fair enough** *adv* UK *inf* vale.

fair-haired [-'heəd] *adj* rubio(bia).

fairly ['feəlɪ] *adv* - 1. [moderately] bastante - 2. [justly] justamente.

fairness ['feənɪs] *n* [justness] justicia *f*.

fair play *n* juego *m* limpio.

fairy ['feərɪ] *n* hada *f*.

fairy tale *n* cuento *m* de hadas.

faith [feɪθ] *n* fe *f*; **in good/bad faith** de buena/mala fe.

faithful ['feɪθfʊl] ⟨⟩ *adj* fiel. ⟨⟩ *npl* RELIG: **the faithful** los fieles.

faithfully ['feɪθfʊlɪ] *adv* fielmente; **'Yours faithfully'** UK [in letter] 'le saluda atentamente'.

fake [feɪk] ⟨⟩ *adj* falso(sa). ⟨⟩ *n* - 1. [object, painting] falsificación *f* - 2. [person] impostor *m*, -ra *f*. ⟨⟩ *vt* - 1. [results, signature] falsificar - 2. [illness, emotions] fingir. ⟨⟩ *vi* [pretend] fingir.

falcon ['fɔːlkən] *n* halcón *m*.

Falkland Islands ['fɔːklənd-], **Falklands** ['fɔːklændz] *npl*: **the Falkland Islands** las (islas) Malvinas.

fall [fɔːl] ⬦ *vi* (*pt* fell, *pp* fallen) - **1.** [gen] caer; **he fell off the chair** se cayó de la silla; **she fell backwards** se cayó hacia atrás; **to fall to bits OR pieces** hacerse pedazos; **to fall flat** *fig* no causar el efecto deseado - **2.** [decrease] bajar - **3.** [become]: **to fall asleep** dormirse; **to fall ill** ponerse enfermo(ma); **to fall in love** enamorarse. ⬦ *n* - **1.** [gen] caída *f* - **2.** METEOR: **a fall of snow** una nevada - **3.** [MIL - of city] caída *f* - **4.** [decrease]: **fall (in)** descenso *m* (de) - **5.** *US* [autumn] otoño *m*. ⬦ **falls** *npl* cataratas *fpl*. ⬦ **fall apart** *vi* [book, chair] romperse; *fig* [country, person] desmoronarse. ⬦ **fall back** *vi* [person, crowd] echarse atrás, retroceder. ⬦ **fall back on** *vt insep* [resort to] recurrir a. ⬦ **fall behind** *vi* - **1.** [in race] quedarse atrás - **2.** [with rent, work] retrasarse. ⬦ **fall for** *vt insep* - **1.** *inf* [fall in love with] enamorarse de - **2.** [trick, lie] tragarse. ⬦ **fall in** *vi* - **1.** [roof, ceiling] desplomarse, hundirse - **2.** MIL formar filas. ⬦ **fall off** *vi* - **1.** [branch, handle] desprenderse - **2.** [demand, numbers] disminuir. ⬦ **fall out** *vi* - **1.** [hair, tooth]: **his hair is falling out** se le está cayendo el pelo - **2.** [argue] pelearse, discutir - **3.** MIL romper filas. ⬦ **fall over** *vi* [person, chair etc] caerse. ⬦ **fall through** *vi* [plan, deal] fracasar.

fallacy ['fæləsɪ] *n* concepto *m* erróneo, falacia *f*.

fallen ['fɔːln] *pp* ▷ **fall**.

fallible ['fæləbl] *adj* falible.

fallout ['fɔːlaʊt] *n (U)* - **1.** [radiation] lluvia *f* radiactiva - **2.** [consequences] secuelas *fpl*.

fallout shelter *n* refugio *m* atómico.

fallow ['fæləʊ] *adj* en barbecho.

false [fɔːls] *adj* [gen] falso(sa); [eyelashes, nose] postizo(za).

false alarm *n* falsa alarma *f*.

false teeth *npl* dentadura *f* postiza.

falsify ['fɔːlsɪfaɪ] *vt* [facts, accounts] falsificar.

falter ['fɔːltər] *vi* vacilar.

fame [feɪm] *n* fama *f*.

familiar [fə'mɪljər] *adj* - **1.** [known] familiar, conocido(da); **to be familiar to sb** serle familiar a alguien - **2.** [conversant]: **familiar with** familiarizado(da) con; **to be on familiar terms with sb** tener trato informal con alguien - **3.** *pej* [too informal - tone, manner] demasiado amistoso(sa).

familiarity [fə,mɪlɪ'ærətɪ] *n (U)* [knowledge]: **familiarity with** conocimiento *m* de.

familiarize, -ise [fə'mɪljəraɪz] *vt*: **to familiarize o.s./sb with sth** familiarizarse/familiarizar a alguien con algo.

family ['fæmlɪ] *n* familia *f*.

family credit *n (U) UK* ≃ prestación *f* OR ayuda *f* familiar.

family doctor *n* médico *m* de cabecera.

family planning *n* planificación *f* familiar.

famine ['fæmɪn] *n* hambruna *f*.

famished ['fæmɪʃt] *adj inf* [very hungry] muerto(ta) de hambre, famélico(ca).

famous ['feɪməs] *adj*: **famous (for)** famoso(sa) (por).

fan [fæn] ⬦ *n* - **1.** [of paper, silk] abanico *m* - **2.** [electric or mechanical] ventilador *m* - **3.** [of musician, artist etc] fan *mf*, admirador *m*, -ra *f*; [of music, art etc] aficionado *m*, -da *f*; FTBL hincha *mf*. ⬦ *vt* - **1.** [cool] abanicar - **2.** [stimulate - fire, feelings] avivar. ⬦ **fan out** *vi* desplegarse en abanico.

fanatic [fə'nætɪk] *n* fanático *m*, -ca *f*.

fan belt *n* correa *f* del ventilador.

fanciful ['fænsɪfʊl] *adj* [odd] rocambolesco(ca).

fancy ['fænsɪ] ⬦ *vt* - **1.** *inf* [feel like]: **I fancy a cup of tea/going to the cinema** me apetece una taza de té/ir al cine - **2.** *inf* [desire]: **do you fancy her?** ¿te gusta? - **3.** [imagine]: **fancy that!** ¡imagínate!, ¡mira por donde! - **4.** *dated* [think] creer. ⬦ *n* [desire, liking] capricho *m*; **to take a fancy to** encapricharse con. ⬦ *adj* - **1.** [elaborate] elaborado(da) - **2.** [expensive] de lujo, caro(ra); [prices] exorbitante.

fancy dress *n (U)* disfraz *m*.

fancy-dress party *n* fiesta *f* de disfraces.

fanfare ['fænfeər] *n* fanfarria *f*.

fang [fæŋ] *n* colmillo *m*.

fan heater *n* convector *m*.

fanny ['fænɪ] *n US inf* [buttocks] culo *m*.

fantasize, -ise ['fæntəsaɪz] *vi* fantasear; **to fantasize about sth/about doing sth** soñar con algo/con hacer algo.

fantastic [fæn'tæstɪk] *adj* [gen] fantástico(ca).

fantasy ['fæntəsɪ] *n* fantasía *f*.

fantasy football *n (U)* ≃ la liga fantástica®.

fao (*abbr of* for the attention of) a/a.

far [fɑːr] ⬦ *adv* - **1.** [in distance, time] lejos; **is it far?** ¿está lejos?; **how far is it?** ¿a qué distancia está?; **how far is it to Prague?** ¿cuánto hay de aquí a Praga?; **so far** por ahora, hasta ahora; **far and wide** por todas partes; **as far as** hasta - **2.** [in degree or extent]: **how far have you got?** ¿hasta dónde has llegado?; **he's not far wrong** OR **out** OR **off** no anda del todo descaminado; **as far as I know** que yo sepa; **as far as I'm concerned** por OR en lo que a mí respecta; **as far as possible** en (la medida de) lo posible; **far and away, by far** con mucho; **far from it** en absoluto, todo lo contrario; **so far** [until now] hasta el momento; [to a certain ex-

tent] hasta un cierto punto. ◇ *adj* (*comp* farther OR further, *superl* farthest OR furthest) [extreme] extremo(ma).

faraway [ˈfɑːrəweɪ] *adj* - **1.** [land etc] lejano(na) - **2.** [look, expression] ausente.

farce [fɑːs] *n lit* & *fig* farsa f.

farcical [ˈfɑːsɪkl] *adj* absurdo(da).

fare [feəʳ] *n* - **1.** [payment] (precio *m* del) billete *m*; [in taxi] tarifa f; [passenger] pasajero *m*, -ra f (de taxi) - **2.** (U) *fml* [food] comida f.

Far East *n*: the Far East el Extremo Oriente.

farewell [ˌfeəˈwel] ◇ *n* despedida f. ◇ *excl liter* ¡vaya con Dios!

farm [fɑːm] ◇ *n* [smaller] granja f, chacra f *Amér*; [larger] hacienda f. ◇ *vt* [land] cultivar; [livestock] criar.

farmer [ˈfɑːməʳ] *n* [on smaller farm] granjero *m*, -ra f, chacarero *m*, -ra f *Amér*; [on larger farm] agricultor *m*, -ra f.

farmhand [ˈfɑːmhænd], **farm labourer**, **farm worker** *n* peón *m*.

farmhouse [ˈfɑːmhaʊs, *pl* -haʊzɪz] *n* granja f, caserío *m*.

farming [ˈfɑːmɪŋ] (U) *n* - **1.** AGRIC & INDUST agricultura f - **2.** [act - of crops] cultivo *m*; [- of animals] cría f, crianza f.

farm labourer = **farmhand**.

farmland [ˈfɑːmlænd] *n* (U) tierras fpl de labranza.

farmstead [ˈfɑːmsted] *n US* granja f.

farm worker = **farmhand**.

farmyard [ˈfɑːmjɑːd] *n* corral *m*.

far-reaching [-ˈriːtʃɪŋ] *adj* trascendental, de amplio alcance.

farsighted [ˌfɑːˈsaɪtɪd] *adj* - **1.** [gen] con visión de futuro - **2.** *US* [long-sighted] présbita.

fart [fɑːt] *v inf* ◇ *n* [flatulence] pedo *m*. ◇ *vi* tirarse un pedo.

farther [ˈfɑːðəʳ] *compar* ⊳ **far**.

farthest [ˈfɑːðəst] *superl* ⊳ **far**.

fascinate [ˈfæsɪneɪt] *vt* fascinar.

fascinating [ˈfæsɪneɪtɪŋ] *adj* fascinante.

fascination [ˌfæsɪˈneɪʃn] *n* fascinación f.

fascism [ˈfæʃɪzm] *n* fascismo *m*.

fashion [ˈfæʃn] ◇ *n* - **1.** [clothing, style, vogue] moda f - **2.** [manner] manera f. ◇ *vt fml* - **1.** [make] elaborar - **2.** *fig* [mould] forjar.

fashionable [ˈfæʃnəbl] *adj* de moda.

fashion show *n* pase *m* OR desfile *m* de modelos.

fast [fɑːst] ◇ *adj* - **1.** [rapid] rápido(da) - **2.** [clock, watch]: **her watch is two minutes fast** su reloj va dos minutos adelantado - **3.** [dye, colour] que no destiñe. ◇ *adv* - **1.** [rapidly] rápido, rápidamente; **how fast were they going?** ¿a qué velocidad conducían? - **2.** [firmly]: **stuck fast** bien pegado(da); **to hold**

fast to sthg [person, object] agarrarse fuerte a algo; [principles] mantenerse fiel a algo; **fast asleep** profundamente dormido. ◇ *n* ayuno *m*. ◇ *vi* ayunar.

fasten [ˈfɑːsn] *vt* - **1.** [gen] sujetar; [clothes, belt] abrochar; **he fastened his coat** se abrochó el abrigo - **2.** [attach]: **to fasten sthg to sthg** fijar algo a algo.

fastener [ˈfɑːsnəʳ] *n* cierre *m*; [zip] cremallera f.

fastening [ˈfɑːsnɪŋ] *n* [of door, window] cerrojo *m*, pestillo *m*.

fast food *n* (U) comida f rápida.

fastidious [fəˈstɪdɪəs] *adj* [fussy] quisquilloso(sa).

fat [fæt] ◇ *adj* - **1.** [gen] gordo(da); **to get fat** engordar - **2.** [meat] con mucha grasa - **3.** [book, package] grueso(sa). ◇ *n* - **1.** [gen] grasa f - **2.** [for cooking] manteca f.

fatal [ˈfeɪtl] *adj* - **1.** [mortal] mortal - **2.** [serious] fatal, funesto(ta).

fatality [fəˈtælətɪ] *n* [accident victim] víctima f mortal.

fate [feɪt] *n* - **1.** [destiny] destino *m*; **to tempt fate** tentar a la suerte - **2.** [result, end] suerte f, final *m*.

fateful [ˈfeɪtfʊl] *adj* fatídico(ca).

fat-free *adj* sin grasas.

father [ˈfɑːðəʳ] *n lit* & *fig* padre *m*.

Father Christmas *n UK* Papá *m* Noel.

father-in-law (*pl* fathers-in-law OR father-in-laws) *n* suegro *m*.

fatherly [ˈfɑːðəlɪ] *adj* paternal.

fathom [ˈfæðəm] ◇ *n* braza f. ◇ *vt*: **to fathom sthg/sb (out)** llegar a comprender algo/a alguien.

fatigue [fəˈtiːg] *n* fatiga f.

fatten [ˈfætn] *vt* engordar.

fattening [ˈfætnɪŋ] *adj* que engorda.

fatty [ˈfætɪ] ◇ *adj* graso(sa). ◇ *n inf pej* gordinflón *m*, -ona f.

fatuous [ˈfætjʊəs] *adj* necio(cia).

faucet [ˈfɔːsɪt] *n US* grifo *m*, llave f *Amér*, canilla f *R Plata*, paja f *Amér C*, caño *m Perú*.

fault [fɔːlt] ◇ *n* - **1.** [responsibility] culpa f; **it's my fault** es culpa mía; **to be at fault** tener la culpa - **2.** [mistake, imperfection] defecto *m*; **to find fault with** encontrar defectos a - **3.** GEOL falla f - **4.** [in tennis] falta f. ◇ *vt*: **to fault sb (on sthg)** criticar a alguien (en OR por algo).

faultless [ˈfɔːltlɪs] *adj* impecable.

faulty [ˈfɔːltɪ] *adj* [machine, system] defectuoso(sa); [reasoning, logic] imperfecto(ta).

fauna [ˈfɔːnə] *n* fauna f.

faux pas [ˌfəʊˈpɑː] (*pl* faux pas) *n* plancha f.

favour *UK*, **favor** *US* [ˈfeɪvəʳ] ◇ *n* [gen] favor *m*; **in sb's favour** a favor de alguien; **to be**

in/out of favour (with) ser/dejar de ser popular (con); **to rule in sb's favour** fallar a favor de alguien. ◇ *vt -* **1.** [prefer] decantarse por, preferir *-* **2.** [treat better, help] favorecer. ➡ **in favour** *adv* [in agreement] a favor. ➡ **in favour of** *prep -* **1.** [in preference to] en favor de *-* **2.** [in agreement with]: **to be in favour of sthg/ of doing sthg** estar a favor de algo/de hacer algo.

favourable *UK*, **favorable** *US* ['feɪvrəbl] *adj* [positive] favorable.

favourite *UK*, **favorite** *US* ['feɪvrɪt] ◇ *adj* favorito(ta). ◇ *n* favorito *m*, -ta *f*. ➡ **favorites** *npl* COMPUT favoritos *mpl*.

favouritism *UK*, **favoritism** *US* ['feɪvrɪtɪzm] *n* favoritismo *m*.

fawn [fɔːn] ◇ *adj* beige *(inv)*. ◇ *n* [animal] cervato *m*, cervatillo *m*. ◇ *vi*: **to fawn on sb** adular a alguien.

fax [fæks] ◇ *n* fax *m*. ◇ *vt -* **1.** [send fax to] mandar un fax a *-* **2.** [send by fax] enviar por fax.

fax machine, facsimile machine *n* fax *m*.

FBI (*abbr of* **Federal Bureau of Investigation**) *n* FBI *m*.

fear [fɪər] ◇ *n -* **1.** [gen] miedo *m*, temor *m*; **for fear of** por miedo a *-* **2.** [risk] peligro *m*. ◇ *vt -* **1.** [be afraid of] temer *-* **2.** [anticipate] temerse; **to fear (that)...** temerse que...

fearful ['fɪəful] *adj -* **1.** *fml* [frightened] temeroso(sa) *-* **2.** [frightening] terrible.

fearless ['fɪəlɪs] *adj* intrépido(da).

feasible ['fiːzəbl] *adj* factible, viable.

feast [fiːst] ◇ *n* [meal] banquete *m*, festín *m*. ◇ *vi*: **to feast on** OR **off sthg** darse un banquete a base de algo.

feat [fiːt] *n* hazaña *f*.

feather ['feðər] *n* pluma *f*.

feature ['fiːtʃər] ◇ *n -* **1.** [characteristic] característica *f -* **2.** [of face] rasgo *m -* **3.** GEOG accidente *m* geográfico *-* **4.** [article] artículo *m* de fondo *-* **5.** RADIO & TV [programme] programa *m* especial *-* **6.** CIN = **feature film.** ◇ *vt* [subj: film] tener como protagonista a; [subj: exhibition] tener como atracción principal a. ◇ *vi*: **to feature (in)** aparecer OR figurar (en).

feature film *n* largometraje *m*.

February ['februərɪ] *n* febrero *m*; *see also* **September.**

feces *US* = **faeces.**

fed [fed] *pt* & *pp* ⊳ **feed.**

federal ['fedrəl] *adj* federal.

federation [,fedə'reɪʃn] *n* federación *f*.

fed up *adj*: **fed up (with)** harto(ta) (de).

fee [fiː] *n* [to lawyer, doctor etc] honorarios *mpl*; **membership fee** cuota *f* de socio; **entrance fee** entrada *f*; **school fees** (precio *m* de) matrícula *f*.

feeble ['fiːbəl] *adj -* **1.** [weak] débil *-* **2.** [poor, silly] pobre, flojo(ja).

feed [fiːd] ◇ *vt* (*pt* & *pp* **fed**) [gen] alimentar; [animal] dar de comer a. ◇ *vi* comer. ◇ *n -* **1.** [of baby] toma *f -* **2.** [animal food] pienso *m*.

feedback ['fiːdbæk] *n (U) -* **1.** [reaction] reacciones *fpl -* **2.** COMPUT & ELEC realimentación *f*; [on guitar etc] feedback *m*.

feeding bottle ['fiːdɪŋ-] *n UK* biberón *m*.

feel [fiːl] ◇ *vt* (*pt* & *pp* **felt**) *-* **1.** [touch] tocar *-* **2.** [sense, notice, experience] sentir; **I felt myself blushing** noté que me ponía colorado(da) *-* **3.** [believe] creer; **to feel (that)** creer OR pensar que

▸ **not to feel o.s.** no encontrarse bien. ◇ *vi* (*pt* & *pp* **felt**) *-* **1.** [have sensation]: **to feel hot/ cold/sleepy** tener calor/frío/sueño; **how do you feel?** ¿cómo te encuentras? *-* **2.** [have emotion]: **to feel safe/happy** sentirse seguro/feliz *-* **3.** [seem] parecer (al tacto) *-* **4.** [by touch]: **to feel for sthg** buscar algo a tientas *-* **5.** [be in mood]: **do you feel like a drink/eating out?** ¿te apetece OR te provoca *Andes & Méx* beber algo/comer fuera? ◇ *n -* **1.** [sensation, touch] tacto *m*, sensación *f -* **2.** [atmosphere] atmósfera *f*.

feeler ['fiːlər] *n* antena *f*.

feeling ['fiːlɪŋ] *n -* **1.** [emotion] sentimiento *m -* **2.** [sensation] sensación *f -* **3.** [intuition] presentimiento *m -* **4.** [opinion] opinión *f -* **5.** [understanding] apreciación *f*, entendimiento *m*. ➡ **feelings** *npl* sentimientos *mpl*.

feet [fiːt] *npl* ⊳ **foot.**

feign [feɪn] *vt fml* fingir, aparentar.

fell [fel] ◇ *pt* ⊳ **fall.** ◇ *vt* [tree] talar. ➡ **fells** *npl* GEOG monte *m*.

fellow ['feləʊ] ◇ *adj*: **fellow students/prisoners** compañeros de clase/celda; **fellow citizens** conciudadanos. ◇ *n -* **1.** *dated* [man] tipo *m -* **2.** [comrade, peer] camarada *mf -* **3.** [of a society] miembro *m -* **4.** [of college] miembro *m* del claustro de profesores.

fellowship ['feləʊʃɪp] *n -* **1.** [comradeship] camaradería *f -* **2.** [society] asociación *f -* **3.** [grant] beca *f* de investigación.

felony ['felənɪ] *n US* LAW crimen *m*, delito *m* grave.

felt [felt] ◇ *pt* & *pp* ⊳ **feel.** ◇ *n (U)* fieltro *m*.

felt-tip pen *n* rotulador *m*.

female ['fi:meɪl] ⟨⟩ adj [animal, plant, connector] hembra; [figure, sex] femenino(na). ⟨⟩ n - 1. [female animal] hembra f - 2. [woman] mujer f.

feminine ['femɪnɪn] ⟨⟩ adj femenino(na). ⟨⟩ n GRAM femenino m.

feminist ['femɪnɪst] n feminista mf.

fence [fens] ⟨⟩ n valla f; **to sit on the fence** fig nadar entre dos aguas. ⟨⟩ vt [surround] cercar.

fencing ['fensɪŋ] n SPORT esgrima f.

fend [fend] vi: **to fend for o.s.** valerse por sí mismo(ma). ◆ **fend off** vt sep [blows] defenderse de, desviar; [questions, reporters] eludir.

fender ['fendər] n - 1. [round fireplace] guardafuego m - 2. [on boat] defensa f - 3. US [on car] guardabarros m inv.

ferment ⟨⟩ n ['fɜ:ment] [unrest] agitación f. ⟨⟩ vi [fə'ment] fermentar.

fern [fɜ:n] n helecho m.

ferocious [fə'rəʊʃəs] adj feroz.

ferret ['ferɪt] n hurón m. ◆ **ferret about, ferret around** vi inf rebuscar.

ferris wheel ['ferɪs-] n esp US noria f.

ferry ['ferɪ] ⟨⟩ n [large, for cars] transbordador m, ferry m; [small] barca f. ⟨⟩ vt llevar, transportar.

ferryboat ['ferɪbəʊt] n transbordador m, ferry m.

fertile ['fɜ:taɪl] adj fértil.

fertilizer ['fɜ:tɪlaɪzər] n abono m.

fervent ['fɜ:vənt] adj ferviente.

fester ['festər] vi lit & fig enconarse.

festival ['festəvl] n - 1. [event, celebration] festival m - 2. [holiday] día m festivo.

festive ['festɪv] adj festivo(va).

festive season n: **the festive season** las Navidades.

festivities [fes'tɪvətɪz] npl festividades fpl.

festoon [fe'stu:n] vt engalanar.

fetch [fetʃ] vt - 1. [go and get] ir a buscar - 2. inf [raise - money] venderse por.

fetching ['fetʃɪŋ] adj atractivo(va).

fete, fête [feɪt] n fiesta f benéfica.

fetish ['fetɪʃ] n - 1. [object of sexual obsession] fetiche m - 2. [mania] obsesión f, manía f.

fetus ['fi:təs] US = **foetus**.

feud [fju:d] ⟨⟩ n enfrentamiento m duradero. ⟨⟩ vi pelearse.

feudal ['fju:dl] adj feudal.

fever ['fi:vər] n lit & fig fiebre f; **to have a fever** tener fiebre.

feverish ['fi:vərɪʃ] adj lit & fig febril.

few [fju:] ⟨⟩ adj pocos(cas); **the next few weeks** las próximas semanas; **a few** algunos(nas); **a few more potatoes** algunas patatas más; **quite a few, a good few** bastantes; **few and far between** escasos, contados. ⟨⟩ pron pocos mpl, -cas f; **a few (of them)** algunos mpl, -nas f; **quite a few** bastantes mpl & fpl.

fewer ['fju:ər] ⟨⟩ adj menos. ⟨⟩ pron menos.

fewest ['fju:əst] adj menos.

fiancé [fɪ'ɒnseɪ] n prometido m.

fiancée [fɪ'ɒnseɪ] n prometida f.

fiasco [fɪ'æskəʊ] (UK -s, US -es) n fiasco m.

fib [fɪb] inf n bola f, trola f.

fibre UK, **fiber** US ['faɪbər] n fibra f.

fibreglass UK, **fiberglass** US ['faɪbəglɑ:s] n (U) fibra f de vidrio.

fickle ['fɪkl] adj voluble.

fiction ['fɪkʃn] n - 1. [stories] (literatura f de) ficción f - 2. [fabrication] ficción f.

fictional ['fɪkʃənl] adj - 1. [literary] novelesco(ca) - 2. [invented] ficticio(cia).

fictitious [fɪk'tɪʃəs] adj [false] ficticio(cia).

fiddle ['fɪdl] n - 1. [violin] violín m - 2. UK inf [fraud] timo m.

fiddly ['fɪdlɪ] adj UK [job] delicado(da); [gadget] intrincado(da).

fidget ['fɪdʒɪt] vi no estarse quieto(ta).

field [fi:ld] n [gen & COMPUT] campo m; **in the field** sobre el terreno.

field day n: **to have a field day** disfrutar de lo lindo.

field glasses npl prismáticos mpl.

field marshal n mariscal m de campo.

field trip n salida f para realizar trabajo de campo.

fieldwork ['fi:ldwɜ:k] n (U) trabajo m de campo.

fiend [fi:nd] n [cruel person] malvado m, -da f.

fiendish ['fi:ndɪʃ] adj - 1. [evil] malévolo(la) - 2. inf [very difficult] endiablado(da).

fierce [fɪəs] adj [gen] feroz; [temper] endiablado(da); [loyalty] ferviente; [heat] asfixiante.

fiery ['faɪərɪ] adj - 1. [burning] ardiente - 2. [volatile - temper] endiablado(da); [- person] encendido(da); [- speech] apasionado(da).

fifteen [fɪf'ti:n] num quince; see also **six**.

fifth [fɪfθ] num quinto(ta); see also **sixth**.

fifty ['fɪftɪ] num cincuenta; see also **sixty**.

fifty-fifty ⟨⟩ adj al cincuenta por ciento; **a fifty-fifty chance** una posibilidades del cincuenta por ciento. ⟨⟩ adv: **to go fifty-fifty** ir a medias.

fig [fɪg] n higo m.

fight [faɪt] ⟨⟩ n [physical, verbal] pelea f; fig [struggle] lucha f; **to have a fight (with)** pelearse (con); **to put up a fight** oponer resistencia.

◇ *vt* (*pt & pp* fought) [gen] luchar contra; [in punch-up] pelearse con; [battle, campaign] librar; [war] luchar en. ◇ *vi* (*pt & pp* fought) - **1.** [in punch-up] pelearse; [in war] luchar - **2.** *fig* [battle, struggle]: **to fight (for/against)** luchar (por/contra) - **3.** [argue]: **to fight (about OR over)** pelearse OR discutir (por). ◆ **fight back** ◇ *vt insep* [tears, feelings] reprimir, contener. ◇ *vi* defenderse.

fighter ['faɪtə^r] *n* - **1.** [plane] caza *m* - **2.** [soldier] combatiente *mf* - **3.** [boxer] púgil *mf* - **4.** [combative person] luchador *m*, -ra *f*.

fighting ['faɪtɪŋ] *n* (*U*) [on streets, terraces] peleas *fpl*; [in war] combates *mpl*.

figment ['fɪgmənt] *n*: **to be a figment of sb's imagination** ser producto de la imaginación de alguien.

figurative ['fɪgərətɪv] *adj* figurado(da).

figure [*UK* 'fɪgə^r, *US* 'fɪgjər] ◇ *n* - **1.** [statistic, number] cifra *f*; **to put a figure on sthg** dar un número exacto de algo - **2.** [shape of person, personality] figura *f* - **3.** [diagram] figura *f*. ◇ *vt esp US* [suppose] figurarse, suponer. ◇ *vi* [feature] figurar. ◆ **figure out** *vt sep* [reason, motives] figurarse; [problem etc] resolver; [amount, quantity] calcular; **to figure out how to do sthg** dar con la manera de hacer algo.

figurehead ['fɪgəhed] *n* [leader without real power] testaferro *m*.

figure of speech *n* forma *f* de hablar.

Fiji ['fiːdʒiː] *n* Fiji.

file [faɪl] ◇ *n* - **1.** [folder] carpeta *f* - **2.** [report] expediente *m*; **on file, on the files** archivado - **3.** COMPUT archivo *m* - **4.** [tool] lima *f* - **5.** [line]: **in single file** en fila india. ◇ *vt* - **1.** [put in file] archivar - **2.** LAW presentar - **3.** [shape, smooth] limar. ◇ *vi* [walk in single file] ir en fila.

filet *US* = **fillet**.

filing cabinet ['faɪlɪŋ-] *n* archivador *m*.

Filipino [ˌfɪlɪ'piːnəʊ] ◇ *adj* filipino(na). ◇ *n* (*pl* -s) filipino *m*, -na *f*.

fill [fɪl] ◇ *vt* - **1.** [gen]: **to fill sthg (with)** llenar algo (de) - **2.** [gap, hole, crack] rellenar; [tooth] empastar - **3.** [need, vacancy etc] cubrir; [time] ocupar. ◇ *n*: **to eat one's fill** comer hasta hartarse; **to have had one's fill of sthg** estar hasta la coronilla de algo. ◆ **fill in** *vt sep* - **1.** [complete] rellenar - **2.** [inform]: **to fill sb in (on)** poner a alguien al corriente (de). ◆ **fill out** *vt sep* [complete] rellenar. ◆ **fill up** ◇ *vt sep* llenar (hasta arriba). ◇ *vi* - **1.** [gen] llenarse - **2.** [buy petrol] repostar.

fillet *UK*, **filet** *US* ['fɪlɪt] ◇ *n* filete *m*. ◇ *vt* cortar en filetes.

fillet steak *n* filete *m*, bife *m* de lomo *R Plata*.

filling ['fɪlɪŋ] ◇ *adj* [satisfying] que llena mucho. ◇ *n* - **1.** [in tooth] empaste *m Esp* - **2.** [in cake, sandwich] relleno *m*.

filling station *n* estación *f* de servicio OR de nafta *R Plata*.

film [fɪlm] ◇ *n* - **1.** [gen] película *f* - **2.** (*U*) [art of cinema] cine *m*. ◇ *vt & vi* filmar, rodar.

film noir ['nwɑ:^r] (*pl* **films noirs**) *n* CIN cine *m* negro.

film star *n* estrella *f* de cine.

Filofax® ['faɪləʊfæks] *n* agenda *f* de anillas.

filter ['fɪltə^r] ◇ *n* filtro *m*. ◇ *vt* [purify] filtrar.

filter coffee *n* café *m* de filtro.

filter lane *n UK* carril *m* de giro.

filter-tipped [-'tɪpt] *adj* con filtro.

filth [fɪlθ] *n* (*U*) - **1.** [dirt] suciedad *f* - **2.** [obscenity] obscenidades *fpl*.

filthy ['fɪlθɪ] *adj* - **1.** [very dirty] mugriento(ta), sucísimo(ma) - **2.** [obscene] obsceno(na).

fin [fɪn] *n* [on fish] aleta *f*.

final ['faɪnl] ◇ *adj* - **1.** [last] último(ma) - **2.** [at end] final - **3.** [definitive] definitivo(va). ◇ *n* final *f*. ◆ **finals** *npl* UNIV exámenes *mpl* finales.

finale [fɪ'nɑːlɪ] *n* final *m*.

finalize, -ise ['faɪnəlaɪz] *vt* ultimar.

finally ['faɪnəlɪ] *adv* - **1.** [at last] por fin - **2.** [lastly] finalmente, por último.

finance ◇ *n* ['faɪnæns] (*U*) - **1.** [money management] finanzas *fpl* - **2.** [money] fondos *mpl*. ◇ *vt* [faɪ'næns] financiar. ◆ **finances** *npl* finanzas *fpl*.

financial [fɪ'nænʃl] *adj* financiero(ra).

find [faɪnd] ◇ *vt* (*pt & pp* found) - **1.** [gen] encontrar - **2.** [realize - fact] darse cuenta de, descubrir - **3.** LAW: **to be found guilty/not guilty (of)** ser declarado(da) culpable/inocente (de). ◇ *n* hallazgo *m*, descubrimiento *m*. ◆ **find out** ◇ *vi* - **1.** [become aware] enterarse - **2.** [obtain information] informarse. ◇ *vt insep* [truth] descubrir; [fact] averiguar. ◇ *vt sep* [person] descubrir.

findings ['faɪndɪŋz] *npl* conclusiones *fpl*.

fine [faɪn] ◇ *adj* - **1.** [excellent] excelente - **2.** [perfectly satisfactory]: **it's/that's fine** bien; **how are you? - fine thanks** ¿qué tal? - muy bien - **3.** [weather] bueno(na); **it will be fine tomorrow** mañana hará buen día - **4.** [thin, smooth, delicate] fino(na) - **5.** [minute - detail, distinction] sutil; [- adjustment, tuning] milimétrico(ca). ◇ *adv* [well] bien; [very well] muy bien. ◇ *n* multa *f*. ◇ *vt* multar.

fine arts *npl* bellas artes *fpl*.

finery ['faɪnərɪ] *n* (*U*) galas *fpl*.

finesse [fɪ'nes] *n* finura *f*, delicadeza *f*.

fine-tune ['faɪntjuːn] *vt* poner a punto.

finger ['fɪŋgə'] ◇ n dedo m. ◇ vt acariciar con los dedos.

fingernail ['fɪŋgəneɪl] n uña f (de las manos).

fingerprint ['fɪŋgəprɪnt] n huella f dactilar OR digital.

fingertip ['fɪŋgətɪp] n punta f del dedo.

finicky ['fɪnɪkɪ] adj pej [person] melindroso(sa); [task] delicado(da).

finish ['fɪnɪʃ] ◇ n - 1. [end] final m; [in race] meta f - 2. [surface texture] acabado m. ◇ vt: **to finish sthg/doing sthg** acabar OR terminar algo/de hacer algo. ◇ vi terminar. ◆ **finish off** vt sep [food, task] acabar OR terminar del todo. ◆ **finish up** vi acabar, terminar.

finishing line ['fɪnɪʃɪŋ-] n línea f de meta.

finishing school ['fɪnɪʃɪŋ-] n colegio privado donde se prepara a las alumnas de clase alta para entrar en sociedad.

finite ['faɪnaɪt] adj - 1. [limited] finito(ta) - 2. GRAM conjugado(da).

Finland ['fɪnlənd] n Finlandia f.

Finn [fɪn] n [person] finlandés m, -esa f.

Finnish ['fɪnɪʃ] ◇ adj finlandés(esa). ◇ n [language] finlandés m.

fir [fɜ:'], **fir tree** n abeto m.

fire ['faɪə'] ◇ n - 1. [gen] fuego m; **on fire** en llamas; **to catch fire** prender; **to open fire (on sb)** abrir fuego (contra alguien); **to set fire to** prender fuego a - 2. [blaze] incendio m - 3. UK [heater]: **(electric/gas) fire** estufa f (eléctrica/de gas). ◇ vt - 1. [shoot] disparar; **to fire a shot** disparar - 2. esp US [dismiss] despedir. ◇ vi: **to fire (on OR at)** disparar (contra).

fire alarm n alarma f antiincendios.

firearm ['faɪərɑ:m] n arma f de fuego.

firebomb ['faɪəbɒm] n bomba f incendiaria.

fire brigade UK, **fire department** US n cuerpo m de bomberos.

fire door n puerta f cortafuegos.

fire engine n coche m de bomberos.

fire escape n escalera f de incendios.

fire exit n salida f de incendios.

fire extinguisher n extintor m.

fireguard ['faɪəgɑ:d] n pantalla f (de chimenea).

firehouse ['faɪəhaʊs] n US cuartel m de bomberos.

firelighter ['faɪəlaɪtə'] n pastilla f para encender el fuego.

fireman ['faɪəmən] (pl -men [-mən]) n bombero m.

fireplace ['faɪəpleɪs] n chimenea f.

fireproof ['faɪəpru:f] adj ignífugo(ga), resistente al fuego.

fireside ['faɪəsaɪd] n: **by the fireside** al calor de la chimenea.

fire station n parque m de bomberos.

firewall ['faɪəwɔ:l] n COMPUT cortafuego m.

firewood ['faɪəwʊd] n leña f.

firework ['faɪəwɜ:k] n fuego m de artificio. ◆ **fireworks** npl fuegos mpl artificiales.

firing ['faɪərɪŋ] n (U) MIL disparos mpl.

firing squad n pelotón m de ejecución OR fusilamiento.

firm [fɜ:m] ◇ adj - 1. [gen] firme; **to stand firm** mantenerse firme - 2. FIN [steady] estable. ◇ n empresa f.

first [fɜ:st] ◇ adj primero(ra); **the first day** el primer día; **for the first time** por primera vez; **first thing (in the morning)** a primera hora (de la mañana). ◇ adv - 1. [gen] primero; **to come first** quedar primero(ra); **first of all** en primer lugar - 2. [for the first time] por primera vez. ◇ n - 1. [person] primero m, -ra f - 2. [unprecedented event] acontecimiento m sin precedentes - 3. UK UNIV ≃ sobresaliente m. ◆ **at first** adv al principio. ◆ **at first hand** adv de primera mano.

first aid n (U) [treatment] primeros auxilios mpl; [technique] socorrismo m.

first-aid kit n botiquín m de primeros auxilios.

first-class ◇ adj - 1. [excellent] de primera - 2. [letter, ticket] de primera clase. ◇ adv [travel] en primera clase.

first floor n - 1. UK [above ground level] primer piso m - 2. US [at ground level] planta f baja.

firsthand [,fɜ:st'hænd] ◇ adj de primera mano. ◇ adv directamente.

first lady n primera dama f.

firstly ['fɜ:stlɪ] adv en primer lugar.

first name n nombre m de pila.

first-rate adj de primera.

fir tree ['fɜ:tri:] = **fir**.

fish [fɪʃ] ◇ n (pl fish) - 1. [animal] pez m - 2. (U) [food] pescado m. ◇ vt pescar en. ◇ vi [for fish]: **to fish (for sthg)** pescar (algo).

fish and chips npl pescado m frito con patatas fritas.

fish and chip shop n UK tienda f de pescado frito con patatas fritas.

fishbowl ['fɪʃbəʊl] n pecera f.

fishcake ['fɪʃkeɪk] n pastelillo m de pescado.

fisherman ['fɪʃəmən] (pl -men [-mən]) n pescador m.

fish farm n piscifactoría f.

fish fingers UK, **fish sticks** US npl palitos mpl de pescado.

fishing ['fɪʃɪŋ] n pesca f; **to go fishing** ir de pesca.

fishing boat n barco m pesquero.

fishing line n sedal m.

fishing net *n* red *f* de pesca.

fishing rod *n* caña *f* de pescar.

fishmonger ['fɪʃ,mʌŋgər] *n esp UK* pescadero *m*, -ra *f*; **fishmonger's (shop)** pescadería *f*.

fish sticks *US* = **fish fingers**.

fishy ['fɪʃɪ] *adj* - **1.** [smell, taste] a pescado - **2.** *inf* [suspicious] sospechoso(sa).

fist [fɪst] *n* puño *m*.

fit [fɪt] ◇ *adj* - **1.** [suitable]: **to see** OR **think fit to do sthg** creer conveniente hacer algo; **do as you think fit** haz lo que te parezca conveniente - **2.** [healthy] en forma; **to keep fit** mantenerse en forma. ◇ *n* - **1.** [of clothes, shoes etc]: **it's a good fit** le/te *etc* sienta OR va bien - **2.** [bout, seizure] ataque *m*; **he had a fit** *lit* & *fig* le dio un ataque; **in fits and starts** a trompicones. ◇ *vt* - **1.** [be correct size for] sentar bien a, ir bien a - **2.** [place]: **to fit sthg into** encajar algo en - **3.** [provide]: **to fit sthg with** equipar algo con; **to have an alarm fitted** poner una alarma - **4.** [be suitable for] corresponder a. ◇ *vi* - **1.** [clothes, shoes] estar bien de talla - **2.** [part - when assembling etc]: **this bit fits in here** esta pieza encaja aquí - **3.** [have enough room] caber. ◆ **fit in** ◇ *vt sep* [accommodate] hacer un hueco a. ◇ *vi* - **1.** [subj: person]: **to fit in (with)** adaptarse (a) - **2.** [be compatible]: **it doesn't fit in with our plans** no encaja con nuestros planes.

fitful ['fɪtfʊl] *adj* irregular, intermitente.

fitment ['fɪtmənt] *n* accesorio *m*.

fitness ['fɪtnɪs] *(U) n* - **1.** [health] buen estado *m* físico - **2.** [suitability]: **fitness (for)** idoneidad *f* (para).

fitted carpet ['fɪtəd-] *n* moqueta *f*.

fitted kitchen ['fɪtəd-] *n UK* cocina *f* amueblada a medida.

fitter ['fɪtər] *n* [mechanic] (mecánico *m*) ajustador *m*.

fitting ['fɪtɪŋ] ◇ *adj fml* adecuado(da). ◇ *n* - **1.** [part] accesorio *m* - **2.** [for clothing] prueba *f*. ◆ **fittings** *npl* accesorios *mpl*.

fitting room *n* probador *m*.

five [faɪv] *num* cinco; *see also* **six**.

fiver ['faɪvər] *n UK inf* (billete de) cinco libras.

fix [fɪks] ◇ *vt* - **1.** [attach, decide on] fijar; **to fix sthg (to)** fijar algo (a) - **2.** [repair] arreglar, refaccionar *Amér* - **3.** *inf* [rig] amañar - **4.** *esp US* [prepare - food, drink] preparar. ◇ *n* - **1.** *inf* [difficult situation]: **to be in a fix** estar en un aprieto - **2.** *drug sl* dosis *f inv*. ◆ **fix up** *vt sep* - **1.** [provide]: **to fix sb up with** proveer a alguien de - **2.** [arrange] organizar, preparar.

fixation [fɪk'seɪʃn] *n*: **fixation (on** OR **about)** fijación *f* (con).

fixed [fɪkst] *adj* fijo(ja).

fixture ['fɪkstʃər] *n* - **1.** [furniture] instalación *f* fija - **2.** [permanent feature] rasgo *m* característico - **3.** [sports event] encuentro *m*.

fizz [fɪz] *vi* burbujear.

fizzle ['fɪzl] ◆ **fizzle out** *vi* [firework, fire] apagarse; [enthusiasm] disiparse.

fizzy ['fɪzɪ] *adj* [gen] gaseoso(sa); [water, soft drink] con gas.

flabbergasted ['flæbəgɑːstɪd] *adj* pasmado(da).

flabby ['flæbɪ] *adj* fofo(fa).

flag [flæg] ◇ *n* [banner] bandera *f*. ◇ *vi* decaer. ◆ **flag down** *vt sep* [taxi] parar.

flagpole ['flægpəʊl] *n* asta *f* (de bandera).

flagrant ['fleɪgrənt] *adj* flagrante.

flagstone ['flægstəʊn] *n* losa *f*.

flair [fleər] *n* - **1.** [ability] don *m*; **to have a flair for sthg** tener un don para algo - **2.** [style] estilo *m*.

flak [flæk] *n (U)* - **1.** [gunfire] fuego *m* antiaéreo - **2.** *inf* [criticism] críticas *fpl*.

flake [fleɪk] ◇ *n* [of skin] escama *f*; [of snow] copo *m*; [of paint] desconchón *m*. ◇ *vi* [skin] descamarse; [paint, plaster] desconcharse.

flamboyant [flæm'bɔɪənt] *adj* - **1.** [person, behaviour] extravagante - **2.** [clothes, design] vistoso(sa).

flame [fleɪm] *n* llama *f*; **in flames** en llamas.

flamingo [flə'mɪŋgəʊ] *(pl* **-s** OR **-es)** *n* flamenco *m*.

flammable ['flæməbl] *adj* inflamable.

flan [flæn] *n* tarta *f* (de fruta etc).

flank [flæŋk] ◇ *n* - **1.** [of animal] costado *m*, ijada *f* - **2.** [of army] flanco *m*. ◇ *vt*: **to be flanked by** estar flanqueado(da) por.

flannel ['flænl] *n* - **1.** [cloth] franela *f* - **2.** *UK* [facecloth] toallita *f* (de baño para lavarse).

flap [flæp] ◇ *n* [of pocket, book, envelope] solapa *f*; [of skin] colgajo *m*. ◇ *vt* agitar; [wings] batir. ◇ *vi* [flag, skirt] ondear; [wings] aletear.

flapjack ['flæpdʒæk] *n* - **1.** *UK* [biscuit] galleta *f* de avena - **2.** *US* [pancake] torta *f*, crepe *f*.

flare [fleər] ◇ *n* [signal] bengala *f*. ◇ *vi* - **1.** [burn brightly]: **to flare (up)** llamear - **2.** [intensify]: **to flare (up)** estallar. ◆ **flares** *npl UK* pantalones *mpl* de campana.

flash [flæʃ] ◇ *n* - **1.** [of light] destello *m*; **a flash of lightning** un relámpago, un refucilo *R Plata* - **2.** PHOT flash *m* - **3.** [of genius, inspiration etc] momento *m*; [of anger] acceso *m*; **in a flash** en un instante. ◇ *vt* - **1.** [shine in specified direction] dirigir; [switch on briefly] encender intermitentemente - **2.** [a smile, look] lanzar - **3.** [show - picture, image] mostrar; [- information, news] emitir. ◇ *vi* - **1.** [light] destellar - **2.** [eyes] brillar - **3.** [rush]: **to flash by** OR **past** pasar como un rayo.

flashback ['flæʃbæk] *n* flashback *m*.

flashbulb ['flæʃbʌlb] *n* flash *m*.

flashgun ['flæʃgʌn] *n* disparador *m* de flash.

flashlight ['flæʃlaɪt] *n* US [torch] linterna *f*.

flashy ['flæʃɪ] *adj inf* chulo(la); *pej* ostentoso(sa).

flask [flɑːsk] *n* - 1. [thermos flask] termo® *m* - 2. [used in chemistry] matraz *m* - 3. [hip flask] petaca *f*.

flat [flæt] <> *adj* - 1. [surface, ground] llano(na); [feet] plano(na) - 2. [shoes] bajo(ja), de piso *Méx* - 3. [tyre] desinflado(da), ponchado(da) *Méx* - 4. [refusal, denial] rotundo(da) - 5. [business, trade] flojo(ja); [voice, tone] monótono(na); [colour] soso(sa); [performance, writing] desangelado(da) - 6. MUS [lower than correct note] desafinado(da); [lower than stated note] bemol *(inv)* - 7. [fare, price] único(ca) - 8. [beer, lemonade] muerto(ta) - 9. [battery] descargado(da). <> *adv* - 1. [level]: **to lie flat** estar totalmente extendido(da); **to fall flat on one's face** [person] caerse de bruces - 2. [of time]: **in five minutes flat** en cinco minutos justos. <> *n* - 1. UK [apartment] piso *m*, apartamento *m*, departamento *m* Amér - 2. US [tyre] pinchazo *m* - 3. MUS bemol *m*. ⏺ **flat out** *adv* a toda velocidad.

flatly ['flætlɪ] *adv* - 1. [refuse, deny] de plano, rotundamente - 2. [speak, perform] monótonamente.

flatmate ['flætmeɪt] *n* UK compañero *m*, -ra *f* de piso.

flat rate *n* tarifa *f* plana.

flatten ['flætn] *vt* - 1. [surface, paper, bumps] allanar, aplanar; [paper] alisar - 2. [building, city] arrasar. ⏺ **flatten out** <> *vi* allanarse, nivelarse. <> *vt sep* allanar.

flatter ['flætər] *vt* - 1. [subj: person, report] adular, halagar - 2. [subj: clothes, colour, photograph] favorecer.

flattering ['flætərɪŋ] *adj* - 1. [remark, interest] halagador(ra) - 2. [clothes, colour, photograph] favorecedor(ra).

flattery ['flætərɪ] *n* (U) halagos *mpl*.

flaunt [flɔːnt] *vt* ostentar, hacer gala de.

flavour UK, **flavor** US ['fleɪvər] <> *n* - 1. [taste] sabor *m* - 2. *fig* [atmosphere] aire *m*, sabor *m*. <> *vt* condimentar.

flavouring UK, **flavoring** US ['fleɪvərɪŋ] *n* (U) condimento *m*; **artificial flavouring** aromatizante *m* artificial.

flaw [flɔː] *n* [fault] desperfecto *m*.

flawless ['flɔːlɪs] *adj* impecable.

flax [flæks] *n* lino *m*.

flea [fliː] *n* pulga *f*; **to send sb away with a flea in his/her ear** echar una buena reprimenda a alguien.

flea market *n* rastro *m*.

fleck [flek] *n* mota *f*.

fled [fled] *pt* & *pp* ⏵ **flee**.

flee [fliː] (*pt* & *pp* **fled**) <> *vt* huir de. <> *vi*: **to flee (from/to)** huir (de/a).

fleece [fliːs] <> *n* - 1. [vellón *m* - 2. [garment] forro *m* polar. <> *vt inf* [cheat] desplumar.

fleet [fliːt] *n* - 1. [of ships] flota *f* - 2. [of cars, buses] parque *m* (móvil).

fleeting ['fliːtɪŋ] *adj* fugaz.

Fleet Street *n* calle londinense que antiguamente era el centro de la prensa británica y cuyo nombre todavía se utiliza para referirse a ésta.

Flemish ['flemɪʃ] <> *adj* flamenco(ca). <> *n* [language] flamenco *m*. <> *npl*: **the Flemish** los flamencos.

flesh [fleʃ] *n* - 1. [of body] carne *f*; **in the flesh** en persona - 2. [of fruit, vegetable] pulpa *f*.

flesh wound *n* herida *f* superficial.

flew [fluː] *pt* ⏵ **fly**.

flex [fleks] <> *n* ELEC cable *m*, cordón *m*. <> *vt* flexionar.

flexible ['fleksəbl] *adj* flexible.

flexitime ['fleksɪtaɪm] *n* (U) horario *m* flexible.

flick [flɪk] <> *n* - 1. [of whip, towel] golpe *m* rápido - 2. [with finger] toba *f*. <> *vt* [switch] apretar, pulsar. ⏺ **flick through** *vt insep* hojear.

flicker ['flɪkər] *vi* [eyes, flame] parpadear.

flick knife *n* UK navaja *f* automática.

flight [flaɪt] *n* - 1. [gen] vuelo *m*; **flight of fancy** OR **of the imagination** vuelo de la imaginación - 2. [of steps, stairs] tramo *m* - 3. [of birds] bandada *f* - 4. [escape] huida *f*, fuga *f*.

flight attendant *n* auxiliar *mf* de vuelo.

flight crew *n* tripulación *f* de vuelo.

flight deck *n* - 1. [of plane] cabina *f* del piloto - 2. [of aircraft carrier] cubierta *f* de vuelo.

flight recorder *n* caja *f* negra.

flimsy ['flɪmzɪ] *adj* - 1. [dress, material] muy ligero(ra) - 2. [structure] débil, poco sólido(da) - 3. [excuse] flojo(ja).

flinch [flɪntʃ] *vi* - 1. [shudder] estremecerse; **without flinching** sin pestañear - 2. [be reluctant]: **to flinch (from sthg/from doing sthg)** retroceder (ante algo/ante hacer algo); **without flinching** sin inmutarse.

fling [flɪŋ] <> *n* [affair] aventura *f* (amorosa). <> *vt* (*pt* & *pp* **flung**) arrojar.

flint [flɪnt] *n* - 1. [rock] sílex *m* - 2. [in lighter] piedra *f*.

flip [flɪp] *vt* - 1. [turn] dar la vuelta a; **to flip sthg open** abrir algo de golpe - 2. [switch] pulsar. ⏺ **flip through** *vt insep* hojear.

flip-flop *n* [shoe] chancleta *f*.

flippant ['flɪpənt] *adj* frívolo(la).

flipper ['flɪpə*] n aleta f.

flirt [flɜːt] <> n coqueto m, -ta f. <> vi [with person]: **to flirt (with)** flirtear OR coquetear (con).

flirtatious [flɜː'teɪʃəs] adj coqueto(ta).

flit [flɪt] vi [bird] revolotear.

float [fləʊt] <> n - 1. [for fishing line] corcho m - 2. [for swimming] flotador m - 3. [in procession] carroza f - 4. [supply of change] cambio m. <> vt [on water] hacer flotar. <> vi flotar.

flock [flɒk] n - 1. [of sheep] rebaño m; [of birds] bandada f - 2. fig [of people] multitud f, tropel m.

flog [flɒg] vt - 1. [whip] azotar - 2. UK inf [sell] vender.

flood [flʌd] n - 1. [of water] inundación f - 2. [of letters, people] aluvión m, riada f.

flooding ['flʌdɪŋ] n (U) inundación f.

floodlight ['flʌdlaɪt] n foco m.

floor [flɔː*] <> n - 1. [of room, forest] suelo m; [of club, disco] pista f - 2. [of sea, valley] fondo m - 3. [of building] piso m, planta f. <> vt - 1. [knock down] derribar - 2. [baffle] desconcertar, dejar perplejo(ja).

floorboard ['flɔːbɔːd] n tabla f (del suelo).

floor show n espectáculo m de cabaré.

flop [flɒp] inf n [failure] fracaso m.

floppy ['flɒpɪ] adj caído(da), flojo(ja).

floppy (disk) n disco m flexible.

flora ['flɔːrə] n flora f.

florid ['flɒrɪd] adj - 1. [extravagant] florido(da) - 2. [red] rojizo(za).

florist ['flɒrɪst] n florista mf; **florist's (shop)** floristería f.

flotsam ['flɒtsəm] n (U): **flotsam and jetsam** restos mpl de un naufragio; fig desechos mpl de la humanidad.

flounce [flaʊns] <> n SEW volante m. <> vi: **to flounce out** salir airadamente.

flounder ['flaʊndə*] vi - 1. [move with difficulty] debatirse - 2. [when speaking] titubear.

flour ['flaʊə*] n harina f.

flourish ['flʌrɪʃ] <> vi florecer. <> vt agitar. <> n: **to do sthg with a flourish** hacer algo exageradamente.

flout [flaʊt] vt desobedecer.

flow [fləʊ] <> n flujo m; **traffic flow** circulación f. <> vi - 1. [gen] fluir, correr - 2. [hair, clothes] ondear.

flow chart, flow diagram n organigrama m, cuadro m sinóptico.

flower ['flaʊə*] <> n lit & fig flor f. <> vi lit & fig florecer.

flowerbed ['flaʊəbed] n arriate m.

flowerpot ['flaʊəpɒt] n tiesto m.

flowery ['flaʊərɪ] adj - 1. [patterned] de flores, floreado(da) - 2. pej [elaborate] florido(da).

flown [fləʊn] pp ▷ **fly**.

flu [fluː] n gripe f.

fluctuate ['flʌktʃʊeɪt] vi fluctuar.

fluency ['fluːənsɪ] n soltura f, fluidez f.

fluent ['fluːənt] adj - 1. [in foreign language]: **to be fluent in French, to speak fluent French** dominar el francés - 2. [style] fluido(da).

fluff [flʌf] n pelusa f.

fluffy ['flʌfɪ] adj [jumper] de pelusa; [toy] de peluche.

fluid ['fluːɪd] <> n fluido m, líquido m. <> adj - 1. [flowing] fluido(da) - 2. [situation, opinion] incierto(ta).

fluid ounce n onza f líquida (unos 30 ml).

fluke [fluːk] n inf chiripa f; **by a fluke** por OR de chiripa.

flummox ['flʌməks] vt UK inf desconcertar.

flung [flʌŋ] pt & pp ▷ **fling**.

flunk [flʌŋk] vt & vi esp US inf catear.
◆ **flunk out** vi US inf ser expulsado(da).

fluorescent [flʊə'resnt] adj fluorescente.

fluoride ['flʊəraɪd] n fluoruro m.

flurry ['flʌrɪ] n - 1. [shower] ráfaga f - 2. [burst] torbellino m.

flush [flʌʃ] <> adj [level]: **flush with** nivelado(da) con. <> n - 1. [lavatory mechanism] cadena f - 2. [blush] rubor m - 3. [sudden feeling] arrebato m. <> vt [force out of hiding]: **to flush sb out** hacer salir a alguien. <> vi [blush] ruborizarse.

flushed [flʌʃt] adj - 1. [red-faced] encendido(da) - 2. [excited]: **flushed (with)** enardecido(da) (por).

flustered ['flʌstəd] adj aturullado(da).

flute [fluːt] n MUS flauta f.

flutter ['flʌtə*] <> n - 1. [of wings] aleteo m; [of eyelashes] pestañeo m - 2. inf [of excitement] arranque m. <> vi - 1. [bird] aletear - 2. [flag, dress] ondear.

flux [flʌks] n [change]: **to be in a state of flux** cambiar constantemente.

fly [flaɪ] <> n - 1. [insect] mosca f - 2. [of trousers] bragueta f. <> vt (pt flew, pp flown) - 1. [plane] pilotar; [kite, model aircraft] hacer volar - 2. [passengers, supplies] transportar en avión - 3. [flag] ondear. <> vi (pt flew, pp flown) - 1. [bird, plane] volar; **to send sthg/sb flying, to knock sthg/sb flying** inf mandar algo/a alguien por los aires - 2. [travel by plane] ir en avión - 3. [pilot a plane] pilotar - 4. [flag] ondear. ◆ **fly away** vi irse volando.

fly-fishing n pesca f con mosca.

flying ['flaɪɪŋ] ◇ *adj* [able to fly] volador(ra), volante. ◇ *n*: **I hate/love flying** odio/me encanta ir en avión; **her hobby is flying** es aficionada a la aviación.

flying colours *npl*: **to pass (sthg) with flying colours** salir airoso(sa) (de algo).

flying picket *n* piquete *m* volante.

flying saucer *n* platillo *m* volante.

flying squad *n* brigada *f* volante.

flying start *n*: **to get off to a flying start** empezar con muy buen pie.

flying visit *n* visita *f* relámpago.

flyover ['flaɪ,əʊvər] *n* UK paso *m* elevado.

flysheet ['flaɪʃiːt] *n* doble techo *m*.

fly spray *n* matamoscas *m inv* (en aerosol).

FM (*abbr of* frequency modulation) FM *f*.

foal [fəʊl] *n* potro *m*.

foam [fəʊm] ◇ *n* - 1. [bubbles] espuma *f* - 2.: **foam (rubber)** gomaespuma *f*. ◇ *vi* hacer espuma.

fob [fɒb] ◆ **fob off** *vt sep*: **to fob sb off (with sthg)** quitarse a alguien de encima (con algo); **to fob sthg off on sb** endosar a alguien algo.

focal point ['fəʊkl-] *n* punto *m* focal OR central.

focus ['fəʊkəs] ◇ *n* (*pl* **-cuses** OR **-ci** [-saɪ]) [gen] foco *m*; **in focus** enfocado; **out of focus** desenfocado. ◇ *vt* - 1. [eyes, lens, rays] enfocar - 2. [attention] fijar, centrar. ◇ *vi* - 1. [eyes, lens]: **to focus (on sthg)** enfocar (algo) - 2. [attention]: **to focus on sthg** centrarse en algo.

fodder ['fɒdər] *n* forraje *m*.

foe [fəʊ] *n* liter enemigo *m*, -ga *f*.

foetus, fetus ['fiːtəs] *n* feto *m*.

fog [fɒg] *n* niebla *f*.

foggy ['fɒgɪ] *adj* [day] de niebla; **it's foggy** hay niebla.

foghorn ['fɒghɔːn] *n* sirena *f* (de niebla).

fog lamp *n* faro *m* antiniebla.

foible ['fɔɪbl] *n* manía *f*.

foil [fɔɪl] ◇ *n* (U) [metal sheet] papel *m* de aluminio OR de plata. ◇ *vt* frustrar.

fold [fəʊld] ◇ *vt* [sheet, blanket] doblar; [chair, pram] plegar; **to fold one's arms** cruzar los brazos. ◇ *vi* - 1. [table, chair etc] plegarse - 2. *inf* [collapse] venirse abajo. ◇ *n* - 1. [in material, paper] pliegue *m* - 2. [for animals] redil *m*. ◆ **fold up** *vt sep* - 1. [bend] doblar - 2. [close up] plegar. ◇ *vi* - 1. [bend] doblarse - 2. [close up] plegarse - 3. [collapse] venirse abajo.

folder ['fəʊldər] *n* [gen & COMPUT] carpeta *f*.

folding ['fəʊldɪŋ] *adj* plegable; [ladder] de tijera.

foliage ['fəʊlɪɪdʒ] *n* follaje *m*.

folk [fəʊk] ◇ *adj* popular. ◇ *npl* [people] gente *f*. ◇ *n* = **folk music**. ◆ **folks** *npl inf* [parents] padres *mpl*.

folklore ['fəʊklɔːr] *n* folclore *m*.

folk music, folk *n* - 1. [traditional] música *f* folclórica OR popular - 2. [contemporary] música *f* folk.

folk song *n* - 1. [traditional] canción *f* popular - 2. [contemporary] canción *f* folk.

follow ['fɒləʊ] ◇ *vt* - 1. [gen] seguir - 2. [understand] comprender. ◇ *vi* - 1. [gen] seguir - 2. [be logical] ser lógico(ca); **it follows that** se deduce que - 3. [understand] comprender. ◆ **follow up** *vt sep* - 1. [monitor] hacer un seguimiento de - 2. [continue]: **to follow sthg up with** proseguir algo con.

follower ['fɒləʊər] *n* partidario *m*, -ria *f*.

following ['fɒləʊɪŋ] ◇ *adj* siguiente. ◇ *n* partidarios *mpl*; [of team] afición *f*. ◇ *prep* tras.

folly ['fɒlɪ] *n* (U) [foolishness] locura *f*.

fond [fɒnd] *adj* - 1. [affectionate] afectuoso(sa), cariñoso(sa) - 2. [having a liking]: **to be fond of sb** tener cariño a alguien; **to be fond of sthg/of doing sthg** ser aficionado(da) a algo/a hacer algo.

fondle ['fɒndl] *vt* acariciar.

font [fɒnt] *n* - 1. [in church] pila *f* bautismal - 2. COMPUT fuente *f*.

food [fuːd] *n* comida *f*.

food mixer *n* batidora *f* eléctrica.

food poisoning [-ˈpɔɪznɪŋ] *n* intoxicación *f* alimenticia.

food processor [-ˌprəʊsesər] *n* robot *m* de cocina.

foodstuffs ['fuːdstʌfs] *npl* comestibles *mpl*.

fool [fuːl] ◇ *n* - 1. [idiot] idiota *mf*, imbécil *mf*; **to act** OR **play the fool** hacer el tonto - 2. *UK* [dessert] mousse de fruta con nata. ◇ *vt* [deceive] engañar; **to fool sb into doing sthg** embaucar a alguien para que haga algo. ◇ *vi* bromear. ◆ **fool about, fool around** *vi* - 1. [behave foolishly]: **to fool about (with sthg)** hacer el tonto (con algo) - 2. [be unfaithful]: **to fool around (with sb)** tontear (con alguien).

foolhardy ['fuːl,hɑːdɪ] *adj* temerario(ria).

foolish ['fuːlɪʃ] *adj* tonto(ta).

foolproof ['fuːlpruːf] *adj* infalible.

foot [fʊt] *n* - 1. (*pl* **feet**) [gen] pie *m*; [of bird, animal] pata *f*; **to be on one's feet** estar de pie; **to get to one's feet** levantarse; **on foot** a pie, andando; **to put one's foot in it** meter la pata; **to put one's feet up** descansar - 2. (*pl* **feet**) [unit of measurement] = *30,48 cm* pie *m*.

footage ['fʊtɪdʒ] *n* (U) secuencias *fpl*.

football ['fʊtbɔːl] n - 1. [game - soccer] fútbol m; [- American football] fútbol m americano - 2. [ball] balón m.

footballer ['fʊtbɔːləʳ], **football player** n UK futbolista mf.

football ground n UK estadio m de fútbol.

football pitch n UK campo m de fútbol.

football player = **footballer**.

footbrake ['fʊtbreɪk] n freno m de pedal.

footbridge ['fʊtbrɪdʒ] n puente m peatonal, pasarela f.

foothills ['fʊthɪlz] npl estribaciones fpl.

foothold ['fʊthəʊld] n punto m de apoyo para el pie; **to get a foothold** [on mountain, rockface] encontrar un punto de apoyo; [in organization, company] afianzarse.

footing ['fʊtɪŋ] n - 1. [foothold] equilibrio m; **to lose one's footing** perder el equilibrio - 2. [basis] base f; **on an equal footing (with)** en pie de igualdad (con).

footlights ['fʊtlaɪts] npl candilejas fpl.

footnote ['fʊtnəʊt] n nota f a pie de página.

footpath ['fʊtpɑːθ, pl -pɑːðz] n senda f.

footprint ['fʊtprɪnt] n huella f, pisada f.

footstep ['fʊtstep] n - 1. [sound] paso m - 2. [footprint] pisada f; **to follow in sb's footsteps** seguir los pasos de alguien.

footwear ['fʊtweəʳ] n calzado m.

for [fɔːʳ] <> prep - 1. [indicating intention, destination, purpose] para; **this is for you** esto es para ti; **I'm going for the paper** voy (a) por el periódico; **the plane for Paris** el avión para OR de París; **it's time for bed** es hora de irse a la cama; **to go for a walk** ir a dar un paseo; **what's it for?** ¿para qué es OR sirve? - 2. [representing, on behalf of] por; **the MP for Barnsley** el diputado por Barnsley; **let me do it for you** deja que lo haga por ti; **he plays for England** juega en la selección inglesa; **to work for** trabajar para - 3. [because of] por; **a prize for bravery** un premio a la valentía; **to jump for joy** dar saltos de alegría; **for fear of failing** por miedo al fracaso - 4. [with regard to] para; **to be ready for sthg** estar listo(ta) para algo; **it's not for me to say** no me toca a mí decidir; **he looks young for his age** parece más joven de lo que es; **to feel sorry/glad for sb** sentirlo/alegrarse por alguien - 5. [indicating amount of time, space] para; **there's no time/room for it** no hay tiempo/sitio para eso - 6. [indicating period of time - during] durante; [- by, in time for] para; **she cried for two hours** estuvo llorando durante dos horas; **I've lived here for three years** llevo tres años viviendo aquí, he vivido aquí (durante) tres años; **I've worked here for years** trabajo aquí desde hace años; **I'll do it for tomorrow** lo tendré hecho para mañana - 7. [indicating distance] en; **there were roadworks for

50 miles** había obras en 50 millas; **we walked for miles** andamos millas y millas - 8. [indicating particular occasion] para; **I got it for my birthday** me lo regalaron para OR por mi cumpleaños; **for the first time** por vez primera - 9. [indicating amount of money, price] por; **I bought/sold it for £10** lo compré/vendí por 10 libras; **they're 50p for ten** son 50 peniques los diez - 10. [in favour of, in support of] a favor de; **to vote for sthg/sb** votar por algo/a alguien - 11. [in ratios] por - 12. [indicating meaning]: **P for Peter** P de Pedro; **what's the Greek for 'mother'?** ¿cómo se dice 'madre' en griego? <> conj fml [as, since] ya que. <> **for all** <> prep - 1. [in spite of] a pesar de; **for all your moaning** a pesar de lo mucho que te quejas - 2. [considering how little] para; **for all the good it has done me** para lo que me ha servido. <> conj: **for all I care, she could be dead** por mí, como si se muere; **for all I know** por lo que yo sé, que yo sepa.

forage ['fɒrɪdʒ] vi [search]: **to forage (for sthg)** buscar (algo).

foray ['fɒreɪ] n lit & fig: **foray (into)** incursión f (en).

forbad [fə'bæd], **forbade** [fə'beɪd] pt >> **forbid**.

forbid [fə'bɪd] (pt -bade OR -bad, pp forbid OR -bidden) vt: **to forbid sb (to do sthg)** prohibir a alguien (hacer algo).

forbidden [fə'bɪdn] adj prohibido(da).

forbidding [fə'bɪdɪŋ] adj [building, landscape] inhóspito(ta); [person, expression] severo(ra), austero(ra).

force [fɔːs] <> n fuerza f; **sales force** personal m de ventas; **security forces** fuerzas fpl de seguridad; **by force** a la fuerza; **to be in/come into force** estar/entrar en vigor; **in force** [in large numbers] en masa, en gran número. <> vt forzar; **to force one's way through/into** abrirse paso a la fuerza a través de/para entrar en. <> **forces** npl: **the forces** las fuerzas armadas; **to join forces (with)** unirse (con).

force-feed vt alimentar a la fuerza.

forceful ['fɔːsfʊl] adj [person, impression] fuerte; [support, recommendation] enérgico(ca); [speech, idea, argument] contundente.

forceps ['fɔːseps] npl fórceps m inv.

forcibly ['fɔːsəblɪ] adv - 1. [using physical force] por la fuerza - 2. [remind] vivamente; [express, argue] convincentemente.

ford [fɔːd] n vado m.

fore [fɔːʳ] n: **to come to the fore** emerger, empezar a destacar.

forearm ['fɔːrɑːm] n antebrazo m.

foreboding [fɔː'bəʊdɪŋ] n - 1. [presentiment] presagio m - 2. [apprehension] desasosiego m.

forecast ['fɔːkɑːst] ◇ *n* [prediction] predicción *f*, previsión *f*; [of weather] pronóstico *m*. ◇ *vt* (*pt & pp* **forecast** OR **-ed**) [predict] predecir; [weather] pronosticar.

foreclose [fɔː'kləʊz] ◇ *vi*: **to foreclose on sb** privar a alguien del derecho a redimir su hipoteca. ◇ *vt* ejecutar.

forecourt ['fɔːkɔːt] *n* patio *m*.

forefinger ['fɔː,fɪŋɡəʳ] *n* (dedo *m*) índice *m*.

forefront ['fɔːfrʌnt] *n*: **in** OR **at the forefront of** en OR a la vanguardia de.

forego [fɔː'ɡəʊ] = **forgo**.

foregone conclusion ['fɔːɡɒn-] *n*: **it's a foregone conclusion** es un resultado conocido de antemano.

foreground ['fɔːɡraʊnd] *n* primer plano *m*.

forehand ['fɔːhænd] *n* [stroke] golpe *m* natural, drive *m*.

forehead ['fɔːhed] *n* frente *f*.

foreign ['fɒrən] *adj* - **1.** [from abroad] extranjero(ra) - **2.** [external - policy, trade] exterior; [- correspondent, holiday] en el extranjero - **3.** [unwanted, harmful] extraño(ña) - **4.** [alien, untypical]: **foreign (to sb/sthg)** ajeno(na) (a alguien/algo).

foreign affairs *npl* asuntos *mpl* exteriores.

foreign currency *n* (U) divisa *f*.

foreigner ['fɒrənəʳ] *n* extranjero *m*, -ra *f*.

foreign minister *n* ministro *m*, -tra *f* de asuntos exteriores.

Foreign Office *n* UK: **the Foreign Office** el Ministerio de Asuntos Exteriores británico.

Foreign Secretary *n* UK Ministro *m*, -tra *f* de Asuntos Exteriores.

foreleg ['fɔːleɡ] *n* pata *f* delantera.

foreman ['fɔːmən] (*pl* **-men** [-mən]) *n* - **1.** [of workers] encargado *m* - **2.** [of jury] presidente *m*.

foremost ['fɔːməʊst] ◇ *adj* primero(ra). ◇ *adv*: **first and foremost** ante todo, por encima de todo.

forensic [fə'rensɪk] *adj* forense.

forerunner ['fɔː,rʌnəʳ] *n* [precursor] precursor *m*, -ra *f*.

foresee [fɔː'siː] (*pt* **-saw** [-'sɔː], *pp* **-seen**) *vt* prever.

foreseeable [fɔː'siːəbl] *adj* previsible; **for** OR **in the foreseeable future** en un futuro próximo.

foreseen [fɔː'siːn] *pp* ▷ **foresee**.

foreshadow [fɔː'ʃædəʊ] *vt* presagiar.

foresight ['fɔːsaɪt] *n* (U) previsión *f*.

forest ['fɒrɪst] *n* bosque *m*.

forestall [fɔː'stɔːl] *vt* anticiparse a.

forestry ['fɒrɪstrɪ] *n* silvicultura *f*.

foretaste ['fɔːteɪst] *n* anticipo *m*.

foretell [fɔː'tel] (*pt & pp* **-told**) *vt* predecir.

forever [fə'revəʳ] *adv* - **1.** [eternally] para siempre - **2.** *inf* [incessantly] siempre, continuamente.

forewarn [fɔː'wɔːn] *vt* prevenir.

foreword ['fɔːwɜːd] *n* prefacio *m*.

forfeit ['fɔːfɪt] ◇ *n* [penalty] precio *m*; [in game] prenda *f*. ◇ *vt* renunciar a, perder.

forgave [fə'ɡeɪv] *pt* ▷ **forgive**.

forge [fɔːdʒ] ◇ *n* fragua *f*. ◇ *vt* - **1.** [gen] fraguar - **2.** [falsify] falsificar. ◆ **forge ahead** *vi* hacer grandes progresos.

forger ['fɔːdʒəʳ] *n* falsificador *m*, -ra *f*.

forgery ['fɔːdʒərɪ] *n* falsificación *f*.

forget [fə'ɡet] (*pt* **-got**, *pp* **-gotten**) ◇ *vt*: **to forget (to do sthg)** olvidar (hacer algo). ◇ *vi*: **to forget (about sthg)** olvidarse (de algo).

forgetful [fə'ɡetfʊl] *adj* olvidadizo(za).

forget-me-not *n* nomeolvides *m inv*.

forgive [fə'ɡɪv] (*pt* **-gave**, *pp* **-given**) *vt*: **forgive sb (for sthg/for doing sthg)** perdonar a alguien (algo/por haber hecho algo).

forgiveness [fə'ɡɪvnɪs] *n* perdón *m*.

forgo, forego [fɔː'ɡəʊ] (*pt* **-went**, *pp* **-gone** [-'ɡɒn]) *vt* sacrificar, renunciar a.

forgot [fə'ɡɒt] *pt* ▷ **forget**.

forgotten [fə'ɡɒtn] *pp* ▷ **forget**.

fork [fɔːk] ◇ *n* - **1.** [for food] tenedor *m* - **2.** [for gardening] horca *f* - **3.** [in road etc] bifurcación *f*. ◇ *vi* bifurcarse. ◆ **fork out** *inf vi*: **to fork out for sthg** soltar pelas para algo.

forklift truck ['fɔːklɪft-] *n* carretilla *f* elevadora.

forlorn [fə'lɔːn] *adj* - **1.** [person, expression] consternado(da) - **2.** [place, landscape] desolado(da) - **3.** [hope, attempt] desesperado(da).

form [fɔːm] ◇ *n* - **1.** [shape, type] forma *f*; **in the form of** en forma de - **2.** [fitness]: **on form** UK, **in form** US en forma; **off form** en baja forma - **3.** [document] impreso *m*, formulario *m* - **4.** [figure - of person] figura *f* - **5.** UK [class] clase *f*. ◇ *vt* formar; [plan] concebir; [impression, idea] formarse. ◇ *vi* formarse.

formal ['fɔːml] *adj* - **1.** [gen] formal; [education] convencional - **2.** [clothes, wedding, party] de etiqueta.

formality [fɔː'mælətɪ] *n* formalidad *f*.

format ['fɔːmæt] ◇ *n* [gen & COMPUT] formato *m*; [of meeting] plan *m*. ◇ *vt* COMPUT formatear.

formation [fɔː'meɪʃn] *n* formación *f*.

formative ['fɔːmətɪv] *adj* formativo(va).

former ['fɔːməʳ] ◇ *adj* - **1.** [previous] antiguo(gua); **in former times** antiguamente - **2.** [first of two] primero(ra). ◇ *n*: **the former** el primero(la primera)/los primeros(las primeras).

formerly ['fɔːməlɪ] adv antiguamente.

formidable ['fɔːmɪdəbl] adj - **1.** [frightening] imponente, temible - **2.** [impressive] formidable.

formula ['fɔːmjʊlə] (pl **-as** OR **-ae** [-iː]) n - **1.** [gen] fórmula f - **2.** [baby milk] leche f maternizada.

formulate ['fɔːmjʊleɪt] vt formular.

forsake [fə'seɪk] (pt **forsook**, pp **forsaken**) vt liter abandonar.

forsaken [fə'seɪkn] adj abandonado(da).

forsook [fə'sʊk] pt ▷ **forsake**.

fort [fɔːt] n fuerte m, fortaleza f; **to hold the fort (for sb)** quedarse al cargo (en lugar de alguien).

forte ['fɔːtɪ] n fuerte m.

forth [fɔːθ] adv liter - **1.** [outwards, onwards] hacia adelante; **to go forth** partir - **2.** [into future]: **from that day forth** desde aquel día en adelante.

forthcoming [fɔːθ'kʌmɪŋ] adj - **1.** [election, events] próximo(ma); [book] de próxima aparición - **2.** [person] abierto(ta).

forthright ['fɔːθraɪt] adj [person, manner, opinions] directo(ta), franco(ca); [opposition] rotundo(da).

forthwith [ˌfɔːθ'wɪθ] adv fml inmediatamente.

fortified wine ['fɔːtɪfaɪd-] n vino m licoroso.

fortify ['fɔːtɪfaɪ] vt - **1.** MIL fortificar - **2.** [person, resolve] fortalecer.

fortnight ['fɔːtnaɪt] n quincena f; **in a fortnight** en quince días.

fortnightly ['fɔːt,naɪtlɪ] ◇ adj quincenal. ◇ adv quincenalmente.

fortress ['fɔːtrɪs] n fortaleza f.

fortunate ['fɔːtʃnət] adj afortunado(da).

fortunately ['fɔːtʃnətlɪ] adv afortunadamente.

fortune ['fɔːtʃuːn] n - **1.** [money, luck] fortuna f - **2.** [future]: **to tell sb's fortune** decir a alguien la buenaventura.

fortune-teller [-,telər] n adivino m, -na f.

forty ['fɔːtɪ] num cuarenta; see also **sixty**.

forum ['fɔːrəm] (pl **-s**) n lit & fig foro m.

forward ['fɔːwəd] ◇ adj - **1.** [towards front - movement] hacia adelante; [near front - position etc] delantero(ra) - **2.** [towards future]: **forward planning** planificación f (de futuro) - **3.** [advanced]: **we're no further forward** no hemos adelantado (nada) - **4.** [impudent] atrevido(da). ◇ adv [ahead] hacia adelante; **to go** OR **move forward** avanzar. ◇ n SPORT delantero m, -ra f. ◇ vt [letter, e-mail] remitir; **'please forward'** 'remítase al destinatario'.

forwarding address ['fɔːwədɪŋ-] n nueva dirección f (para reenvío de correo).

forwards ['fɔːwədz] = **forward**.

forward slash n TYPO barra f inclinada.

forwent [fɔː'went] pt ▷ **forgo**.

fossil ['fɒsl] n fósil m.

foster ['fɒstər] vt - **1.** [child] acoger - **2.** [idea, arts, relations] promover.

foster child n menor mf en régimen de acogida.

foster parents npl familia f de acogida.

fought [fɔːt] pt & pp ▷ **fight**.

foul [faʊl] ◇ adj - **1.** [unclean - smell] fétido(da); [- taste] asqueroso(sa); [- water, language] sucio(cia) - **2.** [very unpleasant] horrible; **to fall foul of sb** ponerse a mal con alguien. ◇ n falta f. ◇ vt - **1.** [make dirty] ensuciar - **2.** SPORT cometer una falta contra.

found [faʊnd] ◇ pt & pp ▷ **find**. ◇ vt: **to found sthg (on)** fundar algo (en).

foundation [faʊn'deɪʃn] n - **1.** [organization, act of establishing] fundación f - **2.** [basis] fundamento m, base f - **3.** [make-up]: **foundation (cream)** crema f base. ▬ **foundations** npl fig & CONSTR cimientos mpl.

founder ['faʊndər] ◇ n fundador m, -ra f. ◇ vi lit & fig hundirse, irse a pique.

foundry ['faʊndrɪ] n fundición f.

fountain ['faʊntɪn] n - **1.** [structure] fuente f - **2.** [jet] chorro m.

fountain pen n (pluma f) estilográfica f.

four [fɔːr] num cuatro; **on all fours** a gatas; see also **six**.

four-letter word n palabrota f, taco m.

four-poster (bed) n cama f de columnas.

foursome ['fɔːsəm] n grupo m de cuatro personas.

fourteen [ˌfɔː'tiːn] num catorce; see also **six**.

fourth [fɔːθ] num cuarto(ta); see also **sixth**.

Fourth of July n: **the Fourth of July** el cuatro de julio, día de la independencia de los Estados Unidos.

four-wheel drive n [system] tracción f a las cuatro ruedas; [car] todoterreno m.

fowl [faʊl] (pl **fowl** OR **-s**) n ave f de corral.

fox [fɒks] ◇ n zorro m. ◇ vt [perplex] dejar perplejo(ja).

foxglove ['fɒksglʌv] n dedalera f.

foyer ['fɔɪeɪ] n vestíbulo m.

fracas [UK 'frækɑː, US 'freɪkəs] (pl UK **fracas**, US **fracases**) n fml riña f, gresca f.

fraction ['frækʃn] n - **1.** MATHS quebrado m, fracción f - **2.** [small part] fracción f.

fractionally ['frækʃnəlɪ] adv ligeramente.

fracture ['fræktʃər] ◇ n fractura f. ◇ vt fracturar.

fragile ['frædʒaɪl] *adj* frágil.

fragment *n* ['frægmənt] [of glass, text] fragmento *m*; [of paper, plastic] trozo *m*.

fragrance ['freɪɡrəns] *n* fragancia *f*.

fragrant ['freɪɡrənt] *adj* fragante.

frail [freɪl] *adj* frágil.

frame [freɪm] ◇ *n* - 1. [of picture, door] marco *m*; [of glasses] montura *f*; [of chair, bed] armadura *f*; [of bicycle] cuadro *m*; [of boat] armazón *m* o *f* - 2. [physique] cuerpo *m*. ◇ *vt* - 1. [put in a frame] enmarcar - 2. [express] formular, expresar - 3. *inf* [set up] tender una trampa a, amañar la culpabilidad de.

frame of mind *n* estado *m* de ánimo.

framework ['freɪmwɜːk] *n* - 1. [physical structure] armazón *m* o *f*, esqueleto *m* - 2. [basis] marco *m*.

France [frɑːns] *n* Francia *f*.

franchise ['fræntʃaɪz] *n* - 1. POL sufragio *m*, derecho *m* de voto - 2. COMM concesión *f*, licencia *f* exclusiva.

frank [fræŋk] ◇ *adj* franco(ca). ◇ *vt* franquear.

frankly ['fræŋklɪ] *adv* francamente.

frantic ['fræntɪk] *adj* frenético(ca).

fraternity [frə'tɜːnətɪ] *n* - 1. *fml* [community] cofradía *f* - 2. US [in university] *asociación de estudiantes que suele funcionar como club social* - 3. (U) *fml* [friendship] fraternidad *f*.

fraternize, -ise ['frætənaɪz] *vi*: to fraternize (with) fraternizar (con).

fraud [frɔːd] *n* - 1. (U) [deceit] fraude *m* - 2. *pej* [impostor] farsante *mf*.

fraught [frɔːt] *adj* - 1. [full]: fraught with lleno(na) OR cargado(da) de - 2. UK [frantic] tenso(sa).

fray [freɪ] ◇ *vt fig* [nerves] crispar, poner de punta. ◇ *vi* - 1. [sleeve, cuff] deshilacharse - 2. *fig* [temper, nerves] crisparse. ◇ *n liter*: to enter the fray saltar a la palestra.

frayed [freɪd] *adj* [sleeve, cuff] deshilachado(da).

freak [friːk] ◇ *adj* imprevisible. ◇ *n* - 1. [strange creature - in appearance] monstruo *m*; [- in behaviour] estrafalario *m*, -ria *f* - 2. [unusual event] anormalidad *f*, caso *m* insólito - 3. *inf* [fanatic]: film/fitness freak fanático *m*, -ca *f* del cine/ejercicio. ◆ **freak out** *inf vi* flipar, alucinar.

freckle ['frekl] *n* peca *f*.

free [friː] ◇ *adj* (*comp* freer, *superl* freest) - 1. [gen]: free (from OR of) libre (de); to be free to do sth ser libre de hacer algo; feel free! ¡adelante!, ¡cómo no!; to set free liberar - 2. [not paid for] gratis (*inv*), gratuito(ta); free of charge gratis (*inv*) - 3. [unattached] suelto(ta) - 4. [generous]: to be free with sth no regatear algo. ◇ *adv* - 1. [without payment]: (for) free gratis - 2. [run] libremente - 3. [loose]: to pull/cut sth free soltar algo tirando/cortando. ◇ *vt* (*pt & pp* freed) - 1. [release] liberar, libertar; to free sb of sth librar a alguien de algo - 2. [make available] dejar libre - 3. [extricate - person] rescatar; [- one's arm, oneself] soltar.

freedom ['friːdəm] *n* libertad *f*; freedom from indemnidad *f* ante OR de.

Freefone®, freephone ['friːfəʊn] *n* (U) UK teléfono *m* OR número *m* gratuito.

free-for-all *n* refriega *f*.

free gift *n* obsequio *m*.

freehand ['friːhænd] *adj & adv* a pulso.

freehold ['friːhəʊld] *n* propiedad *f* absoluta.

free house *n* pub no controlado por una compañía cervecera.

free kick *n* tiro *m* libre.

freelance ['friːlɑːns] ◇ *adj* free-lance. ◇ *adv* como free-lance. ◇ *n* free-lance *mf*.

freely ['friːlɪ] *adv* - 1. [readily - admit, confess] sin reparos; [- available] fácilmente - 2. [openly] abiertamente, francamente - 3. [without restrictions] libremente - 4. [generously] liberalmente.

Freemason ['friː,meɪsn] *n* francmasón *m*, masón *m*.

freephone ['friːfəʊn] = freefone.

Freepost® ['friːpəʊst] *n* franqueo *m* pagado.

free-range *adj* de granja.

freestyle ['friːstaɪl] *n* [in swimming] estilo *m* libre.

free trade *n* libre cambio *m*.

freeway ['friːweɪ] *n* US autopista *f*.

freewheel [,friː'wiːl] *vi* [on bicycle] andar sin pedalear; [in car] ir en punto muerto.

free will *n* libre albedrío *m*; to do sth of one's own free will hacer algo por voluntad propia.

freeze [friːz] ◇ *vt* (*pt* froze, *pp* frozen) - 1. [gen] helar - 2. [food, wages, prices] congelar - 3. [assets] bloquear. ◇ *vi* (*pt* froze, *pp* frozen) - 1. [gen] helarse - 2. COMPUT bloquearse. ◇ *impers vb* METEOR helar. ◇ *n* - 1. [cold weather] helada *f* - 2. [of wages, prices] congelación *f*.

freeze-dried [-'draɪd] *adj* liofilizado(da).

freezer ['friːzər] *n* congelador *m*.

freezing ['friːzɪŋ] ◇ *adj* - 1. [gen] helado(da) - 2. [weather] muy frío(a); it's freezing in here hace un frío espantoso aquí. ◇ *n* = freezing point.

freezing point *n* punto *m* de congelación.

freight [freɪt] *n* (U) - 1. [goods] mercancías *fpl*, flete *m* - 2. [transport] transporte *m*.

freight train *n* (tren *m* de) mercancías *m inv*.

French [frentʃ] ◇ *adj* francés(esa). ◇ *n* [language] francés *m*. ◇ *npl*: **the French** los franceses.

French bean *n* judía *f* verde, ejote *m* Amér C & Méx, chaucha *f* R Plata, poroto *m* verde Chile, habichuela *f* Col, vainita *f* Ven.

French bread *n* (U) pan *m* de barra.

French dressing *n* [vinaigrette] vinagreta *f*.

French fries, fries *npl* esp US patatas *fpl* fritas (de sartén).

Frenchman ['frentʃmən] (*pl* -**men** [-mən]) *n* francés *m*.

French stick *n* UK barra *f* de pan.

French windows *npl* puertaventanas *fpl*.

Frenchwoman ['frentʃ,wumən] (*pl* -**women** [-,wɪmɪn]) *n* francesa *f*.

frenetic [frə'netɪk] *adj* frenético(ca).

frenzy ['frenzɪ] *n* frenesí *m*.

frequency ['fri:kwənsɪ] *n* frecuencia *f*.

frequent ◇ *adj* ['fri:kwənt] frecuente. ◇ *vt* [frɪ'kwent] frecuentar.

frequently ['fri:kwəntlɪ] *adv* a menudo.

fresh [freʃ] *adj* - **1.** [gen] fresco(ca); [flavour, taste] refrescante - **2.** [bread] del día - **3.** [not canned] natural - **4.** [water] dulce - **5.** [pot of tea, fighting] nuevo(va).

freshen ['freʃn] ◇ *vt* [air] refrescar. ◇ *vi* [wind] soplar más fuerte. ◆ **freshen up** *vi* [person] refrescarse.

fresher ['freʃər] *n* UK estudiante *mf* de primer año.

freshly ['freʃlɪ] *adv* recién.

freshman ['freʃmən] (*pl* -**men** [-mən]) *n* estudiante *mf* de primer año.

freshness ['freʃnɪs] *n* (U) - **1.** [of food] frescura *f* - **2.** [originality] novedad *f*, originalidad *f* - **3.** [brightness] pulcritud *f* - **4.** [refreshing quality] frescor *m*.

freshwater ['freʃ,wɔ:tər] *adj* de agua dulce.

fret [fret] *vi* preocuparse.

friar ['fraɪər] *n* fraile *m*.

friction ['frɪkʃn] *n* fricción *f*.

Friday ['fraɪdɪ] *n* viernes *m* inv; see also **Saturday**.

fridge [frɪdʒ] *n* esp UK nevera *f*, refrigerador *m* Amér, heladera *f* R Plata, refrigeradora *f* Col & Perú.

fridge-freezer *n* UK combi *m*, nevera *f* congeladora.

fried [fraɪd] *adj* frito(ta).

friend [frend] *n* [close acquaintance] amigo *m*, -ga *f*; **to be friends with sb** ser amigo de alguien; **to make friends (with)** hacerse amigo (de), trabar amistad (con).

friendly ['frendlɪ] *adj* - **1.** [person] amable, simpático(ca); [attitude, manner, welcome]

amistoso(sa); **to be friendly with sb** llevarse bien con alguien - **2.** [nation] amigo(ga) - **3.** [argument, game] amistoso(sa).

friendship ['frendʃɪp] *n* amistad *f*.

fries [fraɪz] = **French fries**.

frieze [fri:z] *n* friso *m*.

fright [fraɪt] *n* - **1.** [fear] miedo *m*; **to take fright** espantarse, asustarse - **2.** [shock] susto *m*.

frighten ['fraɪtn] *vt* asustar; **to frighten sb into doing sthg** atemorizar a alguien para que haga algo.

frightened ['fraɪtnd] *adj* asustado(da); **to be frightened of sthg/of doing sthg** tener miedo a algo/a hacer algo.

frightening ['fraɪtnɪŋ] *adj* aterrador(ra), espantoso(sa).

frightful ['fraɪtfʊl] *adj* dated terrible.

frigid ['frɪdʒɪd] *adj* [sexually] frígido(da).

frill [frɪl] *n* - **1.** [decoration] volante *m* - **2.** *inf* [extra] adorno *m*.

fringe [frɪndʒ] ◇ *n* - **1.** [decoration] flecos *mpl* - **2.** UK [of hair] flequillo *m* - **3.** [edge] periferia *f* - **4.** [extreme] margen *m*. ◇ *vt* [edge] bordear.

fringe benefit *n* beneficio *m* complementario.

frisk [frɪsk] *vt* cachear, registrar.

frisky ['frɪskɪ] *adj* inf retozón(ona), juguetón(ona).

fritter ['frɪtər] *n* buñuelo *m*. ◆ **fritter away** *vt sep*: **to fritter money/time away on sthg** malgastar dinero/tiempo en algo.

frivolous ['frɪvələs] *adj* frívolo(la).

frizzy ['frɪzɪ] *adj* crespo(pa), ensortijado(da).

fro [frəʊ] ▷ **to**.

frock [frɒk] *n* dated vestido *m*.

frog [frɒg] *n* [animal] rana *f*.

frogman ['frɒgmən] (*pl* -**men**) *n* hombre *m* rana.

frolic ['frɒlɪk] *vi* (pt & pp -**ked**, cont -**king**) retozar, triscar.

from (weak form [frəm], strong form [frɒm]) *prep* - **1.** [indicating source, origin, removal] de; **where are you from?** ¿de dónde eres?; **I got a letter from her today** hoy me ha llegado una carta suya; **a flight from Paris** un vuelo de París; **to translate from Spanish into English** traducir del español al inglés; **he's not back from work yet** aún no ha vuelto del trabajo; **to take sthg away from sb** quitar algo a alguien - **2.** [indicating a deduction]: **take 15 (away) from 19** quita 15 a 19; **to deduct sthg from sthg** deducir OR descontar algo de algo - **3.** [indicating source, separation] de; **he ran away from home** huyó de casa - **4.** [indicating position] desde; **seen from above/below** visto desde arri-

ba/abajo; **a light bulb hung from the ceiling** una bombilla colgaba del techo - **5.** [indicating distance] de; **it's 60 km from here** está a 60 kms de aquí - **6.** [indicating material object is made out of] de; **it's made from wood/plastic** está hecho(cha) de madera/plástico - **7.** [starting at a particular time] desde; **closed from 1 pm to 2 pm** cerrado de 13h a 14h; **from the moment I saw him** desde el momento en que lo vi - **8.** [indicating difference, change] de; **to be different from** ser diferente de; **from... to de...** a; **the price went up from £100 to £150** el precio subió de 100 a 150 libras - **9.** [because of, as a result of] de; **to die from cold** morir de frío; **to suffer from cold/hunger** padecer frío/hambre - **10.** [on the evidence of] por; **to speak from personal experience** hablar por propia experiencia - **11.** [indicating lowest amount]: **prices range from £5 to £500** los precios oscilan entre 5 y 500 libras; **it could take anything from 15 to 20 weeks** podría llevar de 15 a 20 semanas.

front [frʌnt] ◇ n - **1.** [gen] parte f delantera; [of building] fachada f; [of queue] principio m; [of dress, shirt] parte f de delante - **2.** METEOR, MIL & POL frente m - **3.** [on coast]: **(sea) front** paseo m marítimo - **4.** [outward appearance] fachada f. ◇ adj [gen] delantero(ra); [page] primero(ra). ◆ **in front** adv - **1.** [further forward] delante - **2.** [winning] ganando. ◆ **in front of** prep delante de. ◆ **front onto** vt insep [be opposite] dar a.

front bench [ˌfrʌnt'bentʃ] n UK en la Cámara de los Comunes, cada una de las dos filas de escaños ocupadas respectivamente por los ministros del gobierno y los principales líderes de la oposición mayoritaria.

front door n puerta f principal.

frontier [UK 'frʌn,tɪər, US frʌn'tɪər] n lit & fig frontera f.

front man n - **1.** [of group] portavoz mf - **2.** [of programme] presentador m - **3.** [of rock band] líder m.

front room n sala f de estar.

front-runner n favorito m, -ta f.

front-wheel drive n [vehicle] vehículo m de tracción delantera.

frost [frɒst] n - **1.** [layer of ice] escarcha f - **2.** [weather] helada f.

frostbite ['frɒstbaɪt] n (U) MED congelación f.

frosted ['frɒstɪd] adj - **1.** [glass] esmerilado(da) - **2.** US CULIN escarchado(da).

frosty ['frɒstɪ] adj - **1.** [very cold] de helada - **2.** [covered with frost] escarchado(da) - **3.** fig [unfriendly] glacial.

froth [frɒθ] ◇ n espuma f. ◇ vi hacer espuma.

frown [fraʊn] vi fruncir el ceño. ◆ **frown (up)on** vt insep desaprobar.

froze [frəʊz] pt ▷ **freeze**.

frozen [frəʊzn] ◇ pp ▷ **freeze**. ◇ adj - **1.** [gen] helado(da) - **2.** [foodstuffs] congelado(da).

frugal ['fruːgl] adj frugal.

fruit [fruːt] n (pl fruit OR fruits) - **1.** [food] fruta f - **2.** [result] fruto m.

fruitcake ['fruːtkeɪk] n pastel m de frutas.

fruiterer ['fruːtərər] n UK frutero m, -ra f; **fruiterer's (shop)** frutería f.

fruitful ['fruːtfʊl] adj [successful] fructífero(ra).

fruition [fruː'ɪʃn] n: **to come to fruition** [plan] realizarse; [hope] cumplirse.

fruit juice n zumo m de fruta.

fruitless ['fruːtlɪs] adj infructuoso(sa).

fruit machine n UK máquina f tragaperras.

fruit salad n macedonia f (de frutas).

frumpy ['frʌmpɪ] adj anticuado(da) en la manera de vestir.

frustrate [frʌ'streɪt] vt frustrar.

frustrated [frʌ'streɪtɪd] adj frustrado(da).

frustration [frʌ'streɪʃn] n frustración f.

fry [fraɪ] ◇ vt [food] freír. ◇ vi [food] freírse.

frying pan ['fraɪɪŋ-] n sartén f.

FSA [ˌefes'eɪ] (abbr of food standards agency) n UK agencia gubernamental encargada de la seguridad alimentaria.

ft. abbr of **foot**.

FTP (abbr of File Transfer Protocol) n COMPUT FTP m.

fuck [fʌk] vulg vt & vi joder, follar, chingar Méx. ◆ **fuck off** vi vulg: **fuck off!** ¡vete a tomar por culo!

fudge [fʌdʒ] n (U) [sweet] dulce de azúcar, leche y mantequilla.

fuel [fjʊəl] ◇ n combustible m. ◇ vt (UK pt & pp **-led**, cont **-ling**, US pt & pp **-ed**, cont **-ing**) - **1.** [supply with fuel] alimentar - **2.** [increase] agravar.

fuel tank n depósito m de gasolina.

fugitive ['fjuːdʒətɪv] n fugitivo m, -va f.

fulfil, fulfill US [fʊl'fɪl] vt [promise, duty, threat] cumplir; [hope, ambition] realizar; [obligation] cumplir con; [role] desempeñar; [requirement] satisfacer.

fulfilment, fulfillment US [fʊl'fɪlmənt] n - **1.** [satisfaction] satisfacción f, realización f (de uno mismo) - **2.** [of promise, duty, threat] cumplimiento m; [of hope, ambition] realización f; [of role] desempeño m; [of requirement] satisfacción f.

full [fʊl] ◇ adj - **1.** [filled]: **full (of)** lleno(na) (de); **I'm full!** [after meal] ¡no puedo más! - **2.** [schedule] completo(ta) - **3.** [complete - re-

covery, employment, control] pleno(na); [- name, price, fare] completo(ta); [- explanation, information] detallado(da); [- member, professor] numerario(ria); **three full weeks** tres semanas enteras - **4.** [maximum - volume, power etc] máximo(ma); **at full speed** a toda velocidad - **5.** [plump] grueso(sa) - **6.** [wide] holgado(da), amplio(plia). <> *adv* [very]: **to know sthg full well** saber algo perfectamente. <> *n*: **to pay in full** pagar el total; **write your name in full** escriba su nombre y apellidos.

full-blown [-'bləʊn] *adj* [gen] auténtico(ca); [AIDS]: **to have full-blown AIDS** haber desarrollado el SIDA por completo.

full board *n* pensión *f* completa.

full-fledged *US* = **fully-fledged**.

full moon *n* luna *f* llena.

full-scale *adj* - **1.** [life-size] de tamaño natural - **2.** [complete] a gran escala.

full stop *n* punto *m*.

full time *n* UK SPORT final *m* del (tiempo reglamentario del) partido. ● **full-time** *adj* & *adv* a tiempo completa.

full up *adj* lleno(na).

fully ['fʊlɪ] *adv* - **1.** [completely] completamente - **2.** [thoroughly] detalladamente.

fully-fledged UK, **full-fledged** US [-'fledʒd] *adj* fig hecho(cha) y derecho(cha); [member] de pleno derecho.

fulsome ['fʊlsəm] *adj* exagerado(da); **to be fulsome in one's praise (of sthg/sb)** colmar de elogios (algo/a alguien).

fumble ['fʌmbl] *vi* hurgar.

fume [fju:m] *vi* [with anger] rabiar. ● **fumes** *npl* humo *m*.

fumigate ['fju:mɪgeɪt] *vt* fumigar.

fun [fʌn] *n* (U) - **1.** [pleasure, amusement] diversión *f*; **my uncle/parachuting is great fun** mi tío/el paracaidismo es muy divertido; **to have fun** divertirse; **have fun!** ¡que te diviertas!; **for fun, for the fun of it** por diversión - **2.** [playfulness]: **he's full of fun** le encanta todo lo que sea diversión - **3.** [at sb else's expense]: **to make fun of sb, to poke fun at sb** reírse OR burlarse de alguien.

function ['fʌŋkʃn] <> *n* - **1.** [gen & MATHS] función *f*; **function key** COMPUT tecla *f* de función - **2.** [formal social event] acto *m*. <> *vi* funcionar; **to function as** hacer de.

functional ['fʌŋkʃnəl] *adj* - **1.** [practical] funcional - **2.** [operational] en funcionamiento.

fund [fʌnd] <> *n* fondo *m*. <> *vt* financiar. ● **funds** *npl* fondos *mpl*.

fundamental [,fʌndə'mentl] *adj*: **fundamental (to)** fundamental (para).

funding ['fʌndɪŋ] *n* - **1.** [financing] financiación *f* - **2.** [funds] fondos *mpl*.

funeral ['fju:nərəl] *n* funeral *m*.

funeral parlour *n* funeraria *f*.

funfair ['fʌnfeər] *n* feria *f*.

fungus ['fʌŋgəs] (*pl* **-gi** [-gaɪ] OR **-guses**) *n* hongo *m*.

funnel ['fʌnl] *n* - **1.** [for pouring] embudo *m* - **2.** [on ship] chimenea *f*.

funny ['fʌnɪ] *adj* - **1.** [amusing] divertido(da); **I don't think that's funny** no me hace gracia - **2.** [odd] raro(ra) - **3.** [ill] pachucho(cha).

fur [fɜːr] *n* - **1.** [on animal] pelaje *m*, pelo *m* - **2.** [garment] (prenda *f* de) piel *f*.

fur coat *n* abrigo *m* de piel OR pieles.

furious ['fjʊərɪəs] *adj* - **1.** [very angry] furioso(sa) - **2.** [frantic] frenético(ca).

furlong ['fɜːlɒŋ] *n* 201,17 metros.

furnace ['fɜːnɪs] *n* horno *m*.

furnish ['fɜːnɪʃ] *vt* - **1.** [fit out] amueblar - **2.** *fml* [provide - goods, explanation] proveer; [- proof] aducir; **to furnish sb with sthg** proporcionar algo a alguien.

furnished ['fɜːnɪʃt] *adj* amueblado(da).

furnishings ['fɜːnɪʃɪŋz] *npl* mobiliario *m*.

furniture ['fɜːnɪtʃər] *n* (U) muebles *mpl*, mobiliario *m*; **a piece of furniture** un mueble.

furrow ['fʌrəʊ] *n* lit & fig surco *m*.

furry ['fɜːrɪ] *adj* - **1.** [animal] peludo(da) - **2.** [toy] de peluche.

further ['fɜːðər] <> *compar* ➭ **far**. <> *adv* - **1.** [in distance] más lejos; **how much further is it?** ¿cuánto queda?; **further on** más adelante - **2.** [in degree, extent, time] más; **further on/back** más adelante/atrás - **3.** [in addition] además. <> *adj* otro(tra); **until further notice** hasta nuevo aviso; **nothing further** nada más. <> *vt* promover, fomentar.

further education *n* UK estudios postescolares no universitarios.

furthermore [,fɜːðə'mɔːr] *adv* lo que es más.

furthest ['fɜːðɪst] <> *superl* ➭ **far**. <> *adj* - **1.** [in distance] más lejano(na) - **2.** [greatest - in degree, extent] extremo(ma). <> *adv* - **1.** [in distance] más lejos - **2.** [to greatest degree, extent] más.

furtive ['fɜːtɪv] *adj* furtivo(va).

fury ['fjʊərɪ] *n* furia *f*.

fuse *esp* UK, **fuze** *US* [fju:z] <> *n* - **1.** ELEC fusible *m* - **2.** [of firework] mecha *f*. <> *vt* fundir. <> *vi* [gen & ELEC] fundirse.

fuse-box *n* caja *f* de fusibles.

fused [fju:zd] *adj* [fitted with a fuse] con fusible.

fuselage ['fju:zəlɑːʒ] *n* fuselaje *m*.

fuss [fʌs] <> *n* (U) - **1.** [excitement, anxiety] jaleo *m*; **to make a fuss** armar un escándalo - **2.** [complaints] protestas *fpl*. <> *vi* apurarse, angustiarse.

fussy ['fʌsɪ] *adj* - **1.** [fastidious] quisquillo-so(sa); **I'm not fussy** me da lo mismo - **2.** [over-decorated] recargado(da).

futile ['fju:taɪl] *adj* inútil, vano(na).

futon ['fu:tɒn] *n* futón *m*.

future ['fju:tʃər] ◇ *n* futuro *m*; **in future** de ahora en adelante; **in the future** en el futuro; **in the not too distant future** en un futuro próximo; **future (tense)** futuro *m*. ◇ *adj* futuro(ra).

fuzzy ['fʌzɪ] *adj* - **1.** [hair] crespo(pa) - **2.** [photo, image] borroso(sa).

G

g[1] (*pl* **g's** OR **gs**), **G** (*pl* **G's** OR **Gs**) [dʒi:] *n* [letter] g *f*, G *f*. ◆ **G** *n* - **1.** MUS sol *m* - **2.** (*abbr of* **good**) B.

g[2] *n* (*abbr of* **gram**) g. *m*

gab [gæb] ▷ **gift**.

gabble ['gæbl] ◇ *vt & vi* farfullar, balbucir. ◇ *n* farfulleo *m*.

gable ['geɪbl] *n* aguilón *m*.

gadget ['gædʒɪt] *n* artilugio *m*.

Gaelic ['geɪlɪk] *n* [language] gaélico *m*.

gaffe [gæf] *n* metedura *f* de pata.

gag [gæg] ◇ *n* - **1.** [for mouth] mordaza *f* - **2.** inf [joke] chiste *m*. ◇ *vt* amordazar.

gaiety ['geɪətɪ] *n* alegría *f*, regocijo *m*.

gaily ['geɪlɪ] *adv* alegremente.

gain [geɪn] ◇ *n* - **1.** [profit] beneficio *m*, ganancia *f* - **2.** [improvement] mejora *f* - **3.** [increase] aumento *m*. ◇ *vt* [gen] ganar. ◇ *vi* - **1.** [advance]: **to gain in sthg** ganar algo - **2.** [benefit]: **to gain (from** OR **by)** beneficiarse (de) - **3.** [watch, clock] adelantarse. ◆ **gain on** *vt insep* ganar terreno a.

gait [geɪt] *n* forma *f* de andar.

gal. *abbr of* **gallon**.

gala ['gɑːlə] *n* [celebration] fiesta *f*.

galaxy ['gæləksɪ] *n* galaxia *f*.

gale [geɪl] *n* vendaval *m*.

gall [gɔːl] *n* [nerve]: **to have the gall to do sthg** tener el descaro de hacer algo.

gallant *adj* - **1.** ['gælənt] [courageous] valiente, valeroso(sa) - **2.** [gə'lænt, 'gælənt] [polite to women] galante.

gall bladder *n* vesícula *f* biliar.

gallery ['gælərɪ] *n* - **1.** [for exhibiting art] museo *m*; [for selling art] galería *f* - **2.** [in courtroom, parliament] tribuna *f* - **3.** [in theatre] paraíso *m*.

galley ['gælɪ] (*pl* **galleys**) *n* - **1.** [ship] galera *f* - **2.** [kitchen] cocina *f*.

galling ['gɔːlɪŋ] *adj* indignante.

gallivant [,gælɪ'vænt] *vi inf* andar por ahí holgazaneando.

gallon ['gælən] *n* [in UK] = *4,546 litros* galón *m*; [in US] = *3,785 litros* galón *m*.

gallop ['gæləp] ◇ *n* galope *m*. ◇ *vi lit & fig* galopar.

gallows ['gæləʊz] (*pl* **gallows**) *n* horca *f*.

gallstone ['gɔːlstəʊn] *n* cálculo *m* biliar.

galore [gə'lɔːr] *adj* en abundancia.

galvanize, -ise ['gælvənaɪz] *vt* - **1.** TECH galvanizar - **2.** [impel]: **to galvanize sb into action** impulsar a alguien a la acción.

gambit ['gæmbɪt] *n* táctica *f*.

gamble ['gæmbl] ◇ *n* [calculated risk] riesgo *m*. ◇ *vi* - **1.** [bet] jugar; **to gamble on** [race etc] apostar a; [stock exchange] jugar a - **2.** [take risk]: **to gamble on** contar de antemano con que.

gambler ['gæmblər] *n* jugador *m*, -ra *f*.

gambling ['gæmblɪŋ] *n* (U) juego *m*.

game [geɪm] ◇ *n* - **1.** [gen] juego *m* - **2.** [of football, rugby etc] partido *m*; [of snooker, chess, cards] partida *f* - **3.** [hunted animals] caza *f*. ◇ *adj* - **1.** [brave] valiente - **2.** [willing]: **game (for sthg/to do sthg)** dispuesto(ta) (a algo/a hacer algo). ◆ **games** ◇ *n* (U) [at school] deportes *mpl*. ◇ *npl* [sporting contest] juegos *mpl*.

gamekeeper ['geɪm,kiːpər] *n* guarda *mf* de caza.

game reserve *n* coto *m* de caza.

games console *n* consola *f* de juegos.

gaming ['geɪmɪŋ] *n* (U) juegos *mpl*.

gammon ['gæmən] *n* jamón *m*.

gamut ['gæmət] *n* gama *f*; **to run the gamut of sthg** recorrer toda la gama de algo.

gang [gæŋ] *n* - **1.** [of criminals] banda *f* - **2.** [of young people] pandilla *f*. ◆ **gang up** *vi inf*: **to gang up (on sb)** confabularse (contra alguien).

gangland ['gæŋlænd] *n* (U) mundo *m* del hampa.

gangrene ['gæŋgriːn] *n* gangrena *f*.

gangster ['gæŋstər] *n* gángster *m*.

gangway ['gæŋweɪ] *n* UK [aisle] pasillo *m*.

gantry ['gæntrɪ] *n* pórtico *m* (*para grúas*).

gaol [dʒeɪl] UK = **jail**.

gap [gæp] *n* - **1.** [empty space, in market] hueco *m*; [in traffic, trees, clouds] claro *m*; [in text] espacio *m* en blanco - **2.** [interval] intervalo *m* - **3.** *fig* [in knowledge, report] laguna *f* - **4.** *fig* [great difference] desfase *m*.

gape [geɪp] *vi* [person] mirar boquiabierto(ta).

gaping ['geɪpɪŋ] *adj* - **1.** [open-mouthed] boquiabierto(ta) - **2.** [wound] abierto(ta); [hole] enorme.

garage [*UK* 'gærɑ:ʒ, 'gærɪdʒ, *US* gə'rɑ:ʒ] *n* - **1.** [for keeping car] garaje *m* - **2.** *UK* [for fuel] gasolinera *f* - **3.** [for car repair] taller *m* - **4.** *UK* [for selling cars] concesionario *m* de automóviles.

garbage ['gɑ:bɪdʒ] *n (U) esp US* - **1.** [refuse] basura *f* - **2.** *inf* [nonsense] tonterías *fpl*.

garbage can *n US* cubo *m* de la basura.

garbage truck *n US* camión *m* de la basura.

garbled ['gɑ:bld] *adj* confuso(sa).

garden ['gɑ:dn] *n* jardín *m*.

garden centre *n* centro *m* de jardinería.

gardener ['gɑ:dnə'] *n* jardinero *m*, -ra *f*.

gardening ['gɑ:dnɪŋ] *n* jardinería *f*; **to do some gardening** trabajar en el jardín.

gargle ['gɑ:gl] *vi* hacer gárgaras.

gargoyle ['gɑ:gɔɪl] *n* gárgola *f*.

garish ['geərɪʃ] *adj* chillón(ona).

garland ['gɑ:lənd] *n* guirnalda *f*.

garlic ['gɑ:lɪk] *n* ajo *m*.

garlic bread *n* pan *m* de ajo.

garment ['gɑ:mənt] *n* prenda *f* (de vestir).

garnish ['gɑ:nɪʃ] *vt* guarnecer.

garrison ['gærɪsn] *n* guarnición *f*.

garrulous ['gærələs] *adj* parlanchín(ina).

garter ['gɑ:tə'] *n* - **1.** [band round leg] liga *f* - **2.** *US* [suspender] portaligas *m inv*.

gas [gæs] ⋄ *n (pl* **-es** *OR* **-ses**) - **1.** [gen] gas *m* - **2.** *US* [petrol] gasolina *f*, bencina *f Chile*, nafta *f R Plata*. ⋄ *vt* asfixiar con gas.

gas cooker, gas stove *n UK* cocina *f* de gas, estufa *f* de gas *Amér C, Col & Méx*.

gas cylinder *n* bombona *f* de gas, garrafa *f* de gas *R Plata*, balón *m* de gas *Chile*.

gas fire *n UK* estufa *f* de gas.

gas gauge *n US* indicador *m* del nivel de gasolina *OR* bencina *Chile OR* nafta *R Plata*.

gash [gæʃ] ⋄ *n* raja *f*. ⋄ *vt* rajar.

gasket ['gæskɪt] *n* junta *f*.

gasman ['gæsmæn] *(pl* **-men** [-men]) *n* hombre *m* del gas.

gas mask *n* máscara *f* antigás.

gas meter *n* contador *m OR* medidor *m Amér* del gas.

gasoline ['gæsəli:n] *n US* gasolina *f*.

gasp [gɑ:sp] ⋄ *n* - **1.** [pant] resuello *m* - **2.** [of shock, surprise] grito *m* ahogado. ⋄ *vi* - **1.** [breathe quickly] resollar, jadear - **2.** [in shock, surprise] ahogar un grito.

gas pedal *n US* acelerador *m*.

gas station *n US* gasolinera *f*, grifo *m Perú*, bomba *f Chile, Col & Ven*, estación *f* de nafta *R Plata*.

gas stove = gas cooker.

gas tank *n US* depósito *m* de gasolina, tanque *m* de gasolina *Perú OR* de bencina *Chile OR* de nafta *R Plata*.

gas tap *n* llave *f* del gas.

gastroenteritis ['gæstrəu,entə'raɪtɪs] *n (U)* gastroenteritis *f inv*.

gastronomy [gæs'trɒnəmi] *n* gastronomía *f*.

gasworks ['gæswɜːks] *(pl* **gasworks**) *n* fábrica *f* de gas.

gate [geɪt] *n* - **1.** [gen] puerta *f*; [metal] verja *f* - **2.** *SPORT* [takings] taquilla *f*; [attendance] entrada *f*.

gatecrash ['geɪtkræʃ] *inf vi* colarse.

gateway ['geɪtweɪ] *n* - **1.** [entrance] puerta *f*, pórtico *m* - **2.** *COMPUT* pasarela *f*.

gather ['gæðə'] ⋄ *vt* - **1.** [collect] recoger; **to gather together** reunir - **2.** [dust] llenarse de - **3.** [increase - speed, strength] ganar, cobrar - **4.** [understand]: **to gather (that)** deducir que - **5.** [cloth] fruncir. ⋄ *vi* [people, animals] reunirse; [clouds] acumularse.

gathering ['gæðərɪŋ] *n* [meeting] reunión *f*.

gauche [gəuʃ] *adj* torpe.

gaudy ['gɔ:dɪ] *adj* chillón(ona), llamativo(va).

gauge, gage *US* [geɪdʒ] ⋄ *n* - **1.** [for fuel, temperature] indicador *m*; [for width of tube, wire] calibrador *m* - **2.** [calibre] calibre *m* - **3.** *RAIL* ancho *m* de vía. ⋄ *vt lit & fig* calibrar.

gaunt [gɔ:nt] *adj* - **1.** [person, face] demacrado(da) - **2.** [building, landscape] adusto(ta).

gauntlet ['gɔ:ntlɪt] *n* guante *m*; **to run the gauntlet of sthg** exponerse a algo; **to throw down the gauntlet (to sb)** arrojar el guante (a alguien).

gauze [gɔ:z] *n* gasa *f*.

gave [geɪv] *pt* ⊳ **give**.

gawky ['gɔ:kɪ] *adj* desgarbado(da).

gawp [gɔ:p] *vi*: **to gawp (at sthg/sb)** mirar boquiabierto(ta) (algo/a alguien).

gay [geɪ] ⋄ *adj* - **1.** [homosexual] gay, homosexual - **2.** [cheerful, lively, bright] alegre. ⋄ *n* gay *mf*.

gaze [geɪz] ⋄ *n* mirada *f* fija. ⋄ *vi*: **to gaze (at sthg/sb)** mirar fijamente (algo/a alguien).

gazelle [gə'zel] *(pl* **gazelle** *OR* **-s**) *n* gacela *f*.

gazetteer [,gæzɪ'tɪə'] *n* índice *m* geográfico.

gazump [gə'zʌmp] *vt UK inf*: **to gazump sb** acordar vender una casa a alguien y luego venderséla a otro a un precio más alto.

GB n - 1. (*abbr of* **Great Britain**) GB *f* - 2. COMPUT (*abbr of* **gigabyte**) GB *m*.

GCSE (*abbr of* **General Certificate of Secondary Education**) *n examen final de enseñanza secundaria en Gran Bretaña.*

GDP (*abbr of* **gross domestic product**) *n* PIB *m*.

gear [gɪər] ◇ *n* - 1. [mechanism] engranaje *m* - 2. [speed - of car, bicycle] marcha *f*; **in gear** con una marcha metida; **out of gear** en punto muerto; **to change gear** cambiar de marcha - 3. (*U*) [equipment, clothes] equipo *m* - 4. (*U*) *inf* [stuff, possessions] bártulos *mpl*. ◇ *vt*: **to gear sthg to** orientar OR encaminar algo hacia. ◆ **gear up** *vi*: **to gear up for sthg/to do sthg** hacer preparativos para algo/para hacer algo.

gearbox ['gɪəbɒks] *n* caja *f* de cambios.

gear lever, gear stick *UK*, **gear shift** *US n* palanca *f* de cambios.

gear wheel *n* rueda *f* dentada.

geek [giːk] *n esp US inf* lelo *m*, -la *f*, tontaina *mf*; **a computer geek** un monstruo de la informática.

geese [giːs] *npl* ⊳ **goose**.

gel [dʒel] ◇ *n* [for shower] gel *m*; [for hair] gomina *f*. ◇ *vi* - 1. [thicken] aglutinarse - 2. [plan] cuajar; [idea, thought] tomar forma.

gelatin ['dʒelətɪn], **gelatine** [,dʒelə'tiːn] *n* gelatina *f*.

gelignite ['dʒelɪgnaɪt] *n* gelignita *f*.

gem [dʒem] *n* [precious stone] gema *f*; [jewel, special person, thing] joya *f*.

Gemini ['dʒemɪnaɪ] *n* Géminis *m inv*.

gender ['dʒendər] *n* - 1. GRAM género *m* - 2. [sex] sexo *m*.

gene [dʒiːn] *n* gen *m*.

general ['dʒenərəl] ◇ *adj* general. ◇ *n* general *m*. ◆ **in general** *adv* - 1. [as a whole] en general - 2. [usually] por lo general.

general anaesthetic *n* anestesia *f* general.

general delivery *n US* lista *f* de correos.

general election *n* elecciones *fpl* generales.

generalization [,dʒenərəlaɪ'zeɪʃn] *n* generalización *f*.

general knowledge *n* cultura *f* general.

generally ['dʒenərəlɪ] *adv* en general.

general practitioner *n* médico *m*, -ca *f* de cabecera.

general public *n*: **the general public** el gran público.

generate ['dʒenəreɪt] *vt* generar.

generation [,dʒenə'reɪʃn] *n* generación *f*.

generator ['dʒenəreɪtər] *n* generador *m*.

generosity [,dʒenə'rɒsətɪ] *n* generosidad *f*.

generous ['dʒenərəs] *adj* generoso(sa); [cut of clothes] amplio(plia).

genetic [dʒɪ'netɪk] *adj* genético(ca). ◆ **genetics** *n* (*U*) genética *f*.

genetically modified [dʒɪ'netɪkəlɪ'mɒdɪfaɪd] *adj* modificado(da) genéticamente, transgénico(ca).

genial ['dʒiːnjəl] *adj* cordial, afable.

genitals ['dʒenɪtlz] *npl* genitales *mpl*.

genius ['dʒiːnjəs] (*pl* **-es**) *n* genio *m*.

gent [dʒent] *n inf* caballero *m*. ◆ **gents** *n UK* [toilets] servicio *m* de caballeros.

genteel [dʒen'tiːl] *adj* fino(na), refinado(da).

gentle ['dʒentl] *adj* - 1. [kind] tierno(na), dulce - 2. [breeze, movement, slope] suave - 3. [scolding] ligero(ra); [hint] sutil.

gentleman ['dʒentlmən] (*pl* **-men** [-mən]) *n* - 1. [well-behaved man] caballero *m* - 2. [man] señor *m*, caballero *m*.

gently ['dʒentlɪ] *adv* - 1. [kindly] dulcemente - 2. [softly, smoothly] suavemente - 3. [carefully] con cuidado.

gentry ['dʒentrɪ] *n* alta burguesía *f*.

genuine ['dʒenjuɪn] *adj* - 1. [real] auténtico(ca) - 2. [sincere] sincero(ra).

geography [dʒɪ'ɒgrəfɪ] *n* geografía *f*.

geology [dʒɪ'ɒlədʒɪ] *n* geología *f*.

geometric(al) [,dʒɪə'metrɪk(l)] *adj* geométrico(ca).

geometry [dʒɪ'ɒmətrɪ] *n* geometría *f*.

geranium [dʒɪ'reɪnjəm] (*pl* **-s**) *n* geranio *m*.

gerbil ['dʒɜːbɪl] *n* jerbo *m*, gerbo *m*.

geriatric [,dʒerɪ'ætrɪk] ◇ *adj* [of old people] geriátrico(ca). ◇ *n* - 1. MED anciano *m*, -na *f* - 2. *inf* [very old person] vejestorio *m*.

germ [dʒɜːm] *n fig & BIOL* germen *m*; MED microbio *m*.

German ['dʒɜːmən] ◇ *adj* alemán(ana). ◇ *n* - 1. [person] alemán *m*, -ana *f* - 2. [language] alemán *m*.

German measles *n* rubéola *f*.

Germany ['dʒɜːmənɪ] *n* Alemania *f*.

germinate ['dʒɜːmɪneɪt] *vt & vi lit & fig* germinar.

gerund ['dʒerənd] *n* gerundio *m*.

gesticulate [dʒes'tɪkjʊleɪt] *vi* gesticular.

gesture ['dʒestʃər] ◇ *n* gesto *m*. ◇ *vi*: **to gesture to** OR **towards sb** hacer gestos a alguien.

get [get] (*UK pt & pp* **got**, *US pt* **got**, *pp* **gotten**) ◇ *vt* - 1. [bring, fetch] traer; **can I get you something to eat/drink?** ¿te traigo algo de comer/beber?; **I'll get my coat** voy a por el abri-

go; **could you get me the boss, please?** [when phoning] póngame con el jefe - **2.** [door, phone] contestar a - **3.** [obtain] conseguir; **she got top marks** sacó las mejores notas - **4.** [buy] comprar - **5.** [receive] recibir; **what did you get for your birthday?** ¿qué te regalaron para tu cumpleaños?; **she gets a good salary** gana un buen sueldo; **we don't get much rain** no llueve mucho - **6.** [catch - bus, criminal, illness] coger, agarrar *Amér*; **I've got a cold** estoy resfriado; **he got cancer** contrajo cáncer - **7.** [cause to do]: **to get sb to do sthg** hacer que alguien haga algo; **I'll get my sister to help** le pediré a mi hermana que ayude - **8.** [cause to be done]: **to get sthg done** mandar hacer algo; **have you got the car fixed yet?** ¿te han arreglado ya el coche? - **9.** [cause to become]: **to get sthg ready** preparar algo; **to get sthg dirty** ensuciar algo - **10.** [cause to move]: **can you get it through the gap?** ¿puedes meterlo por el hueco?; **to get sthg/sb out of sthg** conseguir sacar algo/a alguien de algo - **11.** [experience - a sensation]: **do you get the feeling he doesn't like us?** ¿no te da la sensación de que no le gustamos? - **12.** [understand] entender; **I don't get it** *inf* no me aclaro, no lo entiendo; **he didn't seem to get the point** no pareció captar el sentido - **13.** *inf* [annoy] poner negro(gra) - **14.** [find]: **you get a lot of artists here** hay mucho artista por aquí. ◇ *vi* - **1.** [become] ponerse; **to get angry/pale** ponerse furioso/pálido; **to get ready** prepararse; **to get dressed** vestirse; **I'm getting cold/bored** me estoy enfriando/aburriendo; **it's getting late** se está haciendo tarde - **2.** [arrive] llegar; **how do I get there?** ¿cómo se llega (allí)?; **to get home** llegar a casa; **I only got back yesterday** regresé justo ayer - **3.** [eventually succeed]: **to get to do sthg** llegar a hacer algo; **did you get to see him?** ¿conseguiste verlo? - **4.** [progress] llegar; **how far have you got?** ¿cuánto llevas?, ¿hasta dónde has llegado?; **now we're getting somewhere** ahora sí que vamos por buen camino; **we're getting nowhere** así no llegamos a ninguna parte. ◇ *aux vb*: **to get excited** emocionarse; **someone could get hurt** alguien podría resultar herido; **I got beaten up** me zurraron; **let's get going** OR **moving** pongámonos en marcha. ● **get about** *vi* - **1.** [move from place to place] salir a menudo - **2.** [circulate - news etc] difundirse; = **get around**. ● **get along** *vi* - **1.** [manage] arreglárselas - **2.** [progress]: **how are you getting along?** ¿cómo te va? - **3.** [have a good relationship]: **to get along (with sb)** llevarse bien (con alguien). ● **get around, get round** ◇ *vt insep* [overcome - problem] evitar; [- obstacle] sortear. ◇ *vi* [circulate - news etc] difundirse; = **get about**. ● **get at** *vt insep* - **1.** [reach] llegar a, alcanzar - **2.** [imply] referirse a - **3.** *inf* [criticize]: **stop getting at me!** ¡deja ya de meterte conmigo! ● **get away**

vi - **1.** [leave] salir, irse - **2.** [go on holiday]: **I really need to get away** necesito unas buenas vacaciones - **3.** [escape] escaparse. ● **get away with** *vt insep* salir impune de; **she lets him get away with everything** ella se lo consiente todo. ● **get back** ◇ *vt sep* [recover, regain] recuperar. ◇ *vi* - **1.** [move away] echarse atrás, apartarse - **2.** [return] volver. ● **get back to** *vt insep* - **1.** [return to previous state, activity] volver a - **2.** *esp US inf* [phone back]: **I'll get back to you later** te llamo de vuelta más tarde. ● **get by** *vi* apañárselas. ● **get down** *vt sep* - **1.** [depress] deprimir - **2.** [fetch from higher level] bajar - **3.** [write down] anotar. ● **get down to** *vt insep*: **to get down to doing sthg** ponerse a hacer algo. ● **get in** *vi* - **1.** [enter] entrar - **2.** [arrive] llegar. ● **get into** *vt insep* - **1.** [car] subir a - **2.** [become involved in] meterse en - **3.** [enter into a particular situation, state]: **to get into a panic** OR **state** ponerse nerviosísimo(ma); **to get into trouble** meterse en líos; **to get into the habit of doing sthg** adquirir el hábito OR coger la costumbre de hacer algo - **4.** [be accepted as a student at]: **she managed to get into Oxford** consiguió entrar en Oxford. ● **get off** ◇ *vt sep* - **1.** [remove] quitar - **2.** [prevent from being punished] librar. ◇ *vt insep* - **1.** [go away from] irse OR salirse de; **get off my land!** ¡fuera de mis tierras! - **2.** [train, bus, table] bajarse de. ◇ *vi* - **1.** [leave bus, train] bajarse, desembarcarse *Amér* - **2.** [escape punishment] escaparse; **he got off lightly** salió bien librado - **3.** [depart] irse, salir. ● **get off with** *vt insep UK inf* ligar con. ● **get on** ◇ *vt insep* [bus, train, horse] subirse a. ◇ *vi* - **1.** [enter bus, train] subirse, montarse - **2.** [have good relationship] llevarse bien - **3.** [progress]: **how are you getting on?** ¿cómo te va? - **4.** [proceed]: **to get on with sthg** seguir OR continuar con algo - **5.** [be successful professionally] triunfar. ● **get out** ◇ *vt sep* [remove - object, prisoner] sacar; [- stain etc] quitar; **she got a pen out of her bag** sacó un bolígrafo del bolso. ◇ *vi* - **1.** [leave] salir; **get out!** ¡vete de aquí! - **2.** [leave car, bus, train] bajarse - **3.** [become known - news] difundirse, filtrarse. ● **get out of** *vt insep* - **1.** [car, bus, train] bajar de; [bed] levantarse de - **2.** [escape from] escapar OR huir de - **3.** [avoid]: **to get out of (doing) sthg** librarse de (hacer) algo. ● **get over** ◇ *vt insep* - **1.** [recover from] recuperarse de - **2.** [overcome] superar. ◇ *vt sep* [communicate] hacer comprender. ● **get round** *vt insep* = **get around**. ● **get through** ◇ *vt insep* - **1.** [job, task] terminar - **2.** [exam] aprobar - **3.** [food, drink] consumir - **4.** [unpleasant situation] sobrevivir a. ◇ *vi* TELEC conseguir comunicar. ● **get to** ◇ *vt insep inf* [annoy] fastidiar, molestar. ◇ *vi* [end up] ir a parar. ● **get together** ◇ *vt sep* [organize - project, demonstration] or-

ganizar, montar; [team] juntar; [report] preparar. ◇ *vi* juntarse, reunirse. ● **get up** ◇ *vi* levantarse. ◇ *vt insep* [organize - petition etc] preparar, organizar. ● **get up to** *vt insep inf* hacer, montar.

getaway ['getəweɪ] *n* fuga *f*, huida *f*; **to make one's getaway** darse a la fuga.

get-together *n inf* reunión *f*.

geyser ['giːzər] *n* - 1. [hot spring] géiser *m* - 2. *UK* [water heater] calentador *m* de agua.

Ghana ['gɑːnə] *n* Ghana.

ghastly ['gɑːstlɪ] *adj* - 1. *inf* [very bad, unpleasant] horrible, espantoso(sa) - 2. [horrifying] horripilante - 3. [ill] fatal.

gherkin ['gɜːkɪn] *n* pepinillo *m*.

ghetto ['getəʊ] (*pl* -s OR -es) *n* gueto *m*.

ghetto blaster [-'blɑːstər] *n inf* radiocasete portátil de gran tamaño y potencia.

ghost [gəʊst] *n* [spirit] fantasma *m*.

giant ['dʒaɪənt] ◇ *adj* gigantesco(ca). ◇ *n* gigante *m*.

gibberish ['dʒɪbərɪʃ] *n* galimatías *m inv*.

gibe [dʒaɪb] ◇ *n* pulla *f*. ◇ *vi*: **to gibe (at)** mofarse (de).

giblets ['dʒɪblɪts] *npl* menudillos *mpl*.

Gibraltar [dʒɪ'brɔːltər] *n* Gibraltar; **the Rock of Gibraltar** el Peñón.

giddy ['gɪdɪ] *adj* mareado(da); **to be giddy** [have vertigo] tener vértigo.

gift [gɪft] *n* - 1. [present] regalo *m*, obsequio *m* - 2. [talent] don *m*; **to have a gift for sthg/for doing sthg** tener un don especial para algo/ para hacer algo; **to have the gift of the gab** tener un pico de oro.

gift certificate *US* = **gift token**.

gifted ['gɪftɪd] *adj* - 1. [talented] dotado(da) - 2. [extremely intelligent] superdotado(da).

gift token, gift certificate, gift voucher *n UK* vale *m* OR cupón *m* para regalo.

gig [gɪg] *n inf* [concert] concierto *m*.

gigabyte ['gaɪgəbaɪt] *n* COMPUT gigabyte *m*.

gigantic [dʒaɪ'gæntɪk] *adj* gigantesco(ca).

giggle ['gɪgl] ◇ *n* - 1. [laugh] risita *f*, risa *f* tonta - 2. *UK inf* [fun]: **it's a real giggle** es la mar de divertido; **to do sthg for a giggle** hacer algo por puro cachondeo. ◇ *vi* [laugh] soltar risitas.

gilded ['gɪldɪd] = **gilt**.

gill [dʒɪl] *n* [unit of measurement] = *0,142 litros*.

gills [gɪlz] *npl* [of fish] agallas *fpl*.

gilt [gɪlt], **gilded** ◇ *adj* dorado(da). ◇ *n* dorado *m*.

gilt-edged *adj* FIN de máxima garantía.

gimmick ['gɪmɪk] *n pej* artilugio *m* innecesario; **advertising gimmick** reclamo *m* publicitario.

gin [dʒɪn] *n* ginebra *f*; **gin and tonic** gintonic *m*.

ginger ['dʒɪndʒər] ◇ *adj UK* [hair] bermejo(ja); **to have ginger hair** ser pelirrojo(ja); [cat] de color bermejo. ◇ *n* jengibre *m*.

ginger ale *n* [mixer] ginger-ale *m*.

ginger beer *n* [slightly alcoholic] refresco *m* de jengibre.

gingerbread ['dʒɪndʒəbred] *n* - 1. [cake] pan *m* de jengibre - 2. [biscuit] galleta *f* de jengibre.

ginger-haired [-'heəd] *adj* pelirrojo(ja).

gingerly ['dʒɪndʒəlɪ] *adv* con mucho tiento.

gipsy, gypsy ['dʒɪpsɪ] ◇ *adj* gitano(na). ◇ *n UK* gitano *m*, -na *f*.

giraffe [dʒɪ'rɑːf] (*pl* giraffe OR -s) *n* jirafa *f*.

girder ['gɜːdər] *n* viga *f*.

girdle ['gɜːdl] *n* [corset] faja *f*.

girl [gɜːl] *n* - 1. [child] niña *f* - 2. [young woman] chica *f* - 3. [daughter] niña *f*, chica *f* - 4. *inf* [female friend]: **the girls** las amigas, las chicas.

girlfriend ['gɜːlfrend] *n* - 1. [female lover] novia *f* - 2. [female friend] amiga *f*.

girl guide *UK*, **girl scout** *US n* [individual] exploradora *f*.

giro ['dʒaɪrəʊ] (*pl* -s) *n UK* - 1. (*U*) [system] giro *m* - 2.: **giro (cheque)** cheque *m* para giro bancario.

girth [gɜːθ] *n* - 1. [circumference] circunferencia *f* - 2. [of horse] cincha *f*.

gist [dʒɪst] *n*: **the gist of** lo esencial de; **to get the gist (of sthg)** entender el sentido (de algo).

give [gɪv] ◇ *vt* (*pt* gave, *pp* given) - 1. [gen] dar; [time, effort] dedicar; [attention] prestar; **to give sb/sthg sthg, to give sthg to sb/sthg** dar algo a alguien/algo; **he was given twenty years** [sentenced to] le cayeron veinte años - 2. [as present]: **to give sb sthg, to give sthg to sb** regalar algo a alguien - 3. [hand over]: **to give sb sthg, to give sthg to sb** entregar OR dar algo a alguien. ◇ *vi* (*pt* gave, *pp* given) [collapse, break] romperse, ceder; [stretch] dar sí. ● **give or take** *prep* más o menos; **in half an hour give or take five minutes** dentro de media hora, cinco minutos más o cinco minutos menos. ● **give away** *vt sep* - 1. [as present] regalar - 2. [reveal] revelar, descubrir - 3. [bride] llevar al altar. ● **give back** *vt sep* [return] devolver, regresar *Méx*. ● **give in** *vi* - 1. [admit defeat] rendirse, darse por vencido(da) - 2. [agree unwillingly]: **to give in to sthg** ceder ante algo. ● **give off** *vt insep* [produce, emit] despedir. ● **give out** ◇ *vt sep* [distribute] repartir, distribuir. ◇ *vi* [supply, strength] agotarse, acabarse; [legs, machine] fallar. ● **give up** ◇ *vt sep* - 1. [stop] abando-

nar; **to give up chocolate** dejar de comer chocolate - **2.** [job] dejar. ⬦ *vi* rendirse, darse por vencido(da).

given ['gɪvn] ⬦ *adj* - **1.** [set, fixed] dado(da) - **2.** [prone]**: to be given to sthg/to doing sthg** ser dado(da) a algo/a hacer algo. ⬦ *prep* [taking into account] dado(da); **given that** dado que.

given name *n esp US* nombre *m* de pila.

glacier ['glæsjəʳ] *n* glaciar *m*.

glad [glæd] *adj* - **1.** [happy, pleased] alegre, contento(ta); **to be glad about/that** alegrarse de/de que - **2.** [willing]**: to be glad to do sthg** tener gusto en hacer algo.

glad-hand ['glædhænd] *vt inf pej* dar la mano efusivamente a.

gladly ['glædlɪ] *adv* - **1.** [happily, eagerly] alegremente - **2.** [willingly] con mucho gusto.

glamor *US* = **glamour**.

glamorous ['glæmərəs] *adj* atractivo(va), lleno(na) de encanto.

glamour *UK*, **glamor** *US* ['glæməʳ] *n* encanto *m*, atractivo *m*, sotisficación *f*.

glance [glɑːns] ⬦ *n* [quick look] mirada *f*, vistazo *m*; **to cast** OR **take a glance at sthg** echar un vistazo a algo; **at a glance** de un vistazo; **at first glance** a primera vista. ⬦ *vi* [look quickly]**: to glance at sb** lanzar una mirada a alguien; **to glance at** OR **through sthg** hojear algo. ➤ **glance off** *vt insep* rebotar en.

glancing ['glɑːnsɪŋ] *adj* de refilón.

gland [glænd] *n* glándula *f*.

glandular fever [ˌglændjʊləʳ-] *n* mononucleosis *f inv* infecciosa.

glare [gleəʳ] ⬦ *n* - **1.** [scowl] mirada *f* asesina - **2.** [blaze, dazzle] resplandor *m*, deslumbramiento *m* - **3.** *(U) fig* [of publicity] foco *m*. ⬦ *vi* [blaze, dazzle] brillar.

glaring ['gleərɪŋ] *adj* - **1.** [very obvious] flagrante - **2.** [blazing, dazzling] deslumbrante.

glasnost ['glæznɒst] *n* glasnost *f*.

glass [glɑːs] ⬦ *n* - **1.** [material] vidrio *m*, cristal *m* - **2.** [drinking vessel, glassful] vaso *m*; [with stem] copa *f*. ⬦ *comp* de vidrio OR cristal. ➤ **glasses** *npl* [spectacles] gafas *fpl*.

glassware ['glɑːsweəʳ] *n (U)* cristalería *f*.

glassy ['glɑːsɪ] *adj* - **1.** [smooth, shiny] cristalino(na) - **2.** [blank, lifeless] vidrioso(sa).

glaze [gleɪz] ⬦ *n* [on pottery] vidriado *m*; [on food] glaseado *m*. ⬦ *vt* - **1.** [pottery] vidriar; [food] glasear - **2.** [window] acristalar.

glazier ['gleɪzjəʳ] *n* vidriero *m*, -ra *f*.

gleam [gliːm] ⬦ *n* destello *m*; [of hope] rayo *m*. ⬦ *vi* relucir.

gleaming ['gliːmɪŋ] *adj* reluciente.

glean [gliːn] *vt* [gather] recoger; [information] extraer.

glee [gliː] *n (U)* [joy, delight] alegría *f*, regocijo *m*.

glen [glen] *n Scotland* cañada *f*.

glib [glɪb] *adj pej* de mucha labia.

glide [glaɪd] *vi* - **1.** [move smoothly] deslizarse - **2.** [fly] planear.

glider ['glaɪdəʳ] *n* [plane] planeador *m*.

gliding ['glaɪdɪŋ] *n* [sport] vuelo *m* sin motor.

glimmer ['glɪməʳ] *n* - **1.** [faint light] luz *f* tenue - **2.** *fig* [trace, sign] atisbo *m*; [of hope] rayo *m*.

glimpse [glɪmps] ⬦ *n* - **1.** [look, sight] vislumbre *f*; **to catch a glimpse of sthg/sb** entrever algo/a alguien - **2.** [idea, perception] asomo *m*, atisbo *m*. ⬦ *vt* entrever, vislumbrar.

glint [glɪnt] ⬦ *n* - **1.** [flash] destello *m* - **2.** [in eyes] brillo *m*. ⬦ *vi* destellar.

glisten ['glɪsn] *vi* relucir, brillar.

glitter ['glɪtəʳ] *vi* relucir, brillar.

gloat [gləʊt] *vi*: **to gloat (over sthg)** regodearse (con algo).

global ['gləʊbl] *adj* [worldwide] mundial, global; **the global village** la aldea global.

globalization [ˌgləʊbəlaɪˈzeɪʃn] *n* globalización *f*.

global warming [-ˈwɔːmɪŋ] *n* calentamiento *m* global.

globe [gləʊb] *n* - **1.** [gen] globo *m* - **2.** [spherical map] globo *m* (terráqueo).

gloom [gluːm] *n (U)* - **1.** [darkness] penumbra *f* - **2.** [unhappiness] pesimismo *m*, melancolía *f*.

gloomy ['gluːmɪ] *adj* - **1.** [dark, cloudy] oscuro(ra) - **2.** [unhappy] melancólico(ca) - **3.** [without hope - report, forecast] pesimista; [- situation, prospects] desalentador(ra).

glorious ['glɔːrɪəs] *adj* magnífico(ca).

glory ['glɔːrɪ] *n* - **1.** [gen] gloria *f* - **2.** [beauty, splendour] esplendor *m*. ➤ **glory in** *vt insep* [relish] disfrutar de, regocijarse con.

gloss [glɒs] *n* - **1.** [shine] lustre *m*, brillo *m* - **2.**: **gloss (paint)** pintura *f* esmalte. ➤ **gloss over** *vt insep* tocar muy por encima.

glossary ['glɒsərɪ] *n* glosario *m*.

glossy ['glɒsɪ] *adj* - **1.** [smooth, shiny] lustroso(sa) - **2.** [on shiny paper] de papel satinado.

glove [glʌv] *n* guante *m*.

glove compartment *n* guantera *f*.

glow [gləʊ] ⬦ *n* [light] fulgor *m*. ⬦ *vi* [gen] brillar.

glower ['glaʊəʳ] *vi*: **to glower (at sthg/sb)** mirar con furia (algo/a alguien).

glucose ['gluːkəʊs] *n* glucosa *f*.

glue [gluː] ⬦ *n* [paste] pegamento *m*; [for glueing wood, metal etc] cola *f*. ⬦ *vt* (*cont* **glueing** OR **gluing**) [paste] pegar (con pe-

gamento); [wood, metal etc] encolar; **to be glued to sthg** [absorbed by] estar pegado(da) a algo.

glum [glʌm] *adj* [unhappy] sombrío(a).

glut [glʌt] *n* superabundancia *f*.

glutton ['glʌtn] *n* [greedy person] glotón *m*, -ona *f*; **to be a glutton for punishment** ser un masoquista.

GM [dʒiː'em] (*abbr of* **genetically modified**) *adj* transgénico(ca), modificado(da) genéticamente; **GM foods** alimentos transgénicos; **GM products** productos modificados genéticamente.

GMO (*abbr of* **genetically modified organism**) *n* OMG *m*.

gnarled [nɑːld] *adj* nudoso(sa).

gnash [næʃ] *vt*: **to gnash one's teeth** hacer rechinar los dientes.

gnat [næt] *n* mosquito *m*.

gnaw [nɔː] *vt* [chew] roer; **to gnaw (away) at sb** corroer a alguien.

gnome [nəum] *n* gnomo *m*.

GNP (*abbr of* **gross national product**) *n* PNB *m*.

GNVQ (*abbr of* **General National Vocational Qualification**) *n* SCH *curso de formación profesional de dos años de duración para los mayores de 16 años en Inglaterra y Gales.*

go [gəu] ◇ *vi* (*pt* **went**, *pp* **gone**) - **1.** [move, travel, attend] ir; **where are you going?** ¿adónde vas?; **he's gone to Portugal** se ha ido a Portugal; **we went by bus/train** fuimos en autobús/tren; **to go and do sthg** ir a hacer algo; **where does this path go?** ¿adónde lleva este camino?; **to go right/left** girar a la derecha/izquierda; **to go swimming/shopping** ir a nadar/de compras; **to go for a walk/run** ir a dar un paseo/a correr - **2.** [depart - person] irse, marcharse; [- bus] salir; **I must go, I have to go** tengo que irme; **it's time we went** es hora de irse OR marcharse; **let's go!** ¡vámonos! - **3.** [pass - time] pasar; **the time went slowly/quickly** el tiempo pasaba lentamente/rápido - **4.** [progress] ir; **to go well/badly** ir bien/mal; **how's it going?** *inf* [how are you?] ¿qué tal? - **5.** [belong, fit] ir; **the plates go in the cupboard** los platos van en el armario; **it won't go into the suitcase** no cabe en la maleta - **6.** [become] ponerse; **to go grey** ponerse gris; **to go mad** volverse loco(c a); **to go blind** quedarse ciego(ga) - **7.** [indicating intention, certainty, expectation]: **what are you going to do now?** ¿qué vas a hacer ahora?; **he said he was going to be late** dijo que llegaría tarde; **it's going to rain/snow** va a llover/nevar - **8.** [match, be compatible]: **to go (with)** ir bien (con); **this blouse goes well with the skirt** esta blusa va muy bien OR hace juego con la falda - **9.** [function, work] funcionar - **10.** [bell, alarm] sonar - **11.** [start] empe-

zar - **12.** [stop working] estropearse; **the fuse must have gone** se ha debido de fundir el fusible - **13.** [deteriorate]: **her sight/hearing is going** está perdiendo la vista/el oído - **14.** [be disposed of]: **he'll have to go** habrá que despedirlo; **everything must go!** ¡gran liquidación! - **15.** *inf* [expressing irritation, surprise]: **now what's he gone and done?** ¿qué leches ha hecho ahora? - **16.** [in division]: **three into two won't go** tres no es divisible por dos. ◇ *n* (*pl* **goes**) [turn] turno *m*; **it's my go** me toca a mí.

▶▶ **to have a go at sb** *inf* echar una bronca a alguien; **to be on the go** *inf* no parar, estar muy liado(da). ◇ **to go** *adv* [remaining]: **there are only three days to go** sólo quedan tres días.

◆ **go about** ◇ *vt insep* - **1.** [perform] hacer, realizar; **to go about one's business** ocuparse uno de sus asuntos - **2.** [tackle]: **to go about doing sthg** apañárselas para hacer algo; **how do you intend going about it?** ¿cómo piensas hacerlo? ◇ *vi* = **go around**. ◆ **go ahead** *vi* - **1.** [begin]: **to go ahead (with sthg)** seguir adelante (con algo); **go ahead!** ¡adelante! - **2.** [take place] celebrarse - **3.** [in match, contest] ponerse por delante. ◆ **go along** *vi* [proceed]: **as you go along** a medida que lo vayas haciendo. ◆ **go along with** *vt insep* estar de acuerdo con. ◆ **go around, go round, go about** *vi* [joke, illness, story] correr (por ahí). ◆ **go away** *vi* - **1.** [person, animal] irse; **go away!** ¡vete! - **2.** [pain] desaparecer. ◆ **go back** *vi* - **1.** [return] volver - **2.** [clocks] atrasarse. ◆ **go back on** *vt insep* [one's word, promise] faltar a. ◆ **go back to** *vt insep* - **1.** [return to activity] continuar OR seguir con; **to go back to sleep** volver a dormir - **2.** [date from] remontarse a. ◆ **go by** ◇ *vi* [time, people, vehicles] pasar. ◇ *vt insep* - **1.** [be guided by] guiarse por - **2.** [judge from]: **going by her accent, I'd say she was French** a juzgar por su acento yo diría que es francesa. ◆ **go down** ◇ *vi* - **1.** [descend] bajar - **2.** [get lower - prices, temperature, swelling] bajar - **3.** [be accepted]: **to go down well/badly** tener una buena/mala acogida - **4.** [sun] ponerse - **5.** [tyre, balloon] deshincharse - **6.** [be relegated] descender. ◇ *vt insep* bajar. ◆ **go for** *vt insep* - **1.** [choose] decidirse por - **2.** [be attracted to]: **I don't really go for men like him** no me gustan mucho los hombres como él - **3.** [attack] lanzarse sobre, atacar - **4.** [try to obtain - record, job] ir a por. ◆ **go forward** *vi* [clocks] adelantarse. ◆ **go in** *vi* entrar. ◆ **go in for** *vt insep* - **1.** [competition, exam] presentarse a - **2.** *inf* [enjoy]: **I don't really go in for classical music** no me va la música clásica. ◆ **go into** *vt insep* - **1.** [enter] entrar en - **2.** [investigate] investigar - **3.** [take up as a profession] dedicarse a. ◆ **go off** ◇ *vi* - **1.** [explode - bomb] estallar; [- gun] dispararse - **2.** [alarm] sonar - **3.** [go

bad - food] estropearse; [- milk] cortarse - **4.** [lights, heating] apagarse. ⬦ *vt insep inf* [lose interest in] perder el gusto a *OR* el interés en *OR* por. ⬥ **go on** ⬦ *vi* - **1.** [take place] pasar, ocurrir - **2.** [continue]: **to go on (doing sthg)** seguir (haciendo algo) - **3.** [heating etc] encenderse - **4.** [talk for too long]: **to go on (about)** no parar de hablar (de). ⬦ *vt insep* [be guided by] guiarse por. ⬦ *excl* ¡venga!, ¡vamos! ⬥ **go on at** *vt insep* [nag] dar la lata a. ⬥ **go out** *vi* - **1.** [leave house] salir; **to go out for a meal** cenar fuera - **2.** [tide] bajar - **3.** [light, fire, cigarette] apagarse. ⬥ **go over** *vt insep* - **1.** [examine] repasar - **2.** [repeat] repetir. ⬥ **go round** *vi* [revolve] girar, dar vueltas, = **go around**. ⬥ **go through** *vt insep* - **1.** [penetrate] atravesar - **2.** [experience] pasar por, experimentar - **3.** [study, search through] registrar; **she went through his pockets** le miró en los bolsillos. ⬥ **go through with** *vt insep* llevar a cabo. ⬥ **go towards** *vt insep* contribuir a. ⬥ **go under** *vi lit* & *fig* hundirse. ⬥ **go up** ⬦ *vi* - **1.** [rise - person, prices, temperature, balloon] subir - **2.** [be built] levantarse, construirse. ⬦ *vt insep* subir. ⬥ **go without** ⬦ *vt insep* prescindir de. ⬦ *vi* apañárselas.

goad [gəʊd] *vt* [provoke] aguijonear, incitar.

go-ahead ⬦ *adj* [dynamic] dinámico(ca). ⬦ *n (U)* [permission] luz *f* verde.

goal [gəʊl] *n* - **1.** SPORT [point scored] gol *m*; [area between goalposts] portería *f*, arco *m Amér* - **2.** [aim] objetivo *m*, meta *f*.

goalkeeper ['gəʊl,kiːpə⁽ʳ⁾] *n* portero *m*, -ra *f*, arquero *m*, -ra *f Amér*.

goalmouth ['gəʊlmaʊθ, *pl* -maʊðz] *n* portería *f*, meta *f*, arco *m Amér*.

goalpost ['gəʊlpəʊst] *n* poste *m* (de la portería).

goat [gəʊt] *n* [animal] cabra *f*.

goatee [gəʊ'tiː] *n* perilla *f*.

gob [gɒb] *v inf UK* [mouth] pico *m*.

gobble ['gɒbl] *vt* [food] engullir, tragar. ⬥ **gobble down, gobble up** *vt sep* engullir, tragar.

go-between *n* intermediario *m*, -ria *f*.

gobsmacked ['gɒbsmækt] *adj UK inf* alucinado(da), flipado(da).

go-cart = **go-kart**.

god [gɒd] *n* dios *m*. ⬥ **God** ⬦ *n* Dios *m*; **God knows** sabe Dios; **for God's sake** ¡por el amor de Dios!; **thank God** ¡gracias a Dios! ⬦ *excl*: **(my) God!** ¡Dios (mío)!

godchild ['gɒdtʃaɪld] (*pl* **-children** [-,tʃɪldrən]) *n* ahijado *m*, -da *f*.

goddaughter ['gɒd,dɔːtə⁽ʳ⁾] *n* ahijada *f*.

goddess ['gɒdɪs] *n* diosa *f*.

godfather ['gɒd,fɑːðə⁽ʳ⁾] *n* padrino *m*.

godforsaken ['gɒdfə,seɪkn] *adj* dejado(da) de la mano de Dios.

godmother ['gɒd,mʌðə⁽ʳ⁾] *n* madrina *f*.

godsend ['gɒdsend] *n*: **to be a godsend** venir como agua de mayo.

godson ['gɒdsʌn] *n* ahijado *m*.

goes [gəʊz] ⟼ **go**.

goggles ['gɒglz] *npl* [for swimming] gafas *fpl* submarinas; [for skiing] gafas de esquí; [for welding] gafas de protección.

going ['gəʊɪŋ] ⬦ *adj* - **1.** *UK* [available] disponible - **2.** [rate] actual. ⬦ *n (U)* - **1.** [rate of advance] marcha *f* - **2.** [conditions] condiciones *fpl*.

go-kart, go-cart [-kɑːt] *n* kart *m*.

gold [gəʊld] ⬦ *adj* [gold-coloured] dorado(da). ⬦ *n* [gen] oro *m*. ⬦ *comp* [made of gold] de oro.

golden ['gəʊldən] *adj* - **1.** [made of gold] de oro - **2.** [gold-coloured] dorado(da).

goldfish ['gəʊldfɪʃ] (*pl* **goldfish**) *n* pez *m* de colores.

gold leaf *n* pan *m* de oro.

gold medal *n* medalla *f* de oro.

goldmine ['gəʊldmaɪn] *n lit* & *fig* mina *f* de oro.

gold-plated [-'pleɪtɪd] *adj* chapado(da) en oro.

goldsmith ['gəʊldsmɪθ] *n* orfebre *mf*.

golf [gɒlf] *n* golf *m*.

golf ball *n* [for golf] pelota *f* de golf.

golf club *n* - **1.** [society, place] club *m* de golf - **2.** [stick] palo *m* de golf.

golf course *n* campo *m* de golf.

golfer ['gɒlfə⁽ʳ⁾] *n* golfista *mf*.

gone [gɒn] ⬦ *pp* ⟼ **go**. ⬦ *adj*: **those days are almost gone** esos tiempos ya pasaron. ⬦ *prep* [past]: **it was gone six already** ya eran las seis pasadas.

gong [gɒŋ] *n* gong *m*.

good [gʊd] ⬦ *adj* (*comp* **better**, *superl* **best**) - **1.** [gen] bueno(na); **it's good to see you** me alegro de verte; **she's good at it** se le da bien; **he's a very good singer** canta muy bien; **to be good with** saber manejárselas con; **she's good with her hands** es muy mañosa; **it's good for you** es bueno, es beneficioso; **to feel good** sentirse fenomenal; **it's good that...** está bien que...; **to look good** [attractive] estar muy guapo(pa); [appetizing, promising] tener buena pinta; **it looks good on you** te queda bien; **good looks** atractivo *m*; **be good!** ¡sé bueno!, ¡pórtate bien!; **good!** ¡muy bien!, ¡estupendo! - **2.** [kind] amable; **to be good to sb** ser amable con alguien; **to be good enough to do sthg** ser tan amable de hacer algo; **that was very good of him** fue muy amable de su

parte. ◇ n - 1. (U) [benefit] bien m; **it will do him good** le hará bien - 2. [use] beneficio m, provecho m; **what's the good of...?** ¿de OR para qué sirve...?; **it's no good** no sirve para nada - 3. [morally correct behaviour] el bien; **to be up to no good** estar tramando algo malo. ◇ adv - 1. [expresses approval] estupendo - 2. US inf [well] bien. ➡ **goods** npl - 1. [COMM - for sale] productos mpl; [- when transported] mercancías fpl; **to come up with** OR **deliver the goods** UK inf cumplir (lo prometido) - 2. ECON bienes mpl. ➡ **as good as** adv casi, prácticamente; **it's as good as new** está como nuevo. ➡ **for good** adv [forever] para siempre. ➡ **good afternoon** excl ¡buenas tardes! ➡ **good evening** excl [in the evening] ¡buenas tardes!; [at night] ¡buenas noches! ➡ **good morning** excl ¡buenos días!, ¡buen día! Amér ➡ **good night** excl ¡buenas noches!

goodbye [,gud'baɪ] ◇ excl ¡adiós!; **to say goodbye** despedirse. ◇ n adiós m.

Good Friday n Viernes m Santo.

good-humoured [-'hjuːməd] adj jovial.

good-looking [-'lukɪŋ] adj [person] guapo(pa).

good-natured [-'neɪtʃəd] adj bondadoso(sa).

goodness ['gudnɪs] ◇ n (U) - 1. [kindness] bondad f - 2. [nutritive quality] alimento m. ◇ excl: **(my) goodness!** ¡Dios mío!; **for goodness' sake!** ¡por Dios!; **thank goodness** ¡gracias a Dios!

goods train [gudz-] n UK mercancías m inv.

goodwill [,gud'wɪl] n - 1. [kind feelings] buena voluntad f - 2. COMM fondo m de comercio.

goody ['gudɪ] inf n [person] bueno m, -na f.

goose [guːs] (pl **geese**) n [bird] ganso m, oca f.

gooseberry ['guzbərɪ] n [fruit] grosella f silvestre, uva f espina.

goosebumps US ['guːsbʌmps] inf npl = **gooseflesh**.

gooseflesh ['guːsfleʃ] n carne f de gallina.

gore [gɔːr] ◇ n liter [blood] sangre f (derramada). ◇ vt cornear.

gorge [gɔːdʒ] ◇ n cañón m. ◇ vt: **to gorge o.s. on** OR **with** atracarse de.

gorgeous ['gɔːdʒəs] adj - 1. [lovely] magnífico(ca), espléndido(da) - 2. inf [good-looking]: **to be gorgeous** estar como un tren.

gorilla [gə'rɪlə] n gorila mf.

gormless ['gɔːmlɪs] adj UK inf memo(ma), lerdo(da).

gorse [gɔːs] n (U) tojo m.

gory ['gɔːrɪ] adj [death, scene] sangriento(ta); [details, film] escabroso(sa).

gosh [gɒʃ] excl inf ¡joroba!, ¡caray!

go-slow n UK huelga f de celo.

gospel ['gɒspl] n [doctrine] evangelio m. ➡ **Gospel** n [in Bible] Evangelio m.

gossip ['gɒsɪp] ◇ n - 1. [conversation] cotilleo m - 2. [person] cotilla mf, chismoso m, -sa f. ◇ vi cotillear.

gossip column n ecos mpl de sociedad.

got [gɒt] pt & pp ▷ **get**.

gotten ['gɒtn] pp US ▷ **get**.

goulash ['guːlæʃ] n gulasch m.

gourmet ['guəmeɪ] ◇ n gastrónomo m, -ma f. ◇ comp para OR de gastrónomos.

gout [gaut] n gota f.

govern ['gʌvən] ◇ vt - 1. POL gobernar - 2. [control] dictar. ◇ vi POL gobernar.

governess ['gʌvənɪs] n institutriz f.

government ['gʌvnmənt] ◇ n gobierno m. ◇ comp gubernamental.

governor ['gʌvənər] n - 1. US POL gobernador m, -ra f - 2. [of school, bank, prison] director m, -ra f.

gown [gaun] n - 1. [dress] vestido m, traje m - 2. [of judge etc] toga f.

GP (abbr of **general practitioner**) n médico m, -ca f de cabecera.

grab [græb] ◇ vt - 1. [snatch away] arrebatar; [grip] agarrar, asir; **to grab sthg off sb** arrebatar algo a alguien - 2. inf [appeal to] seducir. ◇ vi: **to grab at sthg** intentar agarrar algo.

grace [greɪs] ◇ n - 1. (U) [elegance] elegancia f, gracia f - 2. (U) [delay] prórroga f - 3. [prayer]: **to say grace** bendecir la mesa. ◇ vt fml - 1. [honour] honrar - 2. [decorate] adornar, embellecer.

graceful ['greɪsful] adj - 1. [beautiful] elegante - 2. [gracious] cortés.

gracious ['greɪʃəs] ◇ adj - 1. [polite] cortés - 2. [elegant] elegante. ◇ excl: **(good) gracious!** ¡Dios mío!

grade [greɪd] ◇ n - 1. [level, quality] clase f, calidad f - 2. US [class] curso m, clase f - 3. [mark] nota f. ◇ vt - 1. [classify] clasificar - 2. [mark, assess] calificar.

grade crossing n US paso m a nivel.

grade school n US escuela f primaria.

gradient ['greɪdjənt] n pendiente f.

grad school n US escuela f de posgrado.

gradual ['grædʒuəl] adj gradual.

gradually ['grædʒuəlɪ] adv gradualmente.

graduate ◇ n ['grædʒuət] - 1. [person with a degree] licenciado m, -da f, egresado m, -da f Amér - 2. US [of high school] ≃ bachiller mf. ◇ vi ['grædʒueɪt] - 1. [with a degree]: **to graduate (from)** licenciarse (por), licensiarse (en) Amér, egresar (de) Amér - 2. US [from high school]: **to graduate (from)** ≃ obtener el título de bachiller (en).

graduation [ˌɡrædʒʊˈeɪʃn] n graduación f, egreso m Amér.

graffiti [ɡrəˈfiːtɪ] n (U) pintada f.

graft [ɡrɑːft] n - 1. MED & BOT injerto m - 2. UK inf [hard work] curro m muy duro - 3. US inf [corruption] chanchullos mpl.

grain [ɡreɪn] n - 1. [seed, granule] grano m - 2. (U) [crop] cereales mpl - 3. fig [small amount] pizca f - 4. [pattern] veta f.

gram, gramme [ɡræm] n gramo m.

grammar [ˈɡræmər] n gramática f.

grammar checker n COMPUT corrector m de gramática.

grammar school n [in UK] colegio subvencionado para mayores de once años con un programa de asignaturas tradicional; [in US] escuela f primaria.

grammatical [ɡrəˈmætɪkl] adj - 1. [of grammar] gramatical - 2. [correct] (gramaticalmente) correcto(ta).

gramme [ɡræm] UK = **gram**.

gramophone [ˈɡræməfəʊn] dated n gramófono m.

gran [ɡræn] n UK inf abuelita f, yaya f, mamá f grande Méx.

grand [ɡrænd] ⟺ adj - 1. [impressive] grandioso(sa) - 2. [ambitious] ambicioso(sa) - 3. [important] distinguido(da) - 4. inf dated [excellent] fenomenal. ⟺ n inf [thousand pounds or dollars]: a **grand** mil libras/dólares; **five grand** cinco mil libras/dólares.

grandchild [ˈɡræntʃaɪld] (pl -children [-ˌtʃɪldrən]) n nieto m, -ta f.

grand(d)ad [ˈɡrændæd] n inf abuelito m, yayo m, papá m grande Méx.

granddaughter [ˈɡrænˌdɔːtər] n nieta f.

grandeur [ˈɡrændʒər] n - 1. [splendour] grandiosidad f - 2. [status] grandeza f.

grandfather [ˈɡrændˌfɑːðər] n abuelo m.

grandma [ˈɡrænmɑː] n inf abuelita f, yaya f, mamá f grande Méx.

grandmother [ˈɡrænˌmʌðər] n abuela f.

grandpa [ˈɡrænpɑː] n inf abuelito m, yayo m, papá m grande Méx.

grandparents [ˈɡrænˌpeərənts] npl abuelos mpl.

grand piano n piano m de cola.

grand slam n SPORT [in tennis] gran slam m; [in rugby] gran slam m.

grandson [ˈɡrænsʌn] n nieto m.

grandstand [ˈɡrændstænd] n tribuna f.

grand total n [total number] cantidad f total; [total sum, cost] importe m total.

granite [ˈɡrænɪt] n granito m.

granny [ˈɡrænɪ] n inf abuelita f, yaya f, mamá f grande Méx.

grant [ɡrɑːnt] ⟺ n subvención f; [for study] beca f. ⟺ vt fml - 1. [gen] conceder; **to take sthg/sb for granted** no apreciar algo/a alguien en lo que vale; **it is taken for granted that...** se da por sentado que... - 2. [admit - truth, logic] admitir, aceptar.

granulated sugar [ˈɡrænjʊleɪtɪd-] n azúcar m granulado.

granule [ˈɡrænjuːl] n gránulo m.

grape [ɡreɪp] n uva f.

grapefruit [ˈɡreɪpfruːt] (pl grapefruit OR -s) n pomelo m, toronja f Amér.

grapevine [ˈɡreɪpvaɪn] n - 1. [plant] vid f; [against wall] parra f - 2. [information channel]: **I heard on the grapevine that...** me ha dicho un pajarito que...

graph [ɡrɑːf] n gráfico m, gráfica f.

graphic [ˈɡræfɪk] adj lit & fig gráfico(ca).
➤ **graphics** npl - 1. [pictures] ilustraciones fpl - 2. COMPUT gráficos mpl.

graphite [ˈɡræfaɪt] n grafito m.

graph paper n (U) papel m cuadriculado.

grapple [ˈɡræpl] ➤ **grapple with** vt insep - 1. [person] forcejear con - 2. [problem] esforzarse por resolver.

grasp [ɡrɑːsp] ⟺ n - 1. [grip] agarre m, asimiento m - 2. [understanding] comprensión f; **to have a good grasp of sthg** dominar algo. ⟺ vt - 1. [grip, seize] agarrar, asir - 2. [understand] comprender - 3. [opportunity] aprovechar.

grasping [ˈɡrɑːspɪŋ] adj pej avaro(ra).

grass [ɡrɑːs] n - 1. [plant] hierba f, pasto m Amér, zacate f Méx; [lawn] césped m; [pasture] pasto m, pasto m Amér, grama f Amér C & Ven; **'keep off the grass'** 'prohibido pisar el césped' - 2. inf [marijuana] hierba f, maría f.

grasshopper [ˈɡrɑːsˌhɒpər] n saltamontes m inv.

grass roots ⟺ npl bases fpl. ⟺ comp de base.

grass snake n culebra f.

grate [ɡreɪt] ⟺ n parrilla f, rejilla f. ⟺ vt rallar. ⟺ vi rechinar, chirriar; **to grate on sb's nerves** poner a alguien los nervios de punta.

grateful [ˈɡreɪtfʊl] adj [gen] agradecido(da); [smile, letter] de agradecimiento; **to be grateful to sb (for sthg)** estar agradecido a alguien (por algo); **I'm very grateful to you** te lo agradezco mucho; **I'd be grateful if you could do it by tomorrow** te agradecería que lo hicieras para mañana.

grater [ˈɡreɪtər] n rallador m.

gratify [ˈɡrætɪfaɪ] vt - 1. [please - person]: **to be gratified** estar satisfecho(cha) - 2. [satisfy - wish] satisfacer.

grating ['greɪtɪŋ] ⇔ adj chirriante. ⇔ n [grille] reja f, enrejado m.

gratuitous [grə'tjuːɪtəs] adj fml gratuito(ta).

grave [greɪv] ⇔ adj grave. ⇔ n sepultura f, tumba f.

gravel ['grævl] n grava f, gravilla f.

gravestone ['greɪvstəʊn] n lápida f (sepulcral).

graveyard ['greɪvjɑːd] n cementerio m.

gravity ['grævətɪ] n gravedad f.

gravy ['greɪvɪ] n (U) [meat juice] salsa f OR jugo m de carne.

gray US = **grey**.

graze [greɪz] ⇔ vt - 1. [feed on] pacer OR pastar en - 2. [skin, knee etc] rasguñar - 3. [touch lightly] rozar. ⇔ vi pacer, pastar. ⇔ n rasguño m.

grease [griːs] ⇔ n grasa f. ⇔ vt engrasar.

greaseproof paper [,griː'spruːf-] n (U) UK papel m de cera (para envolver).

greasy ['griːzɪ] adj grasiento(ta); [inherently] graso(sa).

great [greɪt] ⇔ adj - 1. [gen] grande; [heat] intenso(sa); **with great care** con mucho cuidado; **a great deal of...** un montón de... - 2. inf [splendid] estupendo(da), fenomenal; **we had a great time** lo pasamos en grande; **great!** ¡estupendo! ⇔ adv: **great big** enorme. ⇔ n grande mf.

Great Britain n Gran Bretaña.

greatcoat ['greɪtkəʊt] n gabán m.

Great Dane n gran danés m.

great-grandchild n bisnieto m, -ta f.

great-grandfather n bisabuelo m.

great-grandmother n bisabuela f.

greatly ['greɪtlɪ] adv enormemente.

greatness ['greɪtnɪs] n grandeza f.

Greece [griːs] n Grecia.

greed [griːd] n (U): **greed (for)** [food] glotonería f (con); [money] codicia f (de); [power] ambición f (de).

greedy ['griːdɪ] adj - 1. [for food] glotón(ona) - 2. [for money, power]: **greedy for** codicioso(sa) OR ávido(da) de.

Greek [griːk] ⇔ adj griego(ga). ⇔ n - 1. [person] griego m, -ga f - 2. [language] griego m.

green [griːn] ⇔ adj - 1. [gen] verde - 2. [environmentalist] verde, ecologista - 3. inf [inexperienced] novato(ta) - 4. inf [ill, pale] pálido(da). ⇔ n - 1. [colour] verde m - 2. [in village] parque m comunal - 3. [in golf] green m. ◆ **Green** n POL verde mf, ecologista mf; **the Greens** los verdes. ◆ **greens** npl [vegetables] verdura f.

greenback ['griːnbæk] n US inf billete m (dólar estadounidense).

green belt n UK cinturón m verde.

green card n - 1. UK [for vehicle] seguro que cubre a los conductores en el extranjero - 2. US [work permit] permiso m de trabajo.

greenery ['griːnərɪ] n vegetación f.

greenfly ['griːnflaɪ] (pl greenfly OR -ies) n pulgón m.

greengrocer ['griːn,grəʊsə[r]] n verdulero m, -ra f; **greengrocer's (shop)** verdulería f.

greenhouse ['griːnhaʊs, pl -haʊzɪz] n invernadero m.

greenhouse effect n: **the greenhouse effect** el efecto invernadero.

greenhouse gas n gas m invernadero.

Greenland ['griːnlənd] n Groenlandia.

green salad n ensalada f verde.

greet [griːt] vt - 1. [say hello to] saludar - 2. [receive] recibir.

greeting ['griːtɪŋ] n saludo m. ◆ **greetings** npl: **Christmas/birthday greetings!** ¡feliz navidad/cumpleaños!; **greetings from...** recuerdos de...

greetings card UK ['griːtɪŋz-], **greeting card** US n tarjeta f de felicitación.

grenade [grə'neɪd] n: **(hand) grenade** granada f (de mano).

grew [gruː] pt ⊳ **grow**.

grey UK, **gray** US [greɪ] ⇔ adj lit & fig gris; **a grey hair** una cana. ⇔ n gris m.

grey-haired [-'heəd] adj canoso(sa).

greyhound ['greɪhaʊnd] n galgo m.

grid [grɪd] n - 1. [grating] reja f, enrejado m - 2. [system of squares] cuadrícula f.

griddle ['grɪdl] n plancha f.

gridlock ['grɪdlɒk] n US embotellamiento m, atasco m.

grief [griːf] n (U) - 1. [sorrow] dolor m, pesar m - 2. inf [trouble] problemas mpl. ▸▸▸ **to come to grief** [person] sufrir un percance; [plans] irse al traste; **good grief!** ¡madre mía!

grievance ['griːvns] n (motivo m de) queja f.

grieve [griːv] vi: **to grieve (for)** llorar (por).

grievous ['griːvəs] adj fml grave.

grievous bodily harm n (U) lesiones fpl graves.

grill [grɪl] ⇔ n - 1. [on cooker] grill m; [for barbecue] parrilla f - 2. [food] parrillada f. ⇔ vt - 1. [on cooker] asar al grill; [on barbecue] asar a la parrilla - 2. inf [interrogate] someter a un duro interrogatorio.

grille [grɪl] n [on radiator, machine] rejilla f; [on window, door] reja f.

grim [grɪm] *adj* - **1.** [expression] adusto(ta); [determination] inexorable - **2.** [place, facts, prospect] desolador(ra).

grimace [grɪ'meɪs] <> *n* mueca *f.* <> *vi* hacer una mueca.

grime [graɪm] *n* mugre *f.*

grimy ['graɪmɪ] *adj* mugriento(ta).

grin [grɪn] <> *n* sonrisa *f* (abierta). <> *vi*: to grin (at) sonreír (a).

grind [graɪnd] <> *vt* (*pt & pp* ground) [crush] moler. <> *vi* (*pt & pp* ground) [scrape] rechinar, chirriar. <> *n* [hard, boring work] rutina *f.*
 ◆ **grind down** *vt sep* [oppress] oprimir, acogotar. ◆ **grind up** *vt sep* pulverizar.

grinder ['graɪndər] *n* molinillo *m.*

grip [grɪp] <> *n* - **1.** [grasp, hold]: to have a grip (on sthg/sb) tener (algo/a alguien) bien agarrado - **2.** [control, domination]: grip on control *m* de, dominio *m* de; in the grip of sthg en las garras de algo, dominado(da) por algo; to get to grips with llegar a controlar; to get a grip on o.s. calmarse, controlarse; to lose one's grip *fig* perder el control - **3.** [adhesion] sujeción *f*, adherencia *f* - **4.** [handle] asidero *m* - **5.** [bag] bolsa *f* de viaje. <> *vt* - **1.** [grasp] agarrar, asir; [hand] apretar; [weapon] empuñar - **2.** [seize] apoderarse de. <> *vi* adherirse.

gripe [graɪp] *inf* <> *n* [complaint] queja *f.* <> *vi*: to gripe (about) quejarse (de).

gripping ['grɪpɪŋ] *adj* apasionante.

grisly ['grɪzlɪ] *adj* [horrible, macabre] espeluznante.

gristle ['grɪsl] *n* cartílago *m*, ternilla *f.*

grit [grɪt] <> *n* - **1.** [stones] grava *f*; [sand, dust] arena *f* - **2.** *inf* [courage] valor *m.* <> *vt* echar arena en (*las calles*).

gritty ['grɪtɪ] *adj inf* [brave] valiente.

groan [grəʊn] <> *n* gemido *m.* <> *vi* - **1.** [moan] gemir - **2.** [creak] crujir.

grocer ['grəʊsər] *n* tendero *m*, -ra *f*, abarrotero *m*, -ra *f Amér*; grocer's (shop) tienda *f* de comestibles OR ultramarinos, supermercado *m*, abarrotería *f Amér C.*

groceries ['grəʊsərɪz] *npl* [foods] comestibles *mpl*, abarrotes *mpl Amér.*

grocery ['grəʊsərɪ] *n US* [shop] tienda *f* de comestibles OR ultramarinos, supermercado *m*, abarrotería *f Amér.*

groggy ['grɒgɪ] *adj* atontado(da).

groin [grɔɪn] *n* ingle *f.*

groom [gru:m] <> *n* - **1.** [of horses] mozo *m* de cuadra - **2.** [bridegroom] novio *m.* <> *vt* - **1.** [brush] cepillar, almohazar - **2.** [prepare]: to groom sb (for sthg) preparar a alguien (para algo).

groove [gru:v] *n* [deep line] ranura *f*; [in record] surco *m.*

grope [grəʊp] <> *vt* - **1.** [try to find]: to grope one's way andar a tientas - **2.** [fondle] meter mano a. <> *vi*: to grope (about) for sthg [object] buscar algo a tientas; [solution, remedy] buscar algo a ciegas.

gross [grəʊs] <> *adj* - **1.** [total] bruto(ta) - **2.** *fml* [serious, inexcusable] grave - **3.** [coarse, vulgar] basto(ta), vulgar - **4.** *inf* [obese] obeso(sa) - **5.** *inf* [revolting] asqueroso(sa). <> *n* (*pl* gross OR -es) gruesa *f.* <> *vt* ganar en bruto.

grossly ['grəʊslɪ] *adv* [seriously] enormemente.

grotesque [grəʊ'tesk] *adj* grotesco(ca).

grotto ['grɒtəʊ] (*pl* -es OR -s) *n* gruta *f.*

grotty ['grɒtɪ] *adj UK inf* asqueroso(sa).

ground [graʊnd] <> *pt & pp* ▷ **grind**. <> *n* - **1.** [surface of earth] suelo *m*; [soil] tierra *f*; above/below ground sobre/bajo tierra; on the ground en el suelo - **2.** [area of land] terreno *m*; SPORT campo *m* - **3.** [subject area] terreno *m*; to break fresh OR new ground abrir nuevas fronteras - **4.** [advantage]: to gain/lose ground ganar/perder terreno. <> *vt* - **1.** [base]: to be grounded on OR in sthg basarse en algo - **2.** [aircraft, pilot] hacer permanecer en tierra - **3.** *US inf* [child] castigar sin salir - **4.** *US* ELEC: to be grounded estar conectado(da) a tierra.
 ◆ **grounds** *npl* - **1.** [reason]: grounds (for sthg/for doing sthg) motivos *mpl* (para algo/para hacer algo); on the grounds that aduciendo que, debido a que - **2.** [around house] jardines *mpl*; [of public building] terrenos *mpl* - **3.** [of coffee] posos *mpl.*

ground crew, ground staff *n* personal *m* de tierra.

ground floor *n* planta *f* baja; ground floor flat (piso *m*) bajo *m.*

grounding ['graʊndɪŋ] *n*: grounding (in) base *f* (de), conocimientos *mpl* básicos (de).

groundless ['graʊndlɪs] *adj* infundado(da).

groundsheet ['graʊndʃi:t] *n* lona *f* impermeable (*para camping etc*).

groundskeeper ['graʊnzki:pər] *n* SPORT jardinero *m*, -ra *f.*

ground staff *n* - **1.** [at sports ground] personal *m* al cargo de las instalaciones - **2.** *UK* = ground crew.

groundwork ['graʊndwɜ:k] *n* (*U*) trabajo *m* preliminar.

group [gru:p] <> *n* grupo *m.* <> *vt* agrupar. <> *vi*: to group (together) agruparse.

groupie ['gru:pɪ] *n inf* groupie *mf.*

grouse [graʊs] <> *n* (*pl* grouse OR -s) [bird] urogallo *m.* <> *vi inf* quejarse.

grove [grəʊv] *n* [of trees] arboleda *f.*

grovel ['grɒvl] (*pt & pp* -ed, *cont* -ing) *vi lit & fig*: to grovel (to) arrastrarse (ante).

grow [grəʊ] ⇔ vi (pt grew, pp grown)
- **1.** [gen] crecer - **2.** [become] volverse, ponerse; **to grow dark** oscurecer; **to grow old** envejecer. ⇔ vt (pt grew, pp grown) - **1.** [plants] cultivar - **2.** [hair, beard] dejarse crecer.
◆ **grow on** vt insep inf: **it's growing on me** me gusta cada vez más. ◆ **grow out of** vt insep - **1.** [become too big for]: **he has grown out of his clothes** se le ha quedado pequeña la ropa - **2.** [lose - habit] perder; **he'll grow out of it** ya se le pasará. ◆ **grow up** vi crecer; **when I grow up** cuando sea mayor; **I grew up in Ireland** me crié en Irlanda; **grow up!** ¡no seas niño!

grower ['grəʊər] n cultivador m, -ra f.

growl [graʊl] vi [dog, person] gruñir; [engine] rugir.

grown [grəʊn] ⇔ pp ▷ **grow**. ⇔ adj adulto(ta).

grown-up n persona f mayor.

growth [grəʊθ] n - **1.** [gen]: **growth (of** OR **in)** crecimiento m (de) - **2.** MED tumor m.

grub [grʌb] n - **1.** [insect] larva f, gusano m - **2.** inf [food] manduca f, papeo m.

grubby ['grʌbɪ] adj sucio(cia), mugriento(ta).

grudge [grʌdʒ] ⇔ n rencor m; **to bear a grudge, to bear a grudge against sb** guardar rencor a alguien. ⇔ vt: **to grudge sb sthg** conceder algo a alguien a regañadientes; **to grudge doing sthg** hacer algo a regañadientes.

gruelling UK, **grueling** US ['grʊəlɪŋ] adj agotador(ra).

gruesome ['gruːsəm] adj horripilante.

gruff [grʌf] adj - **1.** [hoarse] bronco(ca) - **2.** [rough, unfriendly] hosco(ca).

grumble ['grʌmbl] vi - **1.** [complain] quejarse, refunfuñar - **2.** [stomach] gruñir, hacer ruido.

grumpy ['grʌmpɪ] adj inf gruñón(ona).

grunt [grʌnt] vi gruñir.

G-string n taparrabos m inv, tanga m.

guarantee [ˌgærənˈtiː] ⇔ n garantía f. ⇔ vt garantizar.

guard [gɑːd] ⇔ n - **1.** [person] guardia mf; [in prison] carcelero m, -ra f - **2.** [group of guards, operation] guardia f; **to be on/stand guard** estar de/hacer guardia; **to catch sb off guard** coger a alguien desprevenido - **3.** UK RAIL jefe m de tren - **4.** [protective device - for body] protector m; [- for machine] cubierta f protectora. ⇔ vt - **1.** [protect, hide] guardar - **2.** [prevent from escaping] vigilar.

guard dog n perro m guardián.

guarded ['gɑːdɪd] adj cauteloso(sa).

guardian ['gɑːdjən] n - **1.** [of child] tutor m, -ra f - **2.** [protector] guardián m, -ana f, protector m, -ra f.

guardrail ['gɑːdreɪl] n US [on road] barrera f de protección.

guard's van n UK furgón m de cola.

Guatemala [ˌgwɑːtəˈmɑːlə] n Guatemala.

Guatemalan [ˌgwɑːtəˈmɑːlən] ⇔ adj guatemalteco(ca). ⇔ n guatemalteco m, -ca f.

guerilla [gəˈrɪlə] = **guerrilla**.

Guernsey ['gɜːnzɪ] n [place] Guernsey.

guerrilla, guerilla [gəˈrɪlə] n guerrillero m, -ra f.

guerrilla warfare n (U) guerra f de guerrillas.

guess [ges] ⇔ n suposición f, conjetura f; **to take a guess** intentar adivinar. ⇔ vt adivinar; **guess what?** ¿sabes qué? ⇔ vi - **1.** [conjecture] adivinar; **to guess at sthg** tratar de adivinar algo; **to guess right** acertar; **to guess wrong** equivocarse; **to keep sb guessing** tener a alguien en la incertidumbre - **2.** [suppose]: **I guess (so)** supongo OR me imagino que sí.

guesswork ['geswɜːk] n (U) conjeturas fpl, suposiciones fpl.

guest [gest] n - **1.** [at home, on programme] invitado m, -da f - **2.** [at hotel] huésped mf.

guesthouse ['gesthaʊs, pl -haʊzɪz] n casa f de huéspedes.

guestroom ['gestrʊm] n cuarto m de los invitados.

guffaw [gʌˈfɔː] ⇔ n carcajada f. ⇔ vi reírse a carcajadas.

guidance ['gaɪdəns] n (U) - **1.** [help] orientación f - **2.** [leadership] dirección f.

guide [gaɪd] ⇔ n - **1.** [person] guía mf - **2.** [book] guía f. ⇔ vt - **1.** [show by leading] guiar - **2.** [control] conducir, dirigir - **3.** [influence]: **to be guided by** guiarse por. ◆ **Guides** n = **Girl Guides**.

guide book n guía f.

guide dog n perro m lazarillo.

guidelines ['gaɪdlaɪnz] npl directrices fpl.

guild [gɪld] n - **1.** HIST gremio m - **2.** [association] corporación f.

guile [gaɪl] n (U) astucia f.

guillotine ['gɪləˌtiːn] n [gen] guillotina f.

guilt [gɪlt] n - **1.** [remorse] culpa f - **2.** LAW culpabilidad f.

guilty ['gɪltɪ] adj [gen]: **guilty (of)** culpable (de).

guinea pig ['gɪnɪ-] n lit & fig conejillo m de Indias.

guise [gaɪz] n fml apariencia f.

guitar [gɪˈtɑːr] n guitarra f.

guitarist [gɪˈtɑːrɪst] n guitarrista mf.

gulf [gʌlf] n - **1.** [sea] golfo m - **2.** [chasm] sima f, abismo m - **3.** [big difference]: **gulf (between)** abismo m (entre). ◆ **Gulf** n: **the Gulf** el Golfo.

gull [gʌl] *n* gaviota *f*.

gullet ['gʌlɪt] *n* esófago *m*.

gullible ['gʌləbl] *adj* crédulo(la).

gully ['gʌlɪ] *n* barranco *m*.

gulp [gʌlp] ◇ *n* trago *m*. ◇ *vt* [liquid] tragarse; [food] engullir. ◇ *vi* tragar saliva.
➡ **gulp down** *vt sep* [liquid] tragarse; [food] engullir.

gum [gʌm] ◇ *n* - 1. [chewing gum] chicle *m* - 2. [adhesive] pegamento *m* - 3. ANAT encía *f*. ◇ *vt* pegar, engomar.

gumboots ['gʌmbuːts] *npl* UK botas *fpl* de agua OR de goma.

gun [gʌn] *n* - 1. [pistol] pistola *f*; [rifle] escopeta *f*, fusil *m*; [artillery] cañón *m* - 2. [tool] pistola *f*. ➡ **gun down** *vt sep* abatir (a tiros).

gunboat ['gʌnbəut] *n* cañonero *m*.

gunfire ['gʌnfaɪər] *n (U)* disparos *mpl*, tiroteo *m*.

gunman ['gʌnmən] *(pl* -men [-mən]) *n* pistolero *m*.

gunpoint ['gʌnpɔɪnt] *n*: **at gunpoint** a punta de pistola.

gunpowder ['gʌn,paudər] *n* pólvora *f*.

gunshot ['gʌnʃɒt] *n* tiro *m*, disparo *m*.

gunsmith ['gʌnsmɪθ] *n* armero *m*.

gurgle ['gɜːgl] *vi* - 1. [water] gorgotear - 2. [baby] gorjear.

guru ['guruː] *n lit & fig* gurú *m*.

gush [gʌʃ] ◇ *n* chorro *m*. ◇ *vi* - 1. [flow out] chorrear, manar - 2. *pej* [enthuse] ser muy efusivo(va).

gusset ['gʌsɪt] *n* escudete *m*.

gust [gʌst] *n* ráfaga *f*, racha *f*.

gusto ['gʌstəu] *n*: **with gusto** con deleite.

gut [gʌt] ◇ *n* - 1. MED intestino *m* - 2. [strong thread] sedal *m*. ◇ *vt* - 1. [animal] destripar; [fish] limpiar - 2. [subj: fire] destruir el interior de. ➡ **guts** *npl inf* - 1. [intestines] tripas *fpl* - 2. [courage] agallas *fpl*.

gutter ['gʌtər] *n* - 1. [ditch] cuneta *f* - 2. [on roof] canalón *m*.

gutter press *n pej* prensa *f* amarilla OR sensacionalista.

guy [gaɪ] *n* - 1. *inf* [man] tipo *m*, tío *m*, chavo *m Méx* - 2. UK [dummy] muñeco que se quema la noche de Guy Fawkes.

Guy Fawkes' Night *n* UK fiesta que se celebra el 5 de noviembre en que se encienden hogueras y se lanzan fuegos artificiales.

guy rope *n* viento *m*, cuerda *f (de tienda de campaña)*.

guzzle ['gʌzl] ◇ *vt* zamparse. ◇ *vi* zampar.

gym [dʒɪm] *n inf* - 1. [gymnasium] gimnasio *m* - 2. [exercises] gimnasia *f*.

gymnasium [dʒɪm'neɪzjəm] *(pl* -siums OR -sia [-zjə]) *n* gimnasio *m*.

gymnast ['dʒɪmnæst] *n* gimnasta *mf*.

gymnastics [dʒɪm'næstɪks] *n (U)* gimnasia *f*.

gym shoes *npl* zapatillas *fpl* de gimnasia.

gymslip ['dʒɪm,slɪp] *n* UK bata *f* de colegio.

gynaecologist UK, **gynecologist** US [,gaɪnə'kɒlədʒɪst] *n* ginecólogo *m*, -ga *f*.

gynaecology UK, **gynecology** US [,gaɪnə'kɒlədʒɪ] *n* ginecología *f*.

gypsy ['dʒɪpsɪ] = **gipsy**.

gyrate [dʒaɪ'reɪt] *vi* girar.

h *(pl* h's OR hs), **H** *(pl* H's OR Hs) [eɪtʃ] *n* [letter] h *f*, H *f*.

haberdashery ['hæbədæʃərɪ] *n* - 1. UK [selling sewing materials] mercería *f* - 2. US [selling men's clothing] tienda *f* de ropa para caballeros.

habit ['hæbɪt] *n* - 1. [custom] costumbre *f*, hábito *m*; **to make a habit of sthg** tomar algo por costumbre; **to make a habit of doing sthg** tener por costumbre hacer algo; **to have a drug habit** ser drogadicto(ta) - 2. [garment] hábito *m*.

habitat ['hæbɪtæt] *n* hábitat *m*.

habitual [hə'bɪtʃuəl] *adj* - 1. [usual] habitual, acostumbrado(da) - 2. [smoker, gambler] empedernido(da).

hack [hæk] ◇ *n pej* [writer] escritorzuelo *m*, -la *f*; [journalist] gacetillero *m*, -ra *f*. ◇ *vt* [cut] cortar en tajos, acuchillar. ➡ **hack into** *vt insep* piratear.

hacker ['hækər] *n*: **(computer) hacker** pirata *mf* informático.

hackneyed ['hæknɪd] *adj pej* trillado(da), gastado(da).

hacksaw ['hæksɔː] *n* sierra *f* para metales.

had *(weak form* [həd]*, strong form* [hæd]*) pt & pp* ▷ **have**.

haddock ['hædək] *(pl* haddock) *n* eglefino *m*.

hadn't ['hædnt] *(abbr of* had not*)* ▷ **have**.

haemophiliac [ˌhiːməˈfɪlɪæk] = **hemophiliac**.

haemorrhage [ˈhemərɪdʒ] = **hemorrhage**.

haemorrhoids [ˈhemərɔɪdz] = **hemorrhoids**.

haggard [ˈhægəd] *adj* ojeroso(sa).

haggis [ˈhægɪs] *n plato típico escocés hecho con las asaduras del cordero.*

haggle [ˈhægl] *vi:* to haggle (with sb over OR about sthg) regatear (algo con alguien).

Hague [heɪg] *n:* The Hague La Haya.

hail [heɪl] <> *n* - 1. METEOR granizo *m*, pedrisco *m* - 2. *fig* [large number] lluvia *f.* <> *vt* - 1. [call] llamar; [taxi] parar - 2. [acclaim]: to hail sb as sthg aclamar a alguien algo; to hail sthg as sthg ensalzar algo catalogándolo de algo. <> *impers vb:* it's hailing está granizando.

hailstone [ˈheɪlstəʊn] *n* granizo *m*, piedra *f.*

hair [heər] *n* - 1. (U) [gen] pelo *m*; to do one's hair arreglarse el pelo - 2. [on person's skin] vello *m*.

hairbrush [ˈheəbrʌʃ] *n* cepillo *m* (para el pelo).

haircut [ˈheəkʌt] *n* corte *m* de pelo.

hairdo [ˈheəduː] *(pl* **-s)** *n inf* peinado *m*.

hairdresser [ˈheəˌdresər] *n* peluquero *m*, -ra *f*; **hairdresser's (salon)** peluquería *f.*

hairdryer [ˈheəˌdraɪər] *n* secador *m* (de pelo).

hair gel *n* gomina *f.*

hairgrip [ˈheəgrɪp] *n UK* horquilla *f.*

hairpin [ˈheəpɪn] *n* horquilla *f* de moño.

hairpin bend *n* curva *f* muy cerrada.

hair-raising [-ˌreɪzɪŋ] *adj* espeluznante.

hair remover [-rɪˌmuːvər] *n* depilatorio *m.*

hair slide *n UK* pasador *m.*

hairspray [ˈheəspreɪ] *n* laca *f* (para el pelo).

hairstyle [ˈheəstaɪl] *n* peinado *m.*

hairy [ˈheərɪ] *adj* - 1. [covered in hair] peludo(da) - 2. *inf* [scary] espeluznante, espantoso(sa).

Haiti [ˈheɪtɪ] *n* Haití.

hake [heɪk] *(pl* hake OR **-s)** *n* merluza *f.*

half [*UK* hɑːf, *US* hæf] <> *adj* medio(dia); half a dozen/mile media docena/milla; half an hour media hora. <> *adv* - 1. [gen]: half naked/Spanish medio desnudo/español; half full/open medio lleno/abierto; half and half mitad y mitad; not half! *UK inf* ¡y cómo! - 2. [by half]: as big (as) la mitad de grande (que) - 3. [in telling the time]: half after nine *US* las nueve y media; it's half past son y media. <> *n* - 1. *(pl* halves) [one of two parts] mitad *f*; one half of the group una mitad del grupo; in half por la mitad, en dos; to go halves (with sb) ir a medias (con alguien)

- 2. *(pl* halfs) [fraction, halfback, child's ticket] medio *m* - 3. *(pl* halves) [of sports match] tiempo *m*, mitad *f* - 4. *(pl* halfs) [of beer] media pinta *f.* <> *pron* la mitad; half of it/them la mitad.

halfback [ˈhɑːfbæk] *n* [in rugby] medio *m.*

half board *n* media pensión *f.*

half-breed <> *adj* mestizo(za). <> *n* mestizo *m*, -za *f (atención: el término 'half-breed' se considera racista).*

half-caste [-kɑːst] <> *adj* mestizo(za). <> *n* mestizo *m*, -za *f (atención: el término 'half-caste' se considera racista).*

half-hearted [-ˈhɑːtɪd] *adj* poco entusiasta.

half hour *n* media hora *f.*

half-mast *n:* at half-mast [flag] a media asta.

half moon *n* media luna *f.*

half note *n US* MUS blanca *f.*

halfpenny [ˈheɪpnɪ] *(pl* **-pennies** OR **-pence)** *n* medio penique *m.*

half-price *adj* a mitad de precio.

half term *n UK* cortas vacaciones escolares a mitad de trimestre.

half time *n (U)* descanso *m.*

halfway [hɑːfˈweɪ] <> *adj* intermedio(dia). <> *adv* - 1. [in space]: I was halfway down the street llevaba la mitad de la calle andada - 2. [in time]: the film was halfway through la película iba por la mitad.

halibut [ˈhælɪbət] *(pl* halibut OR **-s)** *n* fletán *m.*

hall [hɔːl] *n* - 1. [entrance to house] vestíbulo *m*; [corridor] pasillo *m* - 2. [public building, large room] sala *f* - 3. *UK* UNIV colegio *m* mayor - 4. [country house] mansión *f*, casa *f* solariega.

hallmark [ˈhɔːlmɑːk] *n* - 1. [typical feature] sello *m* distintivo - 2. [on metal] contraste *m.*

hallo [həˈləʊ] = **hello**.

hall of residence *(pl* halls of residence) *n UK* residencia *f* universitaria, colegio *m* mayor.

Hallowe'en [ˌhæləʊˈiːn] *n fiesta celebrada la noche del 31 de octubre.*

hallucinate [həˈluːsɪneɪt] *vi* alucinar.

hallway [ˈhɔːlweɪ] *n* [entrance to house] vestíbulo *m*; [corridor] pasillo *m.*

halo [ˈheɪləʊ] *(pl* **-es** OR **-s)** *n* halo *m*, aureola *f.*

halt [hɔːlt] <> *n* [stop]: to grind to a halt [vehicle] ir parando lentamente; [process] paralizarse; to call a halt to poner fin a. <> *vt* [person] parar, detener; [development, activity] interrumpir. <> *vi* [person, train] pararse, detenerse; [development, activity] interrumpirse.

halterneck [ˈhɔːltənek] *adj* escotado(da) por detrás.

halve [*UK* hɑːv, *US* hæv] *vt* - 1. [reduce by half] reducir a la mitad - 2. [divide] partir en dos.

halves [*UK* hɑːvz, *US* hævz] *pl* ⊳ **half**.

ham [hæm] ⟨⟩ *n* [meat] jamón *m*. ⟨⟩ *comp* de jamón.

hamburger ['hæmbɜːgər] *n* - **1.** [burger] hamburguesa *f* - **2.** (*U*) *US* [mince] carne *f* picada.

hamlet ['hæmlɪt] *n* aldea *f*.

hammer ['hæmər] ⟨⟩ *n* [gen & SPORT] martillo *m*. ⟨⟩ *vt* - **1.** [with tool] martillear - **2.** [with fist] aporrear - **3.** *inf* [defeat] dar una paliza a. ⟨⟩ *vi* [with fist]: **to hammer (on sthg)** aporrear (algo). ⟨⟩ **hammer out** *vt insep* [solution, agreement] alcanzar con esfuerzo.

hammock ['hæmək] *n* hamaca *f*, chinchorro *m Méx*.

hamper ['hæmpər] ⟨⟩ *n* - **1.** [for food] cesta *f* - **2.** *US* [for laundry] cesto *m* de la ropa sucia. ⟨⟩ *vt* obstaculizar.

hamster ['hæmstər] *n* hámster *m*.

hamstring ['hæmstrɪŋ] *n* tendón *m* de la corva.

hand [hænd] ⟨⟩ *n* - **1.** [gen] mano *f*; **to hold hands** ir cogidos de la mano; **hand in hand** [people] (cogidos) de la mano; **by hand** a mano; **in the hands of** en manos de; **to force sb's hand** apretar las tuercas a alguien; **to get OR lay one's hands on sthg** hacerse con algo; **to get OR lay one's hands on sb** pillar a alguien; **to give sb a free hand** dar carta blanca a alguien; **to go hand in hand** [things] ir de la mano; **to have one's hands full** estar muy ocupado(da); **to have time in hand** tener tiempo de sobra; **to overplay one's hand** *fig* extralimitarse; **to take sb in hand** hacerse cargo OR ocuparse de alguien - **2.** [influence] influencia *f*; **to have a hand in sthg/in doing sthg** intervenir en algo/al hacer algo - **3.** [worker - on farm] bracero *m*, peón *m*; [- on ship] tripulante *mf* - **4.** [of clock, watch] manecilla *f*, aguja *f* - **5.** [handwriting] letra *f* - **6.** [applause]: **a big hand** un gran aplauso. ⟨⟩ *vt*: **to hand sthg to sb, to hand sb sthg** dar OR entregar algo a alguien. ⟨⟩ **(close) at hand** *adv* cerca. ⟨⟩ **on hand** *adv* al alcance de la mano. ⟨⟩ **on the other hand** *conj* por otra parte. ⟨⟩ **out of hand** *adv* [completely] terminantemente. ⟨⟩ **to hand** *adv* a mano. ⟨⟩ **hand back** *vt sep* devolver. ⟨⟩ **hand down** *vt sep* [heirloom] dejar en herencia; [knowledge] transmitir. ⟨⟩ **hand in** *vt sep* [essay, application] entregar; [resignation] presentar. ⟨⟩ **hand out** *vt sep* repartir, distribuir. ⟨⟩ **hand over** ⟨⟩ *vt sep* - **1.** [baton, money] entregar - **2.** [responsibility, power] ceder. ⟨⟩ *vi*: **to hand over (to)** dar paso (a).

handbag ['hændbæg] *n* bolso *m*, bolsa *f Méx*, cartera *f Andes*.

handball ['hændbɔːl] *n* balonmano *m*.

handbook ['hændbʊk] *n* manual *m*.

handbrake ['hændbreɪk] *n* freno *m* de mano.

handcuffs ['hændkʌfs] *npl* esposas *fpl*.

handful ['hændfʊl] *n* [gen] puñado *m*.

handgun ['hændɡʌn] *n* pistola *f*.

handheld PC ['hændheld-] *n* ordenador *m* de bolsillo, asistente *m* personal.

handicap ['hændɪkæp] ⟨⟩ *n* - **1.** [disability] discapacidad *f*, minusvalía *f* - **2.** [disadvantage] desventaja *f*, obstáculo *m* - **3.** SPORT hándicap *m*. ⟨⟩ *vt* estorbar.

handicapped ['hændɪkæpt] ⟨⟩ *adj* discapacitado(da), minusválido(da). ⟨⟩ *npl*: **the handicapped** los discapacitados, los minusválidos.

handicraft ['hændɪkrɑːft] *n* [skill] artesanía *f*.

handiwork ['hændɪwɜːk] *n* (*U*) [doing, work] obra *f*.

handkerchief ['hæŋkətʃɪf] (*pl* **-chiefs** OR **-chieves** [-tʃiːvz]) *n* pañuelo *m*.

handle ['hændl] ⟨⟩ *n* [of tool, broom, knife] mango *m*; [of door, window] manilla *f*; [of suitcase, cup, jug] asa *f*; [of racket] empuñadura *f*. ⟨⟩ *vt* [gen] manejar; [order, complaint, application] encargarse de; [negotiations, takeover] conducir; [people] tratar.

handlebars ['hændlbɑːz] *npl* manillar *m*, manubrio *m Amér*.

handler ['hændlər] *n* - **1.** [of animal] adiestrador *m*, -ra *f* - **2.** [at airport]: **(baggage) handler** mozo *m* de equipajes.

hand luggage *n UK* equipaje *m* de mano.

handmade [ˌhænd'meɪd] *adj* hecho(cha) a mano.

handout ['hændaʊt] *n* - **1.** [gift] donativo *m* - **2.** [leaflet] hoja *f* (informativa); [in class] notas *fpl*.

handrail ['hændreɪl] *n* pasamano *m*.

handset ['hændset] *n* auricular *m* (de teléfono); **to lift/replace the handset** descolgar/colgar (el teléfono).

hands free kit *n* kit *m* manos libres.

handshake ['hændʃeɪk] *n* apretón *m* de manos.

handsome ['hænsəm] *adj* - **1.** [man] guapo, atractivo - **2.** [literary] [woman] bella - **3.** [reward, profit] considerable.

handstand ['hændstænd] *n* pino *m*.

handwriting ['hændˌraɪtɪŋ] *n* letra *f*, caligrafía *f*.

handy ['hændɪ] *adj inf* - **1.** [useful] práctico(ca); **to come in handy** venir bien - **2.** [skilful] mañoso(sa) - **3.** [near] a mano, cerca; **to keep sthg handy** tener algo a mano.

handyman ['hændɪmæn] (*pl* **-men** [-men]) *n*: **a good handyman** un manitas.

hang [hæŋ] ⬦ vt - **1.** (pt & pp hung) [fasten] colgar; [washing] tender; [wallpaper] poner - **2.** (pt & pp hung OR hanged) [execute] ahorcar; **to hang o.s.** ahorcarse. ⬦ vi - **1.** (pt & pp hung) [be fastened] colgar, pender - **2.** (pt & pp hung OR hanged) [be executed] ser ahorcado(da) - **3.** (pt & pp hung) US inf: **I'm going to hang with my friends tonight** voy a ir por ahí esta noche con los amigos - **4.** COMPUT colgarse. ⬦ n: **to get the hang of sthg** inf coger el tranquillo a algo. ◆ **hang about, hang around, hang round** vi - **1.** [spend time] pasar el rato; **they didn't hang about** se pusieron en marcha sin perder un minuto - **2.** [wait] esperar; **hang about!** ¡un momento! ◆ **hang on** vi - **1.** [keep hold]: **to hang on (to)** agarrarse (a) - **2.** inf [continue waiting] esperar, aguardar - **3.** [persevere] resistir. ◆ **hang out** vi inf [spend time] pasar el rato. ◆ **hang round** vi = **hang about.** ◆ **hang up** ⬦ vt sep colgar. ⬦ vi colgar. ◆ **hang up on** vt insep: **to hang up on sb** colgarle a alguien.

hangar [ˈhæŋəʳ] n hangar m.

hanger [ˈhæŋəʳ] n percha f.

hanger-on (pl hangers-on) n lapa f, parásito m.

hang gliding n vuelo m con ala delta.

hangover [ˈhæŋˌəʊvəʳ] n [from drinking] resaca f.

hang-up n inf complejo m.

hanker [ˈhæŋkəʳ] ◆ **hanker after, hanker for** vt insep anhelar.

hankie, hanky [ˈhæŋkɪ] (abbr of handkerchief) n inf pañuelo m.

haphazard [ˌhæpˈhæzəd] adj [arrangement] caótico(ca).

hapless [ˈhæplɪs] adj liter desventurado(da).

happen [ˈhæpən] vi - **1.** [occur] pasar, ocurrir; **to happen to sb** pasarle OR sucederle a alguien - **2.** [chance]: **I happened to be looking out of the window...** dio la casualidad de que estaba mirando por la ventana...; **do you happen to have a pen on you?** ¿no tendrás un boli por casualidad?; **as it happens...** da la casualidad de que...

happening [ˈhæpənɪŋ] n suceso m, acontecimiento m.

happily [ˈhæpɪlɪ] adv - **1.** [with pleasure] alegremente, felizmente - **2.** [willingly] con mucho gusto - **3.** [fortunately] afortunadamente.

happiness [ˈhæpɪnɪs] n [state] felicidad f; [feeling] alegría f.

happy [ˈhæpɪ] adj - **1.** [gen contented] feliz; [pleased] contento(ta); [cheerful] alegre; **happy Christmas/birthday!** ¡feliz navidad/cumpleaños!; **to be happy with/about sthg** estar contento con algo - **2.** [causing contentment] feliz, alegre - **3.** [fortunate] feliz, oportuno(na) - **4.** [willing]: **to be happy to do sthg** estar más que dispuesto(ta) a hacer algo; **I'd be happy to do it** yo lo haría con gusto.

happy-go-lucky adj despreocupado(da).

happy medium n término m medio.

harangue [həˈræŋ] ⬦ n arenga f. ⬦ vt arengar.

harass [ˈhærəs] vt acosar.

harbour UK, **harbor** US [ˈhɑːbəʳ] ⬦ n puerto m. ⬦ vt - **1.** [feeling] abrigar - **2.** [person] dar refugio a, encubrir.

hard [hɑːd] ⬦ adj - **1.** [gen] duro(ra); [frost] fuerte; **to go hard** endurecerse; **to be hard on sb/sthg** [subj: person] ser duro con alguien/algo; [subj: work, strain] perjudicar a alguien/algo; [subj: result] ser inmerecido(da) para alguien/algo - **2.** [difficult] difícil; **hard of hearing** duro de oído - **3.** [forceful - push, kick etc] fuerte - **4.** [fact, news] concreto(ta) - **5.** UK [extreme]: **hard left/right** extrema izquierda/derecha. ⬦ adv - **1.** [try, rain] mucho; [work] duro; [listen] atentamente; [think] detenidamente - **2.** [push, kick] fuerte, con fuerza ▸▸▸ **to be hard pushed** OR **put** OR **pressed to do sthg** vérselas y deseárselas para hacer algo; **to feel hard done by** sentirse tratado injustamente.

hardback [ˈhɑːdbæk] n edición f en pasta dura.

hardboard [ˈhɑːdbɔːd] n madera f conglomerada.

hard-boiled adj lit & fig duro(ra).

hard cash n dinero m contante y sonante.

hard copy n COMPUT copia f impresa.

hard disk n COMPUT disco m duro.

hard drive n COMPUT unidad f de disco duro.

harden [ˈhɑːdn] ⬦ vt - **1.** [gen] endurecer - **2.** [resolve, opinion] reforzar. ⬦ vi - **1.** [gen] endurecerse - **2.** [resolve, opinion] reforzarse.

hard-headed [-ˈhedɪd] adj realista.

hard-hearted [-ˈhɑːtɪd] adj insensible.

hard labour n (U) trabajos mpl forzados.

hard-liner n partidario m, -ria f de la línea dura.

hardly [ˈhɑːdlɪ] adv apenas; **hardly ever/anything** casi nunca/nada; **that's hardly fair** eso no es justo; **I'm hardly a communist, am I?** ¡pues sí que tengo yo mucho que ver con el comunismo!

hardness [ˈhɑːdnɪs] n - **1.** [firmness] dureza f - **2.** [difficulty] dificultad f.

hardship [ˈhɑːdʃɪp] n - **1.** (U) [difficult conditions] privaciones fpl - **2.** [difficult circumstance] infortunio m.

hard shoulder n UK AUT arcén m, acotamiento m Méx, berma f Andes, banquina f R Plata, hombrillo m Ven.

hard up adj inf: **to be hard up** andar mal de dinero; **to be hard up for sthg** andar escaso(sa) de algo.

hardware ['hɑːdweəʳ] (U) n - **1.** [tools, equipment] artículos mpl de ferretería - **2.** COMPUT hardware m.

hardware store n US ferretería f.

hardwearing [,hɑːd'weərɪŋ] adj UK resistente.

hardworking [,hɑːd'wɜːkɪŋ] adj trabajador(ra).

hardy ['hɑːdɪ] adj - **1.** [person, animal] fuerte, robusto(ta) - **2.** [plant] resistente.

hare [heəʳ] n liebre f.

harebrained [,heə'breɪnd] adj inf atolondrado(da).

harelip [,heə'lɪp] n labio m leporino.

haricot (bean) ['hærɪkəʊ-] n judía f, alubia f, frijol m Amér, poroto m Andes, caraota f Ven.

Harley Street ['hɑːlɪ-] n calle londinense famosa por sus médicos especialistas.

harm [hɑːm] ◇ n daño m; **there's no harm in trying/asking** no se pierde nada por intentarlo/preguntar; **to be out of harm's way** estar a salvo; **to come to no harm** [person] salir sano y salvo; [thing] no dañarse. ◇ vt [gen] hacer daño a, dañar; [reputation, chances, interests] dañar.

harmful ['hɑːmfʊl] adj: **harmful (to)** perjudicial OR dañino(na) (para); [substance] nocivo(va) (para).

harmless ['hɑːmlɪs] adj inofensivo(va).

harmonica [hɑː'mɒnɪkə] n armónica f.

harmonize, -ise ['hɑːmənaɪz] ◇ vi: **to harmonize (with)** armonizar (con). ◇ vt armonizar.

harmony ['hɑːmənɪ] n armonía f.

harness ['hɑːnɪs] ◇ n [for horse] arreos mpl, guarniciones fpl. ◇ vt - **1.** [horse] enjaezar - **2.** [use] aprovechar.

harp [hɑːp] n arpa f. ◆ **harp on** vi: **to harp on (about sthg)** dar la matraca (con algo).

harpoon [hɑː'puːn] n arpón m.

harpsichord ['hɑːpsɪkɔːd] n clavicémbalo m.

harrowing ['hærəʊɪŋ] adj pavoroso(sa).

harsh [hɑːʃ] adj - **1.** [life, conditions, winter] duro(ra) - **2.** [punishment, decision, person] severo(ra) - **3.** [texture, taste, voice] áspero(ra); [light, sound] violento(ta).

harvest ['hɑːvɪst] ◇ n [gen] cosecha f, pizca f Méx; [of grapes] vendimia f. ◇ vt cosechar.

has (weak form [həz], strong form [hæz]) 3rd person sing ⊳ **have**.

has-been n inf pej vieja gloria f.

hash [hæʃ] n [meat] picadillo m (de carne).

hashish ['hæʃiːʃ] n hachís m.

hasn't ['hæznt] (abbr of had not) ⊳ **have**.

hassle ['hæsl] inf ◇ n (U) [annoyance] rollo m, lío m. ◇ vt dar la lata a.

haste [heɪst] n prisa f; **to make haste** dated darse prisa, apresurarse.

hasten ['heɪsn] fml ◇ vt acelerar. ◇ vi: **to hasten (to do sthg)** apresurarse (a hacer algo).

hastily ['heɪstɪlɪ] adv - **1.** [quickly] de prisa, precipitadamente - **2.** [rashly] a la ligera, sin reflexionar.

hasty ['heɪstɪ] adj - **1.** [quick] apresurado(da), precipitado(da) - **2.** [rash] irreflexivo(va).

hat [hæt] n sombrero m.

hatch [hætʃ] ◇ vi [chick] romper el cascarón, salir del huevo. ◇ vt - **1.** [chick, egg] incubar - **2.** fig [scheme, plot] tramar. ◇ n [for serving food] ventanilla f.

hatchback ['hætʃ,bæk] n coche m con puerta trasera.

hatchet ['hætʃɪt] n hacha f.

hatchway ['hætʃ,weɪ] n escotilla f.

hate [heɪt] ◇ n odio m. ◇ vt odiar; **to hate doing sthg** odiar hacer algo.

hateful ['heɪtfʊl] adj odioso(sa).

hatred ['heɪtrɪd] n odio m.

hat trick n SPORT tres tantos marcados por un jugador en el mismo partido.

haughty ['hɔːtɪ] adj altanero(ra), altivo(va).

haul [hɔːl] ◇ n - **1.** [of stolen goods] botín m; [of drugs] alijo m - **2.** [distance]: **long haul** largo camino m, largo trayecto m. ◇ vt [pull] tirar, arrastrar.

haulage ['hɔːlɪdʒ] n transporte m.

haulier UK ['hɔːlɪəʳ], **hauler** US ['hɔːlər] n transportista mf.

haunch [hɔːntʃ] n - **1.** [of person] asentaderas fpl; **to squat on one's haunches** ponerse en cuclillas - **2.** [of animal] pernil m.

haunt [hɔːnt] ◇ n sitio m favorito. ◇ vt - **1.** [subj: ghost - house] aparecer en; [- person] aparecerse a - **2.** [subj: memory, fear, problem] atormentar.

have [hæv] ◇ aux vb (pt & pp **had**) (to form perfect tenses) haber; **to have eaten** haber comido; **he hasn't gone yet, has he?** no se habrá ido ya ¿no?; **I've finished - have you?** he terminado - ¿ah sí?; **no, he hasn't (done it)** no, no lo ha hecho; **yes, he has (done it)** sí, lo ha hecho; **I was out of breath, having run all the way** estaba sin aliento después de haber corrido todo el camino. ◇ vt (pt & pp **had**) - **1.** [possess, receive]: **to have (got)** tener; **I have no money, I haven't got any money** no tengo dinero; **he has big hands** tiene las manos grandes; **do you have a car?, have you got a**

car? ¿tienes coche? - **2.** [experience, suffer] tener; **I had an accident** tuve un accidente; **to have a cold** tener un resfriado - **3.** *(referring to an action, instead of another vb):* **to have a look** mirar, echar una mirada; **to have a swim** darse un baño, nadar; **to have breakfast** desayunar; **to have lunch** comer; **to have dinner** cenar; **to have a cigarette** fumarse un cigarrillo; **to have an operation** operarse - **4.** [give birth to]: **to have a baby** tener un niño - **5.** [cause to be done]: **to have sb do sthg** hacer que alguien haga algo; **to have sthg done** hacer que se haga algo; **to have one's hair cut** (ir a) cortarse el pelo - **6.** [be treated in a certain way]: **I had my car stolen** me robaron el coche - **7.** *inf* [cheat]: **you've been had** te han timado ▶▶ **to have had it** [car, machine] estar para el arrastre. ◇ *modal vb (pt & pp had)* [be obliged]: **to have (got) to do sthg** tener que hacer algo. ◆ **have off** *vt sep* [as holiday] tener libre. ◆ **have on** *vt sep* - **1.** [be wearing] llevar (puesto) - **2.** [tease] tomar el pelo a - **3.** [have to do]: **have you got anything on Friday?** ¿estás libre *OR* tienes algo el viernes? ◆ **have out** *vt sep* [have removed]: **to have one's tonsils out** operarse de las amígdalas.

haven ['heɪvn] *n* fig refugio *m*, asilo *m*.

haven't ['hævnt] *(abbr of have not)* ▷ **have.**

haversack ['hævəsæk] *n* mochila *f*.

havoc ['hævək] *n (U)* estragos *mpl*.

Hawaii [hə'waɪi:] *n* Hawai.

hawk [hɔːk] *n lit & fig* halcón *m*; **to watch sb like a hawk** observar a alguien con ojos de lince.

hawker ['hɔːkər] *n* vendedor *m*, -ra *f* ambulante.

hay [heɪ] *n* heno *m*.

hay fever *n (U)* fiebre *f* del heno.

haystack ['heɪˌstæk] *n* almiar *m*.

haywire ['heɪˌwaɪər] *adj inf*: **to go haywire** [person] volverse majareta; [plan] liarse, embrollarse; [computer, TV etc] changarse.

hazard ['hæzəd] ◇ *n* riesgo *m*, peligro *m*. ◇ *vt* [guess, suggestion] aventurar.

hazardous ['hæzədəs] *adj* peligroso(sa).

hazard warning lights *npl UK* luces *fpl* de emergencia.

haze [heɪz] *n* neblina *f*.

hazel ['heɪzl] *adj* color avellana *(inv)*.

hazelnut ['heɪzlˌnʌt] *n* avellana *f*.

hazy ['heɪzɪ] *adj* - **1.** [misty] neblinoso(sa) - **2.** [vague] vago(ga), confuso(sa).

he [hiː] ◇ *pers pron* él; **he's tall/happy** es alto/feliz; **he can't do it** él no puede hacerlo; **there he is** allí está. ◇ *comp*: **he-goat** macho cabrío *m*.

head [hed] ◇ *n* - **1.** ANAT & COMPUT cabeza *f*; **a** *OR* **per head** por persona, por cabeza; **to be**

soft in the head estar mal de la sesera; **to be off one's head** *UK*, **to be out of one's head** *US* estar como una cabra; **it was over my head** no me enteré de nada; **it went to her head** se le subió a la cabeza; **to keep/lose one's head** no perder/perder la cabeza; **to laugh one's head off** reír a mandíbula batiente - **2.** [mind, brain] talento *m*, aptitud *f*; **she has a head for figures** se le dan bien las cuentas - **3.** [top - gen] cabeza *f*; [- of bed] cabecera *f* - **4.** [of flower] cabezuela *f*; [of cabbage] cogollo *m* - **5.** [on beer] espuma *f* - **6.** [leader] jefe *m*, -fa *f* - **7.** [head teacher] director *m*, -ra *f* (de colegio). ◇ *vt* - **1.** [procession, convoy, list, page] encabezar - **2.** [organization, delegation] dirigir - **3.** FTBL cabecear. ◇ *vi*: **to head north/for home** dirigirse hacia el norte/a casa. ◆ **heads** *npl* [on coin] cara *f*; **heads or tails?** ¿cara o cruz? ◆ **head for** *vt insep* - **1.** [place] dirigirse a - **2.** *fig* [trouble, disaster] ir camino de.

headache ['hedeɪk] *n* - **1.** MED dolor *m* de cabeza; **I have a headache** me duele la cabeza - **2.** *fig* [problem] quebradero *m* de cabeza.

headband ['hedbænd] *n* cinta *f*, banda *f* (para el pelo).

head boy *n UK* [at school] alumno delegado principal que suele representar a sus condiscípulos en actos escolares.

headdress ['hedˌdres] *n* tocado *m*.

header ['hedər] *n* - **1.** FTBL cabezazo *m* - **2.** TYPO encabezamiento *m*.

headfirst [ˌhed'fɜːst] *adv* de cabeza.

head girl *n UK* [in school] alumna delegada principal que suele representar a sus condiscípulas en actos escolares.

heading ['hedɪŋ] *n* encabezamiento *m*.

headlamp ['hedlæmp] *n UK* faro *m*.

headland ['hedlənd] *n* cabo *m*, promontorio *m*.

headlight ['hedlaɪt] *n* faro *m*.

headline ['hedlaɪn] *n* titular *m*.

headlong ['hedlɒŋ] *adv* - **1.** [headfirst] de cabeza - **2.** [quickly, unthinkingly] precipitadamente.

headmaster [ˌhed'mɑːstər] *n* director *m* (de colegio).

headmistress [ˌhed'mɪstrɪs] *n* directora *f* (de colegio).

head office *n* oficina *f* central.

head of state *n* jefe *m* de Estado.

head-on ◇ *adj* de frente, frontal. ◇ *adv* de frente.

headphones ['hedfəʊnz] *npl* auriculares *mpl*.

headquarter [hed'kwɔːtər] *vt*: **to be headquartered in** tener la sede en.

headquarters [ˌhed'kwɔːtəz] *npl* (oficina *f*) central *f*, sede *f*; MIL cuartel *m* general.

headrest ['hedrest] *n* reposacabezas *m inv*.

headroom ['hedrʊm] *n (U)* [in car] espacio *m* entre la cabeza y el techo; [below bridge] altura *f* libre, gálibo *m*.

headscarf ['hedskɑ:f] *(pl* **-scarves** [-skɑ:vz] *OR* **-scarfs)** *n* pañuelo *m (para la cabeza)*.

headset ['hedset] *n* auriculares *mpl* con micrófono.

head start *n*: **head start (on** *OR* **over)** ventaja *f* (con respecto a).

headstrong ['hedstrɒŋ] *adj* obstinado(da).

head waiter *n* maître *m*, capitán *m* de meseros *Méx*.

headway ['hedweɪ] *n*: **to make headway** avanzar, hacer progresos.

headwind ['hedwɪnd] *n* viento *m* de proa.

heady ['hedɪ] *adj* **- 1.** [exciting] emocionante **- 2.** [causing giddiness] embriagador(ra).

heal [hi:l] ◇ *vt* **- 1.** [person] curar; [wound] cicatrizar **- 2.** *fig* [troubles, discord] remediar. ◇ *vi* [wound] cicatrizar.

healing ['hi:lɪŋ] *n* curación *f*.

health [helθ] *n* **- 1.** [gen] salud *f* **- 2.** *fig* [of country, organization] buen estado *m*.

health care *n* asistencia *f* sanitaria.

health centre *n* ambulatorio *m*, centro *m* sanitario.

health food *n* comida *f* dietética.

health food shop *n* tienda *f* de dietética.

health service *n* servicio *m* sanitario de la Seguridad Social, ≃ INGS *m*.

healthy ['helθɪ] *adj* **- 1.** [gen] sano(na), saludable **- 2.** [profit] pingüe **- 3.** [attitude, respect] natural, sano(na).

heap [hi:p] ◇ *n* montón *m*, pila *f*. ◇ *vt* [pile up]: **to heap sthg (on** *OR* **onto sthg)** amontonar algo (sobre algo). ◆ **heaps** *npl inf* montones *fpl*.

hear [hɪər] *(pt & pp* **heard** [hɜ:d]) ◇ *vt* **- 1.** [gen] oír; **I hear (that...)** me dicen que... **- 2.** LAW ver. ◇ *vi* [gen] oír; **have you heard about that job yet?** ¿sabes algo del trabajo ese?; **to hear from sb** tener noticias de alguien ▶▶ **to have heard of** haber oído hablar de; **I won't hear of it!** ¡de eso ni hablar!

hearing ['hɪərɪŋ] *n* **- 1.** [sense] oído *m*; **in** *OR* **within sb's hearing** al alcance del oído de alguien; **hard of hearing** duro de oído **- 2.** LAW vista *f*; **to give sb a fair hearing** *fig* dar a alguien la oportunidad de que se exprese.

hearing aid *n* audífono *m*.

hearsay ['hɪəseɪ] *n (U)* habladurías *fpl*.

hearse [hɜ:s] *n* coche *m* fúnebre.

heart [hɑ:t] *n* **- 1.** [gen] corazón *m*; **from the heart** con toda sinceridad **- 2.** [courage]: **I didn't have the heart to tell her** no tuve valor

para decírselo; **to lose heart** descorazonarse **- 3.** [centre - of issue, problem] quid *m*; [- of city etc] centro *m*; [- of lettuce] cogollo *m*. ◆ **hearts** *npl* corazones *mpl*. ◆ **at heart** *adv* en el fondo. ◆ **by heart** *adv* de memoria.

heartache ['hɑ:teɪk] *n* dolor *m*.

heart attack *n* infarto *m*.

heartbeat ['hɑ:tbi:t] *n* latido *m*.

heartbroken ['hɑ:t,brəʊkn] *adj* desolado(da), abatido(da).

heartburn ['hɑ:tbɜ:n] *n* ardor *m* de estómago.

heart failure *n* paro *m* cardíaco.

heartfelt ['hɑ:tfelt] *adj* sincero(ra), de todo corazón.

hearth [hɑ:θ] *n* hogar *m*.

heartless ['hɑ:tlɪs] *adj* cruel.

heartwarming ['hɑ:t,wɔ:mɪŋ] *adj* gratificante, grato(ta).

hearty ['hɑ:tɪ] *adj* **- 1.** [laughter] bonachón(ona); [welcome, congratulations, thanks] cordial; [person] fuertote(ta) **- 2.** [meal] abundante; [appetite] bueno(na) **- 3.** [dislike, distrust] profundo(da).

heat [hi:t] ◇ *n* **- 1.** [gen] calor *m* **- 2.** [specific temperature] temperatura *f* **- 3.** *fig* [pressure] tensión *f*; **in the heat of the moment** en el calor del momento **- 4.** [eliminating round] serie *f*, prueba *f* eliminatoria. ◇ *vt* calentar. ◆ **heat up** ◇ *vt sep* calentar. ◇ *vi* calentarse.

heated ['hi:tɪd] *adj* **- 1.** [swimming pool] climatizado(da) **- 2.** [debate, argument] acalorado(da).

heater ['hi:tər] *n* calentador *m*, estufa *f*.

heath [hi:θ] *n* [place] brezal *m*.

heathen ['hi:ðn] *n* pagano *m*, -na *f*.

heather ['heðər] *n* brezo *m*.

heating ['hi:tɪŋ] *n* calefacción *f*.

heatstroke ['hi:tstrəʊk] *n (U)* insolación *f*.

heat wave *n* ola *f* de calor.

heave [hi:v] ◇ *vt* **- 1.** [pull] tirar de, arrastrar; [push] empujar **- 2.** *inf* [throw] tirar. ◇ *vi* **- 1.** [pull] tirar **- 2.** [rise and fall - waves] ondular; [- chest] palpitar.

heaven ['hevn] *n* [Paradise] cielo *m*; **it was heaven** [delightful] fue divino. ◆ **heavens** *npl*: **the heavens** *liter* los cielos; **(good) heavens!** ¡cielos!

heavenly ['hevnlɪ] *adj inf dated* [delightful] divino(na).

heavily ['hevɪlɪ] *adv* **- 1.** [smoke, drink] mucho; [rain] con fuerza; **heavily in debt** con muchas deudas **- 2.** [solidly]: **heavily built** corpu-

lento(ta) - **3**. [breathe, sigh] profundamente - **4**. [sit, move, fall] pesadamente - **5**. [speak] pesarosamente.

heavy ['hevɪ] *adj* - **1**. [gen] pesado(da); [solid] sólido(da); **how heavy is it?** ¿cuánto pesa?; **heavy build** corpulencia *f* - **2**. [traffic, rain, fighting] intenso(sa); **to be a heavy smoker/drinker** ser un fumador/bebedor empedernido - **3**. [losses, responsibility] grande - **4**. [soil, mixture] denso(sa) - **5**. [blow] duro(ra); [fine, defeat] duro(ra) - **6**. [busy - schedule, day] apretado(da) - **7**. [work] duro(ra) - **8**. [weather, air, day] cargado(da).

heavy cream *n US* nata *f* para montar.

heavy goods vehicle *n UK* vehículo *m* (de transporte) pesado.

heavyweight ['hevɪweɪt] ⬦ *adj* SPORT de los pesos pesados. ⬦ *n* SPORT peso *m* pesado.

Hebrew ['hi:bru:] ⬦ *adj* hebreo(a). ⬦ *n* - **1**. [person] hebreo *m*, -a *f* - **2**. [language] hebreo *m*.

Hebrides ['hebrɪdi:z] *npl*: **the Hebrides** las Hébridas.

heck [hek] *excl*: **what/where/why the heck...?** ¿qué/dónde/por qué demonios...?; **a heck of a lot of** la mar de.

heckle ['hekl] *vt & vi* interrumpir con exabruptos.

hectic ['hektɪk] *adj* ajetreado(da).

he'd [hi:d] - **1**. *(abbr of he had)* ⊳ **have** - **2**. *(abbr of he would)* ⊳ **would**.

hedge [hedʒ] ⬦ *n* seto *m*. ⬦ *vi* [prevaricate] contestar con evasivas.

hedgehog ['hedʒhɒg] *n* erizo *m*.

heed [hi:d] ⬦ *n*: **to pay heed to sb** hacer caso a alguien; **to take heed of sthg** tener algo en cuenta. ⬦ *vt fml* tener en cuenta.

heedless ['hi:dlɪs] *adj*: **to be heedless of sthg** no hacer caso de algo.

heel [hi:l] *n* - **1**. [of foot] talón *m* - **2**. [of shoe] tacón *m*, taco *m Amér*.

hefty ['heftɪ] *adj inf* - **1**. [person] fornido(da) - **2**. [salary, fee, fine] considerable, importante.

heifer ['hefər] *n* vaquilla *f*.

height [haɪt] *n* - **1**. [gen] altura *f*; [of person] estatura *f*; **5 metres in height** 5 metros de altura; **to gain/lose height** ganar/perder altura - **2**. [zenith]: **the height of** [gen] el punto álgido de; [ignorance, bad taste] el colmo de.

heighten ['haɪtn] ⬦ *vt* intensificar, aumentar. ⬦ *vi* intensificarse, aumentar.

heir [eər] *n* heredero *m*.

heiress ['eərɪs] *n* heredera *f*.

heirloom ['eəlu:m] *n* reliquia *f* de familia.

heist [haɪst] *n inf* golpe *m*, robo *m*.

held [held] *pt & pp* ⊳ **hold**.

helicopter ['helɪkɒptər] *n* helicóptero *m*.

helium ['hi:lɪəm] *n* helio *m*.

hell [hel] ⬦ *n* infierno *m*; **one OR a hell of a mess** *inf* un lío de mil demonios; **it was hell** *inf* fue un infierno; **to do sthg for the hell of it** *inf* hacer algo porque sí; **to give sb hell** *inf* hacérselas pasar canutas a alguien; **go to hell!** *v inf* ¡vete al infierno!; **neighbours from hell** *inf* vecinos infernales; **boyfriend from hell** *inf* novio infernal. ⬦ *excl inf* ¡hostias!

he'll [hi:l] - **1**. *(abbr of he will)* ⊳ **will** - **2**. *(abbr of he shall)* ⊳ **shall**.

hellish ['helɪʃ] *adj inf* diabólico(ca).

hello [hə'ləu], **hallo, hullo** *excl* - **1**. [as greeting] ¡hola!; [on phone - when answering] ¡diga!, ¡bueno! *Méx*, ¡hola! *R Plata*, ¡aló! *Andes*; [- when calling] ¡oiga!, ¡hola! *R Plata*, ¡aló! *Andes* - **2**. [to attract attention] ¡oiga!

helm [helm] *n lit & fig* timón *m*.

helmet ['helmɪt] *n* casco *m*.

help [help] ⬦ *n* - **1**. [gen & COMPUT] ayuda *f*; **with the help of** con la ayuda de; **to be a help** ser una ayuda; **to be of help** ayudar - **2**. *(U)* [emergency aid] socorro *m*, ayuda *f*. ⬦ *vt* - **1**. [assist]: **to help sb (to) do sthg/with sthg** ayudar a alguien (a hacer algo/con algo); **can I help you?** [in shop, bank] ¿en qué puedo servirle? - **2**. [avoid]: **I can't help it/feeling sad** no puedo evitarlo/evitar que me ponga triste; **it can't be helped** ¿qué se le va a hacer? - **3**. [with food, drink]: **to help o.s. (to sthg)** servirse (algo). ⬦ *vi*: **to help (with)** ayudar (con). ⬦ *excl* ¡socorro!, ¡auxilio! ◆ **help out** ⬦ *vt sep* echar una mano a. ⬦ *vi* echar una mano.

helper ['helpər] *n* - **1**. [gen] ayudante *mf* - **2**. *US* [to do housework] mujer *f* OR señora *f* de la limpieza.

helpful ['helpful] *adj* - **1**. [willing to help] servicial, atento(ta) - **2**. [providing assistance] útil.

helping ['helpɪŋ] *n* ración *f*; **would you like a second helping?** ¿quiere repetir?

helpless ['helplɪs] *adj* [child] indefenso(sa); [look, gesture] impotente.

helpline ['helplaɪn] *n* servicio *m* de asistencia telefónica.

help menu *n* COMPUT menú *m* de ayuda.

Helsinki ['helsɪŋkɪ] *n* Helsinki.

hem [hem] *n* dobladillo *m*. ◆ **hem in** *vt sep* rodear, cercar.

hemisphere ['hemɪ,sfɪər] *n* [of earth & ANAT] hemisferio *m*.

hemline ['hemlaɪn] *n* bajo *m* (de falda etc).

hemophiliac, haemophiliac [,hi:mə-'fɪlɪæk] *n* hemofílico *m*, -ca *f*.

hemorrhage, haemorrhage ['hemərɪdʒ] *n* hemorragia *f*.

hemorrhoids, haemorrhoids ['hemərɔɪdz] *npl* hemorroides *fpl*.

hen [hen] *n* - **1.** [female chicken] gallina *f* - **2.** [female bird] hembra *f*.

hence [hens] *adv fml* - **1.** [therefore] por lo tanto, así pues - **2.** [from now]: **five years hence** de aquí a cinco años.

henceforth [,hens'fɔːθ] *adv fml* de ahora en adelante.

henchman ['hentʃmən] (*pl* -**men** [-mən]) *n pej* esbirro *m*.

henpecked ['henpekt] *adj pej*: **a henpecked husband** un calzonazos.

hepatitis [,hepə'taɪtɪs] *n* hepatitis *f inv*.

her [hɜːr] ◇ *pers pron* - **1.** *(direct - unstressed)* la; *(- stressed)* ella; [referring to ship, car etc] lo; **I know her** la conozco; **I like her** me gusta; **it's her** es ella; **if I were OR was her** si (yo) fuera ella; **you can't expect her to do it** no esperarás que ella lo haga; **fill her up!** AUT ¡llénemelo!, ¡lleno, por favor! - **2.** *(indirect - gen)* le; *(- with other 3rd person pronouns)* se; **he sent her a letter** le mandó una carta; **we spoke to her** hablamos con ella; **I gave it to her** se lo di - **3.** *(after prep, in comparisons etc)* ella; **I'm shorter than her** yo soy más bajo que ella. ◇ *poss adj* su, sus *(pl)*; **her coat** su abrigo; **her children** sus niños; **her name is Sarah** se llama Sarah; **it wasn't her fault** no fue culpa suya OR su culpa; **she washed her hair** se lavó el pelo.

herald ['herəld] ◇ *vt fml* - **1.** [signify, usher in] anunciar - **2.** [proclaim] proclamar. ◇ *n* - **1.** [messenger] heraldo *m* - **2.** [sign] anuncio *m*.

herb [UK hɜːb, US ɜːrb] *n* hierba *f (aromática o medicinal)*.

herd [hɜːd] ◇ *n* [of cattle, goats] rebaño *m*; [of elephants] manada *f*. ◇ *vt fig* [push] conducir (en grupo) bruscamente.

here [hɪər] *adv* aquí; **here he is/they are** aquí está/están; **here it is** aquí está; **here is the book** aquí tienes el libro; **here are the keys** aquí tienes las llaves; **here you are** [when giving] aquí tienes; **here and there** aquí y allá.

hereabouts UK ['hɪərə,bauts], **hereabout** US [,hɪərə'baut] *adv* por aquí.

hereafter [,hɪər'ɑːftər] ◇ *adv fml* [from now on] de ahora en adelante; [later on] más tarde. ◇ *n*: **the hereafter** el más allá, la otra vida.

hereby [,hɪə'baɪ] *adv fml* - **1.** [in documents] por la presente - **2.** [when speaking]: **I hereby declare you the winner** desde este momento te declaro vencedor.

hereditary [hɪ'redɪtrɪ] *adj* hereditario(ria).

heresy ['herəsɪ] *n fig & RELIG* herejía *f*.

herewith [,hɪə'wɪð] *adv fml* [with letter]: **'please find herewith...'** 'le mando adjunto...'

heritage ['herɪtɪdʒ] *n* patrimonio *m*.

hermetically [hɜː'metɪklɪ] *adv*: **hermetically sealed** cerrado(da) herméticamente.

hermit ['hɜːmɪt] *n* ermitaño *m*, -ña *f*.

hernia ['hɜːnjə] *n* hernia *f*.

hero ['hɪərəʊ] (*pl* -**es**) *n* - **1.** [gen] héroe *m* - **2.** [idol] ídolo *m* - **3.** US [sandwich] *bocadillo hecho con una barra de pan larga y estrecha, relleno de varios ingredientes*.

heroic [hɪ'rəʊɪk] *adj* heroico(ca).

heroin ['herəʊɪn] *n* heroína *f (droga)*; **heroin addict** heroinómano *m*, -na *f*.

heroine ['herəʊɪn] *n* heroína *f*.

heron ['herən] (*pl* heron OR -**s**) *n* garza *f* real.

herring ['herɪŋ] (*pl* herring OR -**s**) *n* arenque *m*.

hers [hɜːz] *poss pron* suyo(suya); **that money is hers** ese dinero es suyo; **those keys are hers** esas llaves son suyas; **it wasn't his fault, it was hers** no fue culpa de él sino de ella; **a friend of hers** un amigo suyo, un amigo de ella; **mine is good, but hers is bad** el mío es bueno pero el suyo es malo.

herself [hɜː'self] *pron* - **1.** *(reflexive)* se; *(after prep)* sí misma; **with herself** consigo misma - **2.** *(for emphasis)* ella misma; **she did it herself** lo hizo ella sola.

he's [hiːz] - **1.** *(abbr of he is)* ▷ **be** - **2.** *(abbr of he has)* ▷ **have**.

hesitant ['hezɪtənt] *adj* - **1.** [unsure of oneself] indeciso(sa), inseguro(ra) - **2.** [faltering, slow to appear] vacilante.

hesitate ['hezɪteɪt] *vi* vacilar, dudar.

hesitation [,hezɪ'teɪʃn] *n* vacilación *f*.

heterogeneous [,hetərə'dʒiːnjəs] *adj fml* heterogéneo(a).

heterosexual [,hetərəʊ'sekʃʊəl] ◇ *adj* heterosexual. ◇ *n* heterosexual *mf*.

hey [heɪ] *excl* ¡eh!, ¡oye!

heyday ['heɪdeɪ] *n* apogeo *m*, auge *m*.

hi [haɪ] *excl inf* [hello] ¡hola!

hiatus [haɪ'eɪtəs] (*pl* -**es**) *n fml* [pause] interrupción *f*.

hibernate ['haɪbəneɪt] *vi* hibernar.

hiccough, hiccup ['hɪkʌp] ◇ *n* - **1.** [caused by wind] hipo *m*; **to have (the) hiccoughs** tener hipo - **2.** *fig* [difficulty] contratiempo *m*. ◇ *vi* hipar.

hid [hɪd] *pt* ▷ **hide**.

hidden ['hɪdn] ◇ *pp* ▷ **hide**. ◇ *adj* oculto(ta).

hide [haɪd] ◇ *vt* (*pt* hid, *pp* hidden) - **1.** [conceal] esconder, ocultar; **to hide sthg (from sb)** esconder OR ocultar algo (a alguien) - **2.** [cover] tapar, ocultar. ◇ *vi* (*pt* hid, *pp* hidden) esconderse. ◇ *n* - **1.** [animal skin] piel *f* - **2.** [for watching birds, animals] puesto *m*.

hide-and-seek *n* escondite *m*.

hideaway ['haɪdəweɪ] *n inf* escondite *m*.

hideous ['hɪdɪəs] *adj* horrible.

hiding ['haɪdɪŋ] n - **1.** [concealment]: **in hiding** escondido(da) - **2.** inf [beating]: **to give sb/get a (good) hiding** darle a alguien/recibir una (buena) paliza.

hiding place n escondite m.

hierarchy ['haɪrɑːkɪ] n jerarquía f.

hi-fi ['haɪfaɪ] <> adj de alta fidelidad. <> n equipo m de alta fidelidad.

high [haɪ] <> adj - **1.** [gen] alto(ta); [altitude] grande; **it's 6 metres high** tiene 6 metros de alto OR altura; **how high is it?** ¿cuánto mide?; **temperatures in the high 20s** temperaturas cercanas a los 30 grados; **at high speed** a gran velocidad - **2.** [wind] fuerte - **3.** [risk, quality] grande - **4.** [ideals, principles, tone] elevado(da) - **5.** [high-pitched] agudo(da) - **6.** inf colocado(da). <> adv alto; **he threw the ball high in the air** lanzó la pelota muy alto. <> n - **1.** [highest point] punto m álgido - **2.** [weather front] anticiclón m; [top temperature] máxima f.

highbrow ['haɪbraʊ] adj culto(ta), intelectual.

high chair n trona f.

high-class adj [superior] de (alta) categoría.

High Court n UK tribunal m supremo.

higher ['haɪər] adj [exam, qualification] superior. ◆ **Higher** n: Higher (Grade) en Escocia, examen realizado al final de la enseñanza secundaria.

higher education n enseñanza f superior.

high-handed [-'hændɪd] adj despótico(ca).

high jump n salto m de altura; **you're OR you'll be for the high jump** UK inf te la vas a cargar.

Highlands ['haɪləndz] npl: **the Highlands** [of Scotland] las Tierras Altas de Escocia.

highlight ['haɪlaɪt] <> n [of event, occasion] punto m culminante. <> vt - **1.** [visually] resaltar, marcar - **2.** [emphasize] destacar, resaltar. ◆ **highlights** npl - **1.** [in hair] reflejos mpl - **2.** [of match] mejores momentos mpl.

highlighter (pen) ['haɪlaɪtər-] n rotulador m, marcador m.

highly ['haɪlɪ] adv - **1.** [very, extremely] muy; **highly paid** bien pagado(da) - **2.** [favourably]: **to speak highly of sb** hablar muy bien de alguien; **to think highly of sb** tener a alguien en mucha estima.

highly-strung adj muy nervioso(sa).

Highness ['haɪnɪs] n: **His/Her/Your (Royal) Highness** Su Alteza f (Real); **their (Royal) Highnesses** Sus Altezas (Reales).

high-pitched [-'pɪtʃt] adj agudo(da).

high point n [of occasion] momento m OR punto m culminante.

high-powered [-'paʊəd] adj - **1.** [powerful] de gran potencia - **2.** [prestigious - activity, place] prestigioso(sa); [- person] de altos vuelos.

high-ranking [-'ræŋkɪŋ] adj [in army etc] de alta graduación; [in government]: **high-ranking official** alto cargo m.

high-rise adj: **high-rise building** torre f.

high school n ≃ instituto m de bachillerato.

high season n temporada f alta.

high street <> adj UK [bank] comercial. <> n calle f mayor OR principal.

high tech, hi-tech [-'tek] adj de alta tecnología.

high tide n [of sea] marea f alta.

highway ['haɪweɪ] n - **1.** US [main road between cities] autopista f - **2.** UK [any main road] carretera f.

Highway Code n UK: **the Highway Code** el código de la circulación.

hijack ['haɪdʒæk] vt [aircraft] secuestrar.

hijacker ['haɪdʒækər] n secuestrador m, -ra f (de un avión).

hike [haɪk] <> n [long walk] caminata f; **to go for OR on a hike** ir de excursión. <> vi [go for walk] ir de excursión.

hiker ['haɪkər] n excursionista mf.

hiking ['haɪkɪŋ] n excursionismo m; **to go hiking** ir de excursión.

hilarious [hɪ'leərɪəs] adj desternillante.

hill [hɪl] n - **1.** [mound] colina f - **2.** [slope] cuesta f.

hillside ['hɪlsaɪd] n ladera f.

hilly ['hɪlɪ] adj montañoso(sa).

hilt [hɪlt] n puño m, empuñadura f.

him [hɪm] pers pron - **1.** (direct - unstressed) lo, le; (- stressed) él; **I know him** lo OR le conozco; **I like him** me gusta; **it's him** es él; **if I were OR was him** si (yo) fuera él; **you can't expect him to do it** no esperarás que él lo haga - **2.** (indirect - gen) le; (- with other 3rd person pronouns) se; **she sent him a letter** le mandó una carta; **we spoke to him** hablamos con él; **I gave it to him** se lo di - **3.** (after prep, in comparisons etc) él; **I'm shorter than him** yo soy más bajo que él.

Himalayas [ˌhɪmə'leɪəz] npl: **the Himalayas** el Himalaya.

himself [hɪm'self] pron - **1.** (reflexive) se; (after prep) sí mismo; **with himself** consigo mismo - **2.** (for emphasis) él mismo; **he did it himself** lo hizo él solo.

hind [haɪnd] <> adj trasero(ra). <> n (pl hind OR -s) cierva f.

hinder ['hɪndər] vt [gen] estorbar; [progress, talks, attempts] entorpecer.

Hindi ['hɪndɪ] n [language] hindi m.

hindrance ['hɪndrəns] n [obstacle] obstáculo m, impedimento m; [person] estorbo m.

hindsight ['haɪndsaɪt] n: **with the benefit of hindsight** ahora que se sabe lo que pasó.

Hindu ['hɪnduː] <> *adj* hindú. <> *n* (*pl* -s) hindú *mf*.

hinge [hɪndʒ] *n* [on door, window] bisagra *f*.
• **hinge (up)on** *vt insep* [depend on] depender de.

hint [hɪnt] <> *n* - **1.** [indication] indirecta *f*; **to drop a hint** lanzar una indirecta - **2.** [piece of advice] consejo *m* - **3.** [small amount, suggestion] asomo *m*; [of colour] pizca *f*. <> *vi*: **to hint at sthg** insinuar algo. <> *vt*: **to hint that** insinuar que.

hip [hɪp] <> *n* ANAT cadera *f*. <> *adj inf* moderno(na).

hippie, hippy ['hɪpɪ] *n* hippy *mf*.

hippopotamus [,hɪpə'pɒtəməs] (*pl* -muses OR -mi [-maɪ]) *n* hipopótamo *m*.

hippy ['hɪpɪ] = **hippie**.

hire ['haɪər] <> *n* (*U*) [of car, equipment] alquiler *m*; **for hire** [taxi] libre; **'boats for hire'** 'se alquilan barcos'. <> *vt* - **1.** [rent] alquilar - **2.** [employ] contratar. • **hire out** *vt sep* [car, equipment] alquilar; [one's services] ofrecer.

hire car *n* UK coche *m* de alquiler.

hire purchase *n* (*U*) UK compra *f* a plazos; **to buy sthg on hire purchase** comprar algo a plazos.

his [hɪz] <> *poss adj* su, sus (*pl*); **his house** su casa; **his children** sus niños; **his name is Joe** se llama Joe; **it wasn't his fault** no fue culpa suya OR su culpa; **he washed his hair** se lavó el pelo. <> *poss pron* suyo(suya); **that money is his** ese dinero es suyo; **those keys are his** esas llaves son suyas; **it wasn't her fault, it was his** no fue culpa de ella sino de él; **a friend of his** un amigo suyo, un amigo de él; **mine is good, but his is bad** el mío es bueno pero el suyo es malo.

Hispanic [hɪ'spænɪk] <> *adj* hispánico(ca). <> *n esp* US hispano *m*, -na *f*.

hiss [hɪs] <> *n* - **1.** [of person] bisbiseo *m*, siseo *m* - **2.** [of steam, gas, snake] silbido *m*. <> *vi* - **1.** [person] bisbisear, sisear; [to express disapproval] silbar, abuchear - **2.** [steam, gas, snake] silbar.

historic [hɪ'stɒrɪk] *adj* [significant] histórico(ca).

historical [hɪ'stɒrɪkəl] *adj* histórico(ca).

history ['hɪstərɪ] <> *n* - **1.** [gen] historia *f* - **2.** [past record & COMPUT] historial *m*. <> *comp* [book, teacher, programme] de historia.

hit [hɪt] <> *n* - **1.** [blow] golpe *m* - **2.** [successful strike] impacto *m* - **3.** [success, record] éxito *m* - **4.** COMPUT visita *f*. <> *comp* de éxito. <> *vt* (*pt & pp* **hit**) - **1.** [subj: person] pegar, golpear - **2.** [crash into] chocar contra OR con - **3.** [reach] alcanzar; [bull's-eye] dar en - **4.** [affect badly] afectar - **5.** [occur to]: **the solution hit me** se me ocurrió la solución.

hit-and-miss = **hit-or-miss**.

hit-and-run *adj* [driver] que se da a la fuga después de causar un accidente; [accident] en que el conductor se da a la fuga.

hitch [hɪtʃ] <> *n* [problem, snag] problema *m*, pega *f*. <> *vt* - **1.** [catch]: **to hitch a lift** conseguir que le lleven a uno en coche - **2.** [fasten]: **to hitch sthg on OR onto sthg** enganchar algo a algo. <> *vi* [hitchhike] hacer autoestop.
• **hitch up** *vt sep* [clothes] subirse.

hitchhike ['hɪtʃhaɪk] *vi* hacer autoestop.

hitchhiker ['hɪtʃhaɪkər] *n* autoestopista *mf*.

hi-tech [,haɪ'tek] = **high tech**.

hitherto [,hɪðə'tuː] *adv fml* hasta ahora.

hit-or-miss, hit-and-miss *adj* azaroso(sa).

HIV (*abbr of* human immunodeficiency virus) *n* VIH *m*; **to be HIV-positive** ser seropositivo(va).

hive [haɪv] *n* [for bees] colmena *f*; **a hive of activity** un enjambre, un centro de actividad.
• **hive off** *vt sep* [separate] transferir.

HNC (*abbr of* Higher National Certificate) *n* diploma técnico en Gran Bretaña.

HND (*abbr of* Higher National Diploma) *n* diploma técnico superior en Gran Bretaña.

hoard [hɔːd] <> *n* [store] acopio *m*. <> *vt* [collect, save] acumular; [food] acaparar.

hoarding ['hɔːdɪŋ] *n* UK [for advertisements, posters] valla *f* publicitaria.

hoarfrost ['hɔːfrɒst] *n* escarcha *f*.

hoarse [hɔːs] *adj* - **1.** [voice] ronco(ca) - **2.** [person] afónico(ca).

hoax [həʊks] *n* engaño *m*; **hoax call** falsa alarma telefónica.

hob [hɒb] *n* UK [on cooker] encimera *f*.

hobble ['hɒbl] *vi* [limp] cojear.

hobby ['hɒbɪ] *n* [leisure activity] hobby *m*, afición *f*.

hobbyhorse ['hɒbɪhɔːs] *n* - **1.** [toy] caballo *m* de juguete - **2.** [favourite topic] caballo *m* de batalla.

hobo ['həʊbəʊ] (*pl* -es OR -s) *n* US [tramp] vagabundo *m*, -da *f*.

hockey ['hɒkɪ] *n* - **1.** [on grass] hockey *m* sobre hierba - **2.** US [ice hockey] hockey *m* sobre hielo.

hoe [həʊ] <> *n* azada *f*. <> *vt* remover con la azada.

hog [hɒg] <> *n* US [pig] cerdo *m*, puerco *m*; **to go the whole hog** *fig* tirar la casa por la ventana. <> *vt inf* [monopolize] acaparar.

Hogmanay ['hɒgməneɪ] *n* denominación escocesa de la Nochevieja.

hoist [hɔɪst] <> *n* [pulley, crane] grúa *f*; [lift] montacargas *m inv*. <> *vt* izar.

hold [həʊld] <> *vt* (*pt & pp* **held**) - **1.** [have hold of] tener cogido(da) - **2.** [keep in position]

sujetar - **3.** [sustain, support] sostener, aguantar - **4.** [embrace] abrazar - **5.** [as prisoner] detener - **6.** [keep] guardar - **7.** [maintain - interest etc] mantener - **8.** [have, possess] poseer - **9.** [contain - gen] contener; [- number of people] tener cabida para; [- fears, promise etc] guardar - **10.** [conduct, stage - event] celebrar; [- conversation] mantener; [- inquiry] realizar - **11.** *fml* [consider] considerar; **to hold sthg dear** apreciar mucho algo - **12.** [on telephone]: **please hold the line** no cuelgue por favor - **13.** MIL ocupar, tener

▶▶ **hold it** OR **everything!** ¡para!, ¡espera!; **to hold one's own** defenderse. ◇ *vi* (*pt & pp* **held**) - **1.** [luck, weather] continuar así; [promise, offer] seguir en pie; **to hold still** OR **steady** estarse quieto - **2.** [on phone] esperar. ◇ *n* - **1.** [grasp, grip]: **to have a firm hold on sthg** tener algo bien agarrado; **to take** OR **lay hold of sthg** agarrar algo; **to get hold of sthg** [obtain] hacerse con algo - **2.** [of ship, aircraft] bodega *f* - **3.** [control, influence] dominio *m*. ◆ **hold back** *vt sep* - **1.** [tears, anger] contener, reprimir - **2.** [secret] ocultar. ◆ **hold down** *vt sep* [job] conservar. ◆ **hold off** *vt sep* [fend off] rechazar. ◆ **hold on** *vi* - **1.** [wait] esperar; [on phone] no colgar - **2.** [grip]: **to hold on (to sthg)** agarrarse (a algo). ◆ **hold out** ◇ *vt sep* [hand] tender; [arms] extender. ◇ *vi* [last] durar. ◆ **hold up** ◇ *vt sep* - **1.** [raise] levantar, alzar - **2.** [delay] retrasar. ◇ *vi* [theory, facts] tenerse en pie.

holdall ['həʊldɔːl] *n* UK bolsa *f* de viaje.

holder ['həʊldər] *n* - **1.** [container] soporte *m*; [for candle] candelero *m*; [for cigarette] boquilla *f* - **2.** [owner] titular *mf*; [of ticket, record, title] poseedor *m*, -ra *f*.

holding ['həʊldɪŋ] *n* - **1.** [investment] participación *f* - **2.** [farm] propiedad *f*, terreno *m* de cultivo.

holdup ['həʊldʌp] *n* - **1.** [delay] retraso *m* - **2.** [robbery] atraco *m* a mano armada.

hole [həʊl] *n* - **1.** [gen] agujero *m*; [in ground, road etc] hoyo *m*; [of animal] madriguera *f* - **2.** [in golf] hoyo *m* - **3.** [horrible place] cuchitril *m*.

holiday ['hɒlɪdeɪ] *n* - **1.** [vacation] vacaciones *fpl*; **to be/go on holiday** estar/ir de vacaciones - **2.** [public holiday] fiesta *f*, día *m* festivo. ◆ **holidays** *n* US: **the holidays** las fiestas OR vacaciones (de Navidad); **happy holidays!** ¡felices fiestas!

holiday camp *n* UK colonia *f* veraniega.

holiday home *n* UK casa *f* para las vacaciones.

holidaymaker ['hɒlɪdeɪˌmeɪkər] *n* UK turista *mf*.

holistic [həʊ'lɪstɪk] *adj* holístico(ca).

Holland ['hɒlənd] *n* Holanda.

holler ['hɒlər] *vt & vi esp* US *inf* gritar.

hollow ['hɒləʊ] ◇ *adj* - **1.** [not solid] hueco(ca) - **2.** [cheeks, eyes] hundido(da) - **3.** [resonant] sonoro(ra), resonante - **4.** [false, meaningless] vano(na); [laugh] falso(sa). ◇ *n* hueco *m*; [in ground] depresión *f*, hondonada *f*. ◆ **hollow out** *vt sep* - **1.** [make hollow] dejar hueco(ca) - **2.** [make by hollowing] hacer ahuecando.

holly ['hɒlɪ] *n* acebo *m*.

holocaust ['hɒləkɔːst] *n* holocausto *m*. ◆ **Holocaust** *n*: **the Holocaust** el Holocausto.

holster ['həʊlstər] *n* pistolera *f*.

holy ['həʊlɪ] *adj* - **1.** [sacred] sagrado(da); [water] bendito(ta) - **2.** [pure and good] santo(ta).

Holy Ghost *n*: **the Holy Ghost** el Espíritu Santo.

Holy Spirit *n*: **the Holy Spirit** el Espíritu Santo.

homage ['hɒmɪdʒ] *n* (U) *fml* homenaje *m*; **to pay homage to** rendir homenaje a.

home [həʊm] ◇ *n* - **1.** [house, flat] casa *f*; **away from home** [not in & SPORT] fuera de casa; **to make one's home somewhere** establecerse en algún sitio; **it's a home from home** UK OR **home away from home** US me siento como en mi propia casa - **2.** [own country] tierra *f*; [own city] ciudad *f* natal - **3.** [family] hogar *m*; **to leave home** independizarse, irse de casa - **4.** [place of origin] cuna *f* - **5.** [institution] residencia *f*. ◇ *adj* - **1.** [not foreign] nacional - **2.** [in one's own home - cooking] casero(ra); [- life] familiar; [- improvements] en la casa; [- delivery] a domicilio - **3.** SPORT de casa. ◇ *adv* [to one's house] a casa; [at one's house] en casa. ◆ **at home** *adv* - **1.** [in one's house, flat] en casa - **2.** [comfortable]: **at home (with)** a gusto (con); **to make o.s. at home** acomodarse; **make yourself at home** estás en tu casa - **3.** [in one's own country] en mi país.

home address *n* domicilio *m* particular.

home brew *n* [beer] cerveza *f* casera.

home computer *n* ordenador *m* doméstico.

home economics *n* (U) economía *f* doméstica.

home help *n* UK asistente empleado por el ayuntamiento para ayudar en las tareas domésticas a enfermos y ancianos.

homeland ['həʊmlænd] *n* - **1.** [country of birth] tierra *f* natal, patria *f* - **2.** [in South Africa] homeland *m*, territorio donde se confinaba a la población negra.

homeless ['həʊmlɪs] *adj* sin hogar.

homely ['həʊmlɪ] *adj* - **1.** [simple] sencillo(lla) - **2.** [unattractive] feúcho(cha).

homemade [ˌhəʊm'meɪd] *adj* [food] casero(ra); [clothes] de fabricación casera.

Home Office n UK: **the Home Office** el Ministerio del Interior británico.

homeopathy [ˌhəʊmɪˈɒpəθɪ] n homeopatía f.

home page n [on Internet] página f inicial OR de inicio.

Home Secretary n UK: **the Home Secretary** el Ministro del Interior británico.

homesick ['həʊmsɪk] adj nostálgico(ca); **to be homesick** tener morriña.

hometown ['həʊmtaʊn] n pueblo m/ciudad f natal.

homeward ['həʊmwəd] <> adj de regreso OR vuelta (a casa). <> adv = **homewards**.

homewards ['həʊmwədz], **homeward** adv hacia casa.

homework ['həʊmwɜːk] n (U) lit & fig deberes mpl.

homey, homy ['həʊmɪ] US <> adj confortable, agradable. <> n inf [friend] amiguete m, -ta f.

homicide ['hɒmɪsaɪd] n homicidio m.

homogeneous [ˌhɒməˈdʒiːnjəs] adj homogéneo(a).

homosexual [ˌhɒməˈsekʃʊəl] <> adj homosexual. <> n homosexual mf.

homy = **homey**.

Honduran [hɒnˈdjʊərən] <> adj hondureño(ña). <> n hondureño m, -ña f.

Honduras [hɒnˈdjʊərəs] n Honduras.

hone [həʊn] vt - 1. [sharpen] afilar - 2. [develop, refine] afinar.

honest ['ɒnɪst] adj - 1. [trustworthy, legal] honrado(da) - 2. [frank] franco(ca), sincero(ra); **to be honest...** si he de serte franco...

honestly ['ɒnɪstlɪ] <> adv - 1. [truthfully] honradamente - 2. [expressing sincerity] de verdad, en serio. <> excl [expressing impatience, disapproval] ¡será posible!

honesty ['ɒnɪstɪ] n - 1. [trustworthiness] honradez f - 2. [frankness] sinceridad f; **in all honesty...** si he de serte franco...

honey ['hʌnɪ] n - 1. [food] miel f - 2. esp US [form of address] cielo m, mi vida f.

honeycomb ['hʌnɪkəʊm] n panal m.

honeymoon ['hʌnɪmuːn] n luna f de miel; fig periodo m idílico.

honeysuckle ['hʌnɪˌsʌkl] n madreselva f.

Hong Kong [ˌhɒŋˈkɒŋ] n Hong Kong.

honk [hɒŋk] <> vi - 1. [motorist] tocar el claxon - 2. [goose] graznar. <> vt tocar.

honor US = **honour**.

honorary [UK 'ɒnərərɪ, US ɒnəˈreərɪ] adj - 1. [given as an honour] honorario(ria) - 2. [unpaid] honorífico(ca).

honour UK, **honor** US ['ɒnər] <> n - 1. [gen] honor m, honra f; **in honour of** en honor de - 2. [source of pride - person] honra f. <> vt - 1. [promise, agreement] cumplir; [debt] satisfacer; [cheque] pagar, aceptar - 2. fml [bring honour to] honrar. <> **honours** npl - 1. [tokens of respect] honores mpl - 2. UK UNIV: **honours degree** licenciatura de cuatro años necesaria para acceder a un máster.

honourable UK, **honorable** US ['ɒnrəbl] adj - 1. [proper] honroso(sa) - 2. [morally upright] honorable.

hood [hʊd] n - 1. [on cloak, jacket] capucha f - 2. [of pram, convertible car] capota f; [of cooker] campana f - 3. US [car bonnet] capó m.

hoodlum ['huːdləm] n US inf matón m.

hoof [huːf, hʊf] (pl -s OR **hooves**) n [of horse] casco m; [of cow etc] pezuña f.

hook [hʊk] <> n - 1. [gen] gancho m; **off the hook** [phone] descolgado(da) - 2. [for catching fish] anzuelo m - 3. [fastener] corchete m. <> vt - 1. [attach with hook] enganchar - 2. [fish] pescar, coger. <> **hook up** vt sep: **to hook sthg up to sthg** conectar algo a algo; **to hook with sb** reunirse OR juntarse con alguien, ligar con alguien.

hooked [hʊkt] adj - 1. [nose] aguileño(ña) - 2. inf [addicted]: **to be hooked (on)** estar enganchado(da) (a).

hook(e)y ['hʊkɪ] n US inf: **to play hookey** hacer novillos.

hooligan ['huːlɪgən] n gamberro m.

hoop [huːp] n aro m.

hooray [hʊˈreɪ] = **hurray**.

hoot [huːt] <> n [of owl] grito m, ululato m; [of horn] bocinazo m; **a hoot of laughter** una carcajada. <> vi [owl] ulular; [horn] sonar; **to hoot with laughter** reírse a carcajadas. <> vt tocar.

hooter ['huːtər] n [horn] claxon® m, bocina f.

Hoover® ['huːvər] n UK aspiradora f.   **hoover** vt pasar la aspiradora por.

hooves [huːvz] npl ⊳ **hoof**.

hop [hɒp] vi - 1. [person] saltar a la pata coja - 2. [bird etc] dar saltitos - 3. [move nimbly] ponerse de un brinco.   **hops** npl lúpulo m.

hope [həʊp] <> vi: **to hope (for sthg)** esperar (algo). <> vt: **to hope (that)** esperar que. <> n esperanza f; **in the hope of** con la esperanza de; **to raise sb's hopes** dar esperanzas a alguien.

hopeful ['həʊpfʊl] adj - 1. [optimistic] optimista; **to be hopeful of sthg/of doing sthg** tener esperanzas de algo/hacer algo - 2. [promising] prometedor(ra).

hopefully ['həʊpfəlɪ] adv - 1. [in a hopeful way] esperanzadamente - 2. [with luck] con suerte; **hopefully not** espero que no.

hopeless ['həʊplɪs] *adj* - **1.** [despairing] deses-
perado(da) - **2.** [impossible] imposible - **3.** *inf*
[useless] inútil.

hopelessly ['həʊplɪslɪ] *adv* - **1.** [despairingly]
desesperadamente - **2.** [completely] totalmen-
te.

horizon [hə'raɪzn] *n* [of sky] horizonte *m*; **on
the horizon** en el horizonte; *fig* a la vuelta de
la esquina.

horizontal [,hɒrɪ'zɒntl] *adj* horizontal.

hormone ['hɔ:məʊn] *n* hormona *f*.

horn [hɔ:n] *n* - **1.** [of animal] cuerno *m* - **2.** MUS
[instrument] trompa *f* - **3.** [on car] claxon® *m*,
bocina *f*; [on ship] sirena *f* - **4.** US *inf* [telephone]
teléfono *m*.

hornet ['hɔ:nɪt] *n* avispón *m*.

horny ['hɔ:nɪ] *adj* - **1.** [scale, body, armour] cór-
neo(a); [hand] calloso(sa) - **2.** *v inf* [sexually ex-
cited] cachondo(da), caliente.

horoscope ['hɒrəskəʊp] *n* horóscopo *m*.

horrendous [hɒ'rendəs] *adj* horrendo(da).

horrible ['hɒrəbl] *adj* - **1.** [gen] horrible
- **2.** [nasty, mean] malo(la).

horrid ['hɒrɪd] *adj esp UK* [person] antipáti-
co(ca); [idea, place] horroroso(sa).

horrific [hɒ'rɪfɪk] *adj* horrendo(da).

horrify ['hɒrɪfaɪ] *vt* horrorizar.

horror ['hɒrəʳ] *n* horror *m*; **to have a horror
of sthg** tener horror a algo.

horror film *n* película *f* de terror OR de mie-
do.

hors d'oeuvre [ɔ:'dɜ:vr] (*pl* hors d'oeuvres
[ɔ:'dɜ:vr]) *n* entremeses *mpl*.

horse [hɔ:s] *n* [animal] caballo *m*.

horseback ['hɔ:sbæk] <> *adj*: **horseback rid-
ing** equitación *f*. <> *n*: **on horseback** a caba-
llo.

horse chestnut *n* [nut] castaña *f* de Indias;
horse chestnut (tree) castaño *m* de Indias.

horseman ['hɔ:smən] (*pl* -men [-mən]) *n* ji-
nete *m*.

horsepower ['hɔ:s,paʊəʳ] *n* (U) caballos *mpl*
de vapor.

horse racing *n* (U) carreras *fpl* de caballos.

horseradish ['hɔ:s,rædɪʃ] *n* rábano *m* silves-
tre.

horserider ['hɔ:sraɪdər] *n esp US* jinete *m*,
amazona *f*.

horse riding *n* equitación *f*; **to go horse rid-
ing** montar a caballo.

horseshoe ['hɔ:sʃu:] *n* herradura *f*.

horsewoman ['hɔ:s,wʊmən] (*pl* -women
[-,wɪmɪn]) *n* amazona *f*.

horticulture ['hɔ:tɪkʌltʃəʳ] *n* horticultura *f*.

hose [həʊz] *n* [hosepipe] manguera *f*.

hosepipe ['həʊzpaɪp] *n* manguera *f*.

hosiery ['həʊzɪərɪ] *n (U)* medias *fpl* y calce-
tines.

hospice ['hɒspɪs] *n* hospital *m* para enfer-
mos terminales.

hospitable [hɒ'spɪtəbl] *adj* hospitala-
rio(ria).

hospital ['hɒspɪtl] *n* hospital *m*.

hospitality [,hɒspɪ'tælətɪ] *n* hospitalidad *f*.

host [həʊst] <> *n* - **1.** [person, place, organiza-
tion] anfitrión *m*, -ona *f* - **2.** [compere] presen-
tador *m*, -ra *f* - **3.** *liter* [large number]: **a host of**
una multitud de - **4.** RELIG hostia *f* - **5.** COMPUT
host *m*, anfitrión *m*. <> *vt* - **1.** [show] presen-
tar; [event] ser el anfitrión de - **2.** COMPUT alber-
gar, hospedar.

hostage ['hɒstɪdʒ] *n* rehén *m*; **to be taken/
held hostage** ser cogido(da)/mantenido(da)
como rehén.

hostel ['hɒstl] *n* albergue *m*.

hostess ['həʊstes] *n* - **1.** [at party] anfitriona *f*
- **2.** [in club etc] chica *f* de alterne.

host family *n* familia *f* de acogida.

hostile [UK 'hɒstaɪl, US 'hɒstl] *adj* - **1.** [antag-
onistic, enemy]: **hostile (to)** hostil (hacia)
- **2.** [unfavourable] adverso(sa).

hostility [hɒ'stɪlətɪ] *n* [antagonism] hostili-
dad *f*. ◆ **hostilities** *npl* hostilidades *fpl*.

hot [hɒt] *adj* - **1.** [gen] caliente; **I'm hot** ten-
go calor - **2.** [weather, climate] caluroso(sa); **it's
(very) hot** hace (mucho) calor - **3.** [spicy] pican-
te, picoso(sa) - **4.** *inf* [expert]: **hot on** OR **at**
experto(ta) en - **5.** [recent] caliente, últi-
mo(ma) - **6.** [temper] vivo(va).

hot-air balloon *n* aeróstato *m*, globo *m*.

hotbed ['hɒtbed] *n* semillero *m*.

hot-cross bun *n* bollo a base de especias y
pasas con una cruz dibujada en una cara que se
come en Semana Santa.

hot dog *n* perrito *m* caliente.

hotel [həʊ'tel] *n* hotel *m*.

hot flush *UK*, **hot flash** *US n* sofoco *m*.

hotheaded [,hɒt'hedɪd] *adj* irreflexivo(va).

hothouse ['hɒthaʊs, *pl* -haʊzɪz] *n* [green-
house] invernadero *m*.

hot line *n* [for politician] teléfono *m* rojo.

hotly ['hɒtlɪ] *adv* - **1.** [passionately] acalorada-
mente - **2.** [closely]: **we were hotly pursued** nos
pisaban los talones.

hotplate ['hɒtpleɪt] *n* - **1.** [for cooking] pla-
ca *f* - **2.** [for keeping food warm] calientapla-
tos *m inv*.

hot-tempered *adj* iracundo(da).

hot-water bottle *n* bolsa *f* de agua caliente.

hound [haʊnd] <> *n* [dog] perro *m* de caza,
sabueso *m*. <> *vt* - **1.** [persecute] acosar

- 2. [drive]: **to hound sb out (of somewhere)** conseguir echar a alguien (de algún sitio) acosándolo.

hour ['auəʳ] n - 1. [gen] hora f; **half an hour** media hora f; **70 miles per** OR **an hour** 70 millas por hora; **to pay by the hour** pagar por horas; **on the hour** a la hora en punto cada hora - 2. liter [important time] momento m.
➤ **hours** npl [of business] horas fpl.

hourly ['auəlɪ] adj & adv - 1. [every hour] cada hora - 2. [per hour] por hora.

house ◇ n [haus, pl 'hauzɪz] - 1. [gen] casa f; **it's on the house** la casa invita, es cortesía de la casa; **to put** OR **set one's house in order** poner las cosas en orden - 2. POL cámara f - 3. [in theatre] audiencia f; **to bring the house down** inf ser un exitazo, ser muy aplaudido(da). ◇ vt [hauz] [person, family] alojar; [department, library, office] albergar. ◇ adj - 1. [within business] de la empresa - 2. [wine] de la casa.

house arrest n: **under house arrest** bajo arresto domiciliario.

houseboat ['hausbəut] n casa f flotante.

housebreaking ['haus,breıkıŋ] n allanamiento m de morada.

housecoat ['hauskəut] n bata f.

household ['haushəuld] ◇ adj - 1. [domestic] doméstico(ca), de la casa - 2. [word, name] conocido(da) por todos. ◇ n hogar m.

housekeeper ['haus,ki:pəʳ] n ama f de llaves.

housekeeping ['haus,ki:pıŋ] n (U) - 1. [work] quehaceres mpl domésticos - 2.: **housekeeping (money)** dinero m para los gastos de la casa.

house music n música f house.

House of Commons n UK: **the House of Commons** la Cámara de los Comunes.

House of Lords n UK: **the House of Lords** la Cámara de los Lores.

House of Representatives n US: **the House of Representatives** la Cámara de los Representantes.

houseplant ['hauspla:nt] n planta f interior.

Houses of Parliament n: **the Houses of Parliament** el Parlamento británico.

housewarming (party) ['haus,wɔ:mıŋ-] n fiesta f de inauguración de una casa.

housewife ['hauswaɪf] (pl -wives [-waɪvz]) n ama f de casa.

housework ['hausw3:k] n (U) quehaceres mpl domésticos.

housing ['hauzıŋ] n [houses] vivienda f; [act of accommodating] alojamiento m.

housing association n UK cooperativa f de viviendas.

housing benefit n (U) subsidio estatal para ayudar al pago del alquiler y de otros gastos.

housing estate UK, **housing project** US n urbanización generalmente de protección oficial, ≃ fraccionamiento m Méx.

hovel ['hɒvl] n casucha f, tugurio m.

hover ['hɒvəʳ] vi [fly] cernerse.

hovercraft ['hɒvəkra:ft] (pl **hovercraft** OR **-s**) n aerodeslizador m.

how [hau] adv - 1. [gen] cómo; **how do you do it?** ¿cómo se hace?; **I found out how he did it** averigüé cómo lo hizo; **how are you?** ¿cómo estás?; **how do you do?** mucho gusto - 2. [referring to degree, amount]: **how high is it?** ¿cuánto mide de alto OR de altura?; **he asked how high it was** preguntó cuánto medía de alto; **how expensive is it?** ¿qué precio tiene?, ¿es muy caro?; **how far is it to Paris?** ¿a qué distancia está París de aquí?; **how long have you been waiting?** ¿cuánto llevas esperando?; **how many people came?** ¿cuánta gente vino?; **how old are you?** ¿qué edad OR cuántos años tienes? - 3. [in exclamations] qué; **how nice/awful!** ¡qué bonito/horrible!; **how I hate doing it!** ¡cómo OR cuánto odio tener que hacerlo! ➤ **how about** adv: **how about a drink?** ¿qué tal una copa?; **how about you?** ¿qué te parece?, ¿y tú? ➤ **how much** ◇ pron cuánto(ta); **how much does it cost?** ¿cuánto cuesta? ◇ adj cuánto(ta); **how much bread?** ¿cuánto pan?

however [hau'evəʳ] ◇ adv - 1. [nevertheless] sin embargo, no obstante - 2. [no matter how]: **however difficult it may be** por (muy) difícil que sea; **however many times** OR **much I told her** por mucho que se lo dijera - 3. [how] cómo; **however did you know?** ¿cómo lo sabías? ◇ conj comoquiera que; **however you want** como quieras.

howl [haul] ◇ n - 1. [of animal] aullido m - 2. [of person - in pain, anger] alarido m, grito m; **a howl of laughter** una carcajada. ◇ vi - 1. [animal] aullar - 2. [person - in pain, anger] gritar; **to howl with laughter** reírse a carcajadas - 3. [wind] bramar.

hp (abbr of horsepower) CV m, cv m.

HP (abbr of hire purchase) n - 1. UK: **to buy sthg on HP** comprar algo a plazos - 2. = **hp.**

HQ n abbr of **headquarters**.

HTML (abbr of hypertext markup language) n COMPUT HTML m.

hub [hʌb] n - 1. [of wheel] cubo m - 2. [of activity] centro m, eje m.

hubbub ['hʌbʌb] n alboroto m.

hubcap ['hʌbkæp] n tapacubos m inv.

huddle ['hʌdl] vi - 1. [crouch, curl up] acurrucarse - 2. [cluster] apretarse unos contra otros, apiñarse.

hue [hju:] n - 1. [shade] tono m, matiz m - 2. [colour] color m.

huff [hʌf] n: **in a huff** mosqueado(da).

hug [hʌg] ⋄ n abrazo m. ⋄ vt - **1.** [embrace, hold] abrazar; **to hug sthg to o.s.** abrazar algo fuertemente - **2.** [stay close to] ceñirse OR ir pegado a.

huge [hjuːdʒ] adj enorme.

hulk [hʌlk] n - **1.** [of ship] casco m abandonado - **2.** [person] tiarrón m, -ona f.

hull [hʌl] n casco m.

hullo [hə'ləu] = hello.

hum [hʌm] ⋄ vi - **1.** [buzz] zumbar - **2.** [sing] canturrear, tararear - **3.** [be busy] bullir, hervir. ⋄ vt tararear, canturrear.

human ['hjuːmən] ⋄ adj humano(na). ⋄ n: human (being) (ser m) humano m.

humane [hjuː'meɪn] adj humano(na).

humanitarian [hjuːˌmænɪ'teərɪən] adj humanitario(ria).

humanity [hjuː'mænətɪ] n humanidad f. ◆ **humanities** npl: the humanities las humanidades.

human race n: the human race la raza humana.

human rights npl derechos mpl humanos.

humble ['hʌmbl] ⋄ adj humilde. ⋄ vt fml humillar.

humbug ['hʌmbʌg] n - **1.** (U) dated [hypocrisy] farsa f, hipocresía f - **2.** UK [sweet] caramelo m de menta.

humdrum ['hʌmdrʌm] adj rutinario(ria), aburrido(da).

humid ['hjuːmɪd] adj húmedo(da).

humidity [hjuː'mɪdətɪ] n humedad f.

humiliate [hjuː'mɪlɪeɪt] vt humillar.

humiliation [hjuːˌmɪlɪ'eɪʃn] n humillación f.

humility [hjuː'mɪlətɪ] n humildad f.

humor US = humour.

humorous ['hjuːmərəs] adj - **1.** [remark, situation] gracioso(sa) - **2.** [play, publication] humorístico(ca).

humour UK, **humor** US ['hjuːmər] ⋄ n - **1.** [sense of fun, mood] humor m; **in good/bad humour** fml de buen/mal humor - **2.** [funny side] gracia f. ⋄ vt complacer.

hump [hʌmp] n - **1.** [hill] montículo m - **2.** [on back] joroba f, giba f.

humpbacked bridge ['hʌmpbækt-] n puente m peraltado.

hunch [hʌntʃ] ⋄ n inf presentimiento m. ⋄ vt encorvar.

hunchback ['hʌntʃbæk] n jorobado m, -da f.

hunched [hʌntʃt] adj encorvado(da).

hundred ['hʌndrəd] num cien; **a** OR **one hundred** cien; **a** OR **one hundred and eighty** ciento ochenta; **three hundred** trescientos; **five hundred** quinientos; see also **six**. ◆ **hundreds** npl centenares mpl.

hundredth ['hʌndrətθ] ⋄ num adj centésimo(ma). ⋄ num n [fraction] centésimo m; **a hundredth of a second** una centésima; see also **sixth**.

hundredweight ['hʌndrədweɪt] n [in UK] = 50,8 kg; [in US] = 45,3 kg.

hung [hʌŋ] pt & pp ▷ **hang**.

Hungarian [hʌŋ'geərɪən] ⋄ adj húngaro(ra). ⋄ n - **1.** [person] húngaro m, -ra f - **2.** [language] húngaro m.

Hungary ['hʌŋgərɪ] n Hungría.

hunger ['hʌŋgər] n - **1.** [for food] hambre f - **2.** liter [for change, knowledge etc] sed f. ◆ **hunger after, hunger for** vt insep liter anhelar, ansiar.

hunger strike n huelga f de hambre.

hung over adj inf: **to be hung over** tener resaca.

hungry ['hʌŋgrɪ] adj [for food] hambriento(ta); **to be/go hungry** tener/pasar hambre.

hung up adj inf acomplejado(da).

hunk [hʌŋk] n - **1.** [large piece] pedazo m, trozo m - **2.** inf [attractive man] tío m bueno, macizo m.

hunt [hʌnt] ⋄ n - **1.** [of animals, birds] caza f; UK [foxhunting party] partida f de caza - **2.** [for person, clue etc] busca f, búsqueda f. ⋄ vi [for animals, birds] cazar. ⋄ vt - **1.** [animals, birds] cazar - **2.** [person] perseguir.

hunter ['hʌntər] n [of animals, birds] cazador m, -ra f.

hunting ['hʌntɪŋ] n - **1.** [of animals, birds] caza f; **to go hunting** ir de caza OR cacería - **2.** UK [of foxes] caza f del zorro.

hurdle ['hɜːdl] ⋄ n - **1.** [in race] valla f - **2.** [obstacle] obstáculo m. ⋄ vt saltar.

hurl [hɜːl] vt - **1.** [throw] lanzar, arrojar - **2.** [shout] proferir, soltar.

hurray, hooray [hu'reɪ] excl ¡hurra!

hurricane ['hʌrɪkən] n huracán m.

hurried ['hʌrɪd] adj [hasty] apresurado(da).

hurriedly ['hʌrɪdlɪ] adv apresuradamente.

hurry ['hʌrɪ] ⋄ n prisa f; **to be in a hurry** tener prisa; **to be in no hurry to do sthg** [unwilling] no tener ningunas ganas de hacer algo. ⋄ vt [person] meter prisa a; [work, speech] apresurar. ⋄ vi: **to hurry (to do sthg)** apresurarse (a hacer algo). ◆ **hurry up** vi darse prisa.

hurt [hɜːt] ⋄ vt (pt & pp **hurt**) - **1.** [physically - person] hacer daño a; [- one's leg, arm] hacerse daño en; **nobody was hurt** nadie resultó herido; **to hurt o.s.** hacerse daño - **2.** [emotionally] herir - **3.** [harm] perjudicar. ⋄ vi (pt & pp **hurt**) - **1.** [gen] doler; **my head hurts** me duele la cabeza - **2.** [cause physical pain, do harm] hacer daño. ⋄ adj - **1.** [injured] herido(da) - **2.** [offended] dolido(da); [feelings] herido(da).

hurtful ['hɜːtfʊl] *adj* hiriente.

hurtle ['hɜːtl] *vi*: **to hurtle past** pasar como un rayo.

husband ['hʌzbənd] *n* marido *m*.

hush [hʌʃ] ⇨ *n* silencio *m*. ⇨ *excl* ¡silencio!, ¡a callar!

husk [hʌsk] *n* [of seed, grain] cáscara *f*.

husky ['hʌskɪ] ⇨ *adj* [hoarse] ronco(ca). ⇨ *n* husky *m*, perro *m* esquimal.

hustle ['hʌsl] ⇨ *vt* [hurry] meter prisa a. ⇨ *n*: **hustle (and bustle)** bullicio *m*, ajetreo *m*.

hut [hʌt] *n* **- 1.** [rough house] cabaña *f*, choza *f* **- 2.** [shed] cobertizo *m*.

hutch [hʌtʃ] *n* conejera *f*.

hyacinth ['haɪəsɪnθ] *n* jacinto *m*.

hydrant ['haɪdrənt] *n* boca *f* de riego; [for fire] boca *f* de incendio.

hydraulic [haɪ'drɔːlɪk] *adj* hidráulico(ca).

hydroelectric [,haɪdrəʊɪ'lektrɪk] *adj* hidroeléctrico(ca).

hydrofoil ['haɪdrəfɔɪl] *n* embarcación *f* con hidroala.

hydrogen ['haɪdrədʒən] *n* hidrógeno *m*.

hyena [haɪ'iːnə] *n* hiena *f*.

hygiene ['haɪdʒiːn] *n* higiene *f*.

hygienic [haɪ'dʒiːnɪk] *adj* higiénico(ca).

hymn [hɪm] *n* himno *m*.

hype [haɪp] *inf n* bombo *m*, publicidad *f* exagerada.

hyperactive [,haɪpər'æktɪv] *adj* hiperactivo(va).

hyperlink ['haɪpə,lɪŋk] *n* COMPUT hiperenlace *m*.

hypermarket ['haɪpə,mɑːkɪt] *n* hipermercado *m*.

hyphen ['haɪfn] *n* guión *m*.

hypnosis [hɪp'nəʊsɪs] *n* hipnosis *f inv*.

hypnotic [hɪp'nɒtɪk] *adj* hipnótico(ca).

hypnotize, -ise ['hɪpnətaɪz] *vt* hipnotizar.

hypochondriac [,haɪpə'kɒndriæk] *n* hipocondríaco *m*, -ca *f*.

hypocrisy [hɪ'pɒkrəsɪ] *n* hipocresía *f*.

hypocrite ['hɪpəkrɪt] *n* hipócrita *mf*.

hypocritical [,hɪpə'krɪtɪkl] *adj* hipócrita.

hypothesis [haɪ'pɒθɪsɪs] (*pl* **-theses** [-θiːz]) *n* hipótesis *f inv*.

hypothetical [,haɪpə'θetɪkl] *adj* hipotético(ca).

hysteria [hɪs'tɪərɪə] *n* histeria *f*.

hysterical [hɪs'terɪkl] *adj* **- 1.** [frantic] histérico(ca) **- 2.** *inf* [very funny] tronchante.

hysterics [hɪs'terɪks] *npl* **- 1.** [panic, excitement] histeria *f*, histerismo *m* **- 2.** *inf* [fits of laughter]: **to be in hysterics** troncharse OR partirse de risa.

i (*pl* **i's** OR **is**), **I**¹ (*pl* **I's** OR **Is**) [aɪ] *n* [letter] i *f*, I *f*.

I² [aɪ] *pers pron* yo; **I'm happy** soy feliz; **I'm leaving** me voy; **she and I were at college together** ella y yo fuimos juntos a la universidad; **it is I** *fml* soy yo; **I can't do that** yo no puedo hacer eso.

ice [aɪs] ⇨ *n* **- 1.** [frozen water] hielo *m* **- 2.** UK [ice cream] helado *m*. ⇨ *vt* CULIN glasear, alcorzar. ⇨ **ice over, ice up** *vi* helarse.

iceberg ['aɪsbɜːg] *n* iceberg *m*.

iceberg lettuce *n* lechuga *f* iceberg.

icebox ['aɪsbɒks] *n* **- 1.** UK [in refrigerator] congelador *m* **- 2.** US [refrigerator] refrigerador *m*.

ice cream *n* helado *m*.

ice cube *n* cubito *m* de hielo.

ice hockey *n* hockey *m* sobre hielo.

Iceland ['aɪslənd] *n* Islandia *f*.

Icelandic [aɪs'lændɪk] ⇨ *adj* islandés(esa). ⇨ *n* [language] islandés *m*.

ice lolly *n* UK polo *m*.

ice pick *n* pico *m* para el hielo.

ice rink *n* pista *f* de (patinaje sobre) hielo.

ice skate *n* patín *m* de cuchilla. ⇨ **ice-skate** *vi* patinar sobre hielo.

ice-skating *n* patinaje *m* sobre hielo.

icicle ['aɪsɪkl] *n* carámbano *m*.

icing ['aɪsɪŋ] *n* glaseado *m*.

icing sugar *n* UK azúcar *m* glas.

icon, ikon ['aɪkɒn] *n* COMPUT & RELIG icono *m*.

icy ['aɪsɪ] *adj* **- 1.** [gen] helado(da) **- 2.** *fig* [unfriendly] glacial.

I'd [aɪd] **- 1.** (*abbr of* I had) ▷ **have** **- 2.** (*abbr of* I would) ▷ **would**.

ID ⇨ *n abbr of* **identification**. ⇨ *abbr of* **Idaho**.

idea [aɪ'dɪə] *n* **- 1.** [gen] idea *f*; **to have an idea of sthg** tener (alguna) idea de algo; **to have no idea** no tener ni idea; **to get the idea** *inf* captar la idea, hacerse una idea **- 2.** [intuition, feeling] sensación *f*, impresión *f*; **to have an idea (that)...** tener la sensación de que...

ideal [aɪ'dɪəl] ⇨ *adj*: **ideal (for)** ideal (para). ⇨ *n* ideal *m*.

ideally [aɪ'dɪəlɪ] *adv* **- 1.** [perfectly] idealmente; [suited] perfectamente **- 2.** [preferably] a ser posible.

identical [aɪ'dentɪkl] *adj* idéntico(ca).

identification [aɪ,dentɪfɪˈkeɪʃn] n - 1. [gen]: **identification (with)** identificación f (con) - 2. [documentation] documentación f.

identify [aɪˈdentɪfaɪ] ⬦ vt identificar; **to identify sb with sthg** relacionar a alguien con algo. ⬦ vi: **to identify with sb/sthg** identificarse con alguien/algo.

Identikit picture® [aɪˈdentɪkɪt-] n fotorrobot f.

identity [aɪˈdentətɪ] n identidad f.

identity card, ID card n carné m OR documento m de identidad, cédula f de identidad Amér.

ideology [,aɪdɪˈɒlədʒɪ] n ideología f.

idiom [ˈɪdɪəm] n - 1. [phrase] locución f, modismo m - 2. fml [style] lenguaje m.

idiomatic [,ɪdɪəˈmætɪk] adj natural.

idiosyncrasy [,ɪdɪəˈsɪŋkrəsɪ] n rareza f, manía f.

idiot [ˈɪdɪət] n [fool] idiota mf.

idiotic [,ɪdɪˈɒtɪk] adj idiota.

idle [ˈaɪdl] ⬦ adj - 1. [lazy] perezoso(sa), vago(ga) - 2. [not working - machine, factory] parado(da); [- person] desocupado(da), sin trabajo - 3. [rumour] infundado(da); [threat, boast] vano(na); [curiosity] que no viene a cuento. ⬦ vi estar en punto muerto. ◆ **idle away** vt sep desperdiciar.

idol [ˈaɪdl] n ídolo m.

idolize, -ise [ˈaɪdəlaɪz] vt idolatrar.

idyllic [ɪˈdɪlɪk] adj idílico(ca).

i.e. (abbr of id est) i.e., es decir.

if [ɪf] conj - 1. [gen] si; **if I were you** yo que tú, yo en tu lugar - 2. [though] aunque; **he's clever, if a little arrogant** es listo, aunque algo arrogante. ◆ **if not** conj - 1. [otherwise] si no, de lo contrario - 2. [not to say] por no decir; **it was cheeky, if not downright rude of him** fue mucha caradura de su parte, por no decir grosería. ◆ **if only** ⬦ conj - 1. [naming a reason] aunque sólo sea; **at least he got me a present, if only a little one** por lo menos me han comprado un regalo, aunque sea pequeño - 2. [expressing regret] si; **if only I'd been quicker!** ¡ojalá hubiera sido más rápido! ⬦ excl ¡ojalá!

igloo [ˈɪgluː] (pl -s) n iglú m.

ignite [ɪgˈnaɪt] ⬦ vt encender. ⬦ vi encenderse.

ignition [ɪgˈnɪʃn] n - 1. [act of igniting] ignición f - 2. [in car] encendido m; **to switch on the ignition** arrancar (el motor).

ignition key n llave f de contacto.

ignorance [ˈɪgnərəns] n ignorancia f.

ignorant [ˈɪgnərənt] adj - 1. [uneducated, rude] ignorante - 2. fml [unaware]: **to be ignorant of sthg** ignorar algo.

ignore [ɪgˈnɔːr] vt [thing] no hacer caso de, ignorar; [person] no hacer caso a, ignorar.

ilk [ɪlk] n: **of that ilk** [of that sort] de ese tipo.

ill [ɪl] ⬦ adj - 1. [unwell] enfermo(ma); **to feel ill** encontrarse mal; **to be taken** OR **to fall ill** caer OR ponerse enfermo(ma) - 2. [bad] malo(la). ⬦ adv [badly] mal.

I'll [aɪl] - 1. (abbr of I will) ⬥ **will** - 2. (abbr of I shall) ⬥ **shall**.

ill-advised [-ədˈvaɪzd] adj [action] poco aconsejable; [person] imprudente.

ill at ease adj incómodo(da).

illegal [ɪˈliːgl] adj ilegal.

illegible [ɪˈledʒəbl] adj ilegible.

illegitimate [,ɪlɪˈdʒɪtɪmət] adj ilegítimo(ma).

ill-equipped [-ɪˈkwɪpt] adj: **to be ill-equipped to do sthg** estar mal preparado(da) para hacer algo.

ill-fated [-ˈfeɪtɪd] adj infausto(ta).

ill feeling n resentimiento m.

ill health n mala salud f.

illicit [ɪˈlɪsɪt] adj ilícito(ta).

illiteracy [ɪˈlɪtərəsɪ] n analfabetismo m.

illiterate [ɪˈlɪtərət] ⬦ adj analfabeto(ta). ⬦ n analfabeto m, -ta f.

illness [ˈɪlnɪs] n enfermedad f.

illogical [ɪˈlɒdʒɪkl] adj ilógico(ca).

ill-suited adj: **ill-suited (for)** poco adecuado(da) (para).

ill-timed [-ˈtaɪmd] adj inoportuno(na).

ill-treat vt maltratar.

illuminate [ɪˈluːmɪneɪt] vt - 1. [light up] iluminar - 2. [explain] ilustrar, aclarar.

illumination [ɪ,luːmɪˈneɪʃn] n [lighting] alumbrado m, iluminación f. ◆ **illuminations** npl UK iluminaciones fpl, alumbrado m decorativo.

illusion [ɪˈluːʒn] n - 1. [gen] ilusión f; **to be under the illusion that** creer equivocadamente que - 2. [magic trick] truco m de ilusionismo.

illustrate [ˈɪləstreɪt] vt ilustrar.

illustration [,ɪləˈstreɪʃn] n ilustración f.

illustrious [ɪˈlʌstrɪəs] adj fml ilustre.

ill will n rencor m, animadversión f; **to bear sb ill will** guardar rencor a alguien.

I'm [aɪm] (abbr of I am) ⬥ **be**.

image [ˈɪmɪdʒ] n imagen f.

imagery [ˈɪmɪdʒrɪ] n (U) imágenes fpl.

imaginary [ɪˈmædʒɪnrɪ] adj imaginario(ria).

imagination [ɪ,mædʒɪˈneɪʃn] n imaginación f.

imaginative [ɪˈmædʒɪnətɪv] adj imaginativo(va).

imagine [ɪˈmædʒɪn] vt - 1. [gen] imaginar; **imagine never having to work!** ¡imagina que

nunca tuvieras que trabajar!; **imagine (that)!** ¡imagínate!; **I can't imagine what he means** no tengo ni idea de qué quiere decir - **2.** [suppose]: **to imagine (that)** imaginarse que.

imbalance [ˌɪm'bæləns] n desequilibrio m.

imbecile ['ɪmbiːsiːl] n imbécil mf.

IMF (abbr of International Monetary Fund) n FMI m.

IMHO (abbr of in my humble opinion) adv inf en mi humilde opinión.

imitate ['ɪmɪteɪt] vt imitar.

imitation [ˌɪmɪ'teɪʃn] ⇔ n imitación f. ⇔ adj de imitación; **imitation jewellery** bisutería f.

immaculate [ɪ'mækjʊlət] adj - **1.** [clean and tidy] inmaculado(da); [taste] exquisito(ta) - **2.** [performance, timing] impecable.

immaterial [ˌɪmə'tɪərɪəl] adj [irrelevant, unimportant] irrelevante.

immature [ˌɪmə'tjʊər] adj inmaduro(ra); [animal] joven.

immediate [ɪ'miːdjət] adj - **1.** [gen] inmediato(ta); **in the immediate future** en un futuro inmediato; **in the immediate vicinity** en las inmediaciones - **2.** [family] más cercano(na).

immediately [ɪ'miːdjətlɪ] ⇔ adv - **1.** [at once] inmediatamente - **2.** [directly] directamente. ⇔ conj en cuanto.

immense [ɪ'mens] adj inmenso(sa).

immerse [ɪ'mɜːs] vt - **1.** [plunge]: **to immerse sthg in sthg** sumergir algo en algo - **2.** [involve]: **to immerse o.s. in sthg** enfrascarse en algo.

immersion heater [ɪ'mɜːʃn-] n calentador m de inmersión.

immigrant ['ɪmɪɡrənt] n inmigrante mf.

immigration [ˌɪmɪ'ɡreɪʃn] n inmigración f.

imminent ['ɪmɪnənt] adj inminente.

immobilize, -ise [ɪ'məʊbɪlaɪz] vt inmovilizar.

immobilizer [ɪ'məʊbɪlaɪzər] n AUTO inmovilizador m.

immoral [ɪ'mɒrəl] adj inmoral.

immortal [ɪ'mɔːtl] adj inmortal.

immortalize, -ise [ɪ'mɔːtəlaɪz] vt inmortalizar.

immune [ɪ'mjuːn] adj - **1.** [gen & MED]: **immune (to)** inmune (a) - **2.** [exempt]: **immune (from)** exento(ta) (de).

immunity [ɪ'mjuːnətɪ] n - **1.** [gen & MED]: **immunity (to)** inmunidad f (a) - **2.** [exemption]: **immunity (from)** exención f (de).

immunize, -ise ['ɪmjuːnaɪz] vt: **to immunize sb (against sthg)** inmunizar a alguien (contra algo).

imp [ɪmp] n - **1.** [creature] duendecillo m - **2.** [naughty child] diablillo m.

impact ⇔ n ['ɪmpækt] impacto m; **to make an impact on** OR **upon** causar impacto en. ⇔ vt [ɪm'pækt] [influence] influenciar.

impair [ɪm'peər] vt [sight, hearing] dañar, debilitar; [movement] entorpecer; [ability, efficiency] mermar; [prospects] perjudicar.

impart [ɪm'pɑːt] vt fml - **1.** [information]: **to impart sthg (to sb)** comunicar algo (a alguien) - **2.** [feeling, quality]: **to impart sthg (to sthg)** conferir algo (a algo).

impartial [ɪm'pɑːʃl] adj imparcial.

impassable [ɪm'pɑːsəbl] adj intransitable, impracticable.

impasse [æm'pɑːs] n impasse m, callejón m sin salida.

impassive [ɪm'pæsɪv] adj impasible.

impatience [ɪm'peɪʃns] n impaciencia f.

impatient [ɪm'peɪʃnt] adj impaciente; **to be impatient to do sthg** estar impaciente por hacer algo; **to be impatient for sthg** esperar algo con impaciencia; **to get impatient** impacientarse.

impeccable [ɪm'pekəbl] adj impecable.

impede [ɪm'piːd] vt dificultar.

impediment [ɪm'pedɪmənt] n - **1.** [obstacle] impedimento m, obstáculo m - **2.** [disability] defecto m.

impel [ɪm'pel] vt: **to impel sb to do sthg** impulsar a alguien a hacer algo.

impending [ɪm'pendɪŋ] adj inminente.

imperative [ɪm'perətɪv] ⇔ adj [need] apremiante; **it is imperative that...** es imprescindible que... ⇔ n imperativo m.

imperfect [ɪm'pɜːfɪkt] ⇔ adj [not perfect] imperfecto(ta). ⇔ n GRAM: **imperfect (tense)** (pretérito m) imperfecto m.

imperial [ɪm'pɪərɪəl] adj - **1.** [of an empire or emperor] imperial - **2.** [system of measurement]: **imperial system** sistema anglosajón de medidas.

imperialism [ɪm'pɪərɪəlɪzm] n imperialismo m.

impersonal [ɪm'pɜːsnl] adj impersonal.

impersonate [ɪm'pɜːsəneɪt] vt [try to pass as] hacerse pasar por; [do impression of] imitar.

impersonation [ɪmˌpɜːsə'neɪʃn] n - **1.** [pretending to be]: **charged with impersonation of a policeman** acusado de hacerse pasar por policía - **2.** [impression] imitación f; **to do impersonations (of)** imitar (a), hacer imitaciones (de).

impertinent [ɪm'pɜːtɪnənt] adj impertinente, insolente.

impervious [ɪm'pɜːvjəs] adj [not influenced]: **impervious to** insensible a.

impetuous [ɪm'petʃʊəs] adj impetuoso(sa).

impetus ['ɪmpɪtəs] n (U) - **1.** [momentum] ímpetu m - **2.** [stimulus] impulso m.

impinge [ɪmˈpɪndʒ] vi: **to impinge on sthg/sb** afectar algo/a alguien.

implant ⬦ n [ˈɪmplɑːnt] implante m. ⬦ vt [ɪmˈplɑːnt] - **1.** [fix - idea etc]: **to implant sthg in** OR **into** inculcar algo en - **2.** MED: **to implant sthg in** OR **into** implantar algo en.

implausible [ɪmˈplɔːzəbl] adj inverosímil.

implement ⬦ n [ˈɪmplɪmənt] herramienta f. ⬦ vt [ˈɪmplɪment] llevar a cabo, poner en práctica.

implication [ˌɪmplɪˈkeɪʃn] n - **1.** [involvement] implicación f - **2.** [inference] consecuencia f; **by implication** de forma indirecta.

implicit [ɪmˈplɪsɪt] adj - **1.** [gen]: **implicit (in)** implícito(ta) (en) - **2.** [complete - belief] absoluto(ta); [- faith] incondicional.

implore [ɪmˈplɔː] vt: **to implore sb (to do sthg)** suplicar a alguien (que haga algo).

imply [ɪmˈplaɪ] vt - **1.** [suggest] insinuar, dar a entender - **2.** [involve] implicar, suponer.

impolite [ˌɪmpəˈlaɪt] adj maleducado(da), descortés.

import ⬦ n [ˈɪmpɔːt] - **1.** [act of importing, product] importación f - **2.** fml [meaning] sentido m, significado m. ⬦ vt [ɪmˈpɔːt] [gen & COMPUT] importar.

importance [ɪmˈpɔːtns] n importancia f.

important [ɪmˈpɔːtnt] adj: **important (to)** importante (para); **it's not important** no importa.

importer [ɪmˈpɔːtəʳ] n importador m, -ra f.

impose [ɪmˈpəʊz] ⬦ vt: **to impose sthg (on)** imponer algo (a). ⬦ vi: **to impose (on)** abusar (de), molestar a.

imposing [ɪmˈpəʊzɪŋ] adj imponente, impresionante.

imposition [ˌɪmpəˈzɪʃn] n - **1.** [enforcement] imposición f - **2.** [cause of trouble] molestia f.

impossible [ɪmˈpɒsəbl] adj - **1.** [gen] imposible - **2.** [person, behaviour] inaguantable, insufrible.

impostor, imposter US [ɪmˈpɒstəʳ] n impostor m, -ra f.

impotent [ˈɪmpətənt] adj impotente.

impound [ɪmˈpaʊnd] vt incautarse.

impoverished [ɪmˈpɒvərɪʃt] adj [country, people, imagination] empobrecido(da).

impracticable [ɪmˈpræktɪkəbl] adj impracticable, irrealizable.

impractical [ɪmˈpræktɪkl] adj poco práctico(ca).

impregnable [ɪmˈpregnəbl] adj lit & fig incontestable.

impregnate [ˈɪmpregneɪt] vt - **1.** [introduce substance into]: **to impregnate sthg (with)** impregnar OR empapar algo (de) - **2.** fml [fertilize] fecundar.

impress [ɪmˈpres] ⬦ vt - **1.** [produce admiration in] impresionar; **I was favourably impressed** me causó buena impresión - **2.** [stress]: **to impress sthg on sb** hacer comprender a alguien la importancia de algo. ⬦ vi [create good impression] causar buena impresión; [show off] impresionar.

impression [ɪmˈpreʃn] n - **1.** [gen] impresión f; **to make an impression** impresionar; **to make a good/bad impression** causar una buena/mala impresión; **to be under the impression that** tener la impresión de que - **2.** [imitation] imitación f.

impressive [ɪmˈpresɪv] adj impresionante.

imprint [ˈɪmprɪnt] n - **1.** [mark] huella f, impresión f - **2.** [publisher's name] pie m de imprenta.

imprison [ɪmˈprɪzn] vt encarcelar.

improbable [ɪmˈprɒbəbl] adj [event] improbable; [story, excuse] inverosímil; [clothes, hat] estrafalario(ria); [contraption] extraño(ña).

impromptu [ɪmˈprɒmptjuː] adj improvisado(da).

improper [ɪmˈprɒpəʳ] adj - **1.** [unsuitable] impropio(pia) - **2.** [incorrect, illegal] indebido(da) - **3.** [rude] indecoroso(sa).

improve [ɪmˈpruːv] ⬦ vi mejorar; **to improve on** OR **upon sthg** mejorar algo. ⬦ vt mejorar.

improvement [ɪmˈpruːvmənt] n - **1.** [gen]: **improvement (in/on)** mejora f (en/con respecto a); **to be an improvement on sthg** ser mejor que algo - **2.** [in health] mejoría f - **3.** [to home] reforma f.

improvise [ˈɪmprəvaɪz] vt & vi improvisar.

impudent [ˈɪmpjʊdənt] adj insolente.

impulse [ˈɪmpʌls] n impulso m; **on impulse** sin pensar.

impulsive [ɪmˈpʌlsɪv] adj impulsivo(va).

impunity [ɪmˈpjuːnətɪ] n: **with impunity** impunemente.

impurity [ɪmˈpjʊərətɪ] n impureza f.

in [ɪn] ⬦ prep - **1.** [indicating place, position] en; **in a box/the garden/the lake** en una caja/el jardín/el lago; **to be in hospital/prison** estar en el hospital/la cárcel; **in here/there** aquí/allí dentro - **2.** [wearing]: **she was still in her nightclothes** todavía llevaba su ropa de dormir - **3.** [at a particular time]: **at four o'clock in the morning/afternoon** a las cuatro de la mañana/tarde; **in the morning/afternoon** por la mañana/tarde; **in 2006/May/the spring** en 2006/mayo/primavera - **4.** [within] en; **he learned to type in two weeks** aprendió a escribir a máquina en dos semanas; **I'll be ready in five minutes** estoy listo en cinco minutos - **5.** [during] desde hace; **it's my first decent meal in weeks** es lo primero decente que co-

mo desde hace OR en semanas - **6.** [indicating situation, circumstances]: **to live/die in poverty** vivir/morir en la pobreza; **in danger/difficulty** en peligro/dificultades; **in the sun** al sol; **in the rain** bajo la lluvia; **a rise in prices** un aumento de los precios - **7.** [indicating manner, condition] en; **in a loud/soft voice** en voz alta/baja; **in pencil/ink** a lápiz/bolígrafo; **in this way** de este modo - **8.** [indicating emotional state] con - **9.** [specifying area of activity]: **advances in medicine** avances en la medicina; **he's in computers** se dedica a informática - **10.** [with numbers - showing quantity, age]: **in large/small quantities** en grandes/pequeñas cantidades; **in (their) thousands** a OR por millares; **she's in her sixties** anda por los sesenta - **11.** [describing arrangement]: **in a line/circle** en línea/círculo; **to jump in** saltar adentro; **do come in** pasa por favor - **2.** [at home, work]: **is Judith in?** ¿está Judith?; **I'm staying in** tonight esta noche no salgo - **3.** [of train, boat, plane]: **is the train in yet?** ¿ha llegado el tren? - **4.** [of tide]: **the tide's in** la marea está alta

inauguration [ɪˌnɔːgjʊˈreɪʃn] n - **1.** [of leader, president] investidura f - **2.** [of building, system] inauguración f.

in-between adj intermedio(dia).

inborn [ˌɪnˈbɔːn] adj innato(ta).

inbound [ˈɪnbaʊnd] adj de llegada.

in-box n [for e-mail] buzón m de entrada.

inbred [ˌɪnˈbred] adj - **1.** [closely related] endogámico(ca) - **2.** [inborn] innato(ta).

inbuilt [ˌɪnˈbɪlt] adj [in person] innato(ta); [in thing] inherente.

inc. (abbr of inclusive) inclus.

Inc. [ɪŋk] (abbr of incorporated) US ≃ S.A.

incapable [ɪnˈkeɪpəbl] adj - **1.** [unable]: **to be incapable of sthg/of doing sthg** ser incapaz de algo/de hacer algo - **2.** [useless] incompetente.

incapacitated [ˌɪnkəˈpæsɪteɪtɪd] adj incapacitado(da).

incarcerate [ɪnˈkɑːsəreɪt] vt fml encarcelar.

incarnation [ˌɪnkɑːˈneɪʃn] n - **1.** [personification] personificación f - **2.** [existence] encarnación f.

incendiary device [ɪnˈsendjərɪ-] n artefacto m incendiario.

incense ⋄ n [ˈɪnsens] incienso m. ⋄ vt [ɪnˈsens] enfurecer, indignar.

incentive [ɪnˈsentɪv] n incentivo m.

incentive scheme n plan m de incentivos.

incentivize [ɪnˈsentɪvaɪz] vt incentivar.

inception [ɪnˈsepʃn] n fml inicio m.

incessant [ɪnˈsesnt] adj incesante, constante.

incessantly [ɪnˈsesntlɪ] adv incesantemente, constantemente.

incest [ˈɪnsest] n incesto m.

inch [ɪntʃ] ⋄ n = 2,54 cm pulgada f; **to be within an inch of doing sthg** estar en un tris de hacer algo. ⋄ vi: **to inch forward** avanzar poco a poco.

incidence [ˈɪnsɪdəns] n [of disease, theft] índice m.

incident [ˈɪnsɪdənt] n incidente m, suceso m.

incidental [ˌɪnsɪˈdentl] adj accesorio(ria).

incidentally [ˌɪnsɪˈdentəlɪ] adv por cierto, a propósito.

incinerate [ɪnˈsɪnəreɪt] vt incinerar.

incipient [ɪnˈsɪpɪənt] adj fml incipiente.

incisive [ɪnˈsaɪsɪv] adj [comment, person] incisivo(va); [mind] penetrante.

incite [ɪnˈsaɪt] vt incitar; **to incite sb to do sthg** incitar a alguien a que haga algo.

inclination [ˌɪnklɪˈneɪʃn] n - **1.** (U) [liking, preference] inclinación f, propensión f - **2.** [tendency]: **inclination to do sthg** tendencia f a hacer algo.

▶▶▶ **there's nothing in it for us** no tiene ninguna ventaja para nosotros. ⋄ adv - **1.** [inside] dentro; **to jump in** saltar adentro; **do come in** pasa por favor - **2.** [at home, work]: **is Judith in?** ¿está Judith?; **I'm staying in tonight** esta noche no salgo - **3.** [of train, boat, plane]: **is the train in yet?** ¿ha llegado el tren? - **4.** [of tide]: **the tide's in** la marea está alta

▶▶▶ **you're in for a surprise** te vas a llevar una sorpresa. ⋄ adj inf de moda. ⇐ **ins** npl: **the ins and outs** los detalles, los pormenores.

in. abbr of inch.

inability [ˌɪnəˈbɪlətɪ] n: **inability (to do sthg)** incapacidad f (de hacer algo).

inaccessible [ˌɪnəkˈsesəbl] adj inaccesible.

inaccurate [ɪnˈækjʊrət] adj inexacto(ta).

inadequate [ɪnˈædɪkwət] adj - **1.** [insufficient] insuficiente - **2.** [person] incapaz.

inadvertently [ˌɪnədˈvɜːtəntlɪ] adv sin querer, accidentalmente.

inadvisable [ˌɪnədˈvaɪzəbl] adj poco aconsejable.

inane [ɪˈneɪn] adj necio(cia).

inanimate [ɪnˈænɪmət] adj inanimado(da).

inappropriate [ˌɪnəˈprəʊprɪət] adj [remark, clothing] impropio(pia); [time] inoportuno(na).

inarticulate [ˌɪnɑːˈtɪkjʊlət] adj [person] que no se expresa bien; [speech] mal pronunciado(da) OR expresado(da).

inasmuch [ˌɪnəzˈmʌtʃ] ⇐ **inasmuch as** conj en la medida en que.

inaudible [ɪˈnɔːdɪbl] adj inaudible.

incline ⟨⟩ *n* ['ɪnklaɪn] pendiente *f*. ⟨⟩ *vt* [ɪn'klaɪn] [head] inclinar, ladear.

inclined [ɪn'klaɪnd] *adj* - **1.** [tending]: **to be inclined to sthg** ser propenso(sa) OR tener tendencia a algo; **to be inclined to do sthg** tener tendencia a hacer algo; **I'm inclined to agree** creo que estoy de acuerdo - **2.** *fml* [wanting]: **to be inclined to do sthg** estar dispuesto(ta) a hacer algo - **3.** [sloping] inclinado(da).

include [ɪn'klu:d] *vt* - **1.** [gen] incluir - **2.** [with letter] adjuntar.

included [ɪn'klu:dɪd] *adj* incluido(da).

including [ɪn'klu:dɪŋ] *prep* incluyendo; **six died, including a child** murieron seis personas, incluyendo a un niño.

inclusive [ɪn'klu:sɪv] *adj* - **1.** [including everything] inclusivo(va); **one to nine inclusive** uno a nueve inclusive - **2.** [including all costs]: **inclusive of VAT** con el IVA incluido; **£150 inclusive** 150 libras todo incluido.

inclusivity [,ɪnklu:'sɪvɪtɪ] *n* política *f* de inclusión.

incoherent [,ɪnkəʊ'hɪərənt] *adj* incoherente.

income ['ɪŋkʌm] *n* (U) [gen] ingresos *mpl*; [from property] renta *f*; [from investment] réditos *mpl*.

income support *n* (U) *UK* subsidio para personas con muy bajos ingresos o desempleados sin derecho a subsidio de paro, ≃ salario *m* social.

income tax *n* impuesto *m* sobre la renta.

incompatible [,ɪnkəm'pætɪbl] *adj* [gen & COMPUT]: **incompatible (with)** incompatible (con).

incompetent [ɪn'kɒmpɪtənt] *adj* incompetente, incapaz.

incomplete [,ɪnkəm'pli:t] *adj* incompleto(ta).

incomprehensible [ɪn,kɒmprɪ'hensəbl] *adj* incomprensible.

inconceivable [,ɪnkən'si:vəbl] *adj* inconcebible.

inconclusive [,ɪnkən'klu:sɪv] *adj* [evidence, argument] poco convincente; [meeting, outcome] sin conclusión clara.

incongruous [ɪn'kɒŋgruəs] *adj* incongruente.

inconsequential [,ɪnkɒnsɪ'kwenʃl] *adj* intrascendente, de poca importancia.

inconsiderable [,ɪnkən'sɪdərəbl] *adj*: **not inconsiderable** nada insignificante OR despreciable.

inconsiderate [,ɪnkən'sɪdərət] *adj* desconsiderado(da).

inconsistency [,ɪnkən'sɪstənsɪ] *n* - **1.** [between theory and practice] inconsecuencia *f*; [between statements etc] falta *f* de correspondencia - **2.** [contradictory point] contradicción *f*.

inconsistent [,ɪnkən'sɪstənt] *adj* - **1.** [translation, statement]: **inconsistent (with)** incoherente OR incongruente (con) - **2.** [group, government, person] inconsecuente - **3.** [erratic] irregular, desigual.

inconspicuous [,ɪnkən'spɪkjuəs] *adj* discreto(ta).

inconvenience [,ɪnkən'vi:njəns] ⟨⟩ *n* - **1.** [difficulty, discomfort] molestia *f*, incomodidad *f*; **we apologize for any inconvenience caused** disculpen las molestias - **2.** [inconvenient thing] inconveniente *m*. ⟨⟩ *vt* incomodar.

inconvenient [,ɪnkən'vi:njənt] *adj* [time] inoportuno(na); [location] incómodo(da); **that date is inconvenient** esa fecha no me viene bien.

incorporate [ɪn'kɔ:pəreɪt] *vt* - **1.** [integrate]: **to incorporate sthg/sb (in OR into)** incorporar algo/a alguien (en) - **2.** [include] incluir, comprender.

incorporated [ɪn'kɔ:pəreɪtɪd] *adj* COMM: **incorporated company** sociedad *f* anónima.

incorrect [,ɪnkə'rekt] *adj* incorrecto(ta).

incorrigible [ɪn'kɒrɪdʒəbl] *adj* incorregible.

increase ⟨⟩ *n* ['ɪnkri:s]: **increase (in)** [gen] aumento *m* (de); [in price, temperature] subida *f* (de); **to be on the increase** ir en aumento. ⟨⟩ *vt* [ɪn'kri:s] - **1.** [gen] aumentar, incrementar - **2.** [price] subir. ⟨⟩ *vi* [ɪn'kri:s] [gen] aumentar; [price, temperature] subir.

increasing [ɪn'kri:sɪŋ] *adj* creciente.

increasingly [ɪn'kri:sɪŋlɪ] *adv* cada vez más.

incredible [ɪn'kredəbl] *adj* increíble.

incredibly [ɪn'kredəblɪ] *adv* increíblemente.

incredulous [ɪn'kredjʊləs] *adj* incrédulo(la).

increment ['ɪnkrɪmənt] *n* incremento *m*.

incriminating [ɪn'krɪmɪneɪtɪŋ] *adj* comprometedor(ra).

incubator ['ɪnkjʊbeɪtər] *n* [for baby] incubadora *f*.

incumbent [ɪn'kʌmbənt] *fml* ⟨⟩ *adj*: **to be incumbent on OR upon sb to do sthg** incumbir a alguien hacer algo. ⟨⟩ *n* titular *mf*.

incur [ɪn'kɜ:r] *vt* [wrath, criticism] incurrir en, atraerse; [debt] contraer; [expenses] incurrir en.

indebted [ɪn'detɪd] *adj* - **1.** [grateful]: **indebted (to)** en deuda (con) - **2.** [owing money]: **indebted (to)** endeudado(da) (con).

indecent [ɪn'di:snt] *adj* - **1.** [improper] indecente - **2.** [unreasonable, excessive] desmedido(da).

indecent assault n abusos mpl deshonestos.

indecent exposure n exhibicionismo m.

indecisive [ˌɪndɪˈsaɪsɪv] adj - **1.** [person] indeciso(sa) - **2.** [result] no decisivo(va).

indeed [ɪnˈdiːd] adv - **1.** [certainly] ciertamente; **are you coming? – indeed I am** ¿vienes tú? – por supuesto que sí - **2.** [in fact] de hecho - **3.** [for emphasis] realmente; **very big indeed** grandísimo(ma); **very few indeed** poquísimos(mas) - **4.** [to express surprise, disbelief]: **indeed?** ¿ah sí? - **5.** [what is more] es más.

indefinite [ɪnˈdefɪnɪt] adj - **1.** [time, number] indefinido(da) - **2.** [answer, opinion] impreciso(sa) - **3.** GRAM indeterminado(da), indefinido(da).

indefinitely [ɪnˈdefɪnətlɪ] adv - **1.** [for unfixed period] indefinidamente - **2.** [imprecisely] de forma imprecisa.

indemnity [ɪnˈdemnətɪ] n - **1.** [insurance] indemnidad f - **2.** [compensation] indemnización f.

indent [ɪnˈdent] <> n [in text] sangrado m. <> vt - **1.** [dent] mellar - **2.** [text] sangrar.

independence [ˌɪndɪˈpendəns] n independencia f; **to gain independence** independizarse.

Independence Day n el Día de la Independencia.

independent [ˌɪndɪˈpendənt] adj: **independent (of)** independiente (de).

independent school n UK colegio m privado.

in-depth adj a fondo, exhaustivo(va).

indescribable [ˌɪndɪˈskraɪbəbl] adj indescriptible.

indestructible [ˌɪndɪˈstrʌktəbl] adj indestructible.

index [ˈɪndeks] n (pl -es OR indices) índice m.

index card n ficha f.

index finger n (dedo m) índice m.

index-linked [-lɪŋkt] adj indexado(da).

India [ˈɪndjə] n (la) India.

Indian [ˈɪndjən] <> adj - **1.** [from India] indio(dia), hindú - **2.** [from the Americas] indio(dia). <> n - **1.** [from India] indio m, -dia f, hindú mf - **2.** [from the Americas] indio m, -dia f.

Indian Ocean n: **the Indian Ocean** el océano Índico.

indicate [ˈɪndɪkeɪt] <> vt indicar. <> vi [when driving]: **to indicate left/right** indicar a la izquierda/derecha.

indication [ˌɪndɪˈkeɪʃn] n - **1.** [suggestion, idea] indicación f - **2.** [sign] indicio m.

indicative [ɪnˈdɪkətɪv] <> adj: **indicative of sthg** indicativo(va) de algo. <> n GRAM indicativo m.

indicator [ˈɪndɪkeɪtər] n - **1.** [sign, criterion] indicador m - **2.** [on car] intermitente m.

indices [ˈɪndɪsiːz] npl ⊳ **index**.

indict [ɪnˈdaɪt] vt: **to indict sb (for)** acusar a alguien (de).

indictment [ɪnˈdaɪtmənt] n - **1.** LAW acusación f - **2.** [criticism] crítica f severa.

indifference [ɪnˈdɪfrəns] n indiferencia f.

indifferent [ɪnˈdɪfrənt] adj - **1.** [uninterested]: **indifferent (to)** indiferente (a) - **2.** [mediocre] mediocre.

indigenous [ɪnˈdɪdʒɪnəs] adj indígena.

indigestion [ˌɪndɪˈdʒestʃn] n (U) indigestión f.

indignant [ɪnˈdɪgnənt] adj: **indignant (at)** indignado(da) (por).

indignity [ɪnˈdɪgnətɪ] n indignidad f.

indigo [ˈɪndɪgəʊ] <> adj (color) añil. <> n añil m.

indirect [ˌɪndɪˈrekt] adj indirecto(ta).

indiscreet [ˌɪndɪˈskriːt] adj indiscreto(ta).

indiscriminate [ˌɪndɪˈskrɪmɪnət] adj indiscriminado(da).

indispensable [ˌɪndɪˈspensəbl] adj indispensable, imprescindible.

indisputable [ˌɪndɪˈspjuːtəbl] adj incuestionable.

indistinct [ˌɪndɪˈstɪŋkt] adj [memory] confuso(sa); [words] imperceptible; [picture, marking] borroso(sa).

indistinguishable [ˌɪndɪˈstɪŋgwɪʃəbl] adj: **indistinguishable (from)** indistinguible (de).

individual [ˌɪndɪˈvɪdʒʊəl] <> adj - **1.** [gen] individual - **2.** [tuition] particular - **3.** [approach, style] personal. <> n individuo m.

individually [ˌɪndɪˈvɪdʒʊəlɪ] adv [separately] individualmente, por separado.

indoctrination [ɪnˌdɒktrɪˈneɪʃn] n adoctrinamiento m.

Indonesia [ˌɪndəˈniːzjə] n Indonesia.

indoor [ˈɪndɔːr] adj [gen] interior; [shoes] de andar por casa; [plant] de interior; [sports] en pista cubierta; **indoor swimming pool** piscina f cubierta.

indoors [ˌɪnˈdɔːz] adv [gen] dentro; [at home] en casa.

induce [ɪnˈdjuːs] vt - **1.** [persuade]: **to induce sb to do sthg** inducir OR persuadir a alguien a que haga algo - **2.** [labour, sleep, anger] provocar.

inducement [ɪnˈdjuːsmənt] n [incentive] incentivo m, aliciente m.

induction [ɪn'dʌkʃn] n - **1.** [into official position]: **induction into** introducción f OR inducción f a - **2.** ELEC & MED inducción f - **3.** [introduction to job] introducción f.

induction course n cursillo m introductorio.

indulge [ɪn'dʌldʒ] <> vt - **1.** [whim, passion] satisfacer - **2.** [child, person] consentir. <> vi: **to indulge in sthg** permitirse algo.

indulgence [ɪn'dʌldʒəns] n - **1.** [act of indulging] indulgencia f - **2.** [special treat] capricho m.

indulgent [ɪn'dʌldʒənt] adj indulgente.

industrial [ɪn'dʌstrɪəl] adj industrial.

industrial action n huelga f; **to take industrial action** declararse en huelga.

industrial estate UK, **industrial park** US n polígono m industrial.

industrialist [ɪn'dʌstrɪəlɪst] n industrial mf.

industrial park US = **industrial estate**.

industrial relations npl relaciones fpl laborales.

industrial revolution n revolución f industrial.

industrious [ɪn'dʌstrɪəs] adj diligente, trabajador(ra).

industry ['ɪndəstrɪ] n - **1.** [gen] industria f; **the tourist industry** el sector turístico - **2.** fml [hard work] laboriosidad f.

inebriated [ɪ'niːbrɪeɪtɪd] adj fml ebrio(ebria).

inedible [ɪn'edɪbl] adj - **1.** [that cannot be eaten] no comestible - **2.** [bad-tasting] incomible.

ineffective [ˌɪnɪ'fektɪv] adj ineficaz, inútil.

ineffectual [ˌɪnɪ'fektʃʊəl] adj inútil.

inefficiency [ˌɪnɪ'fɪʃnsɪ] n ineficiencia f.

inefficient [ˌɪnɪ'fɪʃnt] adj ineficiente.

ineligible [ɪn'elɪdʒəbl] adj inelegible; **to be ineligible for** no tener derecho a.

inept [ɪ'nept] adj inepto(ta); **inept at** incapaz para.

inequality [ˌɪnɪ'kwɒlətɪ] n desigualdad f.

inert [ɪ'nɜːt] adj inerte.

inertia [ɪ'nɜːʃə] n inercia f.

inescapable [ˌɪnɪ'skeɪpəbl] adj ineludible.

inevitable [ɪn'evɪtəbl] adj inevitable.

inevitably [ɪn'evɪtəblɪ] adv inevitablemente.

inexcusable [ˌɪnɪk'skjuːzəbl] adj inexcusable, imperdonable.

inexpensive [ˌɪnɪk'spensɪv] adj barato(ta), económico(ca).

inexperienced [ˌɪnɪk'spɪərɪənst] adj inexperto(ta).

inexplicable [ˌɪnɪk'splɪkəbl] adj inexplicable.

infallible [ɪn'fæləbl] adj infalible.

infamous ['ɪnfəməs] adj infame.

infancy ['ɪnfənsɪ] n primera infancia f; **to be in its infancy** fig dar sus primeros pasos.

infant ['ɪnfənt] n - **1.** [baby] bebé m - **2.** [young child] niño pequeño m, niña pequeña f.

infantry ['ɪnfəntrɪ] n infantería f.

infant school n UK colegio m preescolar (para niños de entre 4 y 7 años).

infatuated [ɪn'fætjʊeɪtɪd] adj: **infatuated (with)** encaprichado(da) (con).

infatuation [ɪnˌfætjʊ'eɪʃn] n: **infatuation (with)** encaprichamiento m (con).

infect [ɪn'fekt] vt [wound] infectar.

infection [ɪn'fekʃn] n - **1.** [disease] infección f - **2.** [spreading of germs] contagio m.

infectious [ɪn'fekʃəs] adj - **1.** [disease] infeccioso(sa) - **2.** [laugh, attitude] contagioso(sa).

infer [ɪn'fɜːr] vt - **1.** [deduce]: **to infer (that)** deducir OR inferir que; **to infer sthg (from sthg)** deducir OR inferir algo (de algo) - **2.** inf [imply] insinuar.

inferior [ɪn'fɪərɪər] <> adj: **inferior (to)** inferior (a). <> n [in status] inferior mf.

inferiority [ɪnˌfɪərɪ'ɒrətɪ] n inferioridad f.

inferiority complex n complejo m de inferioridad.

inferno [ɪn'fɜːnəʊ] (pl -s) n [hell] infierno m; **the building was an inferno** el edificio sufría un pavoroso incendio.

infertile [ɪn'fɜːtaɪl] adj estéril.

infested [ɪn'festɪd] adj: **infested with** infestado(da) de.

infighting ['ɪnˌfaɪtɪŋ] n (U) disputas fpl internas.

infiltrate ['ɪnfɪltreɪt] vt infiltrar.

infinite ['ɪnfɪnət] adj infinito(ta).

infinitive [ɪn'fɪnɪtɪv] n infinitivo m; **in the infinitive** en infinitivo.

infinity [ɪn'fɪnətɪ] n - **1.** MATHS infinito m - **2.** [incalculable number]: **an infinity (of)** infinidad f (de).

infirm [ɪn'fɜːm] <> adj achacoso(sa). <> npl: **the infirm** los enfermos.

infirmary [ɪn'fɜːmərɪ] n - **1.** [hospital] hospital m - **2.** [room] enfermería f.

infirmity [ɪn'fɜːmətɪ] n - **1.** [illness] dolencia f - **2.** [state] enfermedad f.

inflamed [ɪn'fleɪmd] adj MED inflamado(da).

inflammable [ɪn'flæməbl] adj [burning easily] inflamable.

inflammation [ˌɪnflə'meɪʃn] n MED inflamación f.

inflatable [ɪnˈfleɪtəbl] *adj* inflable, hinchable.

inflate [ɪnˈfleɪt] ◇ *vt* - **1.** [gen] inflar, hinchar - **2.** [prices] inflar. ◇ *vi* inflarse, hincharse.

inflation [ɪnˈfleɪʃn] *n* ECON inflación *f*.

inflationary [ɪnˈfleɪʃnrɪ] *adj* ECON inflacionista.

inflict [ɪnˈflɪkt] *vt*: **to inflict sthg on sb** infligir algo a alguien.

influence [ˈɪnfluəns] ◇ *n*: **influence (on OR over sb)** influencia *f* (sobre alguien); **influence (on sthg)** influencia (en algo); **to be a bad influence on sb** tener mala influencia en alguien; **under the influence of** [person, group] bajo la influencia de; [alcohol, drugs] bajo los efectos de. ◇ *vt* influenciar.

influential [ˌɪnfluˈenʃl] *adj* influyente.

influenza [ˌɪnfluˈenzə] *n fml* gripe *f*.

influx [ˈɪnflʌks] *n* afluencia *f*.

inform [ɪnˈfɔːm] *vt*: **to inform sb (of/about sthg)** informar a alguien (de/sobre algo).
◆ **inform on** *vt insep* delatar.

informal [ɪnˈfɔːml] *adj* informal; [language] familiar.

informant [ɪnˈfɔːmənt] *n* - **1.** [informer] delator *m*, -ra *f* - **2.** [of researcher] informante *mf*.

information [ˌɪnfəˈmeɪʃn] *n* (U): **information (on OR about)** información *f* OR datos *mpl* (sobre); **a piece of information** un dato; **for your information** para tu información.

information desk *n* (mostrador *m* de) información *f*.

information technology *n* informática *f*.

informative [ɪnˈfɔːmətɪv] *adj* informativo(va).

informer [ɪnˈfɔːmər] *n* delator *m*, -ra *f*.

infrared [ˌɪnfrəˈred] *adj* infrarrojo(ja).

infrastructure [ˈɪnfrəˌstrʌktʃər] *n* infraestructura *f*.

infringe [ɪnˈfrɪndʒ] ◇ *vt* - **1.** [rule] infringir - **2.** [right] vulnerar. ◇ *vi*: **to infringe on sthg** vulnerar algo.

infringement [ɪnˈfrɪndʒmənt] *n* - **1.** [of rule] infracción *f* - **2.** [of right] violación *f*.

infuriating [ɪnˈfjʊərɪeɪtɪŋ] *adj* exasperante.

ingenious [ɪnˈdʒiːnjəs] *adj* ingenioso(sa).

ingenuity [ˌɪndʒɪˈnjuːətɪ] *n* ingenio *m*, inventiva *f*.

ingenuous [ɪnˈdʒenjʊəs] *adj fml* ingenuo(nua).

ingot [ˈɪŋgət] *n* lingote *m*.

ingrained [ˌɪnˈgreɪnd] *adj* - **1.** [ground in] incrustado(da) - **2.** [deeply rooted] arraigado(da).

ingratiating [ɪnˈgreɪʃɪeɪtɪŋ] *adj* obsequioso(sa), lisonjero(ra).

ingredient [ɪnˈgriːdjənt] *n* ingrediente *m*.

inhabit [ɪnˈhæbɪt] *vt* habitar.

inhabitant [ɪnˈhæbɪtənt] *n* habitante *mf*.

inhale [ɪnˈheɪl] ◇ *vt* inhalar. ◇ *vi* [gen] inspirar; [smoker] tragarse el humo.

inhaler [ɪnˈheɪlər] *n* MED inhalador *m*.

inherent [ɪnˈhɪərənt, ɪnˈherənt] *adj*: **inherent (in)** inherente (a).

inherently [ɪnˈhɪərəntlɪ, ɪnˈherəntlɪ] *adv* intrínsecamente.

inherit [ɪnˈherɪt] *vt*: **to inherit sthg (from sb)** heredar algo (de alguien).

inheritance [ɪnˈherɪtəns] *n* herencia *f*.

inhibit [ɪnˈhɪbɪt] *vt* - **1.** [restrict] impedir - **2.** [person] cohibir.

inhibition [ˌɪnhɪˈbɪʃn] *n* inhibición *f*.

inhospitable [ˌɪnhɒˈspɪtəbl] *adj* - **1.** [unwelcoming] inhospitalario(ria) - **2.** [harsh] inhóspito(ta).

in-house ◇ *adj* [journal, report] de circulación interna; [worker] de plantilla; [training] en el lugar de trabajo. ◇ *adv* en la misma empresa.

inhuman [ɪnˈhjuːmən] *adj* - **1.** [cruel] inhumano(na) - **2.** [not human] infrahumano(na).

initial [ɪˈnɪʃl] ◇ *adj* inicial. ◇ *vt* (UK pt & pp -led, cont -ling, US pt & pp -ed, cont -ing) poner las iniciales a. ◆ **initials** *npl* [of person] iniciales *fpl*.

initially [ɪˈnɪʃəlɪ] *adv* inicialmente.

initiate [ɪˈnɪʃɪeɪt] *vt* iniciar.

initiative [ɪˈnɪʃətɪv] *n* iniciativa *f*.

injection [ɪnˈdʒekʃn] *n* inyección *f*.

injunction [ɪnˈdʒʌŋkʃn] *n* interdicto *m*.

injure [ˈɪndʒər] *vt* [gen] herir; SPORT lesionar; [reputation] dañar; [chances] perjudicar.

injured [ˈɪndʒəd] *adj* [gen] herido(da); SPORT lesionado(da); [reputation] dañado(da).

injury [ˈɪndʒərɪ] *n* - **1.** [wound] herida *f*; [to muscle, broken bone] lesión *f* - **2.** (U) [physical harm] lesiones *fpl*.

injury time *n* (tiempo *m* de) descuento *m*.

injustice [ɪnˈdʒʌstɪs] *n* injusticia *f*; **to do sb an injustice** ser injusto(ta) con alguien.

ink [ɪŋk] *n* tinta *f*.

ink-jet printer *n* COMPUT impresora *f* de chorro de tinta.

inkling [ˈɪŋklɪŋ] *n*: **to have an inkling of sthg** tener una vaga idea de algo.

inlaid [ˌɪnˈleɪd] *adj* incrustado(da); **inlaid with** [jewels] con incrustaciones a.

inland ◇ *adj* [ˈɪnlənd] interior. ◇ *adv* [ɪnˈlænd] [go] hacia el interior; [remain] en el interior.

Inland Revenue *n UK*: **the Inland Revenue** ≃ Hacienda *f*.

in-laws *npl* suegros *mpl*.

inlet ['ɪnlet] *n* - **1.** [stretch of water] entrante *m* - **2.** [way in] entrada *f*, admisión *f*.

in-line skating *n* SPORT patinaje *m* en línea.

inmate ['ɪnmeɪt] *n* [of prison] preso *m*, -sa *f*; [of mental hospital] interno *m*, -na *f*.

inn [ɪn] *n* fonda *f*; [pub] *pub decorado a la vieja usanza*.

innate [ɪ'neɪt] *adj* innato(ta).

inner ['ɪnəʳ] *adj* - **1.** [gen] interior - **2.** [feelings] íntimo(ma); [fears, doubts, meaning] interno(na).

inner city *n* núcleo *m* urbano deprimido.

inner tube *n* cámara *f* (de aire).

inning ['ɪnɪŋ] *n* [in baseball] entrada *f*, inning *m*.

innings ['ɪnɪŋz] (*pl* innings) *n* [in cricket] entrada *f*, turno *m*; **to have had a good innings** *fig* haber tenido una vida larga y provechosa.

innocence ['ɪnəsəns] *n* inocencia *f*.

innocent ['ɪnəsənt] ◇ *adj*: innocent (of) inocente (de). ◇ *n* [naive person] inocente *mf*.

innocuous [ɪ'nɒkjuəs] *adj* inocuo(cua).

innovation [ɪnə'veɪʃn] *n* innovación *f*.

innovative ['ɪnəvətɪv] *adj* innovador(ra).

innuendo [ɪnju'endəʊ] (*pl* -es OR -s) *n* - **1.** [individual remark] insinuación *f*, indirecta *f* - **2.** (U) [style of speaking] insinuaciones *fpl*, indirectas *fpl*.

inoculate [ɪ'nɒkjʊleɪt] *vt*: to inoculate sb (against sthg) inocular a alguien (contra algo).

in-patient *n* paciente interno *m*, paciente interna *f*.

input ['ɪnpʊt] ◇ *n* - **1.** [contribution] aportación *f*, contribución *f* - **2.** COMPUT & ELEC entrada *f*. ◇ *vt* (*pt & pp* input OR -ted) COMPUT introducir.

inquest ['ɪnkwest] *n* investigación *f* judicial.

inquire [ɪn'kwaɪəʳ] ◇ *vi* [ask for information] informarse, preguntar; **to inquire about sthg** informarse de algo. ◇ *vt*: to inquire when/if/how... preguntar cuándo/si/cómo... ◆ **inquire after** *vt insep* preguntar por. ◆ **inquire into** *vt insep* investigar.

inquiry [ɪn'kwaɪərɪ] *n* - **1.** [question] consulta *f*, pregunta *f*; 'Inquiries' 'Información' - **2.** [investigation] investigación *f*.

inquiry desk *n* (mostrador *m* de) información *f*.

inquisitive [ɪn'kwɪzətɪv] *adj* curioso(sa).

inroads ['ɪnrəʊdz] *npl*: to make inroads into [savings, supplies] mermar; [market, enemy territory] abrirse paso en.

insane [ɪn'seɪn] *adj* [mad] demente; *fig* [jealousy, person] loco(ca); **to drive sb insane** volver loco a alguien.

insanity [ɪn'sænətɪ] *n* MED demencia *f*; [craziness] locura *f*.

insatiable [ɪn'seɪʃəbl] *adj* insaciable.

inscription [ɪn'skrɪpʃn] *n* - **1.** [engraved] inscripción *f* - **2.** [written] dedicatoria *f*.

inscrutable [ɪn'skruːtəbl] *adj* inescrutable.

insect ['ɪnsekt] *n* insecto *m*.

insecticide [ɪn'sektɪsaɪd] *n* insecticida *m*.

insect repellent *n* loción *f* antiinsectos.

insecure [ɪnsɪ'kjʊəʳ] *adj* - **1.** [not confident] inseguro(ra) - **2.** [not safe] poco seguro(ra).

insensible [ɪn'sensəbl] *adj fml* - **1.** [unconscious] inconsciente - **2.** [unaware]: **to be insensible of sthg** no ser consciente de algo - **3.** [unable to feel]: **to be insensible to sthg** ser insensible a algo.

insensitive [ɪn'sensətɪv] *adj*: insensitive (to) insensible (a).

inseparable [ɪn'seprəbl] *adj*: inseparable (from) inseparable (de).

insert ◇ *vt* [ɪn'sɜːt]: to insert sthg (in OR into) [hole] introducir algo (en); [text] insertar algo (en). ◇ *n* ['ɪnsɜːt] PRESS encarte *m*.

insertion [ɪn'sɜːʃn] *n* inserción *f*.

inshore ◇ *adj* ['ɪnʃɔːʳ] costero(ra). ◇ *adv* [ɪn'ʃɔːʳ] hacia la orilla OR la costa.

inside [ɪn'saɪd] ◇ *prep* dentro de; **inside three months** en menos de tres meses. ◇ *adv* - **1.** [be, remain] dentro; [go, move, look] adentro; **come inside!** ¡metéos dentro! - **2.** *fig* [feel, hurt etc] por dentro. ◇ *adj* interior; **inside leg measurement** medida *f* de la entrepierna. ◇ *n* interior *m*; **from the inside** desde dentro; **to overtake on the inside** [of road] adelantar por dentro; **inside out** [wrong way] al revés; **to turn sthg inside out** [clothing] dar la vuelta a algo; **to know sthg inside out** conocer algo de arriba abajo OR al dedillo. ◆ **insides** *npl inf* tripas *fpl*. ◆ **inside of** *prep* US [building, object] dentro de.

inside lane *n* AUT carril *m* de dentro; SPORT calle *f* de dentro.

insight ['ɪnsaɪt] *n* - **1.** (U) [power of understanding] perspicacia *f* - **2.** [understanding] idea *f*.

insignificant [ɪnsɪg'nɪfɪkənt] *adj* insignificante.

insincere [ɪnsɪn'sɪəʳ] *adj* insincero(ra).

insinuate [ɪn'sɪnjʊeɪt] *vt pej*: to insinuate (that) insinuar (que).

insipid [ɪn'sɪpɪd] *adj pej* soso(sa), insípido(da).

insist [ɪn'sɪst] ◇ *vt*: to insist that insistir en que. ◇ *vi*: to insist on sthg exigir algo; **to insist (on doing sthg)** insistir (en hacer algo).

insistent [ɪn'sɪstənt] *adj* - **1.** [determined] insistente; **to be insistent on sthg** insistir en algo - **2.** [continual] persistente.

insofar [ɪnsəʊ'fɑːʳ] ◆ **insofar as** *conj* en la medida en que.

insole ['ɪnsəʊl] *n* plantilla *f*.

insolent ['ɪnsələnt] *adj* insolente.

insolvent [ɪn'sɒlvənt] *adj* insolvente.

insomnia [ɪn'sɒmnɪə] *n* insomnio *m*.

inspect [ɪn'spekt] *vt* inspeccionar; [troops] pasar revista a.

inspection [ɪn'spekʃn] *n* inspección *f*; [of troops] revista *f*; **on closer inspection** tras un examen más detallado.

inspector [ɪn'spektər] *n* inspector *m*, -ra *f*; [on bus, train] revisor *m*, -ra *f*.

inspiration [,ɪnspə'reɪʃn] *n* - 1. [gen] inspiración *f* - 2. [source of inspiration]: **inspiration (for)** fuente *f* de inspiración (para).

inspirational [,ɪnspə'reɪʃnl] *adj* inspirador(ra).

inspire [ɪn'spaɪər] *vt* - 1. [stimulate, encourage]: **to inspire sb (to do sthg)** alentar OR animar a alguien (a hacer algo) - 2. [fill]: **to inspire sb with sthg, to inspire sthg in sb** inspirar algo a alguien.

install *UK*, **instal** *US* [ɪn'stɔːl] *vt* [gen & COMPUT] instalar.

installation [,ɪnstə'leɪʃn] *n* [gen & COMPUT] instalación *f*.

installment *US* = **instalment**.

installment plan *n US* compra *f* a plazos.

instalment *UK*, **installment** *US* [ɪn'stɔːlmənt] *n* - 1. [payment] plazo *m*; **in instalments** a plazos - 2. TV & RADIO episodio *m*; [of novel] entrega *f*.

instance ['ɪnstəns] *n* [example, case] ejemplo *m*; **for instance** por ejemplo; **in the first instance** *fml* en primer lugar; **in this instance** en este caso.

instant ['ɪnstənt] <> *adj* instantáneo(a). <> *n* [moment] instante *m*; **at that** OR **the same instant** en aquel mismo instante; **the instant (that)...** en cuanto...; **this instant** ahora mismo.

instantly ['ɪnstəntlɪ] *adv* en el acto.

instead [ɪn'sted] *adv* en cambio; **I came instead** yo vine en su lugar; **if you haven't got any sugar, you can use honey instead** si no tiene azúcar, utilice miel en su lugar. ➡ **instead of** *prep* en lugar de, en vez de; **I came instead of her** yo vine en su lugar.

instep ['ɪnstep] *n* [of foot] empeine *m*.

instigate ['ɪnstɪgeɪt] *vt* iniciar; **to instigate sb to do sthg** instigar a alguien a hacer algo.

instil *UK*, **instill** *US* [ɪn'stɪl] *vt*: **to instil sthg in** OR **into sb** inculcar algo a alguien.

instinct ['ɪnstɪŋkt] *n* instinto *m*; **my first instinct was...** mi primer impulso fue...

instinctive [ɪn'stɪŋktɪv] *adj* instintivo(va).

institute ['ɪnstɪtjuːt] <> *n* instituto *m*. <> *vt* [proceedings] iniciar, entablar; [system] instituir.

institution [,ɪnstɪ'tjuːʃn] *n* - 1. [gen] institución *f* - 2. [home - for children, old people] asilo *m*; [- for mentally-handicapped] hospital *m* psiquiátrico.

institutional racism, institutionalized racism [,ɪnstɪ'tjuːʃnəlaɪzd-] *n* racismo *m* institucional.

instruct [ɪn'strʌkt] *vt* - 1. [tell, order]: **to instruct sb to do sthg** mandar OR ordenar a alguien que haga algo - 2. [teach]: **to instruct sb (in sthg)** instruir a alguien (en algo).

instruction [ɪn'strʌkʃn] *n* [gen & COMPUT] instrucción *f*. ➡ **instructions** *npl* [for use] instrucciones *fpl*.

instructor [ɪn'strʌktər] *n* - 1. [gen] instructor *m* - 2. [in skiing] monitor *m* - 3. [in driving] profesor *m* - 4. *US* [at college] profesor *m*, -ra *f*.

instrument ['ɪnstrʊmənt] *n* instrumento *m*.

instrumental [,ɪnstrʊ'mentl] *adj* [important, helpful]: **to be instrumental in sthg** jugar un papel fundamental en algo.

instrument panel *n* tablero *m* de instrumentos.

insubordinate [,ɪnsə'bɔːdɪnət] *adj* insubordinado(da).

insubstantial [,ɪnsəb'stænʃl] *adj* [frame, structure] endeble; [meal] poco sustancioso(sa).

insufficient [,ɪnsə'fɪʃnt] *adj*: **insufficient (for)** insuficiente (para).

insular ['ɪnsjʊlər] *adj* [narrow-minded] estrecho(cha) de miras.

insulate ['ɪnsjʊleɪt] *vt* aislar.

insulating tape ['ɪnsjʊleɪtɪŋ-] *n UK* cinta *f* aislante.

insulation [,ɪnsjʊ'leɪʃn] *n* [electrical] aislamiento *m*; [against the cold] aislamiento *m* térmico.

insulin ['ɪnsjʊlɪn] *n* insulina *f*.

insult <> *vt* [ɪn'sʌlt] [with words] insultar; [with actions] ofender. <> *n* ['ɪnsʌlt] [remark] insulto *m*; [action] ofensa *f*.

insuperable [ɪn'suːprəbl] *adj fml* insalvable, insuperable.

insurance [ɪn'ʃʊərəns] *n* - 1. [against fire, accident, theft]: **insurance (against)** seguro *m* (contra) - 2. *fig* [safeguard, protection]: **insurance (against)** prevención *f* (contra).

insurance policy *n* póliza *f* de seguros.

insure [ɪn'ʃʊər] <> *vt* - 1. [against fire, accident, theft]: **to insure sthg/sb (against)** asegurar algo/a alguien (contra) - 2. *US* [make certain] asegurar. <> *vi* [prevent]: **to insure (against)** prevenir OR prevenirse (contra).

insurer [ɪn'ʃʊərər] *n* asegurador *m*, -ra *f*.

insurmountable [,ɪnsə'maʊntəbl] *adj fml* infranqueable, insuperable.

intact [ɪn'tækt] *adj* intacto(ta).

intake ['ɪnteɪk] *n* - **1.** [of food, drink] ingestión *f*; [of air] inspiración *f* - **2.** [in army] reclutamiento *m*; [in organization] número *m* de ingresos.

integral ['ɪntɪgrəl] *adj* integrante; **to be integral to** ser parte integrante de.

integrate ['ɪntɪgreɪt] ◇ *vi*: **to integrate (with OR into)** integrarse (en). ◇ *vt*: **to integrate sthg/sb with sthg, to integrate sthg/sb into sthg** integrar algo/a alguien en algo.

integrity [ɪn'tegrətɪ] *n* integridad *f*.

intellect ['ɪntəlekt] *n* [mind, cleverness] intelecto *m*, inteligencia *f*.

intellectual [,ɪntə'lektjʊəl] ◇ *adj* intelectual. ◇ *n* intelectual *mf*.

intelligence [ɪn'telɪdʒəns] *n (U)* - **1.** [ability to think] inteligencia *f* - **2.** [information] información *f* secreta - **3.** [information service] servicio *m* secreto OR de espionaje.

intelligent [ɪn'telɪdʒənt] *adj* [gen & COMPUT] inteligente.

intend [ɪn'tend] *vt* pretender; **to intend doing OR to do sthg** tener la intención de hacer algo; **what do you intend to do?** ¿qué piensas hacer?; **later than I had intended** más tarde de lo que había pensado; **to be intended for/as sthg** [project, book] estar pensado para/como algo; **the flowers were intended for you** las flores eran para ti.

intended [ɪn'tendɪd] *adj* [effect, result] pretendido(da).

intense [ɪn'tens] *adj* - **1.** [extreme, profound] intenso(sa) - **2.** [serious - person] muy serio(ria).

intensely [ɪn'tenslɪ] *adv* - **1.** [very - boring, irritating] enormemente - **2.** [very much - suffer] intensamente; [- dislike] profundamente.

intensify [ɪn'tensɪfaɪ] ◇ *vt* intensificar. ◇ *vi* intensificarse.

intensity [ɪn'tensətɪ] *n* intensidad *f*.

intensive [ɪn'tensɪv] *adj* [concentrated] intensivo(va).

intensive care *n (U)*: **(in) intensive care** (bajo) cuidados *mpl* intensivos.

intent [ɪn'tent] ◇ *adj* - **1.** [absorbed] atento(ta) - **2.** [determined]: **to be intent on OR upon doing sthg** estar empeñado(da) en hacer algo. ◇ *n fml* intención *f*; **to all intents and purposes** para todos los efectos.

intention [ɪn'tenʃn] *n* intención *f*; **to have no intention of** no tener la menor intención de.

intentional [ɪn'tenʃənl] *adj* deliberado(da), intencionado(da); **it wasn't intentional** fue sin querer.

intently [ɪn'tentlɪ] *adv* atentamente.

interact [,ɪntər'ækt] *vi* - **1.** [communicate, work together]: **to interact (with sb)** relacionarse (con alguien) - **2.** [react]: **to interact (with sthg)** interaccionar (con algo).

interaction [,ɪntəræk'tɪvɪtɪ] *n* interactividad *f*.

intercede [,ɪntə'siːd] *vi fml*: **to intercede (with/for)** interceder (ante/por).

intercept [,ɪntə'sept] *vt* interceptar.

interchange ◇ *n* ['ɪntətʃeɪndʒ] - **1.** [exchange] intercambio *m* - **2.** [on motorway] enlace *m*. ◇ *vt* [,ɪntə'tʃeɪndʒ] intercambiar.

interchangeable [,ɪntə'tʃeɪndʒəbl] *adj*: **interchangeable (with)** intercambiable (con).

intercity [,ɪntə'sɪtɪ] *n* [train] tren *m* interurbano.

intercom ['ɪntəkɒm] *n* [for block of flats] portero *m* automático; [within a building] interfono *m*.

intercourse ['ɪntəkɔːs] *n (U)*: **sexual intercourse** relaciones *fpl* sexuales, coito *m*.

interest ['ɪntrəst] ◇ *n* - **1.** [gen]: **interest (in)** interés *m* (en OR por); **that's of no interest** eso no tiene interés; **in the interest OR interests of** [in order to benefit] en interés de; [in order to achieve] en pro de; **to take an interest in sthg** interesarse por algo - **2.** FIN interés *m*; **to pay the interest on a loan** pagar los intereses de un préstamo - **3.** [hobby] afición *f*. ◇ *vt* interesar; **to interest sb in sthg/in doing sthg** interesar a alguien en algo/en hacer algo.

interested ['ɪntrəstɪd] *adj* interesado(da); **I'm not interested** no me interesa; **to be interested in sthg/in doing sthg** estar interesado en algo/en hacer algo; **I'm interested in that subject** me interesa el tema.

interesting ['ɪntrəstɪŋ] *adj* interesante.

interest rate *n* tipo *m* de interés.

interface *n* COMPUT interfaz *f*, interface *m*.

interfere [,ɪntə'fɪər] *vi* - **1.** [meddle]: **to interfere (with OR in sthg)** entrometerse OR interferir (en algo) - **2.** [damage] interferir; **to interfere with sthg** [career, routine] interferir en algo; [work, performance] interrumpir algo.

interference [,ɪntə'fɪərəns] *n (U)* - **1.** [meddling]: **interference (with OR in)** intromisión *f* OR interferencia *f* (en) - **2.** [on radio, TV, telephone] interferencia *f*.

interim ['ɪntərɪm] ◇ *adj* [report] parcial; [measure] provisional; [government] interino(na). ◇ *n*: **in the interim** entre tanto.

interior [ɪn'tɪərɪər] ◇ *adj* - **1.** [inner] interior - **2.** POL [minister, department] del Interior. ◇ *n* interior *m*.

interior decorator, interior designer *n* interiorista *mf*.

interlock [,ɪntə'lɒk] *vi* [fingers] entrelazarse; [cogs] engranar.

interloper ['ɪntələʊpər] n intruso m, -sa f.

interlude ['ɪntəlu:d] n - 1. [pause] intervalo m - 2. [interval] intermedio m.

intermediary [,ɪntə'mi:djərɪ] n intermediario m, -ria f.

intermediate [,ɪntə'mi:djət] adj intermedio(dia).

interminable [ɪn'tɜ:mɪnəbl] adj interminable.

intermission [,ɪntə'mɪʃn] n [of film] descanso m; [of play, opera, ballet] entreacto m.

intermittent [,ɪntə'mɪtənt] adj intermitente.

intern <> vt [ɪn'tɜ:n] recluir, internar. <> n ['ɪntɜ:n] esp US médico m interno residente.

internal [ɪn'tɜ:nl] adj - 1. [gen] interno(na) - 2. [within a country] interior, nacional; **internal flight** vuelo m nacional.

internally [ɪn'tɜ:nəlɪ] adv - 1. [gen] internamente - 2. [within a country] a nivel nacional.

Internal Revenue Service n US: **the Internal Revenue Service** ≈ la Agencia Triburaria Esp, ≈ la Dirección General Impositiva Amér.

international [,ɪntə'næʃənl] <> adj internacional. <> n UK - 1. SPORT [match] encuentro m internacional - 2. SPORT [player] internacional mf.

Internet ['ɪntənet] n: **the Internet** Internet f; **on the Internet** en Internet.

Internet access n acceso m a Internet.

Internet access provider n proveedor m de acceso a Internet.

Internet café n cibercafé m.

Internet connection n conexión f a Internet.

Internet radio n radio f por Internet.

Internet Service Provider n proveedor m de servicios Internet.

Internet start-up company n empresa f electrónica aparecida con Internet.

Internet television, Internet TV n televisión f por Internet.

interpret [ɪn'tɜ:prɪt] <> vt interpretar. <> vi hacer de intérprete.

interpreter [ɪn'tɜ:prɪtər] n [person] intérprete mf.

interrelate [,ɪntərɪ'leɪt] vi: **to interrelate (with)** interrelacionarse (con).

interrogate [ɪn'terəgeɪt] vt [gen & COMPUT] interrogar.

interrogation [ɪn,terə'geɪʃn] n interrogatorio m.

interrogation mark n US signo m de interrogación.

interrogative [,ɪntə'rɒgətɪv] adj GRAM interrogativo(va).

interrupt [,ɪntə'rʌpt] vt & vi interrumpir.

interruption [,ɪntə'rʌpʃn] n interrupción f.

intersect [,ɪntə'sekt] <> vi cruzarse. <> vt cruzar.

intersection [,ɪntə'sekʃn] n US [of roads] cruce m, intersección f.

intersperse [,ɪntə'spɜ:s] vt: **to be interspersed with** OR **by** estar entremezclado con.

interstate ['ɪntəsteɪt] n US autopista f interestatal.

interval ['ɪntəvl] n - 1. [gen & MUS]: **interval (between)** intervalo m (entre); **at intervals** [now and again] a ratos; **at regular intervals** a intervalos regulares; **at monthly/yearly intervals** a intervalos de un mes/un año - 2. UK [at play, concert] intermedio m, descanso m.

intervene [,ɪntə'vi:n] vi - 1. [gen]: **to intervene (in)** intervenir (en) - 2. [prevent thing from happening] interponerse; **the war intervened** sobrevino la guerra - 3. [pass] transcurrir.

intervention [,ɪntə'venʃn] n intervención f.

interview ['ɪntəvju:] <> n [gen] entrevista f; [with police] interrogatorio m. <> vt [gen] entrevistar; [subj: policeman] interrogar.

interviewer ['ɪntəvju:ər] n entrevistador m, -ra f.

intestine [ɪn'testɪn] n intestino m.

intimacy ['ɪntɪməsɪ] n: **intimacy (between/ with)** intimidad f (entre/con).

intimate <> adj ['ɪntɪmət] - 1. [gen] íntimo(ma) - 2. [knowledge] profundo(da). <> vt ['ɪntɪmeɪt] fml: **to intimate (that)** dar a entender (que).

intimidate [ɪn'tɪmɪdeɪt] vt intimidar.

into ['ɪntu] prep - 1. [inside] en; **to go into a room** entrar en una habitación; **to put sthg into sthg** meter algo en algo; **to get into a car** subir a un coche - 2. [against] con; **to bump/ crash into** tropezar/chocar con - 3. [referring to change in condition etc]: **to turn** OR **develop into** convertirse en; **to translate sthg into Spanish** traducir algo al español - 4. [concerning] en relación con; **research into electronics** investigación en torno a la electrónica - 5. [in expressions of time]: **fifteen minutes into the game** a los quince minutos de empezar el partido; **well into the spring** hasta bien entrada la primavera - 6. MATHS: **to divide 4 into 8** dividir 8 entre 4.

intolerable [ɪn'tɒlrəbl] adj fml [position, conditions] intolerable; [boredom, pain] inaguantable.

intolerance [ɪn'tɒlərəns] n intolerancia f.

intolerant [ɪn'tɒlərənt] adj intolerante.

intoxicated [ɪn'tɒksɪkeɪtɪd] adj - 1. [drunk] embriagado(da) - 2. fig [excited]: **intoxicated (by** OR **with)** ebrio(ebria) (de).

intractable [ɪn'træktəbl] *adj fml* - **1.** [stubborn] intratable - **2.** [insoluble] inextricable, insoluble.

intransitive [ɪn'trænzətɪv] *adj* intransitivo(va).

intravenous [,ɪntrə'viːnəs] *adj* intravenoso(sa).

in-tray *n* bandeja *f* de entrada.

intricate ['ɪntrɪkət] *adj* intrincado(da).

intrigue [ɪn'triːg] <> *n* intriga *f*. <> *vt* intrigar.

intriguing [ɪn'triːgɪŋ] *adj* intrigante.

intrinsic [ɪn'trɪnsɪk] *adj* intrínseco(ca).

introduce [,ɪntrə'djuːs] *vt* - **1.** [present - person, programme] presentar; **to introduce sb (to sb)** presentar a alguien (a alguien); **to introduce o.s.** presentarse - **2.** [bring in]: **to introduce sthg (to OR into)** introducir algo (en) - **3.** [show for first time]: **to introduce sb to sthg** iniciar a alguien en algo.

introduction [,ɪntrə'dʌkʃn] *n* - **1.** [gen]: **introduction (to sthg)** introducción *f* (a algo) - **2.** [of people]: **introduction (to sb)** presentación *f* (a alguien).

introductory [,ɪntrə'dʌktri] *adj* [chapter] introductorio(ria); [remarks] preliminar; [price, offer] de lanzamiento.

introvert ['ɪntrəvɜːt] *n* introvertido *m*, -da *f*.

introverted ['ɪntrəvɜːtɪd] *adj* introvertido(da).

intrude [ɪn'truːd] *vi* [interfere]: **to intrude (on OR upon sb)** inmiscuirse (en los asuntos de alguien); **to intrude (on OR upon sthg)** inmiscuirse (en algo); [disturb] molestar.

intruder [ɪn'truːdər] *n* intruso *m*, -sa *f*.

intrusive [ɪn'truːsɪv] *adj* [interfering] entrometido(da); [unwanted] indeseado(da).

intuition [,ɪntjuː'ɪʃn] *n* intuición *f*.

inundate ['ɪnʌndeɪt] *vt* - **1.** *fml* [flood] inundar - **2.** [overwhelm] desbordar; **to be inundated with** verse desbordado por.

invade [ɪn'veɪd] *vt* invadir.

invalid <> *adj* [ɪn'vælɪd] - **1.** [marriage, vote, ticket] nulo(la) - **2.** [argument, result] que no es válido(da). <> *n* ['ɪnvəlɪd] inválido *m*, -da *f*.

invaluable [ɪn'væljʊəbl] *adj*: **invaluable (to)** [information, advice] inestimable (para); [person] valiosísimo(ma) (para).

invariably [ɪn'veərɪəblɪ] *adv* siempre, invariablemente.

invasion [ɪn'veɪʒn] *n* invasión *f*.

invent [ɪn'vent] *vt* inventar.

invention [ɪn'venʃn] *n* - **1.** [gen] invención *f* - **2.** [ability to invent] inventiva *f*.

inventive [ɪn'ventɪv] *adj* [person, mind] inventivo(va); [solution] ingenioso(sa).

inventor [ɪn'ventər] *n* inventor *m*, -ra *f*.

inventory ['ɪnvəntrɪ] *n* - **1.** [list] inventario *m* - **2.** [goods] existencias *fpl*.

invert [ɪn'vɜːt] *vt* invertir.

inverted commas [ɪn'vɜːtɪd-] *npl UK* comillas *fpl*; **in inverted commas** entre comillas.

invest [ɪn'vest] <> *vt* [money, time, energy]: **to invest sthg (in)** invertir algo (en). <> *vi lit & fig*: **to invest (in)** invertir (en).

investigate [ɪn'vestɪgeɪt] *vt & vi* investigar.

investigation [ɪn,vestɪ'geɪʃn] *n* [enquiry, examination]: **investigation (into)** investigación *f* (en).

investment [ɪn'vestmənt] *n* inversión *f*.

investor [ɪn'vestər] *n* inversor *m*, -ra *f*.

inveterate [ɪn'vetərət] *adj* [liar] incorregible; [reader, smoker] empedernido(da).

invidious [ɪn'vɪdɪəs] *adj* [task, role] desagradable; [comparison] odioso(sa).

invigilate [ɪn'vɪdʒɪleɪt] *vt & vi UK* vigilar *(en un examen)*.

invigorating [ɪn'vɪgəreɪtɪŋ] *adj* [bath, walk] vigorizante; [experience] estimulante.

invincible [ɪn'vɪnsɪbl] *adj* - **1.** [unbeatable] invencible - **2.** [determination] inalterable.

invisible [ɪn'vɪzɪbl] *adj* invisible.

invitation [,ɪnvɪ'teɪʃn] *n* invitación *f*; **an invitation to sthg/to do sthg** una invitación a algo/a hacer algo.

invite [ɪn'vaɪt] *vt* - **1.** [gen]: **to invite sb (to sthg/to do sthg)** invitar a alguien (a algo/a hacer algo) - **2.** [ask for, provoke] buscarse.

inviting [ɪn'vaɪtɪŋ] *adj* tentador(ra).

invoice ['ɪnvɔɪs] <> *n* factura *f*. <> *vt* - **1.** [send invoice to] mandar la factura a - **2.** [prepare invoice for] facturar.

invoke [ɪn'vəʊk] *vt fml* [quote as justification] acogerse a.

involuntary [ɪn'vɒləntrɪ] *adj* involuntario(ria).

involve [ɪn'vɒlv] *vt* - **1.** [entail, require]: **to involve sthg/doing sthg** conllevar algo/hacer algo; **it involves working weekends** supone OR implica trabajar los fines de semana - **2.** [concern, affect] afectar a; **to be involved in sthg** [accident, crash] verse envuelto en algo.

involved [ɪn'vɒlvd] *adj* - **1.** [complex] enrevesado(da) - **2.** [participating]: **to be involved in** estar metido(da) en; **he didn't want to get involved** no quería tener nada que ver - **3.** [in a relationship]: **to be/get involved with sb** estar liado(da)/liarse con alguien.

involvement [ɪn'vɒlvmənt] *n* - **1.**: **involvement (in)** [crime] implicación *f* (en); [running sthg] participación *f* (en) - **2.** [concern, enthusiasm]: **involvement (in)** compromiso *m* (con) - **3.** *(U)* [relationship] relación *f* sentimental.

inward ['ɪnwəd] ⬦ adj - **1.** [inner] interno(na) - **2.** [towards the inside] hacia el interior. ⬦ adv US = **inwards**.

inwards, inward ['ɪnwədz] adv hacia dentro.

in-your-face adj inf impactante.

iodine [UK 'aɪədiːn, US 'aɪədaɪn] n yodo m.

iota [aɪ'əʊtə] n pizca f, ápice m.

IOU (abbr of I owe you) n pagaré.

IQ (abbr of intelligence quotient) n C.I. m

IRA ⬦ n (abbr of Irish Republican Army) IRA m. ⬦ n US (abbr of Individual Retirement Account) cuenta f de retiro OR jubilación individual.

Iran [ɪ'rɑːn] n (el) Irán.

Iranian [ɪ'reɪnjən] ⬦ adj iraní. ⬦ n [person] iraní mf.

Iraq [ɪ'rɑːk] n (el) Irak.

Iraqi [ɪ'rɑːkɪ] ⬦ adj iraquí. ⬦ n [person] iraquí mf.

irate [aɪ'reɪt] adj iracundo(da), airado(da).

Ireland ['aɪələnd] n Irlanda.

iris ['aɪərɪs] (pl -es) n - **1.** [flower] lirio m - **2.** [of eye] iris m inv.

Irish ['aɪrɪʃ] ⬦ adj irlandés(esa). ⬦ n [language] irlandés m. ⬦ npl [people]: **the Irish** los irlandeses.

Irishman ['aɪrɪʃmən] (pl -men [-mən]) n irlandés m.

Irish Sea n: **the Irish Sea** el mar de Irlanda.

Irishwoman ['aɪrɪʃ,wʊmən] (pl -women [-,wɪmɪn]) n irlandesa f.

irksome ['ɜːksəm] adj fastidioso(sa).

iron ['aɪən] ⬦ adj lit & fig de hierro. ⬦ n - **1.** [metal, nutrient] hierro m - **2.** [for clothes] plancha f - **3.** [golf club] hierro m. ⬦ vt & vi planchar. ⬦ **iron out** vt sep fig [overcome] resolver.

Iron Curtain n: **the Iron Curtain** el telón de acero.

ironic(al) [aɪ'rɒnɪk(l)] adj irónico(ca).

ironing ['aɪənɪŋ] n - **1.** [work] planchado m - **2.** [clothes to be ironed] ropa f para planchar.

ironing board n tabla f de planchar.

ironmonger ['aɪən,mʌŋgəʳ] n UK ferretero m, -ra f; **ironmonger's (shop)** ferretería f.

irony ['aɪrənɪ] n ironía f.

irrational [ɪ'ræʃənl] adj irracional.

irreconcilable [ɪ,rekən'saɪləbl] adj [completely different] irreconciliable.

irregular [ɪ'regjʊləʳ] adj [gen & GRAM] irregular.

irrelevant [ɪ'reləvənt] adj irrelevante, que no viene al caso; **that's irrelevant** eso no viene al caso.

irreparable [ɪ'repərəbl] adj irreparable.

irreplaceable [,ɪrɪ'pleɪsəbl] adj irreemplazable, insustituible.

irrepressible [,ɪrɪ'presəbl] adj [enthusiasm] irreprimible; [person] imparable.

irresistible [,ɪrɪ'zɪstəbl] adj irresistible.

irrespective [,ɪrɪ'spektɪv] ⬦ **irrespective of** prep independientemente de.

irresponsible [,ɪrɪ'spɒnsəbl] adj irresponsable.

irrigate ['ɪrɪgeɪt] vt regar, irrigar.

irrigation [,ɪrɪ'geɪʃn] n riego m.

irritable ['ɪrɪtəbl] adj [person] irritable; [answer, tone] irritado(da).

irritate ['ɪrɪteɪt] vt irritar.

irritating ['ɪrɪteɪtɪŋ] adj irritante.

irritation [ɪrɪ'teɪʃn] n - **1.** [anger, soreness] irritación f - **2.** [cause of anger] motivo m de irritación.

IRS (abbr of Internal Revenue Service) n US: **the IRS** ≈ Hacienda f.

is [ɪz] vb ⬦ **be**.

ISDN (abbr of Integrated Services Delivery Network) n COMPUT RDSI f.

Islam ['ɪzlɑːm] n [religion] islam m.

Islamic fundamentalist [ɪz'læmɪk ,fʌndə'mentəlɪst] n fundamentalista mf islámico, -ca f.

Islamist ['ɪzləmɪst] adj & n islamista mf.

island ['aɪlənd] n - **1.** [in water] isla f - **2.** [in traffic] isleta f, refugio m.

islander ['aɪləndəʳ] n isleño m, -ña f.

isle [aɪl] n [as part of name] isla f; liter [island] ínsula f.

Isle of Man n: **the Isle of Man** la isla de Man.

Isle of Wight [-waɪt] n: **the Isle of Wight** la isla de Wight.

isn't ['ɪznt] (abbr of is not) ⬦ **be**.

isobar ['aɪsəbɑːʳ] n isobara f.

isolate ['aɪsəleɪt] vt: **to isolate sb (from)** [physically] aislar a alguien (de); [socially] marginar a alguien (de).

isolated ['aɪsəleɪtɪd] adj aislado(da).

ISP (abbr of Internet Service Provider) n PSI m.

Israel ['ɪzreɪəl] n Israel.

Israeli [ɪz'reɪlɪ] ⬦ adj israelí. ⬦ n israelí mf.

issue ['ɪʃuː] ⬦ n - **1.** [important subject] cuestión f, tema m; **at issue** en cuestión; **to avoid the issue** evitar el tema; **to make an issue of sth** darle demasiada importancia a algo - **2.** [of newspaper, magazine] número m - **3.** [of stamps, shares, banknotes] emisión f. ⬦ vt - **1.** [statement, warning] hacer público(ca); [decree] promulgar - **2.** [stamps, shares, banknotes] emitir - **3.** [give]: **to issue sth to sb, to issue sb with sth** [passport, document] expedir algo a alguien; [ticket] proporcionar algo a alguien.

isthmus ['ɪsməs] *n* istmo *m*.

it [ɪt] *pron* - **1.** [referring to specific thing or person - subj] él *m*, ella *f*; [- direct object] lo *m*, la *f*; [- indirect object] le; **it is in my hand** está en mi mano; **did you find it?** ¿lo encontraste?; **give it to me** dámelo; **he gave it a kick** le dio una patada - **2.** *(with prepositions)* él *m*, ella *f*; [meaning 'this matter' etc] ello; **as if his life depended on it** como si le fuera la vida en ello; **in it** dentro; **have you been to it before?** ¿has estado antes?; **on it** encima; **to talk about it** hablar de él/ella/ello; **under/beneath it** debajo; **beside it** al lado; **from/of it** de él/ella/ello; **over it** por encima - **3.** *(impersonal use)*: **it was raining** llovía; **it is cold today** hace frío hoy; **it's two o'clock** son las dos; **who is it? - it's Mary/me** ¿quién es? - soy Mary/yo; **what day is it?** ¿a qué (día) estamos hoy?; **it's Monday** es lunes; **it says here that...** aquí dice que...

IT *n abbr of* **information technology**.

Italian [ɪ'tæljən] <> *adj* italiano(na). <> *n* - **1.** [person] italiano *m*, -na *f* - **2.** [language] italiano *m*.

italic [ɪ'tælɪk] *adj* cursiva. **italics** *npl* cursiva *f*.

Italy ['ɪtəlɪ] *n* Italia.

itch [ɪtʃ] <> *n* picor *m*, picazón *f*. <> *vi* - **1.** [be itchy - person] tener picazón; [- arm, leg etc] picar; **my arm is itching** me pica el brazo - **2.** *fig* [be impatient]: **to be itching to do sthg** estar deseando hacer algo.

itchy ['ɪtʃɪ] *adj* [garment, material] que pica; **I've got an itchy arm** me pica el brazo.

it'd ['ɪtəd] - **1.** *(abbr of* it had*)* ⊳ **have** - **2.** *(abbr of* it would*)* ⊳ **would**.

item ['aɪtəm] *n* - **1.** [in collection] artículo *m*; [on list, agenda] punto *m* - **2.** [article in newspaper] artículo *m*; **news item** noticia *f*.

itemize, -ise ['aɪtəmaɪz] *vt* detallar.

itinerary [aɪ'tɪnərərɪ] *n* itinerario *m*.

it'll [ɪtl] - **1.** *(abbr of* it will*)* ⊳ **will** - **2.** *(abbr of* it shall*)* ⊳ **shall**.

its [ɪts] *poss adj* su, sus *(pl)*; **the dog broke its leg** el perro se rompió la pata.

it's [ɪts] - **1.** *(abbr of* it is*)* ⊳ **be** - **2.** *(abbr of* it has*)* ⊳ **have**.

itself [ɪt'self] *pron* - **1.** *(reflexive)* se; *(after prep)* sí mismo(ma); **with itself** consigo mismo(ma) - **2.** *(for emphasis)*: **the town itself is lovely** el pueblo en sí es muy bonito; **in itself** en sí; **it's simplicity itself** es la sencillez misma.

I've [aɪv] *(abbr of* I have*)* ⊳ **have**.

ivory ['aɪvərɪ] *n* marfil *m*.

ivy ['aɪvɪ] *n* hiedra *f*.

Ivy League *n US* grupo de ocho prestigiosas universidades del este de los EE.UU.

j *(pl* j's *OR* js*)*, **J** *(pl* J's *OR* Js*)* [dʒeɪ] *n* [letter] j *f*, J *f*.

jab [dʒæb] <> *n* - **1.** [with elbow] codazo *m*; [in boxing] golpe *m* corto - **2.** *UK inf* [injection] pinchazo *m*. <> *vt*: **to jab sthg into** clavar algo en; **to jab sthg at** apuntarle algo a.

jabber ['dʒæbər] *vi* charlotear.

jack [dʒæk] *n* - **1.** [device] gato *m* - **2.** ELEC [plug] clavija *f*; [socket] clavijero *m* - **3.** [French deck playing card] ≃ jota *f*; [Spanish deck playing card] ≃ sota *f*. **jack up** *vt sep* - **1.** [lift with a jack] levantar con gato - **2.** [force up] subir.

jackal ['dʒækəl] *n* chacal *m*.

jackdaw ['dʒækdɔː] *n* grajilla *f*.

jacket ['dʒækɪt] *n* - **1.** [garment] chaqueta *f*, americana *f*, saco *m Amér* - **2.** [potato skin] piel *f* - **3.** [book cover] sobrecubierta *f* - **4.** *US* [record] cubierta *f*.

jacket potato *n* patata *f* asada con piel.

jackhammer ['dʒæk,hæmər] *n US* martillo *m* neumático.

jack knife *n* navaja *f*. **jack-knife** *vi*: **the lorry jack-knifed** derrapó la parte delantera del camión.

jack plug *n* clavija *f*.

jackpot ['dʒækpɒt] *n* (premio *m*) gordo *m*.

jaded ['dʒeɪdɪd] *adj* [tired] agotado(da); [bored] hastiado(da).

jagged ['dʒægɪd] *adj* dentado(da).

jail, gaol [dʒeɪl] <> *n* cárcel *f*; **in jail** en la cárcel. <> *vt* encarcelar.

jailer ['dʒeɪlər] *n* carcelero *m*, -ra *f*.

jam [dʒæm] <> *n* - **1.** [preserve] mermelada *f* - **2.** [of traffic] embotellamiento *m*, atasco *m* - **3.** MUS *sesión improvisada de jazz o rock* - **4.** *inf* [difficult situation]: **to get into/be in a jam** meterse/estar en un apuro. <> *vt* - **1.** [place roughly] meter a la fuerza - **2.** [fix] sujetar; **jam the door shut** atranca la puerta - **3.** [pack tightly] apiñar - **4.** [fill] abarrotar, atestar - **5.** TELEC bloquear - **6.** [cause to stick] atascar; **it's jammed** se ha atascado - **7.** RADIO interferir. <> *vi* - **1.** [stick] atascarse - **2.** MUS improvisar.

Jamaica [dʒə'meɪkə] *n* Jamaica.

jam-packed [-'pækt] *adj inf* a tope.

jangle ['dʒæŋgl] *vi* tintinear.

janitor ['dʒænɪtər] *n US & Scotland* conserje *m*, portero *m*.

January ['dʒænjuərɪ] *n* enero *m*; *see also* **September**.

Japan [dʒə'pæn] n (el) Japón.

Japanese [,dʒæpə'niːz] <> adj japonés(esa). <> n (pl Japanese) [language] japonés m. <> npl: **the Japanese** los japoneses.

jar [dʒɑːr] <> n tarro m. <> vt [shake] sacudir. <> vi - **1.** [upset]: **to jar (on sb)** poner los nervios de punta (a alguien) - **2.** [clash - opinions] discordar; [- colours] desentonar.

jargon ['dʒɑːgən] n jerga f.

jaundice ['dʒɔːndɪs] n icteria f.

jaundiced ['dʒɔːndɪst] adj fig [attitude, view] desencantado(da).

jaunt [dʒɔːnt] n excursión f.

jaunty ['dʒɔːntɪ] adj [hat, wave] airoso(sa); [person] vivaz, desenvuelto(ta).

javelin ['dʒævlɪn] n jabalina f.

jaw [dʒɔː] n [of person, animal] mandíbula f.

jawbone ['dʒɔːbəʊn] n [of person, animal] mandíbula f, maxilar m.

jay [dʒeɪ] n arrendajo m.

jaywalker ['dʒeɪwɔːkər] n peatón m imprudente.

jazz [dʒæz] n MUS jazz m. ◆ **jazz up** vt sep inf alegrar, avivar.

jazzy ['dʒæzɪ] adj [bright] llamativo(va).

jealous ['dʒeləs] adj - **1.** [envious]: **to be jealous (of)** tener celos OR estar celoso(sa) (de) - **2.** [possessive]: **to be jealous (of)** ser celoso(sa) (de).

jealousy ['dʒeləsɪ] n (U) celos mpl.

jeans [dʒiːnz] npl vaqueros mpl.

jeep [dʒiːp] n jeep m, campero m Amér.

jeer [dʒɪər] <> vt [boo] abuchear; [mock] mofarse de. <> vi: **to jeer (at sb)** [boo] abuchear (a alguien); [mock] mofarse de (alguien).

Jehovah's Witness [dʒɪ'həʊvəz-] n testigo mf de Jehová.

Jell-O® ['dʒeləʊ] n US jalea f, gelatina f.

jelly ['dʒelɪ] n - **1.** [dessert] jalea f, gelatina f - **2.** [jam] mermelada f.

jellyfish ['dʒelɪfɪʃ] (pl jellyfish OR -es) n medusa f.

jeopardize, -ise ['dʒepədaɪz] vt poner en peligro, arriesgar.

jerk [dʒɜːk] <> n - **1.** [of head] movimiento m brusco; [of arm] tirón m; [of vehicle] sacudida f - **2.** v inf [fool] idiota mf, majadero m, -ra f. <> vi [person] saltar; [vehicle] dar sacudidas.

jersey ['dʒɜːzɪ] (pl jerseys) n - **1.** [sweater] jersey m - **2.** [in cycling] maillot m.

Jersey ['dʒɜːzɪ] n Jersey.

jest [dʒest] n: **in jest** en broma.

Jesus (Christ) ['dʒiːzəs-] <> n Jesús m, Jesucristo m. <> excl inf ¡Santo Dios!

jet [dʒet] n - **1.** [aircraft] reactor m - **2.** [stream] chorro m - **3.** [nozzle, outlet] boquilla f.

jet-black adj negro(gra) azabache.

jet engine n reactor m.

jetfoil ['dʒetfɔɪl] n hidroplano m.

jet lag n desfase m horario.

jetsam ['dʒetsəm] ▷ **flotsam**.

jettison ['dʒetɪsən] vt [cargo] deshacerse de; fig [ideas] desechar.

jetty ['dʒetɪ] n embarcadero m.

Jew [dʒuː] n judío m, -a f.

jewel ['dʒuːəl] n - **1.** [gemstone] piedra f preciosa - **2.** [jewellery] joya f.

jewel case n US caja f (de CD).

jeweller UK, **jeweler** US ['dʒuːələr] n joyero m, -ra f; **jeweller's (shop)** joyería f.

jewellery UK, **jewelry** US ['dʒuːəlrɪ] n (U) joyas fpl, alhajas fpl.

Jewess ['dʒuːɪs] n judía f.

Jewish ['dʒuːɪʃ] adj judío(a).

jib [dʒɪb] n - **1.** [beam] aguilón m - **2.** [sail] foque m.

jibe [dʒaɪb] n pulla f, burla f.

jiffy ['dʒɪfɪ] n inf: **in a jiffy** en un segundo.

Jiffy bag® n sobre m acolchado.

jig [dʒɪg] n giga f.

jigsaw (puzzle) ['dʒɪgsɔː-] n rompecabezas m inv, puzzle m.

jilt [dʒɪlt] vt dejar plantado(da).

jingle ['dʒɪŋgl] <> n - **1.** [sound] tintineo m - **2.** [song] sintonía f (de anuncio publicitario). <> vi tintinear.

jinx [dʒɪŋks] n gafe m.

jitters ['dʒɪtəz] npl inf: **to have the jitters** estar como un flan.

job [dʒɒb] n - **1.** [paid employment] trabajo m, empleo m - **2.** [task & COMPUT] tarea f; **to make a good job of sthg** hacer un buen trabajo con algo - **3.** [difficult task]: **we had a job doing it** nos costó mucho hacerlo - **4.** [function] cometido m - **5.** UK phr: **it's a good job that...** inf menos mal que...; **that's just the job** inf eso me viene de perilla.

Jobcentre n UK oficina f de empleo.

jobless ['dʒɒblɪs] adj desempleado(da).

Job Seekers Allowance n UK subsidio m de desempleo.

jobsharing ['dʒɒbʃeərɪŋ] n (U) empleo m compartido.

jockey ['dʒɒkɪ] <> n (pl -s) jockey m, jinete m. <> vi: **to jockey for position** competir por colocarse en mejor posición.

jocular ['dʒɒkjʊlər] adj - **1.** [cheerful] bromista - **2.** [funny] jocoso(sa).

jodhpurs ['dʒɒdpəz] npl pantalón m de montar.

jog [dʒɒg] ⬦ *n* trote *m*; **to go for a jog** hacer footing. ⬦ *vt* golpear ligeramente. ⬦ *vi* hacer footing.

jogging ['dʒɒgɪŋ] *n* footing *m*.

john [dʒɒn] *n US inf* [toilet] wáter *m*.

join [dʒɔɪn] ⬦ *n* juntura *f*. ⬦ *vt* - **1.** [unite] unir, juntar - **2.** [get together with] reunirse con - **3.** [become a member - of political party, trade union] afiliarse a; [- club] hacerse socio de; [- army] alistarse en - **4.** [take part in] unirse a; **to join the queue** *UK*, **to join the line** *US* meterse en la cola. ⬦ *vi* - **1.** [rivers] confluir; [edges, pieces] unirse, juntarse - **2.** [become a member - of political party, trade union] afiliarse; [- of club] hacerse socio; [- of army] alistarse. ⬥ **join in** ⬦ *vt insep* participar en, tomar parte en. ⬦ *vi* participar, tomar parte. ⬥ **join up** *vi* MIL alistarse.

joiner ['dʒɔɪnər] *n* carpintero *m*.

joinery ['dʒɔɪnərɪ] *n* carpintería *f*.

joint [dʒɔɪnt] ⬦ *adj* [responsibility] compartido(da); [effort] conjunto(ta); **joint owner** copropietario *m*, -ria *f*. ⬦ *n* - **1.** ANAT articulación *f* - **2.** [place where things are joined] juntura *f* - **3.** *UK* [of meat - uncooked] corte *m* para asar; [- cooked] asado *m* - **4.** *inf pej* [place] antro *m* - **5.** *inf* [cannabis cigarette] porro *m*.

joint account *n* cuenta *f* conjunta.

jointly ['dʒɔɪntlɪ] *adv* conjuntamente.

joist [dʒɔɪst] *n* vigueta *f*.

joke [dʒəʊk] ⬦ *n* [funny story] chiste *m*; [funny action] broma *f*; **to be a joke** [person] ser un inútil; [situation] ser una tomadura de pelo; **it's no joke** [not easy] no es (nada) fácil. ⬦ *vi* bromear; **you're joking** estás de broma; **I'm not joking** hablo en serio.

joker ['dʒəʊkər] *n* - **1.** [funny person] bromista *mf* - **2.** [useless person] inútil *mf* - **3.** [playing card] comodín *m*.

jolly ['dʒɒlɪ] ⬦ *adj* [person, laugh] alegre; [time] divertido(da). ⬦ *adv UK inf* muy.

jolt [dʒəʊlt] ⬦ *n* - **1.** *liter* sacudida *f* - **2.** *fig* susto *m*. ⬦ *vt* [jerk] sacudir, zarandear.

Jordan ['dʒɔːdn] *n* Jordania *f*.

jostle ['dʒɒsl] ⬦ *vt* empujar, dar empujones a. ⬦ *vi* empujar, dar empujones.

jot [dʒɒt] *n* pizca *f*. ⬥ **jot down** *vt sep* apuntar, anotar.

jotter ['dʒɒtər] *n* bloc *m*.

journal ['dʒɜːnl] *n* - **1.** [magazine] revista *f*, boletín *m* - **2.** [diary] diario *m*.

journalism ['dʒɜːnəlɪzm] *n* periodismo *m*.

journalist ['dʒɜːnəlɪst] *n* periodista *mf*.

journey ['dʒɜːnɪ] ⬦ *n* (*pl* -s) viaje *m*. ⬦ *vi* viajar.

jovial ['dʒəʊvjəl] *adj* jovial.

jowls [dʒaʊlz] *npl* carrillos *mpl*.

joy [dʒɔɪ] *n* - **1.** [happiness] alegría *f*, regocijo *m* - **2.** [cause of joy] placer *m*.

joyful ['dʒɔɪfʊl] *adj* alegre.

joyous ['dʒɔɪəs] *adj* jubiloso(sa).

joyride ['dʒɔɪraɪd] ⬦ *n* vuelta *f* en un coche robado. ⬦ *vi* (*pt* -rode, *pp* -ridden) darse una vuelta en un coche robado.

joystick ['dʒɔɪstɪk] *n* [of aircraft] palanca *f* de mando; [for video games, computers] joystick *m*.

JP *n abbr* of **Justice of the Peace**.

Jr. *US* (*abbr of* Junior) jr; **Mark Andrews Jr.** Mark Andrews, hijo.

jubilant ['dʒuːbɪlənt] *adj* [person] jubiloso(sa); [shout] alborozado(da).

jubilee ['dʒuːbɪliː] *n* aniversario *m*.

judge [dʒʌdʒ] ⬦ *n* [gen & LAW] juez *mf*; **to be a good judge of character** tener buen ojo para la gente. ⬦ *vt* - **1.** [gen & LAW] juzgar - **2.** [age, distance] calcular. ⬦ *vi* juzgar.

judg(e)ment ['dʒʌdʒmənt] *n* - **1.** LAW fallo *m*, sentencia *f*; **to pass judgement (on sb)** pronunciar sentencia (sobre alguien) - **2.** [opinion] juicio *m* - **3.** [ability to form opinion] juicio *m*; **against my better judgement** en contra de lo que me dicta el juicio.

judiciary [dʒuː'dɪʃərɪ] *n*: **the judiciary** [part of government] el poder judicial; [judges] la judicatura.

judicious [dʒuː'dɪʃəs] *adj* juicioso(sa).

judo ['dʒuːdəʊ] *n* judo *m*.

jug [dʒʌg] *n* jarra *f*.

juggernaut ['dʒʌgənɔːt] *n* camión *m* grande.

juggle ['dʒʌgl] ⬦ *vt* - **1.** [throw] hacer juegos malabares con - **2.** [rearrange] jugar con. ⬦ *vi* hacer juegos malabares.

juggler ['dʒʌglər] *n* malabarista *mf*.

jugular (vein) ['dʒʌgjʊlər-] *n* yugular *f*.

juice [dʒuːs] *n* - **1.** [from fruit, vegetables] zumo *m* - **2.** [from meat] jugo *m*.

juicer ['dʒuːsər] *n* exprimidor *m*.

juicy ['dʒuːsɪ] *adj* - **1.** [gen] jugoso(sa) - **2.** *inf* [scandalous] picante.

jukebox ['dʒuːkbɒks] *n* máquina *f* de discos.

July [dʒuː'laɪ] *n* julio *m*; *see also* **September**.

jumble ['dʒʌmbl] ⬦ *n* [mixture] revoltijo *m*. ⬦ *vt*: **to jumble (up)** revolver.

jumble sale *n UK* rastrillo *m* benéfico.

jumbo jet ['dʒʌmbəʊ-] *n* jumbo *m*.

jumbo-sized ['dʒʌmbəʊsaɪzd] *adj* gigante.

jump [dʒʌmp] ⬦ *n* - **1.** [act of jumping] salto *m* - **2.** [start, surprised movement] sobresalto *m* - **3.** [fence in horsejumping] obstáculo *m* - **4.** [rapid increase] incremento *m*, salto *m*. ⬦ *vt* - **1.** [cross by jumping] saltar - **2.** [attack] asaltar - **3.** [miss out] saltarse. ⬦ *vi* - **1.** [spring]

saltar - **2.** [make a sudden movement] sobresaltarse - **3.** [increase rapidly] aumentar de golpe. **◆ jump at** *vt insep* no dejar escapar.

jumper ['dʒʌmpər] *n* - **1.** UK [pullover] jersey *m* - **2.** US [dress] pichi *m*.

jumper cables *npl* US cables *mpl* de empalme *(de batería)*.

jump leads *npl* cables *mpl* de empalme *(de batería)*.

jump-start *vt* [by pushing] arrancar empujando; [using jump leads] arrancar haciendo un puente.

jumpsuit ['dʒʌmpsu:t] *n* mono *m*.

jumpy ['dʒʌmpɪ] *adj* inquieto(ta).

junction ['dʒʌŋkʃn] *n* [of roads] cruce *m*; UK [on motorway] salida *f*; [of railway lines] empalme *m*.

June [dʒu:n] *n* junio *m*; *see also* **September**.

jungle ['dʒʌŋgl] *n lit* & *fig* selva *f*.

junior ['dʒu:njər] ⟨⟩ *adj* - **1.** [partner, member] de menor antigüedad, júnior *(inv)*; [officer] subalterno(na) - **2.** [after name]: **Mark Andrews junior** Mark Andrews, hijo. ⟨⟩ *n* - **1.** [person of lower rank] subalterno *m*, -na *f* - **2.** [younger person]: **he's my junior** soy mayor que él - **3.** US SCH & UNIV *alumno de penúltimo año*.

junior high school *n* US ≃ instituto *m* de bachillerato *(13-15 años)*.

junior school *n* UK ≃ escuela *f* primaria.

junk [dʒʌŋk] *inf n (U)* [unwanted things] trastos *mpl*.

junk food *n pej* comida *f* basura.

junkie ['dʒʌŋkɪ] *n inf* yonqui *mf*.

junk mail *n (U) pej* propaganda *f* *(por correo)*.

junk shop *n* tienda *f* de objetos usados.

Jupiter ['dʒu:pɪtər] *n* Júpiter *m*.

jurisdiction [ˌdʒʊərɪs'dɪkʃn] *n* jurisdicción *f*.

juror ['dʒʊərər] *n* jurado *m*.

jury ['dʒʊərɪ] *n* jurado *m*; **the jury is still out on that** eso está por ver.

just [dʒʌst] ⟨⟩ *adv* - **1.** [recently]: **he has just left/moved** acaba de salir/mudarse - **2.** [at that moment]: **we were just leaving when...** justo íbamos a salir cuando...; **I'm just about to do it** voy a hacerlo ahora; **I couldn't do it just then** no lo podía hacer en aquel momento; **just as I was leaving** justo en el momento en que salía; **just recently** hace muy poco; **just yesterday** ayer mismo - **3.** [only, simply] sólo, solamente; **he's just a child** no es más que un niño; **'just add water'** 'simplemente añada un poco de agua'; **if you need help, just ask** si necesitas ayuda, no tienes más que pedirla; **just a minute** OR **moment** OR **second** un momento - **4.** [almost not] apenas; **I (only) just did it** conseguí hacerlo por muy poco - **5.** [for emphasis]: **I just know it!** ¡estoy seguro!; **just imagine!** ¡imagínate!; **just look what you've done!** ¡mira lo que has hecho! - **6.** [exactly, precisely] exactamente, precisamente; **just what I need** justo lo que necesito; **just here/there** aquí/allí mismo - **7.** [in requests]: **could you just open your mouth?** ¿podrías abrir la boca un momento, por favor? ⟨⟩ *adj* justo(ta). **◆ just about** *adv* - **1.** [nearly] casi - **2.** [more or less] más o menos. **◆ just as** *adv*: **just as... como,** igual de... que. **◆ just now** *adv* - **1.** [a short time ago] hace un momento - **2.** [at this moment] justo ahora, ahora mismo.

justice ['dʒʌstɪs] *n* justicia *f*; **to do justice to sthg** [to a job] estar a la altura de algo; [to a meal] hacerle los honores a algo.

Justice of the Peace *(pl* Justices of the Peace*) n* juez *mf* de paz.

justifiable ['dʒʌstɪfaɪəbl] *adj* justificable.

justify ['dʒʌstɪfaɪ] *vt* - **1.** [explain]: **to justify (sthg/doing sthg)** justifica (algo/el haber hecho algo) - **2.** TYPO justificar.

justly ['dʒʌstlɪ] *adv* justamente.

jut [dʒʌt] *vi*: **to jut (out)** sobresalir.

juvenile ['dʒu:vənaɪl] ⟨⟩ *adj* - **1.** LAW juvenil - **2.** *pej* [childish] infantil. ⟨⟩ *n* LAW menor *mf* (de edad).

juxtapose [ˌdʒʌkstə'pəʊz] *vt*: **to juxtapose sthg (with)** yuxtaponer algo (a).

K

k *(pl* k's OR ks*),* **K** *(pl* K's OR Ks*)* [keɪ] *n* [letter] k *f*, K *f*. **◆ K** *n* - **1.** (*abbr of* kilobyte(s)) K - **2.** *abbr of* **thousand**.

kaleidoscope [kə'laɪdəskəʊp] *n lit* & *fig* caleidoscopio *m*.

kangaroo [ˌkæŋgə'ru:] *n* canguro *m*.

kaput [kə'pʊt] *adj inf* escacharrado(da).

karaoke [kɑ:rə'əʊkɪ] *n* karaoke *m*.

karat ['kærət] *n* US quilate *m*.

karate [kə'rɑ:tɪ] *n* kárate *m*.

Katmandu [ˌkætmæn'du:] *n* Katmandú.

kayak ['kaɪæk] *n* cayac *m*.

Kb *n* COMPUT Kb.

kcal (*abbr of* kilocalorie) kcal.

kebab [kɪ'bæb] *n* pincho *m* moruno.

keel [ki:l] *n* quilla *f*; **on an even keel** en equilibrio estable.

keen [ki:n] *adj* - **1.** [enthusiastic] entusiasta; **to be keen on sthg** ser aficionado(da) a algo; **she is keen on you** tú le gustas; **I'm not keen on the idea** no me entusiasma la idea; **to be keen to do** OR **on doing sthg** tener ganas de hacer algo - **2.** [intense - interest, desire] profundo(da); [- competition] reñido(da) - **3.** [sharp - sense of smell, hearing, vision] agudo(da); [- eye, ear] fino(na); [- mind] agudo.

keep [ki:p] ◇ *vt* (*pt & pp* kept) - **1.** [maintain in a particular place or state or position] mantener; **to keep sb waiting/awake** tener a alguien esperando/despierto; **to keep sb talking** darle conversación a alguien - **2.** [retain] quedarse con; **keep the change** quédese con la vuelta - **3.** [put aside, store] guardar; **to keep sthg for sb** guardar algo para alguien - **4.** [detain] detener - **5.** [fulfil, observe - appointment] acudir a; [- promise, vow] cumplir - **6.** [not disclose]: **to keep sthg from sb** ocultar algo a alguien; **to keep sthg to o.s.** no contarle algo a nadie - **7.** [in writing - record, account] llevar; [- diary] escribir; [- note] tomar - **8.** [own - animals, shop] tener. ◇ *vi* (*pt & pp* kept) - **1.** [remain] mantenerse; **to keep quiet** callarse; **to keep still** estarse quieto - **2.** [continue]: **to keep doing sthg** [repeatedly] no dejar de hacer algo; [without stopping] continuar OR seguir haciendo algo; **to keep going** seguir adelante - **3.** [continue in a particular direction] continuar, seguir; **to keep left/right** circular por la izquierda/derecha - **4.** [food] conservarse - **5.** UK [be in a particular state of health] estar, andar. ◇ *n* [food, board etc]: **to earn one's keep** ganarse el pan. ◆ **keeps** *n*: **for keeps** para siempre. ◆ **keep back** ◇ *vt sep* [information] ocultar; [money, salary] retener. ◇ *vi* no acercarse. ◆ **keep off** *vt insep* [subject] evitar; **'keep off the grass'** 'no pisar la hierba'. ◆ **keep on** ◇ *vi* - **1.** [continue]: **to keep on doing sthg** [continue to do] continuar OR seguir haciendo algo; [do repeatedly] no dejar de hacer algo - **2.** [talk incessantly]: **to keep on (about)** seguir dale que te pego (con). ◇ *vt sep* [not sack] mantener en el puesto. ◆ **keep out** ◇ *vt sep* no dejar pasar. ◇ *vi*: **'keep out'** 'prohibida la entrada'. ◆ **keep to** *vt insep* - **1.** [follow] ceñirse a - **2.** [fulfil, meet] cumplir. ◆ **keep up** ◇ *vt sep* mantener. ◇ *vi* [maintain pace, level etc] mantener el ritmo; **to keep up with sb/sthg** seguir el ritmo de alguien/algo.

keeper ['ki:pər] *n* - **1.** [of park, zoo] guarda *mf* - **2.** UK [goalkeeper] guardameta *m*.

keep-fit UK *n* (U) ejercicios *mpl* de mantenimiento.

keeping ['ki:pɪŋ] *n* - **1.** [care]: **in sb's keeping** al cuidado de alguien; **in safe keeping** en lugar seguro - **2.** [conformity, harmony]: **in/out of keeping (with)** de acuerdo/en desacuerdo (con).

keepsake ['ki:pseɪk] *n* recuerdo *m*.

keg [keg] *n* barrilete *m*.

kennel ['kenl] *n* - **1.** [for dog] caseta *f* del perro - **2.** US = **kennels**. ◆ **kennels** *npl* UK residencia *f* para perros.

Kenya ['kenjə] *n* Kenia.

Kenyan ['kenjən] ◇ *adj* keniano(na). ◇ *n* keniano *m*, -na *f*.

kept [kept] *pt & pp* ▷ **keep**.

kerb [kɜ:b] *n* UK bordillo *m*, cuneta *f* Chile.

kernel ['kɜ:nl] *n* [of nut, fruit] pepita *f*.

kerosene ['kerəsi:n] *n* queroseno *m*.

kestrel ['kestrəl] *n* cernícalo *m*.

ketchup ['ketʃəp] *n* catsup *m*.

kettle ['ketl] *n* tetera *f* para hervir; **to put the kettle on** poner el agua a hervir.

key [ki:] ◇ *n* - **1.** [for lock] llave *f* - **2.** [of typewriter, computer, piano] tecla *f* - **3.** [explanatory list] clave *f* - **4.** [solution, answer]: **the key (to)** la clave (de) - **5.** MUS [scale of notes] tono *m*; **off key** desafinado(da). ◇ *adj* clave (*inv*).

keyboard ['ki:bɔ:d] *n* teclado *m*.

keyboard shortcut *n* atajo *m* de teclado.

key card *n* tarjeta *f* de acceso.

keyed up [ki:d-] *adj* nervioso(sa).

keyhole ['ki:həʊl] *n* ojo *m* de la cerradura.

keyhole surgery *n* cirugía *f* endoscópica.

keynote ['ki:nəʊt] *comp*: **keynote speech** discurso *m* principal.

keypad ['ki:pæd] *n* teclado *m* numérico.

key ring *n* llavero *m*.

kg (*abbr of* kilogram) kg *m*.

khaki ['kɑ:kɪ] ◇ *adj* caqui. ◇ *n* caqui *m*. ◆ **khakis** *npl* US pantalones *mpl* de soldado.

kick [kɪk] ◇ *n* - **1.** [from person] patada *f*, puntapié *m*; [from animal] coz *f* - **2.** *inf* [excitement]: **to do sthg for kicks** hacer algo para divertirse. ◇ *vt* - **1.** [hit once with foot] dar una patada OR un puntapié a; [hit repeatedly with foot] dar patadas OR puntapiés a - **2.** *inf* [give up] dejar. ◇ *vi* [person] dar patadas; [animal] dar coces, cocear. ◆ **kick about**, **kick around** *vi* UK *inf* andar rondando por ahí. ◆ **kick back** *vi* US [relax] relajarse. ◆ **kick in** *vi* [drug] surtir efecto. ◆ **kick off** *vi* [football] hacer el saque inicial. ◆ **kick out** *vt sep inf* echar, poner de patitas en la calle.

kid [kɪd] ◇ *n* - **1.** *inf* [child] crío *m*, -a *f* - **2.** *inf* [young person] chico *m*, -ca *f*, chaval *m*, -la *f* - **3.** [young goat] cabrito *m* - **4.** [leather] cabritilla *f*. ◇ *comp inf* [brother, sister] menor. ◇ *vt*

inf - **1.** [tease] tomar el pelo a - **2.** [delude]: **to kid o.s.** hacerse ilusiones. ⬦ *vi inf*: **to be kidding** estar de broma.

kidnap ['kɪdnæp] (*UK pt & pp* -**ped**, *cont* -**ping**, *US pt & pp* -**ed**, *cont* -**ing**) *vt* secuestrar, raptar, plagiar *Amér*.

kidnapping *UK*, **kidnaping** *US* ['kɪdnæpɪŋ] *n* secuestro *m*, rapto *m*, plagio *m Amér*.

kidney ['kɪdnɪ] (*pl* kidneys) *n* ANAT & CULIN riñón *m*.

kidney bean *n* judía *f* pinta, frijol *m Amér OR* poroto *m Andes* rojo (con forma de riñón), caraota *f* roja (con forma de riñón) *Ven*.

kill [kɪl] ⬦ *vt* - **1.** [gen] matar; **he was killed in an accident** murió en un accidente - **2.** *fig* [cause to end, fail] poner fin a - **3.** [occupy]: **to kill time** matar el tiempo. ⬦ *vi* matar. ⬦ *n* [killing]: **we watched the wolves move in for the kill** vimos cómo los lobos se preparaban para caer sobre su presa.

killer ['kɪlər] *n* [person, animal] asesino *m*, -na *f*.

killing ['kɪlɪŋ] *n* asesinato *m*.

killjoy ['kɪldʒɔɪ] *n* aguafiestas *mf inv*.

kiln [kɪln] *n* horno *m*.

kilo ['kiːləʊ] (*pl* -s) (*abbr of* kilogram) *n* kilo *m*.

kilobyte ['kɪləbaɪt] *n* kilobyte *m*.

kilogram(me) ['kɪləgræm] *n* kilogramo *m*.

kilohertz ['kɪləhɜːtz] (*pl* kilohertz) *n* kilohercio *m*.

kilometre *UK* ['kɪləˌmiːtər], **kilometer** *US* [kɪˈlɒmɪtər] *n* kilómetro *m*.

kilowatt ['kɪləwɒt] *n* kilovatio *m*.

kilt [kɪlt] *n* falda *f* escocesa.

kin [kɪn] ⊳ **kith**.

kind [kaɪnd] ⬦ *adj* [person, gesture] amable; [thought] considerado(da). ⬦ *n* tipo *m*, clase *f*; **a kind of** una especie de; **all kinds of** todo tipo de; **kind of** *esp US inf* bastante; **nothing of the kind** nada por el estilo; **they're two of a kind** son tal para cual.

kindergarten ['kɪndəˌgɑːtn] *n* jardín *m* de infancia.

kind-hearted ['hɑːtɪd] *adj* bondadoso(sa).

kindle ['kɪndl] *vt* - **1.** [fire] encender - **2.** *fig* [idea, feeling] despertar.

kindly ['kaɪndlɪ] ⬦ *adj* amable, bondadoso(sa). ⬦ *adv* - **1.** [gently, favourably] amablemente; **to look kindly on sthg/sb** mirar algo/a alguien con buenos ojos - **2.** [please]: **will you kindly...?** ¿sería tan amable de...?

kindness ['kaɪndnɪs] *n* - **1.** [gentleness] amabilidad *f* - **2.** [helpful act] favor *m*.

kindred ['kɪndrɪd] *adj* [similar] afín; **kindred spirit** alma *f* gemela.

king [kɪŋ] *n* rey *m*.

kingdom ['kɪŋdəm] *n* reino *m*.

kingfisher ['kɪŋˌfɪʃər] *n* martín *m* pescador.

king-size(d) [-saɪz(d)] *adj* [cigarette] extralargo; [pack] gigante; [bed] extragrande.

kinky ['kɪŋkɪ] *adj inf* morboso(sa), pervertido(da).

kiosk ['kiːɒsk] *n* - **1.** [small shop] quiosco *m* - **2.** *UK* [telephone box] cabina *f* telefónica.

kip [kɪp] *UK inf* ⬦ *n* sueñecito *m*. ⬦ *vi* dormir.

kipper ['kɪpər] *n* arenque *m* ahumado.

kiss [kɪs] ⬦ *n* beso *m*. ⬦ *vt* besar; **to kiss sb goodbye** dar un beso de despedida a alguien. ⬦ *vi* besarse.

kiss of life *n* [to resuscitate sb]: **the kiss of life** la respiración boca a boca.

kit [kɪt] *n* - **1.** [set of implements] equipo *m* - **2.** *UK* [clothes] equipo *m* - **3.** [to be assembled] modelo *m* para armar, kit *m*.

kit bag *n* macuto *m*, petate *m*.

kitchen ['kɪtʃɪn] *n* cocina *f*.

kitchen sink *n* fregadero *m*.

kitchen unit *n* módulo *m* de cocina.

kite [kaɪt] *n* [toy] cometa *f*.

kitesurfing ['kaɪtsɜːfɪŋ] *n* kitesurf *m*.

kith [kɪθ] *n*: **kith and kin** parientes *mpl* y amigos.

kitten ['kɪtn] *n* gatito *m*.

kitty ['kɪtɪ] *n* [for bills, drinks] fondo *m* común; [in card games] bote *m*, puesta *f*.

kiwi ['kiːwiː] *n* - **1.** [bird] kiwi *m* - **2.** *inf* [New Zealander] neocelandés *m*, -esa *f*.

kiwi (fruit) *n* kiwi *m*.

km (*abbr of* kilometre) km.

km/h (*abbr of* kilometres per hour) km/h.

knack [næk] *n*: **it's easy once you've got the knack** es fácil cuando le coges el tranquillo; **he has the knack of appearing at the right moment** tiene el don de aparecer en el momento adecuado.

knackered ['nækəd] *adj UK inf* - **1.** [exhausted] hecho(cha) polvo - **2.** [broken] cascado(da).

knapsack ['næpsæk] *n* mochila *f*.

knead [niːd] *vt* amasar.

knee [niː] ⬦ *n* rodilla *f*. ⬦ *vt* dar un rodillazo a.

kneecap ['niːkæp] *n* rótula *f*.

kneel [niːl] *vi* (*UK* knelt, *US* -ed OR knelt) [go down on knees] arrodillarse; [be on knees] estar de rodillas. ◆ **kneel down** *vi* arrodillarse.

knelt [nelt] *pt & pp* ⊳ **kneel**.

knew [njuː] *pt* ⊳ **know**.

knickers ['nɪkəz] *npl* - **1.** *UK* [underwear] bragas *fpl*, calzones *mpl Amér*, pantaletas *fpl Amér C & Méx*, bombacha *f R Plata*, blúmer *m Amér C* - **2.** *US* [knickerbockers] bombachos *mpl*.

knick-knack ['nɪknæk] *n* baratija *f*.

knife [naɪf] ◇ n (pl **knives**) cuchillo m.
◇ vt acuchillar.

knight [naɪt] ◇ n - **1.** HIST caballero m
- **2.** [knighted man] hombre con el título de 'Sir'
- **3.** [in chess] caballo m. ◇ vt conceder el títu-
lo de 'Sir' a.

knighthood ['naɪthʊd] n - **1.** [present-day
title] título m de 'Sir' - **2.** HIST título m de caba-
llero.

knit [nɪt] ◇ vt (UK pt & pp **-ted**, US pt &
pp **knit** OR **-ted**) [make with wool] tejer, tricotar.
◇ vi - **1.** [with wool] hacer punto - **2.** [join] sol-
darse.

knitting ['nɪtɪŋ] n (U) - **1.** [activity] labor f de
punto - **2.** [work produced] punto m, calceta f.

knitting needle n aguja f de hacer punto.

knitwear ['nɪtweə'] n (U) género m OR ropa f
de punto.

knives [naɪvz] npl ▷ **knife**.

knob [nɒb] n - **1.** [on door, drawer, bedstead]
pomo m - **2.** [on TV, radio etc] botón m.

knock [nɒk] ◇ n - **1.** [hit] golpe m - **2.** inf
[piece of bad luck] revés m. ◇ vt - **1.** [hit hard]
golpear; **to knock sb over** [gen] hacer caer a
alguien; AUT atropellar a alguien - **2.** [make by
hitting] hacer, abrir - **3.** inf [criticize] poner por
los suelos. ◇ vi - **1.** [on door]: **to knock (at**
OR on) llamar (a) - **2.** [car engine] golpetear.
◆ **knock down** vt sep - **1.** [subj: car, driver]
atropellar - **2.** [building] derribar. ◆ **knock**
off vi inf [stop working] parar de currar.
◆ **knock out** vt sep - **1.** [subj: person, punch]
dejar sin conocimiento; [subj: boxer] dejar fue-
ra de combate; [subj: drug] dejar dormido a
- **2.** [eliminate from competition] eliminar.

knocker ['nɒkə'] n [on door] aldaba f.

knock-kneed [-'niːd] adj patizambo(ba).

knock-on effect n UK reacción f en cadena;
to have a knock-on effect on sthg repercutir
en algo.

knockout ['nɒkaʊt] n K.O. m

knot [nɒt] ◇ n - **1.** [gen] nudo m; **to tie/un-**
tie a knot hacer/deshacer un nudo; **to tie the**
knot inf [marry] casarse - **2.** [of people] corri-
llo m. ◇ vt anudar.

knotty ['nɒtɪ] adj intrincado(da).

know [nəʊ] ◇ vt (pt **knew**, pp **known**)
- **1.** [gen]: **to know (that)** saber (que); [language]
saber hablar; **to know sthg backwards** saberse
algo al dedillo; **to get to know sthg** enterarse
de algo; **to let sb know (about)** avisar a al-
guien (de) - **2.** [be familiar with - person, place]
conocer; **to get to know sb** llegar a conocer
a alguien. ◇ vi (pt **knew**, pp **known**) - **1.** [have
knowledge] saber - **2.** [be knowledgeable]: **to**
know about sthg saber de algo. ◇ n: **to be in**
the know estar enterado(da).

know-all, know-it-all n UK sabelotodo mf.

know-how n conocimientos mpl, know-
how m.

knowing ['nəʊɪŋ] adj cómplice.

knowingly ['nəʊɪŋlɪ] adv - **1.** [in knowing
manner] con complicidad - **2.** [intentionally] a
sabiendas.

know-it-all = know-all.

knowledge ['nɒlɪdʒ] n (U) - **1.** [awareness] co-
nocimiento m; **to the best of my knowledge**
por lo que yo sé - **2.** [facts known by individual]
conocimientos mpl.

knowledgeable ['nɒlɪdʒəbl] adj entendi-
do(da).

known [nəʊn] pp ▷ **know.**

knuckle ['nʌkl] n - **1.** [on hand] nudillo m
- **2.** [of pork] codillo m.

koala (bear) [kəʊ'ɑːlə-] n koala m.

Koran [kɒ'rɑːn] n: **the Koran** el Corán.

Korea [kə'rɪə] n Corea.

Korean [kə'rɪən] ◇ adj coreano(na). ◇ n
- **1.** [person] coreano m, -na f - **2.** [language] co-
reano m.

kosher ['kəʊʃə'] adj - **1.** [meat] kosher, permi-
tido(da) por la religión judía - **2.** inf [reputable]
limpio(pia), legal.

Kosovo ['kɒsəvəʊ] n Kosovo m.

kung fu [ˌkʌŋ'fuː] n kung-fu m.

Kurd [kɜːd] n kurdo m, -da f.

Kuwait [kjuː'weɪt] n Kuwait.

L

l[1] (pl **l's** OR **ls**), **L** (pl **L's** OR **Ls**) [el] n [letter] l f,
L f.

l[2] (abbr of litre) l.

lab [læb] inf = **laboratory**.

label ['leɪbl] ◇ n - **1.** [identification] etique-
ta f - **2.** [of record] sello m discográfico. ◇ vt
(UK pt & pp **-led**, cont **-ling**, US pt & pp **-ed**,
cont **-ing**) [fix label to] etiquetar.

labor US = **labour**.

laboratory [UK lə'bɒrətrɪ, US 'læbrə,tɔːrɪ],
lab n laboratorio m.

laborious [lə'bɔːrɪəs] adj laborioso(sa).

labor union n US sindicato m.

labour UK, **labor** US ['leɪbər] <> n - **1.** [work] trabajo m - **2.** [piece of work] esfuerzo m - **3.** [workers] mano f de obra - **4.** [giving birth] parto m. <> vi - **1.** [work] trabajar - **2.** [work with difficulty]: **to labour at** OR **over** trabajar afanosamente en. ◆ **Labour** <> adj POL laborista. <> n (U) UK POL los laboristas.

laboured UK, **labored** US ['leɪbəd] adj [style] trabajoso(sa); [gait, breathing] penoso(sa), fatigoso(sa).

labourer UK, **laborer** US ['leɪbərər] n obrero m, -ra f.

Labour Party n UK: **the Labour Party** el partido Laborista.

Labrador ['læbrədɔːr] n [dog] labrador m.

labyrinth ['læbərɪnθ] n laberinto m.

lace [leɪs] <> n - **1.** [fabric] encaje m - **2.** [shoelace] cordón m. <> vt - **1.** [shoe, boot] atar - **2.** [drink, food]: **coffee laced with brandy** café con unas gotas de coñac. ◆ **lace up** vt sep atar.

lack [læk] <> n falta f; **for** OR **through lack of** por falta de; **there was no lack of excitement** no falto emoción. <> vt carecer de. <> vi: **to be lacking in** carecer de; **to be lacking** faltar.

lackadaisical [,lækə'deɪzɪkl] adj pej apático(ca).

lacklustre UK, **lackluster** US ['læk,lʌstər] adj pej soso(sa), apagado(da).

laconic [lə'kɒnɪk] adj lacónico(ca).

lacquer ['lækər] n laca f.

lad [læd] n inf [boy] chaval m; **come on lads!** ¡vamos chicos!

ladder ['lædər] <> n - **1.** [for climbing] escalera f - **2.** UK [in tights] carrera f. <> vt UK [tights] hacerse una carrera en.

laden ['leɪdn] adj: **laden (with)** cargado(da) (de).

ladies UK ['leɪdɪz], **ladies' room** US n lavabo m de señoras.

ladle ['leɪdl] <> n cucharón m. <> vt servir con cucharón.

lady ['leɪdɪ] <> n - **1.** [woman] señora f - **2.** [woman of high status] dama f. <> comp mujer; **lady doctor** doctora f. ◆ **Lady** n [woman of noble rank] lady f.

ladybird UK ['leɪdɪbɜːd], **ladybug** US ['leɪdɪbʌg] n mariquita f.

lady-in-waiting [-'weɪtɪŋ] (pl **ladies-in-waiting**) n dama f de honor.

ladylike ['leɪdɪlaɪk] adj elegante, propio(pia) de una señora.

lag [læg] <> vi - **1.** [move more slowly]: **to lag (behind)** rezagarse - **2.** [develop more slowly]: **to lag (behind)** andar a la zaga. <> vt [pipes] revestir. <> n [delay] retraso m, demora f.

lager ['lɑːgər] n cerveza f rubia.

lagoon [lə'guːn] n laguna f.

laid [leɪd] pt & pp ▷ **lay**.

laid-back adj inf relajado(da).

lain [leɪn] pp ▷ **lie**.

lair [leər] n guarida f.

laity ['leɪətɪ] n RELIG: **the laity** los seglares, los legos.

lake [leɪk] n lago m.

Lake District n: **the Lake District** el Distrito de los Lagos al noroeste de Inglaterra.

lamb [læm] n cordero m.

lambswool ['læmzwʊl] <> n lana f de cordero. <> comp de lana de cordero.

lame [leɪm] adj - **1.** [person, horse] cojo(ja) - **2.** [excuse, argument] pobre.

lament [lə'ment] <> n lamento m. <> vt lamentar.

lamentable ['læməntəbl] adj lamentable.

laminated ['læmɪneɪtɪd] adj - **1.** [gen] laminado(da) - **2.** [ID card] plastificado(da).

lamp [læmp] n lámpara f.

lampoon [læm'puːn] <> n pasquín m, sátira f. <> vt satirizar.

lamppost ['læmppəʊst] n farol m.

lampshade ['læmpʃeɪd] n pantalla f (de lámpara).

lance [lɑːns] <> n lanza f. <> vt abrir con lanceta.

lance corporal n soldado m de primera.

land [lænd] <> n - **1.** [gen] tierra f - **2.** [property] tierras fpl, finca f. <> vt - **1.** [unload] desembarcar - **2.** [plane] hacer aterrizar - **3.** [catch - fish] pescar - **4.** inf [obtain] conseguir, pillar - **5.** inf [place]: **to land sb in sthg** meter a alguien en algo; **to land sb with sb/sthg** cargar a alguien con alguien/algo. <> vi - **1.** [by plane] aterrizar, tomar tierra - **2.** [from ship] desembarcar - **3.** [fall] caer - **4.** [end up] ir a parar. ◆ **land up** vi inf: **to land up (in)** ir a parar (a).

landfill site ['lændfɪl-] n vertedero m de basuras.

landing ['lændɪŋ] n - **1.** [of stairs] rellano m - **2.** [of aeroplane] aterrizaje m - **3.** [of person] desembarco m.

landing card n tarjeta f de desembarque.

landing gear n (U) tren m de aterrizaje.

landing stage n desembarcadero m.

landing strip n pista f de aterrizaje.

landlady ['lænd,leɪdɪ] n - **1.** [of rented room or building] casera f - **2.** [of hotel, pub] patrona f.

landlord ['lændlɔːd] n - **1.** [of rented room or building] dueño m, casero m - **2.** [of pub] patrón m.

landmark ['lændmɑːk] n - **1.** [prominent feature] punto m de referencia - **2.** fig [in history] hito m.

landowner ['lænd,əʊnə'] n terrateniente mf.

landscape ['lændskeɪp] n paisaje m.

landslide ['lændslaɪd] n - 1. [of earth, rocks] desprendimiento m de tierras - 2. POL victoria f arrolladora OR aplastante.

lane [leɪn] n - 1. [road in country] camino m - 2. [road in town] callejuela f, callejón m - 3. [for traffic] carril m; 'keep in lane' cartel que prohibe el cambio de carril - 4. [in swimming pool, race track] calle f - 5. [for shipping, aircraft] ruta f.

language ['læŋgwɪdʒ] n - 1. [gen] idioma m, lengua f - 2. [faculty or style of communication & COMPUT] lenguaje m.

language laboratory n laboratorio m de idiomas.

languid ['læŋgwɪd] adj lánguido(da).

languish ['læŋgwɪʃ] vi [in misery] languidecer; [in prison] pudrirse.

lank [læŋk] adj lacio(cia).

lanky ['læŋkɪ] adj larguirucho(cha).

lantern ['læntən] n farol m.

lap [læp] ◇ n - 1. [of person] regazo m - 2. [of race] vuelta f. ◇ vt - 1. [subj: animal] beber a lengüetadas - 2. [overtake in race] doblar. ◇ vi [water, waves] romper con suavidad.

lapel [lə'pel] n solapa f.

Lapland ['læplænd] n Laponia.

lapse [læps] ◇ n - 1. [slip-up] fallo m, lapsus m inv - 2. [in behaviour] desliz m - 3. [of time] lapso m, periodo m. ◇ vi - 1. [membership] caducar; [treatment, agreement] cumplir, expirar - 2. [standards, quality] bajar momentáneamente; [tradition] extinguirse - 3. [subj: person]: to lapse into terminar cayendo en.

lap-top (computer) n COMPUT ordenador m portátil.

larceny ['lɑ:sənɪ] n (U) latrocinio m.

lard [lɑ:d] n manteca f de cerdo.

larder ['lɑ:də'] n despensa f.

large [lɑ:dʒ] adj [gen] grande; [family] numeroso(sa); [sum] importante. ◆ at large adv - 1. [as a whole] en general - 2. [escaped prisoner, animal] suelto(ta). ◆ by and large adv en general.

largely ['lɑ:dʒlɪ] adv [mostly] en gran parte; [chiefly] principalmente.

lark [lɑ:k] n - 1. [bird] alondra f - 2. inf [joke] broma f. ◆ lark about vi hacer el tonto.

laryngitis [,lærɪn'dʒaɪtɪs] n (U) laringitis f inv.

larynx ['lærɪŋks] n laringe f.

lasagna, lasagne [lə'zænjə] n (U) lasaña f.

laser ['leɪzə'] n láser m.

laser printer n COMPUT impresora f láser.

lash [læʃ] ◇ n - 1. [eyelash] pestaña f - 2. [blow with whip] latigazo m. ◇ vt - 1. lit &

fig [whip] azotar - 2. [tie]: to lash sthg (to) amarrar algo (a). ◆ lash out vi - 1. [attack]: to lash out at sb [physically] soltar un golpe a alguien; [verbally] arremeter contra alguien - 2. UK inf [spend money]: to lash out (on sthg) tirar la casa por la ventana (con algo).

lass [læs] n chavala f, muchacha f.

lasso [læ'su:] n (pl -s) lazo m.

last [lɑ:st] ◇ adj último(ma); last month/ Tuesday el mes/martes pasado; last March en marzo del año pasado; last but one penúltimo(ma); last but two antepenúltimo(ma); last night anoche. ◇ adv - 1. [most recently] por última vez; when I last called him la última vez que lo llamé - 2. [finally, in final position] en último lugar; he arrived last llegó el último; last but not least por último, pero no por ello menos importante. ◇ pron: the year/Saturday before last el año/sábado pasado, sino el anterior; the last but one el penúltimo (la penúltima); the night before last anteanoche; the time before last la vez anterior a la pasada; to leave sthg till last dejar algo para el final. ◇ n: the last I saw/heard of him la última vez que lo vi/que oí de él. ◇ vi durar; [food] conservarse. ◆ at (long) last adv por fin.

last-ditch adj último(ma), desesperado(da).

lasting ['lɑ:stɪŋ] adj [peace, effect] duradero(ra).

lastly ['lɑ:stlɪ] adv - 1. [to conclude] por último - 2. [at the end] al final.

last-minute adj de última hora.

latch [lætʃ] n pestillo m. ◆ latch onto vt insep inf [person] pegarse OR engancharse a; [idea] pillar.

late [leɪt] ◇ adj - 1. [not on time] con retraso; to be late (for) llegar tarde (a); the flight is twenty minutes late el vuelo lleva veinte minutos de retraso; the bus was an hour late el autobús llegó con una hora de retraso - 2. [near end of]: in the late afternoon al final de la tarde; in late December a finales de diciembre; it's getting late se está haciendo tarde - 3. [later than normal] tardío(a); we had a late breakfast desayunamos tarde - 4. [former]: the late president el ex-presidente - 5. [dead] difunto(ta). ◇ adv - 1. [gen] tarde; they are open late abren hasta tarde - 2. [near end of period]: late in the day al final del día; late in August a finales de agosto. ◆ of late adv últimamente.

latecomer ['leɪt,kʌmə'] n persona f que llega tarde.

lately ['leɪtlɪ] adv últimamente.

latent ['leɪtənt] adj latente.

later ['leɪtə'] ◇ adj - 1. [date, edition] posterior - 2. [near end of]: in the later 15th century

a finales del siglo XV. ◇ *adv* [at a later time]: **later (on)** más tarde; **no later than Friday** el viernes como muy tarde.

lateral ['lætərəl] *adj* lateral.

latest ['leɪtɪst] ◇ *adj* [most recent] último(ma). ◇ *n*: **at the latest** a más tardar, como muy tarde.

lathe [leɪð] *n* torno *m*.

lather ['lɑːðər] ◇ *n* espuma *f* (de jabón). ◇ *vt* enjabonar.

Latin ['lætɪn] ◇ *adj* - **1.** [temperament, blood] latino(na) - **2.** [studies] de latín. ◇ *n* [language] latín *m*.

Latin America *n* Latinoamérica *f*, América *f* Latina.

Latin American ◇ *adj* latinoamericano(na). ◇ *n* [person] latinoamericano *m*, -na *f*.

latitude ['lætɪtjuːd] *n* GEOG latitud *f*.

latter ['lætər] ◇ *adj* - **1.** [near to end] último(ma) - **2.** [second] segundo(da). ◇ *n*: **the latter** éste *m*, ésta *f*.

latterly ['lætəlɪ] *adv* últimamente.

lattice ['lætɪs] *n* enrejado *m*, celosía *f*.

Latvia ['lætvɪə] *n* Letonia.

laudable ['lɔːdəbl] *adj* loable.

laugh [lɑːf] ◇ *n* - **1.** [sound] risa *f* - **2.** *inf* [fun, joke]: **to have a laugh** divertirse; **to do sthg for laughs** OR **a laugh** hacer algo para divertirse OR en cachondeo. ◇ *vi* reírse. ◆ **laugh at** *vt insep* [mock] reírse de. ◆ **laugh off** *vt sep* [dismiss] tomarse a risa.

laughable ['lɑːfəbl] *adj pej* [absurd] ridículo(la), risible.

laughing stock ['lɑːfɪŋ-] *n* hazmerreír *m*.

laughter ['lɑːftər] *n* (U) risa *f*.

launch [lɔːntʃ] ◇ *n* - **1.** [of boat, ship] botadura *f* - **2.** [of rocket, missile, product] lanzamiento *m* - **3.** [boat] lancha *f*. ◇ *vt* - **1.** [boat, ship] botar - **2.** [missile, attack, product & COMPUT] lanzar - **3.** [company] fundar.

launch(ing) pad ['lɔːntʃ(ɪŋ)-] *n* plataforma *f* de lanzamiento.

launder ['lɔːndər] *vt* - **1.** [wash] lavar - **2.** *inf* [money] blanquear.

laund(e)rette [lɔːn'dret], **Laundromat®** US ['lɔːndrəmæt] *n* lavandería *f* (automática).

laundry ['lɔːndrɪ] *n* - **1.** [clothes - about to be washed] colada *f*, ropa *f* sucia; [- newly washed] ropa *f* limpia - **2.** [business, room] lavandería *f*.

laureate ['lɔːrɪət] ▷ **poet laureate.**

lava ['lɑːvə] *n* lava *f*.

lavatory ['lævətrɪ] *n* - **1.** [receptacle] wáter *m* - **2.** [room] servicio *m*.

lavender ['lævəndər] *n* - **1.** [plant] lavanda *f* - **2.** [colour] color *m* lavanda.

lavish ['lævɪʃ] ◇ *adj* - **1.** [person] pródigo(ga); [gifts, portions] muy generoso(sa); **to be lavish with** [praise, attention] ser pródigo en; [money] ser desprendido(da) con - **2.** [sumptuous] espléndido(da), suntuoso(sa). ◇ *vt*: **to lavish sthg on** [praise, care] prodigar algo a; [time, money] gastar algo en.

law [lɔː] *n* - **1.** [gen] ley *f*; **against the law** ilegal; **to break the law** infringir OR violar la ley; **law and order** el orden público - **2.** [set of rules, study, profession] derecho *m*.

law-abiding [-ə,baɪdɪŋ] *adj* observante de la ley.

law court *n* tribunal *m* de justicia.

law enforcement officer *n* agente *mf* de policía.

law firm *n* bufete *m* de abogados.

lawful ['lɔːful] *adj fml* legal, lícito(ta).

lawn [lɔːn] *n* [grass] césped *m*, pasto *m Amér*, grama *f Amér C & Ven*.

lawnmower ['lɔːn,məʊər] *n* cortacésped *mf*.

lawn tennis *n* tenis *m* sobre hierba.

law school *n* facultad *f* de derecho; **he went to law school** estudió derecho.

lawsuit ['lɔːsuːt] *n* pleito *m*.

lawyer ['lɔːjər] *n* abogado *m*, -da *f*.

lax [læks] *adj* [discipline, morals] relajado(da); [person] negligente; [security] poco riguroso(sa).

laxative ['læksətɪv] *n* laxante *m*.

lay [leɪ] ◇ *pt* ▷ **lie.** ◇ *vt* (*pt & pp* **laid**) - **1.** [put, place] colocar, poner; **to lay o.s. open to sthg** exponerse a algo - **2.** [prepare - plans] hacer - **3.** [put in position - bricks] poner; [- cable, trap] tender; [- foundations] echar; **to lay the table** poner la mesa - **4.** [egg] poner - **5.** [blame, curse]: **to lay sthg on sb** echar algo a alguien. ◇ *adj* - **1.** [not clerical] laico(ca) - **2.** [untrained, unqualified] lego(ga). ◆ **lay aside** *vt sep* - **1.** [store for future - food] guardar; [- money] ahorrar - **2.** [prejudices, reservations] dejar a un lado. ◆ **lay down** *vt sep* - **1.** [set out] imponer, establecer - **2.** [put down - arms] deponer, entregar; [- tools] dejar. ◆ **lay off** ◇ *vt sep* [make redundant] despedir. ◇ *vt insep inf* [stop, give up]: **to lay off (doing sthg)** dejar (de hacer algo). ◇ *vi inf*: **lay off!** ¡déjame en paz! ◆ **lay on** *vt sep* [transport, entertainment] organizar; [food] preparar. ◆ **lay out** *vt sep* - **1.** [arrange, spread out] disponer - **2.** [plan, design] diseñar el trazado de.

layabout ['leɪəbaʊt] *n UK inf* holgazán *m*, -ana *f*, gandul *m*, -la *f*.

lay-by (*pl* **lay-bys**) *n UK* área *f* de descanso.

layer ['leɪər] ◇ *n* - **1.** [of substance, material] capa *f* - **2.** *fig* [level] nivel *m*. ◇ *vt* [hair] cortar a capas.

layman ['leɪmən] (*pl* -men [-mən]) *n* - **1.** [untrained, unqualified person] lego *m*, -ga *f* - **2.** RELIG laico *m*, -ca *f*.

layout ['leɪaʊt] *n* [of building, garden] trazado *m*, diseño *m*; [of text] presentación *f*, composición *f*; [of page & COMPUT] diseño *m*.

laze [leɪz] *vi*: to laze (about OR around) gandulear, holgazanear.

lazy ['leɪzɪ] *adj* - **1.** [person] perezoso(sa), vago(ga) - **2.** [stroll, gesture] lento(ta); [afternoon] ocioso(sa).

lazybones ['leɪzɪbəʊnz] (*pl* lazybones) *n inf* gandul *m*, -la *f*.

lb (*abbr of* pound) lb.

LCD *n abbr of* **liquid crystal display**.

lead¹ [liːd] ◇ *n* - **1.** [winning position] delantera *f*; to be in OR have the lead llevar la delantera, ir en cabeza; to take the lead ponerse a la cabeza - **2.** [amount ahead]: to have a lead of... llevar una ventaja de... - **3.** [initiative, example] ejemplo *m*; to take the lead [do sthg first] tomar la delantera - **4.** THEAT: (to play) the lead (hacer) el papel principal - **5.** [clue] pista *f* - **6.** [for dog] correa *f* - **7.** [wire, cable] cable *m*. ◇ *adj* [singer, actor] principal; [guitar, guitarist] solista; [story in newspaper] más destacado(da). ◇ *vt* (*pt & pp* led) - **1.** [be in front of] encabezar - **2.** [take, guide, direct] conducir - **3.** [be in charge of, take the lead in] dirigir; [debate] moderar - **4.** [life] llevar - **5.** [cause]: to lead sb to do sthg llevar a alguien a hacer algo; we were led to believe that... nos dieron a entender que... ◇ *vi* (*pt & pp* led) - **1.** [go]: to lead (to) conducir OR llevar (a) - **2.** [give access to]: to lead (to OR into) dar (a) - **3.** [be winning] ir en cabeza - **4.** [result in]: to lead to conducir a - **5.** [in cards] salir. ◆ **lead up to** *vt insep* - **1.** [build up to] conducir a, preceder a - **2.** [plan to introduce] apuntar a.

lead² [led] *n* - **1.** [metal] plomo *m* - **2.** [in pencil] mina *f*.

leaded ['ledɪd] *adj* - **1.** [petrol] con plomo - **2.** [window] emplomado(da).

leader ['liːdər] *n* - **1.** [of party etc, in competition] líder *mf* - **2.** UK [in newspaper] editorial *m*, artículo *m* de fondo.

leadership ['liːdəʃɪp] *n* (U) - **1.** [people in charge]: the leadership los líderes - **2.** [position of leader] liderazgo *m* - **3.** [qualities of leader] dotes *fpl* de mando.

lead-free [led-] *adj* sin plomo.

lead guitar *n* guitarra *f* solista.

leading ['liːdɪŋ] *adj* - **1.** [major - athlete, writer] destacado(da); [- company] principal - **2.** [at front] que va en cabeza.

leading lady *n* primera actriz *f*.

leading light *n* figura *f* destacada.

leading man *n* primer actor *m*.

leaf [liːf] *n* (*pl* leaves) - **1.** [of tree, book] hoja *f* - **2.** [of table] hoja *f* abatible. ◆ **leaf through** *vt insep* hojear.

leaflet ['liːflɪt] *n* [small brochure] folleto *m*; [piece of paper] octavilla *f*.

league [liːg] *n* [gen & SPORT] liga *f*; to be in league with [work with] estar confabulado con.

leak [liːk] ◇ *n* - **1.** [hole - in tank, bucket] agujero *m*; [- in roof] gotera *f* - **2.** [escape] escape *m*, fuga *f* - **3.** [of information] filtración *f*. ◇ *vt* [information] filtrar. ◇ *vi* - **1.** [bucket] tener un agujero; [roof] tener goteras; [boot] calar - **2.** [water, gas] salirse, escaparse; to leak (out) from salirse de. ◆ **leak out** *vi* [liquid] escaparse.

leakage ['liːkɪdʒ] *n* fuga *f*, escape *m*.

lean [liːn] ◇ *adj* - **1.** [person] delgado(da) - **2.** [meat] magro(gra) - **3.** [winter, year] de escasez. ◇ *vt* (*pt & pp* leant OR -ed) [support, prop]: to lean sthg against apoyar algo contra. ◇ *vi* (*pt & pp* leant OR -ed) - **1.** [bend, slope] inclinarse; to lean out of the window asomarse a la ventana - **2.** [rest]: to lean on/against apoyarse en/contra.

leaning ['liːnɪŋ] *n*: leaning (towards) inclinación *f* (hacia OR por).

leant [lent] *pt & pp* ▷ **lean**.

lean-to (*pl* lean-tos) *n* cobertizo *m*.

leap [liːp] ◇ *n* salto *m*. ◇ *vi* (*pt & pp* leapt OR -ed) [gen] saltar; [prices] dispararse.

leapfrog ['liːpfrɒg] ◇ *n* pídola *f*, rango *m* R Plata. ◇ *vt* saltar.

leapt [lept] *pt & pp* ▷ **leap**.

leap year *n* año *m* bisiesto.

learn [lɜːn] (*pt & pp* -ed OR learnt) ◇ *vt* - **1.** [acquire knowledge of, memorize] aprender; to learn (how) to do sthg aprender a hacer algo - **2.** [hear]: to learn (that) enterarse de (que). ◇ *vi* [acquire knowledge] aprender.

learned ['lɜːnɪd] *adj* erudito(ta).

learner ['lɜːnər] *n* [beginner] principiante *mf*; [student] estudiante *mf*.

learner (driver) *n* conductor *m* principiante OR en prácticas.

learner's permit *n US* carné *m* de conducir provisional.

learning ['lɜːnɪŋ] *n* saber *m*, erudición *f*.

learning disability *n* discapacidad *f* para el aprendizaje.

learnt [lɜːnt] *pt & pp* ▷ **learn**.

lease [liːs] ◇ *n* LAW contrato *m* de arrendamiento, arriendo *m*; to give sb a new lease of life UK OR on life US darle nueva vida a alguien. ◇ *vt* arrendar; to lease sthg from/to sb arrendar algo de/a alguien.

leasehold ['liːshəʊld] ◇ *adj* arrendado(da). ◇ *adv* en arriendo.

leash [liːʃ] *n* [for dog] correa *f.*

least [liːst] *(superl of little)* ⬦ *adj* [smallest in amount, degree] menor; **he earns the least money** es el que menos dinero gana. ⬦ *pron* [smallest amount]**: the least** lo menos; **it's the least (that) he can do** es lo menos que puede hacer; **not in the least** en absoluto; **to say the least** por no decir otra cosa. ⬦ *adv* [to the smallest amount, degree] menos. ◆ **at least** *adv* por lo menos. ◆ **least of all** *adv* y menos (todavía). ◆ **not least** *adv* sobre todo.

leather ['leðər] ⬦ *n* piel *f*, cuero *m.* ⬦ *comp* [jacket, trousers] de cuero; [shoes, bag] de piel.

leave [liːv] ⬦ *vt (pt & pp left)* - **1.** [gen] dejar; **he left it to her to decide** dejó que ella decidiera; **to leave sb alone** dejar a alguien en paz - **2.** [go away from - place] irse de; [- house, room, work] salir de; [- wife] abandonar; **to leave home** irse de casa - **3.** [not take, forget] dejarse - **4.** [bequeath]: **to leave sb sthg, to leave sthg to sb** dejarle algo a alguien. ⬦ *vi (pt & pp left)* [bus, train, plane] salir; [person] irse, marcharse. ⬦ *n* [time off, permission] permiso *m*; **to be on leave** estar de permiso. ◆ **leave behind** *vt sep* - **1.** [abandon] dejar - **2.** [forget] dejarse - **3.** [walking, in race]: **to get left behind** quedarse atrás. ◆ **leave out** *vt sep* - **1.** [omit] omitir - **2.** [exclude] excluir.

leave of absence *n* excedencia *f.*

leaves [liːvz] *npl* ⊳ **leaf**.

Lebanon ['lebənən] *n*: (the) Lebanon (el) Líbano.

lecherous ['letʃərəs] *adj* lascivo(va).

lecture ['lektʃər] ⬦ *n* - **1.** [talk - at university] clase *f*; [- at conference] conferencia *f*; **to give a lecture (on)** [- at university] dar una clase (sobre); [- at conference] dar una conferencia (sobre) - **2.** [criticism, reprimand] sermón *m.* ⬦ *vt* [scold] echar un sermón a. ⬦ *vi* [give talk]: **to lecture (on/in)** [at university] dar clases (de/en); [at conference] dar una conferencia (sobre/en).

lecturer ['lektʃərər] *n* [at university] profesor *m*, -ra *f* de universidad.

led [led] *pt & pp* ⊳ **lead¹**.

ledge [ledʒ] *n* - **1.** [of window] alféizar *m* - **2.** [of mountain] saliente *m.*

ledger ['ledʒər] *n* libro *m* mayor.

leech [liːtʃ] *n lit & fig* sanguijuela *f.*

leek [liːk] *n* puerro *m.*

leer [lɪər] *vi*: **to leer at sb** mirar lascivamente a alguien.

leeway ['liːweɪ] *n* [room to manoeuvre] libertad *f* (de acción OR movimientos).

left [left] ⬦ *pt & pp* ⊳ **leave**. ⬦ *adj* - **1.** [remaining]: **to be left** quedar; **there's no wine left** no queda vino - **2.** [not right] izquier-

do(da). ⬦ *adv* a la izquierda. ⬦ *n* izquierda *f*; **on OR to the left** a la izquierda. ◆ **Left** *n* POL: **the Left** la izquierda.

left-hand *adj* izquierdo(da); **the left-hand side** el lado izquierdo, la izquierda.

left-handed [-'hændɪd] *adj* - **1.** [person] zurdo(da) - **2.** [implement] para zurdos.

left luggage (office) *n UK* consigna *f.*

leftover ['leftəʊvər] *adj* sobrante. ◆ **leftovers** *npl* sobras *fpl.*

left wing *n* POL izquierda *f.* ◆ **left-wing** *adj* izquierdista.

leg [leg] *n* - **1.** [of person] pierna *f*; **to pull sb's leg** tomarle el pelo a alguien - **2.** [of animal] pata *f* - **3.** [of trousers] pernera *f*, pierna *f* - **4.** CULIN [of lamb, pork] pierna *f*; [of chicken] muslo *m* - **5.** [of furniture] pata *f* - **6.** [of journey] etapa *f*; [of cup tie] partido *m.*

legacy ['legəsɪ] *n lit & fig* legado *m.*

legal ['liːgl] *adj* - **1.** [lawful] legal - **2.** [concerning the law] jurídico(ca).

legalize, -ise ['liːgəlaɪz] *vt* legalizar.

legal tender *n* moneda *f* de curso legal.

legend ['ledʒənd] *n lit & fig* leyenda *f.*

leggings ['legɪŋz] *npl* mallas *fpl.*

legible ['ledʒəbl] *adj* legible.

legislation [,ledʒɪs'leɪʃn] *n* legislación *f.*

legislature ['ledʒɪsleɪtʃər] *n* asamblea *f* legislativa.

legitimate [lɪ'dʒɪtɪmət] *adj* legítimo(ma).

legless ['leglɪs] *adj UK inf* [drunk] trompa, como una cuba.

legroom ['legrʊm] *n (U)* espacio *m* para las piernas.

leg-warmers [-,wɔːməz] *npl* calentadores *mpl.*

leisure [*UK* 'leʒər, *US* 'liːʒər] *n* ocio *m*; **do it at your leisure** hazlo cuando tengas tiempo.

leisure centre *n* centro *m* deportivo y cultural.

leisurely [*UK* 'leʒəlɪ, *US* 'liːʒərlɪ] *adj* lento(ta).

leisure time *n* tiempo *m* libre.

lemon ['lemən] *n* [fruit] limón *m.*

lemonade [,lemə'neɪd] *n* - **1.** *UK* [fizzy drink] gaseosa *f* - **2.** [made with fresh lemons] limonada *f.*

lemongrass ['lemənɡrɑːs] *n (U)* hierba *f* limonera.

lemon juice *n* zumo *m* de limón.

lemon sole *n* mendo *m* limón.

lemon squeezer [-'skwiːzər] *n* exprimidor *m*, exprimelimones *m inv.*

lemon tea *n* té *m* con limón.

lend [lend] *(pt & pp lent) vt* - **1.** [loan] prestar, dejar; **to lend sb sthg, to lend sthg to sb** pres-

tarle algo a alguien - 2. [offer]: **to lend sthg (to sb)** prestar algo (a alguien); **to lend sb a hand** echar una mano a alguien; **to lend itself to sthg** prestarse a algo - 3. [add]: **to lend sthg to sb** prestar algo a.

lending rate ['lendɪŋ-] n tipo m de interés (en un crédito).

length [leŋθ] n - 1. [measurement] longitud f, largo m; **what length is it?** ¿cuánto mide de largo?; **it's a metre in length** tiene un metro de largo - 2. [whole distance, size] extensión f - 3. [duration] duración f - 4. [of swimming pool] largo m - 5. [piece - of string, wood] trozo m; [- of cloth] largo m. ◆ **at length** adv - 1. [eventually] por fin - 2. [in detail - speak] largo y tendido; [- discuss] con detenimiento.

lengthen ['leŋθən] ◇ vt alargar. ◇ vi alargarse.

lengthways ['leŋθweɪz] adv a lo largo.

lengthy ['leŋθɪ] adj [stay, visit] extenso(sa); [discussions, speech] prolongado(da).

lenient ['li:njənt] adj indulgente.

lens [lenz] n - 1. [in glasses] lente f; [in camera] objetivo m - 2. [contact lens] lentilla f, lente f de contacto.

lent [lent] pt & pp ▷ **lend**.

Lent [lent] n Cuaresma f.

lentil ['lentɪl] n lenteja f.

Leo ['li:əʊ] n Leo m.

leopard ['lepəd] n leopardo m.

leotard ['li:ətɑ:d] n malla f.

leper ['lepər] n leproso m, -sa f.

leprosy ['leprəsɪ] n lepra f.

lesbian ['lezbɪən] n lesbiana f.

less [les] (compar of little) ◇ adj menos; **less... than** menos... que; **less and less...** cada vez menos... ◇ pron menos; **the less you work, the less you earn** cuanto menos trabajas, menos ganas; **it costs less than you think** cuesta menos de lo que piensas; **no less than** nada menos que. ◇ adv menos; **less than five** menos de cinco; **less often** menos; **less and less** cada vez menos. ◇ prep [minus] menos.

lessen ['lesn] ◇ vt aminorar, reducir. ◇ vi aminorarse, reducirse.

lesser ['lesər] adj menor.

lesson ['lesn] n - 1. [class] clase f - 2. [warning experience] lección f; **to teach sb a lesson** darle una buena lección a alguien.

lest [lest] conj fml para que no; **lest we forget** no sea que nos olvidemos.

let [let] vt (pt & pp let) - 1. [allow]: **to let sb do sthg** dejar a alguien hacer algo; **to let sb know sthg** avisar a alguien de algo; **to let go of sthg/sb** soltar algo/a alguien; **to let sthg/sb go** [release] liberar a algo/alguien, soltar a algo/alguien; **to let o.s. go** [relax] soltarse el pe-

lo; [become slovenly] abandonarse - 2. [in verb forms]: **let's go!** ¡vamos!; **let's see** veamos; **let him wait!** ¡déjale que espere! - 3. [rent out - house, room] alquilar; [- land] arrendar; **'to let'** 'se alquila'. ◆ **let alone** adv ni mucho menos. ◆ **let down** vt sep - 1. [deflate] desinflar - 2. [disappoint] fallar, defraudar. ◆ **let in** vt sep - 1. [admit] dejar entrar - 2. [leak] dejar pasar. ◆ **let off** vt sep - 1. [excuse]: **to let sb off sthg** eximir a alguien de algo - 2. [not punish] perdonar - 3. [cause to explode - bomb] hacer estallar; [- gun] disparar - 4. [gas] despedir. ◆ **let on** vi: **don't let on!** ¡no cuentes nada! ◆ **let out** vt sep - 1. [allow to go out] dejar salir - 2. [emit - sound] soltar. ◆ **let up** vi - 1. [heat, rain] amainar - 2. [person] parar.

letdown ['letdaʊn] n inf chasco m.

lethal ['li:θl] adj letal, mortífero(ra).

lethargic [lə'θɑ:dʒɪk] adj - 1. [mood] letárgico(ca); [person] aletargado(da) - 2. [apathetic] apático(ca).

let's [lets] (abbr of let us) ▷ **let**.

letter ['letər] n - 1. [written message] carta f - 2. [of alphabet] letra f; **to the letter** fig al pie de la letra.

letter bomb n carta f bomba.

letterbox ['letəbɒks] n UK buzón m.

letter of credit n carta f de crédito.

lettuce ['letɪs] n lechuga f.

letup ['letʌp] n tregua f, respiro m.

leuk(a)emia [lu:'ki:mɪə] n leucemia f.

level ['levl] ◇ adj - 1. [equal in speed, score] igualado(da); **they are level** van igualados; [equal in height] nivelado(da); **to be level (with sthg)** estar al mismo nivel (que algo) - 2. [flat - floor, surface] liso(sa), llano(na). ◇ n - 1. [gen] nivel m; **to be on the level** inf ser de fiar - 2. [storey] piso m - 3. US [spirit level] nivel m de burbuja de aire. ◇ vt (UK pt & pp -led, cont -ling, US pt & pp -ed, cont -ing) - 1. [make flat] allanar - 2. [demolish - building] derribar; [- forest] arrasar. ◆ **level off, level out** vi - 1. [stabilize, slow down] estabilizarse - 2. [ground] nivelarse; [plane] enderezarse. ◆ **level with** vt insep inf ser sincero(ra) con.

level crossing n UK paso m a nivel.

level-headed [-'hedɪd] adj sensato(ta).

lever [UK 'li:vər, US 'levər] n - 1. [handle, bar] palanca f - 2. fig [tactic] resorte m.

leverage [UK 'li:vərɪdʒ, US 'levərɪdʒ] n (U) - 1. [force] fuerza f de apalanque - 2. fig [influence] influencia f.

levy ['levɪ] ◇ n: **levy (on)** [financial contribution] contribución f (a OR para); [tax] tasa f impuesto m (sobre). ◇ vt - 1. [impose] imponer - 2. [collect] recaudar.

lewd [lju:d] adj [person, look] lascivo(va); [behaviour, song] obsceno(na); [joke] verde.

liability [ˌlaɪəˈbɪlətɪ] n - 1. [legal responsibility]: **liability (for)** responsabilidad f (de OR por) - 2. [hindrance] estorbo m. ➡ **liabilities** npl FIN pasivo m.

liable [ˈlaɪəbl] adj - 1. [likely]: **that's liable to happen** eso pueda que ocurra - 2. [prone]: **to be liable to** ser propenso(sa) a - 3. [legally responsible]: **to be liable (for)** ser responsable (de).

liaise [lɪˈeɪz] vi: **to liaise (with)** estar en contacto (con).

liaison [lɪˈeɪzɒn] n [contact, co-operation]: **liaison (with/between)** coordinación f (con/entre), enlace m (con/entre).

liar [ˈlaɪər] n mentiroso m, -sa f.

libel [ˈlaɪbl] ◇ n libelo m. ◇ vt calumniar.

liberal [ˈlɪbərəl] ◇ adj - 1. [tolerant] liberal - 2. [generous, abundant] generoso(sa). ◇ n liberal mf. ➡ **Liberal** ◇ adj POL liberal. ◇ n POL liberal mf.

Liberal Democrat UK ◇ adj demócrata liberal. ◇ n demócrata liberal mf.

liberate [ˈlɪbəreɪt] vt liberar.

liberation [ˌlɪbəˈreɪʃn] n liberación f.

liberty [ˈlɪbətɪ] n libertad f; **at liberty** en libertad; **to be at liberty to do sthg** ser libre de hacer algo.

Libra [ˈliːbrə] n Libra f.

librarian [laɪˈbreərɪən] n bibliotecario m, -ria f.

library [ˈlaɪbrərɪ] (pl -ies) n [public institution] biblioteca f.

libretto [lɪˈbretəʊ] (pl -s) n libreto m.

Libya [ˈlɪbɪə] n Libia.

lice [laɪs] npl ⊳ **louse**.

licence, license[1] US ◇ n - 1. [gen] permiso m, licencia f; **under license** con autorización OR permiso oficial - 2. AUT carné m OR permiso m de conducir. ◇ vt US = **license**.

licence fee n UK TV impuesto anual que tienen que pagar todos los hogares con un televisor y que se usa para financiar la televisión pública.

licence number n AUT matrícula f.

license US, **licence** [ˈlaɪsəns] ◇ vt [person, organization] dar licencia a; [activity] autorizar. ◇ n US = **licence**.

licensed [ˈlaɪsənst] adj - 1. [person]: **to be licensed to do sthg** estar autorizado(da) para hacer algo - 2. [object] registrado(da), con licencia - 3. UK [premises] autorizado(da) a vender alcohol.

license plate n US (placa f de) matrícula f.

lick [lɪk] ◇ n inf [small amount]: **a lick of paint** una mano de pintura. ◇ vt lit & fig lamer.

licorice [ˈlɪkərɪs] = **liquorice**.

lid [lɪd] n - 1. [cover] tapa f - 2. [eyelid] párpado m.

lie [laɪ] ◇ n mentira f; **to tell lies** contar mentiras, mentir. ◇ vi - 1. (pt lied, pp lied, cont lying) [tell lie] mentir; **to lie to sb** mentirle a alguien - 2. (pt lay, pp lain, cont lying) [lie down] tumbarse, echarse; [be buried] yacer; **to be lying** estar tumbado(da) - 3. (pt lay, pp lain, cont lying) [be situated] hallarse; **there is snow lying on the ground** hay nieve en el suelo; **he is lying in fourth place** se encuentra en cuarto lugar - 4. (pt lay, pp lain, cont lying) [be - solution, attraction] hallarse, encontrarse - 5. (pt lay, pp lain, cont lying): **to lie low** permanecer escondido(da). ➡ **lie about, lie around** vi estar OR andar tirado(da). ➡ **lie down** vi tumbarse, echarse; **not to take sthg lying down** no quedarse cruzado de brazos ante algo. ➡ **lie in** vi UK quedarse en la cama hasta tarde.

Liechtenstein [ˈlɪktən,staɪn] n Liechtenstein.

lie-down n UK: **to have a lie-down** echarse un rato.

lie-in n UK: **to have a lie-in** quedarse en la cama hasta tarde.

lieu [ljuː, luː] ➡ **in lieu** adv: **in lieu of** en lugar de.

lieutenant [UK lefˈtenənt, US luːˈtenənt] n - 1. MIL teniente m - 2. [deputy] lugarteniente mf - 3. US [police officer] oficial mf de policía.

life [laɪf] (pl **lives**) n [gen] vida f; **that's life!** ¡así es la vida!; **for life** de por vida, para toda la vida; **to breathe life into sthg** infundir una nueva vida a algo.

life assurance = **life insurance**.

life belt n flotador m, salvavidas m inv.

lifeboat [ˈlaɪfbəʊt] n [on a ship] bote m salvavidas; [on shore] lancha f de salvamento.

life buoy n flotador m, salvavidas m inv.

life cycle n ciclo m vital.

life expectancy n expectativa f de vida.

lifeguard [ˈlaɪfgɑːd] n socorrista mf.

life imprisonment [-ɪmˈprɪznmənt] n cadena f perpetua.

life insurance, life assurance n (U) seguro m de vida.

life jacket n chaleco m salvavidas.

lifeless [ˈlaɪflɪs] adj - 1. [dead] sin vida - 2. [listless] insulso(sa).

lifelike [ˈlaɪflaɪk] adj realista, natural.

lifeline [ˈlaɪflaɪn] n - 1. [rope] cuerda f OR cable m (de salvamento) - 2. [something vital for survival] cordón m umbilical.

lifelong [ˈlaɪflɒŋ] adj de toda la vida.

life preserver [-prɪ,zɜːvəʳ] *n US* - **1.** [life jacket] chaleco *m* salvavidas - **2.** [life belt] flotador *m*, salvavidas *m inv*.

life raft *n* balsa *f* salvavidas.

lifesaver ['laɪf,seɪvəʳ] *n* [person] socorrista *mf*.

life sentence *n* (condena *f* a) cadena *f* perpetua.

life-size(d) [-saɪz(d)] *adj* (de) tamaño natural.

lifespan ['laɪfspæn] *n* vida *f*.

lifestyle ['laɪfstaɪl] *n* estilo *m* OR modo *m* de vida.

life-support system *n* aparato *m* de respiración artificial.

lifetime ['laɪftaɪm] *n* vida *f*.

lift [lɪft] ◇ *n* - **1.** [ride - in car etc]: **to give sb a lift (somewhere)** acercar OR llevar a alguien (a algún sitio), dar (un) aventón a alguien (a algún sitio) *Col & Méx* - **2.** UK [elevator] ascensor *m*, elevador *m Méx*. ◇ *vt* - **1.** [gen] levantar; **to lift sthg down** bajar algo; **to lift sthg out of sthg** sacar algo de algo - **2.** [plagiarize] copiar. ◇ *vi* [disappear - mist] disiparse.

lift-off *n* despegue *m*.

light [laɪt] ◇ *adj* - **1.** [gen] ligero(ra); [rain] fino(na); [traffic] ligero(ra) - **2.** [not strenuous - duties, responsibilities] simple; [- work] suave; [- punishment] leve - **3.** [low-calorie, low-alcohol] light - **4.** [bright] luminoso(sa), lleno(na) de luz; **it's growing light** se hace de día - **5.** [pale - colour] claro(ra). ◇ *n* - **1.** [brightness, source of light] luz *f* - **2.** [for cigarette, pipe] fuego *m*, lumbre *f*; **have you got a light?** ¿tienes fuego? - **3.** [perspective]: **to see sthg/sb in a different light** ver algo/a alguien de otra manera distinta

▸▸ **to bring sthg to light** sacar algo a la luz; **to come to light** salir a la luz (pública); **to set light to** prender fuego a; **to throw** OR **cast** OR **shed light on** arrojar luz sobre. ◇ *vt* (*pt & pp* lit OR -ed) - **1.** [ignite] encender - **2.** [illuminate] iluminar. ◇ *vi* (*pt & pp* lit OR -ed) prenderse. ◇ *adv* [travel] con poco equipaje.
 ▸ **light up** ◇ *vt sep* [illuminate] iluminar. ◇ *vi* - **1.** [look happy] iluminarse, encenderse - **2.** *inf* [start smoking] encender un cigarrillo.

light bulb *n* bombilla *f*, foco *m Méx*, bombillo *m Amér C & Col*, bombita *f R Plata*, bujía *f Amér C*, ampolleta *f Chile*.

lighten ['laɪtn] ◇ *vt* - **1.** [make brighter - room] iluminar - **2.** [make less heavy] aligerar. ◇ *vi* [brighten] aclararse.

lighter ['laɪtəʳ] *n* [cigarette lighter] encendedor *m*, mechero *m*.

light-headed [-'hedɪd] *adj* [dizzy] mareado(da); [emotionally] exaltado(da).

light-hearted [-'hɑːtɪd] *adj* - **1.** [cheerful] alegre - **2.** [amusing] frívolo(la).

lighthouse ['laɪthaʊs, *pl* -haʊzɪz] *n* faro *m*.

lighting ['laɪtɪŋ] *n* iluminación *f*; **street lighting** alumbrado *m* público.

lightly ['laɪtlɪ] *adv* - **1.** [gently] suavemente - **2.** [slightly] ligeramente - **3.** [frivolously] a la ligera.

light meter *n* fotómetro *m*.

lightning ['laɪtnɪŋ] *n* (*U*): **a flash of lightning** un relámpago; **a bolt of lightning** un rayo; **it was struck by lightning** lo alcanzó un rayo.

lightweight ['laɪtweɪt] ◇ *adj* [object] ligero(ra). ◇ *n* [boxer] peso *m* ligero.

likable, likeable ['laɪkəbl] *adj* simpático(ca).

like [laɪk] ◇ *prep* - **1.** [gen] como; *(in questions or indirect questions)* cómo; **what did it taste like?** ¿a qué sabía?; **what did it look like?** ¿cómo era?; **tell me what it's like** dime cómo es; **something like £100** algo así como cien libras; **something like that** algo así, algo por el estilo - **2.** [in the same way as] como, igual que; **like this/that** así - **3.** [typical of] propio(pia) OR típico(ca) de; **it's not like them** no es su estilo. ◇ *vt* - **1.** [find pleasant, approve of]: **I like cheese** me gusta el queso; **I like it/them** me gusta/gustan; **I don't like it/them** no me gusta/gustan; **he likes doing** OR **to do sthg** (a él) le gusta hacer algo - **2.** [want] querer; **would you like some more?** ¿quieres un poco más?; **I'd like to come tomorrow** querría OR me gustaría venir mañana; **I'd like you to come to dinner** me gustaría que vinieras a cenar; **whenever you like** cuando quieras; **I don't like to bother her** no quiero molestarla; [in shops, restaurants]: **I'd like a kilo of apples/the soup** póngame un kilo de manzanas/la sopa. ◇ *n*: **the like of sb/sthg** alguien/algo del estilo. ▸ **likes** *npl* [things one likes] gustos *mpl*, preferencias *fpl*.

likeable ['laɪkəbl] = **likable**.

likelihood ['laɪklɪhʊd] *n* probabilidad *f*.

likely ['laɪklɪ] *adj* - **1.** [probable] probable; **rain is likely** es probable que llueva; **he's likely to come** es probable que venga - **2.** [suitable] indicado(da).

liken ['laɪkn] *vt*: **to liken sthg/sb to** comparar algo/a alguien con.

likeness ['laɪknɪs] *n* - **1.** [resemblance]: **likeness (to)** parecido *m* (con) - **2.** [portrait] retrato *m*.

likewise ['laɪkwaɪz] *adv* [similarly] de la misma forma; **to do likewise** hacer lo mismo.

liking ['laɪkɪŋ] *n*: **to have a liking for sthg** tener afición *f* por OR a algo; **to take a liking to sb** tomar OR coger cariño *m* a alguien; **to be to sb's liking** ser del gusto de alguien; **for my/his liking** *etc* para mi/su gusto *etc*.

lilac ['laɪlək] ⬦ *adj* [colour] lila. ⬦ *n* - **1.** [tree, flower] lila *f* - **2.** [colour] lila *m*.

Lilo® ['laɪləʊ] (*pl* -s) *n UK* colchoneta *f*, colchón *m* hinchable.

lily ['lɪlɪ] *n* lirio *m*, azucena *f*.

lily of the valley (*pl* lilies of the valley) *n* lirio *m* de los valles.

limb [lɪm] *n* - **1.** [of body] miembro *m* - **2.** [of tree] rama *f*.

limber ['lɪmbər] ⬥ **limber up** *vi* desentumecerse.

limbo ['lɪmbəʊ] (*pl* -s) *n (U)* [uncertain state]: **to be in limbo** estar en un estado de incertidumbre.

lime [laɪm] *n* - **1.** [fruit] lima *f* - **2.** [drink]: **lime (juice)** lima *f* - **3.** CHEM cal *f*.

limelight ['laɪmlaɪt] *n*: **in the limelight** en (el) candelero.

limerick ['lɪmərɪk] *n* copla humorística de cinco versos.

limestone ['laɪmstəʊn] *n (U)* (piedra *f*) caliza *f*.

limey ['laɪmɪ] (*pl* limeys) *n US* término peyorativo que designa a un inglés.

limit ['lɪmɪt] ⬦ *n* [gen] límite *m*
▶▶ **off limits** en zona prohibida; **within limits** dentro de un límite. ⬦ *vt* limitar.

limitation [,lɪmɪ'teɪʃn] *n* limitación *f*.

limited ['lɪmɪtɪd] *adj* [restricted] limitado(da); **to be limited to** estar limitado a.

limited (liability) company *n* sociedad *f* limitada.

limousine ['lɪməziːn] *n* limusina *f*.

limp [lɪmp] ⬦ *adj* flojo(ja). ⬦ *vi* cojear.

limpet ['lɪmpɪt] *n* lapa *f*.

line [laɪn] ⬦ *n* - **1.** [gen & MIL] línea *f* - **2.** [row] fila *f*; **in a line** en fila - **3.** *esp US* [queue] cola *f* - **4.** [course - direction] línea *f*; [- of action] camino *m*; **what's his line of business?** ¿a qué negocios se dedica? - **5.** [length - of rope, for washing] cuerda *f*; [- for fishing] sedal *m*; [- of wire] hilo *m* - **6.** TELEC: **(telephone) line** línea *f* (telefónica); **hold the line, please** no cuelgue, por favor; **the line is busy** está comunicando; **it's a bad line** hay interferencias; **your wife is on the line for you** su mujer al teléfono - **7.** [on page] línea *f*, renglón *m*; [of poem, song] verso *m*; [letter]: **to drop sb a line** *inf* mandar unas letras a alguien - **8.** [wrinkle] arruga *f* - **9.** [borderline] límite *m* - **10.** COMM línea *f*; **line of credit** línea *f* de crédito. ⬦ *vt* [coat, curtains] forrar; [drawer] cubrir el interior de. ⬥ **out of line** *adv*: **to be out of line** estar fuera de lugar.
⬥ **line up** ⬦ *vt sep* - **1.** [make into a row or queue] alinear - **2.** [arrange] programar, organizar. ⬦ *vi* [form a queue] alinearse.

lined [laɪnd] *adj* - **1.** [of paper] de rayos - **2.** [wrinkled] arrugado(da).

line dancing *n* baile en el que los participantes se colocan en fila y se mueven al mismo tiempo que los otros.

linen ['lɪnɪn] *n* - **1.** [cloth] lino *m* - **2.** [tablecloths, sheets] ropa *f* blanca OR de hilo; **bed linen** ropa *f* de cama.

liner ['laɪnər] *n* [ship] transatlántico *m*.

linesman ['laɪnzmən] (*pl* -men [-mən]) *n* juez *m* de línea.

lineup ['laɪnʌp] *n* - **1.** [of players, competitors] alineación *f* - **2.** *US* [identification parade] rueda *f* de identificación.

linger ['lɪŋgər] *vi* - **1.** [remain - over activity] entretenerse; [- in a place] rezagarse - **2.** [persist] persistir.

lingerie ['lænʒərɪ] *n* ropa *f* interior femenina.

lingo ['lɪŋgəʊ] (*pl* -es) *n inf* [foreign language] idioma *m*; [jargon] jerga *f*.

linguist ['lɪŋgwɪst] *n* - **1.** [someone good at languages]: **he's a good linguist** tiene facilidad para las lenguas - **2.** [student or teacher of linguistics] lingüista *mf*.

linguistics [lɪŋ'gwɪstɪks] *n (U)* lingüística *f*.

lining ['laɪnɪŋ] *n* - **1.** [gen & AUT] forro *m* - **2.** [of stomach, nose] paredes *fpl* interiores.

link [lɪŋk] ⬦ *n* - **1.** [of chain] eslabón *m* - **2.** [connection] conexión *f*, enlace *m*; **links (between/with)** lazos *mpl* (entre/con), vínculos *mpl* (entre/con). ⬦ *vt* - **1.** [connect - cities] comunicar; [- computers] conectar; [- facts] relacionar; **to link sthg with OR to** relacionar OR asociar algo con - **2.** [join - arms] enlazar. ⬦ *vi* COMPUT: **to link to sth** enlazar con algo.
⬥ **link up** *vt sep*: **to link sthg up (with)** conectar algo (con).

links [lɪŋks] (*pl* links) *n* campo *m* de golf (cerca del mar).

lino ['laɪnəʊ], **linoleum** [lɪ'nəʊljəm] *n* linóleo *m*.

lintel ['lɪntl] *n* dintel *m*.

lion ['laɪən] *n* león *m*.

lioness ['laɪənes] *n* leona *f*.

lip [lɪp] *n* - **1.** [of mouth] labio *m* - **2.** [of cup] borde *m*; [of jug] pico *m*.

liposuction ['lɪpəʊˌsʌkʃən] *n* liposucción *f*.

lip-read *vi* leer los labios.

lip salve [-sælv] *n UK* vaselina® *f*, cacao *m*.

lip service *n*: **to pay lip service to sthg** hablar en favor de algo sin hacer nada al respeto.

lipstick ['lɪpstɪk] *n* - **1.** [container] lápiz *m* OR barra *f* de labios - **2.** [substance] carmín *m*.

liqueur [lɪ'kjʊər] *n* licor *m*.

liquid ['lɪkwɪd] ⬦ *adj* líquido(da). ⬦ *n* líquido *m*.

liquidation [,lɪkwɪ'deɪʃn] *n* liquidación *f*; **to go into liquidation** ir a la quiebra.

liquid crystal display n pantalla f de cristal líquido.

liquidize, -ise ['lɪkwɪdaɪz] vt UK licuar.

liquidizer ['lɪkwɪdaɪzər] n UK licuadora f.

liquor ['lɪkər] n (U) esp US alcohol m, bebida f alcohólica.

liquorice, licorice ['lɪkərɪʃ, 'lɪkərɪs] n (U) regaliz m.

liquor store n US tienda donde se venden bebidas alcohólicas para llevar.

lisp [lɪsp] <> n ceceo m. <> vi cecear.

list [lɪst] <> n lista f. <> vt - 1. [in writing] hacer una lista de - 2. [in speech] enumerar. <> vi NAUT escorar.

listed building [,lɪstɪd-] n UK edificio declarado de interés histórico y artístico.

listen ['lɪsn] vi - 1. [give attention]: **to listen (to sthg/sb)** escuchar (algo/a alguien); **to listen for** estar atento a - 2. [heed advice]: **to listen (to sb/sthg)** hacer caso (a alguien/de algo); **to listen to reason** atender a razones.

listener ['lɪsnər] n [to radio] radioyente mf.

listeria [lɪs'tɪərɪə] n - 1. [illness] listeriosis f inv - 2. [bacteria] listeria f.

listless ['lɪstlɪs] adj apático(ca).

lit [lɪt] pt & pp ⊳ **light**.

litany ['lɪtənɪ] (pl -ies) n lit & fig letanía f.

liter US = **litre**.

literacy ['lɪtərəsɪ] n alfabetización f.

literal ['lɪtərəl] adj literal.

literally ['lɪtərəlɪ] adv literalmente.

literary ['lɪtərərɪ] adj [gen] literario(ria).

literate ['lɪtərət] adj - 1. [able to read and write] alfabetizado(da) - 2. [well-read] culto(ta), instruido(da).

literature ['lɪtrətʃər] n - 1. [novels, plays, poetry] literatura f - 2. [books on a particular subject] publicaciones fpl - 3. [printed information] documentación f.

lithe [laɪð] adj ágil.

Lithuania [,lɪθjʊ'eɪnɪə] n Lituania.

litigation [,lɪtɪ'geɪʃn] n fml litigio m.

litre UK, **liter** US ['liːtər] n litro m.

litter ['lɪtər] <> n - 1. [waste material] basura f - 2. [newborn animals] camada f. <> vt: **to litter sthg (with)** ensuciar algo (de); **papers littered the floor** había papeles esparcidos por el suelo.

litterbin ['lɪtə,bɪn] n UK papelera f.

little ['lɪtl] <> adj - 1. [small in size, younger] pequeño(ña); **a little dog** un perrito; **you poor little thing!** ¡pobrecillo! - 2. [short in length] corto(ta); **a little while** un ratito - 3. (comp less, superl least) [not much] poco(ca); **a little bit** un poco; **he speaks little English** habla poco inglés; **he speaks a little English** habla un poco de inglés. <> pron: **I understood very little** en-

tendí muy poco; **a little** un poco; **a little under half** algo menos de la mitad. <> adv poco; **little by little** poco a poco.

little finger n dedo m meñique.

live [lɪv] <> vi [gen] vivir. <> vt vivir; **to live a quiet life** llevar una vida tranquila. ◆ **live down** vt sep lograr hacer olvidar. ◆ **live off** vt insep [savings, land] vivir de; [people] vivir a costa de. ◆ **live on** <> vt insep - 1. [survive on] vivir con OR de - 2. [eat] vivir de. <> vi [memory, feeling] permanecer, perdurar. ◆ **live together** vi vivir juntos. ◆ **live up to** vt insep estar a la altura de. ◆ **live with** vt insep - 1. [live in same house as] vivir con - 2. [accept - situation, problem] aceptar.

live [laɪv] adj - 1. [living] vivo(va) - 2. [coals] encendido(da) - 3. [bomb] sin explotar; [ammunition] real - 4. ELEC cargado(da) - 5. [broadcast, performance] en directo.

livelihood ['laɪvlɪhʊd] n sustento m, medio m de vida.

lively ['laɪvlɪ] adj - 1. [person, debate, time] animado(da) - 2. [mind] agudo(da), perspicaz - 3. [colours] vivo(va).

liven ['laɪvn] ◆ **liven up** <> vt sep animar. <> vi animarse.

liver ['lɪvər] n hígado m.

livery ['lɪvərɪ] n [of servant] librea f; [of company] uniforme m.

lives [laɪvz] npl ⊳ **life**.

livestock ['laɪvstɒk] n ganado m.

livid ['lɪvɪd] adj - 1. [angry] furioso(sa) - 2. [blue-grey] lívido(da).

living ['lɪvɪŋ] <> adj [relatives, language] vivo(va); [artist etc] contemporáneo(a). <> n - 1. [means of earning money]: **what do you do for a living?** ¿cómo te ganas la vida?; **to earn a living** ganarse la vida - 2. [lifestyle] vida f.

living conditions npl condiciones fpl de vida.

living room n sala f de estar, salón m.

living standards npl nivel m de vida.

lizard ['lɪzəd] n [small] lagartija f; [big] lagarto m.

llama ['lɑːmə] (pl llama OR -s) n llama f.

load [ləʊd] <> n - 1. [thing carried] carga f - 2. [amount of work]: **a heavy/light load** mucho/poco trabajo - 3. [large amount]: **loads/a load of** inf montones OR un montón de; **it was a load of rubbish** inf fue una porquería. <> vt - 1. [gen & COMPUT]: **to load sthg/sb (with)** cargar algo/a alguien (de) - 2. [camera, video recorder]: **he loaded the camera with a film** cargó la cámara con una película. ◆ **load up** vt sep & vi cargar.

loaded ['ləʊdɪd] adj - 1. [dice] trucado(da); [question, statement] con doble sentido OR intención - 2. inf [rich] forrado(da).

loading bay ['ləʊdɪŋ-] n zona f de carga y descarga.

loaf [ləʊf] (pl loaves) n [of bread] pan m; **a loaf of bread** un pan.

loafer ['ləʊfə^r] n [shoe] mocasín m.

loan [ləʊn] <> n préstamo m; **on loan** prestado(da). <> vt prestar; **to loan sthg to sb, to loan sb sthg** prestar algo a alguien.

loath, loth [ləʊθ] adj: **to be loath to do sthg** ser reacio(cia) a hacer algo.

loathe [ləʊð] vt: **to loathe (doing sthg)** aborrecer OR detestar (hacer algo).

loathsome ['ləʊðsəm] adj [person, behaviour] odioso(sa); [smell] repugnante.

loaves [ləʊvz] npl ▷ **loaf**.

lob [lɒb] n TENNIS lob m.

lobby ['lɒbɪ] <> n - 1. [hall] vestíbulo m - 2. [pressure group] grupo m de presión, lobby m. <> vt (pt & pp -ied) ejercer presión (política) sobre.

lobe [ləʊb] n lóbulo m.

lobster ['lɒbstə^r] n langosta f.

local ['ləʊkl] <> adj local. <> n inf - 1. [person]: **the locals** [in village] los lugareños; [in town] los vecinos del lugar - 2. UK [pub] bar m del barrio - 3. US [bus, train] ómnibus m.

local authority n UK autoridad f local.

local call n llamada f local.

local government n gobierno m municipal.

locality [ləʊ'kælətɪ] n localidad f.

locally ['ləʊkəlɪ] adv - 1. [on local basis] en el lugar - 2. [nearby] por la zona.

locate [UK ləʊ'keɪt, US 'ləʊkeɪt] vt - 1. [find] localizar - 2. [situate] ubicar.

location [ləʊ'keɪʃn] n - 1. [place] ubicación f, situación f - 2. [finding] localización f - 3. CIN: **on location** en exteriores.

loch [lɒk, lɒx] n Scotland lago m.

lock [lɒk] <> n - 1. [of door] cerradura f; [of bicycle] candado m - 2. [on canal] esclusa f - 3. AUT [steering lock] ángulo m de giro - 4. liter [of hair] mechón m. <> vt - 1. [with key] cerrar con llave; [with padlock] cerrar con candado - 2. [keep safely] poner bajo llave - 3. [immobilize] bloquear. <> vi - 1. [with key, padlock] cerrarse - 2. [become immobilized] bloquearse. ◆ **lock in** vt sep encerrar. ◆ **lock out** vt sep - 1. [accidentally] dejar fuera al cerrar accidentalmente la puerta; **to lock o.s. out** quedarse fuera (por olvidarse la llave dentro) - 2. [deliberately] dejar fuera a. ◆ **lock up** vt sep - 1. [person - in prison] encerrar; [- in asylum] internar - 2. [house] cerrar (con llave).

locker ['lɒkə^r] n taquilla f, armario m.

locker room n US vestuario m con taquillas.

locket ['lɒkɪt] n guardapelo m.

locksmith ['lɒksmɪθ] n cerrajero m, -ra f.

locomotive ['ləʊkə,məʊtɪv] n locomotora f.

locum ['ləʊkəm] (pl -s) n interino m, -na f.

locust ['ləʊkəst] n langosta f (insecto).

lodge [lɒdʒ] <> n - 1. [caretaker's etc room] portería f - 2. [of manor house] casa f del guarda - 3. [for hunting] refugio m - 4. [of freemasons] logia f. <> vi - 1. [stay]: **to lodge (with sb)** alojarse (con alguien) - 2. [become stuck] alojarse. <> vt fml [appeal, complaint] presentar.

lodger ['lɒdʒə^r] n huésped mf.

lodging ['lɒdʒɪŋ] n ▷ **board**. ◆ **lodgings** npl habitación f (alquilada).

loft [lɒft] n [in house] desván m, entrecho m Chile & Col; [for hay] pajar m; US [warehouse apartment] almacén reformado y convertido en apartamento.

lofty ['lɒftɪ] adj - 1. [noble] noble, elevado(da) - 2. pej [haughty] arrogante, altanero(ra) - 3. liter [high] elevado(da).

log [lɒg] <> n - 1. [of wood] tronco m; [for fire] leño m - 2. [written record - of ship] diario m de a bordo; COMPUT registro m. <> vt registrar. ◆ **log in** vi COMPUT entrar. ◆ **log off** vi COMPUT salir. ◆ **log on** vi COMPUT entrar. ◆ **log out** vi COMPUT salir.

logbook ['lɒgbʊk] n - 1. [of ship] diario m de a bordo; [of plane] diario m de vuelo - 2. [of car] documentación f.

loggerheads ['lɒgəhedz] n: **to be at loggerheads** estar a matar.

logic ['lɒdʒɪk] n lógica f.

logical ['lɒdʒɪkl] adj lógico(ca).

logistics [lə'dʒɪstɪks] <> n (U) logística f. <> npl logística f.

logo ['ləʊgəʊ] (pl -s) n logotipo m.

loin [lɔɪn] n lomo m.

loiter ['lɔɪtə^r] vi [for bad purpose] merodear; [hang around] vagar.

loll [lɒl] vi - 1. [sit, lie about] repantigarse - 2. [hang down] colgar.

lollipop ['lɒlɪpɒp] n pirulí m.

lollipop lady n UK mujer encargada de parar el tráfico en un paso de cebra para que crucen los niños.

lollipop man n UK hombre encargado de parar el tráfico en un paso de cebra para que crucen los niños.

lolly ['lɒlɪ] n inf - 1. [lollipop] pirulí m - 2. UK [ice lolly] polo m.

London ['lʌndən] n Londres.

Londoner ['lʌndənə^r] n londinense mf.

lone [ləʊn] adj solitario(ria).

loneliness ['ləʊnlɪnɪs] n soledad f.

lonely ['ləʊnlɪ] adj - 1. [person] solo(la) - 2. [time, childhood, place] solitario(ria).

lonesome ['ləʊnsəm] adj US inf - 1. [person] solo(la) - 2. [place] solitario(ria).

long [lɒŋ] ◇ *adj* largo(ga); **the table is 5m long** la mesa mide *OR* tiene 5m de largo; **two days long** de dos días de duración; **the journey is 50km long** el viaje es de 50 km; **the book is 500 pages long** el libro tiene 500 páginas; **a long time** mucho tiempo; **a long way from** muy lejos de. ◇ *adv* mucho tiempo; **how long will it take?** ¿cuánto se tarda?; **how long will you be?** ¿cuánto tardarás?; **how long have you been waiting?** ¿cuánto tiempo llevas esperando?; **how long have you known them?** ¿cuánto hace que los conoces?; **how long is the journey?** ¿cuánto hay de viaje?; **I'm no longer young** ya no soy joven; **I can't wait any longer** no puedo esperar más; **as long as a week** hasta una semana; **so long** *inf* hasta luego *OR* pronto; **before long** pronto; **for long** mucho tiempo. ◇ *vt*: **to long to do sthg** desear ardientemente hacer algo. ◆ **as long as, so long as** *conj* mientras; **as long as you do it, so will I** siempre y cuando tú lo hagas, yo también lo haré. ◆ **long for** *vt insep* desear ardientemente.

long-distance *adj* [runner] de fondo; [lorry driver] para distancias grandes.

long-distance call *n* conferencia *f* (telefónica) *Esp*, llamada *f* de larga distancia.

longhand ['lɒŋhænd] *n* escritura *f* a mano.

long-haul *adj* de larga distancia.

longing ['lɒŋɪŋ] ◇ *adj* anhelante. ◇ *n* - 1. [desire] anhelo *m*, deseo *m*; [nostalgia] nostalgia *f*, añoranza *f* - 2. [strong wish]: **(a) longing (for)** (un) ansia *f* (de).

longitude ['lɒndʒɪtjuːd] *n* longitud *f*.

long jump *n* salto *m* de longitud.

long-life *adj* de larga duración.

longlist ['lɒŋlɪst] *n* selección *f* inicial.

long-playing record [-'pleɪɪŋ-] *n* elepé *m*.

long-range *adj* - 1. [missile, bomber] de largo alcance - 2. [plan, forecast] a largo plazo.

long shot *n* posibilidad *f* remota.

longsighted [,lɒŋ'saɪtɪd] *adj* présbita.

long-standing *adj* antiguo(gua).

longsuffering [,lɒŋ'sʌfərɪŋ] *adj* sufrido(da).

long term *n*: **in the long term** a largo plazo.

long wave *n* (*U*) onda *f* larga.

long weekend *n* puente *m*.

longwinded [,lɒŋ'wɪndɪd] *adj* prolijo(ja).

loo [luː] (*pl* **-s**) *n UK inf* wáter *m*.

look [lʊk] ◇ *n* - 1. [with eyes] mirada *f*; **to give sb a look** mirar a alguien; **to take** *OR* **have a look (at sthg)** mirar algo; **let her have a look** déjale ver; **to have a look through sthg** ojear algo - 2. [search]: **to have a look (for sthg)** buscar (algo) - 3. [appearance] aspecto *m*; **his new look** su nuevo look; **I don't like the look** of it no me gusta nada; **by the look** *OR* **looks of it, it has been here for ages** parece que hace años que está aquí. ◇ *vi* - 1. [with eyes]: **to look (at sthg/sb)** mirar (algo/a alguien) - 2. [search]: **to look (for sthg/sb)** buscar (algo/a alguien) - 3. [building, window]: **to look (out) onto** dar a - 4. [have stated appearance] verse; [seem] parecer. ◇ *vt* - 1. [look at] mirar - 2. [appear]: **to look one's age** representar la edad que se tiene. ◆ **looks** *npl* belleza *f*. ◆ **look after** *vt insep* - 1. [take care of] cuidar - 2. [be responsible for] encargarse de. ◆ **look at** *vt insep* - 1. [see, glance at] mirar; [examine] examinar; [check over] echar un vistazo a - 2. [judge, evaluate] ver. ◆ **look down on** *vt insep* [condescend to] despreciar. ◆ **look for** *vt insep* buscar. ◆ **look forward to** *vt insep* esperar (con ilusión); **to be looking forward to doing sthg** estar deseando hacer algo. ◆ **look into** *vt insep* [problem, possibility] estudiar; [issue] investigar. ◆ **look on** *vi* mirar, observar. ◆ **look out** *vi* [be careful] tener cuidado; **look out!** ¡cuidado! ◆ **look out for** *vt insep* estar atento(ta) a. ◆ **look over** *vt sep* mirar por encima. ◆ **look round** ◇ *vt insep* [shop] echar un vistazo a; [castle, town] visitar. ◇ *vi* - 1. [turn head] volver la cabeza - 2. [in shop] mirar. ◆ **look to** *vt insep* - 1. [turn to] recurrir a - 2. [think about] pensar en. ◆ **look up** ◇ *vt sep* - 1. [in book] buscar - 2. [visit - person] ir a ver *OR* visitar. ◇ *vi* [improve] mejorar. ◆ **look up to** *vt insep* respetar, admirar.

lookout ['lʊkaʊt] *n* - 1. [place] puesto *m* de observación - 2. [person] centinela *mf* - 3. [search]: **to be on the lookout for** estar al acecho de.

loom [luːm] ◇ *n* telar *m*. ◇ *vi* [rise up] surgir *OR* aparecer amenazante. ◆ **loom up** *vi* divisarse sombríamente.

loony ['luːnɪ] *inf* ◇ *adj* majara. ◇ *n* majara *mf*.

loop [luːp] *n* - 1. [shape] lazo *m* - 2. COMPUT bucle *m*.

loophole ['luːphəʊl] *n* laguna *f*.

loose [luːs] *adj* - 1. [not firmly fixed] flojo(ja) - 2. [unattached - paper, sweets, hair, knot] suelto(ta) - 3. [clothes, fit] holgado(da) - 4. *dated* [promiscuous] promiscuo(cua) - 5. [inexact - translation] impreciso(sa).

loose change *n* (dinero *m*) suelto *m*.

loose end *n*: **to be at a loose end** *UK*, **to be at loose ends** *US* no tener nada que hacer.

loosely ['luːslɪ] *adv* - 1. [not firmly] holgadamente, sin apretar - 2. [inexactly] vagamente.

loosen ['luːsn] *vt* aflojar. ◆ **loosen up** *vi* - 1. [before game, race] desentumecerse - 2. *inf* [relax] relajarse.

loot [luːt] ◇ *n* botín *m*. ◇ *vt* saquear.

looting ['lu:tɪŋ] n saqueo m.

lop [lɒp] vt podar. ⇒ **lop off** vt sep cortar.

lop-sided [-'saɪdɪd] adj - **1.** [uneven] ladeado(da), torcido(da) - **2.** fig [biased] desequilibrado(da).

lord [lɔːd] n UK [man of noble rank] noble m. ⇒ **Lord** n - **1.** RELIG: **the Lord** [God] el Señor; **good Lord!** UK ¡Dios mío! - **2.** [in titles] lord m; [as form of address]: **my Lord** [bishop] su Ilustrísima; [judge] su Señoría. ⇒ **Lords** npl UK POL: **the Lords** la Cámara de los Lores.

Lordship ['lɔːdʃɪp] n: **your/his Lordship** su Señoría f.

lore [lɔːʳ] n (U) saber m OR tradición f popular.

lorry ['lɒrɪ] n UK camión m.

lorry driver n UK camionero m, -ra f.

lose [luːz] (pt & pp lost) ⟨⟩ vt perder; **to lose one's way** perderse; **my watch has lost ten minutes** mi reloj se ha atrasado diez minutos; **to lose o.s. in sthg** fig quedarse absorto(ta) en algo. ⟨⟩ vi [fail to win] perder.

loser ['luːzəʳ] n - **1.** [of competition] perdedor m, -ra f - **2.** inf pej [unsuccessful person] desgraciado m, -da f.

loss [lɒs] n - **1.** [gen] pérdida f; **to make a loss** sufrir pérdidas - **2.** [failure to win] derrota f.

lost [lɒst] ⟨⟩ pt & pp ⊳ **lose**. ⟨⟩ adj - **1.** [unable to find way] perdido(da); **to get lost** perderse; **get lost!** inf ¡vete a la porra! - **2.** [that cannot be found] extraviado(da), perdido(da).

lost-and-found office n US oficina f de objetos perdidos.

lost property office n UK oficina f de objetos perdidos.

lot [lɒt] n - **1.** [large amount]: **a lot of, lots of** mucho(cha); **a lot of people** mucha gente, muchas personas; **a lot of problems** muchos problemas; **the lot** todo - **2.** [group, set] lote m - **3.** [destiny] destino m, suerte f - **4.** US [of land] terreno m; [car park] aparcamiento m - **5.** [at auction] partida f, lote m ⇒ **to draw lots** echar a suerte. ⇒ **a lot** adv mucho; **quite a lot** bastante; **such a lot** tanto.

lotion ['ləʊʃn] n loción f.

lottery ['lɒtərɪ] n lotería f.

lottery ticket n billete m de lotería.

loud [laʊd] ⟨⟩ adj - **1.** [voice, music] alto(ta); [bang, noise] fuerte; [person] ruidoso(sa) - **2.** [emphatic]: **to be loud in one's criticism of** ser enérgico(ca) en la crítica de - **3.** [too bright] chillón(ona). ⟨⟩ adv fuerte; **out loud** en voz alta.

loudhailer [,laʊd'heɪləʳ] n UK megáfono m.

loudly ['laʊdlɪ] adv - **1.** [shout] a voz en grito; [talk] en voz alta - **2.** [gaudily] con colores chillones OR llamativos.

loudspeaker [,laʊd'spiːkəʳ] n altavoz m.

lounge [laʊndʒ] ⟨⟩ n - **1.** [in house] salón m - **2.** [in airport] sala f de espera. ⟨⟩ vi repantigarse.

lounge bar n UK salón-bar m.

louse [laʊs] n (pl **lice**) [insect] piojo m.

lousy ['laʊzɪ] adj inf [poor quality] fatal, pésimo(ma).

lout [laʊt] n gamberro m.

louvre UK, **louver** US ['luːvəʳ] n persiana f.

lovable ['lʌvəbl] adj adorable.

love [lʌv] ⟨⟩ n - **1.** [gen] amor m; **give her my love** dale un abrazo de mi parte; **she sends her love** te manda recuerdos; **love from** [at end of letter] un abrazo de; **to be in love (with)** estar enamorado(da) (de); **to fall in love with sb** enamorarse de alguien; **to make love** hacer el amor - **2.** [liking, interest] pasión f; **a love of** OR **for** una pasión por - **3.** inf [form of address] cariño m - **4.** TENNIS: **30 love** 30 a nada. ⟨⟩ vt - **1.** [sexually, sentimentally] amar, querer - **2.** [son, daughter, parents, friend] querer - **3.** [like]: **I love football** me encanta el fútbol; **I love going to** OR **to go to the theatre** me encanta ir al teatro.

love affair n aventura f amorosa.

love life n vida f amorosa.

lovely ['lʌvlɪ] adj - **1.** [beautiful - person] encantador(ra); [- dress, place] precioso(sa) - **2.** [pleasant] estupendo(da).

lover ['lʌvəʳ] n - **1.** [sexual partner] amante mf - **2.** [enthusiast] amante mf, aficionado m, -da f.

loving ['lʌvɪŋ] adj cariñoso(sa).

low [ləʊ] ⟨⟩ adj - **1.** [gen] bajo(ja); **in the low twenties** 20 y algo; **a low trick** una mala jugada - **2.** [little remaining] escaso(sa) - **3.** [unfavourable - opinion] malo(la); [- esteem] poco(ca) - **4.** [dim] tenue - **5.** [dress, neckline] escotado(da) - **6.** [depressed] deprimido(da). ⟨⟩ adv - **1.** [gen] bajo; **the batteries are running low** las pilas están acabándose; **morale is running very low** la moral está por los suelos; **low paid** mal pagado - **2.** [speak] en voz baja. ⟨⟩ n - **1.** [low point] punto m más bajo - **2.** METEOR [low pressure area] área f de bajas presiones; [lowest temperature] mínima f.

low-calorie adj light (inv), bajo(ja) en calorías.

low-cut adj escotado(da).

lower ['ləʊəʳ] ⟨⟩ adj inferior. ⟨⟩ vt - **1.** [gen] bajar; [flag] arriar - **2.** [reduce] reducir.

low-fat adj bajo(ja) en grasas.

low-key adj discreto(ta).

lowly ['ləʊlɪ] *adj* humilde.

low-lying *adj* bajo(ja).

loyal ['lɔɪəl] *adj* leal, fiel.

loyalty ['lɔɪəltɪ] *n* lealtad *f*.

lozenge ['lɒzɪndʒ] *n* - **1.** [tablet] pastilla *f* - **2.** [shape] rombo *m*.

LP (*abbr of* long-playing record) *n* LP *m*.

LPG [,elpi:'dʒi:] (*abbr of* liquified petroleum gas) *n* GLP *m*.

L-plate *n* UK placa *f* L (de prácticas).

Ltd, ltd (*abbr of* limited) S.L.

lubricant ['lu:brɪkənt] *n* lubricante *m*.

lubricate ['lu:brɪkeɪt] *vt* lubricar.

lucid ['lu:sɪd] *adj* - **1.** [clear] claro(ra) - **2.** [not confused] lúcido(da).

luck [lʌk] *n* suerte *f*; **good/bad luck** [good, bad fortune] buena/mala suerte; **good luck!** [said to express best wishes] ¡suerte!; **bad OR hard luck!** ¡mala suerte!; **to be in luck** estar de suerte; **to try one's luck at sthg** probar suerte o OR con algo; **with (any) luck** con un poco de suerte.

luckily ['lʌkɪlɪ] *adv* afortunadamente.

lucky ['lʌkɪ] *adj* - **1.** [fortunate - person] afortunado(da); [- event] oportuno(na); **to be lucky** [person] tener suerte; **it's lucky he came** fue una suerte que llegara - **2.** [bringing good luck] que trae buena suerte.

lucrative ['lu:krətɪv] *adj* lucrativo(va).

ludicrous ['lu:dɪkrəs] *adj* absurdo(da).

lug [lʌg] *vt inf* arrastrar.

luggage ['lʌgɪdʒ] *n* UK equipaje *m*.

luggage rack *n* UK [of car] baca *f*; [in train] portaequipajes *m inv*.

lukewarm ['lu:kwɔ:m] *adj* - **1.** [tepid] tibio(bia), templado(da) - **2.** [unenthusiastic] indiferente.

lull [lʌl] ◇ *n:* **the lull before the storm** *fig* la calma antes de la tormenta. ◇ *vt:* **to lull sb into a false sense of security** infundir una sensación de falsa seguridad a alguien; **to lull sb to sleep** adormecer OR hacer dormir a alguien.

lullaby ['lʌləbaɪ] *n* nana *f*, canción *f* de cuna.

lumber ['lʌmbər] *n* (*U*) - **1.** US [timber] maderos *mpl* - **2.** UK [bric-a-brac] trastos *mpl*.
◆ lumber with *vt sep* UK *inf:* **to lumber sb with sthg** cargar a alguien con algo.

lumberjack ['lʌmbədʒæk] *n* leñador *m*, -ra *f*.

luminous ['lu:mɪnəs] *adj* luminoso(sa).

lump [lʌmp] ◇ *n* - **1.** [of coal, earth] trozo *m*; [of sugar] terrón *m*; [in sauce] grumo *m* - **2.** [on body] bulto *m* - **3.** *fig* [in throat] nudo *m*. ◇ *vt:* **to lump sthg together** [things] amontonar algo; [people, beliefs] agrupar OR juntar algo.

lump sum *n* suma *f* OR cantidad *f* global.

lumpy ['lʌmpɪ] (*comp* -ier, *superl* -iest) *adj* [sauce] grumoso(sa); [mattress] lleno(na) de bultos.

lunacy ['lu:nəsɪ] *n* locura *f*.

lunar ['lu:nər] *adj* lunar.

lunatic ['lu:nətɪk] *n* - **1.** *pej* [fool] idiota *mf* - **2.** [insane person] loco *m*, -ca *f*.

lunch [lʌntʃ] ◇ *n* comida *f*, almuerzo *m*; **to have lunch** almorzar, comer; **why don't we do lunch some time?** ¿por qué no almorzamos juntos algún día de estos? ◇ *vi* almorzar, comer.

luncheon ['lʌntʃən] *n* comida *f*, almuerzo *m*.

luncheon meat *n* carne de cerdo en lata troceada.

luncheon voucher *n* UK vale *m* del almuerzo.

lunch hour *n* hora *f* del almuerzo.

lunchtime ['lʌntʃtaɪm] *n* hora *f* del almuerzo.

lung [lʌŋ] *n* pulmón *m*.

lunge [lʌndʒ] *vi* lanzarse; **to lunge at sb** arremeter contra alguien.

lurch [lɜ:tʃ] ◇ *n* [of boat] bandazo *m*; [of person] tumbo *m*; **to leave sb in the lurch** dejar a alguien en la estacada. ◇ *vi* [boat] dar bandazos; [person] tambalearse.

lure [ljʊər] ◇ *n* atracción *f*. ◇ *vt* atraer.

lurid ['ljʊərɪd] *adj* - **1.** [brightly coloured] chillón(ona) - **2.** [shockingly unpleasant] espeluznante - **3.** [sensational] escabroso(sa).

lurk [lɜ:k] *vi* - **1.** [person] estar al acecho - **2.** [memory, danger, fear] ocultarse.

luscious ['lʌʃəs] *adj lit & fig* apetitoso(sa).

lush [lʌʃ] *adj* [luxuriant] exuberante.

lust [lʌst] *n* - **1.** [sexual desire] lujuria *f* - **2.** [strong desire]: **lust for sthg** ansia *f* de algo.
◆ lust after, lust for *vt insep* - **1.** [desire - wealth, success] codiciar - **2.** [desire sexually] desear.

lusty ['lʌstɪ] *adj* vigoroso(sa).

Luxembourg ['lʌksəm,bɜ:g] *n* Luxemburgo.

luxuriant [lʌg'ʒʊərɪənt] *adj* exuberante.

luxurious [lʌg'ʒʊərɪəs] *adj* [gen] lujoso(sa); [lifestyle] de lujo.

luxury ['lʌkʃərɪ] ◇ *n* lujo *m*. ◇ *comp* de lujo.

LW (*abbr of* long wave) *n* OL *f*.

Lycra® ['laɪkrə] *n* lycra® *f*.

lying ['laɪɪŋ] ◇ *adj* mentiroso(sa). ◇ *n* (*U*) mentiras *fpl*.

lynch [lɪntʃ] *vt* linchar.

lyric ['lɪrɪk] *adj* lírico(ca).

lyrical ['lɪrɪkl] *adj* [poetic] lírico(ca).

lyrics ['lɪrɪks] *npl* letra *f*.

M

m¹ (*pl* **m's** OR **ms**), **M** (*pl* **M's** OR **Ms**) [em] *n* [letter] m f, M f. ◆ **M** *abbr of* **motorway**.

m² - **1.** (*abbr of* **metre**) m - **2.** (*abbr of* **million**) m - **3.** *abbr of* **mile**.

MA *n abbr of* **Master of Arts**.

mac [mæk] (*abbr of* **mackintosh**) *n* UK *inf* [coat] impermeable *m*.

macaroni [,mækə'rəʊnɪ] *n* (U) macarrones *mpl*.

mace [meɪs] *n* - **1.** [ornamental rod] maza *f* - **2.** [spice] macis *f inv*.

machine [mə'ʃiːn] ◇ *n* - **1.** [power-driven device] máquina *f* - **2.** [organization] aparato *m*. ◇ *vt* - **1.** SEW coser a máquina - **2.** TECH producir a máquina.

machinegun [mə'ʃiːngʌn] *n* [with tripod] ametralladora *f*; [hand-held] metralleta *f*.

machine language *n* COMPUT lenguaje *m* máquina.

machinery [mə'ʃiːnərɪ] *n lit & fig* maquinaria *f*.

macho ['mætʃəʊ] *adj inf* macho.

mackerel ['mækrəl] (*pl* **mackerel** OR **-s**) *n* caballa *f*.

mackintosh ['mækɪntɒʃ] *n* UK impermeable *m*.

mad [mæd] *adj* - **1.** [gen] loco(ca); [attempt, idea] disparatado(da); **to be mad about sb/ sthg** estar loco(ca) por alguien/algo; **to go mad** volverse loco - **2.** [furious] furioso(sa) - **3.** [hectic] desenfrenado(da).

Madagascar [,mædə'gæskər] *n* Madagascar.

madam ['mædəm] *n* - **1.** [woman] señora *f* - **2.** [in brothel] madam *f*.

madcap ['mædkæp] *adj* descabellado(da).

mad cow disease *n* el mal de las vacas locas.

madden ['mædn] *vt* volver loco(ca).

made [meɪd] *pt & pp* ▷ **make**.

Madeira [mə'dɪərə] *n* - **1.** [wine] madeira *m*, madera *m* - **2.** GEOG Madeira.

made-to-measure *adj* hecho(cha) a la medida.

made-up *adj* - **1.** [with make-up - face, person] maquillado(da); [- lips, eyes] pintado(da) - **2.** [invented] inventado(da).

madly ['mædlɪ] *adv* [frantically] enloquecidamente; **madly in love** locamente enamorado.

madman ['mædmən] (*pl* **-men** [-mən]) *n* loco *m*.

madness ['mædnɪs] *n* locura *f*.

Madrid [mə'drɪd] *n* Madrid.

Mafia ['mæfɪə] *n*: **the Mafia** la mafia.

magazine [,mægə'ziːn] *n* - **1.** [periodical] revista *f* - **2.** [news programme] magazín *m* - **3.** [on a gun] recámara *f*.

maggot ['mægət] *n* gusano *m*, larva *f*.

magic ['mædʒɪk] ◇ *adj* [gen] mágico(ca). ◇ *n* magia *f*.

magical ['mædʒɪkl] *adj lit & fig* mágico(ca).

magician [mə'dʒɪʃn] *n* - **1.** [conjuror] prestidigitador *m*, -ra *f* - **2.** [wizard] mago *m*.

magistrate ['mædʒɪstreɪt] *n* juez *mf* de primera instancia.

magistrates' court *n* UK juzgado *m* de primera instancia.

magnanimous [mæg'nænɪməs] *adj* magnánimo(ma).

magnate ['mægneɪt] *n* magnate *mf*.

magnesium [mæg'niːzɪəm] *n* magnesio *m*.

magnet ['mægnɪt] *n* imán *m*.

magnetic [mæg'netɪk] *adj* - **1.** [attracting iron] magnético(ca) - **2.** *fig* [appealingly forceful] carismático(ca).

magnetic tape *n* cinta *f* magnética.

magnificent [mæg'nɪfɪsənt] *adj* [building, splendour] grandioso(sa); [idea, book, game] magnífico(ca).

magnify ['mægnɪfaɪ] *vt* - **1.** [in vision] aumentar, ampliar - **2.** [in the mind] exagerar.

magnifying glass ['mægnɪfaɪɪŋ-] *n* lupa *f*.

magnitude ['mægnɪtjuːd] *n* magnitud *f*.

magpie ['mægpaɪ] *n* urraca *f*.

mahogany [mə'hɒgənɪ] *n* - **1.** [wood] caoba *f* - **2.** [colour] caoba *m*.

maid [meɪd] *n* [in hotel] camarera *f*; [domestic] criada *f*.

maiden ['meɪdn] ◇ *adj* inaugural. ◇ *n liter* doncella *f*.

maiden aunt *n* tía *f* soltera.

maiden name *n* nombre *m* de soltera.

mail [meɪl] ◇ *n* - **1.** [system] correo *m*; **by mail** por correo - **2.** [letters, parcels received] correspondencia *f*. ◇ *vt esp* US [send] mandar por correo; [put in mail box] echar al buzón.

mailbox ['meɪlbɒks] *n* - **1.** US [letterbox] buzón *m* - **2.** COMPUT buzón *m*.

mailing list ['meɪlɪŋ-] *n* [for mailshots] lista *f* de distribución de publicidad OR información; COMPUT lista *f* de correo.

mailman ['meɪlmən] (*pl* **-men** [-mən]) *n* US cartero *m*.

mail order *n* venta *f* por correo.

mailshot ['meɪlʃɒt] *n* folleto *m* de publicidad (por correo).

maim [meɪm] *vt* mutilar.

main [meɪn] ◇ *adj* principal. ◇ *n* [pipe] tubería *f* principal; [wire] cable *m* principal. ◆ **mains** *npl*: **the mains** [gas, water] la tubería principal; [electricity] la red eléctrica. ◆ **in the main** *adv* por lo general.

main course *n* plato *m* fuerte.

mainframe (computer) ['meɪnfreɪm-] *n* unidad *f* central.

mainland ['meɪnlənd] ◇ *adj* continental; **mainland Spain** la Península. ◇ *n*: **on the mainland** en tierra firme.

mainly ['meɪnlɪ] *adv* principalmente.

main road *n* carretera *f* principal.

mainstay ['meɪnsteɪ] *n* fundamento *m*.

mainstream ['meɪnstriːm] ◇ *adj* [gen] predominante; [taste] corriente; [political party] convencional. ◇ *n*: **the mainstream** la tendencia general.

maintain [meɪn'teɪn] *vt* - 1. [gen] mantener - 2. [support, provide for] sostener - 3. [assert]: **to maintain (that)** sostener que.

maintenance ['meɪntənəns] *n* - 1. [gen] mantenimiento *m* - 2. [money] pensión *f* alimenticia.

maize [meɪz] *n* maíz *m*.

majestic [mə'dʒestɪk] *adj* majestuoso(sa).

majesty ['mædʒəstɪ] *n* [grandeur] majestad *f*. ◆ **Majesty** *n*: **His/Her/Your Majesty** Su Majestad.

major ['meɪdʒər] ◇ *adj* - 1. [important] importante; [main] principal; **of major importance** de gran importancia - 2. MUS mayor. ◇ *n* MIL comandante *m*; US [subject] especialidad *f*.

Majorca [mə'jɔːkə, mə'dʒɔːkə] *n* Mallorca *f*.

majority [mə'dʒɒrətɪ] *n* mayoría *f*.

make [meɪk] ◇ *vt* (*pt & pp* made) - 1. [produce] hacer; **she makes her own clothes** se hace su propia ropa - 2. [perform - action] hacer; **to make a speech** pronunciar OR dar un discurso; **to make a decision** tomar una decisión; **to make a mistake** cometer un error; **to make a payment** efectuar un pago - 3. [cause to be, cause to do] hacer; **it makes me sick** me pone enfermo; **it makes me want to...** me da ganas de...; **it made him angry** hizo que se enfadara; **you made me jump!** ¡vaya susto que me has dado!; **to make sb happy** hacer a alguien feliz; **to make sb sad** entristecer a alguien - 4. [force]: **to make sb do sthg** hacer que alguien haga algo, obligar a alguien a hacer algo - 5. [construct]: **it's made of wood/metal** está hecho de madera/metal; **made in Spain** fabricado en España - 6. [add up to] hacer, ser; **2 and 2 make 4** 2 y 2 hacen OR son 4 - 7. [calculate]

calcular; **I make it 50/six o'clock** calculo que serán 50/las seis; **what time do you make it?** ¿qué hora tienes? - 8. [earn] ganar; **to make a profit** obtener beneficios; **to make a loss** sufrir pérdidas - 9. [have the right qualities for] ser; **she'd make a good doctor** seguro que sería una buena doctora - 10. [reach] llegar a - 11. [gain - friend, enemy] hacer; **to make friends with sb** hacerse amigo de alguien ▸▸ **to make it** [arrive in time] conseguir llegar a tiempo; [be a success] alcanzar el éxito; [be able to attend] venir/ir; [survive] vivir. ◇ *n* [brand] marca *f*. ◆ **make for** *vt insep* - 1. [move towards] dirigirse a OR hacia - 2. [contribute to] contribuir a. ◆ **make into** *vt sep*: **to make sthg into sthg** convertir algo en algo. ◆ **make of** *vt sep* - 1. [understand]: **what do you make of this word?** ¿qué entiendes tú por esta palabra? - 2. [have opinion of] opinar de. ◆ **make off** *vi* darse a la fuga. ◆ **make out** ◇ *vt sep* - 1. *inf* [see] distinguir; [hear] entender, oír - 2. *inf* [understand - word, number] descifrar; [- person, attitude] comprender - 3. [fill out - form] rellenar; [- cheque, receipt] extender; [- list] hacer - 4. *inf* [pretend]: **to make o.s. out to be sthg** dárselas de algo. ◇ *vi* US *inf* [sexually] darse el lote, fajar *Méx*. ◆ **make up** ◇ *vt sep* - 1. [compose, constitute] componer, constituir - 2. [invent] inventar - 3. [apply cosmetics to] maquillar - 4. [prepare - parcel, prescription, bed] preparar - 5. [make complete - amount] completar; [- difference] cubrir; [- deficit, lost time] recuperar. ◇ *n* US [test] *examen que se realiza más tarde si no se pude hacer en su día.* ◆ **make up for** *vt insep* compensar.

make-believe *n* (U) fantasías *fpl*.

makeover ['meɪkəʊvər] *n* [of person] cambio *m* de imagen; [of home, garden] reforma *f* completa.

maker ['meɪkər] *n* [of film, programme] creador *m*, -ra *f*; [of product] fabricante *mf*.

makeshift ['meɪkʃɪft] *adj* [temporary] provisional; [improvised] improvisado(da).

make-up *n* - 1. [cosmetics] maquillaje *m*; **make-up remover** loción *f* OR leche *f* desmaquilladora - 2. [person's character] carácter *m* - 3. [structure] estructura *f*; [of team] composición *f*.

making ['meɪkɪŋ] *n* [of product] fabricación *f*; [of film] rodaje *m*; [of decision] toma *f*; **this is history in the making** esto pasará a la historia; **your problems are of your own making** tus problemas te los has buscado tú mismo; **to be the making of sb/sthg** ser la causa del éxito de alguien/algo; **to have the makings of** tener madera de.

malaise [mə'leɪz] *n fml* malestar *m*.

malaria [mə'leərɪə] *n* malaria *f*.

Malaya [mə'leɪə] n Malaya.

Malaysia [mə'leɪzɪə] n Malaisia.

male [meɪl] ◇ adj - **1.** [animal] macho - **2.** [human] masculino(na), varón - **3.** [concerning men] masculino(na). ◇ n - **1.** [animal] macho m - **2.** [human] varón m.

male nurse n enfermero m.

malevolent [mə'levələnt] adj malévolo(la).

malfunction [mæl'fʌŋkʃn] ◇ n fallo m. ◇ vi averiarse.

malice ['mælɪs] n malicia f.

malicious [mə'lɪʃəs] adj malicioso(sa).

malign [mə'laɪn] ◇ adj maligno(na), perjudicial. ◇ vt fml difamar.

malignant [mə'lɪgnənt] adj - **1.** MED maligno(na) - **2.** fml [full of hate] malvado(da).

mall [mɔːl] n esp US: **(shopping) mall** centro m comercial peatonal.

mallet ['mælɪt] n mazo m.

malnutrition [ˌmælnjuː'trɪʃn] n malnutrición f.

malpractice [ˌmæl'præktɪs] n (U) LAW negligencia f.

malt [mɔːlt] n - **1.** [grain] malta f - **2.** [whisky] whisky m de malta - **3.** US leche malteada con helado.

Malta ['mɔːltə] n Malta.

mammal ['mæml] n mamífero m.

mammogram ['mæməgræm] n MED mamografía f.

mammoth ['mæməθ] ◇ adj descomunal. ◇ n mamut m.

man [mæn] ◇ n (pl men) - **1.** [gen] hombre m; **the man in the street** el hombre de la calle, el ciudadano de a pie; **to be man enough to do sthg** ser lo suficientemente hombre para hacer algo - **2.** [humankind] el hombre. ◇ vt [gen] manejar; [ship, plane] tripular; **manned 24 hours a day** [telephone] en servicio las 24 horas del día.

manage ['mænɪdʒ] ◇ vi - **1.** [cope] poder - **2.** [survive] apañárselas. ◇ vt - **1.** [succeed]: **to manage to do sthg** conseguir hacer algo - **2.** [company] dirigir, llevar; [money] administrar, manejar; [pop star] representar; [time] organizar - **3.** [cope with] poder con; **can you manage that box?** ¿puedes con la caja?

manageable ['mænɪdʒəbl] adj [task] factible, posible; [children] dominable; [inflation, rate] controlable.

management ['mænɪdʒmənt] n - **1.** [control, running] gestión f - **2.** [people in control] dirección f.

manager ['mænɪdʒər] n - **1.** [of company] director m, -ra f; [of shop] jefe m, -fa f; [of pop star] manager mf - **2.** SPORT ≃ entrenador m.

manageress [ˌmænɪdʒə'res] n UK [of company] directora f; [of shop] jefa f.

managerial [ˌmænɪ'dʒɪərɪəl] adj directivo(va).

managing director ['mænɪdʒɪn-] n director m, -ra f gerente.

mandarin ['mændərɪn] n [fruit] mandarina f.

mandate ['mændeɪt] n - **1.** [elected right or authority] mandato m; **to have a mandate to do sthg** tener autoridad para hacer algo - **2.** [task] misión f.

mandatory ['mændətrɪ] adj obligatorio(ria).

mane [meɪn] n [of horse] crin f; [of lion] melena f.

maneuver US = **manoeuvre**.

manfully ['mænfʊlɪ] adv valientemente.

mangle ['mæŋgl] vt [crush] aplastar; [tear to pieces] despedazar.

mango ['mæŋgəʊ] (pl -es OR -s) n mango m.

mangy ['meɪndʒɪ] adj sarnoso(sa).

manhandle ['mæn,hændl] vt [person]: **they manhandled her into the van** la metieron en el camión a empujones.

manhole ['mænhəʊl] n boca f (del alcantarillado).

manhood ['mænhʊd] n - **1.** [state] virilidad f - **2.** [time] edad f adulta.

manhour ['mæn,aʊər] n hora f hombre.

mania ['meɪnjə] n - **1.** [excessive liking]: **mania (for)** pasión f (por) - **2.** PSYCHOL manía f.

maniac ['meɪnɪæk] n - **1.** [madman] maníaco m, -ca f - **2.** [fanatic] fanático m, -ca f.

manic ['mænɪk] adj maníaco(ca).

manicure ['mænɪ,kjʊər] n manicura f.

manifest ['mænɪfest] fml ◇ adj manifiesto(ta). ◇ vt manifestar.

manifesto [ˌmænɪ'festəʊ] (pl -s OR -es) n manifiesto m.

manipulate [mə'nɪpjʊleɪt] vt - **1.** [control for personal benefit] manipular - **2.** [controls, lever] manejar.

mankind [mæn'kaɪnd] n la humanidad.

manly ['mænlɪ] adj varonil, viril.

man-made adj [environment, problem, disaster] producido(da) por el hombre; [fibre, lake, goods] artificial.

manner ['mænər] n - **1.** [method] manera f, forma f - **2.** [bearing, attitude] actitud f - **3.** liter [type, sort] tipo m, clase f. ◇ **manners** npl modales mpl; **it's good/bad manners to do sthg** es de buena/mala educación hacer algo.

mannerism ['mænərɪzm] n costumbre f (típica de uno).

mannish ['mænɪʃ] adj [woman] hombruno(na).

manoeuvre *UK*, **maneuver** *US* [mə'nu:vər]
◇ *n lit & fig* maniobra *f*. ◇ *vt* maniobrar.
◇ *vi* maniobrar.

manor ['mænər] *n* [house] casa *f* solariega.

manpower ['mæn,pauər] *n* [manual workers]
mano *f* de obra; [white-collar workers] perso-
nal *m*.

mansion ['mænʃn] *n* [manor] casa *f* solariega;
[big house] casa grande.

manslaughter ['mæn,slɔ:tər] *n* homici-
dio *m* involuntario.

mantelpiece ['mæntlpi:s] *n* repisa *f* (de la
chimenea).

manual ['mænjuəl] ◇ *adj* manual. ◇ *n*
manual *m*.

manual worker *n* obrero *m*, -ra *f*.

manufacture [,mænju'fæktʃər] ◇ *n* fabri-
cación *f*. ◇ *vt* [make] fabricar.

manufacturer [,mænju'fæktʃərər] *n* fabri-
cante *mf*.

manure [mə'njuər] *n* estiércol *m*.

manuscript ['mænjuskrɪpt] *n* - 1. [gen] ma-
nuscrito *m* - 2. [in exam] hoja *f* de examen.

many ['menɪ] ◇ *adj* (*comp* **more**, *su-
perl* **most**) muchos(chas); **many people** mu-
chas personas, mucha gente; **how many?**
¿cuántos(tas) ?; **I wonder how many people**
went me pregunto cuánta gente fue; **too**
many demasiados(das); **there weren't too**
many students no había muchos estudiantes;
as many... as tantos(tas)... como; **they have**
three times as many soldiers as us tienen el
triple de soldados que nosotros; **so many** tan-
tos(tas); **I've never seen so many people** nun-
ca había visto tanta gente; **a good** OR **great**
many muchísimos(mas). ◇ *pron* mu-
chos(chas); **twice as many** el doble; **four times**
as many cuatro veces esa cantidad.

map *n* mapa *m*. ➡ **map out** *vt sep* [map]
planear, planificar.

maple ['meɪpl] *n* arce *m*.

mar [ma:r] *vt* deslucir.

marathon ['mærəθn] *n* maratón *m*.

marauder [mə'rɔ:dər] *n* merodeador *m*,
-ra *f*.

marble ['ma:bl] *n* - 1. [stone] mármol *m*
- 2. [for game] canica *f*.

march [ma:tʃ] ◇ *n* - 1. MIL marcha *f* - 2. [of
demonstrators] marcha *f* (*de protesta*)
- 3. [steady progress] avance *m*. ◇ *vi* - 1. [in
formation, in protest] marchar - 2. [speedily]: **to**
march up to sb abordar a alguien decidida-
mente. ◇ *vt* llevar por la fuerza.

March [ma:tʃ] *n* marzo *m*; *see also* **Septem-
ber**.

marcher ['ma:tʃər] *n* [protester] manifestan-
te *mf*.

mare [meər] *n* yegua *f*.

margarine [,ma:dʒə'ri:n, ,ma:gə'ri:n] *n* mar-
garina *f*.

marge [ma:dʒ] *n inf* margarina *f*.

margin ['ma:dʒɪn] *n* [gen] margen *m*.

marginal ['ma:dʒɪnl] *adj* - 1. [unimportant]
marginal - 2. *UK* POL: **marginal seat** OR **con-
stituency** escaño *vulnerable a ser perdido en*
las elecciones por tener una mayoría escasa.

marginally ['ma:dʒɪnəlɪ] *adv* ligeramente.

marigold ['mærɪgəʊld] *n* caléndula *f*.

marihuana, **marijuana** [,mærɪ'wa:nə] *n*
marihuana *f*.

marine [mə'ri:n] ◇ *adj* marino(na). ◇ *n*
soldado *m* de infantería de marina.

marital ['mærɪtl] *adj* matrimonial.

marital status *n* estado *m* civil.

maritime ['mærɪtaɪm] *adj* marítimo(ma).

mark [ma:k] ◇ *n* - 1. [stain] mancha *f*;
[scratch] marca *f* - 2. [written symbol - on paper]
marca *f*; [- in the sand] señal *f* - 3. [in exam] no-
ta *f*; [point] punto *m*; **to get good marks** sacar
buenas notas - 4. [stage, level]: **once past the**
halfway mark una vez llegado a medio cami-
no - 5. [sign - of respect] señal *f*; [- of illness,
old age] huella *f* - 6. [currency] marco *m*. ◇ *vt*
- 1. [stain] manchar; [scratch] marcar - 2. [label
- with initials etc] señalar - 3. [exam, essay] pun-
tuar, calificar - 4. [identify - place] señalar; [- be-
ginning, end] marcar - 5. [commemorate] con-
memorar - 6. [characterize] caracterizar
- 7. SPORT marcar. ➡ **mark off** *vt sep* [cross off]
poner una marca en.

marked [ma:kt] *adj* [improvement] notable;
[difference] acusado(da).

marker ['ma:kər] *n* - 1. [sign] señal *f* - 2. SPORT
marcador *m*, -ora *f*.

marker pen *n* rotulador *m*.

market ['ma:kɪt] ◇ *n* mercado *m*. ◇ *vt*
comercializar.

market garden *n esp UK* [small] huerto *m*;
[large] huerta *f*.

marketing ['ma:kɪtɪŋ] *n* [subject] marke-
ting *m*; [selling] comercialización *f*.

marketplace ['ma:kɪtpleɪs] *n lit & fig* mer-
cado *m*.

market research *n* estudio *m* de mercados.

market value *n* valor *m* actual OR en venta.

marking ['ma:kɪŋ] *n* - 1. [of exams etc] correc-
ción *f* - 2. SPORT marcaje *m*. ➡ **markings** *npl*
[of flower, animal] pintas *fpl*; [on road] seña-
les *fpl*.

marksman ['ma:ksmən] (*pl* -men [-mən]) *n*
tirador *m*.

marmalade ['ma:məleɪd] *n* mermelada *f* (*de*
cítricos).

maroon [mə'ru:n] *adj* granate.

marooned [mə'ru:nd] *adj* incomunicado(da), aislado(da).

marquee [ma:'ki:] *n* carpa *f*, toldo *m* grande; *US* [of building] marquesina *f*.

marriage ['mærɪdʒ] *n* - **1.** [act] boda *f* - **2.** [state, institution] matrimonio *m*.

marriage bureau *n UK* agencia *f* matrimonial.

marriage certificate *n* certificado *m* de matrimonio.

marriage guidance *n* asesoría *f* matrimonial.

married ['mærɪd] *adj* - **1.** [person] casado(da); **a married couple** un matrimonio - **2.** [life] matrimonial.

marrow ['mærəʊ] *n* - **1.** *UK* [vegetable] calabacín *m* grande - **2.** [in bones] médula *f*.

marry ['mærɪ] ⋄ *vt* - **1.** [take as husband or wife] casarse con; **to get married** casarse - **2.** [sanction marriage of] casar. ⋄ *vi* casarse.

Mars [ma:z] *n* Marte *m*.

marsh [ma:ʃ] *n* - **1.** [area of land] zona *f* pantanosa - **2.** [type of land] pantano *m*.

marshal ['ma:ʃl] ⋄ *n* - **1.** MIL mariscal *m* - **2.** [steward] oficial *mf*, miembro *mf* del servicio de orden - **3.** *US* [officer] jefe *m*, -fa *f* de policía. ⋄ *vt* (*UK pt* & *pp* **-led**, *cont* **-ling**, *US pt* & *pp* **-ed**, *cont* **-ing**) [people] dirigir, conducir; [thoughts] ordenar.

martial arts [,ma:ʃl-] *npl* artes *fpl* marciales.

martial law [,ma:ʃl-] *n* ley *f* marcial.

martyr ['ma:tər] *n* mártir *mf*.

martyrdom ['ma:tədəm] *n* martirio *m*.

marvel ['ma:vl] ⋄ *n* maravilla *f*. ⋄ *vi* (*UK pt* & *pp* **-led**, *cont* **-ling**, *US pt* & *pp* **-ed**, *cont* **-ing**): **to marvel (at)** maravillarse OR asombrarse (ante).

marvellous *UK*, **marvelous** *US* ['ma:vələs] *adj* maravilloso(sa).

Marxism ['ma:ksɪzm] *n* marxismo *m*.

Marxist ['ma:ksɪst] ⋄ *adj* marxista. ⋄ *n* marxista *mf*.

marzipan ['ma:zɪpæn] *n* mazapán *m*.

mascara [mæs'ka:rə] *n* rímel *m*.

masculine ['mæskjʊlɪn] *adj* [gen] masculino(na); [woman, appearance] hombruno(na).

mash [mæʃ] ⋄ *n inf* puré *m* de patatas. ⋄ *vt* hacer puré.

mask [ma:sk] ⋄ *n lit* & *fig* máscara *f*. ⋄ *vt* - **1.** [to hide] enmascarar - **2.** [cover up] ocultar, disfrazar.

masochist ['mæsəkɪst] *n* masoquista *mf*.

mason ['meɪsn] *n* - **1.** [stonemason] cantero *m* - **2.** [freemason] masón *m*.

masonry ['meɪsnrɪ] *n* [stones] albañilería *f*.

masquerade [,mæskə'reɪd] *vi*: **to masquerade as** hacerse pasar por.

mass [mæs] ⋄ *n* - **1.** [gen] masa *f* - **2.** [large amount] montón *m* - **3.** [religious ceremony] misa *f*. ⋄ *adj* [unemployment] masivo(va); [communication] de masas. ⋄ *vi* agruparse, concentrarse. ● **masses** *npl* - **1.** *inf* [lots] montones *mpl* - **2.** [workers]: **the masses** las masas.

massacre ['mæsəkər] ⋄ *n* matanza *f*, masacre *f*. ⋄ *vt* masacrar.

massage [*UK* 'mæsa:ʒ, *US* mə'sa:ʒ] ⋄ *n* masaje *m*. ⋄ *vt* dar un masaje a.

massive ['mæsɪv] *adj* [gen] enorme; [majority] aplastante.

mass media *n* & *npl*: **the mass media** los medios de comunicación de masas.

mass production *n* producción *f* OR fabricación *f* en serie.

mast [ma:st] *n* - **1.** [on boat] mástil *m* - **2.** RADIO & TV poste *m*, torre *f*.

master ['ma:stər] ⋄ *n* - **1.** [of people, animals] amo *m*, dueño *m*; [of house] señor *m* - **2.** *fig* [of situation] dueño *m*, -ña *f* - **3.** *UK* [teacher - primary school] maestro *m*; [- secondary school] profesor *m* - **4.** [of recording] original *m*. ⋄ *adj* maestro(tra). ⋄ *vt* - **1.** [situation] dominar, controlar; [difficulty] superar - **2.** [technique etc] dominar.

master key *n* llave *f* maestra.

masterly ['ma:stəlɪ] *adj* magistral.

mastermind ['ma:stəmaɪnd] ⋄ *n* cerebro *m*. ⋄ *vt* ser el cerebro de, dirigir.

Master of Arts (*pl* **Masters of Arts**) *n* - **1.** [degree] máster *m* en Letras - **2.** [person] licenciado *m*, -da *f* con máster en Letras.

Master of Science (*pl* **Masters of Science**) *n* - **1.** [degree] máster *m* en Ciencias - **2.** [person] licenciado *m*, -da *f* con máster en Ciencias.

masterpiece ['ma:stəpi:s] *n lit* & *fig* obra *f* maestra.

master's degree *n* máster *m*.

mastery ['ma:stərɪ] *n* dominio *m*.

mat [mæt] *n* - **1.** [rug] alfombrilla *f*; [beer mat] posavasos *m inv*; [tablemat] salvamanteles *m inv* - **2.** [doormat] felpudo *m*.

match [mætʃ] ⋄ *n* - **1.** [game] partido *m* - **2.** [for lighting] cerilla *f* - **3.** [equal]: **to be a match for** estar a la altura de; **to be no match for** no poder competir con. ⋄ *vt* - **1.** [be the same as] coincidir con - **2.** [pair off]: **to match sthg (to)** emparejar algo (con) - **3.** [be equal with] competir con - **4.** [go well with] hacer juego con. ⋄ *vi* - **1.** [be the same] coincidir - **2.** [go together well] hacer juego, combinar.

matchbox ['mætʃbɒks] *n* caja *f* de cerillas.

matching ['mætʃɪŋ] *adj* a juego.

mate [meɪt] ⋄ *n* - **1.** *inf* [friend] amigo *m*, -ga *f*, compañero *m*, -ra *f* - **2.** *US* [spouse] esposo *m*, -sa *f* - **3.** *UK inf* [term of address] colega *m*

- **4.** [of animal] macho *m*, hembra *f* - **5.** NAUT: **(first) mate** (primer) oficial *m*. ⬦ *vi* [animals]: **to mate (with)** aparearse (con).

material [mə'tɪərɪəl] ⬦ *adj* - **1.** [physical] material - **2.** [important] sustancial. ⬦ *n* - **1.** [substance] material *m* - **2.** [type of substance] materia *f* - **3.** [fabric] tela *f*, tejido *m* - **4.** [type of fabric] tejido *m* - **5.** (U) [ideas, information] información *f*, documentación *f*. ➡ **materials** *npl*: **building materials** materiales *mpl* de construcción; **writing materials** objetos *mpl* de escritorio; **cleaning materials** productos *mpl* de limpieza.

materialistic [mə,tɪərɪə'lɪstɪk] *adj* materialista.

maternal [mə'tɜ:nl] *adj* [gen] maternal; [grandparent] materno(na).

maternity [mə'tɜ:nətɪ] *n* maternidad *f*.

maternity dress *n* vestido *m* premamá.

maternity hospital *n* hospital *m* de maternidad.

maternity leave *n* baja *f* por maternidad.

math US = maths.

mathematical [,mæθə'mætɪkl] *adj* matemático(ca).

mathematics [,mæθə'mætɪks] *n* (U) matemáticas *fpl*.

maths UK [mæθs], **math** US [mæθ] (*abbr of* mathematics) *inf n* (U) mates *fpl*.

matinée ['mætɪneɪ] *n* [at cinema] primera sesión *f*; [at theatre] función *f* de tarde.

mating season ['meɪtɪŋ-] *n* época *f* de celo.

matrices ['meɪtrɪsi:z] *npl* ▷ **matrix**.

matriculation [mə,trɪkjʊ'leɪʃn] *n* matrícula *f*.

matrimonial [,mætrɪ'məʊnjəl] *adj* matrimonial.

matrimony ['mætrɪmənɪ] *n* (U) matrimonio *m*.

matrix ['meɪtrɪks] (*pl* matrices OR -es) *n* matriz *f*.

matron ['meɪtrən] *n* - **1.** UK [in hospital] enfermera *f* jefa - **2.** [in school] mujer a cargo de la enfermería.

matronly ['meɪtrənlɪ] *adj euph* [figure] corpulenta y de edad madura.

matt UK, **matte** US [mæt] *adj* mate.

matted ['mætɪd] *adj* enmarañado(da).

matter ['mætər] ⬦ *n* - **1.** [question, situation] asunto *m*; **the fact** OR **truth of the matter is** (that)... la verdad es que...; **that's another** OR **a different matter** es otra cuestión OR cosa; **as a matter of course** automáticamente; **to make matters worse** para colmo de desgracias; **a matter of opinion** una cuestión de opiniones - **2.** [trouble, cause of pain]: **what's the matter (with it/her)?** ¿qué (le) pasa?; **something's the matter with my car** algo le pasa a mi coche - **3.** PHYS materia *f* - **4.** (U) [material] material *m*. ⬦ *vi* [be important] importar; **it doesn't matter** no importa. ➡ **as a matter of fact** *adv* en realidad. ➡ **for that matter** *adv* de hecho. ➡ **no matter** *adv*: **no matter how hard I try** por mucho que lo intente; **no matter what he does** haga lo que haga; **we must win, no matter what** tenemos que ganar como sea.

Matterhorn ['mætə,hɔ:n] *n*: **the Matterhorn** el monte Cervino.

matter-of-fact *adj* pragmático(ca).

mattress ['mætrɪs] *n* colchón *f*.

mature [mə'tjʊər] ⬦ *adj* [person, wine] maduro(ra); [cheese] curado(da). ⬦ *vi* - **1.** [gen] madurar - **2.** [wine] envejecer.

mature student *n* UK UNIV estudiante *mf* adulto, -ta *f*.

maul [mɔ:l] *vt* [savage] herir gravemente.

mauve [məʊv] *adj* malva.

max. [mæks] (*abbr of* maximum) máx.

maxim ['mæksɪm] (*pl* -s) *n* máxima *f*.

maximum ['mæksɪməm] ⬦ *adj* máximo(ma). ⬦ *n* (*pl* maxima OR -s) máximo *m*; **at the maximum** como máximo.

may [meɪ] *modal vb* poder; **the coast may be seen** se puede ver la costa; **you may like it** puede OR es posible que te guste; **I may come, I may not** puede que venga, puede que no; **will you do it?** – **I may do** ¿lo harás? – puede que sí; **it may be done in two different ways** puede hacerse de dos maneras (distintas); **may I come in?** ¿se puede (pasar)?; **may I?** ¿me permite?; **if I may** si me permite; **it may be cheap, but it's good** puede que sea barato, pero es bueno; **may all your dreams come true!** ¡que todos tus sueños se hagan realidad!; **be that as it may** aunque así sea; **come what may** pase lo que pase.

May [meɪ] *n* mayo *m*; *see also* **September**.

maybe ['meɪbi:] *adv* - **1.** [perhaps] quizás, tal vez; **maybe she'll come** tal vez venga - **2.** [approximately] más o menos.

May Day *n* Primero *m* de Mayo.

mayhem ['meɪhem] *n* alboroto *m*.

mayonnaise [,meɪə'neɪz] *n* mayonesa *f*.

mayor [meər] *n* alcalde *m*, -esa *f*.

mayoress ['meərɪs] *n* alcaldesa *f*.

maze [meɪz] *n lit & fig* laberinto *m*.

MB (*abbr of* megabyte) MB *m*.

MD *n abbr of* **managing director**.

me [mi:] *pers pron* - **1.** (*direct, indirect*) me; **can you see/hear me?** ¿me ves/oyes?; **it's me** soy yo; **they spoke to me** hablaron conmigo; **she gave it to me** me lo dio; **give it to me!** ¡dámelo! - **2.** (*stressed*): **you can't expect me to do it** no esperarás que **yo** lo haga - **3.** (*after*

prep) mí; **they went with/without me** fueron conmigo/sin mí **- 4.** *(in comparisons)* yo; **she's shorter than me** (ella) es más baja que yo.

meadow ['medəʊ] *n* prado *m*, pradera *f*.

meagre UK, **meager** US ['miːgər] *adj* miserable, escaso(sa).

meal [miːl] *n* comida *f*.

mealtime ['miːltaɪm] *n* hora *f* de la comida.

mean [miːn] <> *vt* (*pt* & *pp* **meant**) **- 1.** [signify] significar, querer decir; **what does that word mean?** ¿qué quiere decir esa palabra?; **it means nothing to me** no significa nada para mí **- 2.** [have in mind] querer decir, referirse a; **what do you mean?** ¿qué quieres decir?; **do you know what I mean?** ¿sabes?; **to be meant for** estar destinado(da) a; **to be meant to do sthg** deber hacer algo; **that's not meant to be there** eso no debería estar allí; **it was meant to be a surprise** se suponía que era una sorpresa; **it was meant to be a joke** era solamente una broma; **to mean well** tener buenas intenciones **- 3.** [be serious about]: **I mean it** hablo OR lo digo en serio **- 4.** [be important, matter] significar; **it means a lot to us** significa mucho para nosotros **- 5.** [entail] suponer, implicar.
  I mean quiero decir, o sea. <> *adj* **- 1.** [miserly] tacaño(ña) **- 2.** [unkind] mezquino(na), malo(la); **to be mean to sb** ser malo con alguien **- 3.** [average] medio(dia). <> *n* [average] promedio *m*, media *f*.

meander [mɪ'ændər] *vi* **- 1.** [river, road] serpentear **- 2.** [walk aimlessly] vagar; [write, speak aimlessly] divagar.

meaning ['miːnɪŋ] *n* **- 1.** [sense - of a word etc] significado *m* **- 2.** [significance] intención *f*, sentido *m* **- 3.** [purpose, point] propósito *m*, razón *f* de ser.

meaningful ['miːnɪŋfʊl] *adj* **- 1.** [expressive] significativo(va) **- 2.** [profound] profundo(da).

meaningless ['miːnɪŋlɪs] *adj* **- 1.** [without meaning, purpose] sin sentido **- 2.** [irrelevant, unimportant] irrelevante.

means [miːnz] <> *n* [method, way] medio *m*; **we have no means of doing it** no tenemos manera de hacerlo; **by means of** por medio de; **by legal means** legalmente. <> *npl* [money] recursos *mpl*. **by all means** *adv* por supuesto. **by no means** *adv* en absoluto.

meant [ment] *pt* & *pp* > **mean**.

meantime ['miːntaɪm] *n*: **in the meantime** mientras tanto.

meanwhile ['miːnwaɪl] *adv* mientras tanto.

measles ['miːzlz] *n*: **(the) measles** sarampión *m*.

measly ['miːzlɪ] *adj inf* raquítico(ca).

measure ['meʒər] <> *n* **- 1.** [step, action] medida *f* **- 2.** [of alcohol] medida *f* **- 3.** [indication,

sign]: **a measure of** una muestra de **- 4.** US MUS compás *m*. <> *vt* [object] medir; [damage, impact etc] determinar, evaluar. <> *vi* medir.

measurement ['meʒəmənt] *n* medida *f*.

meat [miːt] *n* **- 1.** [foodstuff] carne *f*; **cold meat** fiambre *m* **- 2.** [substance, content] sustancia *f*.

meatball ['miːtbɔːl] *n* albóndiga *f*.

meat pie *n* UK empanada *f* de carne.

meaty ['miːtɪ] *adj fig* sustancioso(sa).

Mecca ['mekə] *n* GEOG La Meca; *fig* meca *f*.

mechanic [mɪ'kænɪk] *n* mecánico *m*, -ca *f*.
  mechanics <> *n* (*U*) [study] mecánica *f*. <> *npl fig* mecanismos *mpl*.

mechanical [mɪ'kænɪkl] *adj* [worked by machinery, routine] mecánico(ca).

mechanism ['mekənɪzm] *n lit* & *fig* mecanismo *m*.

medal ['medl] *n* medalla *f*.

medallion [mɪ'dæljən] *n* medallón *m*.

meddle ['medl] *vi*: **to meddle (in)** entrometerse (en); **to meddle with sthg** manosear algo.

media ['miːdjə] <> *pl* > **medium**. <> *n* & *npl*: **the media** los medios de comunicación.

mediaeval [,medɪ'iːvl] = **medieval**.

median ['miːdjən] <> *adj* mediano(na). <> *n* US [of road] mediana *f*.

mediate ['miːdɪeɪt] *vi*: **to mediate (for/ between)** mediar (por/entre).

mediator ['miːdɪeɪtər] *n* mediador *m*, -ra *f*.

Medicaid ['medɪkeɪd] *n* US sistema estatal de ayuda médica.

medical ['medɪkl] <> *adj* médico(ca). <> *n* reconocimiento *m* médico.

Medicare ['medɪkeər] *n* US ayuda médica estatal para ancianos.

medicated ['medɪkeɪtɪd] *adj* medicinal.

medicine ['medsɪn] *n* **- 1.** [treatment of illness] medicina *f*; **Doctor of Medicine** UNIV doctor *m*, -ra *f* en medicina **- 2.** [substance] medicina *f*, medicamento *m*.

medieval, mediaeval [,medɪ'iːvl] *adj* medieval.

mediocre [,miːdɪ'əʊkər] *adj* mediocre.

meditate ['medɪteɪt] *vi*: **to meditate (on OR upon)** meditar (sobre).

Mediterranean [,medɪtə'reɪnjən] <> *n* [sea]: **the Mediterranean (Sea)** el (mar) Mediterráneo. <> *adj* mediterráneo(a).

medium ['miːdjəm] <> *adj* mediano(na). <> *n* **- 1.** (*pl* **media**) [way of communicating] medio *m* **- 2.** (*pl* **mediums**) [spiritualist] médium *mf*.

medium-sized [-saɪzd] *adj* de tamaño mediano.

medium wave *n* onda *f* media.

medley ['medlı] (pl **medleys**) n - 1. [mixture] mezcla f - 2. [selection of music] popurrí m.

meek [mi:k] adj sumiso(sa), dócil.

meet [mi:t] ◇ vt (pt & pp **met**) - 1. [by chance] encontrarse con; [for first time, come across] conocer; [by arrangement, for a purpose] reunirse con - 2. [go to meet - person] ir/venir a buscar - 3. [need, demand, condition] satisfacer; [target] cumplir con; [deadline] cumplir - 4. [deal with - problem, challenge] hacer frente a - 5. [costs, debts] pagar - 6. [experience - problem, situation] encontrarse con - 7. [hit, touch] darse OR chocar contra - 8. [join] juntarse OR unirse con - 9. [play against] enfrentarse con. ◇ vi (pt & pp **met**) - 1. [by chance] encontrarse; [by arrangement] verse; [for a purpose] reunirse - 2. [get to know sb] conocerse; **shall we meet at eight?** ¿quedamos a las ocho? - 3. [hit in collision] chocar; [touch] tocar - 4. [eyes]: **their eyes met** sus miradas se cruzaron - 5. [join - roads etc] juntarse - 6. [play each other] enfrentarse. ◇ n US [meeting] encuentro m. ➤ **meet up** vi: **to meet up (with sb)** quedar (con alguien); **we're meeting up for lunch** hemos quedado para comer. ➤ **meet with** vt insep - 1. [problems, resistance]: **meet with refusal** ser rechazado(da); **to meet with success** tener éxito; **to meet with failure** fracasar - 2. US [by arrangement] reunirse con.

meeting ['mi:tıŋ] n - 1. [for discussions, business] reunión f - 2. [by chance, in sport] encuentro m; [by arrangement] cita f; [formal] entrevista f.

megabyte ['megəbaıt] n COMPUT megabyte m, mega m.

megaphone ['megəfəʊn] n megáfono m.

melancholy ['melənkəlı] ◇ adj melancólico(ca). ◇ n melancolía f.

mellow ['meləʊ] ◇ adj [sound, colour, light] suave; [wine] añejo(ja). ◇ vi [sound, light] suavizarse; [person] ablandarse.

melody ['melədı] n melodía f.

melon ['melən] n melón m.

melt [melt] ◇ vt - 1. [make liquid] derretir - 2. fig [soften] ablandar. ◇ vi - 1. [become liquid] derretirse - 2. fig [soften] ablandarse - 3. [disappear]: **to melt away** [savings] esfumarse; [anger] desvanecerse. ➤ **melt down** vt sep fundir.

meltdown ['meltdaʊn] n - 1. [act of melting] fusión f - 2. [incident] fuga f radiactiva.

melting pot ['meltıŋ-] n fig crisol m.

member ['membə'] n - 1. [of social group] miembro mf - 2. [of party, union] afiliado m, -da f; [of organization, club] socio m, -cia f - 3. [limb, penis] miembro m.

Member of Congress (pl **Members of Congress**) n miembro mf del Congreso (de los Estados Unidos).

Member of Parliament (pl **Members of Parliament**) n UK diputado m, -da f (del parlamento británico).

membership ['membəʃɪp] n - 1. [of party, union] afiliación f; [of club] calidad f de socio - 2. [number of members - of party, union] número m de afiliados - 3. [people themselves]: **the membership** [of organization] los miembros; [of party, union] los afiliados; [of club] los socios.

membership card n [of party, union] carnet m de afiliado, -da f; [of club] carnet m de socio, -cia f.

memento [mı'mentəʊ] (pl **-s**) n recuerdo m.

memo ['meməʊ] (pl **-s**) n memorándum m.

memoirs ['memwɑ:z] npl memorias fpl.

memorandum [,memə'rændəm] (pl **-da** [-də] OR **-dums**) n fml memorándum m.

memorial [mı'mɔ:rıəl] ◇ adj conmemorativo(va). ◇ n monumento m conmemorativo.

memorize, -ise ['meməraız] vt memorizar, aprender de memoria.

memory ['memərı] n - 1. [faculty, of computer] memoria f - 2. [thing or things remembered] recuerdo m; **from memory** de memoria.

men [men] npl ⊳ **man**.

menace ['menəs] ◇ n - 1. [threat] amenaza f; [danger] peligro m - 2. inf [nuisance, pest] pesadez f. ◇ vt amenazar.

menacing ['menəsıŋ] adj amenazador(ra).

mend [mend] ◇ n inf: **to be on the mend** ir recuperándose. ◇ vt [shoes, toy] arreglar; [socks] zurcir; [clothes] remendar.

menial ['mi:nɪəl] adj servil, de baja categoría.

meningitis [,menɪn'dʒaɪtɪs] n (U) meningitis f inv.

menopause ['menəpɔ:z] n: **the menopause** la menopausia.

men's room n US: **the men's room** los servicios de caballeros.

menstruation [,menstrʊ'eɪʃn] n menstruación f.

menswear ['menzweə'] n ropa f de caballeros.

mental ['mentl] adj mental.

mental hospital n hospital m psiquiátrico.

mentality [men'tælətı] n mentalidad f.

mentally handicapped ['mentəlı-] npl: **the mentally handicapped** los disminuidos psíquicos.

mention ['menʃn] ◇ vt: **to mention sthg (to)** mencionar algo (a); **not to mention** sin mencionar, además de; **don't mention it!** ¡de nada!, ¡no hay de qué! ◇ n mención f.

menu ['menju:] n - 1. [in restaurant] carta f - 2. COMPUT menú m.

meow US = **miaow**.

MEP (abbr of Member of the European Parliament) n eurodiputado m, -da f.

mercenary ['mɜːsɪnrɪ] <> adj mercenario(ria). <> n mercenario m, -ria f.

merchandise ['mɜːtʃəndaɪz] n (U) mercancías fpl, géneros mpl.

merchant ['mɜːtʃənt] <> adj [seaman, ship] mercante. <> n comerciante mf.

merchant bank n UK banco m mercantil.

merchant navy UK, **merchant marine** US n marina f mercante.

merciful ['mɜːsɪfʊl] adj - 1. [showing mercy] compasivo(va) - 2. [fortunate] afortunado(da).

merciless ['mɜːsɪlɪs] adj despiadado(da).

mercury ['mɜːkjʊrɪ] n mercurio m.

Mercury ['mɜːkjʊrɪ] n Mercurio m.

mercy ['mɜːsɪ] n - 1. [kindness, pity] compasión f; **to have mercy on** apiadarse de; **to beg for mercy** pedir clemencia; **at the mercy of** fig a merced de - 2. [blessing] suerte f.

mere [mɪər] adj simple, mero(ra); **she's a mere child** no es más que una niña.

merely ['mɪəlɪ] adv simplemente, sólo.

merge [mɜːdʒ] <> vt - 1. [gen] mezclar - 2. COMM & COMPUT fusionar. <> vi - 1. [join, combine]: **to merge (with)** [company] fusionarse (con); [roads, branches] unirse OR convergir (con) - 2. [blend - colours] fundirse; **to merge into** confundirse con.

merger ['mɜːdʒər] n COMM fusión f.

meringue [mə'ræŋ] n merengue m.

merit ['merɪt] <> n mérito m. <> vt merecer, ser digno(na) de. **merits** npl ventajas fpl; **to judge sthg on its merits** evaluar OR juzgar algo según sus méritos.

mermaid ['mɜːmeɪd] n sirena f.

merry ['merɪ] adj - 1. [gen] alegre - 2. [party] animado(da); **Merry Christmas!** ¡feliz Navidad! - 3. inf [tipsy] achispado(da).

merry-go-round n tiovivo m.

mesh [meʃ] <> n malla f. <> vi fig encajar.

mesmerize, -ise ['mezməraɪz] vt: **to be mesmerized (by)** estar fascinado(da) (por).

mess [mes] n - 1. [untidy state] desorden m; **to make a mess of sthg** hacer algo muy mal - 2. [muddle, problematic situation] lío m - 3. MIL [room] comedor m; [food] rancho m. **mess about, mess around** inf <> vt sep vacilar. <> vi - 1. [waste time] pasar el rato; [fool around] hacer el tonto - 2. [interfere]: **to mess about with sthg** manosear algo. **mess up** vt sep inf - 1. [clothes] ensuciar; [room] desordenar - 2. [plan, evening] echar a perder.

message ['mesɪdʒ] n - 1. [piece of information] mensaje m, recado m - 2. [of book etc] mensaje m.

messenger ['mesɪndʒər] n mensajero m, -ra f.

Messrs, Messrs. ['mesəz] (abbr of messieurs) Sres.

messy ['mesɪ] adj [dirty] sucio(cia); [untidy] desordenado(da).

met [met] pt & pp ⊳ **meet**.

metal ['metl] <> n metal m. <> comp de metal, metálico(ca).

metallic [mɪ'tælɪk] adj - 1. [gen] metálico(ca) - 2. [paint, finish] metalizado(da).

metalwork ['metlwɜːk] n [craft] metalistería f.

metaphor ['metəfər] n metáfora f.

mete [miːt] **mete out** vt sep: **to mete sthg out to sb** imponer algo a alguien.

meteor ['miːtɪər] n bólido m.

meteorology [ˌmiːtjə'rɒlədʒɪ] n meteorología f.

meter ['miːtər] n - 1. [device] contador m - 2. US = **metre**.

method ['meθəd] n método m.

methodical [mɪ'θɒdɪkl] adj metódico(ca).

Methodist ['meθədɪst] <> adj metodista. <> n metodista mf.

meths [meθs] n UK inf alcohol m metilado OR desnaturalizado.

methylated spirits ['meθɪleɪtɪd-] n alcohol m metilado OR desnaturalizado.

meticulous [mɪ'tɪkjʊləs] adj meticuloso(sa), minucioso(sa).

metre UK, **meter** US ['miːtər] n metro m.

metric ['metrɪk] adj métrico(ca).

metronome ['metrənəʊm] n metrónomo m.

metropolitan [ˌmetrə'pɒlɪtn] adj [of a metropolis] metropolitano(na).

mettle ['metl] n: **to be on one's mettle** estar dispuesto(ta) a hacer lo mejor posible; **he showed OR proved his mettle** mostró su valor.

mew [mjuː] = **miaow**.

mews [mjuːz] (pl mews) n UK callejuela de antiguas caballerizas convertidas en viviendas de lujo.

Mexican ['meksɪkn] <> adj mexicano(na), mejicano(na). <> n mexicano m, -na f, mejicano m, -na f.

Mexico ['meksɪkəʊ] n México, Méjico.

MI5 (abbr of Military Intelligence 5) n organismo británico de contraespionaje.

MI6 (abbr of Military Intelligence 6) n organismo británico de espionaje.

miaow UK [miːˈaʊ], **meow** US [mɪˈaʊ] <> n maullido m. <> vi maullar.

mice [maɪs] npl ⊳ **mouse**.

mickey ['mɪkɪ] *n* UK *inf*: **to take the mickey out of sb** tomar el pelo a alguien; **to take the mickey out of sthg** burlarse de algo.

microchip ['maɪkrəʊtʃɪp] *n* COMPUT microchip *m*.

microcomputer [,maɪkrəʊkəm'pjuːtər] *n* microordenador *m*, microcomputadora *f* *Amér.*

microfilm ['maɪkrəʊfɪlm] *n* microfilm *m*.

microphone ['maɪkrəfəʊn] *n* micrófono *m*.

micro scooter *n* patinete *m*.

microscope ['maɪkrəskəʊp] *n* microscopio *m*.

microscopic [,maɪkrə'skɒpɪk] *adj lit & fig* microscópico(ca).

microwave ['maɪkrəweɪv] <> *n*: **microwave (oven)** microondas *m inv*. <> *vt* cocinar en el microondas.

mid- [mɪd] *prefix* medio(dia); **(in) mid-morning** a media mañana; **(in) mid-August** a mediados de agosto; **(in) mid-winter** en pleno invierno; **she's in her mid-twenties** tiene unos 25 años.

midair [mɪd'eər] *n*: **in midair** en el aire.

midday ['mɪddeɪ] *n* mediodía *m*.

middle ['mɪdl] <> *adj* [gen] del medio. <> *n* - **1.** [of room, town etc] medio *m*, centro *m*; **in the middle of the month/the 19th century** a mediados del mes/del siglo XIX; **in the middle of the week** a mitad de semana; **to be in the middle of doing sthg** estar haciendo algo; **in the middle of the night** en plena noche - **2.** [waist] cintura *f*.

middle-aged *adj* de mediana edad.

Middle Ages *npl*: **the Middle Ages** la Edad Media.

middle-class *adj* de clase media.

middle classes *npl*: **the middle classes** la clase media.

Middle East *n*: **the Middle East** el Oriente Medio.

middleman ['mɪdlmæn] (*pl* **-men** [-men]) *n* intermediario *m*.

middle name *n* segundo nombre *m* (*en un nombre compuesto*).

middleweight ['mɪdlweɪt] *n* peso *m* medio.

middling ['mɪdlɪŋ] *adj* regular.

midfield [,mɪd'fiːld] *n* FTBL centro *m* del campo.

midge [mɪdʒ] *n* (tipo *m* de) mosquito *m*.

midget ['mɪdʒɪt] *n* enano *m*, -na *f*.

midi system ['mɪdɪ-] *n* minicadena *f*.

Midlands ['mɪdləndz] *npl*: **the Midlands** la región central de Inglaterra.

midnight ['mɪdnaɪt] *n* medianoche *f*.

midriff ['mɪdrɪf] *n* diafragma *m*.

midst [mɪdst] *n*: **in the midst of** en medio de.

midsummer ['mɪd,sʌmər] *n* pleno verano *m*.

midway [,mɪd'weɪ] *adv* - **1.** [in space]: **midway (between)** a medio camino (entre) - **2.** [in time]: **midway (through)** a la mitad (de).

midweek <> *adj* [mɪd'wiːk] de entre semana. <> *adv* ['mɪdwiːk] entre semana.

midwife ['mɪdwaɪf] (*pl* **-wives** [-waɪvz]) *n* comadrona *f*.

midwifery ['mɪd,wɪfərɪ] *n* obstetricia *f*.

might [maɪt] <> *modal vb* - **1.** [expressing possibility]: **he might be armed** podría estar armado; **I might do it** puede que OR quizás lo haga; **I might come, I might not** puede que venga, puede que no; **will you do it? – I might do** ¿lo harás? – puede que sí; **we might have been killed, had we not been careful** si no hubiéramos tenido cuidado, podríamos haber muerto; **will you tell them? – I might as well** ¿se lo dirás? – ¿por qué no? - **2.** [expressing suggestion]: **you might have told me!** ¡podrías habérmelo dicho!; **it might be better to wait** quizás sea mejor esperar - **3.** *fml* [asking permission]: **he asked if he might leave the room** pidió permiso para salir - **4.** [expressing concession]: **you might well be right, but...** puede que tengas razón, pero...
▸▸▸ **I might have known** OR **guessed** podría haberlo sospechado. <> *n* (U) fuerza *f*, poder *m*.

mighty ['maɪtɪ] <> *adj* [strong] fuerte; [powerful] poderoso(sa). <> *adv esp* US muy.

migraine ['miːɡreɪn, 'maɪɡreɪn] *n* jaqueca *f*.

migrant ['maɪɡrənt] <> *adj* [workers] inmigrante. <> *n* [person] emigrante *mf*.

migrate [UK maɪ'ɡreɪt, US 'maɪɡreɪt] *vi* emigrar.

mike [maɪk] (*abbr of* **microphone**) *n inf* micro *m*.

mild [maɪld] *adj* - **1.** [taste, disinfectant, wind] suave; [effect, surprise, illness, punishment] leve - **2.** [person, nature] apacible; [tone of voice] sereno(na) - **3.** [climate] templado(da).

mildew ['mɪldjuː] *n* [gen] moho *m*; [on plants] añublo *m*.

mildly ['maɪldlɪ] *adv* - **1.** [gen] ligeramente, levemente; **to put it mildly** por no decir más - **2.** [talk] suavemente.

mile [maɪl] *n* milla *f*; **it's miles away** [place] está muy lejos; **to be miles away** *fig* estar en la luna.

mileage ['maɪlɪdʒ] *n* distancia *f* en millas.

mileometer, milometer [maɪ'lɒmɪtər] *n* cuentamillas *m inv*, ≃ cuentakilómetros *m inv*.

milestone ['maɪlstəʊn] *n* - **1.** [marker stone] mojón *m* - **2.** *fig* [event] hito *m*.

militant ['mɪlɪtənt] <> *adj* militante. <> *n* militante *mf*.

military ['mɪlɪtrɪ] <> adj militar. <> n: the military los militares, las fuerzas armadas.

militia [mɪ'lɪʃə] n milicia f.

milk [mɪlk] <> n leche f. <> vt - **1.** [cow etc] ordeñar - **2.** [use to own ends] sacar todo el jugo a; **they milked him for every penny he had** le chuparon hasta el último centavo.

milk chocolate n chocolate m con leche.

milkman ['mɪlkmən] (pl -men [-mən]) n lechero m.

milk shake n batido m.

milky ['mɪlkɪ] adj - **1.** UK [with milk] con mucha leche - **2.** [pale white] lechoso(sa).

Milky Way n: the Milky Way la Vía Láctea.

mill [mɪl] <> n - **1.** [flour-mill] molino m - **2.** [factory] fábrica f - **3.** [grinder] molinillo m. <> vt moler. ◆ **mill about, mill around** vi arremolinarse.

millennium [mɪ'lenɪəm] (pl -nnia [-nɪə]) n milenio m.

miller ['mɪlər] n molinero m, -ra f.

millet ['mɪlɪt] n mijo m.

milligram(me) ['mɪlɪgræm] n miligramo m.

millimetre UK, **millimeter** US ['mɪlɪ,miːtər] n milímetro m.

millinery ['mɪlɪnrɪ] n sombrerería f (de señoras).

million ['mɪljən] n millón m; **four million dollars** cuatro millones de dólares.

millionaire [,mɪljə'neər] n millonario m.

millstone ['mɪlstəʊn] n piedra f de molino, muela f.

milometer [maɪ'lɒmɪtər] = **mileometer**.

mime [maɪm] <> n [acting] mímica f. <> vt describir con gestos. <> vi hacer mímica.

mimic ['mɪmɪk] <> n imitador m, -ra f. <> vt (pt & pp -ked, cont -king) imitar.

mimicry ['mɪmɪkrɪ] n imitación f.

min. [mɪn] - **1.** (abbr of minute) min - **2.** (abbr of minimum) mín.

mince [mɪns] <> n UK carne f picada. <> vt picar. <> vi andar con afectación.

mincemeat ['mɪnsmiːt] n [fruit] mezcla de fruta confitada y especias.

mince pie n [sweet cake] pastelillo navideño de fruta confitada y frutos secos.

mincer ['mɪnsər] n máquina f de picar carne.

mind [maɪnd] <> n - **1.** [gen] mente f; **state of mind** estado m de ánimo; **to calculate sthg in one's mind** calcular algo mentalmente; **to come into OR to cross sb's mind** pasársele a alguien por la cabeza; **the first thing that came into my mind** lo primero que me vino a la mente; **to have sthg on one's mind** estar preocupado por algo; **to keep an open mind** tener una actitud abierta; **that was a load OR weight off my mind** me quité un peso de en-

cima; **are you out of your mind?** ¿estás loco?; **to make one's mind up** decidirse - **2.** [attention] atención f; **to put one's mind to sthg** poner empeño en algo - **3.** [opinion]: **to change one's mind** cambiar de opinión; **to my mind** en mi opinión; **to be in two minds about sthg** no estar seguro(ra) de algo; **to speak one's mind** hablar sin rodeos - **4.** [memory] memoria f - **5.** [intention]: **to have sthg in mind** tener algo en mente; **to have a mind to do sthg** estar pensando en hacer algo; **nothing could be further from my mind** nada más lejos de mis intenciones. <> vi [be bothered]: **do you mind?** ¿te importa?; **I don't mind...** no me importa...; **which do you want? – I don't mind** ¿cuál prefieres? – me da igual; **never mind** [don't worry] no te preocupes; [it's not important] no importa. <> vt - **1.** [be bothered about, dislike]: **do you mind if I leave?** ¿te molesta si me voy?; **I don't mind waiting** no me importa esperar; **I wouldn't mind a...** no me vendría mal un... - **2.** [pay attention to] tener cuidado con; **mind you don't fall** ten cuidado no te vayas a caer - **3.** [take care of] cuidar - **4.** [concentrate on]: **mind your own business!** ¡métete en tus asuntos! ◆ **mind you** adv: **he's a bit deaf; mind you, he is old** está un poco sordo; te advierto que es ya mayor.

minder ['maɪndər] n UK inf [bodyguard] guardaespaldas m & f inv.

mindful ['maɪndfʊl] adj: **mindful of** consciente de.

mindless ['maɪndlɪs] adj - **1.** [stupid] absurdo(da), sin sentido - **2.** [not requiring thought] aburrido(da).

mine[1] [maɪn] poss pron mío (mía); **that money is mine** ese dinero es mío; **his car hit mine** su coche chocó contra el mío; **it wasn't your fault, it was mine** la culpa no fue tuya sino mía; **a friend of mine** un amigo mío.

mine[2] [maɪn] <> n mina f. <> vt - **1.** [excavate - coal] extraer - **2.** [lay mines in] minar.

minefield ['maɪnfiːld] n lit & fig campo m de minas.

miner ['maɪnər] n minero m, -ra f.

mineral ['mɪnərəl] <> adj mineral. <> n mineral m.

mineral water n agua f mineral.

minesweeper ['maɪn,swiːpər] n dragaminas m inv.

mingle ['mɪŋgl] vi - **1.** [combine]: **to mingle (with)** mezclarse (con) - **2.** [socially]: **to mingle (with)** alternar (con).

miniature ['mɪnətʃər] <> adj en miniatura. <> n - **1.** [painting] miniatura f - **2.** [of alcohol] botellín f de licor en miniatura.

minibus ['mɪnɪbʌs] (pl -es) n microbús m.

minicab ['mɪnɪkæb] n UK taxi que se puede pedir por teléfono, pero no se puede parar en la calle.

minidish ['mɪnɪdɪʃ] n miniparabólica f.

minima ['mɪnɪmə] pl ▷ **minimum**.

minimal ['mɪnɪml] adj mínimo(ma).

minimum ['mɪnɪməm] ◇ adj mínimo(ma). ◇ n (pl **-mums** OR **-ma**) mínimo m.

mining ['maɪnɪŋ] ◇ n minería f. ◇ adj minero(ra).

miniskirt ['mɪnɪskɜːt] n minifalda f.

minister ['mɪnɪstər] n - **1.** POL: minister (for) ministro m, -tra f (de) - **2.** RELIG pastor m, -ra f. ◆ **minister to** vt insep [needs] atender a.

ministerial [,mɪnɪ'stɪərɪəl] adj ministerial.

minister of state n: minister of state (for) secretario m, -ria f de estado (para).

ministry ['mɪnɪstrɪ] n - **1.** POL ministerio m - **2.** RELIG: the ministry el clero.

mink [mɪŋk] (pl mink) n visón m.

minnow ['mɪnəʊ] n - **1.** [fish] pececillo m (de agua dulce) - **2.** [team] comparsa f.

minor ['maɪnər] ◇ adj [gen] menor; [injury] leve. ◇ n menor mf (de edad); US [subject] subespecialidad f.

minority [maɪ'nɒrətɪ] n minoría f; to be in a OR the minority estar en la minoría, ser minoría.

mint [mɪnt] ◇ n - **1.** [herb] menta f, hierbabuena f - **2.** [peppermint] pastilla f de menta - **3.** [for coins]: **the mint** la Casa de la Moneda; **in mint condition** en perfecto estado, como nuevo(va). ◇ vt acuñar.

minus ['maɪnəs] ◇ prep - **1.** MATHS [less]: **4 minus 2 is 2** 4 menos 2 es 2 - **2.** [in temperatures]: **it's minus 5°C** estamos a 5 grados bajo cero. ◇ n (pl **-es**) - **1.** MATHS signo m (de) menos - **2.** [disadvantage] desventaja f.

minus sign n signo m (de) menos.

minute [1] ['mɪnɪt] n minuto m; at any minute en cualquier momento; at the minute en este momento; just a minute un momento; this minute ahora mismo. ◆ **minutes** npl acta f; to take (the) minutes levantar OR tomar acta.

minute [2] [maɪ'njuːt] adj [very small] diminuto(ta).

miracle ['mɪrəkl] n lit & fig milagro m.

miraculous [mɪ'rækjʊləs] adj milagroso(sa).

mirage [mɪ'rɑːʒ] n lit & fig espejismo m.

mire [maɪər] n fango m, lodo m.

mirror ['mɪrər] ◇ n espejo m. ◇ vt reflejar.

mirth [mɜːθ] n risa f.

misadventure [,mɪsəd'ventʃər] n desgracia f; death by misadventure LAW muerte f accidental.

misapprehension [,mɪs,æprɪ'henʃn] n - **1.** [misunderstanding] malentendido m - **2.** [mistaken belief] creencia f errónea.

misappropriation [,mɪsə,prəʊprɪ'eɪʃn] n: misappropriation (of) malversación f (de).

misbehave [,mɪsbɪ'heɪv] vi portarse mal.

miscalculate [,mɪs'kælkjʊleɪt] vt & vi calcular mal.

miscarriage [,mɪs'kærɪdʒ] n [at birth] aborto m (natural).

miscarriage of justice n error m judicial.

miscellaneous [,mɪsə'leɪnjəs] adj diverso(sa).

mischief ['mɪstʃɪf] n (U) - **1.** [playfulness] picardía f - **2.** [naughty behaviour] travesuras fpl - **3.** [harm] daño m.

mischievous ['mɪstʃɪvəs] adj - **1.** [playful] lleno(na) de picardía - **2.** [naughty] travieso(sa).

misconception [,mɪskən'sepʃn] n concepto m erróneo.

misconduct [,mɪs'kɒndʌkt] n mala conducta f.

misconstrue [,mɪskən'struː] vt fml malinterpretar.

miscount [,mɪs'kaʊnt] vt & vi contar mal.

misdeed [,mɪs'diːd] n liter fechoría f.

misdemeanour UK, **misdemeanor** US [,mɪsdɪ'miːnər] n fml delito m menor.

miser ['maɪzər] n avaro m, -ra f.

miserable ['mɪzrəbl] adj - **1.** [unhappy] infeliz, triste - **2.** [wretched, poor] miserable - **3.** [weather] horrible - **4.** [pathetic] lamentable.

miserly ['maɪzəlɪ] adj miserable, mezquino(na).

misery ['mɪzərɪ] n - **1.** [unhappiness] desdicha f - **2.** [suffering] sufrimiento m.

misfire [,mɪs'faɪər] vi - **1.** [car engine] no arrancar - **2.** [plan] fracasar.

misfit ['mɪsfɪt] n inadaptado m, -da f.

misfortune [mɪs'fɔːtʃuːn] n - **1.** [bad luck] mala suerte f - **2.** [piece of bad luck] desgracia f.

misgivings [mɪs'gɪvɪŋz] npl recelos mpl.

misguided [,mɪs'gaɪdɪd] adj [person] descaminado(da); [attempt] equivocado(da).

mishandle [,mɪs'hændl] vt - **1.** [person, animal] maltratar - **2.** [affair] llevar mal.

mishap ['mɪshæp] n contratiempo m.

misinterpret [,mɪsɪn'tɜːprɪt] vt malinterpretar.

misjudge [,mɪs'dʒʌdʒ] vt - **1.** [guess wrongly] calcular mal - **2.** [appraise wrongly] juzgar mal.

mislay [,mɪs'leɪ] (pt & pp **-laid**) vt extraviar.

mislead [,mɪs'liːd] (pt & pp **-led**) vt engañar.

misleading [,mɪs'liːdɪŋ] adj engañoso(sa).

misled [,mɪs'led] pt & pp ▷ **mislead**.

misnomer [,mɪs'nəʊməʳ] *n* término *m* equivocado.

misplace [,mɪs'pleɪs] *vt* extraviar.

misprint ['mɪsprɪnt] *n* errata *f*, error *m* de imprenta.

miss [mɪs] ◇ *vt* - **1.** [fail to see - TV programme, film] perderse; [- error, person in crowd] no ver - **2.** [fail to hear] no oír - **3.** [omit] saltarse - **4.** [shot] fallar; [ball] no dar a - **5.** [feel absence of] echar de menos OR en falta - **6.** [opportunity] perder, dejar pasar; [turning] pasarse - **7.** [train, bus] perder - **8.** [appointment] faltar a; [deadline] no cumplir - **9.** [avoid] evitar. ◇ *vi* fallar. ◇ *n* fallo *m*; **to give sthg a miss** *inf* pasar de algo. **miss out** ◇ *vt sep* pasar por alto. ◇ *vi*: **to miss out (on sthg)** perderse (algo).

Miss [mɪs] *n* señorita *f*; **Miss Brown** la señorita Brown.

misshapen [,mɪs'ʃeɪpn] *adj* deforme.

missile [UK 'mɪsaɪl, US 'mɪsəl] *n* - **1.** [weapon] misil *m* - **2.** [thrown object] proyectil *m*.

missing ['mɪsɪŋ] *adj* - **1.** [lost] perdido(da), extraviado(da) - **2.** [not present] ausente; **to be missing** faltar.

mission ['mɪʃn] *n* misión *f*.

missionary ['mɪʃənrɪ] *n* misionero *m*, -ra *f*.

mist [mɪst] *n* [gen] neblina *f*; [at sea] bruma *f*. **mist over, mist up** *vi* [windows, spectacles] empañarse; [eyes] llenarse de lágrimas.

mistake [mɪ'steɪk] ◇ *n* error *m*; **to make a mistake** equivocarse, cometer un error; **by mistake** por error. ◇ *vt* (*pt* -**took**, *pp* -**taken**) [misunderstand] entender mal.

mistaken [mɪ'steɪkn] ◇ *pp* ⊳ **mistake**. ◇ *adj* equivocado(da); **to be mistaken about sb/sthg** estar equivocado respecto a alguien/algo.

mister ['mɪstəʳ] *n inf* amigo *m*. **Mister** *n* señor *m*; **mister Brown** el señor Brown.

mistletoe ['mɪsltəʊ] *n* muérdago *m*.

mistook [mɪ'stʊk] *pt* ⊳ **mistake**.

mistreat [,mɪs'triːt] *vt* maltratar.

mistress ['mɪstrɪs] *n* - **1.** [female lover] amante *f* - **2.** *UK* [school teacher - primary] maestra *f*; [- secondary] profesora *f* - **3.** [woman in control] señora *f*.

mistrust [,mɪs'trʌst] ◇ *n* desconfianza *f*, recelo *m*. ◇ *vt* desconfiar de.

misty ['mɪstɪ] *adj* [gen] neblinoso(sa); [at sea] brumoso(sa).

misunderstand [,mɪsʌndə'stænd] (*pt & pp* -**stood**) *vt & vi* entender mal.

misunderstanding [,mɪsʌndə'stændɪŋ] *n* malentendido *m*.

misunderstood [,mɪsʌndə'stʊd] *pt & pp* ⊳ **misunderstand**.

misuse ◇ *n* [,mɪs'juːs] uso *m* indebido. ◇ *vt* [,mɪs'juːz] hacer uso indebido de.

miter *US* = **mitre**.

mitigate ['mɪtɪɡeɪt] *vt fml* mitigar.

mitre *UK*, **miter** *US* ['maɪtəʳ] *n* [hat] mitra *f*.

mitt [mɪt] *n* manopla *f*; *US* [for baseball] guante *m*.

mitten ['mɪtn] *n* manopla *f*.

mix [mɪks] ◇ *vt*: **to mix sthg (with)** mezclar algo (con). ◇ *vi* - **1.** [substances] mezclarse; [activities] ir bien juntos(tas) - **2.** [socially]: **to mix with** alternar con. ◇ *n* mezcla *f*. **mix up** *vt sep* - **1.** [confuse] confundir - **2.** [disorder] mezclar.

mixed [mɪkst] *adj* - **1.** [of different kinds] surtido(da), variado(da) - **2.** [of different sexes] mixto(ta).

mixed-ability *adj UK* [class, group] con alumnos de varios niveles.

mixed grill *n* parrillada *f* mixta.

mixed up *adj* - **1.** [confused] confuso(sa); **to get mixed up** confundirse - **2.** [involved]: **mixed up in** [fight, crime] involucrado(da) en.

mixer ['mɪksəʳ] *n* - **1.** [for food] batidora *f*; [for cement] hormigonera *f* - **2.** [for music] mesa *f* de mezclas - **3.** [non-alcoholic drink] *bebida no alcohólica para mezclar con bebidas alcohólicas*.

mixture ['mɪkstʃəʳ] *n* [gen] mezcla *f*; [of sweets] surtido *m*.

mix-up *n inf* confusión *f*.

mm (*abbr of* millimetre) mm.

MMR [,emem'ɑːʳ] (*abbr of* measles, mumps & rubella) *n* MED sarampión, paperas y rubeola.

moan [məʊn] ◇ *n* [of pain, sadness] gemido *m*. ◇ *vi* - **1.** [in pain, sadness] gemir - **2.** *inf* [complain]: **to moan (about)** quejarse (de).

moat [məʊt] *n* foso *m*.

mob [mɒb] ◇ *n* muchedumbre *f*. ◇ *vt* asediar.

mobile ['məʊbaɪl] ◇ *adj* [able to move] móvil. ◇ *n* móvil *m*.

mobile home *n* caravana *f*.

mobile phone *n* teléfono *m* móvil.

mobilize, -ise ['məʊbɪlaɪz] *vt* movilizar.

mock [mɒk] ◇ *adj* fingido(da); **mock (exam)** simulacro *m* de examen. ◇ *vt* burlarse de. ◇ *vi* burlarse.

mockery ['mɒkərɪ] *n* burlas *fpl*; **to make a mockery of sthg** poner en ridículo algo.

mod cons [,mɒd-] (*abbr of* modern conveniences) *npl UK inf*: **all mod cons** con todas las comodidades.

mode [məʊd] *n* modo *m*.

model ['mɒdl] ◇ *n* - **1.** [gen] modelo *m* - **2.** [small copy] maqueta *f* - **3.** [for painter, in fashion] modelo *mf*. ◇ *adj* - **1.** [exemplary] modelo *(inv)* - **2.** [reduced-scale] en miniatura. ◇ *vt* (*UK pt & pp* -**led**, *cont* -**ling**, *US pt & pp* -**ed**, *cont* -**ing**) - **1.** [shape] modelar - **2.** [wear] lucir *(en pase de modelos)* - **3.** [copy]: **to model**

o.s. on sb tener a alguien como modelo - **4.** COMPUT simular por ordenador. <> *vi* (*UK pt & pp* **-led**, *cont* **-ling**, *US pt & pp* **-ed**, *cont* **-ing**) trabajar de modelo.

modem ['məʊdem] *n* COMPUT módem *m*.

moderate <> *adj* ['mɒdərət] moderado(da). <> *n* ['mɒdərət] POL moderado *m*, -da *f*. <> *vt* ['mɒdəreit] moderar. <> *vi* ['mɒdəreit] [in debate] hacer de moderador.

moderation [,mɒdə'reiʃn] *n* moderación *f*; **in moderation** con moderación.

modern ['mɒdən] *adj* moderno(na).

modernize, -ise ['mɒdənaiz] <> *vt* modernizar. <> *vi* modernizarse.

modern languages *npl* lenguas *fpl* modernas.

modest ['mɒdist] *adj* - **1.** [gen] modesto(ta) - **2.** [improvement] ligero(ra); [price] módico(ca).

modesty ['mɒdisti] *n* modestia *f*.

modicum ['mɒdikəm] *n fml*: **a modicum of** un mínimo de.

modify ['mɒdifai] *vt* modificar.

module ['mɒdju:l] *n* módulo *m*.

mogul ['məʊgl] *n* magnate *mf*.

mohair ['məʊheər] *n* mohair *m*.

moist [mɔist] *adj* húmedo(da).

moisten ['mɔisn] *vt* humedecer.

moisture ['mɔistʃər] *n* humedad *f*.

moisturizer ['mɔistʃəraizər] *n* (crema *f*) hidratante *m*.

molar ['məʊlər] *n* muela *f*.

molasses [mə'læsiz] *n* (*U*) melaza *f*.

mold *US* = **mould**.

mole [məʊl] *n* - **1.** [animal, spy] topo *m* - **2.** [spot] lunar *m*.

molecule ['mɒlikju:l] *n* molécula *f*.

molest [mə'lest] *vt* - **1.** [sexually] abusar sexualmente de - **2.** [annoy] molestar.

mollusc, mollusk *US* ['mɒləsk] *n* molusco *m*.

mollycoddle ['mɒli,kɒdl] *vt inf* mimar.

molt *US* = **moult**.

molten ['məʊltn] *adj* fundido(da).

mom [mɒm] *n US inf* mamá *f*.

moment ['məʊmənt] *n* momento *m*; **at any moment** de un momento a otro; **at the moment** en este momento; **for the moment** de momento.

momentarily ['məʊməntərili] *adv* - **1.** [for a short time] momentáneamente - **2.** *US* [soon] pronto.

momentary ['məʊməntri] *adj* momentáneo(a).

momentous [mə'mentəs] *adj* trascendental.

momentum [mə'mentəm] *n* (*U*) - **1.** PHYS momento *m* - **2.** *fig* [speed, force] ímpetu *m*, impulso *m*; **to gather momentum** cobrar intensidad.

momma ['mɒmə], **mommy** ['mɒmi] *n US* mamá *f*.

Monaco ['mɒnəkəʊ] *n* Mónaco *m*.

monarch ['mɒnək] *n* monarca *mf*.

monarchy ['mɒnəki] *n* - **1.** [gen] monarquía *f* - **2.** [royal family]: **the monarchy** la familia real.

monastery ['mɒnəstri] *n* monasterio *m*.

Monday ['mʌndi] *n* lunes *m inv*; *see also* **Saturday**.

monetary ['mʌnitri] *adj* monetario(ria).

money ['mʌni] *n* dinero *m*; **to make money** hacer dinero; **we got our money's worth** sacamos provecho a nuestro dinero; **for my money** en mi opinión.

money belt *n* cinturón *m* monedero.

moneybox ['mʌnibɒks] *n* hucha *f*.

moneylender ['mʌni,lendər] *n* prestamista *mf*.

money order *n* giro *m* postal.

money-spinner [-,spinər] *n esp UK inf* mina *f* (de dinero).

mongol ['mɒŋgəl] *dated & offens n* mongólico *m*, -ca *f*.

Mongolia [mɒŋ'gəʊliə] *n* Mongolia.

mongrel ['mʌŋgrəl] *n* perro *m* cruzado.

monitor ['mɒnitər] <> *n* [gen & COMPUT] monitor *m*. <> *vt* - **1.** [check] controlar - **2.** [listen in to] escuchar.

monk [mʌŋk] *n* monje *m*.

monkey ['mʌŋki] (*pl* **monkeys**) *n* mono *m*.

monkey nut *n* cacahuete *m*.

monkey wrench *n* llave *f* inglesa.

mono ['mɒnəʊ] *adj* mono (*inv*).

monochrome ['mɒnəkrəʊm] *adj* monocromo(ma).

monocle ['mɒnəkl] *n* monóculo *m*.

monologue, monolog *US* ['mɒnəlɒg] *n* monólogo *m*.

monopolize, -ise [mə'nɒpəlaiz] *vt* monopolizar.

monopoly [mə'nɒpəli] *n*: **monopoly (on OR of)** monopolio *m* (de).

monotone ['mɒnətəʊn] *n*: **in a monotone** con voz monótona.

monotonous [mə'nɒtənəs] *adj* monótono(na).

monotony [mə'nɒtəni] *n* monotonía *f*.

monsoon [mɒn'su:n] *n* monzón *m*.

monster ['mɒnstər] *n* [imaginary creature, cruel person] monstruo *m*.

monstrosity [mɒn'strɒsəti] *n* monstruosidad *f*.

monstrous ['mɒnstrəs] *adj* - **1.** [very unfair, frightening, ugly] monstruoso(sa) - **2.** [very large] gigantesco(ca).

month [mʌnθ] *n* mes *m*.

monthly ['mʌnθlɪ] <> *adj* mensual. <> *adv* mensualmente.

monument ['mɒnjʊmənt] *n* monumento *m*.

monumental [,mɒnjʊ'mentl] *adj* - **1.** [gen] monumental - **2.** [error] descomunal.

moo [mu:] *vi* mugir.

mood [mu:d] *n* [of individual] humor *m*; [of public, voters] disposición *f*; **in a (bad) mood** de mal humor; **in a good mood** de buen humor.

moody ['mu:dɪ] *adj pej* - **1.** [changeable] de humor variable - **2.** [bad-tempered] malhumorado(da).

moon [mu:n] *n* luna *f*.

moonlight ['mu:nlaɪt] *n* luz *f* de la luna.

moonlighting ['mu:nlaɪtɪŋ] *n* pluriempleo *m*.

moonlit ['mu:nlɪt] *adj* [night] de luna; [landscape] iluminado(da) por la luna.

moor [mɔ:r] <> *n esp UK* páramo *m*. <> *vt* amarrar. <> *vi* echar las amarras.

Moor [mɔ:r] *n* moro *m*, -ra *f*.

Moorish ['mɔ:rɪʃ] *adj* moro(ra), morisco(ca).

moorland ['mɔ:lənd] *n esp UK* páramo *m*, brezal *m*.

moose [mu:s] (*pl* moose) *n* [North American] alce *m*.

mop [mɒp] <> *n* - **1.** [for cleaning] fregona *f* - **2.** *inf* [of hair] pelambrera *f*. <> *vt* - **1.** [clean with mop] pasar la fregona por - **2.** [dry with cloth - sweat] enjugar. ➣ **mop up** *vt sep* [clean up] limpiar.

mope [məʊp] *vi pej* estar deprimido(da).

moped ['məʊped] *n* ciclomotor *m*, motoneta *f Amér*.

moral ['mɒrəl] <> *adj* moral. <> *n* [lesson] moraleja *f*. ➣ **morals** *npl* [principles] moral *f*.

morale [mə'rɑ:l] *n* (*U*) moral *f*.

morality [mə'rælətɪ] *n* - **1.** [gen] moralidad *f* - **2.** [system of principles] moral *f*.

morass [mə'ræs] *n* cenagal *m*.

morbid ['mɔ:bɪd] *adj* morboso(sa).

more [mɔ:r] <> *adv* - **1.** *(with adj and adverbs)* más; **more important (than)** más importante (que) - **2.** [to a greater degree] más; **we were more hurt than angry** más que enfadados estábamos heridos; **I couldn't agree more** estoy completamente de acuerdo. <> *adj* más; **more food than drink** más comida que bebida; **more than 70 people died** más de 70 personas murieron; **have some more tea** tómate un poco más de té; **I finished two more chapters today** acabé otros dos capítulos hoy. <> *pron* más; **more than five** más de cinco;

he's got more than I have él tiene más que yo; **I don't want any more** no quiero más; **there's no more** (left) no queda nada (más); **(and) what's more** (y lo que) es más. ➣ **any more** *adv*: not... any more ya no...; **she doesn't live here any more** ya no vive aquí. ➣ **more and more** *adv, adj & pron* cada vez más. ➣ **more or less** *adv* más o menos.

moreover [mɔ:'rəʊvər] *adv fml* además.

morgue [mɔ:g] *n* depósito *m* de cadáveres.

Mormon ['mɔ:mən] *n* mormón *m*, -ona *f*.

morning ['mɔ:nɪŋ] *n* - **1.** [first part of day] mañana *f*; **in the morning** por la mañana; **six o'clock in the morning** las seis de la mañana; **on Monday morning** el lunes por la mañana - **2.** [between midnight and dawn] madrugada *f* - **3.** [tomorrow morning]: **in the morning** mañana por la mañana. ➣ **mornings** *adv US* por la mañana.

Moroccan [mə'rɒkən] <> *adj* marroquí. <> *n* marroquí *mf*.

Morocco [mə'rɒkəʊ] *n* Marruecos.

moron ['mɔ:rɒn] *n inf* imbécil *mf*.

morose [mə'rəʊs] *adj* malhumorado(da).

morphine ['mɔ:fi:n] *n* morfina *f*.

Morse (code) [mɔ:s-] *n* (código *m*) morse *m*.

morsel ['mɔ:sl] *n* bocado *m*.

mortal ['mɔ:tl] <> *adj* [gen] mortal. <> *n* mortal *mf*.

mortality [mɔ:'tælətɪ] *n* mortalidad *f*.

mortar ['mɔ:tər] *n* - **1.** [cement mixture] argamasa *f* - **2.** [gun, bowl] mortero *m*.

mortgage ['mɔ:gɪdʒ] <> *n* hipoteca *f*. <> *vt* hipotecar.

mortified ['mɔ:tɪfaɪd] *adj* muerto(ta) de vergüenza.

mortuary ['mɔ:tʃʊərɪ] *n* depósito *m* de cadáveres.

mosaic [mə'zeɪɪk] *n* mosaico *m*.

Moslem ['mɒzləm] = Muslim.

mosque [mɒsk] *n* mezquita *f*.

mosquito [mə'ski:təʊ] (*pl* -es *OR* -s) *n* mosquito *m*, zancudo *m Amér*.

moss [mɒs] *n* musgo *m*.

most [məʊst] (*superl of* many) <> *adj* - **1.** [the majority of] la mayoría de; **most people** la mayoría de la gente - **2.** [largest amount of]: **(the) most** más; **who has got (the) most money?** ¿quién es el que tiene más dinero? <> *pron* - **1.** [the majority]: **most (of)** la mayoría (de); **most are women** la mayoría son mujeres; **most of the time** la mayor parte del tiempo - **2.** [largest amount]: **I earn (the) most** soy el que más dinero gana; **the most I've ever won** lo máximo que he ganado; **most of the time** la mayor parte del tiempo; **at most** como mucho.

to make the most of sthg sacarle el mayor partido a algo. <> *adv* - **1.** [to the greatest extent]: **(the) most** el/la/lo más; **the most handsome man** el hombre más guapo; **what I like most** lo que más me gusta; **most often** más a menudo - **2.** *fml* [very] muy; **most certainly** con toda seguridad - **3.** *US* [almost] casi.

mostly ['məʊstlɪ] *adv* [in the main part] principalmente; [usually] normalmente.

MOT (*abbr of* **Ministry of Transport test**) *n* ≃ ITV *f*.

motel [məʊ'tel] *n* motel *m*.

moth [mɒθ] *n* polilla *f*.

mothball ['mɒθbɔːl] *n* bola *f* de naftalina.

mother ['mʌðər] <> *n* madre *f*. <> *vt pej* [spoil] mimar.

motherhood ['mʌðəhʊd] *n* maternidad *f*.

mother-in-law (*pl* **mothers-in-law** OR **mother-in-laws**) *n* suegra *f*.

motherly ['mʌðəlɪ] *adj* maternal.

mother-of-pearl *n* nácar *m*.

mother-to-be (*pl* **mothers-to-be**) *n* futura madre *f*.

mother tongue *n* lengua *f* materna.

motif [məʊ'tiːf] *n* ART & MUS motivo *m*.

motion ['məʊʃn] <> *n* - **1.** [gen] movimiento *m*; **to go through the motions (of doing sthg)** (hacer algo para) cubrir el expediente - **2.** [proposal] moción *f*. <> *vt*: **to motion sb to do sthg** indicar a alguien con un gesto que haga algo. <> *vi*: **to motion to sb** hacer una señal (con la mano) a alguien.

motionless ['məʊʃənlɪs] *adj* inmóvil.

motion picture *n US* película *f*.

motivated ['məʊtɪveɪtɪd] *adj* motivado(da).

motivation [,məʊtɪ'veɪʃn] *n* motivación *f*.

motive ['məʊtɪv] *n* [gen] motivo *m*; [for crime] móvil *m*.

motley ['mɒtlɪ] *adj pej* variopinto(ta).

motor ['məʊtər] <> *adj UK* [industry, accident] automovilístico(ca); [mechanic] de automóviles. <> *n* - **1.** [engine] motor *m* - **2.** *UK inf* [car] coche *m*.

motorbike ['məʊtəbaɪk] *n* moto *f*.

motorboat ['məʊtəbəʊt] *n* lancha *f* motora.

motorcar ['məʊtəkaːr] *n* automóvil *m*.

motorcycle ['məʊtə,saɪkl] *n* motocicleta *f*.

motorcyclist ['məʊtə,saɪklɪst] *n* motociclista *mf*.

motoring ['məʊtərɪŋ] *n* automovilismo *m*.

motorist ['məʊtərɪst] *n* automovilista *mf*, conductor *m*, -ra *f*.

motor racing *n* (*U*) carreras *fpl* de coches, automovilismo *m* deportivo.

motor scooter *n* Vespa® *f*, escúter *m*.

motorsport ['məʊtəspɔːt] *n* carreras *fpl* de coches.

motor vehicle *n* vehículo *m* de motor.

motorway ['məʊtəweɪ] *UK n* autopista *f*.

mottled ['mɒtld] *adj* moteado(da).

motto ['mɒtəʊ] (*pl* **-s** OR **-es**) *n* lema *m*.

mould, mold *US* [məʊld] <> *n* - **1.** [growth] moho *m* - **2.** [shape] molde *m*. <> *vt lit & fig* moldear.

moulding, molding *US* ['məʊldɪŋ] *n* [decoration] moldura *f*.

mouldy, moldy *US* ['məʊldɪ] *adj* mohoso(sa).

moult *UK*, **molt** *US* [məʊlt] *vi* [bird] mudar la pluma; [dog] mudar el pelo.

mound [maʊnd] *n* - **1.** [small hill] montículo *m* - **2.** [untidy pile] montón *m*.

mount [maʊnt] <> *n* - **1.** [gen] montura *f*; [for photograph] marco *m*; [for jewel] engaste *m* - **2.** [mountain] monte *m*. <> *vt* - **1.** [horse, bike] subirse a, montar en - **2.** [attack] lanzar - **3.** [exhibition] montar - **4.** [jewel] engastar; [photograph] enmarcar. <> *vi* [increase] aumentar.

mountain ['maʊntɪn] *n lit & fig* montaña *f*.

mountain bike *n* bicicleta *f* de montaña.

mountaineer [,maʊntɪ'nɪər] *n* montañero *m*, -ra *f*, andinista *mf Amér*.

mountaineering [,maʊntɪ'nɪərɪŋ] *n* montañismo *m*, andinismo *m Amér*.

mountainous ['maʊntɪnəs] *adj* montañoso(sa).

mourn [mɔːn] <> *vt* [person] llorar por; [thing] lamentarse de. <> *vi*: **to mourn for sb** llorar la muerte de alguien.

mourner ['mɔːnər] *n* doliente *mf*.

mournful ['mɔːnfʊl] *adj* [face, voice] afligido(da), lúgubre; [sound] lastimero(ra).

mourning ['mɔːnɪŋ] *n* luto *m*; **in mourning** de luto.

mouse [maʊs] (*pl* **mice**) *n* ZOOL & COMPUT ratón *m*.

mousetrap ['maʊstræp] *n* ratonera *f*.

mousse [muːs] *n* - **1.** [food] mousse *m* - **2.** [for hair] espuma *f*.

moustache *UK* [mə'staːʃ], **mustache** *US* ['mʌstæʃ] *n* bigote *m*.

mouth *n* [maʊθ] [gen] boca *f*; [of river] desembocadura *f*.

mouthful ['maʊθfʊl] *n* [of food] bocado *m*; [of drink] trago *m*.

mouthorgan ['maʊθ,ɔːgən] *n* armónica *f*.

mouthpiece ['maʊθpiːs] *n* - **1.** [of telephone] micrófono *m* - **2.** [of musical instrument] boquilla *f* - **3.** [spokesperson] portavoz *m*.

mouthwash ['maʊθwɒʃ] *n* elixir *m* bucal.

mouth-watering [-,wɔːtərɪŋ] *adj* muy apetitoso(sa).

movable ['muːvəbl] *adj* movible.

move [muːv] <> *n* - **1.** [movement] movimiento *m*; **on the move** [travelling around] viajando; [beginning to move] en marcha; **to get a move on** *inf* espabilarse, darse prisa - **2.** [change - of house] mudanza *f*; [- of job] cambio *m* - **3.** [in board game] jugada *f* - **4.** [course of action] medida *f*. <> *vt* - **1.** [shift] mover; **to move sthg closer** acercar algo - **2.** [change - house] mudarse de; [- job] cambiar de - **3.** [transfer, postpone] trasladar - **4.** [affect] conmover - **5.** [in debate - motion] proponer - **6.** [cause]: **to move sb to do sthg** mover *OR* llevar a alguien a hacer algo. <> *vi* - **1.** [gen] moverse; [events] cambiar; **move closer** acércate - **2.** [change house] mudarse; [change job] cambiar de trabajo. ◆ **move about, move around** *vi* - **1.** [fidget] ir de aquí para allá - **2.** [travel] viajar. ◆ **move along** <> *vt sep* dispersar. <> *vi* - **1.** [move towards front or back] hacerse a un lado - **2.** [move away - crowd, car] circular. ◆ **move around** *vi* = **move about.** ◆ **move away** *vi* - **1.** [walk away] apartarse - **2.** [go to live elsewhere] marcharse. ◆ **move in** *vi* - **1.** [to new house] instalarse - **2.** [take control, attack] intervenir. ◆ **move on** *vi* - **1.** [go away] marcharse - **2.** [progress] avanzar. ◆ **move out** *vi* mudarse; **my girlfriend moved out yesterday** mi novia se fue a vivir a otra casa ayer. ◆ **move over** *vi* hacer sitio. ◆ **move up** *vi* [on bench etc] hacer sitio.

moveable = **movable**.

movement ['muːvmənt] *n* [gen] movimiento *m*.

movie ['muːvɪ] *n esp US* película *f*.

movie camera *n* cámara *f* cinematográfica.

moving ['muːvɪŋ] *adj* - **1.** [touching] conmovedor(ra) - **2.** [not fixed] móvil.

mow [məʊ] *vt* (*pt* -ed, *pp* -ed *OR* mown) [grass, lawn] cortar; [corn] segar. ◆ **mow down** *vt sep* acribillar.

mower ['məʊər] *n* cortacésped *mf*.

mown [məʊn] *pp* ⊳ **mow**.

MP *n* - **1.** (*abbr of* Military Police) PM *f* - **2.** *UK* abbr of Member of Parliament.

MPEG (*abbr of* Moving Pictures Expert Group) *n* [comput] MPEG *m*.

mpg (*abbr of* miles per gallon) millas/galón.

mph (*abbr of* miles per hour) mph.

Mr ['mɪstər] *n* Sr.; **Mr Jones** el Sr. Jones.

Mrs ['mɪsɪz] *n* Sra.; **Mrs Jones** la Sra. Jones.

MRSA [,emɑːres'eɪ] (*abbr of* methicillin resistant Staphylococcus aureus) *n* MED estafiloco-co *m* áureo resistente a la meticilina.

Ms [mɪz] *n* abreviatura utilizada delante de un apellido de mujer cuando no se quiere especificar si está casada o no.

MS, ms *n* abbr of **multiple sclerosis**.

MSc (*abbr of* Master of Science) *n* (titular *mf* de un) máster *m* en Ciencias.

msg [emes'dʒiː] (*abbr of* message) *n* msj.

much [mʌtʃ] <> *adj* (*comp* **more**, *superl* **most**) mucho(cha); **there isn't much rice left** no queda mucho arroz; **after much thought** tras mucho reflexionar; **as much time as...** tanto tiempo como...; **twice as much flour** el doble de harina; **how much...?** ¿cuánto(ta)...?; **so much** tanto(ta); **too much** demasiado(da). <> *pron* mucho; **have you got much?** ¿tienes mucho?; **I don't see much of him** no lo veo mucho; **much of the time** una buena parte del tiempo; **I don't think much of it** no me parece gran cosa; **this isn't much of a party** esta fiesta no es nada del otro mundo; **as much as** tanto como; **twice as much** el doble; **I thought as much** ya me lo imaginaba; **how much?** ¿cuánto?; **so much for** tanto con; **too much** demasiado. <> *adv* mucho; **I don't go out much** no salgo mucho; **much too cold** demasiado frío; **they are much the same** son muy parecidos; **thank you very much** muchas gracias; **as much as** tanto como; **so much** tanto; **he is not so much stupid as lazy** más que tonto es vago; **without so much as...** sin siquiera...; **too much** demasiado. ◆ **much as** *conj*: **much as (I like him)** por mucho *OR* más que (me guste).

muck [mʌk] *inf n* (*U*) - **1.** [dirt] mugre *f*, porquería *f* - **2.** [manure] estiércol *m*. ◆ **muck about, muck around** *UK inf vi* hacer el indio *OR* tonto. ◆ **muck up** *vt sep UK inf* fastidiar.

mucky ['mʌkɪ] *adj* mugriento(ta).

mucus ['mjuːkəs] *n* mucosidad *f*.

mud [mʌd] *n* barro *m*, lodo *m*.

muddle ['mʌdl] <> *n* - **1.** [disorder] desorden *m* - **2.** [confusion] lío *m*, confusión *f*; **to be in a muddle** estar hecho un lío; **to get into a muddle** hacerse un lío. <> *vt* - **1.** [put into disorder] desordenar - **2.** [confuse] liar, confundir. ◆ **muddle along** *vi* apañárselas más o menos. ◆ **muddle through** *vi* arreglárselas. ◆ **muddle up** *vt sep* [put into disorder] desordenar; [confuse] liar, confundir.

muddy ['mʌdɪ] *adj* [gen] lleno(na) de barro; [river] cenagoso(sa).

mudguard ['mʌdgɑːd] *n* guardabarros *m inv*, tapabarro *m Andes*.

mudslinging ['mʌd,slɪŋɪŋ] *n* (*U*) *fig* insultos *mpl*, improperios *mpl*.

muesli ['mjuːzlɪ] *n UK* muesli *m*.

muff [mʌf] <> *n* manguito *m*. <> *vt inf* [catch] fallar; [chance] dejar escapar.

muffin ['mʌfɪn] *n* - **1.** *UK* [eaten with butter] especie de bollo de pan que se come caliente - **2.** *US* [cake] especie de magdalena que se come caliente.

muffle ['mʌfl] *vt* [sound] amortiguar.

muffler ['mʌflər] *n US* [for car] silenciador *m*.

mug [mʌg] <> *n* - **1.** [cup] taza *f* (alta) - **2.** *inf* [fool] primo *m*, -ma *f* - **3.** *inf* [face] jeta *f*. <> *vt* asaltar, atracar.

mugging ['mʌgɪŋ] *n* [attack] atraco *m*.

muggy ['mʌgɪ] *adj* bochornoso(sa).

mule [mjuːl] *n* mula *f*.

mull [mʌl] **mull over** *vt sep* reflexionar sobre.

mulled [mʌld] *adj*: **mulled wine** *vino caliente con azúcar y especias*.

multicoloured *UK*, **multicolored** *US* [,mʌltɪ'kʌləd] *adj* multicolor.

multifaith ['mʌltɪfeɪθ] *adj* [society, organization] multiconfesional.

multigym [mʌltɪ'dʒɪm] *n* multiestación *f* (de musculación).

multilateral [,mʌltɪ'lætərəl] *adj* multilateral.

multinational [,mʌltɪ'næʃənl] *n* multinacional *f*.

multiple ['mʌltɪpl] <> *adj* múltiple. <> *n* múltiplo *m*.

multiple sclerosis [-sklɪ'rəʊsɪs] *n* esclerosis *f inv* múltiple.

multiplex cinema ['mʌltɪpleks-] *n* (cine *m*) multisalas *m inv*.

multiplication [,mʌltɪplɪ'keɪʃn] *n* multiplicación *f*.

multiply ['mʌltɪplaɪ] <> *vt* multiplicar. <> *vi* [increase, breed] multiplicarse.

multistorey *UK*, **multistory** *US* [,mʌltɪ'stɔːrɪ] *adj* de varias plantas.

multitude ['mʌltɪtjuːd] *n* multitud *f*.

multi-user *adj* COMPUT multiusuario.

mum [mʌm] *UK inf* <> *n* mamá *f*. <> *adj*: **to keep mum** no decir ni pío.

mumble ['mʌmbl] <> *vt* mascullar. <> *vi* musitar, hablar entre dientes.

mummy ['mʌmɪ] *n* - **1.** *UK inf* [mother] mamá *f* - **2.** [preserved body] momia *f*.

mumps [mʌmps] *n* (U) paperas *fpl*.

munch [mʌntʃ] *vt* & *vi* masticar.

mundane [mʌn'deɪn] *adj* prosaico(ca).

municipal [mjuː'nɪsɪpl] *adj* municipal.

municipality [mjuː,nɪsɪ'pælətɪ] *n* municipio *m*.

mural ['mjuːərəl] *n* mural *m*.

murder ['mɜːdər] <> *n* asesinato *m*. <> *vt* - **1.** [kill] asesinar - **2.** *inf* [defeat] dar una paliza a.

murderer ['mɜːdərər] *n* asesino *m*.

murderous ['mɜːdərəs] *adj* asesino(na).

murky ['mɜːkɪ] *adj* - **1.** [water, past] turbio(bia) - **2.** [night, street] sombrío(a), lúgubre.

murmur ['mɜːmər] <> *n* [low sound] murmullo *m*. <> *vt* & *vi* murmurar.

muscle ['mʌsl] *n* - **1.** MED músculo *m* - **2.** *fig* [power] poder *m*. **muscle in** *vi* entrometerse.

muscular ['mʌskjʊlər] *adj* - **1.** [of muscles] muscular - **2.** [strong] musculoso(sa).

muse [mjuːz] <> *n* musa *f*. <> *vi* meditar.

museum [mjuː'ziːəm] *n* museo *m*.

mushroom ['mʌʃrʊm] <> *n* [button] champiñón *m*; [field] seta *f*; BOT hongo *m*, callampa *f* *Chile*. <> *vi* extenderse rápidamente.

music ['mjuːzɪk] *n* música *f*.

musical ['mjuːzɪkl] <> *adj* - **1.** [gen] musical - **2.** [talented in music] con talento para la música. <> *n* musical *m*.

musical instrument *n* instrumento *m* musical.

music centre *n* cadena *f* (musical).

music hall *n UK* [building] teatro *m* de variedades OR de revista; [genre] music-hall *m*.

musician [mjuː'zɪʃn] *n* músico *m*, -ca *f*.

Muslim, Moslem ['mʊzlɪm] <> *adj* musulmán(ana). <> *n* musulmán *m*, -ana *f*.

muslin ['mʌzlɪn] *n* muselina *f*.

mussel ['mʌsl] *n* mejillón *m*.

must [mʌst] <> *aux vb* - **1.** [have to, intend to] deber, tener que; **I must go** tengo que OR debo irme; **if I must** si no hay más remedio - **2.** [as suggestion] tener que; **you must come and see us** tienes que venir a vernos - **3.** [to express likelihood] deber (de); **it must be true** debe (de) ser verdad; **they must have known** deben de haberlo sabido. <> *n inf*: **binoculars are a must** unos prismáticos son imprescindibles.

mustache *US* = **moustache**.

mustard ['mʌstəd] *n* mostaza *f*.

muster ['mʌstər] *vt* reunir; **to muster the courage to do sthg** armarse de valor para hacer algo.

must've ['mʌstəv] *(abbr of must have)* ▷ **must**.

musty ['mʌstɪ] *adj* [room] que huele a cerrado; [book] que huele a viejo.

mute [mjuːt] <> *adj* mudo(da). <> *n* [person] mudo *m*, -da *f*.

muted ['mjuːtɪd] *adj* - **1.** [not bright] apagado(da) - **2.** [subdued] contenido(da).

mutilate ['mjuːtɪleɪt] *vt* mutilar.

mutiny ['mjuːtɪnɪ] <> *n* motín *m*. <> *vi* amotinarse.

mutter ['mʌtər] <> *vt* musitar, mascullar. <> *vi* murmurar.

mutton ['mʌtn] *n* (carne *f* de) carnero *m*.

mutual ['mjuːtʃʊəl] *adj* - **1.** [reciprocal] mutuo(tua) - **2.** [common] común.

mutually ['mjuːtʃʊəlɪ] *adv* mutuamente.

muzzle ['mʌzl] ⋄ n - 1. [animal's nose and jaws] hocico m, morro m - 2. [wire guard] bozal m - 3. [of gun] boca f. ⋄ vt [put muzzle on] poner bozal a.

MW (abbr of medium wave) OM f.

my [maɪ] poss adj - 1. [gen] mi, mis (pl); **my house/sister** mi casa/hermana; **my children** mis hijos; **my name is Sarah** me llamo Sarah; **it wasn't my fault** no fue culpa mía OR mi culpa; **I washed my hair** me lavé el pelo - 2. [in titles]: **my Lord** milord; **my Lady** milady.

myriad ['mɪrɪəd] liter adj innumerables.

myself [maɪ'self] pron - 1. (reflexive) me; (after prep) mí mismo(ma); **with myself** conmigo mismo - 2. (for emphasis) yo mismo(ma); **I did it myself** lo hice yo mismo(la).

mysterious [mɪ'stɪərɪəs] adj misterioso(sa).

mystery ['mɪstərɪ] n misterio m.

mystery shopping n compra f oculta.

mystical ['mɪstɪkl] adj místico(ca).

mystified ['mɪstɪfaɪd] adj desconcertado(da), perplejo(ja).

mystifying ['mɪstɪfaɪɪŋ] adj desconcertante.

mystique [mɪ'stiːk] n misterio m.

myth [mɪθ] n mito m.

mythical ['mɪθɪkl] adj - 1. [imaginary] mítico(ca) - 2. [untrue] falso(sa).

mythology [mɪ'θɒlədʒɪ] n [collection of myths] mitología f.

n (pl n's OR ns), **N** (pl N's OR Ns) [en] n [letter] n f, N f. ⋙ **N** (abbr of north) N.

n/a, N/A (abbr of not applicable) no corresponde.

nab [næb] vt inf - 1. [arrest], pillar - 2. [get quickly] coger. the best terms play

nag [næg] vt [subj: person] dar la lata a.

nagging ['nægɪŋ] adj - 1. [thought, doubt] persistente - 2. [person] gruñón(ona).

nail [neɪl] ⋄ n - 1. [for fastening] clavo m - 2. [of finger, toe] uña f. ⋄ vt: **to nail sthg to**

sthg clavar algo en OR a algo. ⋙ **nail down** vt sep - 1. [fasten] clavar - 2. [person]: **I couldn't nail him down** no pude hacerle concretar.

nailbrush ['neɪlbrʌʃ] n cepillo m de uñas.

nail file n lima f de uñas.

nail polish n esmalte m para las uñas.

nail scissors npl tijeras fpl para las uñas.

nail varnish n esmalte m para las uñas.

nail varnish remover [-rɪ'muːvəʳ] n quitaesmaltes m inv.

naive, naïve [naɪ'iːv] adj ingenuo(nua).

naked ['neɪkɪd] adj - 1. [gen] desnudo(da); **naked flame** llama f sin protección - 2. [blatant - hostility, greed] abierto(ta); [- facts] sin tapujos - 3. [unaided]: **with the naked eye** a simple vista.

name [neɪm] ⋄ n [gen] nombre m; [surname] apellido m; **what's your name?** ¿cómo te llamas?; **my name is John** me llamo John; **by name** por el nombre; **it's in my wife's name** está a nombre de mi mujer; **in the name of** en nombre de; **to call sb names** llamar de todo a alguien; **to have a good name** tener buena fama. ⋄ vt - 1. [christen] poner nombre a; **we named him Jim** le llamamos Jim; **to name sb after sb** UK, **to name sb for sb** US poner a alguien el nombre de alguien - 2. [identify] nombrar - 3. [date, price] poner, decir - 4. [appoint] nombrar.

nameless ['neɪmlɪs] adj [unknown - person, author] anónimo(ma).

namely ['neɪmlɪ] adv a saber.

namesake ['neɪmseɪk] n tocayo m, -ya f.

nanny ['nænɪ] n niñera f.

nanometre ['nænəʊˌmiːtəʳ], **nanometer** US n nanómetro m.

nap [næp] ⋄ n siesta f; **to take** OR **have a nap** echar una siesta. ⋄ vi: **we were caught napping** inf nos pillaron desprevenidos.

nape [neɪp] n: **nape of the neck** nuca f.

napkin ['næpkɪn] n servilleta f.

nappy ['næpɪ] n UK pañal m.

nappy liner n parte desechable de un pañal de gasa.

narcissi [nɑː'sɪsaɪ] npl ⋗ **narcissus**.

narcissus [nɑː'sɪsəs] (pl -cissuses OR -cissi) n narciso m.

narcotic [nɑː'kɒtɪk] ⋄ adj narcótico(ca). ⋄ n narcótico m.

narrative ['nærətɪv] ⋄ adj narrativo(va). ⋄ n - 1. [account] narración f - 2. [art of narrating] narrativa f.

narrator [UK nə'reɪtəʳ, US 'næreɪtəʳ] n narrador m, -ra f.

narrow ['nærəʊ] ⋄ adj - 1. [not wide] estrecho(cha) - 2. [limited] estrecho(cha) de miras - 3. [victory, defeat] por un estrecho margen;

[majority] escaso(sa); [escape, miss] por muy poco. ⬦ *vi* - 1. [become less wide] estrecharse - 2. [eyes] entornarse - 3. [gap] reducirse.
⬦ **narrow down** *vt sep* reducir.

narrowly ['nærəʊlɪ] *adv* [barely] por muy poco.

narrow-minded [-'maɪndɪd] *adj* estrecho(cha) de miras.

nasal ['neɪzl] *adj* nasal.

nasty ['nɑːstɪ] *adj* - 1. [unkind] malintencionado(da) - 2. [smell, taste, feeling] desagradable; [weather] horrible - 3. [problem, decision] peliagudo(da) - 4. [injury, disease] doloroso(sa); [accident] grave; [fall] malo(la).

nation ['neɪʃn] *n* nación *f*.

national ['næʃənl] ⬦ *adj* nacional. ⬦ *n* súbdito *m*, -ta *f*.

national anthem *n* himno *m* nacional.

national dress *n* traje *m* típico (de un país).

National Health Service *n UK*: the National Health Service *organismo gestor de la salud pública,* ≃ INGS.

National Insurance *n UK* ≃ Seguridad *f* Social.

nationalism ['næʃnəlɪzm] *n* nacionalismo *m*.

nationalist ['næʃnəlɪst] ⬦ *adj* nacionalista. ⬦ *n* nacionalista *mf*.

nationality [,næʃə'nælətɪ] *n* nacionalidad *f*.

nationalize, -ise ['næʃnəlaɪz] *vt* nacionalizar.

national park *n* parque *m* nacional.

national service *n UK* MIL servicio *m* militar.

National Trust *n UK*: the National Trust *organización británica encargada de la preservación de edificios históricos y lugares de interés,* ≃ el Patrimonio Nacional.

nationwide ['neɪʃənwaɪd] ⬦ *adj* de ámbito nacional. ⬦ *adv* [travel] por todo el país; [be broadcast] a todo el país.

native ['neɪtɪv] ⬦ *adj* - 1. [country, area] natal - 2. [speaker] nativo(va); **native language** lengua *f* materna - 3. [plant, animal]: **native (to)** originario(ria) (de). ⬦ *n* [of country, area] natural *mf*, nativo *m*, -va *f*.

Native American *n* indio americano *m*, india americana *f*.

Nativity [nə'tɪvətɪ] *n*: the Nativity la Natividad.

NATO ['neɪtəʊ] (*abbr of* North Atlantic Treaty Organization) *n* la OTAN.

natural ['nætʃrəl] *adj* - 1. [gen] natural - 2. [comedian, musician] nato(ta).

natural disaster *n* desastre *m* natural.

natural gas *n* gas *m* natural.

naturalize, -ise ['nætʃrəlaɪz] *vt* naturalizar; **to be naturalized** naturalizarse.

naturally ['nætʃrəlɪ] *adv* - 1. [as expected, understandably] naturalmente - 2. [unaffectedly] con naturalidad - 3. [instinctively] por naturaleza; **to come naturally to sb** ser innato en alguien.

natural wastage *n* (*U*) reducción de plantilla por jubilación escalonada.

nature ['neɪtʃəʳ] *n* - 1. [gen] naturaleza *f*; **matters of this nature** asuntos de esta índole - 2. [disposition] modo *m* de ser, carácter *m*; **by nature** por naturaleza.

nature reserve *n* reserva *f* natural.

naughty ['nɔːtɪ] *adj* - 1. [badly behaved] travieso(sa), malo(la) - 2. [rude] verde.

nausea ['nɔːsjə] *n* náuseas *fpl*.

nauseam ['nɔːzɪæm] ⟼ **ad nauseam**.

nauseating ['nɔːsɪeɪtɪŋ] *adj* lit & fig nauseabundo(da).

nautical ['nɔːtɪkl] *adj* náutico(ca), marítimo(ma).

naval ['neɪvl] *adj* naval.

nave [neɪv] *n* nave *f*.

navel ['neɪvl] *n* ombligo *m*.

navigate ['nævɪgeɪt] ⬦ *vt* - 1. [steer] pilotar, gobernar - 2. [travel safely across] surcar, navegar por. ⬦ *vi* [in plane, ship] dirigir, gobernar; [in car] dar direcciones.

navigation [,nævɪ'geɪʃn] *n* navegación *f*.

navigator ['nævɪgeɪtəʳ] *n* oficial *mf* de navegación, navegante *mf*.

navvy ['nævɪ] *n UK inf* peón *m* caminero.

navy ['neɪvɪ] ⬦ *n* armada *f*. ⬦ *adj* [in colour] azul marino (*inv*).

navy blue *adj* azul marino (*inv*).

Nazi ['nɑːtsɪ] ⬦ *adj* nazi. ⬦ *n* (*pl* -s) nazi *mf*.

NB (*abbr of* nota bene) N.B.

near [nɪəʳ] ⬦ *adj* - 1. [close in distance, time] cercano(na); **the near side** el lado más cercano; **in the near future** en un futuro próximo - 2. [related] cercano(na), próximo(ma) - 3. [almost happened]: **it was a near thing** poco le faltó. ⬦ *adv* - 1. [close in distance, time] cerca; **nowhere near** ni de lejos, ni mucho menos; **to draw** OR **come near** acercarse - 2. [almost] casi. ⬦ *prep* - 1. [close in position]: **near (to)** cerca de; **to go near sthg** acercarse a algo - 2. [close in time]: **it's getting near (to) Christmas** ya estamos casi en Navidades; **near the end** casi al final; **nearer the time** cuando se acerque la fecha - 3. [on the point of]: **near (to)** al borde de - 4. [similar to]: **near (to)** cerca de. ⬦ *vt* acercarse OR aproximarse a. ⬦ *vi* acercarse, aproximarse.

nearby [nɪə'baɪ] ⬦ *adj* cercano(na). ⬦ *adv* cerca.

nearly ['nɪəlɪ] *adv* casi; **I nearly fell** por poco me caigo.

near miss n - 1. [nearly a hit]: **it was a near miss** falló por poco - 2. [nearly a collision] incidente m aéreo (sin colisión).

nearside ['nɪəsaɪd] <> adj [right-hand drive] del lado izquierdo; [left-hand drive] del lado derecho. <> n [right-hand drive] lado m izquierdo; [left-hand drive] lado derecho.

nearsighted [,nɪə'saɪtɪd] adj US miope, corto(ta) de vista.

neat [niːt] adj - 1. [tidy, precise - gen] pulcro(cra); [- room, house] arreglado(da); [- handwriting] esmerado(da) - 2. [smart] arreglado(da), pulcro(cra) - 3. [skilful] hábil - 4. [undiluted] solo(la) - 5. US inf [very good] guay.

neatly ['niːtlɪ] adv - 1. [tidily, smartly] con pulcritud; [write] con esmero - 2. [skilfully] hábilmente.

nebulous ['nebjʊləs] adj fml nebuloso(sa).

necessarily [UK 'nesəsrəlɪ, US ,nesə'serəlɪ] adv necesariamente.

necessary ['nesəsrɪ] adj - 1. [required] necesario(ria) - 2. [inevitable] inevitable.

necessity [nɪ'sesətɪ] n necesidad f; **of necessity** por fuerza, por necesidad. **necessities** npl artículos mpl de primera necesidad.

neck [nek] <> n [of person, bottle, dress] cuello m; [of animal] pescuezo m, cuello. <> vi inf pegarse el lote.

necklace ['neklɪs] n collar m.

neckline ['neklaɪn] n escote m.

necktie ['nektaɪ] n US corbata f.

nectarine ['nektərɪn] n nectarina f.

née [neɪ] adj de soltera.

need [niːd] <> n: **need (for sthg/to do sthg)** necesidad f (de algo/de hacer algo); **there's no need for you to cry** no hace falta que llores; **if need be** si hace falta; **in need** necesitado(da). <> vt - 1. [require] necesitar; **I need a haircut** me hace falta un corte de pelo; **the floor needs cleaning** hay que limpiar el suelo; **that's all we need!** ¡sólo nos faltaba eso! - 2. [be obliged]: **to need to do sthg** tener que hacer algo. <> modal vb: **to need to do sthg** necesitar hacer algo; **need we go?** ¿tenemos que irnos?; **it need not happen** no tiene por qué ser así.

needle ['niːdl] <> n aguja f. <> vt inf pinchar.

needless ['niːdlɪs] adj innecesario(ria); **needless to say...** está de más decir que...

needlework ['niːdlwɜːk] n - 1. [embroidery] bordado m - 2. (U) [activity] costura f.

needn't ['niːdnt] (abbr of need not) ▷ **need**.

needy ['niːdɪ] adj necesitado(da).

negative ['negətɪv] <> adj negativo(va). <> n - 1. PHOT negativo m - 2. LING negación f; **to answer in the negative** decir que no.

neglect [nɪ'glekt] <> n [of garden, work] descuido m; [of duty] incumplimiento m; **a state of neglect** un estado de abandono. <> vt - 1. [ignore] desatender - 2. [duty, work] no cumplir con.

neglectful [nɪ'glektfʊl] adj descuidado(da), negligente; **to be neglectful of sthg/sb** desatender algo/a alguien.

negligee ['neglɪʒeɪ] n salto m de cama.

negligence ['neglɪdʒəns] n negligencia f.

negligible ['neglɪdʒəbl] adj insignificante.

negotiate [nɪ'gəʊʃɪeɪt] <> vt - 1. [obtain through negotiation] negociar - 2. [obstacle] salvar, franquear; [bend] tomar. <> vi: **to negotiate (with sb for sthg)** negociar (con alguien algo).

negotiation [nɪ,gəʊʃɪ'eɪʃn] n negociación f. ◆ **negotiations** npl negociaciones fpl.

Negress ['niːgrɪs] n negra f.

Negro ['niːgrəʊ] <> adj negro(gra). <> n (pl -es) negro m, -gra f.

neigh [neɪ] vi relinchar.

neighbour UK, **neighbor** US ['neɪbər] n vecino m, -na f.

neighbourhood UK, **neighborhood** US ['neɪbəhʊd] n - 1. [of town] barrio m, vecindad f - 2. [approximate figure]: **in the neighbourhood of** alrededor de.

neighbouring UK, **neighboring** US ['neɪbərɪŋ] adj vecino(na).

neighbourly UK, **neighborly** US ['neɪbəlɪ] adj [advice] de buen vecino.

neither ['naɪðər, 'niːðər] <> adv: **I don't drink - me neither** yo no bebo - yo tampoco; **the food was neither good nor bad** la comida no era ni buena ni mala; **to be neither here nor there** no tener nada que ver. <> pron ninguno(na); **neither of us/them** ninguno de nosotros/ellos. <> adj: **neither cup is blue** ninguna de las dos tazas es azul. <> conj: **neither... nor... ni... ni...;** **she could neither eat nor sleep** no podía ni comer ni dormir.

neon ['niːɒn] n neón m.

neon light n luz f de neón.

nephew ['nefjuː] n sobrino m.

Neptune ['neptjuːn] n Neptuno m.

nerve [nɜːv] n - 1. ANAT nervio m - 2. [courage] valor m; **to keep one's nerve** mantener la calma, no perder los nervios; **to lose one's nerve** echarse atrás, perder el valor - 3. [cheek] cara f; **to have the nerve to do sthg** tener la cara de hacer algo. ◆ **nerves** npl nervios mpl.

nerve-racking [-,rækɪŋ] adj crispante.

nervous ['nɜ:vəs] *adj* - **1.** ANAT & PSYCHOL nervioso(sa) - **2.** [apprehensive] inquieto(ta), aprensivo(va).

nervous breakdown *n* crisis *f* inf nerviosa.

nest [nest] ◇ *n* nido *m*; **wasps' nest** avispero *m*; **nest of tables** mesas *fpl* nido. ◇ *vi* anidar.

nest egg *n* ahorros *mpl*.

nestle ['nesl] *vi* [settle snugly - in chair] arrellanarse; [- in bed] acurrucarse.

net [net] ◇ *adj* [weight, price, loss] neto(ta). ◇ *n* red *f*. ◇ *vt* - **1.** [catch] coger con red - **2.** [acquire] embolsarse.

Net [net] *n* COMPUT: **the Net** la Red; **to surf the Net** navegar por la Red.

netball ['netbɔ:l] *n* deporte parecido al baloncesto femenino.

net curtains *npl* visillos *mpl*.

Netherlands ['neðələndz] *npl*: **the Netherlands** los Países Bajos.

netiquette ['netɪket] *n* COMPUT netiqueta *f*.

netting ['netɪŋ] *n* red *f*, malla *f*.

nettle ['netl] *n* ortiga *f*.

network ['netwɜ:k] ◇ *n* - **1.** [gen & COMPUT] red *f* - **2.** RADIO & TV [station] cadena *f*. ◇ *vt* COMPUT conectar a la red.

neurosis [,njʊə'rəʊsɪs] (*pl* **-ses** [-si:z]) *n* neurosis *f inv*.

neurotic [,njʊə'rɒtɪk] ◇ *adj* neurótico(ca). ◇ *n* neurótico *m*, -ca *f*.

neuter ['nju:tər] ◇ *adj* neutro(tra). ◇ *vt* castrar.

neutral ['nju:trəl] ◇ *adj* - **1.** [gen] neutro(tra) - **2.** [non-allied] neutral. ◇ *n* AUT punto *m* muerto.

neutrality [nju:'trælətɪ] *n* neutralidad *f*.

neutralize, -ise ['nju:trəlaɪz] *vt* neutralizar.

never ['nevər] *adv* - **1.** [at no time] nunca, jamás; **I've never done it** no lo he hecho nunca; **never again** nunca más; **never ever** nunca jamás, nunca en la vida; **well I never!** ¡vaya!, ¡caramba! - **2.** *inf* [as negative] no; **I never knew** no lo sabía; **you never did!** ¡no (me digas)!

never-ending *adj* inacabable.

nevertheless [,nevəðə'les] *adv* sin embargo, no obstante.

new [nju:] *adj* nuevo(va); [baby] recién nacido (recién nacida); **to be new to sthg** ser nuevo(va) en algo; **as good as new** como nuevo.
➤ **news** *n* (U) noticias *fpl*; **a piece of news** una noticia; **the news** [gen] las noticias; [on TV] el telediario; **that's news to me** me coge de nuevas; **to break the news to sb** dar la noticia a alguien.

newborn ['nju:bɔ:n] *adj* recién nacido (recién nacida).

newcomer ['nju:,kʌmər] *n*: **newcomer (to)** recién llegado *m*, recién llegada *f* (a).

New Delhi *n* Nueva Delhi.

newfangled [,nju:'fæŋgld] *adj* inf pej moderno(na).

new-found *adj* [gen] recién descubierto (recién descubierta); [friend] reciente.

newly ['nju:lɪ] *adv* recién.

newlyweds ['nju:lɪwedz] *npl* recién casados *mpl*.

new moon *n* luna *f* nueva.

news agency *n* agencia *f* de noticias.

newsagent UK ['nju:zeɪdʒənt], **newsdealer** US ['nju:zdi:lər] *n* [person] vendedor *m*, -ra *f* de periódicos; **newsagent's (shop)** tienda en la que se vende prensa así como tabaco y chucherías.

newscaster ['nju:zkɑ:stər] *n* presentador *m*, -ra *f*, locutor *m*, -ra *f*.

newsdealer US = **newsagent**.

newsflash ['nju:zflæʃ] *n* noticia *f* de última hora.

newsletter ['nju:z,letər] *n* boletín *m*.

newspaper ['nju:z,peɪpər] *n* - **1.** [publication, company] periódico *m*; [daily] diario *m* - **2.** [paper] papel *m* de periódico.

newsprint ['nju:zprɪnt] *n* papel *m* de periódico.

newsreader ['nju:z,ri:dər] *n* presentador *m*, -ra *f*, locutor *m*, -ra *f*.

newsreel ['nju:zri:l] *n* noticiario *m* cinematográfico.

newsstand ['nju:zstænd] *n* US quiosco *m* de periódicos.

newt [nju:t] *n* tritón *m*.

new technology *n* nueva tecnología *f*.

new town *n* UK ciudad nueva construida por el gobierno.

New Year *n* Año *m* Nuevo; **Happy New Year!** ¡Feliz Año Nuevo!

New Year's Day *n* el día de Año Nuevo.

New Year's Eve *n* Nochevieja *f*.

New York [-'jɔ:k] *n* - **1.** [city]: **New York (City)** Nueva York - **2.** [state]: **New York (State)** (el estado de) Nueva York.

New Zealand [-'zi:lənd] *n* Nueva Zelanda.

New Zealander [-'zi:ləndər] *n* neozelandés *m*, -esa *f*.

next [nekst] ◇ *adj* - **1.** [in time] próximo(ma); **the next day** el día siguiente; **next Tuesday/year** el martes/el año que viene; **next week** la semana próxima OR que viene; **the next week** los próximos siete días - **2.** [in space - page etc] siguiente; [- room, house] de al lado. ◇ *pron* el siguiente (la siguiente); **who's next?** ¿quién es el siguiente?; **next,**

please! ¡el siguiente, por favor!; **the day after next** pasado mañana; **the week after next** la semana que viene no, la otra. ◇ *adv* - **1.** [afterwards] después; **what should I do next?** ¿qué hago ahora?; **it's my go next** ahora me toca a mí - **2.** [again] de nuevo; **when do they next play?** ¿cuándo vuelven a jugar? - **3.** [with superlatives]: **next best/biggest** *etc* el segundo mejor/más grande *etc*. ◇ *prep US* al lado de, junto a. ● **next to** *prep* al lado de, junto a; **next to nothing** casi nada; **in next to no time** en un abrir y cerrar de ojos.

next door *adv* (en la casa de) al lado. ● **next-door** *adj*: **next-door neighbour** vecino *m*, -na *f* de al lado.

next of kin *n* pariente más cercano *m*, pariente más cercana *f*.

NHS (*abbr of* National Health Service) *n*: **the National Health Service** organismo gestor de la salud pública, ≃ INGS.

NI ◇ *n abbr of* **National Insurance**. ◇ *abbr of* **Northern Ireland**.

nib [nɪb] *n* plumilla *f*.

nibble ['nɪbl] *vt* mordisquear.

Nicaragua [,nɪkə'ræɡjʊə] *n* Nicaragua.

Nicaraguan [,nɪkə'ræɡjʊən] ◇ *adj* nicaragüense. ◇ *n* nicaragüense *mf*.

nice [naɪs] *adj* - **1.** [attractive] bonito(ta); **you look nice** estás guapa; [good] bueno(na); **it smells nice** huele bien - **2.** [kind] amable; [friendly] agradable, simpático(ca), dije *Amér*; **that was nice of you** fue muy amable de tu parte; **to be nice to sb** ser bueno con alguien - **3.** [pleasant] agradable; **to have a nice time** pasarlo bien.

nice-looking [-'lʊkɪŋ] *adj* [person] guapo(pa); [car, room] bonito(ta).

nicely ['naɪslɪ] *adv* - **1.** [well, attractively] bien - **2.** [politely] educadamente, con educación - **3.** [satisfactorily] bien; **that will do nicely** esto irá de perlas.

niche [ni:ʃ] *n* - **1.** [in wall] nicho *m*, hornacina *f* - **2.** [in life] hueco *m* - **3.** COMM nicho *m*.

nick [nɪk] ◇ *n* [cut] cortecito *m*; [notch] muesca *f*.
▸▸▸ **in the nick of time** justo a tiempo. ◇ *vt* - **1.** [cut] cortar; [make notch in] mellar - **2.** *UK inf* [steal] birlar.

nickel ['nɪkl] *n* - **1.** [metal] níquel *m* - **2.** *US* [coin] moneda *f* de cinco centavos.

nickname ['nɪkneɪm] ◇ *n* apodo *m*. ◇ *vt* apodar.

nicotine ['nɪkəti:n] *n* nicotina *f*.

niece [ni:s] *n* sobrina *f*.

Nigeria [naɪ'dʒɪərɪə] *n* Nigeria.

Nigerian [naɪ'dʒɪərɪən] ◇ *adj* nigeriano(na). ◇ *n* nigeriano *m*, -na *f*.

niggle ['nɪɡl] *vt UK* - **1.** [worry] inquietar - **2.** [criticize] meterse con.

night [naɪt] ◇ *adj* nocturno(na). ◇ *n* noche *f*; [evening] tarde *f*; **last night** anoche, ayer por la noche; **tomorrow night** mañana por la noche; **on Monday night** el lunes por la noche; **at night** por la noche, de noche; **night and day, day and night** noche y día, día y noche; **to have an early/a late night** irse a dormir pronto/tarde. ● **nights** *adv* - **1.** *US* [at night] por las noches - **2.** *UK* [nightshift]: **to work nights** hacer el turno de noche.

nightcap ['naɪtkæp] *n* [drink] bebida que se toma antes de ir a dormir.

nightclub ['naɪtklʌb] *n* club *m* nocturno.

nightdress ['naɪtdres] *n* camisón *m*.

nightfall ['naɪtfɔ:l] *n* anochecer *m*.

nightgown ['naɪtɡaʊn] *n* camisón *m*.

nightie ['naɪtɪ] *n inf* camisón *m*.

nightingale ['naɪtɪŋɡeɪl] *n* ruiseñor *m*.

nightlife ['naɪtlaɪf] *n* vida *f* nocturna.

nightly ['naɪtlɪ] ◇ *adj* nocturno(na), de cada noche. ◇ *adv* cada noche.

nightmare ['naɪtmeə'] *n lit & fig* pesadilla *f*.

night porter *n* recepcionista *mf* del turno de noche.

night school *n* (*U*) escuela *f* nocturna.

night shift *n* turno *m* de noche.

nightshirt ['naɪtʃɜ:t] *n* camisa *f* de dormir (masculina).

nighttime ['naɪttaɪm] *n* noche *f*.

nil [nɪl] *n* - **1.** [nothing] nada *f* - **2.** *UK* SPORT cero *m*; **five nil** cinco a cero.

Nile [naɪl] *n*: **the Nile** el Nilo.

nimble ['nɪmbl] *adj* - **1.** [person, fingers] ágil - **2.** [mind] rápido(da).

nine [naɪn] *num* nueve; *see also* **six**.

nineteen [,naɪn'ti:n] *num* diecinueve; *see also* **six**.

ninety ['naɪntɪ] *num* noventa; *see also* **sixty**.

ninth [naɪnθ] *num* noveno(na); *see also* **sixth**.

nip [nɪp] ◇ *n* [of drink] trago *m*. ◇ *vt* [pinch] pellizcar; [bite] mordisquear.

nipple ['nɪpl] *n* - **1.** [of woman] pezón *m* - **2.** [of baby's bottle, man] tetilla *f*.

nit [nɪt] *n* [in hair] liendre *f*.

nitpicking ['nɪtpɪkɪŋ] *inf n* (*U*): **that's just nitpicking** no son más que nimiedades.

nitrogen ['naɪtrədʒən] *n* nitrógeno *m*.

nitty-gritty [,nɪtɪ'ɡrɪtɪ] *n inf*: **to get down to the nitty-gritty** ir al grano.

no [nəʊ] ◇ *adv* [gen] no; **to say no** decir que no; **you're no better than me** tú no eres mejor

que yo. ⬦ adj no; **I have no time** no tengo tiempo; **there are no taxis** no hay taxis; **a woman with no money** una mujer sin dinero; **that's no excuse** esa no es excusa que valga; **he's no fool** no es ningún tonto; **she's no friend of mine** no es amiga mía; **'no smoking/parking/cameras'** 'prohibido fumar/aparcar/hacer fotos'. ⬦ n (pl **-es**) no m; **he/she won't take no for an answer** no acepta una respuesta negativa.

No., no. (abbr of **number**) n.º

nobility [nə'bɪlətɪ] n nobleza f.

noble ['nəubl] ⬦ adj noble. ⬦ n noble mf.

nobody ['nəubədɪ], **no one** ⬦ pron nadie. ⬦ n pej don nadie m.

nocturnal [nɒk'tɜːnl] adj nocturno(na).

nod [nɒd] ⬦ vt: **to nod one's head** [in agreement] asentir con la cabeza; [to indicate sthg] indicar con la cabeza; [as greeting] saludar con la cabeza. ⬦ vi **- 1.** [in agreement] asentir con la cabeza **- 2.** [to indicate sthg] indicar con la cabeza **- 3.** [as greeting] saludar con la cabeza. ➤ **nod off** vi quedarse dormido(da).

noise [nɔɪz] n ruido m; **to make a noise** hacer ruido.

noisy ['nɔɪzɪ] adj ruidoso(sa); **it was very noisy** había mucho ruido.

no-man's-land n tierra f de nadie.

nominal ['nɒmɪnl] adj nominal.

nominate ['nɒmɪneɪt] vt **- 1.** [propose]: **to nominate sb (for OR as)** proponer a alguien (por OR como) **- 2.** [appoint]: **to nominate sb (to sthg)** nombrar a alguien (algo).

nomination [ˌnɒmɪ'neɪʃn] n **- 1.** [proposal] nominación f **- 2.** [appointment]: **nomination (to sthg)** nombramiento m (a algo).

nominee [ˌnɒmɪ'niː] n candidato m, -ta f.

non- [nɒn] prefix no.

nonalcoholic [ˌnɒnælkə'hɒlɪk] adj sin alcohol.

nonaligned [ˌnɒnə'laɪnd] adj no alineado(da).

nonchalant [UK 'nɒnʃələnt, US ˌnɒnʃə'lɑːnt] adj despreocupado(da).

noncommittal [ˌnɒnkə'mɪtl] adj evasivo(va).

nonconformist [ˌnɒnkən'fɔːmɪst] ⬦ adj inconformista. ⬦ n inconformista mf.

nondescript [UK 'nɒndɪskrɪpt, US ˌnɒndɪ'skrɪpt] adj anodino(na), soso(sa).

none [nʌn] ⬦ pron **- 1.** [not any] nada; **there is none left** no queda nada; **it's none of your business** no es asunto tuyo **- 2.** [not one - object, person] ninguno(na); **none of us/the books** ninguno de nosotros/de los libros; **I had none** no tenía ninguno. ⬦ adv: **I'm none the worse/better** no me ha perjudicado/ayu-

dado en nada; **I'm none the wiser** no me ha aclarado nada. ➤ **none too** adv no demasiado; **none too soon** justo a tiempo.

nonentity [nɒ'nentətɪ] n cero m a la izquierda.

nonetheless [ˌnʌnðə'les] adv sin embargo, no obstante.

non-event n chasco m.

nonexistent [ˌnɒnɪg'zɪstənt] adj inexistente.

nonfiction [ˌnɒn'fɪkʃn] n no ficción f.

no-nonsense adj práctico(ca).

nonpayment [ˌnɒn'peɪmənt] n impago m.

nonplussed, nonplused US [ˌnɒn'plʌst] adj perplejo(ja).

nonreturnable [ˌnɒnrɪ'tɜːnəbl] adj no retornable, sin retorno.

nonsense ['nɒnsəns] ⬦ n (U) **- 1.** [gen] tonterías fpl; **it is nonsense to suggest that...** es absurdo sugerir que... **- 2.** [incomprehensible words] galimatías m inv. ⬦ excl ¡tonterías!

nonsensical [nɒn'sensɪkl] adj disparatado(da), absurdo(da).

nonsmoker [ˌnɒn'sməukəʳ] n no fumador m, no fumadora f.

nonstick [ˌnɒn'stɪk] adj antiadherente.

nonstop [ˌnɒn'stɒp] ⬦ adj [activity, rain] continuo(nua), incesante; [flight] sin escalas. ⬦ adv sin parar.

noodles ['nuːdlz] npl tallarines mpl chinos.

nook [nuk] n [of room]: **every nook and cranny** todos los recovecos.

noon [nuːn] n mediodía m.

no one pron = **nobody**.

noose [nuːs] n [loop] nudo m corredizo; [for hanging] soga f.

no-place US = **nowhere**.

nor [nɔːʳ] conj **- 1.** ➞ **neither - 2.** [and not] ni; **I don't smoke - nor do I** no fumo - yo tampoco; **I don't know, nor do I care** ni lo sé, ni me importa.

norm [nɔːm] n norma f; **the norm** lo normal.

normal ['nɔːml] ⬦ adj normal. ⬦ n: **above normal** por encima de lo normal; **to return to normal** volver a la normalidad.

normality [nɔː'mælɪtɪ], **normalcy** US ['nɔːmlsɪ] n normalidad f.

normally ['nɔːməlɪ] adv normalmente.

north [nɔːθ] ⬦ n **- 1.** [direction] norte m **- 2.** [region]: **the North** el norte. ⬦ adj del norte; **North London** el norte de Londres. ⬦ adv: **north (of)** al norte (de).

North Africa n África del Norte.

North America n Norteamérica.

North American ⬦ *adj* norteamericano(na). ⬦ *n* norteamericano *m*, -na *f*.

northeast [ˌnɔːθˈiːst] ⬦ *n* - **1.** [direction] nordeste *m* - **2.** [region]: **the Northeast** el nordeste. ⬦ *adj* del nordeste. ⬦ *adv*: **northeast (of)** al nordeste (de).

northerly [ˈnɔːðəlɪ] *adj* del norte.

northern [ˈnɔːðən] *adj* del norte, norteño(ña); **northern France** el norte de Francia.

Northern Ireland *n* Irlanda del Norte.

northernmost [ˈnɔːðənməʊst] *adj* más septentrional *OR* al norte.

North Korea *n* Corea del Norte.

North Pole *n*: **the North Pole** el Polo Norte.

North Sea *n*: **the North Sea** el Mar del Norte.

northward [ˈnɔːθwəd] ⬦ *adj* hacia el norte. ⬦ *adv* = **northwards**.

northwards [ˈnɔːθwədz], **northward** *adv* hacia el norte.

northwest [ˌnɔːθˈwest] ⬦ *n* - **1.** [direction] noroeste *m* - **2.** [region]: **the Northwest** el noroeste. ⬦ *adj* del noroeste. ⬦ *adv*: **northwest (of)** al noroeste (de).

Norway [ˈnɔːweɪ] *n* Noruega.

Norwegian [nɔːˈwiːdʒən] ⬦ *adj* noruego(ga). ⬦ *n* - **1.** [person] noruego *m*, -ga *f* - **2.** [language] noruego *m*.

nose [nəʊz] *n* [of person] nariz *f*; [of animal] hocico *m*; [of plane, car] morro *m*; **to keep one's nose out of sthg** no meter las narices en algo; **to poke** *OR* **stick one's nose in** *inf* meter las narices; **to turn up one's nose at sthg** hacerle ascos a algo. ⬥ **nose about, nose around** *vi* curiosear.

nosebleed [ˈnəʊzbliːd] *n* hemorragia *f* nasal.

nosedive [ˈnəʊzdaɪv] ⬦ *n* [of plane] picado *m*. ⬦ *vi lit* & *fig* bajar en picado.

nosey [ˈnəʊzɪ] = **nosy**.

no-smoking *adj* [area, carriage] para no fumadores; [flight] de no fumadores.

nostalgia [nɒˈstældʒə] *n*: **nostalgia (for)** nostalgia *f* (de).

nostril [ˈnɒstrəl] *n* ventana *f* de la nariz.

nosy [ˈnəʊzɪ], **nosey** *adj* fisgón(ona), entrometido(da).

not [nɒt] *adv* no; **this is not the first time** no es la primera vez; **it's green, isn't it?** es verde, ¿no?; **not me** yo no; **I hope/think not** espero/creo que no; **not a chance** de ninguna manera; **not even a...** ni siquiera un(una)...; **not all** *OR* **every** no todos(das); **not always** no siempre; **not that...** no es que...; **not at all** [no] en absoluto; [to acknowledge thanks] de nada.

notable [ˈnəʊtəbl] *adj* notable; **to be notable for sthg** destacar por algo.

notably [ˈnəʊtəblɪ] *adv* - **1.** [in particular] especialmente - **2.** [noticeably] marcadamente.

notary [ˈnəʊtərɪ] *n*: **notary (public)** notario *m*, -ria *f*.

notch [nɒtʃ] *n* [cut] muesca *f*.

note [nəʊt] ⬦ *n* - **1.** [gen] nota *f*; **to make a note of sthg** tomar nota de algo - **2.** [paper money] billete *m* - **3.** [tone] tono *m*. ⬦ *vt* - **1.** [observe] notar; **please note that...** tenga en cuenta que... - **2.** [mention] mencionar. ⬥ **notes** *npl* [written record] apuntes *mpl*; **to take notes** tomar apuntes; [in book] notas *fpl*. ⬥ **note down** *vt sep* anotar, apuntar.

notebook [ˈnəʊtbʊk] *n* - **1.** [for taking notes] libreta *f*, cuaderno *m* - **2.** COMPUT: **notebook (computer)** ordenador *m* portátil.

noted [ˈnəʊtɪd] *adj* destacado(da); **to be noted for** distinguirse por.

notepad [ˈnəʊtpæd] *n* bloc *m* de notas.

notepaper [ˈnəʊtpeɪpər] *n* papel *m* de escribir *OR* de cartas.

noteworthy [ˈnəʊtˌwɜːðɪ] *adj* digno(na) de mención.

nothing [ˈnʌθɪŋ] ⬦ *pron* nada; **I've got nothing to do** no tengo nada que hacer; **for nothing** [free] gratis; [for no purpose] en vano, en balde; **he's nothing if not generous** otra cosa no será pero desde luego generoso sí que es; **nothing but** tan sólo. ⬦ *adv*: **to be nothing like sb/sthg** no parecerse en nada a alguien/algo; **I'm nothing like finished** no he terminado ni mucho menos.

notice [ˈnəʊtɪs] ⬦ *n* - **1.** [on wall, door] cartel *m*; [in newspaper] anuncio *m* - **2.** [attention] atención *f*; **to take notice (of)** hacer caso (de), prestar atención (a); **he/she didn't take a blind bit of notice** no hizo ni el más mínimo caso - **3.** [warning] aviso *m*; **at short notice** casi sin previo aviso; **until further notice** hasta nuevo aviso; **without notice** sin previo aviso - **4.** [at work]: **to be given one's notice** ser despedido(da); **to hand in one's notice** presentar la dimisión. ⬦ *vt* - **1.** [sense, smell] notar; [see] fijarse en, ver; **to notice sb doing sthg** fijarse en alguien que está haciendo algo - **2.** [realize] darse cuenta de. ⬦ *vi* darse cuenta.

noticeable [ˈnəʊtɪsəbl] *adj* notable.

notice board *n* tablón *m* de anuncios.

notify [ˈnəʊtɪfaɪ] *vt*: **to notify sb (of sthg)** notificar *OR* comunicar (algo) a alguien.

notion [ˈnəʊʃn] *n* noción *f*. ⬥ **notions** *npl US* artículos *mpl* de mercería.

notorious [nəʊˈtɔːrɪəs] *adj* famoso(sa), célebre.

notwithstanding [ˌnɒtwɪθˈstændɪŋ] *fml* ⬦ *prep* a pesar de. ⬦ *adv* sin embargo.

nougat [ˈnuːgɑː] *n* dulce hecho a base de nueces y frutas.

nought [nɔ:t] *num* cero.

noun [naʊn] *n* nombre *m*, sustantivo *m*.

nourish ['nʌrɪʃ] *vt* - **1**. [feed] nutrir - **2**. [entertain] alimentar, albergar.

nourishing ['nʌrɪʃɪŋ] *adj* nutritivo(va).

nourishment ['nʌrɪʃmənt] *n* alimento *m*, sustento *m*.

novel ['nɒvl] ⋄ *adj* original. ⋄ *n* novela *f*.

novelist ['nɒvəlɪst] *n* novelista *mf*.

novelty ['nɒvltɪ] *n* - **1**. [gen] novedad *f* - **2**. [cheap object] baratija *f* (poco útil).

November [nə'vembər] *n* noviembre *m*; *see also* **September**.

novice ['nɒvɪs] *n* - **1**. [inexperienced person] principiante *mf* - **2**. RELIG novicio *m*, -cia *f*.

now [naʊ] ⋄ *adv* - **1**. [at this time, at once] ahora; **do it now** hazlo ahora; **he's been away for two weeks now** lleva dos semanas fuera; **any day now** cualquier día de éstos; **any time now** en cualquier momento; **for now** por ahora, por el momento; **now and then** OR **again** de vez en cuando - **2**. [nowadays] hoy día - **3**. [at a particular time in the past] entonces - **4**. [to introduce statement] vamos a ver. ⋄ *conj*: **now (that)** ahora que, ya que. ⋄ *n* ahora; **five days from now** de aquí a cinco días; **from now on** a partir de ahora; **they should be here by now** ya deberían estar aquí; **up until now** hasta ahora.

nowadays ['naʊədeɪz] *adv* hoy en día, actualmente.

nowhere UK ['nəʊweər], **no-place** US *adv* [be] en ninguna parte; [go] a ninguna parte; **nowhere else** en ninguna otra parte; **to appear out of** OR **from nowhere** salir de la nada; **to be getting nowhere** no estar avanzando nada, no ir a ninguna parte; **(to be) nowhere near (as... as...)** (no ser) ni mucho menos (tan... como...).

nozzle ['nɒzl] *n* boquilla *f*.

nuance [nju:'ɑːns] *n* matiz *m*.

nuclear ['nju:klɪər] *adj* nuclear.

nuclear bomb *n* bomba *f* atómica.

nuclear disarmament *n* desarme *m* nuclear.

nuclear energy *n* energía *f* nuclear.

nuclear power *n* energía *f* nuclear.

nuclear power station *n* central *f* nuclear.

nuclear reactor *n* reactor *m* nuclear.

nucleus ['nju:klɪəs] (*pl* -lei [-lɪaɪ]) *n lit & fig* núcleo *m*.

nude [nju:d] ⋄ *adj* desnudo(da). ⋄ *n* ART desnudo *m*; **in the nude** desnudo(da).

nudge [nʌdʒ] *vt* [with elbow] dar un codazo a.

nudist ['nju:dɪst] *n* nudista *mf*.

nudity ['nju:dətɪ] *n* desnudez *f*.

nugget ['nʌgɪt] *n* [of gold] pepita *f*.

nuisance ['nju:sns] *n* [thing] fastidio *m*, molestia *f*; [person] pesado *m*; **to make a nuisance of o.s.** dar la lata.

nuke [nju:k] *inf* ⋄ *n* bomba *f* atómica. ⋄ *vt* - **1**. MIL atacar con arma nuclear - **2**. [cook in microwave] cocinar en el microondas.

null [nʌl] *adj*: **null and void** nulo(la) y sin efecto.

numb [nʌm] ⋄ *adj* entumecido(da); **to be numb with cold** estar helado(da) de frío; **to be numb with fear** estar paralizado(da) de miedo. ⋄ *vt* entumecer.

number ['nʌmbər] ⋄ *n* - **1**. [gen] número *m*; **a number of** varios(rias); **a large number of** gran número de; **large numbers of** grandes cantidades de; **any number of** la mar de - **2**. [of car] matrícula *f*. ⋄ *vt* - **1**. [amount to] ascender a - **2**. [give a number to] numerar - **3**. [include]: **to be numbered among** figurar entre.

number one ⋄ *adj* principal, número uno. ⋄ *n inf* [oneself] uno mismo (una misma).

numberplate ['nʌmbəpleɪt] *n* matrícula *f* (de vehículo).

Number Ten *n* el número 10 de Downing Street, residencia oficial del primer ministro británico.

numeral ['nju:mərəl] *n* número *m*, cifra *f*.

numerate ['nju:mərət] *adj* UK competente en aritmética.

numerical [nju:'merɪkl] *adj* numérico(ca).

numerous ['nju:mərəs] *adj* numeroso(sa).

nun [nʌn] *n* monja *f*.

nurse [nɜ:s] ⋄ *n* MED enfermero *m*, -ra *f*; [nanny] niñera *f*. ⋄ *vt* - **1**. [care for] cuidar, atender - **2**. [try to cure - a cold] curarse - **3**. *fig* [nourish] abrigar - **4**. [subj: mother] amamantar.

nursery ['nɜ:sərɪ] *n* - **1**. [at home] cuarto *m* de los niños; [away from home] guardería *f* - **2**. [for plants] semillero *m*, vivero *m*.

nursery rhyme *n* poema *m* OR canción *f* infantil.

nursery school *n* parvulario *m*.

nursery slopes *npl* pista *f* para principiantes.

nursing ['nɜ:sɪŋ] *n* [profession] profesión *f* de enfermera; [of patient] asistencia *f*, cuidado *m*.

nursing home *n* [for old people] clínica *f* de reposo (privada); [for childbirth] clínica *f* (privada) de maternidad.

nurture ['nɜ:tʃər] *vt* - **1**. [child, plant] criar - **2**. [plan, feelings] alimentar.

nut [nʌt] *n* - **1**. [to eat] nuez *f* - **2**. [of metal] tuerca *f*; **the nuts and bolts** *fig* lo esencial, lo básico - **3**. *inf* [mad person] chiflado *m*, -da *f*. ◆ **nuts** *inf* ⋄ *adj*: **to be nuts** estar chalado(da). ⋄ *excl* US ¡maldita sea!

nutcrackers ['nʌt,krækəz] *npl* cascanueces *m inv*.

nutmeg ['nʌtmeg] *n* nuez *f* moscada.

nutritious [nju:'trɪʃəs] *adj* nutritivo(va).

nutshell ['nʌtʃel] *n*: **in a nutshell** en una palabra.

nuzzle ['nʌzl] ◇ *vt* rozar con el hocico. ◇ *vi*: **to nuzzle (up) against** arrimarse a.

NVQ (*abbr of* **National Vocational Qualification**) *n* título de formación profesional en Inglaterra y Gales.

nylon ['naɪlɒn] ◇ *n* nylon *m*. ◇ *comp* de nylon.

o (*pl* **o's** *OR* **os**), **O** (*pl* **O's** *OR* **Os**) [əʊ] *n* - **1.** [letter] o *f*, O *f* - **2.** [zero] cero *m*.

oak [əʊk] ◇ *n* roble *m*. ◇ *comp* de roble.

OAP *n abbr of* **old age pensioner**.

oar [ɔ:r] *n* remo *m*; **to put** *OR* **stick one's oar in** entrometerse.

oasis [əʊ'eɪsɪs] (*pl* **oases** [əʊ'eɪsi:z]) *n lit* & *fig* oasis *m inv*.

oatcake ['əʊtkeɪk] *n* galleta *f* de avena.

oath [əʊθ] *n* - **1.** [promise] juramento *m*; **on** *OR* **under oath** bajo juramento - **2.** [swearword] palabrota *f*.

oatmeal ['əʊtmi:l] *US n* [flakes] copos *mpl* de avena; [porridge] avena *f*.

oats [əʊts] *npl* [grain] avena *f*.

obedience [ə'bi:djəns] *n*: **obedience (to sb)** obediencia *f* (a alguien).

obedient [ə'bi:djənt] *adj* obediente.

obese [əʊ'bi:s] *adj fml* obeso(sa).

obey [ə'beɪ] *vt* & *vi* obedecer.

obituary [ə'bɪtjʊərɪ] *n* nota *f* necrológica, necrología *f*.

object ◇ *n* ['ɒbdʒɪkt] - **1.** [gen & COMPUT] objeto *m* - **2.** [aim] objeto *m*, propósito *m* - **3.** GRAM complemento *m*. ◇ *vt* [ɒb'dʒekt] objetar. ◇ *vi* [ɒb'dʒekt]: **to object (to sthg/to doing sthg)** oponerse (a algo/a hacer algo); **I object to that comment** me parece muy mal ese comentario.

objection [əb'dʒekʃn] *n* objeción *f*, reparo *m*; **to have no objection (to sthg/to doing sthg)** no tener inconveniente (en algo/en hacer algo).

objectionable [əb'dʒekʃənəbl] *adj* [person] desagradable; [behaviour] censurable.

objective [əb'dʒektɪv] ◇ *adj* objetivo(va). ◇ *n* objetivo *m*.

obligation [,ɒblɪ'geɪʃn] *n* - **1.** [compulsion] obligación *f*; **to be under an obligation to do sthg** tener la obligación de hacer algo - **2.** [duty] deber *m*.

obligatory [ə'blɪgətrɪ] *adj* obligatorio(ria).

oblige [ə'blaɪdʒ] *vt* - **1.** [force]: **to oblige sb to do sthg** obligar a alguien a hacer algo - **2.** *fml* [do a favour to] hacer un favor a; **I would be much obliged if...** le estaría muy agradecido si...

obliging [ə'blaɪdʒɪŋ] *adj* servicial, atento(ta).

oblique [ə'bli:k] ◇ *adj* - **1.** [indirect - reference] indirecto(ta) - **2.** [slanting] oblicuo(cua). ◇ *n* TYPO barra *f*.

obliterate [ə'blɪtəreɪt] *vt* arrasar.

oblivion [ə'blɪvɪən] *n* olvido *m*.

oblivious [ə'blɪvɪəs] *adj* inconsciente; **to be oblivious to** *OR* **of sthg** no ser consciente de algo.

oblong ['ɒblɒŋ] ◇ *adj* rectangular, oblongo(ga). ◇ *n* rectángulo *m*.

obnoxious [əb'nɒkʃəs] *adj* detestable.

oboe ['əʊbəʊ] *n* oboe *m*.

obscene [əb'si:n] *adj* obsceno(na).

obscure [əb'skjʊər] ◇ *adj lit* & *fig* oscuro(ra). ◇ *vt* - **1.** [make difficult to understand] oscurecer - **2.** [hide] esconder.

obsequious [əb'si:kwɪəs] *adj fml* & *pej* servil.

observance [əb'zɜːvns] *n* observancia *f*, cumplimiento *m*.

observant [əb'zɜːvnt] *adj* observador(ra).

observation [,ɒbzə'veɪʃn] *n* - **1.** [by police] vigilancia *f*; [by doctor] observación *f* - **2.** [comment] comentario *m*.

observatory [əb'zɜːvətrɪ] *n* observatorio *m*.

observe [əb'zɜːv] *vt* - **1.** [gen] observar - **2.** [obey] cumplir con, observar.

observer [əb'zɜːvər] *n* observador *m*, -ra *f*.

obsess [əb'ses] *vt* obsesionar; **to be obsessed by** *OR* **with** estar obsesionado con.

obsessive [əb'sesɪv] *adj* obsesivo(va).

obsolescent [,ɒbsə'lesnt] *adj* obsolescente.

obsolete ['ɒbsəli:t] *adj* obsoleto(ta).

obstacle ['ɒbstəkl] *n* - **1.** [object] obstáculo *m* - **2.** [difficulty] estorbo *m*.

obstetrics [ɒb'stetrɪks] *n* obstetricia *f*.

obstinate ['ɒbstənət] *adj* - **1.** [stubborn] obstinado(da), terco(ca) - **2.** [persistent] tenaz.

obstruct [əb'strʌkt] *vt* - **1.** [block] obstruir, bloquear - **2.** [hinder] estorbar.

obstruction [əb'strʌkʃn] *n* [gen & SPORT] obstrucción *f*; [blockage] atasco *m*.

obtain [əb'teɪn] *vt* obtener, conseguir.

obtainable [əb'teɪnəbl] *adj* que se puede conseguir, disponible.

obtrusive [əb'truːsɪv] *adj* [smell] penetrante; [colour] chillón(ona); [person] entrometido(da).

obtuse [əb'tjuːs] *adj lit & fig* obtuso(sa).

obvious ['ɒbvɪəs] *adj* obvio(via), evidente.

obviously ['ɒbvɪəslɪ] *adv* - **1.** [of course] evidentemente, obviamente; **obviously not** claro que no - **2.** [clearly] claramente.

occasion [ə'keɪʒn] *n* - **1.** [time] vez *f*, ocasión *f*; **on one occasion** una vez, en una ocasión; **on several occasions** varias veces, en varias ocasiones; **on occasion** *fml* de vez en cuando - **2.** [important event] acontecimiento *m*; **to rise to the occasion** ponerse a la altura de las circunstancias - **3.** *fml* [opportunity] ocasión *f*.

occasional [ə'keɪʒənl] *adj* [trip, drink] esporádico(ca); [showers] ocasional.

occasionally [ə'keɪʒnəlɪ] *adv* de vez en cuando.

occult [ɒ'kʌlt] *adj* oculto(ta).

occupant ['ɒkjupənt] *n* - **1.** [of building, room] inquilino *m*, -na *f* - **2.** [of chair, vehicle] ocupante *mf*.

occupation [ˌɒkju'peɪʃn] *n* - **1.** [job] empleo *m*, ocupación *f* - **2.** [pastime] pasatiempo *m* - **3.** MIL [of country, building] ocupación *f*.

occupational hazard *n*: **occupational hazards** gajes *mpl* del oficio.

occupational therapy *n* terapia *f* ocupacional.

occupier ['ɒkjupaɪə*ʳ*] *n* inquilino *m*, -na *f*.

occupy ['ɒkjupaɪ] *vt* - **1.** [gen] ocupar - **2.** [live in] habitar - **3.** [entertain]: **to occupy o.s.** entretenerse.

occur [ə'kɜːʳ] *vi* - **1.** [happen] ocurrir, suceder - **2.** [be present] encontrarse.

occurrence [ə'kʌrəns] *n* [event] acontecimiento *m*.

ocean ['əʊʃn] *n* océano *m*.

oceangoing ['əʊʃn,gəʊɪŋ] *adj* marítimo(ma).

ochre *UK*, **ocher** *US* ['əʊkəʳ] *adj* ocre.

o'clock [ə'klɒk] *adv*: **it's one o'clock** es la una; **it's two/three o'clock** son las dos/las tres; **at one/two o'clock** a la una/las dos.

octave ['ɒktɪv] *n* octava *f*.

October [ɒk'təʊbəʳ] *n* octubre *m*; *see also* **September**.

octopus ['ɒktəpəs] (*pl* **-pi** [-paɪ] *OR* **-puses**) *n* pulpo *m*.

OD *abbr of* **overdose, overdrawn**.

odd [ɒd] *adj* - **1.** [strange] raro(ra), extraño(ña) - **2.** [not part of pair] sin pareja - **3.** [number] impar - **4.** *inf* [leftover] sobrante - **5.** *inf* [occasional]: **I play the odd game** juego alguna que otra vez - **6.** *inf* [approximately]: **30 odd years** 30 y tantos *OR* y pico años. ● **odds** *npl* - **1.: the odds** [probability] las probabilidades; [in betting] las apuestas; **the odds are that...** lo más probable es que...; **against all odds** contra viento y marea - **2.** [bits]: **odds and ends** chismes *mpl*, cosillas *fpl*

▶▶ **to be at odds with sthg** no concordar con algo; **to be at odds with sb** estar reñido con alguien.

oddity ['ɒdɪtɪ] (*pl* **-ies**) *n* rareza *f*.

odd jobs *npl* chapuzas *fpl*.

oddly ['ɒdlɪ] *adv* extrañamente; **oddly enough** aunque parezca mentira.

oddments ['ɒdmənts] *npl* retales *mpl*.

odds-on ['ɒdz-] *adj inf*: **the odds-on favourite** el favorito indiscutible.

odometer [əʊ'dɒmɪtəʳ] *n US* cuentakilómetros *m inv*.

odour *UK*, **odor** *US* ['əʊdəʳ] *n* [gen] olor *m*; [of perfume] fragancia *f*.

of (*unstressed* [əv], *stressed* [ɒv]) *prep* - **1.** [gen] de; **the cover of a book** la portada de un libro; **a cousin of mine** un primo mío; **both of us** nosotros dos, los dos; **the worst of them** el peor de ellos; **to die of sthg** morir de algo - **2.** [expressing quantity, referring to container] de; **thousands of people** miles de personas; **there are three of us** somos tres; **a cup of coffee** un café, una taza de café - **3.** [indicating amount, age, time] de; **a child of five** un niño de cinco años; **at the age of five** a los cinco años; **an increase of 6%** un incremento del 6%; **the 12th of February** el 12 de febrero - **4.** [made from] de; **a dress of silk** un vestido de seda; **to be made of sthg** estar hecho de algo - **5.** [with emotions, opinions]: **fear of ghosts** miedo a las fantasmas; **love of good food** amor por la buena mesa; **it was very kind of you** fue muy amable de *OR* por tu parte.

off [ɒf] ◇ *adv* - **1.** [away]: **to drive off** alejarse conduciendo; **to turn off** salir de la carretera; **I'm off!** ¡me voy! - **2.** [at a distance - in time]: **it's two days off** quedan dos días; **that's a long time off** aún queda mucho para eso; [- in space]: **it's ten miles off** está a diez millas; **far off** lejos - **3.** [so as to remove]: **to take sthg off** [gen] quitar algo; [one's clothes] quitarse algo;

to cut sthg off cortar algo; **could you help me off with my coat?** ¿me ayudas a quitarme el abrigo? **- 4.** [so as to complete]: **to finish off** terminar, acabar; **to kill off** rematar **- 5.** [not at work] libre; **a day off** un día libre; **time off** tiempo m libre **- 6.** [so as to separate]: **to fence off** vallar; **to wall off** tapiar **- 7.** [so as to stop working]: **to turn off** [light, radio] apagar; [water, tap] cerrar **- 8.** [discounted]: **£10 off** 10 libras de descuento **- 9.** [having money]: **to be well/ badly off** andar bien/mal de dinero. <> *prep* **- 1.** [away from]: **to get off sthg** bajarse de algo; **to keep off sthg** mantenerse alejado de algo; **'keep off the grass'** 'prohibido pisar el césped' **- 2.** [close to]: **just off the coast** muy cerca de la costa; **it's off Oxford Street** está al lado de Oxford Street **- 3.** [removed from]: **to cut a slice off sthg** cortar un pedazo de algo; **take your hands off me!** ¡quítame las manos de encima! **- 4.** [not attending]: **to be off work/duty** no estar trabajando/de servicio; **a day of work** un día de vacaciones **- 5.** *inf* [no longer liking]: **she's off coffee/her food** no le apetece café/comer **- 6.** [deducted from]: **there's 10% off the price** hay un 10% de rebaja sobre el precio **- 7.** *inf* [from]: **I bought it off him** se lo compré a él. <> *adj* **- 1.** [gone bad - meat, cheese] pasado(da), estropeado(da); [- milk] cortado(da) **- 2.** [light, radio, device] apagado(da); [water, electricity] desconectado(da); [tap] cerrado(da) **- 3.** [cancelled] suspendido(da).

offal ['ɒfl] *n (U)* asaduras *fpl.*

off-chance *n*: **on the off-chance** por si acaso.

off colour *adj* indispuesto(ta).

off duty *adj* [policeman] fuera de servicio; [soldier] de permiso.

offence *UK*, **offense** *US* [ə'fens] *n* **- 1.** [crime] delito *m* **- 2.** [cause of upset] ofensa *f*; **to cause sb offence** ofender a alguien; **to take offence** ofenderse.

offend [ə'fend] *vt* ofender.

offender [ə'fendər] *n* **- 1.** [criminal] delincuente *mf* **- 2.** [culprit] culpable *mf.*

offense *US n* **- 1.** = **offence - 2.** ['ɒfens] SPORT ataque *m.*

offensive [ə'fensɪv] <> *adj* **- 1.** [remark, behaviour] ofensivo(va); [smell] repugnante **- 2.** [aggressive] atacante. <> *n* MIL ofensiva *f.*

offer ['ɒfər] <> *n* oferta *f*; **on offer** [available] disponible; [at a special price] en oferta. <> *vt* ofrecer; **to offer sthg to sb, to offer sb sthg** ofrecer algo a alguien; [be willing]: **to offer to do sthg** ofrecerse a hacer algo. <> *vi* [volunteer] ofrecerse.

offering ['ɒfərɪŋ] *n* **- 1.** [thing offered] ofrecimiento *m*; [gift] regalo *m* **- 2.** [sacrifice] ofrenda *f.*

off-guard *adj* desprevenido(da).

offhand [,ɒf'hænd] <> *adj* frío(a), indiferente. <> *adv* de improviso.

office ['ɒfɪs] *n* **- 1.** [gen] oficina *f* **- 2.** [room] despacho *m*, oficina *f* **- 3.** *US* [of doctor, dentist] consulta *f*, consultorio *m* **- 4.** [position of authority] cargo *m*; **in office** [political party] en el poder; [person] en el cargo; **to take office** [political party] subir al poder; [person] asumir el cargo.

office automation *n* ofimática *f.*

office block *n* bloque *m* de oficinas.

office hours *npl* horas *fpl* de oficina.

officer ['ɒfɪsər] *n* **- 1.** MIL oficial *mf* **- 2.** [in organization, trade union] delegado *m*, -da *f* **- 3.** [in police force] agente *mf.*

office worker *n* oficinista *mf.*

official [ə'fɪʃl] <> *adj* oficial. <> *n* [of government] funcionario *m*, -ria *f*; [of trade union] representante *mf.*

officialdom [ə'fɪʃəldəm] *n* burocracia *f.*

offing ['ɒfɪŋ] *n*: **to be in the offing** estar al caer OR a la vista.

off-licence *n UK* tienda donde se venden bebidas alcohólicas para llevar.

off-line <> *adj* **- 1.** [printer] desconectado(da) **- 2.** [operation] fuera de línea. <> *adv*: **to go off-line** desconectarse.

off-peak *adj* [electricity, phone call, travel] de tarifa reducida; [period] económico(ca).

off-putting [-,pʊtɪŋ] *adj* **- 1.** [unpleasant] repelente **- 2.** [distracting]: **it's very off-putting** me distrae mucho.

off season *n*: **the off season** la temporada baja.

offset ['ɒfset] (*pt & pp* offset) *vt* compensar, contrarrestar.

offshoot ['ɒfʃuːt] *n* retoño *m.*

offshore ['ɒfʃɔːr] <> *adj* [wind] costero(ra); [fishing] de bajura; [oil rig] marítimo(ma); [banking] en bancos extranjeros. <> *adv* mar adentro; **two miles offshore** a dos millas de la costa.

offside <> *adj* [,ɒf'saɪd] **- 1.** [part of vehicle - right-hand drive] izquierdo(da); [- left-hand drive] derecho(cha) **- 2.** SPORT fuera de juego. <> *adv* [,ɒf'saɪd] SPORT fuera de juego.

offspring ['ɒfsprɪŋ] (*pl* offspring) *n* **- 1.** [of people *fml & hum*] [- child] descendiente *mf*; [- children] descendencia *f* **- 2.** [of animals] crías *fpl.*

offstage [,ɒf'steɪdʒ] *adj & adv* entre bastidores.

off-the-peg *adj UK* confeccionado(da).

off-the-record <> *adj* extraoficial. <> *adv* extraoficialmente.

off-white *adj* blancuzco(ca).

often ['ɒfn, 'ɒftn] adv [many times] a menudo; **how often do you go?** ¿cada cuánto OR con qué frecuencia vas?; **I don't often see him** no lo veo mucho; **I don't do it as often as I used to** no lo hago tanto como antes. ◆ **as often as not** adv muchas veces. ◆ **every so often** adv cada cierto tiempo. ◆ **more often than not** adv la mayoría de las veces.

ogle ['əʊgl] vt pej comerse con los ojos.

oh [əʊ] excl - 1. [to introduce comment] ¡ah!; **oh really?** ¿de verdad? - 2. [expressing joy, surprise, fear] ¡oh!; **oh no!** ¡no!

oil [ɔɪl] ◇ n - 1. [gen] aceite m - 2. [petroleum] petróleo m. ◇ vt engrasar.

oilcan ['ɔɪlkæn] n aceitera f.

oilfield ['ɔɪlfiːld] n yacimiento m petrolífero.

oil filter n filtro m del aceite.

oil-fired [-,faɪəd] adj de fuel-oil.

oil painting n (pintura f al) óleo m.

oilrig ['ɔɪlrɪg] n plataforma f petrolífera.

oilskins ['ɔɪlskɪnz] npl [coat] impermeable m, chubasquero m.

oil slick n marea f negra.

oil tanker n - 1. [ship] petrolero m - 2. [lorry] camión m cisterna.

oil well n pozo m petrolífero OR de petróleo.

oily ['ɔɪlɪ] adj [food] aceitoso(sa); [rag, cloth] grasiento(ta); [skin, hair] graso(sa).

ointment ['ɔɪntmənt] n pomada f, ungüento m.

OK, okay [,əʊ'keɪ] inf ◇ adj: **I'm OK** estoy bien; **the food was OK** la comida no estuvo mal; **is it OK with you?** ¿te parece bien? ◇ excl - 1. [gen] vale, de acuerdo - 2. [to introduce new topic] bien, vale. ◇ vt (pt & pp OKed, cont OKing) dar el visto bueno a.

old [əʊld] ◇ adj - 1. [gen] viejo(ja); **how old are you?** ¿cuántos años tienes?, ¿qué edad tienes?; **I'm 20 years old** tengo 20 años; **an old woman** una vieja; **old people** las personas mayores; **when I'm older** cuando sea mayor - 2. [former] antiguo(gua). ◇ npl: **the old** los ancianos.

old age n la vejez.

old age pensioner n UK pensionista mf, jubilado m, -da f.

Old Bailey [-'beɪlɪ] n: **the Old Bailey** el juzgado criminal central de Inglaterra.

old-fashioned [-'fæʃnd] adj - 1. [outmoded] pasado(da) de moda, anticuado(da) - 2. [traditional] tradicional.

old people's home n residencia f OR hogar m de ancianos.

O level n UK examen y calificación sobre una asignatura concreta que se pasaba a los 16 años.

olive ['ɒlɪv] n [fruit] aceituna f, oliva f.

olive oil n aceite m de oliva.

Olympic [ə'lɪmpɪk] adj olímpico(ca). ◆ **Olympics** npl: **the Olympics** los Juegos Olímpicos.

Olympic Games npl: **the Olympic Games** los Juegos Olímpicos.

ombudsman ['ɒmbʊdzmən] (pl -men [-mən]) n ≃ defensor m del pueblo.

omelet(te) ['ɒmlɪt] n tortilla f.

omen ['əʊmen] n presagio m.

ominous ['ɒmɪnəs] adj siniestro(tra), de mal agüero.

omission [ə'mɪʃn] n omisión f.

omit [ə'mɪt] vt omitir; [name - from list] pasar por alto; **to omit to do sthg** no hacer algo.

omnibus ['ɒmnɪbəs] n - 1. [book] antología f - 2. UK RADIO & TV programa que emite todos los capítulos de la semana seguidos.

on [ɒn] ◇ prep - 1. [indicating position - gen] en; [- on top of] sobre, en; **on a chair** en OR sobre una silla; **on the wall/ground** en la pared/el suelo; **he was lying on his side/back** estaba tumbado de costado/de espaldas; **on the left/right** a la izquierda/derecha; **I haven't got any money on me** no llevo nada de dinero encima - 2. [indicating means]: **it runs on diesel** funciona con diesel; **on TV/the radio** en la tele/la radio; **she's on the telephone** está al teléfono; **he lives on fruit** vive (a base) de fruta; **to hurt o.s. on sthg** hacerse daño con algo - 3. [indicating mode of transport]: **to travel on a bus/train/ship** viajar en autobús/tren/barco; **I was on the bus** iba en el autobús; **to get on a bus/train/ship** subirse a un autobús/tren/barco; **on foot** a pie; **on horseback** a caballo - 4. [indicating time, activity]: **on Thursday** el jueves; **on Thursdays** los jueves; **on my birthday** el día de mi cumpleaños; **on the 10th of February** el 10 de febrero; **on the 10th** el día 10; **on my return, on returning** al volver; **on business/holiday** de negocios/vacaciones - 5. [concerning] sobre, acerca de; **a book on astronomy** un libro acerca de OR sobre astronomía - 6. [indicating influence] en, sobre; **the impact on the environment** el impacto en OR sobre el medio ambiente - 7. [using, supported by]: **to be on social security** cobrar dinero de la seguridad social; **he's on tranquillizers** está tomando tranquilizantes; **to be on drugs** [addicted] drogarse - 8. [earning]: **she's on £25,000 a year** gana 25.000 libras al año - 9. [referring to musical instrument] con; **on the violin** con el violín; **on the piano** al piano - 10. inf [paid by]: **the drinks are on me** yo pago las copas, a las copas invito yo. ◇ adv - 1. [indicating covering,

clothing]: **put the lid on** pon la tapa; **what did she have on?** ¿qué llevaba encima OR puesto?; **put your coat on** ponte el abrigo - **2.** [being shown]: **what's on at the cinema?** ¿qué echan OR ponen en el cine? - **3.** [working - machine] funcionando; [- radio, TV, light] encendido(da); [- tap] abierto(ta); [- brakes] puesto(ta); **turn on the power** pulse el botón de encendido - **4.** [indicating continuing action]: **we talked/worked on into the night** seguimos hablando/trabajando hasta bien entrada la noche; **he kept on walking** siguió caminando - **5.** [forward]: **send my mail on (to me)** reenvíame el correo; **later on** más tarde, después; **earlier on** antes - **6.** inf [referring to behaviour]: **it's just not on!** ¡es una pasada! ◆ **from... on** adv: from now on de ahora en adelante; **from that moment/time on** desde aquel momento. ◆ **on and off** adv de vez en cuando. ◆ **on to, onto** (only written as onto for senses 4 and 5) prep - **1.** [to a position on top of] encima de, sobre; **she jumped on to the chair** salto encima de OR sobre la silla - **2.** [to a position on a vehicle]: **to get on to a bus/train/plane** subirse a un autobús/tren/avión - **3.** [to a position attached to] a; **stick the photo on to the page** pega la foto a la hoja - **4.** [aware of wrongdoing]: **to be onto sb** andar detrás de alguien - **5.** [in to contact with]: **get onto the factory** ponte en contacto con la fábrica.

once [wʌns] ◇ adv - **1.** [on one occasion] una vez; **once a week** una vez a la semana; **once again** OR **more** otra vez; **for once** por una vez; **more than once** más de una vez; **once and for all** de una vez por todas; **once or twice** alguna que otra vez; **once in a while** de vez en cuando - **2.** [previously] en otro tiempo, antiguamente; **once upon a time** érase una vez. ◇ conj una vez que; **once you have done it** una vez que lo hayas hecho. ◆ **at once** adv - **1.** [immediately] en seguida, inmediatamente - **2.** [at the same time] a la vez, al mismo tiempo; **all at once** de repente, al golpe.

oncoming ['ɒn,kʌmɪŋ] adj [traffic] que viene en dirección contraria.

one [wʌn] ◇ num [the number 1] un (una); **I only want one** sólo quiero uno; **one fifth** un quinto, una quinta parte; **one of my friends** uno de mis amigos; **(number) one** el uno. ◇ adj - **1.** [only] único(ca); **it's her one ambition** es su única ambición - **2.** [indefinite]: **one of these days** un día de éstos. ◇ pron - **1.** [referring to a particular thing or person] uno (una); **I want the red one** yo quiero el rojo; **the one with the blond hair** la del pelo rubio; **which one do you want?** ¿cuál quieres?; **this one** éste (ésta); **that one** ése (ésa); **another one** otro (otra); **she's the one I told you about** es (ésa) de la que te hablé - **2.** fml [you, anyone] uno (una); **to do one's duty** cumplir uno con su

deber. ◆ **for one** adv: **I for one remain unconvinced** yo, por lo menos OR por mi parte, sigo poco convencido.

one-armed bandit n (máquina f) tragaperras f inv.

one-man adj individual, en solitario.

one-man band n [musician] hombre m orquesta.

one-off inf ◇ adj excepcional. ◇ n caso m excepcional.

one-on-one US = one-to-one.

one-parent family n familia f monoparental.

oneself [wʌn'self] pron - **1.** (reflexive, after prep) uno mismo (una misma); **to buy presents for oneself** hacerse regalos a sí mismo; **to take care of oneself** cuidarse - **2.** (for emphasis): **by oneself** [without help] solo(la).

one-sided [-'saɪdɪd] adj - **1.** [unequal] desigual - **2.** [biased] parcial.

one-to-one UK, **one-on-one** US adj [relationship] entre dos; [discussion] cara a cara; [tuition] individual.

one-touch dialling UK, **one-touch dialing** US n marcación f automática.

one-upmanship [,wʌn'ʌpmənʃɪp] n habilidad para colocarse en una situación de ventaja.

one-way adj - **1.** [street] de dirección única - **2.** [ticket] de ida.

ongoing ['ɒn,gəʊɪŋ] adj [gen] en curso; [problem, situation] pendiente.

onion ['ʌnjən] n cebolla f.

online ['ɒnlaɪn] ◇ adj COMPUT en línea; **to be online** estar conectado a Internet. ◇ adv en línea; **to go online** conectarse a Internet.

online banking n banca f en línea.

online shopping n compras fpl en línea.

onlooker ['ɒn,lʊkər] n espectador m, -ra f.

only ['əʊnlɪ] ◇ adj único(ca); **to be an only child** ser hijo único. ◇ adv [exclusively] sólo, solamente; **I was only too willing to help** estaba encantado de poder ayudar; **I only wish I could!** ¡ojalá pudiera!; **it's only natural** es completamente normal; **it's only to be expected** no es de sorprender; **not only... but** no sólo... sino; **only just** apenas. ◇ conj sólo que; **I would go, only I'm too tired** iría, lo que pasa es que estoy muy cansado.

onset ['ɒnset] n comienzo m.

onshore ['ɒnʃɔːr] adj [wind] procedente del mar; [oil production] en tierra firme.

onslaught ['ɒnslɔːt] n lit & fig acometida f.

onto (unstressed before consonant ['ɒntə], unstressed before vowel ['ɒntʊ], stressed ['ɒntuː]) = on to.

onus ['əʊnəs] *n* responsabilidad *f*.

onward ['ɒnwəd] <> *adj* [in space] hacia delante; [in time] progresivo(va). <> *adv* = **onwards**.

onwards, onward ['ɒnwədz] *adv* [in space] adelante, hacia delante; [in time]: **from now/ then onwards** de ahora/allí en adelante.

ooze [uːz] <> *vt fig* rebosar. <> *vi*: **to ooze (from OR out of)** rezumar (de); **to ooze with sthg** *fig* rebosar OR irradiar algo.

opaque [əʊ'peɪk] *adj* - 1. [not transparent] opaco(ca) - 2. *fig* [obscure] oscuro(ra).

open ['əʊpn] <> *adj* - 1. [gen] abierto(ta); [curtains] descorrido(da); [view, road] despejado(da) - 2. [receptive]: **to be open to** [ideas, suggestions] estar abierto a; [blame, criticism, question] prestarse a - 3. [frank] sincero(ra), franco(ca) - 4. [uncovered - car] descubierto(ta) - 5. [available - subj: choice, chance]: **to be open to sb** estar disponible para alguien. <> *n* - 1.: **in the open** [fresh air] al aire libre; **to bring sthg out into the open** sacar a luz algo - 2. SPORT **open** *m*, abierto *m*. <> *vt* - 1. [gen] abrir; **to open fire** abrir fuego - 2. [curtains] correr - 3. [inaugurate - public area, event] inaugurar - 4. [negotiations] entablar. <> *vi* - 1. [door, flower] abrirse - 2. [shop, office] abrir - 3. [event, play] dar comienzo. **open on to** *vt insep* dar a. **open up** <> *vt sep* abrir. <> *vi* - 1. [become available] surgir - 2. [unlock door] abrir.

opener ['əʊpnə'] *n* [gen] abridor *m*; [for tins] abrelatas *m inv*; [for bottles] abrebotellas *m inv*.

opening ['əʊpnɪŋ] <> *adj* inicial. <> *n* - 1. [beginning] comienzo *m*, principio *m* - 2. [gap - in fence] abertura *f* - 3. [opportunity] oportunidad *f* - 4. [job vacancy] puesto *m* vacante.

opening hours *npl* horario *m* (de apertura).

openly ['əʊpənlɪ] *adv* abiertamente.

open-minded [-'maɪndɪd] *adj* sin prejuicios.

open-plan *adj* de planta abierta.

Open University *n UK*: **the Open University** ≃ la Universidad Nacional de Educación a Distancia.

opera ['ɒpərə] *n* ópera *f*.

opera house *n* teatro *m* de la ópera.

operate ['ɒpəreɪt] <> *vt* - 1. [machine] hacer funcionar - 2. [business, system] dirigir; [service] proporcionar. <> *vi* - 1. [carry out trade, business] operar, actuar - 2. [function] funcionar - 3. MED: **to operate (on sb/sthg)** operar (a alguien/de algo).

operating theatre *UK*, **operating room** *US* ['ɒpəreɪtɪŋ-] *n* quirófano *m*.

operation [ˌɒpə'reɪʃn] *n* - 1. [planned activity - police, rescue, business] operación *f*; [- military] maniobra *f* - 2. [running - of business] adminis-

tración *f* - 3. [functioning - of machine] funcionamiento *m*; **to be in operation** [- machine] estar funcionando; [- law, system] estar en vigor - 4. MED operación *f*, intervención *f* quirúrgica; **to have an operation (for/on)** operarse (de).

operational [ˌɒpə'reɪʃənl] *adj* [ready for use] en funcionamiento.

operative ['ɒprətɪv] <> *adj* en vigor, vigente. <> *n* [worker] operario *m*, -ria *f*; [spy] agente *mf*.

operator ['ɒpəreɪtə'] *n* - 1. TELEC operador *m*, -ra *f*, telefonista *mf* - 2. [worker] operario *m*, -ria *f* - 3. [company] operadora *f*.

opinion [ə'pɪnjən] *n* opinión *f*; **to be of the opinion that** opinar OR creer que; **in my opinion** a mi juicio, en mi opinión; **what is her opinion of...?** ¿qué opina de...?

opinionated [ə'pɪnjəneɪtɪd] *adj pej* dogmático(ca).

opinion poll *n* sondeo *m*, encuesta *f*.

opponent [ə'pəʊnənt] *n* - 1. POL adversario *m*, -ria *f*; [of system, approach] opositor *m*, -ora *f* - 2. SPORT contrincante *mf*.

opportune ['ɒpətjuːn] *adj* oportuno(na).

opportunist [ˌɒpə'tjuːnɪst] *n* oportunista *mf*.

opportunity [ˌɒpə'tjuːnətɪ] *n* oportunidad *f*, ocasión *f*; **to take the opportunity to do OR of doing sthg** aprovechar la ocasión de OR para hacer algo.

oppose [ə'pəʊz] *vt* oponerse a.

opposed [ə'pəʊzd] *adj* opuesto(ta); **to be opposed to** oponerse a; **as opposed to** en vez de, en lugar de; **I like beer as opposed to wine** me gusta la cerveza y no el vino.

opposing [ə'pəʊzɪŋ] *adj* opuesto(ta), contrario(ria).

opposite ['ɒpəzɪt] <> *adj* - 1. [facing - side, house] de enfrente; [- end] opuesto(ta) - 2. [very different]: **opposite (to)** opuesto(ta) OR contrario(ria) (a). <> *adv* enfrente. <> *prep* enfrente de. <> *n* contrario *m*.

opposite number *n* homólogo *m*, -ga *f*.

opposition [ˌɒpə'zɪʃn] *n* - 1. [gen] oposición *f* - 2. [opposing team]: **the opposition** los contrincantes. **Opposition** *n UK* POL: **the Opposition** la oposición.

oppress [ə'pres] *vt* - 1. [persecute] oprimir - 2. [depress] agobiar.

oppressive [ə'presɪv] *adj* - 1. [unjust] tiránico(ca), opresivo(va) - 2. [stifling] agobiante, sofocante - 3. [causing unease] opresivo(va), agobiante.

opt [ɒpt] <> *vt*: **to opt to do sthg** optar por OR elegir hacer algo. <> *vi*: **to opt for sthg** optar por OR elegir algo. **opt in** *vi*: **to opt**

in (to sthg) decidir participar (en algo).
🔹 **opt out** vi: **to opt out (of sthg)** decidir no participar (en algo).

optical ['ɒptɪkl] adj óptico(ca).

optician [ɒp'tɪʃn] n óptico m, -ca f; **the optician's (shop)** la óptica.

optimist ['ɒptɪmɪst] n optimista mf.

optimistic [ˌɒptɪ'mɪstɪk] adj optimista.

optimum ['ɒptɪməm] adj óptimo(ma).

option ['ɒpʃn] n opción f; **to have the option to do** OR **of doing sthg** tener la opción OR la posibilidad de hacer algo; **to have no option** no tener otra opción.

optional ['ɒpʃənl] adj facultativo(va), optativo(va); **optional extra** extra m opcional.

or [ɔːr] conj - 1. [gen] o; (before 'o' or 'u') **or (else)** de lo contrario, si no - 2. (after negative): **he cannot read or write** no sabe ni leer ni escribir.

oral ['ɔːrəl] ◇ adj - 1. [spoken] oral - 2. [relating to the mouth] bucal. ◇ n examen m oral.

orally ['ɔːrəlɪ] adv - 1. [in spoken form] oralmente - 2. [via the mouth] por vía oral.

orange ['ɒrɪndʒ] ◇ adj naranja (inv). ◇ n [fruit] naranja f.

orator ['ɒrətər] n orador m, -ra f.

orbit ['ɔːbɪt] ◇ n órbita f; **to put sthg into orbit (around)** poner algo en órbita (alrededor de). ◇ vt girar alrededor de.

orchard ['ɔːtʃəd] n huerto m.

orchestra ['ɔːkɪstrə] n - 1. orquesta f - 2. [in theatre] platea f OR patio m de butacas.

orchestral [ɔː'kestrəl] adj orquestal.

orchid ['ɔːkɪd] n orquídea f.

ordain [ɔː'deɪn] vt - 1. fml [decree] decretar - 2. RELIG: **to be ordained** ordenarse (sacerdote).

ordeal [ɔː'diːl] n calvario m.

order ['ɔːdər] ◇ n - 1. [instruction] orden f - 2. COMM [request] pedido m; **to order** por encargo - 3. [in restaurant] ración f - 4. [sequence, discipline, system] orden m; **in order** en orden; **out of order** desordenado(da); **in order of importance** por orden de importancia - 5. [fitness for use]: **in working order** en funcionamiento; **'out of order'** 'no funciona'; **to be out of order** [not working] estar estropeado(da); [incorrect behaviour] ser improcedente; **in order** [correct] en regla - 6. RELIG orden f. ◇ vt - 1. [command]: **to order sb (to do sthg)** ordenar a alguien (que haga algo); **to order that** ordenar que - 2. [request - drink, taxi] pedir - 3. COMM pedir, encargar - 4. [put in order] ordenar. 🔹 **in the order of** UK, **on the order of** US prep del orden de. 🔹 **in order that** conj para que. 🔹 **in order to** conj para. 🔹 **order about, order around** vt sep mangonear.

order form n hoja f de pedido.

orderly ['ɔːdəlɪ] ◇ adj [person, crowd] disciplinado(da); [room] ordenado(da). ◇ n - 1. [in hospital] auxiliar mf sanitario - 2. [in army] ordenanza mf.

ordinarily ['ɔːdənrəlɪ] adv ordinario.

ordinary ['ɔːdənrɪ] ◇ adj - 1. [normal] corriente, normal - 2. pej [unexceptional] mediocre, ordinario(ria). ◇ n: **out of the ordinary** fuera de lo común.

ordnance ['ɔːdnəns] n (U) - 1. [military supplies] pertrechos mpl de guerra - 2. [artillery] artillería f.

ore [ɔːr] n mineral m.

oregano [ˌɒrɪ'gɑːnəʊ] n orégano m.

organ ['ɔːgən] n [gen, ANAT & MUS] órgano m.

organic [ɔː'gænɪk] adj - 1. [gen] orgánico(ca) - 2. [food] ecológico(ca), orgánico(ca).

organization [ˌɔːgənaɪ'zeɪʃn] n organización f.

organize, -ise ['ɔːgənaɪz] vt organizar.

organizer ['ɔːgənaɪzər] n organizador m, -ra f.

orgasm ['ɔːgæzm] n orgasmo m.

orgy ['ɔːdʒɪ] n lit & fig orgía f.

Orient ['ɔːrɪənt] n: **the Orient** el Oriente.

oriental [ˌɔːrɪ'entl] ◇ adj oriental. ◇ n oriental mf (atención: el término 'oriental' se considera racista).

orienteering [ˌɔːrɪən'tɪərɪŋ] n deporte m de orientación.

origami [ˌɒrɪ'gɑːmɪ] n papiroflexia f.

origin ['ɒrɪdʒɪn] n origen m; **country of origin** país m de origen. 🔹 **origins** npl origen m.

original [ə'rɪdʒənl] ◇ adj original; **the original owner** el primer propietario. ◇ n original m.

originally [ə'rɪdʒənəlɪ] adv [at first] originariamente; [with originality] originalmente.

originate [ə'rɪdʒəneɪt] ◇ vt originar, producir. ◇ vi: **to originate (in)** nacer OR surgir (de); **to originate from** nacer OR surgir de.

Orkney Islands ['ɔːknɪ-], **Orkneys** ['ɔːknɪz] npl: **the Orkney Islands** las Orcadas.

ornament ['ɔːnəmənt] n adorno m.

ornamental [ˌɔːnə'mentl] adj ornamental, decorativo(va).

ornate [ɔː'neɪt] adj [style] recargado(da); [decoration, vase] muy vistoso(sa).

ornithology [ˌɔːnɪ'θɒlədʒɪ] n ornitología f.

orphan ['ɔːfn] ◇ n huérfano m, -na f. ◇ vt: **to be orphaned** quedarse huérfano.

orphanage ['ɔːfənɪdʒ] n orfelinato m.

orthodox ['ɔːθədɒks] adj ortodoxo(xa).

orthopaedic, orthopedic [ˌɔːθə'piːdɪk] adj ortopédico(ca).

orthopedic [ˌɔːθəˈpiːdɪk] = **orthopaedic**.

oscillate [ˈɒsɪleɪt] vi lit & fig: **to oscillate (between)** oscilar (entre).

Oslo [ˈɒzləʊ] n Oslo.

ostensible [ɒˈstensəbl] adj aparente.

ostentatious [ˌɒstənˈteɪʃəs] adj ostentoso(sa).

osteopath [ˈɒstɪəpæθ] n osteópata mf.

ostracize, -ise [ˈɒstrəsaɪz] vt [colleague etc] marginar, hacer el vacío a; POL condenar al ostracismo.

ostrich [ˈɒstrɪtʃ] n avestruz m.

other [ˈʌðəʳ] ◇ adj otro (otra); **the other one** el otro (la otra); **the other three** los otros tres; **the other day** el otro día; **the other week** hace unas semanas. ◇ pron - **1.** [different one]: **others** otros(otras) - **2.** [remaining, alternative one]: **the other** el otro (la otra); **the others** los otros (las otras), los demás (las demás); **one after the other** uno tras otro; **one or other** uno u otro; **to be none other than** no ser otro sino. ◆ **something or other** pron una cosa u otra. ◆ **somehow or other** adv de una u otra forma. ◆ **other than** conj excepto, salvo; **other that** por lo demás.

otherwise [ˈʌðəwaɪz] ◇ adv - **1.** [or else] si no - **2.** [apart from that] por lo demás - **3.** [differently] de otra manera; **deliberately or otherwise** adrede o no. ◇ conj si no, de lo contrario.

otter [ˈɒtəʳ] n nutria f.

ouch [aʊtʃ] excl ¡ay!

ought [ɔːt] aux vb deber; **you ought to go/to be nicer** deberías irte/ser más amable; **she ought to pass the exam** debería aprobar el examen; **it ought to be fun** promete ser divertido.

ounce [aʊns] n [unit of measurement] = 28,35g, ≈ onza f.

our [aʊəʳ] poss adj nuestro(tra), nuestros(tras) (pl); **our money** nuestro dinero; **our house** nuestra casa; **our children** nuestros hijos; **it wasn't our fault** no fue culpa nuestra OR nuestra culpa; **we washed our hair** nos lavamos el pelo.

ours [ˈaʊəz] poss pron nuestro(tra); **that money is ours** ese dinero es nuestro; **those keys are ours** esas llaves son nuestras; **it wasn't their fault, it was OURS** no fue culpa de ellos sino de nosotros; **a friend of ours** un amigo nuestro; **their car hit ours** suyo coche chocó contra el nuestro.

ourselves [aʊəˈselvz] pron - **1.** (reflexive) nos mpl & fpl; (after prep) nosotros mpl, nosotras f - **2.** (for emphasis) nosotros mismos mpl, nosotras mismas f; **we did it by ourselves** lo hicimos nosotros solos.

oust [aʊst] vt fml: **to oust sb (from)** [job] desbancar a alguien (de); [land] desalojar a alguien (de).

out [aʊt] adv - **1.** [not inside, out of doors] fuera; **we all went out** todos salimos fuera; **I'm going out for a walk** voy a salir a dar un paseo; **they ran out** salieron corriendo; **he poured the water out** sirvió el agua - **2.** [away from home, office] fuera; **John's out at the moment** John está fuera ahora mismo - **3.** [extinguished] apagado(da); **the fire went out** el fuego se apagó - **4.** [of tides]: **the tide had gone out** la marea estaba baja - **5.** [out of fashion] pasado(da) de moda - **6.** [published, released - book] publicado(da); **they've a new record out** han sacado un nuevo disco - **7.** [in flower] en flor - **8.** inf [on strike] en huelga. ◆ **out of** prep - **1.** [away from, outside] fuera de; **to go out of the room** salir de la habitación - **2.** [indicating cause] por; **out of spite/love** por rencor/amor - **3.** [indicating origin, source] de; **a page out of a book** una página de un libro; **to get information out of sb** sacar información a alguien - **4.** [without] sin; **we're out of sugar** estamos sin azúcar, se nos ha acabado el azúcar - **5.** [made from] de; **it's made out of plastic** está hecho de plástico - **6.** [sheltered from] a resguardo de - **7.** [to indicate proportion]: **one out of ten people** una de cada diez personas; **ten out of ten** [mark] diez de OR sobre diez.

out-and-out adj [disgrace, lie] infame; [liar, crook] redomado(da).

outback [ˈaʊtbæk] n: **the outback** los llanos del interior de Australia.

outboard (motor) [ˈaʊtbɔːd-] n (motor m) fueraborda m.

outbreak [ˈaʊtbreɪk] n [of war] comienzo m; [of crime] ola f; [of illness] epidemia f; [of spots] erupción f.

outburst [ˈaʊtbɜːst] n - **1.** [sudden expression of emotion] explosión f, arranque m - **2.** [sudden occurrence] estallido m.

outcast [ˈaʊtkɑːst] n marginado m, -da f, paria mf.

outcome [ˈaʊtkʌm] n resultado m.

outcrop [ˈaʊtkrɒp] n afloramiento m.

outcry [ˈaʊtkraɪ] n protestas fpl.

outdated [ˌaʊtˈdeɪtɪd] adj anticuado(da), pasado(da) de moda.

outdid [ˌaʊtˈdɪd] pt ▷ **outdo**.

outdo [ˌaʊtˈduː] (pt -did, pp -done [-dʌn]) vt aventajar, superar.

outdoor [ˈaʊtdɔːʳ] adj [life, swimming pool] al aire libre; [clothes] de calle.

outdoors [aʊtˈdɔːz] adv al aire libre.

outer [ˈaʊtəʳ] adj exterior, externo(na).

outer space n espacio m exterior.

outfit ['aʊtfɪt] n - **1.** [clothes] conjunto m, traje m - **2.** inf [organization] equipo m.

outfitters ['aʊt,fɪtəz] n dated tienda f de confección.

outgoing ['aʊt,gəʊɪŋ] adj - **1.** [chairman] saliente - **2.** [sociable] extrovertido(da). ◆ **outgoings** npl UK gastos mpl.

outgrow [,aʊt'grəʊ] (pt -grew, pp -grown) vt - **1.** [grow too big for]: **he has outgrown his shirts** las camisas se le han quedado pequeñas - **2.** [grow too old for] ser demasiado mayor para.

outhouse ['aʊthaʊs, pl -haʊzɪz] n dependencia f.

outing ['aʊtɪŋ] n [trip] excursión f.

outlandish [aʊt'lændɪʃ] adj estrafalario(ria).

outlaw ['aʊtlɔː] ◇ n proscrito m, -ta f. ◇ vt [make illegal] ilegalizar.

outlay ['aʊtleɪ] n desembolso m.

outlet ['aʊtlet] n - **1.** [for emotions] salida f - **2.** [for water] desagüe m; [for gas] salida f - **3.** [shop] punto m de venta - **4.** US ELEC toma f de corriente.

outline ['aʊtlaɪn] ◇ n - **1.** [brief description] esbozo m, resumen m; **in outline** en líneas generales - **2.** [silhouette] contorno m. ◇ vt [describe briefly] esbozar, resumir.

outlive [,aʊt'lɪv] vt [subj: person] sobrevivir a.

outlook ['aʊtlʊk] n - **1.** [attitude, disposition] enfoque m, actitud f - **2.** [prospect] perspectiva f (de futuro).

outlying ['aʊt,laɪɪŋ] adj [remote] lejano(na), remoto(ta); [on edge of town] periférico(ca).

outmoded [,aʊt'məʊdɪd] adj anticuado(da), pasado(da) de moda.

outnumber [,aʊt'nʌmbər] vt exceder en número.

out-of-date adj - **1.** [clothes, belief] anticuado(da), pasado(da) de moda - **2.** [passport, season ticket] caducado(da).

out of doors adv al aire libre.

out-of-the-way adj [far away] remoto(ta); [unusual] poco común.

outpatient ['aʊt,peɪʃnt] n paciente externo m, paciente externa f.

outpost ['aʊtpəʊst] n puesto m avanzado.

output ['aʊtpʊt] n - **1.** [production] producción f, rendimiento m - **2.** [COMPUT - printing out] salida f; [- printout] impresión f.

outrage ['aʊtreɪdʒ] ◇ n - **1.** [anger] indignación f - **2.** [atrocity] atrocidad f, escándalo m. ◇ vt ultrajar, atropellar.

outrageous [aʊt'reɪdʒəs] adj - **1.** [offensive, shocking] indignante, escandaloso(sa) - **2.** [very unusual] extravagante.

outright ◇ adj ['aʊtraɪt] - **1.** [categoric] categórico(ca) - **2.** [total - disaster] completo(ta);

[- victory, winner] indiscutible. ◇ adv [,aʊt'raɪt] - **1.** [ask] abiertamente; [deny] categóricamente - **2.** [win, ban] totalmente; [be killed] en el acto.

outset ['aʊtset] n: **at the outset** al principio; **from the outset** desde el principio.

outside ◇ adj ['aʊtsaɪd] - **1.** [gen] exterior - **2.** [opinion, criticism] independiente - **3.** [chance] remoto(ta). ◇ adv [,aʊt'saɪd] fuera; **to go/run/look outside** ir/correr/mirar fuera. ◇ prep ['aʊtsaɪd] fuera de; **we live half an hour outside London** vivimos a media hora de Londres. ◇ n ['aʊtsaɪd] [exterior] exterior m. ◆ **outside of** prep US [apart from] aparte de.

outside lane n carril m de adelantamiento.

outside line n línea f exterior.

outsider [,aʊt'saɪdər] n - **1.** [stranger] forastero m, -ra f - **2.** [in horse race] caballo que no es uno de los favoritos.

outsize ['aʊtsaɪz] adj - **1.** [bigger than usual] enorme - **2.** [clothes] de talla muy grande.

outskirts ['aʊtskɜːts] npl: **the outskirts** las afueras.

outsource ['aʊtsɔːs] vt COMM subcontratar.

outspoken [,aʊt'spəʊkn] adj franco(ca).

outstanding [,aʊt'stændɪŋ] adj - **1.** [excellent] destacado(da) - **2.** [not paid, unfinished] pendiente.

outstay [,aʊt'steɪ] vt: **to outstay one's welcome** quedarse más tiempo de lo debido.

outstretched [,aʊt'stretʃt] adj extendido(da).

outstrip [,aʊt'strɪp] vt lit & fig aventajar, dejar atrás.

outward ['aʊtwəd] ◇ adj - **1.** [journey] de ida - **2.** [composure, sympathy] aparente - **3.** [sign, proof] visible, exterior. ◇ adv US = **outwards**.

outwardly ['aʊtwədlɪ] adv [apparently] aparentemente, de cara al exterior.

outwards UK ['aʊtwədz], **outward** US adv hacia fuera.

outweigh [,aʊt'weɪ] vt pesar más que.

outwit [,aʊt'wɪt] vt ser más listo(ta) que.

oval ['əʊvl] ◇ adj oval, ovalado(da). ◇ n óvalo m.

Oval Office n: **the Oval Office** el Despacho Oval, oficina que tiene el presidente de Estados Unidos en la Casa Blanca.

ovary ['əʊvərɪ] n ovario m.

ovation [əʊ'veɪʃn] n ovación f; **a standing ovation** una ovación de gala (con el público en pie).

oven ['ʌvn] n horno m.

ovenproof ['ʌvnpruːf] adj refractario(ria).

over ['əʊvə^r] <> prep - 1. [directly above, on top of] encima de; **a fog hung over the river** una espesa niebla flotaba sobre el río; **put your coat over the chair** pon el abrigo encima de la silla - 2. [to cover] sobre; **she wore a veil over her face** un velo le cubría el rostro - 3. [on other side of] al otro lado de; **he lives over the road** vive enfrente - 4. [across surface of] por encima de; **they sailed over the ocean** cruzaron el océano en barco - 5. [more than] más de; **over and above** además de - 6. [senior to] por encima de - 7. [with regard to] por; **a fight over a woman** una pelea por una mujer - 8. [during] durante; **over the weekend** (en) el fin de semana. <> adv - 1. [short distance away]: **over here** aquí; **over there** allí - 2. [across]: **to cross over** cruzar; **to go over it** ir de paso - 3. [down]: **to fall over** caerse; **to push over** empujar, tirar - 4. [round]: **to turn sthg over** dar la vuelta a algo; **to roll over** darse la vuelta - 5. [more] más - 6. [remaining]: **to be (left) over** quedar, sobrar - 7. [at sb's house]: **invite them over** invítalos a casa - 8. RADIO: **over (and out)!** ¡cambio (y cierro)! - 9. [involving repetitions]: **(all) over again** otra vez desde el principio; **over and over (again)** una y otra vez. <> adj [finished] terminado(da). ◆ **all over** <> prep por todo(da). <> adv [everywhere] por todas partes. <> adj [finished] terminado(da).

overall <> adj ['əʊvərɔːl] [general] global, total. <> adv [,əʊvər'ɔːl] en conjunto. <> n ['əʊvərɔːl] - 1. [gen] guardapolvo m - 2. US [for work] mono m. ◆ **overalls** npl - 1. [for work] mono m - 2. US [dungarees] pantalones mpl de peto.

overawe [,əʊvər'ɔː] vt intimidar.

overbalance [,əʊvə'bæləns] vi perder el equilibrio.

overbearing [,əʊvə'beərɪŋ] adj pej despótico(ca).

overboard ['əʊvəbɔːd] adv: **to fall overboard** caer al agua OR por la borda; **to go overboard (about sb/sthg)** inf [be over-enthusiastic about] ponerse como loco(ca) (con alguien/algo).

overbook [,əʊvə'bʊk] vi hacer overbooking.

overcame [,əʊvə'keɪm] pt ⊳ **overcome**.

overcast ['əʊvəkɑːst] adj cubierto(ta), nublado(da).

overcharge [,əʊvə'tʃɑːdʒ] vt: **to overcharge sb (for sthg)** cobrar a alguien en exceso (por algo).

overcoat ['əʊvəkəʊt] n abrigo m.

overcome [,əʊvə'kʌm] (pt -came, pp -come) vt [deal with] vencer, superar.

overcrowded [,əʊvə'kraʊdɪd] adj [room] atestado(da) de gente; [country] superpoblado(da).

overcrowding [,əʊvə'kraʊdɪŋ] n [of country] superpoblación f; [of prison] hacinamiento m.

overdo [,əʊvə'duː] (pt -did [-dɪd], pp -done) vt - 1. pej [exaggerate] exagerar - 2. [overcook] hacer demasiado.

overdone [,əʊvə'dʌn] <> pp ⊳ **overdo**. <> adj muy hecho(cha).

overdose n ['əʊvədəʊs] sobredosis f inv.

overdraft ['əʊvədrɑːft] n [sum owed] saldo m deudor; [loan arranged] (giro m OR crédito m en) descubierto m.

overdrawn [,əʊvə'drɔːn] adj: **to be overdrawn** tener un saldo deudor.

overdue [,əʊvə'djuː] adj - 1. [late]: **to be overdue** [train] ir con retraso; [library book] estar con el plazo de préstamo caducado; **I'm overdue (for) a bit of luck** va siendo hora de tener un poco de suerte - 2. [awaited]: **(long) overdue** (largamente) esperado(da), ansiado(da) - 3. [unpaid] vencido(da) y sin pagar.

overestimate [,əʊvər'estɪmeɪt] vt sobreestimar.

overflow <> vi [,əʊvə'fləʊ] - 1. [spill over] rebosar; [river] desbordarse - 2. [go beyond limits]: **to overflow (into)** rebosar (hacia) - 3. [be very full]: **to be overflowing (with)** rebosar (de). <> n ['əʊvəfləʊ] [pipe] cañería f de desagüe.

overgrown [,əʊvə'grəʊn] adj cubierto(ta) de matojos.

overhaul <> n ['əʊvəhɔːl] - 1. [of car, machine] revisión f - 2. [of method, system] repaso m general. <> vt [,əʊvə'hɔːl] revisar.

overhead <> adj ['əʊvəhed] aéreo(a). <> adv [,əʊvə'hed] por lo alto, por encima. <> n ['əʊvəhed] (U) US gastos mpl generales. ◆ **overheads** npl gastos mpl generales.

overhead projector n retroproyector m.

overhear [,əʊvə'hɪə^r] (pt & pp -heard [-hɜːd]) vt oír por casualidad.

overheat [,əʊvə'hiːt] vi recalentarse.

overjoyed [,əʊvə'dʒɔɪd] adj: **to be overjoyed (at sthg)** estar encantado(da) (con algo).

overkill ['əʊvəkɪl] n exageración f, exceso m.

overladen [,əʊvə'leɪdn] pp ⊳ **overload**.

overland ['əʊvəlænd] <> adj terrestre. <> adv por tierra.

overlap vi [,əʊvə'læp] [cover each other] superponerse.

overleaf [,əʊvə'liːf] adv al dorso.

overload [,əʊvə'ləʊd] (pp -loaded OR -laden) vt sobrecargar.

overlook [,əʊvə'lʊk] vt - 1. [look over] mirar OR dar a - 2. [disregard, miss] pasar por alto - 3. [forgive] perdonar.

overnight <> adj ['əʊvənaɪt] - 1. [for all of night] de noche, nocturno(na) - 2. [for a night's

stay - clothes] para una noche - **3.** [very sudden] súbito(ta). ⟨⟩ *adv* [,əʊvə'naɪt] - **1.** [for all of night] durante la noche - **2.** [very suddenly] de la noche a la mañana.

overpass ['əʊvəpɑːs] *n* US paso *m* elevado.

overpower [,əʊvə'paʊər] *vt* - **1.** [in fight] vencer, subyugar - **2.** fig [overwhelm] sobreponerse a, vencer.

overpowering [,əʊvə'paʊərɪŋ] *adj* arrollador(ra), abrumador(ra).

overran [,əʊvə'ræn] *pt* ⟶ **overrun**.

overrated [,əʊvə'reɪtɪd] *adj* sobreestimado(da).

override [,əʊvə'raɪd] (*pt* -**rode**, *pp* -**ridden**) *vt* - **1.** [be more important than] predominar sobre - **2.** [overrule] desautorizar.

overriding [,əʊvə'raɪdɪŋ] *adj* predominante.

overrode [,əʊvə'rəʊd] *pt* ⟶ **override**.

overrule [,əʊvə'ruːl] *vt* [person] desautorizar; [decision] anular; [request] denegar.

overrun [,əʊvə'rʌn] ⟨⟩ *vt* (*pt* -**ran**, *pp* -**run**) - **1.** MIL [enemy, army] apabullar, arrasar; [country] ocupar, invadir - **2.** fig [cover]: **to be overrun with** estar invadido(da) de. ⟨⟩ *vi* (*pt* -**ran**, *pp* -**run**) rebasar el tiempo previsto.

oversaw [,əʊvə'sɔː] *pt* ⟶ **oversee**.

overseas ⟨⟩ *adj* ['əʊvəsiːz] - **1.** [in or to foreign countries - market] exterior; [- sales, aid] al extranjero; [- network, branches] en el extranjero - **2.** [from abroad] extranjero(ra). ⟨⟩ *adv* [,əʊvə'siːz] [go, travel] al extranjero; [study, live] en el extranjero.

oversee [,əʊvə'siː] (*pt* -**saw**, *pp* -**seen** [-'siːn]) *vt* supervisar.

overseer ['əʊvə,siːər] *n* supervisor *m*, -ra *f*.

overshadow [,əʊvə'ʃædəʊ] *vt* - **1.** [be more important than]: **to be overshadowed by** ser eclipsado(da) por - **2.** [mar]: **to be overshadowed by sthg** ser ensombrecido(da) por algo.

overshoot [,əʊvə'ʃuːt] (*pt* & *pp* -**shot**) *vt* [go past] pasarse.

oversight ['əʊvəsaɪt] *n* descuido *m*.

oversleep [,əʊvə'sliːp] (*pt* & *pp* -**slept** [-'slept]) *vi* no despertarse a tiempo, quedarse dormido(da).

overspill ['əʊvəspɪl] *n* exceso *m* de población.

overstep [,əʊvə'step] *vt* pasar de; **to overstep the mark** pasarse de la raya.

overt ['əʊvɜːt] *adj* abierto(ta), evidente.

overtake [,əʊvə'teɪk] *vt* (*pt* -**took**, *pp* -**taken** [-'teɪkn]) - **1.** AUT adelantar - **2.** [subj: event] coger de improviso.

overthrow *vt* [,əʊvə'θrəʊ] (*pt* -**threw**, *pp* -**thrown**) [oust] derrocar.

overtime ['əʊvətaɪm] ⟨⟩ *n* (U) - **1.** [extra work] horas *fpl* extra - **2.** US SPORT (tiempo *m* de) descuento *m*. ⟨⟩ *adv*: **to work overtime** trabajar horas extra.

overtones ['əʊvətəʊnz] *npl* matiz *m*.

overtook [,əʊvə'tʊk] *pt* ⟶ **overtake**.

overture ['əʊvə,tjʊər] *n* MUS obertura *f*.

overturn [,əʊvə'tɜːn] ⟨⟩ *vt* - **1.** [turn over] volcar - **2.** [overrule] rechazar - **3.** [overthrow] derrocar, derrumbar. ⟨⟩ *vi* [vehicle] volcar; [boat] zozobrar.

overweight [,əʊvə'weɪt] *adj* grueso(sa), gordo(da).

overwhelm [,əʊvə'welm] *vt* - **1.** [make helpless] abrumar - **2.** [defeat] aplastar.

overwhelming [,əʊvə'welmɪŋ] *adj* - **1.** [despair, kindness] abrumador(ra) - **2.** [defeat, majority] aplastante.

overwork [,əʊvə'wɜːk] ⟨⟩ *n* trabajo *m* excesivo. ⟨⟩ *vt* [give too much work to] hacer trabajar demasiado.

overwrought [,əʊvə'rɔːt] *adj* fml nerviosísimo(ma), sobreexcitado(da).

owe [əʊ] *vt*: **to owe sthg to sb, to owe sb sthg** deber algo a alguien.

owing ['əʊɪŋ] *adj* que se debe. ⬥ **owing to** *prep* debido a.

owl [aʊl] *n* búho *m*, lechuza *f*.

own [əʊn] ⟨⟩ *adj*: **my/your/his** etc **own car** mi/tu/su etc propio coche. ⟨⟩ *pron*: **my own** el mío (la mía); **his/her own** el suyo (la suya); **a house of my/his own** mi/su propia casa; **on one's own** solo(la); **to get one's own back** inf tomarse la revancha, desquitarse. ⟨⟩ *vt* poseer, tener. ⬥ **own up** *vi*: **to own up (to sthg)** confesar (algo).

owner ['əʊnər] *n* propietario *m*, -ria *f*.

ownership ['əʊnəʃɪp] *n* propiedad *f*.

ox [ɒks] (*pl* **oxen**) *n* buey *m*.

Oxbridge ['ɒksbrɪdʒ] *n* (U) las universidades de Oxford y Cambridge.

oxen ['ɒksn] *npl* ⟶ **ox**.

oxtail soup ['ɒksteɪl-] *n* sopa *f* de rabo de buey.

oxygen ['ɒksɪdʒən] *n* oxígeno *m*.

oxygen mask *n* máscara *f* de oxígeno.

oxygen tent *n* tienda *f* de oxígeno.

oyster ['ɔɪstər] *n* ostra *f*.

oz. *abbr of* **ounce**.

ozone ['əʊzəʊn] *n* ozono *m*.

ozone-friendly *adj* que no daña a la capa de ozono.

ozone layer *n* capa *f* de ozono.

p [1] (*pl* **p's** OR **ps**), **P** (*pl* **P's** OR **Ps**) [piː] *n* [letter] p *f*, P *f*.

p [2] - **1.** (*abbr of* **page**) p., pág. - **2.** *UK abbr of* **penny**, **pence**.

pa [pɑː] *n esp US inf* papá *m*.

p.a. (*abbr of* **per annum**) p.a.

PA ⬦ *n* - **1.** *UK abbr of* **personal assistant** - **2.** *abbr of* **public-address system**. ⬦ *abbr of* **Pennsylvania**.

pace [peɪs] ⬦ *n* paso *m*, ritmo *m*; **to keep pace (with sthg)** [change, events] mantenerse al corriente (de algo); **to keep pace (with sb)** seguir el ritmo a (alguien). ⬦ *vi*: **to pace (up and down)** pasearse de un lado a otro.

pacemaker ['peɪsˌmeɪkər] *n* - **1.** MED marcapasos *m inv* - **2.** [in race] liebre *f*.

Pacific [pə'sɪfɪk] ⬦ *adj* del Pacífico. ⬦ *n*: **the Pacific (Ocean)** el (océano) Pacífico.

pacifier ['pæsɪfaɪər] *n US* [for child] chupete *m*.

pacifist ['pæsɪfɪst] *n* pacifista *mf*.

pacify ['pæsɪfaɪ] *vt* [person, mob] calmar, apaciguar.

pack [pæk] ⬦ *n* - **1.** [bundle] lío *m*, fardo *m*; [rucksack] mochila *f* - **2.** *esp US* [packet] paquete *m* - **3.** [of cards] baraja *f* - **4.** [of dogs] jauría *f*; [of wolves] manada *f*; *pej* [of people] banda *f*; **a pack of lies** una sarta de mentira. ⬦ *vt* - **1.** [for journey - bags, suitcase] hacer; [- clothes etc] meter (en la maleta) - **2.** [put in parcel] empaquetar; [put in container] envasar - **3.** [fill] llenar, abarrotar; **to be packed into sthg** estar apretujados dentro de algo. ⬦ *vi* hacer las maletas. ◆ **pack in** *inf* ⬦ *vt sep UK* [stop] dejar; **pack it in!** ¡déjalo!, ¡ya basta! ⬦ *vi* [break down] escacharrarse. ◆ **pack off** *vt sep inf* enviar, mandar.

package ['pækɪdʒ] ⬦ *n* [gen & COMPUT] paquete *m*. ⬦ *vt* [wrap up] envasar.

package deal *n* convenio *m* OR acuerdo *m* global.

package tour *n* vacaciones *fpl* con todo incluido.

packaging ['pækɪdʒɪŋ] *n* [wrapping] envasado *m*.

packed [pækt] *adj*: **packed (with)** repleto(ta) (de).

packed lunch *n UK* almuerzo preparado de antemano que se lleva uno al colegio, a la oficina etc.

packed-out *adj UK inf* a tope.

packet ['pækɪt] *n* [gen] paquete *m*; [of crisps, sweets] bolsa *f*.

packing ['pækɪŋ] *n* - **1.** [protective material] embalaje *m* - **2.** [for journey]: **to do the packing** hacer el equipaje.

packing case *n* cajón *m* de embalaje.

pact [pækt] *n* pacto *m*.

pad [pæd] ⬦ *n* - **1.** [of material] almohadilla *f* - **2.** [of cotton wool] tampón *m* - **3.** [of paper] bloc *m* - **4.** [of spacecraft]: **(launch) pad** plataforma *f* (de lanzamiento) - **5.** *inf dated* [home] casa *f*. ⬦ *vt* acolchar, rellenar. ⬦ *vi* [walk softly] andar con suavidad.

padding ['pædɪŋ] *n* (U) - **1.** [in jacket, chair] relleno *m* - **2.** [in speech] paja *f*.

paddle ['pædl] ⬦ *n* - **1.** [for canoe, dinghy] pala *f*, canalete *m*; *US* [for table tennis] pala *f* - **2.** [walk in sea] paseo *m* por la orilla. ⬦ *vt UK* remar en. ⬦ *vi* - **1.** [in canoe] remar - **2.** [person - in sea] pasear por la orilla.

paddle boat, paddle steamer *n* vapor *m* de paletas OR ruedas.

paddling pool ['pædlɪŋ-] *n UK* [inflatable] piscina *f* inflable.

paddock ['pædək] *n* - **1.** [small field] potrero *m*, corral *m* - **2.** [at racecourse] paddock *m*.

paddy field ['pædɪ-] *n* arrozal *m*.

padlock ['pædlɒk] ⬦ *n* candado *m*. ⬦ *vt* cerrar con candado.

paediatrics [ˌpiːdɪ'ætrɪks] *UK* = **pediatrics**.

pagan ['peɪgən] ⬦ *adj* pagano(na). ⬦ *n* pagano *m*, -na *f*.

page [peɪdʒ] ⬦ *n* [of book, newspaper] página *f*. ⬦ *vt* - **1.** [in hotel, airport] llamar por megafonía - **2.** [using an electronic pager] llamar por el busca.

pageant ['pædʒənt] *n* desfile *m*.

pageantry ['pædʒəntrɪ] *n* boato *m*.

paid [peɪd] ⬦ *pt & pp* ▷ **pay**. ⬦ *adj* [holiday, leave] pagado(da); [work, staff] remunerado(da); **badly/well paid** mal/bien pagado.

pail [peɪl] *n* cubo *m*.

pain [peɪn] *n* - **1.** [ache] dolor *m*; **to be in pain** sufrir dolor - **2.** [mental suffering] pena *f*, sufrimiento *m* - **3.** *inf* [annoyance - person] pesado *m*, -da *f*; [- thing] pesadez *f*. ◆ **pains** *npl* [effort, care] esfuerzos *mpl*; **to be at pains to do sthg** afanarse por hacer algo.

pained [peɪnd] *adj* apenado(da).

painful ['peɪnfʊl] *adj* [back, eyes] dolorido(da); [injury, exercise, memory] doloroso(sa).

painfully ['peɪnfʊlɪ] *adv* - **1.** [causing pain] dolorosamente - **2.** [extremely] terriblemente.

painkiller ['peɪnˌkɪlər] *n* analgésico *m*.

painless ['peɪnlɪs] *adj* - 1. [physically] indoloro(ra) - 2. [emotionally] sin complicaciones.

painstaking ['peɪnz,teɪkɪŋ] *adj* meticuloso(sa), minucioso(sa).

paint [peɪnt] ◇ *n* pintura f. ◇ *vt* pintar; **to paint the ceiling white** pintar el techo de blanco; **to paint one's lips/nails** pintarse los labios/las uñas. ◇ *vi* pintar.

paintbrush ['peɪntbrʌʃ] *n* - 1. ART pincel *m* - 2. [of decorator] brocha f.

painter ['peɪntə^r] *n* pintor *m*, -ra f; **painter and decorator** pintor *m*, -ra f y decorador, -ra f.

painting ['peɪntɪŋ] *n* - 1. [picture] cuadro *m*, pintura f - 2. (*U*) [art form, trade] pintura f.

paint stripper *n* quitapinturas f inv.

paintwork ['peɪntwɜːk] *n* (*U*) pintura f.

pair [peə^r] *n* - 1. [of shoes, socks, wings] par *m*; [of aces] pareja f - 2. [two-part object]: **a pair of scissors** unas tijeras; **a pair of trousers** unos pantalones - 3. [couple - of people] pareja f.

pajamas [pə'dʒɑːməz] *esp US* = **pyjamas**.

Pakistan [*UK* ,pɑːkɪ'stɑːn, *US* ,pækɪ'stæn] *n* (el) Paquistán.

Pakistani [*UK* ,pɑːkɪ'stɑːnɪ, *US* ,pækɪ'stænɪ] ◇ *adj* paquistaní. ◇ *n* paquistaní mf.

pal [pæl] *n inf* [friend] amiguete *m*, -ta f, colega mf.

palace ['pælɪs] *n* palacio *m*.

palatable ['pælətəbl] *adj* - 1. [pleasant to taste] sabroso(sa) - 2. [acceptable] aceptable.

palate ['pælət] *n* paladar *m*.

palaver [pə'lɑːvə^r] *n UK inf* [fuss] follón *m*.

pale [peɪl] ◇ *adj* - 1. [colour, clothes, paint] claro(ra); [light] tenue - 2. [person, skin] pálido(da); **to turn pale** palidecer. ◇ *vi* palidecer.

Palestine ['pælɪ,staɪn] *n* Palestina.

Palestinian [,pælə'stɪnɪən] ◇ *adj* palestino(na). ◇ *n* [person] palestino *m*, -na f.

palette ['pælət] *n* paleta f.

palings ['peɪlɪŋz] *npl* empalizada f.

pall [pɔːl] ◇ *n* - 1. [of smoke] nube f, cortina f - 2. *US* [coffin] féretro *m*. ◇ *vi* hacerse pesado(da).

pallet ['pælɪt] *n* palet *m*.

palliative care *n* (*U*) MED cuidados *mpl* paliativos.

pallor ['pælə^r] *n liter* palidez f.

palm [pɑːm] *n* - 1. [tree] palmera f - 2. [of hand] palma f; **to read sb's palm** leerle la mano a alguien. ◆ **palm off** *vt sep inf*: **to palm sthg off on sb** endosar OR encasquetar algo a alguien; **to palm sthg off as** hacer pasar algo por.

Palm Sunday *n* Domingo *m* de Ramos.

palm tree *n* palmera f.

palpable ['pælpəbl] *adj* palpable.

paltry ['pɔːltrɪ] *adj* mísero(ra).

pamper ['pæmpə^r] *vt* mimar.

pamphlet ['pæmflɪt] *n* [publicity, information] folleto *m*; [political] panfleto *m*.

pan [pæn] ◇ *n* - 1. [saucepan] cazuela f, cacerola f; [frying pan] sartén f - 2. *US* [for bread, cakes etc] molde *m*. ◇ *vt inf* [criticize] poner por los suelos. ◇ *vi* CIN: **the camera pans right/left** la cámara se mueve hacia la derecha/la izquierda. ◆ **pan out** *vi inf* [happen succesfully] resultar, salir.

panacea [,pænə'sɪə] *n*: **a panacea (for)** la panacea (de).

Panama ['pænə,mɑː] *n* Panamá.

Panama Canal *n*: **the Panama Canal** el canal de Panamá.

pancake ['pænkeɪk] *n* torta f, crepe f, panqueque *m*, panqué *m Amér C & Col*, crepa f *Méx*, panqueca f *Ven*.

Pancake Day *n UK* ≃ Martes *m inv* de Carnaval.

panda ['pændə] (*pl* panda OR -s) *n* panda *m*.

Panda car *n UK* coche *m* patrulla, auto *m* patrulla *Amér C, Méx & Chile*, patrullero *m*, patrulla f *Col & Méx*.

pandemonium [,pændɪ'məʊnjəm] *n* pandemónium *m*, jaleo *m*; **it was pandemonium** fue un auténtico pandemónium.

pander ['pændə^r] *vi*: **to pander to** complacer a.

pane [peɪn] *n* (hoja f de) cristal *m*.

panel ['pænl] *n* - 1. [group of people] equipo *m*; [in debates] mesa f - 2. [of wood, metal] panel *m* - 3. [of a machine] tablero *m*, panel *m*.

panelling *UK*, **paneling** *US* ['pænəlɪŋ] *n* (*U*) [on a ceiling] artesonado *m*; [on a wall] paneles *mpl*.

pang [pæŋ] *n* punzada f.

panic ['pænɪk] ◇ *n* pánico *m*; **to be in a panic about sthg** ponerse muy nervioso por algo. ◇ *vi* (*pt & pp* -ked, *cont* -king) aterrarse; **don't panic** que no cunda el pánico.

panicky ['pænɪkɪ] *adj*: **he feels panicky** tiene pánico; **she got panicky** le entró el pánico.

panic-stricken *adj* preso(sa) OR víctima del pánico.

panorama [,pænə'rɑːmə] *n* panorama *m*.

pant [pænt] *vi* jadear.

panther ['pænθə^r] (*pl* panther OR -s) *n* pantera f.

panties ['pæntɪz] *npl US* bragas *fpl*, calzones *mpl Amér*, pantaletas *fpl Amér C & Méx*, bombacha f *R Plata*, blúmer *m Amér C*.

pantihose ['pæntɪhəʊz] = **panty hose**.

pantomime ['pæntəmaɪm], **panto** *n* - 1. *UK obra musical humorística para niños celebrada en Navidad* - 2. [mime] pantomima f.

pantry ['pæntrɪ] n despensa f.

pants [pænts] <> npl - **1.** UK [underpants] calzoncillos mpl - **2.** US [trousers] pantalones mpl. <> adj UK inf [bad]: **to be pants** ser un churro.

pantsuit ['pæntsu:t] n traje m pantalón.

panty hose, pantihose ['pæntɪ-] npl US medias fpl.

papa [UK pə'pɑː, US 'pæpə] n papá m.

paper ['peɪpə'] <> n - **1.** (U) [material] papel m; **piece of paper** [sheet] hoja f de papel; [scrap] trozo m de papel - **2.** [newspaper] periódico m - **3.** UK [in exam] examen m - **4.** [essay - gen] estudio m, ensayo m; [- for conference] ponencia f. <> adj [made of paper] de papel. <> vt empapelar. **papers** npl [official documents] documentación f.

paperback ['peɪpəbæk] n libro m en rústica.

paper clip n clip m.

paper handkerchief n pañuelo m de papel, klínex® m inv.

paper knife n abrecartas m inv.

paper shop n UK quiosco m de periódicos.

paper towel n toallita f de papel.

paper tray n bandeja f de papel.

paperweight ['peɪpəweɪt] n pisapapeles m inv.

paperwork ['peɪpəwɜːk] n papeleo m.

papier-mâché [,pæpjeɪ'mæʃeɪ] n cartón m piedra.

paprika ['pæprɪkə] n pimentón m.

Pap smear, Pap test n US citología f.

par [pɑːʳ] n - **1.** [parity]: **on a par with** al mismo nivel que - **2.** GOLF par m; **under/over par** bajo/sobre par.

parable ['pærəbl] n parábola f.

parachute ['pærəʃuːt] n paracaídas m inv.

parade [pə'reɪd] <> n [procession] desfile m; **on parade** MIL pasando revista. <> vt - **1.** [soldiers] hacer desfilar; [criminals, captives] pasear - **2.** fig [flaunt] hacer alarde de. <> vi desfilar.

paradise ['pærədaɪs] n fig paraíso m.

paradox ['pærədɒks] n paradoja f.

paradoxically [,pærə'dɒksɪklɪ] adv paradójicamente.

paraffin ['pærəfɪn] n parafina f.

paragliding ['pærə,glaɪdɪŋ] n parapente m.

paragraph ['pærəgrɑːf] n párrafo m.

Paraguay ['pærəgwaɪ] n (el) Paraguay.

Paraguayan [,pærə'gwaɪən] <> adj paraguayo(ya). <> n paraguayo m, -ya f.

paralegal [,pærə'liːgl] n US ayudante de un abogado.

parallel ['pærəlel] <> adj: **parallel (to OR with)** paralelo(la) (a). <> n - **1.** [parallel line, sur-

face] paralela f - **2.** [something, someone similar]: **to have no parallel** no tener precedente - **3.** [similarity] semejanza f - **4.** GEOG paralelo m.

paralyse UK, **paralyze** US ['pærəlaɪz] vt lit & fig paralizar.

paralysis [pə'rælɪsɪs] (pl **-lyses** [-lɪsiːz]) n parálisis f inv.

paramedic [,pærə'medɪk] n esp US auxiliar sanitario m, auxiliar sanitaria f.

parameter [pə'ræmɪtəʳ] n parámetro m.

paramount ['pærəmaʊnt] adj vital, fundamental; **of paramount importance** de suma importancia.

paranoid ['pærənɔɪd] adj paranoico(ca).

paraphernalia [,pærəfə'neɪljə] n parafernalia f.

parasite ['pærəsaɪt] n parásito m, -ta f.

parasol ['pærəsɒl] n sombrilla f.

paratrooper ['pærətruːpəʳ] n paracaidista mf (del ejército).

parcel ['pɑːsl] n paquete m. **parcel up** vt sep (UK pt & pp **-led**, cont **-ling**, US pt & pp **-ed**, cont **-ing**) UK empaquetar.

parcel post n (servicio m de) paquete m postal.

parched [pɑːtʃt] adj - **1.** [throat, mouth] muy seco(ca); [lips] quemado(da) - **2.** inf [very thirsty] seco(ca).

parchment ['pɑːtʃmənt] n [paper] pergamino m.

pardon ['pɑːdn] <> n - **1.** LAW perdón m, indulto m - **2.** [forgiveness] perdón m; **I beg your pardon?** [showing surprise, asking for repetition] ¿perdón?, ¿cómo (dice)?; **I beg your pardon** [to apologize] le ruego me disculpe, perdón. <> vt - **1.** [forgive]: **to pardon sb (for sthg)** perdonar a alguien (por algo); **pardon?** ¿perdón?, ¿cómo (dice)?; **pardon me** [touching sb accidentally, belching] discúlpeme, perdón; [excuse me] con permiso - **2.** LAW indultar.

parent ['peərənt] n [father] padre m; [mother] madre f. **parents** npl padres mpl.

parental [pə'rentl] adj de los padres.

parenthesis [pə'renθɪsɪs] (pl **-theses** [-θɪsiːz]) n paréntesis m inv; **in parenthesis** entre paréntesis.

parish ['pærɪʃ] n - **1.** [of church] parroquia f - **2.** UK [area of local government] ≃ municipio m.

parity ['pærətɪ] n: **parity (with/between)** igualdad f (con/entre).

park [pɑːk] <> n parque m. <> vt & vi aparcar, estacionar Amér, parquear Amér.

park-and-ride n aparcamiento m disuasorio Esp.

parking ['pɑːkɪŋ] n aparcamiento m Esp, estacionamiento m Amér; **'no parking'** 'prohibido aparcar'.

parking lot n US aparcamiento m (al aire libre).

parking meter n parquímetro m.

parking ticket n multa f por aparcamiento indebido, multa f por estacionamiento indebido Amér.

parlance ['pɑːləns] n: **in common/legal parlance** en el habla común/legal, en el lenguaje común/legal.

parliament ['pɑːləmənt] n - 1. [assembly, institution] parlamento m - 2. [session] legislatura f.

parliamentary [,pɑːlə'mentərı] adj parlamentario(ria).

parlour UK, **parlor** US ['pɑːlər] n dated salón m.

parochial [pə'rəʊkjəl] adj - 1. pej de miras estrechas - 2.: **parochial school** US colegio m privado religioso.

parody ['pærədı] ⟨⟩ n parodia f. ⟨⟩ vt parodiar.

parole [pə'rəʊl] n libertad f condicional (bajo palabra); **on parole** en libertad condicional.

parquet ['pɑːkeı] n parqué m.

parrot ['pærət] n loro m.

parry ['pærı] vt [blow] parar; [attack] desviar.

parsimonious [,pɑːsı'məʊnjəs] adj fml & pej mezquino(na), tacaño(ña).

parsley ['pɑːslı] n perejil m.

parsnip ['pɑːsnıp] n chirivía f.

parson ['pɑːsn] n párroco m.

part [pɑːt] ⟨⟩ n - 1. [gen] parte f; **the best OR better part of** la mayor parte de; **for the most part** en su mayoría - 2. [component] pieza f - 3. THEAT papel m - 4. [involvement]: **part (in)** participación f (en); **to play an important part (in)** desempeñar OR jugar un papel importante (en) - 5. US [hair parting] raya f. ⟨⟩ adv en parte. ⟨⟩ vt - 1. [lips, curtains] abrir - 2. [hair] peinar con raya. ⟨⟩ vi - 1. [leave one another] separarse - 2. [separate - lips, curtains] abrirse. **part with** vt insep separarse de.

part exchange n UK sistema de pagar parte de algo con un artículo usado; **in part exchange** como parte del pago.

partial ['pɑːʃl] adj - 1. [incomplete, biased] parcial - 2. [fond]: **partial to** amigo(ga) de, aficionado(da) a.

participant [pɑː'tısıpənt] n participante mf.

participate [pɑː'tısıpeıt] vi: **to participate (in)** participar (en).

participation [pɑː,tısı'peıʃn] n participación f.

participle ['pɑːtısıpl] n participio m.

particle ['pɑːtıkl] n partícula f.

particular [pə'tıkjʊlər] adj - 1. [specific, unique] en particular OR especial; **did you want any particular colour?** ¿quería algún color en particular? - 2. [extra, greater] especial - 3. [difficult] exigente. **particulars** npl [of person] datos mpl; [of thing] detalles mpl. **in particular** adv en particular.

particularly [pə'tıkjʊləlı] adv especialmente.

parting ['pɑːtıŋ] n - 1. [separation] despedida f - 2. UK [in hair] raya f.

partisan [,pɑːtı'zæn] ⟨⟩ adj partidista. ⟨⟩ n [freedom fighter] partisano m, -na f.

partition [pɑː'tıʃn] ⟨⟩ n - 1. [wall] tabique m; [screen] separación f - 2. COMPUT partición f. ⟨⟩ vt - 1. [room] dividir con tabiques - 2. [country] dividir - 3. COMPUT crear particiones en.

partly ['pɑːtlı] adv en parte.

partner ['pɑːtnər] n - 1. [spouse, lover] pareja f - 2. [in an activity] compañero m, -ra f - 3. [in a business] socio m, -cia f - 4. [ally] colega mf.

partnership ['pɑːtnəʃıp] n - 1. [relationship] asociación f - 2. [business] sociedad f.

partridge ['pɑːtrıdʒ] n perdiz f.

part-time ⟨⟩ adj a tiempo parcial. ⟨⟩ adv a tiempo parcial.

party ['pɑːtı] n - 1. POL partido m - 2. [social gathering] fiesta f - 3. [group] grupo m - 4. LAW parte f.

party line n - 1. POL línea f (política) del partido - 2. TELEC línea f (telefónica) compartida.

pass [pɑːs] ⟨⟩ n - 1. [in football, rugby, hockey] pase m; [in tennis] passing-shot m - 2. [document, permit] pase m; **travel pass** tarjeta f OR abono m de transportes - 3. UK [successful result] aprobado m - 4. [route between mountains] puerto m. ▸▸▸ **to make a pass at sb** intentar ligar con alguien. ⟨⟩ vt - 1. [gen] pasar - 2. [move past - thing] pasar por (delante de); [- person] pasar delante de; **to pass sb in the street** cruzarse con alguien - 3. AUT adelantar - 4. [exceed] sobrepasar - 5. [exam, candidate, law] aprobar - 6. [opinion, judgement] formular; [sentence] dictar. ⟨⟩ vi - 1. [gen] pasar - 2. AUT adelantar - 3. [in exam] aprobar - 4. [occur] transcurrir. **pass as, pass for** vt insep pasar por. **pass away, pass on** vi fallecer. **pass by** ⟨⟩ vt sep [subj: people] hacer caso omiso a; [subj: events, life] pasar desapercibido(da) a. ⟨⟩ vi pasar cerca. **pass for** vt insep = **pass as**. **pass on** ⟨⟩ vt sep: **to pass sth on (to)** pasar algo (a). ⟨⟩ vi - 1. [move on] continuar - 2. = **pass away**. **pass out** vi - 1. [faint] desmayarse - 2. UK MIL graduarse. **pass over** vt insep pasar por alto. **pass up** vt sep dejar pasar OR escapar.

passable ['pɑːsəbl] *adj* - **1.** [satisfactory] pasable - **2.** [not blocked] transitable.

passage ['pæsɪdʒ] *n* - **1.** [corridor - between houses] pasadizo *m*, pasaje *m*; [- between rooms] pasillo *m* - **2.** [of music, speech] pasaje *m* - **3.** *fml* [of vehicle, person, time] paso *m* - **4.** [sea journey] travesía *f*.

passageway ['pæsɪdʒweɪ] *n* [between houses] pasadizo *m*, pasaje *m*; [between rooms] pasillo *m*.

passbook ['pɑːsbʊk] *n* ≃ cartilla *f* OR libreta *f* de banco.

passenger ['pæsɪndʒər] *n* pasajero *m*, -ra *f*.

passerby [,pɑːsə'baɪ] (*pl* **passersby** [,pɑːsəz'baɪ]) *n* transeúnte *mf*.

passing ['pɑːsɪŋ] ◇ *adj* [fad] pasajero(ra); [remark] de pasada. ◇ *n* transcurso *m*. ◈ **in passing** *adv* de pasada.

passion ['pæʃn] *n*: **passion (for)** pasión *f* (por).

passionate ['pæʃənət] *adj* apasionado(da).

passive ['pæsɪv] *adj* pasivo(va).

Passover ['pɑːs,əʊvər] *n*: **(the) Passover** (la) Pascua judía.

passport ['pɑːspɔːt] *n* pasaporte *m*; **passport to sthg** *fig* pasaporte a algo.

passport control *n* UK control *m* de pasaportes.

password ['pɑːswɜːd] *n* [gen & COMPUT] contraseña *f*.

past [pɑːst] ◇ *adj* - **1.** [former] anterior - **2.** [most recent] último(ma); **over the past week** durante la última semana - **3.** [finished] terminado(da). ◇ *adv* - **1.** [telling the time]: **it's ten past six** son y diez - **2.** [beyond, in front] por delante; **to walk/run past** pasar andando/corriendo. ◇ *n* - **1.** [time]: **the past** el pasado - **2.** [personal history] pasado *m*. ◇ *prep* - **1.** [telling the time]: **it's five/half/a quarter past ten** son las diez y cinco/media/cuarto - **2.** [alongside, in front of] por delante de; **to walk/run past sthg** pasar algo andando/corriendo - **3.** [beyond] más allá de; **it's past the bank** está pasado el banco.

pasta ['pæstə] *n* (U) pasta *f*.

paste [peɪst] ◇ *n* - **1.** [smooth mixture] pasta *f* - **2.** [food] paté *m* - **3.** [glue] engrudo *m*. ◇ *vt* [labels, stamps] pegar; [surface] engomar, engrudar; COMPUT pegar.

pastel ['pæstl] ◇ *adj* pastel (*inv*). ◇ *n* ART [crayon] pastel *m*.

pasteurize, -ise ['pɑːstʃəraɪz] *vt* pasteurizar.

pastille ['pæstɪl] *n* UK pastilla *f*.

pastime ['pɑːstaɪm] *n* pasatiempo *m*.

pastor ['pɑːstər] *n* RELIG pastor *m*.

past participle *n* participio *m* pasado.

pastry ['peɪstrɪ] *n* - **1.** [mixture] pasta *f*, masa *f* - **2.** [cake] pastel *m*.

past tense *n*: **the past tense** el pasado.

pasture ['pɑːstʃər] *n* pasto *m*.

pasty[1] ['peɪstɪ] *adj* pálido(da).

pasty[2] ['pæstɪ] *n* UK empanada *f*.

pat [pæt] ◇ *n* [of butter etc] porción *f*. ◇ *vt* [gen] golpear ligeramente; [dog] acariciar; **to pat sb on the back/hand** darle a alguien una palmadita en la espalda/la mano.

patch [pætʃ] ◇ *n* - **1.** [for mending] remiendo *m*; [on elbow] codera *f*; [to cover eye] parche *m* - **2.** [part of surface] área *f* - **3.** [area of land] bancal *m*, parcela *f* - **4.** [period of time] periodo *m* - **5.** COMPUT parche *m*. ◇ *vt* remendar. ◈ **patch up** *vt sep* - **1.** [mend] reparar - **2.** [resolve - relationship] salvar; **we have patched things up** hemos hecho las paces.

patchwork ['pætʃwɜːk] *adj* de trozos de distintos colores y formas.

patchy ['pætʃɪ] *adj* - **1.** [uneven - fog, sunshine] irregular; [- colour] desigual - **2.** [incomplete] deficiente, incompleto(ta) - **3.** [good in parts] irregular.

pâté ['pæteɪ] *n* paté *m*.

patent [UK 'peɪtənt, US 'pætənt] ◇ *adj* [obvious] patente, evidente. ◇ *n* patente *f*. ◇ *vt* patentar.

patent leather *n* charol *m*.

paternal [pə'tɜːnl] *adj* [love, attitude] paternal; [grandmother, grandfather] paterno(na).

paternity [pə'tɜːnətɪ] *n* paternidad *f*.

path [pɑːθ, *pl* pɑːðz] *n* - **1.** [track, way ahead] camino *m* - **2.** COMPUT camino *m* - **3.** [trajectory - of bullet] trayectoria *f*; [- of flight] rumbo *m* - **4.** [course of action] curso *m*.

pathetic [pə'θetɪk] *adj* - **1.** [causing pity] patético(ca), lastimoso(sa) - **2.** [attempt, person] inútil; [actor, film] malísimo(ma).

pathname ['pɑːθneɪm] *n* camino *m*.

pathological [,pæθə'lɒdʒɪkl] *adj* patológico(ca).

pathology [pə'θɒlədʒɪ] *n* patología *f*.

pathos ['peɪθɒs] *n* patetismo *m*.

pathway ['pɑːθweɪ] *n* camino *m*, sendero *m*.

patience ['peɪʃns] *n* - **1.** [quality] paciencia *f* - **2.** UK [card game] solitario *m*.

patient ['peɪʃnt] ◇ *adj* paciente. ◇ *n* paciente *mf*.

patio ['pætɪəʊ] (*pl* -s) *n* [paved] área pavimentada al lado de una casa utilizada para el esparcimiento.

patriotic [UK ,pætrɪ'ɒtɪk, US ,peɪtrɪ'ɒtɪk] *adj* patriótico(ca).

patrol [pə'trəʊl] ◇ *n* patrulla *f*. ◇ *vt* patrullar.

patrol car n coche m patrulla, auto m patrulla Amér C, Méx & Chile, patrullero m, patrulla f Col & Méx.

patrolman [pə'trəʊlmən] (pl -men [-mən]) n US policía m, guardia m.

patron ['peɪtrən] n - 1. [of arts] mecenas mf inv - 2. UK [of charity, campaign] patrocinador m, -ra f - 3. fml [customer] cliente mf.

patronize, -ise ['pætrənaɪz] vt - 1. pej [talk down to] tratar con aire paternalista OR condescendiente - 2. fml [back financially] patrocinar.

patronizing ['pætrənaɪzɪŋ] adj pej paternalista, condescendiente.

patter ['pætər] ◇ n - 1. [of raindrops] repiqueteo m; [of feet] pasitos mpl - 2. [sales talk] charlatanería f. ◇ vi [dog, feet] corretear; [rain] repiquetear.

pattern ['pætən] n - 1. [design] dibujo m, diseño m - 2. [of life, work] estructura f; [of illness, events] desarrollo m, evolución f - 3. [for sewing, knitting] patrón m - 4. [model] modelo m.

paunch [pɔ:ntʃ] n barriga f, panza f.

pauper ['pɔ:pər] n indigente mf.

pause [pɔ:z] ◇ n pausa f. ◇ vi - 1. [stop speaking] hacer una pausa - 2. [stop moving, doing sthg] detenerse.

pave [peɪv] vt pavimentar; **to pave the way for** preparar el terreno para.

pavement ['peɪvmənt] n - 1. UK [at side of road] acera f, andén m Amér C & Col, vereda f Perú, banqueta f Amér C & Méx - 2. US [roadway] calzada f.

pavilion [pə'vɪljən] n - 1. UK [at sports field] vestuarios mpl - 2. [at exhibition] pabellón m.

paving ['peɪvɪŋ] n (U) pavimento m.

paving stone n losa f.

paw [pɔ:] n [of dog] pata f; [of lion, cat] zarpa f.

pawn [pɔ:n] ◇ n - 1. [chesspiece] peón m - 2. [unimportant person] marioneta f. ◇ vt empeñar.

pawnbroker ['pɔ:n,brəʊkər] n prestamista mf.

pawnshop ['pɔ:nʃɒp] n monte m de piedad.

pay [peɪ] ◇ vt (pt & pp paid) - 1. [gen] pagar; **to pay sb for sthg** pagar a alguien por algo; **he paid £20 for it** pagó 20 libras por ello - 2. [compliment, visit] hacer; [respects] ofrecer; [attention] prestar; [homage] rendir. ◇ vi (pt & pp paid) - 1. [gen] pagar; **to pay by credit card** pagar con tarjeta de crédito; **it pays well** está bien pagado; **to pay dearly for sthg** pagar caro (por) algo - 2. [be profitable] ser rentable. ◇ n sueldo m, paga f. ◆ **pay back** vt sep - 1. [money] devolver, reembolsar; [person] devolver el dinero a - 2. [revenge oneself]: **to pay sb back (for sthg)** hacer pagar a alguien (por algo). ◆ **pay for** vt insep pagar. ◆ **pay off**

◇ vt sep - 1. [repay - debt] liquidar, saldar - 2. [dismiss] despedir con indemnización - 3. [bribe] comprar, pagar. ◇ vi [efforts] dar fruto. ◆ **pay up** vi pagar.

payable ['peɪəbl] adj - 1. [to be paid] pagadero(ra) - 2. [on cheque]: **payable to** a favor de.

pay-as-you-go n pago m por uso.

paycheck ['peɪtʃek] n US paga f.

payday ['peɪdeɪ] n día m de paga.

payee [peɪ'i:] n beneficiario m, -ria f.

pay envelope n US sobre m de paga.

payment ['peɪmənt] n pago m.

pay packet n UK - 1. [envelope] sobre m de paga - 2. [wages] paga f.

pay-per-view n pago m por visión.

pay phone, pay station n teléfono m público.

pay rise n aumento m de sueldo.

payroll ['peɪrəʊl] n nómina f.

payslip ['peɪslɪp] n UK hoja f de paga.

pay station US = **pay phone**.

pay TV n televisión f de pago.

pc (abbr of per cent) p.c.

PC n - 1. (abbr of personal computer) PC m - 2. UK abbr of **police constable**.

PDF (abbr of portable document format) n COMPUT PDF m.

PE (abbr of physical education) n educación f física.

pea [pi:] n guisante m, arveja f Andes, Col & Ven, chícharo m Amér C & Méx, petipuá m Ven.

peace [pi:s] n - 1. [gen] paz f - 2. [quiet] calma f, tranquilidad f - 3. [freedom from disagreement] orden m; **to make (one's) peace (with)** hacer las paces (con).

peaceable ['pi:səbl] adj [not aggressive] pacífico(ca).

peaceful ['pi:sful] adj - 1. [quiet, calm] tranquilo(la) - 2. [not aggressive] pacífico(ca).

peacetime ['pi:staɪm] n (U) tiempos mpl de paz.

peach [pi:tʃ] ◇ adj [in colour] de color melocotón OR durazno Amér. ◇ n - 1. [fruit] melocotón m, durazno m Amér - 2. [colour] color m melocotón OR durazno Amér.

peacock ['pi:kɒk] n pavo m real.

peak [pi:k] ◇ n - 1. [mountain top] pico m, cima f - 2. [highest point] apogeo m - 3. [of cap] visera f. ◇ adj [season] alto(ta); [condition] perfecto(ta). ◇ vi alcanzar el máximo.

peaked [pi:kt] adj con visera.

peak period n UK [of electricity etc] periodo m de tarifa máxima; [of traffic] horas fpl punta.

peak rate n tarifa f máxima.

peal [pi:l] <> *n* [of bells] repique *m*; **peal (of laughter)** carcajada *f*. <> *vi* repicar.

peanut ['pi:nʌt] *n* cacahuete *m*, maní *m Amér*, cacahuate *m Méx*.

peanut butter *n* manteca *f* de cacahuete OR de maní *R Plata*, mantequilla *f* de maní *Amér* OR de cacahuate *Méx*.

pear [peər] *n* pera *f*.

pearl [pɜ:l] *n* perla *f*.

peasant ['peznt] *n* [in countryside] campesino *m*, -na *f*.

peat [pi:t] *n* turba *f*.

pebble ['pebl] *n* guijarro *m*.

peck [pek] <> *n* - **1.** [with beak] picotazo *m* - **2.** [kiss] besito *m*. <> *vt* [with beak] picotear. <> *vi* picotear.

pecking order ['pekɪŋ-] *n* jerarquía *f*.

peckish ['pekɪʃ] *adj UK inf*: **to feel peckish** estar algo hambriento(ta).

peculiar [pɪ'kju:ljər] *adj* - **1.** [odd] singular, extraño(ña) - **2.** *UK* [slightly ill] raro(ra), indispuesto(ta) - **3.** [characteristic]: **to be peculiar to** ser propio(pia) de.

peculiarity [pɪˌkju:lɪ'ærətɪ] *n* - **1.** [eccentricity] extravagancia *f* - **2.** [characteristic] peculiaridad *f*.

pedal ['pedl] <> *n* pedal *m*. <> *vi* (*UK pt & pp* -**led**, *cont* -**ling**, *US pt & pp* -**ed**, *cont* -**ing**) pedalear.

pedal bin *n UK* cubo *m* de basura con pedal.

pedantic [pɪ'dæntɪk] *adj pej* puntilloso(sa).

peddle ['pedl] *vt* [drugs] traficar con; [wares] vender de puerta en puerta.

pedestal ['pedɪstl] *n* pedestal *m*.

pedestrian [pɪ'destrɪən] <> *adj pej* pedestre. <> *n* peatón *m*.

pedestrian crossing *n UK* paso *m* de peatones.

pediatrics, paediatrics [ˌpi:dɪ'ætrɪks] *n* pediatría *f*.

pedigree ['pedɪgri:] <> *adj* de raza. <> *n* - **1.** [of animal] pedigrí *m* - **2.** [of person] linaje *m*.

pedlar *UK*, **peddler** *US* ['pedlər] *n* vendedor *m*, -ra *f* ambulante.

pee [pi:] *inf* <> *n* pis *m*. <> *vi* mear.

peek [pi:k] *inf* <> *n* mirada *f*, ojeada *f*. <> *vi* mirar a hurtadillas.

peel [pi:l] <> *n* [gen] piel *f*; [of orange, lemon] corteza *f*; [once removed] mondaduras *fpl*. <> *vt* pelar. <> *vi* [walls, paint] desconcharse; [wallpaper] despegarse; [skin, nose] pelarse.

peelings ['pi:lɪŋz] *npl* peladuras *fpl*.

peep [pi:p] <> *n* - **1.** [look] mirada *f*, ojeada *f* - **2.** *inf* [sound] pío *m*. <> *vi* [look] mirar furtivamente. **peep out** *vi* asomar.

peephole ['pi:phəʊl] *n* mirilla *f*.

peer [pɪər] <> *n* - **1.** [noble] par *m* - **2.** [equal] igual *m*. <> *vi* mirar con atención.

peerage ['pɪərɪdʒ] *n* - **1.** [rank] rango *m* de par - **2.** [group]: **the peerage** la nobleza.

peeress ['pɪərɪs] *n* paresa *f*.

peer group *n* grupo generacional o social.

peeved [pi:vd] *adj inf* disgustado(da).

peevish ['pi:vɪʃ] *adj* malhumorado(da).

peg [peg] *n* - **1.** *UK* [for washing line] pinza *f* - **2.** [on tent] estaca *f* - **3.** [hook] gancho *m*.

pejorative [pɪ'dʒɒrətɪv] *adj* peyorativo(va), despectivo(va).

pekinese [ˌpi:kə'ni:z], **pekingese** [ˌpi:kɪŋ'i:z] *n* (*pl* **pekinese**) [dog] pekinés *m*.

pelican ['pelɪkən] (*pl* **pelican** OR -**s**) *n* pelícano *m*.

pelican crossing *n UK* paso de peatones con semáforo accionado por el usuario.

pellet ['pelɪt] *n* - **1.** [small ball] bolita *f* - **2.** [for gun] perdigón *m*.

pelmet ['pelmɪt] *n UK* galería *f* (de cortinas).

pelt [pelt] <> *n* [animal skin] piel *f*. <> *vt*: **to pelt sb with sthg** acribillar a alguien con algo, arrojar algo a alguien. <> *vi* - **1.** [rain]: **to be pelting down** OR **with rain** llovía a cántaros - **2.** [run very fast] correr a toda pastilla.

pelvis ['pelvɪs] (*pl* -**vises** OR -**ves** [-vi:z]) *n* pelvis *f*.

pen [pen] <> *n* - **1.** [ballpoint] bolígrafo *m*, lapicera *f R Plata & Chile*; [fountain pen] pluma *f*; [felt-tip] rotulador *m* - **2.** [enclosure] redil *m*, corral *m*. <> *vt* [enclose] encerrar.

penal ['pi:nl] *adj* penal.

penalize, -ise *UK* ['pi:nəlaɪz] *vt* [gen] penalizar; SPORT penalizar, castigar.

penalty ['penltɪ] *n* - **1.** [punishment] pena *f*; **to pay the penalty (for sthg)** *fig* pagar las consecuencias (de algo) - **2.** [fine] multa *f* - **3.** SPORT penalty *m*; **penalty (kick)** FTBL penalty *m*; RUGBY golpe *m* de castigo.

penance ['penəns] *n* penitencia *f*.

pence [pens] *UK npl* ⇒ **penny**.

penchant [*UK* pãʃ̃ã, *US* 'pentʃənt] *n*: **to have a penchant for sthg** tener debilidad por algo; **to have a penchant for doing sthg** tener propensión a hacer algo.

pencil ['pensl] *n* lápiz *m*; **in pencil** a lápiz. **pencil in** *vt sep* [date, appointment] apuntar provisionalmente.

pencil case *n* estuche *m*, plumero *m Esp*.

pencil sharpener *n* sacapuntas *m inv*.

pendant ['pendənt] *n* [jewel on chain] colgante *m*.

pending ['pendɪŋ] *fml* <> *adj* - **1.** [waiting to be dealt with] pendiente - **2.** [about to happen] inminente. <> *prep* a la espera de.

pendulum ['pendjʊləm] (*pl* -**s**) *n* [of clock] péndulo *m*.

penetrate ['penɪtreɪt] *vt* - **1.** [barrier] atravesar; [subj: wind, rain, sharp object] penetrar en - **2.** [infiltrate - organization] infiltrarse en.

pen friend *n UK* amigo *m*, -ga *f* por correspondencia.

penguin ['peŋgwɪn] *n* pingüino *m*.

penicillin [,penɪ'sɪlɪn] *n* penicilina *f*.

peninsula [pə'nɪnsjʊlə] (*pl* -**s**) *n* península *f*.

penis ['pi:nɪs] (*pl* **penises** ['pi:nɪsɪz]) *n* pene *m*.

penitentiary [,penɪ'tenʃərɪ] *n US* penitenciaría *f*.

penknife ['pennaɪf] (*pl* -**knives** [-naɪvz]) *n* navaja *f*.

pen name *n* seudónimo *m*.

pennant ['penənt] *n* banderín *m*.

penniless ['penɪlɪs] *adj* sin dinero.

penny ['penɪ] *n* - **1.** (*pl* -**ies**) *UK* [coin] penique *m*; *US* centavo *m* - **2.** (*pl* **pence**) *UK* [value] penique *m*.

pen pal *n inf* amigo *m*, -ga *f* por correspondencia.

pension ['penʃn] *n* - **1.** [gen] pensión *f* - **2.** [disability pension] subsidio *m*.

pensioner ['penʃənər] *n*: **(old-age) pensioner** pensionista *mf*.

pensive ['pensɪv] *adj* pensativo(va).

pentagon ['pentəgən] *n* pentágono *m*.
◆ **Pentagon** *n US*: **the Pentagon** el Pentágono, *sede del ministerio de Defensa estadounidense*.

Pentecost ['pentɪkɒst] *n* Pentecostés *m*.

penthouse ['penthaus, *pl* -hauzɪz] *n* ático *m*.

pent up ['pent-] *adj* reprimido(da).

penultimate [pe'nʌltɪmət] *adj* penúltimo(ma).

people ['pi:pl] ◇ *n* [nation, race] pueblo *m*. ◇ *npl* - **1.** [gen] gente *f*; [individuals] personas *fpl*; **a table for eight people** una mesa para ocho personas; **people say that...** dice la gente que...; **young people** los jóvenes - **2.** [inhabitants] habitantes *mpl* - **3.** POL: **the people** el pueblo. ◇ *vt*: **to be peopled by** OR **with** estar poblado(da) de.

pep [pep] *n inf* vitalidad *f*. ◆ **pep up** *vt sep* [person] animar; [food] alegrar.

pepper ['pepər] *n* - **1.** [spice] pimienta *f* - **2.** [vegetable] pimiento *m*; **red/green pepper** pimiento rojo/verde.

peppermint ['pepəmɪnt] *n* - **1.** [sweet] pastilla *f* de menta - **2.** [herb] menta *f*.

pepper pot *UK*, **peppershaker** *US n* pimentero *m*.

pep talk *n inf* palabras *fpl* de ánimo.

per [pɜːr] *prep* [expressing rate, ratio] por; **per hour/kilo/person** por hora/kilo/persona; **per**

day al día; **as per instructions** de acuerdo con OR según las instrucciones; **as per usual** como de costumbre.

per annum *adv* al OR por año.

per capita [pə'kæpɪtə] ◇ *adj* per cápita. ◇ *adv* por cabeza.

perceive [pə'si:v] *vt* - **1.** [notice] percibir, apreciar - **2.** [understand, realize] advertir, apreciar - **3.** [see]: **to perceive sthg/sb as** ver algo/a alguien como.

per cent *adv* por ciento; **fifty per cent of the population** el cincuenta por ciento de la población.

percentage [pə'sentɪdʒ] *n* porcentaje *m*.

perception [pə'sepʃn] *n* - **1.** [noticing] percepción *f* - **2.** [insight] perspicacia *f* - **3.** [opinion] idea *f*.

perceptive [pə'septɪv] *adj* perspicaz.

perch [pɜːtʃ] ◇ *n* - **1.** [for bird] percha *f*, vara *f* - **2.** (*pl* **perch**) [fish] perca *f*. ◇ *vi*: **to perch (on)** [bird] posarse (en); [person] sentarse (en).

percolator ['pɜːkəleɪtər] *n* cafetera *f* eléctrica.

percussion [pə'kʌʃn] *n* MUS percusión *f*.

perennial [pə'renjəl] ◇ *adj* [gen & BOT] perenne. ◇ *n* BOT planta *f* perenne.

perfect ◇ *adj* ['pɜːfɪkt] perfecto(ta); **he's a perfect stranger to me** me es completamente desconocido. ◇ *n* ['pɜːfɪkt] GRAM: **the perfect (tense)** el perfecto. ◇ *vt* [pə'fekt] perfeccionar.

perfection [pə'fekʃn] *n* perfección *f*; **to perfection** a la perfección.

perfectionist [pə'fekʃənɪst] *n* perfeccionista *mf*.

perfectly ['pɜːfɪktlɪ] *adv* - **1.** [for emphasis] absolutamente; **perfectly well** perfectamente bien - **2.** [to perfection] perfectamente.

perforate ['pɜːfəreɪt] *vt* perforar.

perform [pə'fɔːm] ◇ *vt* - **1.** [carry out] llevar a cabo, realizar; [duty] cumplir - **2.** [music, dance] interpretar; [play] representar. ◇ *vi* - **1.** [function - car, machine] funcionar; [- person, team] desenvolverse - **2.** [actor] actuar; [singer, dance] interpretar.

performance [pə'fɔːməns] *n* - **1.** [carrying out] realización *f*; [of duty] cumplimiento *m* - **2.** [show] representación *f* - **3.** [of actor, singer etc] interpretación *f*, actuación *f* - **4.** [of car, engine] rendimiento *m*.

performer [pə'fɔːmər] *n* [actor, singer etc] intérprete *mf*.

perfume ['pɜːfju:m] *n* perfume *m*.

perfunctory [pə'fʌŋktərɪ] *adj* superficial.

perhaps [pə'hæps] *adv* - **1.** [maybe] quizás, quizá; **perhaps she'll do it** quizás ella lo haga; **perhaps so/not** tal vez sí/no - **2.** [in polite requests, suggestions, remarks]: **perhaps you could**

help? ¿te importaría ayudar?; **perhaps you should start again** ¿por qué no empiezas de nuevo? - 3. [approximately] aproximadamente.

peril ['perıl] *n liter* peligro *m*.

perimeter [pə'rımıtə'] *n* perímetro *m*; **perimeter fence** OR **wall** cerca *f*.

period ['pıərıəd] <> *n* - 1. [of time] período *m*, periodo *m* - 2. HIST época *f* - 3. SCH clase *f*, hora *f* - 4. [menstruation] período *m*; **to be on one's period** tener el período - 5. US [full stop] punto *m* - 6. SPORT tiempo *m*. <> *comp* de época.

periodic [,pıərı'ɒdık], **periodical** *adj* periódico(ca).

periodical [,pıərı'ɒdıkl] <> *adj* = **periodic**. <> *n* [magazine] revista *f*.

peripheral [pə'rıfərəl] <> *adj* - 1. [of little importance] marginal - 2. [at edge] periférico(ca). <> *n* COMPUT periférico *m*.

perish ['perıʃ] *vi* - 1. [die] perecer - 2. [decay] deteriorarse.

perishable ['perıʃəbl] *adj* perecedero(ra). ◆ **perishables** *npl* productos *mpl* perecederos.

perjury ['pɜːdʒərı] *n* LAW perjurio *m*.

perk [pɜːk] *n inf* extra *m*, beneficio *m* adicional. ◆ **perk up** *vi* animarse.

perky ['pɜːkı] *adj inf* alegre, animado(da).

perm [pɜːm] *n* permanente *f*.

permanent ['pɜːmənənt] <> *adj* - 1. [gen] permanente; [job, address] fijo(ja) - 2. [continuous, constant] constante. <> *n* US [perm] permanente *f*.

permeate ['pɜːmıeıt] *vt* impregnar.

permissible [pə'mısəbl] *adj* permisible.

permission [pə'mıʃn] *n*: **permission (to do sthg)** permiso *m* (para hacer algo).

permissive [pə'mısıv] *adj* permisivo(va).

permit <> *vt* [pə'mıt] permitir; **to permit sb sthg/to do sthg** permitir a alguien algo/hacer algo. <> *vi* [pə'mıt]: **if time permits** si hay tiempo. <> *n* ['pɜːmıt] permiso *m*.

pernicious [pə'nıʃəs] *adj fml* pernicioso(sa).

pernickety [pə'nıkətı] *adj inf* quisquilloso(sa).

perpendicular [,pɜːpən'dıkjolə'] <> *adj* - 1. MATHS: **perpendicular (to)** perpendicular (a) - 2. [upright] vertical. <> *n* MATHS perpendicular *f*.

perpetrate ['pɜːpıtreıt] *vt fml* perpetrar.

perpetual [pə'petʃoəl] *adj* - 1. *pej* [constant] constante - 2. [everlasting] perpetuo(tua).

perplex [pə'pleks] *vt* dejar perplejo(ja).

perplexing [pə'pleksıŋ] *adj* desconcertante.

persecute ['pɜːsıkjuːt] *vt* perseguir.

perseverance [,pɜːsı'vıərəns] *n* perseverancia *f*.

persevere [,pɜːsı'vıə'] *vi*: **to persevere (with sthg/in doing sthg)** perseverar (en algo/en hacer algo).

Persian ['pɜːʃn] *adj* persa.

persist [pə'sıst] *vi* - 1. [problem, rain] persistir - 2. [person]: **to persist in doing sthg** empeñarse en hacer algo.

persistence [pə'sıstəns] *n* - 1. [continuation] persistencia *f* - 2. [determination] perseverancia *f*.

persistent [pə'sıstənt] *adj* - 1. [constant] continuo(nua) - 2. [determined] persistente.

person ['pɜːsn] (*pl* people OR persons) *fml n* - 1. [man, woman] persona *f*; **in person** en persona - 2. [body]: **to have sthg about one's person** llevar algo encima - 3. GRAM persona *f*; **in the first person** en primera persona.

personable ['pɜːsnəbl] *adj* agradable.

personal ['pɜːsənl] *adj* - 1. [gen] personal - 2. [private - life, problem] privado(da) - 3. *pej* [rude] ofensivo(va); **to be personal** hacer alusiones personales.

personal assistant *n* secretario *m*, -ria *f* personal.

personal column *n* sección *f* de asuntos personales.

personal computer *n* ordenador *m* personal.

personality [,pɜːsə'nælətı] *n* personalidad *f*.

personally ['pɜːsnəlı] *adv* - 1. [gen] personalmente - 2. [in person] en persona.

personal loan *n* crédito *m* personal.

personal organizer *n* agenda *f* (personal).

personal property *n* (U) bienes *mpl* muebles.

personal stereo *n* walkman® *m inv*.

personify [pə'sɒnıfaı] *vt* personificar.

personnel [,pɜːsə'nel] <> *n* (U) [department] departamento *m* de personal. <> *npl* [staff] personal *m*.

perspective [pə'spektıv] *n* perspectiva *f*; **to get sthg in perspective** *fig* poner algo en perspectiva.

Perspex® ['pɜːspeks] *n UK* ≃ plexiglás® *m*.

perspiration [,pɜːspə'reıʃn] *n* transpiración *f*.

persuade [pə'sweıd] *vt*: **to persuade sb (of sthg/to do sthg)** persuadir a alguien (de algo/a hacer algo); **to persuade sb that** convencer a alguien (de) que.

persuasion [pə'sweıʒn] *n* - 1. [act of persuading] persuasión *f* - 2. [belief] creencia *f*.

persuasive [pə'sweısıv] *adj* persuasivo(va).

pert [pɜːt] *adj* - 1. [person] vivaracho(cha) - 2. [part of body] respingón(ona).

pertain [pə'teɪn] *vi fml*: **pertaining to** relacionado(da) con.

pertinent ['pɜ:tɪnənt] *adj* pertinente.

perturb [pə'tɜ:b] *vt fml* perturbar.

Peru [pə'ru:] *n* (el) Perú.

peruse [pə'ru:z] *vt* [read carefully] leer detenidamente; [browse through] leer por encima.

Peruvian [pə'ru:vjən] ⋄ *adj* peruano(na). ⋄ *n* [person] peruano *m*, -na *f*.

pervade [pə'veɪd] *vt* impregnar.

perverse [pə'vɜ:s] *adj* [delight, enjoyment] perverso(sa); [contrary] puñetero(ra).

perversion [UK pə'vɜ:ʃn, US pər'vɜ:rʒn] *n* - 1. [sexual deviation] perversión *f* - 2. [of justice, truth] tergiversación *f*.

pervert ⋄ *n* ['pɜ:vɜ:t] pervertido *m*, -da *f*. ⋄ *vt* [pə'vɜ:t] - 1. [course of justice] tergiversar - 2. [corrupt sexually] pervertir.

pessimist ['pesɪmɪst] *n* pesimista *mf*.

pessimistic [,pesɪ'mɪstɪk] *adj* pesimista.

pest [pest] *n* - 1. [insect] insecto *m* nocivo; [animal] animal *m* nocivo - 2. *inf* [annoying person] pesado *m*, -da *f*; [annoying thing] lata *f*.

pester ['pestər] *vt* dar la lata a.

pet [pet] ⋄ *adj* [subject, theory] preferido(da); **pet hate** gran fobia *f*. ⋄ *n* - 1. [domestic animal] animal *m* doméstico - 2. [favourite person] preferido *m*, -da *f*. ⋄ *vt* acariciar. ⋄ *vi* pegarse el lote.

petal ['petl] *n* pétalo *m*.

peter ['pi:tər] **peter out** *vi* [supplies, interest] agotarse; [path] desaparecer.

petite [pə'ti:t] *adj* [woman] chiquita.

petition [pɪ'tɪʃn] ⋄ *n* petición *f*. ⋄ *vi* LAW: **to petition for divorce** pedir el divorcio.

petrified ['petrɪfaɪd] *adj* [terrified] petrificado(da).

petrol ['petrəl] *n* UK gasolina *f*, nafta *f* R Plata, bencina *f* Chile.

petrol bomb *n* UK bomba *f* de gasolina.

petrol can *n* UK lata *f* de gasolina OR de nafta R Plata OR de bencina Chile.

petroleum [pɪ'trəʊljəm] *n* petróleo *m*.

petrol pump *n* UK surtidor *m* de gasolina OR de nafta R Plata OR de bencina Chile, bomba *f* Chile, Col & Ven.

petrol station *n* UK gasolinera *f*, grifo *m* Perú, bomba *f* Chile, Col & Ven, estación *f* de nafta R Plata.

petrol tank *n* UK depósito *m* de gasolina, tanque *m* de gasolina Amér OR de bencina Chile OR de nafta R Plata.

pet shop *n* pajarería *f*.

petticoat ['petɪkəʊt] *n* [underskirt] enaguas *fpl*; [full-length] combinación *f*.

petty ['petɪ] *adj* - 1. [small-minded] mezquino(na) - 2. [trivial] insignificante.

petty cash *n* dinero *m* para gastos menores.

petty officer *n* sargento *m* de la marina.

petulant ['petjʊlənt] *adj* cascarrabias *(inv)*.

pew [pju:] *n* banco *m*.

pewter ['pju:tər] *n* peltre *m*.

phantom ['fæntəm] ⋄ *adj* ilusorio(ria). ⋄ *n* [ghost] fantasma *m*.

pharmaceutical [,fɑ:mə'sju:tɪkl] *adj* farmacéutico(ca).

pharmacist ['fɑ:məsɪst] *n* farmacéutico *m*, -ca *f*.

pharmacy ['fɑ:məsɪ] *n* [shop] farmacia *f*.

phase [feɪz] ⋄ *n* fase *f*. ⋄ *vt* escalonar. **phase in** *vt sep* introducir progresivamente. **phase out** *vt sep* retirar progresivamente.

PhD (*abbr of* Doctor of Philosophy) *n* - 1. [qualification] doctorado *m* - 2. [person] doctor *m*, -ra *f*.

pheasant ['feznt] (*pl* **pheasant** OR **-s**) *n* faisán *m*.

phenomena [fɪ'nɒmɪnə] *npl* ⟶ **phenomenon**.

phenomenal [fɪ'nɒmɪnl] *adj* extraordinario(ria).

phenomenon [fɪ'nɒmɪnən] (*pl* **-mena**) *n lit & fig* fenómeno *m*.

phial ['faɪəl] *n* frasco *m* (pequeño).

philanthropist [fɪ'lænθrəpɪst] *n* filántropo *m*, -pa *f*.

philately [fɪ'lætəlɪ] *n* filatelia *f*.

Philippine ['fɪlɪpi:n] *adj* filipino(na). **Philippines** *npl*: **the Philippines** las Filipinas.

philosopher [fɪ'lɒsəfər] *n* filósofo *m*, -fa *f*.

philosophical [,fɪlə'sɒfɪkl] *adj* filosófico(ca).

philosophy [fɪ'lɒsəfɪ] *n* filosofía *f*.

phlegm [flem] *n* [mucus, composure] flema *f*.

phlegmatic [fleg'mætɪk] *adj* flemático(ca).

phobia ['fəʊbjə] *n* fobia *f*; **to have a phobia about sthg** tener fobia a algo.

phone [fəʊn] ⋄ *n* teléfono *m*; **to be on the phone** [speaking] estar al teléfono; UK [connected to network] tener teléfono; **to talk about sthg on the phone** discutir algo por teléfono. ⋄ *vt & vi* llamar, telefonear. **phone in** *vi* llamar. **phone up** *vt sep & vi* llamar.

phone book *n* guía *f* telefónica.

phone booth *n* teléfono *m* público.

phone box *n* UK cabina *f* telefónica.

phone call *n* llamada *f* telefónica; **to make a phone call** hacer una llamada.

phonecard ['fəʊnkɑ:d] *n* tarjeta *f* telefónica.

phone-in *n* RADIO & TV programa con llamadas de los oyentes.

phone number n número m de teléfono.

phonetics [fə'netɪks] n (U) fonética f.

phoney UK, **phony** US ['fəʊnɪ] ◇ adj (comp -ier, superl -iest) inf falso(sa). ◇ n farsante mf.

phosphorus ['fɒsfərəs] n fósforo m.

photo ['fəʊtəʊ] n foto f; **to take a photo (of)** sacar una foto (de).

photocopier ['fəʊtəʊ,kɒpɪəʳ] n fotocopiadora f.

photocopy ['fəʊtəʊ,kɒpɪ] ◇ n fotocopia f. ◇ vt fotocopiar.

photograph ['fəʊtəgrɑːf] ◇ n fotografía f; **to take a photograph (of)** sacar una fotografía (de). ◇ vt fotografiar.

photographer [fə'tɒgrəfəʳ] n fotógrafo m, -fa f.

photography [fə'tɒgrəfɪ] n (U) fotografía f.

photoshoot ['fəʊtəʊʃuːt] n sesión f fotográfica.

phrasal verb ['freɪzl-] n verbo m con preposición.

phrase [freɪz] ◇ n - 1. [group of words] locución f, frase f - 2. [expression] expresión f. ◇ vt [apology, refusal] expresar; [letter] redactar.

phrasebook ['freɪzbʊk] n guía f de conversación.

physical ['fɪzɪkl] ◇ adj físico(ca). ◇ n [examination] examen m médico.

physical education n educación f física.

physically ['fɪzɪklɪ] adv físicamente.

physically handicapped npl: **the physically handicapped** los discapacitados físicos.

physician [fɪ'zɪʃn] n médico mf.

physicist ['fɪzɪsɪst] n físico m, -ca f.

physics ['fɪzɪks] n (U) física f.

physiotherapy [,fɪzɪəʊ'θerəpɪ] n fisioterapia f.

physique [fɪ'ziːk] n físico m.

pianist ['pɪənɪst] n pianista mf.

piano [pɪ'ænəʊ] (pl -s) n [instrument] piano m.

piccolo ['pɪkələʊ] (pl -s) n flautín m.

pick [pɪk] ◇ n - 1. [tool] piqueta f - 2. [for guitar] púa f - 3. [selection]: **take your pick** escoge el que quieras - 4. [best]: **the pick of** lo mejor de. ◇ vt - 1. [team, winner] seleccionar; [time, book, dress] elegir; **to pick one's way across OR through** andar con tiento por - 2. [fruit, flowers] coger - 3. [remove - hairs etc]: **to pick sthg off sthg** quitar algo de algo - 4. [nose] hurgarse; [teeth] mondarse; [scab, spot] arrancarse - 5. [provoke]: **to pick a fight/quarrel (with)** buscar pelea/bronca (con) - 6. [open - lock] forzar (con ganzúa). ◆ **pick on** vt insep meterse con. ◆ **pick out** vt sep - 1. [recognize] reconocer - 2. [identify] identificar - 3. [select]

escoger. ◆ **pick up** ◇ vt sep - 1. [gen] recoger; **to pick up the pieces** fig volver a la normalidad - 2. [lift up] levantar; [the phone] descolgar - 3. [buy, acquire] adquirir; **to pick up speed** cobrar velocidad - 4. [illness, bug] contraer - 5. [learn - tips, language] aprender; [- habit] adquirir - 6. inf [find partner] ligar con - 7. RADIO & TELEC captar - 8. [start again] reanudar. ◇ vi - 1. [improve] mejorar - 2. [start again] seguir - 3. [wind] aumentar.

pickaxe UK, **pickax** US ['pɪkæks] n piqueta f.

picket ['pɪkɪt] ◇ n piquete m. ◇ vt formar piquetes en.

picket line n piquete m (de huelga).

pickle ['pɪkl] ◇ n - 1. [vinegar preserve] encurtido m; [sweet vegetable sauce] salsa espesa agridulce con trozos de cebolla etc; US [cucumber] pepinillos mpl en vinagre - 2. inf [difficult situation]: **to be in a pickle** estar en un lío. ◇ vt encurtir.

pickpocket ['pɪk,pɒkɪt] n carterista mf.

pick-up n - 1. [of record player] fonocaptor m - 2. [truck] furgoneta f.

picnic ['pɪknɪk] ◇ n comida f campestre, picnic m. ◇ vi (pt & pp -ked, cont -king) ir de merienda al campo.

pictorial [pɪk'tɔːrɪəl] adj ilustrado(da).

picture ['pɪktʃəʳ] ◇ n - 1. [painting] cuadro m; [drawing] dibujo m - 2. [photograph] foto f; [illustration] ilustración f - 3. [on TV] imagen f - 4. [cinema film] película f - 5. [in mind] idea f, imagen f - 6. [situation] situación f
▶▶ **to get the picture** inf entenderlo; **to be in/out of the picture** estar/no estar en el ajo. ◇ vt - 1. [in mind] imaginarse - 2. [in media]: **to be pictured** aparecer en la foto. ◆ **pictures** npl UK: **the pictures** el cine.

picture book n libro m ilustrado.

picturesque [,pɪktʃə'resk] adj pintoresco(ca).

pie [paɪ] n [sweet] tarta f (cubierta de hojaldre); [savoury] empanada f, pastel m.

piece [piːs] n - 1. [individual part or portion] trozo m, pedazo m; **to come to pieces** deshacerse; **to take sthg to pieces** desmontar algo; **to tear sthg to pieces** hacer trizas algo; **in pieces** en pedazos; **to go to pieces** fig venirse abajo - 2. (with U) [individual object]: **piece of furniture** mueble m; **piece of clothing** prenda f de vestir; **piece of fruit** fruta f; **piece of luggage** bulto m de equipaje; **piece of advice** consejo m; **piece of news** noticia f; **a piece of information** una información f; **piece of luck** golpe m de suerte - 3. [in board game] pieza f; [in draughts] ficha f - 4. [of journalism] artículo m - 5. [coin] moneda f. ◆ **piece together** vt sep [discover] componer.

piecemeal ['pi:smi:l] <> *adj* poco sistemático(ca). <> *adv* [gradually] por etapas.

piecework ['pi:sw3:k] *n (U)* trabajo *m* a destajo.

pie chart *n* gráfico *m* de sectores.

pier [pɪə^r] *n* - **1.** [at seaside] *paseo marítimo en un malecón* - **2.** [for landing boat] embarcadero *m*.

pierce [pɪəs] *vt* - **1.** [subj: bullet, needle] perforar; **to have one's ears pierced** hacerse agujeros en las orejas - **2.** [subj: voice, scream] romper.

piercing ['pɪəsɪŋ] *adj* - **1.** [scream] desgarrador(ra); [sound, voice] agudo(da) - **2.** [wind] cortante - **3.** [look, eyes] penetrante.

piety ['paɪətɪ] *n* piedad *f*.

pig [pɪg] *n* - **1.** [animal] cerdo *m*, puerco *m*, chancho *m Amér* - **2.** *inf pej* [greedy eater] tragón *m*, -ona *f* - **3.** *inf pej* [unkind person] cerdo *m*, -da *f*, chancho *m*, -cha *f Amér* - **4.** *inf pej* [policeman] madero *m*.

pigeon ['pɪdʒɪn] *(pl* pigeon OR -s) *n* paloma *f*.

pigeonhole ['pɪdʒɪnhəʊl] <> *n* [compartment] casilla *f*. <> *vt* [classify] encasillar.

piggybank ['pɪgɪbæŋk] *n* hucha *f* con forma de cerdito.

pigheaded [,pɪg'hedɪd] *adj* cabezota.

pigment ['pɪgmənt] *n* pigmento *m*.

pigpen *US* = **pigsty**.

pigskin ['pɪgskɪn] *n* piel *f* de cerdo.

pigsty ['pɪgstaɪ], **pigpen** *US* ['pɪgpen] *n lit & fig* pocilga *f*.

pigtail ['pɪgteɪl] *n* [girl's] trenza *f*; [Chinese, bullfighter's] coleta *f*.

pike [paɪk] *n* - **1.** *(pl* pike OR -s) [fish] lucio *m* - **2.** *(pl* -s) [weapon] pica *f*.

Pilates [pɪ'lɑːtiːz] *n* Pilates *m*.

pilchard ['pɪltʃəd] *n* sardina *f*.

pile [paɪl] <> *n* - **1.** [heap] montón *m* - **2.** [neat stack] pila *f* - **3.** [of carpet, fabric] pelo *m*. <> *vt* amontonar. ◆ **piles** *npl* MED almorranas *fpl*. ◆ **pile into** *vt insep inf* meterse atropelladamente en. ◆ **pile up** <> *vt sep* amontonar. <> *vi* - **1.** [form a heap] amontonarse - **2.** [mount up] acumularse.

pileup ['paɪlʌp] *n* accidente *m* en cadena.

pilfer ['pɪlfə^r] <> *vt* sisar. <> *vi*: **to pilfer (from)** sisar (de).

pilgrim ['pɪlgrɪm] *n* peregrino *m*, -na *f*.

pilgrimage ['pɪlgrɪmɪdʒ] *n* peregrinación *f*.

pill [pɪl] *n* - **1.** MED píldora *f*, pastilla *f* - **2.** [contraceptive]: **the pill** la píldora (anticonceptiva); **to be on the pill** tomar la píldora.

pillage ['pɪlɪdʒ] *vt* saquear.

pillar ['pɪlə^r] *n lit & fig* pilar *m*.

pillar box *n UK* buzón *m*.

pillion ['pɪljən] *n*: **to ride pillion** ir en el asiento trasero *(de una moto)*.

pillow ['pɪləʊ] *n* - **1.** [for bed] almohada *f* - **2.** *US* [on sofa, chair] cojín *m*.

pillowcase ['pɪləʊkeɪs], **pillowslip** ['pɪləʊslɪp] *n* funda *f* de almohada.

pilot ['paɪlət] <> *n* - **1.** AERON & NAUT piloto *m* - **2.** TV programa *m* piloto. <> *comp* [project, study] piloto *(inv)*, de prueba. <> *vt* AERON & NAUT pilotar.

pilot burner, pilot light *n* piloto *m*, luz *f* indicadora.

pilot study *n* estudio *m* piloto.

pimp [pɪmp] *n inf* chulo *m*, padrote *m Méx*.

pimple ['pɪmpl] *n* grano *m*.

pin [pɪn] <> *n* - **1.** [for sewing] alfiler *m*; **pins and needles** hormigueo *m* - **2.** [of plug] clavija *f*; COMPUT pin *m* - **3.** TECH clavija *f*. <> *vt* - **1.** [fasten]: **to pin sthg to** OR **on** [sheet of paper] clavar con alfileres algo en; [medal, piece of cloth] prender algo en - **2.** [trap]: **to pin sb against** OR **to** inmovilizar a alguien contra - **3.** [apportion]: **to pin sthg on** OR **upon sb** cargar algo a alguien. ◆ **pin down** *vt sep* [identify] determinar, identificar.

pinafore ['pɪnəfɔː^r] *n* - **1.** [apron] delantal *m* - **2.** *UK* [dress] pichi *m*.

pinball ['pɪnbɔːl] *n* millón *m*, flípper *m*.

pincers ['pɪnsəz] *npl* - **1.** [tool] tenazas *fpl* - **2.** [front claws] pinzas *fpl*.

pinch [pɪntʃ] <> *n* - **1.** [nip] pellizco *m* - **2.** [small quantity] pizca *f*. <> *vt* - **1.** [nip] pellizcar; [subj: shoes] apretar - **2.** *inf* [steal] mangar. <> *vi* [shoes] apretar. ◆ **at a pinch** *UK*, **in a pinch** *US adv* si no hay más remedio.

pincushion ['pɪn,kʊʃn] *n* acerico *m*.

pine [paɪn] <> *n* pino *m*. <> *vi*: **to pine for** suspirar por. ◆ **pine away** *vi* morirse de pena.

pineapple ['paɪnæpl] *n* piña *f*, ananá *m R Plata*.

pinetree ['paɪntriː] *n* pino *m*.

ping [pɪŋ] *n* [of metal] sonido *m* metálico.

Ping-Pong® [-pɒŋ] *n* ping-pong® *m*.

pink [pɪŋk] <> *adj* rosa. <> *n* - **1.** [colour] rosa *m* - **2.** [flower] clavel *m*.

pink pound *UK*, **pink dollar** *US n*: **the pink pound** *el poder adquisitivo de los homosexuales.*

pinnacle ['pɪnəkl] *n* - **1.** [high point] cumbre *f* - **2.** [mountain peak] cima *f*; [spire] pináculo *m*.

pinpoint ['pɪnpɔɪnt] *vt* determinar, identificar.

pin-striped [-,straɪpt] *adj* a rayas.

pint [paɪnt] *n UK* [unit of measurement] = *0,568 litros*; *US* = *0,473 litros*, ≃ pinta *f*.

pioneer [,paɪə'nɪə^r] *n* pionero *m*, -ra *f*.

pious ['paɪəs] *adj* - **1.** [religious] piadoso(sa) - **2.** *pej* [sanctimonious] mojigato(ta).

pip [pɪp] *n* - **1.** [seed] pepita *f* - **2.** *UK* [bleep] señal *f*.

pipe [paɪp] <> *n* - **1.** [for gas, water] tubería *f* - **2.** [for smoking] pipa *f*. <> *vt* [transport via pipes] conducir por tuberías. <> **pipes** *npl* MUS gaita *f*. <> **pipe down** *vi inf* cerrar la boca. <> **pipe up** *vi inf*: **to pipe up with a suggestion** saltar con una sugerencia.

pipe cleaner *n* limpiapipas *m inv*.

pipe dream *n* sueño *m* imposible.

pipeline ['paɪplaɪn] *n* tubería *f*; [for gas] gasoducto *m*; [for oil] oleoducto *m*.

piper ['paɪpər] *n* gaitero *m*, -ra *f*.

piping hot ['paɪpɪŋ-] *adj* humeante, calentito(ta).

piquant ['pi:kənt] *adj* - **1.** [food] picante - **2.** [story] intrigante; [situation] que suscita un placer mordaz.

pique [pi:k] <> *n* resentimiento *m*. <> *vt* - **1.** [upset] ofender - **2.** [arouse] despertar.

pirate ['paɪrət] <> *adj* [gen & COMPUT] pirata. <> *n* [sailor] pirata *mf*. <> *vt* piratear.

pirate radio *n UK* radio *f* pirata.

pirouette [,pɪru'et] *n* pirueta *f*.

Pisces ['paɪsi:z] *n* Piscis *m inv*.

piss [pɪs] *v inf* <> *n* [urine] meada *f*. <> *vi* mear. <> **piss about, piss around** *UK v inf* <> *vt sep* vacilar. <> *vi* [waste time] tocarse los huevos; [fool around] hacer el gilipollas.

pissed [pɪst] *adj vulg UK* [drunk] pedo (inv).

pissed off *adj vulg*: **to be** OR **to feel pissed off** estar cabreado(da).

pistol ['pɪstl] *n* pistola *f*.

piston ['pɪstən] *n* pistón *m*, émbolo *m*.

pit [pɪt] <> *n* - **1.** [large hole] hoyo *m* - **2.** [small hole in metal, glass] señal *f*, marca *f*; [- on face] picadura *f*, piquete *m* Méx - **3.** [for orchestra] foso *m* de la orquesta - **4.** [mine] mina *f* - **5.** US [of fruit] hueso *m*, cuesco *m*, carozo *m R Plata, pepa *f Col*. <> *vt*: **to be pitted against** ser enfrentado(da) con. <> **pits** *npl* [in motor racing]: **the pits** los fosas.

pitch [pɪtʃ] <> *n* - **1.** SPORT campo *m* - **2.** MUS tono *m* - **3.** [level, degree] grado *m*, punto *m* - **4.** *UK* [selling place] puesto *m* - **5.** *inf* [sales talk] labia *f* de comerciante. <> *vt* - **1.** [throw] lanzar, arrojar - **2.** [design]: **to be pitched in order to do sthg** estar diseñado para hacer algo - **3.** [speech] dar un tono a - **4.** [tent] montar, poner. <> *vi* - **1.** [ball] tocar el suelo; **to pitch forwards** [person] precipitarse hacia delante - **2.** [ship, plane] dar un bandazo.

pitch-black *adj* negro(gra) como boca de lobo.

pitched battle [,pɪtʃt-] *n* HIST batalla *f* campal; *fig* [bitter struggle] lucha *f* encarnizada.

pitcher ['pɪtʃər] *n* [jug] cántaro *m*.

pitchfork ['pɪtʃfɔ:k] *n* horca *f*.

piteous ['pɪtɪəs] *adj* lastimero(ra).

pitfall ['pɪtfɔ:l] *n* peligro *m*, escollo *m*.

pith [pɪθ] *n* piel *f* blanca.

pithy ['pɪθɪ] *adj* conciso(sa) y contundente.

pitiful ['pɪtɪfʊl] *adj* [condition, excuse, effort] lamentable; [person, appearance] lastimoso(sa).

pitiless ['pɪtɪlɪs] *adj* [person] despiadado(da).

pit stop *n* [in motor racing] parada *f* en boxes.

pittance ['pɪtəns] *n* miseria *f*.

pity ['pɪtɪ] <> *n* [compassion] compasión *f*; [shame] pena *f*, lástima *f*; **what a pity!** ¡qué pena!; **to take** OR **have pity on** compadecerse de. <> *vt* compadecerse de, sentir pena por.

pivot ['pɪvət] *n* - **1.** TECH pivote *m*, eje *m* - **2.** *fig* [person] eje *m*.

pizza ['pi:tsə] *n* pizza *f*.

placard ['plækɑ:d] *n* pancarta *f*.

placate [plə'keɪt] *vt* aplacar, apaciguar.

place [pleɪs] <> *n* - **1.** [gen] lugar *m*, sitio *m*; **place of birth** lugar de nacimiento; **it's good in places** tiene algunas partes buenas - **2.** [proper position] sitio *m*; **to put sb in their place** poner a alguien en su sitio - **3.** [suitable occasion, time] momento *m* - **4.** [home] casa *f* - **5.** [specific seat] asiento *m*; [in queue] sitio *m*; THEAT localidad *f* - **6.** [setting at table] cubierto *m* - **7.** [on course, at university] plaza *f* - **8.** [on committee, in team] puesto *m* - **9.** [role, function] papel *m*; **to have an important place in** desempeñar un papel importante en; **put yourself in my place** ponte en mi lugar - **10.** [position, rank] lugar *m*, posición *f* - **11.** [in book] página *f*; [in speech]: **to lose one's place** no saber (uno) dónde estaba - **12.** MATHS: **decimal place** punto *m* decimal - **13.** [instance]: **in the first place** [from the start] desde el principio; **in the first place... and in the second place...** [firstly, secondly] en primer lugar... y en segundo lugar...

▸▸ **to take place** tener lugar; **to take the place of** sustituir a. <> *vt* - **1.** [position, put] colocar, poner - **2.** [lay, apportion]: **to place emphasis on** poner énfasis en; **to place pressure on** ejercer presión sobre - **3.** [identify]: **I recognize the face, but I can't place her** me suena su cara, pero no sé de qué - **4.** [bet, order etc] hacer - **5.** [in horse racing]: **to be placed** llegar entre los tres primeros. <> **all over the place** *adv* por todas partes. <> **in place** *adv* - **1.** [in proper position] en su sitio - **2.** [established, set up] en marcha OR funcionamiento; **everything is now in place** los preparativos ya están finalizados. <> **in place of** *prep* en lugar de. <> **out of place** *adv* - **1.** [in wrong position]: **to be out of place** no estar en su sitio - **2.** [inappropriate, unsuitable] fuera de lugar.

place mat *n* mantel *m* individual.

placement ['pleɪsmənt] *n* colocación *f*.

placid ['plæsɪd] *adj* - **1.** [even-tempered] apacible - **2.** [peaceful] tranquilo(la).

plagiarize, -ise ['pleɪdʒəraɪz] *vt* plagiar.

plague [pleɪg] ◇ *n* - **1.** [attack of disease] peste *f* - **2.** [disease]: **(the) plague** la peste; **to avoid sb/sthg like the plague** huir de alguien/algo como de la peste - **3.** [of rats, insects] plaga *f*. ◇ *vt*: **to plague sb with** [complaints, requests] acosar a alguien con; [questions] acribillar a alguien a; **to be plagued by** [ill health] estar acosado de; [doubts] estar atormentado de.

plaice [pleɪs] (*pl* **plaice**) *n* platija *f*.

plaid [plæd] *n* tejido *m* escocés.

Plaid Cymru [ˌplaɪd'kʌmrɪ] *n UK* POL *partido nacionalista galés.*

plain [pleɪn] ◇ *adj* - **1.** [not patterned] liso(sa) - **2.** [simple - gen] sencillo(lla); [- yoghurt] natural - **3.** [clear] evidente, claro(ra); **to make sthg plain to sb** dejar algo bien claro a alguien - **4.** [speaking, statement] franco(ca) - **5.** [absolute - madness etc] auténtico(ca) - **6.** [not pretty] sin atractivo. ◇ *adv inf* completamente. ◇ *n* GEOG llanura *f*, planicie *f*.

plain chocolate *n UK* chocolate *m* amargo.

plain-clothes *adj* vestido(da) de paisano.

plain flour *n UK* harina *f* (sin levadura).

plainly ['pleɪnlɪ] *adv* - **1.** [upset, angry] evidentemente - **2.** [visible, audible] claramente - **3.** [frankly] francamente - **4.** [simply] sencillamente.

plaintiff ['pleɪntɪf] *n* demandante *mf*.

plait [plæt] ◇ *n* trenza *f*. ◇ *vt* trenzar.

plan [plæn] ◇ *n* - **1.** [strategy] plan *m*; **to go according to plan** salir según lo previsto - **2.** [of story, essay] esquema *m* - **3.** [of building etc] plano *m*. ◇ *vt* - **1.** [organize] planear - **2.** [career, future, economy] planificar - **3.** [design, devise] trazar un esquema OR boceto de. ◇ *vi* hacer planes. ➡ **plans** *npl* planes *mpl*; **to have plans for** tener planes para. ➡ **plan on** *vt insep*: **to plan on doing sthg** pensar hacer algo.

plane [pleɪn] ◇ *adj* plano(na). ◇ *n* - **1.** [aircraft] avión *m* - **2.** GEOM [flat surface] plano *m* - **3.** *fig* [level - intellectual] plano *m* - **4.** [tool] cepillo *m* - **5.** [tree] plátano *m*.

planet ['plænɪt] *n* planeta *m*.

plank [plæŋk] *n* [piece of wood] tablón *m*, tabla *f*.

planning ['plænɪŋ] *n* [gen] planificación *f*.

planning permission *n* permiso *m* de construcción OR de obras.

plant [plɑːnt] ◇ *n* - **1.** BOT planta *f* - **2.** [factory] planta *f*, fábrica *f* - **3.** [heavy machinery] maquinaria *f*. ◇ *vt* - **1.** [seed, tree, vegetable]: **to plant sthg (in)** plantar algo (en) - **2.** [bomb, bug] colocar secretamente.

plantation [plæn'teɪʃn] *n* plantación *f*.

plaque [plɑːk] *n* [gen & MED] placa *f*.

plaster ['plɑːstər] ◇ *n* - **1.** [for wall, ceiling] yeso *m* - **2.** [for broken bones] escayola *f* - **3.** *UK* [bandage] tirita® *f*. ◇ *vt* [put plaster on] enyesar.

plaster cast *n* - **1.** [for broken bones] escayola *f* - **2.** [model, statue] vaciado *m* en yeso.

plastered ['plɑːstəd] *adj inf* [drunk] cocido(da).

plasterer ['plɑːstərər] *n* yesero *m*, -ra *f*.

plastic ['plæstɪk] ◇ *adj* [made from plastic] de plástico. ◇ *n* plástico *m*.

Plasticine® ['plæstɪsiːn] *n UK* plastilina® *f*.

plastic surgery *n* cirugía *f* plástica.

plate [pleɪt] ◇ *n* - **1.** [dish, plateful] plato *m*; **to hand sthg on a plate to sb** ponerle algo a alguien en bandeja de plata - **2.** [on machinery, wall, door] placa *f* - **3.** (*U*) [metal covering]: **gold/silver plate** chapa *f* de oro/plata - **4.** [photograph] lámina *f* - **5.** [in dentistry] dentadura *f* postiza. ◇ *vt*: **to be plated (with)** estar chapado(da) (en OR de).

plateau ['plætəʊ] (*pl* **-s** OR **-x** [-z]) *n* [high, flat land] meseta *f*.

plate glass *n* vidrio *m* cilindrado.

platform ['plætfɔːm] *n* - **1.** [gen & COMPUT] plataforma *f*; [stage] estrado *m*; [at meeting] tribuna *f* - **2.** RAIL andén *m*; **platform 12** la vía 12 - **3.** POL programa *m* electoral.

platinum ['plætɪnəm] *n* platino *m*.

platitude ['plætɪtjuːd] *n* tópico *m*.

platoon [plə'tuːn] *n* pelotón *m*.

platter ['plætər] *n* [dish] fuente *f*.

plausible ['plɔːzəbl] *adj* plausible, admisible.

play [pleɪ] ◇ *n* - **1.** (*U*) [amusement] juego *m*; **at play** jugando - **2.** [piece of drama] obra *f* - **3.** [game]: **play on words** juego *m* de palabras - **4.** TECH juego *m*. ◇ *vt* - **1.** [game, sport] jugar a; [match] jugar; [in specific position] jugar de - **2.** [play game against]: **to play sb (at sthg)** jugar contra alguien (a algo) - **3.** [perform for amusement]: **to play a joke on** gastar una broma a; **to play a dirty trick on** jugar una mala pasada a - **4.** [act - part, character] representar; **to play a part** OR **role in** *fig* desempeñar un papel en; **to play the fool** hacer el tonto - **5.** [instrument, tune] tocar; [record, cassette] poner. ▸▸ **to play it safe** actuar sobre seguro. ◇ *vi* - **1.** [gen]: **to play (with/against)** jugar (con/contra); **to play for sb/a team** jugar para alguien/con un equipo - **2.** [be performed, shown - play] representarse; [- film] exhibirse - **3.** [MUS - person] tocar; [- music] sonar. ➡ **play along** *vi*: **to play along (with)** seguir la corriente (a). ➡ **play down** *vt sep* quitar importancia a.

play up ⋄ *vt sep* [emphasize] hacer resaltar. ⋄ *vi* [machine, part of body, child] dar guerra.

play-act *vi* fingir, hacer comedia.

playboy ['pleɪbɔɪ] *n* playboy *m*.

player ['pleɪər] *n* - **1.** [of sport, game] jugador *m*, -ra *f* - **2.** MUS intérprete *mf* - **3.** THEAT actor *m*, actriz *f* - **4.** [important person or organization] protagonista *mf*.

playful ['pleɪfʊl] *adj* juguetón(ona).

playground ['pleɪgraʊnd] *n* - **1.** [at school] patio *m* de recreo - **2.** [in park] zona *f* de juegos.

playgroup ['pleɪgruːp] *n* jardín *m* de infancia, guardería *f*.

playing card ['pleɪɪŋ-] *n* naipe *m*, carta *f*.

playing field ['pleɪɪŋ-] *n* campo *m* de juego.

playmate ['pleɪmeɪt] *n* compañero *m*, -ra *f* de juego.

play-off *n* partido *m* de desempate.

playpen ['pleɪpen] *n* parque *m* (de niños) *(tipo cuna)*.

playschool ['pleɪskuːl] *n* jardín *m* de infancia, guardería *f*.

plaything ['pleɪθɪŋ] *n* lit & fig juguete *m*.

playtime ['pleɪtaɪm] *n* recreo *m*.

playwright ['pleɪraɪt] *n* dramaturgo *m*, -ga *f*.

plc *abbr of* **public limited company**.

plea [pliː] *n* - **1.** [appeal] súplica *f*, petición *f* - **2.** LAW declaración por parte del acusado de culpabilidad o inocencia.

plead [pliːd] ⋄ *vt (pt & pp* -ed OR pled) - **1.** LAW [one's cause] defender - **2.** [give as excuse] pretender. ⋄ *vi (pt & pp* -ed OR pled) - **1.** [beg]: **to plead (with sb to do sthg)** rogar OR implorar (a alguien que haga algo); **to plead for sthg** pedir algo - **2.** LAW declarar.

pleasant ['pleznt] *adj* - **1.** [smell, taste, view] agradable; [surprise, news] grato(ta) - **2.** [person, smile, face] simpático(ca).

pleasantry ['plezntrɪ] *n*: **to exchange pleasantries** intercambiar cumplidos.

please [pliːz] ⋄ *vt* complacer, agradar; **he always pleases himself** él siempre hace lo que le da la gana; **please yourself!** ¡como quieras! ⋄ *vi* - **1.** [give satisfaction] satisfacer, agradar - **2.** [think appropriate]: **to do as one pleases** hacer como a uno le parezca. ⋄ *adv* por favor.

pleased [pliːzd] *adj*: **to be pleased (about/with)** estar contento(ta) (por/con); **to be pleased for sb** alegrarse por alguien; **to be very pleased with o.s.** estar muy satisfecho de sí mismo; **pleased to meet you!** ¡encantado(da) de conocerle!, ¡mucho gusto!

pleasing ['pliːzɪŋ] *adj* agradable, grato(ta).

pleasure ['pleʒər] *n* - **1.** [feeling of happiness] gusto *m* - **2.** [enjoyment] diversión *f* - **3.** [delight] placer *m*; **it's a pleasure, my pleasure** no hay de qué.

pleat [pliːt] ⋄ *n* pliegue *m*. ⋄ *vt* plisar.

pled [pled] *pt & pp* ⊳ **plead**.

pledge [pledʒ] ⋄ *n* - **1.** [promise] promesa *f* - **2.** [token] señal *f*, prenda *f*. ⋄ *vt* - **1.** [promise] prometer - **2.** [commit]: **to pledge sb to sthg** hacer jurar a alguien algo; **to pledge o.s. to** comprometerse a - **3.** [pawn] empeñar.

plentiful ['plentɪfʊl] *adj* abundante.

plenty ['plentɪ] ⋄ *n (U)* abundancia *f*. ⋄ *pron*: **we've got plenty** tenemos de sobra; **that's plenty** es más que suficiente; **plenty of** mucho(cha).

pliable ['plaɪəbl], **pliant** ['plaɪənt] *adj* flexible.

pliers ['plaɪəz] *npl* alicates *mpl*.

plight [plaɪt] *n* grave situación *f*.

plimsoll ['plɪmsəl] *n* UK playera *f*, zapato *m* de tenis.

plinth [plɪnθ] *n* [for statue] peana *f*; [for pillar] plinto *m*.

PLO (*abbr of* **Palestine Liberation Organization**) *n* OLP *f*.

plod [plɒd] *vi* - **1.** [walk slowly] caminar con paso cansino - **2.** [work steadily]: **to plod away at sthg** trabajar pacientemente en algo.

plodder ['plɒdər] *n pej* persona *f* mediocre pero voluntariosa (en el trabajo).

plonk [plɒŋk] *n (U)* UK *inf* [wine] vino *m* peleón. ⋄ **plonk down** *vt sep inf* dejar caer.

plot [plɒt] ⋄ *n* - **1.** [plan] complot *m*, conspiración *f* - **2.** [story] argumento *m*, trama *f* - **3.** [of land] parcela *f*. ⋄ *vt* - **1.** [plan] tramar, urdir - **2.** [on map, graph] trazar. ⋄ *vi*: **to plot (to do sthg)** tramar (hacer algo); **to plot against** conspirar contra.

plotter ['plɒtər] *n* - **1.** [schemer] conspirador *m*, -ra *f* - **2.** COMPUT plotter *m*.

plough UK, **plow** US [plaʊ] ⋄ *n* arado *m*. ⋄ *vt* arar. ⋄ **plough into** ⋄ *vt sep* [invest] invertir. ⋄ *vt insep* [hit] chocar contra.

ploughman's ['plaʊmənz] (*pl* ploughman's) *n* UK: **ploughman's (lunch)** queso, cebolletas y ensalada con pan.

plow US = **plough**.

ploy [plɔɪ] *n* táctica *f*, estratagema *f*.

pls (*abbr of* **please**) *adv* xfa, pf.

pluck [plʌk] ⋄ *vt* - **1.** [fruit, flower] coger - **2.** [pull sharply] arrancar - **3.** [bird] desplumar - **4.** [eyebrows] depilar - **5.** [instrument] puntear. ⋄ *n dated* valor *m*. ⋄ **pluck up** *vt insep*: **to pluck up the courage to do sthg** armarse de valor para hacer algo.

plucky ['plʌkɪ] *adj dated* valiente.

plug [plʌg] ⬦ n - 1. ELEC enchufe m - 2. [for bath or sink] tapón m. ⬦ vt - 1. [hole, leak] tapar - 2. inf [mention favourably] dar publicidad a. ◆ **plug in** vt sep enchufar.

plughole ['plʌghəʊl] n desagüe m.

plug-in n COMPUT plug-in m.

plum [plʌm] ⬦ adj - 1. [colour] de color ciruela - 2. [choice]: **plum job** chollo m. ⬦ n [fruit] ciruela f.

plumb [plʌm] ⬦ adv - 1. UK [exactly]: **plumb in the middle** justo en medio - 2. US [completely] completamente. ⬦ vt: **to plumb the depths of** alcanzar las cotas más bajas de.

plumber ['plʌmər] n fontanero m, -ra f Esp, plomero m, -ra f Amér, gásfiter mf Chile, gásfitero m, -ra f Perú.

plumbing ['plʌmɪŋ] n (U) - 1. [fittings] tuberías fpl - 2. [work] fontanería f, plomería f Amér.

plume [plu:m] n - 1. [feather] pluma f - 2. [decoration, of smoke] penacho m.

plummet ['plʌmɪt] vi caer en picado.

plump [plʌmp] adj regordete(ta). ◆ **plump for** vt insep optar OR decidirse por. ◆ **plump up** vt sep ahuecar.

plum pudding n budín navideño con pasas.

plunder ['plʌndər] ⬦ n - 1. [stealing, raiding] saqueo m, pillaje m - 2. [stolen goods] botín m. ⬦ vt saquear.

plunge [plʌndʒ] ⬦ n [dive] zambullida f; **to take the plunge** [get married] dar el paso decisivo; [take risk] lanzarse. ⬦ vt - 1. [knife etc]: **to plunge sthg into** hundir algo en - 2. [into darkness, water]: **to plunge sthg into** sumergir algo en. ⬦ vi - 1. [dive] zambullirse - 2. [decrease] bajar vertiginosamente.

plunger ['plʌndʒər] n [for blocked pipes] desatascador m.

pluperfect [,plu:'pɜ:fɪkt] n: **pluperfect (tense)** (pretérito m) pluscuamperfecto m.

plural ['plʊərəl] ⬦ adj [gen] plural. ⬦ n plural m; **in the plural** en plural.

plus [plʌs] ⬦ adj [or more]: **35-plus** 35 o más. ⬦ n (pl -es OR -ses) - 1. MATHS [sign] signo m más - 2. [bonus] ventaja f. ⬦ prep más. ⬦ conj además.

plush [plʌʃ] adj lujoso(sa).

plus sign n signo m más.

Pluto ['plu:təʊ] n [planet] Plutón m.

plutonium [plu:'təʊnɪəm] n plutonio m.

ply [plaɪ] ⬦ vt - 1. [trade] ejercer - 2. [supply, provide]: **to ply sb with sthg** [questions] acosar a alguien con algo; [food, drink] no parar de ofrecer a alguien algo. ⬦ vi navegar.

plywood ['plaɪwʊd] n contrachapado m.

p.m., pm (abbr of post meridiem): **at 3 p.m.** a las tres de la tarde.

PM n abbr of prime minister.

PMT, PMS (abbr of premenstrual tension, premenstrual syndrome) n tensión f premenstrual.

pneumatic [nju:'mætɪk] adj [tyre, chair] neumático(ca).

pneumatic drill n martillo m neumático.

pneumonia [nju:'məʊnjə] n (U) pulmonía f.

poach [pəʊtʃ] ⬦ vt - 1. [game] cazar furtivamente; [fish] pescar furtivamente - 2. [copy] plagiar - 3. CULIN [salmon] cocer; [egg] escalfar. ⬦ vi [for game] cazar furtivamente; [for fish] pescar furtivamente.

poacher ['pəʊtʃər] n [hunter] cazador furtivo m, cazadora furtiva f; [fisherman] pescador furtivo m, pescadora furtiva f.

poaching ['pəʊtʃɪŋ] n [for game] caza f furtiva; [for fish] pesca f furtiva.

PO Box (abbr of Post Office Box) n apdo. m, casilla f (de correos) Andes.

pocket ['pɒkɪt] ⬦ n - 1. [in clothes] bolsillo m; **to be £10 out of pocket** salir perdiendo 10 libras; **to pick sb's pocket** vaciar a alguien el bolsillo - 2. [in car door etc] bolsa f, bolsillo m - 3. [of resistance] foco m; [of air] bolsa f; [on pool, snooker table] tronera f. ⬦ vt - 1. [place in pocket] meterse en el bolsillo - 2. [steal] birlar. ⬦ adj de bolsillo.

pocketbook ['pɒkɪtbʊk] n - 1. [notebook] libreta f - 2. US [handbag] bolso m; [wallet] cartera f.

pocketknife ['pɒkɪtnaɪf] (pl -knives [-naɪvz]) n navaja f (de bolsillo).

pocket money n - 1. [from parents] propina f - 2. [for minor expenses] dinero m para gastar.

pockmark ['pɒkmɑ:k] n marca f, señal f.

pod [pɒd] n [of plants] vaina f.

podgy ['pɒdʒɪ], **pudgy** adj inf gordinflón(ona).

podiatrist [pə'daɪətrɪst] n US podólogo m, -ga f.

podium ['pəʊdɪəm] (pl -diums OR -dia [-dɪə]) n podio m.

poem ['pəʊɪm] n poema m, poesía f.

poet ['pəʊɪt] n poeta mf.

poetic [pəʊ'etɪk] adj poético(ca).

poet laureate n poeta de la corte británica que escribe poemas para ocasiones oficiales.

poetry ['pəʊɪtrɪ] n poesía f.

poignant ['pɔɪnjənt] adj patético(ca), conmovedor(ra).

point [pɔɪnt] ⬦ n - 1. [gen] punto m; **a sore point** fig un asunto espinoso OR delicado - 2. [in time] momento m; **at that point** en ese momento - 3. [tip] punta f - 4. [detail, argument]: **to make a point** hacer una observación; **to have a point** tener razón - 5. [main idea]: **the point is...** lo fundamental es...; **that's the**

whole point de eso se trata; **to miss the point of** no coger la idea de; **to get** OR **come to the point** ir al grano; **it's beside the point** no viene al caso **- 6.** [feature] aspecto *m*; **weak/strong point** punto *m* débil/fuerte **- 7.** [purpose] sentido *m*; **what's the point?** ¿para qué?; **there's no point in it** no tiene sentido **- 8.** [decimal point] coma *f*; **two point six** dos coma seis **- 9.** UK ELEC toma *f* de corriente **- 10.** GEOG punta *f*
▸▸ **to make a point of doing sthg** preocuparse de hacer algo. ◇ *vt*: **to point a gun at sthg/sb** apuntar a algo/alguien con una pistola; **to point one's finger at sthg/sb** señalar algo/a alguien con el dedo. ◇ *vi* **- 1.** [indicate with finger]: **to point at sthg/sb, to point to sthg/sb** señalar algo/a alguien con el dedo **- 2.** *fig* [suggest]: **everything points to her guilt** todo indica que ella es la culpable. ▸ **points** *npl* **- 1.** UK RAIL agujas *fpl* **- 2.** AUT platinos *mpl*. ▸ **up to a point** *adv* hasta cierto punto. ▸ **on the point of** *prep*: **to be on the point of doing sthg** estar a punto de hacer algo. ▸ **point out** *vt sep* [person, object, fact] señalar, indicar; [mistake] hacer notar.

point-blank *adv* **- 1.** [refuse, deny] categóricamente **- 2.** [at close range] a quemarropa.

pointed ['pɔɪntɪd] *adj* **- 1.** [sharp, angular] en punta, puntiagudo(da) **- 2.** [cutting, incisive] intencionado(da).

pointer ['pɔɪntər] *n* **- 1.** [piece of advice] consejo *m* **- 2.** [needle] aguja *f* **- 3.** COMPUT puntero *m*.

pointless ['pɔɪntlɪs] *adj* sin sentido; **it's pointless** no tiene sentido.

point of view (*pl* **points of view**) *n* **- 1.** [opinion] punto *m* de vista **- 2.** [aspect, perspective] perspectiva *f*.

poise [pɔɪz] *n* [self-assurance] aplomo *m*, serenidad *f*; [elegance] elegancia *f*.

poised [pɔɪzd] *adj* **- 1.** [ready]: **to be poised for sthg** estar preparado(da) para algo **- 2.** [calm and dignified] sereno(na).

poison ['pɔɪzn] ◇ *n* veneno *m*. ◇ *vt* [generally - intentionally] envenenar; [- unintentionally] intoxicar.

poisoning ['pɔɪznɪŋ] *n* [intentional] envenenamiento *m*; [unintentional] intoxicación *f*.

poisonous ['pɔɪznəs] *adj* **- 1.** [substance, gas] tóxico(ca) **- 2.** [snake] venenoso(sa).

poke [pəʊk] ◇ *vt* **- 1.** [with finger, stick] empujar; [with elbow] dar un codazo a; [fire] atizar; **to poke sb in the eye** meter el dedo en el ojo de alguien **- 2.** [push, stuff]: **to poke sthg into** meter algo en. ◇ *vi* [protrude]: **to poke out of sthg** sobresalir por algo. ▸ **poke about, poke around** *vi inf* fisgonear, hurgar.

poker ['pəʊkər] *n* **- 1.** [game] póker *m* **- 2.** [for fire] atizador *m*.

poker-faced [-ˌfeɪst] *adj* con cara inexpresiva.

poky ['pəʊkɪ] *adj pej*: **a poky little room** un cuartucho.

Poland ['pəʊlənd] *n* Polonia.

polar ['pəʊlər] *adj* polar.

Polaroid® ['pəʊlərɔɪd] *n* **- 1.** [camera] polaroid® *f* **- 2.** [photograph] fotografía *f* polaroid.

pole [pəʊl] *n* **- 1.** [rod, post] poste *m*; [for tent, flag] mástil *m*; **telegraph pole** poste *m* telegráfico **- 2.** ELEC & GEOG polo *m*; **to be poles apart** *fig* ser polos opuestos.

Pole [pəʊl] *n* polaco *m*, -ca *f*.

pole vault *n*: **the pole vault** el salto con pértiga.

police [pə'liːs] ◇ *npl* [police force]: **the police** la policía. ◇ *vt* mantener el orden en, vigilar.

police car *n* coche *m* patrulla, auto *m* patrulla *Amér C, Chile & Méx*, patrullero *m*, patrulla *f Col & Méx*.

police constable *n* UK policía *mf*.

police force *n* cuerpo *m* de policía.

policeman [pə'liːsmən] (*pl* **-men** [-mən]) *n* policía *m*.

police officer *n* agente *mf* de policía.

police record *n*: **(to have a) police record** (tener) antecedentes *mpl* policiales.

police station *n* comisaría *f* (de policía).

policewoman [pə'liːsˌwʊmən] (*pl* **-women** [-ˌwɪmɪn]) *n* (mujer *f*) policía *f*.

policy ['pɒləsɪ] *n* **- 1.** [plan, practice] política *f* **- 2.** [document, agreement] póliza *f*.

polio ['pəʊlɪəʊ] *n* polio *f*.

polish ['pɒlɪʃ] ◇ *n* **- 1.** [for floor, furniture] cera *f*; [for shoes] betún *m*; [for metal] abrillantador *m*; [for nails] esmalte *m* **- 2.** [shine] brillo *m*, lustre *m* **- 3.** *fig* [refinement] refinamiento *m*. ◇ *vt* [stone, wood] pulir; [floor] encerar; [shoes, car] limpiar; [cutlery, silver, glasses] sacar brillo a. ▸ **polish off** *vt sep inf* [food] zamparse; [job] despachar.

Polish ['pəʊlɪʃ] ◇ *adj* polaco(ca). ◇ *n* [language] polaco *m*. ◇ *npl*: **the Polish** los polacos.

polished ['pɒlɪʃt] *adj* **- 1.** [person, manner] refinado(da) **- 2.** [performance, speech] esmerado(da).

polite [pə'laɪt] *adj* educado(da), cortés.

politic ['pɒlətɪk] *adj fml* oportuno(na), conveniente.

political [pə'lɪtɪkl] *adj* [concerning politics] político(ca).

politically correct [pəˌlɪtɪklɪ-] *adj* políticamente correcto(ta).

politician [ˌpɒlɪ'tɪʃn] *n* político *m*, -ca *f*.

politics ['pɒlətɪks] ⋄ n (U) política f. ⋄ npl - 1. [personal beliefs] ideas fpl políticas - 2. [of a group, area] política f.

polka ['pɒlkə] n polca f.

polka dot n lunar m (en un vestido).

poll [pəʊl] ⋄ n [vote] votación f; [of opinion] encuesta f. ⋄ vt - 1. [people] sondear - 2. [votes] obtener. ◆ **polls** npl: **the polls** los comicios.

pollen ['pɒlən] n polen m.

polling booth ['pəʊlɪŋ-] n cabina f electoral.

polling day ['pəʊlɪŋ-] n UK día m de las elecciones.

polling station ['pəʊlɪŋ-] n colegio m OR centro m electoral.

pollute [pə'luːt] vt contaminar.

pollution [pə'luːʃn] n (U) - 1. [process of polluting] contaminación f - 2. [impurities] sustancias fpl contaminantes.

polo ['pəʊləʊ] n polo m.

polo neck UK n - 1. [neck] cuello m alto - 2. [jumper] jersey m de cuello alto.

polyethylene US = **polythene**.

Polynesia [,pɒlɪ'niːʒə] n Polinesia.

polystyrene [,pɒlɪ'staɪriːn] n poliestireno m.

polytechnic [,pɒlɪ'teknɪk] n UK escuela f politécnica.

polythene UK ['pɒlɪθiːn], **polyethylene** US ['pɒlɪ'eθɪliːn] n polietileno m.

polythene bag n UK bolsa f de plástico.

pomegranate ['pɒmɪ,grænɪt] n granada f.

pomp [pɒmp] n pompa f.

pompom ['pɒmpɒm] n borla f, pompón m.

pompous ['pɒmpəs] adj - 1. [self-important] presumido(da) - 2. [style] pomposo(sa); [building] ostentoso(sa).

pond [pɒnd] n estanque m.

ponder ['pɒndər] vt considerar.

ponderous ['pɒndərəs] adj - 1. [speech, book] pesado(da) - 2. [action, walk] lento(ta) y torpe.

pong [pɒŋ] UK inf n (olor m a) peste f.

pontoon [pɒn'tuːn] n - 1. [bridge] pontón m - 2. UK [game] veintiuna f.

pony ['pəʊnɪ] n poni m.

ponytail ['pəʊnɪteɪl] n coleta f (de caballo).

pony-trekking [-,trekɪŋ] n (U): **to go pony-trekking** hacer una excursión en poni.

poodle ['puːdl] n caniche m.

pool [puːl] ⋄ n - 1. [of water, blood, ink] charco m; [pond] estanque m - 2. [swimming pool] piscina f - 3. [of light] foco m - 4. COMM [fund] fondo m común - 5. [of people, things]: **typing pool** servicio m de mecanografía; **car pool** parque m móvil - 6. [game] billar m americano. ⋄ vt [resources, funds] juntar; [knowledge] poner en común. ◆ **pools** npl UK: **the pools** las quinielas.

poor [pɔːr] ⋄ adj - 1. [gen] pobre; **poor old John!** ¡el pobre de John!; **you poor thing!** ¡pobrecito! - 2. [quality, result] malo(la) - 3. [prospects, chances] escaso(sa). ⋄ npl: **the poor** los pobres.

poorly ['pɔːlɪ] ⋄ adj UK pachucho(cha). ⋄ adv mal; **poorly off** pobre.

pop [pɒp] ⋄ n - 1. [music] (música f) pop m - 2. (U) inf [fizzy drink] gaseosa f - 3. esp US inf [father] papá m - 4. [sound] pequeña explosión f. ⋄ vt [balloon, bubble] pinchar. ⋄ vi - 1. [balloon] reventar; [cork, button] saltar - 2. [eyes] salirse de las órbitas - 3. [ears]: **her ears popped** se le destaparon los oídos - 4. [go quickly]: **I'm just popping round to the shop** voy un momento a la tienda. ◆ **pop in** vi entrar un momento. ◆ **pop up** vi aparecer de repente.

pop concert n concierto m de música pop.

popcorn ['pɒpkɔːn] n palomitas fpl (de maíz).

pope [pəʊp] n papa m.

pop group n grupo m (de música) pop.

poplar ['pɒplər] n álamo m.

poppy ['pɒpɪ] n amapola f.

Popsicle® ['pɒpsɪkl] n US polo m.

populace ['pɒpjʊləs] n: **the populace** [masses] el populacho; [people] el pueblo.

popular ['pɒpjʊlər] adj - 1. [gen] popular; [person] estimado(da) - 2. [belief, attitude, discontent] generalizado(da) - 3. [newspaper, politics] para las masas.

popularize, -ise ['pɒpjʊləraɪz] vt - 1. [make popular] popularizar - 2. [simplify] vulgarizar.

population [,pɒpjʊ'leɪʃn] n población f.

porcelain ['pɔːsəlɪn] n porcelana f.

porch [pɔːtʃ] n - 1. [entrance] porche m, pórtico m - 2. US [verandah] porche m.

porcupine ['pɔːkjʊpaɪn] n puerco m espín.

pore [pɔːr] n poro m. ◆ **pore over** vt insep estudiar esmeradamente.

pork [pɔːk] n carne f de cerdo.

pork pie n empanada f de carne de cerdo.

pornography [pɔː'nɒgrəfɪ] n pornografía f.

porous ['pɔːrəs] adj poroso(sa).

porridge ['pɒrɪdʒ] n papilla f OR gachas fpl de avena.

port [pɔːt] n - 1. [coastal town, harbour] puerto m - 2. NAUT [left-hand side] babor m - 3. [drink] oporto m - 4. COMPUT puerto m.

portable ['pɔːtəbl] adj portátil.

portent ['pɔːtənt] n liter presagio m.

porter ['pɔːtə'] n - 1. UK [in block of flats] portero m, -ra f; [in public building, hotel] conserje m - 2. [for luggage] mozo m.

portfolio [ˌpɔːt'fəʊljəʊ] (pl -s) n - 1. ART, FIN & POL cartera f - 2. [sample of work] carpeta f.

porthole ['pɔːthəʊl] n portilla f.

portion ['pɔːʃn] n - 1. [part, section] porción f - 2. [of chips, vegetables etc] ración f.

portly ['pɔːtlɪ] adj corpulento(ta).

port of call n - 1. NAUT puerto m de escala - 2. fig [on journey] escala f.

portrait ['pɔːtrɪt] n - 1. [picture] retrato m - 2. COMPUT formato m vertical.

portray [pɔː'treɪ] vt - 1. [represent - in a play, film] representar - 2. [describe] describir - 3. [paint] retratar.

Portugal ['pɔːtʃʊgl] n Portugal.

Portuguese [ˌpɔːtʃʊ'giːz] <> adj portugués(esa). <> n [language] portugués m. <> npl: the Portuguese los portugueses.

posh [pɒʃ] adj inf - 1. [hotel, area etc] de lujo, elegante - 2. UK [person, accent] afectado(da).

position [pə'zɪʃn] <> n - 1. [gen] posición f - 2. [right place] sitio m, lugar m - 3. [status] rango m - 4. [job] puesto m - 5. [in a race, competition] lugar m - 6. [state, situation] situación f; to be in a/no position to do sthg estar/no estar en condiciones de hacer algo - 7. [stance, opinion]: position on postura f respecto a. <> vt colocar.

positive ['pɒzətɪv] adj - 1. [gen] positivo(va); the test was positive la prueba dio positivo - 2. [sure]: to be positive (about) estar seguro(ra) (de) - 3. [optimistic, confident]: to be positive (about) ser optimista (respecto a) - 4. [definite - action] decisivo(va); [- decision] categórico(ca) - 5. [irrefutable - evidence, fact] irrefutable; [- proof] concluyente.

posse ['pɒsɪ] n US - 1. [to pursue criminal] grupo m de hombres a caballo - 2. [group] grupo m.

possess [pə'zes] vt - 1. [gen] poseer - 2. [subj: emotion] adueñarse de.

possession [pə'zeʃn] n posesión f; to have sthg in one's possession, to be in possession of sthg tener (posesión de) algo. ➡ **possessions** npl bienes mpl.

possessive [pə'zesɪv] adj - 1. [gen] posesivo(va) - 2. pej [selfish] egoísta.

possibility [ˌpɒsə'bɪlətɪ] n posibilidad f; there's a possibility that... es posible que...

possible ['pɒsəbl] adj - 1. [gen] posible; as soon as possible cuanto antes; as much as possible [quantity] todo lo posible; [to the greatest possible extent] en la medida de lo posible; I go as often as possible voy siempre que puedo; it's possible that she'll come es posible que venga - 2. [viable - plan etc] viable, factible.

possibly ['pɒsəblɪ] adv - 1. [perhaps] posiblemente, quizás - 2. [within one's power]: could you possibly help me? ¿te importaría ayudarme? - 3. [to show surprise]: how could he possibly do that? ¿cómo demonios pudo hacer eso? - 4. [for emphasis]: I can't possibly do it no puedo hacerlo de ninguna manera.

post [pəʊst] <> n - 1. [service]: the post el correo; by post por correo - 2. (U) [letters etc] cartas fpl - 3. [delivery] reparto m - 4. UK [collection] colecta f - 5. [pole] poste m - 6. [position, job] puesto m - 7. MIL puesto m. <> vt - 1. [put in letterbox] echar al correo; [send by mail] mandar por correo - 2. [transfer] enviar, destinar - 3. COMPUT [message, query] enviar.

postage ['pəʊstɪdʒ] n franqueo m, porte m; **postage and packing** gastos mpl de envío.

postal ['pəʊstl] adj postal.

postal order n giro m postal.

postal vote n voto m por correo.

postbox ['pəʊstbɒks] n UK buzón m.

postcard ['pəʊstkɑːd] n postal f.

postcode ['pəʊstkəʊd] n UK código m postal.

postdate [ˌpəʊst'deɪt] vt poner posfecha a; **a postdated cheque** extender un cheque con fecha posterior.

poster ['pəʊstə'] n cartel m, póster m.

poste restante [ˌpəʊst'resta:nt] n esp UK lista f de correos.

posterior [pɒ'stɪərɪə'] n hum trasero m.

postgraduate [ˌpəʊst'grædʒʊət] n posgraduado m, -da f.

posthumous ['pɒstjʊməs] adj póstumo(ma).

postman ['pəʊstmən] (pl -men [-mən]) n cartero m.

postmark ['pəʊstmɑːk] n matasellos m inv.

postmortem [ˌpəʊst'mɔːtəm] n [autopsy] autopsia f.

post office n - 1. [organization]: the Post Office ≃ Correos m inv - 2. [building] oficina f de correos.

post office box n apartado m de correos, casilla f de correos Andes & R Plata.

postpone [ˌpəʊst'pəʊn] vt posponer.

postscript ['pəʊstskrɪpt] n [additional message] posdata f; fig [additional information] nota f final.

posture ['pɒstʃə'] n lit & fig postura f; **posture on sthg** postura hacia algo.

postwar [ˌpəʊst'wɔːr] adj de (la) posguerra.

posy ['pəʊzɪ] n ramillete m.

pot [pɒt] <> n - 1. [for cooking] olla f - 2. [for tea] tetera f; [for coffee] cafetera f - 3. [for paint]

bote *m*; [for jam] tarro *m* - **4.** [flowerpot] tiesto *m*, maceta *f* - **5.** (*U*) *inf* [cannabis] maría *f*, hierba *f*.
▶▶▶ **to go to pot** ir al traste. ⬦ *vt* plantar (en un tiesto).

potassium [pə'tæsɪəm] *n* potasio *m*.

potato [pə'teɪtəʊ] (*pl* **-es**) *n* patata *f*.

potato peeler [-ˌpiːləʳ] *n* pelapatatas *m inv Esp*, pelapapas *m inv Amér*.

potent ['pəʊtənt] *adj* - **1.** [powerful, influential] poderoso(sa) - **2.** [drink, drug] fuerte - **3.** [sexually capable] potente.

potential [pə'tenʃl] ⬦ *adj* potencial, posible. ⬦ *n* (*U*) potencial *m*; **to have potential** tener posibilidades, prometer.

potentially [pə'tenʃəlɪ] *adv* en potencia.

pothole ['pɒthəʊl] *n* - **1.** [in road] bache *m* - **2.** [underground] cueva *f*.

potholing ['pɒtˌhəʊlɪŋ] *n UK* espeleología *f*.

potion ['pəʊʃn] *n* poción *f*.

potluck [ˌpɒt'lʌk] *n*: **to take potluck** [gen] elegir a ojo; [at meal] conformarse con lo que haya.

potshot ['pɒtˌʃɒt] *n*: **to take a potshot (at sthg/sb)** disparar (a algo/alguien) sin apuntar.

potted ['pɒtɪd] *adj* - **1.** [plant] en tiesto - **2.** [meat, fish] en conserva.

potter ['pɒtəʳ] *n* alfarero *m*, -ra *f*. ⬤ **potter about, potter around** *vi UK* entretenerse.

pottery ['pɒtərɪ] *n* - **1.** [gen] cerámica *f*, alfarería *f* - **2.** [factory] fábrica *f* de cerámica.

potty ['pɒtɪ] *UK inf* ⬦ *adj* [person] chalado(da). ⬦ *n* orinal *m*.

pouch [paʊtʃ] *n* - **1.** [small bag] bolsa *f* pequeña; [for tobacco] petaca *f* - **2.** [on animal's body] bolsa *f* (abdominal).

poultry ['pəʊltrɪ] ⬦ *n* [meat] carne *f* de pollería. ⬦ *npl* [birds] aves *fpl* de corral.

pounce [paʊns] *vi* [leap]: **to pounce (on OR upon)** abalanzarse (sobre).

pound [paʊnd] ⬦ *n* - **1.** [unit of money, weight] libra *f* - **2.** [for cars] depósito *m* (de coches); [for dogs] perrera *f*. ⬦ *vt* - **1.** [hammer on] golpear, aporrear - **2.** [pulverize] machacar. ⬦ *vi* - **1.** [hammer]: **to pound on sthg** golpear OR aporrear algo - **2.** [beat, throb] palpitar; **her heart was pounding** le palpitaba el corazón.

pound sterling *n* libra *f* esterlina.

pour [pɔːʳ] ⬦ *vt* [cause to flow]: **to pour sthg (into)** echar OR verter algo (en); **to pour sthg down the sink** tirar algo por el fregadero; **to pour sb a drink, to pour a drink for sb** servirle una copa a alguien; **can I pour you a cup of tea?** ¿quieres que te sirva una taza de té? ⬦ *vi* [liquid] chorrear; [smoke] salir a borbotones. ⬦ *impers vb* [rain hard] llover a cántaros; **it's pouring (down)** está lloviendo a cántaros.

⬤ **pour in** *vi* llegar a raudales. ⬤ **pour out** ⬦ *vt sep* - **1.** [empty] echar, vaciar - **2.** [serve] servir. ⬦ *vi* [rush out] salir en manada.

pouring ['pɔːrɪŋ] *adj* [rain] torrencial.

pout [paʊt] *vi* [showing displeasure] hacer pucheros; [being provocative] hacer un gesto provocador con los labios.

poverty ['pɒvətɪ] *n lit* & *fig* pobreza *f*.

poverty-stricken *adj* necesitado(da).

powder ['paʊdəʳ] ⬦ *n* polvo *m*; [make-up] polvos *mpl*. ⬦ *vt* poner polvos en; **to powder o.s.** darse polvos, empolvarse.

powder compact *n* polvera *f*.

powdered ['paʊdəd] *adj* [in powder form] en polvo.

powder puff *n* borla *f*.

powder room *n* servicios *mpl* de señoras.

power ['paʊəʳ] ⬦ *n* - **1.** (*U*) [authority, control] poder *m*; **to have power over sb** tener poder sobre alguien; **to come to/take power** llegar al/hacerse con el poder; **to be in power** estar en el poder - **2.** [ability] facultad *f*; **it isn't within my power to do sthg** no está dentro de mis posibilidades hacerlo; **I'll do everything in my power to help** haré todo lo que pueda por ayudar - **3.** [legal authority] autoridad *f*, competencia *f*; **to have the power to do sthg** tener autoridad para hacer algo - **4.** [physical strength] fuerza *f* - **5.** [energy - solar, steam etc] energía *f* - **6.** [electricity] corriente *f* - **7.** [powerful nation, person, group] potencia *f* - **8.** [phr]: **to do sb a power of good** sentar de maravilla a alguien. ⬦ *vt* impulsar.

powerboat ['paʊəbəʊt] *n* motora *f*.

power cut *n* apagón *m*.

power failure *n* corte *m* de corriente.

powerful ['paʊəfʊl] *adj* - **1.** [gen] poderoso(sa) - **2.** [blow, voice, drug] potente - **3.** [speech, film] conmovedor(ra).

powerless ['paʊəlɪs] *adj* - **1.** [helpless] impotente - **2.** [unable]: **to be powerless to do sthg** no poder hacer algo.

power point *n UK* toma *f* (de corriente).

power station *n* central *f* eléctrica.

power steering *n* dirección *f* asistida.

pp (*abbr of* per procurationem) p.p.

p & p *abbr of* **postage and packing**.

PR *n abbr of* **proportional representation**. *abbr of* **public relations**.

practicable ['præktɪkəbl] *adj* factible.

practical ['præktɪkl] ⬦ *adj* - **1.** [gen] práctico(ca) - **2.** [skilled with hands] hábil, mañoso(sa). ⬦ *n* práctica *f*.

practicality [ˌpræktɪ'kælətɪ] *n* viabilidad *f*.

practical joke *n* broma *f* pesada.

practically ['præktɪklɪ] *adv* - **1**. [in a practical way] de manera práctica - **2**. [almost] prácticamente, casi.

practice ['præktɪs] *n* - **1**. [training, training session] práctica *f*; SPORT entrenamiento *m*; MUS ensayo *m*; **I'm out of practice** me falta práctica; **practice makes perfect** se aprende a base de práctica - **2**. [reality]: **to put sthg into practice** llevar algo a la práctica - **3**. [habit, regular activity] costumbre *f* - **4**. [of profession] ejercicio *m* - **5**. [business - of doctor] consulta *f*; [- of lawyer] bufete *m*, despacho *m*.

practicing *US* = **practising**.

practise, practice *US* ['præktɪs] ◇ *vt* - **1**. SPORT entrenar; MUS & THEAT ensayar - **2**. [religion, economy, safe sex] practicar - **3**. [medicine, law] ejercer. ◇ *vi* - **1**. [train - gen] practicar; SPORT entrenarse - **2**. [as doctor] practicar; [as lawyer] ejercer.

practising, practicing *US* ['præktɪsɪŋ] *adj* - **1**. [Catholic, Jew etc] practicante - **2**. [doctor, lawyer] en ejercicio - **3**. [homosexual] activo(va).

practitioner [præk'tɪʃnər] *n*: **medical practitioner** médico *m*, -ca *f*.

prairie ['preərɪ] *n* pradera *f*, prado *m*.

praise [preɪz] ◇ *n (U)* elogio *m*, alabanza *f*. ◇ *vt* elogiar, alabar.

praiseworthy ['preɪz,wɜːðɪ] *adj* encomiable.

pram [præm] *n* cochecito *m* de niño.

prance [prɑːns] *vi* - **1**. [person] ir dando brincos - **2**. [horse] hacer cabriolas.

prank [præŋk] *n* travesura *f*; **to play a prank on sb** gastarle una broma pesada a alguien.

prawn [prɔːn] *n* gamba *f*.

pray [preɪ] *vi* rezar, orar; **to pray to sb** rogar a alguien.

prayer [preər] *n* - **1**. RELIG oración *f* - **2**. *fig* [strong hope] ruego *m*, súplica *f*.

prayer book *n* misal *m*.

preach [priːtʃ] ◇ *vt* [gen] predicar; [sermon] dar. ◇ *vi* - **1**. RELIG: **to preach (to)** predicar (a) - **2**. *pej* [pontificate]: **to preach (at)** sermonear (a).

preacher ['priːtʃər] *n* - **1**. predicador *m*, -ra *f* - **2**. *US* [minister] pastor *m*, -ra *f*.

precarious [prɪ'keərɪəs] *adj* precario(ria).

precaution [prɪ'kɔːʃn] *n* precaución *f*.

precede [prɪ'siːd] *vt* preceder.

precedence ['presɪdəns] *n*: **to take precedence over** tener prioridad sobre.

precedent ['presɪdənt] *n* precedente *m*.

precinct ['priːsɪŋkt] *n* - **1**. *UK* [shopping area] zona *f* comercial - **2**. *US* [district] distrito *m*.
◆ **precincts** *npl* recinto *m*.

precious ['preʃəs] *adj* - **1**. [gen] precioso(sa) - **2**. [memories, possessions] preciado(da) - **3**. [af-

fected] afectado(da) - **4**. *iro*: **I've heard enough about your precious dog!** ¡ya estoy cansado de tu dichoso perro!

precipice ['presɪpɪs] *n lit & fig* precipicio *m*.

precipitate *vt* [prɪ'sɪpɪteɪt] precipitar.

precise [prɪ'saɪs] *adj* preciso(sa), exacto(ta).

precisely [prɪ'saɪslɪ] *adv* - **1**. [with accuracy] exactamente - **2**. [exactly, literally] precisamente - **3**. [as confirmation]: **precisely!** ¡eso es!, ¡exactamente!

precision [prɪ'sɪʒn] *n* precisión *f*.

preclude [prɪ'kluːd] *vt fml* evitar, impedir; [possibility] excluir; **to preclude sthg/sb from doing sthg** impedir que algo/alguien haga algo.

precocious [prɪ'kəʊʃəs] *adj* precoz.

preconceived [,priːkən'siːvd] *adj* preconcebido(da).

precondition [,priːkən'dɪʃn] *n fml*: **precondition (for)** requisito *m* previo (para).

predator ['predətər] *n* depredador *m*, -ra *f*; *fig* buitre *m*ſ.

predecessor ['priːdisesər] *n* antecesor *m*, -ra *f*.

predicament [prɪ'dɪkəmənt] *n* apuro *m*.

predict [prɪ'dɪkt] *vt* predecir, pronosticar.

predictable [prɪ'dɪktəbl] *adj* - **1**. [result etc] previsible - **2**. [film, book, person] poco original.

prediction [prɪ'dɪkʃn] *n* pronóstico *m*.

predispose [,priːdɪs'pəʊz] *vt*: **to be predisposed to sthg/to do sthg** [by nature] estar predispuesto(ta) a algo/a hacer algo.

predominant [prɪ'dɒmɪnənt] *adj* predominante.

predominantly [prɪ'dɒmɪnəntlɪ] *adv* fundamentalmente.

preempt [,priː'empt] *vt* [make ineffective] adelantarse a.

preemptive [,priː'emptɪv] *adj* preventivo(va).

preen [priːn] *vt* - **1**. [subj: bird] arreglar (con el pico); **to preen itself** atusarse las plumas - **2**. *fig* [subj: person]: **to preen o.s.** acicalarse.

prefab ['priːfæb] *n inf* casa *f* prefabricada.

preface ['prefɪs] *n*: **preface (to)** prólogo *m* OR prefacio *m* (a).

prefect ['priːfekt] *n UK* [pupil] delegado *m*, -da *f* de curso.

prefer [prɪ'fɜːr] *vt*: **to prefer sthg (to)** preferir algo (a); **to prefer to do sthg** preferir hacer algo.

preferable ['prefrəbl] *adj*: **to be preferable (to)** ser preferible (a).

preferably ['prefrəblɪ] *adv* preferentemente.

preference ['prefərəns] *n*: preference (for) preferencia *f* (por); **to give sb preference, to give preference to sb** dar preferencia a alguien.

preferential [,prefə'renʃl] *adj* preferente.

prefix ['pri:fɪks] *n* prefijo *m*.

pregnancy ['pregnənsɪ] *n* embarazo *m*.

pregnant ['pregnənt] *adj* - 1. [woman] embarazada - 2. [animal] preñada.

prehistoric [,pri:hɪ'stɒrɪk] *adj* prehistórico(ca).

prejudice ['predʒudɪs] ◇ *n*: prejudice (against) prejuicio *m* (contra); **prejudice in favour of** predisposición *f* a favor de. ◇ *vt* - 1. [bias]: **to prejudice sb (in favour of/against)** predisponer a alguien (a favor de/en contra de) - 2. [harm] perjudicar.

prejudiced ['predʒudɪst] *adj* parcial; **to be prejudiced in favour of/against** estar predispuesto a favor de/en contra de.

preliminary [prɪ'lɪmɪnərɪ] *adj* preliminar.

prelude ['prelju:d] *n* [event]: **prelude (to)** preludio *m* (a).

premarital [,pri:'mærɪtl] *adj* prematrimonial.

premature ['premə,tjuər] *adj* prematuro(ra).

premeditated [,pri:'medɪteɪtɪd] *adj* premeditado(da).

premenstrual syndrome, premenstrual tension [pri:'menstruəl-] *n* síndrome *m* premenstrual.

premier ['premjər] ◇ *adj* primero(ra). ◇ *n* primer ministro *m*, primera ministra *f*.

premiere ['premɪeər] *n* estreno *m*.

premise ['premɪs] *n* premisa *f*. ◆ **premises** *npl* local *m*; **on the premises** en el local.

premium ['pri:mjəm] *n* prima *f*; **to put** OR **place a high premium on sthg** dar gran importancia a algo.

premium bond *n UK* boleto numerado emitido por el Estado que autoriza a participar en sorteos mensuales de dinero hasta su amortización.

premonition [,premə'nɪʃn] *n* premonición *f*.

pre-nup ['pri:nʌp] *(abbr of* **pre-nuptual contract)** *n informal* acuerdo *m* prenupcial.

preoccupied [pri:'ɒkjupaɪd] *adj*: **preoccupied (with)** preocupado(da) (por).

prep [prep] *(abbr of* **preparation)** *n (U) UK inf* tarea *f*, deberes *mpl*.

prepaid ['pri:peɪd] *adj* [post paid] porte pagado.

preparation [,prepə'reɪʃn] *n* [act of preparing] preparación *f*. ◆ **preparations** *npl* preparativos *mpl*; **to make preparations for** hacer los preparativos para.

preparatory [prɪ'pærətrɪ] *adj* preparatorio(ria), preliminar.

preparatory school *n* [in UK] colegio de pago para niños de 7 a 12 años; [in US] escuela privada de enseñanza secundaria y preparación para estudios superiores.

prepare [prɪ'peər] ◇ *vt* preparar. ◇ *vi*: **to prepare for sthg/to do sthg** prepararse para algo/para hacer algo.

prepared [prɪ'peəd] *adj* - 1. [gen] preparado(da); **to be prepared for sthg** estar preparado para algo - 2. [willing]: **to be prepared to do sthg** estar dispuesto(ta) a hacer algo.

preposition [,prepə'zɪʃn] *n* preposición *f*.

preposterous [prɪ'pɒstərəs] *adj* absurdo(da).

prep school *n inf abbr of* **preparatory school**.

prerequisite [,pri:'rekwɪzɪt] *n*: **prerequisite (for)** requisito *m* (para).

prerogative [prɪ'rɒgətɪv] *n* prerrogativa *f*.

Presbyterian [,prezbɪ'tɪərɪən] ◇ *adj* presbiteriano(na). ◇ *n* presbiteriano *m*, -na *f*.

preschool ['pri:,sku:l] ◇ *adj* preescolar. ◇ *n US* parvulario *m*.

prescribe [prɪ'skraɪb] *vt* - 1. MED recetar - 2. [order] ordenar, mandar.

prescription [prɪ'skrɪpʃn] *n* receta *f*; **on prescription** con receta médica.

presence ['prezns] *n* presencia *f*; **to make one's presence felt** hacer sentir la presencia de uno.

presence of mind *n* aplomo *m*.

present ◇ *adj* ['preznt] - 1. [current] actual - 2. [in attendance] presente; **to be present at sthg** asistir a algo, estar presente en algo. ◇ *n* ['preznt] - 1. [current time]: **the present** el presente; **at present** actualmente - 2. LING: **present (tense)** (tiempo *m*) presente *m* - 3. [gift] regalo *m*; **to give sb a present** dar un regalo a alguien. ◇ *vt* [prɪ'zent] - 1. [gen] presentar; **to present sb with sthg, to present sthg to sb** [challenge, opportunity] representar algo para alguien; **to present sb to sb** presentar a alguien a alguien; **to present o.s.** [arrive] presentarse - 2. [give]: **to present sb with sthg, to present sthg to sb** [as present] obsequiar algo a alguien; [at ceremony] entregar algo a alguien - 3. [play etc] representar.

presentable [prɪ'zentəbl] *adj* presentable; **to look presentable** tener un aspecto presentable; **to make o.s. presentable** arreglarse.

presentation [ˌprezn'teɪʃn] *n* - **1.** [gen] presentación *f* - **2.** [ceremony] entrega *f* - **3.** [performance] representación *f*.

present day *n*: the present day el presente.
➤ **present-day** *adj* de hoy en día.

presenter [prɪ'zentər] *n* UK presentador *m*, -ra *f*.

presently ['prezntlɪ] *adv* - **1.** [soon] dentro de poco - **2.** [now] actualmente.

preservation [ˌprezə'veɪʃn] *n* preservación *f*, conservación *f*.

preservative [prɪ'zɜːvətɪv] *n* conservante *m*.

preserve [prɪ'zɜːv] ⟨⟩ *vt* conservar. ⟨⟩ *n* [jam] mermelada *f*. ➤ **preserves** *npl* [jam] confituras *fpl*; [vegetables] conserva *f*.

preset [ˌpriː'set] (*pt & pp* **preset**) *vt* programar.

president ['prezɪdənt] *n* presidente *m*, -ta *f*.

presidential [ˌprezɪ'denʃl] *adj* presidencial.

press [pres] ⟨⟩ *n* - **1.** [push]: to give sthg a press apretar algo - **2.** [newspapers, reporters]: the press la prensa; to get a good/bad press tener buena/mala prensa - **3.** [machine] prensa *f*; to go to press entrar en prensa - **4.** [with iron] planchado *m*; to give sthg a press dar un planchado a algo. ⟨⟩ *vt* - **1.** [gen] apretar; to press sthg against sthg apretar algo contra algo - **2.** [grapes, flowers] prensar - **3.** [iron] planchar - **4.** [urge]: to press sb for sthg presionar a alguien en busca de algo - **5.** [pursue - claim] insistir en; to press charges against sb LAW demandar a alguien. ⟨⟩ *vi* - **1.** [gen]: to press (on sthg) apretar (algo) - **2.** [crowd]: to press forward empujar hacia adelante. ➤ **press for** *vt insep* exigir, reclamar. ➤ **press on** *vi* [continue]: to press on (with) seguir adelante (con).

press agency *n* agencia *f* de prensa.

press conference *n* rueda *f* de prensa.

pressed [prest] *adj*: to be pressed (for time/money) andar escaso(sa) (de tiempo/de dinero).

pressing ['presɪŋ] *adj* apremiante.

press officer *n* jefe *m*, -fa *f* de prensa.

press release *n* comunicado *m* de prensa.

press-stud *n* UK automático *m*.

press-up *n* UK flexión *f*.

pressure ['preʃər] *n* presión *f*.

pressure cooker *n* olla *f* a presión.

pressure gauge *n* manómetro *m*.

pressure group *n* grupo *m* de presión.

pressurize, -ise ['preʃəraɪz] *vt* - **1.** TECH presurizar - **2.** UK [force]: to pressurize sb to do OR into doing sthg presionar a alguien para que haga algo.

prestige [pre'stiːʒ] *n* prestigio *m*.

presumably [prɪ'zjuːməblɪ] *adv*: presumably you've read it supongo que los has leído.

presume [prɪ'zjuːm] *vt* suponer; he is presumed dead se supone que está muerto.

presumption [prɪ'zʌmpʃn] *n* - **1.** [assumption] suposición *f*; [of innocence] presunción *f* - **2.** (*U*) [audacity] presunción *f*, osadía *f*.

presumptuous [prɪ'zʌmptʃʊəs] *adj* presuntuoso(sa).

pretence, pretense US [prɪ'tens] *n* fingimiento *m*, simulación *f*; to make a pretence of doing sthg fingir hacer algo; under false pretences con engaños, con falsos pretextos.

pretend [prɪ'tend] ⟨⟩ *vt*: to pretend to do sthg fingir hacer algo; she pretended not to notice hizo como si no se hubiera dado cuenta; don't pretend you didn't know! ¡no finjas que no lo sabías! ⟨⟩ *vi* fingir, simular. ⟨⟩ *adj inf* de mentira.

pretense US = **pretence**.

pretension [prɪ'tenʃn] *n* pretensión *f*; to have pretensions to sthg tener pretensiones de algo.

pretentious [prɪ'tenʃəs] *adj* pretencioso(sa).

pretext ['priːtekst] *n* pretexto *m*; on OR under the pretext that.../of doing sthg con el pretexto de que.../de hacer algo.

pretty ['prɪtɪ] ⟨⟩ *adj* bonito(ta). ⟨⟩ *adv* bastante; pretty much más o menos; pretty well [almost] casi.

prevail [prɪ'veɪl] *vi* - **1.** [be widespread] predominar, imperar - **2.** [triumph]: to prevail (over) prevalecer (sobre) - **3.** [persuade]: to prevail on OR upon sb to do sthg persuadir a alguien para que haga algo.

prevailing [prɪ'veɪlɪŋ] *adj* predominante.

prevalent ['prevələnt] *adj* predominante.

prevent [prɪ'vent] *vt* impedir; [event, illness, accident] evitar; to prevent sthg (from) happening impedir OR evitar que algo pase; to prevent sb (from) doing sthg impedir a alguien que haga algo.

preventive [prɪ'ventɪv], **preventative** *adj* preventivo(va).

preview ['priːvjuː] *n* - **1.** [film] avance *m* - **2.** [exhibition] preestreno *m*.

previous ['priːvjəs] *adj* previo(via), anterior.

previously ['priːvjəslɪ] *adv* - **1.** [formerly] anteriormente - **2.** [before]: two years previously dos años antes.

prewar [ˌpriː'wɔːr] *adj* de preguerra.

prey [preɪ] *n* presa *f*, víctima *f*. ➤ **prey on** *vt insep* - **1.** [live off] cazar, alimentarse de - **2.** [trouble]: to prey on sb's mind atormentar a alguien.

price [praɪs] ⟨⟩ *n lit & fig* precio *m*; to go up/down in price subir/bajar de precio; you

can't put a price on health la salud no tiene precio; **to pay the price for sthg** pagar el precio de algo; **at any price** a toda costa, a cualquier precio; **at a price** a un alto precio; **to pay a high price for sthg** pagar algo caro. ◇ *vt* poner precio a; **to be wrongly priced** tener el precio equivocado; **to price o.s. out of the market** salirse del mercado por vender demasiado caro.

priceless ['praɪslɪs] *adj lit & fig* que no tiene precio, inestimable.

price list *n* lista *f* OR tarifa *f* de precios.

price tag *n* [label] etiqueta *f* (del precio).

pricey ['praɪsɪ] (*comp* -ier, *superl* -iest) *adj* caro(ra).

prick [prɪk] ◇ *n* - 1. [wound] pinchazo *m* - 2. *vulg* [penis] polla *f* - 3. *vulg* [stupid person] gilipollas *mf inv*. ◇ *vt* - 1. [gen] pinchar - 2. [sting] picar. ◆ **prick up** *vt insep*: **to prick up one's ears** [subj: animal] levantar las orejas; [subj: person] aguzar el oído.

prickle ['prɪkl] ◇ *n* - 1. [thorn] espina *f* - 2. [sensation] comezón *f*. ◇ *vi* picar.

prickly ['prɪklɪ] *adj* - 1. [thorny] espinoso(sa) - 2. *fig* [touchy] susceptible, enojadizo(za).

prickly heat *n* (U) sarpullido por causa del calor.

pride [praɪd] ◇ *n* orgullo *m*. ◇ *vt*: **to pride o.s. on sthg** enorgullecerse de algo.

priest [priːst] *n* sacerdote *m*.

priestess ['priːstɪs] *n* sacerdotisa *f*.

priesthood ['priːsthud] *n* - 1. [position, office]: **the priesthood** el sacerdocio - 2. [priests collectively]: **the priesthood** el clero.

prig [prɪg] *n* mojigato *m*, -ta *f*.

prim [prɪm] *adj* remilgado(da); **prim and proper** remilgado(da).

primarily ['praɪmərɪlɪ] *adv* principalmente.

primary ['praɪmərɪ] ◇ *adj* - 1. [main] principal - 2. SCH primario(ria). ◇ *n* US POL primaria *f*.

primary school *n* escuela *f* primaria.

primate ['praɪmeɪt] *n* ZOOL primate *m*.

prime [praɪm] ◇ *adj* - 1. [main] primero(ra), principal - 2. [excellent] excelente; [quality] primero(ra). ◇ *n*: **to be in one's prime** estar en la flor de la vida. ◇ *vt* - 1. [surface] preparar - 2. [gun, pump] cebar.

prime minister *n* primer ministro *m*, primera ministra *f*.

primer ['praɪmər] *n* - 1. [paint] imprimación *f* - 2. [textbook] cartilla *f*.

primeval, primaeval [praɪˈmiːvl] *adj* [ancient] primitivo(va).

primitive ['prɪmɪtɪv] *adj* [tribe, species etc] primitivo(va); [accommodation, sense of humour] rudimentario(ria).

primrose ['prɪmrəʊz] *n* primavera *f*, prímula *f*.

Primus stove® ['praɪməs-] *n* hornillo *m* de camping.

prince [prɪns] *n* príncipe *m*.

princess [prɪnˈses] *n* princesa *f*.

principal ['prɪnsəpl] ◇ *adj* principal. ◇ *n* SCH director *m*, -ra *f*.

principle ['prɪnsəpl] *n* - 1. [gen] principio *m*; **to be against sb's principles** ir contra los principios de alguien - 2. (U) [integrity] principios *mpl*; **on principle, as a matter of principle** por principio. ◆ **in principle** *adv* en principio.

print [prɪnt] ◇ *n* - 1. (U) [type] caracteres *mpl* (de imprenta); **in print** [available] disponible; [in printed characters] en letra impresa; **to be out of print** estar agotado - 2. [piece of artwork] grabado *m* - 3. [reproduction] reproducción *f* - 4. [photograph] fotografía *f* - 5. [fabric] estampado *m* - 6. [mark - of foot etc] huella *f*. ◇ *vt* - 1. TYPO imprimir - 2. [produce by printing - book, newspaper] tirar - 3. [publish] publicar - 4. [decorate - cloth etc] estampar - 5. [write in block letters] escribir con letra de imprenta. ◇ *vi* imprimir. ◆ **print out** *vt sep* COMPUT imprimir.

printer ['prɪntər] *n* - 1. [person] impresor *m*, -ra *f*; [firm] imprenta *f* - 2. [machine] impresora *f*.

printer cable *n* cable *m* de impresora.

printing ['prɪntɪŋ] *n* - 1. (U) [act of printing] impresión *f* - 2. [trade] imprenta *f*.

printout ['prɪntaʊt] *n* COMPUT salida *f* de impresora.

prior ['praɪər] ◇ *adj* [previous] previo(via); **without prior notice** sin previo aviso; **to have prior commitments** tener compromisos previos; **to have a prior engagement** tener un compromiso previo. ◇ *n* [monk] prior *m*. ◆ **prior to** *prep* antes de; **prior to doing sthg** con anterioridad a hacer algo.

priority [praɪˈɒrətɪ] *n* prioridad *f*; **to have** OR **take priority (over)** tener prioridad (sobre).

prise [praɪz] *vt*: **to prise sthg open/away** abrir/separar algo haciendo palanca.

prison ['prɪzn] ◇ *n* cárcel *f*, prisión *f*; **to be in prison** estar en la cárcel; **to be sentenced to 5 years in prison** ser condenado a cinco años de cárcel. ◇ *comp*: **to be given a prison sentence** ser condenado a una pena de cárcel; **a prison officer** un funcionario de prisiones.

prisoner ['prɪznər] *n* - 1. [convict] preso *m*, -sa *f* - 2. [captive] prisionero *m*, -ra *f*.

prisoner of war (*pl* prisoners of war) *n* prisionero *m*, -ra *f* de guerra.

privacy [UK 'prɪvəsɪ, US 'praɪvəsɪ] *n* intimidad *f*.

private ['praɪvɪt] ◇ adj - **1.** [gen] privado(da); [class] particular; [telephone call, belongings] personal - **2.** [thoughts, plans] secreto(ta); **a private joke** un chiste que entienden unos pocos - **3.** [secluded] retirado(da) - **4.** [unsociable - person] reservado(da). ◇ n - **1.** [soldier] soldado m raso - **2.**: **(to do sthg) in private** [in secret] (hacer algo) en privado.

private enterprise n (U) empresa f privada.

private education n (U) enseñanza f privada.

private eye n detective privado m, -da f.

privately ['praɪvɪtlɪ] adv - **1.** [not by the state] de forma privada; **privately owned** de propiedad privada - **2.** [confidentially] en privado.

private property n propiedad f privada.

private school n colegio m privado.

privatize, -ise ['praɪvɪtaɪz] vt privatizar.

privet ['prɪvɪt] n alheña f.

privilege ['prɪvɪlɪdʒ] n privilegio m.

privy ['prɪvɪ] adj: **to be privy to sthg** estar enterado(da) de algo.

Privy Council n UK: **the Privy Council** en Gran Bretaña, consejo privado que asesora al monarca.

prize [praɪz] ◇ adj de primera. ◇ n premio m. ◇ vt: **to be prized** ser apreciado(da).

prize-giving [-,gɪvɪŋ] n UK entrega f de premios.

prizewinner ['praɪz,wɪnə] n premiado m, -da f.

pro [prəʊ] (pl -s) n - **1.** inf [professional] profesional mf - **2.** [advantage]: **the pros and cons** los pros y los contras.

PRO [,piːɑːr'əʊ] n - **1.** UK (abbr of Public Record Office) registro m del Reino Unido - **2.** (abbr of public relations officer) jefe de relaciones públicas.

probability [,prɒbə'bɪlətɪ] n probabilidad f.

probable ['prɒbəbl] adj probable; **it is not very probable that it will happen** no es muy probable que ocurra.

probably ['prɒbəblɪ] adv probablemente.

probation [prə'beɪʃn] n - **1.** [of prisoner] libertad f condicional; **to put sb on probation** poner a alguien en libertad condicional - **2.** [trial period] periodo m de prueba; **to be on probation** estar en periodo de prueba.

probe [prəʊb] ◇ n - **1.** [investigation]: **probe (into)** investigación f (sobre) - **2.** MED & AERON sonda f. ◇ vt - **1.** [investigate] investigar - **2.** [with tool] sondar; [with finger, stick] hurgar en.

problem ['prɒbləm] n problema m; **no problem!** inf ¡por supuesto!, ¡desde luego!

procedure [prə'siːdʒə] n procedimiento m.

proceed vi [prə'siːd] - **1.** [do subsequently]: **to proceed to do sthg** proceder a hacer algo - **2.** fml [advance] avanzar. ➡ **proceeds** npl ['prəʊsiːdz] ganancias fpl, beneficios mpl.

proceedings [prə'siːdɪŋz] npl - **1.** [series of events] acto m - **2.** [legal action] proceso m; **to start proceedings against sb** entablar proceso contra alguien.

process ['prəʊses] ◇ n proceso m; **in the process** en el intento. ◇ vt - **1.** [gen & COMPUT] procesar - **2.** [application] tramitar.

processing ['prəʊsesɪŋ] n - **1.** [gen & COMPUT] procesamiento m - **2.** [of applications etc] tramitación f.

procession [prə'seʃn] n desfile m; [religious] procesión f.

proclaim [prə'kleɪm] vt [gen] proclamar; [law] promulgar.

procrastinate [prə'kræstɪneɪt] vi andarse con dilaciones.

procure [prə'kjʊə] vt [obtain] obtener.

prod [prɒd] vt [push, poke] dar empujoncitos a.

prodigal ['prɒdɪgl] adj [son, daughter] pródigo(ga).

prodigy ['prɒdɪdʒɪ] n [person] prodigio m; **a child prodigy** un niño prodigio.

produce ◇ n ['prɒdjuːs] (U) productos mpl agrícolas; **'produce of France'** 'producto de Francia'. ◇ vt [prə'djuːs] - **1.** [gen] producir; [offspring, flowers] engendrar - **2.** [bring out] mostrar, enseñar - **3.** THEAT poner en escena.

producer [prə'djuːsə] n - **1.** [gen] productor m, -ra f - **2.** THEAT director m, -ra f de escena.

product ['prɒdʌkt] n producto m.

production [prə'dʌkʃn] n - **1.** [gen] producción f; **to put/go into production** empezar a fabricar/fabricarse - **2.** (U) THEAT puesta f en escena.

production line n cadena f de producción.

productive [prə'dʌktɪv] adj - **1.** [efficient] productivo(va) - **2.** [rewarding] provechoso(sa).

productivity [,prɒdʌk'tɪvətɪ] n productividad f.

profane [prə'feɪn] adj [disrespectful] obsceno(na).

profession [prə'feʃn] n profesión f; **by profession** de profesión.

professional [prə'feʃənl] ◇ adj profesional. ◇ n profesional mf.

professor [prə'fesə] n - **1.** UK [head of department] catedrático m, -ca f - **2.** US & Canada [lecturer] profesor m, -ra f (de universidad).

proficiency [prə'fɪʃənsɪ] n: **proficiency (in)** competencia f (en).

profile ['prəʊfaɪl] *n* perfil *m*; **high profile** notoriedad *f*.

profit ['prɒfɪt] <> *n* - 1. [financial gain] beneficio *m*, ganancia *f*; **to make a profit** sacar un beneficio; **to sell sthg at a profit** vender algo con beneficios - 2. [advantage] provecho *m*. <> *vi*: **to profit (from OR by)** sacar provecho (de).

profitability [,prɒfɪtə'bɪlətɪ] *n* rentabilidad *f*.

profitable ['prɒfɪtəbl] *adj* - 1. [making a profit] rentable - 2. [beneficial] provechoso(sa).

profiteering [,prɒfɪ'tɪərɪŋ] *n* especulación *f*.

profit-related pay *n* remuneración *f* vinculada a los beneficios.

profound [prə'faʊnd] *adj* profundo(da).

profusely [prə'fju:slɪ] *adv* profusamente; **to apologise profusely** pedir disculpas cumplidamente.

profusion [prə'fju:ʒn] *n* profusión *f*.

progeny ['prɒdʒənɪ] *n* progenie *f*.

prognosis [prɒg'nəʊsɪs] (*pl* -noses [-'nəʊsiːz]) *n* pronóstico *m*.

program ['prəʊgræm] <> *n* - 1. COMPUT programa *m* - 2. US = programme. <> *vt* (*pt & pp* -med OR -ed, *cont* -ming OR ing) - 1. COMPUT programar - 2. US = programme. <> *vi* (*pt & pp* -med OR -ed, *cont* -ming OR ing) COMPUT programar.

programer US = programmer.

programme UK, **program** US ['prəʊgræm] <> *n* programa *m*. <> *vt*: **to programme sthg (to do sthg)** programar algo (para que haga algo).

programmer UK, **programer** US ['prəʊgræmə'] *n* COMPUT programador *m*, -ra *f*.

programming ['prəʊgræmɪŋ] *n* programación *f*.

progress <> *n* ['prəʊgres] - 1. [gen] progreso *m*; **in progress** en curso; **to make progress** hacer progresos - 2. [forward movement] avance *m*. <> *vi* [prə'gres] - 1. [gen] progresar; **as the year progressed** conforme avanzaba el año; [pupil etc] hacer progresos - 2. [move forward] avanzar.

progressive [prə'gresɪv] *adj* - 1. [enlightened] progresista - 2. [gradual] progresivo(va).

prohibit [prə'hɪbɪt] *vt* prohibir; **to prohibit sb from doing sthg** prohibirle a alguien hacer algo; **fishing is prohibited** prohibido pescar.

project <> *n* ['prɒdʒekt] - 1. [plan, idea] proyecto *m* - 2. SCH: **project (on)** estudio *m* OR trabajo *m* (sobre) - 3. US: **the projects** urbanización con viviendas de protección oficial. <> *vt* [prə'dʒekt] - 1. [gen] proyectar - 2. [estimate,

statistic, costs] estimar - 3. [company, person] dar una imagen de; [image] proyectar. <> *vi* [prə'dʒekt] proyectarse.

projectile [prə'dʒektaɪl] *n* proyectil *m*.

projection [prə'dʒekʃn] *n* - 1. [gen] proyección *f* - 2. [protrusion] saliente *m*.

projector [prə'dʒektə'] *n* proyector *m*.

proletariat [,prəʊlɪ'teərɪət] *n* proletariado *m*.

prolific [prə'lɪfɪk] *adj* prolífico(ca).

prologue, prolog US ['prəʊlɒg] *n* prólogo *m*; **to be the OR a prologue to sthg** *fig* ser el prólogo a algo.

prolong [prə'lɒŋ] *vt* prolongar.

prom [prɒm] *n* - 1. *abbr of* promenade concert - 2. UK *inf* [road by sea] (*abbr of* promenade) paseo *m* marítimo - 3. US [ball] baile *m* de gala (en la escuela).

promenade [,prɒmə'nɑːd] *n* UK [by sea] paseo *m* marítimo.

promenade concert *n* UK concierto sinfónico en donde parte del público está de pie.

prominent ['prɒmɪnənt] *adj* - 1. [important] destacado(da), importante - 2. [noticeable] prominente.

promiscuous [prɒ'mɪskjʊəs] *adj* promiscuo(cua).

promise ['prɒmɪs] <> *n* promesa *f*. <> *vt*: **to promise (to do sthg)** prometer (hacer algo); **to promise sb sthg** prometer a alguien algo. <> *vi*: **I promise** te lo prometo.

promising ['prɒmɪsɪŋ] *adj* prometedor(ra).

promontory ['prɒməntrɪ] (*pl* -ies) *n* promontorio *m*.

promote [prə'məʊt] *vt* - 1. [foster] fomentar, promover - 2. [push, advertise] promocionar - 3. [in job]: **to promote sb (to sthg)** ascender a alguien (a algo) - 4. SPORT: **to be promoted** subir.

promoter [prə'məʊtə'] *n* - 1. [organizer] organizador *m*, -ra *f* - 2. [supporter] promotor *m*, -ra *f*.

promotion [prə'məʊʃn] *n* - 1. [in job] ascenso *m*; **to get OR be given promotion** conseguir un ascenso - 2. [advertising] promoción *f* - 3. [campaign] campaña *f* de promoción.

prompt [prɒmpt] <> *adj* rápido(da); **the injury requires prompt treatment** las heridas requieren un tratamiento inmediato; **to be prompt in doing sthg** hacer algo con prontitud. <> *adv* en punto; **at 2 o'clock prompt** a las dos en punto. <> *vt* - 1. [motivate]: **to prompt sb (to do sthg)** inducir OR impulsar a alguien (a hacer algo) - 2. THEAT apuntar. <> *n* THEAT [line] apunte *m*.

promptly ['prɒmptlɪ] *adv* - 1. [reply, react, pay] inmediatamente, rápidamente - 2. [arrive, leave] puntualmente.

prone [prəʊn] *adj* - **1.** [susceptible]: **to be prone to sthg/to do sthg** ser propenso(sa) a algo/a hacer algo - **2.** [lying flat] boca abajo.

prong [prɒŋ] *n* diente *m*, punta *f*.

pronoun ['prəʊnaʊn] *n* pronombre *m*.

pronounce [prə'naʊns] ◇ *vt* - **1.** [gen] pronunciar - **2.** [declare] declarar. ◇ *vi*: **to pronounce on sthg** pronunciarse sobre algo.

pronounced [prə'naʊnst] *adj* pronunciado(da), marcado(da).

pronouncement [prə'naʊnsmənt] *n* declaración *f*.

pronunciation [prə,nʌnsɪ'eɪʃn] *n* pronunciación *f*.

proof [pru:f] ◇ *n* - **1.** [gen & TYPO] prueba *f* - **2.** [of alcohol]: **to be 10% proof** tener 10 grados. ◇ *adj* [secure]: **proof against** a prueba de.

prop [prɒp] ◇ *n* - **1.** [physical support] puntal *m*, apoyo *m* - **2.** *fig* [supporting thing, person] sostén *m*. ◇ *vt*: **to prop sthg on OR against sthg** apoyar algo contra algo. ◆ **props** *npl* accesorios *mpl*. ◆ **prop up** *vt sep* - **1.** [physically support] apuntalar - **2.** *fig* [sustain] apoyar.

propaganda [,prɒpə'gændə] *n* propaganda *f*.

propel [prə'pel] *vt* propulsar, impulsar.

propeller [prə'pelər] *n* hélice *f*.

propelling pencil [prə'pelɪŋ-] *n UK* portaminas *m inv*.

propensity [prə'pensətɪ] *n fml*: **to have a propensity to do sthg** tener propensión a hacer algo.

proper ['prɒpər] *adj* - **1.** [real] de verdad - **2.** [correct - gen] correcto(ta); [- time, place, equipment] adecuado(da).

properly ['prɒpəlɪ] *adv* - **1.** [satisfactorily, correctly] bien - **2.** [decently] correctamente.

proper noun *n* nombre *m* propio.

property ['prɒpətɪ] *n* - **1.** [gen] propiedad *f* - **2.** [estate] finca *f* - **3.** *fml* [house] inmueble *m*.

property owner *n* propietario *m*, -ria *f* de un inmueble.

prophecy ['prɒfɪsɪ] *n* profecía *f*.

prophesy ['prɒfɪsaɪ] *vt* profetizar.

prophet ['prɒfɪt] *n* profeta *mf*.

proportion [prə'pɔ:ʃn] *n* - **1.** [part] parte *f* - **2.** [ratio, comparison] proporción *f* - **3.** [correct relationship]: **out of proportion** desproporcionado(da); **to get things out of proportion** *fig* sacar las cosas fuera de quicio; **to keep things in proportion** *fig* no exagerar; **sense of proportion** *fig* sentido *m* de la medida.

proportional [prə'pɔ:ʃənl] *adj*: **proportional (to)** proporcional (a), en proporción (a).

proportional representation *n* representación *f* proporcional.

proportionate [prə'pɔ:ʃnət] *adj*: **proportionate (to)** proporcional (a).

proposal [prə'pəʊzl] *n* - **1.** [plan, suggestion] propuesta *f* - **2.** [offer of marriage] proposición *f*.

propose [prə'pəʊz] ◇ *vt* - **1.** [suggest] proponer; [motion] presentar; **to propose doing sthg** proponer hacer algo - **2.** [intend]: **to propose doing OR to do sthg** tener la intención de hacer algo. ◇ *vi* [make offer of marriage] declararse.

proposition [,prɒpə'zɪʃn] *n* [suggestion] propuesta *f*; **to make sb a proposition** hacer una propuesta a alguien.

proprietor [prə'praɪətər] *n* propietario *m*, -ria *f*.

propriety [prə'praɪətɪ] *n (U) fml* - **1.** [moral correctness] propiedad *f* - **2.** [rightness] conveniencia *f*, oportunidad *f*.

pro rata [-'rɑ:tə] *adj* & *adv* a prorrata.

prose [prəʊz] *n* - **1.** *(U) LIT* prosa *f* - **2.** *SCH* traducción *f* inversa.

prosecute ['prɒsɪkju:t] ◇ *vt* procesar, enjuiciar. ◇ *vi* - **1.** [bring a charge] entablar una acción judicial - **2.** [represent in court] representar al demandante.

prosecution [,prɒsɪ'kju:ʃn] *n* - **1.** [gen] procesamiento *m* - **2.** [lawyers]: **the prosecution** la acusación.

prosecutor ['prɒsɪkju:tər] *n esp US* fiscal *mf*.

prospect ◇ *n* ['prɒspekt] - **1.** [gen] perspectiva *f*; **it was a pleasant prospect** era una perspectiva agradable; **they were faced with the prospect of losing their jobs** tenían que hacer frente a la perspectiva de perder sus trabajos - **2.** [possibility] posibilidad *f*. ◇ *vi* [prə'spekt]: **to prospect (for)** hacer prospecciones (de). ◆ **prospects** *npl*: **prospects (for)** perspectivas *fpl* (de); **job prospects** perspectivas laborales.

prospecting [prə'spektɪŋ] *n (U)* prospecciones *fpl*.

prospective [prə'spektɪv] *adj* posible.

prospector [prə'spektər] *n* prospector *m*, -ra *f*.

prospectus [prə'spektəs] *(pl -es)* *n* prospecto *m*, folleto *m* informativo.

prosper ['prɒspər] *vi* prosperar.

prosperity [prɒ'sperətɪ] *n* prosperidad *f*.

prosperous ['prɒspərəs] *adj* próspero(ra).

prostitute ['prɒstɪtju:t] *n* prostituta *f*.

prostrate *adj* ['prɒstreɪt] postrado(da).

protagonist [prə'tægənɪst] *n* - **1.** *fml* [supporter] partidario *m*, -ria *f* - **2.** [main character] protagonista *mf*.

protect [prə'tekt] *vt*: **to protect sthg/sb (against/from)** proteger algo/a alguien (contra/de).

protection [prə'tekʃn] n: **protection (against/from)** protección f (contra/de).

protective [prə'tektɪv] adj protector(ra); **to feel protective towards sb** tener sentimientos protectores hacia alguien.

protégé ['prɒteʒeɪ] n protegido m.

protein ['prəʊtiːn] n proteína f.

protest ◇ n ['prəʊtest] protesta f; **under protest** bajo protesta; **without protest** sin protestar. ◇ vt [prə'test] - 1. [complain]: **to protest that** quejarse de - 2. [state] manifestar, aseverar; **he protested his innocence** declaró su inocencia - 3. US [oppose] protestar en contra de. ◇ vi [prə'test]: **to protest (about/ against/at)** protestar (por/en contra de/por).

Protestant ['prɒtɪstənt] ◇ adj protestante. ◇ n protestante mf.

protester [prə'testər] n manifestante mf.

protest march n manifestación f.

protocol ['prəʊtəkɒl] n protocolo m.

prototype ['prəʊtətaɪp] n prototipo m.

protracted [prə'træktɪd] adj prolongado(da).

protrude [prə'truːd] vi: **to protrude (from)** sobresalir (de).

protruding [prə'truːdɪŋ] adj [chin] prominente; [teeth] salido(da); [eyes] saltón(ona).

protuberance [prə'tjuːbərəns] n protuberancia f.

proud [praʊd] adj - 1. [gen] orgulloso(sa); **to be proud of** estar orgulloso(sa) de; **that's nothing to be proud of!** ¡yo no estaría orgulloso de eso!; **to be proud of o.s.** estar orgulloso de uno mismo; **to be proud to do sthg** tener el honor de hacer algo - 2. pej [arrogant] soberbio(bia), arrogante.

prove [pruːv] ◇ vt (pp -d OR proven) - 1. [show to be true] probar, demostrar - 2. [show oneself to be]: **to prove o.s. to be sthg** resultar ser algo; **to prove o.s.** demostrar (uno) sus cualidades. ◇ vi (pp -d OR proven) resultar; **to prove (to be) interesting/difficult** resultar interesante/difícil.

proven ['pruːvn, 'prəʊvn] ◇ pp ⊳ **prove**. ◇ adj probado(da).

proverb ['prɒvɜːb] n refrán m.

provide [prə'vaɪd] vt proporcionar, proveer; **to provide sb with sthg** proporcionar a alguien algo; **to provide sthg for sb** ofrecer algo a alguien. ➡ **provide for** vt insep - 1. [support] mantener - 2. fml [make arrangements for] tomar medidas para.

provided [prə'vaɪdɪd], **providing** ➡ **provided (that)** conj con tal (de) que; **you should pass, provided you work hard** aprobarás, con tal de que trabajes duro.

providing [prə'vaɪdɪŋ] ➡ **providing (that)** conj = **provided**.

province ['prɒvɪns] n - 1. [part of country] provincia f - 2. [speciality] campo m, competencia f.

provincial [prə'vɪnʃl] adj - 1. [of a province] provincial - 2. pej [narrow-minded] provinciano(na).

provision [prə'vɪʒn] n - 1. [gen] suministro m - 2. [in agreement, law] disposición f. ➡ **provisions** npl [supplies] víveres mpl.

provisional [prə'vɪʒənl] adj provisional.

proviso [prə'vaɪzəʊ] (pl -s) n condición f; **with the proviso that...** con la condición de que...

provocative [prə'vɒkətɪv] adj - 1. [controversial] provocador(ra) - 2. [sexy] provocativo(va).

provoke [prə'vəʊk] vt provocar; **to provoke sb to do sthg OR into doing sthg** provocar a alguien a que haga algo.

prow [praʊ] n proa f.

prowess ['praʊɪs] n fml proezas fpl.

prowl [praʊl] ◇ n: **on the prowl** merodeando. ◇ vt merodear por. ◇ vi merodear.

prowler ['praʊlər] n merodeador m, -ra f.

proxy ['prɒksɪ] n: **by proxy** por poderes.

prudent ['pruːdnt] adj prudente.

prudish ['pruːdɪʃ] adj mojigato(ta).

prune [pruːn] ◇ n [fruit] ciruela f pasa. ◇ vt podar.

pry [praɪ] vi fisgonear.

PS (abbr of postscript) n P.D.

psalm [sɑːm] n salmo m.

pseudonym ['sjuːdənɪm] n seudónimo m.

psyche ['saɪkɪ] n psique f.

psychiatric [ˌsaɪkɪ'ætrɪk] adj psiquiátrico(ca).

psychiatrist [saɪ'kaɪətrɪst] n psiquiatra mf.

psychiatry [saɪ'kaɪətrɪ] n psiquiatría f.

psychic ['saɪkɪk] adj - 1. [clairvoyant] clarividente - 2. [mental] psíquico(ca).

psychoanalysis [ˌsaɪkəʊə'næləsɪs] n psicoanálisis m inv.

psychoanalyst [ˌsaɪkəʊ'ænəlɪst] n psicoanalista mf.

psychological [ˌsaɪkə'lɒdʒɪkl] adj psicológico(ca).

psychologist [saɪ'kɒlədʒɪst] n psicólogo m, -ga f.

psychology [saɪ'kɒlədʒɪ] n psicología f.

psychopath ['saɪkəpæθ] n psicópata mf.

psychotic [saɪ'kɒtɪk] ◇ adj psicótico(ca). ◇ n psicótico m, -ca f.

pt abbr of **pint**, **point**.

PTO (abbr of please turn over) sigue.

pub [pʌb] (abbr of public house) n pub m (británico).

puberty ['pju:bətɪ] *n* pubertad *f*.

pubic ['pju:bɪk] *adj* púbico(ca).

public ['pʌblɪk] ◇ *adj* público(ca); **to go public** COMM constituirse en sociedad anónima (con cotización en Bolsa). ◇ *n* público *m*; **in public** en público; **the public** el gran público.

public-address system *n* sistema *m* de megafonía.

publican ['pʌblɪkən] *n* UK patrón *m*, -ona *f* de un 'pub'.

publication [,pʌblɪ'keɪʃn] *n* publicación *f*.

public bar *n* UK en ciertos pubs y hoteles, bar de sencilla decoración con precios más bajos que los del 'saloon bar'.

public company *n* sociedad *f* anónima (con cotización en Bolsa).

public convenience *n* UK aseos *mpl* públicos.

public holiday *n* fiesta *f* nacional, (dia *m*) feriado *m* Amér.

public house *n* UK *fml* pub *m* (británico).

publicity [pʌb'lɪsɪtɪ] *n* publicidad *f*.

publicize, -ise ['pʌblɪsaɪz] *vt* divulgar.

public limited company *n* sociedad *f* anónima (con cotización en Bolsa).

public opinion *n (U)* opinión *f* pública.

public prosecutor *n* fiscal *mf* del Estado.

public relations ◇ *n (U)* relaciones *fpl* públicas. ◇ *npl* relaciones *fpl* públicas.

public school *n* - **1.** UK [private school] colegio *m* privado - **2.** US [state school] escuela *f* pública.

public-spirited *adj* con sentido cívico.

public transport *n* transporte *m* público.

publish ['pʌblɪʃ] *vt* - **1.** [gen] publicar - **2.** [make known] hacer público(ca).

publisher ['pʌblɪʃər] *n* [person] editor *m*, -ra *f*; [firm] editorial *f*.

publishing ['pʌblɪʃɪŋ] *n (U)* industria *f* editorial.

pub lunch *n* almuerzo servido en un 'pub'.

pucker ['pʌkər] *vt* fruncir.

pudding ['pʊdɪŋ] *n* - **1.** [sweet] pudín *m*; [savoury] pastel *m* - **2.** *(U)* UK [course] postre *m*.

puddle ['pʌdl] *n* charco *m*.

Puerto Rico [,pwɜ:təʊ'ri:kəʊ] *n* Puerto Rico.

puff [pʌf] ◇ *n* - **1.** [of cigarette, pipe] calada *f* - **2.** [gasp] jadeo *m* - **3.** [of air] soplo *m*; [of smoke] bocanada *f*. ◇ *vt* echar. ◇ *vi* - **1.** [smoke]: **to puff at** OR **on** dar caladas a - **2.** [pant] jadear. ◆ **puff out** *vt sep* - **1.** [cheeks, chest] hinchar; [feathers] ahuecar - **2.** [smoke] echar.

puffed [pʌft] *adj* [swollen]: **puffed (up)** hinchado(da).

puffin ['pʌfɪn] *n* frailecillo *m*.

puff pastry, puff paste US *n* hojaldre *m*.

puffy ['pʌfɪ] *adj* hinchado(da).

pugnacious [pʌg'neɪʃəs] *adj fml* pugnaz.

pull [pʊl] ◇ *vt* - **1.** [gen] tirar de; [trigger] apretar - **2.** [tooth, cork] sacar, extraer - **3.** [muscle] sufrir un tirón en - **4.** [attract] atraer - **5.** [gun] sacar y apuntar. ◇ *vi* tirar. ◇ *n* - **1.** [tug with hand] tirón *m* - **2.** *(U)* [influence] influencia *f*. ◆ **pull apart** *vt sep* - **1.** [machine etc] desmontar - **2.** [toy, book etc] hacer pedazos. ◆ **pull at** *vt insep* dar tirones de. ◆ **pull away** *vi* [from roadside] alejarse (de la acera). ◆ **pull down** *vt sep* [building] derribar. ◆ **pull in** *vi* [train] pararse (en el andén). ◆ **pull off** *vt sep* [succeed in] conseguir llevar a cabo. ◆ **pull out** ◇ *vt sep* - **1.** [troops] retirar - **2.** [tooth] sacar. ◇ *vi* - **1.** [vehicle] alejarse (de la acera) - **2.** [withdraw] retirarse. ◆ **pull over** *vi* AUT hacerse a un lado. ◆ **pull through** *vi* recobrarse. ◆ **pull together** *vt sep*: **to pull o.s. together** calmarse, serenarse. ◆ **pull up** *vt sep* [move closer] acercar. ◇ *vi* parar, detenerse.

pulley ['pʊlɪ] *(pl* pulleys) *n* polea *f*.

pullover ['pʊl,əʊvər] *n* jersey *m*.

pulp [pʌlp] *n* - **1.** [soft mass] papilla *f* - **2.** [of fruit] pulpa *f* - **3.** [of wood] pasta *f* de papel.

pulpit ['pʊlpɪt] *n* púlpito *m*.

pulsate [pʌl'seɪt] *vi* palpitar.

pulse [pʌls] ◇ *n* - **1.** [in body] pulso *m*; **to take sb's pulse** tomarle el pulso a alguien - **2.** TECH impulso *m*. ◇ *vi* latir. ◆ **pulses** *npl* [food] legumbres *fpl*.

puma ['pju:mə] *(pl* puma OR -s) *n* puma *m*.

pumice (stone) ['pʌmɪs-] *n* piedra *f* pómez.

pummel ['pʌml] *(UK) (US) vt* aporrear.

pump [pʌmp] ◇ *n* - **1.** [machine] bomba *f* - **2.** [for petrol] surtidor *m*. ◇ *vt* [convey by pumping] bombear. ◆ **pumps** *npl* [shoes] zapatillas *fpl* de tenis. ◆ **pump up** *vt* [inflate] inflar.

pumpkin ['pʌmpkɪn] *n* calabaza *f*, zapallo *m* Perú, auyama *f* Col.

pun [pʌn] *n* juego *m* de palabras.

punch [pʌntʃ] ◇ *n* - **1.** [blow] puñetazo *m* - **2.** [tool - for leather etc] punzón *m*; [- for tickets] máquina *f* para picar billetes - **3.** [drink] ponche *m*. ◇ *vt* - **1.** [hit] dar un puñetazo a - **2.** [ticket] picar - **3.** [hole] perforar.

Punch-and-Judy show [-'dʒu:dɪ-] *n* teatro de guiñol para niños con personajes arquetípicos y representado normalmente en la playa.

punch(ed) card [pʌntʃ(t)-] *n* tarjeta *f* perforada.

punch line *n* remate *m* (de un chiste).

punch-up *n* UK *inf* pelea *f*.

punchy ['pʌntʃɪ] *adj inf* efectista, resultón(ona).

punctual ['pʌŋktʃʊəl] *adj* puntual.

punctuation [,pʌŋktʃʊ'eɪʃn] *n* puntuación *f*.

punctuation mark *n* signo *m* de puntuación.

puncture ['pʌŋktʃər] ⬦ *n* pinchazo *m*; **to have a puncture** pinchar; [in skin] punción *f*. ⬦ *vt* pinchar.

pundit ['pʌndɪt] *n* experto *m*, -ta *f*.

pungent ['pʌndʒənt] *adj* [strong-smelling] penetrante, fuerte.

punish ['pʌnɪʃ] *vt*: **to punish sb (for sthg/for doing sthg)** castigar a alguien (por algo/por haber hecho algo).

punishing ['pʌnɪʃɪŋ] *adj* penoso(sa).

punishment ['pʌnɪʃmənt] *n* [for crime] castigo *m*.

punk [pʌŋk] ⬦ *adj* punk. ⬦ *n* - 1. [music]: **punk (rock)** punk *m* - 2. [person]: **punk (rocker)** punki *mf* - 3. *US inf* [lout] gamberro *m*.

punt [pʌnt] *n* batea *f*.

punter ['pʌntər] *n UK* - 1. [gambler] apostante *mf* - 2. *inf* [customer] cliente *m*, -ta *f*.

puny ['pju:nɪ] *adj* [person, limbs] enclenque, raquítico(ca); [effort] penoso(sa), lamentable.

pup [pʌp] *n* - 1. [young dog] cachorro *m* - 2. [young seal, otter] cría *f*.

pupil ['pju:pl] *n* - 1. [student] alumno *m*, -na *f* - 2. [follower] pupilo *m*, -la *f* - 3. [of eye] pupila *f*.

puppet ['pʌpɪt] *n lit & fig* títere *m*.

puppy ['pʌpɪ] *n* cachorro *m*, perrito *m*.

purchase ['pɜ:tʃəs] *fml* ⬦ *n* compra *f*, adquisición *f*. ⬦ *vt* comprar, adquirir.

purchaser ['pɜ:tʃəsər] *n* comprador *m*, -ra *f*.

purchasing power ['pɜ:tʃəsɪŋ-] *n* poder *m* adquisitivo.

pure [pjʊər] *adj* puro(ra).

puree ['pjʊəreɪ] *n* puré *m*; **tomato puree** concentrado *m* de tomate.

purely ['pjʊəlɪ] *adv* puramente; **purely and simply** pura y simplemente.

purge [pɜ:dʒ] ⬦ *n* POL purga *f*. ⬦ *vt*: **to purge sthg (of)** purgar algo (de).

purify ['pjʊərɪfaɪ] *vt* purificar.

purist ['pjʊərɪst] *n* purista *mf*.

puritan ['pjʊərɪtən] ⬦ *adj* puritano(na). ⬦ *n* puritano *m*, -na *f*.

purity ['pjʊərətɪ] *n* pureza *f*.

purl [pɜ:l] *n* (U) punto *m* del revés.

purple ['pɜ:pl] *adj* morado(da).

purport [pə'pɔ:t] *vi fml*: **to purport to do/be sthg** pretender hacer/ser algo.

purpose ['pɜ:pəs] *n* [gen] propósito *m*; **what is the purpose of your visit?** ¿cuál es el objeto de tu visita?; **for one's own purposes** por su propio interés; **it serves no purpose** carece de

sentido; **it has served its purpose** ha servido; **to no purpose** en vano. ⬦ **on purpose** *adv* a propósito, adrede.

purposeful ['pɜ:pəsfʊl] *adj* resuelto(ta).

purr [pɜ:r] *vi* - 1. [cat, person] ronronear - 2. [engine, machine] zumbar.

purse [pɜ:s] ⬦ *n* - 1. [for money] monedero *m* - 2. *US* [handbag] bolso *m*, bolsa *f Méx*, cartera *f Andes*. ⬦ *vt* fruncir (con desagrado); **she pursed her lips** frunció los labios.

purser ['pɜ:sər] *n* contador *m*, -ra *f*.

pursue [pə'sju:] *vt* - 1. [follow] perseguir - 2. *fml* [policy] llevar a cabo; [aim, pleasure etc] ir en pos de, buscar; [topic, question] profundizar en; [hobby, studies] dedicarse a.

pursuer [pə'sju:ər] *n* perseguidor *m*, -ra *f*.

pursuit [pə'sju:t] *n* - 1. (U) *fml* [attempt to achieve] búsqueda *f* - 2. [chase, in cycling] persecución *f* - 3. [occupation, activity] ocupación *f*; **leisure pursuit** pasatiempo *m*.

pus [pʌs] *n* pus *m*.

push [pʊʃ] ⬦ *vt* - 1. [shove] empujar; **to push sthg into sthg** meter algo en algo; **to push sthg open/shut** abrir/cerrar algo empujándolo - 2. [press - button] apretar, pulsar - 3. [encourage]: **to push sb (to do sthg)** empujar a alguien (a hacer algo) - 4. [force]: **to push sb (into doing sthg)** obligar a alguien (a hacer algo) - 5. *inf* [promote] promocionar. ⬦ *vi* [press forward] empujar; [on button] apretar, pulsar. ⬦ *n lit & fig* empujón *m*; **at the push of a button** con sólo apretar un botón; **to give sb the push** *inf* [end relationship] dar calabazas a alguien; [from job] dar la patada a alguien; **at a push** apurando mucho. ⬦ **push around** *vt sep inf* mandonear. ⬦ **push for** *vt insep* [demand] reclamar. ⬦ **push in** *vi* [in queue] colarse. ⬦ **push off** *vi inf* largarse. ⬦ **push on** *vi* seguir adelante sin parar. ⬦ **push through** *vt sep* [law etc] conseguir que se apruebe.

pushchair ['pʊʃtʃeər] *n UK* silla *f* (de paseo).

pushed [pʊʃt] *adj inf*: **to be pushed for sthg** andar corto(ta) de algo; **to be hard pushed to do sthg** tenerlo difícil para hacer algo.

pusher ['pʊʃər] *n inf* camello *m*.

pushover ['pʊʃ,əʊvər] *n inf*: **it's a pushover** está chupado.

push-up *n esp US* flexión *f*.

pushy ['pʊʃɪ] *adj pej* agresivo(va), insistente.

puss [pʊs], **pussy (cat)** ['pʊsɪ-] *n inf* gatito *m*, minino *m*.

put [pʊt] (*pt & pp* put) *vt* - 1. [gen] poner; **to put sthg into sthg** meter algo en algo - 2. [place exactly] colocar - 3. [send - to prison etc] meter; **to put the children to bed** acostar a los niños - 4. [express] expresar, formular; **to put it bluntly** hablando claro - 5. [ask - question] ha-

cer; [- proposal] presentar; **to put it to sb that...**
sugerir a alguien que... - **6.** [estimate]: **to put
sthg at** calcular algo en - **7.** [invest]: **to put
money into a project** invertir dinero en un
proyecto; **to put money into an account** ingresar dinero en una cuenta; **to put a lot of effort
into sthg** esforzarse mucho con algo - **8.** [apply]: **to put pressure on** presionar a. ➡ **put
across, put over** vt sep transmitir; **to put o.s.
across** hacerse entender. ➡ **put away** vt sep
[tidy away] poner en su sitio, guardar. ➡ **put
back** vt sep - **1.** [replace] devolver a su sitio
- **2.** [postpone] aplazar; [schedule] retrasar
- **3.** [clock, watch] atrasar. ➡ **put by** vt sep
ahorrar. ➡ **put down** vt sep - **1.** [lay down]
dejar - **2.** [phone] colgar - **3.** [quell] sofocar, reprimir - **4.** UK [animal] sacrificar - **5.** [write down]
apuntar. ➡ **put down to** vt sep achacar a.
➡ **put forward** vt sep - **1.** [plan, theory, name]
proponer; [proposal] presentar - **2.** [clock, meeting, event] adelantar. ➡ **put in** vt sep
- **1.** [spend - time] dedicar - **2.** [submit] presentar - **3.** [install] instalar. ➡ **put off** vt sep
- **1.** [postpone] posponer, aplazar - **2.** [cause to
wait] hacer esperar - **3.** [distract] distraer
- **4.** [discourage] disuadir - **5.** [cause to dislike]: **to
put sb off sthg** quitarle a alguien las ganas
de algo. ➡ **put on** vt sep - **1.** [wear] ponerse
- **2.** [show, play] representar; [exhibition] hacer;
[transport] organizar - **3.** [gain]: **to put on
weight** engordar - **4.** [radio, light] encender; **to
put on the brakes** frenar - **5.** [record, tape] poner - **6.** [start cooking] empezar a hacer OR cocinar; **to put the kettle on** poner el agua a
hervir - **7.** [bet] apostar por - **8.** [add] añadir
- **9.** [feign - air, accent] fingir. ➡ **put out** vt sep
- **1.** [place outside] sacar - **2.** [issue - statement]
hacer público - **3.** [extinguish, switch off] apagar
- **4.** [prepare for use - clothes] sacar - **5.** [extend -
hand, leg] extender; [- tongue] sacar - **6.** [upset]: **to be put out** estar disgustado(da) - **7.** [inconvenience] causar molestias a. ➡ **put
through** vt sep TELEC [call] poner; **to put sb
through to sb** poner a alguien con alguien.
➡ **put up** ◇ vt sep - **1.** [build] construir;
[tent] montar - **2.** [umbrella] abrir; [flag] izar
- **3.** [raise - hand] levantar - **4.** [poster] fijar;
[painting] colgar - **5.** [provide - money] poner
- **6.** [propose - candidate] proponer - **7.** [increase] subir, aumentar - **8.** [provide accommodation for] alojar. ◇ vt insep [resistance] ofrecer;
to put up a fight ofrecer resistencia. ➡ **put
up with** vt insep aguantar.

putrid ['pju:trɪd] adj fml putrefacto(ta).

putt [pʌt] n putt m.

putting green ['pʌtɪŋ-] n césped abierto al
público en el que se puede jugar a golf con el
putter.

putty ['pʌtɪ] n masilla f.

puzzle ['pʌzl] ◇ n - **1.** [toy, game] rompecabezas m inv - **2.** [mystery] misterio m, enigma m. ◇ vt dejar perplejo, desconcertar.
◇ vi: **to puzzle over sthg** romperse la cabeza
con algo. ➡ **puzzle out** vt sep descifrar.

puzzling ['pʌzlɪŋ] adj desconcertante.

pyjamas, pajamas [pə'dʒɑ:məz] npl pijama m; **a pair of pyjamas** un pijama.

pylon ['paɪlən] n torre f (de conducción eléctrica).

pyramid ['pɪrəmɪd] n pirámide f.

Pyrenees [ˌpɪrə'ni:z] npl: **the Pyrenees** los
Pirineos.

Pyrex® ['paɪreks] n pírex® m.

python ['paɪθn] (pl python OR -s) n pitón m.

Q

q (pl q's OR qs), **Q** (pl Q's OR Qs) [kju:] n [letter] q f, Q f.

quack [kwæk] n - **1.** [noise] graznido m (de pato) - **2.** inf [doctor] matasanos m inv.

quad [kwɒd] n abbr of **quadrangle**.

quadrangle ['kwɒdræŋgl] n - **1.** [figure] cuadrángulo m - **2.** [courtyard] patio m.

quadruple [kwɒ'dru:pl] ◇ vt cuadruplicar.
◇ vi cuadruplicarse.

quadruplets ['kwɒdrʊplɪts] npl cuatrillizos mpl, -zas f.

quads [kwɒdz] npl inf cuatrillizos mpl,
-zas f.

quagmire ['kwægmaɪə'] n lodazal m.

quail [kweɪl] ◇ n (pl quail OR -s) codorniz f.
◇ vi liter amedrentarse.

quaint [kweɪnt] adj - **1.** [picturesque] pintoresco(ca) - **2.** [odd] singular.

quake [kweɪk] ◇ n inf terremoto m. ◇ vi
temblar, estremecerse.

Quaker ['kweɪkə'] n cuáquero m, -ra f.

qualification [ˌkwɒlɪfɪ'keɪʃn] n - **1.** [examination, certificate] título m - **2.** [ability, skill] aptitud f - **3.** [qualifying statement] condición f.

qualified ['kwɒlɪfaɪd] *adj* - **1.** [trained] cualificado(da); **to be qualified to do sthg** estar cualificado para hacer algo - **2.** [limited] limitado(da).

qualify ['kwɒlɪfaɪ] ◇ *vt* - **1.** [modify] matizar - **2.** [entitle]: **to qualify sb to do sthg** capacitar a alguien para hacer algo. ◇ *vi* - **1.** [pass exams] sacar el título - **2.** [be entitled]: **to qualify (for)** tener derecho (a) - **3.** SPORT clasificarse.

quality ['kwɒlətɪ] ◇ *n* - **1.** [standard] calidad *f* - **2.** [characteristic] cualidad *f*. ◇ *comp* de calidad.

qualms [kwɑːmz] *npl* escrúpulos *mpl*.

quandary ['kwɒndərɪ] *n*: **to be in a quandary about** OR **over sthg** estar en un dilema sobre algo.

quantify ['kwɒntɪfaɪ] *vt* cuantificar.

quantity ['kwɒntətɪ] *n* cantidad *f*.

quantity surveyor *n* aparejador *m*, -ra *f*.

quarantine ['kwɒrəntiːn] *n* cuarentena *f*.

quark [kwɑːk] *n* CULIN *tipo de queso blando bajo en grasas*.

quarrel ['kwɒrəl] ◇ *n* pelea *f*; **to have no quarrel with sb/sthg** no tener nada en contra de alguien/algo. ◇ *vi* (*UK pt* & *pp* **-led**, *cont* **-ling**, *US pt* & *pp* **-ed**, *cont* **-ing**) pelearse; **to quarrel with sb** pelearse con alguien; **to quarrel with sthg** no estar de acuerdo con algo.

quarrelsome ['kwɒrəlsəm] *adj* pendenciero(ra).

quarry ['kwɒrɪ] *n* - **1.** [place] cantera *f* - **2.** [prey] presa *f*.

quart [kwɔːt] *n* cuarto *m* de galón.

quarter ['kwɔːtər] *n* - **1.** [fraction] cuarto *m* - **2.** [in telling time]: **a quarter past two** UK, **quarter after two** US las dos y cuarto - **3.** [of year] trimestre *m* - **4.** US [coin] moneda *f* de 25 centavos - **5.** [four ounces] cuatro onzas *fpl* - **6.** [area in town] barrio *m* - **7.** [group of people] lugar *m*, parte *f*. ◆ **quarters** *npl* [rooms] residencia *f*, alojamiento *m*. ◆ **at close quarters** *adv* muy de cerca.

quarterfinal [ˌkwɔːtə'faɪnl] *n* cuarto *m* de final.

quarterly ['kwɔːtəlɪ] ◇ *adj* trimestral. ◇ *adv* trimestralmente. ◇ *n* trimestral *f*.

quartermaster ['kwɔːtəˌmɑːstər] *n* oficial *m* de intendencia.

quartet [kwɔː'tet] *n* cuarteto *m*.

quartz [kwɔːts] *n* cuarzo *m*.

quartz watch *n* reloj *m* de cuarzo.

quash [kwɒʃ] *vt* - **1.** [reject] anular, invalidar - **2.** [quell] reprimir, sofocar.

quasi- ['kweɪzaɪ] *prefix* cuasi-.

quaver ['kweɪvər] ◇ *n* MUS corchea *f*. ◇ *vi* temblar.

quay [kiː] *n* muelle *m*.

quayside ['kiːsaɪd] *n* muelle *m*.

queasy ['kwiːzɪ] *adj* mareado(da).

queen [kwiːn] *n* - **1.** [gen] reina *f* - **2.** [playing card] dama *f*.

Queen Mother *n*: **the Queen Mother** la reina madre.

queer [kwɪər] ◇ *adj* - **1.** [odd] raro(ra), extraño(ña) - **2.** *inf pej* [homosexual] marica. ◇ *n inf pej* marica *m*.

quell [kwel] *vt* - **1.** [rebellion] sofocar, reprimir - **2.** [feelings] dominar, contener.

quench [kwentʃ] *vt* apagar.

querulous ['kwerʊləs] *adj fml* quejumbroso(sa).

query ['kwɪərɪ] ◇ *n* pregunta *f*, duda *f*. ◇ *vt* poner en duda.

quest [kwest] *n liter*: **quest (for)** búsqueda *f* (de).

question ['kwestʃn] ◇ *n* - **1.** [query, problem in exam] pregunta *f* - **2.** [doubt] duda *f*; **to bring sthg into question** hacer reflexionar sobre algo; **to call sthg into question** poner algo en duda; **without question** sin duda; **beyond question** fuera de toda duda - **3.** [issue, matter] cuestión *f*, asunto *m*
▸▸▸ **it is a question of staying calm** se trata de mantener la calma; **there's no question of...** es imposible que... ◇ *vt* - **1.** [ask questions to] preguntar; [interrogate] interrogar - **2.** [express doubt about] cuestionar. ◆ **in question** *adv*: **the matter in question** el asunto en cuestión. ◆ **out of the question** *adv* imposible; **that's out of the question!** ¡ni hablar!

questionable ['kwestʃənəbl] *adj* [gen] cuestionable; [taste] dudoso(sa).

question mark *n* (signo *m* de) interrogación *f*.

questionnaire [ˌkwestʃə'neər] *n* cuestionario *m*.

queue [kjuː] UK ◇ *n* cola *f*. ◇ *vi*: **to queue (up for sthg)** hacer cola (para algo).

quibble ['kwɪbl] *pej vi* quejarse por tonterías; **to quibble over** OR **about** quejarse tontamente por OR de.

quiche [kiːʃ] *n* quiche *f*.

quick [kwɪk] ◇ *adj* - **1.** [gen] rápido(da); **be quick!** ¡date prisa!; **could we have a quick word?** ¿podríamos hablar un momento? - **2.** [clever - person] espabilado(da); [- wit] agudo(da) - **3.** [irritable]: **a quick temper** un genio vivo. ◇ *adv* rápidamente.

quicken ['kwɪkn] ◇ *vt* [one's pace] apretar, acelerar. ◇ *vi* acelerarse.

quickly ['kwɪklɪ] *adv* - **1.** [rapidly] rápidamente, de prisa - **2.** [without delay] rápidamente, en seguida.

quicksand ['kwɪksænd] *n* arenas *fpl* movedizas.

quick-witted [-'wɪtɪd] *adj* agudo(da).

quid [kwɪd] (*pl* quid) *n UK inf* libra *f* (esterlina).

quiet ['kwaɪət] ⬦ *adj* - 1. [silent - gen] silencioso(sa); [- room, place] tranquilo(la); **to be quiet** [make no noise] no hacer ruido; **be quiet!** ¡cállate!; **in a quiet voice** en voz baja; **to keep quiet about sthg** guardar silencio sobre algo - 2. [not talkative] callado(da); **to go quiet** callarse - 3. [tranquil, uneventful] tranquilo(la) - 4. [unpublicized - wedding etc] privado(da), íntimo(ma). ⬦ *n* tranquilidad *f*, silencio *m*; **on the quiet** a escondidas. ⬦ *vt US* tranquilizar.
➡ **quiet down** ⬦ *vt sep* tranquilizar. ⬦ *vi* tranquilizarse.

quieten ['kwaɪətn] *vt* tranquilizar.
➡ **quieten down** ⬦ *vt sep* tranquilizar. ⬦ *vi* tranquilizarse.

quietly ['kwaɪətlɪ] *adv* - 1. [without noise] silenciosamente, sin hacer ruido; **to speak quietly** hablar en voz baja - 2. [without moving] sin moverse - 3. [without excitement] tranquilamente - 4. [without fuss] discretamente.

quilt [kwɪlt] *n* edredón *m*.

quinine [kwɪ'niːn] *n* quinina *f*.

quins *UK* [kwɪnz], **quints** *US* [kwɪnts] *npl inf* quintillizos *mpl*, -zas *f*.

quintet [kwɪn'tet] *n* quinteto *m*.

quints *US* = **quins**.

quintuplets [kwɪn'tjuːplɪts] *npl* quintillizos *mpl*, -zas *f*.

quip [kwɪp] *n* ocurrencia *f*, salida *f*.

quirk [kwɜːk] *n* - 1. [habit] manía *f*, rareza *f* - 2. [strange event] extraña coincidencia *f*.

quit [kwɪt] ⬦ *vt* (*UK* quit *OR* -ted, *US* quit) - 1. [resign from] dejar, abandonar - 2. [stop]: **to quit doing sthg** dejar de hacer algo - 3. COMPUT salir de. ⬦ *vi* (*UK* quit *OR* -ted, *US* quit) - 1. [resign] dimitir - 2. COMPUT salir.

quite [kwaɪt] *adv* - 1. [completely] totalmente, completamente - 2. [fairly] bastante; **quite a lot of people** bastante gente - 3. [after negative]: **it's not quite big enough** no es todo lo grande que tendría que ser; **I'm not quite sure** no estoy del todo seguro; **I don't quite understand/know** no entiendo/sé muy bien - 4. [to emphasize]: **quite a...** todo un (toda una)...; **quite the opposite** todo lo contrario - 5. [to express agreement]: **quite (so)!** ¡efectivamente!, ¡desde luego!

quits [kwɪts] *adj inf*: **to be quits (with sb)** estar en paz (con alguien); **to call it quits** dejarlo así.

quiver ['kwɪvər] ⬦ *n* [for arrows] carcaj *m*. ⬦ *vi* temblar, estremecerse.

quiz [kwɪz] ⬦ *n* (*pl* -zes) - 1. [gen] concurso *m* - 2. *US* SCH control *m*. ⬦ *vt*: **to quiz sb (about)** interrogar a alguien (sobre).

quizzical ['kwɪzɪkl] *adj* burlón(ona).

quota ['kwəʊtə] *n* cuota *f*.

quotation [kwəʊ'teɪʃn] *n* - 1. [citation] cita *f* - 2. COMM presupuesto *m*.

quotation marks *npl* comillas *fpl*.

quote [kwəʊt] ⬦ *n* - 1. [citation] cita *f* - 2. COMM presupuesto *m*. ⬦ *vt* - 1. [cite] citar - 2. [figures, example, price] dar; **he quoted £100** fijó un precio de 100 libras. ⬦ *vi* - 1. [cite]: **to quote (from)** citar (de) - 2. COMM: **to quote for** dar un presupuesto por.

quotient ['kwəʊʃnt] *n* cociente *m*.

R

r (*pl* r's *OR* rs), **R** (*pl* R's *OR* Rs) [ɑːr] *n* [letter] r *f*, R *f*.

rabbi ['ræbaɪ] *n* rabino *m*.

rabbit ['ræbɪt] *n* conejo *m*.

rabbit hutch *n* conejera *f*.

rabble ['ræbl] *n* chusma *f*, populacho *m*.

rabies ['reɪbiːz] *n* rabia *f*.

RAC (*abbr of* Royal Automobile Club) *n* asociación británica del automóvil, ≃ RACE *m*.

race [reɪs] ⬦ *n* - 1. *lit* & *fig* [competition] carrera *f* - 2. [people, descent] raza *f*. ⬦ *vt* - 1. [compete against] competir con *(corriendo)*; **they raced each other to the door** echaron una carrera hasta la puerta - 2. [cars, pigeons] hacer carreras de; [horses] hacer correr. ⬦ *vi* - 1. [rush] ir corriendo - 2. [beat fast] acelerarse.

race car *US* = **racing car**.

racecourse ['reɪskɔːs] *n* hipódromo *m*.

race driver *US* = **racing driver**.

racehorse ['reɪshɔːs] *n* caballo *m* de carreras.

racetrack ['reɪstræk] *n* [for horses] hipódromo *m*; [for cars] autódromo *m*.

racewalking ['reɪswɔːkɪŋ] *n* marcha *f* atlética.

racial ['reɪʃl] *adj* racial.

racial discrimination n discriminación f racial.

racing ['reɪsɪŋ] n carreras fpl; **motor racing** carreras de coches.

racing car UK, **race car** US n coche m de carreras, auto m de carrera Amér.

racing driver UK, **race driver** US n piloto mf de carreras.

racism ['reɪsɪzm], **racialism** n racismo m.

racist ['reɪsɪst] ◇ adj racista. ◇ n racista mf.

rack [ræk] ◇ n - 1. [for magazines] revistero m; [for bottles] botellero m; [for plates] escurreplatos m inv; [for clothes] percha f - 2. [for luggage] portaequipajes m inv. ◇ vt: **to be racked by** OR **with** liter estar transido(da) de; **to rack one's brains** UK devanarse los sesos.

racket, racquet ['rækɪt] n - 1. SPORT raqueta f - 2. [noise] jaleo m, alboroto m - 3. [swindle] timo m - 4. [illegal activity] negocio m sucio.

racquet ['rækɪt] n = **racket**.

racy ['reɪsɪ] adj entretenido(da) y picante.

radar ['reɪdɑːr] n radar m.

radiant ['reɪdjənt] adj - 1. [happy] radiante - 2. liter [brilliant] resplandeciente.

radiate ['reɪdɪeɪt] ◇ vt lit & fig irradiar. ◇ vi - 1. [be emitted] ser irradiado(da) - 2. [spread from centre] salir, extenderse.

radiation [,reɪdɪ'eɪʃn] n radiación f.

radiator ['reɪdɪeɪtər] n radiador m.

radical ['rædɪkl] ◇ adj radical. ◇ n POL radical mf.

radically ['rædɪklɪ] adv radicalmente.

radii ['reɪdɪaɪ] npl ⊳ **radius**.

radio ['reɪdɪəʊ] ◇ n (pl -s) radio f. ◇ comp de radio, radiofónico(ca).

radioactive [,reɪdɪəʊ'æktɪv] adj radiactivo(va).

radio alarm n radiodespertador m.

radio-controlled [-kən'trəʊld] adj teledirigido(da).

radiography [,reɪdɪ'ɒgrəfɪ] n radiografía f.

radiology [,reɪdɪ'ɒlədʒɪ] n radiología f.

radiotherapy [,reɪdɪəʊ'θerəpɪ] n radioterapia f.

radish ['rædɪʃ] n rábano m.

radius ['reɪdɪəs] (pl radii) n [gen & ANAT] radio m.

RAF [ɑːreɪ'ef, ræf] n abbr of **Royal Air Force**.

raffle ['ræfl] ◇ n rifa f, sorteo m. ◇ comp: **raffle ticket** boleto m. ◇ vt rifar.

raft [rɑːft] n [craft] balsa f.

rafter ['rɑːftər] n viga f (de armadura de tejado).

rag [ræg] n - 1. [piece of cloth] trapo m - 2. pej [newspaper] periodicucho m. ◆ **rags** npl [clothes] trapos mpl.

rag-and-bone man n trapero m.

rag doll n muñeca f de trapo.

rage [reɪdʒ] ◇ n - 1. [fury] rabia f, ira f - 2. inf [fashion]: **it's all the rage** es la última moda. ◇ vi - 1. [behave angrily] estar furioso(sa) - 2. [subj: storm, sea] enfurecerse; [subj: disease] hacer estragos; [subj: argument, controversy] continuar con violencia.

ragged ['rægɪd] adj - 1. [wearing torn clothes] andrajoso(sa), harapiento(ta) - 2. [torn] hecho(cha) jirones.

rag week n UK semana en que los universitarios organizan actividades divertidas con fines benéficos.

raid [reɪd] ◇ n - 1. [attack] incursión f - 2. [forced entry - by robbers] asalto m; [- by police] redada f. ◇ vt - 1. [attack] atacar por sorpresa - 2. [subj: robbers] asaltar; [subj: police] hacer una redada en.

raider ['reɪdər] n [attacker] invasor m, -ra f.

rail [reɪl] ◇ n - 1. [on staircase] barandilla f - 2. [bar] barra f; **towel rail** toallero m - 3. (U) [form of transport] ferrocarril m; **by rail** por ferrocarril - 4. [of railway line] carril m, riel m.

railcard ['reɪlkɑːd] n UK tarjeta que permite algunos descuentos al viajar en tren.

railing ['reɪlɪŋ] n reja f.

railway UK ['reɪlweɪ], **railroad** US ['reɪlrəʊd] n - 1. [company] ferrocarril m - 2. [route] línea f de ferrocarril.

railway line n [route] línea f de ferrocarril; [track] vía f férrea.

railwayman ['reɪlweɪmən] (pl -men [-mən]) n UK ferroviario m.

railway station n estación f de ferrocarril.

railway track n vía f férrea.

rain [reɪn] ◇ n lluvia f; **in the rain** bajo la lluvia. ◇ impers vb METEOR llover. ◇ vi caer.

rainbow ['reɪnbəʊ] n arco m iris.

rain check n esp US: **I'll take a rain check (on that)** no lo quiero ahora, pero igual me apunto la próxima vez.

raincoat ['reɪnkəʊt] n impermeable m.

raindrop ['reɪndrɒp] n gota f de lluvia.

rainfall ['reɪnfɔːl] n pluviosidad f.

rain forest n bosque m tropical.

rainy ['reɪnɪ] adj lluvioso(sa).

raise [reɪz] ◇ vt - 1. [lift up] levantar; [flag] izar - 2. [increase - level] aumentar; **to raise one's voice** levantar la voz - 3. [improve] elevar - 4. [obtain - from donations] conseguir - 5. [memory, thoughts] traer; [doubts, fears] levantar

- **6.** [bring up, breed] criar - **7.** [crops] cultivar - **8.** [mention] plantear - **9.** [build] construir. ◇ *n US* aumento *m*.

raisin ['reizn] *n* pasa *f*.

rake [reik] ◇ *n* [implement] rastrillo *m*. ◇ *vt* [smooth] rastrillar.

rally ['ræli] ◇ *n* - **1.** [meeting] mitin *m* - **2.** [car race] rally *m* - **3.** [in tennis etc] peloteo *m*. ◇ *vt* reunir. ◇ *vi* - **1.** [come together] reunirse - **2.** [recover] recuperarse. ➡ **rally round** ◇ *vt insep* formar una piña con. ◇ *vi inf* formar una piña.

ram [ræm] ◇ *n* carnero *m*. ◇ *vt* - **1.** [crash into] embestir - **2.** [force] embutir.

RAM [ræm] (*abbr of* random access memory) *n* COMPUT RAM *f*.

ramble ['ræmbl] ◇ *n* paseo *m* por el campo. ◇ *vi* - **1.** [walk] pasear - **2.** [talk] divagar. ➡ **ramble on** *vi* divagar sin parar.

rambler ['ræmblə'] *n* [walker] excursionista *mf*.

rambling ['ræmblɪŋ] *adj* - **1.** [building, house] laberíntico(ca) - **2.** [speech, writing] incoherente.

ramp [ræmp] *n* - **1.** [slope] rampa *f* - **2.** AUT [in road] rompecoches *m inv*.

rampage [ræm'peɪdʒ] *n*: **to go on the rampage** desbandarse.

rampant ['ræmpənt] *adj* desenfrenado(da).

ramparts ['ræmpɑːts] *npl* murallas *fpl*.

ramshackle ['ræm,ʃækl] *adj* destartalado(da).

ran [ræn] *pt* ⊳ **run**.

ranch [rɑːntʃ] *n* rancho *m*.

rancher ['rɑːntʃə'] *n* ranchero *m*, -ra *f*.

rancid ['rænsɪd] *adj* rancio(cia).

rancour *UK*, **rancor** *US* ['ræŋkə'] *n* rencor *m*.

random ['rændəm] ◇ *adj* - **1.** [arbitrary] hecho(cha) al azar - **2.** TECH aleatorio(ria). ◇ *n*: **at random** al azar.

random access memory *n* COMPUT memoria *f* de acceso aleatorio.

R and R (*abbr of* rest and recreation) *n US* permiso militar.

randy ['rændɪ] *adj inf* cachondo(da), caliente.

rang [ræŋ] *pt* ⊳ **ring**.

range [reɪndʒ] ◇ *n* - **1.** [of missile, telescope] alcance *m*; [of ship, plane] autonomía *f*; **to be out of/within range** estar fuera del/al alcance; **at close range** de cerca - **2.** [variety] gama *f* - **3.** [of prices, salaries] escala *f* - **4.** [of mountains] cordillera *f* - **5.** [shooting area] campo *m* de tiro - **6.** [of voice] registro *m*. ◇ *vt* alinear. ◇ *vi* [vary]: **to range from... to..., to range**

between... and... oscilar OR fluctuar entre... y...; **prices ranging from $20 to $100** precios que van desde veinte hasta cien dólares.

ranger ['reɪndʒə'] *n* guardabosques *mf inv*.

rank [ræŋk] ◇ *adj* - **1.** [utter, absolute - bad luck, outsider] absoluto(ta); [- disgrace, injustice] flagrante - **2.** [foul] pestilente. ◇ *n* - **1.** [position, grade] grado *m*, rango *m* - **2.** [social class] clase *f*, categoría *f*; **the rank and file** las bases - **3.** [row] fila *f*. ◇ *vt* [class]: **to be ranked** estar clasificado(da). ◇ *vi*: **to rank as** estar considerado(da) (como); **to rank among** encontrarse entre. ➡ **ranks** *npl* - **1.** MIL: **the ranks** los soldados rasos - **2.** *fig* [members] filas *fpl*.

rankle ['ræŋkl] *vi* doler.

ransack ['rænsæk] *vt* [search] registrar a fondo; [plunder] saquear.

ransom ['rænsəm] *n* rescate *m*; **to hold sb to ransom** *fig* hacer chantaje a alguien.

rant [rænt] *vi* despotricar.

rap [ræp] ◇ *n* - **1.** [knock] golpecito *m* - **2.** [type of music] rap *m* - **3.** *US* [legal charge] acusación *f*; **rap sheet** antecedentes *mpl* penales. ◇ *vt* dar un golpecito en.

rape [reɪp] ◇ *n* - **1.** [crime] violación *f* - **2.** BOT colza *f*. ◇ *vt* [person] violar.

rapeseed oil ['reɪpsiːd-] *n* aceite *m* de colza.

rapid ['ræpɪd] *adj* rápido(da). ➡ **rapids** *npl* rápidos *mpl*.

rapidly ['ræpɪdlɪ] *adv* rápidamente.

rapist ['reɪpɪst] *n* violador *m*, -ra *f*.

rapport [ræ'pɔːr] *n* compenetración *f*.

rapture ['ræptʃə'] *n* arrobamiento *m*; **to go into raptures over** OR **about** deshacerse en elogios a.

rapturous ['ræptʃərəs] *adj* muy entusiasta.

rare [reə'] *adj* - **1.** [scarce] poco común, raro(ra) - **2.** [infrequent] poco frecuente, raro(ra) - **3.** [exceptional] raro(ra), excepcional - **4.** CULIN poco hecho(cha).

rarely ['reəlɪ] *adv* raras veces.

raring ['reərɪŋ] *adj*: **to be raring to go** estar ansioso(sa) por empezar.

rarity ['reərətɪ] *n* rareza *f*.

rascal ['rɑːskl] *n* pícaro *m*, -ra *f*.

rash [ræʃ] ◇ *adj* precipitado(da). ◇ *n* - **1.** MED erupción *f* (cutánea), sarpullido *m* - **2.** [spate] aluvión *m*.

rasher ['ræʃə'] *n* loncha *f*.

rasp [rɑːsp] *n* - **1.** [harsh sound] chirrido *m* - **2.** [tool] lima *f* gruesa.

raspberry ['rɑːzbərɪ] *n* [fruit] frambuesa *f*.

rat [ræt] *n* [animal] rata *f*.

rate [reɪt] ◇ *n* - **1.** [speed] ritmo *m*; **at this rate** a este paso - **2.** [of birth, death] índice *m*; [of unemployment, inflation] tasa *f* - **3.** [price] precio *m*, tarifa *f*; [of interest] tipo *m*. ◇ *vt*

- **1.** [consider]: **to rate sthg/sb (as/among)** considerar algo/a alguien (como/entre) - **2.** *UK inf* [have good opinion of] valorar mucho - **3.** [deserve] merecer. ◆ **rates** *npl UK* ≃ contribución *f* urbana. ◆ **at any rate** *adv* - **1.** [at least] al menos - **2.** [anyway] de todos modos.

ratepayer ['reɪt,peɪə'] *n UK* contribuyente *mf*.

rather ['rɑːðə'] *adv* - **1.** [to quite a large extent] bastante - **2.** [to a great extent] muy - **3.** [to a limited extent] algo; **he's rather like you** se parece (en) algo a ti - **4.** [as preference]: **I would rather wait** preferiría esperar; **I'd rather not stay** prefiero no quedarme; **would you like to come? – I'd rather not** ¿quieres venir? – mejor no - **5.** [more exactly]: **or rather...** o más bien..., o mejor dicho... - **6.** [on the contrary]: **(but) rather...** (sino) más bien *OR* por el contrario... ◆ **rather than** *conj* en vez de.

ratify ['rætɪfaɪ] *vt* ratificar.

rating ['reɪtɪŋ] *n* [standing] clasificación *f*.

ratio ['reɪʃɪəʊ] (*pl* -s) *n* proporción *f*, relación *f*.

ration ['ræʃn] ◇ *n* ración *f*. ◇ *vt* racionar. ◆ **rations** *npl* [supplies] víveres *mpl*.

rational ['ræʃənl] *adj* racional.

rationale [,ræʃə'nɑːl] *n* lógica *f*, razones *fpl*.

rationalize, -ise ['ræʃənəlaɪz] *vt* racionalizar.

rat race *n* mundo despiadadamente competitivo de los negocios.

rattle ['rætl] ◇ *n* - **1.** [of engine, metal] traqueteo *m*; [of chains] crujido *m*; [of glass] tintineo *m*; [of typewriter] repiqueteo *m* - **2.** [for baby] sonajero *m*. ◇ *vt* - **1.** [make rattle] hacer sonar - **2.** [unsettle] desconcertar. ◇ *vi* golpetear; [chains] crujir; [glass] tintinear.

rattlesnake ['rætlsneɪk], **rattler** *US* ['rætlə'] *n* serpiente *f* de cascabel.

raucous ['rɔːkəs] *adj* ronco(ca) y estridente.

ravage ['rævɪdʒ] *vt* estragar, asolar. ◆ **ravages** *npl* estragos *mpl*.

rave [reɪv] ◇ *n* [party] macrofiesta *f* tecno. ◇ *vi* - **1.** [talk angrily]: **to rave at sb** increpar a alguien; **to rave against sb/sthg** despotricar contra alguien/algo - **2.** [talk enthusiastically]: **to rave about sthg** deshacerse en alabanzas sobre algo.

raven ['reɪvn] *n* cuervo *m*.

ravenous ['rævənəs] *adj* [person, animal] famélico(ca); [appetite] voraz.

ravine [rə'viːn] *n* barranco *m*.

raving ['reɪvɪŋ] *adj* [lunatic] de atar; [fantasy] delirante.

ravioli [,rævɪ'əʊlɪ] *n* (U) raviolis *mpl*.

ravishing ['rævɪʃɪŋ] *adj* [sight, beauty] de ensueño; [person] bellísimo(ma).

raw [rɔː] *adj* - **1.** [uncooked] crudo(da) - **2.** [untreated - silk] crudo(da); [- sewage] sin tratar; [- cane sugar] sin refinar - **3.** [painful - wound] en carne viva - **4.** [inexperienced] novato(ta) - **5.** [cold] crudo(da).

raw deal *n*: **to get a raw deal** recibir un trato injusto.

raw material *n* materia *f* prima.

ray [reɪ] *n* rayo *m*; **ray of hope** resquicio *m* de esperanza.

rayon ['reɪɒn] *n* rayón *m*.

raze [reɪz] *vt* arrasar.

razor ['reɪzə'] *n* [wet shaver] navaja *f*; [electric machine] maquinilla *f* de afeitar.

razor blade *n* hoja *f* de afeitar.

RC *abbr of* **Roman Catholic**.

Rd *abbr of* **road**.

R & D (*abbr of* **research and development**) *n* I + D *f*.

re [riː] *prep* Ref.

RE *n* (*abbr of* **religious education**) religión *f*.

reach [riːtʃ] ◇ *n* alcance *m*; **he has a long reach** tiene los brazos largos; **within (sb's) reach** [easily touched] al alcance (de alguien); [easily travelled to] a poca distancia (de alguien); **out of** *OR* **beyond sb's reach** fuera del alcance de alguien. ◇ *vt* - **1.** [gen] alcanzar, llegar a - **2.** [arrive at - place etc] llegar a - **3.** [get by stretching - object, shelf] alcanzar - **4.** [contact] localizar. ◇ *vi*: **I can't reach** no llego; **to reach out/across** alargar la mano; **to reach down** agacharse.

react [rɪ'ækt] *vi* - **1.** [respond]: **to react (to)** reaccionar (a *OR* ante) - **2.** [rebel]: **to react against** reaccionar en contra de - **3.** CHEM: **to react with** reaccionar con.

reaction [rɪ'ækʃn] *n*: **reaction (to/against)** reacción *f* (a/contra).

reactionary [rɪ'ækʃənrɪ] ◇ *adj* reaccionario(ria). ◇ *n* reaccionario *m*, -ria *f*.

reactor [rɪ'æktə'] *n* reactor *m*.

read [riːd] ◇ *vt* (*pt & pp* **read** [red]) - **1.** [gen & COMPUT] leer; **she can't read my writing** no entiende mi letra - **2.** [subj: sign, words] poner, decir - **3.** [subj: thermometer, meter etc] marcar - **4.** [interpret] interpretar - **5.** *UK* UNIV estudiar. ◇ *vi* (*pt & pp* **read** [red]) - **1.** [person] leer - **2.** [read aloud]: **to read to sb** leerle a alguien - **3.** [piece of writing]: **to read well** estar bien escrito. ◆ **read out** *vt sep* leer en voz alta. ◆ **read through** *vt sep* leer. ◆ **read up on** *vt insep* leer *OR* documentarse sobre.

readable ['riːdəbl] *adj* ameno(na).

reader ['riːdə'] *n* - **1.** [person who reads] lector *m*, -ra *f* - **2.** COMPUT lector *m*.

readership ['riːdəʃɪp] *n* [total number of readers] lectores *mpl*.

readily ['redılı] *adv* - **1.** [willingly] de buena gana - **2.** [easily] fácilmente.

reading ['ri:dıŋ] *n* - **1.** [gen] lectura *f* - **2.** [recital] recital *m*.

readjust [,ri:ə'dʒʌst] <> *vt* reajustar. <> *vi:* **to readjust (to)** volverse a adaptar (a).

readout ['ri:daʊt] *n* COMPUT visualización *f*.

ready ['redı] <> *adj* - **1.** [prepared] listo(ta), preparado(da); **to be ready for sthg/to do sthg** estar listo para algo/para hacer algo; **to get ready** [prepare] prepararse; [for going out] arreglarse - **2.** [willing]: **to be ready to do sthg** estar dispuesto(ta) a hacer algo - **3.** [in need of]: **to be ready for sthg** necesitar algo - **4.** [likely]: **to be ready to do sthg** estar a punto de hacer algo - **5.** [smile] pronto(ta). <> *vt* preparar; **to ready o.s. for sthg** prepararse para algo.

ready cash *n* dinero *m* contante.

ready-made *adj* [products] hecho(cha); [clothes] confeccionado(da).

ready money *n* dinero *m* contante.

ready-to-wear *adj* confeccionado(da).

reafforestation ['ri:ə,fɒrı'steıʃn], **reforestation** *n* repoblación *f* forestal.

real ['rıəl] <> *adj* - **1.** [not imagined, actual] real; **the real thing** lo auténtico; **for real** de verdad; **in real terms** en términos reales - **2.** [genuine, proper] auténtico(ca); **a real friend** un amigo de verdad. <> *adv* US muy.

real estate *n* propiedad *f* inmobiliaria.

real estate agent *n* US agente inmobiliario *m*, agente inmobiliaria *f*.

realign [,ri:ə'laın] *vt* volver a alinear.

realism ['rıəlızm] *n* realismo *m*.

realistic [,rıə'lıstık] *adj* realista.

reality [rı'ælətı] *n* realidad *f*.

reality TV *n* (U) reality shows *mpl*.

realization [,rıəlaı'zeıʃn] *n* - **1.** [recognition] comprensión *f* - **2.** [achievement] consecución *f*.

realize, -ise ['rıəlaız] *vt* - **1.** [become aware of] darse cuenta de - **2.** [produce, achieve, make profit of] realizar.

really ['rıəlı] <> *adv* - **1.** [for emphasis] de verdad; **really good** buenísimo; **did you like it? – not really** ¿te gustó? – la verdad es que no - **2.** [actually, honestly] realmente - **3.** [to sound less negative] en realidad. <> *excl* - **1.** [expressing doubt]: **really?** [in affirmatives] ¿ah sí?; [in negatives] ¿ah no? - **2.** [expressing surprise, disbelief]: **really?** ¿de verdad?, ¿seguro?

realm [relm] *n* - **1.** [field] campo *m*, esfera *f* - **2.** [kingdom] reino *m*.

realtor ['rıəltər] *n* US agente inmobiliario *m*, agente inmobiliaria *f*.

reap [ri:p] *vt lit & fig* cosechar.

reappear [,ri:ə'pıər] *vi* reaparecer.

rear [rıər] <> *adj* trasero(ra), de atrás. <> *n* [back] parte *f* de atrás; **to bring up the rear** cerrar la marcha. <> *vt* criar. <> *vi:* **to rear (up)** encabritarse.

rearm [ri:'ɑ:m] *vi* rearmarse.

rearmost ['rıəməʊst] *adj* último(ma).

rearrange [,ri:ə'reındʒ] *vt* - **1.** [room, furniture] colocar de otro modo; [system, plans] reorganizar - **2.** [meeting] volver a concertar.

rearview mirror ['rıəvju:-] *n* (espejo *m*) retrovisor *m*.

reason ['ri:zn] <> *n* - **1.** [cause]: **reason (for)** razón *f* (de); **I don't know the reason why** no sé por qué; **by reason of** *fml* a causa de; **for some reason** por alguna razón - **2.** [justification]: **to have reason to do sthg** tener motivos para hacer algo - **3.** [rationality] razón *f*; **it stands to reason** es lógico; **to listen to reason** avenirse a razones. <> *vt & vi* razonar.
◆ **reason with** *vt insep* razonar con.

reasonable ['ri:znəbl] *adj* razonable.

reasonably ['ri:znəblı] *adv* razonablemente.

reasoned ['ri:znd] *adj* razonado(da).

reasoning ['ri:znıŋ] *n* razonamiento *m*.

reassess [,ri:ə'ses] *vt* reconsiderar.

reassurance [,ri:ə'ʃʊərəns] *n* - **1.** (U) [comfort] palabras *fpl* tranquilizadoras - **2.** [promise] promesa *f*.

reassure [,ri:ə'ʃʊər] *vt* tranquilizar.

reassuring [,ri:ə'ʃʊərıŋ] *adj* tranquilizador(ra).

rebate ['ri:beıt] *n* - **1.** [refund] devolución *f* - **2.** [discount] bonificación *f*.

rebel <> *n* ['rebl] rebelde *mf*. <> *vi* [rı'bel]: **to rebel (against)** rebelarse (contra), alebrestarse (contra) *Col, Méx & Ven*.

rebellion [rı'beljən] *n* rebelión *f*.

rebellious [rı'beljəs] *adj* rebelde.

rebound <> *n* ['ri:baʊnd]: **on the rebound** [ball] de rebote *m*. <> *vi* [,rı'baʊnd] [bounce back] rebotar.

re-brand *vt* relanzar con otra marca.

rebuff [rı'bʌf] *n* [slight] desaire *m*; [refusal] negativa *f*.

rebuild [,ri:'bıld] (*pt & pp* **-built**) *vt* reconstruir.

rebuke [rı'bju:k] <> *n* reprimenda *f*. <> *vt:* **to rebuke sb (for)** reprender a alguien (por).

rebuttal [ri:'bʌtl] *n* refutación *f*.

recalcitrant [rı'kælsıtrənt] *adj* recalcitrante.

recall [rı'kɔ:l] <> *n* [memory] memoria *f*. <> *vt* - **1.** [remember] recordar, acordarse de - **2.** [ambassador] retirar; [goods] retirar del mercado.

recant [rɪ'kænt] vi [deny statement] retractarse; [deny religion] renegar de la fe.

recap ['riːkæp] inf ◇ n resumen m, recapitulación f. ◇ vt [summarize] recapitular, resumir. ◇ vi recapitular, resumir.

recapitulate [ˌriːkə'pɪtjʊleɪt] vt & vi recapitular, resumir.

recd, rec'd (abbr of received) rbdo.

recede [riː'siːd] vi - 1. [person, car] alejarse; [coastline] retroceder - 2. fig [disappear] esfumarse.

receding [rɪ'siːdɪŋ] adj [chin, forehead] hundida; **to have a receding hairline** tener entradas.

receipt [rɪ'siːt] n recibo m; **to acknowledge receipt** acusar recibo. ◆ **receipts** npl recaudación f.

receive [rɪ'siːv] vt - 1. [gen] recibir; **I received a fine** me pusieron una multa - 2. [reaction] tener; [injury, setback] sufrir - 3. [greet]: **to be well/ badly received** tener una buena/mala acogida.

receiver [rɪ'siːvər] n - 1. [of telephone] auricular m - 2. [radio, TV set] receptor m - 3. [criminal] perista mf - 4. FIN síndico m, -ca f.

recent ['riːsnt] adj reciente.

recently ['riːsntlɪ] adv recientemente.

receptacle [rɪ'septəkl] n receptáculo m.

reception [rɪ'sepʃn] n - 1. [gen] recepción f - 2. [welcome] recibimiento m.

reception desk n recepción f.

receptionist [rɪ'sepʃənɪst] n recepcionista mf.

recess ['riːses, UK rɪ'ses] n - 1. [vacation] periodo m vacacional; **to be in recess** estar clausurado(da) - 2. [alcove] nicho m, hueco m - 3. US SCH recreo m. ◆ **recesses** npl [of mind, heart] recovecos mpl; [of building] escondrijos mpl.

recession [rɪ'seʃn] n recesión f.

recharge [ˌriː'tʃɑːdʒ] vt recargar.

recipe ['resɪpɪ] n fig & CULIN receta f.

recipient [rɪ'sɪpɪənt] n [of letter, cheque] destinatario m, -ria f.

reciprocal [rɪ'sɪprəkl] adj recíproco(ca).

recital [rɪ'saɪtl] n recital m.

recite [rɪ'saɪt] vt - 1. [poem] recitar - 2. [list] enumerar.

reckless ['reklɪs] adj [gen] imprudente; [driver, driving] temerario(ria).

reckon ['rekn] vt - 1. inf [think]: **to reckon (that)** pensar que - 2. [consider, judge]: **to be reckoned to be sthg** ser considerado(da) algo - 3. [calculate] calcular. ◆ **reckon on** vt insep contar con. ◆ **reckon with** vt insep [expect] contar con.

reckoning ['rekənɪŋ] n [calculation] cálculo m.

reclaim [rɪ'kleɪm] vt - 1. [claim back] reclamar - 2. [recover] recuperar; **to reclaim land from the sea** ganarle tierra al mar.

recline [rɪ'klaɪn] vi reclinarse.

reclining [rɪ'klaɪnɪŋ] adj [seat] reclinable.

recluse [rɪ'kluːs] n solitario m, -ria f.

recognition [ˌrekəg'nɪʃn] n reconocimiento m; **to have changed beyond OR out of all recognition** estar irreconocible; **in recognition of** en reconocimiento a.

recognizable ['rekəgnaɪzəbl] adj reconocible.

recognize, -ise ['rekəgnaɪz] vt reconocer.

recoil ◇ vi [rɪ'kɔɪl] [draw back] retroceder, echarse atrás. ◇ n ['riːkɔɪl] [of gun] retroceso m.

recollect [ˌrekə'lekt] vt & vi recordar.

recollection [ˌrekə'lekʃn] n recuerdo m.

recommend [ˌrekə'mend] vt recomendar.

recompense ['rekəmpens] ◇ n: **recompense (for)** compensación f OR indemnización f (por). ◇ vt: **to recompense sb (for)** recompensar a alguien (por).

reconcile ['rekənsaɪl] vt - 1. [find agreement between] conciliar - 2. [make friendly again] reconciliar; **to be reconciled with sb** reconciliarse con alguien - 3. [accept]: **to reconcile o.s. to** resignarse a.

reconditioned [ˌriːkən'dɪʃnd] adj reparado(da).

reconnaissance [rɪ'kɒnɪsəns] n reconocimiento m.

reconnoitre UK, **reconnoiter** US [ˌrekə'nɔɪtər] ◇ vt reconocer. ◇ vi hacer un reconocimiento.

reconsider [ˌriːkən'sɪdər] vt & vi reconsiderar.

reconstruct [ˌriːkən'strʌkt] vt [building, crime] reconstruir.

record ◇ n ['rekɔːd] - 1. [of event, piece of information & COMPUT] registro m; [of meeting] actas fpl; **to go/be on record as saying that...** declarar/haber declarado públicamente que...; **off the record** confidencial - 2. [vinyl disc] disco m - 3. [best achievement] récord m - 4. [past results] resultados mpl - 5. HIST historial m; **criminal record** antecedentes mpl penales. ◇ vt [rɪ'kɔːd] - 1. [write down] anotar - 2. [document] documentar - 3. [put on tape] grabar. ◇ vi [rɪ'kɔːd] grabar. ◇ adj ['rekɔːd] récord (inv).

recorded delivery [rɪ'kɔːdɪd-] n correo m certificado.

recorder [rɪ'kɔːdər] n [musical instrument] flauta f.

record holder n plusmarquista mf.

recording [rɪ'kɔːdɪŋ] n grabación f.

record player n tocadiscos m inv.

recount ⟨⟩ n ['ri:kaʊnt] segundo recuento m. ⟨⟩ vt - 1. [rɪ'kaʊnt] [narrate] narrar - 2. [,ri:'kaʊnt] [count again] volver a contar.

recoup [rɪ'ku:p] vt recuperar.

recourse [rɪ'kɔ:s] n fml: **to have recourse to** recurrir a.

recover [rɪ'kʌvər] ⟨⟩ vt - 1. [retrieve, recoup] recuperar - 2. [regain - calm etc] recobrar. ⟨⟩ vi: **to recover (from)** recuperarse (de).

recovery [rɪ'kʌvərɪ] n recuperación f.

recreation [,rekrɪ'eɪʃn] n [leisure] esparcimiento m, recreo m.

recrimination [rɪ,krɪmɪ'neɪʃn] n recriminación f.

recruit [rɪ'kru:t] ⟨⟩ n recluta mf. ⟨⟩ vt - 1. [gen] reclutar; **to recruit sb (for sthg/to do sthg)** reclutar a alguien (para algo/para hacer algo) - 2. [find, employ] contratar. ⟨⟩ vi buscar empleados nuevos.

recruitment [rɪ'kru:tmənt] n [gen] reclutamiento m; [of staff] contratación f.

rectangle ['rek,tæŋgl] n rectángulo m.

rectangular [rek'tæŋgjʊlər] adj rectangular.

rectify ['rektɪfaɪ] vt rectificar.

rector ['rektər] n - 1. [priest] párroco m - 2. Scotland [head - of school] director m, -ra f; [- of college, university] rector m, -ra f.

rectory ['rektərɪ] n rectoría f.

recuperate [rɪ'ku:pəreɪt] ⟨⟩ vt recuperar. ⟨⟩ vi: **to recuperate (from)** recuperarse (de).

recur [rɪ'kɜ:r] vi repetirse.

recurrence [rɪ'kʌrəns] n repetición f.

recurrent [rɪ'kʌrənt] adj que se repite.

recycle [,ri:'saɪkl] vt reciclar.

recycle bin n COMPUT papelera f.

red [red] ⟨⟩ adj rojo(ja); **to go red** [with embarrassment] ponerse colorado(da). ⟨⟩ n [colour] rojo m; **to be in the red** inf estar en números rojos.

red card n FTBL: **to show sb the red card** mostrarle a alguien (la) tarjeta roja.

red carpet n: **to roll out the red carpet for sb** recibir a alguien con todos los honores. ◆ **red-carpet** adj: **to give sb the red-carpet treatment** dispensar a alguien un gran recibimiento.

Red Cross n: **the Red Cross** la Cruz Roja.

redcurrant ['redkʌrənt] n - 1. [fruit] grosella f - 2. [bush] grosellero m.

redden ['redn] ⟨⟩ vt [make red] teñir de rojo. ⟨⟩ vi [flush] enrojecer.

redecorate [,ri:'dekəreɪt] vt & vi volver a pintar (o empapelar).

redeem [rɪ'di:m] vt - 1. [save, rescue] salvar, rescatar - 2. RELIG redimir - 3. fml [at pawnbroker's] desempeñar.

redeeming [rɪ'di:mɪŋ] adj: **his only redeeming feature** lo único que le salva.

redeploy [,ri:dɪ'plɔɪ] vt reorganizar.

red-faced [-'feɪst] adj - 1. [flushed] rojo(ja), colorado(da) - 2. [with embarrassment] rojo(ja) de vergüenza.

red-haired [-'heəd] adj pelirrojo(ja).

red-handed [-'hændɪd] adj: **to catch sb red-handed** coger a alguien con las manos en la masa.

redhead ['redhed] n pelirrojo m, -ja f.

red herring n fig [unhelpful clue] pista f falsa; [means of distracting attention] ardid m para distraer la atención.

red-hot adj [metal, person, passion] al rojo (vivo).

redid [,ri:'dɪd] pt ▷ **redo**.

redirect [,ri:dɪ'rekt] vt - 1. [retarget] redirigir - 2. [divert] desviar - 3. [forward] reexpedir.

rediscover [,ri:dɪs'kʌvər] vt - 1. [re-experience] volver a descubrir - 2. [make popular, famous again]: **to be rediscovered** ser descubierto(ta) de nuevo.

red light n [traffic signal] semáforo m rojo.

red-light district n barrio m chino.

redo [,ri:'du:] (pt -did, pp -done) vt - 1. [do again] volver a hacer - 2. COMPUT rehacer.

redolent ['redələnt] adj liter [reminiscent]: **to be redolent of sthg** evocar algo.

redouble [,ri:'dʌbl] vt: **to redouble one's efforts (to do sthg)** redoblar esfuerzos (para hacer algo).

redraft [,ri:'drɑ:ft] vt volver a redactar.

redress [rɪ'dres] fml ⟨⟩ n (U) reparación f. ⟨⟩ vt: **to redress the balance (between)** equilibrar la balanza (entre).

red tape n fig papeleo m.

reduce [rɪ'dju:s] ⟨⟩ vt reducir; **to be reduced to doing sthg** verse rebajado OR forzado a hacer algo; **it reduced me to tears** me hizo llorar. ⟨⟩ vi US [diet] (intentar) adelgazar.

reduction [rɪ'dʌkʃn] n - 1. [gen]: **reduction (in)** reducción f (de) - 2. COMM: **reduction (of)** descuento m (de).

redundancy [rɪ'dʌndənsɪ] n UK [job loss] despido m.

redundant [rɪ'dʌndənt] adj - 1. UK [jobless]: **to be made redundant** perder el empleo; **to make sb redundant** despedir a alguien - 2. [not required - equipment, factory] innecesario(ria); [- comment] redundante.

reed [ri:d] n - 1. [plant] carrizo m, cañavera f - 2. [of musical instrument] lengüeta f.

reef [ri:f] n arrecife m.

reek [ri:k] vi: **to reek (of)** apestar (a).

reel [ri:l] <> n - 1. [of cotton, on fishing rod] carrete m - 2. [of film] rollo m. <> vi - 1. [stagger] tambalearse - 2. [be stunned]: to reel from sthg quedarse atónito(ta) por algo. ◆ **reel in** vt sep sacar enrollando el carrete (en pesca). ◆ **reel off** vt sep recitar al corrido.

reenact [,ri:ɪn'ækt] vt representar de nuevo.

ref [ref] n - 1. inf SPORT (abbr of referee) árbitro m - 2. ADMIN (abbr of reference) ref.

refectory [rɪ'fektərɪ] n refectorio m.

refer [rɪ'fɜ:r] vt - 1. [send, direct]: to refer sb to [to place] enviar a alguien a; [to source of information] remitir a alguien a - 2. [report, submit]: to refer sthg to remitir algo a. ◆ **refer to** vt insep - 1. [mention, speak about] referirse a - 2. [consult] consultar.

referee [,refə'ri:] <> n - 1. SPORT árbitro m - 2. UK [for job application] persona que proporciona referencias de alguien para un trabajo. <> vt & vi SPORT arbitrar.

reference ['refrəns] n - 1. [mention, reference number]: to make reference to hacer referencia a; with reference to fml con referencia a - 2. (U) [for advice, information]: reference (to) consulta f (a) - 3. [for job - letter] referencia f; [- person] persona que proporciona referencias de alguien para un trabajo.

reference book n libro m de consulta.

reference number n número m de referencia.

referendum [,refə'rendəm] (pl -s OR -da [-də]) n referéndum m.

refill <> n ['ri:fɪl] [for pen] recambio m; inf [of drink]: would you like a refill? ¿te apetece otra copa? <> vt [,ri:'fɪl] volver a llenar.

refine [rɪ'faɪn] vt - 1. [oil, food] refinar - 2. [plan, speech] pulir.

refined [rɪ'faɪnd] adj - 1. [oil, food, person] refinado(da) - 2. [equipment, theory] perfeccionado(da).

refinement [rɪ'faɪnmənt] n - 1. [improvement]: refinement (on) mejora f (de) - 2. (U) [gentility] refinamiento m.

reflect [rɪ'flekt] <> vt - 1. [gen] reflejar - 2. [think, consider]: to reflect that... considerar que... <> vi: to reflect (on OR upon) reflexionar (sobre).

reflection [rɪ'flekʃn] n - 1. [gen] reflejo m - 2. [criticism]: reflection on crítica f de - 3. [thinking] reflexión f; on reflection pensándolo bien.

reflector [rɪ'flektər] n reflector m.

reflex ['ri:fleks] n: reflex (action) (acto m) reflejo m.

reflexive [rɪ'fleksɪv] adj GRAM reflexivo(va).

reforestation [ri:,fɒrɪ'steɪʃn] = **reafforestation**.

reform [rɪ'fɔ:m] <> n reforma f. <> vt reformar. <> vi reformarse.

Reformation [,refə'meɪʃn] n: the Reformation la Reforma.

reformatory [rɪ'fɔ:mətrɪ] n US reformatorio m.

reformer [rɪ'fɔ:mər] n reformador m, -ra f.

refrain [rɪ'freɪn] n [chorus] estribillo m.

refresh [rɪ'freʃ] vt [gen & COMPUT] refrescar; to refresh sb's memory refrescarle la memoria a alguien.

refreshed [rɪ'freʃt] adj descansado(da).

refresher course [rɪ'freʃə-] n cursillo m de reciclaje (en el mismo trabajo).

refreshing [rɪ'freʃɪŋ] adj [change, honesty, drink] refrescante; [sleep] vigorizante.

refreshments [rɪ'freʃmənts] npl refrigerio m.

refrigerator [rɪ'frɪdʒəreɪtər] n nevera f, refrigerador m Amér, heladera f R Plata, refrigeradora f Col & Perú.

refuel [,ri:'fjʊəl] <> vt (UK pt & pp -led, cont -ling, US pt & pp -ed, cont -ing) llenar de carburante. <> vi (UK pt & pp -led, cont -ling, US pt & pp -ed, cont -ing) repostar.

refuge ['refju:dʒ] n refugio m; to seek OR take refuge (in) fig buscar refugio (en).

refugee [,refjʊ'dʒi:] n refugiado m, -da f.

refund <> n ['ri:fʌnd] reembolso m. <> vt [rɪ'fʌnd]: to refund sthg to sb, to refund sb sthg reembolsar algo a alguien.

refurbish [,ri:'fɜ:bɪʃ] vt [building] restaurar; [office, shop] renovar.

refusal [rɪ'fju:zl] n - 1. [disagreement, saying no]: refusal (to do sthg) negativa f (a hacer algo) - 2. [withholding, denial] denegación f - 3. [non-acceptance]: to meet with refusal ser rechazado(da).

refuse¹ [rɪ'fju:z] <> vt - 1. [withhold, deny]: to refuse sb sthg, to refuse sthg to sb denegar a alguien algo - 2. [decline, reject] rechazar - 3. [not agree, be completely unwilling]: to refuse to do sthg negarse a hacer algo. <> vi negarse.

refuse² ['refju:s] n [rubbish] basura f.

refuse collection ['refju:s-] n recogida f de basuras.

refute [rɪ'fju:t] vt fml refutar.

regain [rɪ'geɪn] vt [leadership, first place] recuperar; [health, composure] recobrar.

regal ['ri:gl] adj regio(gia).

regalia [rɪ'geɪljə] n (U) ropaje m.

regard [rɪ'gɑ:d] <> n - 1. fml [respect, esteem]: regard (for) estima f OR respeto m (por); to hold sthg/sb in high regard tener algo/a alguien en gran estima - 2. [aspect]: in this/that regard a este/ese respecto - 3. [consideration]: with no regard for sin ninguna consideración

por. ⬦ *vt* - **1.** [consider]: **to regard o.s. as sthg** considerarse algo - **2.** [look at, view]: **to regard sb/sthg with** ver a alguien/algo con; **to be highly regarded** estar muy bien considerado.
🔹 **regards** *npl* [in greetings] recuerdos *mpl*; **give them my regards** salúdales de mi parte.
🔹 **as regards** *prep* en cuanto a, por lo que se refiere a. 🔹 **in regard to, with regard to** *prep* respecto a, en cuanto a.

regarding [rɪˈgɑːdɪŋ] *prep* respecto a, en cuanto a.

regardless [rɪˈgɑːdlɪs] *adv* a pesar de todo.
🔹 **regardless of** *prep* sin tener en cuenta; **regardless of the cost** cueste lo que cueste.

regime [reɪˈʒiːm] *n* régimen *m*.

regiment [ˈredʒɪmənt] *n* MIL regimiento *m*.

region [ˈriːdʒən] *n* región *f*; **in the region of** alrededor de.

regional [ˈriːdʒənl] *adj* regional.

register [ˈredʒɪstər] ⬦ *n* [gen] registro *m*; [at school] lista *f*. ⬦ *vt* - **1.** [record - gen] registrar; [- car] matricular - **2.** [express] mostrar, reflejar. ⬦ *vi* - **1.** [be put on official list]: **to register (as/for)** inscribirse (como/para) - **2.** [book in - at hotel] registrarse; [- at conference] inscribirse - **3.** *inf* [be noticed]: **I told him but it didn't seem to register** se lo dije, pero no pareció que lo captara.

registered [ˈredʒɪstəd] *adj* - **1.** [officially listed] inscrito(ta) oficialmente - **2.** [letter, parcel] certificado(da).

registered trademark *n* marca *f* registrada.

registrar [ˈredʒɪstrɑːr] *n* - **1.** [keeper of records] registrador *m*, -ra *f* oficial - **2.** UNIV secretario *m*, -ria *f* general - **3.** [doctor] médico *m*, -ca *f* de hospital.

registration [ˌredʒɪˈstreɪʃn] *n* - **1.** [gen] registro *m* - **2.** AUT = **registration number**.

registration number, registration *n* AUT número *m* de matrícula; COMPUT número *m* de registro.

registry [ˈredʒɪstrɪ] *n* registro *m*.

registry office *n* registro *m* civil.

regret [rɪˈgret] ⬦ *n* - **1.** *fml* [sorrow] pesar *m* - **2.** [sad feeling]: **I've no regrets about it** no lo lamento en absoluto.

regretfully [rɪˈgretfʊlɪ] *adv* con pesar; **regretfully, we have to announce...** lamentamos tener que anunciar...

regrettable [rɪˈgretəbl] *adj* lamentable.

regroup [ˌriːˈgruːp] *vi* reagruparse.

regular [ˈregjʊlər] ⬦ *adj* - **1.** [gen] regular - **2.** [customer] habitual - **3.** [time, place] acostumbrado(da); [problem] usual, normal - **4.** US [size] normal, mediano(na) - **5.** US [pleasant] legal. ⬦ *n* cliente *m* habitual.

regularly [ˈregjʊlərlɪ] *adv* - **1.** [gen] con regularidad - **2.** [equally spaced] de manera uniforme.

regulate [ˈregjʊleɪt] *vt* regular.

regulation [ˌregjʊˈleɪʃn] *n* - **1.** [rule] regla *f*, norma *f* - **2.** (U) [control] regulación *f*.

rehabilitate [ˌriːəˈbɪlɪteɪt] *vt* rehabilitar.

rehearsal [rɪˈhɜːsl] *n* ensayo *m*.

rehearse [rɪˈhɜːs] *vt* ensayar.

reign [reɪn] *lit & fig* ⬦ *n* reinado *m*. ⬦ *vi*: **to reign (over)** reinar (sobre).

reimburse [ˌriːɪmˈbɜːs] *vt*: **to reimburse sb (for sthg)** reembolsar a alguien (algo).

rein [reɪn] *n fig*: **to keep a tight rein on sb/sthg** tener muy controlado(da) a alguien/algo. 🔹 **reins** *npl* [for horse] riendas *fpl*.

reindeer [ˈreɪnˌdɪər] (*pl* reindeer) *n* reno *m*.

reinforce [ˌriːɪnˈfɔːs] *vt* reforzar.

reinforced concrete [ˌriːɪnˈfɔːst-] *n* cemento *m* OR hormigón *m* armado.

reinforcement [ˌriːɪnˈfɔːsmənt] *n* refuerzo *m*. 🔹 **reinforcements** *npl* refuerzos *mpl*.

re-install *vt* reinstalar.

reinstate [ˌriːɪnˈsteɪt] *vt* - **1.** [give job back to] restituir OR reintegrar en su puesto a - **2.** [bring back] restablecer.

reissue [riːˈɪʃuː] *vt* [gen] reeditar; [film] reestrenar.

reiterate [riːˈɪtəreɪt] *vt fml* reiterar.

reject ⬦ *n* [ˈriːdʒekt] - **1.** [thing]: **rejects** artículos *mpl* defectuosos - **2.** *inf* [person] desecho *m*. ⬦ *vt* [rɪˈdʒekt] rechazar.

rejection [rɪˈdʒekʃn] *n* rechazo *m*.

rejoice [rɪˈdʒɔɪs] *vi*: **to rejoice (at OR in)** alegrarse OR regocijarse (con).

rejuvenate [rɪˈdʒuːvəneɪt] *vt* rejuvenecer.

rekindle [ˌriːˈkɪndl] *vt* reavivar.

relapse [rɪˈlæps] ⬦ *n* recaída *f*. ⬦ *vi*: **to relapse into** volver a caer en.

relate [rɪˈleɪt] ⬦ *vt* - **1.** [connect]: **to relate sthg (to)** relacionar algo (con) - **2.** [tell] contar, relatar. ⬦ *vi* - **1.** [be connected]: **to relate to** estar relacionado(da) con - **2.** [concern]: **to relate to** referirse a - **3.** [empathize]: **to relate (to sb)** tener mucho en común (con alguien). 🔹 **relating to** *prep* concerniente OR referente a.

related [rɪˈleɪtɪd] *adj* - **1.** [in same family] emparentado(da); **to be related to sb** ser pariente de alguien - **2.** [connected] relacionado(da).

relation [rɪˈleɪʃn] *n* - **1.** [connection]: **relation (to/between)** relación *f* (con/entre); **to bear no relation to** no tener nada que ver con - **2.** [family member] pariente *mf*, familiar *mf*. 🔹 **relations** *npl* [family, race, industrial] relaciones *fpl*.

relationship [rɪ'leɪʃnʃɪp] *n* - **1.** [gen] relación *f*; **a good relationship** buenas relaciones - **2.** [to family member] parentesco *m*.

relative ['relətɪv] ⟨⟩ *adj* relativo(va). ⟨⟩ *n* pariente *mf*, familiar *mf*. ▪ **relative to** *prep fml* con relación a.

relatively ['relətɪvlɪ] *adv* relativamente.

relax [rɪ'læks] ⟨⟩ *vt* - **1.** [gen] relajar - **2.** [loosen - grip] aflojar. ⟨⟩ *vi* - **1.** [gen] relajarse - **2.** [loosen] aflojarse.

relaxation [ˌriːlæk'seɪʃn] *n* - **1.** [recreation] relajación *f*, esparcimiento *m* - **2.** [slackening - of discipline] relajación *f*.

relaxed [rɪ'lækst] *adj* relajado(da).

relaxing [rɪ'læksɪŋ] *adj* relajante.

relay ['riːleɪ] ⟨⟩ *n* - **1.** SPORT: **relay (race)** carrera *f* de relevos; **in relays** *fig* por turnos - **2.** RADIO & TV retransmisión *f*. ⟨⟩ *vt* (*pt* & *pp* **-ed**) [broadcast] retransmitir.

release [rɪ'liːs] ⟨⟩ *n* - **1.** [setting free] puesta *f* en libertad, liberación *f* - **2.** [relief] alivio *m* - **3.** [statement] comunicado *m* - **4.** [emitting - of gas] escape *m*; [- of heat, pressure] emisión *f* - **5.** [thing issued - of film] estreno *m*; [- of record] publicación *f*. ⟨⟩ *vt* - **1.** [lift restriction on]: **release sb from** liberar a alguien de - **2.** [make available - funds, resources] entregar - **3.** [let go - rope, reins, brake, person] soltar; [- grip] aflojar; [- mechanism, trigger] disparar - **4.** [emit - gas, heat] despedir - **5.** [issue - film] estrenar; [- record] sacar.

relegate ['relɪgeɪt] *vt* - **1.** [demote]: **to relegate sthg/sb (to)** relegar algo/a alguien (a) - **2.** UK FTBL: **to be relegated** descender (*a una división inferior*).

relent [rɪ'lent] *vi* [person] ablandarse; [wind, storm] remitir, aminorar.

relentless [rɪ'lentlɪs] *adj* implacable.

relevant ['reləvənt] *adj* - **1.** [connected]: **relevant (to)** pertinente (a) - **2.** [important]: **relevant (to)** importante OR relevante (para) - **3.** [appropriate] pertinente, oportuno(na).

reliable [rɪ'laɪəbl] *adj* - **1.** [dependable] fiable - **2.** [information] fidedigno(na).

reliably [rɪ'laɪəblɪ] *adv* - **1.** [dependably] sin fallar - **2.** [correctly]: **to be reliably informed about sthg** saber algo de fuentes fidedignas.

reliant [rɪ'laɪənt] *adj*: **to be reliant on sb/sthg** depender de alguien/de algo.

relic ['relɪk] *n* - **1.** [gen] reliquia *f* - **2.** [custom still in use] vestigio *m*.

relief [rɪ'liːf] *n* - **1.** [comfort] alivio *m* - **2.** [for poor, refugees] ayuda *f* - **3.** (*U*) US [social security] subsidio *m*.

relieve [rɪ'liːv] *vt* - **1.** [ease, lessen] aliviar - **2.** [take away from]: **to relieve sb of sthg** liberar a alguien de algo.

religion [rɪ'lɪdʒn] *n* religión *f*.

religious [rɪ'lɪdʒəs] *adj* religioso(sa).

relinquish [rɪ'lɪŋkwɪʃ] *vt* [power, claim] renunciar a; **to relinquish one's hold on sthg** soltar algo.

relish ['relɪʃ] ⟨⟩ *n* - **1.** [enjoyment]: **with (great) relish** con (gran) deleite - **2.** [pickle] *salsa rojiza agridulce con pepinillo etc.* ⟨⟩ *vt* disfrutar con.

relocate [ˌriːləʊ'keɪt] ⟨⟩ *vt* trasladar. ⟨⟩ *vi* trasladarse.

reluctance [rɪ'lʌktəns] *n* reticencia *f*.

reluctant [rɪ'lʌktənt] *adj* reacio(cia); **to be reluctant to do sthg** estar poco dispuesto a hacer algo.

reluctantly [rɪ'lʌktəntlɪ] *adv* con desgana.

rely [rɪ'laɪ] ▪ **rely on** *vt insep* - **1.** [count on] contar con; **to be able to rely on sb/sthg to do sthg** poder estar seguro de que alguien/algo hará algo - **2.** [be dependent on]: **to rely on sb/ sthg for sthg** depender de alguien/algo para algo.

remain [rɪ'meɪn] ⟨⟩ *vt* continuar como; **to remain the same** continuar siendo igual. ⟨⟩ *vi* - **1.** [stay] quedarse, permanecer - **2.** [survive - custom, problem] quedar, continuar. ▪ **remains** *npl* restos *mpl*.

remainder [rɪ'meɪndər] *n* - **1.** [rest]: **the remainder** el resto - **2.** MATHS resto *m*.

remaining [rɪ'meɪnɪŋ] *adj* restante.

remand [rɪ'mɑːnd] ⟨⟩ *n* LAW: **on remand** detenido(da) en espera de juicio. ⟨⟩ *vt* LAW: **to be remanded in custody** estar bajo custodia.

remark [rɪ'mɑːk] ⟨⟩ *n* [comment] comentario *m*. ⟨⟩ *vt*: **to remark (that)** comentar que.

remarkable [rɪ'mɑːkəbl] *adj* - **1.** [fantastic] extraordinario(ria) - **2.** [surprising] sorprendente.

remarry [ˌriː'mærɪ] *vi* volver a casarse.

remedial [rɪ'miːdjəl] *adj* - **1.** SCH [class, teacher] de refuerzo; [pupil] atrasado(da) - **2.** [corrective] correctivo(va).

remedy ['remədɪ] ⟨⟩ *n lit* & *fig*: **remedy (for)** remedio *m* (para). ⟨⟩ *vt* remediar.

remember [rɪ'membər] ⟨⟩ *vt* [gen] recordar, acordarse de; **to remember to do sthg** acordarse de hacer algo; **to remember doing sthg** recordar OR acordarse de haber hecho algo; **he remembered me in his will** me dejó algo en su testamento. ⟨⟩ *vi* [gen] recordar, acordarse.

remembrance [rɪ'membrəns] *n fml*: **in remembrance of** en conmemoración de.

Remembrance Day *n* en Gran Bretaña, *día en conmemoración de los caídos en las dos guerras mundiales.*

remind [rɪ'maɪnd] *vt*: to remind sb (about sthg/to do sthg) recordar a alguien (algo/que haga algo); **she reminds me of my sister** me recuerda a mi hermana.

reminder [rɪ'maɪndər] *n* - 1. [to jog memory] recordatorio *m*, recuerdo *m* - 2. [letter, note] notificación *f*, aviso *m*.

reminisce [ˌremɪ'nɪs] *vi*: to reminisce (about sthg) rememorar (algo).

reminiscent [ˌremɪ'nɪsnt] *adj* [similar to]: to be reminiscent of evocar, recordar a.

remiss [rɪ'mɪs] *adj* negligente, remiso(sa); **it was remiss of me** fue una negligencia por mi parte.

remit¹ [rɪ'mɪt] *vt* [money] remitir.

remit² ['riːmɪt] *n* [responsibility] misión *f*.

remittance [rɪ'mɪtns] *n* giro *m*.

remnant ['remnənt] *n* - 1. [remaining part] resto *m* - 2. [of cloth] retal *m*.

remold *US* = **remould**.

remorse [rɪ'mɔːs] *n (U)* remordimientos *mpl*.

remorseful [rɪ'mɔːsfʊl] *adj* lleno(na) de remordimientos.

remorseless [rɪ'mɔːslɪs] *adj* - 1. [pitiless] despiadado(da) - 2. [unstoppable] implacable.

remote [rɪ'məʊt] *adj* - 1. [place, time possibility] remoto(ta) - 2. [from reality etc]: remote (from) apartado(da) OR alejado(da) (de).

remote access *n* acceso *m* remoto.

remote control *n* telemando *m*, mando *m* a distancia.

remotely [rɪ'məʊtlɪ] *adv* - 1. [in the slightest]: not remotely ni remotamente, en lo más mínimo - 2. [far off] muy lejos.

remould *UK*, **remold** *US* ['riːməʊld] *n* neumático *m* recauchutado.

removable [rɪ'muːvəbl] *adj* - 1. [detachable] separable - 2. [hard disk] extraíble.

removal [rɪ'muːvl] *n* - 1. *(U)* [act of removing] separación *f*, extracción *f*; [of threat, clause] supresión *f* - 2. *UK* [change of house] mudanza *f*.

removal van *n UK* camión *m* de mudanzas.

remove [rɪ'muːv] *vt* - 1. [take away, clean away]: to remove sthg (from) quitar algo (de) - 2. [clothing, shoes] quitarse - 3. [from a job, post]: to remove sb (from) destituir a alguien (de) - 4. [problem, controls] eliminar; [suspicion] disipar.

remuneration [rɪˌmjuːnə'reɪʃn] *n fml* remuneración *f*.

render ['rendər] *vt* - 1. [make]: to render sb speechless dejar a alguien boquiabierto - 2. [give - help, service] prestar.

rendering ['rendərɪŋ] *n* - 1. [rendition] interpretación *f* - 2. [of carcass] transformación *f*.

rendezvous ['rɒndɪvuː] *(pl rendezvous) n* [meeting] cita *f*.

renegade ['renɪgeɪd] <> *adj* renegado(da). <> *n* renegado *m*, -da *f*.

renew [rɪ'njuː] *vt* - 1. [attempt, attack] reemprender - 2. [relationship] reanudar - 3. [licence, contract, passport] renovar - 4. [strength, interest] reavivar.

renewable [rɪ'njuːəbl] *adj* renovable.

renewal [rɪ'njuːəl] *n* - 1. [of activity] reanudación *f* - 2. [of contract, licence, passport] renovación *f*.

renounce [rɪ'naʊns] *vt* renunciar a.

renovate ['renəveɪt] *vt* reformar, renovar.

renown [rɪ'naʊn] *n* renombre *m*.

renowned [rɪ'naʊnd] *adj*: renowned (for) célebre (por).

rent [rent] <> *n* alquiler *m*. <> *vt* alquilar, rentar *Méx*. <> *vi US* [property] alquilarse; **this apartment rents for $300 a month** este departamento se alquila por 300 dólares al mes.

rental ['rentl] <> *adj* de alquiler. <> *n* alquiler *m*.

renunciation [rɪˌnʌnsɪ'eɪʃn] *n* renuncia *f*.

reorganize, -ise [ˌriː'ɔːgənaɪz] *vt* reorganizar.

rep [rep] *n abbr of* **representative, repertory.**

repaid [riː'peɪd] *pt & pp* > **repay.**

repair [rɪ'peər] <> *n* reparación *f*, refacción *f Amér*. <> *vt* reparar, refaccionar *Amér*.

repair kit *n* caja de herramientas de una bicicleta.

repartee [ˌrepɑː'tiː] *n* intercambio *m* de réplicas ingeniosas.

repatriate [ˌriː'pætrɪeɪt] *vt* repatriar.

repay [riː'peɪ] *(pt & pp repaid) vt* - 1. [money] devolver; [debt, person] pagar - 2. [thank] devolver el favor a.

repayment [riː'peɪmənt] *n* - 1. [act of paying back] devolución *f* - 2. [sum] pago *m*.

repeal [rɪ'piːl] <> *n* revocación *f*, abrogación *f*. <> *vt* revocar, abrogar.

repeat [rɪ'piːt] <> *vt* - 1. [gen] repetir - 2. [TV, radio programme] volver a emitir. <> *n* - 1. [recurrence] repetición *f* - 2. [of programme] reposición *f*.

repeatedly [rɪ'piːtɪdlɪ] *adv* repetidamente.

repel [rɪ'pel] *vt* repeler.

repellent [rɪ'pelənt] <> *adj* repelente. <> *n* espray *m* antiinsectos.

repent [rɪ'pent] <> *vt* arrepentirse de. <> *vi*: to repent of arrepentirse de.

repentance [rɪ'pentəns] *n* arrepentimiento *m*.

repercussions [ˌriːpə'kʌʃnz] *npl* repercusiones *fpl*.

repertoire [ˈrepətwɑːr] n repertorio m.

repertory [ˈrepətrɪ] n repertorio m.

repetition [ˌrepɪˈtɪʃn] n repetición f.

repetitious [ˌrepɪˈtɪʃəs], **repetitive** [rɪˈpetɪtɪv] adj repetitivo(va).

repetitive strain injury n (U) lesión f por movimiento repetitivo.

replace [rɪˈpleɪs] vt - 1. [take the place of] sustituir - 2. [change for something else]: **to replace sthg (with)** cambiar algo (por) - 3. [change for somebody else]: **to replace sb (with)** sustituir a alguien (por) - 4. [supply another]: **they replaced it** me dieron otro - 5. [put back] poner en su sitio.

replacement [rɪˈpleɪsmənt] n - 1. [act of substituting] sustitución f - 2. [something new]: **replacement (for)** sustituto m, -ta f (para) - 3. [somebody new]: **replacement (for)** sustituto m, -ta f OR suplente mf (de) - 4. [another one]: **they gave me a replacement** me dieron otro.

replay <> n [ˈriːpleɪ] repetición f. <> vt [ˌriːˈpleɪ] [film, tape] volver a poner.

replenish [rɪˈplenɪʃ] vt: **to replenish sthg (with)** reaprovisionar OR reponer algo (de).

replica [ˈreplɪkə] n réplica f.

reply [rɪˈplaɪ] <> n: **reply (to)** respuesta f (a). <> vt responder, contestar. <> vi: **to reply (to sb/sthg)** responder (a alguien/algo).

reply coupon n cupón m de respuesta.

report [rɪˈpɔːt] <> n - 1. [gen] informe m; PRESS & TV reportaje m; [shorter] información f - 2. UK SCH boletín m de evaluación, boletín m de calificaciones OR notas. <> vt - 1. [say, make known]: **to report that** informar que, reportar que Amér; **to report sthg (to)** informar de algo (a), reportar algo (a) Amér - 2. [losses] anunciar - 3. [complain about] denunciar; **to report sb (to sb for sthg)** denunciar a alguien (a alguien por algo), reportar a alguien (a alguien por algo) Amér. <> vi [give account]: **to report on** informar sobre.

report card n US boletín m de evaluación, boletín m de calificaciones OR notas.

reportedly [rɪˈpɔːtɪdlɪ] adv según se afirma.

reporter [rɪˈpɔːtər] n reportero m, -ra f.

repose [rɪˈpəʊz] n liter reposo m.

repossess [ˌriːpəˈzes] vt requisar la posesión de.

reprehensible [ˌreprɪˈhensəbl] adj fml reprensible.

represent [ˌreprɪˈzent] vt [gen] representar; [person, country] representar a; **to be well OR strongly represented** estar bien representado(da).

representation [ˌreprɪzenˈteɪʃn] n representación f. **representations** npl fml: **to make representations to** presentar una queja a.

representative [ˌreprɪˈzentətɪv] <> adj: **representative (of)** representativo(va) (de). <> n representante mf.

repress [rɪˈpres] vt reprimir.

repression [rɪˈpreʃn] n represión f.

reprieve [rɪˈpriːv] n - 1. [delay] tregua f - 2. [of death sentence] indulto m.

reprimand [ˈreprɪmɑːnd] <> n reprensión f. <> vt reprender.

reprisal [rɪˈpraɪzl] n represalia f.

reproach [rɪˈprəʊtʃ] <> n reproche m. <> vt: **to reproach sb (for OR with sthg)** reprochar a alguien (algo).

reproachful [rɪˈprəʊtʃfʊl] adj de reproche.

reproduce [ˌriːprəˈdjuːs] <> vt reproducir. <> vi BIOL reproducirse.

reproduction [ˌriːprəˈdʌkʃn] n reproducción f.

reproof [rɪˈpruːf] n fml - 1. [words of blame] reprobación f - 2. [disapproval] reproche m.

reptile [ˈreptaɪl] n reptil m.

republic [rɪˈpʌblɪk] n república f.

republican [rɪˈpʌblɪkən] <> adj republicano(na). <> n republicano m, -na f. **Republican** <> adj [in US, Northern Ireland] republicano(na); **the Republican Party** [in US] el partido republicano. <> n [in US, Northern Ireland] republicano m, -na f.

repudiate [rɪˈpjuːdɪeɪt] vt fml [person, violence] repudiar; [accusation] rechazar.

repulse [rɪˈpʌls] vt rechazar.

repulsive [rɪˈpʌlsɪv] adj repulsivo(va).

reputable [ˈrepjʊtəbl] adj de buena fama OR reputación.

reputation [ˌrepjʊˈteɪʃn] n reputación f; **to have a reputation for sthg/for being sthg** tener fama de algo/de ser algo.

reputed [rɪˈpjuːtɪd] adj supuesto(ta); **to be reputed to be/do sthg** tener fama de ser/hacer algo.

reputedly [rɪˈpjuːtɪdlɪ] adv según se dice.

request [rɪˈkwest] <> n: **request (for)** petición f (de); **on request** a petición del interesado; **at sb's request** a petición de alguien. <> vt solicitar, pedir; **to request sb to do sthg** rogar a alguien que haga algo.

request stop n UK parada f discrecional.

require [rɪˈkwaɪər] vt - 1. [need] necesitar, requerir - 2. [demand] requerir; **to require sb to do sthg** exigir a alguien que haga algo.

requirement [rɪˈkwaɪəmənt] n requisito m.

requisition [ˌrekwɪˈzɪʃn] vt requisar.

rerun n ['ri:,rʌn] - **1.** [film, programme] reposición f - **2.** [repeated situation] repetición f.

resat [,ri:'sæt] pt & pp ▷ **resit**.

rescind [rɪ'sɪnd] vt LAW [contract] rescindir; [law] revocar.

rescue ['reskju:] ◇ n rescate m; **to go** OR **come to sb's rescue** ir OR acudir al rescate de alguien. ◇ vt: **to rescue sb/sthg (from)** rescatar a alguien/algo (de).

rescuer ['reskjʊər] n rescatador m, -ra f.

research [,rɪ'sɜ:tʃ] ◇ n (U): **research (on** OR **into)** investigación f (de OR sobre); **research and development** investigación y desarrollo. ◇ vt investigar.

researcher [rɪ'sɜ:tʃər] n investigador m, -ra f.

resemblance [rɪ'zembləns] n parecido m, semejanza f.

resemble [rɪ'zembl] vt parecerse a.

resent [rɪ'zent] vt: **to resent sb** tener celos de alguien.

resentful [rɪ'zentful] adj [person] resentido(da); [look] de resentimiento.

resentment [rɪ'zentmənt] n resentimiento m.

reservation [,rezə'veɪʃn] n - **1.** [booking] reserva f - **2.** [uncertainty]: **without reservation** sin reserva - **3.** US [for Native Americans] reserva f. ◆ **reservations** npl [doubts] reservas fpl.

reserve [rɪ'zɜ:v] ◇ n - **1.** [gen] reserva f; **in reserve** en reserva - **2.** SPORT suplente mf. ◇ vt - **1.** [save, book] reservar - **2.** [retain]: **to reserve the right to do sthg** reservarse el derecho a hacer algo.

reserved [rɪ'zɜ:vd] adj reservado(da).

reservoir ['rezəvwɑ:r] n [lake] pantano m, embalse m.

reset [,ri:'set] (pt & pp reset) vt [clock] poner en hora; [meter, controls, computer] reinicializar.

reshape [,ri:'ʃeɪp] vt [policy, thinking] reformar, rehacer.

reshuffle [,ri:'ʃʌfl] n remodelación f; **cabinet reshuffle** remodelación del gabinete.

reside [rɪ'zaɪd] vi fml [live] residir.

residence ['rezɪdəns] n - **1.** fml [house] residencia f - **2.** [state of residing]: **to be in residence (at)** residir (a).

residence permit n permiso m de residencia.

resident ['rezɪdənt] ◇ adj - **1.** [settled, living] residente - **2.** [on-site, live-in] que vive en su lugar de trabajo. ◇ n residente mf.

residential [,rezɪ'denʃl] adj [live-in] en régimen de internado.

residential area n zona f residencial.

residue ['rezɪdju:] n residuo m.

resign [rɪ'zaɪn] ◇ vt - **1.** [give up] dimitir de, renunciar a - **2.** [accept calmly]: **to resign o.s. to sthg** resignarse a algo. ◇ vi [quit]: **to resign (from)** dimitir (de).

resignation [,rezɪg'neɪʃn] n - **1.** [from job] dimisión f - **2.** [calm acceptance] resignación f.

resigned [rɪ'zaɪnd] adj: **resigned (to)** resignado(da) (a).

resilient [rɪ'zɪliənt] adj [person] resistente, fuerte; [rubber] elástico(ca).

resin ['rezɪn] n resina f.

resist [rɪ'zɪst] vt - **1.** [refuse to give in to - temptation] resistir - **2.** [refuse to accept] resistir, oponerse a - **3.** [fight against] resistir a.

resistance [rɪ'zɪstəns] n: **resistance (to)** resistencia f (a).

resit UK ◇ n ['ri:sɪt] (examen m de) repesca f. ◇ vt [,ri:'sɪt] (pt & pp -sat) volver a presentarse a.

resolute ['rezəlu:t] adj resuelto(ta), determinado(da).

resolution [,rezə'lu:ʃn] n - **1.** [gen] resolución f - **2.** [vow, promise] propósito m.

resolve [rɪ'zɒlv] ◇ n (U) resolución f. ◇ vt - **1.** [vow, promise]: **to resolve that** resolver que; **to resolve to do sthg** resolver hacer algo - **2.** [solve] resolver.

resort [rɪ'zɔ:t] n - **1.** [for holidays] lugar m de vacaciones - **2.** [solution]: **as a** OR **in the last resort** como último recurso. ◆ **resort to** vt insep recurrir a.

resound [rɪ'zaʊnd] vi - **1.** [noise] resonar - **2.** [place]: **the room resounded with laughter** la risa resonaba por la habitación.

resounding [rɪ'zaʊndɪŋ] adj - **1.** [loud - noise, knock] retumbante; [- crash] estruendoso(sa) - **2.** [very great] clamoroso(sa).

resource [rɪ'sɔ:s] n recurso m.

resourceful [rɪ'sɔ:sful] adj [person] de recursos; [solution] ingenioso(sa).

respect [rɪ'spekt] ◇ n - **1.** [gen]: **respect (for)** respeto m (por); **with respect** con respeto - **2.** [aspect] aspecto m; **in this respect** a este respecto; **in that respect** en cuanto a eso. ◇ vt [admire] respetar; **to respect sb for sthg** respetar a alguien por algo. ◆ **respects** npl: **to pay one's respects (to)** presentar uno sus respetos (a). ◆ **with respect to** prep con respecto a.

respectable [rɪ'spektəbl] adj respetable.

respectful [rɪ'spektful] adj respetuoso(sa).

respective [rɪ'spektɪv] adj respectivo(va).

respectively [rɪ'spektɪvlɪ] adv respectivamente.

respite ['respaɪt] n - **1.** [lull] respiro m - **2.** [delay] aplazamiento m.

resplendent [rɪ'splendənt] *adj* resplandeciente.

respond [rɪ'spɒnd] *vi*: **to respond (to)** responder (a).

response [rɪ'spɒns] *n* respuesta *f*.

responsibility [rɪ,spɒnsə'bɪlətɪ] *n*: **responsibility (for)** responsabilidad *f* (de); **to claim responsibility for sthg** reivindicar algo.

responsible [rɪ'spɒnsəbl] *adj* - 1. [gen] responsable; **responsible (for)** responsable (de) - 2. [answerable]: **responsible to sb** responsable ante alguien - 3. [job, position] de responsabilidad.

responsibly [rɪ'spɒnsəblɪ] *adv* de manera responsable.

responsive [rɪ'spɒnsɪv] *adj* - 1. [quick to react]: **to be responsive** responder muy bien - 2. [aware]: **responsive (to)** sensible OR perceptivo(va) (a).

rest [rest] ⇔ *n* - 1. [remainder]: **the rest (of)** el resto (de); **the rest of us** los demás - 2. [relaxation, break] descanso *m*; **to have a rest** descansar - 3. [support - for feet] descanso *m*; [- for head] respaldo *m*. ⇔ *vt* - 1. [relax - eyes, feet] descansar - 2. [support] apoyar, descansar. ⇔ *vi* - 1. [relax, be still] descansar - 2. [depend]: **to rest on OR upon** depender de - 3. [be supported] apoyarse, descansar.

▶▶ **rest assured that...** tenga la seguridad de que...

restaurant ['restərɒnt] *n* restaurante *m*.

restaurant car *n* UK coche *m* OR vagón *m* restaurante, coche *m* comedor.

restful ['restful] *adj* tranquilo(la), apacible.

rest home *n* [for the elderly] asilo *m* de ancianos; [for the sick] casa *f* de reposo.

restive ['restɪv] *adj* inquieto(ta).

restless ['restlɪs] *adj* - 1. [bored, dissatisfied] impaciente, desasosegado(da) - 2. [fidgety] inquieto(ta), agitado(da) - 3. [sleepless] agitado(da).

restoration [,restə'reɪʃn] *n* restauración *f*.

restore [rɪ'stɔːr] *vt* - 1. [reestablish] restablecer - 2. [to a previous position or condition]: **to restore sb to sthg** restaurar a alguien en algo; **to restore sthg to sthg** volver a poner algo en algo - 3. [renovate] restaurar - 4. [give back] devolver.

restrain [rɪ'streɪn] *vt* controlar; **to restrain o.s. from doing sthg** contenerse para no hacer algo.

restrained [rɪ'streɪnd] *adj* comedido(da).

restraint [rɪ'streɪnt] *n* - 1. [rule, check] restricción *f* - 2. [control] control *m*.

restrict [rɪ'strɪkt] *vt* [limit] restringir, limitar; **to restrict o.s. to sthg** limitarse a algo.

restriction [rɪ'strɪkʃn] *n* restricción *f*.

restrictive [rɪ'strɪktɪv] *adj* restrictivo(va).

rest room *n* US aseos *mpl*.

result [rɪ'zʌlt] ⇔ *n* resultado *m*; **as a result** como resultado. ⇔ *vi* - 1. [cause]: **to result (in sthg)** tener como resultado (algo) - 2. [be caused]: **to result (from)** resultar (de).

resume [rɪ'zjuːm] ⇔ *vt* [start again] reanudar. ⇔ *vi* volver a empezar.

résumé ['rezjuːmeɪ] *n* - 1. [summary] resumen *m* - 2. US [of career, qualifications] currículum *m* (vitae).

resumption [rɪ'zʌmpʃn] *n* reanudación *f*.

resurgence [rɪ'sɜːdʒəns] *n* resurgimiento *m*.

resurrection [,rezə'rekʃn] *n* resurrección *f*.

resuscitate [rɪ'sʌsɪteɪt] *vt* resucitar.

retail ['riːteɪl] ⇔ *n* venta *f* al por menor OR al detalle. ⇔ *vt* vender al por menor. ⇔ *vi*: **to retail for** tener un precio de venta al público de. ⇔ *adv* al por menor.

retailer ['riːteɪlər] *n* minorista *mf*, detallista *mf*.

retail price *n* precio *m* de venta al público.

retain [rɪ'teɪn] *vt* retener.

retainer [rɪ'teɪnər] *n* [fee] anticipo *m*.

retaliate [rɪ'tælɪeɪt] *vi* - 1. [react] responder - 2. [take reprisals] tomar represalias.

retaliation [rɪ,tælɪ'eɪʃn] *n (U)* represalias *fpl*.

retarded [rɪ'tɑːdɪd] *adj* retrasado(da).

retch [retʃ] *vi* tener arcadas.

retentive [rɪ'tentɪv] *adj* retentivo(va).

reticent ['retɪsənt] *adj* reservado(da).

retina ['retɪnə] *(pl* -nas OR -nae [-niː]) *n* retina *f*.

retinue ['retɪnjuː] *n* séquito *m*.

retire [rɪ'taɪər] *vi* - 1. [from work] jubilarse - 2. *fml* [to another place, to bed] retirarse.

retired [rɪ'taɪəd] *adj* jubilado(da).

retirement [rɪ'taɪəmənt] *n* [act] jubilación *f*; [time] retiro *m*.

retiring [rɪ'taɪərɪŋ] *adj* [shy] retraído(da).

retort [rɪ'tɔːt] ⇔ *n* [sharp reply] réplica *f*. ⇔ *vt*: **to retort (that)** replicar (que).

retrace [rɪ'treɪs] *vt*: **to retrace one's steps** desandar lo andado.

retract [rɪ'trækt] ⇔ *vt* - 1. [withdraw, take back] retractarse de - 2. [pull in - claws] retraer. ⇔ *vi* [subj: claws] meterse, retraerse; [subj: wheels] replegarse.

retrain [,riː'treɪn] *vt* reciclar.

retraining [,riː'treɪnɪŋ] *n* reciclaje *m*.

retread ['riːtred] *n* neumático *m* recauchutado.

retreat [rɪ'triːt] ⇔ *n* - 1. MIL: **retreat (from)** retirada *f* (de) - 2. [peaceful place] refugio *m*. ⇔ *vi* [move away]: **to retreat (from)** [gen] retirarse (de); [from a person] apartarse (de).

retribution [ˌretrɪˈbjuːʃn] n (U) castigo m merecido.

retrieval [rɪˈtriːvl] n [gen & COMPUT] recuperación f.

retrieve [rɪˈtriːv] vt - 1. [get back] recobrar - 2. COMPUT recuperar - 3. [rescue - situation] salvar.

retriever [rɪˈtriːvər] n perro m cobrador.

retrograde [ˈretrəɡreɪd] adj fml [gen] retrógrado(da); [step] hacia atrás.

retrospect [ˈretrəspekt] n: in retrospect retrospectivamente, mirando hacia atrás.

retrospective [ˌretrəˈspektɪv] adj - 1. [gen] retrospectivo(va) - 2. [law, pay rise] con efecto retroactivo.

return [rɪˈtɜːn] ◇ n - 1. (U) [arrival back] vuelta f, regreso m - 2. UK [ticket] billete m de ida y vuelta - 3. [profit] ganancia f, rendimiento m. ◇ vt - 1. [book, visit, compliment, call] devolver - 2. [reciprocate] corresponder a - 3. [replace] devolver a su sitio - 4. LAW [verdict] pronunciar - 5. POL [candidate] elegir. ◇ vi: to return (from/to) volver (de/a). ➡ returns npl COMM réditos mpl.

▸▸▸ many happy returns (of the day)! ¡feliz cumpleaños! ➡ in return adv a cambio. ➡ in return for prep a cambio de.

return (key) n COMPUT tecla f de retorno.

return ticket n UK billete m de ida y vuelta Esp, boleto m de ida y vuelta Amér, boleto m redondo Méx.

reunification [ˌriːjuːnɪfɪˈkeɪʃn] n reunificación f.

reunion [ˌriːˈjuːnjən] n reunión f.

reunite [ˌriːjuːˈnaɪt] vt [factions, parts] reunir; [people]: to be reunited with volver a encontrarse con.

rev [rev] inf ◇ n (abbr of revolution) revolución f (motriz). ◇ vt: to rev sthg (up) acelerar algo. ◇ vi (subj: person): to rev (up) acelerar el motor.

revamp [ˌriːˈvæmp] vt inf renovar.

reveal [rɪˈviːl] vt revelar.

revealing [rɪˈviːlɪŋ] adj - 1. [comment, silence] revelador(ra) - 2. [garment] atrevido(da).

reveille [UK rɪˈvælɪ, US ˈrevəlɪ] n toque m de diana.

revel [ˈrevl] (UK pt & pp -led, cont -ling, US pt & pp -ed, cont -ing) vi: to revel in deleitarse en.

revelation [ˌrevəˈleɪʃn] n revelación f.

revenge [rɪˈvendʒ] n venganza f; to take revenge (on sb) vengarse (de alguien).

revenue [ˈrevənjuː] n ingresos mpl.

reverberate [rɪˈvɜːbəreɪt] vi - 1. [reecho] resonar - 2. [have repercussions] repercutir.

reverberations [rɪˌvɜːbəˈreɪʃnz] npl - 1. [echoes] reverberaciones fpl - 2. [repercussions] repercusiones fpl.

revere [rɪˈvɪər] vt venerar.

reverence [ˈrevərəns] n reverencia f.

Reverend [ˈrevərənd] n reverendo m.

reverie [ˈrevərɪ] n ensueño m.

reversal [rɪˈvɜːsl] n - 1. [turning around] cambio m total - 2. [ill fortune] contratiempo m.

reverse [rɪˈvɜːs] ◇ adj inverso(sa). ◇ n - 1. AUT: reverse (gear) marcha f atrás - 2. [opposite]: the reverse lo contrario - 3. [opposite side, back]: the reverse [gen] el revés; [of coin] el reverso; [of piece of paper] el dorso. ◇ vt - 1. AUT dar marcha atrás a - 2. [change usual order] invertir - 3. [change to opposite] cambiar completamente - 4. UK TELEC: to reverse the charges llamar a cobro revertido. ◇ vi AUT dar marcha atrás.

reverse-charge call n UK llamada f a cobro revertido, llamada f por cobrar Chile & Méx.

reversing light [rɪˈvɜːsɪŋ-] n UK luz f de marcha atrás.

revert [rɪˈvɜːt] vi: to revert to volver a.

review [rɪˈvjuː] ◇ n - 1. [examination] revisión f - 2. [critique] reseña f. ◇ vt - 1. [reexamine] revisar - 2. [consider] reconsiderar - 3. [write an article on] reseñar - 4. US [study again] repasar.

reviewer [rɪˈvjuːər] n crítico m, -ca f.

revile [rɪˈvaɪl] vt liter injuriar.

revise [rɪˈvaɪz] ◇ vt - 1. [reconsider] revisar - 2. [rewrite] modificar, corregir - 3. UK [study] repasar. ◇ vi UK: to revise (for sthg) repasar (para algo).

revision [rɪˈvɪʒn] n - 1. [alteration] corrección f, modificación f - 2. UK [study] repaso m.

revitalize, -ise [ˌriːˈvaɪtəlaɪz] vt revivificar.

revival [rɪˈvaɪvl] n - 1. [of person] resucitación f; [of economy] reactivación f - 2. [of play] reposición f.

revive [rɪˈvaɪv] ◇ vt - 1. [person, plant, hopes] resucitar; [economy] reactivar - 2. [tradition, memories] restablecer; [play] reponer. ◇ vi reponerse.

revolt [rɪˈvəʊlt] ◇ n rebelión f. ◇ vt repugnar. ◇ vi: to revolt (against) rebelarse OR sublevarse (contra).

revolting [rɪˈvəʊltɪŋ] adj repugnante, asqueroso(sa).

revolution [ˌrevəˈluːʃn] n revolución f.

revolutionary [ˌrevəˈluːʃnərɪ] ◇ adj revolucionario(ria). ◇ n revolucionario m, -ria f.

revolve [rɪˈvɒlv] vi [go round] girar; to revolve around OR round lit & fig girar en torno a.

revolver [rɪˈvɒlvər] n revólver m.

revolving [rɪ'vɒlvɪŋ] *adj* giratorio(ria).

revolving door *n* puerta *f* giratoria.

revue [rɪ'vju:] *n* revista *f* (teatral).

revulsion [rɪ'vʌlʃn] *n* asco *m*, repugnancia *f*.

reward [rɪ'wɔ:d] <> *n* recompensa *f*. <> *vt*: **to reward sb (for/with)** recompensar a alguien (por/con).

rewarding [rɪ'wɔ:dɪŋ] *adj* gratificador(ra).

rewind [,ri:'waɪnd] (*pt & pp* rewound) *vt* rebobinar.

rewire [,ri:'waɪər] *vt* cambiar la instalación eléctrica de.

reword [,ri:'wɜ:d] *vt* expresar de otra forma.

rewound [,ri:'waʊnd] *pt & pp* ⇒ **rewind**.

rewritable [,ri:'raɪtəbl] *adj* COMPUT regrabable.

rewrite [,ri:'raɪt] (*pt* rewrote [,ri:'rəʊt], *pp* rewritten [,ri:'rɪtn]) *vt* volver a escribir.

rhapsody ['ræpsədɪ] *n* MUS rapsodia *f*.

rhetoric ['retərɪk] *n* retórica *f*.

rhetorical question [rɪ'tɒrɪkl-] *n* pregunta *f* retórica (*a la que no se espera contestación*).

rheumatism ['ru:mətɪzm] *n* reumatismo *m*.

Rhine [raɪn] *n*: **the Rhine** el Rin.

rhino ['raɪnəʊ] (*pl* rhino OR -s), **rhinoceros** [raɪ'nɒsərəs] (*pl* rhinoceros OR -es) *n* rinoceronte *m*.

Rhode Island [rəʊd-] *n* Rhode Island.

rhododendron [,rəʊdə'dendrən] *n* rododendro *m*.

Rhône [rəʊn] *n*: **the (River) Rhône** el (río) Ródano.

rhubarb ['ru:bɑ:b] *n* ruibarbo *m*.

rhyme [raɪm] <> *n* - 1. [gen] rima *f* - 2. [poem] poesía *f*, versos *mpl*. <> *vi*: **to rhyme (with)** rimar (con).

rhythm ['rɪðm] *n* ritmo *m*.

rib [rɪb] *n* - 1. ANAT costilla *f* - 2. [of umbrella] varilla *f*.

ribbed [rɪbd] *adj* [sweater] de canalé.

ribbon ['rɪbən] *n* cinta *f*.

rice [raɪs] *n* arroz *m*.

rice pudding *n* arroz *m* con leche.

rich [rɪtʃ] <> *adj* - 1. [gen] rico(ca) - 2. [full]: **to be rich in** abundar en - 3. [fertile] fértil - 4. [indigestible] pesado(da). <> *npl*: **the rich** los ricos. ◆ **riches** *npl* - 1. [natural resources] riquezas *fpl* - 2. [wealth] riqueza *f*.

richly ['rɪtʃlɪ] *adv* - 1. [rewarded] muy generosamente - 2. [plentifully] copiosamente.

richness ['rɪtʃnɪs] *n* - 1. [gen] riqueza *f* - 2. [fertility] fertilidad *f* - 3. [indigestibility] pesadez *f*.

rickety ['rɪkətɪ] *adj* desvencijado(da).

rickshaw ['rɪkʃɔ:] *n* jinrikisha *f*.

ricochet ['rɪkəʃeɪ] <> *n* rebote *m*. <> *vi* (*pt & pp* -ed OR -ted, *cont* -ing OR -ting): **to ricochet (off)** rebotar (de).

rid [rɪd] *vt* (*pt* rid OR -ded, *pp* rid, *cont* -ding): **to get rid of** deshacerse de.

ridden ['rɪdn] *pp* ⇒ **ride**.

riddle ['rɪdl] *n* - 1. [verbal puzzle] acertijo *m* - 2. [mystery] enigma *m*.

riddled ['rɪdld] *adj*: **to be riddled with** [mistakes] estar plagado(da) de.

ride [raɪd] <> *n* - 1. [gen] paseo *m*; **to go for a ride** [on horseback] darse un paseo a caballo; [on bike] darse un paseo en bicicleta; [in car] darse una vuelta en coche; **to take sb for a ride** *inf fig* embaucar a alguien - 2. [journey] viaje *m*; **it's a short car ride away** está a poca distancia en coche - 3. [at fair] atracción *f*. <> *vt* (*pt* rode, *pp* ridden) - 1. [horse] montar a - 2. [bicycle, motorbike] montar en; **he rode his bike to the station** fue a la estación en bici - 3. *US* [bus, train] ir en; [elevator] subir/bajar en - 4. [distance] recorrer. <> *vi* (*pt* rode, *pp* ridden) - 1. [on horseback] montar a caballo; **she rode over to see me** vino a verme a caballo - 2. [on bicycle] ir en bici; [on motorbike] ir en moto - 3. [in car]: **we rode to London in a jeep** fuimos a Londres en jeep.

rider ['raɪdər] *n* - 1. [on horseback] jinete *m*, amazona *f* - 2. [on bicycle] ciclista *mf*; [on motorbike] motorista *mf*.

ridge [rɪdʒ] *n* - 1. [on mountain] cresta *f* - 2. [on flat surface] rugosidad *f*.

ridicule ['rɪdɪkju:l] <> *n* (U) burlas *fpl*. <> *vt* burlarse de.

ridiculous [rɪ'dɪkjʊləs] *adj* ridículo(la).

riding ['raɪdɪŋ] *n* equitación *f*; **to go riding** ir a montar a caballo.

riding school *n* escuela *f* de equitación.

rife [raɪf] *adj* extendido(da); **to be rife with** estar lleno de.

riffraff ['rɪfræf] *n* gentuza *f*.

rifle ['raɪfl] <> *n* fusil *m*, rifle *m*. <> *vt* desvalijar.

rifle range *n* campo *m* de tiro.

rift [rɪft] *n* - 1. GEOL hendidura *f*, grieta *f* - 2. [quarrel] desavenencia *f* - 3. POL: **rift between/in** escisión *f* entre/en.

rig [rɪg] <> *n* - 1. (oil) rig [onshore] torre *f* de perforación; [offshore] plataforma *f* petrolífera - 2. *US* [truck] camión *m*. <> *vt* [falsify] amañar, falsificar. ◆ **rig up** *vt sep* construir, armar.

rigging ['rɪgɪŋ] *n* cordaje *m*.

right [raɪt] <> *adj* - 1. [correct] correcto(ta); **to be right (about)** tener razón (respecto a); **that's right** sí; **to get sthg right** acertar en algo - 2. [morally correct, satisfactory, well] bien; **to be right to do sthg** hacer bien en hacer algo; **something isn't right with it** le pasa algo

- **3.** [appropriate] apropiado(da); **it's just right** es perfecto; **the right moment** el momento oportuno - **4.** [uppermost]: **right side** cara f anterior OR de arriba - **5.** [on right-hand side] derecho(cha). ⬦ *n* - **1.** (U) [moral correctness] el bien; **to be in the right** tener razón - **2.** [entitlement, claim] derecho *m*; **by rights** en justicia - **3.** [right-hand side] derecha f; **on the right** a la derecha. ⬦ *adv* - **1.** [correctly] bien, correctamente - **2.** [to right-hand side] a la derecha - **3.** [emphatic use]: **right here** aquí mismo; **right at the top** arriba del todo; **right in the middle** justo en el medio; **she crashed right into the tree** chocó de frente contra el árbol - **4.** [completely] completamente - **5.** [immediately]: **I'll be right back** ahora mismo vuelvo; **right before/after (sthg)** justo antes/después (de algo); **right now** ahora mismo, ahorita *Amér C & Méx*; **right away** en seguida, luego *Amér*. ⬦ *vt* - **1.** [correct] corregir, rectificar - **2.** [make upright] enderezar. ⬦ *excl* ¡bien! ◆ **Right** *n* POL: **the Right** la derecha.

right angle *n* ángulo *m* recto; **at right angles (to)** en ángulo recto (con).

righteous ['raɪtʃəs] *adj* [anger] justo(ta); [person] honrado(da).

rightful ['raɪtful] *adj* legítimo(ma).

right-hand *adj* derecho(cha); **the right-hand side** el lado derecho, la derecha.

right-hand drive *n* vehículo f con el volante a la derecha.

right-handed [-'hændɪd] *adj* diestro(tra).

right-hand man *n* brazo *m* derecho.

rightly ['raɪtlɪ] *adv* - **1.** [correctly] correctamente - **2.** [appropriately] debidamente, bien - **3.** [morally] con razón.

right of way *n* - **1.** AUT prioridad f - **2.** [access] derecho *m* de paso.

right-on *adj inf* progre.

right wing *n*: **the right wing** la derecha. ◆ **right-wing** *adj* derechista.

rigid ['rɪdʒɪd] *adj* - **1.** [stiff] rígido(da) - **2.** [harsh, unbending] inflexible.

rigmarole ['rɪgmərəʊl] *n inf pej* - **1.** [process] ritual *m* - **2.** [story] galimatías *m inv*.

rigor *US* = **rigour**.

rigorous ['rɪgərəs] *adj* riguroso(sa).

rigour *UK*, **rigor** *US* ['rɪgər] *n* [firmness] rigor *m*.

rile [raɪl] *vt* irritar, sacar de quicio.

rim [rɪm] *n* - **1.** [of container] borde *m* - **2.** [of spectacles] montura f.

rind [raɪnd] *n* [of bacon, cheese] corteza f; [of orange, lemon] cáscara f.

ring [rɪŋ] ⬦ *n* - **1.** [telephone call]: **to give sb a ring** llamar a alguien (por teléfono) - **2.** [sound of doorbell] timbrazo *m* - **3.** [on finger, around planet] anillo *m* - **4.** [metal hoop] aro *m*; [for cur-

tains, drinks can] anilla f - **5.** [circle - of trees] círculo *m*; [- of people] corro *m* - **6.** [for boxing] cuadrilátero *m*; [at circus] pista f - **7.** [illegal group] red f. ⬦ *vt* - **1.** (*pt* rang, *pp* rung) *UK* [phone] llamar por teléfono, telefonear - **2.** (*pt* rang, *pp* rung) [bell] tocar - **3.** (*pt & pp* ringed) [draw a circle round] señalar con un círculo - **4.** (*pt* rang, *pp* rung) [surround] rodear. ⬦ *vi* (*pt* rang, *pp* rung) - **1.** *UK* [phone] llamar por teléfono, telefonear - **2.** [bell] sonar - **3.** [to attract attention]: **to ring (for)** llamar (para) - **4.** [resound]: **to ring with** resonar con. ◆ **ring back** *vt sep & vi UK* llamar más tarde. ◆ **ring off** *vi UK* colgar. ◆ **ring up** *vt sep UK* [telec] llamar (por teléfono).

ring binder *n* carpeta f de anillas.

ringing ['rɪŋɪŋ] *n* [of bell] repique *m*, tañido *m*; [in ears] zumbido *m*.

ringing tone *n* tono *m* de llamada.

ringleader ['rɪŋˌliːdər] *n* cabecilla *mf*.

ringlet ['rɪŋlɪt] *n* rizo *m*, tirabuzón *m*.

ring-pull *n* anilla f.

ring road *n UK* carretera f de circunvalación.

ring tone *n* [for mobile phone] melodía f.

rink [rɪŋk] *n* pista f.

rinse [rɪns] *vt* - **1.** [dishes, vegetables] enjuagar; [clothes] aclarar - **2.** [wash out]: **to rinse one's mouth** enjuagarse la boca.

riot ['raɪət] ⬦ *n* disturbio *m*; **to run riot** desbocarse. ⬦ *vi* amotinarse.

rioter ['raɪətər] *n* amotinado *m*, -da f.

riotous ['raɪətəs] *adj* desenfrenado(da).

riot police *npl* brigada f antidisturbios.

rip [rɪp] ⬦ *n* rasgón *m*. ⬦ *vt* - **1.** [tear] rasgar, desgarrar - **2.** [remove violently] quitar de un tirón. ⬦ *vi* rasgarse, romperse.

RIP (*abbr of* rest in peace) RIP.

ripe [raɪp] *adj* maduro(ra); **to be ripe (for sthg)** estar listo (para algo).

ripen ['raɪpn] *vt & vi* madurar.

rip-off *n inf* estafa f.

ripple ['rɪpl] ⬦ *n* - **1.** [in water] onda f, rizo *m* - **2.** [of laughter, applause] murmullo *m*. ⬦ *vt* rizar.

rise ⬦ *n* - **1.** *UK* [increase in salary] aumento *m* - **2.** [to fame, power, of practice] ascenso *m* ▶▶ **to give rise to sthg** dar origen a algo. ⬦ *vi* [raɪz] (*pt* rose, *pp* risen ['rɪzn]) - **1.** [gen] elevarse - **2.** [price, wage, temperature] subir - **3.** [sun, moon] salir - **4.** [stand up, get out of bed] levantarse - **5.** [street, ground] subir - **6.** [respond]: **to rise to** reaccionar ante - **7.** [rebel] sublevarse - **8.** [move up in status] ascender; **to rise to power/fame** ascender al poder/a la gloria.

rising ['raɪzɪŋ] ⬦ *adj* - **1.** [sloping upwards] ascendente - **2.** [number, rate] creciente; [temperature, prices] en aumento - **3.** [increasingly successful] en alza. ⬦ *n* rebelión f.

risk [rɪsk] ◇ n [gen] riesgo m; [danger] peligro m; **a health risk** un peligro para la salud; **to run the risk of sthg/of doing sthg** correr el riesgo de algo/de hacer algo; **to take a risk** arriesgarse; **at your own risk** bajo tu cuenta y riesgo; **at risk** en peligro. ◇ vt - **1.** [put in danger] arriesgar - **2.** [take the chance of]: **to risk doing sthg** correr el riesgo de hacer algo.

risky ['rɪskɪ] adj peligroso(sa), arriesgado(da).

risqué ['riːskeɪ] adj subido(da) de tono.

rissole ['rɪsəʊl] n UK especie de albóndiga de carne o verduras.

rite [raɪt] n rito m.

ritual ['rɪtʃʊəl] ◇ adj ritual. ◇ n ritual m.

rival ['raɪvl] ◇ adj rival. ◇ n rival mf. ◇ vt (UK pt & pp **-led**, cont **-ling**, US pt & pp **-ed**, cont **-ing**) rivalizar con.

rivalry ['raɪvlrɪ] n rivalidad f.

river ['rɪvər] n río m.

river bank n orilla f OR margen f del río.

riverbed ['rɪvəbed] n cauce m OR lecho m del río.

riverside ['rɪvəsaɪd] n: **the riverside** la ribera OR orilla del río.

rivet ['rɪvɪt] ◇ n remache m. ◇ vt - **1.** [fasten] remachar - **2.** fig [fascinate]: **to be riveted by sthg** estar fascinado(da) con algo.

Riviera [,rɪvɪ'eərə] n: **the French Riviera** la Riviera francesa.

road [rəʊd] n [major] carretera f; [street] calle f; [path, minor thoroughfare] camino m; **to be on the road to recovery** estar en vías de recuperación; **on the road** [car] en circulación; [person] viajando; [rock band] de gira.

roadblock ['rəʊdblɒk] n control m.

road hog n inf pej conductor rápido y negligente.

road map n mapa m de carreteras.

road rage n violencia f en carretera.

road safety n seguridad f en carretera.

roadside ['rəʊdsaɪd] n: **the roadside** el borde de la carretera.

road sign n señal f de tráfico.

road tax n impuesto m de circulación.

roadtrip ['rəʊdtrɪp] n US viaje m hecho en automóvil.

roadway ['rəʊdweɪ] n calzada f.

road works npl obras fpl.

roadworthy ['rəʊd,wɜːðɪ] adj apto(ta) para circular.

roam [rəʊm] ◇ vt vagar por. ◇ vi vagar.

roar [rɔːr] ◇ vi [make a loud noise] rugir; **to roar with laughter** reírse a carcajadas. ◇ vt rugir, decir a voces. ◇ n - **1.** [of traffic] fragor m - **2.** [of lion, person] rugido m.

roaring ['rɔːrɪŋ] adj - **1.** [loud] clamoroso(sa) - **2.** [fire] muy vivo(va) - **3.** [as emphasis]: **to do a roaring trade in sthg** vender algo como rosquillas.

roast [rəʊst] ◇ adj asado(da). ◇ n asado m. ◇ vt - **1.** [potatoes, meat] asar - **2.** [nuts, coffee beans] tostar.

roast beef n rosbif m.

rob [rɒb] vt robar; [bank] atracar; **to rob sb of sthg** lit & fig robar a alguien algo.

robber ['rɒbər] n ladrón m, -ona f; [of bank] atracador m, -ra f.

robbery ['rɒbərɪ] n robo m; [of bank] atraco m.

robe [rəʊb] n - **1.** [towelling] albornoz m - **2.** [of student] toga f - **3.** [of priest] sotana f - **4.** US [dressing gown] bata f.

robin ['rɒbɪn] n petirrojo m.

robot ['rəʊbɒt] n robot m.

robust [rəʊ'bʌst] adj robusto(ta), fuerte.

rock [rɒk] ◇ n - **1.** (U) [substance, boulder] roca f - **2.** [stone] piedra f - **3.** [crag] peñasco m - **4.** [music] rock m - **5.** UK [sweet] palo m de caramelo. ◇ comp [concert, group, singer] de rock. ◇ vt [cause to move] mecer, balancear. ◇ vi mecerse. ▸ **Rock** n inf [Gibraltar]: **the Rock** el Peñón. ▸ **on the rocks** adv - **1.** [drink] con hielo - **2.** [marriage, relationship] que va mal.

rock and roll, rock'n'roll n rock and roll m.

rock bottom n: **to hit rock bottom** tocar fondo. ▸ **rock-bottom** adj: **rock-bottom prices** precios muy bajos.

rockery ['rɒkərɪ] n jardín m de rocas.

rocket ['rɒkɪt] n - **1.** [vehicle, weapon, firework] cohete m - **2.** [plant] roqueta f.

rocket launcher [-,lɔːntʃər] n lanzacohetes m inv.

rocking chair ['rɒkɪŋ-] n mecedora f.

rocking horse ['rɒkɪŋ-] n caballo m de balancín.

rock'n'roll [,rɒkən'rəʊl] = **rock and roll**.

rocky ['rɒkɪ] adj [full of rocks] rocoso(sa).

Rocky Mountains npl: **the Rocky Mountains** las montañas Rocosas.

rod [rɒd] n [wooden] vara f; [metal] barra f; [for fishing] caña f.

rode [rəʊd] pt ▷ **ride**.

rodent ['rəʊdənt] n roedor m.

roe [rəʊ] n hueva f; **hard roe** hueva f; **soft roe** lecha f.

roe deer n corzo m.

rogue [rəʊg] n [likeable rascal] picaruelo m, -la f.

role [rəʊl] n fig & THEAT papel m.

role model n modelo m a seguir.

roll [rəʊl] ◇ n - **1.** [gen] rollo m; [of paper, banknotes] fajo m; [of cloth] pieza f - **2.** [of bread] panecillo m - **3.** [list] lista f; [payroll] nómina f - **4.** [of drums] redoble m; [of thunder] retumbo m. ◇ vt - **1.** [turn over] hacer rodar - **2.** [roll up] enrollar - **3.** [cigarette] liar. ◇ vi - **1.** [ball, barrel] rodar - **2.** [vehicle] ir, avanzar - **3.** [ship] balancearse - **4.** [thunder] retumbar; [drum] redoblar. ◆ **roll about, roll around** vi: to roll about OR around (on) rodar (por). ◆ **roll in** vi inf llegar a raudales. ◆ **roll over** vi darse la vuelta. ◆ **roll up** ◇ vt sep - **1.** [make into roll] enrollar - **2.** [sleeves] remangarse. ◇ vi - **1.** [vehicle] llegar - **2.** inf [person] presentarse, aparecer.

roll call n: to take a roll call pasar lista.

roller ['rəʊlər] n - **1.** [cylinder] rodillo m - **2.** [curler] rulo m.

Rollerblades® ['rəʊlə,bleɪdz] npl patines mpl en línea.

rollerblade ['rəʊləbleɪd] vi patinar (con patines en línea).

rollerblading ['rəʊlə,bleɪdɪŋ] n patinaje m (con patines en línea); **to go rollerblading** ir a patinar (con patines en línea).

roller coaster n montaña f rusa.

roller skate n patín m de ruedas.

rolling ['rəʊlɪŋ] adj [undulating] ondulante ▸▸ **to be rolling in it** inf nadar en la abundancia.

rolling pin n rodillo m (de cocina).

rolling stock n material m rodante.

roll-on adj [deodorant etc] de bola.

ROM [rɒm] (abbr of read only memory) n ROM f.

Roman ['rəʊmən] ◇ adj romano(na). ◇ n romano m, -na f.

Roman Catholic ◇ adj católico (romano)(católica (romana)). ◇ n católico (romano) m, católica (romana) f.

romance [rəʊ'mæns] n - **1.** [romantic quality] lo romántico - **2.** [love affair] amorío m - **3.** [in fiction - modern] novela f romántica. ◇ adj: **Romance Languages** lenguas fpl romance.

Romania, Rumania [ruː'meɪnjə] n Rumanía.

Romanian, Rumanian [ruː'meɪnjən] ◇ adj rumano(na). ◇ n - **1.** [person] rumano m, -na f - **2.** [language] rumano m.

Roman numerals npl números mpl romanos.

romantic [rəʊ'mæntɪk] adj romántico(ca).

romp [rɒmp] ◇ n retozo m, jugueteo m. ◇ vi retozar, juguetear.

rompers ['rɒmpəz] npl pelele m.

romper suit ['rɒmpər-] n UK = **rompers**.

roof [ruːf] n - **1.** [of building] tejado m; [of vehicle] techo m; **to go through OR hit the roof** [person] subirse por las paredes - **2.** [of mouth] paladar m.

roofing ['ruːfɪŋ] n techumbre f.

roof rack n baca f, portaequipajes m inv.

rooftop ['ruːftɒp] n tejado m.

rook [rʊk] n - **1.** [bird] grajo m - **2.** [chess piece] torre f.

rookie ['rʊkɪ] n - **1.** US inf [novice] novato m, -ta f - **2.** US inf [military recruit] novato m, -ta f.

room [ruːm, rʊm] ◇ n - **1.** [in house, building] habitación f; [for conferences etc] sala f - **3.** [bedroom] habitación f, cuarto m - **4.** (U) [space] sitio m, espacio m. ◇ vi sep US: **room with** compartir alojamiento con.

rooming house ['ruːmɪŋ-] n US casa f de huéspedes, pensión f.

roommate ['ruːmmeɪt] n compañero m, -ra f de habitación.

room service n servicio m de habitación.

roomy ['ruːmɪ] adj espacioso(sa), amplio(plia).

roost [ruːst] n percha f, palo m.

rooster ['ruːstər] n gallo m.

root [ruːt] ◇ n lit & fig raíz f. ◇ vi [pig etc] hozar; [person] hurgar, escarbar. ◆ **roots** npl [origins] raíces fpl. ◆ **root for** vt insep US inf apoyar a. ◆ **root out** vt sep [eradicate] desarraigar.

rope [rəʊp] ◇ n [thin] cuerda f; [thick] soga f; NAUT maroma f, cable m; **to know the ropes** saber de qué va el asunto; **to show sb the ropes** poner a alguien al tanto. ◇ vt atar con cuerda. ◆ **rope in** vt sep inf arrastrar OR enganchar a; **to rope sb in to do sthg** liar a alguien para hacer algo.

rosary ['rəʊzərɪ] n rosario m.

rose [rəʊz] ◇ pt ▷ **rise**. ◇ adj [pink] rosa, color de rosa. ◇ n [flower] rosa f.

rosé ['rəʊzeɪ] n rosado m.

rosebud ['rəʊzbʌd] n capullo m de rosa.

rose bush n rosal m.

rosemary ['rəʊzmərɪ] n romero m.

rosette [rəʊ'zet] n [badge] escarapela f.

roster ['rɒstər] n lista f.

rostrum ['rɒstrəm] (pl -trums OR -tra [-trə]) n tribuna f.

rosy ['rəʊzɪ] adj - **1.** [pink] sonrosado(da) - **2.** [hopeful] prometedor(ra).

rot [rɒt] ◇ n (U) - **1.** [of wood, food] podredumbre f; [in society, organization] decadencia f - **2.** UK dated [nonsense] tonterías fpl. ◇ vt pudrir. ◇ vi pudrirse.

rota ['rəʊtə] n lista f (de turnos).

rotary ['rəʊtəri] ◇ *adj* giratorio(ria), rotativo(va). ◇ *n US* [roundabout] glorieta *f*, cruce *m* de circulación giratoria.

rotate [rəʊ'teɪt] ◇ *vt* [turn] hacer girar, dar vueltas a. ◇ *vi* [turn] girar, dar vueltas.

rotation [rəʊ'teɪʃn] *n* [gen] rotación *f*.

rote [rəʊt] *n*: **by rote** de memoria.

rotten ['rɒtn] *adj* - **1.** [decayed] podrido(da) - **2.** *inf* [poor-quality] malísimo(ma), fatal - **3.** *inf* [unpleasant] despreciable - **4.** *inf* [unwell]: **to feel rotten** sentirse fatal OR muy mal.

rouge [ru:ʒ] *n* colorete *m*.

rough [rʌf] ◇ *adj* - **1.** [not smooth - surface, skin] áspero(ra); [- ground, road] desigual - **2.** [not gentle] bruto(ta) - **3.** [crude, not refined - person, manner] grosero(ra), tosco(ca); [- shelter] precario(ria); [- living conditions] duro(ra) - **4.** [approximate - plan, sketch] a grandes rasgos; [- estimate, translation] aproximado(da); **to write a rough draft of sthg** escribir un borrador de algo - **5.** [unpleasant] duro(ra), difícil - **6.** [wind] violento(ta); [sea] picado(da); [weather, day] tormentoso(sa) - **7.** [harsh - wine, voice] áspero(ra) - **8.** [violent - area] peligroso(sa); [- person] violento(ta). ◇ *adv*: **to sleep rough** dormir al raso. ◇ *n* - **1.** GOLF: **the rough** el rough - **2.** [undetailed form]: **in rough** en borrador. ◇ *vt*: **to rough it** vivir sin comodidades.

roughage ['rʌfɪdʒ] *n (U)* fibra *f*.

rough and ready *adj* tosco(ca).

roughen ['rʌfn] *vt* poner áspero(ra).

roughly ['rʌflɪ] *adv* - **1.** [approximately] más o menos - **2.** [not gently] brutalmente - **3.** [crudely] toscamente.

roulette [ru:'let] *n* ruleta *f*.

round [raʊnd] ◇ *adj* redondo(da). ◇ *prep* - **1.** [surrounding] alrededor de; **the reeds round the pond** las cañas alrededor del estanque; **she put her arm round his shoulder** le puso el brazo al hombro - **2.** [near] cerca de; **round here** por aquí - **3.** [all over - the world etc] por todo(da); **we went round the museum** dimos una vuelta por el museo - **4.** [in circular movement]: **round (and round)** alrededor de - **5.** [in measurements]: **she's 30 inches round the waist** mide 30 pulgadas de cintura - **6.** [at or to the other side of]: **they were waiting round the corner** esperaban a la vuelta de la esquina; **to drive round the corner** doblar la esquina; **we went round the lake** rodeamos el lago - **7.** [so as to avoid]: **he drove round the pothole** condujo esquivando el bache. ◇ *adv* - **1.** [on all sides]: **all round** por todos lados - **2.** [near]: **round about** alrededor, en las proximidades - **3.** [all over]: **to travel round** viajar por ahí - **4.** [in circular movement]: **she passed round a plate of biscuits** pasó un plato de galletas; **round (and round)** en redondo; **to go OR spin**

round girar - **5.** [to the other side] al otro lado; **we went round to the back of the house** dimos una vuelta hasta la parte de atrás de la casa - **6.** [at or to nearby place]: **he came round to see us** vino a vernos. ◇ *n* - **1.** [of talks, drinks, sandwiches] ronda *f*; **a round of toast** una tostada; **a round of applause** una salva de aplausos - **2.** [in championship] vuelta *f* - **3.** [of doctor] visitas *fpl*; [of milkman, postman] recorrido *m* - **4.** [of ammunition] cartucho *m* - **5.** [in boxing] asalto *m* - **6.** [in golf] vuelta *f*. ◇ *vt* doblar.

➤ **rounds** *npl* [of postman] recorrido *m*; [of doctor] visitas *fpl*; **he's out on his rounds** está visitando pacientes; **to do OR go the rounds** [joke, rumour] divulgarse; [illness] estar rodando. ➤ **round off** *vt sep* terminar. ➤ **round up** *vt sep* - **1.** [sheep] recoger; [people] reunir - **2.** MATHS redondear al alza.

roundabout ['raʊndəbaʊt] *n UK* - **1.** [on road] glorieta *f*, rotonda *f* - **2.** [at fairground] tiovivo *m*.

rounders ['raʊndəz] *n UK juego parecido al béisbol*.

roundly ['raʊndlɪ] *adv* rotundamente.

round-shouldered [-'ʃəʊldəd] *adj* cargado(da) de espaldas.

round table *n* mesa *f* redonda.

round trip *n* viaje *m* de ida y vuelta.

roundup ['raʊndʌp] *n* - **1.** [summary] resumen *m*; **news roundup** resumen *m* informativo - **2.** [of criminals] redada *f*.

rouse [raʊz] *vt* - **1.** *fml* [wake up] despertar - **2.** [impel]: **to rouse sb/o.s. to do sthg** animar a alguien/animarse a hacer algo - **3.** [excite] excitar; **it roused his interest** le despertó el interés.

rousing ['raʊzɪŋ] *adj* [speech] conmovedor(ra); [cheer] entusiasta.

rout [raʊt] ◇ *n* derrota *f* aplastante. ◇ *vt* derrotar, aplastar.

route [ru:t] *n* [gen] ruta *f*; [of bus] línea *f*, recorrido *m*; [of ship] rumbo *m*; [for deliveries] recorrido *m*, itinerario *m*; [main road] carretera *f* principal.

route map *n* plano *m* (del camino).

routine [ru:'ti:n] ◇ *adj* rutinario(ria); **(to have) a routine checkup** (hacerse) un reconocimiento médico rutinario. ◇ *n* rutina *f*.

roving ['rəʊvɪŋ] *adj* itinerante; **a roving reporter** un periodista ambulante.

row¹ [rəʊ] ◇ *n* - **1.** [line] fila *f*, hilera *f* - **2.** [succession] serie *f*; **three in a row** tres seguidos. ◇ *vt* [boat] remar. ◇ *vi* remar.

row² [raʊ] ◇ *n* - **1.** [quarrel] pelea *f*, bronca *f* - **2.** *inf* [noise] estruendo *m*, ruido *m*. ◇ *vi* [quarrel] reñir, pelearse.

rowboat ['rəʊbəʊt] *n US* bote *m* de remos.

rowdy ['raʊdɪ] *adj* [noisy] ruidoso(sa); [quarrelsome] pendenciero(ra).

row house [rəʊ-] *n US* casa *f* adosada.

rowing ['rəʊɪŋ] *n* remo *m*.

rowing boat *n UK* bote *m* de remo.

royal ['rɔɪəl] <> *adj* real. <> *n inf* miembro *m* de la familia real.

Royal Air Force *n*: the Royal Air Force las Fuerzas Aéreas de Gran Bretaña.

royal family *n* familia *f* real.

Royal Mail *n UK*: the Royal Mail ≃ Correos *m*.

Royal Navy *n*: the Royal Navy la Armada de Gran Bretaña.

royalty ['rɔɪəltɪ] *n* realeza *f*. ♦ **royalties** *npl* derechos *mpl* de autor.

rpm (*abbr of* **revolutions per minute**) r.p.m. *fpl*

RSPCA (*abbr of* **Royal Society for the Prevention of Cruelty to Animals**) *n* sociedad británica protectora de animales, ≃ SPA *f*.

RSVP (*abbr of* **répondez s'il vous plaît**) s.r.c.

Rt Hon (*abbr of* **Right Honourable**) su Sría.

rub [rʌb] <> *vt*: to rub sthg (against OR on) frotar algo (en OR contra); to rub sthg on OR onto frotar algo en; to rub sb up the wrong way UK, to rub sb the wrong way US sacar a alguien de quicio. <> *vi*: to rub (against sthg) rozar (algo); to rub (together) rozarse. ♦ **rub off on** *vt insep* [subj: quality] influir en. ♦ **rub out** *vt sep* [erase] borrar.

rubber ['rʌbə'] *n* - 1. [substance] goma *f*, caucho *m* - 2. UK [eraser] goma *f* de borrar - 3. US *inf* [condom] goma *f* - 4. [in bridge] partida *f*.

rubber band *n US* goma *f* elástica.

rubber plant *n* ficus *m inv*.

rubber stamp *n* estampilla *f Esp*, sello *m* de goma, timbre *m* de goma Chile. ♦ **rubberstamp** *vt* aprobar oficialmente.

rubbish ['rʌbɪʃ] *n* (U) - 1. [refuse] basura *f* - 2. *inf fig* [worthless matter] porquería *f* - 3. *inf* [nonsense] tonterías *fpl*; don't talk rubbish no digas tonterías.

rubbish bin *n UK* cubo *m* de la basura.

rubbish dump *n UK* vertedero *m*, basurero *m*.

rubble ['rʌbl] *n* (U) escombros *mpl*.

ruby ['ruːbɪ] *n* rubí *m*.

rucksack ['rʌksæk] *n* mochila *f*.

ructions ['rʌkʃnz] *npl inf* bronca *f*.

rudder ['rʌdə'] *n* timón *m*.

ruddy ['rʌdɪ] *adj* [reddish] rojizo(za).

rude [ruːd] *adj* - 1. [impolite - person, manners, word] grosero(ra), liso(sa) Arg & Perú; [- joke] verde - 2. [shocking] violento(ta), brusco(ca).

rudimentary [ˌruːdɪ'mentərɪ] *adj* rudimentario(ria).

rueful ['ruːfʊl] *adj* arrepentido(da).

ruffian ['rʌfjən] *n* rufián *m*.

ruffle ['rʌfl] *vt* - 1. [hair] despeinar; [water] agitar; [feathers] encrespar - 2. [composure, nerves] encrespar - 3. [person] poner nervioso(sa) a.

rug [rʌg] *n* - 1. [carpet] alfombra *f* - 2. [blanket] manta *f* de viaje.

rugby ['rʌgbɪ] *n* rugby *m*.

rugged ['rʌgɪd] *adj* - 1. [wild, inhospitable] escabroso(sa) - 2. [sturdy] fuerte - 3. [roughly handsome] duro y atractivo (dura y atractiva); his rugged good looks sus rasgos recios.

rugger ['rʌgə'] *n UK inf* rugby *m*.

ruin ['ruːɪn] <> *n* ruina *f*. <> *vt* - 1. [destroy] estropear - 2. [spoil] arruinar - 3. [bankrupt] arruinar. ♦ **in ruin(s)** *adv* en ruinas.

rule [ruːl] <> *n* - 1. [regulation, guideline] regla *f*, norma *f*; to break the rules violar las normas; to obey the rules obedecer las normas - 2. [norm]: the rule la regla, la norma; as a rule por regla general - 3. [government] dominio *m*; to be under Roman rule estar bajo el dominio romano - 4. [ruler] regla *f*. <> *vt* - 1. *fml* [control] regir - 2. [govern] gobernar - 3. [decide]: to rule that decidir OR ordenar que. <> *vi* - 1. [give decision] decidir, fallar - 2. *fml* [be paramount] ser primordial - 3. [govern] gobernar. ♦ **rule out** *vt sep* descartar.

ruled [ruːld] *adj* rayado(da).

ruler ['ruːlə'] *n* - 1. [for measurement] regla *f* - 2. [monarch] soberano *m*, -na *f*.

ruling ['ruːlɪŋ] <> *adj* en el poder. <> *n* fallo *m*, decisión *f*.

rum [rʌm] *n* ron *m*.

Rumania [ruː'meɪnjə] = **Romania**.

Rumanian [ruː'meɪnjən] = **Romanian**.

rumble ['rʌmbl] <> *n* [gen] estruendo *m*; [of stomach] ruido *m*. <> *vi* [gen] retumbar; [stomach] hacer ruido.

rummage ['rʌmɪdʒ] *vi* hurgar, rebuscar; to rummage around in sthg revolver en algo.

rumour UK, **rumor** US ['ruːmə'] *n* rumor *m*; there's a rumour going around that... se rumorea que...

rumoured UK, **rumored** US ['ruːməd] *adj*: to be rumoured rumorearse; she is rumoured to be very rich se rumorea que es muy rica.

rump [rʌmp] *n* - 1. [of animal] grupa *f*, ancas *fpl* - 2. *inf* [of person] trasero *m*.

rump steak *n* filete *m* de lomo, churrasco *m* de cuadril R Plata.

rumpus ['rʌmpəs] *n inf* lío *m*, jaleo *m*.

run [rʌn] <> *n* - 1. [on foot] carrera *f*; to go for a run ir a correr; on the run en fuga - 2. [journey

- in car] paseo m OR vuelta f (en coche); **to go
for a run** ir a dar una vuelta; [- in plane, ship]
viaje m - **3.** [series - of wins, disasters] serie f;
[- of luck] racha f - **4.** THEAT: **the play had a
6-week run** la obra estuvo en cartelera 6 se-
manas - **5.** [great demand]: **a run on sthg** una
gran demanda de algo - **6.** [in tights] carrera f
- **7.** [in cricket, baseball] carrera f - **8.** [for skiing
etc] pista f. ⬦ vt (pt **ran**, pp **run**) - **1.** [on foot]
correr - **2.** [manage - business] dirigir, adminis-
trar; [- life, event] organizar - **3.** [operate - com-
puter program, machine, film] poner - **4.** [have
and use - car etc] hacer funcionar - **5.** [open -
tap] abrir; **to run a bath** llenar la bañera
- **6.** [publish] publicar. ⬦ vi (pt **ran**, pp **run**)
- **1.** [on foot] correr - **2.** esp US [in election]: **to run
(for)** presentarse como candidato(ta) (a); **he's
running for president** se presenta a la presi-
dencia - **3.** [factory, machine] funcionar; [en-
gine] estar encendido(da); **to run on** OR **off
sthg** funcionar con algo; **it runs on diesel/off
the mains** funciona con diesel/electricidad; **to
run smoothly** ir bien - **4.** [bus, train] ir - **5.** [flow]
correr - **6.** [tap] gotear; **somebody has left the
tap running** alguien se ha dejado el grifo
abierto; [nose] moquear; **my nose is running**
me moquea la nariz; [eyes] llorar - **7.** [colour]
desteñir. ➤ **run across** vt insep [meet] en-
contrarse con. ➤ **run away** vi [flee]: **to run
away (from)** huir OR fugarse (de). ➤ **run
down** ⬦ vt sep - **1.** [run over] atropellar
- **2.** [criticize] hablar mal de. ⬦ vi [battery] aca-
barse; [clock] pararse; [project, business] debili-
tarse. ➤ **run into** vt insep - **1.** [problem] en-
contrar; [person] tropezarse con - **2.** [in vehicle]
chocar con. ➤ **run off** ⬦ vt sep [copies, pho-
tocopies] sacar. ⬦ vi: **to run off (with)** fugar-
se (con). ➤ **run out** vi - **1.** [become used up]
acabarse - **2.** [expire] caducar. ➤ **run out of**
vt insep quedarse sin. ➤ **run over** vt sep
atropellar. ➤ **run through** vt insep - **1.** [be
present in] recorrer, atravesar; **the vein of hu-
mour which ran through her work** el tono de
humor que está presente en su trabajo
- **2.** [practise] ensayar - **3.** [read through] echar
un vistazo a. ➤ **run to** vt insep [amount to]
ascender a; **the bill ran to thousands** la cuen-
ta subía a varios miles. ➤ **run up** vt insep
[amass] incurrir en; **he ran up a huge bill** acu-
muló una factura enorme. ➤ **run up
against** vt insep tropezar con.

runaway ['rʌnəweɪ] ⬦ adj - **1.** [gen] fugiti-
vo(va); [horse] desbocado(da); [train] fuera de
control; [inflation] desenfrenado(da) - **2.** [vic-
tory] fácil. ⬦ n fugitivo m, -va f.

rundown ['rʌndaʊn] n [report] informe m, re-
sumen m; **to give sb a rundown on sthg** poner
a alguien al tanto de algo. ➤ **run-down** adj
- **1.** [dilapidated] en ruinas - **2.** [tired] agota-
do(da); **to feel run-down** sentirse débil.

rung [rʌŋ] ⬦ pp ▷ **ring**. ⬦ n lit & fig
peldaño m.

runner ['rʌnər] n - **1.** [athlete] corredor m, -ra f
- **2.** [smuggler] contrabandista mf - **3.** [on sledge]
carril m; [of drawer, sliding seat] carro m.

runner bean n UK judía f verde, chaucha f
R Plata, vainita f Ven, ejote m Amér C & Méx,
poroto m verde Chile.

runner-up (pl **runners-up**) n subcampeón m,
-ona f.

running ['rʌnɪŋ] ⬦ adj - **1.** [continuous] con-
tinuo(nua) - **2.** [consecutive] seguidos(das);
four days running cuatro días consecutivos
- **3.** [water] corriente. ⬦ n - **1.** [act of running]
el correr; **to go running** hacer footing - **2.** SPORT
carreras fpl - **3.** [management] dirección f, or-
ganización f - **4.** [operation] funcionamiento m.
▶▶▶ **to be in/out of the running (for sthg)** tener/
no tener posibilidades (de algo).

runny ['rʌnɪ] adj - **1.** [sauce, gravy] derreti-
do(da) - **2.** [nose] que moquea; [eyes] lloro-
sos(as).

run-of-the-mill adj normal y corriente.

runt [rʌnt] n - **1.** [animal] cría f más pequeña
y débil - **2.** pej [person] renacuajo m.

run-up n - **1.** [preceding time] periodo m pre-
vio; **the run-up to the elections** el periodo pre-
vio a las elecciones - **2.** SPORT carrerilla f.

runway ['rʌnweɪ] n pista f.

rupture ['rʌptʃər] ⬦ n MED hernia f. ⬦ vt
romper.

rural ['ruərəl] adj rural.

ruse [ruːz] n ardid m.

rush [rʌʃ] ⬦ n - **1.** [hurry] prisa f; **to be in a
rush** tener prisa - **2.** [busy period] hora f punta
- **3.** [surge - of air] ráfaga f; [- of water] torren-
te m; [- mental] arrebato m; **to make a rush for
sthg** ir en desbandada hacia algo; **there was a
rush for the exit** la gente salió apresurada-
mente. ⬦ vt - **1.** [hurry] apresurar; **to rush sb
into doing sthg** apresurar a alguien para que
haga algo - **2.** [send quickly] llevar rápidamente;
he was rushed to hospital lo llevaron al hos-
pital a toda prisa. ⬦ vi - **1.** [hurry] ir de prisa,
correr; **to rush into sthg** meterse de cabeza en
algo; **there's no need to rush** no hay ninguna
prisa; **he rushed to help her** corrió a ayudar-
la - **2.** [surge] precipitarse. ➤ **rushes** npl BOT
juncos mpl.

rush hour n hora f punta, hora f pico Amér,
hora f peack Chile.

rusk [rʌsk] n galleta que se da a los niños pe-
queños para que se acostumbran a masticar.

Russia ['rʌʃə] n Rusia.

Russian ['rʌʃn] ⬦ adj ruso(sa). ⬦ n
- **1.** [person] ruso m, -sa f - **2.** [language] ruso m.

rust [rʌst] ⬦ n óxido m. ⬦ vi oxidarse.

rustic ['rʌstɪk] adj rústico(ca).

rustle ['rʌsl] ◇ *vt* - **1.** [paper] hacer crujir - **2.** *US* [cattle] robar. ◇ *vi* [wind, leaves] susurrar; [paper] crujir.

rusty ['rʌstɪ] *adj lit & fig* oxidado(da); **my French is a bit rusty** hace mucho que no practico el francés.

rut [rʌt] *n* [track] rodada *f*; **to get into/be in a rut** *fig* caer/estar metido en una rutina; **to get out of a rut** salir de la rutina.

ruthless ['ru:θlɪs] *adj* despiadado(da).

RV *n US* (abbr of recreational vehicle) casarremolque *f*.

rye [raɪ] *n* [grain] centeno *m*.

rye bread *n* pan *m* de centeno.

S

s (*pl* ss OR s's), **S** (*pl* Ss OR S's) [es] *n* [letter] s *f*, S *f*. ⬥ **S** (abbr of south) S.

Sabbath ['sæbəθ] *n*: **the Sabbath** [for Christians] el domingo; [for Jews] el sábado.

sabbatical [sə'bætɪkl] *n* sabático *m*; **on sabbatical** de sabático.

sabotage ['sæbətɑ:ʒ] ◇ *n* sabotaje *m*. ◇ *vt* sabotear.

saccharin(e) ['sækərɪn] *n* sacarina *f*.

sachet ['sæʃeɪ] *n* bolsita *f*.

sack [sæk] ◇ *n* - **1.** [bag] saco *m* - **2.** *UK inf* [dismissal]: **to get OR be given the sack** ser despedido(da); **to give sb the sack** despedir a alguien. ◇ *vt UK inf* despedir.

sacking ['sækɪŋ] *n* - **1.** [fabric] harpillera *f* - **2.** [dismissal] despido *m*.

sacred ['seɪkrɪd] *adj lit & fig* sagrado(da).

sacrifice ['sækrɪfaɪs] *fig* ◇ *n* RELIG sacrificio *m*; **to make sacrifices** sacrificarse. ◇ *vt* RELIG sacrificar.

sacrilege ['sækrɪlɪdʒ] *n fig & RELIG* sacrilegio *m*.

sacrosanct ['sækrəʊsæŋkt] *adj* sacrosanto(ta).

sad [sæd] *adj* triste.

sadden ['sædn] *vt* entristecer.

saddle ['sædl] ◇ *n* - **1.** [for horse] silla *f* (de montar) - **2.** [of bicycle, motorcycle] sillín *m*,

asiento *m*. ◇ *vt* - **1.** [horse] ensillar - **2.** *fig* [burden]: **to saddle sb with sthg** cargar a alguien con algo; **she was saddled with an elderly relative** le encajaron un pariente anciano.

saddlebag ['sædlbæg] *n* alforja *f*.

sadistic [sə'dɪstɪk] *adj* sádico(ca).

sadly ['sædlɪ] *adv* tristemente.

sadness ['sædnɪs] *n* tristeza *f*.

s.a.e., sae *n abbr of* **stamped addressed envelope**.

safari [sə'fɑ:rɪ] *n* safari *m*.

safe [seɪf] ◇ *adj* - **1.** [gen] seguro(ra); **a safe place** un lugar seguro; **is this ladder safe?** ¿es segura esta escalera?; **you're safe now** ahora estás seguro; **safe and sound** sano y salvo (sana y salva) - **2.** [without harm] sano y salvo (sana y salva) - **3.** [not causing disagreement]: **it's safe to say that...** se puede afirmar con seguridad que...; **to be on the safe side** por mayor seguridad - **4.** [reliable] digno(na) de confianza. ◇ *n* caja *f* (de caudales).

safe-conduct *n* salvoconducto *m*.

safe-deposit box, safety-deposit box *n* caja *f* de seguridad.

safeguard ['seɪfgɑ:d] ◇ *n* salvaguardia *f*, protección *f*; **as a safeguard** como protección; **a safeguard against sthg** una protección contra algo. ◇ *vt*: **to safeguard sthg/sb (against sthg)** salvaguardar OR proteger algo/a alguien (contra algo).

safekeeping [seɪf'ki:pɪŋ] *n*: **she gave me the letter for safekeeping** me dio la carta para que se la guardara en un lugar seguro.

safely ['seɪflɪ] *adv* - **1.** [with no danger] con seguridad - **2.** [not in danger] seguramente - **3.** [unharmed] sano y salvo (sana y salva) - **4.** [for certain]: **I can safely say that...** puedo decir con toda confianza que...

safe sex *n* sexo *m* sin riesgo.

safety ['seɪftɪ] *n* seguridad *f*.

safety belt *n* cinturón *m* de seguridad.

safety pin *n* imperdible *m*, seguro *m* Méx.

saffron ['sæfrən] *n* [spice] azafrán *m*.

sag [sæg] *vi* [sink downwards] hundirse, combarse.

sage [seɪdʒ] ◇ *adj* sabio(bia). ◇ *n* - **1.** [herb] salvia *f* - **2.** [wise man] sabio *m*.

Sagittarius [sædʒɪ'teərɪəs] *n* Sagitario *m*.

Sahara [sə'hɑ:rə] *n*: **the Sahara (Desert)** el (desierto del) Sáhara.

said [sed] *pt & pp* ⊳ **say**.

sail [seɪl] ◇ *n* - **1.** [of boat] vela *f*; **to set sail** zarpar - **2.** [journey by boat] paseo *m* en barco de vela; **to go for a sail** salir a hacer una excursión en barco de vela. ◇ *vt* - **1.** [boat, ship] gobernar - **2.** [sea] cruzar. ◇ *vi* - **1.** [travel - boat] navegar - **2.** [move - boat]: **the ship sailed**

across the ocean el barco cruzó el océano - **3.** [leave by boat] zarpar; **we sail at 10 am** zarpamos a las 10 de la mañana. ◆ **sail through** vt insep hacer con facilidad.

sailboat US = **sailing boat**.

sailing ['seɪlɪŋ] n - **1.** (U) SPORT vela f - **2.** [trip by ship] travesía f.

sailing boat UK, **sailboat** US ['seɪlbəʊt] n barco m de vela.

sailing ship n (buque m) velero m.

sailor ['seɪlər] n marinero m, -ra f.

saint [seɪnt] n fig & RELIG santo m, -ta f; **he's no saint** no es ningún santo; **to have the patience of a saint** tener más paciencia que un santo.

saintly ['seɪntlɪ] adj santo(ta), piadoso(sa).

sake [seɪk] n: **for the sake of** por (el bien de); **for God's** OR **heaven's sake** ¡por el amor de Dios!

salad ['sæləd] n ensalada f.

salad bowl n ensaladera f.

salad cream n UK salsa parecida a la mahonesa para aderezar la ensalada.

salad dressing n aliño m (para la ensalada).

salami [sə'lɑːmɪ] n salami m.

salary ['sælərɪ] n sueldo m.

sale [seɪl] n - **1.** [gen] venta f; **on sale** en venta; **(up) for sale** en venta; **'for sale'** 'se vende' - **2.** [at reduced prices] liquidación f, saldo m. ◆ **sales** npl - **1.** ECON ventas fpl - **2.** [at reduced prices]: **the sales** las rebajas.

saleroom UK ['seɪlrʊm], **salesroom** US ['seɪlzrʊm] n sala f de subastas.

sales assistant ['seɪlz-], **salesclerk** US ['seɪlzklɜːrk] n dependiente m, -ta f.

salesman ['seɪlzmən] (pl -men [-mən]) n [in shop] dependiente m, vendedor m; [travelling] viajante m.

sales rep n inf representante mf.

salesroom US = **saleroom**.

saleswoman ['seɪlz,wʊmən] (pl -women [-,wɪmɪn]) n [in shop] dependienta f, vendedora f; [travelling] viajante f.

salient ['seɪljənt] adj fml sobresaliente.

saliva [sə'laɪvə] n saliva f.

sallow ['sæləʊ] adj cetrino(na).

salmon ['sæmən] (pl salmon OR -s) n salmón m.

salmonella [,sælmə'nelə] n salmonelosis f inv.

salon ['sælɒn] n salón m.

saloon [sə'luːn] n - **1.** UK [car] (coche m) utilitario m - **2.** US [bar] bar m - **3.** UK [in pub]: **saloon (bar)** en ciertos pubs y hoteles, bar elegante con precios más altos que los del 'public bar' - **4.** [in ship] salón m.

salt [sɔːlt, sɒlt] ◇ n sal f; **to take sthg with a pinch of salt** considerar algo con cierta reserva. ◇ vt [food] salar; [roads] echar sal en (las carreteras etc para evitar que se hielen). ◆ **salt away** vt sep inf ahorrar.

salt cellar UK, **salt shaker** US [-,ʃeɪkər] n salero m.

saltwater ['sɔːlt,wɔːtər] adj de agua salada.

salty ['sɔːltɪ] adj salado(da), salobre.

salutary ['sæljʊtrɪ] adj saludable.

salute [sə'luːt] ◇ n - **1.** [with hand] saludo m - **2.** MIL [firing of guns] salva f, saludo m. ◇ vt - **1.** MIL [with hand] saludar - **2.** [acknowledge formally] reconocer.

Salvadorean, Salvadorian [,sælvə-'dɔːrɪən] ◇ adj salvadoreño(ña). ◇ n salvadoreño m, -ña f.

salvage ['sælvɪdʒ] ◇ n (U) - **1.** [rescue of ship] salvamento m - **2.** [property rescued] objetos mpl recuperados OR rescatados. ◇ vt lit & fig: **to salvage sthg (from)** salvar algo (de).

salvation [sæl'veɪʃn] n salvación f.

Salvation Army n: **the Salvation Army** el Ejército de Salvación.

same [seɪm] ◇ adj mismo(ma); **the same colour as his** el mismo color que el suyo; **at the same time** [simultaneously] al mismo tiempo; [yet] aún así; **one and the same** el mismo(la misma). ◇ pron: **the same** el mismo (la misma); **she did the same** hizo lo mismo; **the ingredients are the same** los ingredientes son los mismos OR iguales; **his car is the same as yours** su coche es el mismo que el tuyo; **I'll have the same (again)** tomaré lo mismo (que antes); **all** OR **just the same** [nevertheless, anyway] de todos modos; **it's all the same to me** me da igual; **it's not the same** no es lo mismo; **happy Christmas! – the same to you!** ¡feliz Navidad! – ¡igualmente! ◇ adv: **the same** lo mismo.

sample ['sɑːmpl] ◇ n muestra f; **a free sample** una muestra gratuita. ◇ vt [food, wine, attractions] probar.

sanatorium (pl -riums OR -ria [-rɪə]), **sanitorium** US (pl -riums OR -ria [-rɪə]) [,sænə'tɔːrɪəm] n sanatorio m.

sanctimonious [,sæŋktɪ'məʊnjəs] adj pej santurrón(ona).

sanction ['sæŋkʃn] ◇ n sanción f. ◇ vt sancionar.

sanctity ['sæŋktətɪ] n santidad f.

sanctuary ['sæŋktʃʊərɪ] n - **1.** [for wildlife] reserva f; **a bird sanctuary** una reserva de aves - **2.** [refuge] refugio m - **3.** [holy place] santuario m.

sand [sænd] ◇ n arena f. ◇ vt lijar; **to sand down a surface** lijar una superficie.

sandal ['sændl] *n* sandalia *f*; **a pair of sandals** unas sandalias.

sandalwood ['sændlwʊd] *n* sándalo *m*.

sandbox *US* = **sandpit**.

sandcastle ['sænd,kɑ:sl] *n* castillo *m* de arena.

sand dune *n* duna *f*.

sandpaper ['sænd,peɪpər] ⬦ *n (U)* papel *m* de lija. ⬦ *vt* lijar.

sandpit *UK* ['sændpɪt], **sandbox** *US* ['sændbɒks] *n* cuadro *m* de arena.

sandstone ['sændstəʊn] *n* piedra *f* arenisca.

sandwich ['sænwɪdʒ] ⬦ *n* [made with roll etc] bocadillo *m*; [made with sliced bread] sandwich *m* frío; **a cheese sandwich** un sandwich de queso. ⬦ *vt fig* apretujar; **she was sandwiched between two businessmen** quedó atrapada entre dos hombres de negocios.

sandwich board *n* cartelón *m* (de hombre-anuncio).

sandwich course *n UK* curso universitario que incluye un cierto tiempo de experiencia profesional.

sandy ['sændɪ] *adj* - **1.** [covered in sand] arenoso(sa) - **2.** [sand-coloured] rojizo(za).

sane [seɪn] *adj* - **1.** [not mad] cuerdo(da) - **2.** [sensible] prudente, sensato(ta).

sang [sæŋ] *pt* ⬦ **sing**.

sanitary ['sænɪtrɪ] *adj* - **1.** [connected with health] sanitario(ria) - **2.** [clean, hygienic] higiénico(ca).

sanitary towel, sanitary napkin *US n* [disposable] compresa *f*, toalla *f* higiénica *Amér*.

sanitation [,sænɪ'teɪʃn] *n* sanidad *f*.

sanitorium *US* = **sanatorium**.

sanity ['sænətɪ] *n* - **1.** [saneness] cordura *f* - **2.** [good sense] sensatez *f*.

sank [sæŋk] *pt* ⬦ **sink**.

Santa (Claus) ['sæntə(,klɔ:z)] *n* Papá *m* Noel.

sap [sæp] ⬦ *n* [of plant] savia *f*. ⬦ *vt* [weaken] minar.

sapling ['sæplɪŋ] *n* árbol *m* nuevo, arbolito *m*.

sapphire ['sæfaɪər] *n* zafiro *m*.

Saran wrap® [sə'ræn-] *n US* plástico *m* transparente *(para envolver alimentos)*.

sarcastic [sɑ:'kæstɪk] *adj* sarcástico(ca).

sardine [sɑ:'di:n] *n* sardina *f*; **to be packed in like sardines** ir como sardinas en lata.

sardonic [sɑ:'dɒnɪk] *adj* sardónico(ca).

SAS (*abbr of* Special Air Service) *n* unidad especial del ejército británico encargada de operaciones de sabotaje.

SASE *n US abbr of* **self-addressed stamped envelope**.

sash [sæʃ] *n* faja *f*.

sat [sæt] *pt & pp* ⬦ **sit**.

SAT [sæt] *n* - **1.** (*abbr of* Standard Assessment Test) *examen de aptitud que se realiza a los siete, once y catorce años en Inglaterra y Gales* - **2.** (*abbr of* Scholastic Aptitude Test) *examen de ingreso a la universidad en Estados Unidos.*

Satan ['seɪtn] *n* Satanás *m*.

satchel ['sætʃəl] *n* cartera *f*.

satellite ['sætəlaɪt] *n lit & fig* satélite *m*.

satellite TV *n* televisión *f* por satélite.

satin ['sætɪn] ⬦ *n* satén *m*, raso *m*. ⬦ *comp* de satén, de raso.

satire ['sætaɪər] *n* sátira *f*.

satisfaction [,sætɪs'fækʃn] *n* satisfacción *f*; **to do sthg to sb's satisfaction** hacer algo a la satisfacción OR al gusto de alguien.

satisfactory [,sætɪs'fæktərɪ] *adj* satisfactorio(ria).

satisfied ['sætɪsfaɪd] *adj* satisfecho(cha); **you're never satisfied!** ¡nunca te conformas con nada!; **a satisfied smile** una sonrisa de satisfacción.

satisfy ['sætɪsfaɪ] *vt* - **1.** [gen] satisfacer - **2.** [convince] convencer - **3.** [requirements] cumplir, satisfacer.

satisfying ['sætɪsfaɪɪŋ] *adj* - **1.** [pleasant] satisfactorio(ria) - **2.** [filling] sustancioso(sa); **a satisfying meal** una comida sustanciosa.

satsuma [,sæt'su:mə] *n* satsuma *f*.

saturate ['sætʃəreɪt] *vt* - **1.** [drench]: **to saturate sthg (with)** empapar algo (de); **he was saturated with sweat** estaba empapado de sudor - **2.** [fill completely] saturar.

Saturday ['sætədɪ] ⬦ *n* sábado *m*; **what day is it? – it's Saturday** ¿a qué estamos hoy? – estamos a sábado; **on Saturday** el sábado; **on Saturdays** los sábados; **last Saturday** el sábado pasado; **this Saturday** este sábado, el sábado que viene; **next Saturday** el sábado de la semana que viene; **every Saturday** todos los sábados; **every other Saturday** cada dos sábados, un sábado sí y otro no; **the Saturday before** el sábado anterior; **the Saturday after next** no este sábado sino el siguiente; **the Saturday before last** hace dos sábados. ⬦ *comp* del sábado.

Saturn ['sætən] *n* Saturno *m*.

sauce [sɔ:s] *n* CULIN salsa *f*.

saucepan ['sɔ:spən] *n* [with two handles] cacerola *f*; [with one long handle] cazo *m*.

saucer ['sɔ:sər] *n* platillo *m*.

saucy ['sɔ:sɪ] *adj inf* descarado(da), fresco(ca).

Saudi Arabia [,saʊdɪə'reɪbjə] *n* Arabia Saudí.

Saudi (Arabian) ['saʊdɪ-] ⬦ *adj* saudí, saudita. ⬦ *n* [person] saudí *mf*, saudita *mf*.

sauna ['sɔːnə] n sauna f.

saunter ['sɔːntəʳ] vi pasearse (tranquilamente); **he sauntered into the room** entró desenfadadamente en la habitación.

sausage ['sɒsɪdʒ] n salchicha f.

sausage roll n UK salchicha envuelta en masa como de empanadilla.

sauté [UK 'səʊteɪ, US səʊ'teɪ] vt (pt & pp **sautéed** OR **sautéd**) saltear.

savage ['sævɪdʒ] ◇ adj [cruel, fierce] feroz, salvaje. ◇ n pej salvaje mf. ◇ vt - **1.** [subj: animal] embestir, atacar - **2.** [subj: person] atacar con ferocidad.

save [seɪv] ◇ vt - **1.** [rescue] salvar, rescatar; **to save sb from sthg** salvar a alguien de algo - **2.** [prevent waste of - time, energy] ahorrar - **3.** [set aside - money] ahorrar; [- food, strength] guardar; **why don't you save some of your sweets for later?** ¿por qué no te guardas algunos caramelos para más tarde?; **will you save me some soup?** ¿me guardarás algo de sopa?; **save your strength for later** ahorra fuerzas para más tarde - **4.** [avoid] evitar; **it saves having to go to the bank** ahorra tener que ir al banco; **to save sb from doing sthg** evitar a alguien (el) hacer algo - **5.** SPORT parar - **6.** COMPUT guardar. ▸▸▸ **to save face** salvar las apariencias. ◇ vi ahorrar. ◇ n SPORT parada f. ◇ prep fml: **save (for)** excepto. ▸ **save up** vi ahorrar.

saving grace ['seɪvɪŋ-] n lo único positivo.

savings ['seɪvɪŋz] npl ahorros mpl.

savings account n cuenta f de ahorros.

savings bank n ≃ caja f de ahorros.

saviour UK, **savior** US ['seɪvjəʳ] n salvador m, -ra f.

savour UK, **savor** US ['seɪvəʳ] vt lit & fig saborear.

savoury UK, **savory** US ['seɪvərɪ] ◇ adj - **1.** [not sweet] salado(da) - **2.** US [tasty] sabroso(sa) - **3.** [respectable, pleasant] agradable; **not a very savoury character** un personaje no muy honesto. ◇ n comida f de aperitivo.

saw [sɔː] ◇ pt ▷ **see.** ◇ n sierra f. ◇ vt (UK -ed, pp **sawn**, US -ed) serrar.

sawdust ['sɔːdʌst] n serrín m.

sawed-off shotgun US = **sawn-off shotgun.**

sawmill ['sɔːmɪl] n aserradero m.

sawn [sɔːn] pp UK ▷ **saw.**

sawn-off shotgun UK, **sawed-off shotgun** US [sɔːd-] n arma f de cañones recortados.

saxophone ['sæksəfəʊn] n saxofón m.

say [seɪ] ◇ vt (pt & pp **said**) - **1.** [gen] decir; **she said that...** dijo que...; **you should have said so!** ¡haberlo dicho!; **to say sthg again** repetir algo; **you can say that again!** ¡ya lo creo!;

to say yes decir que sí; **he's said to be good** se dice que es bueno; **let's say you were to win** pongamos que ganaras; **shall we say 9.30?** ¿qué tal a las 9.30?; **that goes without saying** ni que decir tiene; **to say the least** por no decir otra cosa; **I'll say this for him/her...** hay que decir OR admitir que él/ella...; **it has a lot to be said for it** tiene muy buenos puntos en su favor - **2.** [indicate - clock, meter] marcar. ◇ n: **to have a/no say in sthg** tener/no tener voz y voto en algo; **let me have my say** déjame decir lo que pienso. ▸ **that is to say** adv es decir.

saying ['seɪɪŋ] n dicho m.

scab [skæb] n - **1.** MED costra f - **2.** pej [non-striker] esquirol m.

scaffold ['skæfəʊld] n - **1.** [around building] andamio m - **2.** [for execution] cadalso m.

scaffolding ['skæfəldɪŋ] n (U) andamios mpl, andamiaje m.

scald [skɔːld] vt escaldar.

scale [skeɪl] ◇ n - **1.** [of map] escala f; **to scale** a escala; **not drawn to scale** no hecho(cha) a escala - **2.** [size, extent] tamaño m, escala f; **on a large scale** a gran escala - **3.** [on measuring equipment] escala f - **4.** [music] escala f - **5.** [of fish, snake] escama f. ◇ vt - **1.** [climb] escalar - **2.** [remove scales from] escamar. ▸ **scales** npl - **1.** [for weighing food] balanza f - **2.** [for weighing person] báscula f; **bathroom scales** báscula f de baño. ▸ **scale down** vt insep reducir.

scale model n maqueta f.

scallop ['skɒləp] ◇ n ZOOL vieira f. ◇ vt [decorate edge of] festonear.

scalp [skælp] ◇ n cuero m cabelludo. ◇ vt cortar la cabellera a.

scalpel ['skælpəl] n bisturí m.

scaly ['skeɪlɪ] adj [skin] escamoso(sa).

scamper ['skæmpəʳ] vi corretear.

scampi ['skæmpɪ] n (U): **(breaded) scampi** gambas fpl a la gabardina.

scan [skæn] ◇ n exploración f ultrasónica. ◇ vt - **1.** [examine carefully] examinar - **2.** [glance at] dar un vistazo a - **3.** ELECTRON & TV registrar.

scandal ['skændl] n - **1.** [scandalous event, outrage] escándalo m - **2.** [scandalous talk] habladurías fpl.

scandalize, -ise ['skændəlaɪz] vt escandalizar.

Scandinavia [ˌskændɪ'neɪvjə] n Escandinavia.

Scandinavian [ˌskændɪ'neɪvjən] ◇ adj escandinavo(va). ◇ n [person] escandinavo m, -va f.

scant [skænt] adj escaso(sa).

scanty ['skæntɪ] adj [amount, resources] escaso(sa); [dress] ligero(ra); [meal] insuficiente.

scapegoat ['skeɪpgəʊt] n cabeza f de turco.

scar [skɑːr] n - **1.** [physical] cicatriz f - **2.** fig [mental] señal f.

scarce ['skeəs] adj escaso(sa).

scarcely ['skeəslɪ] adv apenas; **scarcely anyone/ever** casi nadie/nunca.

scare [skeər] <> n - **1.** [sudden fear] susto m, sobresalto m - **2.** [public fear] temor m - **3.** [panic]: **there was a bomb scare** hubo una amenaza de bomba. <> vt asustar, sobresaltar.

➡ **scare away, scare off** vt sep ahuyentar.

scarecrow ['skeəkrəʊ] n espantapájaros m inv.

scared ['skeəd] adj - **1.** [frightened] asustado(da); **don't be scared** no te asustes; **to be scared stiff** OR **to death** estar muerto de miedo - **2.** [worried]: **to be scared that** tener miedo que.

scarf [skɑːf] <> n (pl **-s** OR **scarves**) [for neck] bufanda f; [for head] pañuelo m de cabeza. <> vt US [eat]: **scarf (down)** zamparse.

scarlet ['skɑːlət] adj color escarlata.

scarlet fever n escarlatina f.

scarves [skɑːvz] npl ⊳ **scarf**.

scathing ['skeɪðɪŋ] adj mordaz; **to be scathing about sthg/sb** criticar duramente algo/a alguien.

scatter ['skætər] <> vt esparcir, desparramar. <> vi dispersarse.

scatterbrained ['skætəbreɪnd] adj inf atolondrado(da).

scavenger ['skævɪndʒər] n - **1.** [animal] carroñero m, -ra f - **2.** [person] persona f que rebusca en las basuras.

scenario [sɪ'nɑːrɪəʊ] (pl **-s**) n - **1.** [possible situation] situación f hipotética - **2.** [of film, play] resumen m del argumento.

scene [siːn] n - **1.** [gen, theatre] escena f; **behind the scenes** entre bastidores - **2.** [painting of place] panorama m, paisaje m - **3.** [location] sitio m; **the scene of the crime** la escena del crimen - **4.** [show of emotion] jaleo m, escándalo m.

▸▸▸ **to set the scene** [for person] describir la escena; [for event] crear el ambiente propicio.

scenery ['siːnərɪ] n (U) - **1.** [of countryside] paisaje m - **2.** THEAT decorado m.

scenic ['siːnɪk] adj [view] pintoresco(ca); [tour] turístico(ca).

scent [sent] n - **1.** [smell - of flowers] fragancia f; [- of animal] rastro m - **2.** fig [track] pista f; **to lose the scent** perder la pista; **to throw sb off the scent** burlar a alguien - **3.** [perfume] perfume m.

scepter US = **sceptre**.

sceptical UK, **skeptical** US ['skeptɪkl] adj escéptico(ca); **to be sceptical about** tener muchas dudas acerca de.

sceptre UK, **scepter** US ['septər] n cetro m.

schedule [UK 'ʃedjuːl, US 'skedʒʊl] <> n - **1.** [plan] programa m, plan m; **on schedule** sin retraso; **ahead of schedule** con adelanto; **behind schedule** con retraso - **2.** [of prices, contents] lista f; [of times] horario m. <> vt: **to schedule sthg (for)** fijar algo (para).

scheduled flight [UK 'ʃedjuːld-, US 'skedʒʊld-] n vuelo m regular.

scheme [skiːm] <> n - **1.** [plan] plano m, proyecto m; **pension scheme** plan m de pensiones - **2.** pej [dishonest plan] intriga f - **3.** [arrangement, decoration - of room] disposición f; **colour scheme** combinación f de colores. <> vi pej: **to scheme (to do sthg)** intrigar (para hacer algo).

scheming ['skiːmɪŋ] adj intrigante.

schism ['sɪzm, 'skɪzm] n cisma f.

schizophrenic [ˌskɪtsə'frenɪk] adj esquizofrénico(ca).

scholar ['skɒlər] n - **1.** [expert] erudito m, -ta f - **2.** dated [student] alumno m, -na f.

scholarship ['skɒləʃɪp] n - **1.** [grant] beca f - **2.** [learning] erudición f.

school [skuːl] n - **1.** [for children] colegio m, escuela f; **to go to school** ir al colegio, ir a la escuela; **the children are at school** los niños están en el colegio; **art school** escuela f de arte; **driving school** autoescuela f; **law/medical school** facultad f de derecho/medicina - **2.** US [university] universidad f.

school age n edad f escolar.

schoolbook ['skuːlbʊk] n libro m de texto.

schoolboy ['skuːlbɔɪ] n colegial m.

schoolchild ['skuːltʃaɪld] (pl **-children** [-tʃɪldrən]) n colegial m, -la f.

schooldays ['skuːldeɪz] npl años mpl de colegio.

schoolgirl ['skuːlɡɜːl] n colegiala f.

schooling ['skuːlɪŋ] n educación f escolar.

school-leaver [-ˌliːvər] n UK joven que ha terminado la enseñanza.

schoolmaster ['skuːlˌmɑːstər] n dated [at primary school] maestro m; [at secondary school] profesor m.

schoolmistress ['skuːlˌmɪstrɪs] n dated [at primary school] maestra f; [at secondary school] profesora f.

school of thought n corriente f de opinión.

schoolteacher ['skuːlˌtiːtʃər] n [primary] maestro m, -tra f; [secondary] profesor m, -ra f.

school year n año m escolar.

schooner ['skuːnər] n - **1.** [ship] goleta f - **2.** UK [sherry glass] copa f larga (para jerez).

sciatica [saɪˈætɪkə] *n* ciática *f*.

science [ˈsaɪəns] *n* ciencia *f*; **his best subject is science** su mejor asignatura son las ciencias.

science fiction *n* ciencia *f* ficción.

scientific [ˌsaɪənˈtɪfɪk] *adj* científico(ca).

scientist [ˈsaɪəntɪst] *n* científico *m*, -ca *f*.

scintillating [ˈsɪntɪleɪtɪŋ] *adj* brillante, chispeante.

scissors [ˈsɪzəz] *npl* tijeras *fpl*; **a pair of scissors** unas tijeras.

sclerosis = multiple sclerosis.

scoff [skɒf] ⬦ *vt* UK *inf* zamparse, tragarse. ⬦ *vi*: **to scoff (at sb/sthg)** mofarse OR burlarse (de alguien/de algo).

scold [skəʊld] *vt* regañar, reñir.

scone [skɒn] *n* bollo tomado con té a la hora de la merienda.

scoop [skuːp] ⬦ *n* **- 1.** [utensil - for sugar] cucharita *f* plana; [- for ice cream] pinzas *fpl* (de helado); [- for flour] paleta *f* **- 2.** PRESS exclusiva *f*; **to make a scoop** conseguir una exclusiva. ⬦ *vt* **- 1.** [with hands] recoger **- 2.** [with utensil] recoger con cucharilla. ⬟ **scoop out** *vt sep* sacar con cuchara.

scooter [ˈskuːtər] *n* **- 1.** [toy] patinete *m* **- 2.** [motorcycle] Vespa® *f*, motoneta *f Amér*.

scope [skəʊp] *n* (U) **- 1.** [opportunity] posibilidades *fpl*; **there is scope for improvement** se puede mejorar **- 2.** [range] alcance *m*.

scorch [skɔːtʃ] *vt* [dress, fabric, grass] chamuscar; [face, skin] quemar.

scorching [ˈskɔːtʃɪŋ] *adj inf* abrasador(ra).

score [skɔːr] ⬦ *n* **- 1.** [in test] calificación *f*, nota *f*; [in competition, game] puntuación *f*; **are you keeping (the) score?** ¿llevas el tanteo? **- 2.** SPORT resultado *m*; **what's the score?** ¿cómo van?; **the final score was 2 all** el resultado final fue empate a dos **- 3.** *dated* [twenty] veintena *f* **- 4.** MUS partitura *f* **- 5.** [subject]: **on that score** a ese respecto, por lo que se refiere a eso.
▸▸▸ **to have a score to settle with sb** tener una cuenta que saldar con alguien; **to know the score** conocer el percal. ⬦ *vt* **- 1.** SPORT marcar **- 2.** [achieve - success, victory] obtener **- 3.** [cut] grabar. ⬦ *vi* **- 1.** SPORT marcar **- 2.** [in test etc] obtener una puntuación; **you scored well in part one** obtuviste una buena puntuación en la primera parte. ⬟ **score out** *vt sep* UK tachar.

scoreboard [ˈskɔːbɔːd] *n* marcador *m*.

scorer [ˈskɔːrər] *n* **- 1.** [official] tanteador *m*, -ra *f* **- 2.** [player - in football] goleador *m*, -ra *f*; [- in other sports] marcador *m*, -ra *f*.

scorn [skɔːn] ⬦ *n* menosprecio *m*, desdén *m*; **to pour scorn on sthg/sb** despreciar algo/a alguien. ⬦ *vt* menospreciar, desdeñar.

scornful [ˈskɔːnfʊl] *adj* despectivo(va).

Scorpio [ˈskɔːpɪəʊ] (*pl* -s) *n* Escorpión *m*.

scorpion [ˈskɔːpjən] *n* alacrán *m*.

Scot [skɒt] *n* escocés *m*, -esa *f*.

scotch [skɒtʃ] *vt* [rumour] desmentir; [idea] desechar.

Scotch [skɒtʃ] *n* whisky *m* escocés.

Scotch tape® *n* US cinta *f* Scotch® *Amér*.

scot-free *adj inf*: **to get off scot-free** salir impune.

Scotland [ˈskɒtlənd] *n* Escocia *f*.

Scots [skɒts] ⬦ *adj* escocés(esa). ⬦ *n* [dialect] escocés *m*.

Scotsman [ˈskɒtsmən] (*pl* -men [-mən]) *n* escocés *m*.

Scotswoman [ˈskɒtswʊmən] (*pl* -women [-ˌwɪmɪn]) *n* escocesa *f*.

Scottish [ˈskɒtɪʃ] *adj* escocés(esa).

Scottish National Party *n*: **the Scottish National Party** el Partido Nacionalista Escocés.

scoundrel [ˈskaʊndrəl] *n dated* sinvergüenza *m*, canalla *m*.

scour [skaʊər] *vt* **- 1.** [clean] fregar, restregar **- 2.** [search] registrar, batir; **they scoured the countryside looking for the little girl** peinaron el campo en busca de la niña.

scourge [skɜːdʒ] *n* [cause of suffering] azote *m*.

scout [skaʊt] *n* MIL explorador *m*. ⬟ **Scout** *n* [boy scout] explorador *m*. ⬟ **scout around** *vi*: **to scout around (for)** explorar el terreno (en busca de).

scowl [skaʊl] *vi* fruncir el ceño.

scrabble [ˈskræbl] *vi* **- 1.** [scramble, scrape] escarbar; **to scrabble up/down** subir/bajar escarbando **- 2.** [feel around]: **to scrabble around for sthg** hurgar en busca de algo.

Scrabble® [ˈskræbl] *n* Scrabble® *m*.

scraggy [ˈskrægɪ] *adj inf* flaco(ca).

scramble [ˈskræmbl] ⬦ *n* [rush] pelea *f*; **he got hurt in the scramble for the door** resultó herido en la desbandada que hubo hacia la puerta. ⬦ *vi* **- 1.** [climb] trepar **- 2.** [move clumsily]: **to scramble to one's feet** levantarse rápidamente y tambaleándose.

scrambled eggs [ˈskræmbld-] *npl* huevos *mpl* revueltos.

scrap [skræp] ⬦ *n* **- 1.** [small piece] trozo *m*, pedazo *m* **- 2.** (U) [metal] chatarra *f*; **he sold it for scrap** lo vendió para chatarra **- 3.** *inf* [fight, quarrel] pelotera *f*; **to have a scrap** pelearse. ⬦ *vt* desechar, descartar. ⬟ **scraps** *npl* [food] sobras *fpl*.

scrapbook [ˈskræpbʊk] *n* álbum *m* de recortes.

scrap dealer *n* chatarrero *m*, -ra *f*.

scrape [skreɪp] ⬦ *n* **- 1.** [noise] chirrido *m* **- 2.** *dated* [difficult situation] apuro *m*. ⬦ *vt*

- 1. [remove]: **to scrape sthg off sthg** raspar algo de algo **- 2.** [vegetables] raspar **- 3.** [car, bumper, glass] rayar; [knee, elbow, skin] rasguñar. ◇ *vi* [rub]: **to scrape against/on sthg** rozar contra/en algo. ☛ **scrape through** *vt insep* [exam] aprobar por los pelos.

scraper ['skreɪpər] *n* raspador *m*.

scrap merchant *n UK* chatarrero *m*, -ra *f*.

scrap paper *UK*, **scratch paper** *US n* (U) papel *m* usado.

scrapyard ['skræpjɑːd] *n* [gen] depósito *m* de chatarra; [for cars] cementerio *m* de coches.

scratch [skrætʃ] ◇ *n* **- 1.** [wound] arañazo *m*, rasguño *m* **- 2.** [mark] raya *f*, surco *m*. ▶▶ **to do sthg from scratch** hacer algo partiendo desde el principio; **to be up to scratch** estar a la altura requerida. ◇ *vt* **- 1.** [wound] arañar, rasguñar **- 2.** [mark] rayar **- 3.** [rub - head, leg] rascar; **he scratched his head** se rascó la cabeza. ◇ *vi* [rub] rascarse.

scratch card *n* tarjeta con una zona que hay que rascar para ver si contiene premio.

scratch paper *US* = **scrap paper**.

scrawl [skrɔːl] ◇ *n* garabatos *mpl*. ◇ *vt* garabatear.

scrawny ['skrɔːnɪ] *adj* flaco(ca).

scream [skriːm] ◇ *n* **- 1.** [cry, shout] grito *m*, chillido *m* **- 2.** [noise] chirrido *m*. ◇ *vt* vociferar. ◇ *vi* [person] chillar; **to scream at sb** gritar a alguien.

scree [skriː] *n* montón de piedras desprendidas de la ladera de una montaña.

screech [skriːtʃ] ◇ *n* **- 1.** [of person] chillido *m*; [of bird] chirrido *m* **- 2.** [of car, tyres] chirrido *m*, rechinar *m*. ◇ *vt* gritar. ◇ *vi* **- 1.** [person, bird] chillar **- 2.** [car, tyres] chirriar, rechinar.

screen [skriːn] ◇ *n* **- 1.** TV, CIN & COMPUT pantalla *f* **- 2.** [panel] biombo *m*. ◇ *vt* **- 1.** [show in cinema] proyectar **- 2.** [broadcast on TV] emitir **- 3.** [candidate, patient] examinar; **to screen sb for sthg** hacer un chequeo a alguien para algo.

screen break *n* COMPUT salto *m* de pantalla.

screening ['skriːnɪŋ] *n* **- 1.** [of film] proyección *f* **- 2.** [of TV programme] emisión *f* **- 3.** [for security] examen *m* **- 4.** MED [examination] chequeo *m*.

screenplay ['skriːnpleɪ] *n* guión *m*.

screenshot ['skriːnʃɒt] *n* pantallazo *m*, captura *f* de pantalla.

screw [skruː] ◇ *n* [for fastening] tornillo *m*. ◇ *vt* **- 1.** [fix]: **to screw sthg to** atornillar algo a **- 2.** [twist] enroscar; **to screw a lid on** poner la tapa de rosca **- 3.** *vulg* [woman] follar, coger *Amér*. ☛ **screw up** *vt sep* **- 1.** [sheet of paper etc] arrugar **- 2.** [eyes] entornar; [face] arrugar **- 3.** *v inf* [ruin] jorobar.

screwdriver ['skruːˌdraɪvər] *n* destornillador *m*.

scribble ['skrɪbl] ◇ *n* garabato *m*. ◇ *vt & vi* garabatear.

script [skrɪpt] *n* **- 1.** [of play, film etc] guión *m* **- 2.** [system of writing] escritura *f* **- 3.** [handwriting] letra *f*.

Scriptures ['skrɪptʃəz] *npl*: **the Scriptures** las Sagradas Escrituras.

scriptwriter ['skrɪptˌraɪtər] *n* guionista *mf*.

scroll [skrəʊl] ◇ *n* rollo *m* de pergamino/papel. ◇ *vt* COMPUT desplazar.

scrounge [skraʊndʒ] *inf vt* gorronear.

scrounger ['skraʊndʒər] *n* *inf* gorrón *m*, -ona *f*.

scrub [skrʌb] ◇ *n* **- 1.** [rub] restregón *m*; **give it a good scrub** dale un buen fregado **- 2.** [undergrowth] maleza *f*. ◇ *vt* restregar.

scruff [skrʌf] *n*: **by the scruff of the neck** por el pescuezo.

scruffy ['skrʌfɪ] *adj* [person] dejado(da); [clothes] andrajoso(sa); [room] desordenado(da).

scrum(mage) ['skrʌm(ɪdʒ)] *n* RUGBY melé *f*.

scrunchie ['skrʌntʃɪ], **scrunchy** *n* coletero *m*.

scruples ['skruːplz] *npl* escrúpulos *mpl*.

scrutinize, -ise ['skruːtɪnaɪz] *vt* escudriñar.

scrutiny ['skruːtɪnɪ] *n* (U) escrutinio *m*, examen *m*; **to be open to public scrutiny** estar expuesto(ta) al examen del público; **to come under the scrutiny of** ser cuidadosamente examinado(da) por.

scuff [skʌf] *vt* [damage - shoes] pelar; [- furniture, floor] rayar.

scuffle ['skʌfl] *n* refriega *f*, reyerta *f*; **there were scuffles between the police and demonstrators** hubo enfrentamientos entre la policía y los manifestantes.

scullery ['skʌlərɪ] *n* trascocina *f*.

sculptor ['skʌlptər] *n* escultor *m*, -ra *f*.

sculpture ['skʌlptʃər] *n* escultura *f*.

scum [skʌm] *n* (U) **- 1.** [froth] espuma *f* **- 2.** *v inf pej* [worthless people] escoria *f*; **to be the scum of the earth** ser la escoria de la sociedad.

scupper ['skʌpər] *vt fig* & NAUT hundir.

scurrilous ['skʌrələs] *adj fml* injurioso(sa), difamatorio(ria).

scurry ['skʌrɪ] *vi*: **to scurry off** OR **away** escabullirse.

scuttle ['skʌtl] ◇ *n* cubo *m* del carbón. ◇ *vi* [rush]: **to scuttle off** OR **away** escabullirse.

scythe [saɪð] *n* guadaña *f*.

SDLP (*abbr of* **Social Democratic and Labour Party**) *n partido político norirlandés que defiende la integración pacífica en la república de Irlanda.*

sea [si:] *n* - **1.** [not land] mar *m o f*; **at sea** en el mar; **by sea** en barco; **by the sea** a orillas del mar; **out to sea** [away from shore] mar adentro; [across the water] hacia el mar - **2.** [not ocean] mar *m*.

▶▶▶ **to be all at sea** estar totalmente perdido(da).

sea bass *n* lubina *f*.

seabed ['si:bed] *n*: **the seabed** el lecho marino.

seaboard ['si:bɔ:d] *n fml* litoral *m*.

sea breeze *n* brisa *f* marina.

seafood ['si:fu:d] *n* (*U*) mariscos *mpl*.

seafront ['si:frʌnt] *n* paseo *m* marítimo.

seagull ['si:gʌl] *n* gaviota *f*.

seal [si:l] ◇ *n* - **1.** (*pl* **seal** OR **-s**) [animal] foca *f* - **2.** [official mark] sello *m*; **she has given it her seal of approval** le ha dado el visto bueno; **to put** OR **set the seal on sthg** sellar algo - **3.** [on bottle, meter] precinto *m*; [on letter] sello *m*. ◇ *vt* - **1.** [envelope] sellar, cerrar - **2.** [opening, tube, crack] tapar, cerrar. ◆ **seal off** *vt sep* [entrance, exit] cerrar; [area] acordonar.

sea level *n* nivel *m* del mar.

sea lion (*pl* **sea lion** OR **-s**) *n* león *m* marítimo.

seam [si:m] *n* - **1.** SEW costura *f* - **2.** [of coal] veta *f*.

seaman ['si:mən] (*pl* **-men** [-mən]) *n* marinero *m*.

seamy ['si:mɪ] *adj* sórdido(da).

séance ['seɪɒns] *n* sesión *f* de espiritismo.

seaplane ['si:pleɪn] *n* hidroavión *m*.

seaport ['si:pɔ:t] *n* puerto *m* de mar.

search [sɜ:tʃ] ◇ *n* [gen] búsqueda *f*; [of room, drawer] registro *m*; [of person] cacheo *m*; **search for sthg** búsqueda de algo; **in search of** en busca de. ◇ *vt* [gen] registrar; [one's mind] escudriñar; **to search sthg for sthg** buscar algo en algo. ◇ *vi*: **to search (for sthg/sb)** buscar (algo/a alguien); **he was searched at the airport** lo registraron en el aeropuerto.

search engine *n* COMPUT motor *m* de búsqueda.

searching ['sɜ:tʃɪŋ] *adj* [question] agudo(da); [look] penetrante.

searchlight ['sɜ:tʃlaɪt] *n* reflector *m*.

search party *n* equipo *m* de búsqueda.

search warrant *n* mandamiento *m* de registro.

seashell ['si:ʃel] *n* concha *f* (marina).

seashore ['si:ʃɔ:r] *n*: **the seashore** la orilla del mar.

seasick ['si:sɪk] *adj* mareado(da); **to be/feel seasick** estar/sentirse mareado(da).

seaside ['si:saɪd] *n*: **the seaside** la playa.

seaside resort *n* lugar *m* de veraneo (en la playa).

season ['si:zn] ◇ *n* - **1.** [of year] estación *f*; **the four seasons** las cuatro estaciones - **2.** [particular period] época *f*; **the planting season** la época de plantar; **the football season** la temporada futbolística; **the holiday season** la temporada de vacaciones; **to book a holiday out of season** reservar unas vacaciones fuera de temporada - **3.** [of fruit etc]: **out of/in season** fuera de/en sazón; **plums are in season** las ciruelas están en temporada - **4.** [of talks, films] temporada *f* - **5.** ZOOL: **to be in season** estar en celo. ◇ *vt* sazonar; **season to taste** sazonar a gusto; **season with salt and pepper** salpimentar.

seasonal ['si:zənl] *adj* [work] temporal; [change] estacional.

seasoned ['si:znd] *adj* [experienced] veterano(na); **to be a seasoned traveller** ser un viajero experimentado.

seasoning ['si:znɪŋ] *n* condimento *m*.

season ticket *n* abono *m*.

seat [si:t] ◇ *n* - **1.** [in room, on train] asiento *m*; **is this seat taken?** ¿está ocupado este asiento?; **take a seat, please** siéntese, por favor; **there only are a few seats left** sólo quedan unos pocos asientos - **2.** [of trousers, skirt] trasero *m* - **3.** POL [in parliament] escaño *m* - **4.** [centre] sede *f*; **the seat of government** la sede del gobierno. ◇ *vt* - **1.** [sit down] sentar; **be seated!** ¡siéntese! - **2.** [subj: building, vehicle] tener cabida para.

seat belt *n* cinturón *m* de seguridad.

seating ['si:tɪŋ] *n* (*U*) [capacity] asientos *mpl*.

seawater ['si:,wɔ:tər] *n* agua *f* de mar.

seaweed ['si:wi:d] *n* (*U*) alga *f* marina.

seaworthy ['si:,wɜ:ðɪ] *adj* en condiciones de navegar.

sec. (*abbr of* **second**) seg.

secede [sɪ'si:d] *vi fml*: **to secede (from sthg)** separarse (de algo).

secluded [sɪ'klu:dɪd] *adj* apartado(da).

seclusion [sɪ'klu:ʒn] *n* aislamiento *m*; **to live in seclusion** vivir aislado(da).

second ['sekənd] ◇ *n* - **1.** [of time] segundo *m*; **can you wait a second?** ¿podrías esperar un momento? - **2.** [second gear] segunda *f* - **3.** UK UNIV ≃ licenciatura *f* con notable. ◇ *num* segundo(da); **to ask for a second chance/opinion** pedir una segunda oportunidad/opinión; **Elizabeth the Second** Isabel II. ◇ *vt* secundar; *see also* **sixth**. ◆ **seconds**

npl - **1.** COMM artículos *mpl* defectuosos - **2.** [of food]: **to have seconds** repetir *(en una comida)*; **are there any seconds?** ¿se puede repetir?

secondary ['sekəndrı] *adj* - **1.** [SCH - school] secundario(ria); [- education] medio(dia) - **2.** [less important]: **to be secondary to** ser secundario(ria) a.

secondary school *n* escuela *f* de enseñanza media.

second-class ['sekənd-] ⋄ *adj* - **1.** [gen] de segunda clase; **to be a second-class citizen** ser un ciudadano de segunda (clase); **second-class mail** *servicio postal más barato y lento que el de primera clase* - **2.** UK UNIV: **second-class degree** *nota global de licenciatura equivalente a un notable o un aprobado alto.* ⋄ *adv*: **to travel second-class** viajar en segunda; **to send a letter second-class** *enviar una carta utilizando el correo de segunda clase.*

second hand ['sekənd-] *n* [of clock] segundero *m*.

second-hand ['sekənd-] ⋄ *adj* [goods, information] de segunda mano. ⋄ *adv* [not new] de segunda mano.

secondly ['sekəndlı] *adv* en segundo lugar.

secondment [sı'kɒndmənt] *n* UK traslado *m* temporal.

second-rate ['sekənd-] *adj pej* de segunda categoría, mediocre.

second thought ['sekənd-] *n*: **to have second thoughts about sthg** tener dudas acerca de algo; **on second thoughts** UK, **on second thought** US pensándolo bien.

secrecy ['si:krəsı] *n* (U) secreto *m*; **to be shrouded in secrecy** estar rodeado de un gran secreto.

secret ['si:krıt] ⋄ *adj* secreto(ta). ⋄ *n* secreto *m*; **in secret** en secreto; **to keep a secret** guardar un secreto; **to tell sb a secret** contar a alguien un secreto; **to make no secret of sthg** no ocultar algo; **the secret of happiness** la clave de la felicidad.

secretarial [,sekrə'teərıəl] *adj* [course, training] de secretariado; [staff] administrativo(va).

secretary [UK 'sekrətrı, US 'sekrə,terı] *n* - **1.** [gen] secretario *m*, -ria *f* - **2.** POL [minister] ministro *m*.

Secretary of State *n* - **1.** UK: **Secretary of State (for)** ministro *m* (de) - **2.** US ministro *m* estadounidense de Asuntos Exteriores.

secretive ['si:krətıv] *adj* [person] reservado(da); [organization] secreto(ta).

secretly ['si:krıtlı] *adv* [hope, think] secretamente; [tell] en secreto; **she was secretly pleased** aunque no lo expresara, estaba contenta.

sect [sekt] *n* secta *f*.

sectarian [sek'teərıən] *adj* sectario(ria).

section ['sekʃn] *n* sección *f*.

sector ['sektər] *n* sector *m*.

secular ['sekjʊlər] *adj* [education, life] laico(ca), secular; [music] profano(na).

secure [sı'kjʊər] ⋄ *adj* [gen] seguro(ra). ⋄ *vt* - **1.** [obtain] conseguir, obtener - **2.** [make safe] proteger - **3.** [fasten] cerrar bien.

security [sı'kjʊərətı] *n* - **1.** seguridad *f* - **2.** [for loan] garantía *f*. ◆ **securities** *npl* FIN valores *mpl*.

security guard *n* guardia *m* jurado OR de seguridad.

sedan [sı'dæn] *n* US (coche *m*) utilitario *m*.

sedate [sı'deıt] ⋄ *adj* sosegado(da). ⋄ *vt* sedar.

sedation [sı'deıʃn] *n* (U) sedación *f*; **to be under sedation** estar sedado(da).

sedative ['sedətıv] *n* sedante *m*.

sediment ['sedımənt] *n* sedimento *m*.

seduce [sı'dju:s] *vt*: **to seduce sb (into doing sthg)** seducir a alguien (a hacer algo).

seductive [sı'dʌktıv] *adj* seductor(ra).

see [si:] (*pt* saw, *pp* seen) ⋄ *vt* - **1.** [gen] ver - **2.** [visit - friend, doctor] ir a ver, visitar; **see you soon/later/tomorrow!** ¡hasta pronto/luego/mañana!; **see you!** ¡hasta luego!; **see below/p 10** véase más abajo/pág. 10 - **3.** [accompany]: **to see sb to the door** acompañar a alguien a la puerta - **4.** [make sure]: **to see (to it) that...** encargarse de que... ⋄ *vi* [gen] ver; [understand] entender; **I can't see** no veo; **to see if one can do sthg** ver si uno puede hacer algo; **let's see, let me see** vamos a ver, veamos; **you see...** verás, es que...; **I see** ya veo. ◆ **seeing as, seeing that** *conj inf* como. ◆ **see about** *vt insep* [arrange] encargarse de. ◆ **see off** *vt sep* - **1.** [say goodbye to] despedir - **2.** UK [chase away] ahuyentar. ◆ **see through** *vt insep* [person] ver claramente las intenciones de; **I can see right through her** veo claramente sus intenciones. ◆ **see to** *vt insep* ocuparse de.

seed [si:d] *n* [of plant] semilla *f*; **to go to seed** *fig* venirse abajo. ◆ **seeds** *npl fig* [of doubt] semilla *f*; [of idea] germen *m*.

seedling ['si:dlıŋ] *n* plantón *m*.

seedy ['si:dı] *adj* [room, area] sórdido(da); [person] desaliñado(da).

seek [si:k] (*pt & pp* sought) *fml vt* - **1.** [look for, try to obtain] buscar - **2.** [ask for] solicitar.

seem [si:m] ⋄ *vi* parecer; **it seems (to be) good** parece (que es) bueno; **I can't seem to do it** no puedo hacerlo (por mucho que lo intente). ⋄ *impers vb*: **it seems (that)** parece que; **it seems to me that** me parece que.

seemingly ['si:mıŋlı] *adv* aparentemente.

seen [si:n] *pp* ⊳ **see**.

seep [si:p] *vi* rezumar, filtrarse.

seesaw ['si:sɔ:] *n* balancín *m*.

seethe [si:ð] *vi* - **1.** [person] rabiar - **2.** [place]: **to be seething with** estar a rebosar de.

see-through *adj* transparente.

segment ['segmənt] *n* - **1.** [proportion, section] segmento *m* - **2.** [of fruit] gajo *m*.

segregate ['segrɪgeɪt] *vt* segregar.

Seine [seɪn] *n*: **the (River) Seine** el (río) Sena.

seize [si:z] *vt* - **1.** [grab] agarrar, coger - **2.** [capture - control, power, town] tomar, hacerse con - **3.** [arrest] detener - **4.** [take advantage of] aprovechar. ◆ **seize (up)on** *vt insep* valerse de. ◆ **seize up** *vi* agarrotarse.

seizure ['si:ʒər] *n* - **1.** MED ataque *m* - **2.** [taking, capturing] toma *f*.

seldom ['seldəm] *adv* raramente.

select [sɪ'lekt] ◇ *adj* selecto(ta). ◇ *vt* - **1.** [gen] elegir, escoger - **2.** [team & COMPUT] seleccionar.

selection [sɪ'lekʃn] *n* - **1.** [gen] selección *f* - **2.** [fact of being selected] elección *f* - **3.** [in shop] surtido *m*; **we have a wide selection of ties** tenemos una amplia selección de corbatas.

selective [sɪ'lektɪv] *adj* selectivo(va).

self [self] (*pl* **selves**) *n* uno mismo *m*, una misma *f*; **she's not her usual self** no estaba como de costumbre; **the self** el yo.

self-addressed stamped envelope [-ə,drest'stæmpt-] *n* US sobre con sus señas y franqueo.

self-assured *adj* seguro de sí mismo (segura de sí misma).

self-catering *adj* sin pensión; **a self-catering holiday/chalet** unas vacaciones/un chalet sin servicio de comidas.

self-centred [-'sentəd] *adj* egocéntrico(ca).

self-confessed [-kən'fest] *adj* confeso(sa).

self-confident *adj* [person] seguro de sí mismo (segura de sí misma); [attitude, remark] lleno(na) de seguridad.

self-conscious *adj* cohibido(da).

self-contained [-kən'teɪnd] *adj* independiente; **a self-contained flat** un apartamento independiente.

self-control *n* control *m* de sí mismo/misma.

self-defence *n* defensa *f* propia; **in self-defence** en defensa propia.

self-discipline *n* autodisciplina *f*.

self-employed [-ɪm'plɔɪd] *adj* autónomo(ma), que trabaja por cuenta propia.

self-esteem *n* amor *m* propio.

self-evident *adj* evidente, patente.

self-explanatory *adj* evidente.

self-government *n* autogobierno *m*.

self-important *adj pej* engreído(da).

self-indulgent *adj pej*: **a self-indulgent person** una persona autocomplaciente; **to be self-indulgent** ser autocomplaciente.

self-interest *n* (U) *pej* interés *m* propio.

selfish ['selfɪʃ] *adj* egoísta.

selfishness ['selfɪnɪs] *n* egoísmo *m*.

selfless ['selflɪs] *adj* desinteresado(da).

self-made *adj*: **a self-made man** un hombre hecho a sí mismo.

self-opinionated *adj pej* que siempre tiene que decir la suya.

self-pity *n pej* lástima *f* de uno mismo/una misma.

self-portrait *n* autorretrato *m*.

self-possessed [-pə'zest] *adj* dueño de sí mismo (dueña de sí misma).

self-raising flour UK [-,reɪzɪŋ-], **self-rising flour** US *n* harina *f* con levadura.

self-reliant *adj* independiente.

self-respect *n* amor *m* propio.

self-respecting [-rɪs'pektɪŋ] *adj* que se precie, digno(na); **no self-respecting person would eat this rubbish** nadie con un mínimo de dignidad se comería esa basura.

self-restraint *n* dominio *m* de sí mismo/misma.

self-righteous *adj pej* santurrón(ona).

self-rising flour US = **self-raising flour**.

self-sacrifice *n* abnegación *f*.

self-satisfied *adj pej* [person] satisfecho de sí mismo (satisfecha de sí misma); [smile] lleno(na) de suficiencia.

self-service *comp* de autoservicio; **a self-service restaurant** un autoservicio.

self-sufficient *adj*: **self-sufficient (in)** autosuficiente (en).

self-taught *adj* autodidacta.

sell [sel] ◇ *vt* (*pt & pp* **sold**) [gen] vender; **to sell sthg to sb, to sell sb sthg** vender algo a alguien; **to sell sthg for** vender algo por. ◇ *vi* (*pt & pp* **sold**) - **1.** [subj: businessman, firm] vender - **2.** [subj: merchandise] venderse; **this model sells well** este modelo se vende muy bien; **to sell (for OR at)** venderse (a). ◆ **sell off** *vt sep* liquidar. ◆ **sell out** ◇ *vt sep* [performance]: **to have sold out** estar agotado(da). ◇ *vi* - **1.** [shop]: **to sell out (of sthg)** agotar las existencias (de algo) - **2.** [be disloyal, unprincipled] venderse.

sell-by date *n* UK fecha *f* de caducidad; **to be past its sell-by date** haber caducado.

seller ['selər] *n* vendedor *m*, -ra *f*.

selling price *n* precio *m* de venta.

Sellotape® ['seləteɪp] *n* UK celo® *m*, cinta *f* Scotch® *Amér*.

sell-out *n* [performance, match] lleno *m*.

selves [selvz] *npl* ▷ **self**.

semaphore ['seməfɔːr] *n (U)* semáforo *m*.

semblance ['sembləns] *n fml* apariencia *f*.

semen ['siːmen] *n* semen *m*.

semester [sɪ'mestər] *n* semestre *m*.

semicircle ['semɪˌsɜːkl] *n* semicírculo *m*; **arranged in a semicircle** poner en semicírculo.

semicolon [ˌsemɪ'kəʊlən] *n* punto *m* y coma.

semidetached [ˌsemɪdɪ'tætʃt] <> *adj* adosado(da). <> *n UK* casa *f* adosada (a otra).

semifinal [ˌsemɪ'faɪnl] *n* semifinal *f*.

seminar ['semɪnɑːr] *n* seminario *m*.

seminary ['semɪnərɪ] *n* RELIG seminario *m*.

semiskilled [ˌsemɪ'skɪld] *adj* semicualificado(da).

semolina [ˌseməˈliːnə] *n* sémola *f*.

Senate ['senɪt] *n* POL: **the (United States) Senate** el Senado (de los Estados Unidos).

senator ['senətər] *n* senador *m*, -ra *f*.

send [send] (*pt* & *pp* **sent**) *vt* - **1.** [gen] mandar; **to send sb sthg, to send sthg to sb** mandar a alguien algo; **send me a postcard!** ¡mándame una postal!; **send them my best wishes** enviales saludos - **2.** [tell to go] enviar, mandar; **she sent her son to the shop for a newspaper** envió a su hijo a comprar un periódico en la tienda; **he was sent to prison** fue encarcelado. ◆ **send for** *vt insep* [person] mandar llamar a. ◆ **send in** *vt sep* mandar, enviar. ◆ **send off** *vt sep* - **1.** [by post] mandar (por correo) - **2.** SPORT expulsar. ◆ **send off for** *vt insep* [goods, information] pedir, encargar. ◆ **send up** *vt sep UK inf* [imitate] parodiar.

sender ['sendər] *n* remitente *mf*.

send-off *n* despedida *f*.

senile ['siːnaɪl] *adj* senil.

senior ['siːnjər] <> *adj* - **1.** [highest-ranking] superior, de rango superior - **2.** SCH [pupil] mayor; [class, common room] de los mayores; **senior year** *US* último curso de la enseñanza secundaria y de la universidad en Estados Unidos. <> *n* - **1.** [older person]: **I'm five years his senior** le llevo cinco años - **2.** SCH mayor *mf*.

senior citizen *n* ciudadano *m*, -na *f* de la tercera edad.

sensation [sen'seɪʃn] *n* sensación *f*; **to cause a sensation** causar sensación.

sensational [sen'seɪʃənl] *adj* [gen] sensacional.

sensationalist [sen'seɪʃnəlɪst] *adj pej* sensacionalista.

sense [sens] <> *n* - **1.** [faculty, meaning] sentido *m*; **to make sense of sthg** entender algo; **I can't make any sense of this** no entiendo esto - **2.** [feeling of guilt, terror] sentimiento *m*; [- of urgency] sensación *f*; [- of honour, duty] sentido *m* - **3.** [natural ability]: **business sense** talen-

to *m* para los negocios; **sense of humour/style** sentido *m* del humor/estilo - **4.** [wisdom, reason] juicio *m*, sentido *m* común; **there's no OR little sense in arguing** no tiene sentido discutir. <> *vt* sentir, percibir; **to sense (that)** percibir OR sentir que. ◆ **in a sense** *adv* en cierto sentido.

senseless ['senslɪs] *adj* - **1.** [stupid] sin sentido - **2.** [unconscious] inconsciente; **the blow knocked him senseless** el golpe lo dejó inconsciente.

sensibilities [ˌsensɪ'bɪlətɪz] *npl* [delicate feelings] sensibilidad *f*; **to offend sb's sensibilities** herir la sensibilidad de alguien.

sensible ['sensəbl] *adj* [person, decision] sensato(ta); [clothes] práctico(ca).

sensitive ['sensɪtɪv] *adj* - **1.** [understanding]: **sensitive (to)** comprensivo(va) (hacia) - **2.** [easily hurt, touchy]: **sensitive (to/about)** susceptible (a/acerca de) - **3.** [controversial] delicado(da) - **4.** [easily damaged, tender] sensible; **to have sensitive skin** tener la piel sensible; **sensitive to heat/light** sensible al calor/la luz - **5.** [responsive - instrument] sensible.

sensual ['sensjʊəl] *adj* sensual.

sensuous ['sensjʊəs] *adj* sensual.

sent [sent] *pt* & *pp* ▷ **send**.

sentence ['sentəns] <> *n* - **1.** [group of words] frase *f*, oración *f* - **2.** LAW sentencia *f*; **a prison sentence** una condena de cárcel. <> *vt*: **to sentence sb (to)** condenar a alguien (a); **he was sentenced to death/3 years** lo condenaron a muerte/3 años de cárcel.

sentiment ['sentɪmənt] *n* - **1.** [feeling] sentimiento *m* - **2.** [opinion] opinión *f*.

sentimental [ˌsentɪ'mentl] *adj* sentimental.

sentry ['sentrɪ] *n* centinela *m*.

separate <> *adj* ['seprət] - **1.** [not joined, apart]: **separate (from)** separado(da) (de) - **2.** [individual, distinct] distinto(ta). <> *vt* ['sepəreɪt] - **1.** [keep or move apart]: **to separate sthg/sb (from)** separar algo/a alguien (de) - **2.** [distinguish]: **to separate sthg/sb from** diferenciar algo/a alguien de - **3.** [divide]: **to separate sthg/sb into** dividir algo/a alguien en. <> *vi* ['sepəreɪt] - **1.** [gen]: **to separate (from)** separarse (de) - **2.** [divide]: **to separate (into)** dividirse (en). ◆ **separates** *npl UK* piezas *fpl* (de vestir que combinan).

separately ['seprətlɪ] *adv* - **1.** [on one's own] independientemente - **2.** [one by one] por separado.

separation [ˌsepə'reɪʃn] *n* separación *f*.

September [sep'tembər] *n* septiembre *m*, setiembre *m*; **1 September 1992** [in letters etc] 1 de septiembre de 1992; **by/in September** para/en septiembre; **last/this/next September** en septiembre del año pasado/de este año/del que viene; **every September** todos los

años en septiembre; **during September** en septiembre, durante el mes de septiembre; **at the beginning/end of September** a principios/finales de septiembre; **in the middle of September** a mediados de septiembre.

septic ['septɪk] *adj* séptico(ca).

septic tank *n* fosa *f* séptica.

sequel ['siːkwəl] *n* - 1. [book, film] **sequel (to)** continuación *f* (de) - 2. [consequence]: **sequel (to)** secuela *f* (de).

sequence ['siːkwəns] *n* - 1. [series] sucesión *f* - 2. [order, of film] secuencia *f*.

Serb = Serbian.

Serbia ['sɜːbjə] *n* Serbia.

Serbian ['sɜːbjən], **Serb** [sɜːb] <> *adj* serbio(bia). <> *n* - 1. [person] serbio *m*, -bia *f* - 2. [dialect] serbio *m*.

serene [sɪˈriːn] *adj* sereno(na).

sergeant ['sɑːdʒənt] *n* - 1. MIL sargento *m* - 2. [in police] ≃ subinspector *m* de policía.

sergeant major *n* sargento *m* mayor.

serial ['sɪərɪəl] *n* serial *m*.

serial cable *n* COMPUT cable *m* de serie.

serial number *n* número *m* de serie.

series ['sɪəriːz] (*pl* **series**) *n* serie *f*; **a series of disasters** una serie de catástrofes; **a TV series** una serie televisiva.

serious ['sɪərɪəs] *adj* - 1. [gen] serio(ria); **are you serious?** ¿hablas en serio? - 2. [very bad] grave.

seriously ['sɪərɪəslɪ] *adv* - 1. [honestly] en serio - 2. [very badly] gravemente; **to be seriously ill** estar gravemente enfermo - 3. [in a considered, earnest, solemn manner] seriamente ▸▸▸ **to take sthg/sb seriously** tomar algo/a alguien en serio.

seriousness ['sɪərɪəsnɪs] *n* - 1. [gravity] gravedad *f* - 2. [solemnity] seriedad *f*.

sermon ['sɜːmən] *n pej* & RELIG sermón *m*.

serrated [sɪˈreɪtɪd] *adj* dentado(da).

servant ['sɜːvənt] *n* sirviente *m*, -ta *f*.

serve [sɜːv] <> *vt* - 1. [work for] servir - 2. [have effect]: **to serve to do sthg** servir para hacer algo - 3. [fulfil]: **to serve a purpose** cumplir un propósito - 4. [provide for] abastecer - 5. [food, drink]: **to serve sthg to sb, to serve sb sthg** servir algo a alguien; **dinner will be served at 8** la cena será servida a las 8 - 6. [customer] despachar, servir; **are you being served?** ¿lo atienden? - 7. LAW: **to serve sb with sthg, to serve sthg on sb** entregar a alguien algo - 8. [prison sentence] cumplir; [apprenticeship] hacer; [term of office] ejercer - 9. SPORT servir, sacar ▸▸▸ **that serves you right!** ¡bien merecido lo tienes! <> *vi* - 1. [work, give food or drink] servir - 2. [function]: **to serve as** servir de - 3. [in shop, bar etc] despachar - 4. SPORT sacar. <> *n* saque *m*. ▸ **serve out, serve up** *vt sep* servir.

service ['sɜːvɪs] <> *n* - 1. [gen] servicio *m*; **in service** en funcionamiento; **out of service** fuera de servicio; **bus/train service** servicio de autobús/tren - 2. [mechanical check] revisión *f* - 3. RELIG oficio *m*, servicio *m*; **to hold a service** celebrar un oficio - 4. [set - of plates etc] servicio *m*, juego *m*; **dinner service** servicio de mesa - 5. SPORT saque *m* - 6. [use]: **to be of service (to sb)** servir (a alguien); **to do sb a service** hacer un favor a alguien. <> *vt* [car, machine] revisar. ▸ **services** *npl* - 1. [on motorway] área *f* de servicios - 2. [armed forces]: **the services** las fuerzas armadas - 3. [efforts, work] servicios *mpl*.

serviceable ['sɜːvɪsəbl] *adj* útil, práctico(ca).

service area *n* área *f* de servicios.

service charge *n* servicio *m*.

serviceman ['sɜːvɪsmən] (*pl* -men [-mən]) *n* militar *m*.

service provider *n* proveedor *m* de servicios.

service station *n* estación *f* de servicio.

serviette [ˌsɜːvɪˈet] *n* servilleta *f*.

serving dish *n* fuente *f*.

serving spoon *n* cuchara *f* de servir.

sesame ['sesəmɪ] *n* sésamo *m*.

session ['seʃn] *n* - 1. [gen] sesión *f*; **in session** en sesión - 2. *US* [school term] trimestre *m*.

set [set] <> *adj* - 1. [fixed - expression, amount] fijo(ja); [- pattern, method] establecido(da) - 2. *UK* SCH [text etc] asignado(da) - 3. [ready, prepared]: **set (for sthg/to do sthg)** listo(ta) (para algo/para hacer algo). <> *n* - 1. [collection - gen] juego *m*; [- of stamps] serie *f* - 2. [TV, radio] aparato *m* - 3. THEAT decorado *m*; CIN plató *m* - 4. TENNIS set *m* - 5. [hairdressing] marcado *m*. <> *vt* (*pt* & *pp* set) - 1. [position, place] poner, colocar - 2. [fix, insert]: **to set sthg in** OR **into** montar algo en - 3. [cause to be or start]: **to set free** poner en libertad; **to set fire to** prender fuego a; **to set sb thinking** hacer pensar a alguien - 4. [trap, table, essay] poner - 5. [alarm, meter] poner - 6. [time, wage] fijar - 7. [example] dar; **to set a good example** dar ejemplo; [precedent] sentar; [trend] imponer, dictar - 8. [target] fijar - 9. MED [bones, leg] componer - 10. [book, play, film] situar, ambientar; **the series is set in London** la serie está ambientada en Londres. <> *vi* (*pt* & *pp* set) - 1. [sun] ponerse - 2. [jelly] cuajarse; [glue, cement] secarse. ▸ **set about** *vt insep* [start - task] comenzar; [- problem] atacar; **to set about doing sthg** ponerse a hacer algo. ▸ **set aside** *vt sep* - 1. [keep, save] reservar - 2. [dismiss - enmity, differences] dejar de lado. ▸ **set back** *vt sep*

[delay] retrasar. ◆ **set off** ◇ *vt sep* - **1.** [initiate, cause] provocar - **2.** [ignite - bomb] hacer estallar. ◇ *vi* ponerse en camino. ◆ **set out** ◇ *vt sep* - **1.** [arrange] disponer - **2.** [explain] exponer. ◇ *vi* - **1.** [on journey] ponerse en camino - **2.** [intend]: **to set out to do sthg** proponerse a hacer algo. ◆ **set up** *vt sep* - **1.** [business] poner, montar; [committee, organization] crear; [procedure] establecer; [interview, meeting] organizar; **to set up house OR home** instalarse - **2.** [statue, roadblock] levantar - **3.** [prepare for use] preparar - **4.** *inf* [frame] tender una trampa a.

setback ['setbæk] *n* revés *m*, contratiempo *m*.

set menu *n* menú *m* del día.

settee [se'ti:] *n* sofá *m*.

setting ['setɪŋ] *n* - **1.** [surroundings] escenario *m* - **2.** [of dial, control] posición *f*.

settle ['setl] ◇ *vt* - **1.** [conclude, decide] resolver; **that settles it, she can move out!** ¡no se hable más, que se vaya! - **2.** [pay] ajustar, saldar - **3.** [calm - nerves] tranquilizar; **this should settle your stomach** esto te asentará el estómago. ◇ *vi* - **1.** [stop travelling] instalarse - **2.** [make o.s. comfortable] acomodarse - **3.** [dust, sediment] depositarse; **the snow has settled** la nieve ha cuajado - **4.** [calm down - person] calmarse. ◆ **settle down** *vi* - **1.** [concentrate on]: **to settle down (for sthg/to do sthg)** prepararse (para algo) - **2.** [become respectable] sentar la cabeza - **3.** [calm oneself] calmarse. ◆ **settle for** *vt insep* conformarse con. ◆ **settle in** *vi* [in new home] instalarse; [in new job] adaptarse. ◆ **settle on** *vt insep* [choose] decidirse por. ◆ **settle up** *vi*: **to settle up (with sb)** ajustar las cuentas (con alguien).

settlement ['setlmənt] *n* - **1.** [agreement] acuerdo *m* - **2.** [village] poblado *m*.

settler ['setlər] *n* colono *m*.

set-up *n* *inf* - **1.** [system, organization] sistema *m* - **2.** [frame, trap] trampa *f*.

seven ['sevn] *num* siete; *see also* **six**.

seventeen [,sevn'ti:n] *num* diecisiete; *see also* **six**.

seventeenth [,sevn'ti:nθ] *num* decimoséptimo(ma); *see also* **sixth**.

seventh ['sevnθ] *num* séptimo(ma); *see also* **sixth**.

seventy ['sevntɪ] *num* setenta; *see also* **sixty**.

sever ['sevər] *vt* - **1.** [cut through] cortar - **2.** [finish completely] romper.

several ['sevrəl] ◇ *adj* varios(rias). ◇ *pron* varios *mpl*, -rias *f*.

severance ['sevrəns] *n fml* ruptura *f*.

severance pay *n* despido *m*.

severe [sɪ'vɪər] *adj* [gen] severo(ra); [pain] fuerte, agudo(da).

severity [sɪ'verətɪ] *n* [gen] gravedad *f*; [of shortage, problem] severidad *f*.

sew [səʊ] *vt & vi* (UK *pp* **sewn**, US *pp* **sewed OR sewn**) coser. ◆ **sew up** *vt sep* [cloth] coser.

sewage ['su:ɪdʒ] *n* (U) aguas *fpl* residuales.

sewer ['suər] *n* alcantarilla *f*, cloaca *f*.

sewing ['səʊɪŋ] *n* (U) - **1.** [activity] labor *f* de costura - **2.** [items] costura *f*.

sewing machine *n* máquina *f* de coser.

sewn [səʊn] *pp* ▷ **sew**.

sex [seks] *n* sexo *m*; **to have sex** tener relaciones sexuales.

sexist ['seksɪst] ◇ *adj* sexista. ◇ *n* sexista *mf*.

sexual ['sekʃʊəl] *adj* sexual.

sexual harassment *n* acoso *m* sexual.

sexual intercourse *n* (U) relaciones *fpl* sexuales.

sexy ['seksɪ] *adj inf* sexi *(inv)*.

shabby ['ʃæbɪ] *adj* - **1.** [clothes, briefcase] desastrado(da); [street] de aspecto abandonado - **2.** [person] andrajoso(sa).

shack [ʃæk] *n* chabola *f*.

shackle ['ʃækl] *vt* [enchain] poner grilletes a. ◆ **shackles** *npl* [metal rings] grilletes *mpl*.

shade [ʃeɪd] ◇ *n* - **1.** (U) [shadow] sombra *f*; **in the shade** a la sombra - **2.** [lampshade] pantalla *f* - **3.** [of colour, meaning] matiz *m* - **4.** US [blind] persiana *f* - **5.** [little bit]: **a shade too big** un poquito grande. ◇ *vt* [from light] dar sombra a; **the car was shaded from the sun** el coche estaba protegido del sol. ◆ **shades** *npl inf* [sunglasses] gafas *fpl* de sol.

shadow ['ʃædəʊ] ◇ *n* - **1.** [dark shape, form] sombra *f* - **2.** [darkness] oscuridad *f* ▶▶ **there's not a OR the shadow of a doubt** no hay la menor duda; **to be scared of your own shadow** tener miedo hasta de su propia sombra. ◇ *vt* [subj: detective] seguir.

shadow cabinet *n* gobierno *m* en la sombra *(directiva del principal partido de la oposición en Gran Bretaña)*.

shadowy ['ʃædəʊɪ] *adj* - **1.** [dark] sombrío(a) - **2.** [hard to see] vago(ga).

shady ['ʃeɪdɪ] *adj* - **1.** [sheltered from sun] sombreado(da) - **2.** *inf* [dishonest - businessman] sospechoso(sa); [- deal] turbio(bia).

shaft [ʃɑ:ft] *n* - **1.** [vertical passage] pozo *m* - **2.** [of lift] hueco *m* - **3.** [tech - rod] eje *m* - **4.** [of light] rayo *m* - **5.** [of spear] asta *f*.

shaggy ['ʃægɪ] *adj* [dog] peludo(da).

shake [ʃeɪk] ◇ *vt* (*pt* **shook**, *pp* **shaken** ['ʃeɪkən]) - **1.** [move vigorously] sacudir; **to shake sb's hand** dar OR estrechar la mano a

alguien; **to shake hands** darse OR estrecharse la mano; **he shook hands with her** le dio la mano; **to shake one's head** [in refusal] negar con la cabeza; [in disbelief] mover la cabeza mostrando incredulidad; **he shook his fist at them** amenazar a alguien con el puño - **2.** [bottle, aerosol] agitar; **shake well before using** agitar antes de usar - **3.** [shock] trastornar, conmocionar; **the disaster which shook the city** el desastre que sacudió la ciudad. ◇ *vi* (*pt* **shook**, *pp* **shaken** ['ʃeɪkən]) - **1.** [tremble] temblar; **to shake with fear** temblar de miedo - **2.** *inf* [shake hands]: **let's shake on it** venga esa mano. ➡ **shake off** *vt sep* [pursuer] deshacerse de; [cold] quitarse de encima; [illness] superar. ➡ **shake up** *vt sep* [contents of bottle etc] agitar; [organisation] restructurar, reorganizar; [person]: **she wasn't hurt, just a bit shaken up** no resultó herida, sólo un poco conmocionada.

shaken ['ʃeɪkn] *pp* ▷ **shake**.

shaky ['ʃeɪkɪ] *adj* - **1.** [weak, nervous] tembloroso(sa); **to feel shaky** encontrarse nervioso - **2.** [unconfident, insecure - start] incierto(ta); [- argument] poco sólido(da) - **3.** [wobbly - chair, table] inestable; [- handwriting] tembloroso(sa).

shall (*weak form* [ʃəl], *strong form* [ʃæl]) *aux vb* - **1.** (*1st person sing, 1st person pl*) [to express future tense]: **we shall be there tomorrow** mañana estaremos ahí; **I shan't be home till ten** no estaré en casa hasta las diez - **2.** (*esp 1st person sing & 1st person pl*) [in questions]: **shall we go for a walk?** ¿vamos a dar una vuelta?; **shall I give her a ring?** ¿la llamo?; **I'll do that, shall I?** hago esto, ¿vale? - **3.** [in orders]: **you shall do as I tell you!** ¡harás lo que yo te diga!; **no one shall leave until I say so** que nadie salga hasta que yo lo diga.

shallow ['ʃæləʊ] *adj* - **1.** [in size] poco profundo(da) - **2.** *pej* [superficial] superficial.

sham [ʃæm] ◇ *n* farsa *f*. ◇ *vi* fingir.

shambles ['ʃæmblz] *n* desbarajuste *m*, follón *m*.

shame [ʃeɪm] ◇ *n* - **1.** (U) [remorse] vergüenza *f*, pena *f* Andes, Amér C & Méx - **2.** [dishonour]: **to bring shame on** OR **upon sb** deshonrar a alguien - **3.** [pity]: **what a shame!** ¡qué pena OR lástima!; **it's a shame** es una pena OR lástima. ◇ *vt* - **1.** [fill with shame] avergonzar, apenar Andes, Amér C & Méx - **2.** [force by making ashamed]: **to shame sb into doing sthg** conseguir que alguien haga algo avergonzándole OR avergonzándolo Amér.

shamefaced [ˌʃeɪmˈfeɪst] *adj* avergonzado(da).

shameful ['ʃeɪmfʊl] *adj* vergonzoso(sa).

shameless ['ʃeɪmlɪs] *adj* desvergonzado(da).

shampoo [ʃæmˈpuː] ◇ *n* (*pl* **-s**) [liquid] champú *m*. ◇ *vt* lavar (con champú).

shamrock ['ʃæmrɒk] *n* trébol *m*.

shandy ['ʃændɪ] *n* cerveza *f* con gaseosa, clara *f*.

shan't [ʃɑːnt] (*abbr of* shall not) ▷ **shall**.

shantytown ['ʃæntɪtaʊn] *n* barrio *m* de chabolas, cantegril *m* Amér.

shape [ʃeɪp] ◇ *n* - **1.** [form] forma *f*; **it's oval in shape** tenía forma ovalada; **biscuits in the shape of stars** galletas con forma de estrellas - **2.** [silhouette] figura *f* - **3.** [structure] configuración *f*; **to take shape** tomar forma - **4.** [form, health]: **to be in good/bad shape** [person] estar/no estar en forma; [business etc] estar en buen/mal estado; **to get back in shape** ponerse en forma; **to lick** OR **knock sb into shape** poner a alguien a punto. ◇ *vt* - **1.** [mould]: **to shape sthg (into)** dar a algo forma (de) - **2.** [cause to develop] desarrollar. ➡ **shape up** *vi* [develop] desarrollarse.

-shaped ['ʃeɪpt] *suffix*: **egg/star-shaped** en forma de huevo/estrella.

shapeless ['ʃeɪplɪs] *adj* sin forma.

shapely ['ʃeɪplɪ] *adj* bien hecho(cha).

share [ʃeəʳ] ◇ *n* - **1.** [portion]: **share (of** OR **in)** parte *f* (de) - **2.** [contribution, quota]: **to have/do one's share of sthg** tener/hacer la parte que a uno le toca de algo. ◇ *vt* [gen]: **to share sthg (with)** compartir algo (con); **we share a love of opera** nos une la pasión por la ópera. ◇ *vi* compartir. ➡ **shares** *npl* acciones *fpl*. ➡ **share out** *vt sep* repartir, distribuir.

shareholder ['ʃeəˌhəʊldəʳ] *n* accionista *mf*.

shark [ʃɑːk] (*pl* **shark** OR **-s**) *n* tiburón *m*; *fig* estafador *m*, -ra *f*.

sharp [ʃɑːp] ◇ *adj* - **1.** [not blunt] afilado(da) - **2.** [well-defined - outline] definido(da); [- photograph] nítido(da); [- contrast] marcado(da) - **3.** [intelligent, keen - person] listo(ta); [- eyesight] penetrante; [- hearing] fino(na); [- intelligence] vivo(va) - **4.** [abrupt, sudden] brusco(ca) - **5.** [quick, firm - blow] seco(ca) - **6.** [angry, severe] cortante - **7.** [piercing, acute - sound, cry, pain] agudo(da); [- cold, wind] penetrante - **8.** [acid] ácido(da) - **9.** MUS desafinado(da); **F sharp** fa *m* sostenido. ◇ *adv* - **1.** [punctually]: **at seven o'clock sharp** a las siete en punto - **2.** [quickly, suddenly] bruscamente. ◇ *n* MUS sostenido *m*.

sharpen ['ʃɑːpn] *vt* - **1.** [make sharp] afilar; [pencil] sacar punta a - **2.** [make keener, quicker, greater] agudizar.

sharpener ['ʃɑːpnəʳ] *n* [for pencils] sacapuntas *m inv*; [for knives] afilador *m*.

sharp-eyed [-ˈaɪd] *adj* perspicaz.

sharply ['ʃɑːplɪ] *adv* - **1.** [distinctly] claramente - **2.** [suddenly] repentinamente - **3.** [harshly] duramente.

shat [ʃæt] *pt* & *pp* ⊳ **shit**.

shatter ['ʃætər] ◇ *vt* - **1.** [smash] hacer añicos - **2.** [hopes etc] echar por tierra. ◇ *vi* hacerse añicos.

shattered ['ʃætəd] *adj* - **1.** [shocked, upset] destrozado(da) - **2.** *UK inf* [very tired] hecho(cha) polvo.

shave [ʃeɪv] ◇ *n* afeitado *m*; **to have a shave** afeitarse. ◇ *vt* - **1.** [face, body] afeitar - **2.** [cut pieces off] raspar. ◇ *vi* afeitarse.

shaver ['ʃeɪvər] *n* maquinilla *f* (de afeitar) eléctrica.

shaving brush ['ʃeɪvɪŋ-] *n* brocha *f* de afeitar.

shaving cream ['ʃeɪvɪŋ-] *n* crema *f* de afeitar.

shaving foam ['ʃeɪvɪŋ-] *n* espuma *f* de afeitar.

shavings ['ʃeɪvɪŋz] *npl* virutas *fpl*.

shawl [ʃɔːl] *n* chal *m*.

she [ʃiː] ◇ *pers pron* - **1.** [referring to woman, girl, animal] ella; **she's tall** es alta; **I don't like it, but she does** no me gusta, pero a ella sí; **she can't do it** ella no puede hacerlo; **there she is** allí está - **2.** [referring to boat, car, country]: **she's a fine ship** es un buen barco. ◇ *comp*: **she-elephant** elefanta *f*; **she bear** osa *f*.

sheaf [ʃiːf] (*pl* **sheaves**) *n* - **1.** [of papers, letters] fajo *m* - **2.** [of corn, grain] gavilla *f*.

shear [ʃɪər] *vt* (*pp* **-ed** OR **shorn**) [sheep] esquilar. ⬥ **shears** *npl* [for garden] tijeras *fpl* de podar. ⬥ **shear off** *vi* romperse.

sheath [ʃiːθ] (*pl* **-s**) *n* - **1.** [covering for knife] vaina *f* - **2.** *UK* [condom] preservativo *m*.

sheaves [ʃiːvz] *npl* ⊳ **sheaf**.

shed [ʃed] ◇ *n* cobertizo *m*. ◇ *vt* (*pt* & *pp* **shed**) - **1.** [skin] mudar de; [leaves] despojarse de - **2.** [discard] deshacerse de - **3.** [accidentally lose]: **a lorry has shed its load on the M1** un camión ha perdido su carga en la M1 - **4.** [tears, blood] derramar.

she'd (*weak form* [ʃɪd], *strong form* [ʃiːd]) - **1.** (*abbr of* she had) ⊳ **have** - **2.** (*abbr of* she would) ⊳ **would**.

sheen [ʃiːn] *n* brillo *m*, lustre *m*.

sheep [ʃiːp] (*pl* **sheep**) *n* [animal] oveja *f*.

sheepdog ['ʃiːpdɒg] *n* perro *m* pastor.

sheepish ['ʃiːpɪʃ] *adj* avergonzado(da).

sheepskin ['ʃiːpskɪn] *n* piel *f* de carnero.

sheer [ʃɪər] *adj* - **1.** [absolute] puro(ra) - **2.** [very steep - cliff] escarpado(da); [- drop] vertical - **3.** [tights] transparente.

sheet [ʃiːt] *n* - **1.** [for bed] sábana *f* - **2.** [of paper] hoja *f* - **3.** [of glass, metal, wood] lámina *f*.

sheik(h) [ʃeɪk] *n* jeque *m*.

shelf [ʃelf] (*pl* **shelves**) *n* estante *m*; **it's on the top shelf** está en el estante de arriba.

shell [ʃel] ◇ *n* - **1.** [of egg, nut] cáscara *f* - **2.** [of tortoise, crab] caparazón *m*; [of snail, mussels] concha *f* - **3.** [on beach] concha *f* - **4.** [of building] esqueleto *m*; [of boat] casco *m*; [of car] armazón *m*, chasis *m* *inv* - **5.** MIL [missile] proyectil *m*. ◇ *vt* - **1.** [peas] desvainar; [nuts, eggs] quitar la cáscara a - **2.** MIL [fire shells at] bombardear.

she'll [ʃiːl] - **1.** (*abbr of* she will) ⊳ **will** - **2.** (*abbr of* she shall) ⊳ **shall**.

shellfish ['ʃelfɪʃ] (*pl* **shellfish**) *n* - **1.** [creature] crustáceo *m* - **2.** (*U*) [food] mariscos *mpl*.

shell suit *n* *UK* chandal *m* (de nailon).

shelter ['ʃeltər] ◇ *n* [building, protection] refugio *m*; **to seek shelter** buscar refugio; **to take shelter (from)** refugiarse (de); **to run for shelter** correr a refugiarse; **nuclear shelter** refugio nuclear; **bus shelter** marquesina *f*. ◇ *vt* - **1.** [protect]: **to be sheltered by/from** estar protegido(da) por/de - **2.** [provide place to live for] dar asilo OR cobijo a - **3.** [hide] proteger, esconder. ◇ *vi*: **to shelter from/in** resguardarse de/en, protegerse de/en.

sheltered ['ʃeltəd] *adj* [place, existence] protegido(da).

shelve [ʃelv] *vt* dar carpetazo a.

shelves [ʃelvz] *npl* ⊳ **shelf**.

shepherd ['ʃepəd] ◇ *n* pastor *m*. ◇ *vt* *fig* acompañar.

shepherd's pie ['ʃepədz-] *n* carne picada cubierta de puré de patatas.

sheriff ['ʃerɪf] *n* sheriff *m*.

sherry ['ʃerɪ] *n* jerez *m*.

she's [ʃiːz] - **1.** (*abbr of* she is) ⊳ **be** - **2.** (*abbr of* she has) ⊳ **have**.

Shetland ['ʃetlənd] *n*: **(the) Shetland (Islands)** las islas Shetland.

shield [ʃiːld] ◇ *n* [armour, sports trophy] escudo *m*. ◇ *vt*: **to shield sb (from)** proteger a alguien (de).

shift [ʃɪft] ◇ *n* - **1.** [slight change] cambio *m*; **a shift in sthg** un cambio en algo - **2.** [period of work, workers] turno *m*; **the night shift** el turno de noche. ◇ *vt* - **1.** [furniture etc] cambiar de sitio, mover - **2.** [attitude, belief] cambiar de. ◇ *vi* - **1.** [person] moverse; [wind, opinion] cambiar - **2.** *US* AUT cambiar de marcha.

shiftless ['ʃɪftlɪs] *adj* vago(ga).

shifty ['ʃɪftɪ] *adj* *inf* [person] con pinta deshonesta; [behaviour] sospechoso(sa); [look] huidizo(za).

shilling ['ʃɪlɪŋ] *n* chelín *m*.

shilly-shally ['ʃɪlɪˌʃælɪ] (*pt* & *pp* **-ied**) *vi* titubear, vacilar.

shimmer ['ʃɪmər] *vi* rielar, brillar con luz trémula.

shin [ʃɪn] *n* espinilla *f*.

shinbone ['ʃɪnbəʊn] *n* espinilla *f*.

shine [ʃaɪn] ◇ *n* brillo *m*. ◇ *vt* (*pt & pp* shone) [torch, lamp] dirigir; **she shone a torch into his eyes** la enfocó en los ojos con una linterna. ◇ *vi* (*pt & pp* shone) [gen] brillar.

shingle ['ʃɪŋgl] *n* - **1.** (*U*) [on beach] guijarros *mpl* - **2.** *US* [nameplate] placa *f* con el nombre; **to hang out one's shingle** abrir un despacho/consultorio. ◆ **shingles** *n* (*U*) herpes *m inv*.

shin pad *n* espinillera *f*.

ship [ʃɪp] ◇ *n* barco *m*, buque *m*. ◇ *vt* enviar por barco.

shipbuilding ['ʃɪp,bɪldɪŋ] *n* construcción *f* naval.

shipment ['ʃɪpmənt] *n* envío *m*.

shipper ['ʃɪpər] *n* compañía *f* naviera.

shipping ['ʃɪpɪŋ] *n* (*U*) - **1.** [transport] envío *m*, transporte *m* - **2.** [ships] barcos *mpl*, buques *mpl*.

shipshape ['ʃɪpʃeɪp] *adj* en orden.

shipwreck ['ʃɪprek] ◇ *n* - **1.** [destruction of ship] naufragio *m* - **2.** [wrecked ship] barco *m* náufrago. ◇ *vt*: **to be shipwrecked** naufragar.

shipyard ['ʃɪpjɑːd] *n* astillero *m*.

shire [ʃaɪər] *n* [county] condado *m*.

shirk [ʃɜːk] *vt* eludir.

shirt [ʃɜːt] *n* camisa *f*.

shirtsleeves ['ʃɜːtsliːvz] *npl*: **to be in (one's) shirtsleeves** ir en mangas de camisa.

shit [ʃɪt] *vulg* ◇ *n* - **1.** [excrement] mierda *f* - **2.** (*U*) [nonsense] gilipolleces *fpl*. ◇ *vi* (*pt & pp* shit, -ted OR shat) cagar. ◇ *excl* ¡mierda!

shiver ['ʃɪvər] ◇ *n* escalofrío *m*; **to give sb the shivers** dar escalofríos a alguien; **it sent shivers down her spine** le puso los pelos de punta. ◇ *vi*: **to shiver (with)** [fear] temblar OR estremecerse (de); [cold] tiritar (de).

shoal [ʃəʊl] *n* banco *m*.

shock [ʃɒk] ◇ *n* - **1.** [unpleasant surprise, reaction, emotional state] susto *m*; **it came as a shock** fue un duro golpe - **2.** (*U*) MED: **to be suffering from shock, to be in shock** estar en un estado de choque - **3.** [impact] choque *m* - **4.** [electric shock] descarga *f* OR sacudida *f* (eléctrica); **to get a shock from sthg** recibir una descarga de algo. ◇ *vt* - **1.** [upset] conmocionar - **2.** [offend] escandalizar.

shock absorber [-əb,zɔːbər] *n* amortiguador *m*.

shocking ['ʃɒkɪŋ] *adj* - **1.** [very bad] pésimo(ma) - **2.** [behaviour, film] escandaloso(sa); [price] de escándalo.

shod [ʃɒd] ◇ *pt & pp* ▷ **shoe**. ◇ *adj* calzado(da).

shoddy ['ʃɒdɪ] *adj* [work] chapucero(ra); [goods] de pacotilla; *fig* [treatment] vil, despreciable.

shoe [ʃuː] ◇ *n* zapato *m*. ◇ *vt* (*pt & pp* shod OR shoed, *cont* shoeing) herrar.

shoebrush ['ʃuːbrʌʃ] *n* cepillo *m* para los zapatos.

shoehorn ['ʃuːhɔːn] *n* calzador *m*.

shoelace ['ʃuːleɪs] *n* cordón *m* del zapato.

shoe polish *n* betún *m*.

shoe shop *n* zapatería *f*.

shoestring ['ʃuːstrɪŋ] *n fig*: **on a shoestring** con cuatro cuartos, con muy poco dinero.

shone [ʃɒn] *pt & pp* ▷ **shine**.

shoo [ʃuː] ◇ *vt* [animal] espantar, ahuyentar; **he shooed the cat away** echó al gato; [person] mandar a otra parte. ◇ *excl* ¡fuera!

shook [ʃʊk] *pt* ▷ **shake**.

shoot [ʃuːt] ◇ *n* - **1.** *UK* [hunting expedition] cacería *f* - **2.** [new growth] brote *m*, retoño *m*. ◇ *vt* (*pt & pp* shot) - **1.** [fire gun at] disparar contra, abalear *Andes, Amér C & Ven*; [injure] herir a tiros; [kill] matar a tiros; **to shoot o.s.** pegarse un tiro; **he was shot in the leg** le dispararon en la pierna; **to shoot the breeze** *US* estar de cháchara - **2.** *UK* [hunt] cazar - **3.** [arrow] disparar - **4.** CIN rodar, filmar. ◇ *vi* (*pt & pp* shot) - **1.** [fire gun]: **to shoot (at)** disparar (contra); **don't shoot!** ¡no dispare! - **2.** *UK* [hunt] cazar - **3.** [move quickly]: **to shoot in/out/past** entrar/salir/pasar disparado(da) - **4.** CIN rodar, filmar - **5.** SPORT chutar; **he shot at goal** chutó a puerta. ◆ **shoot down** *vt sep* - **1.** [plane] derribar - **2.** [person] matar a tiros. ◆ **shoot up** *vi* - **1.** [child, plant] crecer rápidamente - **2.** [prices] dispararse.

shooting ['ʃuːtɪŋ] *n* - **1.** [killing] asesinato *m* (a tiros) - **2.** (*U*) [hunting] caza *f*, cacería *f*.

shooting star *n* estrella *f* fugaz.

shop [ʃɒp] ◇ *n* [store] tienda *f*. ◇ *vi* comprar; **to go shopping** ir de compras.

shop assistant *n UK* dependiente *m*, -ta *f*.

shop floor *n*: **the shop floor** el personal, los obreros.

shopkeeper ['ʃɒp,kiːpər] *n* tendero *m*, -ra *f*.

shoplifting ['ʃɒp,lɪftɪŋ] *n* (*U*) robo *m* en una tienda.

shopper ['ʃɒpər] *n* comprador *m*, -ra *f*.

shopping ['ʃɒpɪŋ] *n* (*U*) - **1.** [purchases] compras *fpl* - **2.** [act of shopping] compra *f*; **to do some/the shopping** hacer algunas compras/la compra.

shopping bag *n* bolsa *f* de la compra.

shopping basket *n* UK - **1.** [in supermarket] cesta *f* - **2.** [for online shopping] cesta *f* de la compra.

shopping cart *n* US - **1.** [in supermarket] carrito *m* de la compra - **2.** [for online shopping] cesta *f* de la compra.

shopping centre UK, **shopping mall** US, **shopping plaza** US [-ˌplɑːzə] *n* centro *m* comercial.

shopsoiled UK ['ʃɒpsɔɪld], **shopworn** US ['ʃɒpwɔːn] *adj* deteriorado(da).

shop steward *n* enlace *mf* sindical.

shopwindow [ˌʃɒp'wɪndəʊ] *n* escaparate *m*.

shopworn US = **shopsoiled**.

shore [ʃɔːʳ] *n* - **1.** [of sea, lake, river] orilla *f* - **2.** [land]: **on shore** en tierra. ◆ **shore up** *vt sep* apuntalar.

shorn [ʃɔːn] ◇ *pp* ▷ **shear**. ◇ *adj* [grass, hair] corto(ta); [head] rapado(da).

short [ʃɔːt] ◇ *adj* - **1.** [gen] corto(ta); **a short time ago** hace poco - **2.** [not tall] bajo(ja) - **3.** [curt]: **to be short (with sb)** ser seco(ca) (con alguien); **to have a short temper** tener mal genio - **4.** [lacking] escaso(sa); **to be short on sthg** no andar sobrado de algo; **to be short of** estar OR andar mal de - **5.** [be shorter form]: **to be short for** ser el diminutivo de. ◇ *adv* - **1.** [out of]: **we are running short of water** se nos está acabando el agua - **2.** [suddenly, abruptly]: **to cut sthg short** interrumpir algo; **we had to cut short our trip to Cyprus** tuvimos que interrumpir nuestro viaje a Chipre; **to stop short** parar en seco OR de repente; **to bring** OR **pull sb up short** hacer a alguien parar en seco. ◇ *n* - **1.** UK [alcoholic drink] chupito *m* - **2.** [film] cortometraje *m*. ◆ **shorts** *npl* - **1.** [gen] pantalones *mpl* cortos - **2.** US [underwear] calzoncillos *mpl*. ◆ **for short** *adv* para abreviar. ◆ **in short** *adv* en resumen. ◆ **nothing short of** *prep*: **it was nothing short of madness/a disgrace** fue una auténtica locura/vergüenza. ◆ **short of** *prep* - **1.** [just before] cerca de - **2.** [without]: **short of asking, I can't see how you'll find out** salvo que preguntes, no sé cómo lo vas a averiguar.

shortage ['ʃɔːtɪdʒ] *n* falta *f*, escasez *f*; **there was a paper shortage** había falta OR escasez de papel.

shortbread ['ʃɔːtbred] *n* especie de torta hecha de azúcar, harina y mantequilla.

short-change *vt* [in shop] dar mal el cambio a; *fig* [reward unfairly] estafar.

short circuit *n* cortocircuito *m*.

shortcomings ['ʃɔːtˌkʌmɪŋz] *npl* defectos *mpl*.

shortcrust pastry ['ʃɔːtkrʌst-] *n* pasta *f* quebrada.

short cut *n* - **1.** [quick way] atajo *m*; **to take a short cut** tomar un atajo - **2.** [quick method] método *m* rápido.

shorten ['ʃɔːtn] ◇ *vt* acortar. ◇ *vi* acortarse.

shortfall ['ʃɔːtfɔːl] *n*: **shortfall (in** OR **of)** déficit *m* (de).

shorthand ['ʃɔːthænd] *n* [writing system] taquigrafía *f*.

shorthand typist *n* UK taquimecanógrafo *m*, -fa *f*.

short list *n* UK [for job] lista *f* de candidatos seleccionados.

shortly ['ʃɔːtlɪ] *adv* [soon] dentro de poco; **shortly before/after** poco antes/después de.

shortsighted [ˌʃɔːt'saɪtɪd] *adj* [myopic] miope, corto(ta) de vista; *fig* [lacking foresight] corto de miras.

short-staffed [-'stɑːft] *adj*: **to be short-staffed** estar falto(ta) de personal.

shortstop ['ʃɔːtstɒp] *n* US [baseball] *jugador que intenta interceptar bolas entre la segunda y tercera base.*

short story *n* cuento *m*.

short-tempered [-'tempəd] *adj* de mal genio.

short-term *adj* a corto plazo.

short wave *n (U)* onda *f* corta.

shot [ʃɒt] ◇ *pt* & *pp* ▷ **shoot**. ◇ *n* - **1.** [gunshot] tiro *m*, disparo *m*; **he fired two shots** disparó dos tiros; **like a shot** [quickly] disparado(da) - **2.** [marksman] tirador *m*, -ra *f*; **to be a good shot** ser un buen tirador - **3.** [in football] chut *m*, tiro *m*; [in golf, tennis] golpe *m*; **good shot!** ¡buen golpe! - **4.** [photograph] foto *f* - **5.** CIN plano *m*, toma *f* - **6.** *inf* [try, go] intento *m*; **go on, have a shot** venga, inténtalo; **to have a shot at (doing) sthg** intentar (hacer) algo - **7.** [injection] inyección *f*.

shotgun ['ʃɒtɡʌn] *n* escopeta *f*.

should [ʃʊd] *aux vb* - **1.** [be desirable]: **we should leave now** deberíamos irnos ya OR ahora - **2.** [seeking advice, permission]: **should I go too?** ¿voy yo también? - **3.** [as suggestion]: **I should deny everything** yo lo negaría todo - **4.** [indicating probability]: **she should be home soon** tiene que llegar a casa pronto - **5.** [have been expected]: **they should have won the match** tendrían que OR deberían haber ganado el partido - **6.** [indicating intention, wish]: **I should like to come with you** me gustaría ir contigo - **7.** *(as conditional)*: **if you should see Mary, could you ask her to phone me?** si vieras a Mary, ¿le podrías pedir que me llamara?; **should you decide to accept the job...** si decide aceptar el trabajo... - **8.** *(in 'that' clauses)*: **we**

decided that you should do it decidimos que lo hicieras tú **- 9.** [expressing uncertain opinion]: **I should think he's about 50 (years old)** yo diría que tiene unos 50 (años) **- 10.** [expressing indignation]: **he tidied up afterwards – so he should!** después lo limpió – ¡era lo menos que podía hacer!; **I should hope so!** ¡eso espero!; **I should think so, too!** ¡es lo mínimo que podía hacer!

shoulder ['ʃəʊldər] <> n **- 1.** [part of body, clothing] hombro m **- 2.** CULIN espaldilla f, paleta f Amér. <> vt [accept - responsibility] cargar con; **to shoulder the blame** asumir la responsabilidad.

shoulder blade n omóplato m.

shoulder strap n **- 1.** [on dress] tirante m, bretel m **- 2.** [on bag] correa f, bandolera f.

shouldn't ['ʃʊdnt] (abbr of should not) ⊳ **should**.

should've ['ʃʊdəv] (abbr of should have) ⊳ **should**.

shout [ʃaʊt] <> n grito m; **to let out a shout** lanzar un grito. <> vt gritar. <> vi: **to shout (at)** gritar (a). ◆ **shout down** vt sep acallar a gritos.

shouting ['ʃaʊtɪŋ] n (U) gritos mpl.

shove [ʃʌv] <> n: **to give sthg/sb a shove** dar a algo/a alguien un empujón. <> vt empujar; **to shove sthg/sb in** meter algo/a alguien a empujones. ◆ **shove off** vi inf [go away] largarse.

shovel ['ʃʌvl] <> n pala f. <> vt (UK pt & pp -led, cont -ling, US pt & pp -ed, cont -ing) remover con la pala OR a paletadas; **to shovel food into one's mouth** fig zamparse la comida.

show [ʃəʊ] <> n **- 1.** [display, demonstration] demostración f; **a show of strength** una demostración de fuerte **- 2.** [piece of entertainment - at theatre] espectáculo m; [- on radio, TV] programa m **- 3.** [performance] función f **- 4.** [of dogs, flowers, art] exposición f. <> vt (pp shown OR -ed) **- 1.** [gen] mostrar **- 2.** [escort]: **to show sb to the door** llevar OR acompañar a alguien hasta algo; **he showed us to our seats** nos llevó a nuestros asientos **- 3.** [make visible, reveal] dejar ver; **white clothes show the dirt** la ropa blanca deja ver la suciedad; **come on, show yourself!** venga, ¡déjate ver! **- 4.** [indicate - increase, profit, loss] arrojar, registrar **- 5.** [broadcast - film] poner; [- TV programme] poner, emitir. <> vi (pp shown OR -ed) **- 1.** [indicate, make clear] indicar, mostrar **- 2.** [be visible] verse; **does it show?** ¿se ve? **- 3.** [film]: **it is showing at the Odeon** lo ponen en el Odeon. ◆ **show off** <> vt sep lucir, presumir de. <> vi presumir. ◆ **show out** vt sep acompañar hasta la puerta; **show the gentlemen out, please** acompañe a los caba-

lleros hasta la puerta, por favor. ◆ **show up** <> vt sep poner en evidencia. <> vi **- 1.** [stand out] resaltar **- 2.** [turn up] aparecer.

show business n (U) mundo m del espectáculo.

showdown ['ʃəʊdaʊn] n: **to have a showdown with** enfrentarse abiertamente a OR con.

shower ['ʃaʊər] <> n **- 1.** [device] ducha f **- 2.** [wash]: **to have OR take a shower** ducharse **- 3.** [of rain] chubasco m, chaparrón m. <> vt **- 1.** [sprinkle] rociar **- 2.** [bestow]: **to shower sb with sthg, to shower sthg on OR upon sb** [presents, compliments] colmar a alguien de algo; [insults] acribillar a alguien a algo. <> vi [wash] ducharse.

shower cap n gorro m de ducha.

showing ['ʃəʊɪŋ] n [of film] pase m, proyección f; [of paintings] exposición f.

show jumping [-ˌdʒʌmpɪŋ] n concurso m hípico de salto.

shown [ʃəʊn] pp ⊳ **show**.

show-off n inf presumido m, -da f.

showpiece ['ʃəʊpiːs] n pieza f de mayor interés.

showroom ['ʃəʊrʊm] n salón m OR sala f de exposición.

shrank [ʃræŋk] pt ⊳ **shrink**.

shrapnel ['ʃræpnl] n metralla f.

shred [ʃred] <> n [small piece - of material] jirón m; [- of paper] pedacito m; fig [scrap] pizca f; **there isn't a shred of truth in what he says** no hay una pizca de verdad en lo que dice; **to be in shreds** lit & fig estar hecho(cha) pedazos. <> vt [paper] hacer trizas; [food] rallar.

shredder ['ʃredər] n [for paper] destructora f; [for food] rallador m.

shrewd [ʃruːd] adj astuto(ta).

shriek [ʃriːk] <> n chillido m, grito m. <> vi: **to shriek (with OR in)** chillar (de).

shrill [ʃrɪl] adj [high-pitched] estridente, agudo(da).

shrimp [ʃrɪmp] n US gamba f, camarón m Amér.

shrine [ʃraɪn] n santuario m.

shrink [ʃrɪŋk] <> vt (pt shrank, pp shrunk) encoger. <> vi (pt shrank, pp shrunk) **- 1.** [become smaller] encoger **- 2.** fig [contract, diminish] disminuir **- 3.** [recoil]: **to shrink away from** retroceder OR arredrarse ante **- 4.** [be reluctant]: **to shrink from sthg** eludir algo.

shrinkage ['ʃrɪŋkɪdʒ] n [loss in size] encogimiento m; fig [contraction] reducción f.

shrink-wrap vt precintar o envasar con plástico termorretráctil.

shrivel ['ʃrɪvl] (UK pt & pp -led, cont -ling, US pt & pp -ed, cont -ing) ⬦ vt: **to shrivel (up)** secar, marchitar. ⬦ vi: **to shrivel (up)** secarse, marchitarse.

shroud [ʃraʊd] ⬦ n [cloth] mortaja f, sudario m. ⬦ vt: **to be shrouded in sthg** estar envuelto(ta) en algo.

Shrove Tuesday ['ʃrəʊv-] n martes m inv de carnaval.

shrub [ʃrʌb] n arbusto m.

shrubbery ['ʃrʌbərɪ] n (zona f de) arbustos mpl.

shrug [ʃrʌg] ⬦ vt: **to shrug one's shoulders** encogerse de hombros. ⬦ vi encogerse de hombros. ⬥ **shrug off** vt sep quitar importancia a.

shrunk [ʃrʌŋk] pp ⬡ **shrink**.

shudder ['ʃʌdər] vi [tremble]: **to shudder (with)** estremecerse (de).

shuffle ['ʃʌfl] vt - 1. [feet] arrastrar - 2. [cards] barajar - 3. [sheets of paper] revolver.

shun [ʃʌn] vt rehuir, esquivar.

shunt [ʃʌnt] vt RAIL cambiar de vía; fig [move] llevar (de un sitio a otro).

shut [ʃʌt] ⬦ adj cerrado(da). ⬦ vt (pt & pp shut) cerrar. ⬦ vi (pt & pp shut) - 1. [close] cerrarse - 2. [close for business] cerrar. ⬥ **shut away** vt sep guardar bajo llave. ⬥ **shut down** vt sep & vi cerrar. ⬥ **shut out** vt sep [person, cat] dejar fuera a; [light, noise] no dejar entrar. ⬥ **shut up** inf ⬦ vt sep [silence] hacer callar. ⬦ vi callarse; shut up! ¡cállate!

shutter ['ʃʌtər] n - 1. [on window] postigo m - 2. [in camera] obturador m.

shuttle ['ʃʌtl] ⬦ adj: **shuttle service** [of planes] puente m aéreo; [of buses, trains] servicio m regular. ⬦ n [plane] avión m (de puente aéreo).

shuttlecock ['ʃʌtlkɒk] n volante m.

shy [ʃaɪ] ⬦ adj [timid] tímido(da). ⬦ vi espantarse.

Siberia [saɪ'bɪərɪə] n Siberia.

sibling ['sɪblɪŋ] n hermano m, -na f.

Sicily ['sɪsɪlɪ] n Sicilia.

sick [sɪk] adj - 1. [ill] enfermo(ma) - 2. [nauseous]: **to feel sick** marearse - 3. [vomiting]: **to be sick** UK devolver, vomitar - 4. [fed up]: **to be sick of sthg/of doing sthg** estar harto(ta) de algo/de hacer algo; **to be sick and tired of (doing) sthg** estar hasta la coronilla de (hacer) algo - 5. [joke] de mal gusto.

sickbay ['sɪkbeɪ] n enfermería f.

sicken ['sɪkn] ⬦ vt poner enfermo(ma), asquear. ⬦ vi UK: **to be sickening for sthg** estar cogiendo algo.

sickening ['sɪknɪŋ] adj - 1. [disgusting] asqueroso(sa) - 2. [infuriating] exasperante.

sickle ['sɪkl] n hoz f.

sick leave n (U) baja f por enfermedad.

sickly ['sɪklɪ] adj - 1. [unhealthy] enfermizo(za) - 2. [unpleasant] nauseabundo(da).

sickness ['sɪknɪs] n - 1. [illness] enfermedad f - 2. (U) UK [nausea, vomiting] mareo m.

sick pay n (U) paga f por enfermedad.

side [saɪd] ⬦ n - 1. [gen] lado m; **at** OR **by one's side** al lado de uno; **on every side, on all sides** por todos los lados; **from side to side** de un lado a otro; **side by side** juntos, uno al lado de otro; **to put sthg to** OR **on one side** poner algo a un lado - 2. [of person] costado m; [of animal] ijada f - 3. [edge] lado m, borde m - 4. [of hill, valley] falda f, ladera f - 5. [bank] orilla f - 6. [page] cara f - 7. [participant - in war, game] lado m, bando m; [- in sports match] equipo m - 8. [viewpoint] punto m de vista; **you should try to see both sides** deberías considerar las dos caras de la situación; **to take sb's side** ponerse del lado OR de parte de alguien; **to take sides** tomar partido; **to be on sb's side** estar del lado OR de parte de alguien; **whose side are you on?** ¿de parte de quién estás? - 9. [aspect] aspecto m; **it does have its comical side** tiene su lado cómico; **to be on the safe side** para estar seguro. ⬦ adj lateral. ⬥ **side with** vt insep ponerse de parte de.

sideboard ['saɪdbɔːd] n aparador m.

sideboards ['saɪdbɔːdz] UK, **sideburns** ['saɪdbɜːnz] US npl patillas fpl.

side effect n fig & MED efecto m secundario.

sidelight ['saɪdlaɪt] n luz f lateral.

sideline ['saɪdlaɪn] n - 1. [extra business] negocio m suplementario - 2. [on tennis court] línea f lateral; [on football pitch] línea de banda.

sidelong ['saɪdlɒŋ] adj & adv de reojo OR soslayo; **to give sb a sidelong glance** mirar a alguien de reojo OR soslayo.

sidesaddle ['saɪd,sædl] adv: **to ride sidesaddle** montar a sentadillas OR mujeriegas.

sideshow ['saɪdʃəʊ] n barraca f OR caseta f de feria.

sidestep ['saɪdstep] vt - 1. [in football, rugby] regatear - 2. fig [problem, question] esquivar.

side street n calle f lateral.

sidetrack ['saɪdtræk] vt: **to be sidetracked** desviarse OR salirse del tema; **I keep getting sidetracked** me distraigo continuamente.

sidewalk ['saɪdwɔːk] n US acera f, andén m Amér C & Col, vereda f Perú, banqueta f Méx.

sideways ['saɪdweɪz] ⬦ adj [movement] hacia un lado; [glance] de soslayo. ⬦ adv [move] de lado; [look] de reojo.

siding ['saɪdɪŋ] n vía f muerta.

sidle ['saɪdl] ⬥ **sidle up** vi: **to sidle up to** acercarse furtivamente a.

siege [siːdʒ] n - 1. [by army] sitio m, cerco m - 2. [by police] cerco m policial.

sieve [sɪv] <> n [utensil] colador m; **to have a head OR memory like a sieve** tener muy mala memoria. <> vt [soup] colar; [flour, sugar] tamizar.

sift [sɪft] <> vt - 1. [sieve] tamizar - 2. fig [examine carefully] examinar cuidadosamente. <> vi: **to sift through sthg** examinar cuidadosamente algo.

sigh [saɪ] <> n suspiro m. <> vi suspirar.

sight [saɪt] <> n - 1. [vision] vista f - 2. [act of seeing]: **her first sight of the sea** la primera vez que vio el mar; **in sight** a la vista; **to disappear out of sight** perderse de vista; **at first sight** a primera vista; **it was love at first sight** fue un flechazo - 3. [something seen] espectáculo m - 4. [on gun] mira f; **to set one's sights on sthg** echarle el ojo a algo; **it's not a pretty sight** no es muy agradable de ver. <> vt divisar, avistar. ➠ **sights** npl atracciones fpl turísticas.

sightseeing [ˈsaɪtˌsiːɪŋ] n (U) recorrido m turístico; **to go sightseeing** hacer turismo.

sightseer [ˈsaɪtˌsiːəʳ] n turista mf.

sign [saɪn] <> n - 1. [written symbol] signo m - 2. [horoscope]: **sign of the zodiac** signo del zodiaco - 3. [gesture] señal f - 4. [of pub, shop] letrero m; [on road] señal f; [notice] cartel m - 5. [indication] señal f, indicio m; **it's a good sign** es una buena señal. <> vt firmar. <> vi firmar. ➠ **sign on** vi - 1. [enrol, register]: **to sign on (for)** [army] alistarse (en); [job] firmar el contrato (de); [course] matricularse (en) - 2. [register as unemployed] firmar para cobrar el paro. ➠ **sign up** <> vt sep [employee] contratar; [recruit] alistar. <> vi: **to sign up (for)** [army] alistarse (en); [job] firmar el contrato (de); [course] matricularse (en).

signal [ˈsɪgnl] <> n señal f. <> vt (UK pt & pp -led, cont -ling, US pt & pp -ed, cont -ing) - 1. [indicate] indicar - 2. [tell]: **to signal sb (to do sthg)** hacer señas a alguien (para que haga algo). <> vi (UK pt & pp -led, cont -ling, US pt & pp -ed, cont -ing) - 1. AUT señalizar - 2. [indicate]: **to signal for sthg** pedir algo por señas.

signalman [ˈsɪgnlmən] (pl -men [-mən]) n RAIL guardavía m.

signature [ˈsɪgnətʃəʳ] n firma f.

signature tune n sintonía f.

signet ring [ˈsɪgnɪt-] n (anillo m de) sello m.

significance [sɪgˈnɪfɪkəns] n trascendencia f, importancia f; **to attach significance to sthg** atribuir importancia a algo; **to be of little/great/no significance** ser de poca/mucha/ninguna importancia.

significant [sɪgˈnɪfɪkənt] adj - 1. [considerable, meaningful] significativo(va) - 2. [important] trascendente.

signify [ˈsɪgnɪfaɪ] vt significar.

signpost [ˈsaɪnpəʊst] n letrero m indicador.

Sikh [siːk] <> adj sij. <> n [person] sij mf.

silence [ˈsaɪləns] <> n silencio m; **to do sthg in silence** hacer algo en silencio. <> vt [person, critic] acallar; [gun] silenciar.

silencer [ˈsaɪlənsəʳ] n silenciador m.

silent [ˈsaɪlənt] adj - 1. [gen] silencioso(sa) - 2. [not revealing anything]: **to be silent about** quedar en silencio respecto a; **to remain silent** permanecer callado(da) - 3. CIN & LING mudo(da); **a silent movie** una película muda; **a silent b** una b muda.

silhouette [ˌsɪluːˈet] n silueta f.

silicon chip [ˌsɪlɪkən-] n chip m de silicio.

silk [sɪlk] <> n seda f. <> comp de seda; **a silk blouse** una blusa de seda.

silky [ˈsɪlkɪ] adj [hair, dress, skin] sedoso(sa); [voice] aterciopelado(da).

sill [sɪl] n [of window] alféizar m.

silly [ˈsɪlɪ] adj estúpido(da); **that was a silly thing to say** qué tontería has dicho.

silo [ˈsaɪləʊ] (pl -s) n silo m.

silt [sɪlt] n cieno m, légamo m.

silver [ˈsɪlvəʳ] <> adj - 1. [in colour] plateado(da) - 2. [made of silver] de plata. <> n (U) - 1. [metal, silverware] plata f - 2. [coins] monedas fpl plateadas.

silver foil, silver paper n (U) papel m de plata.

silver-plated [-ˈpleɪtɪd] adj plateado(da).

silversmith [ˈsɪlvəsmɪθ] n platero m, -ra f.

silver surfer [-ˈsɜːfəʳ] n inf internauta mf de la tercera edad.

silverware [ˈsɪlvəweəʳ] n (U) - 1. [dishes etc] plata f - 2. US [cutlery] cubertería f de plata.

similar [ˈsɪmɪləʳ] adj: **similar (to)** parecido(da) OR similar (a).

similarly [ˈsɪmɪləlɪ] adv [likewise] asimismo; [equally] igualmente.

simmer [ˈsɪməʳ] vt & vi hervir a fuego lento.

simpering [ˈsɪmpərɪŋ] adj [person] que sonríe con cara de tonto(ta); [smile] bobo(ba).

simple [ˈsɪmpl] adj - 1. [gen] sencillo(lla) - 2. dated [mentally retarded] simple - 3. [plain - fact] mero(ra); [- truth] puro(ra).

simple-minded [-ˈmaɪndɪd] adj simple.

simplicity [sɪmˈplɪsətɪ] n sencillez f.

simplify [ˈsɪmplɪfaɪ] vt simplificar.

simply [ˈsɪmplɪ] adv - 1. [merely] sencillamente, simplemente - 2. [in a simple way] de manera sencilla.

simulate [ˈsɪmjʊleɪt] vt simular.

simultaneous [UK ˌsɪməlˈteɪnjəs, US ˌsaɪməlˈteɪnjəs] adj simultáneo(a).

sin [sɪn] <> n pecado m. <> vi: **to sin (against)** pecar (contra).

since [sɪns] ◇ *adv* desde entonces; **we haven't been there since** no hemos vuelto allí desde entonces. ◇ *prep* desde; **since last Tuesday** desde el último martes; **since then** desde entonces; **he has worked here since 1975** trabaja aquí desde 1975. ◇ *conj* - **1.** [in time] desde que; **she's been miserable ever since she married him** desde que se casó con él ha sido desdichada; **it's ages since I saw you** hace siglos que no te veo - **2.** [because] ya que, puesto que.

sincere [sɪn'sɪər] *adj* sincero(ra).

sincerely [sɪn'sɪəlɪ] *adv* sinceramente; **Yours sincerely** [at end of letter] atentamente.

sincerity [sɪn'serətɪ] *n* sinceridad *f*.

sinew ['sɪnju:] *n* tendón *m*.

sinful ['sɪnfʊl] *adj* - **1.** [person] pecador(ra) - **2.** [thought, act] pecaminoso(sa).

sing [sɪŋ] (*pt* sang, *pp* sung) *vt* & *vi* cantar; **to sing along with sb** cantar a coro con alguien.

Singapore [,sɪŋə'pɔːr] *n* Singapur.

singe [sɪndʒ] *vt* chamuscar.

singer ['sɪŋər] *n* cantante *mf*; **she's a good singer** canta muy bien.

singing ['sɪŋɪŋ] *n* (*U*) canto *m*.

single ['sɪŋgl] ◇ *adj* - **1.** [only one] solo(la); **not a single person was there** no había ni una sola persona - **2.** [individual]: **every single penny** todos y cada uno de los peniques - **3.** [unmarried] soltero(ra); **he's single** está soltero - **4.** *UK* [one-way] de ida. ◇ *n* - **1.** *UK* [one-way ticket] billete *m* de ida - **2.** MUS [record] sencillo *m*, single *m*. ◆ **singles** *npl* TENNIS (partido *m*) individual *m*. ◆ **single out** *vt sep*: **to single sb out (for)** escoger a alguien (para).

single bed *n* cama *f* individual.

single-breasted [-'brestɪd] *adj* recto(ta).

single-click ◇ *n* clic *m*. ◇ *vi* hacer clic. ◇ *vt* hacer clic en.

single cream *n UK* nata *f* líquida.

single file *n*: **in single file** en fila india.

single-handed [-'hændɪd] *adv* sin ayuda.

single-minded [-'maɪndɪd] *adj* resuelto(ta).

single parent *n* padre *m* soltero, madre *f* soltera; **he's a single parent** es padre soltero.

single-parent family *n* familia *f* monoparental.

single room *n* habitación *f* individual.

singlet ['sɪŋglɪt] *n UK* camiseta *f* sin mangas.

singular ['sɪŋgjʊlər] ◇ *adj* singular. ◇ *n* singular *m*; **in the singular** en singular.

sinister ['sɪnɪstər] *adj* siniestro(tra).

sink [sɪŋk] ◇ *n* - **1.** [in kitchen] fregadero *m* - **2.** [in bathroom] lavabo *m*. ◇ *vt* (*pt* sank, *pp* sunk) - **1.** [cause to go under water] hundir - **2.** [cause to penetrate]: **to sink sthg into** [knife,

claws] clavar algo en; [teeth] hincar algo en; **he sank his teeth into the steak** le hincó los dientes al filete. ◇ *vi* (*pt* sank, *pp* sunk) - **1.** [go down - ship, sun] hundirse - **2.** [slump - person] hundirse; **she sank into a chair** se desplomó en una silla - **3.** [decrease] bajar. ◆ **sink in** *vi* hacer mella; **it hasn't sunk in yet** todavía no lo tiene asumido.

sink unit *n* fregadero *m* (con mueble debajo).

sinner ['sɪnər] *n* pecador *m*, -ra *f*.

sinus ['saɪnəs] (*pl* **-es**) *n* seno *m*.

sip [sɪp] ◇ *n* sorbo *m*. ◇ *vt* beber a sorbos.

siphon, syphon ['saɪfn] *n* sifón *m*. ◆ **siphon off** *vt sep* - **1.** [liquid] sacar con sifón - **2.** fig [funds] desviar.

sir [sɜːr] *n* - **1.** [form of address] señor *m*; **thank you, sir** gracias, señor; [in letter]: **Dear sir**, Estimado Señor - **2.** [in titles]: **Sir Philip Holden** Sir Philip Holden.

siren ['saɪərən] *n* [alarm] sirena *f*.

sirloin (steak) ['sɜːlɔɪn] *n* solomillo *m*, (filete *m*) de lomo *m Andes, Col & Ven*.

sissy ['sɪsɪ] *n inf* mariquita *m*.

sister ['sɪstər] *n* - **1.** [gen] hermana *f* - **2.** *UK* [senior nurse] enfermera *f* jefe.

sister-in-law (*pl* **sisters-in-law** OR **sister-in-laws**) *n* cuñada *f*.

sit [sɪt] (*pt* & *pp* sat) ◇ *vi* - **1.** [be seated, sit down] sentarse - **2.** [be member]: **to sit on** ser miembro de - **3.** [be in session] reunirse. ◇ *vt UK* [exam] presentarse a. ◆ **sit about, sit around** *vi* estar sentado(da) sin hacer nada. ◆ **sit down** *vi* sentarse; **sit down, please** siéntese, por favor; **she was sitting down** estaba sentada. ◆ **sit in on** *vt insep* estar presente en (*sin tomar parte*). ◆ **sit through** *vt insep* aguantar (hasta el final). ◆ **sit up** *vi* - **1.** [sit upright] incorporarse; **sit up straight!** siéntate derecho - **2.** [stay up] quedarse levantado(da); **we sat up until midnight** nos quedamos levantados hasta la medianoche.

sitcom ['sɪtkɒm] *n inf* comedia *f* de situación.

site [saɪt] ◇ *n* [place] sitio *m*, lugar *m*; [of construction work] obra *f*. ◇ *vt* situar.

sit-in *n* sentada *f*; **to stage a sit-in** protagonizar una sentada.

sitting ['sɪtɪŋ] *n* - **1.** [serving of meal] turno *m* (para comer) - **2.** [session] sesión *f*.

sitting room *n* sala *f* de estar.

situated ['sɪtjʊeɪtɪd] *adj* [located]: **to be situated** estar situado(da).

situation [,sɪtjʊ'eɪʃn] *n* - **1.** [gen] situación *f* - **2.** [job]: **'Situations Vacant'** *UK* 'Ofertas de trabajo'.

six [sɪks] ◇ *num adj* seis (*inv*); **she's six (years old)** tiene seis años. ◇ *num n* - **1.** [the

number six] seis *m inv*; **two hundred and six** doscientos seis; **six comes before seven** el seis va antes que el siete - **2.** [in times]: **it's six (thirty)** son las seis (y media); **we arrived at six** llegamos a las seis - **3.** [in addresses]: **six Peyton Place** Peyton Place número seis - **4.** [in scores]: **six-nil** seis a cero. ◇ *num pron* seis *mf*; **there are six of us** somos seis.

sixteen [ˌsɪksˈtiːn] *num* dieciséis; *see also* **six**.

sixteenth [ˌsɪksˈtiːnθ] *num* decimosexto(ta); *see also* **sixth**.

sixth [sɪksθ] ◇ *num adj* sexto(ta). ◇ *num adv* sexto(ta). ◇ *num pron* sexto *m*, -ta *f*. ◇ *n* - **1.** [fraction]: **a sixth** OR **one sixth of** un sexto de, la sexta parte de - **2.** [in dates]: **the sixth** el (día) seis; **the sixth of September** el seis de septiembre.

sixth form *n UK* SCH curso optativo de dos años de enseñanza secundaria con vistas al examen de ingreso a la universidad, ≃ COU *m*.

sixth form college *n UK* centro público para alumnos de 16 a 18 años donde se preparan para los 'A levels' o para exámenes de formación profesional.

sixty [ˈsɪkstɪ] *num* sesenta; *see also* **six**. ➤ **sixties** *npl* - **1.** [decade]: **the sixties** los años sesenta - **2.** [in ages]: **to be in one's sixties** estar en los sesenta.

size [saɪz] *n* - **1.** [gen] tamaño *m*; **what size do you take?** ¿cuál es su talla?; **what size shoes do you take?** ¿qué número calza? - **2.** [of clothes] talla *f*; [of shoes] número *m*. ➤ **size up** *vt sep* [situation] evaluar; [person] calar.

sizeable [ˈsaɪzəbl] *adj* considerable.

sizzle [ˈsɪzl] *vi* chisporrotear.

skate [skeɪt] ◇ *n* - **1.** (*pl* -**s**) [ice skate, roller skate] patín *m* - **2.** (*pl* **skate**) [fish] raya *f*. ◇ *vi* [on skates] patinar.

skateboard [ˈskeɪtbɔːd] *n* monopatín *m*.

skater [ˈskeɪtər] *n* patinador *m*, -ra *f*.

skating [ˈskeɪtɪŋ] *n* patinaje *m*.

skating rink *n* pista *f* de patinaje.

skeleton [ˈskelɪtn] *n* ANAT esqueleto *m*; **to have a skeleton in the cupboard** *fig* guardar un secreto vergonzante.

skeleton key *n* llave *f* maestra.

skeleton staff *n* personal *m* mínimo.

skeptic *US* = **sceptic**.

sketch [sketʃ] ◇ *n* - **1.** [drawing, brief outline] esbozo *m*, bosquejo *m* - **2.** [humorous scene] sketch *m*. ◇ *vt* esbozar.

sketchbook [ˈsketʃbʊk] *n* cuaderno *m* de dibujo.

sketchpad [ˈsketʃpæd] *n* bloc *m* de dibujo.

sketchy [ˈsketʃɪ] *adj* incompleto(ta).

skewer [ˈskjʊər] *n* brocheta *f*.

ski [skiː] ◇ *n* esquí *m*. ◇ *vi* (*pt & pp* **skied**, *cont* **skiing**) esquiar.

ski boots *npl* botas *fpl* de esquí.

skid [skɪd] ◇ *n* patinazo *m*. ◇ *vi* patinar.

skier [ˈskiːər] *n* esquiador *m*, -ra *f*.

skies [skaɪz] *npl* ▷ **sky**.

skiing [ˈskiːɪŋ] *n* (*U*) esquí *m*; **to go skiing** ir a esquiar.

ski jump *n* - **1.** [slope] pista *f* para saltos de esquí - **2.** [event] saltos *mpl* de esquí.

skilful, skillful *US* [ˈskɪlfʊl] *adj* hábil.

ski lift *n* telesilla *m*.

skill [skɪl] *n* - **1.** (*U*) [expertise] habilidad *f*, destreza *f* - **2.** [craft, technique] técnica *f*.

skilled [skɪld] *adj* - **1.** [skilful] habilidoso(sa); **to be skilled (in** OR **at doing sthg)** ser experto(ta) (en hacer algo) - **2.** [trained] cualificado(da).

skillful *US* = **skilful**.

skim [skɪm] ◇ *vt* - **1.** [remove - cream] desnatar - **2.** [fly above] volar rozando. ◇ *vi*: **to skim through sthg** hojear algo, leer algo por encima.

skimmed milk [skɪmd-] *n* leche *f* desnatada.

skimp [skɪmp] ◇ *vt* escatimar; [work] hacer de prisa y corriendo. ◇ *vi*: **to skimp on sthg** [gen] escatimar algo; [work] hacer de prisa y corriendo.

skimpy [ˈskɪmpɪ] *adj* [clothes] muy corto y estrecho (muy corta y estrecha); [meal, facts] escaso(sa).

skin [skɪn] ◇ *n* - **1.** [gen] piel *f*; [on face] cutis *m*; **to save** OR **protect one's own skin** salvar el pellejo - **2.** [on milk, pudding] nata *f*; [on paint] capa *f*, película *f*. ◇ *vt* - **1.** [animal] despellejar - **2.** [knee, elbow etc] rasguñarse.

skincare [ˈskɪnkeər] *n* (*U*) cuidado *m* de la piel.

skin-deep *adj* superficial.

skin diving *n* buceo *m*, submarinismo *m* (sin traje ni escafandra).

skinny [ˈskɪnɪ] ◇ *adj inf* flaco(ca). ◇ *n US*: **the skinny** información *f* confidencial.

skin-tight *adj* muy ajustado(da).

skip [skɪp] ◇ *n* - **1.** [little jump] brinco *m*, saltito *m* - **2.** *UK* [large container] contenedor *m*, container *m*. ◇ *vt* [miss out] saltarse. ◇ *vi* - **1.** [move in little jumps] ir dando brincos - **2.** *UK* [jump over rope] saltar a la comba.

ski pants *npl* pantalones *mpl* de esquí.

ski pole *n* bastón *m* para esquiar.

skipper [ˈskɪpər] *n* NAUT & SPORT capitán *m*, -ana *f*.

skipping rope [ˈskɪpɪŋ-] *n UK* comba *f*, cuerda *f* de saltar.

skirmish [ˈskɜːmɪʃ] *n lit & fig* escaramuza *f*.

skirt [skɜːt] ◇ n - **1.** falda f - **2.** US: (bed) skirt volante m. ◇ vt - **1.** [border] rodear, bordear - **2.** [go round - obstacle] sortear; [- person, group] esquivar - **3.** [avoid dealing with] eludir.
➡ **skirt round** vt insep - **1.** [obstacle] sortear - **2.** [issue, problem] evitar, eludir.

skit [skɪt] n: skit (on) parodia f (de).

skittle ['skɪtl] n UK bolo m. ➡ **skittles** n (U) bolos mpl.

skive [skaɪv] vi UK inf: to skive (off) escaquearse.

skulk [skʌlk] vi esconderse.

skull [skʌl] n [gen] calavera f; ANAT cráneo m.

skunk [skʌŋk] n mofeta f.

sky [skaɪ] n cielo m.

skylight ['skaɪlaɪt] n claraboya f.

sky marshal n US policía destinado en un avión para evitar secuestros.

skyscraper ['skaɪˌskreɪpər] n rascacielos m inv.

slab [slæb] n [of stone] losa f; [of cheese] pedazo m; [of chocolate] tableta f.

slack [slæk] ◇ adj - **1.** [rope, cable] flojo(ja) - **2.** [business] inactivo(va) - **3.** [person - careless] descuidado(da). ◇ n [in rope] parte f floja; to take up the slack tensar la cuerda.

slacken ['slækn] ◇ vt [speed, pace] reducir; [rope] aflojar. ◇ vi [speed, pace] reducirse.

slag [slæg] n [waste material] escoria f.

slagheap ['slæghiːp] n escorial m.

slain [sleɪn] pp ➡ **slay**.

slam [slæm] ◇ vt - **1.** [shut] cerrar de golpe; she slammed the door dio un portazo - **2.** [place with force]: to slam sthg on OR onto sthg dar un golpe con algo contra algo violentamente; he slammed his fist on the desk dio un puñetazo en la mesa. ◇ vi [shut] cerrarse de golpe.

slander ['slɑːndər] ◇ n calumnia f, difamación f. ◇ vt calumniar, difamar.

slang [slæŋ] n argot m, jerga f.

slant [slɑːnt] ◇ n - **1.** [diagonal angle] inclinación f - **2.** [perspective] enfoque m. ◇ vi inclinarse.

slanting ['slɑːntɪŋ] adj inclinado(da).

slap [slæp] ◇ n [in face] bofetada f; [on back] palmada f; it was a slap in the face fig fue una bofetada; he gave him a slap on the back le dio una palmadita en la espalda. ◇ vt - **1.** [person, face] abofetear; she slapped him round the face lo abofeteó, le dio una bofetada; [back] dar una palmada a - **2.** [place with force]: he slapped the folder on the desk dejó la carpeta en la mesa dando un golpetazo; she slapped some paste on the wallpaper embadurnó el papel pintado con cola. ◇ adv inf [directly] de narices; he walked slap into a lamppost se dio de lleno con una farola.

slapstick ['slæpstɪk] n (U) payasadas fpl; slapstick comedy astracanada f.

slap-up adj UK inf: slap-up meal comilona f.

slash [slæʃ] ◇ n - **1.** [long cut] raja f, tajo m - **2.** esp US [oblique stroke] barra f oblicua; forward slash barra inclinada. ◇ vt - **1.** [material, tyre] rasgar; she slashed her wrists se cortó las venas - **2.** inf [prices etc] recortar drásticamente.

slasher movie n inf película f sanguinaria.

slat [slæt] n tablilla f.

slate [sleɪt] ◇ n pizarra f. ◇ vt [criticize] poner por los suelos.

slaughter ['slɔːtər] ◇ n lit & fig matanza f. ◇ vt matar.

slaughterhouse ['slɔːtəhaus, pl -hauzɪz] n matadero m.

slave [sleɪv] ◇ n esclavo m, -va f; to be a slave to fig ser un esclavo de. ◇ vi [work hard] trabajar como un negro; to slave over a hot stove hum pasarse el día bregando en la cocina.

slavery ['sleɪvərɪ] n lit & fig esclavitud f.

Slavic ['slɑːvɪk] adj eslavo m, -va f.

slay [sleɪ] (pt slew, pp slain) vt liter asesinar, matar.

sleazy ['sliːzɪ] adj [disreputable] de mala muerte.

sledge [sledʒ], **sled** US [sled] n trineo m.

sledgehammer ['sledʒˌhæmər] n almádena f.

sleek [sliːk] adj - **1.** [hair] suave y brillante; [fur] lustroso(sa) - **2.** [shape] de línea depurada.

sleep [sliːp] ◇ n sueño m. ◇ vi (pt & pp slept) dormir. ➡ **sleep in** vi levantarse tarde. ➡ **sleep with** vt insep euph acostarse con.

sleeper ['sliːpər] n - **1.** [person]: to be a heavy/light sleeper tener el sueño profundo/ligero - **2.** [sleeping compartment] coche-cama m - **3.** [train] tren m nocturno (con literas) - **4.** UK [on railway track] traviesa f.

sleeping bag ['sliːpɪŋ-] n saco m de dormir.

sleeping car ['sliːpɪŋ-] n coche-cama m, coche m dormitorio.

sleeping pill ['sliːpɪŋ-] n pastilla f para dormir.

sleepless ['sliːplɪs] adj [night] en blanco.

sleepwalk ['sliːpwɔːk] vi [be a sleepwalker] ser somnámbulo(la); [walk in one's sleep] andar mientras uno duerme.

sleepy ['sliːpɪ] adj [person] soñoliento(ta).

sleet [sliːt] ◇ n aguanieve f. ◇ impers vb: it's sleeting cae aguanieve.

sleeve [sliːv] n - **1.** [of garment] manga f; to have sthg up one's sleeve guardar una carta en la manga - **2.** [for record] cubierta f.

sleigh [sleɪ] *n* trineo *m*.

sleight of hand [ˌslaɪt-] *n* (U) *lit* & *fig* juego *m* de manos.

slender ['slendər] *adj* - **1.** [thin] esbelto(ta) - **2.** [scarce] escaso(sa).

slept [slept] *pt* & *pp* ▷ **sleep**.

S-level (*abbr of* Special level) *n* UK SCH *examen que se realiza al mismo tiempo que el A-level, pero de un nivel superior.*

slew [slu:] ◇ *pt* ▷ **slay**. ◇ *vi* girar bruscamente.

slice [slaɪs] ◇ *n* - **1.** [of bread] rebanada *f*; [of cheese] loncha *f*; [of sausage] raja *f*; [of lemon] rodaja *f*; [of meat] tajada *f* - **2.** [of market, glory] parte *f*. ◇ *vt* [gen] cortar; [bread] rebanar.

slick [slɪk] *adj* - **1.** [smooth, skilful] logrado(da) - **2.** *pej* [superficial - talk] aparentemente brillante; [- person] de labia fácil.

slide [slaɪd] ◇ *n* - **1.** [decline] descenso *m* - **2.** PHOT diapositiva *f* - **3.** [in playground] tobogán *m* - **4.** UK [for hair] pasador *m*. ◇ *vt* (*pt* & *pp* slid [slɪd]) deslizar. ◇ *vi* (*pt* & *pp* slid [slɪd]) - **1.** [slip] resbalar - **2.** [glide] deslizarse - **3.** [decline gradually] caer.

sliding door [ˌslaɪdɪŋ-] *n* puerta *f* corredera.

sliding scale [ˌslaɪdɪŋ-] *n* escala *f* móvil.

slight [slaɪt] ◇ *adj* - **1.** [improvement, hesitation etc] ligero(ra); [wound] superficial; **not in the slightest** *fml* en absoluto - **2.** [slender] menudo(da). ◇ *n* desaire *m*. ◇ *vt* menospreciar, desairar.

slightly ['slaɪtlɪ] *adv* [to small extent] ligeramente.

slim [slɪm] ◇ *adj* - **1.** [person, object] delgado(da) - **2.** [chance, possibility] remoto(ta). ◇ *vi* (intentar) adelgazar.

slime [slaɪm] *n* [in pond etc] lodo *m*, cieno *m*; [of snail, slug] baba *f*.

slimming ['slɪmɪŋ] *n* adelgazamiento *m*.

sling [slɪŋ] ◇ *n* - **1.** [for injured arm] cabestrillo *m* - **2.** [for carrying things] braga *f*, honda *f*. ◇ *vt* (*pt* & *pp* slung) - **1.** [hang roughly] colgar descuidadamente - **2.** *inf* [throw] tirar.

slip [slɪp] ◇ *n* - **1.** [mistake] descuido *m*, desliz *m*; **a slip of the pen/tongue** un lapsus - **2.** [of paper - gen] papelito *m*; [- form] hoja *f* - **3.** [underskirt] enaguas *fpl*

▶▶▶ **to give sb the slip** *inf* dar esquinazo a alguien. ◇ *vt*: **to slip sthg into** meter algo rápidamente en. ◇ *vi* - **1.** [lose one's balance] resbalar, patinar - **2.** [slide] escurrirse, resbalar - **3.** [decline] empeorar. ▶ **slip up** *vi* cometer un error (poco importante).

slipped disc [ˌslɪpt-] *n* hernia *f* discal.

slipper ['slɪpər] *n* zapatilla *f*.

slippery ['slɪpərɪ] *adj* resbaladizo(za).

slip road *n* UK [for joining motorway] acceso *m*; [for leaving motorway] salida *f*.

slipshod ['slɪpʃɒd] *adj* chapucero(ra).

slip-up *n inf* desliz *m*; **to make a slip-up** cometer un desliz.

slipway ['slɪpweɪ] *n* grada *f*.

slit [slɪt] ◇ *n* ranura *f*, hendidura *f*. ◇ *vt* (*pt* & *pp* slit) abrir, cortar (a lo largo).

slither ['slɪðər] *vi* deslizarse; **it slithered away** se marchó deslizándose.

sliver ['slɪvər] *n* [of glass] esquirla *f*; [of wood] astilla *f*; [of cheese, ham] tajada *f* muy fina.

slob [slɒb] *n inf* guarro *m*, -rra *f*.

slog [slɒg] *inf* ◇ *n* [work] curro *m*, trabajo *m* pesado. ◇ *vi* [work]: **to slog (away) at** trabajar sin descanso en.

slogan ['sləʊgən] *n* eslogan *m*.

slop [slɒp] ◇ *vt* derramar. ◇ *vi* derramarse.

slope [sləʊp] ◇ *n* cuesta *f*, pendiente *f*. ◇ *vi* inclinarse; **the road slopes down to the beach** la carretera desciende hasta la playa.

sloping ['sləʊpɪŋ] *adj* [gen] inclinado(da); [ground] en pendiente.

sloppy ['slɒpɪ] *adj* [person] descuidado(da); [work] chapucero(ra); [appearance] dejado(da).

slot [slɒt] *n* - **1.** [opening] ranura *f* - **2.** [groove] muesca *f* - **3.** [place in schedule] espacio *m*.

slot machine *n* - **1.** [vending machine] máquina *f* automática *(de bebidas, cigarrillos etc)* - **2.** [arcade machine] máquina *f* tragaperras.

slouch [slaʊtʃ] *vi* ir con los hombros caídos.

Slovakia [slə'vækɪə] *n* Eslovaquia.

slovenly ['slʌvnlɪ] *adj* [unkempt] desaliñado(da); [careless] descuidado(da).

slow [sləʊ] ◇ *adj* - **1.** [not fast] lento(ta); **to be a slow reader** leer despacio - **2.** [not prompt]: **to be slow to do sthg** tardar en hacer algo; **to be slow to anger** tarda en enfadarse - **3.** [clock etc] atrasado(da); **my watch is a few minutes slow** mi reloj va atrasado unos cuantos minutos - **4.** [not intelligent] corto(ta) (de alcances) - **5.** [not hot]: **bake in a slow oven** cocinar a horno moderado. ◇ *vt* aminorar, ralentizar. ◇ *vi* ir más despacio. ▶ **slow down, slow up** ◇ *vt sep* [growth] retrasar; [car] reducir la velocidad de. ◇ *vi* - **1.** [walker] ir más despacio; [car] reducir la velocidad - **2.** [take it easy] tomarse las cosas con calma.

slowdown ['sləʊdaʊn] *n* - **1.** [slackening off] ralentización *f* - **2.** US [go-slow] huelga *f* de celo.

slowly ['sləʊlɪ] *adv* despacio, lentamente.

slow motion *n*: **in slow motion** a cámara lenta.

sludge [slʌdʒ] *n* (U) [mud] fango *m*, lodo *m*; [sewage] aguas *fpl* residuales.

slug [slʌg] *n* - **1.** [insect] babosa *f* - **2.** US *inf* [bullet] bala *f*.

sluggish ['slʌgɪʃ] *adj* [movement, activity] lento(ta); [feeling] aturdido(da).

sluice [slu:s] *n* [passage] canal *m* de desagüe; [gate] compuerta *f*.

slum [slʌm] *n* [area] barrio *m* bajo.

slumber ['slʌmbər] *liter vi* dormir.

slump [slʌmp] <> *n* - 1. [decline]: **slump (in)** bajón *m* (en) - 2. ECON crisis *f* económica. <> *vi* - 1. [fall in value] dar un bajón - 2. [fall heavily - person] desplomarse, dejarse caer; **they found him slumped on the floor** lo encontraron desplomado en el suelo.

slung [slʌŋ] *pt & pp* ⊳ **sling**.

slur [slɜːr] <> *n* [insult] agravio *m*; **to cast a slur on sb** manchar la reputación de alguien. <> *vt* mascullar.

slush [slʌʃ] *n* nieve *f* medio derretida.

slush fund, slush money US *n* fondos utilizados para actividades corruptas.

slut [slʌt] *n* - 1. *inf* [dirty or untidy woman] marrana *f* - 2. *v inf* [sexually immoral woman] ramera *f*.

sly [slaɪ] *adj* (*comp* **slyer** OR **slier**, *superl* **slyest** OR **sliest**) - 1. [look, smile] furtivo(va) - 2. [person] astuto(ta).

smack [smæk] <> *n* - 1. [slap] cachete *m* - 2. [impact] golpe *m*. <> *vt* - 1. [slap] pegar, dar un cachete a - 2. [place violently] tirar de golpe. <> *vi*: **to smack of sthg** oler a algo.

small [smɔːl] *adj* [gen] pequeño(ña); [person] bajo(ja); [matter, attention] de poca importancia; [importance] poco(ca); **to make sb feel small** hacer que alguien se sienta muy poca cosa; **to get smaller** empequeñecer.

small ads [-ædz] *npl* UK anuncios *mpl* clasificados.

small change *n* cambio *m*, suelto *m*, calderilla *f Esp*, sencillo *m Andes*, feria *f Méx*, menudo *m Esp*.

smallholder ['smɔːl,həʊldər] *n* UK minifundista *mf*.

small hours *npl* primeras horas *fpl* de la madrugada; **in the small hours** en la madrugada.

smallpox ['smɔːlpɒks] *n* viruela *f*.

small print *n*: **the small print** la letra pequeña.

small talk *n* (U) conversación *f* trivial.

smarmy ['smɑːmɪ] *adj* cobista.

smart [smɑːt] <> *adj* - 1. [neat, stylish] elegante - 2. *esp US* [clever] inteligente - 3. [fashionable, exclusive] elegante - 4. [quick, sharp] rápido(da). <> *vi* - 1. [eyes, wound] escocer - 2. [person] sentir resquemor. ◆ **smarts** *n* US [intelligence] mollera *f*.

smart drug *n* droga *f* inteligente, nootrópico *m*.

smarten ['smɑːtn] ◆ **smarten up** *vt sep* arreglar; **to smarten o.s. up** arreglarse.

smash [smæʃ] <> *n* - 1. [sound] estrépito *m* - 2. *inf* [car crash] accidente *m* - 3. TENNIS mate *m*, smash *m*. <> *vt* - 1. [break into pieces] romper, hacer pedazos - 2. *fig* [defeat] aplastar. <> *vi* - 1. [break into pieces] romperse, hacerse pedazos - 2. [crash, collide]: **to smash through sthg** romper algo atravesándolo; **to smash into sthg** chocar violentamente con algo.

smashing ['smæʃɪŋ] *adj inf* fenomenal.

smattering ['smætərɪŋ] *n* nociones *fpl*; **he has a smattering of Spanish** tiene nociones de español.

smear [smɪər] <> *n* - 1. [dirty mark] mancha *f* - 2. [smear test] citología *f*, Papanicolau *m Amér* - 3. [slander] calumnia *f*, difamación *f*. <> *vt* - 1. [smudge] manchar - 2. [spread]: **to smear sthg onto sthg** untar algo con algo; **the screen was smeared with grease** la pantalla estaba embadurnada de grasa - 3. [slander] calumniar, difamar.

smell [smel] <> *n* - 1. [odour] olor *m* - 2. [sense of smell] olfato *m*. <> *vt* (*pt & pp* -**ed** OR **smelt**) *lit & fig* oler. <> *vi* (*pt & pp* -**ed** OR **smelt**) - 1. [gen] oler; **to smell of/like** oler a/como; **to smell good/bad** oler bien/mal - 2. [smell unpleasantly] apestar.

smelly ['smelɪ] *adj* maloliente.

smelt [smelt] <> *pt & pp* ⊳ **smell**. <> *vt* fundir.

smile [smaɪl] <> *n* sonrisa *f*. <> *vi* sonreír; **to smile at sb** sonreírle a algn.

smirk [smɜːk] *n* sonrisa *f* desdeñosa.

smock [smɒk] *n* blusón *m*.

smog [smɒg] *n* niebla *f* baja, smog *m*.

smoke [sməʊk] <> *n* [gen] humo *m*; **to go up in smoke** ser consumido(a) por las llamas. <> *vt* - 1. [cigarette, cigar] fumar; **to smoke a pipe** fumar en pipa - 2. [fish, meat, cheese] ahumar. <> *vi* - 1. [smoke tobacco] fumar; **I don't smoke** no fumo - 2. [give off smoke] echar humo.

smoked [sməʊkt] *adj* ahumado(da).

smoker ['sməʊkər] *n* - 1. [person] fumador *m*, -ra *f* - 2. RAIL [compartment] compartimiento *m* de fumadores.

smokescreen ['sməʊkskriːn] *n fig* cortina *f* de humo.

smoke shop *n* US estanco *m*.

smoke signal *n* señal *f* de humo.

smoking ['sməʊkɪŋ] *n*: **smoking is bad for you** fumar es malo; **to give up smoking** dejar de fumar; **'no smoking'** 'prohibido fumar'.

smoking gun *n fig* [clue] pista *f*.

smoky ['sməʊki] *adj* - **1.** [full of smoke] lleno(na) de humo - **2.** [taste, colour] ahumado(da).

smolder *US* = **smoulder**.

smooth [smu:ð] ⋄ *adj* - **1.** [surface] liso(sa); [skin] terso(sa) - **2.** [mixture, gravy] sin grumos - **3.** [movement, taste] suave - **4.** [flight, ride] tranquilo(la) - **5.** *pej* [person, manner] meloso(sa) - **6.** [trouble-free] sin problemas. ⋄ *vt* alisar. ➣ **smooth out** *vt sep* - **1.** [table cloth, crease] alisar - **2.** [difficulties] allanar.

smother ['smʌðər] *vt* - **1.** [cover thickly]: **to smother sthg in** *OR* **with** cubrir algo de - **2.** [kill] asfixiar - **3.** [extinguish] sofocar, apagar - **4.** *fig* [control] contener; **to smother a yawn** contener un bostezo.

smoulder *UK*, **smolder** *US* ['sməʊldər] *vi* - **1.** [fire] arder sin llama - **2.** *fig* [person, feelings] arder.

SMS (*abbr of* short message service) *n* COMPUT servicio *m* de mensajes cortos.

smudge [smʌdʒ] ⋄ *n* [dirty mark] mancha *f*; [ink blot] borrón *m*. ⋄ *vt* [by blurring] emborronar; [by dirtying] manchar.

smug [smʌg] *adj pej* pagado(da) *OR* satisfecho(cha) de sí mismo(ma).

smuggle ['smʌgl] *vt* [across frontiers] pasar de contrabando.

smuggler ['smʌglər] *n* contrabandista *mf*.

smuggling ['smʌglɪŋ] *n (U)* contrabando *m*.

smutty ['smʌti] *adj inf pej* guarro(rra).

snack [snæk] *n* bocado *m*, piscolabis *m inv*.

snack bar *n* bar *m*, cafetería *f*.

snag [snæg] ⋄ *n* [problem] pega *f*. ⋄ *vi*: **to snag (on)** engancharse (en).

snail [sneɪl] *n* caracol *m*; **at a snail's pace** a paso de tortuga.

snail mail *n* correo *m* caracol.

snake [sneɪk] *n* [large] serpiente *f*; [small] culebra *f*.

snap [snæp] ⋄ *adj* repentino(na); **a snap decision** una decisión repentina. ⋄ *n* - **1.** [act or sound] crujido *m*, chasquido *m* - **2.** *inf* [photograph] foto *f*. ⋄ *vt* - **1.** [break] partir (en dos) - **2.** [move with a snap]: **to snap sthg open** abrir algo de golpe. ⋄ *vi* - **1.** [break] partirse (en dos) - **2.** [attempt to bite]: **to snap at sthg/sb** intentar morder algo/a alguien - **3.** [speak sharply]: **to snap (at sb)** contestar bruscamente *OR* de mala manera a alguien. ➣ **snap up** *vt sep* no dejar escapar.

snappy ['snæpi] *adj inf* - **1.** [stylish] con estilo - **2.** [quick] rápido(da); **make it snappy!** ¡date prisa! - **3.** [irritable] arisco(ca).

snapshot ['snæpʃɒt] *n* foto *f*.

snare [sneər] *n* trampa *f*.

snarl [snɑːl] *vi* gruñir.

snatch [snætʃ] ⋄ *n* [of conversation, song] fragmento *m*. ⋄ *vt* [grab] agarrar; **to snatch sthg from sb** arrancarle *OR* arrebatarle algo a alguien.

sneak [sni:k] ⋄ *n UK inf* acusica *mf*, chivato *m*, -ta *f*. ⋄ *vt* (*US pt & pp* **snuck**) pasar a escondidas; **she tried to sneak the cakes out of the cupboard** intentó sacar los pasteles del armario a hurtadillas; **she sneaked him into her bedroom** lo coló en su dormitorio. ⋄ *vi* (*US pt & pp* **snuck**): **to sneak in/out** entrar/salir a escondidas; **he sneaked in without paying** se coló sin pagar; **don't try and sneak off!** ¡no intentes escabullirte!

sneakers ['sni:kəz] *npl US* zapatos *mpl* de lona.

sneaky ['sni:ki] *adj inf* solapado(da).

sneer [snɪər] *vi* [smile unpleasantly] sonreír con desprecio.

sneeze [sni:z] *vi* estornudar.

snide [snaɪd] *adj* sarcástico(ca).

sniff [snɪf] ⋄ *vt* - **1.** [smell] oler - **2.** [drug] esnifar. ⋄ *vi* [to clear nose] sorber por la nariz.

snigger ['snɪgər] ⋄ *n* risa *f* disimulada. ⋄ *vi* reírse por lo bajo.

snip [snɪp] ⋄ *n inf* [bargain] ganga *f*. ⋄ *vt* cortar con tijeras.

sniper ['snaɪpər] *n* francotirador *m*, -ra *f*.

snippet ['snɪpɪt] *n* retazo *m*; **snippet of information** un dato aislado.

snivel ['snɪvl] (*UK*) (*US*) *vi* lloriquear.

snob [snɒb] *n* esnob *mf*.

snobbish ['snɒbɪʃ], **snobby** ['snɒbi] *adj* esnob.

snooker ['snu:kər] *n* snooker *m*, juego parecido al billar.

snoop [snu:p] *vi inf*: **to snoop (around)** fisgonear.

snooty ['snu:ti] *adj* engreído(da).

snooze [snu:z] ⋄ *n* cabezada *f*; **to have a snooze** echar una cabezada. ⋄ *vi* dormitar.

snore [snɔːr] ⋄ *n* ronquido *m*. ⋄ *vi* roncar.

snoring ['snɔːrɪŋ] *n (U)* ronquidos *mpl*.

snorkel ['snɔːkl] *n* tubo *m* respiratorio.

snort [snɔːt] ⋄ *n* resoplido *m*. ⋄ *vi* resoplar.

snout [snaʊt] *n* hocico *m*.

snow [snəʊ] ⋄ *n* nieve *f*. ⋄ *impers vb* nevar; **it's snowing** está nevando.

snowball ['snəʊbɔːl] ⋄ *n* bola *f* de nieve. ⋄ *vi fig* aumentar rápidamente.

snowboard ['snəʊbɔːd] *n* snowboard *m*.

snowboarding ['snəʊbɔːdɪŋ] *n* snowboard *m*; **to go snowboarding** hacer snowboard.

snowbound ['snəʊbaʊnd] *adj* bloqueado(da) por la nieve.

snowdrift ['snəʊdrɪft] n montón m de nieve.

snowdrop ['snəʊdrɒp] n campanilla f blanca.

snowfall ['snəʊfɔːl] n nevada f.

snowflake ['snəʊfleɪk] n copo m de nieve.

snowman ['snəʊmæn] (pl -men [-men]) n muñeco m de nieve.

snowplough UK, **snowplow** US ['snəʊplaʊ] n quitanieves m inv.

snowshoe ['snəʊʃuː] n raqueta f de nieve.

snowstorm ['snəʊstɔːm] n tormenta f de nieve.

SNP n abbr of **Scottish National Party**.

Snr, snr (abbr of senior) sén.

snub [snʌb] ◇ n desaire m. ◇ vt desairar.

snuck [snʌk] US pt & pp ▷ **sneak**.

snuff [snʌf] n [tobacco] rapé m.

snug [snʌg] adj - 1. [person] cómodo y calentito (cómoda y calentita); [feeling] de bienestar - 2. [place] acogedor(ra) - 3. [close-fitting] ajustado(da).

snuggle ['snʌgl] vi: to snuggle up to sb arrimarse a alguien acurrucándose.

so [səʊ] ◇ adv - 1. [to such a degree] tan; so difficult (that) tan difícil (que); don't be so stupid! ¡no seas bobo!; I wish he wouldn't talk so much ojalá no hablara tanto; I've never seen so much money/many cars en mi vida he visto tanto dinero/tantos coches; thank you so much muchísimas gracias; it's about so high es así de alto - 2. [in referring back to previous statement, event etc]: so what's the point then? entonces ¿qué sentido tiene?; so you knew already? ¿así que ya lo sabías?; I don't think so no creo, me parece que no; I'm afraid so me temo que sí; if so si es así, de ser así; is that so? ¿es cierto?, ¿es así? - 3. [also] también; so can I y so (también puedo); so do I y so (también); she speaks French and so does her husband ella habla francés y su marido también - 4. [in such a way]: (like) so así, de esta forma - 5. [in expressing agreement]: so there is! ¡pues (sí que) es verdad!, ¡sí que lo hay, sí!; so I see ya lo veo - 6. [unspecified amount, limit]: they pay us so much a week nos pagan tanto a la semana; it's not so much the money as the time involved no es tanto el dinero como el tiempo que conlleva; they didn't so much as say thank you ni siquiera dieron las gracias; or so o así. ◇ conj - 1. [with the result that, therefore] así que, por lo tanto - 2. [to introduce a statement] (bueno) pues; so what have you been up to? bueno, ¿y qué has estado haciendo?; so that's who she is! ¡anda! ¡o sea que ella!; so what? inf ¿y qué?; so there inf ¡(y si no te gusta,) te chinchas! ◆ **and so on, and so forth** adv y cosas por el estilo. ◆ **so as** conj para; we didn't knock so as not to disturb

them no llamamos para no molestarlos. ◆ **so far** conj [up to now] hasta ahora; so far, so good por ahora todo bien. ◆ **so that** conj para que; he lied so that she would go free mintió para que ella saliera en libertad.

soak [səʊk] ◇ vt - 1. [leave immersed] poner en remojo - 2. [wet thoroughly] empapar. ◇ vi - 1. [become thoroughly wet]: to leave sthg to soak, to let sthg soak dejar algo en remojo - 2. [spread]: to soak into OR through sthg calar algo. ◆ **soak up** vt sep [liquid] absorber.

soaking ['səʊkɪŋ] adj empapado(da); to be soaking wet estar empapado.

so-and-so n inf - 1. [to replace a name] fulano m, -na f de tal - 2. [annoying person] hijo m, -ja f de tal.

soap [səʊp] n - 1. (U) [for washing] jabón m - 2. TV culebrón m.

soap flakes npl escamas fpl de jabón.

soap opera n culebrón m.

soap powder n jabón m en polvo.

soapy ['səʊpɪ] adj [full of soap] jabonoso(sa).

soar [sɔːʳ] vi - 1. [bird] remontar el vuelo - 2. [rise into the sky] elevarse - 3. [increase rapidly] alcanzar cotas muy altas.

sob [sɒb] ◇ n sollozo m. ◇ vi sollozar.

sober ['səʊbəʳ] adj - 1. [gen] sobrio(bria) - 2. [serious] serio(ria). ◆ **sober up** vi pasársele a uno la borrachera.

sobering ['səʊbərɪŋ] adj que hace reflexionar; it was a sobering thought dio mucho que pensar.

so-called [-kɔːld] adj - 1. [expressing scepticism] mal llamado(da), supuesto(ta) - 2. [widely known as] así llamado(da).

soccer ['sɒkəʳ] n (U) fútbol m.

sociable ['səʊʃəbl] adj sociable.

social ['səʊʃl] adj social.

social club n club m social.

socialism ['səʊʃəlɪzm] n socialismo m.

socialist ['səʊʃəlɪst] ◇ adj socialista. ◇ n socialista mf.

socialize, -ise ['səʊʃəlaɪz] vi: to socialize (with) alternar (con).

social security n seguridad f social.

social services npl servicios mpl sociales.

social worker n asistente m, -ta f social.

society [sə'saɪətɪ] n - 1. [gen] sociedad f - 2. [club, organization] sociedad f, asociación f.

sociology [ˌsəʊsɪ'ɒlədʒɪ] n sociología f.

sock [sɒk] n calcetín m, media f Amér.

socket ['sɒkɪt] n - 1. ELEC enchufe m - 2. [of eye] cuenca f; [of joint] glena f.

sod [sɒd] n - 1. [of turf] tepe m - 2. v inf [person] cabroncete m.

soda ['səʊdə] n - 1. [gen] soda f - 2. US [fizzy drink] gaseosa f.

soda water n soda f.

sodden ['sɒdn] adj empapado(da).

sodium ['səʊdɪəm] n sodio m.

sofa ['səʊfə] n sofá m.

soft [sɒft] adj - **1.** [pliable, not stiff, not strict] blando(da); **to go soft** ablandarse - **2.** [smooth, gentle, not bright] suave.

soft drink n refresco m.

soften ['sɒfn] ⬦ vt suavizar. ⬦ vi - **1.** [substance] ablandarse - **2.** [expression] suavizarse.

softhearted [,sɒft'hɑːtɪd] adj de buen corazón.

softly ['sɒftlɪ] adv - **1.** [gently] con delicadeza - **2.** [quietly, not brightly] suavemente - **3.** [leniently] con indulgencia.

soft-spoken adj de voz suave.

software ['sɒftweər] n COMPUT software m.

soggy ['sɒgɪ] adj inf empapado(da).

soil [sɔɪl] ⬦ n [earth] tierra f, suelo m. ⬦ vt ensuciar.

soiled [sɔɪld] adj sucio(cia).

solace ['sɒləs] n liter consuelo m.

solar ['səʊlər] adj solar; **solar eclipse** eclipse de sol.

solar power n energía f solar.

sold [səʊld] pt & pp ▷ **sell**.

solder ['səʊldər] ⬦ n (U) soldadura f. ⬦ vt soldar.

soldier ['səʊldʒər] n soldado m.

sold out adj agotado(da); **the theatre was sold out** se agotaron las localidades; **all the shops were sold out of lemons** se habían agotado los limones en todas las tiendas.

sole [səʊl] ⬦ adj - **1.** [only] único(ca) - **2.** [exclusive] exclusivo(va). ⬦ n - **1.** (pl -s) [of foot] planta f; [of shoe] suela f - **2.** (pl sole) [fish] lenguado m.

solemn ['sɒləm] adj solemne.

solicit [sə'lɪsɪt] ⬦ vt fml [request] solicitar. ⬦ vi [prostitute] ofrecer sus servicios.

solicitor [sə'lɪsɪtər] n UK LAW abogado que lleva casos administrativos y legales, pero que no acude a los tribunales superiores.

solid ['sɒlɪd] ⬦ adj - **1.** [gen] sólido(da) - **2.** [rock, wood, gold] macizo(za) - **3.** [reliable, respectable] serio(ria), formal - **4.** [without interruption] sin interrupción; **it rained for two solid weeks** llovió sin parar durante dos semanas. ⬦ n sólido m; **to be on solids** [baby] estar tomando alimentos sólidos.

solidarity [,sɒlɪ'dærətɪ] n solidaridad f.

solitaire [,sɒlɪ'teər] n - **1.** [jewel, board game] solitario m - **2.** US [card game] solitario m.

solitary ['sɒlɪtrɪ] adj solitario(ria).

solitary confinement n: **to be in solitary confinement** estar incomunicado(da) (en la cárcel).

solitude ['sɒlɪtjuːd] n soledad f.

solo ['səʊləʊ] ⬦ adj & adv a solas. ⬦ n (pl -s) solo m.

soloist ['səʊləʊɪst] n soloista mf.

soluble ['sɒljʊbl] adj soluble.

solution [sə'luːʃn] n: **solution (to)** solución f (a).

solve [sɒlv] vt resolver.

solvent ['sɒlvənt] ⬦ adj FIN solvente. ⬦ n disolvente m.

Somalia [sə'mɑːlɪə] n Somalia.

sombre UK, **somber** US ['sɒmbər] adj sombrío(a).

some [sʌm] ⬦ adj - **1.** [a certain amount, number of]: **would you like some coffee?** ¿quieres café?; **give me some money** dame algo de dinero; **there are some good articles in it** tiene algunos artículos buenos; **I bought some socks** [one pair] me compré unos calcetines; [more than one pair] me compré algunos calcetines - **2.** [fairly large number or quantity of]: **I've known him for some years** lo conozco desde hace bastantes años; **I had some difficulty getting here** me costó lo mío llegar aquí - **3.** (contrastive use) [certain] algunos(as); **some jobs are better paid than others** algunos trabajos están mejor pagados que otros; **some people say that...** los hay que dicen que...; **in some ways** en cierto modo - **4.** [in imprecise statements] algún(una); **there must be some mistake** debe haber un OR algún error; **she married some writer or other** se casó con no sé qué escritor; **someday** algún día - **5.** inf [very good] menudo(da); **that's some car he's got** ¡menudo coche tiene!; **some help you are!** iro [not very good] ¡menuda OR valiente ayuda me das! ⬦ pron - **1.** [a certain amount]: **can I have some?** [money, milk, coffee etc] ¿puedo coger un poco?; **some of** parte de - **2.** [a certain number] algunos(as); **can I have some?** [books, potatoes etc] ¿puedo coger algunos?; **some (of them) left early** algunos se fueron temprano; **some say he lied** hay quien dice que mintió. ⬦ adv - **1.** unos(as); **there were some 7,000 people there** habría unas 7.000 personas - **2.** US [slightly] algo, un poco; **shall I turn it up some?** ¿lo subo algo o un poco?

somebody ['sʌmbədɪ] pron alguien; **somebody or other** alguien.

someday ['sʌmdeɪ] adv algún día.

somehow ['sʌmhaʊ], **someway** US ['sʌmweɪ] adv - **1.** [by some action] de alguna manera; **somehow or other** de un modo u otro - **2.** [for some reason] por alguna razón.

someone ['sʌmwʌn] pron alguien; **someone or other** alguien, no sé quien.

someplace US = **somewhere**.

somersault ['sʌməsɔːlt] n [in air] salto m mortal; [on ground] voltereta f.

something ['sʌmθɪŋ] ⬦ *pron* algo; **or something** *inf* o algo así; **something or other** alguna cosa. ⬦ *adv*: **something like**, **something in the region of** algo así como.

sometime ['sʌmtaɪm] *adv* en algún momento; **sometime or other** en algún momento; **sometime next week** durante la semana que viene.

sometimes ['sʌmtaɪmz] *adv* a veces.

someway *US* = **somehow**.

somewhat ['sʌmwɒt] *adv fml* algo.

somewhere *UK* ['sʌmweəʳ], **someplace** *US* ['sʌmpleɪs] *adv* - **1.** [unknown place - with verbs of position] en alguna parte; [- with verbs of movement] a alguna parte; **it's somewhere else** está en otra parte; **it's somewhere in the kitchen** está en alguna parte de la cocina; **shall we go somewhere else?** ¿nos vamos a otra parte?; **I need somewhere to spend the night** necesito un lugar donde pasar la noche - **2.** [in approximations]: **somewhere between five and ten** entre cinco y diez; **somewhere around 20** alrededor de 20; **he's somewhere in his fifties** tiene cincuenta años y pico.

son [sʌn] *n* hijo *m*.

song [sɒŋ] *n* - **1.** [gen] canción *f*; **to make a song and dance about sthg** *inf* armar la de Dios es Cristo sobre algo - **2.** [of bird] canto *m*.

sonic ['sɒnɪk] *adj* sónico(ca).

son-in-law (*pl* **sons-in-law** OR **son-in-laws**) *n* yerno *m*.

sonnet ['sɒnɪt] *n* soneto *m*.

sonny ['sʌnɪ] *n inf* hijo *m*, chico *m*.

soon [su:n] *adv* pronto; **how soon will it be ready?** ¿para cuándo estará listo?; **soon after** poco después; **as soon as** tan pronto como; **as soon as possible** cuanto antes; **see you soon** hasta pronto.

sooner ['su:nəʳ] *adv* - **1.** [in time] antes; **no sooner did he arrive than...** apenas había llegado cuando...; **no sooner said than done** dicho y hecho; **sooner or later** (más) tarde o (más) temprano; **the sooner the better** cuanto antes mejor - **2.** [expressing preference]: **I'd sooner (not)...** preferiría (no)...

soot [sʊt] *n* hollín *m*.

soothe [su:ð] *vt* - **1.** [pain] aliviar - **2.** [nerves etc] calmar.

sophisticated [sə'fɪstɪkeɪtɪd] *adj* [gen] sofisticado(da).

sophomore ['sɒfəmɔːʳ] *n US* estudiante *mf* del segundo curso.

soporific [ˌsɒpə'rɪfɪk] *adj* soporífico(ca).

sopping ['sɒpɪŋ] *adj*: **sopping (wet)** chorreando.

soppy ['sɒpɪ] *adj inf pej* sentimentaloide.

soprano [sə'prɑːnəʊ] (*pl* **-s**) *n* soprano *f*.

sorbet ['sɔːbeɪ] *n* sorbete *m*; **lemon sorbet** sorbete de limón.

sorcerer ['sɔːsərəʳ] *n* brujo *m*, -ja *f*.

sordid ['sɔːdɪd] *adj* - **1.** [immoral] obsceno(na) - **2.** [dirty, unpleasant] sórdido(da).

sore [sɔːʳ] ⬦ *adj* - **1.** [painful] dolorido(da); **to have a sore throat** tener dolor de garganta - **2.** *US* [upset] enfadado(da); **to get sore** enfadarse. ⬦ *n* llaga *f*, úlcera *f*.

sorely ['sɔːlɪ] *adv liter* enormemente.

sorrow ['sɒrəʊ] *n* pesar *m*, pena *f*.

sorry ['sɒrɪ] ⬦ *adj* - **1.** [expressing apology]: **to be sorry about sthg** sentir OR lamentar algo; **I'm sorry for what I did** siento lo que hice; **I'm sorry if I'm disturbing you** OR **to disturb you** siento molestarte - **2.** [expressing shame, disappointment]: **to be sorry that** sentir que; **we were sorry about his resignation** sentimos que dimitiera; **to be sorry for** arrepentirse de - **3.** [expressing regret]: **I'm sorry to have to say that...** siento tener que decir que... - **4.** [expressing pity]: **to be** OR **feel sorry for o.s.** sentir lástima de uno mismo (una misma) - **5.** [expressing polite disagreement]: **I'm sorry, but...** perdón, pero... - **6.** [poor, pitiable] lamentable, penoso(sa); **it was a sorry sight** tenía un aspecto horrible. ⬦ *excl* - **1.** [I apologise]: **sorry!** ¡perdón! - **2.** [pardon]: **sorry?** ¿perdón? - **3.** [to correct oneself]: **a girl, sorry, a woman** una chica, perdón, una mujer.

sort [sɔːt] ⬦ *n* tipo *m*, clase *f*; **what sort of computer have you got?** ¿qué tipo de ordenador tienes?; **all sorts of** todo tipo de; **sort of** más o menos, así así; **a sort of** una especie de; **she did nothing of the sort** no hizo nada por el estilo. ⬦ *vt* clasificar. ⬦ **sort out** *vt sep* - **1.** [classify] clasificar - **2.** [solve] solucionar, resolver.

sorting office ['sɔːtɪŋ-] *n* oficina de clasificación del correo.

SOS *n* SOS *m*; **to send an SOS** lanzar un SOS.

so-so *adj & adv inf* así así.

soufflé ['su:fleɪ] *n* suflé *m*; **a cheese soufflé** un suflé de queso.

sought [sɔːt] *pt & pp* ⮕ **seek**.

soul [səʊl] *n* - **1.** [gen] alma *f* - **2.** [music] música *f* soul.

soul-destroying [-dɪˌstrɔɪɪŋ] *adj* desmoralizador(ra).

soulful ['səʊlfʊl] *adj* lleno(na) de sentimiento.

sound [saʊnd] ⬦ *adj* - **1.** [healthy] sano(na) - **2.** [sturdy] sólido(da) - **3.** [reliable] fiable, seguro(ra). ⬦ *adv*: **to be sound asleep** estar profundamente dormido(da). ⬦ *n* - **1.** [gen] sonido *m* - **2.** [particular noise] ruido *m* - **3.** [impression]: **by the sound of it** por lo que

parece. ◇ *vt* [bell etc] hacer sonar, tocar. ◇ *vi* - **1.** [gen] sonar - **2.** [give impression]: **it sounds interesting** parece interesante; **it sounds like fun** suena divertido. ◆ **sound out** *vt sep*: **to sound sb out (on OR about)** sondear a alguien (sobre).

sound barrier *n* barrera *f* del sonido.

sound card *n* COMPUT tarjeta *f* de sonido.

sound effects *npl* efectos *mpl* sonoros.

sounding ['saʊndɪŋ] *n* NAUT sondeo *m* marino.

soundly ['saʊndlɪ] *adv* - **1.** [severely - beat] totalmente - **2.** [deeply] profundamente.

soundproof ['saʊndpruːf] *adj* insonorizado(da).

soundtrack ['saʊndtræk] *n* banda *f* sonora.

soup [suːp] *n* [thick] sopa *f*; [clear] caldo *m*.

soup plate *n* plato *m* hondo OR sopero.

soup spoon *n* cuchara *f* sopera.

sour [saʊəʳ] ◇ *adj* - **1.** [acidic] ácido(da) - **2.** [milk, person, reply] agrio(gria). ◇ *vt* agriar.

source [sɔːs] *n* - **1.** [gen] fuente *f* - **2.** [cause] origen *m*.

sour grapes *n (U) inf*: **it's sour grapes!** ¡están verdes!

south [saʊθ] ◇ *n* - **1.** [direction] sur *m* - **2.** [region]: **the South** el sur. ◇ *adj* del sur. ◇ *adv*: **south (of)** al sur (de).

South Africa *n*: **(the Republic of) South Africa** (la República de) Suráfrica.

South African ◇ *adj* surafricano(na). ◇ *n* [person] surafricano *m*, -na *f*.

South America *n* Sudamérica.

South American ◇ *adj* sudamericano(na). ◇ *n* [person] sudamericano *m*, -na *f*.

southeast [,saʊθ'iːst] ◇ *n* - **1.** [direction] sudeste *m* - **2.** [region]: **the Southeast** el sudeste. ◇ *adj* del sudeste. ◇ *adv*: **southeast (of)** hacia el sudeste (de).

southerly ['sʌðəlɪ] *adj* del sur.

southern ['sʌðən] *adj* del sur, sureño(ña); **the southern hemisphere** el hemisferio sur.

South Korea *n* Corea del Sur.

South Pole *n*: **the South Pole** el polo Sur.

southward ['saʊθwəd] ◇ *adj* sur. ◇ *adv* = **southwards**.

southwards ['saʊθwədz], **southward** *adv* hacia el sur.

southwest [,saʊθ'west] ◇ *n* - **1.** [direction] suroeste *m* - **2.** [region]: **the Southwest** el suroeste. ◇ *adj* del suroeste. ◇ *adv*: **southwest (of)** hacia el suroeste (de).

souvenir [,suːvə'nɪəʳ] *n* recuerdo *m*.

sovereign ['sɒvrɪn] ◇ *adj* soberano(na). ◇ *n* - **1.** [ruler] soberano *m*, -na *f* - **2.** [coin] soberano *m*.

Soviet ['saʊvɪət] ◇ *adj* soviético(ca). ◇ *n* [person] soviético *m*, -ca *f*.

Soviet Union *n*: **the (former) Soviet Union** la (antigua) Unión Soviética.

sow[1] [saʊ] (*pt* -**ed**, *pp* **sown** OR -**ed**) *vt lit & fig* sembrar.

sow[2] [saʊ] *n* cerda *f*, puerca *f*, chancha *f* *Amér*.

sown [saʊn] *pp* ⊳ **sow**[1].

soya ['sɔɪə] *n* soja *f*.

soy(a) bean ['sɔɪ(ə)-] *n esp US* semilla *f* de soja, frijol *m* de soja *Amér*, porot *m* de soja *Andes*.

spa [spɑː] *n* balneario *m*.

spa bath *n* bañera *f* de hidromasaje.

space [speɪs] ◇ *n* espacio *m*; **there isn't enough space for it** no hay suficiente espacio para ello; **in the space of 30 minutes** en el espacio de 30 minutos. ◇ *vt* espaciar. ◆ **space out** *vt sep* [arrange with spaces between] espaciar.

spacecraft ['speɪskrɑːft] (*pl* **spacecraft**) *n* nave *f* espacial.

spaceman ['speɪsmæn] (*pl* -**men** [-men]) *n inf* astronauta *m*.

spaceship ['speɪsʃɪp] *n* nave *f* espacial.

space shuttle *n* transbordador *m* espacial.

spacesuit ['speɪssuːt] *n* traje *m* espacial.

spacing ['speɪsɪŋ] *n* TYPO espacio *m*; **double spacing** doble espacio.

spacious ['speɪʃəs] *adj* espacioso(sa).

spade [speɪd] *n* [tool] pala *f*. ◆ **spades** *npl* picas *fpl*.

spaghetti [spə'getɪ] *n (U)* espaguetis *mpl*.

Spain [speɪn] *n* España *f*.

spam [spæm] ◇ *n* COMPUT correo *m* basura. ◇ *vt* COMPUT enviar correo basura a.

spammer ['spæməʳ] *n* COMPUT spammer *m*.

spamming ['spæmɪŋ] *n (U)* COMPUT spamming *m*, envío *m* de correo basura.

span [spæn] ◇ *pt* ⊳ **spin**. ◇ *n* - **1.** [in time] lapso *m*, periodo *m* - **2.** [range] gama *f* - **3.** [of wings] envergadura *f* - **4.** [of bridge, arch] ojo *m*. ◇ *vt* - **1.** [in time] abarcar - **2.** [bridge etc] cruzar, atravesar.

Spaniard ['spænjəd] *n* español *m*, -la *f*.

spaniel ['spænjəl] *n* perro *m* de aguas.

Spanish ['spænɪʃ] ◇ *adj* español(la). ◇ *n* [language] español *m*, castellano *m*. ◇ *npl* [people]: **the Spanish** los españoles.

spank [spæŋk] *vt* zurrar.

spanner ['spænəʳ] *n* llave *f* inglesa.

spar [spɑːʳ] ◇ *n* palo *m*, verga *f*. ◇ *vi* [in boxing]: **to spar (with)** entrenarse (con).

spare [speəʳ] ◇ *adj* - **1.** [surplus] de sobra - **2.** [free - chair, time] libre; **I've got a spare pen you can borrow** tengo un bolígrafo de sobra

que te puedo prestar; **have you got a spare minute?** ¿tienes un minuto?; **there's one going spare** uno m [crazy]: **to go spare** volverse loco(ca). ◇ n - **1.** [extra one]: I always carry a spare siempre llevo uno de sobra - **2.** inf [part] pieza f de recambio OR repuesto. ◇ vt - **1.** [time] conceder; [money] dejar; **we can't spare any time/money** no tenemos tiempo/dinero; **to spare** de sobra - **2.** [not harm - person, life] perdonar; [- company, city] salvar; **they spared his life** le perdonaron la vida - **3.** [not use, not take]: **to spare no expense/effort** no escatimar gastos/esfuerzos - **4.** [save from]: **to spare sb sthg** ahorrarle a alguien algo; **you've spared me the trouble** me has ahorrado la molestia.

spare part n AUT pieza f de recambio OR repuesto.

spare time n tiempo m libre.

spare wheel n rueda f de recambio.

sparing ['speərɪŋ] adj: **to be sparing with** OR **of** ser parco(ca) en.

sparingly ['speərɪŋlɪ] adv con moderación.

spark [spɑːk] n lit & fig chispa f.

sparkle ['spɑːkl] ◇ n (U) [of diamond] destello m; [of eyes] brillo m. ◇ vi [star, jewels] centellear; [eyes] brillar.

sparkling wine ['spɑːklɪŋ-] n vino m espumoso.

spark plug n bujía f.

sparrow ['spærəʊ] n gorrión m.

sparse [spɑːs] adj escaso(sa).

spasm ['spæzm] n - **1.** MED [state] espasmo m - **2.** [attack] acceso m.

spastic ['spæstɪk] n MED espástico m, -ca f.

spat [spæt] pt & pp ▷ **spit**.

spate [speɪt] n cadena f, serie f.

spatter ['spætər] vt salpicar.

spawn [spɔːn] ◇ n (U) huevas fpl. ◇ vt fig engendrar. ◇ vi desovar, frezar.

speak [spiːk] ◇ vt (pt spoke, pp spoken) - **1.** [say] decir; **to speak one's mind** decir lo que se piensa - **2.** [language] hablar; **can you speak French?** ¿hablas francés? ◇ vi (pt spoke, pp spoken) hablar; **to speak to** OR **with** hablar con; **to speak to sb (about)** hablar con alguien (de); **to speak about** hablar de; **nobody/nothing to speak of** nadie/nada especial; **we aren't speaking** [we aren't friends] no nos hablamos. ➧ **so to speak** adv por así decirlo. ➧ **speak for** vt insep [represent] hablar en nombre de. ➧ **speak up** vi - **1.** [speak out]: **to speak up for** salir en defensa de - **2.** [speak louder] hablar más alto.

speaker ['spiːkər] n - **1.** [person talking] persona f que habla - **2.** [person making a speech - at meal etc] orador m, -ra f; [- at conference] con-

ferenciante mf - **3.** [of a language] hablante mf; **English speakers** anglohablantes - **4.** [of radio] altavoz m.

speaking ['spiːkɪŋ] ◇ adv: **generally speaking** en general; **legally speaking** desde una perspectiva legal. ◇ adj: **we are not on speaking terms** no nos dirigimos la palabra.

spear [spɪər] ◇ n [gen] lanza f; [for hunting] jabalina f. ◇ vt [animal] atravesar; [piece of food] pinchar.

spearhead ['spɪəhed] vt encabezar.

spec [spek] n UK inf: **to buy on spec** comprar sin garantías.

special ['speʃl] adj - **1.** [gen] especial - **2.** [particular, individual] particular.

special delivery n correo m urgente.

specialist ['speʃəlɪst] ◇ adj [doctor] especialista; [literature] especializado(da). ◇ n especialista mf.

speciality [ˌspeʃɪˈælətɪ], **specialty** US ['speʃltɪ] n especialidad f.

specialize, -ise ['speʃəlaɪz] vi: **to specialize (in)** especializarse (en).

specially ['speʃəlɪ] adv especialmente.

special needs npl: **special needs children** niños con necesidades especiales.

specialty US = **speciality**.

species ['spiːʃiːz] (pl **species**) n especie f.

specific [spəˈsɪfɪk] adj - **1.** [particular] determinado(da) - **2.** [precise] específico(ca) - **3.** [unique]: **specific to** específico(ca) de.

specifically [spəˈsɪfɪklɪ] adv - **1.** [particularly] expresamente - **2.** [precisely] específicamente.

specify ['spesɪfaɪ] vt: **to specify (that)** especificar (que).

specimen ['spesɪmən] n - **1.** [example] espécimen m, ejemplar m - **2.** [sample] muestra f.

speck [spek] n - **1.** [small stain] manchita f - **2.** [small particle] mota f.

speckled ['spekld] adj: **speckled (with)** moteado(da) (de), con manchas (de).

specs [speks] npl UK inf [glasses] gafas fpl.

spectacle ['spektəkl] n [sight] espectáculo m; **to make a spectacle of o.s.** dar el espectáculo. ➧ **spectacles** npl UK gafas fpl.

spectacular [spek'tækjʊlər] adj espectacular.

spectator [spek'teɪtər] n espectador m, -ra f.

spectre UK, **specter** US ['spektər] n lit & fig fantasma m.

spectrum ['spektrəm] (pl **-tra** [-trə]) n - **1.** [gen] espectro m - **2.** fig [variety] gama f.

speculation [ˌspekjʊˈleɪʃn] n especulación f.

sped [sped] pt & pp ▷ **speed**.

speech [spiːtʃ] n - **1.** [gen] habla f - **2.** [formal talk] discurso m; **to give** OR **make a speech (on**

sth to sb) pronunciar un discurso (sobre algo a alguien) - **3.** [manner of speaking] manera *f* de hablar - **4.** [dialect] dialecto *m*, habla *f*.

speechless ['spi:tʃlɪs] *adj*: **to be speechless (with)** enmudecer (de).

speed [spi:d] ◇ *n* - **1.** [rate of movement] velocidad *f*; **at top speed** a toda velocidad; **at a speed of 30 mph** a una velocidad de 30 millas por hora - **2.** [rapidity] rapidez *f*. ◇ *vi* (*pt & pp* -ed OR sped) - **1.** [move fast]: **to speed (along/away/by)** ir/alejarse/pasar a toda velocidad; **to speed by** [hours, years] pasar volando - **2.** AUT [go too fast] conducir con exceso de velocidad. ◆ **speed up** ◇ *vt sep* [gen] acelerar; [person] meter prisa a. ◇ *vi* [gen] acelerarse; [person] darse prisa.

speedboat ['spi:dbəʊt] *n* lancha *f* motora.

speed-dial button *n* [on phone, fax] botón *m* de marcado abreviado.

speed-dialling *UK*, **speed-dialing** *US n (U)* TELEC marcado *m* rápido.

speeding ['spi:dɪŋ] *n (U)* exceso *m* de velocidad.

speed limit *n* límite *m* de velocidad.

speedometer [spɪ'dɒmɪtəʳ] *n* velocímetro *m*.

speedway ['spi:dweɪ] *n* - **1.** (*U*) SPORT carreras *fpl* de moto - **2.** *US* [road] autopista *f*.

speedy ['spi:dɪ] *adj* rápido(da).

spell [spel] ◇ *n* - **1.** [of time] temporada *f*; [of weather] racha *f*; **sunny spells** intervalos de sol; **to go through a good/bad spell** pasar una buena/mala racha - **2.** [enchantment] hechizo *m*; **to cast** OR **put a spell on sb** hechizar a alguien - **3.** [magic words] conjuro *m*. ◇ *vt* (*UK pt & pp* spelt OR -ed, *US pt & pp* -ed) - **1.** [form by writing] deletrear; **how do you spell that?** ¿cómo se escribe eso? - **2.** *fig* [signify] significar; **to spell trouble** augurar problemas. ◇ *vi* (*UK pt & pp* spelt OR -ed, *US pt & pp* -ed) escribir correctamente; **I can't spell** cometo muchas faltas de ortografía. ◆ **spell out** *vt sep* - **1.** [read aloud] deletrear - **2.** [explain]: **to spell sth out (for** OR **to sb)** decir algo por las claras (a alguien).

spellbound ['spelbaʊnd] *adj* hechizado(da), embelesado(da); **to hold sb spellbound** tener hechizado(da) a alguien.

spellcheck ['speltʃek] *vt* COMPUT pasar el corrector ortográfico a.

spellchecker ['speltʃekəʳ] *n* COMPUT corrector *m* ortográfico.

spelling ['spelɪŋ] *n* ortografía *f*; **the right/wrong spelling** la grafía correcta/incorrecta; **to be good at spelling** tener buena ortografía; **spelling mistake** falta *f* de ortografía.

spelt [spelt] *UK pt & pp* ▷ **spell**.

spend [spend] (*pt & pp* spent) *vt* - **1.** [gen] gastar; **to spend sth on** gastar algo en - **2.** [time, life] pasar; **to spend one's time doing sth** pasar el tiempo haciendo algo.

spendthrift ['spendθrɪft] *n* derrochador *m*, -ra *f*.

spent [spent] ◇ *pt & pp* ▷ **spend**. ◇ *adj* [matches, ammunition] usado(da); [patience] agotado(da).

sperm [spɜːm] (*pl* sperm OR -s) *n* esperma *m*.

spew [spju:] *vt* arrojar, escupir.

sphere [sfɪəʳ] *n* - **1.** [gen] esfera *f* - **2.** [of people] círculo *m*.

spice [spaɪs] *n* CULIN especia *f*.

spick-and-span [,spɪkən'spæn] *adj* inmaculado(da).

spicy ['spaɪsɪ] *adj fig* [hot and peppery] picante; [with spices] con muchas especias.

spider ['spaɪdəʳ] *n* araña *f*.

spike [spaɪk] *n* - **1.** [on railing etc] punta *f*; [on wall] clavo *m* - **2.** [on plant] pincho *m*; [of hair] pelo *m* de punta.

spill [spɪl] ◇ *vt* (*UK pt & pp* spilt OR -ed, *US pt & pp* -ed) derramar, verter. ◇ *vi* (*UK pt & pp* spilt OR -ed, *US pt & pp* -ed) [flow] derramarse, verterse.

spilt [spɪlt] *UK pt & pp* ▷ **spill**.

spin [spɪn] ◇ *n* - **1.** [turn] vuelta *f* - **2.** AERON barrena *f* - **3.** *inf* [in car] vuelta *f*; **to go for a spin** ir a dar una vuelta. ◇ *vt* (*pt* span OR spun, *pp* spun) - **1.** [cause to rotate] girar, dar vueltas a - **2.** [clothes, washing] centrifugar - **3.** [wool, yarn] hilar. ◇ *vi* (*UK pt & pp* span OR spun, *pp* spun) [rotate] girar, dar vueltas; **to spin out of control** [vehicle] comenzar a dar trompos. ◆ **spin out** *vt sep* [story] alargar, prolongar; [money] estirar.

spinach ['spɪnɪdʒ] *n (U)* espinacas *fpl*.

spinal column ['spaɪnl-] *n* columna *f* vertebral.

spinal cord *n* médula *f* espinal.

spindly ['spɪndlɪ] *adj* larguirucho(cha).

spin-dryer *n UK* centrifugadora *f*.

spine [spaɪn] *n* - **1.** ANAT espina *f* dorsal - **2.** [of book] lomo *m* - **3.** [spike, prickle] espina *f*, púa *f*.

spinning ['spɪnɪŋ] *n* hilado *m*.

spinning top *n* peonza *f*.

spin-off *n* [by-product] resultado *m* OR efecto *m* indirecto.

spinster ['spɪnstəʳ] *n* soltera *f*.

spiral ['spaɪərəl] ◇ *adj* en espiral. ◇ *n* [curve] espiral *f*. ◇ *vi* (*UK pt & pp* -led, *cont* -ling, *US pt & pp* -ed, *cont* -ing) [move in spiral curve] moverse en espiral.

spiral staircase *n* escalera *f* de caracol.

spire [spaɪəʳ] *n* aguja *f*.

spirit ['spɪrɪt] *n* - **1.** [gen] espíritu *m* - **2.** [vigour] vigor *m*, valor *m*. ◆ **spirits** *npl*

- **1.** [mood] humor m; **to be in high/low spirits** estar exultante/alicaído - **2.** [alcohol] licores mpl.

spirited ['spɪrɪtɪd] adj enérgico(ca).

spirit level n nivel m de burbuja de aire.

spiritual ['spɪrɪtʃʊəl] adj espiritual.

spit [spɪt] <> n - **1.** [saliva] saliva f - **2.** [skewer] asador m. <> vi (UK pt & pp **spat**, US pt & pp **spit**) escupir. <> impers vb UK [rain lightly]: **it's spitting** está chispeando.

spite [spaɪt] <> n rencor m. <> vt fastidiar, molestar. ➡ **in spite of** prep a pesar de.

spiteful ['spaɪtfʊl] adj [person, behaviour] rencoroso(sa); [action, remark] malintencionado(da).

spittle ['spɪtl] n saliva f.

splash [splæʃ] <> n - **1.** [sound] chapoteo m - **2.** [of colour, light] mancha f. <> vt salpicar. <> vi - **1.** [person]: **to splash about** OR **around** chapotear - **2.** [water, liquid]: **to splash on** OR **against sthg** salpicar algo. ➡ **splash out** vi inf: **to splash out (on sthg)** gastar un dineral (en algo).

spleen [spli:n] n ANAT bazo m; fig [anger] cólera f.

splendid ['splendɪd] adj - **1.** [marvellous] espléndido(da) - **2.** [magnificent, beautiful] magnífico(ca).

splint [splɪnt] n tablilla f.

splinter ['splɪntər] <> n [of wood] astilla f; [of glass, metal] fragmento m. <> vi astillarse.

split [splɪt] <> n - **1.** [crack - in wood] grieta f; [- in garment] desgarrón m - **2.** [division]: **split (in)** escisión f (en) - **3.** [difference]: **split (between)** diferencia f (entre). <> vt (pt & pp **split**) - **1.** [tear] desgarrar, rasgar; [crack] agrietar - **2.** [break in two] partir - **3.** [party, organization] escindir - **4.** [share] repartir. <> vi (pt & pp **split**) - **1.** [break up - road] bifurcarse; [- object] partirse - **2.** [party, organization] escindirse - **3.** [wood] agrietarse; [fabric] desgarrarse. ➡ **split up** vi separarse.

split second n fracción f de segundo; **for a split second** por una fracción de segundo.

splutter ['splʌtər] vi - **1.** [person] balbucear - **2.** [fire, oil] chisporrotear.

spoil [spɔɪl] vt (pt & pp **-ed** OR **spoilt**) - **1.** [ruin] estropear, echar a perder - **2.** [child etc] mimar. ➡ **spoils** npl botín m.

spoiled [spɔɪld] = **spoilt**.

spoilsport ['spɔɪlspɔ:t] n aguafiestas m & f inv.

spoilt [spɔɪlt] <> pt & pp ▷ **spoil**. <> adj mimado(da), consentido(da), regalón(ona) R Plata & Chile.

spoke [spəʊk] <> pt ▷ **speak**. <> n radio m.

spoken ['spəʊkn] pp ▷ **speak**.

spokesman ['spəʊksmən] (pl **-men** [-mən]) n portavoz m.

spokeswoman ['spəʊks,wʊmən] (pl **-women** [-,wɪmɪn]) n portavoz f.

sponge [spʌndʒ] <> n - **1.** [for cleaning, washing] esponja f - **2.** [cake] bizcocho m. <> vt limpiar con una esponja. <> vi inf: **to sponge off** vivir a costa de.

sponge bag n UK neceser m.

sponge cake n bizcocho m, bizcochuelo m Ven.

sponsor ['spɒnsər] <> n patrocinador m, -ra f. <> vt - **1.** [gen] patrocinar - **2.** [support] respaldar.

sponsored walk [,spɒnsəd-] n marcha f benéfica.

sponsorship ['spɒnsəʃɪp] n patrocinio m.

spontaneous [spɒn'teɪnjəs] adj espontáneo(a).

spooky ['spu:kɪ] adj inf escalofriante.

spool [spu:l] n [gen & COMPUT] bobina f.

spoon [spu:n] n - **1.** [piece of cutlery] cuchara f - **2.** [spoonful] cucharada f.

spoon-feed vt [feed with spoon] dar de comer con cuchara a.

spoonful ['spu:nfʊl] (pl **-s** OR **spoonsful** ['spu:nzfʊl]) n cucharada f.

sporadic [spə'rædɪk] adj esporádico(ca).

sport [spɔ:t] n [game] deporte m.

sporting ['spɔ:tɪŋ] adj lit & fig deportivo(va); **to give sb a sporting chance** dar a alguien la oportunidad de ganar.

sports car ['spɔ:ts-] n coche m deportivo, auto m sport, carro m sport Amér.

sports jacket ['spɔ:ts-] n chaqueta f de esport.

sportsman ['spɔ:tsmən] (pl **-men** [-mən]) n deportista m.

sportsmanship ['spɔ:tsmənʃɪp] n deportividad f.

sportswear ['spɔ:tsweər] n ropa f deportiva.

sportswoman ['spɔ:ts,wʊmən] (pl **-women** [-,wɪmɪn]) n deportista f.

sports utility vehicle n US todoterreno m utilitario.

sporty ['spɔ:tɪ] adj inf [fond of sports] aficionado(da) a los deportes.

spot [spɒt] <> n - **1.** [stain] mancha f, mota f; [dot] punto m - **2.** [pimple] grano m - **3.** [drop] gota f - **4.** inf [bit, small amount] pizca f - **5.** [place] lugar m; **on the spot** en el lugar; **to do sthg on the spot** hacer algo en el acto - **6.** RADIO & TV espacio m. <> vt [notice] notar, ver.

spot check n control m aleatorio.

spotless ['spɒtlɪs] *adj* [thing] inmaculado(da); [reputation] intachable.

spotlight ['spɒtlaɪt] *n* [of car] faro *m* auxiliar; [in theatre, home] foco *m*, reflector *m* de luz; **to be in the spotlight** *fig* ser el centro de atención.

spotted ['spɒtɪd] *adj* de lunares.

spotty ['spɒtɪ] *adj UK* [skin] con granos.

spouse [spaʊs] *n* cónyuge *mf*.

spout [spaʊt] ⟨⟩ *n* [of teapot] pitorro *m*; [of jug] pico *m*. ⟨⟩ *vi*: **to spout from OR out of** [liquid] salir a chorros de; [smoke, flames] salir incesantemente de.

sprain [spreɪn] ⟨⟩ *n* torcedura *f*. ⟨⟩ *vt* torcerse.

sprang [spræŋ] *pt* ▷ **spring**.

sprawl [sprɔːl] *vi* [sit] repantigarse, arrellanarse; [lie] echarse, tumbarse.

spray [spreɪ] ⟨⟩ *n* **- 1.** [small drops - of liquid] rociada *f*; [- of sea] espuma *f*; [- of aerosol] pulverización *f* **- 2.** [pressurized liquid] espray *m* **- 3.** [can, container - gen] atomizador *m*; [- for garden] pulverizador *m* **- 4.** [of flowers] ramo *m*. ⟨⟩ *vt* rociar, vaporizar.

spread [spred] ⟨⟩ *n* **- 1.** [soft food]: **cheese spread** queso *m* para untar **- 2.** [of fire, disease] propagación *f*. ⟨⟩ *vt* (*pt & pp* **spread**) **- 1.** [rug, tablecloth] extender; [map] desplegar **- 2.** [legs, fingers etc] estirar **- 3.** [butter, jam] untar; [glue] repartir; **to spread sthg over sthg** extender algo por algo **- 4.** [disease] propagar; [news] difundir, diseminar **- 5.** [wealth, work] repartir equitativamente. ⟨⟩ *vi* (*pt & pp* **spread**) **- 1.** [disease, fire, news] extenderse, propagarse **- 2.** [gas, cloud] esparcirse. ◆ **spread out** *vi* diseminarse, dispersarse.

spread-eagled [-,iːgld] *adj* despatarrado(da).

spreadsheet ['spredʃiːt] *n* COMPUT hoja *f* de cálculo electrónica.

spree [spriː] *n*: **a killing spree** una matanza; **to go on a shopping spree** salir a comprar a lo loco.

sprightly ['spraɪtlɪ] *adj* ágil, activo(va).

spring [sprɪŋ] ⟨⟩ *n* **- 1.** [season] primavera *f* **- 2.** [coil] muelle *m* **- 3.** [jump] salto *m* **- 4.** [water source] manantial *m*, vertiente *f R Plata*. ⟨⟩ *vi* (*pt* **sprang**, *pp* **sprung**) **- 1.** [jump] saltar **- 2.** [move suddenly] moverse de repente; **to spring into action OR to life** entrar inmediatamente en acción. ◆ **spring up** *vi* surgir de repente.

springboard ['sprɪŋbɔːd] *n lit & fig* trampolín *m*.

spring-clean *vt* limpiar a fondo.

spring onion *n UK* cebolleta *f*.

springtime ['sprɪŋtaɪm] *n*: **in (the) springtime** en primavera.

springy ['sprɪŋɪ] *adj* [carpet, mattress, grass] mullido(da); [rubber] elástico(ca).

sprinkle ['sprɪŋkl] *vt* rociar, salpicar; **to sprinkle sthg over OR on sthg, to sprinkle sthg with sthg** rociar algo sobre algo.

sprinkler ['sprɪŋklər] *n* aspersor *m*.

sprint [sprɪnt] ⟨⟩ *n* **- 1.** SPORT esprint *m* **- 2.** [fast run] carrera *f*. ⟨⟩ *vi* SPORT esprintar; [run fast] correr a toda velocidad.

sprout [spraʊt] ⟨⟩ *n* **- 1.** CULIN: **(Brussels) sprouts** coles *fpl* de Bruselas **- 2.** [shoot] brote *m*, retoño *m*. ⟨⟩ *vt* [plant] echar. ⟨⟩ *vi* **- 1.** [plants, vegetables] crecer **- 2.** [leaves, shoots] brotar.

spruce [spruːs] ⟨⟩ *adj* pulcro(cra). ⟨⟩ *n* picea *f*. ◆ **spruce up** *vt sep* arreglar.

sprung [sprʌŋ] *pp* ▷ **spring**.

spry [spraɪ] *adj* ágil, activo(va).

spun [spʌn] *pt & pp* ▷ **spin**.

spur [spɜːr] ⟨⟩ *n* **- 1.** [incentive]: **spur (to sthg)** estímulo *m* (para conseguir algo) **- 2.** [on rider's boot] espuela *f*. ⟨⟩ *vt* [encourage]: **to spur sb to do sthg** animar a alguien a hacer algo. ◆ **on the spur of the moment** *adv* sin pensarlo dos veces. ◆ **spur on** *vt sep*: **to spur sb on** animar a alguien.

spurious ['spʊərɪəs] *adj* falso(sa).

spurn [spɜːn] *vt* rechazar.

spurt [spɜːt] ⟨⟩ *n* **- 1.** [of water] chorro *m*; [of flame] llamarada *f* **- 2.** [of activity, effort] arranque *m* **- 3.** [of speed] acelerón *m*. ⟨⟩ *vi* [gush]: **to spurt (out of OR from)** [liquid] salir a chorros de; [flame] salir incesantemente de.

spy [spaɪ] ⟨⟩ *n* espía *mf*. ⟨⟩ *vt inf* divisar. ⟨⟩ *vi*: **to spy (on)** espiar (a), aguaitar (a) *Amér*.

spying ['spaɪɪŋ] *n* espionaje *m*.

Sq., sq. *abbr of* **square**.

squabble ['skwɒbl] ⟨⟩ *n* riña *f*. ⟨⟩ *vi*: **to squabble (about OR over)** reñir (por).

squad [skwɒd] *n* **- 1.** [of police] brigada *f* **- 2.** MIL pelotón *m* **- 3.** [SPORT - of club] plantilla *f*, equipo *m* completo; [- of national team] seleccionado *m*; **the England squad** el equipo inglés.

squadron ['skwɒdrən] *n* [of planes] escuadrilla *f*; [of warships] escuadra *f*; [of soldiers] escuadrón *m*.

squalid ['skwɒlɪd] *adj* [filthy] miserable, sórdido(da).

squall [skwɔːl] *n* [storm] turbión *m*.

squalor ['skwɒlər] *n (U)* miseria *f*.

squander ['skwɒndər] *vt* [opportunity] desaprovechar; [money] despilfarrar; [resources] malgastar.

square [skweər] ⟨⟩ *adj* **- 1.** [gen] cuadrado(da); **4 square metres** 4 metros cuadrados; **the kitchen is 4 metres square** la cocina mide

4 metros por 4 - **2.** [not owing money]: **we're square now** ya estamos en paz. $\diamond$ *n* - **1.** [shape] cuadrado *m* - **2.** [in town, city] plaza *f* - **3.** inf [unfashionable person] carroza *mf*. $\diamond$ *vt* - **1.** MATHS elevar al cuadrado - **2.** [balance, reconcile]: **how can you square that with your principles?** ¿cómo encajas esto con tus principios? ▸ **square up** *vi* [settle up]: **to square up with** saldar cuentas con.

squarely ['skweəlɪ] *adv* [directly] justo, exactamente.

square meal *n* comida *f* satisfactoria.

squash [skwɒʃ] $\diamond$ *n* - **1.** [game] squash *m* - **2.** UK [drink] zumo *m* - **3.** US [vegetable] cucurbitácea *f*. $\diamond$ *vt* [squeeze, flatten] aplastar.

squat [skwɒt] $\diamond$ *adj* achaparrado(da). $\diamond$ *vi* [crouch]: **to squat (down)** agacharse, ponerse en cuclillas.

squatter ['skwɒtər] *n* UK ocupante *mf* ilegal, squatter *mf*.

squawk [skwɔ:k] *n* [of bird] graznido *m*.

squeak [skwi:k] *n* - **1.** [of animal] chillido *m* - **2.** [of hinge] chirrido *m*.

squeal [skwi:l] *vi* - **1.** [person, animal] chillar, gritar - **2.** [brakes] chirriar.

squeamish ['skwi:mɪʃ] *adj* aprensivo(va).

squeeze [skwi:z] $\diamond$ *n* [pressure] apretón *m*. $\diamond$ *vt* - **1.** [press firmly] apretar - **2.** [force out - toothpaste] sacar (estrujando); [- juice] exprimir - **3.** [cram]: **to squeeze sthg into sthg** [into place] conseguir meter algo en algo; [into time] arreglárselas para hacer algo en algo.

squelch [skweltʃ] *vi*: **to squelch through mud** cruzar el barro chapoteando.

squid [skwɪd] (*pl* **squid** OR **-s**) *n* - **1.** ZOOL calamar *m* - **2.** (U) [food] calamares *mpl*.

squiggle ['skwɪgl] *n* garabato *m*.

squint [skwɪnt] $\diamond$ *n* estrabismo *m*, bizquera *f*. $\diamond$ *vi*: **to squint at** mirar con los ojos entrecerrados.

squire ['skwaɪər] *n* [landowner] terrateniente *mf*.

squirm [skwɜ:m] *vi* [wriggle] retorcerse.

squirrel [UK 'skwɪrəl, US 'skwɜ:rəl] *n* ardilla *f*.

squirt [skwɜ:t] $\diamond$ *vt* [force out] sacar a chorro de. $\diamond$ *vi*: **to squirt out of** salir a chorro.

Sr *abbr of* **senior**.

Sri Lanka [,sri:'læŋkə] *n* Sri Lanka.

St - **1.** (*abbr of* **saint**) Sto.(Sta.) - **2.** (*abbr of* **Street**) c/.

stab [stæb] $\diamond$ *n* - **1.** [with knife] puñalada *f* - **2.** inf [attempt]: **to have a stab (at sthg)** probar (a hacer algo) - **3.** [twinge] punzada *f*. $\diamond$ *vt* - **1.** [with knife] apuñalar - **2.** [jab] pinchar.

stable ['steɪbl] $\diamond$ *adj* - **1.** [unchanging] estable - **2.** [not moving] fijo(ja) - **3.** MED [condition] estacionario(ria); [mental health] equilibrado(da). $\diamond$ *n* [building] cuadra *f*.

stack [stæk] $\diamond$ *n* [pile] pila *m*. $\diamond$ *vt* [pile up] apilar.

stadium ['steɪdjəm] (*pl* **-diums** OR **-dia** [-djə]) *n* estadio *m*.

staff [stɑ:f] $\diamond$ *n* [employees] empleados *mpl*, personal *m*. $\diamond$ *vt*: **the shop is staffed by women** la tienda está llevada por una plantilla de mujeres.

stag [stæg] (*pl* **stag** OR **-s**) *n* ciervo *m*, venado *m*.

stage [steɪdʒ] $\diamond$ *n* - **1.** [part of process, phase] etapa *f* - **2.** [in theatre, hall] escenario *m*, escena *f* - **3.** [acting profession]: **the stage** el teatro. $\diamond$ *vt* - **1.** THEAT representar - **2.** [event, strike] organizar.

stagecoach ['steɪdʒkəʊtʃ] *n* diligencia *f*.

stage fright *n* miedo *m* al público.

stage-manage *vt* - **1.** THEAT dirigir - **2.** fig [orchestrate] urdir, maquinar.

stagger ['stægər] $\diamond$ *vt* - **1.** [astound] dejar atónito(ta); **to be staggered by sthg** quedarse pasmado(da) por algo - **2.** [arrange at different times] escalonar. $\diamond$ *vi* tambalearse.

stagnant ['stægnənt] *adj* lit & fig estancado(da).

stagnate [stæg'neɪt] *vi* estancarse.

stag party *n* despedida *f* de soltero.

staid [steɪd] *adj* recatado y conservador (recatada y conservadora).

stain [steɪn] $\diamond$ *n* mancha *f*. $\diamond$ *vt* manchar.

stained glass [,steɪnd-] *n* (U) vidrio *m* de color; **stained glass window** vidriera *f*.

stainless steel [,steɪnlɪs-] *n* acero *m* inoxidable.

stain remover [-rɪ,mu:vər] *n* quitamanchas *m inv*.

stair [steər] *n* peldaño *m*, escalón *m*. ▸ **stairs** *npl* escaleras *fpl*, escalera *f*.

staircase ['steəkeɪs] *n* escalera *f*.

stairway ['steəweɪ] *n* escalera *f*.

stairwell ['steəwel] *n* hueco *m* OR caja *f* de la escalera.

stake [steɪk] $\diamond$ *n* - **1.** [share]: **to have a stake in** tener intereses en - **2.** [wooden post] estaca *f* - **3.** [in gambling] apuesta *f*. $\diamond$ *vt* - **1.** [risk]: **to stake sthg (on** OR **upon)** arriesgar OR jugarse algo (en) - **2.** [in gambling] apostar. ▸ **at stake** *adv*: **to be at stake** estar en juego.

stale [steɪl] *adj* [bread] duro(ra); [food] pasado(da); [air] viciado(da).

stalemate ['steɪlmeɪt] *n* - **1.** [deadlock] punto *m* muerto - **2.** CHESS tablas *fpl*.

stalk [stɔːk] ⋄ *n* - **1.** [of flower, plant] tallo *m* - **2.** [of leaf, fruit] pecíolo *m*, rabillo *m*. ⋄ *vt* [hunt] acechar, seguir sigilosamente. ⋄ *vi*: **to stalk in/out** entrar/salir con paso airado.

stall [stɔːl] ⋄ *n* [in market, at exhibition] puesto *m*, caseta *f*. ⋄ *vt* AUT calar. ⋄ *vi* - **1.** AUT calarse - **2.** [delay] andar con evasivas. ◈ **stalls** *npl* UK platea *f*.

stallion [ˈstæljən] *n* semental *m*.

stalwart [ˈstɔːlwət] *n* partidario *m*, -ria *f* incondicional.

stamina [ˈstæmɪnə] *n* resistencia *f*.

stammer [ˈstæmər] ⋄ *n* tartamudeo *m*. ⋄ *vi* tartamudear.

stamp [stæmp] ⋄ *n* - **1.** [gen] sello *m*, estampilla *f* Amér, timbre *m* Méx - **2.** [tool] tampón *m*. ⋄ *vt* - **1.** [mark by stamping] timbrar, sellar - **2.** [stomp]: **to stamp one's feet** patear. ⋄ *vi* - **1.** [stomp] patalear - **2.** [tread heavily]: **to stamp on sthg** pisotear OR pisar algo.

stamp album *n* álbum *m* de sellos OR de estampillas Amér OR de timbres Méx.

stamp collecting [-kəˌlektɪŋ] *n* filatelia *f*.

stamped addressed envelope [ˈstæmptəˌdrest-] *n* UK sobre con sus señas y franqueo.

stampede [stæmˈpiːd] ⋄ *n* lit & fig estampida *f*. ⋄ *vi* salir de estampida.

stance [stæns] *n* - **1.** [way of standing] postura *f* - **2.** [attitude]: **stance (on)** postura *f* (ante).

stand [stænd] ⋄ *n* - **1.** [stall] puesto *m*; [selling newspapers] quiosco *m* - **2.** [supporting object] soporte *m*; **coat stand** perchero *m* - **3.** SPORT tribuna *f*; **the stands** las gradas - **4.** [act of defence]: **to make a stand** resistir al enemigo - **5.** [publicly stated view] postura *f* - **6.** US LAW estrado *m*. ⋄ *vt* (*pt & pp* **stood**) - **1.** [place upright] colocar (verticalmente) - **2.** [withstand, tolerate] soportar; **I can't stand that woman** no soporto a esa mujer; **he can't stand being beaten** odia perder. ⋄ *vi* (*pt & pp* **stood**) - **1.** [be upright - person] estar de pie; [- object] estar *(en posición vertical)*; **try to stand still** procura no moverte; **he doesn't let anything stand in his way** no deja que nada se interponga en su camino - **2.** [get to one's feet] ponerse de pie, levantarse - **3.** [liquid] reposar - **4.** [still be valid] seguir vigente OR en pie - **5.** [be in particular state]: **as things stand** tal como están las cosas - **6.** UK POL [be a candidate] presentarse; **to stand for Parliament** presentarse para las elecciones al Parlamento - **7.** US AUT: **'no standing'** 'prohibido aparcar'. ◈ **stand back** *vi* echarse para atrás. ◈ **stand by** ⋄ *vt insep* - **1.** [person] seguir al lado de - **2.** [promise, decision] mantener. ⋄ *vi* - **1.** [in readiness]: **to stand by (for sthg/to do sthg)** estar preparado(da) (para algo/para hacer algo) - **2.** [remain inactive] quedarse sin ha-

cer nada. ◈ **stand down** *vi* [resign] retirarse. ◈ **stand for** *vt insep* - **1.** [signify] significar; **PTO stands for 'please turn over'** PTO quiere decir 'sigue en la página siguiente' - **2.** [tolerate] aguantar, tolerar; **I won't stand for it!** ¡no pienso aguantarlo! ◈ **stand in** *vi*: **to stand in for sb** sustituir a alguien. ◈ **stand out** *vi* sobresalir, destacarse. ◈ **stand up** ⋄ *vt sep inf* [boyfriend etc] dejar plantado(da). ⋄ *vi* [rise from seat] levantarse. ◈ **stand up for** *vt insep* salir en defensa de. ◈ **stand up to** *vt insep* - **1.** [weather, heat etc] resistir - **2.** [person] hacer frente a.

standard [ˈstændəd] ⋄ *adj* - **1.** [normal] corriente, estándar - **2.** [accepted] establecido(da). ⋄ *n* - **1.** [acceptable level] nivel *m*; **to be of a high standard** ser de un excelente nivel; **it's below standard** está por debajo del nivel exigido - **2.** [point of reference - moral] criterio *m*; [- technical] norma *f* - **3.** [flag] estandarte *m*. ◈ **standards** *npl* [principles] valores *mpl* morales.

standard lamp *n* UK lámpara *f* de pie.

standard of living (*pl* standards of living) *n* nivel *m* de vida.

standby [ˈstændbaɪ] (*pl* standbys) ⋄ *n* recurso *m*; **to be on standby** estar preparado(da). ⋄ *comp*: **standby ticket** billete *m* en lista de espera.

stand-in *n* [stuntman] doble *mf*; [temporary replacement] sustituto *m*, -ta *f*.

standing [ˈstændɪŋ] ⋄ *adj* [permanent] permanente. ⋄ *n* - **1.** [reputation] reputación *f* - **2.** [duration] duración *f*; **friends of 20 years' standing** amigos desde hace 20 años.

standing order *n* domiciliación *f* de pago Esp, débito *m* bancario Amér.

standing room *n* (U) [on bus] sitio *m* para estar de pie, sitio *m* para ir parado Amér; [at theatre, sports ground] localidades *fpl* de pie.

standoffish [ˌstændˈɒfɪʃ] *adj* distante.

standpoint [ˈstændpɔɪnt] *n* punto *m* de vista.

standstill [ˈstændstɪl] *n*: **at a standstill** [not moving] parado(da); *fig* [not active] en un punto muerto; **to come to a standstill** [stop moving] pararse; *fig* [cease] llegar a un punto muerto.

stand-up *adj* US [decent, honest]: **a stand-up guy** un tipo decente.

stank [stæŋk] *pt* ▷ **stink**.

staple [ˈsteɪpl] ⋄ *adj* [principal] básico(ca), de primera necesidad. ⋄ *n* - **1.** [item of stationery] grapa *f* - **2.** [principal commodity] producto *m* básico OR de primera necesidad. ⋄ *vt* grapar, corchetear Chile.

stapler [ˈsteɪplər] *n* grapadora *f*.

star [stɑ:r] ⬦ n [gen] estrella f. ⬦ comp estelar. ⬦ vi: **to star (in)** hacer de protagonista en. ◆ **stars** npl horóscopo m.

starboard ['stɑ:bəd] ⬦ adj de estribor. ⬦ n: **to starboard** a estribor.

starch [stɑ:tʃ] n - 1. [gen] almidón m - 2. [in potatoes etc] fécula f.

stardom ['stɑ:dəm] n estrellato m.

stare [steər] ⬦ n mirada f fija. ⬦ vi: **to stare (at sthg/sb)** mirar fijamente (algo/a alguien).

stark [stɑ:k] ⬦ adj - 1. [landscape, decoration, room] austero(ra) - 2. [harsh - reality] crudo(da). ⬦ adv: **stark naked** en cueros.

starling ['stɑ:lɪŋ] n estornino m.

starry ['stɑ:rɪ] adj estrellado(da).

starry-eyed [-'aɪd] adj [optimism etc] iluso(sa); [lovers] encandilado(da).

Stars and Stripes n: **the Stars and Stripes** la bandera de las barras y estrellas.

start [stɑ:t] ⬦ n - 1. [beginning] principio m, comienzo m; **at the start of the year** a principios de año - 2. [jerk, jump] sobresalto m - 3. [starting place] salida f - 4. [time advantage] ventaja f; **to have a start on sb** llevar ventaja a alguien. ⬦ vt - 1. [begin] empezar, comenzar; **to start doing OR to do sthg** empezar a hacer algo - 2. [turn on - machine, engine] poner en marcha; [- vehicle] arrancar - 3. [set up] formar, crear; [business] montar. ⬦ vi - 1. [begin] empezar, comenzar; **to start with sb/sthg** empezar por alguien/algo; **don't start!** inf ¡no empieces! - 2. [machine, tape] ponerse en marcha; [vehicle] arrancar - 3. [begin journey] ponerse en camino - 4. [jerk, jump] sobresaltarse. ◆ **start off** ⬦ vt sep [discussion, rumour] desencadenar; [meeting] empezar; [person]: **this should be enough to start you off** con esto tienes suficiente para empezar. ⬦ vi - 1. [begin] empezar, comenzar - 2. [leave on journey] salir, ponerse en camino. ◆ **start out** vi - 1. [originally be] empezar, comenzar; **she started out as a journalist** empezó como periodista - 2. [leave on journey] salir/ponerse en camino. ◆ **start up** ⬦ vt sep - 1. [business] montar; [shop] poner; [association] crear - 2. [car, engine] arrancar. ⬦ vi - 1. [begin] empezar - 2. [car, engine] arrancar.

starter ['stɑ:tər] n - 1. UK [of meal] primer plato m, entrada f - 2. AUT (motor m de) arranque m - 3. [person participating in race] participante mf.

starting point ['stɑ:tɪŋ-] n lit & fig punto m de partida.

startle ['stɑ:tl] vt asustar.

startling ['stɑ:tlɪŋ] adj asombroso(sa).

start-up n nueva empresa f.

starvation [stɑ:'veɪʃn] n hambre f, inanición f.

starve [stɑ:v] ⬦ vt [deprive of food] privar de comida. ⬦ vi - 1. [have no food] pasar hambre; **to starve to death** morirse de hambre - 2. inf [be hungry]: **I'm starving!** ¡me muero de hambre!

state [steɪt] ⬦ n estado m; **not to be in a fit state to do sthg** no estar en condiciones de hacer algo; **to be in a state** [nervous] tener los nervios de punta; [untidy] estar hecho un asco. ⬦ comp [ceremony] oficial, de Estado; [control, ownership] estatal. ⬦ vt - 1. [gen] indicar; [reason, policy] plantear; [case] exponer - 2. [time, date, amount] fijar. ◆ **State** n: **the State** el Estado. ◆ **States** npl: **the States** los Estados Unidos.

State Department n US ≃ Ministerio m de Asuntos Exteriores.

stately ['steɪtlɪ] adj majestuoso(sa).

statement ['steɪtmənt] n - 1. [gen] declaración f - 2. [from bank] extracto m OR estado m de cuenta.

state of mind (pl states of mind) n estado m de ánimo.

statesman ['steɪtsmən] (pl -men [-mən]) n estadista m.

static ['stætɪk] ⬦ adj estático(ca). ⬦ n (U) interferencias fpl, parásitos mpl.

static electricity n electricidad f estática.

station ['steɪʃn] ⬦ n - 1. [gen] estación f - 2. RADIO emisora f - 3. [centre of activity] centro m, puesto m - 4. fml [rank] rango m. ⬦ vt - 1. [position] situar, colocar - 2. MIL estacionar, apostar.

stationary ['steɪʃnərɪ] adj inmóvil.

stationer's (shop) ['steɪʃnərz] n papelería f.

stationery ['steɪʃnərɪ] n (U) objetos mpl de escritorio.

stationmaster ['steɪʃn,mɑ:stər] n jefe m de estación.

station wagon n US ranchera f.

statistic [stə'tɪstɪk] n estadística f. ◆ **statistics** n (U) estadística f.

statistical [stə'tɪstɪkl] adj estadístico(ca).

statue ['stætʃu:] n estatua f.

stature ['stætʃər] n - 1. [height] estatura f, talla f - 2. [importance] categoría f.

status ['steɪtəs] n (U) - 1. [position, condition] condición f, estado m - 2. [prestige] prestigio m, estatus m inv.

status bar n COMPUT barra f de estado.

status symbol n símbolo m de posición social.

statute ['stætju:t] n estatuto m.

statutory ['stætjʊtrɪ] *adj* reglamentario(ria).

staunch [stɔːntʃ] ◇ *adj* fiel, leal. ◇ *vt* restañar.

stave [steɪv] *n* MUS pentagrama *m*. ◆ **stave off** *vt sep* (*pt & pp* -**d** OR **stove**) [disaster, defeat] retrasar; [hunger, illness] aplacar temporalmente.

stay [steɪ] ◇ *vi* - **1.** [not move away] quedarse, permanecer; **to stay put** permanecer en el mismo sitio - **2.** [as visitor] alojarse - **3.** [continue, remain] permanecer; **to stay out of sthg** mantenerse al margen de algo. ◇ *n* estancia *f*. ◆ **stay in** *vi* quedarse en casa. ◆ **stay on** *vi* permanecer, quedarse. ◆ **stay out** *vi* [from home] quedarse fuera. ◆ **stay up** *vi* quedarse levantado(da).

staying power ['steɪɪŋ-] *n* resistencia *f*.

stead [sted] *n*: **to stand sb in good stead** servir de mucho a alguien.

steadfast ['stedfɑːst] *adj* [supporter] fiel; [gaze] fijo(ja); [resolve] inquebrantable.

steadily ['stedɪlɪ] *adv* - **1.** [gradually] constantemente - **2.** [regularly - breathe, move] normalmente - **3.** [calmly - look] fijamente; [- speak] con tranquilidad.

steady ['stedɪ] ◇ *adj* - **1.** [gradual] gradual - **2.** [regular, constant] constante, continuo(nua) - **3.** [not shaking] firme - **4.** [voice] sereno(na); [stare] fijo(ja) - **5.** [relationship] estable, serio(ria); [boyfriend, girlfriend] formal; **a steady job** un trabajo fijo - **6.** [reliable, sensible] sensato(ta). ◇ *vt* - **1.** [stop from shaking] mantener firme; **to steady o.s.** dejar de temblar - **2.** [nerves, voice] dominar, controlar; **to steady o.s.** controlar los nervios.

steak [steɪk] *n* - **1.** (U) [meat] bistec *m*, filete *m*, bife *m* Andes & R Dom - **2.** [piece of meat, fish] filete *m*.

steal [stiːl] ◇ *vt* (*pt* stole, *pp* stolen) [gen] robar; [idea] apropiarse de. ◇ *vi* (*pt* stole, *pp* stolen) [move secretly] moverse sigilosamente; **he stole into the bedroom** entró sigilosamente en el dormitorio.

stealthy ['stelθɪ] *adj* cauteloso(sa), sigiloso(sa).

steam [stiːm] ◇ *n* (U) vapor *m*, vaho *m*. ◇ *vt* CULIN cocer al vapor. ◇ *vi* [water, food] echar vapor. ◆ **steam up** ◇ *vt sep* [mist up] empañar. ◇ *vi* empañarse.

steamboat ['stiːmbəʊt] *n* buque *m* de vapor.

steam engine *n* máquina *f* de vapor.

steamer ['stiːmər] *n* [ship] buque *m* de vapor.

steamroller ['stiːm,rəʊlər] *n* apisonadora *f*.

steamy ['stiːmɪ] *adj* - **1.** [full of steam] lleno(na) de vaho - **2.** *inf* [erotic] caliente, erótico(ca).

steel [stiːl] *n* acero *m*.

steelworks ['stiːlwɜːks] (*pl* **steelworks**) *n* fundición *f* de acero.

steep [stiːp] ◇ *adj* - **1.** [hill, road] empinado(da) - **2.** [considerable - increase, fall] considerable - **3.** *inf* [expensive] muy caro(ra), abusivo(va). ◇ *vt* remojar.

steeple ['stiːpl] *n* aguja *f* (de un campanario).

steeplechase ['stiːpltʃeɪs] *n* carrera *f* de obstáculos.

steer ['stɪər] ◇ *n* buey *m*. ◇ *vt* - **1.** [vehicle] conducir - **2.** [person, discussion etc] dirigir. ◇ *vi*: **the car steers well** el coche se conduce bien; **to steer clear of sthg/sb** evitar algo/a alguien.

steering ['stɪərɪŋ] *n* (U) dirección *f*.

steering wheel *n* volante *m*, timón *m* Andes.

stem [stem] ◇ *n* - **1.** [of plant] tallo *m* - **2.** [of glass] pie *m* - **3.** GRAM raíz *f*. ◇ *vt* [flow] contener; [blood] restañar. ◆ **stem from** *vt insep* derivarse de.

stem cell *n* MED célula *f* madre.

stench [stentʃ] *n* hedor *m*.

stencil ['stensl] ◇ *n* plantilla *f*. ◇ *vt* (UK *pt* & *pp* -**led**, *cont* -**ling**, US *pt* & *pp* -**ed**, *cont* -**ing**) estarcir.

stenographer [stə'nɒgrəfər] *n* US taquígrafo *m*, -fa *f*.

step [step] ◇ *n* - **1.** [gen] paso *m*; **step by step** paso a paso - **2.** [action] medida *f* - **3.** [stair, rung] peldaño *m*. ◇ *vi* - **1.** [move foot] dar un paso; **he stepped off the bus** se bajó del autobús - **2.** [tread]: **to step on sthg** pisar algo; **to step in sthg** meter el pie en algo. ◆ **steps** *npl* - **1.** escaleras *fpl* - **2.** UK [stepladder] escalera *f* de tijera. ◆ **step down** *vi* [leave job] renunciar. ◆ **step in** *vi* intervenir. ◆ **step up** *vt sep* aumentar.

stepbrother ['step,brʌðər] *n* hermanastro *m*.

stepdaughter ['step,dɔːtər] *n* hijastra *f*.

stepfather ['step,fɑːðər] *n* padrastro *m*.

stepladder ['step,lædər] *n* escalera *f* de tijera.

stepmother ['step,mʌðər] *n* madrastra *f*.

stepping-stone ['stepɪŋ-] *n* [in river] pasadera *f*.

stepsister ['step,sɪstər] *n* hermanastra *f*.

stepson ['stepsʌn] *n* hijastro *m*.

stereo ['sterɪəʊ] ◇ *adj* estéreo (*inv*). ◇ *n* (*pl* -**s**) - **1.** [record player] equipo *m* estereofónico - **2.** [stereo sound] estéreo *m*.

stereotype ['sterɪətaɪp] *n* estereotipo *m*.

sterile ['steraɪl] *adj* - **1.** [germ-free] esterilizado(da) - **2.** [unable to produce offspring] estéril.

sterilize, -ise ['sterəlaɪz] *vt* esterilizar.

sterling ['stɜːlɪŋ] ◇ adj - **1.** FIN esterlina - **2.** [excellent] excelente. ◇ n (U) libra f esterlina.

sterling silver n plata f de ley.

stern [stɜːn] ◇ adj severo(ra). ◇ n popa f.

steroid ['stɪərɔɪd] n esteroide m.

stethoscope ['steθəskəʊp] n estetoscopio m.

stew [stjuː] ◇ n estofado m, guisado m. ◇ vt [meat, vegetables] estofar, guisar; [fruit] hacer una compota de.

steward ['stjʊəd] n [on plane] auxiliar m de vuelo; [on ship, train] camarero m.

stewardess ['stjʊədɪs] n auxiliar f de vuelo, azafata f.

stick [stɪk] ◇ n - **1.** [of wood, for playing sport] palo m - **2.** [of dynamite] cartucho m; [of rock] barra f - **3.** [walking stick] bastón m. ◇ vt (pt & pp stuck) - **1.** [push]: **to stick sthg through** sthg atravesar algo con algo - **2.** inf [put] meter - **3.** UK inf [tolerate] soportar, aguantar. ◇ vi (pt & pp stuck) - **1.** [adhere]: **to stick (to)** pegarse (a) - **2.** [jam] atrancarse. ◆ **stick out** ◇ vt sep - **1.** [make protrude] sacar; **to stick one's tongue out** sacar la lengua - **2.** [endure] aguantar. ◇ vi [protrude] sobresalir. ◆ **stick to** vt insep - **1.** [follow closely] seguir - **2.** [principles] ser fiel a; [promise, agreement] cumplir con; [decision] atenerse a. ◆ **stick up** vi salir, sobresalir. ◆ **stick up for** vt insep defender.

sticker ['stɪkər] n [piece of paper] pegatina f.

sticking plaster ['stɪkɪŋ-] n [tape] esparadrapo m Amér, tela f emplástica.

stickler ['stɪklər] n: **stickler for sthg** maniático m, -ca f de algo.

stick shift n US palanca f de cambios.

stick-up n inf atraco m a mano armada.

sticky ['stɪkɪ] adj - **1.** [tacky] pegajoso(sa) - **2.** [adhesive] adhesivo(va) - **3.** inf [awkward] engorroso(sa).

stiff [stɪf] ◇ adj - **1.** [inflexible] rígido(da) - **2.** [door, drawer] atascado(da) - **3.** [aching] agarrotado(da); **to have a stiff neck** tener tortícolis; **to be stiff** tener agujetas - **4.** [formal - person, manner] estirado(da); [- smile] rígido(da) - **5.** [severe, intense] severo(ra) - **6.** [difficult - task] duro(ra). ◇ adv inf: **bored/frozen stiff** muerto(ta) de aburrimiento/frío.

stiffen ['stɪfn] vi - **1.** [become inflexible] endurecerse - **2.** [bones] entumecerse; [muscles] agarrotarse - **3.** [become more severe, intense] intensificarse.

stifle ['staɪfl] vt - **1.** [prevent from breathing] ahogar, sofocar - **2.** [yawn etc] reprimir.

stifling ['staɪflɪŋ] adj sofocante.

stigma ['stɪgmə] n estigma m.

stile [staɪl] n escalones mpl para pasar una valla.

stiletto heel [stɪ'letəʊ-] n UK tacón m fino OR de aguja.

still [stɪl] ◇ adv - **1.** [up to now, up to then, even now] todavía - **2.** [to emphasize remaining amount] aún; **I've still got two left** aún me quedan dos - **3.** [nevertheless, however] sin embargo, no obstante - **4.** [with comparatives] aún - **5.** [motionless] sin moverse. ◇ adj - **1.** [not moving] inmóvil - **2.** [calm, quiet] tranquilo(la), sosegado(da) - **3.** [not windy] apacible - **4.** [not fizzy] sin gas. ◇ n - **1.** PHOT vista f fija - **2.** [for making alcohol] alambique m.

stillborn ['stɪlbɔːn] adj nacido muerto (nacida muerta).

still life (pl -s) n bodegón m, naturaleza f muerta.

stilted ['stɪltɪd] adj forzado(da).

stilts [stɪlts] npl - **1.** [for person] zancos mpl - **2.** [for building] pilotes mpl.

stimulate ['stɪmjʊleɪt] vt [gen] estimular; [interest] excitar.

stimulating ['stɪmjʊleɪtɪŋ] adj [physically] estimulante; [mentally] interesante.

stimulus ['stɪmjʊləs] (pl -li [-laɪ]) n estímulo m.

sting [stɪŋ] ◇ n - **1.** [by bee] picadura f - **2.** [of bee] aguijón m - **3.** [sharp pain] escozor m; **to take the sting out of sthg** suavizar algo. ◇ vt (pt & pp stung) - **1.** [bee, nettle] picar - **2.** [cause sharp pain to] escocer. ◇ vi (pt & pp stung) picar.

stingy ['stɪndʒɪ] adj inf tacaño(ña), roñoso(sa).

stink [stɪŋk] ◇ n peste f, hedor m. ◇ vi (pt stank OR stunk, pp stunk) [have unpleasant smell] apestar, heder.

stinking ['stɪŋkɪŋ] inf fig ◇ adj asqueroso(sa). ◇ adv: **to have a stinking cold** tener un resfriado horrible.

stint [stɪnt] ◇ n periodo m. ◇ vi: **to stint on sthg** escatimar algo.

stipulate ['stɪpjʊleɪt] vt estipular.

stir [stɜːr] ◇ n [public excitement] revuelo m; **to cause a stir** causar revuelo. ◇ vt - **1.** [mix] remover - **2.** [move gently] agitar, mover - **3.** [move emotionally] conmover. ◇ vi [move gently] moverse, agitarse. ◆ **stir up** vt sep - **1.** [water, sediment] levantar - **2.** [cause] [excitement, hatred etc] provocar.

stirrup ['stɪrəp] n estribo m.

stitch [stɪtʃ] ◇ n - **1.** SEW puntada f - **2.** [in knitting] punto m - **3.** MED punto m (de sutura) - **4.** [stomach pain]: **to have a stitch** sentir pinchazos (en el estómago). ◇ vt - **1.** SEW coser - **2.** MED suturar.

stoat [stəʊt] n armiño m.

stock [stɒk] ◇ n - **1.** [supply] reserva f - **2.** (U) COMM [reserves] existencias fpl; [selection] surti-

do *m*; **in stock** en existencia, en almacén; **out of stock** agotado(da) - **3.** FIN [of company] capital *m*; **stocks and shares** acciones *fpl*, valores *mpl* - **4.** [ancestry] linaje *m*, estirpe *f* - **5.** CULIN caldo *m* - **6.** [livestock] ganado *m*, ganadería *f*.

▸▸▸ **to take stock (of sthg)** evaluar (algo). ◇ *adj* estereotipado(da). ◇ *vt* - **1.** COMM abastecer de, tener en el almacén - **2.** [shelves] llenar; [lake] repoblar. ➭ **stock up** *vi*: **to stock up (with)** abastecerse (de).

stockbroker ['stɒk,brəʊkə*r*] *n* corredor *m*, -ra *f* de bolsa.

stock cube *n* UK pastilla *f* de caldo.

stock exchange *n* bolsa *f*.

stockholder ['stɒk,həʊldə*r*] *n* US accionista *mf*.

stocking ['stɒkɪŋ] *n* [for woman] media *f*.

stockist ['stɒkɪst] *n* UK distribuidor *m*, -ra *f*.

stock market *n* bolsa *f*, mercado *m* de valores.

stock phrase *n* frase *f* estereotipada.

stockpile ['stɒkpaɪl] ◇ *n* reservas *fpl*. ◇ *vt* almacenar, acumular.

stocktaking ['stɒk,teɪkɪŋ] *n* (U) inventario *m*, balance *m*.

stocky ['stɒkɪ] *adj* corpulento(ta), robusto(ta).

stodgy ['stɒdʒɪ] *adj* [indigestible] indigesto(ta).

stoical ['stəʊɪkl] *adj* estoico(ca).

stoke [stəʊk] *vt* [fire] avivar, alimentar.

stole [stəʊl] ◇ *pt* ▷ **steal**. ◇ *n* estola *f*.

stolen ['stəʊln] *pp* ▷ **steal**.

stolid ['stɒlɪd] *adj* impasible.

stomach ['stʌmək] ◇ *n* - **1.** [organ] estómago *m*; **to do sthg on an empty stomach** hacer algo con el estómago vacío - **2.** [abdomen] vientre *m*. ◇ *vt* tragar, aguantar; **I can't stomach him** no lo trago.

stomachache ['stʌmakeɪk] *n* dolor *m* de estómago.

stomach upset [-'ʌpset] *n* trastorno *m* gástrico.

stone [stəʊn] (*pl* **-s**) ◇ *n* - **1.** [mineral] piedra *f* - **2.** [jewel] piedra *f* preciosa - **3.** [seed] hueso *m* - **4.** (*pl* **stone**) UK [unit of measurement] = 6,35 *kilos*. ◇ *vt* apedrear.

stone-cold *adj* helado(da).

stonewashed ['stəʊnwɒʃt] *adj* lavado(da) a la piedra.

stonework ['stəʊnwɜːk] *n* mampostería *f*.

stood [stʊd] *pt* & *pp* ▷ **stand**.

stool [stuːl] *n* [seat] taburete *m*.

stoop [stuːp] ◇ *n* [bent back]: **to walk with a stoop** caminar encorvado(da). ◇ *vi* - **1.** [bend] inclinarse, agacharse - **2.** [hunch shoulders] encorvarse.

stop [stɒp] ◇ *n* [gen] parada *f*; **to put a stop to sthg** poner fin a algo. ◇ *vt* - **1.** [gen] parar; **to stop doing sthg** dejar de hacer algo - **2.** [prevent] impedir - **3.** [cause to stop moving] detener. ◇ *vi* [gen] pararse; [rain, music] cesar; **to stop at nothing (to do sthg)** no reparar en nada (para hacer algo). ➭ **stop off** *vi* hacer una parada. ➭ **stop up** *vt sep* [block] taponar, tapar.

stopgap ['stɒpgæp] *n* [thing] recurso *m* provisional; [person] sustituto *m*, -ta *f*.

stopover ['stɒp,əʊvə*r*] *n* [gen] parada *f*; [of plane] escala *f*.

stoppage ['stɒpɪdʒ] *n* - **1.** [strike] paro *m*, huelga *f* - **2.** UK [deduction] retención *f*.

stopper ['stɒpə*r*] *n* tapón *m*.

stop press *n* noticias *fpl* de última hora.

stopwatch ['stɒpwɒtʃ] *n* cronómetro *m*.

storage ['stɔːrɪdʒ] *n* almacenamiento *m*.

storage heater *n* UK calentador por almacenamiento térmico.

store [stɔː*r*] ◇ *n* - **1.** *esp* US [shop] tienda *f* - **2.** [supply] provisión *f*, reserva *f* - **3.** [place of storage] almacén *m*. ◇ *vt* - **1.** [gen & COMPUT] almacenar - **2.** [keep] guardar. ➭ **store up** *vt sep* [provisions, goods] almacenar; [information] acumular.

storekeeper ['stɔː,kiːpə*r*] *n* US tendero *m*, -ra *f*.

storeroom ['stɔːrʊm] *n* [gen] almacén *m*; [for food] despensa *f*.

storey UK (*pl* **storeys**), **story** US *n* planta *f*.

stork [stɔːk] *n* cigüeña *f*.

storm [stɔːm] ◇ *n* - **1.** [bad weather] tormenta *f* - **2.** [violent reaction] torrente *m*. ◇ *vt* MIL asaltar. ◇ *vi* - **1.** [go angrily]: **to storm out** salir echando pestes - **2.** [say angrily] vociferar.

stormy ['stɔːmɪ] *adj* - **1.** [weather] tormentoso(sa) - **2.** [meeting] acalorado(da); [relationship] tempestuoso(sa).

story ['stɔːrɪ] *n* - **1.** [tale] cuento *m* - **2.** [history] historia *f* - **3.** [news article] artículo *m* - **4.** US = **storey**.

storybook ['stɔːrɪbʊk] *adj* de cuento.

storyteller ['stɔːrɪ,telə*r*] *n* [teller of story] narrador *m*, -ra *f*, cuentista *mf*.

stout [staʊt] ◇ *adj* - **1.** [rather fat] corpulento(ta) - **2.** [strong, solid] fuerte, sólido(da) - **3.** [resolute] firme. ◇ *n* (U) cerveza *f* negra.

stove [stəʊv] ◇ *pt* & *pp* ▷ **stave**. ◇ *n* [for heating] estufa *f*; [for cooking] cocina *f*.

stow [stəʊ] *vt*: **to stow sthg (away)** guardar algo.

stowaway ['stəʊəweɪ] n polizón m.

straddle ['strædl] vt [person] sentarse a horcajadas sobre.

straggle ['strægl] vi - **1.** [sprawl] desparramarse - **2.** [dawdle] rezagarse.

straggler ['stræglər] n rezagado m, -da f.

straight [streɪt] ⟨⟩ adj - **1.** [not bent] recto(ta); **sit up straight!** ¡siéntate derecho! - **2.** [hair] liso(sa) - **3.** [honest, frank] sincero(ra) - **4.** [tidy] arreglado(da) - **5.** [choice, swap] simple, fácil - **6.** [alcoholic drink] solo(la). ⟨⟩ adv - **1.** [in a straight line - horizontally] directamente; [- vertically] recto(ta); **straight ahead** todo recto; **it was heading straight for me** venía directo hacia mí - **2.** [directly] directamente; [immediately] inmediatamente; **come straight home** ven directamente a casa - **3.** [frankly] francamente - **4.** [tidy] en orden - **5.** [undiluted] solo(la)
▸▸▸ **let's get things straight** vamos a aclarar las cosas; **to go straight** [criminal] dejar la mala vida. ◆ **straight off** adv en el acto. ◆ **straight out** adv sin tapujos.

straight away [,streɪtə'weɪ] adv en seguida.

straighten ['streɪtn] vt - **1.** [tidy - room] ordenar; [- hair, dress] poner bien - **2.** [make straight - horizontally] poner recto(ta); [- vertically] enderezar. ◆ **straighten out** vt sep [mess] arreglar; [problem] resolver.

straight face n: **to keep a straight face** aguantar la risa.

straightforward [,streɪt'fɔ:wəd] adj - **1.** [easy] sencillo(lla) - **2.** [frank - answer] directo(ta); [- person] sincero(ra).

strain [streɪn] ⟨⟩ n - **1.** [weight] peso m; [pressure] presión f - **2.** [mental stress] tensión f nerviosa; **to be under a lot of strain** estar muy agobiado(da) - **3.** [physical injury] torcedura f. ⟨⟩ vt - **1.** [overtax - budget] estirar - **2.** [use hard]: **to strain one's eyes/ears** aguzar la vista/el oído - **3.** [injure - eyes] cansar; [- muscle, back] torcerse - **4.** [drain] colar. ⟨⟩ vi: **to strain to do sthg** esforzarse por hacer algo. ◆ **strains** npl liter [of music] acordes mpl.

strained [streɪnd] adj - **1.** [worried] preocupado(da) - **2.** [unfriendly] tirante, tenso(sa) - **3.** [insincere] forzado(da).

strainer ['streɪnər] n colador m.

strait [streɪt] n estrecho m. ◆ **straits** npl: **in dire** OR **desperate straits** en un serio aprieto.

straitjacket ['streɪt,dʒækɪt] n [garment] camisa f de fuerza.

straitlaced [,streɪt'leɪst] adj pej mojigato(ta).

strand [strænd] n [thin piece] hebra f; **a strand of hair** un pelo del cabello.

stranded ['strændɪd] adj [ship] varado(da); [person] colgado(da).

strange [streɪndʒ] adj - **1.** [unusual] raro(ra), extraño(ña) - **2.** [unfamiliar] desconocido(da).

stranger ['streɪndʒər] n - **1.** [unfamiliar person] extraño m, -ña f, desconocido m, -da f; **to be a/no stranger to sthg** no estar/estar familiarizado con algo - **2.** [outsider] forastero m, -ra f.

strangle ['stræŋgl] vt [kill] estrangular.

stranglehold ['stræŋglhəʊld] n fig [strong influence] dominio m absoluto.

strap [stræp] ⟨⟩ n [of handbag, watch, case] correa f; [of dress, bra] tirante m, bretel m. ⟨⟩ vt [fasten] atar con correa.

strapping ['stræpɪŋ] adj robusto(ta).

strategic [strə'ti:dʒɪk] adj estratégico(ca).

strategy ['strætɪdʒɪ] n estrategia f.

straw [strɔ:] n - **1.** AGRIC paja f - **2.** [for drinking] pajita f, paja f
▸▸▸ **the last straw** el colmo.

strawberry ['strɔ:bərɪ] ⟨⟩ n fresa f, frutilla f Bol, Ecuad, Andes & R Dom. ⟨⟩ comp de fresa, de frutilla f Bol, Ecuad, Andes & R Dom.

stray [streɪ] ⟨⟩ adj - **1.** [animal - without owner] callejero(ra); [- lost] extraviado(da) - **2.** [bullet] perdido(da). ⟨⟩ vi - **1.** [from path] desviarse; [from group] extraviarse - **2.** [thoughts, mind] perderse.

streak [stri:k] ⟨⟩ n - **1.** [of hair] mechón m; **to have streaks in one's hair** tener un mechón en el pelo; [of lightning] rayo m - **2.** [in character] vena f. ⟨⟩ vi [move quickly] ir como un rayo.

stream [stri:m] ⟨⟩ n - **1.** [small river] riachuelo m - **2.** [of liquid, smoke] chorro m; [of light] raudal m - **3.** [current] corriente f - **4.** [of people, cars] torrente m - **5.** [continuous series] sarta f, serie f - **6.** UK SCH grupo m. ⟨⟩ vi - **1.** [liquid, smoke, light]: **to stream into** entrar a raudales en; **to stream out of** brotar de - **2.** [people, cars]: **to stream into** entrar atropelladamente en; **to stream out of** salir atropelladamente de - **3.** [phr]: **to have a streaming cold** tener un resfriado horrible. ⟨⟩ vt UK SCH agrupar de acuerdo con el rendimiento escolar.

streamer ['stri:mər] n [for party] serpentina f.

streamlined ['stri:mlaɪnd] adj - **1.** [aerodynamic] aerodinámico(ca) - **2.** [efficient] racional.

street [stri:t] n calle f; **to be streets ahead of sb** UK estar muy por delante de alguien; **to be on the streets** estar en la calle.

streetcar ['stri:tkɑ:r] n US tranvía m.

street lamp, street light n farola f.

street plan n plano m (de la ciudad).

streetwise ['stri:twaɪz] adj inf espabilado(da).

strength [streŋθ] n - **1.** [physical or mental power] fuerza f - **2.** [power, influence] poder m

- **3.** [quality] punto *m* fuerte - **4.** [solidity - of material structure] solidez *f* - **5.** [intensity - of feeling, smell, wind] intensidad *f*; [- of accent, wine] fuerza *f*; [- of drug] potencia *f* - **6.** [credibility, weight] peso *m*, fuerza *f*.

strengthen ['streŋθn] *vt* - **1.** [gen] fortalecer - **2.** [reinforce - argument, bridge] reforzar - **3.** [intensify] acentuar, intensificar - **4.** [make closer] estrechar.

strenuous ['strenjʊəs] *adj* agotador(ra).

stress [stres] ◇ *n* - **1.** [emphasis]: **stress (on)** hincapié *m* OR énfasis *m* inv (en) - **2.** [tension, anxiety] estrés *m* - **3.** [physical pressure]: **stress (on)** presión *f* (en) - **4.** LING [on word, syllable] acento *m*. ◇ *vt* - **1.** [emphasize] recalcar, subrayar - **2.** *inf* estresar - **3.** LING [word, syllable] acentuar. ◇ *vi inf* estresarse. ◆ **stress out** *vt inf* estresar.

stress-buster *n informal* eliminador *m* de estrés.

stressful ['stresfʊl] *adj* estresante.

stress management *n* control *m* del estrés.

stretch [stretʃ] ◇ *n* - **1.** [of land, water] extensión *f*; [of road, river] tramo *m*, trecho *m* - **2.** [of time] periodo *m* - **3.** [to move one's body]: **to have a stretch** estirarse. ◇ *vt* - **1.** [gen] estirar; **I'm going to stretch my legs** voy a estirar las piernas - **2.** [overtax - person] extender - **3.** [challenge] hacer rendir al máximo. ◆ **stretch out** ◇ *vt sep* [foot, leg] estirar; [hand, arm] alargar. ◇ *vi* - **1.** [lie down] tumbarse - **2.** [reach out] estirarse.

stretcher ['stretʃər] *n* camilla *f*.

stretch limo ['stretʃ'lɪməʊ] *n inf* limusina *f* ampliada.

strew [struː] (*pp* strewn [struːn] OR -ed) *vt*: **to be strewn on/over** estar esparcido(da) sobre/por; **to be strewn with** estar cubierto(ta) de.

stricken ['strɪkn] *adj*: **to be stricken by** OR **with** [illness] estar aquejado(da) de; [drought, famine] estar asolado(da) por; [grief] estar afligido(da) por; [doubts, horror] estar atenazado(da) por; **she was stricken with remorse** le remordía la conciencia.

strict [strɪkt] *adj* - **1.** [gen] estricto(ta) - **2.** [precise] exacto(ta), estricto(ta).

strictly ['strɪktlɪ] *adv* - **1.** [severely] severamente - **2.** [absolutely - prohibited] terminantemente; [- confidential] absolutamente - **3.** [exactly] exactamente; **strictly speaking** en el sentido estricto de la palabra - **4.** [exclusively] exclusivamente; **this is strictly between you and me** esto debe quedar exclusivamente entre tú y yo.

stride [straɪd] ◇ *n* zancada *f*; **to take sthg in one's stride** tomarse algo con calma. ◇ *vi* (*pt* strode, *pp* stridden ['strɪdn]): **to stride**

along andar a zancadas; **he strode off down the road** marchó calle abajo dando grandes zancadas.

strident ['straɪdnt] *adj* - **1.** [harsh] estridente - **2.** [vociferous] exaltado(da).

strife [straɪf] *n* (*U*) *fml* conflictos *mpl*.

strike [straɪk] ◇ *n* - **1.** [refusal to work etc] huelga *f*; **to be (out) on strike** estar en huelga; **to go on strike** declararse en huelga - **2.** MIL ataque *m* - **3.** [find] descubrimiento *m*. ◇ *vt* (*pt & pp* struck) - **1.** *fml* [hit - deliberately] golpear, pegar; [- accidentally] chocar contra - **2.** [disaster, earthquake] asolar; [lightning] fulminar; **she was struck by lightning** le alcanzó un rayo - **3.** [thought, idea] ocurrírsele a - **4.** [deal, bargain] cerrar - **5.** [match] encender. ◇ *vi* (*pt & pp* struck) - **1.** [stop working] estar en huelga - **2.** *fml* [hit accidentally]: **to strike against** chocar contra - **3.** [hurricane, disaster] sobrevenir; [lightning] caer - **4.** *fml* [attack] atacar - **5.** [chime] dar la hora; **the clock struck six** el reloj dio las seis. ◆ **strike down** *vt sep* fulminar. ◆ **strike out** *vt sep* tachar. ◆ **strike up** *vt insep* - **1.** [friendship] trabar; [conversation] entablar - **2.** [tune] empezar a tocar.

striker ['straɪkər] *n* - **1.** [person on strike] huelguista *mf* - **2.** FTBL delantero *m*, -ra *f*.

striking ['straɪkɪŋ] *adj* - **1.** [noticeable, unusual] chocante, sorprendente - **2.** [attractive] llamativo(va), atractivo(va).

string [strɪŋ] *n* - **1.** [thin rope] cuerda *f*; **a (piece of) string** un cordón; **to pull strings** utilizar uno sus influencias - **2.** [of beads, pearls] sarta *f* - **3.** [series] serie *f*, sucesión *f* - **4.** [of musical instrument] cuerda *f*. ◆ **strings** *npl* MUS: **the strings** los instrumentos de cuerda. ◆ **string out** (*pt & pp* strung out) *vt insep*: **to be strung out** alinearse. ◆ **string together** *vt sep* [words] encadenar.

string bean *n* judía *f* verde, chaucha *f R Plata*, vainita *f Ven*, poroto *m* verde *Chile*, habichuela *f Col*.

stringed instrument ['strɪŋd-] *n* instrumento *m* de cuerda.

stringent ['strɪndʒənt] *adj* estricto(ta), severo(ra).

strip [strɪp] ◇ *n* - **1.** [narrow piece] tira *f*; **to tear a strip off sb, to tear sb off a strip** *UK* echarle una bronca a alguien - **2.** [narrow area] franja *f* - **3.** *UK* SPORT camiseta *f*, colores *mpl*. ◇ *vt* - **1.** [undress] desnudar - **2.** [paint, wallpaper] quitar. ◇ *vi* [undress] desnudarse. ◆ **strip off** *vi* desnudarse.

strip cartoon *n UK* historieta *f*, tira *f* cómica.

stripe [straɪp] *n* - **1.** [band of colour] raya *f*, franja *f* - **2.** [sign of rank] galón *m*.

striped [straɪpt] *adj* a rayas.

strip lighting n alumbrado m fluorescente.

stripper ['strɪpər] n - 1. [performer of striptease] artista mf de striptease - 2. [for paint] disolvente m.

striptease ['striptiːz] n striptease m.

strive [straɪv] (pt **strove**, pp **striven** ['strɪvn]) vi fml: **to strive for sthg** luchar por algo; **to strive to do sthg** esforzarse por hacer algo.

strode [strəʊd] pt ⊳ **stride**.

stroke [strəʊk] <> n - 1. MED apoplejía f, derrame m cerebral - 2. [of pen] trazo m; [of brush] pincelada f - 3. [style of swimming] estilo m - 4. [in tennis, golf etc] golpe m - 5. [of clock] campanada f - 6. UK TYPO [oblique] barra f - 7. [piece]: **a stroke of genius** una genialidad; **a stroke of luck** un golpe de suerte; **at a stroke** de una vez, de golpe. <> vt acariciar.

stroll [strəʊl] <> n paseo m; **to go for a stroll** dar un paseo. <> vi pasear.

stroller ['strəʊlər] n US [for baby] sillita f (de niño).

strong [strɒŋ] adj - 1. [gen] fuerte; **to be still going strong** [person] conservarse bien; [group] seguir en la brecha; [object] estar todavía en forma - 2. [material, structure] sólido(da), resistente - 3. [feeling, belief] profundo(da); [opposition, denial] firme; [support] acérrimo(ma); [accent] marcado(da) - 4. [discipline, policy] estricto(ta) - 5. [argument] convincente - 6. [in numbers]: **the crowd was 2,000 strong** la multitud constaba de 2.000 personas - 7. [good, gifted]: **one's strong point** el punto fuerte de uno - 8. [concentrated] concentrado(da).

strongbox ['strɒŋbɒks] n caja f fuerte.

stronghold ['strɒŋhəʊld] n fig [bastion] bastión m, baluarte m.

strongly ['strɒŋlɪ] adv - 1. [sturdily] fuertemente - 2. [in degree] intensamente - 3. [fervently]: **to support/oppose sthg strongly** apoyar/oponerse a algo totalmente; **I feel very strongly about that** eso me preocupa muchísimo.

strong room n cámara f acorazada.

strove [strəʊv] pt ⊳ **strive**.

struck [strʌk] pt & pp ⊳ **strike**.

structure ['strʌktʃər] n - 1. [arrangement] estructura f - 2. [building] construcción f.

struggle ['strʌgl] <> n - 1. [great effort]: **struggle (for sthg/to do sthg)** lucha f (por algo/por hacer algo) - 2. [fight, tussle] forcejeo m. <> vi - 1. [make great effort]: **to struggle (for sthg/to do sthg)** luchar (por algo/por hacer algo) - 2. [to free o.s.]: **to struggle free** forcejear para soltarse.

strum [strʌm] vt & vi rasguear.

strung [strʌŋ] pt & pp ⊳ **string**.

strut [strʌt] <> n CONSTR puntal m. <> vi andar pavoneándose.

stub [stʌb] <> n - 1. [of cigarette] colilla f; [of pencil] cabo m - 2. [of ticket] resguardo m; [of cheque] matriz f. <> vt: **to stub one's toe on** darse con el pie en. ⬥ **stub out** vt sep apagar.

stubble ['stʌbl] n - 1. (U) [in field] rastrojo m - 2. [on chin] barba f incipiente OR de tres días.

stubborn ['stʌbən] adj [person] terco(ca), testarudo(da).

stuck [stʌk] <> pt & pp ⊳ **stick**. <> adj - 1. [jammed - lid, window] atascado(da) - 2. [unable to progress] atascado(da) - 3. [stranded] colgado(da) - 4. [in a meeting, at home] encerrado(da).

stuck-up adj inf pej engreído(da).

stud [stʌd] n - 1. [metal decoration] tachón m - 2. [earring] pendiente m - 3. UK [on boot, shoe] taco m - 4. [horse] semental m.

studded ['stʌdɪd] adj: **studded (with)** tachonado(da) (con).

student ['stjuːdnt] <> n - 1. [at college, university] estudiante mf - 2. [scholar] estudioso m, -sa f. <> comp estudiantil.

studio ['stjuːdɪəʊ] (pl -s) n estudio m.

studio flat UK, **studio apartment** US n estudio m.

studious ['stjuːdjəs] adj estudioso(sa).

studiously ['stjuːdjəslɪ] adv cuidadosamente.

study ['stʌdɪ] <> n estudio m. <> vt - 1. [learn] estudiar - 2. [examine - report, sb's face] examinar, estudiar. <> vi estudiar. ⬥ **studies** npl estudios mpl.

stuff [stʌf] <> n (U) inf - 1. [things, belongings] cosas fpl - 2. [substance]: **what's that stuff in your pocket?** ¿qué es eso que llevas en el bolsillo? <> vt - 1. [push, put] meter - 2. [fill, cram]: **to stuff sthg (with)** [box, room] llenar algo (de); [pillow, doll] rellenar algo (de) - 3. CULIN rellenar.

stuffed [stʌft] adj - 1. [filled, crammed]: **stuffed with** atestado(da) de - 2. inf [person - with food] lleno(na), inflado(da) - 3. CULIN relleno(na) - 4. [preserved - animal] disecado(da).

stuffing ['stʌfɪŋ] n (U) relleno m.

stuffy ['stʌfɪ] adj - 1. [atmosphere] cargado(da); [room] mal ventilado(da) - 2. [old-fashioned] retrógrado(da), carca.

stumble ['stʌmbl] vi [trip] tropezar. ⬥ **stumble across, stumble on** vt insep [thing] dar con; [person] encontrarse con.

stumbling block ['stʌmblɪŋ-] n obstáculo m, escollo m.

stump [stʌmp] <> n [of tree] tocón m; [of limb] muñón m. <> vt - 1. [question, problem] dejar perplejo(ja); **I'm stumped** no tengo ni idea; **he was stumped for an answer** no sabía qué contestar - 2. US POL [constituency, state] recorrer en campaña electoral.

stun [stʌn] *vt lit* & *fig* aturdir.

stung [stʌŋ] *pt* & *pp* ⊳ **sting**.

stunk [stʌŋk] *pt* & *pp* ⊳ **stink**.

stunning ['stʌnɪŋ] *adj* - **1.** [very beautiful] imponente - **2.** [shocking] pasmoso(sa).

stunt [stʌnt] ◇ *n* - **1.** [for publicity] truco *m* publicitario - **2.** CIN escena *f* arriesgada OR peligrosa. ◇ *vt* atrofiar.

stunted ['stʌntɪd] *adj* esmirriado(da).

stunt man *n* especialista *m*, doble *m*.

stupefy ['stju:pɪfaɪ] *vt* - **1.** [tire, bore] aturdir, atontar - **2.** [surprise] dejar estupefacto(ta).

stupendous [stju:'pendəs] *adj inf* [wonderful] estupendo(da); [very large] enorme.

stupid ['stju:pɪd] *adj* - **1.** [foolish] estúpido(da) - **2.** *inf* [annoying] puñetero(ra).

stupidity [stju:'pɪdətɪ] *n* (U) estupidez *f*.

sturdy ['stɜ:dɪ] *adj* [person, shoulders] fuerte; [furniture, bridge] firme, sólido(da).

stutter ['stʌtər] ◇ *vi* tartamudear. ◇ *vt* decir tartamudeando.

sty [staɪ] *n* [pigsty] pocilga *f*.

stye [staɪ] *n* orzuelo *m*.

style [staɪl] ◇ *n* - **1.** [characteristic manner] estilo *m* - **2.** (U) [smartness, elegance] clase *f* - **3.** [design] modelo *m*. ◇ *vt* [hair] peinar.

stylish ['staɪlɪʃ] *adj* elegante, con estilo.

stylist ['staɪlɪst] *n* [hairdresser] peluquero *m*, -ra *f*.

stylus ['staɪləs] (*pl* -es) *n* [on record player] aguja *f*.

suave [swɑːv] *adj* [well-mannered] afable, amable; [obsequious] zalamero(ra).

sub [sʌb] *n inf* SPORT (*abbr of* **substitute**) reserva *mf*.

subconscious [,sʌb'kɒnʃəs] *adj* subconsciente.

subcontract [,sʌbkən'trækt] *vt* subcontratar.

subdivide [,sʌbdɪ'vaɪd] *vt* subdividir.

subdue [səb'dju:] *vt* - **1.** [enemy, nation] sojuzgar - **2.** [feelings] contener.

subdued [səb'dju:d] *adj* - **1.** [person] apagado(da) - **2.** [colour, light] tenue.

subject ◇ *adj* ['sʌbdʒekt] [affected]: **subject to** [taxes, changes, law] sujeto(ta) a; [illness] proclive a. ◇ *n* ['sʌbdʒekt] - **1.** [topic] tema *m*; **don't change the subject** no cambies de tema - **2.** GRAM sujeto *m* - **3.** SCH & UNIV asignatura *f* - **4.** [citizen] súbdito *m*, -ta *f*. ◇ *vt* [səb'dʒekt] [bring under control] someter, dominar. **◆ subject to** *prep* dependiendo de.

subjective [səb'dʒektɪv] *adj* subjetivo(va).

subject matter ['sʌbdʒekt-] *n* (U) tema *m*, contenido *m*.

subjunctive [səb'dʒʌŋktɪv] *n* GRAM: **subjunctive (mood)** (modo *m*) subjuntivo *m*.

sublet [,sʌb'let] (*pt* & *pp* **sublet**) *vt* & *vi* subarrendar.

sublime [sə'blaɪm] *adj* [wonderful] sublime.

submachine gun [,sʌbmə'ʃi:n-] *n* metralleta *f*.

submarine [,sʌbmə'ri:n] *n* - **1.** submarino *m* - **2.** US [sandwich] bocadillo OR sandwich hecho con una barra de pan larga y estrecha.

submerge [səb'mɜ:dʒ] ◇ *vt* - **1.** [in water] sumergir - **2.** *fig* [in activity]: **to submerge o.s. in** sthg dedicarse de lleno a algo. ◇ *vi* sumergirse.

submission [səb'mɪʃn] *n* - **1.** [capitulation] sumisión *f* - **2.** [presentation] presentación *f*.

submissive [səb'mɪsɪv] *adj* sumiso(sa).

submit [səb'mɪt] ◇ *vt* presentar. ◇ *vi*: **to submit (to sb)** rendirse (a alguien); **to submit (to sthg)** someterse a algo.

subnormal [,sʌb'nɔ:ml] *adj* subnormal.

subordinate [sə'bɔ:dɪnət] ◇ *adj fml* [less important]: **subordinate (to)** subordinado(da) (a). ◇ *n* subordinado *m*, -da *f*.

subpoena [sə'pi:nə] ◇ *n* LAW citación *f*. ◇ *vt* LAW citar.

subscribe [səb'skraɪb] *vi* - **1.** [to magazine, newspaper]: **to subscribe (to)** suscribirse (a) - **2.** [to belief]: **to subscribe to** estar de acuerdo con.

subscriber [səb'skraɪbər] *n* - **1.** [to magazine, newspaper] suscriptor *m*, -ra *f* - **2.** [to service] abonado *m*, -da *f*.

subscription [səb'skrɪpʃn] *n* [to magazine] suscripción *f*; [to service] abono *m*; [to society, club] cuota *f*; **to take out a subscription to sthg** suscribirse a algo.

subsequent ['sʌbsɪkwənt] *adj* subsiguiente, posterior; **subsequent to this** con posterioridad a esto.

subsequently ['sʌbsɪkwəntlɪ] *adv* posteriormente.

subservient [səb'sɜ:vjənt] *adj* [servile]: **subservient (to sb)** servil (ante alguien).

subside [səb'saɪd] *vi* - **1.** [anger] apaciguarse; [pain] calmarse; [grief] pasarse; [storm, wind] amainar - **2.** [noise] apagarse - **3.** [river] bajar, descender; [building, ground] hundirse.

subsidence [səb'saɪdns, 'sʌbsɪdns] *n* CONSTR hundimiento *m*.

subsidiary [səb'sɪdjərɪ] ◇ *adj* secundario(ria). ◇ *n*: **subsidiary (company)** filial *f*.

subsidize, -ise ['sʌbsɪdaɪz] *vt* subvencionar.

subsidy ['sʌbsɪdɪ] *n* subvención *f*.

substance ['sʌbstəns] *n* - **1.** [gen] sustancia *f* - **2.** [essence] esencia *f*.

substantial [səb'stænʃl] *adj* - **1.** [large, considerable] sustancial, considerable; [meal] abundante - **2.** [solid] sólido(da).

substantially [səb'stænʃəlɪ] *adv* - **1.** [quite a lot] sustancialmente, considerablemente - **2.** [fundamentally] esencialmente; [for the most part] en gran parte.

substantiate [səb'stænʃɪeɪt] *vt fml* justificar.

substitute ['sʌbstɪtjuːt] ◇ *n* - **1.** [replacement]: **substitute (for)** sustituto *m*, -ta *f* (de) - **2.** SPORT suplente *mf*, reserva *mf*. ◇ *vt*: **to substitute sthg/sb for** sustituir algo/a alguien por.

subtitle ['sʌbˌtaɪtl] *n* subtítulo *m*.

subtle ['sʌtl] *adj* - **1.** [gen] sutil; [taste, smell] delicado(da) - **2.** [plan, behaviour] ingenioso(sa).

subtlety ['sʌtltɪ] *n* - **1.** [gen] sutileza *f*; [taste, smell] delicadeza *f* - **2.** [of plan, behaviour] ingenio *m*.

subtract [səb'trækt] *vt*: **to subtract sthg (from)** restar algo (de).

subtraction [səb'trækʃn] *n* resta *f*.

suburb ['sʌbɜːb] *n* barrio *m* residencial.
◆ **suburbs** *npl*: **the suburbs** las afueras.

suburban [sə'bɜːbn] *adj* - **1.** [of suburbs] de los barrios residenciales - **2.** *pej* [boring] convencional, burgués(esa).

suburbia [sə'bɜːbɪə] *n (U)* barrios *mpl* residenciales.

subversive [səb'vɜːsɪv] ◇ *adj* subversivo(va). ◇ *n* subversivo *m*, -va *f*.

subway ['sʌbweɪ] *n* - **1.** UK [underground walkway] paso *m* subterráneo - **2.** US [underground railway] metro *m*, subte(rráneo) *m* R Plata.

succeed [sək'siːd] ◇ *vt* suceder a; **to succeed sb to the throne** suceder a alguien en el trono. ◇ *vi* - **1.** [gen] tener éxito - **2.** [achieve desired result]: **to succeed in sthg/in doing sthg** conseguir algo/hacer algo - **3.** [plan, tactic] salir bien - **4.** [go far in life] triunfar.

success [sək'ses] *n* - **1.** [gen] éxito *m*; **to be a success** tener éxito - **2.** [in career, life] triunfo *m*.

successful [sək'sesfʊl] *adj* [gen] de éxito; [attempt] logrado(da).

succession [sək'seʃn] *n* sucesión *f*; **to follow in quick** OR **close succession** sucederse rápidamente.

successive [sək'sesɪv] *adj* sucesivo(va); **he won on 3 successive years** ganó durante tres años consecutivos.

succinct [sək'sɪŋkt] *adj* sucinto(ta).

succumb [sə'kʌm] *vi*: **to succumb (to)** sucumbir (a).

such [sʌtʃ] ◇ *adj* - **1.** [like that] semejante, tal; **such stupidity** tal OR semejante estupidez;

there's no such thing no existe nada semejante - **2.** [like this]: **have you got such a thing as a tin opener?** ¿tendrías acaso un abrelatas?; **such words as 'duty' and 'honour'** palabras (tales) como 'deber' y 'honor' - **3.** [whatever]: **I've spent such money as I had** he gastado el poco dinero que tenía - **4.** [so great, so serious]: **there are such differences that...** las diferencias son tales que...; **such... that** tal... que. ◇ *adv* tan; **such a lot of books** tantos libros; **such nice people** una gente tan amable; **such a good car** un coche tan bueno; **such a long time** tanto tiempo. ◇ *pron*: **and such (like)** y otros similares OR por el estilo. ◆ **as such** *pron* propiamente dicho(cha). ◆ **such and such** *adj*: **at such and such a time** a tal hora.

suck [sʌk] ◇ *vt* - **1.** [by mouth] chupar - **2.** [machine] aspirar. ◇ *vi* US *v inf* [be bad] [book, film]: **that really sucks!** ¡es una mierda!

sucker ['sʌkər] *n* - **1.** [of animal] ventosa *f* - **2.** *inf* [gullible person] primo *m*, -ma *f*, ingenuo *m*, -nua *f*; **to be a sucker for punishment** ser un masoquista.

suction ['sʌkʃn] *n* [gen] succión *f*; [by machine] aspiración *f*.

Sudan [suː'dɑːn] *n* (el) Sudán.

sudden ['sʌdn] *adj* [quick] repentino(na); [unforeseen] inesperado(da); **all of a sudden** de repente.

suddenly ['sʌdnlɪ] *adv* de repente.

suds [sʌdz] *npl* espuma *f* del jabón.

sue [suː] *vt*: **to sue sb (for)** demandar a alguien (por).

suede [sweɪd] *n* [for jacket, shoes] ante *m*; [for gloves] cabritilla *f*.

suet ['sʊɪt] *n* sebo *m*.

suffer ['sʌfər] ◇ *vt* sufrir. ◇ *vi* - **1.** [gen] sufrir - **2.** [experience negative effects] salir perjudicado(da) - **3.** MED: **to suffer from** [illness] sufrir OR padecer de.

sufferer ['sʌfrər] *n* enfermo *m*, -ma *f*; **cancer sufferer** enfermo de cáncer; **hay fever sufferer** persona que padece fiebre del heno.

suffering ['sʌfrɪŋ] *n* [gen] sufrimiento *m*; [pain] dolor *m*.

suffice [sə'faɪs] *vi fml* ser suficiente, bastar.

sufficient [sə'fɪʃnt] *adj fml* suficiente, bastante.

sufficiently [sə'fɪʃntlɪ] *adv fml* suficientemente, bastante.

suffocate ['sʌfəkeɪt] ◇ *vt* asfixiar, ahogar. ◇ *vi* asfixiarse, ahogarse.

suffrage ['sʌfrɪdʒ] *n* sufragio *m*.

suffuse [sə'fjuːz] *vt*: **suffused with** bañado de.

sugar ['ʃʊgər] ◇ *n* azúcar *m* o *f*. ◇ *vt* echar azúcar a.

sugar beet *n* remolacha *f* (azucarera).

sugarcane ['ʃʊgəkeɪn] *n* (U) caña *f* de azúcar.

sugary ['ʃʊgərɪ] *adj* [high in sugar] azucarado(da), dulce.

suggest [sə'dʒest] *vt* - 1. [propose] sugerir; **to suggest doing sthg** sugerir hacer algo - 2. [imply] insinuar.

suggestion [sə'dʒestʃn] *n* - 1. [proposal] sugerencia *f* - 2. [implication] insinuación *f*; **there was no suggestion of murder** no había nada que indicara que fue un asesinato.

suggestive [sə'dʒestɪv] *adj* [implying sexual connotation] provocativo(va), insinuante.

suicide ['su:ɪsaɪd] *n* lit & fig suicidio *m*; **to commit suicide** suicidarse.

suit [su:t] <> *n* - 1. [clothes - for men] traje *m*; [- for women] traje de chaqueta - 2. [in cards] palo *m* - 3. LAW pleito *m*. <> *vt* - 1. [look attractive on] favorecer, sentar bien a; **it suits you** te favorece, te sienta bien - 2. [be convenient or agreeable to] convenir; **that suits me fine** por mí, estupendo - 3. [be appropriate to] ser adecuado(da) para; **that job suits you perfectly** ese trabajo te va de perlas.

suitable ['su:təbl] *adj* adecuado(da); **the most suitable person** la persona más indicada.

suitably ['su:təblɪ] *adv* adecuadamente.

suitcase ['su:tkeɪs] *n* maleta *f*, petaca *f Méx*, valija *f R Plata*.

suite [swi:t] *n* - 1. [of rooms] suite *f* - 2. [of furniture] juego *m*; **dining-room suite** comedor *m*.

suited ['su:tɪd] *adj*: **suited to/for** adecuado(da) para; **the couple are ideally suited** forman una pareja perfecta.

suitor ['su:tər] *n dated* pretendiente *m*.

sulfur *US* = **sulphur**.

sulk [sʌlk] *vi* estar de mal humor.

sulky ['sʌlkɪ] *adj* malhumorado(da).

sullen ['sʌlən] *adj* hosco(ca), antipático(ca).

sulphur *UK*, **sulfur** *US* ['sʌlfər] *n* azufre *m*.

sultana [səl'tɑːnə] *n UK* [dried grape] pasa *f* de Esmirna.

sultry ['sʌltrɪ] *adj* [hot] bochornoso(sa), sofocante.

sum [sʌm] *n* suma *f*. ◆ **sum up** *vt sep* & *vi* [summarize] resumir.

summarize, -ise ['sʌməraɪz] *vt* & *vi* resumir.

summary ['sʌmərɪ] *n* resumen *m*.

summer ['sʌmər] <> *n* verano *m*. <> *comp* de verano.

summerhouse ['sʌməhaʊs, *pl* -haʊzɪz] *n* cenador *m*.

summer school *n* escuela *f* de verano.

summertime ['sʌmətaɪm] *n*: **(the) summertime** (el) verano.

summit ['sʌmɪt] *n* - 1. [mountain-top] cima *f*, cumbre *f* - 2. [meeting] cumbre *f*.

summon ['sʌmən] *vt* [person] llamar; [meeting] convocar. ◆ **summon up** *vt sep* [courage] armarse de; **to summon up the strength to do sthg** reunir fuerzas para hacer algo.

summons ['sʌmənz] <> *n* (pl summonses) LAW citación *f*. <> *vt* LAW citar.

sump [sʌmp] *n* cárter *m*.

sumptuous ['sʌmptʃʊəs] *adj* suntuoso(sa).

sun [sʌn] *n* sol *m*; **in the sun** al sol; **everything under the sun** todo lo habido y por haber.

sunbathe ['sʌnbeɪð] *vi* tomar el sol.

sunbed ['sʌnbed] *n* camilla *f* de rayos ultravioletas.

sunburn ['sʌnbɜːn] *n* (U) quemadura *f* de sol.

sunburned ['sʌnbɜːnd], **sunburnt** ['sʌnbɜːnt] *adj* quemado(da) por el sol.

Sunday ['sʌndɪ] *n* domingo *m*; **Sunday lunch** *comida del domingo que generalmente consiste en carne asada, patatas asadas etc*; see also **Saturday**.

Sunday school *n* catequesis *f inv*.

sundial ['sʌndaɪəl] *n* reloj *m* de sol.

sundown ['sʌndaʊn] *n* anochecer *m*.

sundries ['sʌndrɪz] *npl fml* [gen] artículos *mpl* diversos, FIN gastos *mpl* diversos.

sundry ['sʌndrɪ] *adj fml* diversos(sas); **all and sundry** todos sin excepción.

sunflower ['sʌn,flaʊər] *n* girasol *m*.

sung [sʌŋ] *pp* ▷ **sing**.

sunglasses ['sʌn,glɑːsɪz] *npl* gafas *fpl* de sol.

sunk [sʌŋk] *pp* ▷ **sink**.

sunlight ['sʌnlaɪt] *n* luz *f* del sol; **in direct sunlight** a la luz directa del sol.

sunny ['sʌnɪ] *adj* - 1. [day] de sol; [room] soleado(da) - 2. [cheerful] alegre.

sunrise ['sʌnraɪz] *n* - 1. (U) [time of day] amanecer *m* - 2. [event] salida *f* del sol.

sunroof ['sʌnruːf] *n* [on car] techo *m* corredizo; [on building] azotea *f*.

sunset ['sʌnset] *n* - 1. (U) [time of day] anochecer *m* - 2. [event] puesta *f* del sol.

sunshade ['sʌnʃeɪd] *n* sombrilla *f*.

sunshine ['sʌnʃaɪn] *n* (luz *f* del) sol *m*.

sunstroke ['sʌnstrəʊk] *n* (U) insolación *f*; **to get sunstroke** coger una insolación.

suntan ['sʌntæn] <> *n* bronceado *m*; **to have a suntan** estar bronceado(da); **to get a suntan** broncearse. <> *comp* [lotion, cream] bronceador(ra).

suntrap ['sʌntræp] *n* lugar *m* muy soleado.

super ['su:pər] <> *adj* - 1. inf [wonderful] estupendo(da), fenomenal - 2. [better than normal - size etc] superior. <> *n US inf* [of apartment building] portero *m*, -ra *f*.

superannuation [ˌsuːpəˌrænjʊ'eɪʃn] *n (U)* jubilación *f*, pensión *f*.

superb [suː'pɜːb] *adj* excelente, magnífico(ca).

supercilious [ˌsuːpə'sɪlɪəs] *adj* altanero(ra).

superficial [ˌsuːpə'fɪʃl] *adj* superficial.

superfluous [suː'pɜːfluəs] *adj* superfluo(flua).

superhuman [ˌsuːpə'hjuːmən] *adj* sobrehumano(na).

superimpose [ˌsuːpərɪm'pəʊz] *vt:* **to superimpose sthg on** superponer OR sobreponer algo a.

superintendent [ˌsuːpərɪn'tendənt] *n* - 1. *UK* [of police] ≃ subjefe *m* (de policía) - 2. *fml* [of department] supervisor *m*, -ra *f* - 3. *US inf* [of apartment building] portero *m*, -ra *f*.

superior [suː'pɪərɪə̆ʳ] ⟨⟩ *adj* - 1. [gen]: **superior (to)** superior (a) - 2. *pej* [arrogant] altanero(ra), arrogante. ⟨⟩ *n* superior *mf*.

superlative [suː'pɜːlətɪv] ⟨⟩ *adj* [of the highest quality] supremo(ma). ⟨⟩ *n* GRAM superlativo *m*.

supermarket ['suːpəˌmɑːkɪt] *n* supermercado *m*.

supernatural [ˌsuːpə'nætʃrəl] *adj* sobrenatural.

superpower ['suːpəˌpaʊəʳ] *n* superpotencia *f*.

supersede [ˌsuːpə'siːd] *vt* suplantar.

supersonic [ˌsuːpə'sɒnɪk] *adj* supersónico(ca).

superstitious [ˌsuːpə'stɪʃəs] *adj* supersticioso(sa).

superstore ['suːpəstɔːʳ] *n* hipermercado *m*.

supertanker ['suːpəˌtæŋkəʳ] *n* superpetrolero *m*.

supervise ['suːpəvaɪz] *vt* [person] vigilar; [activity] supervisar.

supervisor ['suːpəvaɪzəʳ] *n* [gen] supervisor *m*, -ra *f*; [of thesis] director *m*, -ra *f*.

supper ['sʌpəʳ] *n* [evening meal] cena *f*.

supple ['sʌpl] *adj* flexible.

supplement ⟨⟩ *n* ['sʌplɪmənt] suplemento *m*. ⟨⟩ *vt* ['sʌplɪment] complementar.

supplementary [ˌsʌplɪ'mentərɪ] *adj* suplementario(ria).

supplier [sə'plaɪəʳ] *n* proveedor *m*, -ra *f*.

supply [sə'plaɪ] ⟨⟩ *n* - 1. [gen] suministro *m*; [of jokes etc] surtido *m* - 2. *(U)* ECON oferta *f*; **supply and demand** la oferta y la demanda. ⟨⟩ *vt:* **to supply sthg (to)** suministrar OR proveer algo (a); **to supply sthg with sthg** suministrar a algo de algo. ◆ **supplies** *npl* MIL pertrechos *mpl*; [food] provisiones *fpl*; [for office etc] material *m*.

support [sə'pɔːt] ⟨⟩ *n* - 1. *(U)* [physical, moral, emotional] apoyo *m*; **in support of** en apoyo de - 2. *(U)* [financial] ayuda *f* - 3. *(U)* [intellectual] respaldo *m* - 4. TECH soporte *m*. ⟨⟩ *vt* - 1. [physically] sostener - 2. [emotionally, morally, intellectually] apoyar - 3. [financially - oneself, one's family] mantener; [- company, organization] financiar; **to support o.s.** ganarse la vida - 4. SPORT seguir.

supporter [sə'pɔːtəʳ] *n* - 1. [gen] partidario *m*, -ria *f* - 2. SPORT hincha *mf*.

support group *n* grupo *m* de apoyo.

suppose [sə'pəʊz] ⟨⟩ *vt* suponer. ⟨⟩ *vi* suponer; **I suppose (so)** supongo (que sí); **I suppose not** supongo que no.

supposed [sə'pəʊzd] *adj* - 1. [doubtful] supuesto(ta) - 2. [intended]: **he was supposed to be here at eight** debería haber estado aquí a las ocho - 3. [reputed]: **it's supposed to be very good** se supone OR se dice que es muy bueno.

supposedly [sə'pəʊzɪdlɪ] *adv* según cabe suponer.

supposing [sə'pəʊzɪŋ] *conj:* **supposing your father found out?** ¿y si se entera tu padre?

suppress [sə'pres] *vt* - 1. [uprising] reprimir - 2. [emotions] contener.

supreme [sʊ'priːm] *adj* supremo(ma).

Supreme Court *n:* **the Supreme Court** [in US] el Tribunal Supremo (de los Estados Unidos).

surcharge ['sɜːtʃɑːdʒ] *n:* **surcharge (on)** recargo *m* (en).

sure [ʃʊəʳ] ⟨⟩ *adj* - 1. [gen] seguro(ra); **I'm not sure why he said that** no estoy seguro de por qué dijo eso - 2. [certain - of outcome]: **to be sure of** poder estar seguro(ra); **make sure (that) you do it** asegúrate de que lo haces - 3. [confident]: **to be sure of o.s.** estar seguro(ra) de uno mismo. ⟨⟩ *adv* - 1. *esp US inf* [yes] por supuesto, pues claro - 2. *US* [really] realmente. ◆ **for sure** *adv* a ciencia cierta; **I don't know for sure** no lo sé con total seguridad. ◆ **sure enough** *adv* efectivamente.

surely ['ʃʊəlɪ] *adv* sin duda; **surely you remember him?** ¡no me digas que no te acuerdas de él!

surety ['ʃʊərətɪ] *n (U)* fianza *f*.

surf [sɜːf] ⟨⟩ *n* espuma *f* (de las olas). ⟨⟩ *vt* COMPUT: **to surf the Net** navegar por Internet.

surface ['sɜːfɪs] ⟨⟩ *n* - 1. [gen] superficie *f* - 2. *fig* [immediately visible part]: **on the surface** a primera vista; **below** OR **beneath the surface** debajo de las apariencias. ⟨⟩ *vi* [gen] salir a la superficie.

surface mail *n* correo *m* por vía terrestre/marítima.

surfboard ['sɜːfbɔːd] *n* plancha *f* OR tabla *f* de surf.

surfeit ['sɜːfɪt] *n fml* exceso *m*.

surfing ['sɜːfɪŋ] n surf m.

surge [sɜːdʒ] ◇ n - 1. [of waves, people] oleada f; [of electricity] sobrecarga f momentánea - 2. [of emotion] arrebato m - 3. [of interest, support, sales] aumento m súbito. ◇ vi [people, vehicles] avanzar en masa; [sea] encresparse; **the angry mob surged forward** la multitud encolerizada avanzó en tropel.

surgeon ['sɜːdʒən] n cirujano m, -na f.

surgery ['sɜːdʒərɪ] n - 1. (U) MED [performing operations] cirugía f - 2. UK MED [place] consultorio m; [consulting period] consulta f.

surgical ['sɜːdʒɪkl] adj [gen] quirúrgico(ca).

surgical spirit n UK alcohol m de 90°.

surly ['sɜːlɪ] adj hosco(ca), malhumorado(da).

surmount [sɜː'maʊnt] vt [overcome] superar, vencer.

surname ['sɜːneɪm] n apellido m.

surpass [sə'pɑːs] vt fml [exceed] superar, sobrepasar.

surplus ['sɜːpləs] ◇ adj excedente, sobrante. ◇ n [gen] excedente m, sobrante m; [in budget] superávit m.

surprise [sə'praɪz] ◇ n sorpresa f; **to take sb by surprise** coger a alguien desprevenido. ◇ vt sorprender.

surprised [sə'praɪzd] adj [person, expression] asombrado(da); **we were really surprised** nos quedamos sorprendidos; **I'm surprised you're still here** me sorprende que todavía estés aquí; **she was surprised to find the house empty** se sorprendió al encontrar la casa vacía.

surprising [sə'praɪzɪŋ] adj sorprendente.

surrender [sə'rendər] ◇ n rendición f. ◇ vi lit & fig: **to surrender (to)** rendirse OR entregarse (a).

surreptitious [ˌsʌrəp'tɪʃəs] adj subrepticio(cia).

surrogate ['sʌrəgeɪt] ◇ adj sustitutorio(ria). ◇ n sustituto m, -ta f.

surrogate mother n madre f de alquiler.

surround [sə'raʊnd] vt lit & fig rodear; **to be surrounded by** estar rodeado(da) de.

surrounding [sə'raʊndɪŋ] adj - 1. [area, countryside] circundante - 2. [controversy, debate] relacionado(da).

surroundings [sə'raʊndɪŋz] npl [physical] alrededores mpl; [social] entorno m.

surveillance [sɜː'veɪləns] n vigilancia f.

survey ◇ n ['sɜːveɪ] - 1. [of public opinion, population] encuesta f - 2. [of land] medición f; [of building] inspección f. ◇ vt [sə'veɪ] - 1. [contemplate] contemplar - 2. [investigate statistically] hacer un estudio de - 3. [examine - land] medir; [- building] inspeccionar.

surveyor [sə'veɪər] n [of property] perito m tasador de la propiedad; [of land] agrimensor m, -ra f.

survival [sə'vaɪvl] n [gen] supervivencia f.

survive [sə'vaɪv] ◇ vt sobrevivir a. ◇ vi - 1. [person] sobrevivir; **how are you? – surviving** ¿cómo estás? – voy tirando - 2. [custom, project] perdurar.

survivor [sə'vaɪvər] n [person who escapes death] superviviente mf; **there were no survivors** no hubo supervivientes.

susceptible [sə'septəbl] adj - 1. [to pressure, flattery]: **susceptible (to)** sensible (a) - 2. MED: **susceptible (to)** propenso(sa) (a).

suspect ◇ adj ['sʌspekt] sospechoso(sa). ◇ n ['sʌspekt] sospechoso m, -sa f. ◇ vt [sə'spekt] - 1. [distrust] sospechar - 2. [think likely] imaginar; **I suspect he's right** imagino que tiene razón - 3. [consider guilty]: **to suspect sb (of)** considerar a alguien sospechoso(sa) (de). ⬤ **suspected** pp: **to have a suspected heart attack** haber sufrido un posible infarto; **the suspected culprits** los presuntos culpables.

suspend [sə'spend] vt [gen] suspender; [payments, work] interrumpir; [schoolchild] expulsar temporalmente.

suspended sentence [sə'spendɪd-] n condena f condicional.

suspender belt [sə'spendər-] n UK liguero m.

suspenders [sə'spendəz] npl - 1. UK [for stockings] ligas fpl - 2. US [for trousers] tirantes mpl, tiradores mpl Bol & R Plata, suspensores mpl Andes & Arg.

suspense [sə'spens] n [gen] incertidumbre f; CIN suspense m; **to keep sb in suspense** mantener a alguien en vilo.

suspension [sə'spenʃn] n - 1. [gen & AUT] suspensión f - 2. [from job, school] expulsión f temporal.

suspension bridge n puente m colgante.

suspicion [sə'spɪʃn] n - 1. [gen] sospecha f; [distrust] recelo m; **on suspicion of** bajo sospecha de; **to be under suspicion** estar bajo sospecha; **to arouse suspicion** levantar sospechas - 2. [small amount] pizca f.

suspicious [sə'spɪʃəs] adj - 1. [having suspicions] receloso(sa) - 2. [causing suspicion] sospechoso(sa).

sustain [sə'steɪn] vt - 1. [gen] sostener - 2. fml [injury, damage] sufrir.

sustenance ['sʌstɪnəns] n (U) fml sustento m.

SW (abbr of short wave) OC.

swab [swɒb] n (trozo m de) algodón m.

swagger ['swægər] vi pavonearse.

Swahili [swɑː'hiːlɪ] n suahili m.

swallow ['swɒləʊ] <> n [bird] golondrina f. <> vt [food, drink] tragar. **swallow up** vt sep [salary, time] tragarse.

swam [swæm] pt ▷ **swim**.

swamp [swɒmp] <> n pantano m, ciénaga f. <> vt - 1. [flood - boat] hundir; [- land] inundar - 2. [overwhelm]: **to swamp sthg (with)** [office] inundar algo (de); **to swamp sb (with)** agobiar a alguien (con); **we were swamped with applications** nos vimos inundados de solicitudes.

swan [swɒn] n cisne m.

swap [swɒp], **swop** vt - 1. [of one thing]: **to swap sthg (for/with)** cambiar algo (por/con) - 2. fig [stories, experiences] intercambiar.

swarm [swɔ:m] <> n [of bees] enjambre m; fig [of people] multitud f. <> vi - 1. fig [people] ir en tropel - 2. fig [place]: **to be swarming (with)** estar abarrotado(da) (de).

swarthy ['swɔ:ðɪ] adj moreno(na).

swastika ['swɒstɪkə] n esvástica f, cruz f gamada.

swat [swɒt] vt aplastar.

sway [sweɪ] <> vt [influence] convencer. <> vi balancearse.

swear [sweəʳ] <> vt (pt swore, pp sworn): **I could have sworn I saw him** juraría que lo vi. <> vi (pt swore, pp sworn) - 1. [state emphatically] jurar; **I couldn't swear to it** no me atrevería a jurarlo - 2. [use swearwords] decir tacos, jurar; **to swear at sb** insultar a alguien.

swearword ['sweəwɜ:d] n palabrota f.

sweat [swet] <> n [perspiration] sudor m. <> vi [perspire] sudar. <> vt - 1. MED: **to sweat out a cold** quitarse un resfriado sudando - 2. [in difficult situation]: **to sweat it out** aguantar.

sweater ['swetəʳ] n suéter m, jersey m.

sweatshirt ['swetʃɜ:t] n sudadera f.

sweaty ['swetɪ] adj [skin] sudoroso(sa); [clothes] sudado(da).

swede [swi:d] n UK nabo m sueco.

Swede [swi:d] n sueco m, -ca f.

Sweden ['swi:dn] n Suecia.

Swedish ['swi:dɪʃ] <> adj sueco(ca). <> n [language] sueco m. <> npl: **the Swedish** los suecos.

sweep [swi:p] <> n [movement - of broom] barrido m; [- of arm, hand] movimiento m OR gesto m amplio. <> vt (pt & pp swept) - 1. [with brush] barrer - 2. [with light-beam] rastrear; [with eyes] recorrer. <> vi (pt & pp swept) - 1. [wind, rain]: **to sweep over** OR **across sthg** azotar algo - 2. [person]: **to sweep past** pasar como un rayo. **sweep away** vt sep [destroy] destruir completamente. **sweep up** vt sep & vi barrer.

sweeping ['swi:pɪŋ] adj - 1. [effect, change] radical - 2. [statement] demasiado general - 3. [curve] amplio(plia) - 4. [gesture] amplio(plia).

sweet [swi:t] <> adj - 1. [gen] dulce; [sugary] azucarado(da) - 2. [smell - of flowers, air] fragante, perfumado(da) - 3. [sound] melodioso(sa) - 4. [character, person] amable - 5. US inf genial. <> n UK - 1. [candy] caramelo m, golosina f - 2. [dessert] postre m. <> excl US inf genial.

sweet corn n maíz m.

sweeten ['swi:tn] vt endulzar.

sweetheart ['swi:thɑ:t] n - 1. [term of endearment] cariño m - 2. [boyfriend or girlfriend] amor m, novio m, -via f.

sweetness ['swi:tnɪs] n - 1. [gen] dulzura f - 2. [of taste] dulzor m.

sweet pea n guisante m de olor, alverjilla f Andes, Col & Ven, chícharo m de olor Amér C & Méx, arvejilla f R Plata, clarín m Chile.

swell [swel] <> vi (pp swollen OR -ed) - 1. [become larger]: **to swell (up)** hincharse - 2. [population, sound] aumentar. <> vt (pp swollen OR -ed) [numbers etc] aumentar. <> n [of sea] oleaje m. <> adj US inf estupendo(da).

swelling ['swelɪŋ] n hinchazón f; **the swelling has gone down** ha bajado la hinchazón.

sweltering ['sweltərɪŋ] adj - 1. [weather] abrasador(ra), sofocante - 2. [person] achicharrado(da).

swept [swept] pt & pp ▷ **sweep**.

swerve [swɜ:v] vi virar bruscamente.

swift [swɪft] <> adj - 1. [fast] rápido(da) - 2. [prompt] pronto(ta). <> n [bird] vencejo m.

swig [swɪg] inf n trago m; **to take a swig of sthg** tomar un trago de algo.

swill [swɪl] <> n [pig food] bazofia f. <> vt UK [wash] enjuagar.

swim [swɪm] <> n baño m; **to go for a swim** ir a nadar OR a darse un baño. <> vi (pt swam, pp swum) - 1. [in water] nadar - 2. [head, room] dar vueltas. <> vt (pt swam, pp swum): **to swim the English Channel** cruzar el canal de la Mancha a nado; **I swam 20 lengths** nadé veinte largos.

swimmer ['swɪməʳ] n nadador m, -ra f; **she's a good swimmer** nada bien.

swimming ['swɪmɪŋ] n natación f; **to go swimming** ir a nadar.

swimming cap n gorro m de baño.

swimming costume n UK bañador m, traje m de baño.

swimming pool n piscina f, alberca f Méx, pileta f R Plata.

swimming trunks npl bañador m.

swimsuit ['swɪmsuːt] *n* bañador *m Esp*, traje *m* de baño, malla *f R Plata*, vestido *m* de baño *Col*.

swindle ['swɪndl] ◇ *n* estafa *f*, timo *m*. ◇ *vt* estafar, timar; **to swindle sb out of sthg** estafar a alguien algo.

swine [swaɪn] *n inf pej* [person] cerdo *m*, -da *f*, canalla *mf*.

swing [swɪŋ] ◇ *n* - **1.** [child's toy] columpio *m* - **2.** [change] viraje *m*; **a swing towards the Conservatives** un giro hacia los conservadores - **3.** [sway] meneo *m*, balanceo *m*. ▸▸▸ **to be in full swing** estar en plena marcha. ◇ *vt* (*pt & pp* **swung**) - **1.** [move back and forth] balancear - **2.** [move in a curve - car etc] hacer virar bruscamente. ◇ *vi* (*pt & pp* **swung**) - **1.** [move back and forth] balancearse, oscilar - **2.** [move in a curve] girar - **3.** [turn]: **to swing (round)** volverse, girarse - **4.** [change] virar, cambiar.

swing bridge *n* puente *m* giratorio.

swing door *n* puerta *f* oscilante.

swingeing ['swɪndʒɪŋ] *adj esp UK* severo(ra).

swipe [swaɪp] ◇ *vt inf* [steal] birlar. ◇ *vi*: **to swipe at sthg** intentar golpear algo.

swirl [swɜːl] *vi* arremolinarse.

swish [swɪʃ] *vt* [tail] agitar, menear.

Swiss [swɪs] ◇ *adj* suizo(za). ◇ *n* [person] suizo *m*, -za *f*. ◇ *npl*: **the Swiss** los suizos.

switch [swɪtʃ] ◇ *n* - **1.** [control device] interruptor *m* - **2.** [change] cambio *m* completo, viraje *m*. ◇ *vt* - **1.** [change] cambiar de; **to switch one's attention to sthg** dirigir la atención a *OR* hacia algo - **2.** [swap] intercambiar. ▸ **switch off** *vt sep* [light, radio etc] apagar; [engine] parar. ▸ **switch on** *vt sep* [light, radio etc] encender; [engine] poner en marcha.

Switch® [swɪtʃ] *n UK* tarjeta *f* de débito Switch®.

switchboard ['swɪtʃbɔːd] *n* centralita *f*, conmutador *m Amér*.

Switzerland ['swɪtsələnd] *n* Suiza.

swivel ['swɪvl] ◇ *vt* (*UK pt & pp* **-led**, *cont* **-ling**, *US pt & pp* **-ed**, *cont* **-ing**) hacer girar. ◇ *vi* (*UK pt & pp* **-led**, *cont* **-ling**, *US pt & pp* **-ed**, *cont* **-ing**) girar.

swivel chair *n* silla *f* giratoria.

swollen ['swəʊln] ◇ *pp* ▷ **swell**. ◇ *adj* - **1.** [ankle, leg etc] hinchado(da); **my eyes were swollen** tenía los ojos hinchados - **2.** [river] crecido(da).

swoop [swuːp] ◇ *n* [raid] redada *f*; **a swoop on a flat** una redada en un apartamento. ◇ *vi* - **1.** [move downwards] caer en picado - **2.** [move quickly] atacar por sorpresa.

swop [swɒp] = **swap**.

sword [sɔːd] *n* espada *f*.

swordfish ['sɔːdfɪʃ] (*pl* swordfish *OR* -es) *n* pez *m* espada.

swore [swɔːr] *pt* ▷ **swear**.

sworn [swɔːn] ◇ *pp* ▷ **swear**. ◇ *adj* LAW jurado(da).

swot [swɒt] *UK inf* ◇ *n pej* empollón *m*, -ona *f*. ◇ *vi*: **to swot (for)** empollar (para).

swum [swʌm] *pp* ▷ **swim**.

swung [swʌŋ] *pt & pp* ▷ **swing**.

sycamore ['sɪkəmɔːr] *n* - **1.** sicomoro *m* - **2.** *US* [plane tree] plátano *m*.

syllable ['sɪləbl] *n* sílaba *f*.

syllabus ['sɪləbəs] (*pl* -buses *OR* -bi [-baɪ]) *n* programa *m* (de estudios).

symbol ['sɪmbl] *n* símbolo *m*.

symbolize, -ise ['sɪmbəlaɪz] *vt* simbolizar.

symmetry ['sɪmətrɪ] *n* simetría *f*.

sympathetic [,sɪmpə'θetɪk] *adj* - **1.** [understanding] comprensivo(va) - **2.** [willing to support] favorable; **sympathetic to** bien dispuesto(ta) hacia.

sympathize, -ise ['sɪmpəθaɪz] *vi* - **1.** [feel sorry]: **to sympathize (with)** compadecerse (de) - **2.** [understand]: **to sympathize (with sthg)** comprender (algo) - **3.** [support]: **to sympathize with sthg** apoyar algo.

sympathizer, -iser ['sɪmpəθaɪzər] *n* simpatizante *mf*.

sympathy ['sɪmpəθɪ] *n* - **1.** [understanding]: **sympathy (for)** comprensión *f* (hacia); [compassion] compasión *f* (por) - **2.** [agreement] solidaridad *f*. ▸ **sympathies** *npl* [to bereaved person] pésame *m*.

symphony ['sɪmfənɪ] *n* sinfonía *f*.

symposium [sɪm'pəʊzjəm] (*pl* -siums *OR* -sia [-zjə]) *n fml* simposio *m*.

symptom ['sɪmptəm] *n lit & fig* síntoma *m*.

synagogue ['sɪnəgɒg] *n* sinagoga *f*.

syndicate ['sɪndɪkət] *n* sindicato *m*.

syndrome ['sɪndrəʊm] *n* síndrome *m*.

synonym ['sɪnənɪm] *n*: **synonym (for *OR* of)** sinónimo *m* (de).

synopsis [sɪ'nɒpsɪs] (*pl* -ses [-siːz]) *n* sinopsis *f inv*.

syntax ['sɪntæks] *n* sintaxis *f inv*.

synthesis ['sɪnθəsɪs] (*pl* -ses [-siːz]) *n* síntesis *f inv*.

synthetic [sɪn'θetɪk] *adj* - **1.** [man-made] sintético(ca) - **2.** *pej* [insincere] artificial.

syphilis ['sɪfɪlɪs] *n* sífilis *f inv*.

syphon ['saɪfn] = **siphon**.

Syria ['sɪrɪə] *n* Siria.

syringe [sɪ'rɪndʒ] *n* jeringa *f*, jeringuilla *f*.

syrup ['sɪrəp] *n* (*U*) - **1.** CULIN almíbar *m* - **2.** MED jarabe *m*; **cough syrup** jarabe para la tos.

system ['sɪstəm] n [gen] sistema m; [of central heating etc] instalación f; **to get sthg out of one's system** inf sacarse algo de encima.
systematic [,sɪstə'mætɪk] adj sistemático(ca).
system disk n COMPUT disco m del sistema.
systems analyst ['sɪstəmz-] n COMPUT analista mf de sistemas.

t (pl **t's** OR **ts**), **T** (pl **T's** OR **Ts**) [ti:] n [letter] t f, T f.

ta [tɑ:] excl UK inf ¡gracias!

tab [tæb] n - **1**. [of cloth] etiqueta f - **2**. [of metal, card etc] lengüeta f - **3**. US [bill] cuenta f; **to pick up the tab** inf pagar la cuenta.
▶▶▶ to keep tabs on sb vigilar de cerca a alguien.

tabby ['tæbɪ] n: **tabby (cat)** gato m atigrado.

table ['teɪbl] ⬦ n - **1**. [piece of furniture] mesa f; [small] mesilla f - **2**. [diagram] tabla f. ⬦ vt UK [propose] presentar.

tablecloth ['teɪblklɒθ] n mantel m.

table lamp n lámpara f de mesa.

tablemat ['teɪblmæt] n salvamanteles m inv.

tablespoon ['teɪblspu:n] n - **1**. [spoon] cuchara f grande - **2**. [spoonful] cucharada f (grande).

tablet ['tæblɪt] n - **1**. [pill, piece of soap] pastilla f - **2**. [piece of stone] lápida f.

table tennis n tenis m de mesa.

table wine n vino m de mesa.

tabloid ['tæblɔɪd] n: **the tabloids** los periódicos sensacionalistas; **tabloid (newspaper)** tabloide m.

tabulate ['tæbjʊleɪt] vt tabular.

tacit ['tæsɪt] adj fml tácito(ta).

taciturn ['tæsɪtɜ:n] adj fml taciturno(na).

tack [tæk] ⬦ n - **1**. [nail] tachuela f - **2**. fig [course of action] táctica f. ⬦ vt - **1**. [fasten with nail] fijar con tachuelas - **2**. [in sewing] hilvanar. ⬦ vi NAUT virar.

tackle ['tækl] ⬦ n - **1**. FTBL entrada f - **2**. RUGBY placaje m - **3**. (U) [equipment] equipo m, aparejos mpl - **4**. [for lifting] aparejo m. ⬦ vt - **1**. [deal with - job] emprender; [- problem] abordar - **2**. FTBL entrar - **3**. RUGBY placar - **4**. [attack] atacar, arremeter.

tacky ['tækɪ] adj - **1**. inf [cheap and nasty] cutre; [ostentatious and vulgar] hortera - **2**. [sticky] pegajoso(sa).

tact [tækt] n (U) tacto m, discreción f.

tactful ['tæktfʊl] adj discreto(ta).

tactic ['tæktɪk] n táctica f. ⬦ **tactics** n (U) MIL táctica f.

tactical ['tæktɪkl] adj estratégico(ca); [weapons] táctico(ca).

tactless ['tæktlɪs] adj indiscreto(ta).

tadpole ['tædpəʊl] n renacuajo m.

tag [tæg] n [of cloth, paper] etiqueta f; **price tag** etiqueta del precio. ⬦ **tag question** n cláusula f final interrogativa. ⬦ **tag along** vi inf: **to tag along (with)** pegarse (a), engancharse (a).

tail [teɪl] ⬦ n - [gen] cola f; [of coat, shirt] faldón m. ⬦ vt inf [follow] seguir de cerca. ⬦ **tails** npl - **1**. [formal dress] frac m - **2**. [side of coin] cruz f. ⬦ **tail off** vi [voice] ir debilitándose; [sound] ir disminuyendo.

tailback ['teɪlbæk] n UK cola f.

tailcoat ['teɪl,kəʊt] n frac m.

tail end n parte f final.

tailgate ['teɪlgeɪt] ⬦ n US [of car] puerta f trasera de un vehículo. ⬦ vt conducir pegado a, pisar los talones a.

tailor ['teɪlə] ⬦ n sastre m. ⬦ vt adaptar; **it can be tailored to your needs** se puede adaptar a sus necesidades.

tailor-made adj hecho(cha) a la medida.

tailwind ['teɪlwɪnd] n viento m de cola.

tainted ['teɪntɪd] adj - **1**. [reputation] manchado(da) - **2**. US [food] estropeado(da).

Taiwan [,taɪ'wɑ:n] n Taiwán.

take [teɪk] ⬦ vt (pt took, pp taken) - **1**. [gen] tomar; **do you take sugar?** ¿tomas azúcar?; **to take control/command** tomar control/el mando; **to take a photo** hacer OR tomar una foto; **to take a walk** dar un paseo; **to take a bath** bañarse; **to take a test** hacer un examen; **to take pity on sb** compadecerse de alguien; **to take offence** ofenderse; **to be taken ill** ponerse enfermo; **take the second turning on the right** toma el segundo giro a la derecha - **3**. [steal] quitar, robar - **4**. [buy] coger, quedarse con; [rent] alquilar; **I'll take the red one** me quedo con el rojo - **5**. [take hold of] coger; **to take sb prisoner** capturar a alguien - **6**. [accept - offer, cheque, criticism] aceptar; [- advice] seguir; [- responsibility,

blame] asumir; **the machine only takes 50p pieces** la máquina sólo admite monedas de 50 peniques; **take my word for it, take it from me** créeme - **7.** [have room for - passengers, goods] tener cabida para - **8.** [bear - pain etc] soportar, aguantar; **some people can't take a joke** hay gente que no sabe aguantar una broma - **9.** [require - time, courage] requerir; [- money] costar; **it will take a week/three hours** llevará una semana/tres horas; **it only took me 5 minutes** sólo me llevó cinco minutos; **it takes guts to do that** hay que tener agallas para hacer eso; **it took 5 people to move the piano** hicieron falta 5 personas para mover el piano - **10.** [travel by - means of transport, route] tomar, coger - **11.** [wear - shoes] calzar; [- clothes] usar - **12.** [consider] considerar; **now, take John for instance...** tomemos a John, por ejemplo...; **to take sb for a fool/a policeman** tomar a alguien por tonto/por un policía - **13.** [assume]: **I take it (that)...** supongo que... ◇ *n* CIN toma *f.* ◈ **take after** *vt insep* parecerse a. ◈ **take apart** *vt sep* [dismantle] desmontar. ◈ **take away** *vt sep* - **1.** [remove] quitar - **2.** [deduct] restar, sustraer. ◈ **take back** *vt sep* - **1.** [return] devolver - **2.** [accept - faulty goods] aceptar la devolución de - **3.** [admit as wrong] retirar - **4.** [in memories]: **it takes me back to when I was a teenager** me hace volver a mi adolescencia. ◈ **take down** *vt sep* - **1.** [dismantle] desmontar - **2.** [write down] tomar nota de. ◈ **take in** *vt sep* - **1.** [deceive] engañar; **to be taken in by sb** ser engañado por alguien - **2.** [understand] comprender, asimilar; **I can't take it all in** no consigo asimilarlo todo - **3.** [include] incluir, abarcar - **4.** [provide accommodation for] acoger. ◈ **take off** ◇ *vt sep* - **1.** [clothes, glasses] quitarse - **2.** [have as holiday] tomarse - **3.** *UK inf* [imitate] imitar. ◇ *vi* - **1.** [plane] despegar - **2.** [go away suddenly] irse, marcharse. ◈ **take on** *vt sep* - **1.** [accept - work, job] aceptar; [- responsibility] asumir - **2.** [employ] emplear, coger - **3.** [confront] desafiar. ◈ **take out** *vt sep* [from container, pocket] sacar. ◈ **take over** ◇ *vt sep* - **1.** [company, business] absorber, adquirir; [country, government] apoderarse de - **2.** [job] asumir. ◇ *vi* - **1.** [take control] tomar el poder - **2.** [in job] entrar en funciones. ◈ **take to** *vt insep* - **1.** [feel a liking for - person] coger cariño a; [- activity] aficionarse a - **2.** [begin]: **to take to doing sthg** empezar a hacer algo. ◈ **take up** *vt sep* - **1.** [begin]: **to take up singing** dedicarse a cantar; [job] aceptar, tomar - **2.** [use up - time, space] ocupar; [- effort] requerir. ◈ **take up on** *vt sep* [accept]: **to take sb up on an offer** aceptar una oferta de alguien.

takeaway *UK* ['teɪkə,weɪ], **takeout** *US* ['teɪkaʊt] *n* [food] comida *f* para llevar.

taken ['teɪkn] *pp* ▷ **take**.

takeoff ['teɪkɒf] *n* [of plane] despegue *m.*

takeout *US* = **takeaway**.

takeover ['teɪk,əʊvə] *n* [of company] adquisición *f.*

takings *npl* [of shop] venta *f*; [of show] recaudación *f.*

talc [tælk], **talcum (powder)** ['tælkəm-] *n* talco *m.*

tale [teɪl] *n* - **1.** [fictional story] cuento *m* - **2.** [anecdote] anécdota *f.*

talent ['tælənt] *n*: **talent (for sthg)** talento *m* (para algo).

talented ['tæləntɪd] *adj* con talento.

talk [tɔːk] ◇ *n* - **1.** [conversation] conversación *f*, plática *f Amér C & Méx*; **to have a talk** conversar - **2.** (*U*) [gossip] habladurías *fpl* - **3.** [lecture] charla *f*, conferencia *f*, plática *f Amér C & Méx*; **to give a talk on sthg** dar una charla sobre algo. ◇ *vi* - **1.** [gen] hablar; **to talk to/of** hablar OR platicar *Amér C & Méx* con/de; **talking of Sarah, I met her mum yesterday** hablando de Sarah, ayer me encontré a su madre; **to talk on** OR **about** hablar OR platicar *Amér C & Méx* acerca de OR sobre; **they aren't talking to each other** no se hablan - **2.** [gossip] chismorrear. ◇ *vt* hablar de. ◈ **talks** *npl* conversaciones *fpl.* ◈ **talk into** *vt sep*: **to talk sb into doing sthg** convencer a alguien para que haga algo. ◈ **talk out of** *vt sep*: **to talk sb out of doing sthg** disuadir a alguien de que haga algo. ◈ **talk over** *vt sep* discutir, hablar de.

talkative ['tɔːkətɪv] *adj* hablador(ra).

talk show *US n* programa *m* de entrevistas.

talk time *n* (*U*) [on mobile phone] tiempo *m* de conversación.

tall [tɔːl] *adj* alto(ta); **she's 2 metres tall** mide 2 metros; **how tall is he?** ¿cuánto mide?

tall story *n* cuento *m* (increíble).

tally ['tælɪ] ◇ *n* cuenta *f*; **to keep a tally** llevar la cuenta. ◇ *vi* concordar.

talon ['tælən] *n* garra *f.*

tambourine [,tæmbə'riːn] *n* pandereta *f.*

tame [teɪm] ◇ *adj* - **1.** [domesticated] doméstico(ca) - **2.** *pej* [unexciting] soso(sa). ◇ *vt* - **1.** [domesticate] domesticar - **2.** [bring under control] dominar.

tamper ['tæmpə] ◈ **tamper with** *vt insep* [lock] intentar forzar; [records, file] falsear; [machine] manipular.

tampon ['tæmpɒn] *n* tampón *m.*

tan [tæn] ◇ *adj* de color marrón claro. ◇ *n* bronceado *m*; **to get a tan** broncearse. ◇ *vi* broncearse.

tang [tæŋ] *n* [smell] olor *m* fuerte; [taste] sabor *m* fuerte.

tangent ['tændʒənt] *n* GEOM tangente *f*; **to go off at a tangent** salirse por la tangente.

tangerine [ˌtænˈdʒərin] n mandarina f.

tangible [ˈtændʒəbl] adj tangible.

tangle [ˈtæŋgl] n [mass] maraña f; fig [mess] enredo m, embrollo m.

tank [tæŋk] n - 1. [container] depósito m, tanque m - 2. MIL tanque m, carro m de combate.

tanker [ˈtæŋkər] n - 1. [ship - gen] barco m cisterna, tanque m; [- for oil] petrolero m - 2. [truck] camión m cisterna.

tanned [tænd] adj bronceado(da).

Tannoy® [ˈtænɔɪ] n (sistema m de) altavoces mpl; his name was called out over the Tannoy su nombre sonó por megafonía.

tantalizing [ˈtæntəlaɪzɪŋ] adj tentador(ra).

tantamount [ˈtæntəmaʊnt] adj: tantamount to equivalente a.

tantrum [ˈtæntrəm] (pl -s) n rabieta f; to throw a tantrum coger una rabieta.

Tanzania [ˌtænzəˈnɪə] n Tanzania.

tap [tæp] ⇔ n - 1. [device] grifo m, llave f Amér, canilla f R Plata, paja f Amér C, caño f Perú - 2. [light blow] golpecito m - 3. [phr]: to be on tap [beer, water] ser de barril. ⇔ vt - 1. [hit] golpear ligeramente - 2. [strength, resources] utilizar, usar - 3. [phone] intervenir. ▸ taps n US MIL [at funeral] toque m de difuntos.

tap dancing n claqué m.

tape [teɪp] ⇔ n - 1. [cassette, magnetic tape, strip of cloth] cinta f - 2. [adhesive plastic] cinta f adhesiva. ⇔ vt - 1. [on tape recorder, video recorder] grabar - 2. [with adhesive tape] pegar con cinta adhesiva.

tape measure n cinta f métrica.

taper [ˈteɪpər] ⇔ n [candle] vela f. ⇔ vi afilarse.

tape recorder n magnetófono m.

tapestry [ˈtæpɪstrɪ] n - 1. [piece of work] tapiz m - 2. [craft] tapicería f.

tar [tɑːr] n alquitrán m.

target [ˈtɑːgɪt] n - 1. [of missile, goal, aim] objetivo m - 2. [in archery, shooting, of criticism] blanco m; to be on target to do sthg llevar el ritmo adecuado para hacer algo.

tariff [ˈtærɪf] n tarifa f.

Tarmac® [ˈtɑːmæk] n [material] alquitrán m. ▸ tarmac n AERON: the tarmac la pista.

tarnish [ˈtɑːnɪʃ] vt [make dull] deslustrar; fig [damage] empañar, manchar.

tarpaulin [tɑːˈpɔːlɪn] n lona f alquitranada.

tart [tɑːt] ⇔ adj [bitter] agrio(agria). ⇔ n - 1. [sweet pastry] tarta f - 2. v inf [prostitute] furcia f, fulana f. ▸ tart up vt sep UK inf pej emperejilar.

tartan [ˈtɑːtn] ⇔ n tartán m. ⇔ comp de tartán.

tartar(e) sauce [ˈtɑːtə-] n salsa f tártara.

task [tɑːsk] n tarea f.

task force n MIL destacamento m de fuerzas.

tassel [ˈtæsl] n borla f.

taste [teɪst] ⇔ n - 1. [physical sense, discernment] gusto m; in bad/good taste de mal/buen gusto - 2. [flavour] sabor m - 3. [try]: have a taste pruébalo - 4. fig [for success, fast cars etc]: taste (for) afición f (a), gusto m (por) - 5. fig [experience] experiencia f. ⇔ vt - 1. [notice flavour of] notar un sabor a; I can't taste the lemon in it no noto el sabor a limón - 2. [test, try] probar - 3. fig [experience] conocer. ⇔ vi saber; to taste of OR like saber a.

tasteful [ˈteɪstfʊl] adj de buen gusto.

tasteless [ˈteɪstlɪs] adj - 1. [offensive, cheap and unattractive] de mal gusto - 2. [without flavour] insípido(da), soso(sa).

tasty [ˈteɪstɪ] adj sabroso(sa).

tatters [ˈtætəz] npl: in tatters [clothes] andrajoso(sa); fig [confidence, reputation] por los suelos.

tattoo [təˈtuː] ⇔ n (pl -s) - 1. [design] tatuaje m - 2. UK [military display] desfile m militar. ⇔ vt tatuar.

tatty [ˈtætɪ] adj UK inf pej desastrado(da).

taught [tɔːt] pt & pp ▷ teach.

taunt [tɔːnt] ⇔ vt zaherir a. ⇔ n pulla f.

Taurus [ˈtɔːrəs] n Tauro m.

taut [tɔːt] adj tenso(sa).

tawdry [ˈtɔːdrɪ] adj pej de oropel.

tax [tæks] ⇔ n impuesto m. ⇔ vt - 1. [goods, profits] gravar - 2. [business, person] imponer contribuciones a - 3. [strain, test] poner a prueba.

taxable [ˈtæksəbl] adj imponible.

tax allowance n desgravación f fiscal.

taxation [tækˈseɪʃn] n (U) - 1. [system] sistema m tributario - 2. [amount] impuestos mpl.

tax avoidance [-əˈvɔɪdəns] n evasión f fiscal.

tax collector n recaudador m, -ra f de impuestos.

tax disc n UK pegatina del impuesto de circulación.

tax evasion n fraude m fiscal, evasión f de impuestos.

tax-exempt US = tax-free.

tax-free UK, **tax-exempt** US adj exento(ta) de impuestos.

taxi [ˈtæksɪ] ⇔ n taxi m. ⇔ vi [plane] rodar por la pista.

taxi driver n taxista mf.

tax inspector n ≃ inspector m de Hacienda.

taxi rank UK, **taxi stand** n parada f de taxis.

taxpayer ['tæks,peɪə'] n contribuyente mf.

tax relief n (U) desgravación f fiscal.

tax return n declaración f de renta.

TB n abbr of **tuberculosis**.

tea [tiː] n - 1. [drink, leaves] té m - 2. UK [afternoon snack] té m, merienda f - 3. UK [evening meal] merienda cena f.

teabag ['tiːbæg] n bolsita f de té.

tea break n UK descanso m (durante la jornada laboral).

teach [tiːtʃ] ◇ vt (pt & pp taught) - 1. [give lessons to - student] dar clases a; **to teach sb sthg** enseñar algo a alguien; **to teach (sb) that** inculcar a alguien que; **that will teach you a lesson!** ¡eso te enseñará! - 2. [give lessons in] [subject] dar clases de. ◇ vi (pt & pp taught) ser profesor(ra).

teacher ['tiːtʃə'] n [at primary school] maestro m, -tra f; [at secondary school] profesor m, -ra f.

teacher training college UK, **teachers college** US n escuela f normal.

teaching ['tiːtʃɪŋ] n enseñanza f.

tea cloth n UK [tea towel] paño m de cocina.

tea cosy UK, **tea cozy** US n cubretetera f.

teacup ['tiːkʌp] n taza f de té.

teak [tiːk] n teca f.

team [tiːm] n equipo m.

teammate ['tiːmmeɪt] n compañero m, -ra f de equipo.

teamwork ['tiːmwɜːk] n (U) trabajo m en equipo.

teapot ['tiːpɒt] n tetera f.

tear[1] [tɪə'] n lágrima f; **in tears** llorando.

tear[2] [teə'] ◇ vt (pt tore, pp torn) - 1. [rip] rasgar, romper; **to tear sthg to pieces** fig poner algo por los suelos - 2. [remove roughly] arrancar; **she tore a page out of her exercise book** arrancó una página de su libro de ejercicios. ◇ vi (pt tore, pp torn) - 1. [rip] romperse, rasgarse - 2. inf [move quickly]: **he tore out of the house** salió de la casa a toda pastilla; **they were tearing along** iban a toda pastilla. ◇ n rasgón m, desgarrón m. ◆ **tear apart** vt sep - 1. [rip up] despedazar - 2. [upset greatly] desgarrar. ◆ **tear down** vt sep [building, statue] echar abajo. ◆ **tear up** vt sep hacer pedazos.

teardrop ['tɪədrɒp] n lágrima f.

tearful ['tɪəful] adj [person] lloroso(sa).

tear gas [tɪə-] n (U) gas m lacrimógeno.

tearoom ['tiːrum] n salón m de té.

tease [tiːz] vt - 1. [mock]: **to tease sb (about)** tomar el pelo a alguien (acerca de) - 2. US [hair] cardarse.

tea service, tea set n servicio m OR juego m de té.

teaspoon ['tiːspuːn] n - 1. [utensil] cucharilla f - 2. [amount] cucharadita f.

teat [tiːt] n - 1. [of animal] tetilla f - 2. [of bottle] tetina f.

teatime ['tiːtaɪm] n UK hora f del té.

tea towel n paño m de cocina.

technical ['teknɪkl] adj técnico(ca).

technical college n UK ≃ centro m de formación profesional.

technicality [,teknɪ'kælətɪ] n detalle m técnico.

technically ['teknɪklɪ] adv - 1. [gen] técnicamente - 2. [theoretically] teóricamente, en teoría.

technician [tek'nɪʃn] n técnico m, -ca f.

technique [tek'niːk] n técnica f.

techno ['teknəʊ] n MUS tecno m.

technological [,teknə'lɒdʒɪkl] adj tecnológico(ca).

technology [tek'nɒlədʒɪ] n tecnología f.

technophobe ['teknəfəʊb] n tecnófobo m, -ba f.

teddy ['tedɪ] n: **teddy (bear)** oso m de peluche.

tedious ['tiːdjəs] adj tedioso(sa).

tee [tiː] n tee m.

teem [tiːm] vi - 1. [rain] llover a cántaros - 2. [be busy]: **to be teeming with** estar inundado(da) de.

teenage ['tiːneɪdʒ] adj adolescente.

teenager ['tiːn,eɪdʒə'] n adolescente mf, quinceañero m, -ra f.

teens [tiːnz] npl adolescencia f; **he's in his teens** es adolescente.

tee-shirt n camiseta f.

teeter ['tiːtə'] vi lit & fig tambalearse.

teeth [tiːθ] npl ▷ **tooth**.

teethe [tiːð] vi echar los dientes.

teething troubles ['tiːðɪŋ-] npl fig problemas mpl iniciales.

teetotaller UK, **teetotaler** US [tiː'təʊtlə'] n abstemio m, -mia f.

TEFL ['tefl] (abbr of teaching of English as a foreign language) n enseñanza de inglés para extranjeros.

tel. (abbr of telephone) tfno.

telebanking ['telɪbæŋkɪŋ] n FIN banca f telefónica.

telecoms ['telɪkɒmz] npl = **telecommunications**.

telecommunications ['telɪkə,mjuːnɪ'keɪʃnz] npl telecomunicaciones fpl.

telegram ['telɪgræm] n telegrama m.

telegraph ['telɪgrɑːf] n telégrafo m.

telegraph pole, telegraph post UK n poste m de telégrafos.

telepathy [tɪ'lepəθɪ] *n* telepatía *f*.

telephone ['telɪfəun] <> *n* teléfono *m*. <> *vt & vi* telefonear.

telephone banking *n* banca *f* telefónica.

telephone book *n* guía *f* telefónica.

telephone booth *n* teléfono *m* público.

telephone box *n* UK cabina *f* (telefónica).

telephone call *n* llamada *f* telefónica, llamado *m* telefónico *Amér*.

telephone directory *n* guía *f* telefónica.

telephone number *n* número *m* de teléfono.

telephonist [tɪ'lefənɪst] *n* UK telefonista *mf*.

telephoto lens [,telɪ'fəutəu-] *n* teleobjetivo *m*.

telescope ['telɪskəup] *n* telescopio *m*.

teletext ['telɪtekst] *n* teletexto *m*.

televideo [telɪ'vɪdɪəu] *n* televídeo *m*.

televise ['telɪvaɪz] *vt* televisar.

television ['telɪ,vɪʒn] *n* televisión *f*; **to watch television** ver la televisión.

television set *n* televisor *m*, (aparato *m* de) televisión *f*.

teleworker ['telɪwɜ:kər] *n* teletrabajador *m*, -ra *f*.

telex ['teleks] <> *n* télex *m*. <> *vt* [message] transmitir por télex; [person] mandar un télex a.

tell [tel] <> *vt* (*pt & pp* told) - 1. [gen] decir; **to tell sb (that)** decir a alguien que; **to tell sb sthg, to tell sthg to sb** decir a alguien algo - 2. [joke, story] contar - 3. [judge, recognize]: **to tell what sb is thinking** saber en qué está pensando alguien; **to tell the time** decir la hora - 4. [differentiate]: **to tell the difference between A and B** distinguir entre A y B; **it's hard to tell one from another** son difíciles de distinguir. <> *vi* (*pt & pp* told) [have effect] surtir efecto. ◆ **tell apart** *vt sep* distinguir; **I can't tell them apart** no consigo distinguirlos. ◆ **tell off** *vt sep esp US* reñir, reprender.

telling ['telɪŋ] *adj* [remark, incident] revelador(ra).

telltale ['telteɪl] <> *adj* revelador(ra). <> *n* chivato *m*, -ta *f*, acusica *mf*.

telly ['telɪ] (*abbr of* television) *n* UK *inf* tele *f*.

temp [temp] <> *n* UK *inf* (*abbr of* temporary (employee)) trabajador *m*, -ra *f* temporal. <> *vi*: **she's temping** tiene un trabajo temporal.

temper ['tempər] <> *n* - 1. [state of mind, mood] humor *m*; **to keep one's temper** mantener la calma; **to lose one's temper** enfadarse, perder la paciencia - 2. [angry state]: **to be in a** temper estar de mal humor - 3. [temperament] temperamento *m*. <> *vt fml* templar, suavizar.

temperament ['temprəmənt] *n* temperamento *m*.

temperamental [,temprə'mentl] *adj* [volatile] temperamental.

temperate ['temprət] *adj* templado(da).

temperature ['temprətʃər] *n* temperatura *f*; **to take sb's temperature** tomarle a alguien la temperatura; **to have a temperature** tener fiebre.

tempestuous [tem'pestjuəs] *adj lit & fig* tempestuoso(sa).

template ['templɪt] *n* plantilla *f*.

temple ['templ] *n* - 1. RELIG templo *m* - 2. ANAT sien *f*.

temporarily [,tempə'rerəlɪ] *adv* temporalmente, provisionalmente.

temporary ['tempərərɪ] *adj* [gen] temporal, temporario *Amér*, provisional, provisorio *Andes, Col & Ven*; [improvement, problem] pasajero(ra).

tempt [tempt] *vt* [entice]: **to be OR feel tempted to do sthg** estar OR sentirse tentado de hacer algo.

temptation [temp'teɪʃn] *n* tentación *f*.

tempting ['temptɪŋ] *adj* tentador(ra).

ten [ten] *num* diez; *see also* **six**.

tenable ['tenəbl] *adj* [reasonable, credible] sostenible.

tenacious [tɪ'neɪʃəs] *adj* tenaz.

tenancy ['tenənsɪ] *n* [period - of house] alquiler *m*; [- of land] arrendamiento *m*.

tenant ['tenənt] *n* [of house] inquilino *m*, -na *f*; [of pub] arrendatario *m*, -ria *f*.

tend [tend] *vt* - 1. [look after] cuidar - 2. US: **to tend bar** atender en el bar.

tendency ['tendənsɪ] *n* [leaning, inclination] inclinación *f*.

tender ['tendər] <> *adj* [gen] tierno(na); [sore] dolorido(da). <> *n* - 1. COMM propuesta *f*, oferta *f* - 2.: **(legal) tender** moneda *f* de curso legal. <> *vt fml* [resignation] presentar.

tendon ['tendən] *n* tendón *m*.

tenement ['tenəmənt] *n bloque de viviendas modestas*.

tenet ['tenɪt] *n fml* principio *m*.

tennis ['tenɪs] *n* tenis *m*.

tennis ball *n* pelota *f* de tenis.

tennis court *n* pista *f* de tenis.

tennis match *n* partido *m* de tenis.

tennis player *n* tenista *mf*.

tennis racket *n* raqueta *f* de tenis.

tenor ['tenər] *n* [singer] tenor *m*.

tense [tens] ◇ *adj* tenso(sa). ◇ *n* tiempo *m*. ◇ *vt* tensar.

tension ['tenʃn] *n* tensión *f*.

tent [tent] *n* tienda *f* (de campaña), carpa *f Amér.*

tentacle ['tentəkl] *n* tentáculo *m*.

tentative ['tentətɪv] *adj* - **1.** [person] indeciso(sa); [step, handshake] vacilante - **2.** [suggestion, conclusion etc] provisional.

tenterhooks ['tentəhʊks] *npl*: **to be on tenterhooks** estar sobre ascuas.

tenth [tenθ] *num* décimo(ma); *see also* **sixth**.

tent peg *n* estaca *f*.

tent pole *n* mástil *m* de tienda.

tenuous ['tenjʊəs] *adj* [argument] flojo(ja); [evidence, connection] débil, insignificante; [hold] ligero(ra).

tenure ['tenjər] *n* - **1.** *(U) fml* [of property] arrendamiento *m* - **2.** [of job] ocupación *f*, ejercicio *m*.

tepid ['tepɪd] *adj* [liquid] tibio(bia).

term [tɜːm] ◇ *n* - **1.** [word, expression] término *m* - **2.** SCH & UNIV trimestre *m* - **3.** POL mandato *m*; **term of office** mandato - **4.** [period of time] periodo *m*; **in the long/short term** a largo/corto plazo. ◇ *vt*: **to term sthg sthg** calificar algo de algo. ◆ **terms** *npl* - **1.** [of contract, agreement] condiciones *fpl* - **2.** [basis]: **on equal** OR **the same terms** en condiciones de igualdad; **to be on speaking terms (with sb)** hablarse (con alguien); **to come to terms with sthg** aceptar algo. ◆ **in terms of** *prep* por lo que se refiere a.

terminal ['tɜːmɪnl] ◇ *adj* MED incurable, terminal. ◇ *n* - **1.** [transport] terminal *f* - **2.** COMPUT terminal *m*.

terminate ['tɜːmɪneɪt] ◇ *vt fml* [gen] poner fin a; [pregnancy] interrumpir. ◇ *vi* - **1.** [bus, train] finalizar el trayecto - **2.** [contract] terminarse.

termini ['tɜːmɪnaɪ] *npl* ▷ **terminus**.

terminus ['tɜːmɪnəs] (*pl* -**ni** OR -**nuses**) *n* (estación *f*) terminal *f*.

terrace ['terəs] *n* - **1.** [gen] terraza *f* - **2.** *UK* [of houses] hilera *f* de casas adosadas. ◆ **terraces** *npl* FTBL: **the terraces** las gradas.

terraced ['terəst] *adj* - **1.** [hillside] a terrazas - **2.** [house, housing] adosado(da).

terraced house *n UK* casa *f* adosada.

terrain [te'reɪn] *n* terreno *m*.

terrible ['terəbl] *adj* - **1.** [crash, mess, shame] terrible, espantoso(sa) - **2.** [unwell, unhappy, very bad] fatal.

terribly ['terəblɪ] *adv* [sing, play, write] malísimamente; [injured, sorry, expensive] terriblemente.

terrier ['terɪər] *n* terrier *m*.

terrific [tə'rɪfɪk] *adj* - **1.** [wonderful] estupendo(da) - **2.** [enormous] enorme.

terrified ['terɪfaɪd] *adj* aterrorizado(da); **to be terrified (of)** tener terror (a).

terrifying ['terɪfaɪɪŋ] *adj* aterrador(ra).

territory ['terətrɪ] *n* - **1.** [political area] territorio *m* - **2.** [terrain] terreno *m* - **3.** [area of knowledge] esfera *f*.

terror ['terər] *n* [fear] terror *m*; **to live in terror** vivir aterrorizado(da); **they ran out of the house in terror** salieron de la casa aterrorizados.

terrorism ['terərɪzm] *n* terrorismo *m*.

terrorist ['terərɪst] *n* terrorista *mf*.

terrorize, -ise ['terəraɪz] *vt* aterrorizar.

terse [tɜːs] *adj* seco(ca).

Terylene® ['terəliːn] *n* terylene® *m*.

test [test] ◇ *n* - **1.** [trial] prueba *f*; **to put sthg to the test** poner algo a prueba - **2.** [examination] examen *m*, prueba *f* - **3.** MED [of blood, urine] análisis *m inv*; [of eyes] revisión *f*. ◇ *vt* - **1.** [try out] probar, poner a prueba - **2.** [examine] examinar; **to test sb on** examinar a alguien de.

testament ['testəmənt] *n* [will] testamento *m*.

test-drive *vt* someter a prueba de carretera.

testicles ['testɪklz] *npl* testículos *mpl*.

testify ['testɪfaɪ] ◇ *vi* - **1.** LAW prestar declaración - **2.** [be proof]: **to testify to sthg** dar fe de OR atestiguar algo. ◇ *vt*: **to testify that** declarar que.

testimony [*UK* 'testɪmənɪ, *US* 'testəməʊnɪ] *n* LAW testimonio *m*, declaración *f*.

testing ['testɪŋ] *adj* duro(ra).

test match *n UK* SPORT partido *m* internacional.

test pilot *n* piloto *mf* de pruebas.

test tube *n* probeta *f*.

test-tube baby *n* bebé *mf* probeta.

tetanus ['tetənəs] *n* tétanos *m inv*.

tether ['teðər] ◇ *vt* atar. ◇ *n*: **to be at the end of one's tether** estar uno que ya no puede más.

text [tekst] ◇ *n* - **1.** [gen] texto *m* - **2.** [textbook] libro *m* de texto - **3.** [sent by mobile phone] mensaje *m* de texto, SMS *m*. ◇ *vt* enviar un mensaje de texto a. ◇ *vi* enviar mensajes de texto.

textbook ['tekstbʊk] *n* libro *m* de texto.

textile ['tekstaɪl] *n* textil *m*, tejido *m*.

texting ['tekstɪŋ] *n inf* mensajes *fpl* de texto.

text message *n* [on mobile phone] mensaje *m* de texto.

text messaging [-'mesɪdʒɪŋ] *n* [on mobile phone] mensajería *f* de texto.

texture ['tekstʃər] *n* textura *f*.

Thai [taɪ] ⬦ *adj* tailandés(esa). ⬦ *n* - 1. [person] tailandés *m*, -esa *f* - 2. [language] tailandés *m*.

Thailand ['taɪlænd] *n* Tailandia.

Thames [temz] *n*: **the Thames** el Támesis.

than *(weak form* [ðən]*, strong form* [ðæn]*)* ⬦ *prep* que; **you're older than me** eres mayor que yo; **you're older than I thought** eres mayor de lo que pensaba. ⬦ *conj* que; **I'd sooner read than sleep** prefiero leer que dormir; **no sooner did he arrive than she left** tan pronto llegó él, ella se fue; **more than three/ once** más de tres/de una vez; **rather than stay, he chose to go** en vez de quedarse, prefirió irse.

thank [θæŋk] *vt*: **to thank sb (for sthg)** dar las gracias a alguien (por algo), agradecer a alguien (algo); **thank God** OR **goodness** OR **heavens!** ¡gracias a Dios!, ¡menos mal! ➡ **thanks** ⬦ *npl* agradecimiento *m*; **they left without a word of thanks** se marcharon sin dar las gracias. ⬦ *excl* ¡gracias!; **thanks a lot** muchas gracias; **would you like a biscuit? – no thanks** ¿quieres una galleta? – no, gracias; **thanks for** gracias por. ➡ **thanks to** *prep* gracias a.

thankful ['θæŋkfʊl] *adj* - 1. [relieved] aliviado(da) - 2. [grateful]: **thankful (for)** agradecido(da) (por).

thankless ['θæŋklɪs] *adj* ingrato(ta).

Thanksgiving ['θæŋks,gɪvɪŋ] *n* US Día *m* de Acción de Gracias *(el cuarto jueves de noviembre)*.

thank you *excl* ¡gracias!; **thank you very much** muchas gracias; **thank you for** gracias por; **to say thank you (for sthg)** dar gracias (por algo); **tea? – no thank you** ¿té? – no, gracias.

that *(*[ðæt]*, weak form of pron and conj* [ðət]*)* ⬦ *pron (pl* those) - 1. *(demonstrative use: pl 'those')* ése *m*, ésa *f*, ésos *mpl*, ésas *fpl*; *(indefinite)* eso; **that sounds familiar** eso me resulta familiar; **who's that?** [who is it?] ¿quién es?; **what's that?** ¿qué es eso?; **that's a shame** es una pena; **is that Maureen?** [asking someone else] ¿es ésa Maureen?; [asking person in question] ¿eres Maureen?; **like that** así; **do you like these or those?** ¿te gustan éstos o ésos? - 2. *(further away in distance, time)* aquél *m*, aquélla *f*, aquéllos *mpl*, aquéllas *fpl*; *(indefinite)* aquello; **that was the life!** ¡aquella sí que era vida!; **all those who helped me** todos aquellos que me ayudaron - 3. *(to introduce relative clauses)* que; **a path that led into the woods** un sendero que conducía al bosque; **everything that I have done** todo lo que he

hecho; **the room that I sleep in** el cuarto donde OR en (el) que duermo; **the day that he arrived** el día en que llegó; **the firm that he's applying to** la empresa a la que solicita trabajo. ⬦ *adj (demonstrative: pl 'those')* ese(esa), esos(esas) *(pl)*; *(further away in distance, time)* aquel(aquella), aquellos(aquellas) *(pl)*; **those chocolates are delicious** esos bombones están exquisitos; **I'll have that book at the back** yo cogeré aquel libro del fondo; **later that day** más tarde ese/aquel mismo día. ⬦ *adv* tan; **it wasn't that bad** no estuvo tan mal; **it doesn't cost that much** no cuesta tanto; **it was that big** fue así de grande. ⬦ *conj* que; **he recommended that I phone you** aconsejó que te telefoneara; **it's time that we were leaving** deberíamos irnos ya, ya va siendo hora de irse. ➡ **that is** *adv* es decir.

thatched [θætʃt] *adj* con techo de paja.

that's [ðæts] *(abbr of* that is) ⬦ **that**.

thaw [θɔ:] ⬦ *vt* [snow, ice] derretir; [frozen food] descongelar. ⬦ *vi* [snow, ice] derretirse; [frozen food] descongelarse; *fig* [people, relations] distenderse. ⬦ *n* deshielo *m*.

the *(weak form* [ðə]*, before vowel* [ðɪ]*, strong form* [ðiː]*) def art* - 1. *(gen)* el(la); *(pl)* los(las); *(before f nouns beginning with stressed 'a' or 'ha' = el; 'a' + 'el' = al; 'de' + 'el' = del)*: **the boat** el barco; **the Queen** la reina; **the men** los hombres; **the women** las mujeres; **the water** el agua; **to the end of the world** al fin del mundo; **to play the piano** tocar el piano; **the Joneses are coming to supper** los Jones vienen a cenar - 2. *(with an adj to form a n)*: **the old/young** los viejos/jóvenes; **the impossible** lo imposible - 3. [in dates]: **the twelfth of May** el doce de mayo; **the forties** los cuarenta - 4. *(in comparisons)*: **the more I see her, the less I like her** cuanto más la veo, menos me gusta; **the sooner the better** cuanto antes mejor - 5. [in titles]: **Catherine the Great** Catalina la Grande; **George the First** Jorge Primero.

theatre, theater US ['θɪətər] *n* - 1. [for plays etc] teatro *m* - 2. UK [in hospital] quirófano *m* - 3. US [cinema] cine *m*.

theatregoer, theatergoer US ['θɪətə-,gəʊər] *n* aficionado *m*, -da *f* al teatro.

theatrical [θɪ'ætrɪkl] *adj lit* & *fig* teatral.

theft [θeft] *n* [more serious] robo *m*; [less serious] hurto *m*.

their [ðeər] *poss adj* su, sus *(pl)*; **their house** su casa; **their children** sus hijos; **it wasn't their fault** no fue culpa suya OR su culpa; **they washed their hair** se lavaron el pelo.

theirs [ðeəz] *poss pron* suyo(suya); **that money is theirs** ese dinero es suyo; **our car hit theirs** nuestro coche chocó contra el suyo; **it**

wasn't our fault, it was theirs no fue culpa nuestra sino suya OR de ellos; **a friend of theirs** un amigo suyo OR de ellos.

them (weak form [ðəm], strong form [ðem]) pers pron pl - **1.** (direct) los mpl, las fpl; **I know them** los conozco; **I like them** me gustan; **if I were OR was them** si (yo) fuera ellos - **2.** (indirect - gen) les; (- with other 3rd person pronouns) se mpl & fpl; **she sent them a letter** les mandó una carta; **we spoke to them** hablamos con ellos; **I gave it to them** se lo di (a ellos) - **3.** (stressed, after prep, in comparisons etc) ellos mpl, ellas fpl; **you can't expect them to do it** no esperarás que **ellos** lo hagan; **with/without them** con/sin ellos; **a few of them** unos pocos; **some of them** algunos; **all of them** todos ellos; **we're not as wealthy as them** no somos tan ricos como ellos.

theme [θi:m] n - **1.** (gen) tema m - **2.** (signature tune) sintonía f.

theme pub n UK pub m temático.

theme tune n tema m musical.

themselves [ðem'selvz] pron - **1.** (reflexive) se; (after prep) sí; **they enjoyed themselves** se divirtieron; **they were talking amongst themselves** hablaban entre ellos - **2.** (for emphasis) ellos mismos mpl, ellas mismas fpl; **they did it themselves** lo hicieron ellos mismos - **3.** [alone] solos(las); **they organized it (by) themselves** lo organizaron ellas solas - **4.** [their usual selves]: **the boys aren't themselves today** hoy los chicos no se están portando como de costumbre.

then [ðen] <> adv - **1.** [not now] entonces; **it starts at 8 – I'll see you then** empieza a las 8 – hasta las 8, entonces; **up until then he had always trusted her** hasta entonces siempre había confiado en ella; **from then on** desde entonces - **2.** [next, afterwards] luego, después - **3.** [in that case] entonces; **I'll do it straight away then** entonces lo voy a hacer ahora mismo; **all right then** de acuerdo, pues - **4.** [therefore] entonces, por lo tanto; **then it must have been her!** ¡entonces tiene que haber sido ella! - **5.** [furthermore, also] además. <> adj entonces; **the then headmistress** la entonces directora; **then again** pero por otra parte.

theology [θɪ'nlədʒɪ] n teología f.

theoretical [θɪə'retɪkl] adj teórico(ca).

theorize, -ise ['θɪəraɪz] vi: **to theorize (about sthg)** teorizar (sobre algo).

theory ['θɪərɪ] n teoría f; **in theory** en teoría.

therapeutic cloning n MED clonación f terapéutica.

therapist ['θerəpɪst] n terapeuta mf.

therapy ['θerəpɪ] n terapia f.

there [ðeər] <> pron [indicating existence]: **there is/are** hay; **there's someone at the door** hay alguien en la puerta; **there must be some**

mistake debe (de) haber un error; **there are five of us** somos cinco. <> adv - **1.** [referring to place - near speaker] ahí; [- further away] allí, allá; **I'm going there next week** voy para allá OR allí la semana que viene; **there it is** ahí está; **over there** por allí; **it's six miles there and back** hay seis millas entre ir y volver; **we're nearly there** ya casi hemos llegado - **2.** [in existence, available] ahí; **is anybody there?** ¿hay alguien ahí?; **is John there, please?** [when telephoning] ¿está John? <> excl: **there, I knew he'd turn up** ¡mira!, sabía que aparecería; **there, there (don't cry)** ¡venga, venga (no llores)! **there and then, then and there** adv en el acto.

thereabouts [,ðeərə'bauts], **thereabout** US [,ðeərə'baut] adv: **or thereabouts** o por ahí.

thereafter [,ðeər'ɑ:ftər] adv fml después, a partir de entonces.

thereby [,ðeər'baɪ] adv fml de ese modo.

therefore ['ðeəfɔːr] adv por lo tanto.

there's [ðeəz] (abbr of there is) > **there**.

thermal ['θɜ:ml] adj térmico(ca).

thermometer [θə'mɒmɪtər] n termómetro m.

Thermos (flask)® ['θɜ:məs-] n termo m.

thermostat ['θɜ:məstæt] n termostato m.

thesaurus [θɪ'sɔːrəs] (pl -es) n diccionario m de sinónimos y voces afines.

these [ði:z] pl > **this**.

thesis ['θi:sɪs] (pl theses ['θi:si:z]) n tesis f inv.

they [ðeɪ] pers pron pl - **1.** [gen] ellos mpl, ellas fpl; **they're pleased** (ellos) están satisfechos; **they're pretty earrings** son unos pendientes bonitos; **they can't do it** ellos no pueden hacerlo; **there they are** allí están - **2.** [unspecified people]: **they say it's going to snow** dicen que va a nevar.

they'd [ðeɪd] - **1.** (abbr of they had) > **have** - **2.** (abbr of they would) > **would**.

they'll [ðeɪl] - **1.** (abbr of they will) > **will** - **2.** (abbr of they shall) > **shall**.

they're [ðeər] (abbr of they are) > **be**.

they've [ðeɪv] (abbr of they have) > **have**.

thick [θɪk] <> adj - **1.** [not thin] grueso(sa); **it's 3 cm thick** tiene 3 cm de grueso; **how thick is it?** ¿qué espesor tiene? - **2.** [dense - hair, liquid, fog] espeso(sa) - **3.** inf [stupid] necio(cia). <> n: **to be in the thick of** estar en el centro OR meollo de.

thicken ['θɪkn] <> vt espesar. <> vi [gen] espesarse.

thicket ['θɪkɪt] n matorral m.

thickness ['θɪknɪs] n espesor m.

thickset [,θɪk'set] *adj* fornido(da).

thick-skinned [-'skɪnd] *adj* insensible.

thief [θiːf] (*pl* **thieves**) *n* ladrón *m*, -ona *f*.

thieve [θiːv] *vt* & *vi* robar, hurtar.

thieves [θiːvz] *npl* ▷ **thief**.

thigh [θaɪ] *n* muslo *m*.

thimble ['θɪmbl] *n* dedal *m*.

thin [θɪn] *adj* - **1**. [not thick] delgado(da), fino(na) - **2**. [skinny] delgado(da), flaco(ca) - **3**. [watery] claro(ra), aguado(da) - **4**. [sparse - crowd, vegetation, mist] poco denso (poco densa); [- hair] ralo(la). ▶ **thin down** *vt sep* [liquid] aclarar.

thing [θɪŋ] *n* - **1**. [gen] cosa *f*; **the next thing on the list** lo siguiente de la lista; **the (best) thing to do would be...** lo mejor sería...; **first thing in the morning** a primer hora de la mañana; **last thing at night** a última hora de la noche; **the main thing** lo principal; **the whole thing is a shambles** es un auténtico desastre; **it's a good thing you were there** menos mal que estabas allí; **I thought the same thing** lo mismo pensé yo; **the thing is...** el caso es que...; **to make a thing (out) of sthg** *inf* exagerar algo - **2**. [anything]: **not a thing** nada; **I didn't do a thing** no hice nada - **3**. [person]: **poor thing!** ¡pobrecito! *m*, -ta *f*. ▶ **things** *npl* - **1**. [clothes, possessions] cosas *fpl*; **things aren't what they used to be** las cosas ya no son lo que eran - **2**. *inf* [life]: **how are things?** ¿qué tal (van las cosas)?

think [θɪŋk] ◇ *vt* (*pt & pp* **thought**) - **1**. [believe]: **to think (that)** creer *OR* pensar que; **I think so** creo que sí; **I don't think so** creo que no - **2**. [have in mind] pensar; **what are you thinking?** ¿en qué piensas?; **I didn't think to ask her** no se me ocurrió preguntárselo - **3**. [imagine] entender, hacerse una idea de; **I can't think what might have happened to them** no quiero ni pensar lo que les podría haber ocurrido; **I thought so** ya me lo imaginaba - **4**. [in polite requests] creer; **do you think you could help me?** ¿cree que podría ayudarme? ◇ *vi* (*pt & pp* **thought**) - **1**. [use mind] pensar; **to think aloud** pensar en voz alta - **2**. [have stated opinion]: **what do you think of** *OR* **about his new film?** ¿qué piensas de su nueva película?; **to think a lot of sthg/sb** tener en mucha estima algo/a alguien.

▶▶ **to think twice** pensárselo dos veces. ▶ **think about** *vt insep* pensar en; **I'll have to think about it** tendré que pensarlo. ▶ **think of** *vt insep* - **1**. [consider]: **to think of doing sthg** pensar en hacer algo - **2**. [remember] acordarse de - **3**. [conceive] pensar en; **how did you think of (doing) that?** ¿cómo se te ocurrió (hacer) esto? ▶ **think out, think**

through *vt sep* [plan] elaborar; [problem] examinar. ▶ **think over** *vt sep* pensarse. ▶ **think up** *vt sep* idear.

think tank *n* grupo de expertos convocados por una organización para aconsejar sobre un tema determinado.

third [θɜːd] ◇ *num adj* tercer(ra). ◇ *num n* - **1**. [fraction] tercio *m* - **2**. [in order] tercero *m*, -ra *f* - **3**. UNIV ≃ aprobado *m* (en un título universitario); *see also* **sixth**.

thirdly ['θɜːdlɪ] *adv* en tercer lugar.

third party insurance *n* seguro *m* a terceros.

third-rate *adj pej* de poca categoría.

Third World *n*: **the Third World** el Tercer Mundo.

thirst [θɜːst] *n lit* & *fig*: **thirst (for)** sed *f* (de).

thirsty ['θɜːstɪ] *adj* [parched]: **to be** *OR* **feel thirsty** tener sed.

thirteen [,θɜː'tiːn] *num* trece; *see also* **six**.

thirty ['θɜːtɪ] *num* treinta; *see also* **sixty**.

this [ðɪs] ◇ *pron* (*pl* **these**) [gen] éste *m*, ésta *f*, éstos *mpl*, éstas *fpl*; (*indefinite*) esto; **this is/these are for you** esto es/éstos son para ti; **this can't be true** esto no puede ser cierto; **do you prefer these or those?** ¿prefieres éstos o aquéllos? **this is Daphne Logan** [introducing another person] ésta es *OR* te presento a Daphne Logan; [introducing oneself on phone] soy Daphne Logan; **what's this?** ¿qué es eso? ◇ *adj* - **1**. [gen] este(esta), estos(estas) (*pl*); **this country** este país; **these thoughts** estos pensamientos; **I prefer this one** prefiero éste; **this morning/week** este mañana/semana; **this Sunday/summer** este domingo/verano - **2**. *inf* [a certain] un(una); **there's this woman I know** hay una tía que conozco. ◇ *adv*: **it was this big** era así de grande; **you'll need about this much** te hará falta un tanto así.

thistle ['θɪsl] *n* cardo *m*.

thong [θɒŋ] *n* - **1**. [of leather] correa *f* - **2**. [underwear] tanga *f*.

thorn [θɔːn] *n* [prickle] espina *f*.

thorough ['θʌrə] *adj* - **1**. [investigation etc] exhaustivo(va) - **2**. [person, work] minucioso(sa).

thoroughbred ['θʌrəbred] *n* pura sangre *mf*.

thoroughfare ['θʌrəfeəʳ] *n fml* calle *f* mayor.

thoroughly ['θʌrəlɪ] *adv* - **1**. [fully, in detail] a fondo - **2**. [completely, utterly] completamente.

those [ðəʊz] *pl* ▷ **that**.

though, tho' [ðəʊ] ◇ *conj* aunque; **even though** aunque; **as though** como si. ◇ *adv* sin embargo; **she still likes him though** y sin embargo le sigue gustando.

thought [θɔːt] ◇ *pt & pp* ▷ **think**. ◇ *n* - **1**. [notion, idea] idea *f* - **2**. [act of thinking]: **after**

much thought después de pensarlo mucho
- **3.** [philosophy, thinking] pensamiento *m*.
◆ **thoughts** *npl* - **1.** [reflections] reflexiones *fpl* - **2.** [views] opiniones *fpl*; **what are your thoughts on the subject?** ¿qué piensas sobre el tema?

thoughtful ['θɔːtfʊl] *adj* - **1.** [pensive] pensativo(va) - **2.** [considerate] considerado(da); **that was thoughtful of her** fue muy considerada.

thoughtless ['θɔːtlɪs] *adj* desconsiderado(da).

thousand ['θaʊznd] *num* mil; **a** OR **one thousand** mil; **two thousand** dos mil; **thousands of** miles *de*; **they came in their thousands** vinieron miles de ellos; *see also* **six**.

thousandth ['θaʊzntθ] ◇ *num adj* milésimo(ma). ◇ *num n* [fraction] milésima *f*; *see also* **sixth**.

thrash [θræʃ] *vt lit* & *fig* dar una paliza a. ◆ **thrash about, thrash around** *vi* agitarse violentamente. ◆ **thrash out** *vt sep* darle vueltas a, discutir.

thread [θred] ◇ *n* - **1.** [of cotton, argument] hilo *m* - **2.** [of screw] rosca *f*, filete *m*. ◇ *vt* [needle] enhebrar.

threadbare ['θredbeəʳ] *adj* raído(da).

threat [θret] *n*: **threat (to/of)** amenaza *f* (para/de); **they were just empty threats** no eran más que amenazas vanas.

threaten ['θretn] ◇ *vt* amenazar; **to threaten sb (with)** amenazar a alguien (con). ◇ *vi* amenazar.

three [θriː] *num* tres; *see also* **six**.

three-dimensional [-dɪ'menʃənl] *adj* tridimensional.

threefold ['θriːfəʊld] ◇ *adj* triple. ◇ *adv* tres veces.

three-piece *adj* de tres piezas; **three-piece suite** tresillo *m*.

three-ply *adj* [wood] de tres capas; [rope, wool] de tres hebras.

three-quarter length *adj*: **three-quarter length jacket** tres cuartos *m*.

thresh [θreʃ] *vt* trillar.

threshold ['θreʃhəʊld] *n* - **1.** [doorway] umbral *m* - **2.** [level] límite *m*; **the pain threshold** el umbral del dolor.

threw [θruː] *pt* ▷ **throw**.

thrifty ['θrɪftɪ] *adj* [person] ahorrativo(va); [meal] frugal.

thrill [θrɪl] ◇ *n* - **1.** [sudden feeling] estremecimiento *m* - **2.** [exciting experience]: **it was a thrill to see it** fue emocionante verlo. ◇ *vt* entusiasmar.

thrilled [θrɪld] *adj*: **thrilled (with sthg/to do sthg)** encantado(da) (de algo/de hacer algo).

thriller ['θrɪləʳ] *n* novela *f*/película *f*/obra *f* de suspense.

thrilling ['θrɪlɪŋ] *adj* emocionante.

thrive [θraɪv] (*pt* **throve**) *vi* [plant] crecer mucho; [person] rebosar de salud; [business] prosperar.

thriving ['θraɪvɪŋ] *adj* [plant] que crece bien.

throat [θrəʊt] *n* garganta *f*; **to have a sore throat** tener dolor de garganta.

throb [θrɒb] *vi* - **1.** [heart, pulse] latir; [head] palpitar - **2.** [engine, music] vibrar, resonar.

throes [θrəʊz] *npl*: **to be in the throes of** estar en medio de.

throne [θrəʊn] *n* trono *m*; **to be on the throne** ocupar el trono.

throng [θrɒŋ] ◇ *n* multitud *f*. ◇ *vt* llegar en tropel a.

throttle ['θrɒtl] ◇ *n* válvula *f* reguladora. ◇ *vt* [strangle] estrangular.

through, thru [θruː] ◇ *adj* [finished]: **to be through with sthg** haber terminado algo. ◇ *adv* - **1.** [in place] de parte a parte, de un lado a otro; **they let us through** nos dejaron pasar; **I read it through** lo leí hasta el final - **2.** [in time] hasta el final. ◇ *prep* - **1.** [relating to place, position] a través de; **to cut/travel through sthg** cortar/viajar por algo - **2.** [during] **all through the night** durante toda la noche; **to go through an experience** pasar por una experiencia - **3.** [because of] a causa de, por - **4.** [by means of] gracias a, por medio de; **I got it through a friend** lo conseguí a través de un amigo - **5.** *US* [up to and including]: **Monday through Friday** de lunes a viernes. ◆ **through and through** *adv* de pies a cabeza.

throughout [θruː'aʊt] ◇ *prep* - **1.** [during] a lo largo de, durante toda (durante toda) - **2.** [everywhere in] por todo (da). ◇ *adv* - **1.** [all the time] todo el tiempo - **2.** [everywhere] por todas partes.

throve [θrəʊv] *pt* ▷ **thrive**.

throw [θrəʊ] ◇ *vt* (*pt* **threw**, *pp* **thrown**) - **1.** [gen] tirar; [ball, hammer, javelin] lanzar; **to throw o.s. into sthg** *fig* meterse de lleno en algo - **2.** [horse] derribar, desmontar - **3.** *fig* [confuse] desconcertar. ◇ *n* lanzamiento *m*, tiro *m*. ◆ **throw away** *vt sep* [discard] tirar; *fig* [waste] desperdiciar. ◆ **throw out** *vt sep* - **1.** [discard] tirar - **2.** [force to leave] echar. ◆ **throw up** *vi inf* [vomit] vomitar.

throwaway ['θrəʊə,weɪ] *adj* - **1.** [bottle, product] desechable - **2.** [remark, gesture] hecho(cha) como quien no quiere la cosa.

throw-in *n UK* FTBL saque *m* de banda.

thrown [θrəʊn] *pp* ▷ **throw**.

thru [θruː] *US inf* = **through**.

thrush [θrʌʃ] *n* - **1.** [bird] tordo *m* - **2.** MED [vaginal] candidiasis *f*.

thrust [θrʌst] ◇ n - 1. [of sword] estocada f; [of knife] cuchillada f; [of troops] arremetida f - 2. TECH (fuerza f de) propulsión f - 3. [main meaning] esencia f. ◇ vt (pt & pp thrust) [shove]: **he thrust the knife into his enemy** hundió el cuchillo en el cuerpo de su enemigo.

thud [θʌd] vi dar un golpe seco.

thug [θʌg] n matón m.

thumb [θʌm] ◇ n [of hand] pulgar m; fig **tocarse** OR **rascarse la barriga**. ◇ vt inf [hitch]: **hacer dedo**. ◆ **thumb through** vt insep hojear.

thumbs down [ˌθʌmz-] n: **to get** OR **be given the thumbs down** [plan] ser rechazado(da); [play] ser recibido(da) con descontento.

thumbs up [ˌθʌmz-] n: **we got** OR **were given the thumbs up** nos dieron luz verde OR el visto bueno.

thumbtack [ˈθʌmtæk] n US chincheta f.

thump [θʌmp] ◇ n - 1. [blow] puñetazo m - 2. [thud] golpe m seco. ◇ vt [punch] dar un puñetazo a. ◇ vi [heart, head] latir con fuerza.

thunder [ˈθʌndər] ◇ n (U) - 1. METEOR truenos mpl - 2. fig [loud sound] estruendo m. ◇ impers vb METEOR tronar. ◇ vi [make loud sound] retumbar.

thunderbolt [ˈθʌndəbəʊlt] n rayo m.

thunderclap [ˈθʌndəklæp] n trueno m.

thunderstorm [ˈθʌndəstɔːm] n tormenta f.

thundery [ˈθʌndərɪ] adj tormentoso(sa).

Thursday [ˈθɜːzdɪ] n jueves m inv; see also **Saturday**.

thus [ðʌs] adv fml - 1. [therefore] por consiguiente, así que - 2. [in this way] así, de esta manera.

thwart [θwɔːt] vt frustrar.

thyme [taɪm] n tomillo m.

thyroid [ˈθaɪrɔɪd] n tiroides m inv.

tiara [tɪˈɑːrə] n tiara f.

Tibet [tɪˈbet] n (el) Tíbet.

tic [tɪk] n tic m.

tick [tɪk] ◇ n - 1. [written mark] marca f OR señal f de visto bueno - 2. [sound] tictac m - 3. inf [credit]: **on tick** a crédito. ◇ vt marcar (con una señal). ◇ vi [make ticking sound] hacer tictac. ◆ **tick off** vt sep - 1. [mark off] marcar (con una señal de visto bueno) - 2. [tell off]: **to tick sb off (for sthg)** echar una bronca a alguien (por algo) - 3. US inf [irritate] fastidiar. ◆ **tick over** vi funcionar al ralentí.

ticket [ˈtɪkɪt] n - 1. [for bus, train etc] billete m, boleto m Amér; [for cinema, football match] entrada f - 2. [for traffic offence] multa f, parte m Chile.

ticket collector n UK revisor m, -ra f.

ticket inspector n UK revisor m, -ra f.

ticket machine n máquina f automática para la venta de billetes OR boletos Amér.

ticket office n taquilla f, boletería f Amér.

tickle [ˈtɪkl] vt - 1. [touch lightly] hacer cosquillas a - 2. fig [amuse] divertir.

ticklish [ˈtɪklɪʃ] adj [sensitive to touch]: **to be ticklish** tener cosquillas.

tidal [ˈtaɪdl] adj de la marea.

tidal wave n maremoto m.

tidbit US = **titbit**.

tiddlywinks [ˈtɪdlɪwɪŋks], **tiddledywinks** US [ˈtɪdldɪwɪŋks] n juego m de la pulga.

tide [taɪd] n - 1. [of sea] marea f; **high/low tide** marea alta/baja; **the tide is in/out** ha subido/bajado la marea; **the tide is coming in/going out** la marea está subiendo/bajando - 2. fig [of protest, feeling] oleada f; **the rising tide of crime** la creciente oleada de crímenes.

tidy [ˈtaɪdɪ] ◇ adj - 1. [room, desk etc] ordenado(da) - 2. [person, dress, hair] arreglado(da). ◇ vt ordenar, arreglar. ◆ **tidy up** vt sep ordenar, arreglar.

tie [taɪ] ◇ n - 1. [necktie] corbata f - 2. [string, cord] atadura f - 3. [bond, link] vínculo m, lazo m - 4. SPORT [draw] empate m. ◇ vt (pt & pp tied, cont tying) - 1. [attach, fasten]: **to tie sthg (to** OR **onto sthg)** atar algo (a algo); **to tie sthg round/with sthg** atar algo a/con algo - 2. [do up - shoelaces] atar; [- knot] hacer - 3. fig [link]: **to be tied to** estar ligado(da) a. ◇ vi (pt & pp tied, cont tying) [draw]: **to tie (with)** empatar (con). ◆ **tie down** vt sep fig atar. ◆ **tie in with** vt insep concordar con. ◆ **tie up** vt sep - 1. [gen] atar - 2. fig [money, resources] inmovilizar - 3. fig [link]: **to be tied up with** estar ligado(da) a.

tiebreak(er) [ˈtaɪbreɪk(ər)] n - 1. TENNIS muerte f súbita, tiebreak m - 2. [in game, competition] pregunta adicional para romper un empate.

tiepin [ˈtaɪpɪn] n alfiler m de corbata.

tier [tɪər] n [of seats] hilera f; [of cake] piso m.

tiff [tɪf] n pelea f (de poca importancia).

tiger [ˈtaɪgər] n tigre m.

tight [taɪt] ◇ adj - 1. [gen] apretado(da); [shoes] estrecho(cha) - 2. [string, skin] tirante - 3. [budget, schedule] ajustado(da) - 4. [rules, restrictions] riguroso(sa) - 5. [corner, bend] cerrado(da) - 6. [match, finish] reñido(da) - 7. inf [drunk] cocido(da) - 8. inf [miserly] agarrado(da). ◇ adv - 1. [hold, squeeze] con fuerza; **to hold tight** agarrarse (fuerte); **to shut** OR **close sthg tight** cerrar algo bien - 2. [pull, stretch] de modo tirante. ◆ **tights** npl medias fpl.

tighten [ˈtaɪtn] ◇ vt - 1. [hold, grip]: **to tighten one's hold** OR **grip on sthg** coger con más

fuerza algo - **2.** [rope, chain] tensar - **3.** [knot] apretar; [belt] apretarse - **4.** [rules, system] intensificar. ◇ *vi* [rope, chain] tensarse.

tightfisted [ˌtaɪtˈfɪstɪd] *adj inf pej* agarrado(da).

tightly [ˈtaɪtlɪ] *adv* - **1.** [hold, squeeze] con fuerza; [fasten] bien - **2.** [pack] apretadamente.

tightrope [ˈtaɪtrəʊp] *n* cuerda *f* floja; **to be on** OR **walking a tightrope** andar OR bailar en la cuerda floja.

tile [taɪl] *n* - **1.** [on roof] teja *f* - **2.** [on floor] baldosa *f*; [on wall] azulejo *m*.

tiled [taɪld] *adj* [roof] tejado(da); [floor] embaldosado(da); [wall] alicatado(da).

till [tɪl] ◇ *prep* hasta; **till now/then** hasta ahora/entonces. ◇ *conj* hasta que; **wait till he arrives** espera hasta que llegue. ◇ *n* caja *f* (registradora).

tiller [ˈtɪlər] *n* NAUT caña *f* del timón.

tilt [tɪlt] ◇ *vt* inclinar. ◇ *vi* inclinarse.

timber [ˈtɪmbər] *n* - **1.** (U) [wood] madera *f* (para la construcción) - **2.** [beam - of ship] cuaderna *f*; [- of house] viga *f*.

time [taɪm] ◇ *n* - **1.** [gen] tiempo *m*; **ahead of time** temprano; **in good time** con tiempo; **on time** puntualmente; **to take time** llevar tiempo; **it's (about) time to...** ya es hora de...; **to have no time for** no poder con, no aguantar; **to pass the time** pasar el rato; **to play for time** intentar ganar tiempo - **2.** [as measured by clock] hora *f*; **what time is it?, what's the time?** ¿qué hora es?; **the time is three o'clock** son las tres; **in a week's/year's time** dentro de una semana/un año - **3.** [length of time] rato *m*; **it was a long time before he came** pasó mucho tiempo antes de que viniera; **for a time** durante un tiempo - **4.** [point in time in past, era] época *f*; **at that time** en aquella época - **5.** [occasion] vez *f*; **three times a week** tres veces a la semana; **from time to time** de vez en cuando - **6.** MUS compás *m*; **to keep time** llevar el compás. ◇ *vt* - **1.** [schedule] programar - **2.** [race, runner] cronometrar - **3.** [arrival, remark] elegir el momento oportuno para. ◆ **times** ◇ *n*: **four times as much as me** cuatro veces más que yo. ◇ *prep* MATHS: **4 times 5** 4 por 5. ◆ **about time** *adv*: **it's about time** ya va siendo hora. ◆ **at a time** *adv*: **for months at a time** durante meses seguidos; **one at a time** de uno en uno. ◆ **at times** *adv* a veces. ◆ **at the same time** *adv* al mismo tiempo. ◆ **for the time being** *adv* de momento. ◆ **in time** *adv* - **1.** [not late]: **in time (for)** a tiempo (para) - **2.** [eventually] con el tiempo.

time bomb *n* [bomb] bomba *f* de relojería; *fig* [dangerous situation] bomba *f*.

time lag *n* intervalo *m*.

timeless [ˈtaɪmlɪs] *adj* eterno(na).

time limit *n* plazo *m*.

timely [ˈtaɪmlɪ] *adj* oportuno(na).

time off *n* tiempo *m* libre.

time out *n* US SPORT tiempo *m* muerto.

timer [ˈtaɪmər] *n* temporizador *m*.

time scale *n* tiempo *m* de ejecución.

time-share *n* UK multipropiedad *f*.

time switch *n* interruptor *m* de reloj.

timetable [ˈtaɪmˌteɪbl] *n* - **1.** [of buses, trains, school] horario *m* - **2.** [schedule of events] programa *m*.

time zone *n* huso *m* horario.

timid [ˈtɪmɪd] *adj* tímido(da).

timing [ˈtaɪmɪŋ] *n* (U) - **1.** [judgment]: **she made her comment with perfect timing** su comentario fue hecho en el momento más oportuno - **2.** [scheduling]: **the timing of the election is crucial** es crucial que las elecciones se celebren en el momento oportuno - **3.** [measuring] cronometraje *m*.

timpani [ˈtɪmpənɪ] *npl* timbales *mpl*.

tin [tɪn] *n* - **1.** [metal] estaño *m*; **tin plate** hojalata *f* - **2.** UK [can, container] lata *f*.

tin can *n* lata *f*.

tinfoil [ˈtɪnfɔɪl] *n* (U) papel *m* de aluminio.

tinge [tɪndʒ] *n* - **1.** [of colour] matiz *m* - **2.** [of feeling] ligera sensación *f*.

tinged [tɪndʒd] *adj*: **tinged with** con un toque de.

tingle [ˈtɪŋgl] *vi*: **my feet are tingling** siento hormigueo en los pies.

tinker [ˈtɪŋkər] *vi* hacer chapuzas; **to tinker with** enredar con.

tinkle [ˈtɪŋkl] *vi* [ring] tintinear.

tinned [tɪnd] *adj* UK enlatado(da), en conserva.

tin opener *n* UK abrelatas *m inv*.

tinsel [ˈtɪnsl] *n* (U) oropel *m*.

tint [tɪnt] *n* tinte *m*, matiz *m*.

tinted [ˈtɪntɪd] *adj* [glasses, windows] tintado(da), ahumado(da).

tiny [ˈtaɪnɪ] *adj* diminuto(ta), pequeñito(ta).

tip [tɪp] ◇ *n* - **1.** [end] punta *f* - **2.** UK [dump] vertedero *m* - **3.** [gratuity] propina *f* - **4.** [piece of advice] consejo *m*. ◇ *vt* - **1.** [tilt] inclinar, ladear - **2.** [spill, pour] vaciar, verter - **3.** [give a gratuity to] dar una propina a. ◇ *vi* - **1.** [tilt] inclinarse, ladearse - **2.** [spill] derramarse. ◆ **tip over** ◇ *vt sep* volcar. ◇ *vi* volcarse.

tip-off *n* información *f* (confidencial).

tipped [tɪpt] *adj* [cigarette] con filtro.

tipsy [ˈtɪpsɪ] *adj inf dated* piripi.

tiptoe [ˈtɪptəʊ] *n*: **on tiptoe** de puntillas.

tip-top *adj inf dated* de primera.

tire [ˈtaɪər] ◇ *n* US = **tyre**. ◇ *vt* cansar. ◇ *vi*: **to tire (of)** cansarse (de).

tired ['taɪəd] *adj*: **tired (of sthg/of doing sthg)** cansado(da) (de algo/de hacer algo).

tireless ['taɪəlɪs] *adj* incansable.

tiresome ['taɪəsəm] *adj* pesado(da).

tiring ['taɪərɪŋ] *adj* cansado(da).

tissue ['tɪʃuː] *n* - **1.** [paper handkerchief] pañuelo *m* de papel - **2.** (U) BIOL tejido *m* - **3.** [paper] papel *m* de seda.

tissue paper *n* (U) papel *m* de seda.

tit [tɪt] *n* - **1.** [bird] herrerillo *m* - **2.** *vulg* [breast] teta *f*.

titbit UK ['tɪtbɪt], **tidbit** US ['tɪdbɪt] *n* - **1.** [of food] golosina *f* - **2.** *fig* [of news] noticia *f* breve e interesante.

tit for tat [-'tæt] *n*: **it's tit for tat** donde las dan las toman.

titillate ['tɪtɪleɪt] *vt* & *vi* excitar.

title ['taɪtl] *n* título *m*.

title deed *n* título *m* de propiedad.

title role *n* papel *m* principal.

titter ['tɪtər] *vi* reírse por lo bajo.

TM *abbr of* **trademark**.

to (*unstressed before consonant* [tə], *unstressed before vowel* [tʊ], *stressed* [tuː]) ◇ *prep* - **1.** [indicating place, direction] a; **to go to Liverpool/Spain/school** ir a Liverpool/España/la escuela; **to go to the doctor's/John's** ir al médico/a casa de John; **the road to Glasgow** la carretera de Glasgow; **to the left/right** a la izquierda/derecha; **to the east/west** hacia el este/oeste - **2.** (*to express indirect object*) a; **to give sthg to sb** darle algo a alguien; **to talk to sb** hablar con alguien; **a threat to sb** una amenaza para alguien; **we were listening to the radio** escuchábamos la radio - **3.** [as far as] hasta, a; **to count to ten** contar hasta diez; **we work from nine to five** trabajamos de nueve a cinco - **4.** [in expressions of time]: **it's ten/a quarter to three** son las tres menos diez/cuarto - **5.** [per] por; **40 miles to the gallon** un galón (por) cada 40 millas - **6.** [of] de; **the key to the car** la llave del coche - **7.** [for] para; **a letter to my daughter** una carta para OR a mi hija - **8.** [indicating reaction, effect]: **to my surprise** para sorpresa mía - **9.** [in stating opinion]: **it seemed quite unnecessary to me/him** *etc* para mí/él *etc* aquello parecía del todo innecesario - **10.** [indicating state, process]: **to lead to trouble** traer problemas. ◇ *adv* [shut]: **push the door to** cierra la puerta. ◇ *with inf* - **1.** (*forming simple infinitive*): **to walk** andar - **2.** (*following another vb*): **to begin to do sthg** empezar a hacer algo; **to try/want to do sthg** intentar/querer hacer algo; **to hate to have to do sthg** odiar tener que hacer algo - **3.** (*following an adj*): **difficult to do** difícil de hacer; **ready to go** listos para marchar - **4.** (*indicating purpose*) para; **I'm doing it to help you** lo hago para ayudarte; **he came to see me** vino a ver-

me - **5.** (*substituting for a relative clause*): **I have a lot to do** tengo mucho que hacer; **he told me to leave** me dijo que me fuera - **6.** (*to avoid repetition of infinitive*): **I meant to call him but I forgot** tenía intención de llamarle pero se me olvidó - **7.** [in comments]: **to be honest...** para ser honesto...; **to sum up...** para resumir..., resumiendo... ◆ **to and fro** *adv* de un lado para otro, de aquí para allá.

toad [təʊd] *n* sapo *m*.

toadstool ['təʊdstuːl] *n* seta *f* venenosa.

toast [təʊst] ◇ *n* - **1.** (U) [bread] pan *m* tostado; **a slice of toast** una tostada - **2.** [drink] brindis *m*. ◇ *vt* - **1.** [bread] tostar - **2.** [person] brindar por.

toasted sandwich [ˌtəʊstɪd-] *n* sándwich *m* tostado.

toaster ['təʊstər] *n* tostador *m*, -ra *f*.

tobacco [tə'bækəʊ] *n* tabaco *m*.

toboggan [tə'bɒgən] *n* tobogán *m*, trineo *m*.

today [tə'deɪ] ◇ *n* - **1.** [this day] hoy *m*; **today's date** la fecha de hoy; **what is today's date?** ¿qué día es hoy?; **today's paper** el periódico de hoy; **as from today** a partir de hoy - **2.** [nowadays] hoy (en día). ◇ *adv* - **1.** [this day] hoy; **what's the date today?, what date is it today?** ¿qué fecha es hoy?; **today is the 6th of January** hoy es el 6 de enero; **what day is it today?** ¿qué día es hoy?; **it's Sunday today** hoy es domingo; **a week ago today** hoy hace una semana; **a week (from) today** de aquí a una semana - **2.** [nowadays] hoy (en día).

toddler ['tɒdlər] *n* niño pequeño *m*, niña pequeña *f* (que empieza a andar).

toddy ['tɒdɪ] *n* ponche *m*.

to-do (*pl* -**s**) *n* *inf* jaleo *m*.

toe [təʊ] ◇ *n* - **1.** [of foot] dedo *m* (del pie) - **2.** [of sock] punta *f*; [of shoe] puntera *f*. ◇ *vt*: **to toe the line** acatar las normas.

toenail ['təʊneɪl] *n* uña *f* del dedo del pie.

toffee ['tɒfɪ] *n* caramelo *m*.

toga ['təʊgə] *n* toga *f*.

together [tə'geðər] *adv* - **1.** [gen] juntos(tas); **all together** todos juntos; **to stick together** pegar; **to go (well) together** combinar bien - **2.** [at the same time] a la vez, juntos(tas). ◆ **together with** *prep* junto con.

toil [tɔɪl] *fml* ◇ *n* trabajo *m* duro. ◇ *vi* trabajar sin descanso.

toilet ['tɔɪlɪt] *n* [at home] wáter *m*, lavabo *m*; [in public place] servicios *mpl*, lavabo *m*; **to go to the toilet** ir al wáter.

toilet bag *n* neceser *m*.

toilet paper *n* (U) papel *m* higiénico.

toiletries ['tɔɪlɪtrɪz] *npl* artículos *mpl* de tocador.

toilet roll *n* [roll] rollo *m* de papel higiénico.

toilet water n (agua f de) colonia f.

token ['təʊkn] ◇ adj simbólico(ca). ◇ n - **1.** [voucher] vale m; [disk] ficha f - **2.** [symbol] muestra f, símbolo m; **as a token of our appreciation** como muestra de nuestro agradecimiento. ▶ **by the same token** adv del mismo modo.

told [təʊld] pt & pp ▷ **tell**.

tolerable ['tɒlərəbl] adj tolerable, pasable.

tolerance ['tɒlərəns] n tolerancia f.

tolerant ['tɒlərənt] adj tolerante.

tolerate ['tɒləreɪt] vt - **1.** [put up with] soportar, tolerar - **2.** [permit] tolerar.

toll [təʊl] ◇ n - **1.** [number]: **death toll** número m de víctimas - **2.** [fee] peaje m.
▶▶ **to take its toll** hacer mella. ◇ vi tocar, doblar.

toll-free US adv: **to call a number toll-free** llamar a un número gratis.

tomato [UK təˈmɑːtəʊ, US təˈmeɪtəʊ] (pl -es) n tomate m, jitomate m Amér C & Méx.

tomb [tuːm] n tumba f, sepulcro m.

tomboy ['tɒmbɔɪ] n niña f poco femenina.

tombstone ['tuːmstəʊn] n lápida f.

tomcat ['tɒmkæt] n gato m (macho).

tomorrow [təˈmɒrəʊ] ◇ n lit & fig mañana f; **tomorrow is Sunday** mañana es domingo; **the day after tomorrow** pasado mañana; **tomorrow night** mañana por la noche; **he was drinking like there was no tomorrow** bebía como si se fuera a acabar el mundo; **tomorrow's world** el futuro. ◇ adv mañana; **see you tomorrow** hasta mañana; **a week (from) tomorrow** dentro de una semana, a partir de mañana; **it happened a year ago tomorrow** mañana hará un año que ocurrió.

ton [tʌn] (pl ton OR -s) n - **1.** UK [imperial] = 1016 kg; US = 907,2 kg, ≃ tonelada f - **2.** [metric] = 1000 kg tonelada f. ▶ **tons** npl inf: **tons (of)** un montón (de).

tone [təʊn] n - **1.** [gen] tono m - **2.** [on phone] señal f. ▶ **tone down** vt sep suavizar, moderar. ▶ **tone up** vt sep poner en forma.

tone-deaf adj que no tiene (buen) oído.

tongs [tɒŋz] npl [for coal] tenazas fpl; [for sugar] pinzas fpl, tenacillas fpl.

tongue [tʌŋ] n - **1.** [gen] lengua f - **2.** [of shoe] lengüeta.

tongue-in-cheek adj: **it was only tongue-in-cheek** no iba en serio.

tongue-tied [-ˌtaɪd] adj incapaz de hablar (por timidez o nervios).

tongue twister [-ˌtwɪstər] n trabalenguas m inv.

tonic ['tɒnɪk] n - **1.** [gen] tónico m - **2.** [tonic water] tónica f.

tonic water n agua f tónica.

tonight [təˈnaɪt] ◇ n esta noche f. ◇ adv esta noche.

tonnage ['tʌnɪdʒ] n tonelaje m.

tonne [tʌn] (pl tonne OR -s) n tonelada f métrica.

tonsil ['tɒnsl] n amígdala f; **to have one's tonsils out** operarse de las amígdalas.

tonsil(l)itis [ˌtɒnsɪˈlaɪtɪs] n (U) amigdalitis f inv.

too [tuː] adv - **1.** [also] también; **me too** yo también - **2.** [excessively] demasiado; **too much** demasiado; **too many things** demasiadas cosas; **it finished all OR** only **too soon** terminó demasiado pronto; **I'd be only too happy to help** me encantaría ayudarte; **not too...** no muy...

took [tʊk] pt ▷ **take**.

tool [tuːl] n [implement] herramienta f; **garden tools** útiles mpl del jardín.

tool bar n COMPUT barra f de herramientas.

tool box n caja f de herramientas.

tool kit n juego m de herramientas.

toot [tuːt] ◇ n bocinazo m. ◇ vi tocar la bocina.

tooth [tuːθ] (pl teeth) n [in mouth, of saw, gear wheel] diente m; **to brush one's teeth** cepillarse OR lavarse los dientes; **he had a tooth out** le sacaron un diente.

toothache ['tuːθeɪk] n dolor m de muelas.

toothbrush ['tuːθbrʌʃ] n cepillo m de dientes.

toothpaste ['tuːθpeɪst] n pasta f de dientes.

toothpick ['tuːθpɪk] n palillo m.

top [tɒp] ◇ adj - **1.** [highest - step, floor] de arriba; [- object on pile] de encima - **2.** [most important, successful] importante; **to be a top model** ser top model; **she got the top mark** sacó la mejor nota - **3.** [maximum] máximo(ma); **at top speed** a máxima velocidad; **to be top secret** ser altamente confidencial. ◇ n - **1.** [highest point] parte f superior OR de arriba; [of list] cabeza f, principio m; [of tree] copa f; [of hill, mountain] cumbre f, cima f; **at the top of the stairs** en lo alto de la escalera; **from top to bottom** de pies a cabeza; **on top** encima; **to go over the top** UK pasarse (de la raya); **at the top of one's voice** a voz en grito - **2.** [lid, cap of jar, box] tapa f; [- of bottle, tube] tapón m; [- of pen] capuchón m - **3.** [upper side] superficie f - **4.** [blouse] blusa f; [T-shirt] camiseta f; [of pyjamas] parte f de arriba - **5.** [toy] peonza f - **6.** [most important level] cúpula f - **7.** [of league, table, scale] cabeza f. ◇ vt - **1.** [be first in] estar a la cabeza de - **2.** [better] superar - **3.** [exceed] exceder. ▶ **on top of** prep - **1.** [in space] encima de; **to be feeling on**

top of the world estar en la gloria - **2.** [in addition to] además de. ➡ **top up** *UK*, **top off** *US* *vt sep* volver a llenar.

top floor *n* último piso *m*.

top hat *n* sombrero *m* de copa.

top-heavy *adj* demasiado pesado(da) en la parte de arriba.

topic ['tɒpɪk] *n* tema *m*, asunto *m*.

topical ['tɒpɪkl] *adj* actual.

topless ['tɒplɪs] *adj* en topless.

top-level *adj* de alto nivel.

topmost ['tɒpməʊst] *adj* más alto(ta).

topping ['tɒpɪŋ] *n* capa *f*; **with a topping of** cream cubierto de nata.

topple ['tɒpl] ◇ *vt* [government, pile] derribar; [president] derrocar. ◇ *vi* venirse abajo.

top-secret *adj* sumamente secreto (sumamente secreta).

topsy-turvy [,tɒpsɪ'tɜːvɪ] ◇ *adj* [messy] patas arriba *(inv)*. ◇ *adv* [messily] en desorden, de cualquier manera.

top-up *n*: can I give you a top-up? ¿quieres que te ponga más?

top-up card *n* [for mobile phone] tarjeta *f* de recarga.

torch [tɔːtʃ] *n* - **1.** *UK* [electric] linterna *f* - **2.** [burning] antorcha *f*.

tore [tɔːr] *pt* ⏵ **tear²**.

torment ◇ *n* ['tɔːment] tormento *m*; **she waited in torment** esperaba atormentada. ◇ *vt* [tɔː'ment] - **1.** [worry greatly] atormentar - **2.** [annoy] fastidiar.

torn [tɔːn] *pp* ⏵ **tear²**.

tornado [tɔː'neɪdəʊ] *(pl -es OR -s)* *n* tornado *m*.

torpedo [tɔː'piːdəʊ] *n* *(pl -es)* torpedo *m*.

torrent ['tɒrənt] *n* torrente *m*.

torrid ['tɒrɪd] *adj* [hot] tórrido(da); *fig* [passionate] apasionado(da).

tortoise ['tɔːtəs] *n* tortuga *f* (de tierra).

tortoiseshell ['tɔːtəʃel] ◇ *adj*: **tortoiseshell cat** gato *m* pardo atigrado. ◇ *n (U)* [material] carey *m*, concha *f*.

torture ['tɔːtʃər] ◇ *n* tortura *f*. ◇ *vt* torturar.

Tory ['tɔːrɪ] ◇ *adj* tory, del partido conservador (británico). ◇ *n* tory *mf*, miembro *m* del partido conservador (británico).

toss [tɒs] ◇ *vt* - **1.** [throw carelessly] tirar - **2.** [move from side to side - head, boat] sacudir - **3.** [salad] remover; [pancake] dar la vuelta en el aire - **4.** [coin]: **to toss a coin** echar a cara o cruz. ◇ *vi* [move rapidly]: **to toss and turn** dar vueltas (en la cama). ➡ **toss up** *vi* jugar a cara o cruz.

tot [tɒt] *n* - **1.** *inf* [small child] nene *m*, nena *f* - **2.** [of drink] trago *m*.

total ['təʊtl] ◇ *adj* total. ◇ *n* total *m*. ◇ *vt* *(UK pt & pp -led, cont -ling, US pt & pp -ed, cont -ing)* [add up] sumar. ◇ *vi* *(UK pt & pp -led, cont -ling, US pt & pp -ed, cont -ing)* [amount to] ascender a.

totalitarian [,təʊtælɪ'teərɪən] *adj* totalitario(ria).

totally ['təʊtəlɪ] *adv* [entirely] totalmente.

totter ['tɒtər] *vi* *lit & fig* tambalearse.

touch [tʌtʃ] ◇ *n* - **1.** [sense, act of feeling] tacto *m* - **2.** [detail, skill, knack] toque *m*; **to put the finishing touches to sthg** dar el último toque a algo - **3.** [contact]: **to get/keep in touch (with)** ponerse/mantenerse en contacto (con); **to lose touch (with)** perder el contacto (con); **to be out of touch with** no estar al tanto de - **4.** SPORT: **in touch** fuera de banda - **5.** [small amount]: **a touch (of)** un poquito (de). ◇ *vt* - **1.** [gen] tocar; **you haven't touched your food** no has tocado la comida - **2.** [emotionally] conmover - **3.** [equal] igualar; **nobody can touch her for professionalism** nadie la iguala en profesionalismo. ◇ *vi* [be in contact] tocarse. ➡ **touch down** *vi* [plane] aterrizar. ➡ **touch on** *vt insep* tratar por encima.

touch-and-go *adj* dudoso(sa), poco seguro (poco segura).

touchdown ['tʌtʃdaʊn] *n* - **1.** [of plane] aterrizaje *m* - **2.** [in American football] ensayo *m*.

touched [tʌtʃt] *adj* [grateful] emocionado(da).

touching ['tʌtʃɪŋ] *adj* conmovedor(ra).

touchline ['tʌtʃlaɪn] *n* línea *f* de banda.

touchscreen ['tʌtʃskriːn] *n* pantalla *f* táctil.

touchy ['tʌtʃɪ] *adj* - **1.** [person]: **touchy (about)** susceptible (con) - **2.** [subject, question] delicado(da).

tough [tʌf] *adj* - **1.** [resilient] fuerte - **2.** [hardwearing] resistente - **3.** [meat, regulations, policies] duro(ra) - **4.** [difficult to deal with] difícil - **5.** [rough - area] peligroso(sa).

toughen ['tʌfn] *vt* endurecer.

toupee ['tuːpeɪ] *n* peluquín *m*.

tour [tʊər] ◇ *n* - **1.** [long journey] viaje *m* largo; **to go on a tour of Germany** hacer un recorrido por Alemania - **2.** [of pop group etc] gira *f* - **3.** [for sightseeing] recorrido *m*, visita *f*. ◇ *vt* [museum] visitar; [country] recorrer, viajar por. ◇ *vi* estar de gira.

Tourette's Syndrome, Tourette syndrome *n* MED síndrome *m* de Tourette.

touring ['tʊərɪŋ] *n* viajes *mpl* turísticos.

tourism ['tʊərɪzm] *n* turismo *m*.

tourist ['tʊərɪst] *n* turista *mf*.

tourist (information) office *n* oficina *f* de turismo.

tournament ['tɔːnəmənt] *n* torneo *m*.

tour operator *n* touroperador *m*.

tousled ['tauzl] *adj* despeinado(da), alborotado(da).

tout [taut] <> *n* revendedor *m*, -ra *f*. <> *vt* revender. <> *vi*: **to tout for sthg** solicitar algo; **to tout for business** tratar de captar clientes.

tow [təʊ] <> *n*: **to give sb a tow** remolcar a alguien; **in tow with sb** acompañado de alguien. <> *vt* remolcar.

towards *UK* [tə'wɔ:dz], **toward** *US* [tə'wɔ:d] *prep* - **1.** [gen] hacia - **2.** [for the purpose or benefit of] para.

towel ['tauəl] *n* toalla *f*.

towelling *UK*, **toweling** *US* ['tauəlɪŋ] *n* (U) (tejido *m* de) toalla *f*.

towel rail *n* toallero *m*.

tower ['tauər] <> *n* torre *f*; **a tower of strength** *UK* un firme apoyo OR pilar. <> *vi*: **to tower over sb** ser mucho más alto(ta) que alguien.

tower block *n UK* bloque *m* (de pisos u oficinas).

towering ['tauərɪŋ] *adj* altísimo(ma).

town [taun] *n* - **1.** [gen] ciudad *f*; [smaller] pueblo *m* - **2.** [centre of town, city] centro *m* de la ciudad; **to go out on the town** irse de juerga; **to go to town** *fig* [to put in a lot of effort] emplearse a fondo; [spend a lot of money] tirar la casa por la ventana.

town centre *n* centro *m* (de la ciudad).

town council *n* ayuntamiento *m*.

town hall *n* ayuntamiento *m*.

town plan *n* plano *m* de la ciudad.

town planning *n* [study] urbanismo *m*.

township ['taunʃɪp] *n* - **1.** [in South Africa] zona urbana asignada por el gobierno para la población negra - **2.** [in US] ≃ municipio *m*.

towpath ['təʊpɑ:θ, *pl* -pɑ:ðz] *n* camino *m* de sirga.

towrope ['təʊrəʊp] *n* cable *m* de remolque.

tow truck *n US* (coche *m*) grúa *f*.

toxic ['tɒksɪk] *adj* tóxico(ca).

toy [tɔɪ] *n* juguete *m*. ◆ **toy with** *vt insep* [idea] acariciar; [food, coin etc] jugetear con.

toy shop *n* juguetería *f*.

trace [treɪs] <> *n* - **1.** [evidence, remains] rastro *m*, huella *f*; **there's no trace of her** no hay rastro de ella - **2.** [small amount] pizca *f*. <> *vt* - **1.** [find] localizar, encontrar - **2.** [follow progress of] describir - **3.** [on paper] calcar.

tracing paper ['treɪsɪŋ-] *n* (U) papel *m* de calcar.

track [træk] <> *n* - **1.** [path] sendero *m* - **2.** SPORT pista *f* - **3.** RAIL vía *f* - **4.** [mark, trace] rastro *m*, huella *f* - **5.** [on record, tape] canción *f*

▶ **to be on the right/wrong track** ir por el buen/mal camino. <> *vt* [follow tracks of] seguir la pista de. ◆ **track down** *vt sep* localizar.

track record *n* historial *m*; **to have a good track record** tener un buen historial.

tracksuit ['træksu:t] *UK n* chandal *m*, equipo *m* de deportes, buzo *m* *Chile & Perú*, pants *mpl Méx*, sudadera *f Col*, jogging *m R Plata*.

tract [trækt] *n* - **1.** [pamphlet] artículo *m* breve - **2.** [of land, forest] extensión *f*.

traction ['trækʃn] *n* tracción *f*; **to have one's leg in traction** tener la pierna escayolada en alto.

tractor ['træktər] *n* tractor *m*.

trade [treɪd] <> *n* - **1.** (U) [commerce] comercio *m* - **2.** [job] oficio *m*; **by trade** de oficio. <> *vt* [exchange]: **to trade sthg (for)** cambiar algo (por). <> *vi* COMM: **to trade (with)** comerciar (con). ◆ **trade in** *vt sep* [exchange] dar como entrada.

trade fair *n* feria *f* de muestras.

trade-in *n* artículo usado que se entrega como entrada al comprar un artículo nuevo.

trademark ['treɪdmɑ:k] *n* COMM marca *f* comercial.

trade name *n* COMM nombre *m* comercial.

trader ['treɪdər] *n* comerciante *mf*.

tradesman ['treɪdzmən] (*pl* -men [-mən]) *n* [trader] comerciante *m*; [shopkeeper] tendero *m*.

trade(s) union *n UK* sindicato *m*.

trade(s) unionist *n UK* sindicalista *mf*.

trading ['treɪdɪŋ] *n* (U) comercio *m*.

trading estate *n UK* polígono *m* industrial.

trading standards officer *n* funcionario del organismo británico que vela por el cumplimiento de las normas comerciales.

tradition [trə'dɪʃn] *n* tradición *f*.

traditional [trə'dɪʃənl] *adj* tradicional.

traffic ['træfɪk] <> *n* - **1.** [vehicles] tráfico *m* - **2.** [illegal trade]: **traffic (in)** tráfico *m* (de). <> *vi* (*pt & pp* -ked, *cont* -king): **to traffic in** traficar con.

traffic circle *n US* glorieta *f*.

traffic jam *n* embotellamiento *m*.

trafficker ['træfɪkər] *n*: **trafficker (in)** traficante *mf* (de).

traffic lights *npl* semáforos *mpl*.

traffic warden *n UK* ≃ guardia *mf* de tráfico.

tragedy ['trædʒədɪ] *n* tragedia *f*.

tragic ['trædʒɪk] *adj* trágico(ca).

trail [treɪl] <> *n* - **1.** [path] sendero *m*, camino *m*; **to blaze a trail** *fig* marcar la pauta - **2.** [trace, track] rastro *m*, huellas *fpl*; **a trail of**

smoke un rastro de humo; **they left a trail of clues** dejaron un rastro de pistas; **to be on the trail of sb/sthg** seguir la pista de alguien/algo; **they are hot on his trail** le están pisando los talones. <> vt - 1. [drag] arrastrar - 2. [lose to] ir por detrás de. <> vi - 1. [drag] arrastrarse - 2. [move slowly] andar con desgana - 3. [lose] ir perdiendo. ➤ **trail away, trail off** vi apagarse.

trailer ['treɪləʳ] n - 1. [vehicle for luggage] remolque m - 2. esp US [for living in] roulotte m, caravana f - 3. CIN trailer m.

train [treɪn] <> n - 1. RAIL tren m; **to go by train** ir en tren - 2. [of dress] cola f. <> vt - 1. [teach]: **to train sb (to do sthg)** enseñar a alguien (a hacer algo); **to train sb in sthg** preparar a alguien para algo - 2. [for job]: **to train sb (as sthg)** formar OR preparar a alguien (como algo) - 3. [animal] amaestrar - 4. SPORT: **to train sb (for)** entrenar a alguien (para) - 5. [aim - gun] apuntar. <> vi - 1. [for job] estudiar; **to train as** formarse OR prepararse como; **to train to be a teacher** estudiar para ser profesor - 2. SPORT: **to train (for)** entrenarse (para).

trained [treɪnd] adj cualificado(da).

trainee [treɪˈniː] n aprendiz m, -za f.

trainer ['treɪnəʳ] n - 1. [of animals] amaestrador m, -ra f - 2. SPORT entrenador m, -ra f. ➤ **trainers** npl UK zapatillas fpl de deporte.

training ['treɪnɪŋ] n (U) - 1. [for job]: **training (in)** formación f OR preparación f (para) - 2. SPORT entrenamiento m; **to be in training (for sthg)** estar entrenando para algo.

training college n UK [gen] centro m de formación especializada; [for teachers] escuela f normal.

training shoes npl UK zapatillas fpl de deporte.

train of thought n hilo m del razonamiento.

traipse [treɪps] vi andar con desgana.

trait [treɪt] n rasgo m, característica f.

traitor ['treɪtəʳ] n: **traitor (to)** traidor m, -ra f (a).

trajectory [trəˈdʒektərɪ] n trayectoria f.

tram [træm], **tramcar** ['træmkɑːʳ] n UK tranvía m.

tramp [træmp] <> n - 1. [homeless person] vagabundo m, -da f - 2. US inf [woman] fulana f. <> vi andar pesadamente.

trample ['træmpl] vt pisar, pisotear; **to be trampled underfoot** ser pisoteado(da).

trampoline ['træmpəliːn] n cama f elástica.

trance [trɑːns] n trance m; **to go into a trance** entrar en trance.

tranquil ['træŋkwɪl] adj liter tranquilo(la), apacible.

tranquillizer UK, **tranquilizer** US ['træŋkwɪlaɪzəʳ] n tranquilizante m.

transaction [trænˈzækʃn] n transacción f; **money transactions** transacciones de dinero.

transcend [trænˈsend] vt fml ir más allá de.

transcript ['trænskrɪpt] n US expediente m académico.

transfer <> n ['trænsfɜːʳ] - 1. [gen] transferencia f - 2. [for job] traslado m - 3. SPORT traspaso m - 4. [design] calcomanía f. <> vt [trænsˈfɜːʳ] - 1. [from one place to another] trasladar - 2. [from one person to another] transferir. <> vi [trænsˈfɜːʳ] [to different job etc]: **he transferred to a different department** lo trasladaron a otro departamento.

transfix [trænsˈfɪks] vt [immobilize] paralizar; **transfixed with** paralizado(da) por.

transform [trænsˈfɔːm] vt: **to transform sthg/sb (into)** transformar algo/a alguien (en).

transfusion [trænsˈfjuːʒn] n transfusión f.

transient ['trænzɪənt] adj fml [fleeting] transitorio(ria), pasajero(ra).

transistor [trænˈzɪstəʳ] n transistor m.

transistor radio n dated transistor m.

transit ['trænzɪt] n US transporte m; **in transit** en tránsito.

transition [trænˈzɪʃn] n: **transition (from sthg to sthg)** transición f (de algo a algo).

transitive ['trænzɪtɪv] adj GRAM transitivo(va).

transitory ['trænzɪtrɪ] adj transitorio(ria).

translate [trænsˈleɪt] vt [languages] traducir.

translation [trænsˈleɪʃn] n traducción f.

translator [trænsˈleɪtəʳ] n traductor m, -ra f.

transmission [trænzˈmɪʃn] n transmisión f.

transmit [trænzˈmɪt] vt transmitir.

transmitter [trænzˈmɪtəʳ] n ELECTRON transmisor m.

transparency [transˈpærənsɪ] n - 1. [quality] transparencia f - 2. [slide] diapositiva f.

transparent [trænsˈpærənt] adj - 1. [see-through] transparente - 2. [obvious] claro(ra).

transpire [trænˈspaɪəʳ] fml <> vt: **it transpires that...** resulta que... <> vi [happen] ocurrir.

transplant n ['trænsplɑːnt] trasplante m; **he had a heart transplant** le hicieron un trasplante de corazón.

transport <> n ['trænspɔːt] transporte m. <> vt [trænˈspɔːt] transportar.

transportation [ˌtrænspɔːˈteɪʃn] n esp US transporte m.

transport cafe ['trænspɔːt-] n UK bar m de camioneros.

transpose [trænsˈpəʊz] vt [change round] invertir.

trap [træp] ◇ *n* trampa *f*; **to lay a trap (for)** tender una trampa (a). ◇ *vt* - **1.** [catch - animals, birds] coger con trampa - **2.** [trick] atrapar, engañar - **3.** [finger]: **she trapped her fingers in the door** se pilló los dedos en la puerta.

trapdoor [ˌtræp'dɔːʳ] *n* [gen] trampilla *f*, trampa; THEAT escotillón *m*.

trapeze [trə'piːz] *n* trapecio *m*.

trappings ['træpɪŋz] *npl* atributos *mpl*.

trash [træʃ] *n US lit & fig* basura *f*.

trashcan ['træʃkæn] *n US* cubo *m* de la basura.

traumatic [trɔː'mætɪk] *adj* traumático(ca).

travel ['trævl] ◇ *n (U)* viajes *mpl*. ◇ *vt* (*UK pt & pp* **-led**, *cont* **-ling**, *US pt & pp* **-ed**, *cont* **-ing**) [place] viajar por; [distance] recorrer. ◇ *vi* (*UK pt & pp* **-led**, *cont* **-ling**, *US pt & pp* **-ed**, *cont* **-ing**) viajar.

travel agency *n* agencia *f* de viajes.

travel agent *n* empleado *m*, -da *f* de una agencia de viajes; **travel agent's** agencia *f* de viajes.

traveller *UK*, **traveler** *US* ['trævləʳ] *n* [person on journey] viajero *m*, -ra *f*; *UK* (**new age) traveller** *persona que vive en un vehículo y lleva un estilo de vida itinerante.*

traveller's cheque *n* cheque *m* de viajero.

travelling *UK*, **traveling** *US* ['trævlɪŋ] *adj* [theatre, showman] ambulante.

travelsick ['trævəlsɪk] *adj* que se marea al viajar; **to be** OR **feel travelsick** estar mareado(da).

travesty ['trævəstɪ] *n* burda parodia *f*.

trawler ['trɔːləʳ] *n* trainera *f*.

tray [treɪ] *n* bandeja *f*.

treacherous ['tretʃərəs] *adj* - **1.** [plan, action] traicionero(ra); [person] traidor(ra) - **2.** [dangerous] peligroso(sa).

treachery ['tretʃərɪ] *n* traición *f*.

treacle ['triːkl] *n UK* melaza *f*.

tread [tred] ◇ *n* - **1.** [on tyre, shoe] banda *f* - **2.** [sound of walking] pasos *mpl*. ◇ *vi* (*pt* **trod**, *pp* **trodden**) [walk] andar; **to tread carefully** *fig* andar con pies de plomo.

treason ['triːzn] *n* traición *f*.

treasure ['treʒəʳ] ◇ *n lit & fig* tesoro *m*. ◇ *vt* guardar como oro en paño.

treasurer ['treʒərəʳ] *n* tesorero *m*, -ra *f*.

treasury ['treʒərɪ] *n* [room] *habitación donde se guarda el tesoro de un castillo, de una catedral etc.* ◆ **Treasury** *n*: **the Treasury** ≃ el Ministerio de Hacienda.

treat [triːt] ◇ *vt* - **1.** [gen] tratar; **to treat sb well/badly** tratar bien/mal a alguien; **to treat sthg as a joke** tomarse algo como si fuera broma; **to treat sb for sthg** MED tratar a alguien de algo - **2.** [give sthg special]: **to treat sb (to)** invitar a alguien (a). ◇ *n* [something special] regalo *m*; **he took me out to dinner as a treat** me invitó a cenar.

treatise ['triːtɪs] *n fml*: **treatise (on)** tratado *m* (sobre).

treatment ['triːtmənt] *n* - **1.** MED: **treatment (for)** tratamiento *m* (para) - **2.** [manner of dealing] trato *m*.

treaty ['triːtɪ] *n* tratado *m*.

treble ['trebl] ◇ *adj* - **1.** MUS de tiple - **2.** [with numbers] triple. ◇ *vt* triplicar. ◇ *vi* triplicarse.

treble clef *n* clave *f* de sol.

tree [triː] *n* BOT & COMPUT árbol *m*.

tree-hugger *n inf hum pej* ecologista *mf*.

treetop ['triːtɒp] *n* copa *f* (de árbol).

tree-trunk *n* tronco *m* (de árbol).

trek [trek] *n* viaje *m* largo y difícil.

trellis ['trelɪs] *n* enrejado *m*, espaldera *f*.

tremble ['trembl] *vi* temblar; **to tremble with cold/fear** temblar de frío/miedo.

tremendous [trɪ'mendəs] *adj* - **1.** [impressive, large] enorme, tremendo(da) - **2.** *inf* [really good] estupendo(da).

tremor ['tremər] *n* - **1.** [of person, body, voice] estremecimiento *m* - **2.** [small earthquake] temblor *m*.

trench [trentʃ] *n* - **1.** [narrow channel] zanja *f* - **2.** MIL trinchera *f*.

trench coat *n* trinchera *f*, gabardina *f*, impermeable *m*.

trend [trend] *n* [tendency] tendencia *f*; [fashion] moda *f*; **to set a trend** establecer una moda.

trendy ['trendɪ] *inf adj* [person] moderno(na); [clothes] de moda.

trepidation [ˌtrepɪ'deɪʃn] *n fml*: **in** OR **with trepidation** con ansiedad OR agitación.

trespass ['trespəs] *vi* entrar ilegalmente; **to trespass on** entrar ilegalmente en; **'no trespassing'** 'prohibido el paso'.

trespasser ['trespəsər] *n* intruso *m*, -sa *f*; **'trespassers will be prosecuted'** 'los intrusos serán sancionados por la ley'.

trestle ['tresl] *n* caballete *m*.

trestle table *n* mesa *f* de caballete.

trial ['traɪəl] *n* - **1.** LAW juicio *m*, proceso *m*; **to be on trial (for)** ser procesado(da) (por); **to be brought to trial** ser llevado(da) a juicio - **2.** [test, experiment] prueba *f*; **on trial** de prueba; **by trial and error** a base de probar - **3.** [unpleasant experience] suplicio *m*, fastidio *m*.

triangle ['traɪæŋgl] *n* GEOM & MUS triángulo *m*.

tribe [traɪb] *n* tribu *f*.

tribunal [traɪ'bjuːnl] *n* tribunal *m*.

tributary ['trɪbjʊtrɪ] *n* afluente *m*.

tribute ['trɪbjuːt] n - 1. [credit] tributo m; **to be a tribute to** hacer honor a - 2. (U) [respect, admiration]: **to pay tribute (to)** rendir homenaje (a).

trice [traɪs] n: **in a trice** en un dos por tres.

trick [trɪk] ⬦ n - 1. [to deceive] truco m; [to trap] trampa f; [joke] broma f; **to play a trick on sb** gastarle una broma a alguien - 2. [in magic] juego m (de manos) - 3. [knack] truco m; **that should do the trick** eso es lo que necesitamos. ⬦ vt engañar; **to trick sb into doing sthg** engañar a alguien para que haga algo.

trickery ['trɪkərɪ] n (U) engaño m.

trickle ['trɪkl] ⬦ n [of liquid] hilo m. ⬦ vi - 1. [liquid] resbalar (formando un hilo) - 2. [people, things]: **to trickle in/out** llegar/salir poco a poco.

tricky ['trɪkɪ] adj [difficult] difícil.

tricycle ['traɪsɪkl] n triciclo m.

tried [traɪd] adj: **tried and tested** probado(da).

trifle ['traɪfl] n - 1. UK CULIN postre de bizcocho con gelatina, crema, frutas y nata - 2. [unimportant thing] nadería f. ⬥ **a trifle** adv fml un poco, ligeramente.

trifling ['traɪflɪŋ] adj pej trivial.

trigger ['trɪɡəʳ] n [on gun] gatillo m. ⬥ **trigger off** vt sep desencadenar.

trill [trɪl] n trino m.

trim [trɪm] ⬦ adj - 1. [neat and tidy] limpio y arreglado (limpia y arreglada) - 2. [slim] esbelto(ta). ⬦ n [of hair] recorte m. ⬦ vt - 1. [nails, moustache] recortar - 2. [decorate]: **to trim sthg (with)** adornar algo (con).

trimmings ['trɪmɪŋz] npl - 1. [on clothing] adornos mpl - 2. [with food] guarnición f.

trinket ['trɪŋkɪt] n baratija f.

trio ['triːəʊ] (pl -s) n trío m.

trip [trɪp] ⬦ n drug sl [geo] viaje m; **to be (away) on a trip** estar de viaje; **a trip to London/the seaside** un viaje a Londres/la costa. ⬦ vt [make stumble] hacer la zancadilla a. ⬦ vi [stumble] tropezar; **to trip over sthg** tropezar con algo. ⬥ **trip up** vt sep [make stumble] hacer tropezar, hacer la zancadilla a.

tripe [traɪp] (U) n - 1. CULIN callos mpl - 2. inf [nonsense] tonterías fpl.

triple ['trɪpl] ⬦ adj triple. ⬦ adv: **triple the quantity** el triple. ⬦ vt triplicar. ⬦ vi triplicarse.

triple jump n: **the triple jump** el triple salto.

triplets ['trɪplɪts] npl trillizos mpl, -zas fpl.

triplicate ['trɪplɪkət] n: **in triplicate** por triplicado.

tripod ['traɪpɒd] n trípode m.

trite [traɪt] adj pej trillado(da).

triumph ['traɪəmf] ⬦ n triunfo m. ⬦ vi: **to triumph (over)** triunfar (sobre).

trivia ['trɪvɪə] n (U) trivialidades fpl.

trivial ['trɪvɪəl] adj pej trivial.

trod [trɒd] pt ⬥ **tread**.

trodden ['trɒdn] pp ⬥ **tread**.

trolley ['trɒlɪ] (pl trolleys) n - 1. UK [for shopping, food, drinks] carrito m - 2. US [tram] tranvía m.

trolley case n maleta f tipo carrito.

trombone [trɒm'bəʊn] n trombón m.

troop [truːp] ⬦ n [of people] grupo m, bandada f. ⬦ vi ir en grupo. ⬥ **troops** npl tropas fpl. ⬥ **troop in** vi entrar en tropel. ⬥ **troop out** vi salir en tropel.

trooper ['truːpəʳ] n - 1. MIL soldado m de caballería - 2. US [policeman] miembro de la policía estatal.

trophy ['trəʊfɪ] n SPORT trofeo m.

tropical ['trɒpɪkl] adj tropical.

tropics ['trɒpɪks] npl: **the tropics** el trópico.

trot [trɒt] ⬦ n - 1. [of horse] trote m - 2. [of person] paso m rápido. ⬦ vi - 1. [horse] trotar - 2. [person] andar con pasos rápidos. ⬥ **on the trot** adv inf: **three times on the trot** tres veces seguidas.

trouble ['trʌbl] ⬦ n (U) - 1. [bother] molestia f; [difficulty, main problem] problema m; **to tell sb one's troubles** contarle a alguien sus problemas; **would it be too much trouble to ask you to...?** ¿tendría inconveniente en...?; **to be in trouble** tener problemas; **to have trouble doing sthg** tener problemas haciendo algo; **what seems to be the trouble?** ¿cuál es el problema? - 2. [pain] dolor m; [illness] enfermedad f; **heart trouble** problemas cardiacos; **back trouble** problemas de espalda; **I'm having trouble with my leg** me está molestando la pierna - 3. [violence, unpleasantness] problemas mpl. ⬦ vt - 1. [worry, upset] preocupar - 2. [disturb, give pain to] molestar. ⬥ **troubles** npl - 1. [problems, worries] problemas mpl - 2. POL conflicto m.

troubled ['trʌbld] adj - 1. [worried, upset] preocupado(da) - 2. [disturbed, problematic] agitado(da), turbulento(ta).

troublemaker ['trʌbl,meɪkəʳ] n alborotador m, -ra f.

troubleshooter ['trʌbl,ʃuːtəʳ] n [in organizations] persona contratada para resolver problemas.

troublesome ['trʌblsəm] adj molesto(ta).

trough [trɒf] n - 1. [for drinking] abrevadero m; [for eating] comedero m - 2. [low point] punto m más bajo.

troupe [truːp] n compañía f.

trousers ['traʊzəz] npl pantalones mpl.

trousseau ['tru:səʊ] (*pl* **-x** [-z] *OR* **-s**) *n* ajuar *m*.

trout [traʊt] (*pl* trout *OR* **-s**) *n* trucha *f*.

trowel ['traʊəl] *n* - 1. [for the garden] desplantador *m* - 2. [for cement, plaster] paleta *f*, palustre *m*.

truant ['tru:ənt] *n* [child] alumno *m*, -na *f* que hace novillos; **to play truant** hacer novillos.

truce [tru:s] *n*: **truce (between)** tregua *f* (entre).

truck [trʌk] *n* - 1. [lorry] camión *m* - 2. RAIL vagón *m* de mercancías.

truck driver *n esp US* camionero *m*, -ra *f*.

trucker ['trʌkə] *n US* camionero *m*, -ra *f*.

truck farm *n US* puesto de verduras y frutas para la venta.

truculent ['trʌkjʊlənt] *adj* agresivo(va), pendenciero(ra).

trudge [trʌdʒ] *vi* caminar con dificultad.

true [tru:] *adj* - 1. [gen] verdadero(ra); **it's true** es verdad; **to come true** hacerse realidad - 2. [genuine] auténtico(ca); [friend] de verdad - 3. [exact] exacto(ta).

truffle ['trʌfl] *n* trufa *f*.

truly ['tru:lɪ] *adv* verdaderamente; **yours truly** le saluda atentamente.

trump [trʌmp] *n* triunfo *m* (en cartas).

trumped-up ['trʌmpt-] *adj pej* inventado(da).

trumpet ['trʌmpɪt] *n* trompeta *f*.

truncheon ['trʌntʃən] *n* porra *f*.

trundle ['trʌndl] *vi* rodar lentamente; **he trundled along to the post office** se arrastró lentamente hasta correos.

trunk [trʌŋk] *n* - 1. [of tree, person] tronco *m* - 2. [of elephant] trompa *f* - 3. [box] baúl *m* - 4. *US* [of car] maletero *m*, cajuela *f Méx*, baúl *m Col & R Plata*, maletera *f Perú*. ◆ **trunks** *npl* bañador *m* (de hombre) *Esp*, traje *m* de baño (de hombre).

trunk call *n UK* conferencia *f Esp*, llamada *f* interurbana.

trunk road *n* ≃ carretera *f* nacional.

truss [trʌs] ◇ *n* MED braguero *m*. ◇ *vt*: **truss (up)** atar.

trust [trʌst] ◇ *vt* - 1. [believe in] confiar en - 2. [have confidence in]: **to trust sb to do sthg** confiar en alguien para que haga algo - 3. [entrust]: **to trust sb with sthg** confiar algo a alguien - 4. [accept as safe, reliable] fiarse de. ◇ *n* - 1. (*U*) [faith, responsibility]: **trust (in)** confianza *f* (en); **to put** *OR* **place one's trust in** confiar en - 2. FIN *trust m*, in trust en fideicomiso.

trusted ['trʌstɪd] *adj* de confianza.

trustee [trʌs'ti:] *n* FIN & LAW fideicomisario *m*, -ria *f*.

trust fund *n* fondo *m* de fideicomiso.

trusting ['trʌstɪŋ] *adj* confiado(da).

trustworthy ['trʌst,wɜ:ðɪ] *adj* digno(na) de confianza.

truth [tru:θ] *n* verdad *f*; **in (all) truth** en verdad, verdaderamente.

truthful ['tru:θfʊl] *adj* - 1. [person] sincero(ra) - 2. [story] verídico(ca).

try [traɪ] ◇ *vt* - 1. [attempt] intentar; **to try to do sthg** tratar de *OR* intentar hacer algo - 2. [sample, test] probar - 3. LAW [case] ver; [criminal] juzgar, procesar - 4. [put to the test - person] acabar con la paciencia de; [- patience] acabar con. ◇ *vi* intentar. ◇ *n* - 1. [attempt] intento *m*, tentativa *f*; **to have a try at sthg** intentar hacer algo - 2. [sample, test]: **to give sthg a try** probar algo - 3. RUGBY ensayo *m*. ◆ **try on** *vt sep* probarse. ◆ **try out** ◇ *vt sep* [car, machine] probar; [plan] poner a prueba; **to try sthg out on sb** probar algo con alguien. ◇ *vi*: **to try out for** *US* presentarse a una prueba de selección para.

trying ['traɪɪŋ] *adj* difícil, pesado(da).

T-shirt *n* camiseta *f*, remera *f R Plata*, playera *f Méx*, polera *f Chile*.

T-square *n* escuadra *f* en forma de T.

tub [tʌb] *n* - 1. [container - small] bote *m*; [- large] tina *f* - 2. *inf* [bath] bañera *f*.

tubby ['tʌbɪ] *adj inf* regordete(ta).

tube [tju:b] *n* - 1. [cylinder, container] tubo *m* - 2. ANAT conducto *m* - 3. *UK inf* RAIL metro *m*, subte *m*; **by tube** en metro.

tuberculosis [tju:,bɜ:kjʊ'ləʊsɪs] *n* tuberculosis *f*.

tubing ['tju:bɪŋ] *n* (*U*) tubos *mpl*.

tubular ['tju:bjʊlə] *adj* tubular.

tuck [tʌk] *vt* [place neatly] meter. ◆ **tuck away** *vt sep* [money etc] guardar. ◆ **tuck in** ◇ *vt sep* - 1. [person - in bed] arropar - 2. [clothes] meterse. ◇ *vi inf* comer con apetito. ◆ **tuck up** *vt sep* arropar; **to tuck sb up in bed** arropar a alguien en la cama.

tuck shop *n UK* confitería *f (emplazada cerca de un colegio)*.

Tuesday ['tju:zdɪ] *n* martes *m inv*; *see also* **Saturday**.

tuft [tʌft] *n* [of hair] mechón *m*; [of grass] manojo *m*.

tug [tʌg] ◇ *n* - 1. [pull] tirón *m* - 2. [boat] remolcador *m*. ◇ *vt* tirar de. ◇ *vi*: **to tug (at)** tirar (de).

tug-of-war *n* juego *m* de la cuerda (en el que dos equipos compiten tirando de ella).

tuition [tju:'ɪʃn] *n* enseñanza *f*; **private tuition** clases *fpl* particulares.

tulip ['tju:lɪp] *n* tulipán *m*.

tumble ['tʌmbl] ◇ *vi* [person] caerse (rodando). ◇ *n* caída *f*. ◆ **tumble to** *vt insep UK inf* caerse en la cuenta de.

tumbledown ['tʌmbldaʊn] *adj* ruinoso(sa).

tumble-dryer [-,draɪə^r] *n* secadora *f*.

tumbler ['tʌmblə^r] *n* [glass] vaso *m*.

tummy ['tʌmɪ] *n inf* barriga *f*.

tumour *UK*, **tumor** *US* ['tju:mə^r] *n* tumor *m*.

tuna [*UK* 'tju:nə, *US* 'tu:nə] (*pl* **tuna** *OR* **-s**) *n* atún *m*.

tune [tju:n] ◇ *n* - **1.** [song, melody] melodía *f* - **2.** [harmony]: **in tune** MUS afinado(da); **out of tune** MUS desafinado(da). ◇ *vt* - **1.** MUS afinar - **2.** RADIO & TV sintonizar - **3.** [engine] poner a punto. ◆ **tune in** *vi* RADIO & TV: **to tune in (to sthg)** sintonizar (algo). ◆ **tune up** *vi* MUS concertar *OR* afinar los instrumentos.

tuneful ['tju:nfʊl] *adj* melodioso(sa).

tuner ['tju:nə^r] *n* - **1.** RADIO & TV sintonizador *m* - **2.** MUS afinador *m*, -ra *f*.

tunic ['tju:nɪk] *n* túnica *f*.

tuning fork ['tju:nɪŋ-] *n* diapasón *m*.

Tunisia [tju:'nɪzɪə] *n* Túnez *m*.

tunnel ['tʌnl] ◇ *n* túnel *m*. ◇ *vi* (*UK* pt & pp **-led**, *cont* **-ling**, *US* pt & pp **-ed**, *cont* **-ing**) hacer un túnel.

turban ['tɜ:bən] *n* turbante *m*.

turbine ['tɜ:baɪn] *n* turbina *f*.

turbocharged ['tɜ:bəʊtʃɑ:dʒd] *adj* provisto(ta) de turbina; [car] turbo *(inv)*.

turbodiesel [,tɜ:bəʊ'di:zl] *n* turbodiésel *m*.

turbulence ['tɜ:bjʊləns] *n* (*U*) *lit* & *fig* turbulencia *f*.

turbulent ['tɜ:bjʊlənt] *adj lit* & *fig* turbulento(ta).

tureen [tə'ri:n] *n* sopera *f*.

turf [tɜ:f] ◇ *n* (*pl* **-s** *OR* **turves**) - **1.** [grass surface] césped *m* - **2.** [clod] tepe *m*. ◇ *vt* encespedar. ◆ **turf out** *vt sep UK inf* [person] dar la patada a, echar; [old clothes] tirar.

turgid ['tɜ:dʒɪd] *adj fml* [over-solemn] ampuloso(sa).

Turk [tɜ:k] *n* turco *m*, **-ca** *f*.

turkey ['tɜ:kɪ] (*pl* **turkeys**) *n* pavo *m*.

Turkey ['tɜ:kɪ] *n* Turquía.

Turkish ['tɜ:kɪʃ] ◇ *adj* turco(ca). ◇ *n* [language] turco *m*. ◇ *npl* [people]: **the Turkish** los turcos.

Turkish delight *n* rahat lokum *m*, *dulce de una sustancia gelatinosa, cubierto de azúcar glas*.

turmoil ['tɜ:mɔɪl] *n* confusión *f*, alboroto *m*; **the country was in turmoil** reinaba la confusión en el país.

turn [tɜ:n] ◇ *n* - **1.** [in road, river] curva *f* - **2.** [of knob, wheel] vuelta *f* - **3.** [change] cambio *m* - **4.** [in game] turno *m*; **it's my turn** me toca a mí; **in turn** sucesivamente, uno tras otro;

to take (it in) turns (to do sthg) turnarse (en hacer algo) - **5.** [performance] número *m* - **6.** MED ataque *m*. ▸▸ **to do sb a good turn** hacerle un favor a alguien. ◇ *vt* - **1.** [chair, page, omelette] dar la vuelta a - **2.** [knob, wheel] girar - **3.** [corner] doblar - **4.** [thoughts, attention]: **to turn sthg to** dirigir algo hacia - **5.** [change]: **to turn sthg into** convertir *OR* transformar algo en - **6.** [cause to become]: **the cold turned his fingers blue** se le pusieron los dedos azules por el frío; **to turn sthg inside out** volver algo del revés. ◇ *vi* - **1.** [car] girar; [road] torcer; [person] volverse, darse la vuelta - **2.** [wheel] dar vueltas - **3.** [turn page over]: **turn to page two** pasen a la página dos - **4.** [thoughts, attention]: **to turn to** dirigirse hacia - **5.** [seek consolation]: **to turn to sb/ sthg** buscar consuelo en alguien/algo; **she has nobody to turn to** no tiene a quien acudir - **6.** [change]: **to turn into** convertirse *OR* transformarse en - **7.** [become]: **it turned black** se volvió negro - **8.** [go sour] cortarse. ◆ **turn around** *vt sep* = **turn round**. ◆ **turn away** *vt sep* [refuse entry to] no dejar entrar. ◆ **turn back** ◇ *vt sep* [person, vehicle] hacer volver. ◇ *vi* volver, volverse. ◆ **turn down** *vt sep* - **1.** [offer, person] rechazar - **2.** [volume, heating] bajar. ◆ **turn in** *vi inf* [go to bed] irse a dormir. ◆ **turn off** ◇ *vt insep* [road, path] desviarse de. ◇ *vt sep* [radio, heater] apagar; [engine] parar; [gas, tap] cerrar. ◇ *vi* [leave road] desviarse. ◆ **turn on** ◇ *vt sep* - **1.** [radio, TV, engine] encender; [gas, tap] abrir - **2.** *inf* [excite sexually] poner cachondo(da). ◇ *vt insep* [attack] atacar. ◆ **turn out** ◇ *vt sep* - **1.** [extinguish] apagar - **2.** [empty - pockets, bag] vaciar. ◇ *vt insep*: **to turn out to be** resultar ser. ◇ *vi* - **1.** [end up] salir - **2.** [arrive]: **to turn out (for)** venir *OR* presentarse (a). ◆ **turn over** ◇ *vt sep* - **1.** [turn upside down] dar la vuelta a; [page] volver - **2.** [consider] darle vueltas a - **3.** *UK* RADIO & TV cambiar - **4.** [hand over]: **to turn sthg/sb over (to)** entregar algo/a alguien (a). ◇ *vi* [roll over] darse la vuelta. ◆ **turn round, turn around** ◇ *vt sep* - **1.** [gen] dar la vuelta a - **2.** [knob, key] hacer girar. ◇ *vi* [person] darse la vuelta, volverse. ◆ **turn up** ◇ *vt sep* [volume, heating] subir. ◇ *vi inf* aparecer.

turning ['tɜ:nɪŋ] *n* [in road] bocacalle *f*.

turning point *n* momento *m* decisivo.

turnip ['tɜ:nɪp] *n* nabo *m*.

turnout ['tɜ:naʊt] *n* número *m* de asistentes, asistencia *f*.

turnover ['tɜ:n,əʊvə^r] *n* (*U*) - **1.** [of personnel] movimiento *m* de personal - **2.** *UK* FIN volumen *m* de ventas, facturación *f*.

turnpike ['tɜ:npaɪk] *n US* autopista *f* de peaje.

turnstile ['tɜ:nstaɪl] *n* torniquete *m*.

turntable ['tɜ:n,teɪbl] *n* plato *m* giratorio.

turn-up *n* UK [on trousers] vuelta *f*; **a turn-up for the books** *inf* una auténtica sorpresa.

turpentine ['tɜ:pəntaɪn] *n* trementina *f*.

turquoise ['tɜ:kwɔɪz] ⟨⟩ *adj* turquesa. ⟨⟩ *n* [mineral, gem] turquesa *f*.

turret ['tʌrɪt] *n* torreta *f*, torrecilla *f*.

turtle ['tɜ:tl] (*pl* turtle OR -s) *n* tortuga *f* (marina).

turtleneck ['tɜ:tlnek] *n* cuello *m* (de) cisne.

turves [tɜ:vz] UK *npl* ⟼ **turf**.

tusk [tʌsk] *n* colmillo *m*.

tussle ['tʌsl] ⟨⟩ *n* lucha *f*, pelea *f*. ⟨⟩ *vi*: **to tussle (over)** pelearse (por).

tutor ['tju:tər] *n* - 1. [private] profesor particular *m*, profesora particular *f*, tutor *m*, -ra *f* - 2. UNIV profesor universitario *m*, profesora universitaria *f* (de un grupo pequeño).

tutorial [tju:'tɔ:rɪəl] *n* tutoría *f*, clase *f* con grupo reducido.

tuxedo [tʌk'si:dəʊ] (*pl* -s) *n* esmoquin *m*.

TV (*abbr of* television) ⟨⟩ *n* televisión *f*; **on TV** en la televisión. ⟨⟩ *comp* de televisión.

TV movie *n* telefilm *m*.

twang [twæŋ] *n* - 1. [of guitar] tañido *m*; [of string, elastic] sonido *m* vibrante - 2. [accent] gangueo *m*, acento *m* nasal.

tweed [twi:d] *n* tweed *m*.

tweenage ['twi:neɪdʒ] *adj inf* preadolescente.

tweezers ['twi:zəz] *npl* pinzas *fpl*.

twelfth [twelfθ] *num* duodécimo(ma); *see also* **sixth**.

twelve [twelv] *num* doce; *see also* **six**.

twentieth ['twentɪəθ] *num* vigésimo(ma); *see also* **sixth**.

twenty ['twentɪ] *num* veinte; *see also* **sixty**.

twenty-one [twentɪ'wʌn] *n* US [game] veintiuna *f*.

twice [twaɪs] *num adv* dos veces; **twice a week** dos veces por semana; **it costs twice as much** cuesta el doble; **twice as big** el doble de grande; **he's twice her age** la dobla en edad; **think twice** piénsalo dos veces.

twiddle ['twɪdl] ⟨⟩ *vt* dar vueltas a; **to twiddle one's thumbs** *fig* holgazanear. ⟨⟩ *vi*: **to twiddle with** juguetear con.

twig [twɪg] *n* ramita *f*.

twilight ['twaɪlaɪt] *n* crepúsculo *m*.

twin [twɪn] ⟨⟩ *adj* gemelo(la). ⟨⟩ *n* gemelo *m*, -la *f*.

twin-bedded [-'bedɪd] *adj* de dos camas.

twine [twaɪn] ⟨⟩ *n* (U) bramante *m*. ⟨⟩ *vt*: **to twine sthg round sthg** enrollar algo en algo.

twinge [twɪndʒ] *n* [of pain] punzada *f*; [of guilt] remordimiento *m*.

twinkle ['twɪŋkl] *vi* - 1. [star] centellear, parpadear - 2. [eyes] brillar.

twin room *n* habitación *f* con dos camas.

twin town *n* ciudad *f* hermanada.

twirl [twɜ:l] ⟨⟩ *vt* dar vueltas a. ⟨⟩ *vi* dar vueltas rápidamente.

twist [twɪst] ⟨⟩ *n* - 1. [in road] vuelta *f*, recodo *m*; [in river] meandro *m* - 2. [of head, lid, knob] giro *m* - 3. [shape] espiral *f* - 4. *fig* [in plot] giro *m* imprevisto. ⟨⟩ *vt* - 1. [cloth, rope] retorcer; [hair] enroscar - 2. [face etc] torcer - 3. [dial, lid] dar vueltas a; [head] volver - 4. [ankle, knee etc] torcerse - 5. [misquote] tergiversar. ⟨⟩ *vi* - 1. [person] retorcerse; [road, river] serpentear - 2. [face] contorsionarse; [frame, rail] torcerse - 3. [turn - head, hand] volverse.

twit [twɪt] *n* UK *inf* imbécil *mf*.

twitch [twɪtʃ] ⟨⟩ *n* contorsión *f*; **nervous twitch** tic *m* (nervioso). ⟨⟩ *vi* contorsionarse.

two [tu:] *num* dos; **to break in two** partirse en dos; **to do sthg in twos** hacer algo en pares; **to put two and two together** atar cabos; *see also* **six**.

two-door *adj* [car] de dos puertas.

twofaced [,tu:'feɪst] *adj pej* hipócrita.

twofold ['tu:fəʊld] ⟨⟩ *adj* doble; **a twofold increase** un incremento del doble. ⟨⟩ *adv*: **to increase twofold** duplicarse.

two-piece *adj* [suit] de dos piezas.

twosome ['tu:səm] *n inf* pareja *f*.

two-way *adj* [traffic] en ambas direcciones; [agreement, cooperation] mutuo(tua).

two-way street *n* calle *f* de doble sentido.

tycoon [taɪ'ku:n] *n* magnate *m*; **an oil tycoon** un magnate del petróleo.

type [taɪp] ⟨⟩ *n* - 1. [gen] tipo *m* - 2. (U) TYPO tipo *m*, letra *f*; **in bold/italic type** en negrita/cursiva. ⟨⟩ *vt* - 1. [on typewriter] escribir a máquina, mecanografiar - 2. [on computer] escribir en el ordenador; **to type sthg into sthg** entrar algo en algo. ⟨⟩ *vi* escribir a máquina.

typecast ['taɪpkɑ:st] (*pt & pp* typecast) *vt*: **to typecast sb (as)** encasillar a alguien (como).

typeface ['taɪpfeɪs] *n* tipo *m*, letra *f*.

typescript ['taɪpskrɪpt] *n* copia *f* mecanografiada.

typeset ['taɪpset] (*pt & pp* typeset) *vt* componer.

typewriter ['taɪp,raɪtər] *n* máquina *f* de escribir.

typhoid (fever) ['taɪfɔɪd-] *n* fiebre *f* tifoidea.

typhoon [taɪ'fu:n] *n* tifón *m*.

typical ['tɪpɪkl] *adj*: **typical (of)** típico(ca) (de).

typing ['taɪpɪŋ] n mecanografía f.

typist ['taɪpɪst] n mecanógrafo m, -fa f.

typography [taɪ'pɒɡrəfɪ] n [process, job] tipografía f.

tyranny ['tɪrənɪ] n tiranía f.

tyrant ['taɪrənt] n tirano m, -na f.

tyre UK, **tire** US ['taɪəʳ] n neumático m.

tyre pressure n presión f de los neumáticos.

U

u (pl u's OR us), **U** (pl U's OR Us) [ju:] n [letter] u f, U f.

U-bend n sifón m.

UCAS ['ju:kæs] (abbr of Universities and Colleges Admissions Service) n UK UNIV & SCH organización que coordina las admisiones y matrículas en las universidades británicas.

udder ['ʌdəʳ] n ubre f.

UFO (abbr of unidentified flying object) n OVNI m.

Uganda [ju:'ɡændə] n Uganda.

ugh [ʌɡ] excl ¡puf!

ugly ['ʌɡlɪ] adj - 1. [unattractive] feo(a) - 2. fig [unpleasant] desagradable.

UHF (abbr of ultra-high frequency) UHF.

UK (abbr of United Kingdom) n RU m; **the UK** el Reino Unido.

Ukraine [ju:'kreɪn] n: **the Ukraine** Ucrania.

ulcer ['ʌlsəʳ] n úlcera f.

ulcerated ['ʌlsəreɪtɪd] adj ulceroso(sa).

Ulster ['ʌlstəʳ] n (el) Úlster.

ulterior [ʌl'tɪərɪəʳ] adj: **ulterior motive** motivo m oculto.

ultimata [ʌltɪ'meɪtə] npl ⊳ **ultimatum**.

ultimate ['ʌltɪmət] ◇ adj - 1. [final, long-term] final, definitivo(va) - 2. [most powerful] máximo(ma). ◇ n: **the ultimate in** el colmo de.

ultimately ['ʌltɪmətlɪ] adv finalmente, a la larga.

ultimatum [ʌltɪ'meɪtəm] (pl -s OR -ta) n ultimátum m; **to issue an ultimatum to sb** dar un ultimátum a alguien.

ultrasound ['ʌltrəsaʊnd] n ultrasonido m.

ultraviolet [ʌltrə'vaɪələt] adj ultravioleta.

umbilical cord [ʌm'bɪlɪkl-] n cordón m umbilical.

umbrella [ʌm'brelə] ◇ n - 1. [for rain] paraguas m inv - 2. [on beach] parasol m - 3.: **under the umbrella of** fig bajo la protección de. ◇ adj que engloba a otros(otras).

umpire ['ʌmpaɪəʳ] n árbitro m.

umpteen [ʌmp'ti:n] num adj inf: **umpteen times** la tira de veces.

umpteenth [ʌmp'ti:nθ] num adj inf enésimo(ma); **for the umpteenth time** por enésima vez.

UN (abbr of United Nations) n: **the UN** la ONU.

unabated [ʌnə'beɪtɪd] adj incesante; **to continue unabated** continuar sin cesar.

unable [ʌn'eɪbl] adj: **to be unable to do sthg** no poder hacer algo.

unacceptable [ʌnək'septəbl] adj inaceptable.

unaccompanied [ʌnə'kʌmpənɪd] adj - 1. [child] que no va acompañado(da); [luggage] desatendido(da) - 2. [song] sin acompañamiento.

unaccountably [ʌnə'kaʊntəblɪ] adv inexplicablemente.

unaccounted [ʌnə'kaʊntɪd] adj: **12 people are unaccounted for** hay 12 personas aún sin localizar.

unaccustomed [ʌnə'kʌstəmd] adj [unused]: **to be unaccustomed to** no estar acostumbrado(da) a.

unadulterated [ʌnə'dʌltəreɪtɪd] adj - 1. [unspoilt] sin adulterar - 2. [absolute] completo(ta), absoluto(ta).

unanimous [ju:'nænɪməs] adj unánime.

unanimously [ju:'nænɪməslɪ] adv unánimemente.

unanswered [ʌn'ɑ:nsəd] adj sin contestar.

unappetizing, -ising [ʌn'æpɪtaɪzɪŋ] adj poco apetitoso(sa).

unarmed [ʌn'ɑ:md] adj desarmado(da).

unarmed combat n lucha f OR combate m a brazo partido.

unashamed [ʌnə'ʃeɪmd] adj descarado(da).

unassuming [ʌnə'sju:mɪŋ] adj sin pretensiones.

unattached [ʌnə'tætʃt] adj - 1. [not fastened, linked] independiente; **unattached to** que no está ligado a - 2. [without partner] libre, sin compromiso.

unattended [ʌnə'tendɪd] adj desatendido(da); **to leave sthg unattended** dejar algo desatendido.

unattractive [ˌʌnəˈtræktɪv] *adj* poco atractivo(va).

unauthorized, -ised [ˌʌnˈɔːθəraɪzd] *adj* no autorizado(da).

unavailable [ˌʌnəˈveɪləbl] *adj*: **to be unavailable** no estar disponible; **he was unavailable for comment** no quiso hacer ningún comentario.

unavoidable [ˌʌnəˈvɔɪdəbl] *adj* inevitable, ineludible; **unavoidable delays** retrasos inevitables.

unaware [ˌʌnəˈweəʳ] *adj* inconsciente; **to be unaware of** no ser consciente de.

unawares [ˌʌnəˈweəz] *adv*: **to catch** OR **take sb unawares** coger a alguien desprevenido(da).

unbalanced [ˌʌnˈbælənst] *adj* desequilibrado(da).

unbearable [ʌnˈbeərəbl] *adj* insoportable, inaguantable.

unbeatable [ˌʌnˈbiːtəbl] *adj* [gen] insuperable; [prices, value] inmejorable.

unbeknown(st) [ˌʌnbɪˈnəʊn(st)] *adv*: **unbeknown(st) to** sin conocimiento de.

unbelievable [ˌʌnbɪˈliːvəbl] *adj* increíble.

unbending [ʌnˈbendɪŋ] *adj* resoluto(ta).

unbias(s)ed [ʌnˈbaɪəst] *adj* imparcial.

unborn [ˌʌnˈbɔːn] *adj* [child] no nacido(da) aún.

unbreakable [ʌnˈbreɪkəbl] *adj* irrompible.

unbridled [ʌnˈbraɪdld] *adj* desmesurado(da), desenfrenado(da).

unbutton [ˌʌnˈbʌtn] *vt* desabrochar.

uncalled-for [ˌʌnˈkɔːld-] *adj* injusto(ta), inmerecido(da).

uncanny [ʌnˈkænɪ] *adj* extraño(ña).

unceasing [ʌnˈsiːsɪŋ] *adj* fml incesante.

unceremonious [ˈʌnˌserɪˈməʊnjəs] *adj* [curt] brusco(ca).

uncertain [ʌnˈsɜːtn] *adj* [gen] incierto(ta); [undecided, hesitant] indeciso(sa); **it's uncertain whether they will accept the proposals** no se sabe si aceptarán las propuestas; **in no uncertain terms** de forma vehemente.

unchanged [ˌʌnˈtʃeɪndʒd] *adj* sin alterar.

unchecked [ˌʌnˈtʃekt] <> *adj* [unrestrained] desenfrenado(da). <> *adv* [unrestrained] libremente, sin restricciones.

uncivilized, -ised [ˌʌnˈsɪvɪlaɪzd] *adj* [society] incivilizado(da); [person] inculto(ta).

uncle [ˈʌŋkl] *n* tío *m*.

unclear [ˌʌnˈklɪəʳ] *adj* poco claro(ra); **to be unclear about sthg** no tener claro algo.

uncomfortable [ʌnˈkʌmftəbl] *adj* - **1.** [gen] incómodo(da) - **2.** *fig* [fact, truth] inquietante, desagradable.

uncommon [ʌnˈkɒmən] *adj* [rare] poco común, raro(ra).

uncompromising [ˌʌnˈkɒmprəmaɪzɪŋ] *adj* inflexible, intransigente.

unconcerned [ˌʌnkənˈsɜːnd] *adj* [not anxious] indiferente.

unconditional [ˌʌnkənˈdɪʃənl] *adj* incondicional.

unconscious [ʌnˈkɒnʃəs] <> *adj* inconsciente; **to be unconscious of sthg** ser inconsciente de OR ignorar algo; **he was knocked unconscious by a falling brick** un ladrillo que caía lo dejó inconsciente. <> *n* inconsciente *m*.

unconsciously [ʌnˈkɒnʃəslɪ] *adv* inconscientemente.

uncontrollable [ˌʌnkənˈtrəʊləbl] *adj* [gen] incontrolable; [desire, hatred] irrefrenable; [laughter] incontenible.

unconventional [ˌʌnkənˈvenʃənl] *adj* poco convencional.

unconvinced [ˌʌnkənˈvɪnst] *adj*: **to remain unconvinced** seguir sin convencerse.

uncouth [ʌnˈkuːθ] *adj* grosero(ra).

uncover [ʌnˈkʌvəʳ] *vt* [gen] descubrir; [jar, tin etc] destapar.

undecided [ˌʌndɪˈsaɪdɪd] *adj* - **1.** [person] indeciso(sa) - **2.** [issue] pendiente.

undeniable [ˌʌndɪˈnaɪəbl] *adj* innegable.

under [ˈʌndəʳ] <> *prep* - **1.** [beneath] debajo de, abajo de *Amér* - **2.** [with movement] bajo; **put it under the table** ponlo debajo de OR bajo la mesa; **they walked under the bridge** pasaron bajo OR por debajo del puente - **3.** [subject to, undergoing, controlled by] bajo; **under the circumstances** dadas las circunstancias; **under discussion** en proceso de discusión; **he has 20 men under him** tiene 20 hombres a su cargo - **4.** [less than] menos de; **children under the age of 14** niños menores de 14 años - **5.** [according to] según - **6.** [in headings, classifications]: **he filed it under 'D'** lo archivó en la 'D' - **7.** [name, title]: **under an alias** bajo nombre supuesto. <> *adv* - **1.** [gen] debajo; **to go under** [business] irse a pique - **2.** [less]: **children of 12 years and under** niños menores de 13 años; **£5 or under** cinco libras o menos - **3.** [under water] bajo el agua.

underage [ˌʌndərˈeɪdʒ] *adj* [person] menor de edad; [sex, drinking] en menores de edad.

undercarriage [ˈʌndəˌkærɪdʒ] *n* tren *m* de aterrizaje.

undercharge [ˌʌndəˈtʃɑːdʒ] *vt* cobrar menos del precio estipulado a.

underclothes [ˈʌndəkləʊðz] *npl* ropa *f* interior.

undercoat [ˈʌndəkəʊt] *n* [of paint] primera mano *f* OR capa *f*.

undercover [ˈʌndəˌkʌvəʳ] *adj* secreto(ta).

undercurrent [ˈʌndəˌkʌrənt] *n fig* sentimiento *m* oculto.

undercut [ˌʌndəˈkʌt] (*pt & pp* undercut) *vt* [in price] vender más barato que.

underdeveloped [ˌʌndədɪˈveləpt] *adj* subdesarrollado(da).

underdog [ˈʌndədɒg] *n*: the underdog el que lleva las de perder.

underdone [ˌʌndəˈdʌn] *adj* poco hecho(cha).

underestimate *vt* [ˌʌndərˈestɪmeɪt] subestimar.

underexposed [ˌʌndərɪkˈspəʊzd] *adj* PHOT subexpuesto(ta).

underfed [ˈʌndəˈfed] *adj* desnutrido(da).

underfoot [ˌʌndəˈfʊt] *adv* debajo de los pies; it's wet underfoot el suelo está mojado.

undergo [ˌʌndəˈgəʊ] (*pt* -went, *pp* -gone) *vt* [pain, change, difficulties] sufrir, experimentar; [operation, examination] someterse a.

undergraduate [ˌʌndəˈgrædʒʊət] *n* estudiante universitario no licenciado *m*, estudiante universitaria no licenciada *f*.

underground *adj* [ˈʌndəgraʊnd] - 1. [below the ground] subterráneo(a) - 2. *fig* [secret, illegal] clandestino(na). ◇ *adv* [ˌʌndəˈgraʊnd]: to go underground pasar a la clandestinidad. ◇ *n* [ˈʌndəgraʊnd] - 1. UK [railway system] metro *m*, subte(rráneo) *m R Plata* - 2. [activist movement] movimiento *m* clandestino.

undergrowth [ˈʌndəgrəʊθ] *n* (U) maleza *f*.

underhand [ˌʌndəˈhænd] *adj* turbio(bia), poco limpio(pia).

underline [ˌʌndəˈlaɪn] *vt* subrayar.

underlying [ˌʌndəˈlaɪɪŋ] *adj* subyacente.

undermine [ˌʌndəˈmaɪn] *vt fig* minar, socavar; to undermine sb's confidence/authority minar la confianza/autoridad de alguien.

underneath [ˌʌndəˈniːθ] ◇ *prep* - 1. [beneath] debajo de - 2. [with movement] bajo. ◇ *adv* [under, below] debajo. ◇ *adj inf* inferior, de abajo. ◇ *n* [underside]: the underneath la superficie inferior.

underpaid *adj* [ˈʌndəpeɪd] mal pagado(da).

underpants [ˈʌndəpænts] *npl* calzoncillos *mpl*.

underpass [ˈʌndəpɑːs] *n* paso *m* subterráneo.

underprivileged [ˌʌndəˈprɪvɪlɪdʒd] *adj* desvalido(da), desamparado(da).

underrated [ˌʌndəˈreɪtɪd] *adj* subestimado(da), infravalorado(da).

undershirt [ˈʌndəʃɜːt] *n US* camiseta *f*.

underside [ˈʌndəsaɪd] *n*: the underside la superficie inferior.

underskirt [ˈʌndəskɜːt] *n* enaguas *fpl*.

understand [ˌʌndəˈstænd] (*pt & pp* -stood) ◇ *vt* - 1. [gen] comprender, entender; is that understood? ¿queda claro? - 2. [know all about] entender de - 3. *fml* [be informed]: to understand that tener entendido que - 4. [assume]: it is understood that... se entiende que... ◇ *vi* comprender, entender.

understandable [ˌʌndəˈstændəbl] *adj* comprensible.

understanding [ˌʌndəˈstændɪŋ] ◇ *n* - 1. [knowledge] entendimiento *m*, comprensión *f* - 2. [sympathy] comprensión *f* mutua - 3. [informal agreement] acuerdo *m*; we have a little understanding tenemos un pequeño acuerdo. ◇ *adj* comprensivo(va).

understatement [ˌʌndəˈsteɪtmənt] *n* - 1. [inadequate statement] atenuación *f*; it's an understatement to say he's fat decir que es gordo es quedarse corto - 2. (U) [quality of understating]: he's a master of understatement puede quitarle importancia a cualquier cosa.

understood [ˌʌndəˈstʊd] *pt & pp* ▷ understand.

understudy [ˈʌndəˌstʌdɪ] *n* suplente *mf*.

undertake [ˌʌndəˈteɪk] (*pt* -took, *pp* -taken) *vt* - 1. [task] emprender; [responsibility, control] asumir, tomar - 2. [promise]: to undertake to do sthg comprometerse a hacer algo.

undertaker [ˈʌndəˌteɪkəʳ] *n* director *m*, -ra *f* de pompas fúnebres.

undertaking [ˌʌndəˈteɪkɪŋ] *n* - 1. [task] tarea *f*, empresa *f* - 2. [promise] promesa *f*.

undertone [ˈʌndətəʊn] *n* - 1. [quiet voice] voz *f* baja; in an undertone en voz baja - 2. [vague feeling] matiz *m*.

undertook [ˌʌndəˈtʊk] *pt* ▷ undertake.

underwater [ˌʌndəˈwɔːtəʳ] ◇ *adj* submarino(na). ◇ *adv* bajo el agua.

underwear [ˈʌndəweəʳ] *n* ropa *f* interior.

underwent [ˌʌndəˈwent] *pt* ▷ undergo.

underworld [ˈʌndəˌwɜːld] *n* [criminal society]: the underworld el hampa, los bajos fondos.

underwriter [ˈʌndəˌraɪtəʳ] *n* asegurador *m*, -ra *f*.

undeserving [ˌʌndɪˈzɜːvɪŋ] *adj* [person]: to be undeserving of sthg no merecer algo.

undid [ˌʌnˈdɪd] *pt* ▷ undo.

undies [ˈʌndɪz] *npl inf* paños *mpl* menores.

undisputed [ˌʌndɪˈspjuːtɪd] *adj* indiscutible.

undistinguished [ˌʌndɪˈstɪŋgwɪʃt] *adj* mediocre.

undo [ˌʌnˈduː] (*pt* -did, *pp* -done) *vt* - 1. [unfasten - knot] desatar, desanudar; [- button, clasp] desabrochar; [- parcel] abrir - 2. [nullify] anular, deshacer - 3. COMPUT deshacer.

undoing [ˌʌnˈduːɪŋ] n (U) fml ruina f, perdición f; **it was his undoing** fue su perdición.

undone [ˌʌnˈdʌn] ◇ pp ▷ **undo**. ◇ adj - **1.** [coat] desabrochado(da); [shoes] desatado(da); **to come undone** desatarse - **2.** fml [not done] por hacer.

undoubted [ʌnˈdaʊtɪd] adj indudable.

undoubtedly [ʌnˈdaʊtɪdlɪ] adv fml indudablemente, sin duda (alguna).

undress [ˌʌnˈdres] ◇ vt desnudar. ◇ vi desnudarse.

undue [ˌʌnˈdjuː] adj fml indebido(da).

undulate [ˈʌndjʊleɪt] vi fml ondular.

unduly [ˌʌnˈdjuːlɪ] adv fml indebidamente.

unearth [ˌʌnˈɜːθ] vt [dig up] desenterrar; fig [discover] descubrir.

unearthly [ʌnˈɜːθlɪ] adj inf [hour] intempestivo(va).

unease [ʌnˈiːz] n malestar m.

uneasy [ʌnˈiːzɪ] adj - **1.** [person, feeling] intranquilo(la) - **2.** [peace] inseguro(ra).

uneconomic [ˈʌnˌiːkəˈnɒmɪk] adj poco rentable.

uneducated [ˌʌnˈedjʊkeɪtɪd] adj ignorante, inculto(ta).

unemployed [ˌʌnɪmˈplɔɪd] ◇ adj parado(da), desempleado(da). ◇ npl: **the unemployed** los parados.

unemployment [ˌʌnɪmˈplɔɪmənt] n desempleo m, paro m.

unemployment benefit UK, **unemployment compensation** US n subsidio m de desempleo OR paro.

unerring [ˌʌnˈɜːrɪŋ] adj infalible.

uneven [ˌʌnˈiːvn] adj - **1.** [not flat - road] lleno(na) de baches; [- land] escabroso(sa) - **2.** [inconsistent, unfair] desigual.

unexpected [ˌʌnɪkˈspektɪd] adj inesperado(da).

unexpectedly [ˌʌnɪkˈspektɪdlɪ] adv inesperadamente.

unfailing [ʌnˈfeɪlɪŋ] adj indefectible.

unfair [ˌʌnˈfeər] adj injusto(ta).

unfaithful [ˌʌnˈfeɪθfʊl] adj [sexually] infiel.

unfamiliar [ˌʌnfəˈmɪljər] adj - **1.** [not well-known] desconocido(da) - **2.** [not acquainted]: **to be unfamiliar with sthg/sb** desconocer algo/a alguien.

unfashionable [ˌʌnˈfæʃnəbl] adj [clothes, ideas] pasado(da) de moda; [area of town] poco popular.

unfasten [ˌʌnˈfɑːsn] vt [garment, buttons] desabrochar; [rope, tie] desatar, soltar; [door] abrir.

unfavourable UK, **unfavorable** US [ˌʌnˈfeɪvrəbl] adj desfavorable.

unfeeling [ʌnˈfiːlɪŋ] adj insensible.

unfinished [ˌʌnˈfɪnɪʃt] adj sin terminar.

unfit [ˌʌnˈfɪt] adj - **1.** [injured] lesionado(da); [in poor shape] que no está en forma - **2.** [not suitable - thing] impropio(pia); [- person]: **unfit to** incapaz de; **unfit for** no apto para.

unfold [ʌnˈfəʊld] ◇ vt - **1.** [open out] desplegar, desdoblar - **2.** [explain] revelar. ◇ vi [become clear] revelarse.

unforeseen [ˌʌnfɔːˈsiːn] adj imprevisto(ta).

unforgettable [ˌʌnfəˈgetəbl] adj inolvidable.

unforgivable [ˌʌnfəˈgɪvəbl] adj imperdonable.

unfortunate [ʌnˈfɔːtʃnət] adj - **1.** [unlucky] desgraciado(da), desdichado(da) - **2.** [regrettable] inoportuno(na).

unfortunately [ʌnˈfɔːtʃnətlɪ] adv desgraciadamente, desafortunadamente.

unfounded [ˌʌnˈfaʊndɪd] adj infundado(da).

unfriendly [ˌʌnˈfrendlɪ] adj poco amistoso(sa).

unfurnished [ˌʌnˈfɜːnɪʃt] adj desamueblado(da).

ungainly [ʌnˈgeɪnlɪ] adj desgarbado(da).

ungodly [ˌʌnˈgɒdlɪ] adj inf [hour] intempestivo(va); **at an ungodly hour** a una hora intempestiva.

ungrateful [ʌnˈgreɪtfʊl] adj desagradecido(da), ingrato(ta).

unhappy [ʌnˈhæpɪ] adj - **1.** [sad] triste; [wretched] desdichado(da), infeliz - **2.** [uneasy]: **to be unhappy (with OR about)** estar inquieto(ta) (por) - **3.** fml [unfortunate] desafortunado(da).

unharmed [ˌʌnˈhɑːmd] adj [person] ileso(sa); [thing] indemne; **he escaped unharmed** salió ileso.

unhealthy [ʌnˈhelθɪ] adj - **1.** [in bad health] enfermizo(za) - **2.** [causing bad health] insalubre - **3.** fig [interest etc] morboso(sa).

unheard-of [ʌnˈhɜːd-] adj - **1.** [unknown, completely absent] inaudito(ta) - **2.** [unprecedented] sin precedente.

unhook [ˌʌnˈhʊk] vt - **1.** [unfasten hooks of] desabrochar - **2.** [remove from hook] descolgar, desenganchar.

unhurt [ˌʌnˈhɜːt] adj ileso(sa).

unhygienic [ˌʌnhaɪˈdʒiːnɪk] adj antihigiénico(ca).

unidentified flying object n objeto m volador no identificado.

unification [ˌjuːnɪfɪˈkeɪʃn] n unificación f.

uniform [ˈjuːnɪfɔːm] ◇ adj uniforme, constante. ◇ n uniforme m.

unify [ˈjuːnɪfaɪ] vt unificar, unir.

unilateral [ˌjuːnɪˈlætərəl] adj unilateral.

unimportant [ˌʌnɪm'pɔːtənt] *adj* sin importancia, insignificante.

uninhabited [ˌʌnɪn'hæbɪtɪd] *adj* deshabitado(da).

uninjured [ˌʌn'ɪndʒəd] *adj* ileso(sa).

uninstall [ˌʌnɪn'stɔːl] *vt* desinstalar.

unintelligent [ˌʌnɪn'telɪdʒent] *adj* poco inteligente.

unintentional [ˌʌnɪn'tenʃənl] *adj* involuntario(ria).

union ['juːnjən] ◇ *n* - 1. [trade union] sindicato *m* - 2. [alliance] unión *f*, alianza *f*. ◇ *comp* sindical.

Union Jack *n*: the Union Jack la bandera del Reino Unido.

unique [juː'niːk] *adj* - 1. [gen] único(ca) - 2. *fml* [peculiar, exclusive]: **unique to** peculiar de.

unison ['juːnɪzn] *n* unísono *m*.

unit ['juːnɪt] *n* - 1. [gen] unidad *f* - 2. [piece of furniture] módulo *m*, elemento *m*.

unite [juː'naɪt] ◇ *vt* [gen] unir; [country] unificar. ◇ *vi* unirse, juntarse.

united [juː'naɪtɪd] *adj* unido(da).

United Kingdom *n*: the United Kingdom el Reino Unido.

United Nations *n*: the United Nations las Naciones Unidas.

United States *n*: the United States (of America) los Estados Unidos (de América).

unit trust *n* UK fondo *m* de inversión mobiliaria.

unity ['juːnətɪ] *n* (U) unidad *f*, unión *f*.

universal [ˌjuːnɪ'vɜːsl] *adj* universal.

universe ['juːnɪvɜːs] *n*: the universe el universo.

university [ˌjuːnɪ'vɜːsətɪ] ◇ *n* universidad *f*. ◇ *comp* universitario(ria); **university student** (estudiante) universitario *m*, (estudiante) universitaria *f*.

unjust [ˌʌn'dʒʌst] *adj* injusto(ta).

unkempt [ˌʌn'kempt] *adj* [person] desaseado(da); [hair] despeinado(da); [clothes] descuidado(da).

unkind [ʌn'kaɪnd] *adj* [uncharitable] poco amable, cruel.

unknown [ˌʌn'nəʊn] *adj* desconocido(da); **unknown to him** sin que él lo supiera.

unlawful [ˌʌn'lɔːfʊl] *adj* ilegal, ilícito(ta).

unleaded [ˌʌn'ledɪd] *adj* sin plomo.

unleash [ˌʌn'liːʃ] *vt liter* desatar.

unless [ən'les] *conj* a menos que; **unless I say so** a menos que yo lo diga; **unless I'm mistaken** si no me equivoco.

unlike [ˌʌn'laɪk] *prep* - 1. [different from] distinto(ta) a, diferente a - 2. [differently from] a diferencia de - 3. [not typical of] poco característico(ca) de; **that's unlike him** no es propio de él.

unlikely [ʌn'laɪklɪ] *adj* - 1. [not probable] poco probable; **it's unlikely that he'll come now**, **he's unlikely to come now** ahora es poco probable que venga; **to be highly unlikely** ser muy poco probable - 2. [bizarre] inverosímil.

unlisted [ʌn'lɪstɪd] *adj* US [phone number] que no figura en la guía telefónica.

unload [ˌʌn'ləʊd] *vt* [goods, car] descargar.

unlock [ˌʌn'lɒk] *vt* abrir (con llave).

unlucky [ʌn'lʌkɪ] *adj* - 1. [unfortunate] desgraciado(da); **to be unlucky** tener mala suerte - 2. [number, colour etc] de la mala suerte; **to be unlucky** traer mala suerte.

unmarried [ˌʌn'mærɪd] *adj* que no se ha casado.

unmetered [ʌn'miːtəd] *adj* ilimitado(da).

unmistakable [ˌʌnmɪ'steɪkəbl] *adj* inconfundible.

unmitigated [ʌn'mɪtɪgeɪtɪd] *adj* absoluto(ta).

unnatural [ʌn'nætʃrəl] *adj* - 1. [unusual, strange] anormal - 2. [affected] afectado(da).

unnecessary [ʌn'nesəsərɪ] *adj* innecesario(ria).

unnerving [ˌʌn'nɜːvɪŋ] *adj* desconcertante.

unnoticed [ˌʌn'nəʊtɪst] *adj* inadvertido(da), desapercibido(da); **to go unnoticed** pasar desapercibido(da).

unobtainable [ˌʌnəb'teɪnəbl] *adj* inasequible.

unobtrusive [ˌʌnəb'truːsɪv] *adj* discreto(ta).

unofficial [ˌʌnə'fɪʃl] *adj* extraoficial.

unorthodox [ˌʌn'ɔːθədɒks] *adj* poco ortodoxo(xa).

unpack [ˌʌn'pæk] ◇ *vt* - 1. [box] desempaquetar, desembalar; [suitcases] deshacer - 2. [clothes] sacar (de la maleta). ◇ *vi* deshacer las maletas.

unpalatable [ʌn'pælətəbl] *adj* [food] incomible; [drink] imbebible; *fig* [difficult to accept] desagradable.

unparalleled [ʌn'pærəleld] *adj* incomparable, sin precedente.

unpleasant [ʌn'pleznt] *adj* - 1. [disagreeable] desagradable - 2. [unfriendly, rude - person] antipático(ca); [- remark] mezquino(na).

unplug [ʌn'plʌg] *vt* desenchufar, desconectar.

unpopular [ˌʌn'pɒpjʊlər] *adj* poco popular; **she was unpopular with the other girls** las otras chicas no le tenían mucho aprecio.

unprecedented [ʌn'presɪdəntɪd] *adj* sin precedentes, inaudito(ta).

unpredictable [ˌʌnprɪˈdɪktəbl] *adj* imprevisible.

unprofessional [ˌʌnprəˈfeʃənl] *adj* poco profesional.

unqualified [ˌʌnˈkwɒlɪfaɪd] *adj* - **1.** [not qualified] sin título, no cualificado(da) - **2.** [total, complete] incondicional.

unquestionable [ʌnˈkwestʃənəbl] *adj* incuestionable, indiscutible.

unquestioning [ʌnˈkwestʃənɪŋ] *adj* incondicional.

unravel [ʌnˈrævl] (*UK pt* & *pp* **-led**, *cont* **-ling**, *US pt* & *pp* **-ed**, *cont* **-ing**) *vt lit* & *fig* desenmarañar.

unreal [ˌʌnˈrɪəl] *adj* irreal.

unrealistic [ˌʌnrɪəˈlɪstɪk] *adj* [person] poco realista; [idea, plan] impracticable.

unreasonable [ʌnˈriːznəbl] *adj* - **1.** [person, behaviour, decision] poco razonable - **2.** [demand, price] excesivo(va).

unrelated [ˌʌnrɪˈleɪtɪd] *adj*: **to be unrelated (to)** no tener conexión (con).

unrelenting [ˌʌnrɪˈlentɪŋ] *adj* implacable, inexorable.

unreliable [ˌʌnrɪˈlaɪəbl] *adj* que no es de fiar.

unremitting [ˌʌnrɪˈmɪtɪŋ] *adj* incesante.

unrequited [ˌʌnrɪˈkwaɪtɪd] *adj* no correspondido(da).

unreserved [ˌʌnrɪˈzɜːvd] *adj* [wholehearted] incondicional, absoluto(ta).

unresolved [ˌʌnrɪˈzɒlvd] *adj* sin resolver, pendiente.

unrest [ˌʌnˈrest] *n* (*U*) malestar *m*, inquietud *f*.

unrivalled *UK*, **unrivaled** *US* [ʌnˈraɪvld] *adj* incomparable, sin par.

unroll [ˌʌnˈrəʊl] *vt* desenrollar.

unruly [ʌnˈruːlɪ] *adj* - **1.** [person, behaviour] revoltoso(sa) - **2.** [hair] rebelde.

unsafe [ˌʌnˈseɪf] *adj* [gen] inseguro(ra); [risky] arriesgado(da).

unsaid [ˌʌnˈsed] *adj*: **to leave sthg unsaid** dejar algo sin decir.

unsatisfactory [ˈʌnˌsætɪsˈfæktərɪ] *adj* insatisfactorio(ria).

unsavoury, **unsavory** *US* [ˌʌnˈseɪvərɪ] *adj* desagradable.

unscathed [ˌʌnˈskeɪðd] *adj* ileso(sa).

unscrew [ˌʌnˈskruː] *vt* - **1.** [lid, top] abrir - **2.** [sign, hinge] desatornillar.

unscrupulous [ʌnˈskruːpjʊləs] *adj* desaprensivo(va), poco escrupuloso(sa).

unseemly [ʌnˈsiːmlɪ] *adj* indecoroso(sa).

unselfish [ˌʌnˈselfɪʃ] *adj* altruista.

unsettle [ˌʌnˈsetl] *vt* perturbar.

unsettled [ˌʌnˈsetld] *adj* - **1.** [person] nervioso(sa), intranquilo(la) - **2.** [weather] variable - **3.** [argument, matter, debt] pendiente - **4.** [situation] inestable.

unshak(e)able [ʌnˈʃeɪkəbl] *adj* inquebrantable.

unshaven [ˌʌnˈʃeɪvn] *adj* sin afeitar.

unsightly [ʌnˈsaɪtlɪ] *adj* [building] feo(a); [scar, bruise] desagradable.

unskilled [ˌʌnˈskɪld] *adj* [person] no cualificado(a); [work] no especializado(da).

unsociable [ʌnˈsəʊʃəbl] *adj* poco sociable.

unsocial [ˌʌnˈsəʊʃl] *adj*: **to work unsocial hours** trabajar a horas intempestivas.

unsound [ˌʌnˈsaʊnd] *adj* - **1.** [conclusion, method] erróneo(a) - **2.** [building, structure] defectuoso(sa).

unspeakable [ʌnˈspiːkəbl] *adj* [crime] incalificable; [pain] indecible.

unstable [ˌʌnˈsteɪbl] *adj* inestable.

unsteady [ˌʌnˈstedɪ] *adj* [gen] inestable; [hands, voice] tembloroso(sa); [footsteps] vacilante.

unstoppable [ˌʌnˈstɒpəbl] *adj* irrefrenable.

unstuck [ˌʌnˈstʌk] *adj*: **to come unstuck** [notice, stamp, label] despegarse, desprenderse; *fig* [plan, system, person] fracasar.

unsubscribe [ˌʌnsəbˈskraɪb] *vi*: **to unsubscribe (from sth)** cancelar la suscripción (de algo).

unsuccessful [ˌʌnsəkˈsesfʊl] *adj* [person] fracasado(da); [attempt, meeting] infructuoso(sa); **to be unsuccessful** [person] no tener éxito.

unsuccessfully [ˌʌnsəkˈsesfʊlɪ] *adv* sin éxito, en vano.

unsuitable [ˌʌnˈsuːtəbl] *adj* inadecuado(da), inapropiado(da); **he is unsuitable for the job** no es la persona indicada para el trabajo; **I'm afraid 3 o'clock would be unsuitable** lo siento, pero no me va bien a las 3.

unsure [ˌʌnˈʃɔːr] *adj* - **1.** [not confident]: **to be unsure of o.s.** sentirse inseguro(ra) - **2.** [not certain]: **to be unsure (about OR of)** no estar muy seguro (de).

unsuspecting [ˌʌnsəˈspektɪŋ] *adj* desprevenido(da), confiado(da).

unsympathetic [ˈʌnˌsɪmpəˈθetɪk] *adj*: **unsympathetic to** indiferente a.

untangle [ˌʌnˈtæŋgl] *vt* desenmarañar.

untapped [ˌʌnˈtæpt] *adj* sin explotar.

untenable [ˌʌnˈtenəbl] *adj* insostenible.

unthinkable [ʌnˈθɪŋkəbl] *adj* impensable, inconcebible.

untidy [ʌnˈtaɪdɪ] *adj* [room, desk] desordenado(da); [person, appearance] desaliñado(da).

untie [ˌʌnˈtaɪ] (*cont* **untying**) *vt* desatar.

until [ən'tɪl] ⬦ *prep* hasta; **until now/then** hasta ahora/entonces. ⬦ *conj* - **1.** [gen] hasta que; **wait until everybody is there** espera a que haya llegado todo el mundo - **2.** *(after negative)*: **don't leave until you've finished** no te vayas hasta que hayas terminado.

untimely [ʌn'taɪmlɪ] *adj* - **1.** [premature] prematuro(ra) - **2.** [inappropriate] inoportuno(na).

untold [ʌn'təʊld] *adj* [incalculable, vast] incalculable; [suffering, joy] indecible.

untoward [ʌntə'wɔːd] *adj* [event] adverso(sa); [behaviour] fuera de lugar.

untrue [ʌn'truː] *adj* [not true] falso(sa).

unused *adj* - **1.** [ʌn'juːzd] [not previously used] nuevo(va), sin usar - **2.** [ʌn'juːst] [unaccustomed]: **to be unused to sthg/to doing sthg** no estar acostumbrado(da) a algo/a hacer algo.

unusual [ʌn'juːʒl] *adj* [rare] insólito(ta), poco común.

unusually [ʌn'juːʒəlɪ] *adv* - **1.** [exceptionally] extraordinariamente; **the exam was unusually difficult** el examen fue extraordinariamente difícil - **2.** [surprisingly] sorprendentemente.

unveil [ʌn'veɪl] *vt* - **1.** [statue, plaque] descubrir - **2.** *fig* [plans, policy] revelar.

unwanted [ʌn'wɒntɪd] *adj* [clothes, furniture] superfluo(flua); [child, pregnancy] no deseado(da).

unwavering [ʌn'weɪvərɪŋ] *adj* [determination, feeling] firme, inquebrantable; [concentration] constante; [gaze] fijo(ja).

unwelcome [ʌn'welkəm] *adj* inoportuno(na).

unwell [ʌn'wel] *adj*: **to be/feel unwell** estar/sentirse mal.

unwieldy [ʌn'wiːldɪ] *adj* - **1.** [object] abultado(da); [tool] poco manejable - **2.** *fig* [system, organization] poco eficiente.

unwilling [ʌn'wɪlɪŋ] *adj*: **to be unwilling to do sthg** no estar dispuesto a hacer algo.

unwind [ʌn'waɪnd] (*pt & pp* **unwound**) ⬦ *vt* desenrollar. ⬦ *vi fig* [person] relajarse.

unwise [ʌn'waɪz] *adj* imprudente.

unwitting [ʌn'wɪtɪŋ] *adj fml* inconsciente.

unworkable [ʌn'wɜːkəbl] *adj* impracticable.

unworthy [ʌn'wɜːðɪ] *adj* [undeserving]: **to be unworthy of** no ser digno(na) de.

unwound [ʌn'waʊnd] *pt & pp* ⬦ **unwind**.

unwrap [ʌn'ræp] *vt* [present] desenvolver; [parcel] desempaquetar.

unwritten law [ʌn'rɪtn-] *n* ley *f* no escrita.

up [ʌp] ⬦ *adv* - **1.** [towards a higher position] hacia arriba; [in a higher position] arriba; **to throw sthg up** lanzar algo hacia arriba; **she's**

up in her room está arriba en su cuarto; **we'll be up in just a moment** subiremos en un minuto; **we walked up to the top** subimos hasta arriba del todo; **put it up there** ponlo ahí arriba - **2.** [northwards]: **I'm going up to York next week** voy a subir a York la semana próxima; **up north** en el norte - **3.** [along a road or river] adelante; **their house is 100 metres further up** su casa está 100 metros más adelante. ⬦ *prep* - **1.** [towards a higher position]: **we went up the mountain** subimos por la montaña; **let's go up this road** vamos por esta carretera; **I went up the stairs** subí las escaleras - **2.** [in a higher position] en lo alto de; **up a tree** en un árbol - **3.** [at far end of] al final de; **they live up the road from us** viven más adelante en nuestra misma calle - **4.** [against current of river]: **up the Amazon** Amazonas arriba. ⬦ *adj* - **1.** [out of bed] levantado(da); **I was up at six today** hoy me levanté a las seis - **2.** [at an end] terminado(da) - **3.** *inf* [wrong]: **is something up?** ¿pasa algo?, ¿algo va mal?; **what's up?** ¿qué pasa? ⬦ *n*: **ups and downs** altibajos *mpl*. ⬦ **up and down** ⬦ *adv*: **to jump up and down** saltar para arriba y para abajo; **to walk up and down** andar para un lado y para otro. ⬦ *prep*: **we walked up and down the avenue** estuvimos caminando arriba y abajo de la avenida. ⬦ **up to** *prep* - **1.** [indicating level] hasta; **it could take up to six weeks** podría tardar hasta seis semanas; **it's not up to standard** no tiene el nivel necesario - **2.** [well or able enough for]: **to be up to doing sthg** sentirse con fuerzas (como) para hacer algo; **my French isn't up to much** mi francés no es gran cosa - **3.** *inf* [secretly doing something]: **what are you up to?** ¿qué andas tramando? - **4.** [indicating responsibility]: **it's not up to me to decide** no depende de mí el decidir. ⬦ **up until** *prep* hasta.

up-and-coming *adj* prometedor(ra).

upbringing ['ʌp,brɪŋɪŋ] *n* educación *f*.

update [ʌp'deɪt] *vt* actualizar.

upheaval [ʌp'hiːvl] *n* trastorno *m*, agitación *f*.

upheld [ʌp'held] *pt & pp* ⬦ **uphold**.

uphill [ʌp'hɪl] ⬦ *adj* [rising] empinado(da), cuesta arriba; *fig* [difficult] arduo(dua), difícil. ⬦ *adv* cuesta arriba.

uphold [ʌp'həʊld] (*pt & pp* -held) *vt* sostener, apoyar.

upholstery [ʌp'həʊlstərɪ] *n* tapicería *f*.

upkeep ['ʌpkiːp] *n* mantenimiento *m*.

uplifting [ʌp'lɪftɪŋ] *adj* inspirador(ra).

up-market *adj* de clase superior.

upon [ə'pɒn] *prep fml* en, sobre; **upon entering the room** al entrar en el cuarto; **question upon question** pregunta tras pregunta; **summer is upon us** ya tenemos el verano encima.

upper ['ʌpər] ⋄ adj superior. ⋄ n [of shoe] pala f.

upper class n: **the upper class** la clase alta.
➤ **upper-class** adj de clase alta.

upper hand n: **to have/gain the upper hand (in)** llevar/empezar a llevar la ventaja (en).

uppermost ['ʌpəməʊst] adj - **1.** [highest] más alto(ta) - **2.** [most important]: **to be uppermost in one's mind** ser lo más importante para uno.

upright ['ʌpraɪt] ⋄ adj - **1.** [erect - person, chair] derecho(cha) - **2.** [standing vertically - object] vertical - **3.** fig [honest] recto(ta), honrado(da). ⋄ adv erguidamente. ⋄ n poste m.

uprising ['ʌp,raɪzɪŋ] n sublevación f.

uproar ['ʌprɔːr] n - **1.** (U) [commotion] alboroto m - **2.** [protest] escándalo m.

uproot [ʌp'ruːt] vt - **1.** [person] desplazar, mudar - **2.** BOT [plant] desarraigar.

upset [ʌp'set] ⋄ adj - **1.** [distressed] disgustado(da); **to get upset** disgustarse - **2.** MED: **to have an upset stomach** sentirse mal del estómago. ⋄ n: **to have a stomach upset** sentirse mal del estómago. ⋄ vt (pt & pp **upset**) - **1.** [distress] disgustar, perturbar - **2.** [mess up] dar al traste con - **3.** [overturn, knock over] volcar.

upshot ['ʌpʃɒt] n resultado m.

upside down [,ʌpsaɪd-] ⋄ adj al revés. ⋄ adv al revés; **to turn sthg upside down** revolver algo, desordenar algo.

upstairs [,ʌp'steəz] ⋄ adj de arriba. ⋄ adv arriba. ⋄ n el piso de arriba.

upstart ['ʌpstɑːt] n advenedizo m, -za f.

upstream [,ʌp'striːm] adv río arriba.

upsurge ['ʌpsɜːdʒ] n: **upsurge of** OR **in** aumento m considerable de.

uptake ['ʌpteɪk] n: **to be quick on the uptake** cogerlas al vuelo; **to be slow on the uptake** ser un poco torpe.

uptight [ʌp'taɪt] adj inf tenso(sa), nervioso(sa).

up-to-date adj - **1.** [modern] moderno(na) - **2.** [most recent] actual, al día - **3.** [informed]: **to keep up-to-date with** mantenerse al día.

upturn ['ʌptɜːn] n: **upturn (in)** mejora f (de).

upward ['ʌpwəd] ⋄ adj hacia arriba. ⋄ adv US = **upwards**.

upwards ['ʌpwədz], **upward** adv hacia arriba. ➤ **upwards of** prep más de.

uranium [jʊ'reɪnjəm] n uranio m.

Uranus ['jʊərənəs] n Urano m.

urban ['ɜːbən] adj urbano(na).

urbane [ɜː'beɪn] adj cortés, urbano(na).

urchin ['ɜːtʃɪn] n dated pilluelo m, -la f.

Urdu ['ʊədu:] n urdu m.

urge [ɜːdʒ] ⋄ n impulso m, deseo m; **to have an urge to do sthg** desear ardientemente

hacer algo. ⋄ vt - **1.** [try to persuade]: **to urge sb to do sthg** instar a alguien a hacer algo - **2.** [advocate] recomendar encarecidamente.

urgency ['ɜːdʒənsɪ] n (U) urgencia f.

urgent ['ɜːdʒənt] adj - **1.** [pressing] urgente - **2.** [desperate] apremiante.

urinal [,jʊə'raɪnl] n [place] urinario m; [vessel] orinal m.

urinate ['jʊərɪneɪt] vi orinar.

urine ['jʊərɪn] n orina f.

URL (abbr of **uniform resource locator**) n COMPUT URL m.

urn [ɜːn] n - **1.** [for ashes] urna f - **2.** [for tea, coffee] cilindro o barril con grifo para servir té o café en grandes cantidades.

Uruguay ['jʊərəgwaɪ] n Uruguay.

Uruguayan [,jʊərə'gwaɪən] ⋄ adj uruguayo(ya). ⋄ n uruguayo m, -ya f.

us [ʌs] pers pron - **1.** (direct, indirect) nos; **can you see/hear us?** ¿puedes vernos/oírnos?; **it's us** somos nosotros; **he sent us a letter** nos mandó una carta; **she gave it to us** nos lo dio - **2.** (stressed, after prep, in comparisons etc) nosotros(tras); **you can't expect us to do it** no esperarás que lo hagamos **nosotros**; **with/without us** con/sin nosotros; **they are more wealthy than us** son más ricos que nosotros; **all of us** todos (nosotros); **some of us** algunos de nosotros.

US (abbr of **United States**) n EEUU mpl.

USA n (abbr of **United States of America**) EEUU mpl.

usage ['juːzɪdʒ] n uso m.

USB port n COMPUT puerto m USB.

use ⋄ n [juːs] uso m; **to be in use** usarse; **to be out of use** no usarse; **'out of use'** 'no funciona'; **to let sb have the use of sthg** dejar a alguien usar algo; **to be of no use** ser útil/inútil; **what's the use (of doing sthg)?** ¿de qué sirve (hacer algo)? ⋄ aux vb [juːs] soler, acostumbrar; **I used to go swimming** solía OR acostumbraba ir a nadar; **he used to be fat** antes estaba gordo. ⋄ vt [juːz] - **1.** [utilize, employ] usar, emplear - **2.** [exploit] usar, manejar. ➤ **use up** vt sep agotar.

used adj - **1.** [juːzd] [dirty, second-hand] usado(da) - **2.** [juːst] [accustomed]: **to be used to** estar acostumbrado(da) a; **to get used to** acostumbrarse a.

useful ['juːsfʊl] adj - **1.** [handy] útil - **2.** [helpful - person] valioso(sa).

useless ['juːslɪs] adj - **1.** [gen] inútil - **2.** inf [hopeless] incompetente.

user ['juːzər] n usuario m, -ria f.

user-friendly adj fácil de utilizar.

usher ['ʌʃər] ⋄ n [at wedding] ujier m; [at theatre, concert] acomodador m, -ra f. ⋄ vt: **to usher sb in** hacer pasar a alguien; **to usher sb out** acompañar a alguien hasta la puerta.

usherette [ˌʌʃəˈret] *n* acomodadora *f*.

USSR (*abbr of* Union of Soviet Socialist Republics) *n*: **the (former) USSR** la (antigua) URSS.

usual [ˈjuːʒəl] *adj* habitual; **as usual** [as normal] como de costumbre; [as often happens] como siempre.

usually [ˈjuːʒəlɪ] *adv* por regla general; **we usually go to church on Sunday** solemos ir a misa el domingo.

usurp [juːˈzɜːp] *vt fml* usurpar.

utensil [juːˈtensl] *n* utensilio *m*.

uterus [ˈjuːtərəs] (*pl* -ri [-raɪ] OR -ruses) *n* útero *m*.

utility [juːˈtɪlətɪ] *n* - 1. [gen] utilidad *f* - 2. [public service] servicio *m* público. ◆ **utilities** *npl US* [service charges] empresa *f* de servicios públicos.

utility room *n* trascocina *f*.

utilize, -ise [ˈjuːtəlaɪz] *vt* utilizar.

utmost [ˈʌtməʊst] ◇ *adj* mayor, supremo(ma). ◇ *n*: **to do one's utmost** hacer lo imposible; **to the utmost** al máximo, a más no poder.

utter [ˈʌtər] ◇ *adj* puro(ra), completo(ta). ◇ *vt* [word] pronunciar; [sound, cry] emitir.

utterly [ˈʌtəlɪ] *adv* completamente.

U-turn *n lit* & *fig* giro *m* de 180°; **to do a U-turn** [in car] cambiar de sentido; *fig* dar un giro radical.

V

v[1] (*pl* v's OR vs), **V** (*pl* V's OR Vs) [viː] *n* [letter] v *f*, V *f*.

v[2] - 1. (*abbr of* verse) v - 2. (*abbr of* volt) v - 3. [cross-reference] (*abbr of* vide) v. - 4. *abbr of* versus.

vacancy [ˈveɪkənsɪ] *n* - 1. [job, position] vacante *f* - 2. [room available] habitación *f* libre; **'no vacancies'** 'completo'.

vacant [ˈveɪkənt] *adj* - 1. [room, chair, toilet] libre - 2. [job, post] vacante - 3. [look, expression] distraído(da).

vacant lot *n* terreno *m* disponible.

vacate [vəˈkeɪt] *vt* - 1. [job, post] dejar vacante - 2. [room, seat, premises] desocupar.

vacation [vəˈkeɪʃn] *US* ◇ *n* vacaciones *fpl*; **to be on vacation** estar de vacaciones. ◇ *vi* pasar las vacaciones.

vacationer [vəˈkeɪʃənər] *n US*: **summer vacationer** veraneante *mf*.

vaccinate [ˈvæksɪneɪt] *vt*: **to vaccinate sb (against sthg)** vacunar a alguien (de OR contra algo).

vaccine [UK ˈvæksiːn, US vækˈsiːn] *n* vacuna *f*.

vacuum [ˈvækjʊəm] ◇ *n* - 1. *fig* & TECH vacío *m* - 2. [cleaner] aspiradora *f*. ◇ *vt* pasar la aspiradora por.

vacuum cleaner *n* aspiradora *f*.

vacuum-packed *adj* envasado(da) al vacío.

vagina [vəˈdʒaɪnə] *n* vagina *f*.

vagrant [ˈveɪgrənt] *n* vagabundo *m*, -da *f*.

vague [veɪg] *adj* - 1. [imprecise] vago(ga), impreciso(sa) - 2. [person] poco claro(ra) - 3. [feeling] leve - 4. [evasive] evasivo(va) - 5. [absentminded] distraído(da) - 6. [outline] borroso(sa).

vaguely [ˈveɪglɪ] *adv* - 1. [imprecisely] vagamente - 2. [slightly, not very] levemente.

vain [veɪn] *adj* - 1. *pej* [conceited] vanidoso(sa) - 2. [futile] vano(na). ◆ **in vain** *adv* en vano.

valentine card [ˈvæləntaɪn-] *n* tarjeta *f* que se manda el Día de los Enamorados.

valet [ˈvæleɪ, ˈvælɪt] *n* ayuda *m* de cámara.

valiant [ˈvæljənt] *adj* valeroso(sa).

valid [ˈvælɪd] *adj* - 1. [argument, explanation] válido(da) - 2. [ticket, driving licence] en vigor; **to be valid for six months** ser válido(da) durante seis meses.

valley [ˈvælɪ] (*pl* valleys) *n* valle *m*.

valour *UK*, **valor** *US* [ˈvælər] *n* (U) *fml* & *liter* valor *m*.

valuable [ˈvæljʊəbl] *adj* valioso(sa). ◆ **valuables** *npl* objetos *mpl* de valor.

valuation [ˌvæljʊˈeɪʃn] *n* - 1. [pricing, estimated price] valuación *f* - 2. [opinion, judging of worth] valoración *f*.

value [ˈvæljuː] ◇ *n* valor *m*; **to be good value** estar muy bien de precio; **to be value for money** estar muy bien de precio; **to take sthg/sb at face value** tomarse algo/a alguien en su sentido literal. ◇ *vt* - 1. [estimate price of] valorar, tasar; **a necklace valued at £300** un collar valorado en 300 libras - 2. [cherish] apreciar. ◆ **values** *npl* [morals] valores *mpl* morales.

value-added tax [-ædɪd-] *n* impuesto *m* sobre el valor añadido.

valued [ˈvæljuːd] *adj* apreciado(da).

valve [vælv] *n* [in pipe, tube] válvula *f*.

van [væn] *n* - **1.** AUT furgoneta *f*, camioneta *f* - **2.** UK RAIL furgón *m*.

vandal ['vændl] *n* vándalo *m*, gamberro *m*, -rra *f*.

vandalism ['vændəlɪzm] *n* vandalismo *m*, gamberrismo *m*.

vandalize, -ise ['vændəlaɪz] *vt* destruir, destrozar.

vanguard ['vængɑːd] *n* vanguardia *f*; **in the vanguard of** a la vanguardia de.

vanilla [və'nɪlə] *n* vainilla *f*.

vanish ['vænɪʃ] *vi* desaparecer.

vanity ['vænətɪ] *n pej* vanidad *f*.

vantage point ['vɑːntɪdʒ,pɔɪnt] *n* posición *f* ventajosa.

vapour UK, **vapor** US ['veɪpər] *n* (U) vapor *m*.

variable ['veərɪəbl] *adj* variable.

variance ['veərɪəns] *n fml*: **at variance (with)** en desacuerdo (con).

variation [,veərɪ'eɪʃn] *n*: **variation (in/on)** variación *f* (en/sobre).

varicose veins ['værɪkəʊs-] *npl* varices *fpl*.

varied ['veərɪd] *adj* variado(da).

variety [və'raɪətɪ] *n* - **1.** [gen] variedad *f*; **for a variety of reasons** por razones varias - **2.** (U) THEAT variedades *fpl*.

variety show *n* espectáculo *m* de variedades.

various ['veərɪəs] *adj* - **1.** [several] varios(rias) - **2.** [different] diversos(sas).

varnish ['vɑːnɪʃ] ◇ *n* barniz *m*. ◇ *vt* [with varnish] barnizar; [with nail varnish] pintar.

vary ['veərɪ] ◇ *vt* variar. ◇ *vi*: **to vary (in/ with)** variar (de/con).

vase [UK vɑːz, US veɪz] *n* florero *m*.

Vaseline® ['væsəliːn] *n* vaselina® *f*.

vast [vɑːst] *adj* enorme, inmenso(sa).

vat [væt] *n* cuba *f*, tina *f*.

VAT [væt vi:eɪ'ti:] (*abbr of* value added tax) *n* IVA *m*.

Vatican ['vætɪkən] *n*: **the Vatican** el Vaticano.

vault [vɔːlt] ◇ *n* - **1.** [in bank] cámara *f* acorazada - **2.** [in church] cripta *f* - **3.** [roof] bóveda *f*. ◇ *vt* saltar. ◇ *vi*: **to vault over sthg** saltar por encima de algo.

VCR (*abbr of* video cassette recorder) *n* US aparato *m* de vídeo.

VD (*abbr of* venereal disease) *n* ETS *f*.

VDU (*abbr of* visual display unit) *n* monitor *m*.

veal [viːl] *n* (U) ternera *f*.

veer [vɪər] *vi* virar.

vegan ['viːgən] *n* vegetariano que no consume ningún producto que provenga de un animal, como huevos, leche etc.

vegetable ['vedʒtəbl] ◇ *n* - **1.** BOT vegetal *m* - **2.** [food] hortaliza *f*, legumbre *f*; **vegetables** verduras *fpl*. ◇ *adj* vegetal.

vegetarian [,vedʒɪ'teərɪən] ◇ *adj* vegetariano(na). ◇ *n* vegetariano *m*, -na *f*.

vegetation [,vedʒɪ'teɪʃn] *n* vegetación *f*.

veggieburger ['vedʒɪbɜːgər] *n* hamburguesa *f* vegetariana.

vehement ['viːəmənt] *adj* [person, denial] vehemente; [attack, gesture] violento(ta).

vehicle ['viːəkl] *n* [for transport] vehículo *m*.

veil [veɪl] ◇ *n lit & fig* velo *m*. ◇ *vt* cubrir con un velo.

vein [veɪn] *n* - **1.** ANAT & BOT vena *f* - **2.** [of mineral] filón *m*, veta *f*.

velocity [vɪ'lɒsətɪ] *n* velocidad *f*.

velvet ['velvɪt] *n* terciopelo *m*.

vendetta [ven'detə] *n* enemistad *f* mortal.

vending machine ['vendɪŋ-] *n* máquina *f* de venta.

vendor ['vendɔːr] *n* vendedor *m*, -ra *f*.

veneer [və'nɪər] *n* [of wood] chapa *f*; *fig* [appearance] apariencia *f*; **a veneer of** una apariencia de.

venereal disease [vɪ'nɪərɪəl-] *n* enfermedad *f* venérea.

venetian blind *n* persiana *f* veneciana.

Venezuela [,venɪz'weɪlə] *n* Venezuela.

Venezuelan [,venɪz'weɪlən] ◇ *adj* venezolano(na). ◇ *n* venezolano *m*, -na *f*.

vengeance ['vendʒəns] *n* venganza *f*; **with a vengeance** con creces.

venison ['venɪzn] *n* carne *f* de venado.

venom ['venəm] *n* [poison] veneno *m*; *fig* [spite] malevolencia *f*.

vent [vent] ◇ *n* [opening] abertura *f* de escape; [grille] rejilla *f* de ventilación; **to give vent to sthg** dar rienda suelta a algo. ◇ *vt*: **to vent sthg (on)** desahogar algo (contra).

ventilate ['ventɪleɪt] *vt* ventilar.

ventilator ['ventɪleɪtər] *n* ventilador *m*.

ventriloquist [ven'trɪləkwɪst] *n* ventrílocuo *m*, -cua *f*.

venture ['ventʃər] ◇ *n* empresa *f*. ◇ *vt* aventurar; **to venture an opinion** aventurarse a dar una opinión; **to venture to do sthg** aventurarse a hacer algo. ◇ *vi* - **1.** [go somewhere dangerous]: **she ventured outside** se atrevió a salir - **2.** [take a risk]: **to venture into** lanzarse a.

venue ['venjuː] *n* lugar *m* (en que se celebra algo).

Venus ['viːnəs] *n* [planet] Venus *m*.

veranda(h) [vəˈrændə] *n* veranda *f*.

verb [vɜːb] *n* verbo *m*.

verbal [ˈvɜːbl] *adj* verbal.

verbatim [vɜːˈbeɪtɪm] <> *adj* literal. <> *adv* literalmente, palabra por palabra.

verbose [vɜːˈbəʊs] *adj fml* [person] verboso(sa); [report] prolijo(ja).

verdict [ˈvɜːdɪkt] *n* - **1.** LAW veredicto *m*, fallo *m*; **a verdict of guilty/not guilty** un veredicto de culpabilidad/inocencia - **2.** [opinion]: **verdict (on)** juicio *m* OR opinión *f* (sobre).

verge [vɜːdʒ] *n* - **1.** [edge, side] borde *m* - **2.** [brink]: **on the verge of sthg** al borde de algo; **to be on the verge of doing sthg** estar a punto de hacer algo. ◆ **verge (up)on** *vt insep* rayar en.

verify [ˈverɪfaɪ] *vt* - **1.** [check] verificar, comprobar - **2.** [confirm] confirmar.

veritable [ˈverɪtəbl] *adj hum & fml* verdadero(ra).

vermin [ˈvɜːmɪn] *npl* [insects] bichos *mpl*; [animals] alimañas *fpl*.

vermouth [ˈvɜːməθ] *n* vermut *m*.

versa ▷ **vice versa**.

versatile [ˈvɜːsətaɪl] *adj* - **1.** [person] polifacético(ca) - **2.** [machine, tool] que tiene muchos usos.

verse [vɜːs] *n* - **1.** (U) [poetry] versos *mpl*, poesía *f* - **2.** [stanza] estrofa *f* - **3.** [in Bible] versículo *m*.

versed [vɜːst] *adj*: **well versed in** versado(da) en.

version [ˈvɜːʃn] *n* versión *f*.

versus [ˈvɜːsəs] *prep* SPORT contra.

vertebra [ˈvɜːtɪbrə] (*pl* **-brae** [-briː]) *n* vértebra *f*.

vertical [ˈvɜːtɪkl] *adj* vertical.

vertigo [ˈvɜːtɪgəʊ] *n* vértigo *m*.

verve [vɜːv] *n* brío *m*, entusiasmo *m*.

very [ˈverɪ] <> *adv* - **1.** [as intensifier] muy; **he's not very intelligent** no es muy inteligente; **very much** mucho; **I don't go out very often** OR **much** no salgo mucho; **is it good? – not very** ¿es bueno? – no mucho - **2.** [emphatic]: **the very same/next day** justo ese mismo día/al día siguiente; **the very first** el primero de todos; **the very best** el mejor (de todos); **at the very least** como muy poco; **a house of my very own** mi propia casa. <> *adj*: **in the very middle of the picture** en el mismísimo centro del cuadro; **the very thing I was looking for** justo lo que estaba buscando; **the very thought makes me ill** sólo con pensarlo me pongo enfermo; **fighting for his very life** luchando por su propia vida; **the very idea!** ¡va-

ya idea! ◆ **very well** *adv* muy bien; **you can't very well stop him now** es un poco tarde para impedírselo.

vessel [ˈvesl] *n fml* - **1.** [boat] nave *f* - **2.** [container] vasija *f*, recipiente *m*.

vest [vest] *n* - **1.** UK [undershirt] camiseta *f* - **2.** US [waistcoat] chaleco *m*.

vested interest [ˈvestɪd-] *n*: **vested interest (in)** intereses *mpl* creados (en).

vestibule [ˈvestɪbjuːl] *n fml* [entrance hall] vestíbulo *m*.

vestige [ˈvestɪdʒ] *n fml* vestigio *m*.

vestry [ˈvestrɪ] *n* sacristía *f*.

vet [vet] <> *n* UK (*abbr of* **veterinary surgeon**) veterinario *m*, -ria *f*. <> *vt* someter a una investigación.

veteran [ˈvetrən] *n* veterano *m*, -na *f*.

veterinarian [ˌvetərɪˈneərɪən] *n* US veterinario *m*, -ria *f*.

veterinary surgeon [ˈvetərɪnrɪ-] *n* UK fml veterinario *m*, -ria *f*.

veto [ˈviːtəʊ] <> *n* (*pl* **-es**) veto *m*. <> *vt* vetar.

vex [veks] *vt fml* molestar.

vexed question [ˌvekst-] *n* manzana *f* de la discordia.

vg (*abbr of* **very good**) MB.

VGA (*abbr of* **video graphics array**) *n* COMPUT VGA *m*.

VHF (*abbr of* **very high frequency**) VHF.

VHS (*abbr of* **video home system**) *n* VHS *m*.

via [ˈvaɪə] *prep* - **1.** [travelling through] vía - **2.** [by means of] a través de, por.

viable [ˈvaɪəbl] *adj* viable.

vibrate [vaɪˈbreɪt] *vi* vibrar.

vicar [ˈvɪkər] *n* [in Church of England] párroco *m*; [in Roman Catholic Church] vicario *m*.

vicarage [ˈvɪkərɪdʒ] *n* casa *f* del párroco.

vicarious [vɪˈkeərɪəs] *adj* indirecto(ta).

vice [vaɪs] *n* - **1.** [immorality, moral fault] vicio *m* - **2.** [tool] torno *m* de banco.

vice-chairman *n* vicepresidente *m*.

vice-chancellor *n* UNIV rector *m*, -ra *f*.

vice-president *n* vicepresidente *m*, -ta *f*.

vice versa [ˌvaɪsɪˈvɜːsə] *adv* viceversa.

vicinity [vɪˈsɪnətɪ] *n*: **in the vicinity (of)** cerca (de).

vicious [ˈvɪʃəs] *adj* [dog] furioso(sa); [person, ruler] cruel; [criticism, attack] despiadado(da).

vicious circle *n* círculo *m* vicioso.

victim [ˈvɪktɪm] *n* víctima *f*.

victimize, -ise [ˈvɪktɪmaɪz] *vt* [retaliate against] tomar represalias contra; [pick on] mortificar.

victor [ˈvɪktər] *n liter* vencedor *m*, -ra *f*.

victorious [vɪk'tɔːrɪəs] *adj* victorioso(sa).

victory ['vɪktərɪ] *n*: **victory (over)** victoria *f* (sobre).

video ['vɪdɪəʊ] <> *n* (*pl* **-s**) - 1. [recording, medium, machine] vídeo *m* - 2. [cassette] videocasete *m*. <> *vt* - 1. [using video recorder] grabar en vídeo - 2. [using camera] hacer un vídeo de.

video camera *n* videocámara *f*.

video cassette *n* videocasete *m*.

videoconference ['vɪdɪəʊ,kɒnfərəns] *n* videoconferencia *f*.

videoconferencing ['vɪdɪəʊ,kɒnfərənsɪŋ] *n* (*U*) videoconferencias *fpl*.

video game *n* videojuego *m*.

video on demand *n* (*U*) TV vídeo *m* a la carta.

videorecorder ['vɪdɪəʊrɪ,kɔːdər] *n* vídeo *m*.

video shop *n* tienda *f* de vídeos.

videotape ['vɪdɪəʊteɪp] *n* videocinta *f*.

vie [vaɪ] (*pt* & *pp* **vied**, *cont* **vying**) *vi*: **to vie (with sb for sthg/to do sthg)** competir (con alguien por algo/para hacer algo).

Vietnam [*UK* ,vjet'næm, *US* ,vjet'nɑːm] *n* (el) Vietnam.

Vietnamese [,vjetnə'miːz] <> *adj* vietnamita. <> *n* - 1. [person] vietnamita *mf* - 2. [language] vietnamita *m*.

view [vjuː] <> *n* - 1. [opinion] parecer *m*, opinión *f*; **in my view** en mi opinión - 2. [attitude]: **view (of)** actitud *f* (frente a) - 3. [scene] vista *f*, panorama *m* - 4. [field of vision] vista *f*; **to come into view** aparecer. <> *vt* - 1. [consider] ver, considerar - 2. *fml* [examine, look at - stars etc] observar; [- house, flat] visitar, ver. ◆ **in view of** *prep* en vista de. ◆ **with a view to** *conj* con miras *OR* vistas a.

viewer ['vjuːər] *n* - 1. [person] espectador *m*, -ra *f* - 2. [apparatus] visionador *m*.

viewfinder ['vjuː,faɪndər] *n* visor *m*.

viewpoint ['vjuːpɔɪnt] *n* - 1. [opinion] punto *m* de vista - 2. [place] mirador *m*.

vigil ['vɪdʒɪl] *n* - 1. [watch] vigilia *f*; **to keep (a) vigil** observar vigilia - 2. RELIG Vigilia *f*.

vigilante [,vɪdʒɪ'læntɪ] *n* persona que extraoficialmente patrulla un área para protegerla tomándose la justicia en sus manos.

vigorous ['vɪgərəs] *adj* enérgico(ca).

vile [vaɪl] *adj* [person, act] vil, infame; [food, smell] repugnante; [mood] de perros.

villa ['vɪlə] *n* [in country] villa *f*; [in town] chalet *m*.

village ['vɪlɪdʒ] *n* aldea *f*, pueblecito *m*.

villager ['vɪlɪdʒər] *n* aldeano *m*, -na *f*.

villain ['vɪlən] *n* - 1. [of film, book] malo *m*, -la *f* - 2. *dated* [criminal] criminal *mf*.

vinaigrette [,vɪnɪ'gret] *n* vinagreta *f*.

vindicate ['vɪndɪkeɪt] *vt* justificar.

vindictive [vɪn'dɪktɪv] *adj* vengativo(va).

vine [vaɪn] *n* [on ground] vid *f*; [climbing plant] parra *f*.

vinegar ['vɪnɪgər] *n* vinagre *m*.

vineyard ['vɪnjəd] *n* viña *f*, viñedo *m*.

vintage ['vɪntɪdʒ] <> *adj* - 1. [wine] añejo(ja) - 2. [classic] clásico(ca) - 3. [outstanding]: **a vintage year** un año excepcional. <> *n* cosecha *f* (de vino).

vintage wine *n* vino *m* añejo.

vinyl ['vaɪnɪl] *n* vinilo *m*.

viola [vɪ'əʊlə] *n* viola *f*.

violate ['vaɪəleɪt] *vt* - 1. [law, treaty, rights] violar, infringir - 2. [peace, privacy] invadir.

violence ['vaɪələns] *n* violencia *f*.

violent ['vaɪələnt] *adj* - 1. [gen] violento(ta) - 2. [emotion, anger] intenso(sa); **to have a violent dislike for sb** sentir una enorme antipatía hacia alguien.

violet ['vaɪələt] <> *adj* violeta, violado(da). <> *n* [flower] violeta *f*.

violin [,vaɪə'lɪn] *n* violín *m*.

violinist [,vaɪə'lɪnɪst] *n* violinista *mf*.

VIP (*abbr of* very important person) *n* VIP *mf*.

viper ['vaɪpər] *n* víbora *f*.

virgin ['vɜːdʒɪn] <> *adj liter* - 1. [spotless] virgen - 2. [olive oil] virgen. <> *n* virgen *mf*.

Virgo ['vɜːgəʊ] (*pl* **-s**) *n* Virgo *m*.

virile ['vɪraɪl] *adj* viril.

virtually ['vɜːtʃʊəlɪ] *adv* prácticamente.

virtual reality *n* realidad *f* virtual.

virtue ['vɜːtjuː] *n* - 1. [morality, good quality] virtud *f* - 2. [benefit] ventaja *f*. ◆ **by virtue of** *prep fml* en virtud de.

virtuous ['vɜːtʃʊəs] *adj* virtuoso(sa).

virus ['vaɪrəs] *n* COMPUT & MED virus *m*.

visa ['viːzə] *n* visado *m*, visa *f Amér*.

vis-à-vis [,viːzɑː'viː] *prep fml* con relación a.

viscose ['vɪskəʊs] *n* viscosa *f*.

visibility [,vɪzɪ'bɪlətɪ] *n* visibilidad *f*.

visible ['vɪzəbl] *adj* visible.

vision ['vɪʒn] *n* - 1. (*U*) [ability to see] visión *f*, vista *f* - 2. *fig* [foresight] clarividencia *f* - 3. [impression, dream] visión *f*.

visit ['vɪzɪt] <> *n* visita *f*; **to pay sb a visit** hacer una visita a alguien; **on a visit** de visita. <> *vt* visitar.

visiting hours ['vɪzɪtɪŋ-] *npl* horas *fpl* de visita.

visitor ['vɪzɪtər] *n* - 1. [to one's home, hospital] visita *f*; **we've got visitors** [at home] tenemos visitas - 2. [to museum, town etc] visitante *mf*.

visitors' book *n* libro *m* de visitas.

visor ['vaizər] n visera f.

vista ['vistə] n [view] vista f, perspectiva f; fig [wide range] perspectiva.

visual ['viʒuəl] adj [gen] visual; [of the eyes] ocular.

visual aids npl medios mpl visuales.

visual display unit n monitor m.

visualize, -ise ['viʒuəlaiz] vt visualizar; **to visualize (sb) doing sthg** imaginar (a alguien) haciendo algo.

vital ['vaitl] adj - **1**. [essential] vital, esencial - **2**. [full of life] enérgico(ca).

vitally ['vaitəli] adv sumamente.

vital statistics npl inf medidas fpl (del cuerpo de la mujer).

vitamin [UK 'vitəmin, US 'vaitəmin] n vitamina f; **vitamin C** vitamina C.

vitamin pill n pastilla f vitamínica.

vivacious [vi'veiʃəs] adj vivaz.

vivid ['vivid] adj - **1**. [colour] vivo(va) - **2**. [description, memory] vívido(da).

vividly ['vividli] adv - **1**. [brightly] con colores muy vivos - **2**. [clearly] vívidamente.

vixen ['viksn] n zorra f.

VLF (abbr of very low frequency) VLF.

V-neck n [sweater, dress] jersey m con cuello de pico.

vocabulary [və'kæbjuləri] n vocabulario m.

vocal ['vəukl] adj - **1**. [outspoken] vociferante - **2**. [of the voice] vocal.

vocal cords npl cuerdas fpl vocales.

vocalist ['vəukəlist] n [in orchestra] vocalista mf; [in pop group] cantante mf.

vocation [vəu'keiʃn] n vocación f.

vocational [vəu'keiʃənl] adj profesional.

vociferous [və'sifərəs] adj fml ruidoso(sa).

vodka ['vodkə] n [drink] vodka m.

vogue [vəug] n moda f; **in vogue** en boga, de moda.

voice [vɔis] <> n voz f; **to give voice to** expresar. <> vt [opinion, emotion] expresar.

voice mail n correo m de voz; **to send/receive voice mail** mandar/recibir un mensaje de correo de voz; **to check one's voice mail** verificar el correo de voz.

void [vɔid] <> adj - **1**. [invalid] inválido(da), ▷ **null** - **2**. fml [empty]: **void of** falto(ta) de. <> n liter vacío m.

volatile [UK 'vɒlətail, US 'vɒlətl] adj [situation] volátil; [person] voluble.

vol-au-vent ['vɒləuvɑ̃] n volován m.

volcano [vɒl'keinəu] (pl -es OR -s) n volcán m.

volition [və'liʃn] n fml: **of one's own volition** por voluntad propia.

volley ['vɒli] <> n (pl volleys) - **1**. [of gunfire] ráfaga f - **2**. fig [rapid succession] torrente m - **3**. SPORT volea f. <> vt volear.

volleyball ['vɒlibɔ:l] n voleibol m.

volt [vəult] n voltio m.

voltage ['vəultidʒ] n voltaje m.

voluble ['vɒljubl] adj fml locuaz.

volume ['vɒlju:m] n volumen m; **to speak volumes** decir mucho.

voluntarily [UK 'vɒləntrili, US ,vɒlən'terəli] adv voluntariamente.

voluntary ['vɒləntri] adj voluntario(ria); **voluntary organization** organización f benéfica.

volunteer [,vɒlən'tiər] <> n [person who volunteers] voluntario m, -ria f. <> vt - **1**. [offer of one's free will]: **to volunteer to do sthg** ofrecerse para hacer algo - **2**. [information, advice] dar, ofrecer. <> vi - **1**. [freely offer one's services]: **to volunteer (for)** ofrecerse (para) - **2**. MIL alistarse.

vomit ['vɒmit] <> n vómito m. <> vi vomitar.

vote [vəut] <> n - **1**. [gen] voto m - **2**. [session, ballot, result] votación f; **to put sthg to the vote, to take a vote on sthg** someter algo a votación - **3**. [votes cast]: **the vote** los votos. <> vt - **1**. [person, leader] elegir - **2**. [choose]: **to vote to do sthg** votar hacer algo. <> vi: **to vote (for/against)** votar (a favor de/en contra de).

vote of thanks (pl votes of thanks) n palabras fpl de agradecimiento.

voter ['vəutər] n votante mf.

voting ['vəutiŋ] n votación f.

vouch [vautʃ] ▪ **vouch for** vt insep - **1**. [person] responder por - **2**. [character, accuracy] dar fe de.

voucher ['vautʃər] n vale m.

vow [vau] <> n RELIG voto m; [solemn promise] promesa f solemne. <> vt: **to vow to do sthg** jurar hacer algo; **to vow that** jurar que.

vowel ['vauəl] n vocal f.

voyage ['vɔiidʒ] n viaje m.

vs abbr of **versus**.

VSO (abbr of Voluntary Service Overseas) n organización británica de voluntarios que ayuda a países en vías de desarrollo.

vulgar ['vʌlgər] adj - **1**. [in bad taste] ordinario(ria) - **2**. [offensive] grosero(ra).

vulnerable ['vʌlnərəbl] adj: **vulnerable (to)** vulnerable (a).

vulture ['vʌltʃər] n lit & fig buitre m.

W

w (*pl* **w's** OR **ws**), **W** (*pl* **W's** OR **Ws**) ['dʌblju:] *n* [letter] w *f*, W *f*. ► **W - 1.** (*abbr of* **west**) O - **2.** (*abbr of* **watt**) w.

wad [wɒd] *n* - **1.** [of paper] taco *m* - **2.** [of banknotes, documents] fajo *m* - **3.** [of cotton, cotton wool, tobacco] bola *f*.

waddle ['wɒdl] *vi* caminar como un pato.

wade [weɪd] *vi* caminar por el agua. ► **wade through** *vt insep fig*: **he was wading through the documents** le costaba mucho leer los documentos.

wading pool ['weɪdɪŋ-] *n* US piscina *f* para niños.

wafer ['weɪfər] *n* [thin biscuit] barquillo *m*.

waffle ['wɒfl] ◇ *n* - **1.** CULIN gofre *m* - **2.** UK *inf* [vague talk] paja *f*. ◇ *vi* enrollarse; **to waffle on about sthg** enrollarse sobre algo.

waft [wɑ:ft wɒft] *vi* flotar.

wag [wæg] ◇ *vt* menear; **the dog was wagging its tail** el perro meneaba la cola. ◇ *vi* menearse.

wage [weɪdʒ] ◇ *n* [gen] salario *m*; [daily] jornal *m*. ◇ *vt*: **to wage war** hacer la guerra. ► **wages** *npl* [gen] salario *m*; [daily] jornal *m*.

wage earner [-,ɜ:nər] *n* asalariado *m*, -da *f*.

wage packet *n* UK - **1.** [envelope] sobre *m* de pago - **2.** *fig* [pay] paga *f*.

wager ['weɪdʒər] *n* apuesta *f*.

waggle ['wægl] *inf vt* menear.

waggon ['wægən] UK = **wagon**.

wagon, waggon ['wægən] *n* - **1.** [horse-drawn vehicle] carro *m* - **2.** UK RAIL vagón *m*.

wail [weɪl] ◇ *n* lamento *m*, gemido *m*. ◇ *vi* lamentarse, gemir.

waist [weɪst] *n* cintura *f*.

waistcoat ['weɪskəʊt] *n esp* US chaleco *m*.

waistline ['weɪstlaɪn] *n* cintura *f*, talle *m*.

wait [weɪt] ◇ *n* espera *f*; **to lie in wait for sb** estar al acecho de alguien. ◇ *vi*: **to wait (for sthg/sb)** esperar (algo/a alguien); **to wait and see** esperar y ver lo que pasa; **wait a minute** OR **second** OR **moment!** [interrupting sb] ¡espera un minuto OR segundo OR momento!; [interrupting o.s.] ¡espera!; **keys cut while you wait** se hacen llaves en el acto. ► **wait for** *vt insep* esperar. ► **wait on** *vt insep* [serve food to] servir. ► **wait up** *vi* - **1.** quedarse despierto(ta) esperando - **2.** US: **wait up!** ¡un momento!

waiter ['weɪtər] *n* camarero *m*.

waiting list ['weɪtɪŋ-] *n* lista *f* de espera.

waiting room ['weɪtɪŋ-] *n* sala *f* de espera.

waitress ['weɪtrɪs] *n* camarera *f*.

waive [weɪv] *vt fml* [rule] no aplicar.

wake [weɪk] ◇ *n* [of ship, boat] estela *f*; **in the wake of** *fig* tras. ◇ *vt* (*pt* **woke** OR **-d**, *pp* **woken** OR **-d**) despertar. ◇ *vi* (*pt* **woke** OR **-d**, *pp* **woken** OR **-d**) despertarse. ► **wake up** ◇ *vt sep* despertar. ◇ *vi* [wake] despertarse.

waken ['weɪkən] *fml* ◇ *vt* despertar. ◇ *vi* despertarse.

Wales [weɪlz] *n* (el país de) Gales.

walk [wɔ:k] ◇ *n* - **1.** [way of walking] andar *m*, paso *m* - **2.** [journey on foot] paseo *m*; **to go for a walk** dar un paseo; **it's ten minutes' walk away** está a diez minutos andando. ◇ *vt* - **1.** [dog] pasear - **2.** [streets] andar por; [distance] recorrer, andar. ◇ *vi* - **1.** [move on foot] andar, caminar - **2.** [for pleasure] pasear. ► **walk out** *vi* - **1.** [leave suddenly] salirse - **2.** [go on strike] declararse en huelga. ► **walk out on** *vt insep* abandonar.

walker ['wɔ:kər] *n* caminante *mf*, paseante *mf*.

walkie-talkie [,wɔ:kɪ'tɔ:kɪ] *n* walki-talki *m*.

walking ['wɔ:kɪŋ] ◇ *n* (U) [for sport] marcha *f*; [for pleasure] andar *m*; **he does a lot of walking** camina mucho. ◇ *adj*: **he's a walking disaster** *hum* es un desastre andante.

walking shoes *npl* zapatos *mpl* para caminar.

walking stick *n* bastón *m*.

Walkman® ['wɔ:kmən] *n* walkman® *m*.

walk of life (*pl* **walks of life**) *n*: **people from all walks of life** gente de toda condición.

walkout ['wɔ:kaʊt] *n* huelga *f*.

walkover ['wɔ:k,əʊvər] *n* victoria *f* fácil.

walkup [':wɔ:kʌp] *n* US [building] edificio *m* sin ascensor *f*.

walkway ['wɔ:kweɪ] *n* [on ship, machine] pasarela *f*; [between buildings] paso *m*.

wall [wɔ:l] *n* - **1.** [inside building, of cell, stomach] pared *f* - **2.** [outside] muro *m*; **to drive sb up the wall** volverle loco a alguien; **it's like talking to a brick wall** le entra por un oído y le sale por el otro.

wallchart ['wɔ:ltʃɑ:t] *n* (gráfico *m*) mural *m*.

walled [wɔ:ld] *adj* amurallado(da).

wallet ['wɒlɪt] *n* cartera *f*, billetera *f*.

wallflower ['wɔ:l,flaʊər] *n* - **1.** [plant] alhelí *m* - **2.** *inf fig* [person] *persona tímida que queda al margen de una fiesta*.

wallop ['wɒləp] *inf vt* [child] pegar una torta a; [ball] golpear fuerte.

wallow ['wɒləʊ] *vi* [in liquid] revolcarse.

wallpaper ['wɔːl,peɪpər] ◇ *n* - **1.** [on walls] papel *m* pintado - **2.** COMPUT papel *m* tapiz. ◇ *vt* empapelar.

Wall Street *n* Wall Street *f*, *zona financiera neoyorquina*.

wally ['wɒlɪ] *n UK inf* imbécil *mf*.

walnut ['wɔːlnʌt] *n* - **1.** [nut] nuez *f* - **2.** [wood, tree] nogal *m*.

walrus ['wɔːlrəs] (*pl* walrus OR -es) *n* morsa *f*.

waltz [wɔːls] ◇ *n* vals *m*. ◇ *vi* [dance] bailar el vals.

wan [wɒn] *adj* pálido(da).

wand [wɒnd] *n*: **(magic) wand** varita *f* mágica.

wander ['wɒndər] *vi* vagar; **my mind kept wandering** se me iba la mente en otras cosas.

wane [weɪn] *vi* [influence, interest] disminuir, decrecer.

wangle ['wæŋgl] *vt inf* agenciarse.

want [wɒnt] ◇ *n fml* - **1.** [need] necesidad *f* - **2.** [lack] falta *f*; **for want of** por OR a falta de - **3.** [deprivation] indigencia *f*, miseria *f*. ◇ *vt* [desire] querer; **to want to do sthg** querer hacer algo.

wanted ['wɒntɪd] *adj*: **to be wanted (by the police)** ser buscado(da) (por la policía).

wanton ['wɒntən] *adj fml* gratuito(ta), sin motivo.

WAP [wæp] (*abbr of* wireless application protocol) *n* WAP *m*.

war [wɔːr] ◇ *n lit & fig* guerra *f*; **to be at war** estar en guerra; **the war on drugs** la guerra contra las drogas; **to have been in the wars** *UK* estar maltrecho. ◇ *vi* estar en guerra.

ward [wɔːd] *n* - **1.** [in hospital] sala *f* - **2.** *UK* POL distrito *m* electoral - **3.** LAW pupilo *m*, -la *f*.
➨ **ward off** *vt insep* protegerse de.

warden ['wɔːdn] *n* - **1.** [of park] guarda *mf* - **2.** *UK* [of youth hostel, hall of residence] encargado *m*, -da *f* - **3.**: **(traffic) warden** ≃ guardia *mf* de tráfico - **4.** *US* [prison governor] director *m*, -ra *f*.

warder ['wɔːdər] *n* [in prison] carcelero *m*, -ra *f*.

wardrobe ['wɔːdrəʊb] *n* - **1.** [piece of furniture] armario *m*, guardarropa *m* - **2.** [collection of clothes] guardarropa *m*, vestuario *m*.

warehouse ['weəhaʊs, *pl* -haʊzɪz] *n* almacén *m*.

wares [weəz] *npl liter* mercancías *fpl*.

warfare ['wɔːfeər] *n* (U) guerra *f*.

warhead ['wɔːhed] *n* ojiva *f*, cabeza *f*.

warily ['weərəlɪ] *adv* con cautela.

warm [wɔːm] ◇ *adj* - **1.** [pleasantly hot - gen] caliente; [- weather, day] caluroso(sa); [luke-

warm] tibio(bia), templado(da); **it's/I'm warm** hace/tengo calor; **to get warm** [person, room] calentarse; **they tried to keep warm** intentaron mantenerse calientes - **2.** [clothes etc] que abriga - **3.** [colour, sound] cálido(da) - **4.** [friendly - person, atmosphere, smile] afectuoso(sa); [- congratulations] efusivo(va). ◇ *vt* calentar.
➨ **warm up** ◇ *vt sep* calentar. ◇ *vi* - **1.** [gen] entrar en calor; [weather, room, engine] calentarse - **2.** [sportsperson] calentar.

warm-hearted [-'hɑːtɪd] *adj* afectuoso(sa).

warmly ['wɔːmlɪ] *adv* - **1.** [in warm clothes]: **to dress warmly** vestirse con ropa de abrigo - **2.** [in a friendly way] calurosamente.

warmth [wɔːmθ] *n* - **1.** [heat] calor *m* - **2.** [of clothes] abrigo *m* - **3.** [friendliness] cordialidad *f*.

warn [wɔːn] *vt* prevenir, advertir; **to warn sb of sthg** prevenir a alguien algo; **to warn sb not to do sthg, warn sb against doing sthg** advertir a alguien que no haga algo.

warning ['wɔːnɪŋ] *n* aviso *m*, advertencia *f*; **to give sb a warning** hacer una advertencia a alguien; **without warning** sin previo aviso.

warning light *n* piloto *m*.

warning triangle *n UK* triángulo *m* de avería.

warp [wɔːp] *vi* alabearse.

warrant ['wɒrənt] ◇ *n* orden *f* OR mandamiento *m* judicial. ◇ *vt fml* merecer.

warranty ['wɒrəntɪ] *n* garantía *f*; **to be under warranty** estar en garantía.

warren ['wɒrən] *n* red *f* de madrigueras.

warrior ['wɒrɪər] *n* guerrero *m*, -ra *f*.

warship ['wɔːʃɪp] *n* buque *m* de guerra.

wart [wɔːt] *n* verruga *f*.

wartime ['wɔːtaɪm] *n* tiempos *mpl* de guerra.

wary ['weərɪ] *adj*: **wary (of)** receloso(sa) (de).

was (*weak form* [wəz], *strong form* [wɒz]) *pt* ⊳ **be**.

wash [wɒʃ] ◇ *n* - **1.** [act of washing] lavado *m*; **to have a wash** lavarse; **to give sthg a wash** lavar algo - **2.** [things to wash] ropa sucia - **3.** [from boat] estela *f*. ◇ *vt* - **1.** [gen] lavar; [hands, face] lavarse; **she's washing her hair** se está lavando el pelo - **2.** [carry - subj: waves etc] arrastrar, llevarse; **it was washed ashore** el mar lo arrastró hasta la costa. ◇ *vi* - **1.** [clean oneself] lavarse - **2.** [waves, oil]: **to wash over sthg** bañar algo. ➨ **wash away** *vt sep* - **1.** [water, waves] llevarse, barrer - **2.** [dirt] quitar. ➨ **wash up** ◇ *vt sep UK* [dishes] lavar, fregar. ◇ *vi* - **1.** *UK* [wash the dishes] fregar OR lavar los platos - **2.** *US* [wash o.s.] lavarse.

washable ['wɒʃəbl] *adj* lavable.

washbasin UK ['wɒʃ,beɪsn], **washbowl** US ['wɒʃbəʊl] n lavabo m.

washcloth ['wɒʃ,klɒθ] n US toallita f para lavarse la cara.

washer ['wɒʃə'] n TECH arandela f.

washing ['wɒʃɪŋ] n (U) - **1.** [operation] colada f; **to do the washing** hacer la colada - **2.** [clothes - dirty] ropa f sucia OR para lavar; [- clean] colada f; **to hang up the washing** tender la colada.

washing line n tendedero m.

washing machine n lavadora f.

washing powder n UK detergente m, jabón m en polvo.

Washington ['wɒʃɪŋtən] n [town]: **Washington D.C.** ciudad f de Washington.

washing-up n - **1.** UK [crockery, pans etc] platos mpl para fregar - **2.** [operation] fregado m; **to do the washing-up** fregar los platos.

washing-up liquid n UK lavavajillas m inv.

washout ['wɒʃaʊt] n inf desastre m.

washroom ['wɒʃrʊm] n US aseos mpl.

wasn't [wɒznt] (abbr of was not) ⇨ **be**.

wasp [wɒsp] n [insect] avispa f.

wastage ['weɪstɪdʒ] n desperdicio m.

waste [weɪst] ⇨ adj [land] yermo(ma); [material, fuel] de desecho. ⇨ n - **1.** [misuse, incomplete use] desperdicio m, derroche m; **a waste of time** una pérdida de tiempo - **2.** (U) [refuse] desperdicios mpl; [chemical, toxic etc] residuos mpl. ⇨ vt [time] perder; [money] malgastar, derrochar; [food, energy, opportunity] desperdiciar. ⬥ **wastes** npl liter yermos mpl.

wastebasket US = **wastepaper basket**.

waste disposal unit n triturador m de basuras.

wasteful ['weɪstfʊl] adj derrochador(ra).

waste ground n (U) descampados mpl.

wastepaper basket [,weɪst'peɪpə'-], **wastepaper bin** [,weɪst'peɪpə'-], **wastebasket** US ['weɪst,bɑ:skɪt] n papelera f.

watch [wɒtʃ] ⇨ n - **1.** [timepiece] reloj m - **2.** [act of watching]: **to keep watch** estar de guardia; **to keep watch on sthg/sb** vigilar algo/a alguien - **3.** MIL [group of people] guardia f. ⇨ vt - **1.** [look at - gen] mirar; [- sunset] contemplar; [- football match, TV] ver - **2.** [spy on] vigilar - **3.** [be careful about] tener cuidado con, vigilar; **watch what you say** ten cuidado con lo que dices. ⇨ vi mirar, observar. ⬥ **watch out** vi tener cuidado.

watchdog ['wɒtʃdɒg] n - **1.** [dog] perro m guardián - **2.** fig [organization] comisión f de vigilancia.

watchful ['wɒtʃfʊl] adj atento(ta).

watchmaker ['wɒtʃ,meɪkə'] n relojero m, -ra f.

watchman ['wɒtʃmən] (pl -men [-mən]) n vigilante m.

water ['wɔ:tə'] ⇨ n [gen] agua f. ⇨ vt regar. ⇨ vi - **1.** [eyes]: **my eyes are watering** me lloran los ojos - **2.** [mouth]: **my mouth is watering** se me hace la boca agua. ⬥ **waters** npl aguas fpl. ⬥ **water down** vt sep [dilute] diluir, aguar.

water bottle n cantimplora f.

watercolour ['wɔ:tə,kʌlə'] n acuarela f.

watercress ['wɔ:təkres] n berro m.

waterfall ['wɔ:təfɔ:l] n cascada f, salto m de agua.

water heater n calentador m de agua.

waterhole ['wɔ:təhəʊl] n balsa f (donde acuden a beber los animales).

watering can ['wɔ:tərɪŋ-] n regadera f.

water level n nivel m del agua.

water lily n nenúfar m.

waterline ['wɔ:təlaɪn] n NAUT línea f de flotación.

waterlogged ['wɔ:təlɒgd] adj inundado(da).

water main n cañería f principal.

watermark ['wɔ:təmɑ:k] n - **1.** [in paper] filigrana f - **2.** [showing water level] marca f del nivel del agua.

watermelon ['wɔ:tə,melən] n sandía f.

water polo n water-polo m.

waterproof ['wɔ:təpru:f] ⇨ adj impermeable. ⇨ n impermeable m.

watershed ['wɔ:təʃed] n fig momento m decisivo.

water skiing n esquí m acuático.

water tank n reserva f de agua.

watertight ['wɔ:tətaɪt] adj [waterproof] hermético(ca).

waterway ['wɔ:təweɪ] n vía f navegable.

waterworks ['wɔ:təwɜ:ks] (pl waterworks) n [building] central f de agua.

watery ['wɔ:tərɪ] adj - **1.** [food] soso(sa); [drink] aguado(da) - **2.** [pale] desvaído(da).

watt [wɒt] n vatio m.

wave [weɪv] ⇨ n - **1.** [of hand] ademán m OR señal f (con la mano) - **2.** [of water] ola f - **3.** [of emotion, nausea, panic] arranque m; [of immigrants, crime etc] oleada f - **4.** [of light, sound, heat] onda f - **5.** [in hair] ondulación f. ⇨ vt - **1.** [move about as signal] agitar - **2.** [signal to] hacer señales OR señas a; **she waved them in** les hizo una señal para que entraran. ⇨ vi - **1.** [with hand - in greeting] saludar con la mano; [- to say goodbye] decir adiós con la mano;

to wave at OR **to sb** saludar a alguien con la mano; **he waved hello to us** nos saludó con la mano - 2. [flag] ondear; [trees] agitarse.

wavelength ['weivleŋθ] n longitud f de onda; **to be on the same wavelength** fig estar en la misma onda.

waver ['weivər] vi - 1. [falter - resolution, confidence] flaquear - 2. [hesitate] dudar, vacilar - 3. [fluctuate] oscilar.

wavy ['weivi] adj ondulado(da).

wax [wæks] <> n cera f. <> vt encerar.

wax paper n esp US papel m de cera.

waxworks ['wæksw3:ks] (pl waxworks) n museo m de cera.

way [wei] <> n - 1. [manner, method] manera f, modo m; **in the same way** del mismo modo, igualmente; **this/that way** así; **in a way** en cierto modo; **to be in a bad way** estar bastante mal - 2. [route, path] camino m; **to lose one's way** perderse; **to find one's way around** orientarse; **the way back** OR **home** el camino de vuelta a casa; **way in** entrada f; **way out** salida f; **it's out of my way** no me pilla de camino; **it's out of the way** [place] está algo aislado; **on the** OR **on one's way** de camino; **I'm on my way** voy de camino; **across** OR **over the way** enfrente; **to be under way** fig [meeting] estar en marcha; **to get under way** [meeting] ponerse en marcha; **to be in the way** estar en medio; **to get in the way** ponerse en medio; **to get out of the way** quitarse de en medio; **to get sthg out of the way** [task] quitarse algo de encima; **to go out of one's way to do sthg** tomarse muchas molestias para hacer algo; **to keep out of the way** mantenerse alejado; **to make way for** dar paso a - 3. [direction] dirección f; **come this way** ven por aquí; **go that way** o por ahí; **which way do we go?** ¿hacia dónde vamos?; **which way is it to the cathedral?** ¿por dónde se va a la catedral?; **the wrong way up** OR **round** al revés; **the right way up** OR **round** del derecho - 4. [distance]: **all the way** todo el camino OR trayecto; **it's a long way away** está muy lejos; **we have a long way to go** queda mucho camino por recorrer; **to go a long way towards doing sthg** fig contribuir enormemente a hacer algo; **we've come a long way since then** fig hemos avanzado mucho desde entonces.

▶▶ **to give way** [under weight, pressure] ceder; **'give way'** UK AUT 'ceda el paso'; **no way!** ¡ni hablar! <> adv inf [far] mucho; **it's way too big** es tela de grande. ● **ways** npl [customs, habits] costumbres fpl, hábitos mpl. ● **by the way** adv por cierto.

waylay [,wei'lei] (pt & pp -laid) vt abordar.

wayward ['weiwəd] adj [person, behaviour] incorregible.

WC (abbr of water closet) WC.

we [wi:] pers pron nosotros mpl, -tras f; **we can't do it** nosotros no podemos hacerlo; **here we are** ya estamos; **as we say in France** como decimos en Francia; **we British** nosotros los británicos.

weak [wi:k] adj - 1. [gen] débil; **to grow weak** debilitarse - 2. [material, structure] frágil - 3. [argument, tea etc] flojo(ja).

weaken ['wi:kn] <> vt debilitar. <> vi - 1. [become less determined] ceder, flaquear - 2. [physically] debilitarse.

weakling ['wi:klıŋ] n pej enclenque mf.

weakness ['wi:knıs] n - 1. [gen] debilidad f; **to have a weakness for sthg** tener debilidad por algo - 2. [imperfect point] defecto m.

wealth [welθ] n - 1. [riches] riqueza f - 2. [abundance] profusión f; **a wealth of sthg** abundancia de algo.

wealthy ['welθı] adj rico(ca).

wean [wi:n] vt [from mother's milk] destetar.

weapon ['wepən] n arma f.

weaponry ['wepənrı] n (U) armamento m.

weapons of mass destruction npl armas fpl de destrucción masiva.

wear [weər] <> n (U) - 1. [use] uso m; **I've had a lot of wear out of this jacket** le he sacado mucho partido a esta chaqueta; **to be the worse for wear** [thing] estar deteriorado; [person] estar hecho un trapo - 2. [damage] desgaste m; **wear and tear** desgaste - 3. [type of clothes] ropa f; **children's wear** ropa de niños; **evening wear** ropa de noche. <> vt (pt wore, pp worn) - 1. [clothes, hair, perfume] llevar; [shoes] calzar; **to wear red** vestirse de rojo - 2. [damage] desgastar; **to wear a hole in sthg** acabar haciendo un agujero en algo. <> vi (pt wore, pp worn) - 1. [deteriorate] desgastarse - 2. [last]: **to wear well/badly** durar mucho/poco. ● **wear away** <> vt sep desgastar. <> vi desgastarse. ● **wear down** vt sep - 1. [reduce size of] desgastar - 2. [weaken] agotar. ● **wear off** vi desaparecer, disiparse. ● **wear out** <> vt sep - 1. [shoes, clothes] gastar - 2. [person] agotar. <> vi gastarse.

weary ['wiərı] adj fatigado(da), cansado(da); **to be weary of sthg/of doing sthg** estar cansado de algo/de hacer algo.

weasel ['wi:zl] n comadreja f.

weather ['weðər] <> n tiempo m; **what's the weather like?** ¿qué tal tiempo hace?; **to make heavy weather of sthg** complicar algo innecesariamente; **to be under the weather** no encontrarse muy bien. <> vt [crisis etc] superar.

weather-beaten [-,bi:tn] adj [face, skin] curtido(da).

weathercock ['weðəkɒk] n veleta f.

weather forecast n parte m meteorológico.

weatherman ['weðəmæn] *(pl -men* [-men]) *n* hombre *m* del tiempo.

weather vane [-veɪn] *n* veleta *f*.

weave [wiːv] <> *vt (pt* wove, *pp* woven) [using loom] tejer. <> *vi (pt* wove, *pp* woven) [move]: **to weave through** colarse por entre; **to weave in and out of the traffic** avanzar zigzagueando en el tráfico.

weaver ['wiːvə⁻] *n* tejedor *m*, -ra *f*.

weaving ['wiːvɪŋ] *n* tejeduría *f*.

web [web] *n* - 1. [cobweb] telaraña *f* - 2. *fig* [of lies etc] urdimbre *f* - 3. COMPUT: **the Web** la Web.

web browser *n* COMPUT navegador *m*.

webcam ['webkæm] *n* cámara *f* web.

web designer *n* diseñador *m*, -ra *f* de páginas Web.

web page *n* página *f* web.

web site *n* sitio *m* Web.

wed [wed] *(pt & pp -ded OR* wed) *liter* <> *vt* desposar. <> *vi* desposarse.

we'd [wiːd] - 1. *(abbr of we had)* ▷ **have** - 2. *(abbr of we would)* ▷ **would**.

wedding ['wedɪŋ] *n* boda *f*, casamiento *m*.

wedding anniversary *n* aniversario *m* de boda.

wedding cake *n* tarta *f* nupcial.

wedding dress *n* traje *m* de novia.

wedding ring *n* anillo *m* de boda, argolla *f* *Amér*.

wedge [wedʒ] <> *n* - 1. [for steadying or splitting] cuña *f* - 2. [triangular slice] porción *f*, trozo *m*. <> *vt*: **to wedge sthg open/shut** dejar algo abierto/cerrado con una cuña.

Wednesday ['wenzdɪ] *n* miércoles *m inv*; *see also* **Saturday**.

wee [wiː] <> *adj Scotland* pequeño(ña). <> *n v inf* pipí *m*; **to do a wee** hacer pipí. <> *vi v inf* hacer pipí.

weed [wiːd] <> *n* - 1. [wild plant] mala hierba *f* - 2. *UK inf* [feeble person] canijo *m*, -ja *f*. <> *vt* desherbar, escardar.

weedkiller ['wiːdˌkɪlə⁻] *n* herbicida *m*.

weedy ['wiːdɪ] *adj UK inf* [feeble] enclenque.

week [wiːk] *n* [gen] semana *f*; **a week on Saturday, Saturday week** del sábado en ocho días; **this/next week** esta/la próxima semana; **in 2 weeks' time** en dos semanas; **we haven't seen him for weeks** hace semanas que no lo vemos.

weekday ['wiːkdeɪ] *n* día *m* laborable.

weekend [ˌwiːk'end] *n* fin *m* de semana.

weekly ['wiːklɪ] <> *adj* semanal. <> *adv* semanalmente. <> *n* semanario *m*.

weep [wiːp] <> *vt (pt & pp* wept) derramar. <> *vi (pt & pp* wept) llorar.

weeping willow [ˌwiːpɪŋ-] *n* sauce *m* llorón.

weigh [weɪ] *vt* - 1. [gen] pesar - 2. [consider carefully] sopesar; **she weighed her words** sopesó sus palabras. ◆ **weigh down** *vt sep* - 1. [physically] sobrecargar - 2. [mentally]: **to be weighed down by OR with** estar abrumado(da) de OR por. ◆ **weigh up** *vt sep* - 1. [consider carefully] sopesar - 2. [size up] hacerse una idea de.

weight [weɪt] *n* - 1. [gen] peso *m*; **to put on OR gain weight** engordar; **to lose weight** adelgazar; **to pull one's weight** poner (uno) de su parte - 2. [metal object] pesa *f*.

weighted ['weɪtɪd] *adj*: **to be weighted in favour of/against** inclinarse a favor/en contra de.

weighting ['weɪtɪŋ] *n* prima por vivir en una ciudad con alto coste de vida.

weightlifting ['weɪtˌlɪftɪŋ] *n* levantamiento *m* de pesos, halterofilia *f*.

weighty ['weɪtɪ] *adj* [serious] de peso.

weir [wɪə⁻] *n* presa *f*, dique *m*.

weird [wɪəd] *adj* raro(ra), extraño(ña).

welcome ['welkəm] <> *adj* - 1. [guest] bienvenido(da); **to make sb welcome** acoger bien a alguien - 2. [free]: **you're welcome to come si quieres, puedes venir** - 3. [appreciated]: **to be welcome** ser de agradecer - 4. [in reply to thanks]: **you're welcome** de nada. <> *n* bienvenida *f*; **to give sb a warm welcome** dar una calurosa bienvenida a alguien. <> *vt* - 1. [receive] dar la bienvenida a - 2. [approve, support] recibir bien. <> *excl* ¡bienvenido(da) !

weld [weld] <> *n* soldadura *f*. <> *vt* soldar.

welfare ['welfeə⁻] <> *adj* de asistencia social. <> *n* - 1. [state of wellbeing] bienestar *m* - 2. *US* [income support] subsidio *m* de la seguridad social; **to be on welfare** recibir un subsidio.

well [wel] <> *adj (comp* better, *superl* best) bien; **to be well** [healthy] estar bien (de salud); **I don't feel well** no me siento bien; **to get well** mejorarse; **all is well** todo va bien; **(it's) just as well** menos mal; **it would be as well to check first** sería mejor comprobar primero. <> *adv* - 1. [satisfactorily, thoroughly] bien; **to go well** ir bien; **he's doing very well at his new school** le va muy bien en el nuevo colegio; **well done!** ¡muy bien!; **well and truly** completamente; **to be well out of sthg** *inf* tener la suerte de haberse salido de algo - 2. [definitely, certainly] claramente, definitivamente; **it was well worth it** sí que valió la pena - 3. [as emphasis]: **you know perfectly well (that)** sabes de sobra (que) - 4. [very possibly]: **it could well rain** es muy posible que llueva. <> *n* pozo *m*. <> *excl* - 1. [gen] bueno; **oh well!** ¡en fin!

- 2. [in surprise] ¡vaya! ◆ **as well** adv - 1. [in addition] también - 2. [with same result]: **you may OR might as well (do it)** ¿y por qué no (lo haces)? ◆ **as well as** conj además de. ◆ **well up** vi brotar.

we'll [wi:l] - 1. (abbr of we will) ▷ **will²** - 2. (abbr of we shall) ▷ **shall**.

well-advised [-əd'vaɪzd] adj sensato(ta); **you would be well-advised to do it** sería aconsejable que lo hicieras.

well-behaved [-bɪ'heɪvd] adj formal, bien educado(da); **to be well-behaved** portarse bien.

wellbeing [,wel'bi:ɪŋ] n bienestar m.

well-built adj fornido(da).

well-done adj [thoroughly cooked] muy hecho(cha).

well-dressed [-'drest] adj bien vestido(da).

well-earned [-'ɜ:nd] adj bien merecido(da).

well-heeled [-'hi:ld] adj inf ricachón(ona).

wellington boots ['welɪŋtən-], **wellingtons** ['welɪŋtənz] npl botas fpl de agua.

well-kept adj - 1. [neat, tidy] bien cuidado(da) - 2. [not revealed] bien guardado(da).

well-known adj conocido(da).

well-mannered [-'mænəd] adj de buenos modales.

well-meaning adj bienintencionado(da).

well-nigh [-naɪ] adv casi.

well-off adj [rich] acomodado(da), rico(ca).

well-read [-'red] adj instruido(da), culto(ta).

well-rounded [-'raʊndɪd] adj [varied] completo(ta).

well-timed adj oportuno(na).

well-to-do adj adinerado(da).

wellwisher ['wel,wɪʃər] n simpatizante mf (que da muestras de apoyo).

Welsh [welʃ] ◇ adj galés(esa). ◇ n [language] galés m. ◇ npl: **the Welsh** los galeses.

Welshman ['welʃmən] (pl -men [-mən]) n galés m.

Welshwoman ['welʃ,wʊmən] (pl -women [-,wɪmɪn]) n galesa f.

went [went] pt ▷ **go**.

wept [wept] pt & pp ▷ **weep**.

were [wɜːr] pt ▷ **be**.

we're [wɪər] (abbr of we are) ▷ **be**.

weren't [wɜːnt] (abbr of were not) ▷ **be**.

west [west] ◇ n - 1. [direction] oeste m - 2. [region]: **the West** el Oeste. ◇ adj del oeste. ◇ adv: **west (of)** al oeste (de). ◆ **West** n POL: **the West** el Occidente.

West Bank n: **the West Bank** Cisjordania.

West Country n UK: **the West Country** el sudoeste de Inglaterra.

West End n UK: **the West End** zona central de Londres, famosa por sus teatros, tiendas etc.

westerly ['westəlɪ] adj [wind] del oeste.

western ['westən] ◇ adj occidental. ◇ n [film] película f del oeste, western m.

West German ◇ adj de la Alemania Occidental. ◇ n [person] alemán m, -ana f occidental.

West Germany n: **(the former) West Germany** (la antigua) Alemania Occidental.

West Indian ◇ adj antillano(na). ◇ n [person] antillano m, -na f.

West Indies [-'ɪndi:z] npl: **the West Indies** las Antillas.

Westminster ['westmɪnstər] n barrio londinense en que se encuentra el parlamento británico.

westward ['westwəd] ◇ adj hacia el oeste. ◇ adv = **westwards**.

westwards ['westwədz], **westward** adv hacia el oeste.

wet [wet] ◇ adj - 1. [soaked] mojado(da); [damp] húmedo(da); **to get wet** mojarse - 2. [rainy] lluvioso(sa) - 3. [paint, cement] fresco(ca); **wet paint** recién pintado(da) - 4. UK inf pej [weak, feeble] ñoño(ña). ◇ n inf POL político conservador moderado. ◇ vt (pt & pp **wet** OR **-ted**) [soak] mojar; [dampen] humedecer.

wet blanket n inf pej aguafiestas mf.

wet suit n traje m de submarinista.

we've [wi:v] (abbr of we have), = **have**.

whack [wæk] inf n [hit] castañazo m.

whale [weɪl] n [animal] ballena f.

wharf [wɔːf] (pl -s OR **wharves** [wɔːvz]) n muelle m, embarcadero m.

what [wɒt] ◇ adj - 1. (in direct, indirect questions) qué; **what kind of car has she got?** ¿qué coche tiene?; **what shape is it?** ¿qué forma tiene?; **he asked me what shape it was** me preguntó qué forma tenía; **what colour is it?** ¿de qué color es?; **what surprise!** ¡qué sorpresa!; **what a stupid idea!** ¡qué idea más tonta! ◇ pron - 1. (interrogative) qué; **what are they doing?** ¿qué hacen?; **she asked me what they were doing** me preguntó qué estaban haciendo; **what are they talking about?** ¿de qué están hablando?; **what is it called?** ¿cómo se llama?; **what does it cost?** ¿cuánto cuesta?; **what is it like?** ¿cómo es?; **what's the Spanish for 'book'?** ¿cómo se dice 'book' en español?; **what is this for?** ¿para qué es esto?; **what about another drink/going out for a meal?** ¿qué tal otra copa/si salimos a comer?; **what**

about me? ¿y yo qué?; **what if nobody comes?** ¿y si no viene nadie, qué? - **2.** *(relative)* lo que; **I saw what happened/he did** yo vi lo que ocurrió/hizo; **I don't know what to do** no sé qué hacer; **what we need is...** lo que nos hace falta es... ⬦ *excl* [expressing disbelief] ¿qué?; **what, no milk!** ¿cómo? ¿que no hay leche?

whatever [wɒt'evər] ⬦ *adj* cualquier; **eat whatever food you find** come lo que encuentres; **no chance whatever** ni la más remota posibilidad; **nothing whatever** nada en absoluto. ⬦ *pron* - **1.** [no matter what]: **whatever they may offer** ofrezcan lo que ofrezcan; **whatever you like** lo que (tú) quieras; **don't touch this, whatever you do** hagas lo que hagas, no toques esto; **whatever happens** pase lo que pase; **whatever the weather** haga el tiempo que haga - **2.** [indicating surprise]: **whatever do you mean?** ¿qué quieres decir? - **3.** [indicating ignorance]: **he told me to get a D.R.V., whatever that is** me dijo que consiguiera un D.R.V., sea lo que sea eso; **or whatever** o lo que sea.

whatsoever [ˌwɒtsəu'evər] *adj*: **nothing whatsoever** nada en absoluto; **none whatsoever** ni uno.

wheat [wi:t] *n* trigo *m*.

wheedle ['wi:dl] *vt* decir con zalamería; **to wheedle sb into doing sthg** camelar OR engatusar a alguien para que haga algo; **to wheedle sthg out of sb** sonsacarle algo a alguien.

wheel [wi:l] ⬦ *n* - **1.** [gen] rueda *f* - **2.** [steering wheel] volante *m*; **to be at the wheel** estar al volante. ⬦ *vt* empujar *(algo sobre ruedas).* ⬦ *vi* - **1.** [move in circle] dar vueltas - **2.** [turn round]: **to wheel round** darse la vuelta.

wheelbarrow ['wi:l,bærəu] *n* carretilla *f*.

wheelchair ['wi:l,tʃeər] *n* silla *f* de ruedas.

wheelclamp ['wi:l,klæmp] *n* cepo *m*.

wheeze [wi:z] *vi* resollar.

whelk [welk] *n* buccino *m*.

when [wen] ⬦ *adv (in direct, indirect questions)* cuándo; **when does the plane arrive?** ¿cuándo llega el avión?; **he asked me when I would be in London** me preguntó cuándo estaría en Londres; **I don't know when I'll be back** no sé cuándo volveré; **that was when I knew for sure that...** fue entonces cuando me di cuenta que...; **say when!** ¡di basta! ⬦ *conj* cuando; **tell me when you've read it** avísame cuando lo hayas leído; **on the day when it happened** el día (en) que pasó; **use less oil when frying food** utiliza menos aceite al freír comida; **how can I buy it when I can't afford it?** ¿cómo voy a comprarlo si no tengo dinero?

whenever [wen'evər] ⬦ *conj* [no matter when] cuando; [every time] cada vez que; **whenever you like** cuando quieras; **whenever I call him he runs away** siempre que le llamo se marcha corriendo. ⬦ *adv* cuando sea.

where [weər] ⬦ *adv (in direct, indirect questions)* dónde; **where do you live?** ¿dónde vives?; **do you know where he lives?** ¿sabes dónde vive?; **where are you from?** ¿de dónde eres?; **where are we going?** ¿adónde vamos?; **I don't know where to start** no sé por dónde empezar. ⬦ *conj* - **1.** [referring to place, situation] donde; **this is where...** es aquí donde...; **go where you like** vete (a) donde quieras - **2.** [if]: **where possible** siempre que sea posible.

whereabouts ⬦ *adv* [ˌweərə'bauts] (por) dónde. ⬦ *npl* ['weərəbauts] paradero *m*; **to know sb's whereabouts** conocer el paradero de alguien.

whereas [weər'æz] *conj* mientras que.

whereby [weə'bai] *conj fml* por el/la cual.

whereupon [ˌweərə'pɒn] *conj fml* tras OR con lo cual.

wherever [weər'evər] ⬦ *conj* [no matter where] dondequiera que; **wherever you go** dondequiera que vayas; **sit wherever you like** siéntate donde quieras. ⬦ *adv* - **1.** [no matter where] en cualquier parte - **2.** [indicating surprise]: **wherever did you hear that?** ¿dónde habrás oído eso?

wherewithal ['weəwiðɔːl] *n fml*: **to have the wherewithal to do sthg** disponer de los medios para hacer algo.

whet [wet] *vt*: **to whet sb's appetite (for sthg)** despertar el interés de alguien (por algo).

whether ['weðər] *conj* - **1.** [indicating choice, doubt] si; **she doesn't know whether to go or stay** no sabe si quedarse o marcharse; **I doubt whether she'll do it** dudo que lo haga - **2.** [no matter if]: **whether I want to or not** tanto si quiero como si no, quiera o no quiera.

which [wɪtʃ] ⬦ *adj* - **1.** *(in direct, indirect questions)* qué; **which house is yours?** ¿cuál es tu casa?, ¿qué casa es la tuya?; **which one?** ¿cuál?; **which ones?** ¿cuáles? - **2.** [to refer back to]: **in which case** en cuyo caso; **we won't arrive until 6, by which time it will be dark** no llegaremos hasta la 6, hora a la cual ya será de noche. ⬦ *pron* - **1.** *(in direct, indirect questions)* cuál, cuáles *(pl)*; **which do you prefer?** ¿cuál prefieres?; **I can't decide which to have** no sé cuál coger - **2.** *(in relative clause replacing n)* que; **the table, which was made of wood,...** la mesa, que OR la cual era de madera,...; **the world in which we live** el mundo en que OR en el cual vivimos - **3.** *(to refer back to*

a clause) lo cual; **she denied it, which surprised me** lo negó, lo cual me sorprendió; **before which** antes de lo cual.

whichever [wɪtʃ'evəʳ] ◇ *adj* - **1.** [no matter which]: **whichever route you take** vayas por donde vayas - **2.** [the one which]: **whichever colour you prefer** el color que prefieras. ◇ *pron* el que (la que), los que (las que) *(pl)*; **take whichever you like** coge el que quieras.

whiff [wɪf] *n* [smell] olorcillo *m*; **she caught a whiff of his aftershave** le llegó el olorcillo de su aftershave.

while [waɪl] ◇ *n* rato *m*; **it's a long while since I did that** hace mucho que no hago eso; **for a while** un rato; **after a while** después de un rato; **in a while** dentro de poco; **once in a while** de vez en cuando. ◇ *conj* - **1.** [during the time that] mientras - **2.** [whereas] mientras que - **3.** [although] aunque. ◆ **while away** *vt sep* pasar; **to while away the time** pasar el rato.

whilst [waɪlst] *conj fml* - **1.** [during the time that] mientras - **2.** [whereas] mientras que - **3.** [although] aunque.

whim [wɪm] *n* capricho *m*.

whimper [ˈwɪmpəʳ] *vt & vi* gimotear.

whimsical [ˈwɪmzɪkl] *adj* [idea, story] fantasioso(sa); [look] juguetón(ona).

whine [waɪn] *vi* [child, dog] gemir; [siren] ulular.

whinge [wɪndʒ] *vi UK inf*: **to whinge (about)** quejarse (de).

whip [wɪp] ◇ *n* - **1.** [for hitting] látigo *m*; [for horse] fusta *f* - **2.** *UK* POL miembro de un partido encargado de asegurar que otros miembros voten en el parlamento. ◇ *vt* - **1.** [gen] azotar - **2.** [take quickly]: **to whip sthg out/off** sacar/quitar algo rápidamente - **3.** [whisk] batir.

whipped cream [wɪpt-] *n* nata *f* montada.

whip-round *n UK inf*: **to have a whip-round** hacer una colecta.

whirl [wɜːl] ◇ *n fig* [of activity, events] torbellino *m*. ◇ *vt*: **to whirl sb/sthg round** hacer dar vueltas a alguien/algo. ◇ *vi* [move around] arremolinarse; [dancers] girar vertiginosamente.

whirlpool [ˈwɜːlpuːl] *n* remolino *m*.

whirlpool bath *n* bañera *f* de hidromasaje.

whirlwind [ˈwɜːlwɪnd] *n* torbellino *m*.

whirr [wɜːʳ] *vi* zumbar.

whisk [wɪsk] ◇ *n* CULIN varilla *f*. ◇ *vt* - **1.** [move quickly]: **to whisk sthg away/out** llevarse/sacar algo rápidamente; **we were whisked off to visit the museum** nos llevaron rápidamente a visitar el museo - **2.** CULIN batir.

whisker [ˈwɪskəʳ] *n* (pelo *m* del) bigote *m*. ◆ **whiskers** *npl* [of person] patillas *fpl*; [of cat] bigotes *mpl*.

whisky *UK*, **whiskey** (*pl* **-s**) *US & Ireland* [ˈwɪskɪ] *n* whisky *m*.

whisper [ˈwɪspəʳ] ◇ *vt* susurrar. ◇ *vi* cuchichear.

whistle [ˈwɪsl] ◇ *n* - **1.** [sound] silbido *m*, pitido *m* - **2.** [device] silbato *m*, pito *m*. ◇ *vt* silbar. ◇ *vi* [person] silbar, chiflar *Amér*; [referee] pitar; [bird] piar.

white [waɪt] ◇ *adj* - **1.** [gen] blanco(ca); **to go** OR **turn white** ponerse blanco - **2.** [coffee, tea] con leche. ◇ *n* - **1.** [colour] blanco *m* - **2.** [person] blanco *m*, -ca *f* - **3.** [of egg] clara *f* - **4.** [of eye] blanco *m*.

white-collar *adj* de oficina; **white-collar worker** oficinista *mf*.

white elephant *n fig* mamotreto *m (caro e inútil)*.

Whitehall [ˈwaɪthɔːl] *n* calle londinense en que se encuentra la Administración británica; *por extensión* ésta.

white-hot *adj* incandescente.

White House *n*: **the White House** la Casa Blanca.

white lie *n* mentira *f* piadosa.

whiteness [ˈwaɪtnɪs] *n* blancura *f*.

white paper *n* POL libro *m* blanco.

white sauce *n* (salsa *f*) bechamel *f*.

white spirit *n UK* especie de aguarrás.

whitewash [ˈwaɪtwɒʃ] ◇ *n* - **1.** (U) [paint] blanqueo *m*, lechada *f* (de cal) - **2.** *pej* [cover-up] encubrimiento *m*. ◇ *vt* [paint] blanquear.

whiting [ˈwaɪtɪŋ] (*pl* **whiting** OR **-s**) *n* pescadilla *f*.

Whitsun [ˈwɪtsn] *n* [day] Pentecostés *m*.

whittle [ˈwɪtl] *vt* [reduce]: **to whittle down** OR **away** reducir gradualmente.

whiz, whizz [wɪz] *vi*: **to whiz past** OR **by** pasar muy rápido OR zumbando.

whiz(z) kid *n inf* genio *m*, prodigio *m*.

who [huː] *pron* - **1.** *(in direct, indirect questions)* quién, quiénes *(pl)*; **who are you?** ¿quién eres tú?; **who is it?** [at door etc] ¿quién es?; **who did you see?** ¿a quién viste?; **I didn't know who she was** no sabía quién era - **2.** *(in relative clauses)* que; **he's the doctor who treated me** es el médico que me atendió; **those who are in favour** los que están a favor.

who'd [huːd] - **1.** *(abbr of who had)* ▷ **have** - **2.** *(abbr of who would)* ▷ **would**.

whodun(n)it [ˌhuːˈdʌnɪt] *n inf* historia *f* policíaca de misterio.

whoever [hu:'evəʳ] pron - **1.** [unknown person] quienquiera; quienesquiera (pl); **whoever finds it** quienquiera que lo encuentre; **tell whoever you like** díselo a quien quieras - **2.** [indicating surprise, astonishment]: **whoever can that be?** ¿quién podrá ser? - **3.** [no matter who]: **come in, whoever you are** pasa, seas quién seas.

whole [həʊl] ⇔ adj - **1.** [entire, complete] entero(ra); **we've had enough of the whole thing** ya estamos hartos de todo esto - **2.** [for emphasis]: **a whole lot taller** muchísimo más alto; **a whole new idea** una idea totalmente nueva. ⇔ n - **1.** [all]: **the whole of the school/summer** el colegio/verano entero - **2.** [unit, complete thing] todo m. ▪ **as a whole** adv en conjunto. ▪ **on the whole** adv en general.

wholefood ['həʊlfu:d] n UK comida f integral.

whole-hearted [-'hɑ:tɪd] adj incondicional.

wholemeal UK ['həʊlmi:l], **whole wheat** US adj integral.

wholesale ['həʊlseɪl] ⇔ adj - **1.** COMM al por mayor - **2.** pej [indiscriminate] indiscriminado(da). ⇔ adv - **1.** COMM al por mayor - **2.** pej [indiscriminately] indiscriminadamente.

wholesaler ['həʊl,seɪləʳ] n mayorista mf.

wholesome ['həʊlsəm] adj sano(na).

whole wheat US = **wholemeal**.

who'll [hu:l] - **1.** (abbr of who will) ▷ **will**² - **2.** (abbr of who shall) ▷ **shall**.

wholly ['həʊlɪ] adv completamente.

whom [hu:m] pron - **1.** (in direct, indirect questions) fml quién, quiénes (pl); **from whom did you receive it?** ¿de quién lo recibiste?; **for/of/to whom** por/de/a quién - **2.** (in relative clauses) que; **the man whom I saw** el hombre que vi; **the man to whom I gave it** el hombre al que se lo di; **several people came, none of whom I knew** vinieron varias personas, de las que no conocía a ninguna.

whooping cough ['hu:pɪŋ-] n tos f ferina.

whopping ['wɒpɪŋ] inf ⇔ adj enorme. ⇔ adv: **a whopping great lorry/lie, a whopping big lorry/lie** un camión/una mentira enorme.

whore [hɔ:ʳ] n pej puta f.

who're ['hu:əʳ] (abbr of who are) ▷ **be**.

whose [hu:z] ⇔ pron (in direct, indirect questions) de quién, de quiénes (pl); **whose is this?** ¿de quién es esto?; **I wonder whose they are** me pregunto de quién serán. ⇔ adj - **1.** (in direct, indirect questions) de quién; **whose car is that?** ¿de quién es ese coche? - **2.** (in relative clauses) cuyo(ya), cuyos(yas) (pl); **that's the boy whose father's an MP** ese

es el chico cuyo padre es diputado; **the woman whose daughters are twins** la mujer cuyas hijas son gemelas.

who's who [hu:z-] n [book] Quién es Quién m.

who've [hu:v] (abbr of who have) ▷ **have**.

why [waɪ] ⇔ adv por qué; **why did you lie to me?** ¿por qué me mentiste?; **why don't you all come?** ¿por qué no venís todos?; **why not?** ¿por qué no? ⇔ conj por qué; **I don't know why he said that** no sé por qué dijo eso. ⇔ pron: **there are several reasons why he left** hay varias razones por las que se marchó; **that's why she did it** por eso es por lo que lo hizo; **I don't know the reason why** no se por qué razón. ⇔ excl ¡hombre!, ¡vaya! ▪ **why ever** adv: **why ever did you do that?** ¿pero por qué has hecho eso?

wick [wɪk] n mecha f; **to get on sb's wick** UK inf fig sacar de quicio a alguien.

wicked ['wɪkɪd] adj - **1.** [evil] malvado(da) - **2.** [mischievous, devilish] travieso(sa).

wicker ['wɪkəʳ] adj de mimbre.

wickerwork ['wɪkəwɜ:k] n (U) artículos mpl de mimbre.

wicket ['wɪkɪt] n CRICKET [stumps] palos mpl.

wide [waɪd] ⇔ adj - **1.** [broad] ancho(cha); **how wide is it?** ¿cuánto mide de ancho?; **it's 50 cm wide** tiene 50 cm de ancho - **2.** [range, choice etc] amplio(plia) - **3.** [gap, difference, implications] grande, considerable - **4.** [off-target] desviado(da). ⇔ adv - **1.** [broadly]: **to open/spread sthg wide** abrir/desplegar algo completamente - **2.** [off target]: **to go OR be wide** salir desviado.

wide-angle lens n gran angular m.

wide awake adj completamente despierto(ta).

widely ['waɪdlɪ] adv - **1.** [travel, read] extensamente; **to be widely read/travelled** haber leído/viajado mucho - **2.** [believed, known, loved] generalmente; **there is a widely held view that...** existe la creencia generalizada de que... - **3.** [differ, vary] mucho.

widen ['waɪdn] vt [gen] ampliar; [road, bridge] ensanchar.

wide open adj - **1.** [window, door] abierto(ta) de par en par - **2.** [eyes] completamente abierto(ta).

wide-ranging [-'reɪndʒɪŋ] adj [changes, survey, consequences] de gran alcance; [discussion, interests] de gran variedad; [selection] amplio(plia).

widescreen ['waɪdskri:n] adj [television] de pantalla ancha.

widescreen TV ['waɪdskriːn-] n televisor m panorámico, televisor m de pantalla ancha.

widespread ['waɪdspred] adj extendido(da), general.

widow ['wɪdəʊ] n [woman] viuda f.

widowed ['wɪdəʊd] adj viudo(da).

widower ['wɪdəʊəʳ] n viudo m.

width [wɪdθ] n - 1. [breadth] anchura f; **it's 50 cm in width** tiene 50 cm de ancho - 2. [in swimming pool] ancho m.

wield [wiːld] vt - 1. [weapon] esgrimir; [implement] manejar - 2. [power] ejercer.

wife [waɪf] (pl **wives**) n mujer f, esposa f.

wig [wɪg] n peluca f.

wiggle ['wɪgl] inf vt menear; [hips etc] contonear.

wild [waɪld] adj - 1. [gen] salvaje; [plant, flower] silvestre; [bull] bravo(va) - 2. [landscape, scenery] agreste - 3. [weather, sea] borrascoso(sa) - 4. [crowd, laughter, applause] frenético(ca) - 5. [hair] alborotado(da) - 6. [hope, idea, plan] descabellado(da) - 7. [guess, exaggeration] extravagante. ◆ **wilds** npl: **the wilds** las tierras remotas.

wilderness ['wɪldənɪs] n - 1. [barren land] yermo m, desierto m - 2. [overgrown land] jungla f.

wild-goose chase n inf búsqueda f infructuosa.

wildlife ['waɪldlaɪf] n (U) fauna f.

wildly ['waɪldlɪ] adv - 1. [enthusiastically] frenéticamente - 2. [without discipline, inaccurately] a lo loco - 3. [very] extremadamente.

wilful UK, **willful** US ['wɪlfʊl] adj - 1. [stubborn] que siempre se tiene que salir con la suya - 2. [deliberate] deliberado(da).

will¹ [wɪl] ◇ n - 1. [gen] voluntad f - 2. [document] testamento m; **to make a will** hacer testamento. ◇ vt: **to will sthg to happen** desear mucho que ocurra algo; **to will sb to do sthg** desear mucho que alguien haga algo.

will² [wɪl] modal vb - 1. [to express future tense]: **they say it will rain tomorrow** dicen que lloverá OR va a llover mañana; **we will have arrived by midday** habremos llegado a mediodía; **when will we get paid?** ¿cuándo nos pagarán?; **will they come? – yes, they will/no, they won't** ¿vendrán? – sí/no; **you will come, won't you?** (emphatic) vas a venir, ¿no? - 2. [indicating willingness]: **will you have some more tea?** ¿te apetece más té?; **I won't do it** no lo haré - 3. [in commands, requests]: **you will leave this house at once** vas a salir de esta casa ahora mismo; **close that window, will you?** cierra la ventana, ¿quieres?; **will you be quiet!** ¿queréis hacer el favor de callaros? - 4. [indicating possibility, what usually happens]: **the hall will hold up to 1,000 people** la sala tiene cabida para 1.000 personas - 5. [expressing an assumption]: **that'll be your father** ese va a ser OR será tu padre - 6. [indicating irritation]: **well, if you will leave your toys everywhere...** normal, si vais dejando los juguetes por todas partes...; **she will keep phoning me** ¡y venga a llamarme!

willful US = **wilful**.

willing ['wɪlɪŋ] adj [eager] servicial.

willingly ['wɪlɪŋlɪ] adv de buena gana.

willow (tree) ['wɪləʊ-] n sauce m.

willpower ['wɪl,paʊəʳ] n fuerza f de voluntad.

willy-nilly [,wɪlɪ'nɪlɪ] adv [carelessly] a la buena de Dios.

wilt [wɪlt] vi [plant] marchitarse; [person] desfallecer, extenuarse.

wily ['waɪlɪ] adj astuto(ta).

wimp [wɪmp] n inf pej blandengue mf.

win [wɪn] ◇ n victoria f, triunfo m. ◇ vt (pt & pp **won**) ganar. ◇ vi (pt & pp **won**) ganar; **you/I etc can't win** no hay manera. ◆ **win round** vt sep convencer.

wince [wɪns] vi hacer una mueca de dolor; **to wince at/with sthg** estremecerse ante/de algo.

winch [wɪntʃ] n torno m.

wind¹ [wɪnd] ◇ n - 1. METEOR viento m - 2. [breath] aliento m, resuello m - 3. (U) [in stomach] gases mpl; **to break wind** euph ventosear. ◇ vt [knock breath out of] dejar sin aliento.

wind² [waɪnd] ◇ vt (pt & pp **wound**) - 1. [string, thread] enrollar; **to wind sthg around sthg** enrollar algo alrededor de algo - 2. [clock, watch] dar cuerda a. ◇ vi (pt & pp **wound**) serpentear. ◆ **wind down** ◇ vt sep - 1. [car window] bajar - 2. [business] cerrar poco a poco. ◇ vi [person] relajarse, descansar. ◆ **wind up** ◇ vt sep - 1. [finish - activity] finalizar, concluir; [business] liquidar - 2. [clock, watch] dar cuerda a - 3. [car window] subir - 4. UK inf [annoy] vacilar, tomar el pelo a. ◇ vi inf [end up] terminar, acabar; **to wind up doing sthg** acabar haciendo algo.

windfall ['wɪndfɔːl] n [unexpected gift] dinero m llovido del cielo.

wind farm [wɪnd-] n parque m eólico.

winding ['waɪndɪŋ] adj tortuoso(sa).

wind instrument [wɪnd-] n instrumento m de viento.

windmill ['wɪndmɪl] n molino m de viento.

window ['wɪndəʊ] n - 1. [gen & COMPUT] ventana f - 2. AUT ventanilla f - 3. [of shop] escaparate m.

window box n jardinera f (de ventana).

window cleaner n - **1.** [person] limpiacristales m & f inv - **2.** [product] limpiacristales m inv.

window ledge n alféizar m.

window pane n cristal m (de la ventana).

windowsill ['wɪndəʊsɪl] n alféizar m.

windpipe ['wɪndpaɪp] n tráquea f.

windscreen UK ['wɪndskriːn], **windshield** US ['wɪndʃiːld] n parabrisas m inv.

windscreen washer n lavaparabrisas m inv.

windscreen wiper n limpiaparabrisas m inv.

windshield US = windscreen.

windsurfing ['wɪndsɜːfɪŋ] n windsurf m.

windswept ['wɪndswept] adj [scenery] azotado(da) por el viento.

wind turbine [wɪnd-] n aerogenerador m.

windy ['wɪndɪ] adj [day, weather] ventoso(sa), de mucho viento; [place] expuesto(ta) al viento; **it's windy** hace viento.

wine [waɪn] n vino m; **red/white wine** vino tinto/blanco.

wine bar n UK bar de cierta elegancia especializado en vinos y que a veces suele servir comidas.

wine cellar n bodega f.

wineglass ['waɪnɡlɑːs] n copa f OR vaso m (de vino).

wine list n lista f de vinos.

wine merchant n UK vinatero m, -ra f.

wine tasting [-ˌteɪstɪŋ] n cata f de vinos.

wine waiter n sommelier m.

wing [wɪŋ] n - **1.** [gen] ala f - **2.** AUT guardabarros m inv - **3.** SPORT [side of pitch] banda f; [winger] extremo m. ➡ **wings** npl THEAT: **the wings** los bastidores.

winger ['wɪŋər] n SPORT extremo m.

wing mirror n retrovisor m.

wink [wɪŋk] n guiño m; **not to sleep a wink, not to get a wink of sleep** inf no pegar ojo.

winkle ['wɪŋkl] n bígaro m.

Winnebago® [ˌwɪnɪ'beɪɡəʊ] n autocaravana f.

winner ['wɪnər] n ganador m, -ra f.

winning ['wɪnɪŋ] adj - **1.** [team, competitor] vencedor(ra); [goal, point] de la victoria; [ticket, number] premiado(da) - **2.** [smile, ways] atractivo(va). ➡ **winnings** npl ganancias fpl.

winning post n meta f.

winter ['wɪntər] ⬦ n (U) invierno m. ⬦ comp de invierno, invernal.

winter sports npl deportes mpl de invierno.

wintertime ['wɪntətaɪm] n (U) invierno m.

wint(e)ry ['wɪntrɪ] adj [gen] de invierno, invernal; [showers] con nieve.

wipe [waɪp] ⬦ n: **give the table a wipe** pásale un trapo a la mesa. ⬦ vt [rub to clean] limpiar, pasar un trapo a; [rub to dry] secar. ➡ **wipe out** vt sep - **1.** [erase] borrar - **2.** [eradicate] aniquilar. ➡ **wipe up** vt sep empapar, limpiar.

wire ['waɪər] ⬦ n - **1.** [gen] alambre m; ELEC cable m - **2.** US [telegram] telegrama m. ⬦ vt - **1.** [ELEC - house] poner la instalación eléctrica de; [- plug] conectar el cable a - **2.** US [send telegram to] enviar un telegrama a.

wirefree ['waɪəfriː] adj inalámbrico(ca).

wireless ['waɪəlɪs] n dated radio f.

wiring ['waɪərɪŋ] n (U) instalación f eléctrica.

wiry ['waɪərɪ] adj - **1.** [hair] estropajoso(sa) - **2.** [body, man] nervudo(da).

wisdom ['wɪzdəm] n - **1.** [learning] sabiduría f - **2.** [good sense] sensatez f.

wisdom tooth n muela f del juicio.

wise [waɪz] adj - **1.** [learned] sabio(bia); **she's no wiser OR none the wiser** sigue sin entender - **2.** [sensible] prudente.

wisecrack ['waɪzkræk] n pej broma f, chiste m.

wish [wɪʃ] ⬦ n: **to do sthg against sb's wishes** hacer algo en contra de los deseos de alguien. ⬦ vt: **to wish to do sthg** fml desear hacer algo; **to wish sb sthg** desear a alguien algo; **I wish (that) you had told me before!** ¡ojalá me lo hubieras dicho antes!; **I wish (that) you would shut up** ¿por qué no te calles? ⬦ vi [by magic]: **to wish for sthg** pedir (como deseo) algo. ➡ **wishes** npl: **(with) best wishes** [in letter] muchos recuerdos.

wishful thinking [ˌwɪʃful-] n (U): **it's just wishful thinking** no son más que (vanas) ilusiones.

wishy-washy ['wɪʃɪˌwɒʃɪ] adj inf pej soso(sa), insípido(da).

wisp [wɪsp] n - **1.** [of hair] mechón m; [of grass] brizna f - **2.** [cloud] nubecilla f; [of smoke] voluta f.

wistful ['wɪstful] adj melancólico(ca).

wit [wɪt] n - **1.** [humour] ingenio m, agudeza f - **2.** [intelligence]: **to have the wit to do sthg** tener el buen juicio de hacer algo. ➡ **wits** npl: **to be scared out of one's wits** inf estar muerto de miedo.

witch [wɪtʃ] n bruja f.

with [wɪð] prep - **1.** [in company of] con; **we stayed with them for a week** estuvimos con ellos una semana; **with me** conmigo; **with you** contigo - **2.** [indicating opposition] con - **3.** [indicating means, manner, feelings] con; **I washed it**

with detergent lo lavé con detergente; he filled it with wine lo llenó de vino; covered with mud cubierto de barro; she was trembling with fear temblaba de miedo; "all right", she said with a smile "vale", dijo con una sonrisa - 4. [having - gen] con; a man with a beard un hombre con barba; the woman with the black hair/big dog la señora del pelo negro/perro grande; I'm married with six children estoy casado con seis hijos - 5. [regarding] con; he's very mean with money es muy tacaño con el dinero - 6. [because of] con; with the weather as it is, we have decided to stay at home con el tiempo como está hemos decidido quedarnos en casa; with my luck, I'll probably lose con la suerte que tengo seguro que pierdo - 7. [indicating understanding]: are you with me? ¿me sigues? - 8. [indicating support] con; I'm with Dad on this en eso estoy con papá.

withdraw [wɪð'drɔ:] ⬦ vt (pt -drew, pp -drawn) - 1. [gen]: **to withdraw sthg (from)** retirar algo (de) - 2. [money] sacar. ⬦ vi (pt -drew, pp -drawn): **to withdraw (from/to)** retirarse (de/a); **to withdraw into o.s.** encerrarse en uno mismo.

withdrawal [wɪð'drɔ:əl] n - 1. [gen & MIL] retirada f - 2. [retraction] retractación f - 3. FIN reintegro m.

withdrawal symptoms npl síndrome m de abstinencia.

withdrawn [wɪð'drɔ:n] ⬦ pp ⬅ **withdraw**. ⬦ adj [shy, quiet] reservado(da).

withdrew [wɪð'dru:] pt ⬅ **withdraw**.

wither ['wɪðər] vi - 1. [dry up] marchitarse - 2. [become weak] debilitarse.

withhold [wɪð'həʊld] (pt & pp -held [-'held]) vt [gen] retener; [consent, permission] negar.

within [wɪ'ðɪn] ⬦ prep - 1. [gen] dentro de; **within reach** al alcance de la mano; **within sight of** a la vista de - 2. [less than - distance] a menos de; [- time] en menos de; **it's within walking distance** se puede ir andando; **he was within five seconds of the leader** estaba a cinco segundos del líder; **within the next six months** en los próximos seis meses; **it arrived within a week** llegó en menos de una semana. ⬦ adv dentro.

without [wɪð'aʊt] ⬦ prep sin; **without sthg/doing sthg** sin algo/hacer algo; **without making any mistakes** sin cometer ningún error; **it happened without my realizing** pasó sin que me diera cuenta. ⬦ adv: **to go** OR **do without sthg** pasar sin algo.

withstand [wɪð'stænd] (pt & pp -stood [-'stʊd]) vt resistir, aguantar.

witness ['wɪtnɪs] ⬦ n - 1. [person] testigo mf; **to be witness to sthg** ser testigo de algo

- 2. [testimony]: **to bear witness to sthg** atestiguar algo, dar fe de algo. ⬦ vt - 1. [see] presenciar - 2. [countersign] firmar (como testigo).

witness box UK, **witness stand** US n tribuna f (de los testigos).

witticism ['wɪtɪsɪzm] n ocurrencia f.

witty ['wɪtɪ] adj ingenioso(sa), ocurrente.

wives [waɪvz] npl ⬅ **wife**.

wizard ['wɪzəd] n - 1. [magician] mago m (en cuentos) - 2. [skilled person] genio m.

wobble ['wɒbl] vi [gen] tambalearse; [furniture] cojear; [legs] temblar.

woe [wəʊ] n liter aflicción f.

woke [wəʊk] pt ⬅ **wake**.

woken ['wəʊkn] pp ⬅ **wake**.

wolf [wʊlf] n (pl wolves) ZOOL lobo m.

wolves ['wʊlvz] npl ⬅ **wolf**.

woman ['wʊmən] (pl women) ⬦ n - 1. [female] mujer f - 2. [womanhood] la mujer. ⬦ comp: **woman doctor** médica f.

womanly ['wʊmənlɪ] adj femenino(na).

womb [wu:m] n matriz f, útero m.

women ['wɪmɪn] npl ⬅ **woman**.

women's lib [-'lɪb] n liberación f de la mujer.

women's liberation n liberación f de la mujer.

won [wʌn] pt & pp ⬅ **win**.

wonder ['wʌndər] ⬦ n - 1. [amazement] asombro m, admiración f - 2. [cause for surprise]: **it's a wonder (that)**... es un milagro que... - 3. [amazing thing, person] maravilla f; **to work** OR **do wonders** hacer maravillas OR milagros. ⬦ vt - 1. [speculate]: **to wonder (if** OR **whether)** preguntarse (si) - 2. [in polite requests]: **I wonder if** OR **whether I could ask you a question?** ¿le importaría que le hiciera una pregunta? - 3. [be surprised]: **I wonder (that) she hasn't left him** me pregunto cómo es que todavía no lo ha dejado. ⬦ vi [speculate]: **I was only wondering** preguntaba sólo por curiosidad; **to wonder about sthg** preguntarse por algo.

wonderful ['wʌndəfʊl] adj maravilloso(sa), estupendo(da).

wonderfully ['wʌndəfʊlɪ] adv - 1. [very well] estupendamente - 2. [very] extremadamente.

won't [wəʊnt] (abbr of will not) ⬅ **will²**.

woo [wu:] vt - 1. liter [court] cortejar - 2. [try to win over] granjearse el apoyo de.

wood [wʊd] n - 1. [timber] madera f; [for fire] leña f - 2. [group of trees] bosque m; **I can't see the wood for the trees** UK los árboles no me dejan ver el bosque. ⬥ **woods** npl bosque m.

wooded ['wʊdɪd] *adj* arbolado(da).

wooden ['wʊdn] *adj* - **1.** [of wood] de madera - **2.** *pej* [actor] envarado(da).

woodpecker ['wʊd,pekər] *n* pájaro *m* carpintero.

woodwind ['wʊdwɪnd] *n*: **the woodwind** los instrumentos de viento de madera.

woodwork ['wʊdwɜːk] *n* carpintería *f*.

woodworm ['wʊdwɜːm] *n* carcoma *f*.

wool [wʊl] *n* lana *f*; **to pull the wool over sb's eyes** *inf fig* dar a alguien gato por liebre.

woollen UK, **woolen** US ['wʊlən] *adj* de lana. ▸ **woollens** *npl* géneros *mpl* de lana.

woolly ['wʊlɪ] *adj* - **1.** [woollen] de lana - **2.** *inf* [fuzzy, unclear] confuso(sa).

word [wɜːd] ⬥ *n* - **1.** LING palabra *f*; **we couldn't understand a word he said** no entendimos ni una sola palabra de lo que dijo; **word for word** palabra por palabra; **in other words** en otras palabras; **in a word** en una palabra; **too... for words** de lo más...; **she doesn't mince her words** no tiene pelos en la lengua; **I couldn't get a word in edgeways** no pude meter baza - **2.** (*U*) [news] noticia *f*; **there is no word from them** no hemos tenido noticias de ellos; **word has it that...** se rumorea que... - **3.** [promise] palabra *f*; **to be as good as one's word, to be true to one's word** cumplir lo prometido. ⬥ *vt* redactar, expresar.

wording ['wɜːdɪŋ] *n* (*U*) términos *mpl*, forma *f* (de expresión).

word processing *n* (*U*) proceso *m* de textos.

word processor [-'prəʊsesər] *n* procesador *m* de textos.

wore [wɔːr] *pt* ▷ **wear**.

work [wɜːk] ⬥ *n* - **1.** (*U*) [employment] trabajo *m*, empleo *m*; **to be out of work** estar desempleado; **at work** en el trabajo - **2.** [activity, tasks] trabajo *m*; **at work** trabajando; **to have one's work cut out doing sth** OR **to do sth** tenerlo muy difícil para hacer algo - **3.** [of art, literature etc] obra *f* - **4.** [handiwork] obra *f*; **it was the work of a psychopath** fue obra de un psícopata. ⬥ *vt* - **1.** [employees, subordinates] hacer trabajar; **she works herself too hard** trabaja demasiado - **2.** [machine] manejar, operar - **3.** [wood, metal, land] trabajar. ⬥ *vi* - **1.** [person]: **to work (on sth)** trabajar (en algo); **he works as a gardener** trabaja de jardinero; **to work for sb** trabajar para alguien - **2.** [machine, system, idea] funcionar - **3.** [drug] surtir efecto - **4.** [become by movement]: **to work loose** soltarse; **to work free** desprenderse. ▸ **works** ⬥ *n* [factory] fábrica *f*. ⬥ *npl* [mechanism] mecanismo *m*. ▸ **work on** *vt insep* - **1.** [pay attention to sth] trabajar en - **2.** [take as basis] partir de. ▸ **work out** ⬥ *vt sep* - **1.** [plan, schedule] elaborar - **2.** [total, amount]

calcular; [answer] dar con. ⬥ *vi* - **1.** [figure etc]: **to work out at** salir a - **2.** [turn out] resolverse - **3.** [be successful] salir bien - **4.** [train, exercise] hacer ejercicio. ▸ **work up** *vt sep* - **1.** [excite]: **to work o.s. up into a frenzy** ponerse frenético(ca) - **2.** [generate] despertar; **I can't work up much enthusiasm** no consigo entusiasmarme; **to work up an appetite** abrir el apetito.

workable ['wɜːkəbl] *adj* factible, viable.

workaholic [,wɜːkə'hɒlɪk] *n* adicto *m*, -ta *f* al trabajo.

workday ['wɜːkdeɪ], **working day** *n* [not weekend] día *m* laborable.

worked up [,wɜːkt-] *adj* nervioso(sa); **to get worked up** alterarse.

worker ['wɜːkər] *n* [person who works] trabajador *m*, -ra *f*; [manual worker] obrero *m*, -ra *f*; **a hard/fast worker** una persona que trabaja mucho/a prisa; **office worker** oficinista *mf*.

workforce ['wɜːkfɔːs] *n* mano *f* de obra.

working ['wɜːkɪŋ] *adj* - **1.** [in operation] funcionando - **2.** [having employment] empleado(da); **a working mother** una madre trabajadora - **3.** [relating to work - gen] laboral; [- day] laborable. ▸ **workings** *npl* mecanismo *m*.

working class *n*: **the working class** la clase obrera. ▸ **working-class** *adj* obrero(ra).

working order *n*: **to be in (good) working order** funcionar (bien).

workload ['wɜːkləʊd] *n* cantidad *f* de trabajo.

workman ['wɜːkmən] (*pl* **-men** [-mən]) *n* obrero *m*.

workmanship ['wɜːkmənʃɪp] *n* artesanía *f*.

workmate ['wɜːkmeɪt] *n* compañero *m*, -ra *f* de trabajo, colega *mf*.

work permit [-,pɜːmɪt] *n* permiso *m* de trabajo.

workplace ['wɜːkpleɪs] *n* lugar *m* de trabajo.

workshop ['wɜːkʃɒp] *n* taller *m*.

workspace ['wɜːkspeɪs] *n* COMPUT espacio *m* de trabajo.

workstation ['wɜːk,steɪʃn] *n* COMPUT estación *f* de trabajo.

worktop ['wɜːktɒp] *n* UK mármol *m*, encimera *f*.

work-to-rule *n* UK huelga *f* de celo.

world [wɜːld] ⬥ *n* mundo *m*; **the best in the world** el mejor del mundo; **the highest mountain in the world** la montaña más alta del mundo; **all over the world** por todo el mundo; **to think the world of sb** querer a alguien con locura; **a world of difference** una diferencia enorme; **to see the world** ver mundo; **it's a small world** el mundo es un pañuelo; **the antique world** el mundo antiguo; **what is the world coming to?** ¿a dónde vamos a ir a

parar?; **they are worlds apart** hay un abismo entre ellos; **to have all the time in the world** tener todo el tiempo del mundo. ◇ *comp* mundial.

world-class *adj* de primera categoría.

world-famous *adj* famoso(sa) en el mundo entero.

worldly ['wɜːldlɪ] *adj liter* mundano(na).

World Trade Organization *n* Organización *f* Mundial del Comercio.

World War I *n* la Primera Guerra Mundial.

World War II *n* la Segunda Guerra Mundial.

worldwide ['wɜːldwaɪd] ◇ *adj* mundial. ◇ *adv* en todo el mundo.

World Wide Web *n*: **the World Wide Web** la (World Wide) Web.

worm [wɜːm] *n* [animal] gusano *m*; [earthworm] lombriz *f* (de tierra).

worn [wɔːn] ◇ *pp* ▷ **wear**. ◇ *adj* - 1. [threadbare] gastado(da) - 2. [tired] ajado(da).

worn-out *adj* - 1. [old, threadbare]: **to be worn-out** estar ya para tirar - 2. [tired] agotado(da).

worried ['wʌrɪd] *adj* preocupado(da).

worry ['wʌrɪ] ◇ *n* preocupación *f*. ◇ *vt* [trouble] preocupar. ◇ *vi*: **to worry (about)** preocuparse (por); **not to worry!** ¡no importa!

worrying ['wʌrɪɪŋ] *adj* preocupante.

worrywort ['wɜːrɪwɔːrt] *n US inf* angustias *mf inv Esp*, angustiado *m*, -da *f*.

worse [wɜːs] ◇ *adj* peor; **to get worse** empeorar; **to get worse and worse** ir cada vez peor; **to go from bad to worse** ir de mal en peor; **to make things worse** empeorar las cosas; **they are none the worse for their adventure** se sienten perfectamente a pesar de su aventura. ◇ *adv* peor; **worse off** [gen] en peor situación; [financially] peor económicamente; **you could do worse than marry him** no harías tan mal casándote con él. ◇ *n*: **worse was to come** lo peor estaba aún por venir; **a change for the worse** un cambio para peor; **to take a turn for the worse** empeorar.

worsen ['wɜːsn] *vt & vi* empeorar.

worship ['wɜːʃɪp] ◇ *vt* (*UK pt & pp* **-ped**, *cont* **-ping**, *US pt & pp* **-ed**, *cont* **-ing**) *lit & fig* adorar. ◇ *n lit & fig*: **worship (of)** culto *m* (a), adoración *f* (por). ▪ **Worship** *n*: **Your/Her/ His Worship** su señoría; **his Worship the Mayor** el Excelentísimo Señor alcalde.

worst [wɜːst] ◇ *adj* peor; **the worst thing is...** lo peor es que...; **worst of all** lo peor de todo. ◇ *adv* peor; **the worst affected area** la región más afectada. ◇ *n*: **the worst** [thing] lo peor; [person] el peor *m*, la peor *f*; **this is communism at its worst** esto es la peor mani-

festación del comunismo; **to fear the worst** temer lo peor; **if the worst comes to the worst** en último extremo; **to bring out the worst in sb** sacar lo peor de alguien. ▪ **at (the) worst** *adv* en el peor de los casos.

worth [wɜːθ] ◇ *prep* - 1. [having the value of]: **it's worth £50** vale 50 libras; **how much is it worth?** ¿cuánto vale?; **it isn't worth that much** no vale tanto - 2. [deserving of] digno(na) de; **the museum is worth visiting** OR **a visit, it's worth visiting the museum** el museo merece una visita; **it's not worth it** no vale la pena; **it's worth a try** vale la pena intentarlo; **for what it's worth, I think that...** por si mi opinión sirve de algo, creo que... ◇ *n* - 1. [amount]: **£50,000 worth of antiques** antigüedades por valor de 50.000 libras; **a month's worth of groceries** provisiones para un mes - 2. *fml* [value] valor *m*.

worthless ['wɜːθlɪs] *adj* - 1. [object] sin valor - 2. [person] despreciable.

worthwhile [,wɜːθ'waɪl] *adj* que vale la pena; [cause] noble, digno(na).

worthy ['wɜːðɪ] *adj* - 1. [gen] digno(na) - 2. [good but unexciting] encomiable.

would [wʊd] *modal vb* - 1. (*in reported speech*): **she said she would come** dijo que vendría - 2. (*in conditional phrases*): **if she couldn't come she would tell us** si no pudiera venir nos lo diría; **what would you do?** ¿qué harías?; **if he had known, he would have resigned** si lo hubiera sabido, habría dimitido - 3. (*indicating willingness*): **she wouldn't go** no quiso/quería ir; **he would do anything for her** haría cualquier cosa por ella - 4. (*in polite questions*): **would you like a drink?** ¿quieres beber algo?; **would you mind closing the window?** ¿le importaría cerrar la ventana?; **help me shut this suitcase, would you?** ayúdame a cerrar esta maleta, ¿quieres? - 5. [indicating inevitability]: **he would say that, wouldn't he?** hombre, era de esperar que dijera eso, ¿no? - 6. [expressing opinions]: **I would have thought (that) it would be easy** hubiera pensado que sería fácil; **I would prefer...** preferiría...; **I would like...** quisiera..., quiero... - 7. [giving advice]: **I would report it if I were you** yo en tu lugar lo denunciaría - 8. [indicating habit]: **he would smoke a cigar after dinner** solía fumar un puro después de la cena; **she would often complain about the neighbours** se quejaba a menudo de los vecinos - 9. [in conjectures]: **it would have been around 2 o'clock** serían las dos.

would-be *adj*: **a would-be author** un aspirante a literato.

wouldn't ['wʊdnt] (*abbr of* **would not**) ▷ **would**.

would've ['wʊdəv] (*abbr of* = would have), = **would**.

wound[1] [wu:nd] ⟨⟩ *n* herida *f.* ⟨⟩ *vt lit & fig* herir.

wound[2] [waʊnd] *pt & pp* ⟱ **wind**[2].

wove [wəʊv] *pt* ⟱ **weave**.

woven ['wəʊvn] *pp* ⟱ **weave**.

WP *abbr of* **word processing**, **word processor**.

wrangle ['ræŋgl] ⟨⟩ *n* disputa *f.* ⟨⟩ *vi*: **to wrangle (with sb over sthg)** discutir OR pelearse (con alguien por algo).

wrap [ræp] ⟨⟩ *vt* - **1.** [cover] envolver; **to wrap sthg in sthg** envolver algo en algo; **to wrap sthg around** OR **round sthg** liar algo alrededor de algo - **2.** [encircle]: **he wrapped his hands around it** lo rodeó con sus manos. ⟨⟩ *n* - **1.** [garment] echarpe *m*; **to keep sthg under wraps** *fig* mantener algo en secreto - **2.** US [food] *tipo de bocadillo servido en una torta de maíz y doblado por la mitad*. ◆ **wrap up** ⟨⟩ *vt sep* [cover] envolver. ⟨⟩ *vi* [put warm clothes on]: **wrap up well** OR **warmly** abrígate bien.

wrapper ['ræpər] *n* envoltorio *m.*

wrapping ['ræpɪŋ] *n* envoltorio *m.*

wrapping paper *n* (U) papel *m* de envolver.

wrath [rɒθ] *n liter* ira *f*, cólera *f.*

wreak [ri:k] *vt* causar; **to wreak havoc** hacer estragos.

wreath [ri:θ] *n* corona *f* (de flores).

wreck [rek] ⟨⟩ *n* - **1.** [of car, plane] restos *mpl* del siniestro; [of ship] restos del naufragio - **2.** *inf* [person] guiñapo *m*; **to be a nervous wreck** estar hecho(cha) un manojo de nervios. ⟨⟩ *vt* - **1.** [destroy] destrozar - **2.** NAUT hacer naufragar; **to be wrecked** naufragar - **3.** [spoil] dar al traste con; [health] acabar con.

wreckage ['rekɪdʒ] *n* (U) [of plane, car] restos *mpl*; [of building] escombros *mpl.*

wren [ren] *n* chochín *m.*

wrench [rentʃ] ⟨⟩ *n* - **1.** US [tool] llave *f* inglesa - **2.** [injury] torcedura *f.* ⟨⟩ *vt* - **1.** [pull violently]: **to wrench sthg (off)** arrancar algo; **to wrench sthg open** abrir algo de un tirón - **2.** [twist and injure] torcer.

wrestle ['resl] *vi lit & fig*: **to wrestle (with)** luchar (con).

wrestler ['reslər] *n* luchador *m*, -ra *f.*

wrestling ['reslɪŋ] *n* lucha *f* libre.

wretch [retʃ] *n* desgraciado *m*, -da *f.*

wretched ['retʃɪd] *adj* - **1.** [miserable] miserable - **2.** *inf* [damned] maldito(ta).

wriggle ['rɪgl] *vi* - **1.** [move about] menearse - **2.** [twist] escurrirse, deslizarse.

wring [rɪŋ] (*pt & pp* wrung) *vt* - **1.** [wet clothes etc] estrujar, escurrir - **2.** [neck] retorcer.

wringing ['rɪŋɪŋ] *adj*: **wringing (wet)** empapado(da).

wrinkle ['rɪŋkl] ⟨⟩ *n* arruga *f.* ⟨⟩ *vt* arrugar. ⟨⟩ *vi* arrugarse.

wrist [rɪst] *n* muñeca *f.*

wristwatch ['rɪstwɒtʃ] *n* reloj *m* de pulsera.

writ [rɪt] *n* mandato *m* judicial.

write [raɪt] (*pt* wrote, *pp* written) ⟨⟩ *vt* - **1.** [gen & COMPUT] escribir; **to write sb a letter** escribirle una carta a alguien - **2.** US [person] escribir a. ⟨⟩ *vi* [gen & COMPUT] escribir; **to write (to sb)** UK escribir (a alguien). ◆ **write away** *vi*: **to write away for sthg** escribir pidiendo algo. ◆ **write back** *vt sep & vi* contestar. ◆ **write down** *vt sep* apuntar. ◆ **write off** *vt sep* - **1.** [plan, hopes] abandonar - **2.** [debt] cancelar, anular - **3.** [person - as failure] considerar un fracaso - **4.** UK *inf* [wreck] cargarse. ◆ **write up** *vt sep* redactar.

write-off *n*: **the car was a write-off** el coche quedó totalmente destrozado.

writer ['raɪtər] *n* - **1.** [as profession] escritor *m*, -ra *f* - **2.** [of letter, article, story] autor *m*, -ra *f.*

writhe [raɪð] *vi* retorcerse.

writing ['raɪtɪŋ] *n* - **1.** (U) [handwriting] letra *f*, caligrafía *f* - **2.** [something written] escrito *m*; **to put sthg in writing** poner algo por escrito - **3.** [activity] escritura *f.*

writing paper *n* (U) papel *m* de carta.

written ['rɪtn] ⟨⟩ *pp* ⟱ **write**. ⟨⟩ *adj* - **1.** [not oral] escrito(ta) - **2.** [official] por escrito.

wrong [rɒŋ] ⟨⟩ *adj* - **1.** [not normal, not satisfactory] malo(la); **the clock's wrong** el reloj anda mal; **what's wrong?** ¿qué pasa?; **there's nothing wrong** no pasa nada; **there's nothing wrong with me** no me pasa nada - **2.** [not suitable, not correct] equivocado(da); [moment, time] inoportuno(na); [answer] incorrecto(ta); **he has given me the wrong change** me ha dado el cambio equivocado; **I think we've gone the wrong way** creo que nos hemos equivocado de camino; **I always seem to say the wrong thing** parece que siempre digo lo que no debo; **to be wrong** [person] equivocarse; **to be wrong about sthg/sb** equivocarse con respecto a algo/alguien; **to be wrong to do sthg** cometer un error al hacer algo - **3.** [morally bad] malo(la); **it's wrong to steal/lie** robar/mentir está mal; **what's wrong with being a communist?** ¿qué tiene de malo ser comunista? ⟨⟩ *adv* [incorrectly] mal; **to get sthg wrong** entender mal algo. ⟨⟩ *n* - **1.** [evil] mal *m*; **to be in the wrong** haber hecho mal - **2.** [injustice] injusticia *f.* ⟨⟩ *vt* ser injusto(ta) con, agraviar.

wrongful ['rɒŋfʊl] *adj* [dismissal] improcedente; [arrest, imprisonment] ilegal.

wrongly ['rɒŋlɪ] *adv* equivocadamente.

wrote [rəʊt] *pt* ⊳ **write**.

wrought iron [rɔ:t-] *n* hierro *m* forjado.

wrung [rʌŋ] *pt & pp* ⊳ **wring**.

wry [raɪ] *adj* [amused] irónico(ca).

WTO [,dʌblju:ti:'əʊ] (*abbr of* **World Trade Organization**) *n* OMC *f*.

WWW (*abbr of* **World Wide Web**) *n* WWW *f*.

x (*pl* **x's** OR **xs**), **X** (*pl* **X's** OR **Xs**) [eks] *n* [letter] x *f inv*, X *f inv*.

xenophobia [,zenə'fəʊbjə] *n* xenofobia *f*.

Xmas ['eksmǝs] *n* Navidad *f*.

XML [,eksem'el] (*abbr of* **Extensible Markup Language**) *n* COMPUT XML *m*.

X-ray ⋄ *n* - **1.** [ray] rayo *m* X - **2.** [picture] radiografía *f*; **to have a chest X-ray** hacerse una radiografía. ⋄ *vt* examinar con rayos X, radiografiar.

xylophone ['zaɪləfəʊn] *n* xilofón *m*.

y (*pl* **y's** OR **ys**), **Y** (*pl* **Y's** OR **Ys**) [waɪ] *n* [letter] y *f*, Y *f*.

yacht [jɒt] *n* yate *m*; [for racing] balandro *m*.

yachting ['jɒtɪŋ] *n* balandrismo *m*.

yachtsman ['jɒtsmən] (*pl* **-men** [-mən]) *n* balandrista *m*.

Yank [jæŋk] *n inf pej* [estadounidense] yanqui *mf*.

Yankee ['jæŋkɪ] *n US* término usado para designar a una persona del noreste de los EEUU.

yap [jæp] *vi* [dog] ladrar.

yard [jɑ:d] *n* - **1.** [unit of measurement] = 91,44 cm yarda *f* - **2.** [walled area] patio *m* - **3.** [shipyard] astillero *m*; **builder's/goods yard** depósito *m* de materiales/de mercancías - **4.** *US* [attached to house] jardín *m*.

yardstick ['jɑ:dstɪk] *n* criterio *m*, pauta *f*.

yarn [jɑ:n] *n* [thread] hilo *m*, hilaza *f*.

yawn [jɔ:n] ⋄ *n* [when tired] bostezo *m*. ⋄ *vi* - **1.** [when tired] bostezar - **2.** [gap, chasm] abrirse.

yd *abbr of* **yard**.

yeah [jeə] *adv inf* sí.

year [jɪəʳ] *n* - **1.** [gen] año *m*; **he's 25 years old** tiene 25 años; **all (the) year round** todo el año; **over the years** con los años - **2.** SCH curso *m*; **he's in (his) first year** está en primero. ⋆ **years** *npl* [ages] años *mpl*; **it's years since I last saw you** hace siglos que no te veo.

yearly ['jɪəlɪ] ⋄ *adj* anual. ⋄ *adv* - **1.** [once a year] una vez al año - **2.** [every year] cada año.

yearn [jɜ:n] *vi*: **to yearn for sthg/to do sthg** ansiar algo/hacer algo.

yearning ['jɜ:nɪŋ] *n*: **yearning (for sb/sthg)** anhelo *m* (de alguien/algo).

yeast [ji:st] *n* levadura *f*.

yell [jel] ⋄ *n* grito *m*, alarido *m*. ⋄ *vt & vi* vociferar.

yellow ['jeləʊ] ⋄ *adj* [in colour] amarillo(lla). ⋄ *n* amarillo *m*.

yellow card *n* FTBL tarjeta *f* amarilla.

yelp [jelp] ⋄ *n* aullido *m*. ⋄ *vi* aullar.

yes [jes] ⋄ *adv* sí; **to say yes** decir que sí; **to say yes to sthg** consentir algo; **does he speak English? – yes, he does** ¿habla inglés? – sí; **he doesn't speak English – yes he does!** no habla inglés – sí, sí que habla. ⋄ *n* sí *m*.

yesterday ['jestədɪ] ⋄ *n* ayer *m*. ⋄ *adv* ayer; **yesterday afternoon** ayer por la tarde; **the day before yesterday** antes de ayer, anteayer.

yet [jet] ⋄ *adv* - **1.** [gen] todavía, aún; **have you had lunch yet?** ¿has comido ya?; **their worst defeat yet** la mayor derrota que han sufrido hasta la fecha; **as yet** de momento, hasta ahora; **not yet** todavía OR aún no - **2.** [even]: **yet another car** otro coche más; **yet again** otra vez más; **yet more** aún más. ⋄ *conj* pero, sin embargo.

yew [ju:] *n* tejo *m*.

Yiddish ['jɪdɪʃ] ⋄ *adj* yídish (*inv*). ⋄ *n* yídish *m*.

yield [ji:ld] ⋄ *n* - **1.** AGRIC cosecha *f* - **2.** FIN rédito *m*. ⋄ *vt* - **1.** [gen] producir, dar - **2.** [give up] ceder. ⋄ *vi* - **1.** [shelf, lock etc] ceder

- 2. *fml* [person, enemy] rendirse; **to yield to sb/ sthg** claudicar ante alguien/algo **- 3.** *US* AUT [give way]: **'yield'** 'ceda el paso'.

YMCA *(abbr of Young Men's Christian Association) n* asociación internacional de jóvenes cristianos.

yoga ['jəʊɡə] *n* yoga *m*.

yoghourt, yoghurt, yogurt [*UK* 'jɒɡət, *US* 'jəʊɡərt] *n* yogur *m*.

yoke [jəʊk] *n* lit & fig yugo *m*.

yolk [jəʊk] *n* yema *f*.

you [ju:] *pers pron* **- 1.** *(subject - sing)* tú, vos (+ *pl vb*) Amér C & R Plata; *(- formal use)* usted; *(- pl)* vosotros *mpl*, -tras *f* Esp; *(- formal use)* ustedes *(pl)*; **you're a good cook** eres/usted es un buen cocinero; **are you French?** ¿eres/es usted francés?; **you idiot!** ¡imbécil!; **there you are** [you've appeared] ¡ya estás/está usted aquí!; [have this] ahí tienes/tiene; **that jacket isn't really you** esa chaqueta no te/le pega **- 2.** *(direct object - unstressed - sing)* te; *(- pl)* os OR los/las Amér; *(- formal use)* le *m* OR lo Amér, la *f*; *(- pl)* les *mpl* OR los Amér, las *fpl*; **I can see you** te/os OR los/las Amér veo; **yes, Madam, I understand you** sí, señora, la comprendo **- 3.** *(direct object - stressed)*: **I don't expect you to do it** no te voy a pedir que **tú** lo hagas **- 4.** *(indirect object - sing)* te; *(- pl)* os OR los Amér; *(- formal use)* le; *(- pl)* les; **she gave it to you** te/os OR se Amér lo dio; **can I get you a chair, sir?** ¿le traigo una silla, señor? **- 5.** *(after prep, in comparisons etc - sing)* ti OR vos Amér C & R Plata; *(- pl)* vosotros *mpl*, -tras *f* OR ustedes Amér; *(- formal use)* usted; *(- pl)* ustedes; **we shall go with/without you** iremos contigo/sin ti OR vos Amér C & R Plata, iremos con/sin vosotros OR ustedes Amér *(pl)*; **I'm shorter than you** soy más bajo que tú OR vos Amér C & R Plata/vosotros OR ustedes Amér **- 6.** [anyone, one] uno; **you wouldn't have thought so** uno no lo habría pensado; **exercise is good for you** el ejercicio es bueno.

you'd [ju:d] **- 1.** *(abbr of you had)* ▷ **have**. **- 2.** *(abbr of you would)* ▷ **would**.

you'll [ju:l] **- 1.** *(abbr of you will)* ▷ **will²**. **- 2.** *(abbr of you shall)* ▷ **shall**.

young [jʌŋ] ⬦ *adj* [not old] joven; **his younger sister** su hermana pequeña; **I'm younger than her** soy más joven que ella; **I'm two years younger than her** soy dos años menor que ella; **the younger generation** la generación más joven. ⬦ *npl* **- 1.** [young people]: **the young** los jóvenes **- 2.** [baby animals] crías *fpl*.

youngster ['jʌŋstər] *n* joven *mf*.

your [jɔ:r] *poss adj* **- 1.** *(everyday use - referring to one person)* tu; *(- referring to more than one person)* vuestro(tra); **your dog** tu/ vuestro perro; **your children** tus/vuestros ni-

ños; **what's your name?** ¿cómo te llamas?; **it wasn't your fault** no fue culpa tuya/vuestra; **you didn't wash your hair** no te lavaste/os lavasteis el pelo **- 2.** *(formal use)* su; **your dog** su perro; **what are your names?** ¿cuáles son sus nombres? **- 3.** *(impersonal - one's)*: **your attitude changes as you get older** la actitud de uno cambia con la vejez; **it's good for your teeth/hair** es bueno para los dientes/el pelo; **your average Englishman** el inglés medio.

you're [jɔ:r] *(abbr of you are)* ▷ **be**.

yours [jɔ:z] *poss pron* **- 1.** *(everyday use - referring to one person)* tuyo (tuya); *(- referring to more than one person)* vuestro (vuestra); **that money is yours** ese dinero es tuyo/vuestro; **those keys are yours** esas llaves son tuyas/vuestras; **my car hit yours** mi coche chocó contra el tuyo/el vuestro; **it wasn't her fault, it was yours** no fue culpa de ella sino **tuya/vuestra**; **a friend of yours** un amigo tuyo/vuestro **- 2.** *(formal use)* suyo (suya). ➤ **Yours** *adv*: **Yours faithfully/sincerely** [in letter] atentamente.

yourself [jɔ:'self] *(pl -selves [-'selvz])* *pron* **- 1.** *(as reflexive - sing)* te; *(- pl)* os; *(- formal use)* se; **did you hurt yourself?** ¿te hiciste/se hizo daño? **- 2.** *(after prep - sing)* ti mismo (ti misma); *(- pl)* vosotros mismos (vosotras mismas); *(- formal use)* usted mismo (usted misma); **with yourself** contigo mismo/misma **- 3.** *(for emphasis)*: **you yourself** tú mismo (tú misma); *(formal use)* usted mismo(ma); **you yourselves** vosotros mismos (vosotras mismas); *(formal use)* ustedes mismos(mas) **- 4.** [without help] solo(la); **did you do it (by) yourself?** ¿lo hiciste solo?

youth [ju:θ] *n* **- 1.** [gen] juventud *f*; **in his youth** en su juventud **- 2.** [boy, young man] joven *m*.

youth club *n* club *m* juvenil.

youthful ['ju:θfʊl] *adj* juvenil.

youth hostel *n* albergue *m* juvenil.

you've [ju:v] *(abbr of you have)* ▷ **have**.

Yugoslav *adj* = **Yugoslavian**.

Yugoslavia [,ju:ɡə'slɑ:vɪə] *n* Yugoslavia.

Yugoslavian [,ju:ɡə'slɑ:vɪən], **Yugoslav** [,ju:ɡə'slɑ:v] ⬦ *adj* yugoslavo(va). ⬦ *n* yugoslavo *m*, -va *f*.

yuppie, yuppy ['jʌpɪ] *(abbr of young upwardly mobile professional) n* yuppy *mf*.

YWCA *(abbr of Young Women's Christian Association) n* asociación internacional de jóvenes cristianas.

Z

z (*pl* z's OR zs), **Z** (*pl* Z's OR Zs) [*UK* zed, *US* zi:]
n [letter] z *f*, Z *f*.

Zambia ['zæmbɪə] *n* Zambia.

zany ['zeɪnɪ] *adj inf* [humour, trick] disparata-
do(da); [person] loco(ca).

zeal [zi:l] *n fml* celo *m*.

zealous ['zeləs] *adj fml* entusiasta.

zebra [*UK* 'zebrə, *US* 'zi:brə] (*pl* zebra OR -s)
n cebra *f*.

zebra crossing *n UK* paso *m* cebra.

zenith [*UK* 'zenɪθ, *US* 'zi:nəθ] *n fig* & ASTRON
cenit *m*.

zero [*UK* 'zɪərəʊ, *US* 'zi:rəʊ] ⟨⟩ *adj* cero
(*inv*), nulo(la). ⟨⟩ *n* (*pl* zero OR -es) cero *m*;
below zero bajo cero.

zest [zest] *n* (*U*) - **1.** [enthusiasm] entusias-
mo *m*; **her zest for life** su entusiasmo por vivir
- **2.** [of orange, lemon] cáscara *f*.

zigzag ['zɪgzæg] ⟨⟩ *n* zigzag *m*. ⟨⟩ *vi* zig-
zaguear.

Zimbabwe [zɪm'bɑ:bwɪ] *n* Zimbabue.

zinc [zɪŋk] *n* cinc *m*, zinc *m*.

zip [zɪp] *n* - **1.** *UK* [fastener] cremallera *f*, cie-
rre *m Amér*, zíper *m Amér C, Méx & Ven*, cie-
rre *m* relámpago *Perú OR* eclair *Chile* - **2.** COM-
PUT comprimir. ➤ **zip up** *vt sep* cerrar la
cremallera OR el cierre *Amér OR* zíper *Amér C,
Méx & Ven* de.

zip code *n US* código *m* postal.

Zipdisk® *n* COMPUT disco *m* Zip®.

zip fastener *UK n* cremallera *f*.

zipper ['zɪpər] *n US* cremallera *f*.

zodiac ['zəʊdɪæk] *n*: **the zodiac** el zodiaco.

zone [zəʊn] *n* zona *f*.

zoo [zu:] *n* zoo *m*.

zoology [zəʊ'ɒlədʒɪ] *n* zoología *f*.

zoom [zu:m] *vi inf* [move quickly]: **to zoom
past** pasar zumbando.

zoom lens *n* zoom *m*.

zucchini [zu:'ki:nɪ] (*pl* zucchini) *n US* calaba-
cín *m*, calabacita *f Méx*, zapallito *m* (italiano).

ESPANOL-INGLES
SPANISH-ENGLISH

a¹ (*pl* **aes**), **A** (*pl* **Aes**) *sf* [letra] a, A.

a² *prep* (*a* + *el* = **al**) **- 1.** [periodo de tiempo]: **a las pocas semanas** a few weeks later; **al día siguiente** the following day **- 2.** [momento preciso] at; **a las siete** at seven o'clock; **a los 11 años** at the age of 11; **al caer la noche** at nightfall; **al oír la noticia, se desmayó** on hearing the news, she fainted **- 3.** [frecuencia]: **40 horas a la semana** 40 hours per O a week; **tres veces al día** three times a day **- 4.** [dirección] to; **voy a Sevilla** I'm going to Seville; **me voy al extranjero** I'm going abroad; **llegó a Barcelona/la fiesta** he arrived in Barcelona/at the party **- 5.** [posición]: **a la puerta** at the door **- 6.** [distancia]: **está a más de cien kilómetros de aquí** it's more than a hundred kilometres from here **- 7.** [con complemento indirecto] to; **dáselo a Juan** give it to Juan; **dile a Juan que venga** tell Juan to come **- 8.** [con complemento directo]: **quiere a sus hijos/su gato** she loves her children/her cat **- 9.** [cantidad, medida, precio]: **a cientos/miles/docenas** by the hundred/thousand/dozen; **a 90 km por hora** (at) 90 km per hour; **¿a cuánto están las peras?** how much are the pears?; **tiene las peras a tres euros** she's selling pears for O at three euros; **ganaron tres a cero** they won three nil **- 10.** [modo]: **lo hace a la antigua** he does it the old way; **a lo Mozart** in Mozart's style; **a cuadros** checked; **a escondidas** secretly; **poco a poco** little by little **- 11.** [instrumento]: **escribir a máquina** to use a typewriter; **a lápiz** in pencil; **a mano** by hand **- 12.** (*después de v y antes de infinitivo*) [finalidad] to; **entró a pagar** he came in to pay; **aprender a nadar** to learn to swim **- 13.** (*después de s y antes de infinitivo*) [complemento de nombre]: **temas a tratar** matters to be discussed **- 14.** [en oraciones imperativas]: **¡a la cama!** go to bed!; **¡a bailar!** let's dance!

AA (*abrev de* **Alcohólicos Anónimos**) *smpl* AA.

abad, **esa** *sm, f* abbot (*f* abbess).

abadía *sf* abbey.

abajo ⬦ *adv* **- 1.** [posición - gen] below; [- en edificio] downstairs; **vive (en el piso de) abajo** she lives downstairs; **más abajo** further down **- 2.** [dirección] down; **ve abajo** [en edificio] go downstairs; **hacia/para abajo** down, downwards; **calle/escaleras abajo** down the street/stairs; **río abajo** downstream **- 3.** [en un texto] below. ⬦ *interj*: **¡abajo la dictadura!** down with the dictatorship! **de abajo** *loc adj* bottom.

abalanzarse *vprnl*: **abalanzarse sobre** to fall upon; **abalanzarse hacia** to rush towards.

abalear *vt Andes, Amér C & Ven* to shoot at.

abalorio *sm* (*gen pl*) [bisutería] trinket.

abanderado *sm lit & fig* standard-bearer.

abandonado, **da** *adj* **- 1.** [desierto] deserted **- 2.** [desamparado] abandoned **- 3.** [descuidado - jardín, casa] neglected; **dejar abandonado** to abandon.

abandonar *vt* **- 1.** [gen] to abandon; [lugar, profesión, cónyuge] to leave **- 2.** [desatender - obligaciones, estudios] to neglect. **abandonarse** *vprnl* [a una emoción]: **abandonarse a** [desesperación, dolor] to succumb to; [bebida, drogas] to give o.s. over to.

abandono *sm* **- 1.** [acción - gen] abandonment; [- de lugar, profesión, cónyuge] leaving; [- de obligaciones, estudios] neglect **- 2.** [estado] state of abandon **- 3.** DEP: **ganar por abandono** to win by default.

abanicar *vt* to fan.

abanico *sm* [para dar aire] fan.

abaratar *vt* to reduce the price of. **abaratarse** *vprnl* to become cheaper.

abarcar *vt* [incluir] to embrace, to cover.

abarrotado, da *adj*: abarrotado (de) [teatro, autobús] packed (with); [desván, baúl] crammed (with).

abarrotar *vt*: abarrotar algo (de O con) [teatro, autobús] to pack sthg (with); [desván, baúl] to cram sthg full (of).

abarrotería *sf* Amér C & Méx grocer's (shop) UK, grocery store US.

abarrotero, ra *sm, f* Amér C & Méx grocer.

abarrotes *smpl* Amér groceries.

abastecer *vt*: abastecer algo/a alguien (de) to supply sthg/sb (with).

abastecimiento *sm* [cantidad] supply; [acción] supplying.

abasto *sm*: no dar abasto para hacer algo to be unable to cope with doing sthg; no doy abasto con tanto trabajo I can't cope with all this work.

abatible *adj* reclining; de alas abatibles gate-legged.

abatido, da *adj* dejected.

abatir *vt* - 1. [derribar - muro] to knock down; [- avión] to shoot down - 2. [desanimar] to depress. ◆ **abatirse** *vprnl*: abatirse (sobre) to swoop (down on).

abdicación *sf* abdication.

abdicar *vi* to abdicate; abdicar de algo *fig* to renounce sthg.

abdomen *sm* abdomen.

abdominal *adj* abdominal.

abecé *sm* lit & fig ABC.

abecedario *sm* [alfabeto] alphabet.

abedul *sm* birch (tree).

abeja *sf* bee.

abejorro *sm* bumblebee.

aberración *sf* aberration; eso es una aberración that's absurd.

abertura *sf* opening.

abertzale [aβer'tʃale] *adj & smf* Basque nationalist.

abeto *sm* fir (tree).

abierto, ta ◇ *pp* ▷ **abrir**. ◇ *adj* [gen] open; dejar el grifo abierto to leave the tap on; bien O muy abierto wide open.

abigarrado, da *adj* multi-coloured; *fig* motley.

abismal *adj* vast, colossal.

abismo *sm* [profundidad] abyss.

abjurar *culto vi*: abjurar de algo to abjure sthg.

ablandar *vt* [material] to soften. ◆ **ablandarse** *vprnl* [material] to soften.

abnegación *sf* abnegation, self-denial.

abochornar *vt* to embarrass. ◆ **abochornarse** *vprnl* to get embarrassed.

abofetear *vt* to slap.

abogacía *sf* legal profession.

abogado, da *sm, f* lawyer, attorney US; abogado defensor counsel for the defence; abogado del estado public prosecutor.

abogar *vi* *fig* [defender]: abogar por algo to advocate sthg; abogar por alguien to stand up for sb.

abolengo *sm* lineage.

abolición *sf* abolition.

abolir *vt* to abolish.

abolladura *sf* dent.

abollar *vt* to dent.

abominable *adj* abominable.

abonado, da *sm, f* [de teléfono, revista] subscriber; [al fútbol, teatro, transporte] season-ticket holder.

abonar *vt* - 1. [pagar] to pay; abonar algo en la cuenta de alguien to credit sb's account with sthg - 2. [tierra] to fertilize. ◆ **abonarse** *vprnl*: abonarse (a) [revista] to subscribe (to); [fútbol, teatro, transporte] to buy a season ticket (for).

abonero, ra *sm, f* Méx hawker, street trader.

abono *sm* - 1. [pase] season ticket - 2. [fertilizante] fertilizer - 3. [pago] payment - 4. Méx [plazo] instalment.

abordar *vt* - 1. [embarcación] to board - 2. *fig* [tema, tarea] to tackle.

aborigen *adj* [indígena] indigenous; [de Australia] aboriginal.

aborrecer *vt* [actividad] to abhor; [persona] to loathe.

abortar *vi* [MED - espontáneamente] to have a miscarriage; [- intencionadamente] to have an abortion.

aborto *sm* [MED - espontáneo] miscarriage; [- intencionado] abortion.

abotonar *vt* to button up. ◆ **abotonarse** *vprnl* to do one's buttons up; [abrigo, camisa] to button up.

abovedado, da *adj* arched, vaulted.

abrasar *vt* - 1. [quemar - casa, bosque] to burn down; [- persona, mano, garganta] to burn; murieron abrasados they were burned to death - 2. [desecar - suj: sol, calor, lejía] to scorch; [- suj: sed] to parch.

abrazadera *sf* TECNOL brace, bracket; [en carpintería] clamp.

abrazar *vt* [con los brazos] to hug, to embrace; abrazar fuerte a alguien to hold sb tight. ◆ **abrazarse** *vprnl* to hug O embrace (each other).

abrazo *sm* embrace, hug.

abrebotellas *sm inv* bottle opener.

abrecartas *sm inv* paper knife.

abrelatas *sm inv* tin opener *UK*, can opener *US*.

abreviar *vt* [gen] to shorten; [texto] to abridge; [palabra] to abbreviate; [viaje, estancia] to cut short.

abreviatura *sf* abbreviation.

abridor *sm* - **1.** [abrebotellas] (bottle) opener - **2.** [abrelatas] (tin) opener *UK*, (can) opener *US*.

abrigar *vt* - **1.** [arropar - suj: persona] to wrap up; [- suj: ropa] to keep warm - **2.** *fig* [albergar - esperanza] to cherish; [- sospechas, malas intenciones] to harbour. ◆ **abrigarse** *vprnl* [arroparse] to wrap up.

abrigo *sm* - **1.** [prenda] coat, overcoat - **2.** [refugio] shelter.

abril *sm* April; *ver también* **septiembre**.

abrillantar *vt* to polish.

abrir ◇ *vt* - **1.** [gen] to open; [alas] to spread; [melón] to cut open - **2.** [puerta] to unlock, to open; [pestillo] to pull back; [grifo] to turn on; [cremallera] to undo - **3.** [túnel] to dig; [canal, camino] to build; [agujero, surco] to make. ◇ *vi* [establecimiento] to open. ◆ **abrirse** *vprnl* - **1.** [sincerarse]: **abrirse a alguien** to open up to sb, to confide in sb - **2.** [cielo] to clear.

abrochar *vt* [camisa, botón] to do up; [cinturón] to fasten. ◆ **abrocharse** *vprnl* to do up; [cinturón] to fasten.

abrumar *vt* [agobiar] to overwhelm.

abrupto, ta *adj* [escarpado] sheer; [accidentado] rugged.

absceso *sm* abscess.

absentismo *sm* [de terrateniente] absentee landownership.

ábside *sm* apse.

absolución *sf* - **1.** DER acquittal - **2.** RELIG absolution.

absoluto, ta *adj* [gen] absolute; [silencio, obediencia] total. ◆ **en absoluto** *loc adv* [en negativas] at all; [tras pregunta] not at all; **¿te gusta? – en absoluto** do you like it? – not at all; **nada en absoluto** nothing at all.

absolver *vt*: **absolver a alguien (de algo)** DER to acquit sb (of sthg); RELIG to absolve sb (of sthg).

absorbente *adj* - **1.** [que empapa] absorbent - **2.** [actividad] absorbing.

absorber *vt* - **1.** [gen] to absorb - **2.** [consumir, gastar] to soak up.

absorción *sf* absorption.

absorto, ta *adj*: **absorto (en)** absorbed *O* engrossed (in).

abstemio, mia *adj* teetotal.

abstención *sf* abstention.

abstenerse *vprnl*: **abstenerse (de algo/de hacer algo)** to abstain (from sthg/from doing

sthg); **le han recomendado que se abstenga del alcohol** she has been advised to stay off the alcohol.

abstinencia *sf* abstinence.

abstracción *sf* [gen] abstraction.

abstracto, ta *adj* abstract.

abstraer *vt* to consider separately.

abstraído, da *adj* lost in thought.

absuelto, ta *pp* ▷ **absolver**.

absurdo, da *adj* absurd. ◆ **absurdo** *sm*: **decir/hacer un absurdo** to say/do something ridiculous.

abuchear *vt* to boo.

abuelo, la *sm, f* [familiar] grandfather (*f* grandmother). ◆ **abuelos** *smpl* grandparents.

abulia *sf* apathy, lethargy.

abúlico, ca *adj* apathetic, lethargic.

abultado, da *adj* [paquete] bulky; [labios] thick; [cantidad, cifra] inflated.

abultar ◇ *vt* - **1.** [hinchar] to swell - **2.** [exagerar] to blow up. ◇ *vi* [ser muy grande] to be bulky.

abundancia *sf* - **1.** [gran cantidad] abundance; **en abundancia** in abundance - **2.** [riqueza] plenty, prosperity.

abundante *adj* abundant.

abundar *vi* [ser abundante] to abound.

aburguesarse *vprnl* to adopt middle-class ways.

aburrido, da ◇ *adj* - **1.** [harto, fastidiado] bored; **estar aburrido de hacer algo** to be fed up with doing sthg - **2.** [que aburre] boring. ◇ *sm, f* bore.

aburrimiento *sm* boredom; **¡qué aburrimiento!** what a bore!

aburrir *vt* to bore; **me aburre** I'm bored of it. ◆ **aburrirse** *vprnl* to get bored; [estar aburrido] to be bored.

abusado, da *adj* *Méx* astute, shrewd.

abusar *vi* - **1.** [excederse] to go too far; **abusar de algo** to abuse sthg; **abusar del alcohol** to drink too much; **abusar de alguien** to take advantage of sb - **2.** [forzar sexualmente]: **abusar de alguien** to sexually abuse sb.

abusivo, va *adj* [trato] very bad, appalling; [precio] extortionate.

abuso *sm* [uso excesivo]: **abuso (de)** abuse (of); **abuso de confianza** breach of confidence; **abusos deshonestos** sexual abuse (*U*).

abyecto, ta *adj* *culto* vile, wretched.

a. C. (*abrev de* antes de Cristo) BC.

acá *adv* - **1.** [lugar] here; **de acá para allá** back and forth - **2.** [tiempo]: **de una semana acá** during the last week.

acabado, **da** *adj* - **1.** [completo] perfect, consummate - **2.** [fracasado] finished. ◆ **acabado** *sm* [de producto] finish; [de piso] décor.

acabar ◇ *vt* - **1.** [concluir] to finish - **2.** [consumir - provisiones, dinero] to use up; [- comida] to finish. ◇ *vi* - **1.** [gen] to finish, to end; **acabar de hacer algo** to finish doing sthg - **2.** [haber hecho recientemente]: **acabar de hacer algo** to have just done sthg; **acabo de llegar** I've just arrived - **3.** [terminar por - persona]: **acabar por hacer algo, acabar haciendo algo** to end up doing sthg - **4.** [destruir]: **acabar con** [gen] to destroy; [salud] to ruin; [paciencia] to exhaust; [violencia, crimen] to put an end to. ◆ **acabarse** *vprnl* - **1.** [agotarse] to be used up; **se nos ha acabado el petróleo** we're out of petrol; **se ha acabado la comida** there's no more food left, all the food has gone - **2.** [concluir] to finish, to be over - **3.** *loc*: **¡se acabó!** [¡basta ya!] that's enough!; [se terminó] that's it, then!

acabose *sm fam*: **¡es el acabose!** it really is the limit!

academia *sf* - **1.** [para aprender] school - **2.** [institución] academy. ◆ **Real Academia Española** *sf* institution that sets lexical and syntactical standards for Spanish.

académico, **ca** *adj* academic.

acaecer *v impers culto* to occur.

acallar *vt* to silence.

acalorado, **da** *adj* - **1.** [por calor] hot - **2.** [apasionado - debate] heated.

acalorar *vt* [enfadar]: **acalorar a alguien** to make sb hot under the collar. ◆ **acalorarse** *vprnl* [enfadarse] to get aroused O excited.

acampanado, **da** *adj* flared.

acampar *vi* to camp.

acanalado, **da** *adj* [columna] fluted; [tejido] ribbed; [hierro, uralita] corrugated.

acantilado *sm* cliff.

acaparar *vt* - **1.** [monopolizar] to monopolize; [mercado] to corner - **2.** [guardarse] to hoard.

acápite *sm Amér* paragraph.

acaramelado, **da** *adj fig* [pegajoso] sickly sweet.

acariciar *vt* - **1.** [persona] to caress; [animal] to stroke - **2.** *fig* [idea, proyecto] to cherish.

acarrear *vt* - **1.** [transportar] to carry; [carbón] to haul - **2.** *fig* [ocasionar] to bring, to give rise to.

acaso *adv* perhaps; **¿acaso no lo sabías?** are you trying to tell me you didn't know?; **por si acaso** (just) in case; **¿acaso es culpa mía?** is it my fault? ◆ **si acaso** ◇ *loc adv* [en todo caso] if anything. ◇ *loc conj* [en caso de que] if.

acatar *vt* to respect, to comply with.

acatarrarse *vprnl* to catch a cold.

acaudalado, **da** *adj* well-to-do.

acaudillar *vt* to lead.

acceder *vi* - **1.** [consentir]: **acceder (a algo/hacer algo)** to agree (to sthg/to do sthg) - **2.** [tener acceso]: **acceder a** to enter - **3.** [alcanzar]: **acceder a** [trono] to accede to; [poder] to come to; [cargo] to obtain.

accesible *adj* [lugar] accessible.

accésit *sm inv* consolation prize.

acceso *sm* - **1.** [entrada]: **acceso (a)** entrance (to) - **2.** [paso]: **acceso (a)** access (to); **acceso a Internet** Internet access; **acceso remoto** remote access - **3.** [carretera] access road, ramp *US* - **4.** *fig* & *MED* [de tos] fit; [de fiebre, gripe] bout.

accesorio, **ria** *adj* incidental. ◆ **accesorio** *(gen pl) sm* accessory.

accidentado, **da** ◇ *adj* - **1.** [vida, viaje] eventful - **2.** [terreno, camino] rough, rugged. ◇ *sm, f* injured person, victim.

accidental *adj* [imprevisto] accidental; [encuentro] chance.

accidentarse *vprnl* to be involved in O have an accident.

accidente *sm* - **1.** [desgracia] accident; **accidente laboral/mortal** industrial/fatal accident; **accidente de tráfico** road accident - **2.** *(gen pl)* [del terreno] unevenness (U).

acción *sf* - **1.** [gen] action - **2.** [hecho] deed, act - **3.** FIN share.

accionar *vt* to activate.

accionista *smf* shareholder.

acechar *vt* - **1.** [vigilar] to keep under surveillance; [suj: cazador] to stalk - **2.** [amenazar] to be lying in wait for.

acecho *sm*: **estar al acecho de** to lie in wait for; *fig* to be on the lookout for.

aceite *sm* oil.

aceitera *sf* oil can. ◆ **aceiteras** *sfpl* cruet *sing*.

aceitoso, **sa** *adj* oily.

aceituna *sf* olive.

aceleración *sf* acceleration.

acelerador, **ra** *adj* accelerating. ◆ **acelerador** *sm* accelerator.

acelerar ◇ *vt* [avivar] to speed up; TECNOL to accelerate. ◇ *vi* to accelerate. ◆ **acelerarse** *vprnl* to hurry up.

acelga *sf* chard.

acento *sm* - **1.** [gen] accent - **2.** [intensidad] stress, accent.

acentuación *sf* accentuation.

acentuar *vt* - **1.** [palabra, letra - al escribir] to put an accent on; [- al hablar] to stress - **2.** *fig* [realzar] to accentuate. ◆ **acentuarse** *vprnl* [intensificarse] to deepen, to increase.

acepción *sf* meaning, sense.

aceptable *adj* acceptable.

aceptación *sf* - **1.** [aprobación] acceptance - **2.** [éxito] success, popularity.

aceptar *vt* to accept.

acequia *sf* irrigation channel.

acera *sf* [para peatones] pavement *UK*, sidewalk *US*; **ser de la otra acera, ser de la acera de enfrente** *fam despec* to be one of them, to be queer.

acerbo, ba *adj culto* [mordaz] caustic.

acerca ➡ **acerca de** *loc adv* about.

acercar *vt* to bring nearer *O* closer; **¡acércame el pan!** could you pass me the bread? ➡ **acercarse** *vprnl* [arrimarse - viniendo] to come closer; [- yendo] to go over.

acero *sm* steel; **acero inoxidable** stainless steel.

acérrimo, ma *adj* [defensor] diehard *(antes de s)*; [enemigo] bitter.

acertado, da *adj* - **1.** [con acierto - respuesta] correct; [- comentario] appropriate - **2.** [oportuno] good, clever.

acertar ◇ *vt* - **1.** [adivinar] to guess (correctly) - **2.** [el blanco] to hit - **3.** [elegir bien] to choose well. ◇ *vi* - **1.** [atinar]: **acertar (al hacer algo)** to be right (in to do sthg) - **2.** [conseguir]: **acertar a hacer algo** to manage to do sthg - **3.** [hallar]: **acertar con** to find.

acertijo *sm* riddle.

acervo *sm* [patrimonio] heritage.

achacar *vt*: **achacar algo a alguien/algo** to attribute sthg to sb/sthg.

achantar *vt fam* to put the wind up. ➡ **achantarse** *vprnl fam* to get the wind up.

achaparrado, da *adj* squat.

achaque *sm* ailment.

achatado, da *adj* flattened.

achicar *vt* - **1.** [tamaño] to make smaller - **2.** [agua - de barco] to bale out - **3.** *fig* [acobardar] to intimidate.

achicharrar *vt* [chamuscar] to burn. ➡ **achicharrarse** *vprnl* - **1.** *fig* [de calor] to fry - **2.** [chamuscarse] to burn.

achicoria *sf* chicory.

achuchado, da *adj fam* hard, tough.

achuchar *vt fam* [abrazar] to hug.

aciago, ga *adj culto* black, fateful.

acicalar *vt* [arreglar] to do up. ➡ **acicalarse** *vprnl* to do o.s. up.

acicate *sm fig* [estímulo] incentive.

acidez *sf* - **1.** [cualidad] acidity - **2.** MED: **acidez (de estómago)** heartburn.

ácido, da *adj* - **1.** QUÍM acidic - **2.** [bebida, sabor, carácter] acid, sour. ➡ **ácido** *sm* QUÍM acid; **ácido clorhídrico/desoxirribonucleico/ribonucleico/sulfúrico** hydrochloric/deoxyribonucleic/ribonucleic/sulphuric acid.

acierto *sm* - **1.** [a pregunta] correct answer - **2.** [habilidad, tino] good *O* sound judgment - **3.** [éxito] success.

aclamación *sf* [ovación] acclamation, acclaim; **por aclamación** unanimously; **entre aclamaciones** to great acclaim.

aclamar *vt* to acclaim.

aclaración *sf* explanation.

aclarar *vt* - **1.** [ropa] to rinse - **2.** [explicar] to clarify, to explain - **3.**: **aclarar la voz** [carraspeando] to clear one's throat. ➡ **aclararse** *vprnl* - **1.** [entender] to understand - **2.** [explicarse] to explain o.s.

aclaratorio, ria *adj* explanatory.

aclimatación *sf* acclimatization.

aclimatar *vt* - **1.** [al clima]: **aclimatar algo/a alguien (a)** to acclimatize sthg/sb (to) - **2.** [al ambiente]: **aclimatar algo/a alguien a algo** to get sthg/sb used to sthg. ➡ **aclimatarse** *vprnl* - **1.** [al clima]: **aclimatarse (a algo)** to acclimatize (to sthg) - **2.** [al ambiente] to settle in; **aclimatarse a algo** to get used to sthg.

acné *sm* acne.

acobardar *vt* to frighten, to scare. ➡ **acobardarse** *vprnl* to get frightened *O* scared; **acobardarse ante** to shrink back from.

acodarse *vprnl*: **acodarse (en)** to lean (on).

acogedor, ra *adj* [país, persona] welcoming; [casa, ambiente] cosy.

acoger *vt* - **1.** [recibir] to welcome - **2.** [dar refugio] to take in. ➡ **acogerse a** *vprnl* [inmunidad parlamentaria etc] to take refuge in; [ley] to have recourse to.

acogida *sf* reception; **acogida familiar** fostering.

acolchar *vt* to pad.

acometer ◇ *vt* - **1.** [atacar] to attack - **2.** [emprender] to undertake. ◇ *vi* [embestir]: **acometer contra** to hurtle into.

acometida *sf* - **1.** [ataque] attack, charge - **2.** [de luz, gas etc] (mains) connection.

acomodado, da *adj* [rico] well-off.

acomodador, ra *sm, f* usher (*f* usherette).

acomodar *vt* - **1.** [instalar - persona] to seat, to instal; [- cosa] to place - **2.** [adaptar] to fit. ➡ **acomodarse** *vprnl* [instalarse] to make o.s. comfortable; **acomodarse en** to settle down in.

acomodaticio, cia *adj* [complaciente] accommodating.

acompañamiento *sm* CULIN & MÚS accompaniment.

acompañante *smf* [compañero] companion; MÚS accompanist.

acompañar *vt* - **1.** [ir con]: **acompañar a alguien** [gen] to go with *O* accompany sb; [a la puerta] to show sb out; [a casa] to walk sb

home; **te acompaño** I'll come with you - **2.** [estar con]: **acompañar a alguien** to keep sb company - **3.** [adjuntar] to enclose - **4.** MÚS to accompany.

acompasar *vt*: **acompasar algo (a)** to synchronize sthg (with).

acomplejar *vt* to give a complex. ➡ **acomplejarse** *vprnl* to develop a complex.

acondicionado, da *adj* equipped; **estar bien/mal acondicionado** to be in a fit/no fit state; **aire acondicionado** air conditioned.

acondicionador *sm* - **1.** [de aire] (air) conditioner - **2.** [de pelo] conditioner.

acondicionar *vt* - **1.** [reformar] to condition, to convert, to upgrade - **2.** [preparar] to prepare, to get ready.

acongojar *vt* to distress.

aconsejar *vt* [dar consejos]: **aconsejar a alguien (que haga algo)** to advise sb (to do sthg); **te aconsejo que vayas al médico** I'd advise you to see a doctor.

acontecer *v impers* to take place, to happen.

acontecimiento *sm* event.

acopio *sm* stock, store.

acoplar *vt* - **1.** [encajar] to attach, to fit together - **2.** FERROC to couple - **3.** *fig* [adaptar] to adapt, to fit.

acorazado, da *adj* armour-plated. ➡ **acorazado** *sm* battleship.

acordar *vt*: **acordar algo/hacer algo** to agree on sthg/to do sthg. ➡ **acordarse** *vprnl*: **acordarse (de algo/de hacer algo)** to remember (sthg/to do sthg); **acordarse de haber hecho algo** to remember doing sthg.

acorde ➡ *adj* [en consonancia]: **acorde con** in keeping with. ➡ *sm* MÚS chord.

acordeón *sm* accordion.

acordonar *vt* [lugar] to cordon off.

acorralar *vt lit & fig* to corner.

acortar *vt* - **1.** [falda, pantalón etc] to take up; [cable] to shorten - **2.** [plazo, vacaciones] to cut short - **3.** [extensión] to shorten. ➡ **acortarse** *vprnl* [días] to get shorter; [reunión] to end early.

acosar *vt* - **1.** [hostigar] to harass - **2.** [perseguir] to pursue relentlessly.

acoso *sm* [hostigamiento] harassment; **acoso sexual** sexual harassment.

acostar *vt* [en la cama] to put to bed. ➡ **acostarse** *vprnl* - **1.** [irse a la cama] to go to bed - **2.** [tumbarse] to lie down - **3.** *fam* [tener relaciones sexuales]: **acostarse con alguien** to sleep with sb.

acostumbrado, da *adj* - **1.** [habitual] usual - **2.** [habituado]: **estar acostumbrado a** to be used to.

acostumbrar ➡ *vt* [habituar]: **acostumbrar a alguien a algo/a hacer algo** to get sb used to sthg/to doing sthg. ➡ *vi* [soler]: **acostumbrar a hacer algo** to be in the habit of doing sthg; **acostumbro a levantarme temprano** I usually get up early. ➡ **acostumbrarse** *vprnl* [habituarse]: **acostumbrarse a algo/a hacer algo** to get used to sthg/to doing sthg.

acotación *sf* [nota] note in the margin.

acotar *vt* - **1.** [terreno, campo] to enclose; *fig* [tema etc] to delimit - **2.** [texto] to write notes in the margin of.

acrecentar *vt* to increase.

acreditado, da *adj* - **1.** [médico, abogado etc] distinguished; [marca] reputable - **2.** [embajador, representante] accredited.

acreditar *vt* - **1.** [certificar] to certify; [autorizar] to authorize - **2.** [confirmar] to confirm - **3.** [embajador] to accredit - **4.** FIN to credit.

acreedor, ra ➡ *adj*: **hacerse acreedor de algo** to earn sthg, to show o.s. to be worthy of sthg. ➡ *sm, f* creditor.

acribillar *vt* [herir]: **acribillar (a)** to pepper O riddle (with); **acribillar a balazos** to riddle with bullets.

acrílico, ca *adj* acrylic.

acrimonia = **acritud**.

acritud, acrimonia *sf* - **1.** [de olor] acridity, pungency; [de sabor] bitterness - **2.** *fig* [mordacidad] venom - **3.** [desavenencia] acrimony.

acrobacia *sf* [en circo] acrobatics *pl*.

acróbata *smf* acrobat.

acta *sf* (el) - **1.** [de junta, reunión] minutes *pl*; **levantar acta** to take the minutes - **2.** [de defunción etc] certificate; **acta notarial** affidavit. ➡ **actas** *sfpl* minutes.

actitud *sf* [disposición de ánimo] attitude.

activar *vt* - **1.** [gen] to activate - **2.** [explosivo] to detonate.

actividad *sf* [acción] activity; [trabajo] work.

activo, va *adj* - **1.** [gen & GRAM] active - **2.** [trabajador] hard-working. ➡ **activo** *sm* FIN assets *pl*; **activo fijo/líquido/financiero** fixed/liquid/financial assets; **activo y pasivo** assets and liabilities.

acto *sm* - **1.** [acción] act; **hacer acto de presencia** to show one's face; **acto de solidaridad** show of solidarity - **2.** [ceremonia] ceremony - **3.** TEATRO act. ➡ **en el acto** *loc adv* on the spot; **murió en el acto** she died instantly.

actor, triz *sm, f* actor (*f* actress).

actuación *sf* - **1.** [conducta, proceder] conduct, behaviour - **2.** [interpretación] performance.

actual *adj* - **1.** [existente] present, current - **2.** [de moda] modern, present-day - **3.** [de actualidad] topical.

actualidad *sf* - **1.** [momento presente] current situation; **de actualidad** [moderno] in fashion;

[de interés actual] topical; **en la actualidad** at the present time, these days - **2.** [noticia] news (U); **ser actualidad** to be making the news.

actualizar vt [información] to update; [tecnología, industria] to modernize; INFORM to upgrade.

actualmente adv [hoy día] these days, nowadays; [en este momento] at the (present) moment.

actuar vi [gen] to act; **actuar de** to act as.

acuarela sf watercolour.

acuario sm aquarium. **acuario** ⬦ sm [zodiaco] Aquarius. ⬦ smf [persona] Aquarius.

acuartelar vt to confine to barracks.

acuático, ca adj aquatic.

acuchillar vt - **1.** [apuñalar] to stab - **2.** [mueble, parqué] to grind down.

acuciar vt culto [suj: persona] to goad; [suj: necesidad, deseo] to press.

acuclillarse vprnl to squat (down).

acudir vi - **1.** [ir] to go; [venir] to come; [recurrir]: **acudir a** to go O turn to - **3.** [presentarse]: **acudir (a)** [escuela, iglesia] to attend; [cita, examen] to turn up (for); fig [memoria, mente] to come (to).

acueducto sm aqueduct.

acuerdo sm agreement; **de acuerdo** all right, O.K.; **de acuerdo con** [conforme a] in accordance with; **estar de acuerdo (con alguien/en hacer algo)** to agree (with sb/to do sthg).

acumular vt to accumulate.

acunar vt to rock.

acuñar vt - **1.** [moneda] to mint - **2.** [palabra] to coin.

acuoso, sa adj watery.

acupuntura sf acupuncture.

acurrucarse vprnl [por frío] to huddle up; [en sitio agradable] to curl up.

acusación sf [inculpación] charge.

acusado, da ⬦ adj [marcado] marked. ⬦ sm, f [procesado] accused, defendant.

acusar vt - **1.** [culpar] to accuse; DER to charge; **acusar a alguien de algo** [gen] to accuse sb of sthg; DER to charge sb with sthg - **2.** [mostrar] to show.

acusativo sm accusative.

acuse **acuse de recibo** sm acknowledgement of receipt.

acústico, ca adj acoustic. **acústica** sf [de local] acoustics pl.

AD sf (abrev de **Acción Democrática**) Venezuelan political party.

adagio sm [sentencia breve] adage.

adaptación sf - **1.** [aclimatación]: **adaptación (a)** adjustment (to) - **2.** [modificación] adaptation.

adaptar vt - **1.** [acomodar, ajustar] to adjust - **2.** [modificar] to adapt. **adaptarse** vprnl: **adaptarse (a)** to adjust (to).

adecentar vt to tidy up.

adecuado, da adj appropriate, suitable.

adecuar vt to adapt. **adecuarse a** vprnl - **1.** [ser adecuado] to be appropriate for - **2.** [adaptarse] to adjust to.

adefesio sm fam [persona fea] fright.

a. de JC., a.JC. (abrev de antes de Jesucristo) BC.

adelantado, da adj advanced; **llevo el reloj adelantado** my watch is fast; **por adelantado** in advance.

adelantamiento sm AUTO overtaking.

adelantar ⬦ vt - **1.** [dejar atrás] to overtake - **2.** [mover hacia adelante] to move forward; [pie, reloj] to put forward - **3.** [en el tiempo - trabajo, viaje] to bring forward; [- dinero] to pay in advance. ⬦ vi - **1.** [progresar] to make progress - **2.** [reloj] to be fast. **adelantarse** vprnl - **1.** [en el tiempo] to be early; [frío, verano] to arrive early; [reloj] to gain; **adelantarse a alguien** to beat sb to it - **2.** [en el espacio] to go on ahead.

adelante ⬦ adv forward, ahead; **(de ahora) en adelante** from now on, in future; **más adelante** [en el tiempo] later (on); [en el espacio] further on. ⬦ interj: **¡adelante!** [¡siga!] go ahead!; [¡pase!] come in!

adelanto sm advance.

adelgazar ⬦ vi to lose weight, to slim. ⬦ vt to lose.

ademán sm [gesto - con manos etc] gesture; [- con cara] face, expression; **en ademán de** as if to.

además adv [con énfasis] moreover, besides; [también] also; **además de** as well as, in addition to.

adentrarse vprnl: **adentrarse en** [jungla etc] to enter the heart of; [tema etc] to study in depth.

adentro adv inside; **tierra adentro** inland; **mar adentro** out to sea.

adepto, ta sm, f: **adepto (a)** follower (of).

aderezar vt [sazonar - ensalada] to dress; [- comida] to season.

aderezo sm [aliño - de ensalada] dressing; [- de comida] seasoning.

adeudar vt - **1.** [deber] to owe - **2.** COM to debit. **adeudarse** vprnl to get into debt.

adherir vt to stick. **adherirse** vprnl - **1.** [pegarse] to stick - **2.** [mostrarse de acuerdo]: **adherirse a** to adhere to.

adhesión sf [apoyo] support.

adhesivo, va adj adhesive. **adhesivo** sm [pegatina] sticker.

adicción sf: adicción (a) addiction (to).

adición sf addition.

adicional adj additional.

adicto, ta ◇ adj: adicto (a) addicted (to). ◇ sm, f: adicto (a) addict (of).

adiestrar vt to train; **adiestrar a alguien en algo/para hacer algo** to train sb in sthg/to do sthg.

adinerado, da adj wealthy.

adiós ◇ sm goodbye. ◇ interj: ¡adiós! goodbye!; [al cruzarse con alguien] hello!

adiposo, sa adj adipose.

aditivo sm additive.

adivinanza sf riddle.

adivinar vt - 1. [predecir] to foretell; [el futuro] to tell - 2. [acertar] to guess (correctly).

adivino, na sm, f fortune-teller.

adjudicación sf awarding.

adjudicar vt [asignar] to award. ➤ **adjudicarse** vprnl [apropiarse] to take for o.s.; **adjudicarse un premio** to win a prize.

adjuntar vt to enclose.

adjunto, ta ◇ adj [incluido] enclosed; 'adjunto le remito...' 'please find enclosed...' ◇ sm, f [auxiliar] assistant.

administración sf - 1. [suministro] supply; [de medicamento, justicia] administering - 2. [gestión] administration - 3. [gerentes] management; [oficina] manager's office. ➤ **Administración** sf [gobierno] administration; **Administración local** local government; **Administración pública** civil service.

administrador, ra sm, f - 1. [de empresa] manager - 2. [de bienes ajenos] administrator.

administrar vt - 1. [gestionar - empresa, finca etc] to manage, to run; [- casa] to run - 2. [país] to run the affairs of - 3. [suministrar] to administer.

administrativo, va adj administrative.

admirable adj admirable.

admiración sf - 1. [sentimiento] admiration; **causar admiración** to be admired; **sentir admiración por alguien** to admire sb - 2. [signo ortográfico] exclamation mark.

admirar vt - 1. [gen] to admire - 2. [sorprender] to amaze. ➤ **admirarse** vprnl: **admirarse (de)** to be amazed (by).

admisible adj acceptable.

admisión sf - 1. [de persona] admission - 2. [de solicitudes etc] acceptance; **prueba de admisión** entrance exam.

admitir vt - 1. [acoger, reconocer] to admit; **admitir a alguien en** to admit sb to - 2. [aceptar] to accept.

ADN (abrev de **ácido desoxirribonucleico**) sm DNA.

adobar vt to marinate.

adobe sm adobe.

adobo sm [salsa] marinade.

adoctrinar vt to instruct.

adolecer ➤ **adolecer de** vi to suffer from.

adolescencia sf adolescence.

adolescente adj & smf adolescent.

adonde adv where; **la ciudad adonde vamos** the city we are going to, the city where we are going.

adónde adv where.

adopción sf [de hijo, propuesta] adoption; [de ley] passing.

adoptar vt [hijo, propuesta] to adopt; [ley] to pass.

adoptivo, va adj [hijo, país] adopted; [padre] adoptive.

adoquín (pl adoquines) sm cobblestone.

adorable adj [persona] adorable; [ambiente, película] wonderful.

adoración sf adoration; **sentir adoración por alguien** to worship sb.

adorar vt - 1. [dios, ídolo] to worship - 2. [persona, comida] to adore.

adormecer vt [producir sueño] to lull to sleep. ➤ **adormecerse** vprnl to nod off.

adormilarse vprnl to doze.

adornar vt to decorate.

adorno sm decoration; **de adorno** [árbol, figura] decorative, ornamental; [person] serving no useful purpose.

adosado, da adj [casa] semi-detached.

adquirir vt - 1. [comprar] to acquire, to purchase - 2. [conseguir - conocimientos, hábito, cultura] to acquire; [- éxito, popularidad] to achieve; [- compromiso] to undertake.

adquisición sf - 1. [compra, cosa comprada] purchase; **ser una buena/mala adquisición** to be a good/bad buy - 2. [obtención] acquisition - 3. [de costumbres] adoption.

adquisitivo, va adj purchasing (antes de s).

adrede adv on purpose, deliberately.

adrenalina sf adrenalin.

adscribir vt - 1. [asignar] to assign - 2. [destinar] O assign to. ➤ **adscribirse** vprnl: **adscribirse (a)** [grupo, partido] to become a member (of); [ideología] to subscribe (to).

adscrito, ta ◇ pp ▷ **adscribir**. ◇ adj assigned.

aduana sf [administración] customs pl; **pasar por la aduana** to go through customs.

aducir vt to adduce.

adueñarse ➤ **adueñarse de** vprnl - 1. [apoderarse] to take over - 2. [dominar] to take hold of.

adulación sf flattery.

adulador, ra adj flattering.

adular *vt* to flatter.

adulterar *vt* [alimento] to adulterate.

adulterio *sm* adultery.

adúltero, ra <> *adj* adulterous. <> *sm, f* adulterer (*f* adulteress).

adulto, ta *adj* & *sm, f* adult.

adusto, ta *adj* dour.

advenedizo, za *adj* & *sm, f* parvenu (*f* parvenue).

advenimiento *sm* [llegada] advent; [al trono] accession.

adverbio *sm* adverb; **adverbio de cantidad/lugar/modo/tiempo** adverb of degree/place/manner/time.

adversario, ria *sm, f* adversary.

adversidad *sf* adversity.

adverso, sa *adj* [gen] adverse; [destino] unkind; [suerte] bad; [viento] unfavourable.

advertencia *sf* warning; **servir de advertencia** to serve as a warning; **hacer una advertencia a alguien** to warn sb.

advertir *vt* - **1.** [notar] to notice - **2.** [prevenir, avisar] to warn; **te advierto que no deberías hacerlo** I'd advise against you doing it; **te advierto que no me sorprende** mind you, it doesn't surprise me.

adviento *sm* Advent.

adyacente *adj* adjacent.

aéreo, a *adj* - **1.** [del aire] aerial - **2.** AERON air *(antes de s)*.

aeroclub *(pl* **aeroclubes)** *sm* flying club.

aerodeslizador *sm* hovercraft.

aerodinámico, ca *adj* - **1.** FÍS aerodynamic - **2.** [forma, línea] streamlined.

aeródromo *sm* airfield, aerodrome.

aeroespacial *adj* aerospace *(antes de s)*.

aerógrafo *sm* airbrush.

aerolínea *sf* airline.

aeromozo, za *sm, f* Amér air steward (*f* air hostess).

aeronauta *smf* aeronaut.

aeronaval *adj* air and sea *(antes de s)*.

aeronave *sf* [gen] aircraft; [dirigible] airship.

aeroplano *sm* aeroplane.

aeropuerto *sm* airport.

aerosol *sm* aerosol.

aerostático, ca *adj* aerostatic.

aeróstato *sm* hot-air balloon.

aerotaxi *sm* light aircraft *(for hire)*.

afabilidad *sf* affability.

afable *adj* affable.

afamado, da *adj* famous.

afán *sm* - **1.** [esfuerzo] hard work *(U)* - **2.** [anhelo] urge; **tener afán de algo** to be eager for sthg; **afán de conocimiento** thirst for knowledge.

afanador, ra *sm, f* Méx cleaner.

afanar *vt fam* [robar] to pinch. <> **afanarse** *vprnl* [esforzarse]: **afanarse (por hacer algo)** to do everything one can (to do sthg).

afanoso, sa *adj* - **1.** [trabajoso] demanding - **2.** [que se afana] eager.

afear *vt* to make ugly.

afección *sf* MED complaint, disease.

afectación *sf* affectation.

afectado, da *adj* - **1.** [gen] affected - **2.** [afligido] upset, badly affected.

afectar *vt* - **1.** [gen] to affect - **2.** [afligir] to upset, to affect badly.

afectísimo, ma *adj* [en cartas]: **'suyo afectísimo'** 'yours faithfully'.

afectivo, va *adj* - **1.** [emocional] emotional - **2.** [cariñoso] affectionate.

afecto *sm* affection, fondness; **sentir afecto por alguien, tenerle afecto a alguien** to be fond of sb.

afectuoso, sa *adj* affectionate, loving.

afeitar *vt* [pelo, barba] to shave. <> **afeitarse** *vprnl* to shave.

afeminado, da *adj* effeminate.

aferrarse *vprnl*: **aferrarse a** *lit* & *fig* to cling to.

Afganistán *n pr* Afghanistan.

AFI *sm* (*abrev de* **alfabeto fonético internacional**) IPA.

afianzar *vt* [objeto] to secure. <> **afianzarse** *vprnl* to steady o.s.; **afianzarse en algo** [opinión etc] to become sure O convinced of sthg; [cargo, liderazgo] to consolidate sthg.

afiche *sm* Amér poster.

afición *sf* - **1.** [inclinación] fondness, liking; **tener afición a algo** to be keen on sthg - **2.** [en tiempo libre] hobby; **por afición** as a hobby - **3.** [aficionados] fans *pl*.

aficionado, da <> *adj* - **1.** [interesado] keen; **ser aficionado a algo** to be keen on sthg - **2.** [no profesional] amateur. <> *sm, f* - **1.** [interesado] fan; **aficionado al cine** film buff - **2.** [amateur] amateur.

aficionar *vt*: **aficionar a alguien a algo** to make sb keen on sthg. <> **aficionarse** *vprnl*: **aficionarse a algo** to become keen on sthg.

afilado, da *adj* [borde, filo] sharp; [dedos] pointed.

afilar *vt* to sharpen.

afiliado, da *sm, f*: **afiliado (a)** member (of).

afiliarse *vprnl*: **afiliarse a** to join, to become a member of.

afín *adj* [semejante] similar, like.

afinar *vt* - **1.** MÚS [instrumento] to tune; **afinar la voz** to sing in tune - **2.** [perfeccionar, mejorar] to fine-tune - **3.** [pulir] to refine.

afinidad *sf* [gen & QUÍM] affinity.

afirmación *sf* statement, assertion.

afirmar *vt* - **1.** [confirmar] to confirm - **2.** [decir] to say, to declare - **3.** [consolidar] to reaffirm - **4.** CONSTR to reinforce.

afirmativo, va *adj* affirmative.

aflicción *sf* suffering, sorrow.

afligir *vt* [afectar] to afflict; [causar pena] to distress.

aflojar ⬥ *vt* [destensar] to loosen; [cuerda] to slacken. ⬥ *vi* - **1.** [disminuir] to abate, to die down - **2.** *fig* [ceder] to ease off. ⬥ **aflojarse** *vprnl* [gen] to come loose; [cuerda] to slacken.

aflorar *vi fig* [surgir] to (come to the) surface, to show.

afluencia *sf* stream, volume.

afluente *sm* tributary.

afluir ⬥ **afluir a** *vi* - **1.** [gente] to flock to - **2.** [sangre, fluido] to flow to.

afonía *sf* loss of voice.

afónico, ca *adj*: **quedarse afónico** to lose one's voice.

aforo *sm* [cabida] seating capacity.

afortunadamente *adv* fortunately.

afortunado, da *adj* - **1.** [agraciado] lucky, fortunate - **2.** [oportuno] happy, felicitous.

afrenta *sf* [ofensa, agravio] affront.

África *n pr* Africa.

africano, na *adj & sm, f* African.

afrontar *vt* [hacer frente a] to face.

afuera *adv* outside; **por (la parte de) afuera** on the outside. ⬥ **afueras** *sfpl*: **las afueras** the outskirts.

afuerita *adv Amér fam* right outside.

afusilar *vt Amér fam* to shoot.

agachar *vt* to lower; [la cabeza] to bow. ⬥ **agacharse** *vprnl* [acuclillarse] to crouch down; [inclinar la cabeza] to stoop.

agalla *sf* ZOOL gill. ⬥ **agallas** *sfpl fig* guts; **tener agallas** to have guts.

agarradero *sm* - **1.** [asa] hold - **2.** *fam fig* [pretexto] pretext, excuse.

agarrado, da *adj* - **1.** [asido]: **agarrado (de)** gripped (by); **agarrados del brazo** arm in arm; **agarrados de la mano** hand in hand - **2.** *fam* [tacaño] tight, stingy.

agarrar *vt* - **1.** [asir] to grab - **2.** [pillar - ladrón, resfriado] to catch; *Amér* [- tomar] to take. ⬥ **agarrarse** *vprnl* [sujetarse] to hold on; **agarrarse de O a algo** to hold on to O clutch sthg.

agarrón *sm* [tirón] pull, tug.

agarrotar *vt* [parte del cuerpo] to cut off the circulation in; [mente] to numb. ⬥ **agarrotarse** *vprnl* - **1.** [parte del cuerpo] to go numb - **2.** [mecanismo] to seize up.

agasajar *vt* to lavish attention on.

ágata *sf (el)* agate.

agazaparse *vprnl* - **1.** [para esconderse] to crouch - **2.** [agacharse] to bend down.

agencia *sf* - **1.** [empresa] agency; **agencia matrimonial** marriage bureau; **agencia de viajes** travel agency - **2.** [sucursal] branch.

agenda *sf* - **1.** [de notas, fechas] diary; [de teléfonos, direcciones] book - **2.** [de trabajo] agenda.

agente ⬥ *sm, f* [persona] agent; **agente de policía** O **de la autoridad** policeman (*f* policewoman); **agente de aduanas** customs officer; **agente de cambio (y bolsa)** stockbroker; **agente secreto** secret agent. ⬥ *sm* [causa activa] agent.

ágil *adj* [movimiento, persona] agile.

agilidad *sf* agility.

agilizar *vt* to speed up.

agitación *sf* - **1.** [intranquilidad] restlessness - **2.** [jaleo] racket, commotion - **3.** [conflicto] unrest.

agitar *vt* - **1.** [mover - botella] to shake; [- líquido] to stir; [- brazos] to wave - **2.** [inquietar] to perturb, to worry - **3.** [alterar, perturbar] to stir up. ⬥ **agitarse** *vprnl* [inquietarse] to get worried.

aglomeración *sf* build-up; [de gente] crowd.

aglomerar *vt* to bring together. ⬥ **aglomerarse** *vprnl* to amass.

agnóstico, ca *adj & sm, f* agnostic.

agobiado, da *adj*: **agobiado (de)** [trabajo] snowed under (with); [problemas] weighed down (with).

agobiar *vt* to overwhelm. ⬥ **agobiarse** *vprnl* to feel overwhelmed, to let things get one down.

agobio *sm* - **1.** [físico] choking, suffocation - **2.** [psíquico] pressure.

agolparse *vprnl* [gente] to crowd round; [sangre] to rush.

agonía *sf* - **1.** [pena] agony - **2.** [del moribundo] death throes *pl*.

agonizante *adj* dying.

agonizar *vi* [expirar] to be dying.

agosto *sm* - **1.** [mes] August - **2.** *loc*: **hacer su agosto** to line one's pockets; *ver también* **septiembre**.

agotado, da *adj* - **1.** [cansado]: **agotado (de)** exhausted (from) - **2.** [producto] out of stock, sold out - **3.** [pila, batería] flat.

agotador, ra *adj* exhausting.

agotamiento *sm* [cansancio] exhaustion.

agotar *vt* [gen] to exhaust; [producto] to sell out of; [agua] to drain. ⬥ **agotarse** *vprnl* - **1.** [cansarse] to tire o.s. out - **2.** [acabarse] to run out; [libro, disco, entradas] to be sold out; [pila, batería] to go flat.

agraciado, **da** *adj* - **1.** [atractivo] attractive, fetching - **2.** [afortunado]: **agraciado con algo** lucky enough to win sthg.

agraciar *vt* [embellecer] to make more attractive O fetching.

agradable *adj* pleasant.

agradar *vt* to please.

agradecer *vt* [suj: persona]: **agradecer algo a alguien** [dar las gracias] to thank sb for sthg; [estar agradecido] to be grateful to sb for sthg.

agradecido, **da** *adj* [ser] grateful; [estar] appreciative.

agradecimiento *sm* gratitude.

agrado *sm* [gusto] pleasure; **esto no es de mi agrado** this is not to my liking.

agrandar *vt* to make bigger.

agrario, **ria** *adj* [reforma] agrarian; [producto, política] agricultural.

agravante ⬦ *adj* aggravating. ⬦ *sm o sf* - **1.** [problema] additional problem - **2.** DER aggravating circumstance.

agravar *vt* [situación] to aggravate; [impuestos etc] to increase (the burden of). ➤ **agravarse** *vprnl* to get worse.

agraviar *vt* to offend.

agravio *sm* - **1.** [ofensa] offence, insult - **2.** [perjuicio] wrong.

agredir *vt* to attack.

agregado, **da** *sm*, *f* - **1.** EDUC assistant teacher - **2.** [de embajada] attaché; **agregado cultural** cultural attaché. ➤ **agregado** *sm* [añadido] addition.

agregar *vt*: **agregar (algo a algo)** to add (sthg to sthg).

agresión *sf* [ataque] act of aggression, attack.

agresividad *sf* aggression.

agresivo, **va** *adj lit & fig* aggressive.

agresor, **ra** *sm*, *f* attacker, assailant.

agreste *adj* [abrupto, rocoso] rugged.

agriar *vt* [vino, leche] to (turn) sour. ➤ **agriarse** *vprnl lit & fig* to turn sour.

agrícola *adj* agricultural; [pueblo] farming *(antes de s)*.

agricultor, **ra** *sm*, *f* farmer.

agricultura *sf* agriculture.

agridulce *adj* bittersweet; CULIN sweet and sour.

agrietar *vt* - **1.** [muro, tierra] to crack - **2.** [labios, manos] to chap. ➤ **agrietarse** *vprnl* [la piel] to chap.

agrio, **agria** *adj* - **1.** [ácido] sour - **2.** *fig* [áspero] acerbic, bitter.

agronomía *sf* agronomy.

agropecuario, **ria** *adj* farming and livestock *(antes de s)*.

agrupación *sf* [asociación] group.

agrupamiento *sm* [concentración] grouping.

agrupar *vt* to group (together). ➤ **agruparse** *vprnl* - **1.** [congregarse] to gather (round) - **2.** [unirse] to form a group.

agua *sf (el)* water; **agua bendita/dulce/destilada/potable/salada** holy/fresh/distilled/drinking/salt water; **venir como agua de mayo** to be a godsend. ➤ **aguas** *sfpl* - **1.** [manantial] waters, spring *sing* - **2.** [de río, mar] waters; **aguas territoriales** O **jurisdiccionales** territorial waters; **aguas internacionales** international waters - **3.** [de diamantes, telas] water *(U)*. ➤ **agua de colonia** *sf* eau de cologne. ➤ **agua oxigenada** *sf* hydrogen peroxide. ➤ **aguas residuales** *sfpl* sewage *(U)*.

aguacate *sm* [fruto] avocado (pear).

aguacero *sm* shower.

aguachirle *sf* dishwater *(U)*, revolting drink.

aguado, **da** *adj* [con demasiada agua] watery; [diluido a propósito] watered-down.

aguafiestas *smf inv* spoilsport.

aguafuerte *sm* etching.

aguamarina *sf* aquamarine.

aguamiel *sf Amér* [bebida] *water mixed with honey or cane syrup*; *Caribe & Méx* [jugo] maguey juice.

aguanieve *sf* sleet.

aguantar *vt* - **1.** [sostener] to hold - **2.** [resistir - peso] to bear - **3.** [tolerar, soportar] to bear, to stand; **no sé cómo la aguantas** I don't know how you put up with her - **4.** [contener - risa] to contain; [- respiración] to hold. ➤ **aguantarse** *vprnl* - **1.** [contenerse] to restrain o.s. - **2.** [resignarse]: **no quiere aguantarse** he refuses to put up with it.

aguante *sm* - **1.** [paciencia] self-restraint - **2.** [resistencia] strength; [de persona] stamina.

aguar *vt* - **1.** [mezclar con agua] to water down - **2.** *fig* [estropear] to spoil.

aguardar *vt* to wait for, to await.

aguardiente *sm* spirit, liquor.

aguarrás *sm* turpentine.

agudeza *sf* [gen] sharpness.

agudizar *vt fig* [acentuar] to exacerbate. ➤ **agudizarse** *vprnl* [crisis] to get worse.

agudo, **da** *adj* - **1.** [gen] sharp; [crisis, problema, enfermedad] serious, acute - **2.** *fig* [perspicaz] keen, sharp - **3.** *fig* [ingenioso] witty - **4.** MÚS [nota, voz] high, high-pitched.

agüero *sm*: **de buen/mal agüero** that bodes well/ill.

aguijón *sm* - **1.** [de insecto] sting - **2.** *fig* [estímulo] spur, stimulus.

aguijonear *vt* - **1.** [espolear]: **aguijonear a alguien para que haga algo** to goad sb into doing sthg - **2.** *fig* [estimular] to drive on.

águila *sf (el)* - **1.** [ave] eagle - **2.** *fig* [vivo, listo] sharp O perceptive person.

aguileño, ña *adj* aquiline.

aguilucho *sm* eaglet.

aguinaldo *sm* Christmas box.

aguja *sf* - **1.** [de coser, jeringuilla] needle; [de hacer punto] knitting needle - **2.** [de reloj] hand; [de brújula] pointer; [de iglesia] spire - **3.** FERROC point - **4.** [de tocadiscos] stylus, needle. ➤ **agujas** *sfpl* [de res] ribs.

agujerear *vt* to make a hole O holes in.

agujero *sm* hole; **agujero negro** ASTRON black hole.

agujetas *sfpl:* **tener agujetas** to feel stiff.

aguzar *vt* - **1.** [afilar] to sharpen - **2.** *fig* [apetito] to whet; [ingenio] to sharpen.

ah *interj:* **¡ah!** [admiración] ooh!; [sorpresa] oh!; [pena] ah!

ahí *adv* there; **vino por ahí** he came that way; **la solución está ahí** that's where the solution lies; **¡ahí tienes!** here you are!, there you go!; **de ahí que** [por eso] and consequently, so; **está por ahí** [en lugar indefinido] he/she is around (somewhere); [en la calle] he/she is out; **por ahí, por ahí** *fig* something like that; **por ahí va la cosa** you're not too far wrong.

ahijado, da *sm, f* [de padrinos] godson (*f* goddaughter).

ahínco *sm* enthusiasm, devotion.

ahíto, ta *adj culto* [saciado]: **estar ahíto** to be full.

ahogar *vt* - **1.** [en el agua] to drown; [asfixiar] to smother, to suffocate - **2.** [estrangular] to strangle - **3.** [extinguir] to extinguish, to put out - **4.** *fig* [controlar - levantamiento] to quell; [- pena] to hold back - **5.** [motor] to flood. ➤ **ahogarse** *vprnl* - **1.** [en el agua] to drown - **2.** [asfixiarse] to suffocate.

ahogo *sm* - **1.** [asfixia] breathlessness - **2.** *fig* [económico] financial difficulty.

ahondar *vi* [profundizar] to go into detail; **ahondar en** [penetrar] to penetrate deep into; [profundizar] to study in depth.

ahora ◇ *adv* - **1.** [en el presente] now; **ahora mismo** right now; **por ahora** for the time being; **de ahora en adelante** from now on - **2.** [pronto] in a second O moment; **¡hasta ahora!** see you in a minute! ◇ *conj* [pero] but, however; **ahora que** but, though; **ahora bien** but, however.

ahorcar *vt* to hang. ➤ **ahorcarse** *vprnl* to hang o.s.

ahorita, ahoritita *adv Amér C & Méx fam* right now.

ahorrador, ra ◇ *adj* thrifty, careful with money. ◇ *sm, f* thrifty person.

ahorrar *vt* to save. ➤ **ahorrarse** *vprnl:* **ahorrarse algo** to save O spare o.s. sthg.

ahorro *sm* - **1.** [gen] saving - **2.** *(gen pl)* [cantidad ahorrada] savings *pl.*

ahuecar *vt* [poner hueco - manos] to cup.

ahuevado, da *adj Andes & Amér C fam* [tonto] daft.

ahumado, da *adj* smoked.

ahumar *vt* - **1.** [jamón, pescado] to smoke - **2.** [habitación etc] to fill with smoke.

ahuyentar *vt* - **1.** [espantar, asustar] to scare away - **2.** *fig* [apartar] to drive away.

airado, da *adj* angry.

airar *vt* to anger, to make angry. ➤ **airarse** *vprnl* to get angry.

aire *sm* - **1.** [fluido] air; **al aire** exposed; **al aire libre** in the open air; **estar en el aire** to be in the air; **saltar** O **volar por los aires** to be blown sky high, to explode; **tomar el aire** to go for a breath of fresh air - **2.** [viento] wind; [corriente] draught; **hoy hace (mucho) aire** it's (very) windy today - **3.** *fig* [aspecto] air, appearance. ➤ **aires** *smpl* [vanidad] airs (and graces). ➤ **aire (acondicionado)** *sm* air-conditioning.

airear *vt fig* [contar] to air (publicly). ➤ **airearse** *vprnl* to get a breath of fresh air.

airoso, sa *adj* - **1.** [garboso] graceful - **2.** [triunfante]: **salir airoso de algo** to come out of sthg with flying colours.

aislado, da *adj* - **1.** [gen] isolated - **2.** TECNOL insulated.

aislar *vt* - **1.** [gen] to isolate - **2.** TECNOL to insulate.

ajá *interj:* **¡ajá!** [sorpresa] aha!; *fam* [aprobación] great!

ajar *vt* [flores] to wither, to cause to fade; [piel] to wrinkle; [colores] to make faded; [ropa] to wear out. ➤ **ajarse** *vprnl* [flores] to fade, to wither; [piel] to wrinkle, to become wrinkled.

ajardinado, da *adj* landscaped.

ajedrez *sm inv* chess.

ajeno, na *adj* - **1.** [de otro] of others; **jugar en campo ajeno** to play away from home - **2.** [extraño]: **ajeno a** having nothing to do with; **ajeno a nuestra voluntad** beyond our control.

ajetreo *sm* - **1.** [tarea] running around, hard work - **2.** [animación] (hustle and) bustle.

ají *sm Andes & R Dom* chilli (pepper).

ajiaco *sm Andes & Caribe* chilli-based stew.

ajillo ➤ **al ajillo** *loc adj* CULIN in a sauce made with oil, garlic and chilli.

ajo *sm* garlic; **andar** O **estar en el ajo** *fig* to be in on it.

ajustado, da *adj* [ceñido - ropa] tight-fitting; [- tuerca, pieza] tight; [- resultado, final] close.

ajustar *vt* - **1.** [arreglar] to adjust - **2.** [apretar] to tighten - **3.** [encajar - piezas de motor] to fit;

[- puerta, ventana] to push to - **4.** [pactar - matrimonio] to arrange; [- pleito] to settle; [- paz] to negotiate; [- precio] to fix, to agree.

ajuste *sm* [de pieza] fitting; [de mecanismo] adjustment; [de salario] agreement.

al *prep* ⊳ **a²**.

ala *sf (el)* - **1.** ZOOL & POLÍT wing - **2.** [parte lateral - de tejado] eaves *pl*; [- de sombrero] brim - **3.** DEP winger, wing. ➡ **ala delta** *sf* [aparato] hang glider.

alabanza *sf* praise.

alabar *vt* to praise.

alabastro *sm* alabaster.

alacena *sf* kitchen cupboard.

alacrán *sm* [animal] scorpion.

alado, da *adj* [con alas] winged.

alambique *sm* still.

alambre *sm* wire; **alambre de espino** *O* **púas** barbed wire.

alameda *sf* - **1.** [sitio con álamos] poplar grove - **2.** [paseo] tree-lined avenue.

álamo *sm* poplar.

alano *sm* [perro] mastiff.

alarde *sm*: **alarde (de)** show *O* display (of); **hacer alarde de algo** to show sthg off, to flaunt sthg.

alardear *vi*: **alardear de** to show off about.

alargar *vt* - **1.** [ropa] to lengthen - **2.** [viaje, visita, plazo] to extend; [conversación] to spin out. ➡ **alargarse** *vprnl* [hacerse más largo - días] to get longer; [- reunión] to be prolonged.

alarido *sm* shriek, howl.

alarma *sf* [gen] alarm; **dar la alarma** to raise the alarm; **alarma de coche** car alarm.

alarmante *adj* alarming.

alarmar *vt* - **1.** [avisar] to alert - **2.** *fig* [asustar] to alarm. ➡ **alarmarse** *vprnl* [inquietarse] to be alarmed.

alazán, ana *adj* chestnut.

alba *sf (el)* [amanecer] dawn.

albacea *smf* executor (*f* executrix).

albahaca *sf* basil.

albanés, esa *adj* & *sm, f* Albanian. ➡ **albanés** *sm* [lengua] Albanian.

Albania *n pr* Albania.

albañil *sm* bricklayer.

albañilería *sf* [obra] brickwork.

albarán *sm* delivery note.

albaricoque *sm* apricot.

albedrío *sm* [antojo, elección] fancy, whim; **a su albedrío** as takes his/her fancy; **libre albedrío** free will; **a su libre albedrío** of his/her own free will.

alberca *sf* - **1.** [depósito] water tank - **2.** *Méx* [piscina] swimming pool.

albergar *vt* - **1.** [personas] to accommodate, to put up - **2.** [odio] to harbour; [esperanzas] to cherish. ➡ **albergarse** *vprnl* to stay.

albergue *sm* accommodation *(U)*, lodgings *pl*; [de montaña] shelter, refuge; **albergue de juventud** *O* **juvenil** youth hostel.

albino, na *adj* & *sm, f* albino.

albis ➡ **in albis** *loc adv*: **estar in albis** to be in the dark; **quedarse in albis** not to have a clue *O* the faintest idea.

albóndiga *sf* meatball.

alborada *sf* [amanecer] dawn.

alborear *v impers*: **empezaba a alborear** dawn was breaking.

albornoz *sm* bathrobe.

alborotar ◇ *vi* to be noisy *O* rowdy. ◇ *vt* [amotinar] to stir up, to rouse. ➡ **alborotarse** *vprnl* [perturbarse] to get worked up.

alboroto *sm* - **1.** [ruido] din - **2.** [jaleo] fuss, todo; **armar un alboroto** to cause a commotion.

alborozar *vt* to delight.

alborozo *sm* delight, joy.

albufera *sf* lagoon.

álbum *(pl* **álbumes)** *sm* album.

ALCA *sf (abrev de* Área de Libre Comercio de América*)* LAFTA.

alcachofa *sf* BOT artichoke.

alcahuete, ta *sm, f* [mediador] go-between.

alcalde, esa *sm, f* mayor (*f* mayoress).

alcaldía *sf* [cargo] mayoralty.

alcance *sm* - **1.** [de arma, misil, emisora] range; **de corto/largo alcance** short-/long-range - **2.** [de persona]: **a mi/a tu** *etc* **alcance** within my/your *etc* reach; **al alcance de la vista** within sight; **fuera del alcance de** beyond the reach of - **3.** [de reformas etc] scope, extent.

alcanfor *sm* camphor.

alcantarilla *sf* sewer; [boca] drain.

alcantarillado *sm* sewers *pl*.

alcanzar ◇ *vt* - **1.** [llegar a] to reach - **2.** [igualarse con] to catch up with - **3.** [entregar] to pass - **4.** [suj: bala etc] to hit - **5.** [autobús, tren] to manage to catch. ◇ *vi* - **1.** [ser suficiente]: **alcanzar para algo/hacer algo** to be enough for sthg/to do sthg - **2.** [poder]: **alcanzar a hacer algo** to be able to do sthg.

alcaparra *sf* caper.

alcayata *sf* hook.

alcázar *sm* fortress.

alce *sm* elk, moose.

alcoba *sf* bedroom.

alcohol *sm* alcohol.

alcohólico, ca *adj* & *sm, f* alcoholic.

alcoholímetro *sm* [para la sangre] Breathalyzer® *UK*, drunkometer *US*.

alcoholismo *sm* alcoholism.

alcohotest (pl **alcohotests**) sm Breathalyzer® UK, drunkometer US.

alcornoque sm - 1. [árbol] cork oak - 2. fig [persona] idiot, fool.

aldaba sf [llamador] doorknocker.

aldea sf small village.

aldeano, na sm, f villager.

aleación sf [producto] alloy; **aleación ligera** light alloy.

aleatorio, ria adj [número] random; [suceso] chance (antes de s).

aleccionar vt to instruct, to teach.

alegación sf allegation.

alegar vt [motivos, pruebas] to put forward; **alegar que** to claim (that).

alegato sm - 1. fig & DER plea - 2. [ataque] diatribe.

alegoría sf allegory.

alegórico, ca adj allegorical.

alegrar vt [persona] to cheer up, to make happy; **me alegra que me lo preguntes** I'm glad you asked me that; [fiesta] to liven up.

➥ **alegrarse** vprnl [sentir alegría]: **alegrarse (de algo/por alguien)** to be pleased (about sthg/for sb).

alegre adj - 1. [contento] happy - 2. [que da alegría] cheerful, bright - 3. fam [borracho] tipsy.

alegría sf - 1. [gozo] happiness, joy - 2. [motivo de gozo] joy.

alejamiento sm - 1. [distancia] distance - 2. [separación - de objetos etc] separation; [- entre personas] estrangement.

alejar vt - 1. [poner más lejos] to move away - 2. fig [ahuyentar] to drive out. ➥ **alejarse** vprnl: **alejarse (de)** [ponerse más lejos] to go O move away (from); [retirarse] to leave.

aleluya interj: **¡aleluya!** Hallelujah!

alemán, ana adj & sm, f German. ➥ **alemán** sm [lengua] German.

Alemania n pr Germany.

alentador, ra adj encouraging.

alentar vt to encourage.

alergia sf lit & fig allergy; **tener alergia a algo** to be allergic to sthg; **alergia primaveral** hay fever.

alérgico, ca adj lit & fig: **alérgico (a)** allergic (to).

alero sm - 1. [del tejado] eaves pl - 2. DEP winger, wing.

alerta ◇ adj inv & adv alert. ◇ sf alert.

alertar vt to alert.

aleta sf - 1. [de pez] fin; **aleta dorsal** dorsal fin - 2. [de buzo, foca] flipper - 3. [de coche] wing.

aletargar vt to make drowsy. ➥ **aletargarse** vprnl to become drowsy O sleepy.

aletear vi to flap O flutter its wings.

alevín sm - 1. [cría de pez] fry, young fish - 2. fig [persona] novice, beginner.

alevosía sf [traición] treachery.

alfabetizar vt - 1. [personas] to teach to read and write - 2. [ordenar] to put into alphabetical order.

alfabeto sm alphabet.

alfalfa sf alfalfa, lucerne.

alfarería sf [técnica] pottery.

alféizar sm window-sill.

alférez sm ≃ second lieutenant.

alfil sm bishop.

alfiler sm - 1. [aguja] pin - 2. [joya] brooch, pin.

alfombra sf [grande] carpet; [pequeña] rug.

alfombrar vt to carpet.

alfombrilla sf - 1. [alfombra pequeña] rug - 2. [felpudo] doormat - 3. [del baño] bathmat - 4. INFORM: **alfombrilla (del ratón)** mouse mat.

alforja sf (gen pl) [de caballo] saddlebag.

alga sf (el) [de mar] seaweed (U); [de río] algae pl.

algarroba sf [fruto] carob O locust bean.

álgebra sf (el) algebra.

álgido, da adj [culminante] critical.

algo ◇ pron - 1. [alguna cosa] something; [en interrogativas] anything; **¿te pasa algo?** is anything the matter?; **algo es algo** something is better than nothing; **por algo lo habrá dicho** he must have said it for a reason; **o algo así** or something like that - 2. [cantidad pequeña] a bit, a little; **algo de** some, a little - 3. fig [cosa importante] something; **se cree que es algo** he thinks he's something (special). ◇ adv [un poco] rather, somewhat. ◇ sm: **tiene un algo** there's something attractive about him.

algodón sm cotton; **criado entre algodones** fig pampered, mollycoddled.

algoritmo sm INFORM algorithm.

alguacil sm [del juzgado] bailiff.

alguien pron - 1. [alguna persona] someone, somebody; [en interrogativas] anyone, anybody; **¿hay alguien ahí?** is anyone there? - 2. fig [persona de importancia] somebody; **se cree alguien** she thinks she's somebody (special).

alguno, na ◇ adj (antes de sm: **algún**) - 1. [indeterminado] some; [en interrogativas] any; **¿tienes algún libro?** do you have any books?; **algún día** some O one day; **ha surgido algún (que otro) problema** the odd problem has come up - 2. (después de s) [ninguno] any; **no tengo interés alguno** I have no interest, I haven't any interest. ◇ pron - 1. [persona] someone, somebody; (pl) some people; [en interrogativas] anyone, anybody; **¿conocisteis a algunos?** did you get to know any?; **algunos de, algunos (de) entre** some O a few of - 2. [co-

sa] the odd one, some *pl*, a few *pl*; [en interrogativas] any; **me salió mal alguno** I got the odd one wrong.

alhaja *sf* [joya] jewel.

alhelí (*pl* alhelíes) *sm* wallflower.

aliado, da *adj* allied.

alianza *sf* - 1. [pacto, parentesco] alliance - 2. [anillo] wedding ring.

aliar *vt* [naciones] to ally. ⮞ **aliarse** *vprnl* to form an alliance.

alias ◇ *adv* alias. ◇ *sm inv* alias; [entre amigos] nickname.

alicaído, da *adj* [triste] depressed.

alicates *smpl* pliers.

aliciente *sm* - 1. [incentivo] incentive - 2. [atractivo] attraction.

alienación *sf* - 1. [gen] alienation - 2. [trastorno psíquico] derangement.

aliento *sm* [respiración] breath; **tener mal aliento** to have bad breath; **cobrar aliento** to catch one's breath; **sin aliento** breathless.

aligerar *vt* - 1. [peso] to lighten - 2. [ritmo] to speed up; [el paso] to quicken - 3. *fig* [aliviar] to relieve, to ease.

alijo *sm* contraband (U).

alimaña *sf* pest (fox, weasel etc).

alimentación *sf* - 1. [acción] feeding - 2. [comida] food - 3. [régimen alimenticio] diet.

alimentar *vt* [gen] to feed; [motor, coche] to fuel. ⮞ **alimentarse** *vprnl* [comer]: **alimentarse de** to live on.

alimenticio, cia *adj* nourishing; **productos alimenticios** foodstuffs; **valor alimenticio** food value.

alimento *sm* [gen] food; [valor nutritivo] nourishment; **alimentos transgénicos** GM foods.

alineación *sf* - 1. [en el espacio] alignment - 2. DEP line-up.

alinear *vt* - 1. [en el espacio] to line up - 2. DEP to select. ⮞ **alinearse** *vprnl* POLÍT to align.

aliñar *vt* [ensalada] to dress; [carne] to season.

aliño *sm* [para ensalada] dressing; [para carne] seasoning.

alioli *sm* garlic mayonnaise.

alisar *vt* to smooth (down).

alistarse *vprnl* to enlist; *Amér* [aprontarse] to get ready.

aliviar *vt* - 1. [atenuar] to soothe - 2. [aligerar - persona] to relieve; [- carga] to lighten.

alivio *sm* relief; **¡qué alivio!** what a relief!

aljibe *sm* [de agua] cistern.

allá *adv* - 1. [espacio] over there; **allá abajo/arriba** down/up there; **más allá** further on; **más allá de** beyond; **¡allá voy!** I'm coming! - 2. [tiempo]: **allá por los años cincuenta** back in the 50s; **allá para el mes de agosto** around August some time - 3. *loc*: **allá él/ella** *etc* that's his/her *etc* problem.

allanamiento *sm* forceful entry; **allanamiento de morada** breaking and entering.

allanar *vt* - 1. [terreno] to flatten, to level - 2. [irrumpir en] to break into.

allegado, da *sm, f* - 1. [familiar] relative - 2. [amigo] close friend.

allí *adv* there; **allí abajo/arriba** down/up there; **allí mismo** right there; **está por allí** it's around there somewhere; **hasta allí** up until then.

alma *sf* (el) - 1. [gen] soul - 2. [de bastón, ovillo] core.

almacén *sm* warehouse. ⮞ **(grandes) almacenes** *smpl* department store *sing*.

almacenar *vt* - 1. [gen & INFORM] to store - 2. [reunir] to collect.

almendra *sf* almond.

almendro *sm* almond (tree).

almíbar *sm* syrup.

almidón *sm* starch.

almidonar *vt* to starch.

almirantazgo *sm* [dignidad] admiralty.

almirante *sm* admiral.

almirez *sm* mortar.

almizcle *sm* musk.

almohada *sf* pillow; **consultarlo con la almohada** *fig* to sleep on it.

almohadilla *sf* [gen, TECNOL & ZOOL] pad; [cojín] small cushion.

almorrana *sf* (gen pl) piles *pl*.

almorzar ◇ *vt* [al mediodía] to have for lunch. ◇ *vi* [al mediodía] to have lunch.

almuerzo *sm* [al mediodía] lunch.

aló *interj* Andes & Caribe [al teléfono] hello?

alocado, da *sm, f* crazy person.

alojamiento *sm* accommodation; **buscar alojamiento** to look for accommodation.

alojar *vt* to put up. ⮞ **alojarse** *vprnl* - 1. [hospedarse] to stay - 2. [introducirse] to lodge.

alondra *sf* lark.

alpargata *sf* (gen pl) espadrille.

Alpes *smpl*: **los Alpes** the Alps.

alpinismo *sm* mountaineering.

alpinista *smf* mountaineer.

alpiste *sm* [semilla] birdseed.

alquilar *vt* [casa, TV, oficina] to rent; [coche] to hire. ⮞ **alquilarse** *vprnl* [casa, TV, oficina] to be for rent; [coche] to be for hire; **'se alquila'** 'to let'.

alquiler *sm* - 1. [acción - de casa, TV, oficina] renting; [- de coche] hiring UK, rental US; **de alquiler** [- casa] rented; [- coche] hire (antes de

s) UK, rental *(antes de s)* US; **tenemos pisos de alquiler** we have flats to let UK, we have apartments to rent US - **2.** [precio - de casa, oficina] rent; [- de televisión] rental; [- de coche] hire UK, rental US.

alquimia *sf* alchemy.

alquitrán *sm* tar.

alrededor *adv* - **1.** [en torno] around; **mira a tu alrededor** look around you; **de alrededor** surrounding - **2.** [aproximadamente]: **alrededor de** around, about. ◆ **alrededores** *smpl* surrounding area *sing*; **en los alrededores de Londres** in the area around London. ◆ **alrededor de** *loc prep* around.

alta *sf* ⊳ **alto**.

altanero, ra *adj* haughty.

altar *sm* altar; **conducir** O **llevar a alguien al altar** *fig* to lead sb down the aisle.

altavoz *sm* [gen] speaker; [para anuncios] loudspeaker.

alteración *sf* - **1.** [cambio] alteration - **2.** [excitación] agitation - **3.** [alboroto] disturbance; **alteración del orden público** breach of the peace.

alterar *vt* - **1.** [cambiar] to alter - **2.** [perturbar - persona] to agitate, to fluster; [- orden público] to disrupt. ◆ **alterarse** *vprnl* [perturbarse] to get agitated O flustered.

altercado *sm* argument, row.

alternar ◇ *vt* to alternate. ◇ *vi* - **1.** [relacionarse]: **alternar (con)** to mix (with), to socialize (with) - **2.** [sucederse]: **alternar con** to alternate with. ◆ **alternarse** *vprnl* - **1.** [en el tiempo] to take turns - **2.** [en el espacio] to alternate.

alternativa *sf* ⊳ **alternativo**.

alternativamente *adv* [moverse] alternately.

alternativo, va *adj* - **1.** [movimiento] alternating - **2.** [posibilidad] alternative. ◆ **alternativa** *sf* [opción] alternative.

alterno, na *adj* alternate; ELECTR alternating.

alteza *sf fig* [de sentimientos] loftiness. ◆ **Alteza** *sf* [tratamiento] Highness; **Su Alteza Real** His Royal Highness (*f* Her Royal Highness).

altibajos *smpl fig* [de vida etc] ups and downs.

altiplano *sm* high plateau.

altisonante *adj* high-sounding.

altitud *sf* altitude.

altivez *sf* haughtiness.

altivo, va *adj* haughty.

alto, ta *adj* - **1.** [gen] high; [persona, árbol, edificio] tall; [piso] top, upper; **alta fidelidad** high fidelity; **altos hornos** blast furnace - **2.** [ruidoso] loud - **3.** [avanzado] late; **a altas horas de la noche** late at night, in the small hours. ◆ **al-**

to ◇ *sm* - **1.** [altura] height - **2.** [interrupción] stop - **3.** [lugar elevado] height; **en lo alto de** at the top of - **4.** MÚS alto - **5.** *loc*: **pasar por alto algo** to pass over sthg; **por todo lo alto** [lujoso] grand, luxurious; [a lo grande] in (great) style. ◇ *adv* - **1.** [arriba] high (up) - **2.** [hablar etc] loud. ◇ *interj*: ¡alto! halt!, stop! ◆ **alta** *sf (el)* [del hospital] discharge.

altoparlante *sm Amér* loudspeaker.

altramuz *sm* lupin.

altruismo *sm* altruism.

altura *sf* - **1.** [gen] height; [en el mar] depth; **ganar altura** to climb - **2.** [nivel] level; **está a la altura del ayuntamiento** it's next to the town hall - **3.** [latitud] latitude. ◆ **alturas** *sfpl* [el cielo] Heaven *sing*; **a estas alturas** *fig* this far on, this late.

alubia *sf* bean.

alucinación *sf* hallucination.

alucinado, da *adj* - **1.** MED hallucinating - **2.** *fam* [sorprendido] gobsmacked.

alucinante *adj* - **1.** MED hallucinatory - **2.** *fam* [extraordinario] amazing.

alucinar ◇ *vi* MED to hallucinate. ◇ *vt fam fig* [seducir] to captivate.

alud *sm lit & fig* avalanche.

aludido, da *sm, f*: **el aludido** the aforesaid; **darse por aludido** [ofenderse] to take it personally; [reaccionar] to take the hint.

aludir *vi*: **aludir a** [sin mencionar] to allude to; [mencionando] to refer to.

alumbrado *sm* lighting.

alumbramiento *sm* [parto] delivery.

alumbrar *vt* - **1.** [iluminar] to light up - **2.** [instruir] to enlighten - **3.** [dar a luz] to give birth to.

aluminio *sm* aluminium.

alumnado *sm* [de escuela] pupils *pl*; [de universidad] students *pl*.

alumno, na *sm, f* [de escuela, profesor particular] pupil; [de universidad] student.

alunizar *vi* to land on the moon.

alusión *sf* [sin mencionar] allusion; [mencionando] reference.

alusivo, va *adj* allusive.

aluvión *sm* - **1.** [gen] flood - **2.** GEOL alluvium.

alza *sf (el)* rise; **jugar al alza** FIN to bull the market.

alzamiento *sm* uprising, revolt.

alzar *vt* - **1.** [levantar] to lift, to raise; [voz] to raise; [vela] to hoist; [cuello de abrigo] to turn up; [mangas] to pull up - **2.** [aumentar] to raise. ◆ **alzarse** *vprnl* - **1.** [levantarse] to rise - **2.** [sublevarse] to rise up, to revolt.

a.m. *(abrev de* ante merídiem) a.m.

ama ⊳ **amo**.

amabilidad *sf* kindness; **¿tendría la amabilidad de...?** would you be so kind as to...?

amable *adj* kind; ¿sería tan amable de...? would you be so kind as to...?

amaestrado, da *adj* [gen] trained; [en circo] performing.

amaestrar *vt* to train.

amagar ⇔ *vt* - **1.** [dar indicios de] to show signs of - **2.** [mostrar intención] to threaten; **le amagó un golpe** he threatened to hit him. ⇔ *vi* [tormenta] to be imminent, to threaten.

amago *sm* - **1.** [indicio] sign, hint - **2.** [amenaza] threat.

amainar *vi lit & fig* to abate.

amalgama *sf fig* & QUÍM amalgam.

amalgamar *vt fig* & QUÍM to amalgamate.

amamantar *vt* [animal] to suckle; [bebé] to breastfeed.

amanecer ⇔ *sm* dawn; **al amanecer** at dawn. ⇔ *v impers*: **amaneció a las siete** dawn broke at seven.

amanerado, da *adj* [afectado] mannered, affected.

amansar *vt* - **1.** [animal] to tame - **2.** *fig* [persona] to calm down.

amante *smf* - **1.** [querido] lover - **2.** *fig* [aficionado]: **ser amante de algo/hacer algo** to be keen on sthg/doing sthg; **los amantes del arte** art lovers.

amañar *vt* [falsear] to fix; [elecciones, resultado] to rig; [documento] to doctor.

amaño *sm (gen pl)* [treta] ruse, trick.

amapola *sf* poppy.

amar *vt* to love.

amarar *vi* [hidroavión] to land at sea; [vehículo espacial] to splash down.

amargado, da *adj* [resentido] bitter.

amargar *vt* to make bitter; *fig* to spoil.

amargo, ga *adj lit & fig* bitter.

amargoso, sa *adj Amér* bitter.

amargura *sf* [sentimiento] sorrow.

amarillento, ta *adj* yellowish.

amarillo, lla *adj* [color] yellow. ◆ **amarillo** *sm* [color] yellow.

amarilloso, sa *adj Amér* yellowish.

amarra *sf* mooring line *O* line; **largar** *O* **soltar amarras** to cast off.

amarrar *vt* - **1.** NÁUT to moor - **2.** [atar] to tie (up); **amarrar algo/a alguien a algo** to tie sthg/sb to sthg. ◆ **amarrarse** *vprnl Amér salvo R Plata* - **1.** [pelo] to tie up - **2.** [zapatos] to tie.

amarre *sm* mooring.

amarrete *adj Andes & R Plata fam despec* mean, tight.

amasar *vt* - **1.** [masa] to knead; [yeso] to mix - **2.** *fam fig* [riquezas] to amass.

amasia *sf C Rica, Méx & Perú* mistress.

amasijo *sm fam fig* [mezcla] hotchpotch.

amateur [ama'ter] *(pl* amateurs*) adj inv* & *smf* amateur.

amatista *sf* amethyst.

amazona *sf fig* [jinete] horsewoman.

Amazonas *sm*: **el Amazonas** the Amazon.

ambages *smpl*: **sin ambages** without beating about the bush, in plain English.

ámbar *sm* amber.

ambición *sf* ambition.

ambicionar *vt* to have as one's ambition.

ambicioso, sa *adj* ambitious.

ambidextro, tra ⇔ *adj* ambidextrous. ⇔ *sm, f* ambidextrous person.

ambientación *sf* - **1.** CINE, LITER & TEATRO setting - **2.** RADIO & TV sound effects *pl*.

ambientador *sm* air freshener.

ambiental *adj* - **1.** [físico, atmosférico] ambient - **2.** [ecológico] environmental.

ambiente *sm* - **1.** [aire] air, atmosphere - **2.** [circunstancias] environment - **3.** [ámbito] world, circles *pl* - **4.** [animación] life, atmosphere - **5.** *Andes & R Dom* [habitación] room.

ambigüedad *sf* ambiguity.

ambiguo, gua *adj* [gen] ambiguous.

ámbito *sm* - **1.** [espacio, límites] confines *pl*; **una ley de ámbito provincial** an act which is provincial in its scope - **2.** [ambiente] world, circles *pl*.

ambivalente *adj* ambivalent.

ambos, bas ⇔ *adj pl* both. ⇔ *pron pl* both (of them).

ambulancia *sf* ambulance.

ambulante *adj* travelling; [biblioteca] mobile.

ambulatorio *sm* state-run surgery *O* clinic.

ameba *sf* amoeba.

amedrentar *vt* to scare, to frighten.

amén *adv* [en plegaria] amen; **decir amén a** *fig* to accept unquestioningly. ◆ **amén de** *loc prep* - **1.** [además de] in addition to - **2.** [excepto] except for, apart from.

amenaza *sf* threat; **amenaza de bomba** bomb scare; **amenaza de muerte** death threat.

amenazar *vt* to threaten; **amenazar a alguien con hacerle algo** to threaten to do sthg to sb; **amenazar a alguien con hacer algo** to threaten sb with doing sthg; **amenazar a alguien de muerte/con el despido** to threaten to kill/sack sb; **amenaza lluvia** it's threatening to rain.

amenidad *sf* [entretenimiento] entertaining qualities *pl*.

ameno, na *adj* [entretenido] entertaining.

América *n pr* America; **América del Sur** South America; **América Central** Central America.

americana *sf* ▷ **americano**.

americano, na *adj & sm, f* American. ◆ **americana** *sf* [chaqueta] jacket.

ameritar *vt Amér* to deserve.

amerizar *vi* [hidroavión] to land at sea; [vehículo espacial] to splash down.

ametralladora *sf* machine gun.

ametrallar *vt* [con ametralladora] to machine-gun.

amianto *sm* asbestos.

amígdala *sf* tonsil.

amigdalitis *sf inv* tonsillitis.

amigo, ga ◇ *adj* [gen] friendly. ◇ *sm, f* - **1.** [persona] friend; **hacerse amigo de** to make friends with; **hacerse amigos** to become friends; **amigo íntimo** close friend - **2.** *fam* [compañero, novio] partner; [amante] lover.

amigote, amiguete *sm fam* pal.

amiguismo *sm*: **hay mucho amiguismo** there are always jobs for the boys.

aminoácido *sm* amino acid.

aminorar *vt* to reduce.

amistad *sf* friendship. ◆ **amistades** *sfpl* friends.

amistoso, sa *adj* friendly.

amnesia *sf* amnesia.

amnistía *sf* amnesty.

amo, ama *sm, f* - **1.** [gen] owner - **2.** [de criado, situación etc] master (*f* mistress). ◆ **ama de casa** *sf* housewife. ◆ **ama de llaves** *sf* housekeeper.

amodorrarse *vprnl* to get drowsy.

amoldar *vt* [adaptar]: **amoldar (a)** to adapt (to). ◆ **amoldarse** *vprnl* [adaptarse]: **amoldarse (a)** to adapt (to).

amonestación *sf* - **1.** [reprimenda] reprimand - **2.** DEP warning.

amonestar *vt* - **1.** [reprender] to reprimand - **2.** DEP to warn.

amoníaco, amoniaco *sm* [gas] ammonia.

amontonar *vt* - **1.** [apilar] to pile up - **2.** [reunir] to accumulate. ◆ **amontonarse** *vprnl* - **1.** [personas] to form a crowd - **2.** [problemas, trabajo] to pile up; [ideas, solicitudes] to come thick and fast.

amor *sm* love; **hacer el amor** to make love; **por amor al arte** for the love of it. ◆ **amor propio** *sm* pride.

amoral *adj* amoral.

amoratado, da *adj* [de frío] blue; [por golpes] black and blue.

amordazar *vt* [persona] to gag; [perro] to muzzle.

amorfo, fa *adj* [sin forma] amorphous.

amorío *sm fam* [romance] fling.

amoroso, sa *adj* - **1.** [gen] loving; [carta, relación] love *(antes de s)* - **2.** *C Sur* [encantador] charming.

amortajar *vt* [difunto] to shroud.

amortiguador, ra *adj* [de ruido] muffling; [de golpe] softening, cushioning. ◆ **amortiguador** *sm* AUTO shock absorber.

amortiguar *vt* [ruido] to muffle; [golpe] to soften, to cushion.

amortización *sf* ECON [de deuda, préstamo] paying-off; [de inversión, capital] recouping; [de bonos, acciones] redemption; [de bienes de equipo] depreciation.

amortizar *vt* - **1.** [sacar provecho] to get one's money's worth out of - **2.** [ECON - deuda, préstamo] to pay off; [- inversión, capital] to recoup; [- bonos, acciones] to redeem.

amotinar *vt* to incite to riot; [a marineros] to incite to mutiny. ◆ **amotinarse** *vprnl* to riot; [marineros] to mutiny.

amparar *vt* - **1.** [proteger] to protect - **2.** [dar cobijo a] to give shelter to. ◆ **ampararse** *vprnl* - **1.** *fig* [apoyarse]: **ampararse en** [ley] to have recourse to; [excusas] to draw on - **2.** [cobijarse]: **ampararse de** *O* **contra** to (take) shelter from.

amparo *sm* [protección] protection; **al amparo de** [persona, caridad] with the help of; [ley] under the protection of.

amperio *sm* amp, ampere.

ampliación *sf* - **1.** [aumento] expansion; [de edificio, plazo] extension; **ampliación de capital** ECON increase in capital - **2.** FOTO enlargement.

ampliar *vt* - **1.** [gen] to expand; [local] to add an extension to; [plazo] to extend - **2.** FOTO to enlarge, to blow up.

amplificación *sf* amplification.

amplificador *sm* ELECTRÓN amplifier.

amplificar *vt* to amplify.

amplio, plia *adj* - **1.** [sala etc] roomy, spacious; [avenida, gama] wide - **2.** [ropa] loose - **3.** [explicación etc] comprehensive; **en el sentido más amplio de la palabra** in the broadest sense of the word.

amplitud *sf* - **1.** [espaciosidad] roominess, spaciousness; [de avenida] wideness - **2.** [de ropa] looseness - **3.** *fig* [extensión] extent, comprehensiveness.

ampolla *sf* - **1.** [en piel] blister - **2.** [para inyecciones] ampoule - **3.** [frasco] phial.

ampuloso, sa *adj* pompous.

amputar *vt* to amputate.

amueblar *vt* to furnish.

amurallar *vt* to build a wall around.

anacronismo *sm* anachronism.

anagrama *sm* anagram.

anal *adj* ANAT anal.

anales *smpl lit & fig* annals.

analfabetismo *sm* illiteracy.

analfabeto, ta *adj & sm, f* illiterate.

analgésico, ca *adj* analgesic. **analgésico** *sm* analgesic.

análisis *sm inv* analysis; **análisis de sangre** blood test.

analizar *vt* to analyse.

analogía *sf* similarity; **por analogía** by analogy.

analógico, ca *adj* INFORM & TECNOL analogue, analog.

análogo, ga *adj*: **análogo (a)** analogous *O* similar (to).

ananá, ananás *sm R Dom* pineapple.

anaquel *sm* shelf.

anarquía *sf* - **1.** [falta de gobierno] anarchy - **2.** [doctrina política] anarchism.

anárquico, ca *adj* anarchic.

anarquista *adj* & *smf* anarchist.

anatema *sm* [maldición] curse.

anatomía *sf* anatomy.

anca *sf* (el) haunch; **ancas de rana** frogs' legs.

ancestral *adj* ancestral; [costumbre] age-old.

ancho, cha *adj* [gen] wide; [prenda] loose-fitting; **te va** *O* **está ancho** it's too big for you; **a mis/tus** *etc* **anchas** *fig* at ease; **quedarse tan ancho** not to care less. **ancho** *sm* width; **a lo ancho** crosswise; **cinco metros de ancho** five metres wide; **a lo ancho de** across (the width of); **ancho de vía** gauge.

anchoa *sf* anchovy *(salted)*.

anchura *sf* - **1.** [medida] width - **2.** [de ropa] bagginess.

anciano, na <> *adj* old. <> *sm, f* old person, old man (*f* old woman). **anciano** *sm* [de tribu] elder.

ancla *sf* (el) anchor; **echar/levar anclas** to drop/weigh anchor.

anclar *vi* to anchor.

andadas *sfpl*: **volver a las andadas** *fam fig* to return to one's evil ways.

andadura *sf* walking.

ándale *interj* Amér C & Méx fam come on!

Andalucía *n pr* Andalusia.

andaluz, za *adj* & *sm, f* Andalusian.

andamio *sm* scaffold.

andanada *sf fig* & MIL broadside.

andando *interj*: ¡andando! come on!, let's get a move on!

andante *adj* [que anda] walking.

andanza *sf (gen pl)* [aventura] adventure.

andar <> *vi* - **1.** [caminar] to walk; [moverse] to move - **2.** [funcionar] to work, to go; **las cosas andan mal** things are going badly - **3.** [estar] to be; **andar preocupado** to be worried; **andar tras algo/alguien** *fig* to be after sthg/sb - **4.** *(antes de gerundio)*: **andar haciendo algo** to be doing sthg; **anda echando broncas a to-**dos he's going round telling everybody off; **anda buscando algo** he's looking for sthg - **5.** [ocuparse]: **andar en** [asuntos, líos] to be involved in; [papeleos, negocios] to be busy with - **6.** [hurgar]: **andar en** to rummage around in - **7.** [alcanzar, rondar]: **anda por los 60** he's about sixty. <> *vt* - **1.** [recorrer] to go, to travel - **2.** *Amér C* [llevar puesto] to wear. <> *sm* gait, walk. **andares** *smpl* [de persona] gait *sing*. **anda** *interj*: ¡anda! [sorpresa, desilusión] oh!; [¡vamos!] come on!; [¡por favor!] go on!; ¡anda ya! [incredulidad] come off it!

andén *sm* FERROC platform.

Andes *smpl*: **los Andes** the Andes.

andinismo *sm* Amér mountaineering.

andinista *smf* Amér mountaineer.

Andorra *n pr* Andorra.

andorrano, na *adj* & *sm, f* Andorran.

andrajo *sm* [harapo] rag.

andrajoso, sa *adj* ragged.

andrógino, na *adj* androgynous.

androide *sm* [autómata] android.

anduviera *etc* ➤ **andar**.

anécdota *sf* anecdote.

anecdótico, ca *adj* - **1.** [con historietas] anecdotal - **2.** [no esencial] incidental.

anegar *vt* [inundar] to flood. **anegarse** *vprnl* - **1.** [inundarse] to flood; **sus ojos se anegaron de lágrimas** tears welled up in his eyes - **2.** [ahogarse] to drown.

anejo, ja *adj*: **anejo (a)** [edificio] connected (to); [documento] attached (to). **anejo** *sm* annexe.

anemia *sf* anaemia.

anémona *sf* anemone.

anestesia *sf* anaesthesia; **anestesia general/local** general/local anaesthesia.

anestésico, ca *adj* anaesthetic. **anestésico** *sm* anaesthetic.

anexar *vt* [documento] to attach.

anexión *sf* annexation.

anexionar *vt* to annex.

anexo, xa *adj* [edificio] connected; [documento] attached. **anexo** *sm* annexe.

anfetamina *sf* amphetamine.

anfibio, bia *adj lit & fig* amphibious.

anfiteatro *sm* - **1.** CINE & TEATRO circle - **2.** [edificio] amphitheatre.

anfitrión, ona *sm, f* host (*f* hostess).

ángel *sm lit & fig* angel; **ángel custodio** *O* **de la guarda** guardian angel; **tener ángel** to have something special.

angelical *adj* angelic.

angina *sf (gen pl)* [amigdalitis] sore throat; **tener anginas** to have a sore throat. **angina de pecho** *sf* angina (pectoris).

anglicano, na adj & sm, f Anglican.

anglosajón, ona adj & sm, f Anglo-Saxon.

Angola n pr Angola.

angora sf [de conejo] angora; [de cabra] mohair.

angosto, ta adj culto narrow.

angostura sf [bebida] angostura.

anguila sf eel.

angula sf elver.

angular adj angular. ➡ **gran angular** sm FOTO wide-angle lens.

ángulo sm - 1. [gen] angle; **ángulo de tiro** [para disparar] elevation - 2. [rincón] corner.

anguloso, sa adj angular.

angustia sf [aflicción] anxiety.

angustiar vt to distress. ➡ **angustiarse** vprnl [agobiarse]: **angustiarse (por)** to get worried (about).

angustioso, sa adj [espera, momentos] anxious; [situación, noticia] distressing.

anhelante adj: **anhelante (por algo/hacer algo)** longing (for sthg/to do sthg), desperate (for sthg/to do sthg).

anhelar vt to long O wish for; **anhelar hacer algo** to long to do sthg.

anhelo sm longing.

anhídrido sm anhydride; **anhídrido carbónico** carbon dioxide.

anidar vi [pájaro] to nest.

anilla sf ring.

anillo sm [gen & ASTRON] ring; **anillo de boda** wedding ring.

ánima sf (el) soul.

animación sf - 1. [alegría] liveliness - 2. [bullicio] hustle and bustle, activity - 3. CINE animation.

animado, da adj - 1. [con buen ánimo] cheerful - 2. [divertido] lively - 3. CINE animated.

animador, ra sm, f - 1. [en espectáculo] compere - 2. [en fiesta de niños] children's entertainer - 3. [en béisbol etc] cheerleader.

animadversión sf animosity.

animal ⬦ adj - 1. [reino, funciones] animal (antes de s) - 2. fam [persona - basto] rough; [- ignorante] ignorant. ⬦ smf fam fig [persona] animal, brute. ⬦ sm animal; **animal doméstico** [de granja etc] domestic animal; [de compañía] pet; **animal de tiro** draught animal.

animar vt - 1. [estimular] to encourage; **animar a alguien a O para hacer algo** to encourage sb to do sthg - 2. [alegrar - persona] to cheer up - 3. [avivar - fuego, diálogo, fiesta] to liven up; [comercio] to stimulate. ➡ **animarse** vprnl - 1. [alegrarse - persona] to cheer up; [- fiesta etc] to liven up - 2. [decidir]: **animarse (a hacer algo)** to finally decide (to do sthg).

ánimo ⬦ sm - 1. [valor] courage - 2. [aliento] encouragement; **dar ánimos a alguien** to encourage sb - 3. [humor] disposition. ⬦ interj [para alentar]: **¡ánimo!** come on!

animoso, sa adj [valiente] courageous; [decidido] undaunted.

aniñado, da adj [comportamiento] childish; [voz, rostro] childlike.

aniquilar vt to annihilate, to wipe out.

anís (pl anises) sm - 1. [grano] aniseed - 2. [licor] anisette.

aniversario sm [gen] anniversary; [cumpleaños] birthday.

ano sm anus.

anoche adv last night, yesterday evening; **antes de anoche** the night before last.

anochecer ⬦ sm dusk, nightfall; **al anochecer** at dusk. ⬦ v impers to get dark.

anodino, na adj [sin gracia] dull, insipid.

anomalía sf anomaly.

anómalo, la adj anomalous.

anonimato sm anonymity; **permanecer en el anonimato** to remain nameless.

anónimo, ma adj anonymous. ➡ **anónimo** sm anonymous letter.

anorak (pl anoraks) sm anorak.

anorexia sf anorexia.

anormal adj [anómalo] abnormal.

anotación sf [gen] note; [en registro] entry; **anotación al margen** marginal note; **anotación contable** COM book entry.

anotar vt - 1. [apuntar] to note down - 2. [tantear] to notch up. ➡ **anotarse** vprnl [matricularse] to enrol.

anquilosamiento sm - 1. [estancamiento] stagnation - 2. MED paralysis.

anquilosarse vprnl - 1. [estancarse] to stagnate - 2. MED to become paralysed.

ansia sf (el) - 1. [afán]: **ansia de** longing O yearning for - 2. [ansiedad] anxiousness; [angustia] anguish; **comer con ansia** to eat ravenously.

ansiar vt: **ansiar hacer algo** to long O be desperate to do sthg.

ansiedad sf - 1. [inquietud] anxiety; **con ansiedad** anxiously - 2. PSICOL nervous tension.

ansioso, sa adj [impaciente] impatient; **estar ansioso por O de hacer algo** to be impatient to do sthg.

antagónico, ca adj antagonistic.

antagonista smf opponent.

antaño adv in days gone by.

antártico, ca adj Antarctic. ➡ **Antártico** sm: **el Antártico** the Antarctic; **el océano Glacial Antártico** the Antarctic Ocean.

Antártida sf: **la Antártida** the Antarctic.

ante[1] sm - 1. [piel] suede - 2. [animal] elk.

ante² *prep* - 1. [delante de, en presencia de] before - 2. [frente a - hecho, circunstancia] in the face of. ▪ **ante todo** *loc adv* - 1. [sobre todo] above all - 2. [en primer lugar] first of all.

anteanoche *adv* the night before last.

anteayer *adv* the day before yesterday.

antebrazo *sm* forearm.

antecedente ◇ *adj* preceding, previous. ◇ *sm* [precedente] precedent. ▪ **antecedentes** *smpl* [de persona] record *sing*; [de asunto] background *sing*; **poner a alguien en antecedentes de** [informar] to fill sb in on; **una persona sin antecedentes** a person with a clean record.

anteceder *vt* to precede.

antecesor, ra *sm, f* [predecesor] predecessor.

antedicho, cha *adj* aforementioned.

antelación *sf*: **con antelación** in advance, beforehand; **con dos horas de antelación** two hours in advance.

antemano ▪ **de antemano** *loc adv* beforehand, in advance.

antena *sf* - 1. RADIO & TV aerial *UK*, antenna *US*; **antena parabólica** satellite dish - 2. ZOOL antenna.

anteojos *smpl* *Amér* glasses.

antepasado, da *sm, f* ancestor.

antepenúltimo, ma *adj & sm, f* last but two.

anteponer *vt*: **anteponer algo a algo** to put sthg before sthg.

anterior *adj* - 1. [previo]: **anterior (a)** previous (to); **el día anterior** the day before - 2. [delantero] front *(antes de s)*.

anterioridad *sf*: **con anterioridad** beforehand; **con anterioridad a** before, prior to.

anteriormente *adv* previously.

antes *adv* - 1. [gen] before; **no importa si venís antes** it doesn't matter if you come earlier; **ya no nado como antes** I can't swim as I used to; **mucho/poco antes** long/shortly before; **lo antes posible** as soon as possible; **mi coche de antes** my old car - 2. [primero] first; **esta señora está antes** this lady is first - 3. [expresa preferencia]: **antes... que** rather... than; **prefiero la sierra antes que el mar** I like the mountains better than the sea; **iría a la cárcel antes que mentir** I'd rather go to prison than lie. ▪ **antes de** *loc prep* before; **antes de hacer algo** before doing sthg. ▪ **antes (de) que** *loc conj* before; **antes (de) que llegarais** before you arrived.

antesala *sf* anteroom; **hacer antesala** [esperar] to wait.

antiadherente *adj* non-stick.

antiaéreo, a *adj* anti-aircraft.

antibala, antibalas *adj inv* bullet-proof.

antibiótico, ca *adj* antibiotic. ▪ **antibiótico** *sm* antibiotic.

anticiclón *sm* anticyclone.

anticipación *sf* earliness; **con anticipación** in advance; **con un mes de anticipación** a month in advance; **con anticipación a** prior to.

anticipado, da *adj* [elecciones] early; [pago] advance; **por anticipado** in advance.

anticipar *vt* - 1. [prever] to anticipate - 2. [adelantar] to bring forward - 3. [dinero] to pay in advance. ▪ **anticiparse** *vprnl* - 1. [suceder antes] to arrive early; **se anticipó a su tiempo** he was ahead of his time - 2. [adelantarse]: **anticiparse a alguien** to beat sb to it.

anticipo *sm* [de dinero] advance.

anticonceptivo, va *adj* contraceptive. ▪ **anticonceptivo** *sm* contraceptive.

anticongelante *adj & sm* antifreeze.

anticonstitucional *adj* unconstitutional.

anticorrosivo, va *adj* anticorrosive.

anticuado, da *adj* old-fashioned.

anticuario, ria *sm, f* [comerciante] antique dealer; [experto] antiquarian.

anticuerpo *sm* antibody.

antidepresivo, va *adj* antidepressant. ▪ **antidepresivo** *sm* antidepressant (drug).

antidisturbios *smpl* [policía] riot police.

antidopaje *sm* doping tests *pl*.

antidoping [anti'ðopin] *adj* doping *(antes de s)*.

antídoto *sm* antidote.

antier *adv* *Amér fam* the day before yesterday.

antiestético, ca *adj* unsightly.

antifaz *sm* mask.

antigás *adj inv* gas *(antes de s)*.

antiglobalización *sf* antiglobalization.

antigualla *sf despec* [cosa] museum piece; [persona] old fogey, old fossil.

antiguamente *adv* [hace mucho] long ago; [previamente] formerly.

antigubernamental *adj* anti-government.

antigüedad *sf* - 1. [gen] antiquity - 2. [veteranía] seniority. ▪ **antigüedades** *sfpl* [objetos] antiques; **tienda de antigüedades** antique shop.

antiguo, gua *adj* - 1. [viejo] old; [inmemorial] ancient - 2. [anterior, previo] former.

antihéroe *sm* antihero.

antihigiénico, ca *adj* unhygienic.

antihistamínico *sm* antihistamine.

antiinflamatorio *sm* anti-inflammatory drug.

antílope *sm* antelope.

antinatural *adj* unnatural.

antiniebla ▷ **faro**.

antioxidante *sm* rustproofing agent.

antipatía *sf* dislike; **tener antipatía a alguien** to dislike sb.

antipático, ca *adj* unpleasant.

antípodas *sfpl*: **las antípodas** the Antipodes.

antirrobo *sm* [en coche] antitheft device; [en edificio] burglar alarm.

antisemita *adj* anti-Semitic.

antiséptico, ca *adj* antiseptic. ➡ **antiséptico** *sm* antiseptic.

antiterrorista *adj* anti-terrorist.

antítesis *sf inv* antithesis.

antitetánico, ca *adj* anti-tetanus *(antes de s)*.

antivirus *sm inv* INFORM antivirus system.

antojarse *vprnl* - **1.** [capricho]: **se le antojaron esos zapatos** he fancied those shoes; **se le ha antojado ir al cine** he felt like going to the cinema; **cuando se me antoje** when I feel like it - **2.** [posibilidad]: **se me antoja que...** I have a feeling that...

antojitos *smpl Méx* snacks, appetizers.

antojo *sm* - **1.** [capricho] whim; [de embarazada] craving - **2.** [en la piel] birthmark.

antología *sf* anthology.

antónimo *sm* antonym.

antonomasia *sf*: **por antonomasia** par excellence.

antorcha *sf* torch.

antracita *sf* anthracite.

antro *sm despec* dive, dump.

antropófago, ga *sm, f* cannibal.

antropología *sf* anthropology.

anual *adj* annual.

anualidad *sf* annuity, yearly payment.

anuario *sm* yearbook.

anudar *vt* to knot, to tie in a knot.

anulación *sf* [cancelación] cancellation; [de ley] repeal; [de matrimonio, contrato] annulment.

anular[1] *sm* ➪ **dedo**.

anular[2] *vt* - **1.** [cancelar - gen] to cancel; [- ley] to repeal; [- matrimonio, contrato] to annul - **2.** [DEP - gol] to disallow; [- resultado] to declare void.

anunciación *sf* announcement. ➡ **Anunciación** *sf* RELIG Annunciation.

anunciante *smf* advertiser.

anunciar *vt* - **1.** [notificar] to announce - **2.** [hacer publicidad de] to advertise - **3.** [presagiar] to herald. ➡ **anunciarse** *vprnl*: **anunciarse en** to advertise in, to put an advert in.

anuncio *sm* - **1.** [notificación] announcement; [cartel, aviso] notice; [póster] poster - **2.**: **anuncio** (publicitario) advertisement, advert; **anuncios por palabras** classified adverts - **3.** [presagio] sign, herald.

anverso *sm* [de moneda] head, obverse; [de hoja] front.

anzuelo *sm* [para pescar] (fish) hook.

añadido, da *adj*: **añadido (a)** added (to).

añadidura *sf* addition; **por añadidura** in addition, what is more.

añadir *vt* to add.

añejo, ja *adj* - **1.** [vino, licor] mature; [tocino] cured - **2.** [costumbre] age-old.

añicos *smpl*: **hacer O hacerse añicos** to shatter.

añil *adj & sm* [color] indigo.

año *sm* year; **en el año 1939** in 1939; **los años 30** the thirties; **año académico/escolar/fiscal** academic/school/tax year; **año bisiesto/solar** leap/solar year; **año nuevo** New Year; **¡Feliz Año Nuevo!** Happy New Year! ➡ **años** *smpl* [edad] age *sing*; **¿cuántos años tienes?** – **tengo 17 años** how old are you? – I'm 17 (years old); **los de 25 años** the 25-year-olds; **cumplir años** to have one's birthday; **cumplo años el 25** it's my birthday on the 25th.

añoranza *sf*: **añoranza (de)** [gen] nostalgia (for); [hogar, patria] homesickness (for).

añorar *vt* to miss.

apabullar *vt* to overwhelm.

apacentar *vt* to graze.

apacible *adj* [gen] mild, gentle; [lugar, ambiente] pleasant.

apaciguar *vt* - **1.** [tranquilizar] to calm down - **2.** [aplacar - dolor etc] to soothe. ➡ **apaciguarse** *vprnl* - **1.** [tranquilizarse] to calm down - **2.** [aplacarse - dolor etc] to abate.

apadrinar *vt* - **1.** [niño] to act as a godparent to - **2.** [artista] to sponsor.

apagado, da *adj* - **1.** [luz, fuego] out; [aparato] off - **2.** [color, persona] subdued - **3.** [sonido] muffled; [voz] quiet.

apagar *vt* - **1.** [extinguir - fuego] to put out; [- luz] to put off; [- vela] to extinguish - **2.** [desconectar] to turn O switch off; **apaga y vámonos** *fig* we have nothing more to talk about - **3.** [aplacar - sed] to quench - **4.** [rebajar - sonido] to muffle. ➡ **apagarse** *vprnl* [extinguirse - fuego, vela, luz] to go out; [- dolor, ilusión, rencor] to die down; [- sonido] to die away.

apagón *sm* power cut.

apaisado, da *adj* oblong.

apalabrar *vt* [concertar] to make a verbal agreement regarding; [contratar] to engage on the basis of a verbal agreement.

apalancar *vt* [para abrir] to lever open; [para mover] to lever.

apalear *vt* to beat up.

apañado, da *adj fam* [hábil, mañoso] clever, resourceful; **estar apañado** *fig* to have had it.

apañar *vt fam* - **1.** [reparar] to mend - **2.** [amañar] to fix, to arrange. ➡ **apañarse** *vprnl fam* to cope, to manage; **apañárselas (para hacer algo)** to manage (to do sthg).

apaño *sm fam* - **1.** [reparación] patch - **2.** [chanchullo] fix, shady deal - **3.** [acuerdo] compromise.

apapachar *vt Méx* [mimar] to cuddle; [consentir] to spoil.

aparador *sm* [mueble] sideboard.

aparato *sm* - **1.** [máquina] machine; [de laboratorio] apparatus (U); [electrodoméstico] appliance; **aparato de radio** radio; **aparato de televisión** television set - **2.** [dispositivo] device - **3.** [teléfono]: **¿quién está al aparato?** who's speaking? - **4.** [MED - prótesis] aid; [- para dientes] brace - **5.** ANAT system - **6.** POLÍT machinery - **7.** [ostentación] pomp, ostentation.

aparatoso, sa *adj* - **1.** [ostentoso] ostentatious - **2.** [espectacular] spectacular.

aparcamiento *sm* - **1.** [acción] parking - **2.** [parking] car park *UK*, parking lot *US*; [hueco] parking place.

aparcar ⬦ *vt* [estacionar] to park. ⬦ *vi* [estacionar] to park.

aparcero, ra *sm, f* sharecropper.

aparear *vt* [animales] to mate. ➡ **aparearse** *vprnl* [animales] to mate.

aparecer *vi* - **1.** [gen] to appear - **2.** [acudir]: **aparecer por (un lugar)** to turn up at (a place) - **3.** [ser encontrado] to turn up.

aparejador, ra *sm, f* quantity surveyor.

aparejo *sm* - **1.** [de caballerías] harness - **2.** MECÁN block and tackle - **3.** NÁUT rigging. ➡ **aparejos** *smpl* equipment (U); [de pesca] tackle (U).

aparentar ⬦ *vt* - **1.** [fingir] to feign - **2.** [edad] to look. ⬦ *vi* [presumir] to show off.

aparente *adj* [falso, supuesto] apparent.

aparición *sf* - **1.** [gen] appearance - **2.** [de ser sobrenatural] apparition.

apariencia *sf* [aspecto] appearance; **guardar las apariencias** to keep up appearances; **las apariencias engañan** appearances can be deceptive.

apartado, da *adj* - **1.** [separado]: **apartado de** away from - **2.** [alejado] remote. ➡ **apartado** *sm* [párrafo] paragraph; [sección] section. ➡ **apartado de correos** *sm* PO Box.

apartamento *sm* apartment, flat *UK*.

apartar *vt* - **1.** [alejar] to move away; [quitar] to remove - **2.** [separar] to separate - **3.** [escoger] to take, to select. ➡ **apartarse** *vprnl* - **1.** [hacerse a un lado] to move to one side - **2.** [separarse] to separate; **apartarse de** [gen] to move away from; [tema] to get away from; [mundo, sociedad] to cut o.s. off from.

aparte ⬦ *adv* - **1.** [en otro lugar, a un lado] aside, to one side; **bromas aparte** joking apart; **dejar algo aparte** to leave sthg aside; **poner algo aparte** to put sthg aside; **impuestos aparte** before tax - **2.** [además] besides; **aparte de fea...** besides being ugly... - **3.** [por separado] separately. ⬦ *sm* - **1.** [párrafo] new paragraph - **2.** TEATRO aside. ➡ **aparte de** *loc prep* [excepto] apart from, except from.

apasionado, da ⬦ *adj* passionate. ⬦ *sm, f* lover, enthusiast.

apasionante *adj* fascinating.

apasionar *vt* to fascinate; **le apasiona la música** he's mad about music. ➡ **apasionarse** *vprnl* to get excited; **apasionarse por** *o* **con** to be mad about.

apatía *sf* apathy.

apático, ca *adj* apathetic.

apátrida *adj* stateless.

apdo. *abrev de* **apartado**.

apeadero *sm* [de tren] halt.

apear *vt* [bajar] to take down. ➡ **apearse** *vprnl* [bajarse]: **apearse (de)** [tren] to alight (from), to get off; [coche] to get out (of); [caballo] to dismount from.

apechugar *vi*: **apechugar con** to put up with, to live with.

apedrear *vt* [persona] to stone; [cosa] to throw stones at.

apegarse *vprnl*: **apegarse a** to become fond of *o* attached to.

apego *sm* fondness, attachment; **tener/tomar apego a** to be/become fond of.

apelación *sf* appeal.

apelar *vi* - **1.** DER (to lodge an) appeal; **apelar ante/contra** to appeal to/against - **2.** [recurrir]: **apelar a** [persona] to go to; [sentido común, bondad] to appeal to; [violencia] to resort to.

apelativo *sm* name.

apellidarse *vprnl*: **se apellida Suárez** her surname is Suárez.

apellido *sm* surname.

apelmazar *vt* - **1.** [jersey] to shrink - **2.** [arroz, bizcocho] to make stodgy. ➡ **apelmazarse** *vprnl* - **1.** [jersey] to shrink - **2.** [arroz, bizcocho] to go stodgy.

apelotonar *vt* to bundle up. ➡ **apelotonarse** *vprnl* [gente] to crowd together.

apenado, da *adj Andes, Amér C, Caribe & Méx* [avergonzado] ashamed, embarrassed.

apenar *vt* to sadden.

apenas *adv* - **1.** [casi no] scarcely, hardly; **apenas me puedo mover** I can hardly move - **2.** [tan sólo] only; **apenas hace dos minutos**

only two minutes ago - **3.** [tan pronto como] as soon as; **apenas llegó, sonó el teléfono** no sooner had he arrived than the phone rang.

apéndice *sm* appendix.

apendicitis *sf inv* appendicitis.

apercibir *vt* [amonestar] to reprimand. ◆ **apercibirse de** *vprnl* to notice.

aperitivo *sm* [bebida] aperitif; [comida] appetizer.

apero *sm* (*gen pl*) tool; **aperos de labranza** farming implements.

apertura *sf* - **1.** [gen] opening; [de año académico, temporada] start - **2.** POLIT [liberalización] liberalization (*especially that introduced in Spain by the Franco regime after 1970*).

aperturista *adj* & *smf* progressive.

apesadumbrar *vt* to weigh down. ◆ **apesadumbrarse** *vprnl* to be weighed down.

apestar *vi*: **apestar (a)** to stink (of).

apetecer *vi*: ¿**te apetece un café?** do you fancy a coffee?; **me apetece salir** I feel like going out.

apetecible *adj* [comida] appetizing, tempting; [vacaciones etc] desirable.

apetito *sm* appetite; **abrir el apetito** to whet one's appetite; **perder el apetito** to lose one's appetite; **tener apetito** to be hungry.

apetitoso, sa *adj* [comida] appetizing.

apiadar *vt* to earn the pity of. ◆ **apiadarse** *vprnl* to show compassion; **apiadarse de** to take pity on.

ápice *sm* - **1.** [pizca] iota; **no ceder un ápice** not to budge an inch - **2.** [punto culminante] peak, height.

apicultura *sf* beekeeping.

apilar *vt* to pile up. ◆ **apilarse** *vprnl* to pile up.

apiñar *vt* to pack O cram together. ◆ **apiñarse** *vprnl* to crowd together; [para protegerse, por miedo] to huddle together.

apio *sm* celery.

apisonadora *sf* steamroller.

aplacar *vt* to placate; [hambre] to satisfy; [sed] to quench. ◆ **aplacarse** *vprnl* to calm down; [dolor] to abate.

aplanar *vt* to level.

aplastante *adj fig* [apabullante] overwhelming, devastating.

aplastar *vt* - **1.** [por el peso] to flatten - **2.** [derrotar] to crush.

aplatanar *vt fam* to make listless.

aplaudir *vt* & *vi* to applaud.

aplauso *sm* - **1.** [ovación] round of applause; **aplausos** applause (*U*) - **2.** *fig* [alabanza] applause.

aplazamiento *sm* postponement.

aplazar *vt* - **1.** [retrasar] to postpone - **2.** *R Plata* [suspender] to fail.

aplicación *sf* [gen & INFORM] application.

aplicado, da *adj* [estudioso] diligent.

aplicar *vt* [gen] to apply; [nombre, calificativo] to give. ◆ **aplicarse** *vprnl* [esmerarse]: **aplicarse (en algo)** to apply o.s. (to sthg).

aplique *sm* wall lamp.

aplomo *sm* composure; **perder el aplomo** to lose one's composure.

apocado, da *adj* timid.

apocalipsis *sm inv* calamity. ◆ **Apocalipsis** *sm* Apocalypse.

apocarse *vprnl* [intimidarse] to be frightened O scared; [humillarse] to humble o.s.

apodar *vt* to nickname.

apoderado, da *sm, f* - **1.** [representante] (official) representative - **2.** TAUROM agent, manager.

apoderar *vt* [gen] to authorize; DER to grant power of attorney to. ◆ **apoderarse de** *vprnl* - **1.** [adueñarse de] to seize - **2.** *fig* [dominar] to take hold of, to grip.

apodo *sm* nickname.

apogeo *sm fig* height, apogee; **estar en (pleno) apogeo** to be at its height.

apolillar *vt* to eat holes in. ◆ **apolillarse** *vprnl* to get moth-eaten.

apolítico, ca *adj* apolitical.

apología *sf* apology, eulogy.

apoltronarse *vprnl* - **1.** [apalancarse]: **apoltronarse (en)** to become lazy O idle (in) - **2.** [acomodarse]: **apoltronarse en** to lounge in.

apoplejía *sf* apoplexy.

apoquinar *vt* & *vi fam* to fork out.

aporrear *vt* to bang.

aportación *sf* [contribución] contribution.

aportar *vt* [contribuir con] to contribute.

aposentar *vt* to put up, to lodge. ◆ **aposentarse** *vprnl* to take up lodgings.

aposento *sm* - **1.** [habitación] room; **retirarse a sus aposentos** *desus* & *hum* to withdraw (to one's chamber) - **2.** [alojamiento] lodgings *pl*.

apósito *sm* dressing.

aposta *adv* on purpose.

apostar ◇ *vt* - **1.** [jugarse] to bet - **2.** [emplazar] to post. ◇ *vi*: **apostar (por)** to bet (on). ◆ **apostarse** *vprnl* [jugarse] to bet; **apostarse algo con alguien** to bet sb sthg.

apostilla *sf* note.

apóstol *sm lit* & *fig* apostle.

apóstrofo *sm* GRAM apostrophe.

apoteósico, ca *adj* tremendous.

apoyar *vt* - **1.** [inclinar] to lean, to rest - **2.** *fig* [basar, respaldar] to support. ◆ **apoyarse** *vprnl* - **1.** [sostenerse]: **apoyarse en** to lean on

- **2.** *fig* [basarse]: **apoyarse en** [suj: tesis, conclusiones] to be based on, to rest on; [suj: persona] to base one's arguments on - **3.** [respaldarse] to support one another.

apoyo *sm lit & fig* support.

APRA *sf* (*abrev de* **Alianza Popular Revolucionaria Americana**) *Peruvian political party*.

apreciable *adj* - **1.** [perceptible] appreciable - **2.** *fig* [estimable] worthy.

apreciación *sf* [consideración] appreciation; [estimación] evaluation.

apreciar *vt* - **1.** [valorar] to appreciate; [sopesar] to appraise, to evaluate - **2.** [sentir afecto por] to think highly of - **3.** [percibir] to tell, to make out.

aprecio *sm* esteem.

aprehender *vt* [coger - persona] to apprehend; [- alijo, mercancía] to seize.

aprehensión *sf* [de persona] arrest, capture; [de alijo, mercancía] seizure.

apremiante *adj* pressing, urgent.

apremiar ◇ *vt* [meter prisa]: **apremiar a alguien para que haga algo** to urge sb to do sthg. ◇ *vi* [ser urgente] to be pressing.

apremio *sm* [urgencia] urgency.

aprender ◇ *vt* - **1.** [estudiar] to learn - **2.** [memorizar] to memorize. ◇ *vi*: **aprender (a hacer algo)** to learn (to do sthg).

aprendiz, za *sm, f* - **1.** [ayudante] apprentice, trainee - **2.** [novato] beginner.

aprendizaje *sm* - **1.** [acción] learning - **2.** [tiempo, situación] apprenticeship.

aprensión *sf*: **aprensión (por)** [miedo] apprehension (about); [escrúpulo] squeamishness (about).

aprensivo, va *adj* - **1.** [miedoso] apprehensive - **2.** [hipocondríaco] hypochondriac.

apresar *vt* [suj: animal] to catch; [suj: persona] to capture.

aprestar *vt* - **1.** [preparar] to prepare, to get ready - **2.** [tela] to size. ◆ **aprestarse a** *vprnl*: **aprestarse a hacer algo** to get ready to do sthg.

apresto *sm* size.

apresurado, da *adj* hasty, hurried.

apresurar *vt* to hurry along, to speed up; **apresurar a alguien para que haga algo** to try to make sb do sthg more quickly. ◆ **apresurarse** *vprnl* to hurry.

apretado, da *adj* - **1.** [gen] tight; [triunfo] narrow; [esprint] close; [caligrafía] cramped - **2.** [apiñado] packed.

apretar ◇ *vt* - **1.** [oprimir - botón, tecla] to press; [- gatillo] to pull; [- nudo, tuerca, cinturón] to tighten; **el zapato me aprieta** my shoe is pinching - **2.** [estrechar] to squeeze; [abrazar] to hug - **3.** [comprimir - ropa, objetos] to pack tight - **4.** [juntar - dientes] to grit; [- labios] to press together. ◇ *vi* [calor, lluvia] to intensify. ◆ **apretarse** *vprnl* [agolparse] to crowd together; [acercarse] to squeeze up.

apretón *sm* [estrechamiento] squeeze; **apretón de manos** handshake.

apretujar *vt* - **1.** [gen] to squash - **2.** [hacer una bola con] to screw up. ◆ **apretujarse** *vprnl* [en banco, autobús] to squeeze together; [por frío] to huddle up.

apretujón *sm fam* [abrazo] bearhug.

aprieto *sm fig* fix, difficult situation; **poner en un aprieto a alguien** to put sb in a difficult position; **verse O estar en un aprieto** to be in a fix.

aprisa *adv* quickly.

aprisionar *vt* - **1.** [encarcelar] to imprison - **2.** [inmovilizar - atando, con camisa de fuerza] to strap down; [- suj: viga etc] to trap.

aprobación *sf* approval.

aprobado, da *adj* [aceptado] approved. ◆ **aprobado** *sm* EDUC pass.

aprobar *vt* - **1.** [proyecto, moción, medida] to approve; [ley] to pass - **2.** [comportamiento etc] to approve of - **3.** [examen, asignatura] to pass.

apropiación *sf* [robo] theft.

apropiado, da *adj* suitable, appropriate.

apropiar *vt*: **apropiar (a)** to adapt (to). ◆ **apropiarse de** *vprnl lit & fig* to appropriate.

aprovechable *adj* usable.

aprovechado, da *adj* - **1.** [caradura]: **es muy aprovechado** he's always sponging off other people - **2.** [bien empleado - tiempo] well-spent; [- espacio] well-planned.

aprovechamiento *sm* [utilización] use.

aprovechar ◇ *vt* - **1.** [gen] to make the most of; [oferta, ocasión] to take advantage of; [conocimientos, experiencia] to use, to make use of - **2.** [lo inservible] to put to good use. ◇ *vi* [ser provechoso] to be beneficial; ¡**que aproveche!** enjoy your meal! ◆ **aprovecharse** *vprnl*: **aprovecharse (de)** to take advantage (of).

aprovisionamiento *sm* supplying.

aprox. (*abrev de* aproximadamente) approx.

aproximación *sf* - **1.** [acercamiento] approach - **2.** [en cálculo] approximation.

aproximadamente *adv* approximately.

aproximado, da *adj* approximate.

aproximar *vt* to move closer. ◆ **aproximarse** *vprnl* to come closer.

aptitud *sf* ability, aptitude; **tener aptitud para algo** to have an aptitude for sthg.

apto, ta *adj* - **1.** [adecuado, conveniente]: **apto (para)** suitable (for) - **2.** [capacitado - intelectual-

mente] capable, able; [- físicamente] fit - **3.** CINE: **apto/no apto para menores** suitable/unsuitable for children.

apto. (*abrev de* **apartamento**) Apt.

apuesta *sf* bet.

apuesto, ta *adj* dashing.

apuntador, ra *sm, f* prompter.

apuntalar *vt lit & fig* to underpin.

apuntar *vt* - **1.** [anotar] to note down; **apuntar a alguien** [en lista] to put sb down - **2.** [dirigir - dedo] to point; [- arma] to aim; **apuntar a alguien** [- con el dedo] to point at sb; [- con un arma] to aim at sb - **3.** TEATRO to prompt - **4.** *fig* [indicar] to point out. ◆ **apuntarse** *vprnl* - **1.** [en lista] to put one's name down; [en curso] to enrol - **2.** [participar]: **apuntarse (a hacer algo)** to join in (doing sthg).

apunte *sm* [nota] note. ◆ **apuntes** *smpl* EDUC notes.

apuñalar *vt* to stab.

apurado, da *adj* - **1.** [necesitado] in need; **apurado de** short of - **2.** [avergonzado] embarrassed - **3.** [difícil] awkward - **4.** *Amér* [con prisa]: **estar apurado** to be in a hurry.

apurar *vt* - **1.** [agotar] to finish off; [existencias, la paciencia] to exhaust - **2.** [meter prisa] to hurry - **3.** [preocupar] to trouble - **4.** [avergonzar] to embarrass. ◆ **apurarse** *vprnl* - **1.** [preocuparse]: **apurarse (por)** to worry (about) - **2.** [darse prisa] to hurry.

apuro *sm* - **1.** [dificultad] fix; **estar en apuros** to be in a tight spot - **2.** [penuria] hardship (U) - **3.** [vergüenza] embarrassment; **me da apuro (decírselo)** I'm embarrassed (to tell her).

aquejado, da *adj*: **aquejado de** suffering from.

aquejar *vt* to afflict.

aquel, aquella (*mpl* **aquellos**, *fpl* **aquellas**) *adj demos* that (*pl* those).

aquél, aquélla (*mpl* **aquéllos**, *fpl* **aquéllas**) *pron demos* - **1.** [ése] that (one), those (ones) *pl*; **este cuadro me gusta pero aquél del fondo no** I like this picture, but I don't like that one at the back; **aquél fue mi último día en Londres** that was my last day in London - **2.** [nombrado antes] the former - **3.** [con oraciones relativas] whoever, anyone who; **aquél que quiera hablar que levante la mano** whoever wishes O anyone wishing to speak should raise their hand; **aquéllos que...** those who...

aquella ▷ **aquel**.

aquélla ▷ **aquél**.

aquello *pron demos (neutro)* that; **aquello de su mujer es una mentira** all that about his wife is a lie.

aquellos, aquellas ▷ **aquel**.

aquéllos, aquéllas ▷ **aquél**.

aquí *adv* - **1.** [gen] here; **aquí abajo/arriba** down/up here; **aquí dentro/fuera** in/out here; **aquí mismo** right here; **de aquí para allá** [de un lado a otro] to and fro; **por aquí** over here - **2.** [ahora] now; **de aquí a mañana** between now and tomorrow; **de aquí a poco** shortly, soon; **de aquí a un mes** a month from now, in a month.

ara *sf (el)* [altar] altar. ◆ **en aras de** *loc prep culto* for the sake of.

árabe ⬦ *adj* Arab, Arabian. ⬦ *smf* [persona] Arab. ⬦ *sm* [lengua] Arabic.

Arabia Saudí, Arabia Saudita *n pr* Saudi Arabia.

arábigo, ga *adj* - **1.** [de Arabia] Arab, Arabian - **2.** [numeración] Arabic.

arado *sm* plough.

arancel *sm* tariff.

arándano *sm* bilberry, blueberry *US*.

arandela *sf* TECNOL washer.

araña *sf* - **1.** [animal] spider - **2.** [lámpara] chandelier.

arañar *vt* [gen] to scratch.

arañazo *sm* scratch.

arar *vt* to plough.

arbitraje *sm* - **1.** [DEP - en fútbol etc] refereeing; [- en tenis, cricket] umpiring - **2.** DER arbitration.

arbitrar ⬦ *vt* - **1.** [DEP - en fútbol etc] to referee; [- en tenis, cricket] to umpire - **2.** DER to arbitrate. ⬦ *vi* - **1.** [DEP - en fútbol etc] to referee; [- en tenis, cricket] to umpire - **2.** DER to arbitrate.

arbitrariedad *sf* [cualidad] arbitrariness.

arbitrario, ria *adj* arbitrary.

arbitrio *sm* [decisión] judgment.

árbitro *sm* - **1.** [DEP - en fútbol etc] referee; **árbitro asistente** asisstant referee; [- en tenis, cricket] umpire - **2.** DER arbitrator.

árbol *sm* - **1.** BOT tree - **2.** TECNOL shaft; **árbol de levas** camshaft - **3.** NÁUT mast. ◆ **árbol genealógico** *sm* family tree.

arboleda *sf* grove.

arbusto *sm* bush, shrub.

arca *sf (el)* [arcón] chest. ◆ **arcas** *sfpl* coffers; **arcas públicas** Treasury *sing*.

arcada *sf* - **1.** (*gen pl*) [de estómago] retching (U); **me dieron arcadas** I retched - **2.** [ARQUIT - arcos] arcade; [- de puente] arch.

arcaico, ca *adj* archaic.

arce *sm* maple.

arcén *sm* [de autopista] hard shoulder *UK*, shoulder *US*; [de carretera] verge.

archiconocido, da *adj fam* very well-known.

archiduque, esa *sm, f* archduke (*f* archduchess).

archipiélago *sm* archipelago.

archivador, ra *sm, f* archivist. ➤ **archivador** *sm* filing cabinet.

archivar *vt* [guardar - documento, fichero etc] to file.

archivo *sm* - **1.** [lugar] archive; [documentos] archives *pl* - **2.** [informe, ficha] file - **3.** INFORM file.

arcilla *sf* clay.

arco *sm* - **1.** GEOM arc - **2.** ARQUIT arch; **arco de herradura** horseshoe arc; **arco triunfal** O **de triunfo** triumphal arch - **3.** DEP, MIL & MÚS bow. ➤ **arco iris** *sm* rainbow.

arcón *sm* large chest.

arder *vi* to burn; [sin llama] to smoulder; **arder de** *fig* to burn with; **está que arde** [persona] he's fuming; [reunión] it's getting pretty heated.

ardid *sm* ruse, trick.

ardiente *adj* [gen] burning; [líquido] scalding; [admirador, defensor] ardent.

ardilla *sf* squirrel.

ardor *sm* - **1.** [quemazón] burning (sensation); **ardor de estómago** heartburn - **2.** *fig* [entusiasmo] fervour.

arduo, dua *adj* arduous.

área *sf* (el) - **1.** [gen] area; **área de libre cambio** ECON free exchange area - **2.** DEP: **área (de castigo** O **penalti)** (penalty) area.

arena *sf* - **1.** [de playa etc] sand; **arenas movedizas** quicksand (U) - **2.** [para luchar] arena - **3.** TAUROM bullring.

ARENA *sf* (*abrev de* Alianza Republicana Nacionalista) *Salvadorean political party*.

arenal *sm* sandy ground (U).

arenga *sf* harangue.

arenilla *sf* [polvo] dust.

arenoso, sa *adj* sandy.

arenque *sm* herring.

aretes *smpl* *Andes & Cuba* earrings.

argamasa *sf* mortar.

Argelia *n pr* Algeria.

Argentina *n pr* Argentina.

argentino, na *adj & sm, f* Argentinian.

argolla *sf* - **1.** [aro] (large) ring - **2.** *Andes & Cuba* [alianza] wedding ring.

argot *sm* - **1.** [popular] slang - **2.** [técnico] jargon.

argucia *sf* sophism.

argüir ⬦ *vt culto* - **1.** [argumentar] to argue - **2.** [demostrar] to prove. ⬦ *vi* [argumentar] to argue.

argumentación *sf* line of argument.

argumentar *vt* - **1.** [teoría, opinión] to argue - **2.** [razones, excusas] to allege.

argumento *sm* - **1.** [razonamiento] argument - **2.** [trama] plot.

aria *sf* MÚS aria.

aridez *sf* [gen] dryness; [de zona, clima] aridity.

árido, da *adj* [gen] dry; [zona, clima] arid. ➤ **áridos** *smpl* dry goods.

Aries ⬦ *sm* [zodiaco] Aries. ⬦ *smf* [persona] Aries.

ariete *sm* HIST & MIL battering ram.

ario, ria *adj & sm, f* Aryan.

arisco, ca *adj* surly.

arista *sf* edge.

aristocracia *sf* aristocracy.

aristócrata *smf* aristocrat.

aritmético, ca *adj* arithmetic. ➤ **aritmética** *sf* arithmetic.

arma *sf* (el) - **1.** [instrumento] arm, weapon; **arma biológica/nuclear/química** biological/nuclear/chemical weapon; **armas de destrucción masiva** weapons of mass destruction; **arma blanca** blade, weapon with a sharp blade; **arma de fuego** firearm; **arma homicida** murder weapon - **2.** *fig* [medio] weapon.

armada *sf* ➤ **armado**.

armadillo *sm* armadillo.

armado, da *adj* - **1.** [con armas] armed - **2.** [con armazón] reinforced. ➤ **armada** *sf* [marina] navy; [escuadra] fleet.

armador, ra *sm, f* shipowner.

armadura *sf* - **1.** [de barco, tejado] framework; [de gafas] frame - **2.** [de guerrero] armour.

armamentista, armamentístico, ca *adj* arms (antes de s).

armamento *sm* [armas] arms *pl*.

armar *vt* - **1.** [montar - mueble etc] to assemble; [- tienda] to pitch - **2.** [ejército, personas] to arm - **3.** *fam fig* [provocar] to cause; **armarla** *fam* to cause trouble. ➤ **armarse** *vprnl* - **1.** [con armas] to arm o.s. - **2.** [prepararse]: **armarse de** [valor, paciencia] to summon up - **3.** *loc*: **se armó la gorda** O **la de San Quintín** O **la de Dios es Cristo** *fam* all hell broke loose.

armario *sm* [para objetos] cupboard, closet *US*; [para ropa] wardrobe *UK*, closet *US*; **armario empotrado** fitted cupboard/wardrobe; **salir del armario** *fam* to come out of the closet.

armatoste *sm* [mueble, objeto] unwieldy object; [máquina] contraption.

armazón *sf* [gen] framework, frame; [de avión, coche] chassis; [de edificio] skeleton.

armería *sf* - **1.** [museo] military O war museum - **2.** [depósito] armoury - **3.** [tienda] gunsmith's (shop).

armiño *sm* [piel] ermine; [animal] stoat.

armisticio *sm* armistice.

armonía *sf* harmony.

armónico, ca *adj* harmonic. ➤ **armónica** *sf* harmonica.

armonioso, sa *adj* harmonious.

armonizar ⟨⟩ *vt* - **1.** [concordar] to match - **2.** MÚS to harmonize. ⟨⟩ *vi* [concordar]: **armonizar con** to match.

arnés *sm* armour. ➟ **arneses** *smpl* [de animales] harness *(U)*.

aro *sm* - **1.** [círculo] hoop; TECNOL ring; **los aros olímpicos** the Olympic rings; **entrar** *O* **pasar por el aro** to knuckle under - **2.** *Amér* [pendiente] earring.

aroma *sm* [gen] aroma; [de vino] bouquet; CULIN flavouring.

aromático, ca *adj* aromatic.

arpa *sf (el)* harp.

arpía *sf fig* [mujer] old hag.

arpillera *sf* sackcloth, hessian.

arpón *sm* harpoon.

arquear *vt* [gen] to bend; [cejas, espalda, lomo] to arch. ➟ **arquearse** *vprnl* to bend.

arqueología *sf* archeology.

arqueólogo, ga *sm, f* archeologist.

arquero *sm* - **1.** DEP & MIL archer - **2.** *Amér* [portero de fútbol] goalkeeper.

arquetipo *sm* archetype.

arquitecto, ta *sm, f* architect.

arquitectura *sf lit & fig* architecture.

arrabal *sm* [barrio pobre] slum *(on city outskirts)*; [barrio periférico] outlying district.

arrabalero, ra *adj* - **1.** [periférico] outlying - **2.** [barriobajero] rough, coarse.

arracimarse *vprnl* to cluster together.

arraigado, da *adj* [costumbre, idea] deeply rooted; [persona] established.

arraigar *vi lit & fig* to take root. ➟ **arraigarse** *vprnl* [establecerse] to settle down.

arraigo *sm* roots *pl*; **tener mucho arraigo** to be deeply rooted.

arrancar ⟨⟩ *vt* - **1.** [desarraigar - árbol] to uproot; [- malas hierbas, flor] to pull up - **2.** [quitar, separar] to tear *O* rip off; [cable, página, pelo] to tear out; [cartel, cortinas] to tear down; [muela] to pull out; [ojos] to gouge out - **3.** [arrebatar]: **arrancar algo a alguien** to grab *O* snatch sthg from sb - **4.** AUTO & TECNOL to start; INFORM to start up - **5.** *fig* [obtener]: **arrancar algo a alguien** [confesión, promesa, secreto] to extract sthg from sb; [sonrisa, dinero, ovación] to get sthg out of sb; [suspiro, carcajada] to bring sthg from sb. ⟨⟩ *vi* - **1.** [partir] to set off - **2.** [suj: máquina, coche] to start - **3.** [provenir]: **arrancar de** to stem from.

arranque *sm* - **1.** [comienzo] start - **2.** AUTO starter motor - **3.** *fig* [arrebato] fit.

arrasar *vt* to destroy, to devastate.

arrastrar ⟨⟩ *vt* - **1.** [gen] to drag *O* pull along; [pies] to drag; [carro, vagón] to pull; [suj: corriente, aire] to carry away - **2.** *fig* [convencer] to win over; **arrastrar a alguien a algo/a hacer**

algo to lead sb into sthg/to do sthg; **dejarse arrastrar por algo/alguien** to allow o.s. to be swayed by sthg/sb - **3.** INFORM to drag; **arrastrar y soltar algo** to drag and drop sthg - **4.** *fig* [producir] to bring. ⟨⟩ *vi* [rozar el suelo] to drag (along) the ground. ➟ **arrastrarse** *vprnl* to crawl; *fig* to grovel.

arrastre *sm* - **1.** [acarreo] dragging - **2.** [pesca] trawling - **3.** *Esp fam*: **estar para el arrastre** to have had it - **4.** *R Dom fam*: **tener arrastre** to be popular with members of the opposite sex.

arre *interj*: ¡arre! gee up!

arrear *vt* - **1.** [azuzar] to gee up - **2.** *fam* [propinar] to give.

arrebatado, da *adj* - **1.** [impetuoso] impulsive, impetuous - **2.** [ruborizado] flushed - **3.** [iracundo] enraged.

arrebatar *vt* - **1.** [arrancar]: **arrebatar algo a alguien** to snatch sthg from sb - **2.** *fig* [cautivar] to captivate. ➟ **arrebatarse** *vprnl* [enfurecerse] to get furious.

arrebato *sm* - **1.** [arranque] fit, outburst; **un arrebato de amor** a crush - **2.** [furia] rage.

arrebujar *vt* [amontonar] to bundle (up). ➟ **arrebujarse** *vprnl* [arroparse] to wrap o.s. up.

arreciar *vi* - **1.** [temporal etc] to get worse - **2.** *fig* [críticas etc] to intensify.

arrecife *sm* reef.

arreglado, da *adj* - **1.** [reparado] fixed; [ropa] mended - **2.** [ordenado] tidy - **3.** [bien vestido] smart - **4.** [solucionado] sorted out - **5.** *fig* [precio] reasonable.

arreglar *vt* - **1.** [reparar] to fix, to repair; [ropa] to mend - **2.** [ordenar] to tidy (up) - **3.** [solucionar] to sort out - **4.** MÚS to arrange - **5.** [acicalar] to smarten up; [cabello] to do. ➟ **arreglarse** *vprnl* - **1.** [apañarse]: **arreglarse (con algo)** to make do (with sthg); **arreglárselas (para hacer algo)** to manage (to do sthg) - **2.** [acicalarse] to smarten up.

arreglo *sm* - **1.** [reparación] mending, repair; [de ropa] mending - **2.** [solución] settlement - **3.** MÚS (musical) arrangement - **4.** [acuerdo] agreement; **llegar a un arreglo** to reach agreement.

arrellanarse *vprnl* to settle back.

arremangar = remangar.

arremeter ➟ **arremeter contra** *vi* to attack.

arremetida *sf* attack.

arremolinarse *vprnl* - **1.** *fig* [personas]: **arremolinarse alrededor de** to crowd around - **2.** [agua, hojas] to swirl (about).

arrendamiento, arriendo *sm* - **1.** [acción] renting, leasing - **2.** [precio] rent, lease.

arrendar *vt* - **1.** [dar en arriendo] to let, to lease - **2.** [tomar en arriendo] to rent, to lease.

arrendatario, **ria** *sm*, *f* leaseholder, tenant.

arreos *smpl* harness (U).

arrepentido, **da** ◇ *adj* repentant. ◇ *sm*, *f* POLIT person who renounces terrorist activities.

arrepentimiento *sm* regret, repentance.

arrepentirse *vprnl* to repent.

arrestar *vt* to arrest.

arresto *sm* [detención] arrest.

arriar *vt* to lower.

arriba ◇ *adv* - **1.** [posición - gen] above; *Amér* [- encima de] above; [- en edificio] upstairs; **vive (en el piso de) arriba** she lives upstairs; **está aquí/allí arriba** it's up here/there; **arriba del todo** right at the top; **más arriba** further up - **2.** [dirección] up; **ve arriba** [en edificio] go upstairs; **hacia/para arriba** up, upwards; **calle/escaleras arriba** up the street/stairs; **río arriba** upstream - **3.** [en un texto] above; **'el arriba mencionado...'** 'the above-mentioned...' - **4.** *loc*: **de arriba abajo** [cosa] from top to bottom; [persona] from head to toe O foot; **mirar a alguien de arriba abajo** [con desdén] to look sb up and down. ◇ *prep*: **arriba (de)** *Amér* [encima de] on top of. ◇ *interj*: **¡arriba...!** up (with)...!; **¡arriba los mineros!** up (with) the miners!; **¡arriba las manos!** hands up!   **arriba de** *loc prep* more than.   **de arriba** *loc adj* top; **el estante de arriba** the top shelf.

arribar *vi* to arrive; NÁUT to reach port.

arribeño, **ña** *sm*, *f Amér fam* highlander.

arribista *adj & smf* arriviste.

arriendo *sm* = **arrendamiento**.

arriesgado, **da** *adj* [peligroso] risky.

arriesgar *vt* to risk; [hipótesis] to venture, to suggest.   **arriesgarse** *vprnl* to take risks/a risk.

arrimar *vt* [acercar] to move O bring closer; **arrimar algo a** [pared, mesa] to move sthg up against.   **arrimarse** *vprnl* [acercarse] to come closer O nearer; **arrimarse a algo** [acercándose a] to move closer to sthg; [apoyándose] to lean on sthg.

arrinconar *vt* - **1.** [apartar] to put in a corner - **2.** [abandonar] to discard, to put away - **3.** *fig* [persona - dar de lado] to cold-shoulder; [- acorralar] to corner.

arrodillarse *vprnl* to kneel down; *fig* to go down on one's knees, to grovel.

arrogancia *sf* arrogance.

arrogante *adj* arrogant.

arrojar *vt* - **1.** [lanzar] to throw; [con violencia] to hurl, to fling - **2.** [despedir - humo] to send out; [- olor] to give off; [- lava] to spew out - **3.** [echar]: **arrojar a alguien de** to throw sb out

of - **4.** [resultado] to produce, to yield - **5.** [vomitar] to throw up.   **arrojarse** *vprnl* to hurl o.s.

arrojo *sm* courage, fearlessness.

arrollador, **ra** *adj* overwhelming; [belleza, personalidad] dazzling.

arrollar *vt* - **1.** [atropellar] to run over - **2.** [tirar - suj: agua, viento] to sweep away - **3.** [vencer] to crush.

arropar *vt* [con ropa] to wrap up; [en cama] to tuck up.   **arroparse** *vprnl* to wrap o.s. up.

arroyo *sm* [riachuelo] stream.

arroz *sm* rice; **arroz blanco** white rice; **arroz con leche** rice pudding.

arruga *sf* - **1.** [en ropa, papel] crease - **2.** [en piel] wrinkle, line.

arrugar *vt* - **1.** [ropa, papel] to crease, to crumple - **2.** [piel] to wrinkle.   **arrugarse** *vprnl* - **1.** [ropa] to get creased - **2.** [piel] to get wrinkled.

arruinar *vt lit & fig* to ruin.   **arruinarse** *vprnl* to go bankrupt, to be ruined.

arrullar *vt* to lull to sleep.   **arrullarse** *vprnl* [animales] to coo.

arrumar *vt Andes & Ven* to pile up.

arsenal *sm* - **1.** [de barcos] shipyard - **2.** [de armas] arsenal - **3.** [de cosas] array.

arsénico *sm* arsenic.

art. (*abrev de* **artículo**) art.

arte *sm o sf* (en sing gen m; en pl f) - **1.** [gen] art; **arte abstracto/figurativo** abstract/figurative art; **arte dramático** drama - **2.** [don] artistry - **3.** [astucia] artfulness, cunning; **malas artes** trickery (U).   **artes** *sfpl* arts; **bellas artes** fine arts.

artefacto *sm* [aparato] device; [máquina] machine.

arteria *sf lit & fig* artery.

artesa *sf* trough.

artesanal *adj* [hecho a mano] handmade.

artesanía *sf* craftsmanship; **de artesanía** [producto] handmade.

artesano, **na** *sm*, *f* craftsman (*f* craftswoman).

ártico, **ca** *adj* arctic.   **Ártico** *sm*: **el Ártico** the Arctic; **el océano Glacial Ártico** the Arctic Ocean.

articulación *sf* - **1.** ANAT & TECNOL joint - **2.** LING articulation.

articulado, **da** *adj* articulated.

articular *vt* [palabras, piezas] to articulate.

artículo *sm* [gen] article; **artículo básico** ECON basic product; **artículo de fondo** editorial, leader; **artículo de primera necesidad** basic commodity.

artífice *smf fig* architect.

artificial *adj* artificial.

artificio *sm fig* [falsedad] artifice; [artimaña] trick.

artificioso, sa *adj fig* [engañoso] deceptive.

artillería *sf* artillery.

artillero *sm* artilleryman.

artilugio *sm* gadget, contrivance.

artimaña *sf (gen pl)* trick, ruse.

artista *smf* - 1. [gen] artist - 2. [de espectáculos] artiste; **artista de cine** movie actor (*f* actress).

artístico, ca *adj* artistic.

artritis *sf inv* arthritis.

arzobispo *sm* archbishop.

as *sm* - 1. [carta, dado] ace - 2. [campeón]: **un as del volante** an ace driver.

asa *sf (el)* handle.

asado, da *adj* roasted. ➡ **asado** *sm* - 1. [carne] roast - 2. *Col & C Sur* [barbacoa] barbecue.

asador *sm* - 1. [aparato] roaster - 2. [varilla] spit.

asaduras *sfpl* offal (*U*); [de pollo, pavo] giblets.

asalariado, da ⟨⟩ *adj* wage-earning. ⟨⟩ *sm, f* wage earner.

asalmonado, da *adj* salmon (pink).

asaltante *smf* [agresor] attacker; [atracador] robber.

asaltar *vt* - 1. [atacar] to attack; [castillo, ciudad etc] to storm - 2. [robar] to rob - 3. *fig* [suj: dudas etc] to assail.

asalto *sm* - 1. [ataque] attack; [de castillo, ciudad] storming - 2. [robo] robbery - 3. DEP round.

asamblea *sf* assembly; POLÍT mass meeting.

asar *vt* [alimentos - al horno] to bake; [- a la parrilla] to grill; [- en asador] to roast.

ascendencia *sf* - 1. [linaje] descent - 2. [extracción social] extraction - 3. *fig* [influencia] ascendancy.

ascender ⟨⟩ *vi* - 1. [subir] to go up, to climb - 2. [aumentar, elevarse] to rise, to go up - 3. [en empleo, deportes]: **ascender (a)** to be promoted (to) - 4. [totalizar - precio etc]: **ascender a** to come O amount to. ⟨⟩ *vt*: **ascender a alguien (a)** to promote sb (to).

ascendiente *smf* [antepasado] ancestor.

ascensión *sf* ascent. ➡ **Ascensión** *sf* RELIG Ascension.

ascenso *sm* - 1. [en empleo, deportes] promotion - 2. [escalada] ascent - 3. [de precios, temperaturas] rise.

ascensor *sm* lift *UK*, elevator *US*.

ascético, ca *adj* ascetic.

asco *sm* [sensación] revulsion; **siento asco** I feel sick; **¡qué asco de tiempo!** what foul weather!; **me da asco** I find it disgusting; **¡qué asco!** how disgusting O revolting!; **hacer ascos a** to turn one's nose up at.

ascua *sf (el)* ember; **en O sobre ascuas** on tenterhooks.

aseado, da *adj* [limpio] clean; [arreglado] smart.

asear *vt* to clean. ➡ **asearse** *vprnl* to get washed and dressed.

asediar *vt* to lay siege to; *fig* to pester.

asedio *sm* siege; *fig* pestering.

asegurado, da *sm, f* policy-holder.

asegurar *vt* - 1. [fijar] to secure - 2. [garantizar] to assure; **te lo aseguro** I assure you; **asegurar a alguien que...** to assure sb that... - 3. COM: **asegurar (contra)** to insure (against); **asegurar algo en** [cantidad] to insure sthg for. ➡ **asegurarse** *vprnl* [cerciorarse]: **asegurarse de que...** to make sure that...

asemejar ➡ **asemejar a** *vi* to be similar to, to be like. ➡ **asemejarse** *vprnl* to be similar O alike; **asemejarse a** to be similar to, to be like.

asentamiento *sm* [campamento] settlement.

asentar *vt* - 1. [instalar - empresa, campamento] to set up; [- comunidad, pueblo] to settle - 2. [asegurar] to secure; [cimientos] to lay. ➡ **asentarse** *vprnl* - 1. [instalarse] to settle down - 2. [sedimentarse] to settle.

asentir *vi* - 1. [estar conforme]: **asentir (a)** to agree (to) - 2. [afirmar con la cabeza] to nod.

aseo *sm* [limpieza - acción] cleaning; [- cualidad] cleanliness. ➡ **aseos** *smpl* toilets *UK*, restroom *sing US*.

aséptico, ca *adj* MED aseptic.

asequible *adj* - 1. [accesible, comprensible] accessible - 2. [precio, producto] affordable.

aserradero *sm* sawmill.

aserrar *vt* to saw.

asesinar *vt* to murder; [rey, jefe de estado] to assassinate.

asesinato *sm* murder; [de rey, jefe de estado] assassination.

asesino, na *sm, f* murderer (*f* murderess); [de rey, jefe de estado] assassin; **asesino en serie** serial killer.

asesor, ra *sm, f* adviser; FIN consultant; **asesor fiscal** tax consultant.

asesorar *vt* to advise; FIN to provide with consultancy services. ➡ **asesorarse** *vprnl* to seek advice; **asesorarse de** to consult.

asesoría *sf* [oficina] consultant's office.

asestar *vt* [golpe] to deal; [tiro] to fire.

aseveración *sf* assertion.

asfaltado *sm* [acción] asphalting, surfacing; [asfalto] asphalt, (road) surface.

asfalto *sm* asphalt.

asfixia *sf* asphyxiation, suffocation.

asfixiar *vt* [ahogar] to asphyxiate, to suffocate. ➡ **asfixiarse** *vprnl* [ahogarse] to asphyxiate, to suffocate.

así ◇ *adv* [de este modo] in this way, like this; [de ese modo] in that way, like that; **era así de largo** it was this/that long; **así es/era/fue como...** that is how...; **así así** [no muy bien] so so; **algo así como** [algo igual a] something like; **así es** [para asentir] that is correct, yes; **y así todos los días** and the same thing happens day after day; **así como** [también] as well as, and also; [tal como] just as, exactly as; **así no más** *Amér fam* [de repente] just like that. ◇ *conj* - **1.** [de modo que]: **así (es) que** so - **2.** [aunque] although - **3.** [tan pronto como]: **así que** as soon as - **4.** *Amér* [aun si] even if. ◇ *adj inv* [como éste] like this; [como ése] like that. ➡ **así y todo, aun así** *loc adv* even so.

Asia *n pr* Asia.

asiático, ca *adj & sm, f* Asian, Asiatic.

asidero *sm* [agarradero] handle.

asiduidad *sf* frequency.

asiduo, dua *adj & sm, f* regular.

asiento *sm* [en casa, teatro] seat; **tomar asiento** to sit down.

asignación *sf* - **1.** [atribución] allocation - **2.** [sueldo] salary.

asignar *vt* - **1.** [atribuir]: **asignar algo a alguien** to assign O allocate sthg to sb - **2.** [destinar]: **asignar a alguien a** to send sb to.

asignatura *sf* EDUC subject.

asilado, da *sm, f* person living in an old people's home, convalescent home etc.

asilo *sm* - **1.** [hospicio] home; **asilo de ancianos** old people's home - **2.** *fig* [amparo] asylum; **asilo político** political asylum - **3.** [hospedaje] accommodation.

asimilación *sf* [gen & LING] assimilation.

asimilar *vt* [gen] to assimilate.

asimismo *adv* [también] also, as well; *(a principio de frase)* likewise.

asir *vt* to grasp, to take hold of.

asistencia *sf* - **1.** [presencia - acción] attendance; [- hecho] presence - **2.** [ayuda] assistance; **asistencia letrada** O **jurídica** legal advice; **asistencia médica** medical attention; **asistencia sanitaria** health care; **asistencia técnica** technical assistance - **3.** [afluencia] audience - **4.** DEP assist.

asistenta *sf* cleaning lady.

asistente *smf* - **1.** [ayudante] assistant, helper; **asistente personal** INFORM personal digital assistant; **asistente social** social worker - **2.** [presente] person present; **los asistentes** the audience *sing*.

asistido, da *adj* AUTO power *(antes de s)*; INFORM computer-assisted.

asistir ◇ *vt* [ayudar] to attend to. ◇ *vi*: **asistir a** to attend, to go to.

asma *sf (el)* asthma.

asno *sm lit & fig* ass.

asociación *sf* association; **asociación de padres de alumnos** parent-teacher association; **asociación de vecinos** residents' association.

asociado, da ◇ *adj* [miembro] associate. ◇ *sm, f* [miembro] associate, partner.

asociar *vt* [relacionar] to associate. ➡ **asociarse** *vprnl* to form a partnership.

asolar *vt* to devastate.

asomar ◇ *vi* [gen] to peep up; [del interior de algo] to peep out. ◇ *vt* to stick; **asomar la cabeza por la ventana** to stick one's head out of the window. ➡ **asomarse** *a vprnl* [ventana] to stick one's head out of; [balcón] to come/go out onto.

asombrar *vt* [causar admiración] to amaze; [causar sorpresa] to surprise. ➡ **asombrarse** *vprnl*: **asombrarse (de)** [sentir admiración] to be amazed (at); [sentir sorpresa] to be surprised (at).

asombro *sm* [admiración] amazement; [sorpresa] surprise.

asombroso, sa *adj* [sensacional] amazing; [sorprendente] surprising.

asomo *sm* [indicio] trace, hint; [de esperanza] glimmer.

aspa *sf (el)* X-shaped cross; [de molino] arms *pl*.

aspaviento *sm (gen pl)* furious gesticulations *pl*.

aspecto *sm* - **1.** [apariencia] appearance - **2.** [faceta] aspect; **en todos los aspectos** in every respect.

aspereza *sf* roughness; *fig* sourness.

áspero, ra *adj* - **1.** [rugoso] rough - **2.** *fig* [desagradable] sharp, sour.

aspersión *sf* [de jardín] sprinkling; [de cultivos] spraying.

aspersor *sm* [para jardín] sprinkler; [para cultivos] sprayer.

aspiración *sf* - **1.** [ambición & LING] aspiration - **2.** [de aire - por una persona] breathing in; [- por una máquina] suction.

aspirador *sm* = **aspiradora**.

aspiradora *sf* vacuum cleaner, hoover®; **pasar la aspiradora** to vacuum, to hoover.

aspirante *smf*: **aspirante (a)** candidate (for); [en deportes, concursos] contender (for).

aspirar ◇ *vt* [aire - suj: persona] to breathe in, to inhale. ◇ *vi*: **aspirar a algo** [ansiar] to aspire to sthg.

aspirina® *sf* aspirin.

asquear *vt* to disgust, to make sick.

asqueroso, sa *adj* disgusting, revolting.

asta sf (el) - **1.** [de bandera] flagpole, mast - **2.** [de lanza] shaft; [de brocha] handle - **3.** [de toro] horn.

asterisco sm asterisk.

astigmatismo sm astigmatism.

astilla sf splinter; **hacer astillas** fig to smash to smithereens.

astillero sm shipyard.

astringente adj astringent.

astro sm ASTRON heavenly body; fig star.

astrofísica sf astrophysics (U).

astrología sf astrology.

astrólogo, ga sm, f astrologer.

astronauta smf astronaut.

astronomía sf astronomy.

astrónomo, ma sm, f astronomer.

astucia sf - **1.** [picardía] cunning, astuteness - **2.** (gen pl) [treta] cunning trick.

astuto, ta adj [ladino, tramposo] cunning; [sagaz, listo] astute.

asueto sm break, rest; **unos días de asueto** a few days off.

asumir vt - **1.** [gen] to assume - **2.** [aceptar] to accept.

asunción sf assumption. ◆ **Asunción** sf: **la Asunción** RELIG the Assumption.

Asunción n pr GEOGR Asunción.

asunto sm - **1.** [tema - general] subject; [- específico] matter; [- de obra, libro] theme; **asuntos a tratar** agenda sing - **2.** [cuestión, problema] issue - **3.** [negocio] affair, business (U); **no es asunto tuyo** it's none of your business. ◆ **asuntos** smpl POLÍT affairs; **asuntos exteriores** foreign affairs.

asustado, da adj frightened, scared.

asustar vt to frighten, to scare. ◆ **asustarse** vprnl: **asustarse (de)** to be frightened O scared (of).

atacar vt [gen] to attack; **me ataca los nervios** fig it gets on my nerves.

atadura sf lit & fig tie.

atajar ◇ vi [acortar]: **atajar (por)** to take a short cut (through). ◇ vt [contener] to put a stop to; [hemorragia, inundación] to stem.

atajo sm - **1.** [camino corto, medio rápido] short cut; **coger O tomar un atajo** to take a short cut - **2.** despec [panda] bunch.

atalaya sf - **1.** [torre] watchtower - **2.** [altura] vantage point.

atañer vi - **1.** [concernir]: **atañer a** to concern - **2.** [corresponder]: **atañer a** to be the responsibility of.

ataque sm - **1.** [gen & DEP] attack - **2.** fig [acceso] fit, bout; **ataque cardíaco** O **al corazón** heart attack; **ataque de nervios** nervous breakdown.

atar vt - **1.** [unir] to tie (up) - **2.** fig [constreñir] to tie down.

atardecer ◇ sm dusk; **al atardecer** at dusk. ◇ v impers to get dark.

atareado, da adj busy.

atascar vt to block (up). ◆ **atascarse** vprnl - **1.** [obstruirse] to get blocked up - **2.** fig [detenerse] to get stuck; [al hablar] to dry up.

atasco sm - **1.** [obstrucción] blockage - **2.** AUTO traffic jam.

ataúd sm coffin.

ataviar vt [cosa] to deck out; [persona] to dress up. ◆ **ataviarse** vprnl to dress up.

atavío sm [indumentaria] attire (U).

atemorizar vt to frighten. ◆ **atemorizarse** vprnl to get frightened.

atenazar vt - **1.** [sujetar] to clench - **2.** fig [suj: dudas] to torment, to rack; [suj: miedo, nervios] to grip.

atención ◇ sf - **1.** [interés] attention; **poner O prestar atención** to pay attention; **atención al cliente** customer service department; **atención personalizada** personalized service; **atención psiquiátrica** psychiatric treatment - **2.** [cortesía] attentiveness (U). ◇ interj: **¡atención!** [en aeropuerto, conferencia] your attention please! ◆ **atenciones** sfpl attentions.

atender ◇ vt - **1.** [satisfacer - petición, ruego] to attend to; [- consejo, instrucciones] to heed; [- propuesta] to agree to - **2.** [cuidar de - necesitados, invitados] to look after; [- enfermo] to care for; [- cliente] to serve; **¿le atienden?** are you being served? ◇ vi [estar atento]: **atender (a)** to pay attention (to).

atenerse ◆ **atenerse a** vprnl - **1.** [promesa, orden] to stick to; [ley, normas] to abide by - **2.** [consecuencias] to bear in mind.

atentado sm: **atentado contra alguien** attempt on sb's life; **atentado contra algo** crime against sthg.

atentamente adv [en cartas] Yours sincerely O faithfully.

atentar vi: **atentar contra (la vida de) alguien** to make an attempt on sb's life; **atentar contra algo** [principio etc] to be a crime against sthg.

atento, ta adj - **1.** [pendiente] attentive; **estar atento a** [explicación, programa, lección] to pay attention to; [ruido, sonido] to listen out for; [acontecimientos, cambios, avances] to keep up with - **2.** [cortés] considerate, thoughtful.

atenuante sm DER extenuating circumstance.

atenuar vt [gen] to diminish; [dolor] to ease; [luz] to filter.

ateo, a ◇ adj atheistic. ◇ sm, f atheist.

aterrador, ra adj terrifying.

aterrar vt to terrify.

aterrizaje sm landing; **aterrizaje de emergencia** O **forzoso** emergency landing.

aterrizar vi [avión] to land.

aterrorizar vt to terrify; [suj: agresor] to terrorize.

atesorar vt [riquezas] to amass.

atestado sm official report.

atestar vt - **1.** [llenar] to pack, to cram - **2.** DER to testify to.

atestiguar vt to testify to.

atiborrar vt to stuff full. ◆ **atiborrarse** vprnl: **atiborrarse (de)** fam fig to stuff one's face (with).

ático sm [para vivir] penthouse; [desván] attic.

atinar vi [adivinar] to guess correctly; [dar en el blanco] to hit the target; **atinar a hacer algo** to succeed in doing sthg; **atinar con** to hit upon.

atingencia sf Amér [relación] connection.

atípico, ca adj atypical.

atisbar vt - **1.** [divisar, prever] to make out - **2.** [acechar] to observe, to spy on.

atisbo sm (gen pl) trace, hint; [de esperanza] glimmer.

atizar vt - **1.** [fuego] to poke, to stir - **2.** fam [puñetazo, patada] to land, to deal.

atlántico, ca adj Atlantic. ◆ **Atlántico** sm: **el (océano) Atlántico** the Atlantic (Ocean).

atlas sm inv atlas.

atleta smf athlete.

atlético, ca adj athletic.

atletismo sm athletics (U).

atmósfera sf lit & fig atmosphere.

atole sm Amér C & Méx drink made of corn meal.

atolladero sm [apuro] fix, jam.

atolondrado, da adj - **1.** [precipitado] hasty, disorganized - **2.** [aturdido] bewildered.

atómico, ca adj atomic; [central, armas] nuclear.

atomizador sm atomizer, spray.

átomo sm lit & fig atom; **ni un átomo de** without a trace of.

atónito, ta adj astonished, astounded.

atontado, da adj - **1.** [aturdido] dazed - **2.** [tonto] stupid.

atontar vt [aturdir] to daze.

atormentar vt to torture; fig to torment.

atornillar vt to screw.

atorón sm Méx traffic jam.

atorrante adj R Dom [holgazán] lazy.

atosigar vt fig to harass.

atracador, ra sm, f [de banco] armed robber; [en la calle] mugger.

atracar ◇ vi NÁUT: **atracar (en)** to dock (at). ◇ vt [banco] to rob; [persona] to mug. ◆ **atracarse** vprnl: **atracarse de** to eat one's fill of.

atracción sf - **1.** [gen] attraction - **2.** [espectáculo] act - **3.** fig [centro de atención] centre of attention - **4.** (gen pl) [atracción de feria] fairground attraction.

atraco sm robbery.

atracón sm fam feast; **darse un atracón** to stuff one's face.

atractivo, va adj attractive. ◆ **atractivo** sm [de persona] attractiveness, charm; [de cosa] attraction.

atraer vt [gen] to attract.

atragantarse vprnl: **atragantarse (con)** to choke (on).

atrancar vt - **1.** [cerrar] to bar - **2.** [obturar] to block. ◆ **atrancarse** vprnl - **1.** [atascarse] to get blocked - **2.** fig [al hablar, escribir] to dry up.

atrapar vt [agarrar, alcanzar] to catch.

atrás adv - **1.** [detrás - posición] behind, at the back; [- movimiento] backwards; **quedarse atrás** fig to fall behind - **2.** [antes] earlier, before.

atrasado, da adj - **1.** [en el tiempo] delayed; [reloj] slow; [pago] overdue, late; [número, copia] back (antes de s) - **2.** [en evolución, capacidad] backward.

atrasar ◇ vt to put back. ◇ vi to be slow. ◆ **atrasarse** vprnl - **1.** [demorarse] to be late - **2.** [quedarse atrás] to fall behind.

atraso sm [de evolución] backwardness. ◆ **atrasos** smpl fam arrears.

atravesar vt - **1.** [interponer] to put across - **2.** [cruzar] to cross - **3.** [perforar] to go through - **4.** fig [vivir] to go through. ◆ **atravesarse** vprnl [interponerse] to be in the way; **se me ha atravesado la vecina** fig I can't stand my neighbour.

atrayente adj attractive.

atreverse vprnl: **atreverse (a hacer algo)** to dare (to do sthg); **se atreve con todo** he can tackle anything.

atrevido, da adj [osado] daring; [caradura] cheeky.

atrevimiento sm - **1.** [osadía] daring - **2.** [insolencia] cheek.

atribución sf - **1.** [imputación] attribution - **2.** [competencia] responsibility.

atribuir vt [imputar]: **atribuir algo a** to attribute sthg to. ◆ **atribuirse** vprnl [méritos] to claim for o.s.; [poderes] to assume; **atribuirse la responsabilidad** to claim responsibility.

atributo sm attribute.

atril sm [para libros] bookrest; MÚS music stand.

atrocidad sf [crueldad] atrocity.

atropellado, da *adj* hasty.

atropellar *vt* - **1.** [suj: vehículo] to run over - **2.** *fig* [suj: persona] to trample on. **atropellarse** *vprnl* [al hablar] to trip over one's words.

atropello *sm* - **1.** [por vehículo] running over - **2.** *fig* [moral] abuse.

atroz *adj* atrocious; [dolor] awful.

ATS (*abrev de* **ayudante técnico sanitario**) *smf Esp* qualified nurse.

atte. *abrev de* **atentamente**.

atuendo *sm* attire.

atún *sm* tuna.

aturdido, da *adj* dazed.

aturdir *vt* [gen] to stun; [suj: alcohol] to fuddle; [suj: ruido, luz] to bewilder.

audacia *sf* [intrepidez] daring.

audaz *adj* [intrépido] daring.

audición *sf* - **1.** [gen] hearing - **2.** MÚS & TEATRO audition.

audiencia *sf* - **1.** [público, recepción] audience; índice de audiencia audience ratings - **2.** [DER - juicio] hearing; [- tribunal, edificio] court.

audífono *sm* hearing aid.

audiovisual *adj* audiovisual.

auditivo, va *adj* ear *(antes de s)*.

auditor, ra *sm, f* FIN auditor.

auditorio *sm* - **1.** [público] audience - **2.** [lugar] auditorium.

auge *sm* [gen & ECON] boom.

augurar *vt* [suj: persona] to predict; [suj: suceso] to augur.

augurio *sm* omen, sign.

aula *sf (el)* [de escuela] classroom; [de universidad] lecture room.

aullar *vi* to howl.

aullido *sm* howl.

aumentar ⬦ *vt* - **1.** [gen] to increase; [peso] to put on - **2.** [en óptica] to magnify - **3.** [sonido] to amplify. ⬦ *vi* to increase; [precios] to rise.

aumento *sm* - **1.** [incremento] increase; [de sueldo, precios] rise; ir en aumento to be on the increase - **2.** [en óptica] magnification.

aun ⬦ *adv* even. ⬦ *conj*: aun estando cansado, lo hizo even though he was tired, he did it; ni aun puesta de puntillas llega she can't reach it, even on tiptoe; aun cuando even though; aun así even so.

aún *adv* [todavía] still; *(en negativas)* yet, still; no ha llegado aún he hasn't arrived yet, he still hasn't arrived.

aunar *vt* to join, to pool. **aunarse** *vprnl* [aliarse] to unite.

aunque *conj* - **1.** [a pesar de que] even though, although; [incluso si] even if - **2.** [pero] although.

aúpa *interj*: ¡aúpa! [¡levántate!] get up!; ¡aúpa el Atleti! up the Athletic!

aupar *vt* to help up; *fig* [animar] to cheer on. **auparse** *vprnl* to climb up.

aureola *sf* - **1.** ASTRON & RELIG halo - **2.** *fig* [fama] aura.

auricular *sm* [de teléfono] receiver. **auriculares** *smpl* [cascos] headphones.

aurora *sf* first light of dawn.

auscultar *vt* to sound *(with a stethoscope)*.

ausencia *sf* absence; brillar por su ausencia to be conspicuous by one's/its absence.

ausentarse *vprnl* to go away.

ausente ⬦ *adj* - **1.** [no presente] absent; estará ausente todo el día he'll be away all day - **2.** [distraído] absent-minded. ⬦ *smf* - **1.** [no presente]: criticó a los ausentes he criticized the people who weren't there - **2.** DER missing person.

auspicio *sm* [protección] protection; bajo los auspicios de under the auspices of.

austeridad *sf* austerity.

austero, ra *adj* [gen] austere.

austral ⬦ *adj* southern. ⬦ *sm* [moneda] austral.

Australia *n pr* Australia.

australiano, na *adj* & *sm, f* Australian.

Austria *n pr* Austria.

austriaco, ca, austríaco, ca *adj* & *sm, f* Austrian.

autarquía *sf* - **1.** POLÍT anarchy - **2.** ECON autarky.

auténtico, ca *adj* [gen] genuine; [piel, joyas] genuine, real; un auténtico imbécil a real idiot; es un tío auténtico he's a genuine bloke.

auto *sm* - **1.** *fam* [coche] car; *C Sur* [vehículo] car - **2.** DER judicial decree.

autoadhesivo, va *adj* self-adhesive.

autobiografía *sf* autobiography.

autobús *sm* bus.

autocar *sm Esp* coach.

autocontrol *sm* self-control.

autóctono, na *adj* indigenous.

autodefensa *sf* self-defence.

autodeterminación *sf* self-determination.

autodidacta *adj* self-taught.

autoescuela *sf* driving school.

autoestop, autostop *sm* hitch-hiking; hacer autoestop to hitch-hike.

autoestopista, autostopista *smf* hitch-hiker.

autógrafo *sm* autograph.

autómata *sm lit & fig* automaton.

automático, ca *adj* automatic. **automático** *sm* [botón] press-stud.

automatización *sf* automation.

automóvil *sm* car *UK*, automobile *US*.

automovilismo *sm* motoring; DEP motor racing.

automovilista *smf* motorist, driver.

automovilístico, ca *adj* motor *(antes de s)*; DEP motor-racing *(antes de s)*.

autonomía *sf* [POLÍT - facultad] autonomy; [- territorio] autonomous region.

autonómico, ca *adj* autonomous.

autónomo, ma ◇ *adj* - 1. POLÍT autonomous - 2. [trabajador] self-employed; [traductor, periodista] freelance. ◇ *sm, f* self-employed person; [traductor, periodista] freelance.

autopista *sf* motorway *UK*, freeway *US*.

autopsia *sf* autopsy, post-mortem.

autor, ra *sm, f* - 1. LITER author - 2. [de crimen] perpetrator.

autoridad *sf* - 1. [gen] authority - 2. [ley]: **la autoridad** the authorities *pl*.

autoritario, ria *adj & sm, f* authoritarian.

autorización *sf* authorization.

autorizado, da *adj* - 1. [permitido] authorized - 2. [digno de crédito] authoritative.

autorizar *vt* - 1. [dar permiso] to allow; [en situaciones oficiales] to authorize - 2. [capacitar] to allow, to entitle.

autorretrato *sm* self-portrait.

autoservicio *sm* - 1. [tienda] self-service shop - 2. [restaurante] self-service restaurant.

autostop = autoestop.

autostopista = autoestopista.

autosuficiencia *sf* self-sufficiency.

autovía *sf* dual carriageway *UK*, state highway *US*.

auxiliar ◇ *adj* [gen & GRAM] auxiliary. ◇ *smf* assistant; **auxiliar administrativo** office clerk. ◇ *vt* to assist, to help.

auxilio *sm* assistance, help; **pedir/prestar auxilio** to call for/give help; **primeros auxilios** first aid *(U)*; **¡socorro, auxilio!** help! help!

av., avda. *(abrev de* **avenida)** Ave.

aval *sm* - 1. [persona] guarantor - 2. [documento] guarantee, reference.

avalancha *sf lit & fig* avalanche.

avalar *vt* to endorse, to guarantee.

avance *sm* - 1. [gen] advance - 2. FIN [anticipo] advance payment - 3. RADIO & TV [- meteorológico etc] summary; [- de futura programación] preview; **avance informativo** news *(U)* in brief.

avanzar ◇ *vi* to advance. ◇ *vt* - 1. [adelantar] to move forward - 2. [anticipar] to tell in advance.

avaricia *sf* greed, avarice.

avaricioso, sa *adj* avaricious.

avaro, ra *adj* miserly, mean.

avasallar *vt* [arrollar] to overwhelm.

avatar *sm (gen pl)* vagary.

avda. *(abrev de* **avenida) = av.**

ave *sf (el)* [gen] bird; **ser un ave pasajera** *O* **de paso** *fig* to be a rolling stone.

AVE *(abrev de* **alta velocidad española)** *sm* Spanish high-speed train.

avecinarse *vprnl* to be on the way.

avellana *sf* hazelnut.

avemaría *sf (el)* [oración] Hail Mary.

avena *sf* [grano] oats *pl*.

avenencia *sf* [acuerdo] compromise.

avenida *sf* avenue.

avenido, da *adj*: **bien/mal avenidos** on good/bad terms.

avenirse *vprnl* [ponerse de acuerdo] to come to an agreement; **avenirse a algo/a hacer algo** to agree on sthg/to do sthg.

aventajado, da *adj* [adelantado] outstanding.

aventajar *vt* [rebasar] to overtake; [estar por delante de] to be ahead of; **aventajar a alguien en algo** to surpass sb in sthg.

aventón *sm Amér C, Méx & Perú*: **dar aventón a alguien** to give sb a lift.

aventura *sf* - 1. [gen] adventure - 2. [relación amorosa] affair.

aventurado, da *adj* risky.

aventurero, ra ◇ *adj* adventurous. ◇ *sm, f* adventurer (*f* adventuress).

avergonzar *vt* - 1. [deshonrar] to shame - 2. [abochornar] to embarrass. ➤ **avergonzarse** *vprnl*: **avergonzarse (de)** [por culpa] to be ashamed (of); [por timidez] to be embarrassed (about).

avería *sf* [de máquina] fault; AUTO breakdown.

averiado, da *adj* [máquina] out of order; [coche] broken down.

averiar *vt* to damage. ➤ **averiarse** *vprnl* [máquina] to be out of order; AUTO to break down.

averiguación *sf* investigation.

averiguar *vt* to find out.

aversión *sf* aversion.

avestruz *sm* ostrich.

aviación *sf* - 1. [navegación] aviation - 2. [ejército] airforce.

aviador, ra *sm, f* aviator.

aviar *vt* [comida] to prepare.

avicultura *sf* poultry farming.

avidez *sf* eagerness.

ávido, da *adj*: **ávido de** eager for.

avinagrado, da *adj lit & fig* sour.

avío *sm* [preparativo] preparation. ➤ **avíos** *smpl* - 1. *fam* [equipo] things, kit *(U)* - 2. [víveres] provisions *pl*.

avión *sm* plane, airplane *US*; **en avión** by plane; **avión a reacción** jet; **avión de papel** paper aeroplane.

avioneta *sf* light aircraft.

avisar *vt* - **1.** [informar]: **avisar a alguien** to let sb know, to tell sb - **2.** [advertir]: **avisar (de)** to warn (of) - **3.** [llamar] to call, to send for.

aviso *sm* - **1.** [advertencia, amenaza] warning - **2.** *Amér* [anuncio] advertisement, advert; **aviso clasificado** classified advertisement - **3.** [notificación] notice; [en teatros, aeropuertos] call; **hasta nuevo aviso** until further notice; **sin previo aviso** without notice.

avispa *sf* wasp.

avispado, da *adj fam* sharp, quick-witted.

avispero *sm* [nido] wasp's nest.

avituallar *vt* to provide with food.

avivar *vt* - **1.** [sentimiento] to rekindle - **2.** [color] to brighten - **3.** [fuego] to stoke up.

axila *sf* armpit.

axioma *sm* axiom.

ay (*pl* **ayes**) *interj*: **¡ay!** [dolor físico] ouch!; [sorpresa, pena] oh!; **¡ay de ti si te cojo!** Heaven help you if I catch you!

aya ▷ **ayo.**

ayer ◇ *adv* yesterday; *fig* in the past; **ayer (por la) noche** last night; **ayer por la mañana** yesterday morning; **antes de ayer** the day before yesterday. ◇ *sm fig* yesteryear.

ayo, aya *sm, f* [tutor] tutor (*f* governess).

ayuda *sf* help, assistance; ECON & POLÍT aid; **ayuda en carretera** breakdown service; **ayuda humanitaria** humanitarian aid.

ayudante *adj* & *smf* assistant.

ayudar *vt* to help; **ayudar a alguien a hacer algo** to help sb (to) do sthg; **¿en qué puedo ayudarle?** how can I help you? ▻ **ayudarse** *vprnl*: **ayudarse de** to make use of.

ayunar *vi* to fast.

ayunas *sfpl*: **en ayunas** [sin comer] without having eaten; *fig* [sin enterarse] in the dark.

ayuno *sm* fast; **hacer ayuno** to fast.

ayuntamiento *sm* - **1.** [corporación] ≃ town council - **2.** [edificio] town hall *UK*, city hall *US*.

azabache *sm* jet; **negro como el azabache** jet-black.

azada *sf* hoe.

azafata *sf*: **azafata (de vuelo)** air hostess *UK*, air stewardess.

azafate *sm Amér C, Caribe, Méx & Perú* [bandeja] tray.

azafrán *sm* saffron, crocus.

azahar *sm* [del naranjo] orange blossom; [del limonero] lemon blossom.

azalea *sf* azalea.

azar *sm* chance, fate; **al azar** at random; **por (puro) azar** by (pure) chance.

azorar *vt* to embarrass. ▻ **azorarse** *vprnl* to be embarrassed.

azotar *vt* [suj: persona] to beat; [en el trasero] to smack; [con látigo] to whip.

azote *sm* - **1.** [golpe] blow; [en el trasero] smack; [latigazo] lash - **2.** *fig* [calamidad] scourge.

azotea *sf* [de edificio] terraced roof; **estar mal de la azotea** *fam fig* to be funny in the head.

azteca *adj* & *smf* Aztec.

azúcar *sm* o *sf* sugar.

azucarado, da *adj* sweet, sugary.

azucarero, ra *adj* sugar *(antes de s)*. ▻ **azucarero** *sm* sugar bowl.

azucena *sf* white lily.

azufre *sm* sulphur.

azul *adj* & *sm* blue.

azulejo *sm* (glazed) tile.

azuzar *vt* [animal] to set on.

B

b, B *sf* [letra] b, B.

baba *sf* [saliva - de niño] dribble; [- de adulto] saliva; [- de perro] slobber; **echar babas** to drool.

babear *vi* [niño] to dribble; [adulto, animal] to slobber; *fig* to drool.

babero *sm* bib.

babi *sm* child's overall.

bable *sm* Asturian dialect.

babor *sm*: **a babor** to port.

babosada *sf Amér C & Méx fam* daft thing.

baboso, sa *adj Amér fam* [tonto] daft, stupid. ▻ **babosa** *sf* ZOOL slug.

babucha *sf* slipper.

baca *sf* roof O luggage rack.

bacalao *sm* [fresco] cod; [salado] dried salted cod; **partir O cortar el bacalao** *fam fig* to be the boss.

bacanal *sf* orgy.

bache *sm* - **1.** [en carretera] pothole - **2.** *fig* [dificultades] bad patch - **3.** [en un vuelo] air pocket.

bachillerato *sm* Spanish *two-year course of secondary studies for academically orientated 16-18-year-olds.*

bacinica *sf Amér* chamber pot.

bacon ['beikon] *sm inv* bacon.

bacteria *sf* germ; **bacterias** bacteria.

badén *sm* [de carretera] ditch.

bádminton ['baðminton] *sm inv* badminton.

bafle, baffle *sm* loudspeaker.

bagaje *sm fig* background; **bagaje cultural** cultural baggage.

bagatela *sf* trifle.

Bahamas *sfpl*: **las Bahamas** the Bahamas.

bahía *sf* bay.

bailaor, ra *sm, f* flamenco dancer.

bailar ◇ *vt* to dance. ◇ *vi* [danzar] to dance.

bailarín, ina *sm, f* dancer; [de ballet] ballet dancer; **prima bailarina** prima ballerina.

baile *sm* - **1.** [gen] dance; **baile clásico** ballet; **baile de salón** ballroom dancing - **2.** [fiesta] ball.

baja *sf* ▷ **bajo**.

bajada *sf* - **1.** [descenso] descent; **bajada de bandera** [de taxi] minimum fare - **2.** [pendiente] (downward) slope - **3.** [disminución] decrease, drop.

bajamar *sf* low tide.

bajar ◇ *vt* - **1.** [poner abajo - libro, cuadro etc] to take/bring down; [- telón, ventanilla, mano] to lower - **2.** [descender - montaña, escaleras] to go/come down - **3.** [precios, inflación, hinchazón] to reduce; [música, volumen, radio] to turn down; [fiebre] to bring down - **4.** [ojos, cabeza, voz] to lower. ◇ *vi* - **1.** [descender] to go/come down; **bajar por algo** to go/come down to get sthg; **bajar corriendo** to run down - **2.** [disminuir] to fall, to drop; [fiebre, hinchazón] to go/come down; [Bolsa] to suffer a fall. ● **bajarse** *vprnl*: **bajarse (de)** [coche] to get out (of); [moto, tren, avión] to get off; [árbol, escalera, silla] to get/come down (from).

bajeza *sf* - **1.** [cualidad] baseness - **2.** [acción] nasty deed.

bajial *sm Méx & Perú* lowland.

bajo, ja *adj* - **1.** [gen] low; [persona] short; [planta] ground *(antes de s)*; [sonido] soft, faint; **en voz baja** in a low voice - **2.** [territorio, época] lower; **el bajo Amazonas** the lower Amazon - **3.** [pobre] lower-class - **4.** [vil] base. ● **bajo** ◇ *sm* - **1.** *(gen pl)* [dobladillo] hem - **2.** [piso] ground floor flat - **3.** [MÚS - instrumento, cantante] bass; [- instrumentista] bassist. ◇ *adv* - **1.** [gen] low - **2.** [hablar] quietly. ◇ *prep* - **1.** [gen] under - **2.** [con temperaturas] below. ● **baja** *sf* - **1.** [descenso] drop, fall - **2.** [cese]: **dar de baja a alguien** [en una empresa]

to lay sb off; [en un club, sindicato] to expel sb; **darse de baja (de)** [dimitir] to resign from; [salirse] to drop out (of) - **3.** [por enfermedad - permiso] sick leave *(U)*; [- documento] sick note; **estar/darse de baja** to be on/to take sick leave; **baja por maternidad/paternidad** maternity/paternity leave - **4.** MIL loss, casualty.

bajón *sm* slump; **dar un bajón** to slump; [suj: mercado, producción] to slump; [- persona] to go downhill.

bala *sf* - **1.** [proyectil] bullet - **2.** [fardo] bale.

balacear *vt Amér* [tirotear] to shoot.

balada *sf* ballad.

balance *sm* - **1.** [COM - operación] balance; [- documento] balance sheet - **2.** [resultado] outcome; **hacer balance (de)** to take stock (of).

balancear *vt* [cuna] to rock; [columpio] to swing. ● **balancearse** *vprnl* [en cuna, mecedora] to rock; [en columpio] to swing; [barco] to roll.

balanceo *sm* - **1.** [gen] swinging; [de cuna, mecedora] rocking; [de barco] roll - **2.** *Amér* AUTO wheel balance.

balancín *sm* - **1.** [mecedora] rocking chair; [en jardín] swing hammock - **2.** [columpio] seesaw.

balanza *sf* - **1.** [báscula] scales *pl* - **2.** COM: **balanza comercial/de pagos** balance of trade/payments.

balar *vi* to bleat.

balaustrada *sf* balustrade.

balazo *sm* [disparo] shot; [herida] bullet wound.

balbucear = balbucir.

balbuceo *sm* babbling.

balbucir, balbucear *vi & vt* to babble.

Balcanes *smpl*: **los Balcanes** the Balkans.

balcón *sm* [terraza] balcony.

balde *sm* pail, bucket. ● **en balde** *loc adv* in vain; **no ha sido en balde** it wasn't in vain.

baldosa *sf* [en casa, edificio] floor tile; [en la acera] paving stone.

baldosín *sm* tile.

balear ◇ *vt Amér* to shoot. ◇ *adj* Balearic.

Baleares *sfpl*: **las (islas) Baleares** the Balearic Islands.

baleo *sm Amér* shootout.

balido *sm* bleat, bleating *(U)*.

balín *sm* pellet.

balístico, ca *adj* ballistic.

baliza *sf* NÁUT marker buoy; AERON beacon.

ballena *sf* [animal] whale.

ballesta *sf* - **1.** HIST crossbow - **2.** AUTO (suspension) spring.

ballet [ba'le] *(pl* **ballets**) *sm* ballet.

balneario *sm* - **1.** [con baños termales] spa - **2.** *Amér* [con piscinas, etc] ≈ lido.

balompié *sm* football.

balón *sm* [pelota] ball; **balón de reglamento** regulation ball.

baloncesto *sm* basketball.

balonmano *sm* handball.

balonvolea *sm* volleyball.

balsa *sf* - **1.** [embarcación] raft - **2.** [estanque] pond, pool.

bálsamo *sm* - **1.** [medicamento] balsam - **2.** [alivio] balm.

balsero, ra *sm, f* Cuba refugee fleeing Cuba on a raft.

Báltico *sm*: **el (mar) Báltico** the Baltic (Sea).

baluarte *sm* - **1.** [fortificación] bulwark - **2.** *fig* [bastión] bastion, stronghold.

bambolear *vi* to shake. ➤ **bambolearse** *vprnl* [gen] to sway; [mesa, silla] to wobble.

bambú (*pl* bambúes *O* bambús) *sm* bamboo.

banal *adj* banal.

banana *sf* Amér banana.

banca *sf* - **1.** [actividad] banking; **banca por Internet** Internet banking; **banca en línea** online banking; **banca telefónica** telephone banking - **2.** [institución]: **la banca** the banks *pl* - **3.** [en juegos] bank - **4.** *Andes & R Plata* [escaño] seat.

bancario, ria *adj* banking (*antes de s*).

bancarrota *sf* bankruptcy; **en bancarrota** bankrupt.

banco *sm* - **1.** [asiento] bench; [de iglesia] pew - **2.** FIN bank - **3.** [de peces] shoal - **4.** [de ojos, semen etc] bank - **5.** [de carpintero, artesano etc] workbench. ➤ **banco de arena** *sm* sandbank. ➤ **Banco Mundial** *sm*: **el Banco Mundial** the World Bank.

banda *sf* - **1.** [cuadrilla] gang; **banda terrorista** terrorist organization - **2.** MÚS band - **3.** [faja] sash - **4.** [cinta] ribbon - **5.** [franja] stripe - **6.** RADIO waveband - **7.** [margen] side; [en billar] cushion; [en fútbol] touchline; **fuera de banda** out of play; **sacar de banda** to throw the ball in. ➤ **banda ancha** *sf* INFORM broadband. ➤ **banda magnética** *sf* magnetic strip. ➤ **banda sonora** *sf* soundtrack.

bandada *sf* [de aves] flock; [de peces] shoal.

bandazo *sm* [del barco] lurch; **dar bandazos** [barco, borracho] to lurch; *fig* [ir sin rumbo] to chop and change.

bandeja *sf* tray; **servir** *O* **dar algo a alguien en bandeja** *fig* to hand sth to sb on a plate; **bandeja de entrada** INFORM inbox; **bandeja de salida** INFORM outbox.

bandera *sf* flag; **jurar bandera** to swear allegiance (to the flag); **estar hasta la bandera** to be packed.

banderilla *sf* TAUROM banderilla *(barbed dart thrust into bull's back)*.

banderín *sm* [bandera] pennant.

bandido, da *sm, f* - **1.** [delincuente] bandit - **2.** [granuja] rascal.

bando *sm* - **1.** [facción] side; **pasarse al otro bando** to change sides - **2.** [de alcalde] edict.

bandolero, ra *sm, f* bandit. ➤ **bandolera** *sf* [correa] bandoleer; **en bandolera** slung across one's chest.

bandurria *sf* small 12-stringed guitar.

banjo ['banjo] *sm* banjo.

banquero, ra *sm, f* banker.

banqueta *sf* - **1.** [asiento] stool - **2.** *Amér C & Méx* [acera] pavement UK, sidewalk US.

banquete *sm* [comida] banquet.

banquillo *sm* - **1.** [asiento] low stool - **2.** DEP bench.

bañadera *sf* Arg [bañera] bath.

bañador *sm* [for women] swimsuit; [for men] swimming trunks *pl*.

bañar *vt* - **1.** [asear] to bath; MED to bathe - **2.** [sumergir] to soak, to submerge - **3.** [revestir] to coat. ➤ **bañarse** *vprnl* - **1.** [en el baño] to have *O* take a bath, to bathe US - **2.** [en playa, piscina] to go swimming.

bañera *sf* bathtub, bath; **bañera de hidromasaje** whirlpool bath.

bañista *smf* bather.

baño *sm* - **1.** [acción - en bañera] bath; [en playa, piscina] swim; **darse un baño** [en bañera] to have *O* take a bath; [en playa, piscina] to go for a swim - **2.** [bañera] bathtub, bath - **3.** [cuarto de aseo] bathroom - **4.** [capa] coat.

bar *sm* bar.

barahúnda *sf* racket, din.

baraja *sf* pack (of cards).

barajar *vt* - **1.** [cartas] to shuffle - **2.** [considerar - nombres, posibilidades] to consider; [- datos, cifras] to marshal, to draw on.

baranda, barandilla *sf* [de escalera] handrail; [de balcón] rail.

baratero, ra *sm, f* Amér [comerciante] discount retailer.

baratija *sf* trinket, knick-knack.

baratillo *sm* [tienda] junkshop; [mercadillo] flea market.

barato, ta *adj* cheap. ➤ **barato** *adv* cheap, cheaply.

barba *sf* beard; **barba incipiente** stubble; **por barba** [cada uno] per head.

barbacoa *sf* barbecue.

barbaridad *sf* - **1.** [cualidad] cruelty; **¡qué barbaridad!** how terrible! - **2.** [disparate] nonsense (U) - **3.** [montón]: **una barbaridad (de)** tons (of); **se gastó una barbaridad** she spent a fortune.

barbarie *sf* [crueldad - cualidad] cruelty, savagery; [- acción] atrocity.

barbarismo *sm* - **1.** [extranjerismo] foreign word - **2.** [incorrección] substandard usage.

bárbaro, ra <> *adj* - **1.** HIST barbarian - **2.** [cruel] barbaric, cruel - **3.** [bruto] uncouth, coarse - **4.** *fam* [extraordinario] brilliant, great. <> *sm, f* HIST barbarian. ● **bárbaro** *adv fam* [magníficamente]: **pasarlo bárbaro** to have a wild time.

barbecho *sm* fallow (land); **estar en barbecho** to be left fallow.

barbería *sf* barber's (shop).

barbero, ra *sm, f* barber.

barbilampiño, ña *adj* beardless.

barbilla *sf* chin.

barbo *sm* barbel; **barbo de mar** red mullet.

barbotar *vi* & *vt* to mutter.

barbudo, da *adj* bearded.

barca *sf* dinghy, small boat.

barcaza *sf* barge.

barco *sm* [gen] boat; [de gran tamaño] ship; **en barco** by boat; **barco cisterna** tanker; **barco de guerra** warship; **barco mercante** cargo ship; **barco de vapor** steamer, steamboat; **barco de vela** sailing boat, sail boat *US*.

baremo *sm* [escala] scale.

bario *sm* barium.

barítono *sm* baritone.

barman ['barman] (*pl* **barmans**) *sm* barman, bartender *US*.

barniz *sm* [para madera] varnish; [para loza, cerámica] glaze.

barnizar *vt* [madera] to varnish; [loza, cerámica] to glaze.

barómetro *sm* barometer.

barón, onesa *sm, f* baron (*f* baroness).

barquero, ra *sm, f* boatman (*f* boatwoman).

barquillo *sm* CULIN cornet, cone.

barra *sf* - **1.** [gen] bar; [de hielo] block; [para cortinas] rod; [en bicicleta] crossbar; **la barra** [de tribunal] the bar; **barra de labios** lipstick; **barra de pan** baguette, French stick - **2.** [de bar, café] bar *(counter)*; **barra libre** *unlimited drink for a fixed price* - **3.** [signo gráfico] slash, oblique stroke - **4.** *Andes & R Plata* [de amigos] gang; **barra brava** *R Dom* group of violent soccer fans - **5.** INFORM: **barra de estado** status bar; **barra de herramientas** tool bar; **barra de menús** menu bar.

barrabasada *sf fam* mischief *(U)*.

barraca *sf* - **1.** [chabola] shack - **2.** [caseta de feria] stall - **3.** [en Valencia y Murcia] thatched farmhouse.

barranco *sm* - **1.** [precipicio] precipice - **2.** [cauce] ravine.

barraquismo *sm* shanty towns *pl*.

barrena *sf* drill.

barrenar *vt* [taladrar] to drill.

barrendero, ra *sm, f* street sweeper.

barreno *sm* - **1.** [instrumento] large drill - **2.** [agujero - para explosiones] blast hole.

barreño *sm* washing-up bowl.

barrer *vt* - **1.** [con escoba, reflectores] to sweep - **2.** [suj: viento, olas] to sweep away.

barrera *sf* - **1.** [gen] barrier; FERROC crossing gate; [de campo, casa] fence; **barreras arancelarias** tariff barriers - **2.** DEP wall. ● **barrera de seguridad** *sf* [en carretera] safety barrier.

barriada *sf* - **1.** neighbourhood, area - **2.** *Amér* [pobre] shanty town.

barricada *sf* barricade.

barrido *sm* - **1.** [con escoba] sweep, sweeping *(U)* - **2.** TECNOL scan, scanning *(U)* - **3.** CINE pan, panning *(U)*.

barriga *sf* belly.

barrigón, ona *adj* paunchy.

barril *sm* barrel; **de barril** [bebida] draught.

barrio *sm* [vecindario] area, neighborhood *US*.

barriobajero, ra *despec adj* low-life *(antes de s)*.

barrizal *sm* mire.

barro *sm* - **1.** [fango] mud - **2.** [arcilla] clay - **3.** [grano] blackhead.

barroco, ca *adj* ARTE baroque. ● **barroco** *sm* ARTE baroque.

barrote *sm* bar.

bartola ● **a la bartola** *loc adv fam*: **tumbarse a la bartola** to lounge around.

bártulos *smpl* things, bits and pieces.

barullo *sm fam* - **1.** [ruido] din, racket; **armar barullo** to raise hell - **2.** [desorden] mess.

basar *vt* [fundamentar] to base. ● **basarse en** *vprnl* [suj: teoría, obra etc] to be based on; [suj: persona] to base one's argument on.

basca *sf* [náusea] nausea.

báscula *sf* scales *pl*.

bascular *vi* to tilt.

base *sf* - **1.** [gen, MAT & MIL] base; [de edificio] foundations *pl*; **base naval** naval base - **2.** [fundamento, origen] basis; **sentar las bases para** to lay the foundations of - **3.** [de partido, sindicato]: **las bases** the grass roots *pl*, the rank and file - **4.** *loc*: **a base de** by (means of); **me alimento a base de verduras** I live on vegetables; **a base de bien** extremely well; **a base de trabajar mucho** by working hard. ● **base de datos** *sf* INFORM database.

básico, ca *adj* basic; **lo básico de** the basics of.

basílica *sf* basilica.

basta *interj*: ¡basta! that's enough!; ¡basta de chistes/tonterías! that's enough jokes/of this nonsense!

bastante ◇ *adv* - **1.** [suficientemente] enough; **es lo bastante lista para...** she's smart enough to... - **2.** [considerablemente - antes de adj o adv] quite, pretty; [- después de verbo] quite a lot; **me gustó bastante** I quite enjoyed it, I enjoyed it quite a lot. ◇ *adj* - **1.** [suficiente] enough; **no tengo dinero bastante** I haven't enough money - **2.** [mucho]: **éramos bastantes** there were quite a few of us; **tengo bastante frío** I'm quite O pretty cold.

bastar *vi* to be enough; **basta con que se lo digas** it's enough for you to tell her; **con ocho basta** eight is enough; **baste decir que...** suffice it to say that...; **con la intención basta** it's the thought that counts. ◆ **bastarse** *vprnl* to be self-sufficient.

bastardilla ▷ **letra**.

bastardo, da *adj* - **1.** [hijo etc] bastard *(antes de s)* - **2.** *despec* [innoble] mean, base.

bastidor *sm* [armazón] frame. ◆ **bastidores** *smpl* TEATRO wings.

basto, ta *adj* coarse. ◆ **bastos** *smpl* [naipes] ≈ clubs.

bastón *sm* - **1.** [para andar] walking stick - **2.** [de mando] baton; **empuñar el bastón** *fig* to take the helm - **3.** [para esquiar] ski stick.

basura *sf lit & fig* rubbish *UK*, garbage *US*, trash *US*; **tirar algo a la basura** to throw sthg away; **basura radiactiva** radioactive waste.

basurero *sm* - **1.** [persona] dustman *UK*, garbage man *US* - **2.** [vertedero] rubbish dump.

bata *sf* - **1.** [de casa] housecoat; [para baño, al levantarse] dressing gown, robe *US* - **2.** [de médico] white coat; [de laboratorio] lab coat.

batacazo *sm* bump, bang.

batalla *sf* battle.

batallar *vi* [con armas] to fight.

batallón *sm* MIL batallion.

batata *sf* sweet potato.

bate *sm* DEP bat.

batear ◇ *vt* to hit. ◇ *vi* to bat.

batería *sf* - **1.** ELECTR & MIL battery - **2.** MÚS drums *pl* - **3.** [conjunto] set; [de preguntas] barrage; **batería de cocina** pots *pl* and pans.

batido, da *adj* - **1.** [nata] whipped; [clara] whisked - **2.** [senda, camino] well-trodden. ◆ **batido** *sm* [bebida] milkshake. ◆ **batida** *sf* - **1.** [de caza] beat - **2.** [de policía] combing, search.

batidora *sf* [eléctrica] mixer.

batín *sm* short dressing gown.

batir *vt* - **1.** [gen] to beat; [nata] to whip; [récord] to break - **2.** [suj: olas, lluvia, viento] to beat against - **3.** [derribar] to knock down - **4.** [explorar - suj: policía etc] to comb, to search. ◆ **batirse** *vprnl* [luchar] to fight.

batuta *sf* baton; **llevar la batuta** *fig* to call the tune.

baúl *sm* - **1.** [cofre] trunk - **2.** *Arg & Col* [maletero] boot *UK*, trunk *US*.

bautismo *sm* baptism.

bautizar *vt* - **1.** RELIG to baptize, to christen - **2.** *fam fig* [aguar] to dilute.

bautizo *sm* RELIG baptism, christening.

baya *sf* berry.

bayeta *sf* - **1.** [tejido] flannel - **2.** [para fregar] cloth; [de gamuza] chamois.

bayo, ya *adj* bay.

bayoneta *sf* bayonet.

baza *sf* - **1.** [en naipes] trick - **2.** *loc*: **meter baza en algo** to butt in on sthg; **no pude meter baza (en la conversación)** I couldn't get a word in edgeways; **no jugó bien su baza** he didn't play his cards right.

bazar *sm* bazaar.

bazo *sm* ANAT spleen.

bazofia *sf* - **1.** [comida] pigswill *(U)* - **2.** *fig* [libro, película etc] rubbish *(U)*.

bazuca, bazooka *sm* bazooka.

BCE *(abrev de Banco Central Europeo)* *sm* ECB.

be *sf Amér*: **be larga** O **grande** b.

beatificar *vt* to beatify.

beato, ta *adj* - **1.** [beatificado] blessed - **2.** [piadoso] devout - **3.** *fig* [santurrón] sanctimonious.

bebe, ba *sm, f C Sur fam* baby.

bebé *sm* baby; **bebé probeta** test-tube baby.

bebedero *sm* [de jaula] water dish.

bebedor, ra *sm, f* heavy drinker.

beber ◇ *vt* [líquido] to drink. ◇ *vi* [tomar líquido] to drink.

bebida *sf* drink; **darse** O **entregarse a la bebida** to take to the bottle; **bebida alcohólica** alcoholic drink.

bebido, da *adj* drunk.

beca *sf* [del gobierno] grant; [de organización privada] scholarship.

becar *vt* [suj: gobierno] to award a grant to; [suj: organización privada] to award a scholarship to.

becario, ria *sm, f* - **1.** [del gobierno] grant holder; [de organización privada] scholarship holder - **2.** [en prácticas] *person on a work placement*, intern *US*.

becerro, rra *sm, f* calf.

bechamel [betʃa'mel] = **besamel**.

bedel *sm* janitor.

befa *sf* jeer; **hacer befa de** to jeer at.

begonia *sf* begonia.

beige [beis] *adj inv* & *sm inv* beige.

béisbol *sm* baseball.

belén *sm* [de Navidad] crib, Nativity scene.

belfo, fa *adj* thick-lipped.

belga *adj* & *smf* Belgian.

Bélgica *n pr* Belgium.

Belice *n pr* Belize.

bélico, ca *adj* [gen] war *(antes de s)*; [actitud] bellicose, warlike.

belicoso, sa *adj* bellicose; *fig* aggressive.

beligerante *adj* & *smf* belligerent.

bellaco, ca *sm, f* villain, scoundrel.

belleza *sf* beauty.

bello, lla *adj* beautiful.

bellota *sf* acorn.

bemol ◇ *adj* flat. ◇ *sm* MÚS flat; **tener (muchos) bemoles** [ser difícil] to be tricky; [tener valor] to have guts; [ser un abuso] to be a bit rich O much.

bencina *sf Chile* petrol *UK*, gas *US*.

bencinera *sf Chile* petrol station *UK*, gas station *US*.

bendecir *vt* to bless.

bendición *sf* blessing.

bendito, ta *adj* - **1.** [santo] holy; [alma] blessed - **2.** [dichoso] lucky - **3.** [para enfatizar] damned.

benefactor, ra *sm, f* benefactor (*f* benefactress).

beneficencia *sf* charity.

beneficiar *vt* to benefit. ◆ **beneficiarse** *vprnl* to benefit; **beneficiarse de algo** to do well out of sthg.

beneficiario, ria *sm, f* [de herencia, póliza] beneficiary; [de cheque] payee.

beneficio *sm* - **1.** [bien] benefit; **a beneficio de** [gala, concierto] in aid of; **en beneficio de** for the good of; **en beneficio de todos** in everyone's interest; **en beneficio propio** for one's own good - **2.** [ganancia] profit; **beneficio bruto/neto** gross/net profit.

beneficioso, sa *adj*: **beneficioso (para)** beneficial (to).

benéfico, ca *adj* - **1.** [favorable] beneficial - **2.** [rifa, función] charity *(antes de s)*; [organización] charitable.

beneplácito *sm* consent.

benevolencia *sf* benevolence.

benevolente, benévolo, la *adj* benevolent.

bengala *sf* - **1.** [para pedir ayuda, iluminar etc] flare - **2.** [fuego artificial] sparkler.

benigno, na *adj* - **1.** [gen] benign - **2.** [clima, temperatura] mild.

benjamín, ina *sm, f* youngest child.

berberecho *sm* cockle.

berenjena *sf* aubergine *UK*, eggplant *US*.

bermejo, ja *adj* reddish.

bermellón *adj inv* & *sm inv* vermilion.

bermudas *sfpl* Bermuda shorts.

berrear *vi* - **1.** [animal] to bellow - **2.** [persona] to howl.

berrido *sm* - **1.** [del becerro] bellow, bellowing *(U)* - **2.** [de persona] howl, howling *(U)*.

berrinche *sm fam* tantrum; **coger** O **agarrarse un berrinche** to throw a tantrum.

berro *sm* watercress.

berza *sf* cabbage.

besamel, bechamel *sf* béchamel sauce.

besar *vt* to kiss. ◆ **besarse** *vprnl* to kiss.

beso *sm* kiss; **dar un beso a alguien** to kiss sb, to give sb a kiss.

bestia ◇ *adj* - **1.** [ignorante] thick, stupid - **2.** [torpe] clumsy - **3.** [maleducado] rude. ◇ *smf* [ignorante, torpe] brute. ◇ *sf* [animal] beast; **bestia de carga** beast of burden.

bestial *adj* - **1.** [brutal] animal, brutal; [apetito] tremendous - **2.** *fam* [formidable] terrific.

bestialidad *sf* - **1.** [brutalidad] brutality - **2.** *fam* [tontería] rubbish *(U)*, nonsense *(U)* - **3.** *fam* [montón]: **una bestialidad de** tons *pl* O stacks *pl* of.

best-seller [bes'seler] (*pl* **best-sellers**) *sm* best-seller.

besucón, ona *fam adj* kissy.

besugo *sm* - **1.** [pez] sea bream - **2.** *fam* [persona] idiot.

besuquear *fam vt* to smother with kisses. ◆ **besuquearse** *vprnl fam* to smooch.

bético, ca *adj* [andaluz] Andalusian.

betún *sm* - **1.** [para calzado] shoe polish - **2.** QUÍM bitumen.

bianual *adj* - **1.** [dos veces al año] twice-yearly - **2.** [cada dos años] biennial.

biberón *sm* (baby's) bottle; **dar el biberón a** to bottle-feed.

Biblia *sf* Bible.

bibliografía *sf* bibliography.

bibliorato *sm R Dom* lever arch file.

biblioteca *sf* - **1.** [gen] library - **2.** [mueble] bookcase.

bibliotecario, ria *sm, f* librarian.

bicarbonato *sm* [medicamento] bicarbonate of soda.

bicentenario *sm* bicentenary.

bíceps *sm inv* biceps.

bicho *sm* - **1.** [animal] beast, animal; [insecto] bug - **2.** [pillo] little terror.

bici *sf fam* bike.

bicicleta *sf* bicycle.

bicolor *adj* two-coloured.

bidé *sm* bidet.

bidimensional *adj* two-dimensional.

bidón *sm* drum *(for oil etc)*; [lata] can, canister; [de plástico] (large) bottle.

biela *sf* connecting rod.

bien ⟨⟩ *adv* - **1.** [como es debido, adecuado] well; **has hecho bien** you did the right thing; **habla inglés bien** she speaks English well; **cierra bien la puerta** shut the door properly; **hiciste bien en decírmelo** you were right to tell me - **2.** [expresa opinión favorable]: **estar bien** [de aspecto] to be nice; [de salud] to be *O* feel well; [de calidad] to be good; [de comodidad] to be comfortable; **está bien que te vayas, pero antes despídete** it's all right for you to go, but say goodbye first; **oler bien** to smell nice; **pasarlo bien** to have a good time; **sentar bien a alguien** [ropa] to suit sb; [comida] to agree with sb; [comentario] to please sb - **3.** [muy, bastante] very; **hoy me he levantado bien temprano** I got up nice and early today; **quiero un vaso de agua bien fría** I'd like a nice cold glass of water - **4.** [vale, de acuerdo] all right, OK; **¿nos vamos? – bien** shall we go? – all right *O* OK - **5.** [de buena gana, fácilmente] quite happily; **ella bien que lo haría, pero no la dejan** she'd be happy to do it, but they won't let her - **6.** *loc*: **¡está bien!** [bueno, vale] all right then!; [es suficiente] that's enough; **¡ya está bien!** that's enough!; **¡muy bien!** very good!, excellent! ⟨⟩ *adj inv* [adinerado] well-to-do. ⟨⟩ *conj*: **bien... bien** either... or; **dáselo bien a mi hermano, bien a mi padre** either give it to my brother or my father. ⟨⟩ *sm* good; **el bien y el mal** good and evil; **por el bien de** for the sake of; **lo hice por tu bien** I did it for your own good. **bienes** *smpl* - **1.** [patrimonio] property *(U)*; **bienes inmuebles** *O* **raíces** real estate *(U)*; **bienes gananciales** shared possessions; **bienes muebles** personal property *(U)* - **2.** [productos] goods; **bienes de consumo** consumer goods. **más bien** *loc adv* rather; **no estoy contento, más bien estupefacto** I'm not so much happy as stunned. **no bien** *loc adv* no sooner, as soon as; **no bien me había marchado cuando empezaron a...** no sooner had I gone than they started... **si bien** *loc conj* although, even though.

bienal *sf* biennial exhibition.

bienaventurado, da *sm, f* RELIG blessed person.

bienestar *sm* wellbeing.

bienhechor, ra *sm, f* benefactor (*f* benefactress).

bienio *sm* [periodo] two years *pl*.

bienvenido, da ⟨⟩ *adj* welcome. ⟨⟩ *interj*: **¡bienvenido!** welcome! **bienvenida** *sf* welcome; **dar la bienvenida a alguien** to welcome sb.

bies *sm inv* bias binding.

bife *sm Andes & R Plata* steak.

bífido, da *adj* forked.

biftec = bistec.

bifurcación *sf* [entre calles] fork; TECNOL bifurcation.

bifurcarse *vprnl* to fork.

bigamia *sf* bigamy.

bígamo, ma ⟨⟩ *adj* bigamous. ⟨⟩ *sm, f* bigamist.

bigote *sm* moustache.

bigotudo, da *adj* with a big moustache.

bikini = biquini.

bilateral *adj* bilateral.

biliar *adj* bile *(antes de s)*.

bilingüe *adj* bilingual.

bilis *sf inv* lit & *fig* bile.

billar *sm* - **1.** [juego] billiards *(U)* - **2.** [sala] billiard hall.

billete *sm* - **1.** [dinero] note *UK*, bill *US* - **2.** [de rifa, transporte, cine etc] ticket; **billete de ida** single (ticket); **billete de ida y vuelta** return (ticket) *UK*, round-trip (ticket) *US*; **billete sencillo** single (ticket) *UK*, one-way (ticket) *US* - **3.** [de lotería] lottery ticket.

billetera *sf* wallet.

billetero *sm* = **billetera**.

billón *num* billion *UK*, trillion *US*; *ver también* **seis**.

bingo *sm* - **1.** [juego] bingo - **2.** [sala] bingo hall - **3.** [premio] (full) house.

binóculo *sm* pince-nez.

biocombustible *sm* biofuel.

biodegradable *adj* biodegradable.

bioética *sf* bioethics.

biografía *sf* biography.

biográfico, ca *adj* biographical.

biógrafo, fa *sm, f* [persona] biographer.

biología *sf* biology.

biológico, ca *adj* biological.

biólogo, ga *sm, f* biologist.

biombo *sm* (folding) screen.

biopsia *sf* biopsy.

bioquímico, ca ⟨⟩ *adj* biochemical. ⟨⟩ *sm, f* [persona] biochemist. **bioquímica** *sf* [ciencia] biochemistry.

biorritmo *sm* biorhythm.

biotecnología *sf* biotechnology.

bipartidismo *sm* two-party system.

bipartito, ta *adj* bipartite.

biplaza *sm* two-seater.

biquini, bikini *sm* [bañador] bikini.

birlar *vt fam* to pinch, to nick.

Birmania *n pr* Burma.

birra *sf fam* beer.

birrete *sm* - **1.** [de clérigo] biretta - **2.** [de catedrático] mortarboard.

birria *sf fam* [fealdad - persona] sight, fright; [- cosa] monstrosity.

bis (*pl* bises) <> *adj inv*: viven en el 150 bis they live at 150a. <> *sm* encore.

bisabuelo, la *sm, f* great-grandfather (*f* great-grandmother); **bisabuelos** great-grandparents.

bisagra *sf* hinge.

bisección *sf* bisection.

bisectriz *sf* bisector.

biselar *vt* to bevel.

bisexual *adj* & *smf* bisexual.

bisiesto ⊳ **año**.

bisnieto, ta *sm, f* great-grandchild, great-grandson (*f* great-granddaughter).

bisonte *sm* bison.

bisoño, ña *sm, f* novice.

bistec, biftec *sm* steak.

bisturí (*pl* bisturíes O bisturís) *sm* scalpel.

bisutería *sf* imitation jewellery.

bit [bit] (*pl* bits) *sm* INFORM bit.

bíter, bitter *sm* bitters (U).

bizco, ca *adj* cross-eyed.

bizcocho *sm* [de repostería] sponge.

bizquear *vi* to squint.

blanco, ca <> *adj* white. <> *sm, f* [persona] white (person). ◆ **blanco** *sm* - **1.** [color] white - **2.** [diana] target; **dar en el blanco** DEP & MIL to hit the target; *fig* to hit the nail on the head - **3.** *fig* [objetivo] target; [espacio vacío] blank - **4.** [espacio vacío] blank (space). ◆ **blanca** *sf* MÚS minim; **estar** O **quedarse sin blanca** *fig* to be flat broke. ◆ **blanco del ojo** *sm* white of the eye. ◆ **en blanco** *loc adv* - **1.** [gen] blank; **se quedó con la mente en blanco** his mind went blank - **2.** [sin dormir]: **una noche en blanco** a sleepless night.

blancura *sf* whiteness.

blandengue *adj lit* & *fig* weak.

blandir *vt* to brandish.

blando, da *adj* - **1.** [gen] soft; [carne] tender - **2.** *fig* [persona - débil] weak; [- indulgente] lenient, soft.

blandura *sf* - **1.** [gen] softness; [de carne] tenderness - **2.** *fig* [debilidad] weakness; [indulgencia] leniency.

blanquear *vt* - **1.** [ropa] to whiten; [con lejía] to bleach - **2.** [con cal] to whitewash - **3.** *fig* [dinero] to launder.

blanquecino, na *adj* off-white.

blanqueo *sm* - **1.** [de ropa] whitening; [con lejía] bleaching - **2.** [encalado] whitewashing - **3.** *fig* [de dinero] laundering.

blanquillo *sm Amér C & Méx* [huevo] egg.

blasfemar *vi* RELIG: **blasfemar (contra)** to blaspheme (against).

blasfemia *sf* RELIG blasphemy.

blasfemo, ma *adj* blasphemous.

bledo *sm*: **me importa un bledo (lo que diga)** *fam* I don't give a damn (about what he says).

blindado, da *adj* armour-plated; [coche] armoured.

bloc [blok] (*pl* blocs) *sm* pad; **bloc de dibujo** sketchpad; **bloc de notas** notepad.

bloque *sm* - **1.** [gen & INFORM] block - **2.** POLÍT bloc - **3.** MECÁN cylinder block.

bloquear *vt* - **1.** [gen & DEP] to block - **2.** [aislar - suj: ejército, barcos] to blockade; [- suj: nieve, inundación] to cut off - **3.** FIN to freeze.

bloqueo *sm* - **1.** [gen & DEP] blocking; **bloqueo mental** mental block - **2.** ECON & MIL blockade - **3.** FIN freeze, freezing (U).

blues [blus] *sm inv* MÚS blues.

blusa *sf* blouse.

blusón *sm* [camisa] long shirt; [de pintor] smock.

bluyín *sm* jeans *pl*.

bluyínes *Amér, Andes & Ven smpl* = **bluyín**.

boa *sf* ZOOL boa.

bobada *sf fam*: **decir bobadas** to talk nonsense.

bobina *sf* - **1.** [gen] reel; [en máquina de coser] bobbin - **2.** ELECTR coil.

bobo, ba <> *adj* - **1.** [tonto] stupid, daft - **2.** [ingenuo] naïve. <> *sm, f* - **1.** [tonto] idiot - **2.** [ingenuo] simpleton.

boca *sf* - **1.** [gen] mouth; **boca arriba/abajo** face up/down; **se me hace la boca agua** it makes my mouth water - **2.** [entrada] opening; [de cañón] muzzle; **boca de metro** tube O underground entrance *UK*, subway entrance *US*. ◆ **boca a boca** *sm* mouth-to-mouth (resuscitation).

bocacalle *sf* [entrada] entrance (to a street); [calle] side street; **gire en la tercera bocacalle** take the third turning.

bocadillo *sm* CULIN sandwich.

bocado *sm* - **1.** [comida] mouthful; **no probar bocado** [por estar desganado] not to touch one's food; [no haber podido comer] not to have a bite (to eat) - **2.** [mordisco] bite.

bocajarro ◆ **a bocajarro** *loc adv* [disparar] point-blank; **se lo dije a bocajarro** I told him to his face.

bocanada *sf* [de líquido] mouthful; [de humo] puff; [de viento] gust.

bocata *sm fam* sarnie.

bocazas *smf inv fam despec* big mouth, blabbermouth.

boceto *sm* sketch, rough outline.

bocha *sf* [bolo] bowl. ➡ **bochas** *sfpl* [juego] bowls (U).

bochorno *sm* - 1. [calor] stifling O muggy heat - 2. [vergüenza] embarrassment.

bochornoso, sa *adj* - 1. [tiempo] muggy - 2. [vergonzoso] embarrassing.

bocina *sf* - 1. AUTO & MÚS horn - 2. [megáfono] megaphone, loudhailer.

boda *sf* [ceremonia] wedding; [convite] reception; **bodas de diamante/oro/plata** diamond/golden/silver wedding *sing*.

bodega *sf* - 1. [cava] wine cellar - 2. [tienda] wine shop; [bar] bar - 3. [en buque, avión] hold.

bodegón *sm* ARTE still life.

bodrio *sm fam despec* [gen] rubbish (U); [comida] pigswill (U); **¡qué bodrio!** what a load of rubbish!

body ['boði] (*pl* bodies) *sm* body.

BOE (*abrev de* Boletín Oficial del Estado) *sm official Spanish gazette.*

bofetada *sf* slap (in the face).

bofetón *sm* hard slap (in the face).

bofia *sf*: **la bofia** *fam* the cops *pl*.

boga *sf*: **estar en boga** to be in vogue.

bogavante *sm* lobster.

Bogotá *n pr* Bogotá.

bohemio, mia *adj* - 1. [vida etc] bohemian - 2. [de Bohemia] Bohemian.

boicot (*pl* boicots) *sm* boycott.

boicotear *vt* to boycott.

boina *sf* beret.

boj (*pl* bojes) *sm* [árbol] box.

bol (*pl* boles) *sm* bowl.

bola *sf* - 1. [gen] ball; [canica] marble; **bola del mundo** globe; **bolas de naftalina** mothballs; **convertirse en una bola de nieve** *fig* to snowball - 2. *fam* [mentira] fib.

bolada *sf R Dom fam* opportunity.

bolea *sf* DEP volley.

bolear *vt Méx* [embetunar] to shine, to polish.

bolera *sf* bowling alley.

bolero, ra *sm, f Méx* shoeshine, bootblack *UK.*

boleta *sf Amér* [recibo] receipt; *Amér C & C Sur* [multa] parking ticket; *Cuba & Méx* [para voto] ballot, voting slip.

boletería *sf Amér* [de cine, teatro] box office; [de estación] ticket office.

boletero, ra *sm, f Amér* box office attendant.

boletín *sm* journal, periodical; **boletín de noticias** O **informativo** news bulletin; **boletín meteorológico** weather forecast; **boletín de prensa** press release; **Boletín Oficial del Estado** *official Spanish gazette.*

boleto *sm* - 1. [de lotería, rifa] ticket; [de quinielas] coupon - 2. *Amér* [para medio de transporte] ticket.

boli *sm fam* Biro®.

boliche *sm* - 1. [en la petanca] jack - 2. [bolos] ten-pin bowling - 3. [bolera] bowling alley - 4. *Amér* [tienda] small grocery store - 5. *C Sur fam* [bar] cheap bar or café.

bólido *sm* racing car; **ir como un bólido** *fig* to go like the clappers.

bolígrafo *sm* ballpoint pen, Biro®.

bolívar *sm* bolivar.

Bolivia *n pr* Bolivia.

boliviano, na *adj & sm, f* Bolivian.

bollo *sm* - 1. [para comer - de pan] (bread) roll; [- dulce] bun - 2. [abolladura] dent; [abultamiento] bump.

bolo *sm* - 1. DEP [pieza] skittle - 2. [actuación] show - 3. *Amér C fam* [borracho] boozer. ➡ **bolos** *smpl* [deporte] skittles.

bolsa *sf* - 1. [gen] bag; **bolsa de aire** air pocket; **bolsa de basura** bin liner; **bolsa de deportes** holdall, sports bag; **bolsa de plástico** [en tiendas] carrier O plastic bag; **bolsa de viaje** travel bag; **bolsa de patatas fritas** packet of crisps - 2. FIN: **bolsa (de valores)** stock exchange, stock market; **la bolsa ha subido/bajado** share prices have gone up/down; **jugar a la bolsa** to speculate on the stock market - 3. [acumulación de mineral] pocket - 4. ANAT sac - 5. *R Dom* [saco de dormir] sleeping bag.

bolsillo *sm* pocket; **de bolsillo** pocket *(antes de s)*; **lo pagué de mi bolsillo** I paid for it out of my own pocket.

bolso *sm* bag; [de mujer] handbag, purse *US*.

boludear *vi R Dom fam* [decir tonterías] to talk nonsense; [hacer tonterías, perder el tiempo] to mess about O around.

boludo, da *sm, f R Dom fam* [estúpido] prat *UK*, jerk *US*; [perezoso] lazy slob.

bomba ⬦ *sf* - 1. [explosivo] bomb; **bomba atómica** atom O nuclear bomb; **bomba de mano** (hand) grenade - 2. [máquina] pump - 3. *fig* [acontecimiento] bombshell - 4. *Chile, Col, Ecuad & Ven* [surtidor de gasolina] petrol station *UK*, gas station *US* - 5. *loc*: **pasarlo bomba** *fam* to have a great time. ⬦ *adj inv fam* astounding.

bombachos *smpl* baggy trousers.

bombardear *vt lit & fig* to bombard.

bombardeo *sm* bombardment.

bombardero *sm* [avión] bomber.

bombazo *sm fig* [noticia] bombshell.

bombear *vt* [gen & DEP] to pump.

bombero, ra *sm, f* - 1. [de incendios] fireman (f firewoman) - 2. *Ven* [de gasolinera] petrol-pump *UK* O gas-pump *US* attendant.

bombilla *sf* - **1.** [de lámpara] light bulb - **2.** R Plata [para mate] *tube for drinking maté tea.*

bombillo *sm* Amér C, Col & Méx light bulb.

bombín *sm* bowler (hat).

bombo *sm* - **1.** MÚS bass drum; **estar con bombo** fig to be in the family way - **2.** fam fig [elogio] hype; **a bombo y platillo** with a lot of hype - **3.** MECÁN drum.

bombón *sm* [golosina] chocolate.

bombona *sf* cylinder; **bombona de butano** (butane) gas cylinder.

bonachón, ona fam adj kindly.

bonanza *sf* - **1.** [de tiempo] fair weather; [de mar] calm at sea - **2.** fig [prosperidad] prosperity.

bondad *sf* [cualidad] goodness; [inclinación] kindness; **tener la bondad de hacer algo** to be kind enough to do sthg.

bondadoso, sa adj kind, good-natured.

boniato *sm* sweet potato.

bonificar *vt* - **1.** [descontar] to give a discount of - **2.** [mejorar] to improve.

bonito, ta adj pretty; [bueno] nice. ➡ **bonito** *sm* bonito (tuna).

bono *sm* - **1.** [vale] voucher - **2.** COM bond; **bono del Estado/del tesoro** government/treasury bond.

bonobús *sm* ten-journey bus ticket.

bonoloto *sm* Spanish state-run lottery.

boñiga *sf* cowpat.

boquerón *sm* (fresh) anchovy.

boquete *sm* hole.

boquiabierto, ta adj open-mouthed; fig astounded, speechless.

boquilla *sf* - **1.** [para fumar] cigarette holder - **2.** [de pipa, instrumento musical] mouthpiece - **3.** [de tubo, aparato] nozzle.

borbotear, borbotar *vi* to bubble.

borbotón *sm*: **salir a borbotones** to gush out.

borda *sf* NÁUT gunwale; **tirar O echar algo por la borda** fig to throw sthg overboard. ➡ **fuera borda** *sm* [barco] outboard motorboat; [motor] outboard motor.

bordado, da adj embroidered. ➡ **bordado** *sm* embroidery.

bordar *vt* [al coser] to embroider.

borde ◇ adj fam [antipático] stroppy, miserable. ◇ *sm* [gen] edge; [de carretera] side; [del mar] shore, seaside; [de río] bank; [de vaso, botella] rim; **al borde de** fig on the verge O brink of.

bordear *vt* [estar alrededor de] to border; [moverse alrededor de] to skirt (round).

bordillo *sm* kerb.

bordo ➡ **a bordo** *loc adv* on board.

borla *sf* tassel; [pompón] pompom.

borrachera *sf* - **1.** [embriaguez] drunkenness (U); **agarrar O Esp coger una borrachera** to get drunk - **2.** fig [emoción] intoxication.

borracho, cha ◇ adj [ebrio] drunk. ◇ *sm, f* [persona] drunk. ➡ **borracho** *sm* [bizcocho] ≃ rum baba.

borrador *sm* - **1.** [de escrito] rough draft; [de dibujo] sketch - **2.** [goma de borrar] rubber UK, eraser US.

borrar *vt* - **1.** [hacer desaparecer - con goma] to rub out UK, to erase US; [- en ordenador] to delete; [- en casete] to erase - **2.** [tachar] to cross out; fig [de lista etc] to take off - **3.** fig [olvidar] to erase.

borrasca *sf* area of low pressure.

borrego, ga *sm, f* [animal] lamb.

borrón *sm* blot; fig blemish; **hacer borrón y cuenta nueva** to wipe the slate clean.

borroso, sa adj [foto, visión] blurred; [escritura, texto] smudgy.

Bosnia *n pr* Bosnia.

bosnio, nia adj & *sm, f* Bosnian.

bosque *sm* [pequeño] wood; [grande] forest.

bosquejar *vt* [esbozar] to sketch (out).

bosquejo *sm* [esbozo] sketch.

bostezar *vi* to yawn.

bostezo *sm* yawn.

bota *sf* - **1.** [calzado] boot; **botas camperas/de montar** cowboy/riding boots - **2.** [de vino] *small leather container in which wine is kept.*

botana *sf* Méx snack, appetizer.

botánico, ca ◇ adj botanical. ◇ *sm, f* [persona] botanist. ➡ **botánica** *sf* [ciencia] botany.

botar ◇ *vt* - **1.** NÁUT to launch - **2.** fam [despedir] to throw O kick out - **3.** [pelota] to bounce - **4.** Andes, Amér C, Caribe & Méx [tirar] to throw away. ◇ *vi* - **1.** [saltar] to jump - **2.** [pelota] to bounce.

bote *sm* - **1.** [tarro] jar - **2.** [lata] can - **3.** [botella de plástico] bottle - **4.** [barca] boat; **bote salvavidas** lifeboat - **5.** [salto] jump; **dar botes** [gen] to jump up and down; [en tren, coche] to bump up and down - **6.** [de pelota] bounce; **dar botes** to bounce.

botella *sf* bottle; **de botella** bottled; Cuba: **pedir botella** to hitchhike; **dar botella a alguien** to give sb a ride, to give sb a lift.

botellín *sm* small bottle.

boticario, ria *sm, f* desus pharmacist.

botijo *sm* earthenware jug.

botín *sm* - **1.** [de guerra, atraco] plunder, loot - **2.** [calzado] ankle boot.

botiquín *sm* [caja] first-aid kit; [mueble] first-aid cupboard; [enfermería] first-aid post.

botón sm button; **botón de marcado abreviado** TELECOM speed-dial button. ◆ **botones** sm inv [de hotel] bellboy, bellhop US; [de oficinas etc] errand boy.

boutique [bu'tik] sf boutique.

bóveda sf ARQUIT vault.

box (pl **boxes**) sm - **1.** [de coches] pit; **entrar en boxes** to make a pit stop - **2.** Amér boxing.

boxeador, ra sm, f boxer.

boxear vi to box.

boxeo sm boxing.

bóxer (pl **boxers**) sm boxer.

boya sf - **1.** [en el mar] buoy - **2.** [de una red] float.

boyante adj - **1.** [feliz] happy - **2.** [próspero - empresa, negocio] prosperous; [- economía, comercio] buoyant.

bozal sm [gen] muzzle.

bracear vi [nadar] to swim.

braga (gen pl) sf knickers pl.

bragueta sf flies pl UK, zipper US; **tienes la bragueta abierta** your flies are undone.

braille ['braile] sm Braille.

bramar vi - **1.** [animal] to bellow - **2.** [persona - de dolor] to groan; [- de ira] to roar.

bramido sm - **1.** [de animal] bellow - **2.** [de persona - de dolor] groan; [- de ira] roar.

brandy sm brandy.

branquia (gen pl) sf gill.

brasa sf ember; **a la brasa** CULIN barbecued.

brasero sm brazier.

brasier, brassier sm Caribe, Col & Méx bra.

Brasil n pr Brazil.

brasileño, ña, brasilero, ra adj & sm, f Andes, C Sur & Ven Brazilian.

brassier = brasier.

bravata (gen pl) sf - **1.** [amenaza] threat - **2.** [fanfarronería] bravado (U).

braveza sf bravery.

bravío, a adj [salvaje] wild; [feroz] fierce.

bravo, va adj - **1.** [valiente] brave - **2.** [animal] wild - **3.** [mar] rough. ◆ **bravo** ⬦ sm [aplauso] cheer. ⬦ interj: ¡bravo! bravo!

bravuconear vi despec to brag.

bravura sf - **1.** [de persona] bravery - **2.** [de animal] ferocity.

braza sf - **1.** DEP breaststroke; **nadar a braza** to swim breaststroke - **2.** [medida] fathom.

brazada sf stroke.

brazalete sm - **1.** [en la muñeca] bracelet - **2.** [en el brazo] armband.

brazo sm - **1.** [gen & ANAT] arm; [de animal] foreleg; **cogidos del brazo** arm in arm; **en brazos** in one's arms; **luchar a brazo partido** [con empeño] to fight tooth and nail; **ser el brazo derecho de alguien** to be sb's right-hand man

(f woman) - **2.** [de árbol, río, candelabro] branch; [de grúa] boom, jib. ◆ **brazo de gitano** sm ≃ swiss roll.

brea sf - **1.** [sustancia] tar - **2.** [para barco] pitch.

brebaje sm concoction, foul drink.

brecha sf - **1.** [abertura] hole, opening - **2.** MIL breach - **3.** fig [impresión] impression.

bregar vi - **1.** [luchar] to struggle - **2.** [trabajar] to work hard - **3.** [reñir] to quarrel.

breve ⬦ adj brief; **en breve** [pronto] shortly; [en pocas palabras] in short. ⬦ sf MÚS breve.

brevedad sf shortness; **a O con la mayor brevedad** as soon as possible.

brezo sm heather.

bribón, ona sm, f scoundrel, rogue.

bricolaje sm D.I.Y., do-it-yourself.

brida sf [de caballo] bridle.

bridge [britʃ] sm bridge.

brigada ⬦ sm MIL ≃ warrant officer. ⬦ sf - **1.** MIL brigade - **2.** [equipo] squad, team.

brillante ⬦ adj - **1.** [reluciente - luz, astro] shining; [- metal, zapatos, pelo] shiny; [- ojos, sonrisa, diamante] sparkling - **2.** [magnífico] brilliant. ⬦ sm diamond.

brillantina sf brilliantine, Brylcreem®.

brillar vi lit & fig to shine.

brillo sm - **1.** [resplandor - de luz] brilliance; [- de estrellas] shining; [- de zapatos] shine - **2.** [lucimiento] splendour.

brilloso, sa adj Amér shining.

brincar vi [saltar] to skip (about); **brincar de alegría** to jump for joy.

brinco sm jump; **en un brinco** fig in a second, quickly.

brindar ⬦ vi to drink a toast; **brindar por algo/alguien** to drink to sth/sb. ⬦ vt to offer. ◆ **brindarse** vprnl: **brindarse a hacer algo** to offer to do sth.

brindis sm inv toast.

brío sm [energía, decisión] spirit, verve.

brisa sf breeze.

británico, ca ⬦ adj British. ⬦ sm, f British person, Briton; **los británicos** the British.

brizna sf - **1.** [filamento - de hierba] blade; [- de tabaco] strand - **2.** fig [un poco] trace, bit.

broca sf (drill) bit.

brocha sf brush; **brocha de afeitar** shaving brush.

brochazo sm brushstroke.

broche sm - **1.** [cierre] clasp, fastener - **2.** [joya] brooch - **3.** R Plata [para papeles] staple - **4.** Méx & Urug [para el cabello] hair slide UK, barrette US - **5.** Arg [para ropa] clothespin. ◆ **broche de oro** sm fig final flourish.

broma *sf* [ocurrencia, chiste] joke; [jugarreta] prank, practical joke; **en broma** as a joke; **gastar una broma a alguien** to play a joke O prank on sb.

bromear *vi* to joke.

bromista *smf* joker.

bronca *sf* ⊳ **bronco**.

bronce *sm* [aleación] bronze.

bronceado, da *adj* tanned. ➤ **bronceado** *sm* tan.

bronceador, ra *adj* tanning *(antes de s)*, suntan *(antes de s)*. ➤ **bronceador** *sm* [loción] suntan lotion; [leche] suntan cream.

broncear *vt* to tan. ➤ **broncearse** *vprnl* to get a tan.

bronco, ca *adj* - **1.** [grave - voz] harsh; [- tos] throaty - **2.** *fig* [brusco] gruff. ➤ **bronca** *sf* - **1.** [jaleo] row - **2.** [regañina] scolding; **echar una bronca a alguien** to give sb a row, to tell sb off - **3.** *R Dom fam* [rabia]: **me da bronca** it hacks me off; **el jefe le tiene bronca** the boss has got it in for her.

bronquio *sm* bronchial tube.

bronquitis *sf inv* bronchitis.

brotar *vi* - **1.** [planta] to sprout, to bud - **2.** [agua, sangre etc]: **brotar de** to well up out of - **3.** *fig* [esperanza, sospechas, pasiones] to stir - **4.** [en la piel]: **le brotó un sarpullido** he broke out in a rash.

brote *sm* - **1.** [de planta] bud, shoot - **2.** *fig* [inicios] sign, hint.

broza *sf* [maleza] brush, scrub.

bruces ➤ **de bruces** *loc adv* face down; **se cayó de bruces** he fell headlong, he fell flat on his face.

bruja *sf* ⊳ **brujo**.

brujería *sf* witchcraft, sorcery.

brujo, ja *adj* [hechicero] enchanting. ➤ **brujo** *sm* wizard, sorcerer. ➤ **bruja** ◇ *sf* - **1.** [hechicera] witch, sorceress - **2.** [mujer fea] hag - **3.** [mujer mala] (old) witch. ◇ *adj inv Méx*: **estar bruja** *fam* to be broke.

brújula *sf* compass.

bruma *sf* [niebla] mist; [en el mar] sea mist.

bruñido *sm* polishing.

brusco, ca *adj* - **1.** [repentino, imprevisto] sudden - **2.** [tosco, grosero] brusque.

brusquedad *sf* - **1.** [imprevisión] suddenness - **2.** [grosería] brusqueness.

brutal *adj* [violento] brutal.

brutalidad *sf* [cualidad] brutality.

bruto, ta ◇ *adj* - **1.** [torpe] clumsy; [ignorante] thick, stupid; [maleducado] rude - **2.** [sin tratar]: **en bruto** [diamante] uncut; [petróleo] crude - **3.** [sueldo, peso etc] gross. ◇ *sm, f* brute.

bucear *vi* [en agua] to dive.

buceo *sm* (underwater) diving.

bucle *sm* [rizo] curl, ringlet.

budismo *sm* Buddhism.

buen ⊳ **bueno**.

buenas ⊳ **bueno**.

buenaventura *sf* [adivinación] fortune; **leer la buenaventura a alguien** to tell sb's fortune.

bueno, na *(mejor* es *el comparativo y el superlativo de* bueno*) adj (antes de s m sing:* **buen***)* - **1.** [gen] good - **2.** [bondadoso] kind, good; **ser bueno con alguien** to be good to sb - **3.** [curado, sano] well, all right - **4.** [apacible - tiempo, clima] nice, fine - **5.** [aprovechable] all right; [comida] fresh - **6.** [uso enfático]: **ese buen hombre** that good man; **un buen día** one fine day - **7.** *loc*: **de buen ver** good-looking, attractive; **de buenas a primeras** [de repente] all of a sudden; [a simple vista] at first sight, on the face of it; **estar bueno** *fam* [persona] to be a bit of all right, to be tasty; **estar de buenas** to be in a good mood; **lo bueno es que...** the best thing about it is that... ➤ **bueno** ◇ *sm* CINE: **el bueno** the goody. ◇ *adv* - **1.** [vale, de acuerdo] all right, O.K. - **2.** [pues] well. ◇ *interj Méx* [al teléfono]: **¡bueno!** hello. ➤ **buenas** *interj*: **¡buenas!** hello!; *Col & Méx*: **¿buenas?** [al teléfono] hello.

Buenos Aires *n pr* Buenos Aires.

buey *(pl* bueyes*) sm* ox.

búfalo *sm* buffalo.

bufanda *sf* scarf.

bufar *vi* [toro, caballo] to snort.

bufé, buffet *(pl* buffets*) sm* [en restaurante] buffet.

bufete *sm* lawyer's practice.

buffet = **bufé**.

bufido *sm* [de toro, caballo] snort.

bufón *sm* buffoon, jester.

buhardilla *sf* [habitación] attic.

búho *sm* owl.

buitre *sm lit & fig* vulture.

bujía *sf AUTO* spark plug.

bulbo *sm ANAT & BOT* bulb.

buldozer *(pl* buldozers*)*, **bulldozer** *(pl* bulldozers*)* [bul'doθer] *sm* bulldozer.

bulevar *(pl* bulevares*) sm* boulevard.

Bulgaria *n pr* Bulgaria.

búlgaro, ra *adj & sm, f* Bulgarian. ➤ **búlgaro** *sm* [lengua] Bulgarian.

bulín *sm R Dom* bachelor pad.

bulla *sf* racket, uproar; **armar bulla** to kick up a racket.

bullanguero, ra ◇ *adj* noisy, rowdy. ◇ *sm, f* noisy O boisterous person.

bulldozer = **buldozer**.

bullicio *sm* [de ciudad, mercado] hustle and bustle; [de multitud] hubbub.

bullicioso, sa *adj* - **1.** [agitado - reunión, multitud] noisy; [- calle, mercado] busy, bustling - **2.** [inquieto] rowdy.

bullir *vi* - **1.** [hervir] to boil; [burbujear] to bubble - **2.** *fig* [multitud] to bustle; [ratas, hormigas etc] to swarm; [mar] to boil; **bullir de** to seethe with.

bulto *sm* - **1.** [volumen] bulk, size; **escurrir el bulto** [trabajo] to shirk; [cuestión] to evade the issue - **2.** [abombamiento - en rodilla, superficie etc] bump; [- en maleta, bolsillo etc] bulge - **3.** [forma imprecisa] blurred shape - **4.** [paquete] package; [maleta] item of luggage; [fardo] bundle; **bulto de mano** piece *O* item of hand luggage.

bumerán (*pl* **bumeranes**), **bumerang** (*pl* **bumerangs**) *sm* boomerang.

bungalow [buŋgaˈlo] (*pl* **bungalows**) *sm* bungalow.

búnquer (*pl* **bunquers**), **bunker** (*pl* **bunkers**) *sm* [refugio] bunker.

buñuelo *sm* [CULIN - dulce] ≃ doughnut; [- de bacalao etc] ≃ dumpling.

BUP *sm* *academically oriented secondary-school course formerly taught in Spain for pupils aged 14-17, now known as the bachillerato.*

buque *sm* ship; **buque nodriza** supply ship; **buque de vapor** streamer, streamship.

burbuja *sf* bubble; **con burbujas** fizzy; **hacer burbujas** to bubble.

burbujear *vi* to bubble.

burdel *sm* brothel.

burdo, da *adj* [gen] crude; [tela] coarse.

burgués, esa *adj* middle-class, bourgeois.

burguesía *sf* middle class; HIST & POLIT bourgeoisie.

burla *sf* - **1.** [mofa] taunt; **hacer burla de** to mock - **2.** [broma] joke; **burlas aparte** joking aside - **3.** [engaño] trick. ➡ **burlas** *sfpl* ridicule (U), mockery (U).

burlar *vt* [esquivar] to evade; [ley] to flout; **burla burlando** *fig* without anyone noticing. ➡ **burlarse de** *vprnl* to make fun of.

burlesco, ca *adj* [tono] jocular; LITER burlesque.

burlón, ona *adj* [sarcástico] mocking.

burocracia *sf* bureaucracy.

burócrata *smf* bureaucrat.

burrada *sf* [acción, dicho]: **hacer burradas** to act stupidly; **decir burradas** to talk nonsense.

burro, rra *sm, f* - **1.** [animal] donkey; **apearse** *O* **bajarse del burro** *fam* to back down; **no ver tres en un burro** *fam* to be as blind as a bat - **2.** *fam* [necio] dimwit. ➡ **burro** *sm* - **1.** *Caribe & Méx* [escalera] stepladder - **2.** *Méx* [tabla de planchar] ironing board.

bursátil *adj* stock-market (*antes de s*).

bus (*pl* **buses**) *sm* AUTO & INFORM bus.

busca ⬦ *sf* search; **en busca de** in search of; **la busca de** the search for; **andar a la busca** *fig* to find a way of getting by. ⬦ *sm* = **buscapersonas**.

buscapersonas, busca *sm inv* bleeper.

buscar ⬦ *vt* - **1.** [gen] to look for; [provecho, beneficio propio] to seek; **voy a buscar el periódico** I'm going for the paper *O* to get the paper; **ir a buscar a alguien** to pick sb up; **'se busca camarero'** 'waiter wanted' - **2.** [en diccionario, índice, horario] to look up - **3.** INFORM to search for. ⬦ *vi* to look. ➡ **buscarse** *vprnl*: **buscársela** to be asking for it.

buscón, ona *sm, f* [estafador] swindler.

búsqueda *sf* search.

busto *sm* - **1.** [pecho] chest; [de mujer] bust - **2.** [escultura] bust.

butaca *sf* - **1.** [mueble] armchair - **2.** [en cine] seat.

butano *sm* butane (gas).

butifarra *sf* type of Catalan pork sausage.

buzo *sm* - **1.** [persona] diver - **2.** *Arg & Col* [sudadera] sweatshirt - **3.** *Arg, Chile & Perú* [chándal] tracksuit - **4.** *Urug* [suéter] sweater, jumper *UK*.

buzón *sm* letter box; **echar algo al buzón** to post sthg; **buzón electrónico** electronic mailbox; **buzón de sugerencias** suggestion box; **buzón de voz** voice mail.

byte [bait] *sm* INFORM byte.

c, C *sf* [letra] c, C.

c. (*abrev de* **calle**) St.

c/ - **1.** (*abrev de* **calle**) St. - **2.** (*abrev de* **cuenta**) a/c.

cabal *adj* - **1.** [honrado] honest - **2.** [exacto] exact; [completo] complete. ➡ **cabales** *smpl*: **no estar en sus cabales** not to be in one's right mind.

cábala *sf* (*gen pl*) [conjeturas] guess.

cabalgar *vi* to ride.

cabalgata *sf* cavalcade, procession.

caballa *sf* mackerel.

caballería *sf* - **1.** [animal] mount, horse - **2.** [cuerpo militar] cavalry.

caballeriza *sf* stable.

caballero ⬦ *adj* [cortés] gentlemanly. ⬦ *sm* - **1.** [gen] gentleman; [al dirigir la palabra] sir; **ser todo un caballero** to be a real gentleman - **2.** [miembro de una orden] knight.

caballete *sm* - **1.** [de lienzo] easel - **2.** [de mesa] trestle - **3.** [de nariz] bridge.

caballito *sm* small horse, pony. ⬩ **caballitos** *smpl* [de feria] merry-go-round *sing.*

caballo *sm* - **1.** [animal] horse; **montar a caballo** to ride - **2.** [pieza de ajedrez] knight - **3.** [naipe] ≃ queen - **4.** MECÁN: **caballo (de fuerza O de vapor)** horsepower. ⬩ **caballo de Troya** *sm* Trojan horse.

cabaña *sf* - **1.** [choza] hut, cabin - **2.** [ganado] livestock *(U).*

cabaré *sm* cabaret.

cabecear *vi* - **1.** [persona - negando] to shake one's head; [- afirmando] to nod one's head - **2.** [caballo] to toss its head - **3.** [dormir] to nod (off).

cabecera *sf* - **1.** [gen] head; [de cama] headboard - **2.** [de texto] heading; [de periódico] headline - **3.** [de río] headwaters *pl.*

cabecilla *smf* ringleader.

cabellera *sf* long hair *(U).*

cabello *sm* hair *(U).*

caber *vi* - **1.** [gen] to fit; **no cabe nadie más** there's no room for anyone else; **no me cabe en el dedo** it won't fit my finger - **2.** MAT: **nueve entre tres caben a tres** three into nine goes three (times) - **3.** [ser posible] to be possible; **cabe destacar que...** it's worth pointing out that...

cabestrillo ⬩ **en cabestrillo** *loc adj* in a sling.

cabestro *sm* [animal] leading ox.

cabeza *sf* - **1.** [gen] head; **por cabeza** per head; **obrar con cabeza** to use one's head; **tirarse de cabeza (a)** to dive (into); **venir a la cabeza** to come to mind; **cabeza (lectora)** [gen] head; [de tocadiscos] pickup - **2.** [pelo] hair - **3.** [posición] front, head - **4.** *loc:* **alzar O levantar cabeza** to get back on one's feet, to recover; **se le ha metido en la cabeza que...** he has got it into his head that...; **sentar la cabeza** to settle down. ⬩ **cabeza de ajo** *sf* head of garlic. ⬩ **cabeza rapada** *smf* skinhead. ⬩ **cabeza de turco** *sf* scapegoat.

cabezada *sf* - **1.** [de sueño] nod, nodding *(U)*; **dar cabezadas** to nod off - **2.** [golpe] butt.

cabezal *sm* [de aparato] head.

cabezón, ona *adj* [terco] pigheaded, stubborn.

cabida *sf* capacity; **dar cabida a, tener cabida para** to hold, to have room for.

cabina *sf* - **1.** [locutorio] booth, cabin; **cabina de prensa** press box - **2.:** **cabina telefónica** phone box *UK*, phone booth - **3.** [de avión] cockpit; [de camión] cab; **cabina de mandos** flight deck - **4.** [vestuario - en playa] bathing hut; [- en piscina] changing cubicle.

cabizbajo, ja *adj* crestfallen.

cable *sm* cable; **echar un cable** *fam fig* to help out, to lend a hand; **televisión por cable** cable television.

cablegrafiar *vt* to cable.

cabo *sm* - **1.** GEOGR cape - **2.** NÁUT cable, rope - **3.** MIL corporal - **4.** [trozo] bit, piece; [trozo final] stub, stump; [de cuerda] end - **5.** *loc:* **llevar algo a cabo** to carry sthg out. ⬩ **cabo suelto** *sm* loose end. ⬩ **al cabo de** *loc prep* after.

cabra *sf* [animal] goat; **estar como una cabra** *fam* to be off one's head; **la cabra siempre tira al monte** *prov* you can't make a leopard change his spots.

cabré ⮕ **caber**.

cabrear *vt mfam:* **cabrear a alguien** to get sb's goat, to annoy sb.

cabría ⮕ **caber**.

cabriola *sf* prance; **hacer cabriolas** to prance about.

cabrito *sm* [animal] kid (goat).

cabro, bra *sm, f Chile fam* kid.

cabrón, ona *vulg* ⬦ *adj:* **¡qué cabrón eres!** you bastard! ⬦ *sm, f* bastard *(f* bitch*).*

cabuya *sf Amér C, Col & Ven* rope.

caca *sf fam* - **1.** [excremento] pooh - **2.** [cosa sucia] nasty O dirty thing.

cacahuate *sm Amér C & Méx* peanut.

cacahuete *sm* [fruto] peanut.

cacao *sm* - **1.** [bebida] cocoa - **2.** [árbol] cacao.

cacarear *vi* [gallo] to cluck, to cackle.

cacatúa *sf* [ave] cockatoo.

cacería *sf* hunt.

cacerola *sf* pot, pan.

cachalote *sm* sperm whale.

cacharro *sm* - **1.** [recipiente] pot; **fregar los cacharros** to do the dishes - **2.** *fam* [trasto] junk *(U)*, rubbish *(U)* - **3.** [máquina] crock; [coche] banger.

cachear *vt* to frisk.

cachemir *sm* cashmere.

cachemira *sf* = **cachemir**.

cacheo *sm* frisk, frisking *(U).*

cachet [ka'tʃe] *sm* - **1.** [distinción] cachet - **2.** [cotización de artista] fee.

cachetada *sf fam* smack.

cachete *sm* - **1.** [moflete] chubby cheek - **2.** [bofetada] slap.

cachirulo *sm* [chisme] thingamajig.

cachivache *sm fam* knick-knack.

cacho sm - 1. *fam* [pedazo] piece, bit - 2. *Andes & Ven* [asta] horn.

cachondearse *vprnl*: **cachondearse (de)** *fam* to take the mickey (out of).

cachondeo sm *fam* - 1. [diversión] lark - 2. *despec* [cosa poco seria] joke.

cachondo, da *fam adj* - 1. [divertido] funny - 2. [salido] randy.

cachorro, rra sm, f [de perro] puppy; [de león, lobo, oso] cub.

cacique sm - 1. [persona influyente] cacique, local political boss - 2. [jefe indio] chief.

caco sm *fam* thief.

cacto, cactus (*pl* cactus) sm cactus.

cada *adj inv* - 1. [gen] each; [con números, tiempo] every; **cada dos meses** every two months; **cada cosa a su tiempo** one thing at a time; **cada cual** each one, every one; **cada uno de** each of - 2. [valor progresivo]: **cada vez más** more and more; **cada vez más largo** longer and longer; **cada día más** more and more each day - 3. [valor enfático] such; **¡se pone cada sombrero!** she wears such hats!

cadalso sm scaffold.

cadáver sm corpse, (dead) body.

cadena sf - 1. [gen] chain - 2. TV channel - 3. [RADIO - emisora] station; [- red de emisoras] network - 4. [de proceso industrial] line; **cadena de montaje** assembly line - 5. [aparato de música] sound system - 6. GEOGR range. ➤ **cadena perpetua** sf life imprisonment.

cadencia sf [ritmo] rhythm, cadence.

cadera sf hip.

cadete sm - 1. cadet - 2. *R Dom* [recadero] errand boy, office junior.

caducar vi - 1. [carné, ley, pasaporte etc] to expire - 2. [medicamento] to pass its use-by date; [alimento] to pass its sell-by date.

caducidad sf expiry.

caduco, ca *adj* - 1. [viejo] decrepit; [idea] outmoded - 2. [desfasado] no longer valid.

caer vi - 1. [gen] to fall; [diente, pelo] to fall out; **dejar caer algo** to drop sthg; **caer bajo** to sink (very) low; **estar al caer** to be about to arrive - 2. [al perder equilibrio] to fall over O down; **caer de un tejado/caballo** to fall from a roof/horse - 3. *fig* [sentar]: **caer bien/mal (a alguien)** [comentario, noticia etc] to go down well/badly (with sb) - 4. *fig* [mostrarse]: **me cae bien/mal** I like/don't like him - 5. *fig* [estar situado]: **cae cerca de aquí** it's not far from here - 6. *fig* [recordar]: **caer (en algo)** to be able to remember (sthg). ➤ **caer en** vi - 1. [entender] to get, to understand; [solución] to hit upon - 2. [coincidir - fecha] to fall on; **cae en domingo** it falls on a Sunday - 3. [incurrir] to fall into. ➤ **caerse** *vprnl* - 1. [persona] to fall over O down; **caerse de ingenuo/listo** *fig* to be incredibly naive/

clever - 2. [objetos] to drop, to fall - 3. [desprenderse - diente, pelo etc] to fall out; [- botón] to fall off; [- cuadro] to fall down.

café sm - 1. [gen] coffee; **café solo/con leche** black/white coffee - 2. [establecimiento] cafe.

cafeína sf caffeine.

cafetera sf ➤ **cafetero**.

cafetería sf cafe.

cafetero, ra sm, f - 1. [cultivador] coffee grower - 2. [comerciante] coffee merchant. ➤ **cafetera** sf - 1. [gen] coffee pot - 2. [en bares] expresso machine; [eléctrica] percolator, coffee machine.

cafiche sm *Andes fam* pimp.

cagar vi *vulg* [defecar] to shit. ➤ **cagarse** *vprnl vulg lit & fig* to shit o.s.

caído, da *adj* [árbol, hoja] fallen. ➤ **caída** sf - 1. [gen] fall, falling (U); [de diente, pelo] loss - 2. [de paro, precios, terreno]: **caída (de)** drop (in) - 3. [de falda, vestido etc] drape. ➤ **caídos** *smpl*: **los caídos** the fallen.

caiga etc ➤ **caer**.

caimán sm - 1. [animal] alligator, cayman - 2. *fig* [persona] sly fox.

caja sf - 1. [gen] box; [para transporte, embalaje] crate; **caja de zapatos** shoebox; **una caja de cervezas** a crate of beer; **caja torácica** thorax - 2. [de reloj] case; [de engranajes etc] housing; **caja de cambios** gearbox - 3. [ataúd] coffin - 4. [de dinero] cash box; **caja fuerte** O **de caudales** safe, strongbox - 5. [en tienda, supermercado] till; [en banco] cashier's desk - 6. [banco]: **caja (de ahorros)** savings bank, ≈ savings and loan association *US* - 7. [hueco - de chimenea, ascensor] shaft - 8. IMPR case - 9. [de instrumento musical] body; **caja de resonancia** sound box; **caja de ritmos** drum machine. ➤ **caja negra** sf black box. ➤ **caja registradora** sf cash register.

cajero, ra sm, f [en tienda] cashier; [en banco] teller. ➤ **cajero** sm: **cajero (automático)** cash machine, cash dispenser, ATM *US*.

cajetilla sf - 1. [de cigarrillos] packet - 2. [de cerillas] box.

cajón sm - 1. [de mueble] drawer - 2. [recipiente] crate, case. ➤ **cajón de sastre** sm muddle, jumble.

cajuela sf *Méx* boot *UK*, trunk *US*.

cal sf lime.

cala sf - 1. [bahía pequeña] cove - 2. [del barco] hold.

calabacín sm courgette *UK*, zucchini *US*.

calabaza sf pumpkin, squash *US*, gourd.

calabozo sm cell.

calada sf ➤ **calado**.

calado, da *adj* soaked. ➤ **calado** sm NÁUT draught. ➤ **calada** sf [de cigarrillo] drag.

calamar *sm* squid.

calambre *sm* - **1.** [descarga eléctrica] (electric) shock - **2.** [contracción muscular] cramp *(U)*.

calamidad *sf* calamity; **ser una calamidad** *fig* to be a dead loss.

calaña *sf*: **de esa calaña** *despec* of that ilk.

calar ⬦ *vt* - **1.** [empapar] to soak - **2.** *fig* [persona] to see through - **3.** [gorro, sombrero] to jam on - **4.** [sandía, melón] to cut a sample of - **5.** [perforar] to pierce. ⬦ *vi* - **1.** NÁUT to draw - **2.** *fig* [penetrar]: **calar en** to have an impact on. ⬦ **calarse** *vprnl* - **1.** [empaparse] to get soaked - **2.** [motor] to stall.

calavera *sf* [cráneo] skull. ➤ **calaveras** *sfpl* Méx [luces] tail lights.

calcar *vt* - **1.** [dibujo] to trace - **2.** [imitar] to copy.

calce *sm* - **1.** [cuña] wedge - **2.** Guat, Méx & P Rico DER footnote.

calceta *sf* stocking; **hacer calceta** to knit.

calcetín *sm* sock.

calcificarse *vprnl* to calcify.

calcinar *vt* [quemar] to char.

calcio *sm* calcium.

calco *sm* - **1.** [reproducción] tracing - **2.** *fig* [imitación] carbon copy.

calcomanía *sf* transfer.

calculador, ra *adj* lit & *fig* calculating. ➤ **calculadora** *sf* calculator.

calcular *vt* - **1.** [cantidades] to calculate - **2.** [suponer] to reckon.

cálculo *sm* - **1.** [operación] calculation - **2.** [ciencia] calculus - **3.** [evaluación] estimate - **4.** MED stone, calculus.

caldear *vt* - **1.** [calentar] to heat (up) - **2.** *fig* [excitar] to warm up, to liven up.

caldera *sf* - **1.** [recipiente] cauldron - **2.** [máquina] boiler.

calderilla *sf* small change.

caldero *sm* cauldron.

caldo *sm* - **1.** [sopa] broth - **2.** [caldillo] stock - **3.** [vino] wine.

calefacción *sf* heating; **calefacción central** central heating.

calefactor *sm* heater.

calendario *sm* calendar; **calendario escolar/laboral** school/working year.

calentador *sm* - **1.** [aparato] heater - **2.** [prenda] legwarmer.

calentar ⬦ *vt* [subir la temperatura de] to heat (up), to warm (up). ⬦ *vi* [entrenarse] to warm up. ➤ **calentarse** *vprnl* [por calor - suj: persona] to warm o.s., to get warm; [- suj: cosa] to heat up.

calentura *sf* - **1.** [fiebre] fever, temperature - **2.** [herida] cold sore.

calibrar *vt* - **1.** [medir] to calibrate, to gauge - **2.** [dar calibre a - arma] to bore - **3.** *fig* [juzgar] to gauge.

calibre *sm* - **1.** [diámetro - de pistola] calibre; [- de alambre] gauge; [- de tubo] bore - **2.** [instrumento] gauge - **3.** *fig* [tamaño] size.

calidad *sf* - **1.** [gen] quality; **de calidad** quality *(antes de s)*; **calidad de vida** quality of life - **2.** [clase] class - **3.** [condición]: **en calidad de** in one's capacity as.

cálido, da *adj* warm.

caliente *adj* - **1.** [gen] hot; [templado] warm; **en caliente** *fig* in the heat of the moment - **2.** *fig* [acalorado] heated.

calificación *sf* - **1.** [de película] rating - **2.** EDUC mark.

calificar *vt* - **1.** [denominar]: **calificar a alguien de algo** to call sb sthg, to describe sb as sthg - **2.** EDUC to mark - **3.** GRAM to qualify.

calificativo, va *adj* qualifying. ➤ **calificativo** *sm* epithet.

caligrafía *sf* - **1.** [arte] calligraphy - **2.** [tipo de letra] handwriting.

cáliz *sm* RELIG chalice.

calizo, za *adj* chalky. ➤ **caliza** *sf* limestone.

callado, da *adj* quiet, silent.

callar ⬦ *vi* - **1.** [no hablar] to keep quiet, to be silent - **2.** [dejar de hablar] to be quiet, to stop talking. ⬦ *vt* - **1.** [ocultar] to keep quiet about; [secreto] to keep - **2.** [acallar] to silence. ➤ **callarse** *vprnl* - **1.** [no hablar] to keep quiet, to be silent - **2.** [dejar de hablar] to be quiet, to stop talking; **¡cállate!** shut up! - **3.** [ocultar] to keep quiet about; [secreto] to keep.

calle *sf* - **1.** [vía de circulación] street, road; **calle arriba/abajo** up/down the street; **calle de dirección única** one-way street; **calle peatonal** pedestrian precinct; **calle sin salida** dead end, blind alley - **2.** DEP lane - **3.** *loc*: **dejar a alguien en la calle** to put sb out of a job; **traer O llevar a alguien por la calle de la amargura** to make sb's life a misery.

callejear *vi* to wander the streets.

callejero, ra *adj* [gen] street *(antes de s)*; [perro] stray. ➤ **callejero** *sm* [guía] street map.

callejón *sm* alley; **callejón sin salida** cul-de-sac; *fig* blind alley, impasse.

callejuela *sf* backstreet, side street.

callista *smf* chiropodist.

callo *sm* [dureza] callus; [en el pie] corn; **dar el callo** *fam* *fig* to slog. ➤ **callos** *smpl* CULIN tripe *(U)*.

calma *sf* - **1.** [sin ruido o movimiento] calm; **en calma** calm - **2.** [sosiego] tranquility; **tómatelo con calma** take it easy - **3.** [apatía] sluggishness, indifference.

calmante ⬥ *adj* soothing. ⬥ *sm* sedative.

calmar *vt* - **1.** [mitigar] to relieve - **2.** [tranquilizar] to calm, to soothe. ➡ **calmarse** *vprnl* to calm down; [dolor, tempestad] to abate.

caló *sm* gypsy dialect.

calor *sm* [gen] heat; [sin quemar] warmth; **entrar en calor** [gen] to get warm; [público, deportista] to warm up; **hacer calor** to be warm *O* hot; **tener calor** to be warm *O* hot.

caloría *sf* calorie.

calumnia *sf* [oral] slander; [escrita] libel.

calumniar *vt* [oralmente] to slander; [por escrito] to libel.

calumnioso, sa *adj* [de palabra] slanderous; [por escrito] libellous.

caluroso, sa *adj* - **1.** [gen] hot; [templado] warm - **2.** *fig* [afectuoso] warm.

calva *sf* ⬥ **calvo**.

calvario *sm fig* [sufrimiento] ordeal.

calvicie *sf* baldness.

calvo, va *adj* bald. ➡ **calva** *sf* [en la cabeza] bald patch.

calza *sf* [cuña] wedge, block.

calzado, da *adj* [con zapatos] shod. ➡ **calzado** *sm* footwear. ➡ **calzada** *sf* road.

calzar *vt* - **1.** [poner calzado] to put on - **2.** [llevar un calzado] to wear; **¿qué número calza?** what size do you take? - **3.** [poner cuña a] to wedge. ➡ **calzarse** *vprnl* to put on.

calzo *sm* [cuña] wedge.

calzón *sm* - **1.** *Esp* [deportivo] shorts - **2.** *Andes, Méx & R Plata* [braga] knickers *UK*, panties *US*.

calzoncillo *sm (gen pl)* underpants *pl*, shorts *pl US*.

cama *sf* bed; **estar en** *O* **guardar cama** to be in bed; **hacer la cama** to make the bed; **hacerle** *O* **ponerle la cama a alguien** *fig* to plot against sb.

camada *sf* litter.

camafeo *sm* cameo.

camaleón *sm lit & fig* chameleon.

cámara ⬥ *sf* - **1.** [gen & TECNOL] chamber; **cámara alta/baja** upper/lower house - **2.** CINE, FOTO & TV camera; **cámara de seguridad** security camera; **cámara de vídeo** video camera - **3.** [de balón, neumático] inner tube - **4.** [habitáculo] cabin. ⬥ *smf* [persona] cameraman (*f* camerawoman).

camarada *smf* POLÍT comrade.

camarero, ra *sm, f* [de restaurante] waiter (*f* waitress); [de hotel] steward (*f* chambermaid).

camarilla *sf* clique; POLÍT lobby.

camarón *sm* shrimp.

camarote *sm* cabin.

cambiante *adj* changeable.

cambiar ⬥ *vt* - **1.** [gen] to change; **cambiar libras por euros** to change pounds into euros

- **2.** [canjear]: **cambiar algo (por)** to exchange sthg (for). ⬥ *vi* - **1.** [gen] to change; **cambiar de** [gen] to change; **cambiar de casa** to move house; **cambiar de trabajo** to move jobs - **2.** AUTO: **cambiar de marcha** to change gear. ➡ **cambiarse** *vprnl*: **cambiarse (de)** [ropa] to change; [casa] to move; **cambiarse de vestido** to change one's dress.

cambio *sm* - **1.** [gen] change; **cambio climático** climate change; **cambio de domicilio** change of address; **cambio de guardia** changing of the guard - **2.** [trueque] exchange; **a cambio (de)** in exchange *O* return (for) - **3.** [FIN - de acciones] price; [- de divisas] exchange rate; **'cambio'** 'bureau de change' - **4.** AUTO: **cambio de marchas** *O* **velocidades** gear change; **cambio de sentido** U-turn. ➡ **cambio de rasante** *sm* brow of a hill. ➡ **libre cambio** *sm* - **1.** ECON [librecambismo] free trade - **2.** FIN [de divisas] floating exchange rates *pl*. ➡ **en cambio** *loc adv* - **1.** [por otra parte] on the other hand, however - **2.** [en su lugar] instead.

camelar *vt fam* [seducir, engañar] to butter up, to win over.

camelia *sf* camellia.

camello, lla *sm, f* [animal] camel. ➡ **camello** *sm fam* [traficante] drug pusher *O* dealer.

camellón *sm Col & Méx* central reservation *UK*, median (strip) *US*.

camerino *sm* dressing room.

camilla ⬥ *sf* [gen] stretcher; [de psiquiatra, dentista] couch. ⬥ *adj* ⬥ **mesa**.

caminante *smf* walker.

caminar ⬥ *vi* - **1.** [a pie] to walk - **2.** *fig* [ir]: **caminar (hacia)** to head (for). ⬥ *vt* [una distancia] to travel, to cover.

caminata *sf* long walk.

camino *sm* - **1.** [sendero] path, track; [carretera] road; **camino de montaña** mountain path; **abrir camino a** to clear the way for; **abrirse camino** to get on *O* ahead - **2.** [ruta] way; **a medio camino** halfway; **estar a medio camino** to be halfway there; **quedarse a medio camino** to stop halfway through; **camino de** on the way to; **en el** *O* **de camino** on the way; **ir camino de** to be heading for - **3.** [viaje] journey; **ponerse en camino** to set off - **4.** *fig* [medio] way.

camión *sm* - **1.** [de mercancías] lorry *UK*, truck *US*; **camión articulado** articulated lorry *UK O* truck *US*; **camión cisterna** tanker; **camión de la mudanza** removal van - **2.** *Amér C & Méx* [bus] bus.

camionero, ra ⬥ *adj Amér C & Méx* bus. ⬥ *sm, f* lorry driver *UK*, trucker *US*.

camioneta *sf* van.

camisa *sf* - **1.** [prenda] shirt - **2.** *loc*: **meterse en camisa de once varas** to complicate matters unnecessarily. ➡ **camisa de fuerza** *sf* straitjacket.

camisería *sf* [tienda] outfitter's.

camiseta *sf* - **1.** [prenda interior] vest *UK*, undershirt *US* - **2.** [de verano] T-shirt - **3.** [DEP - de tirantes] vest; [- de mangas] shirt.

camisola *sf* - **1.** [prenda interior] camisole - **2.** *Amér* DEP sports shirt.

camisón *sm* nightdress.

camorra *sf* trouble; **buscar camorra** to look for trouble.

campamento *sm* camp.

campana *sf* bell; **campana de buzo** O **de salvamento** diving bell; **campana extractora de humos** extractor hood.

campanada *sf* - **1.** [de campana] peal - **2.** [de reloj] stroke - **3.** *fig* [suceso] sensation.

campanario *sm* belfry, bell tower.

campanilla *sf* - **1.** [de la puerta] (small) bell; [con mango] handbell - **2.** [flor] campanula, bellflower.

campanilleo *sm* tinkling *(U)*.

campaña *sf* - **1.** [gen] campaign; **hacer campaña (de/contra)** to campaign (for/against); **de campaña** MIL field *(antes de s)* - **2.** *R Dom* [campo] countryside.

campechano, na *adj fam* genial, good-natured.

campeón, ona *sm, f* champion.

campeonato *sm* championship; **de campeonato** *fig* terrific, great.

campero, ra *adj* country *(antes de s)*; [al aire libre] open-air. ➤ **campera** *sf* - **1.** [bota] ≃ cowboy boot - **2.** *R Dom* [chaqueta] jacket.

campesino, na *sm, f* [gen] farmer; [muy pobre] peasant.

campestre *adj* country *(antes de s)*.

camping ['kampin] *(pl campings) sm* - **1.** [actividad] camping; **ir de camping** to go camping - **2.** [lugar de acampada] campsite.

campo *sm* - **1.** [gen & INFORM] field; **campo de aviación** airfield; **campo de batalla** battlefield; **campo de tiro** firing range - **2.** [campiña] country, countryside; **a campo traviesa** cross country - **3.** [DEP - de fútbol] pitch; [- de tenis] court; [- de golf] course - **4.** *C Sur* [hacienda] cattle ranch - **5.** *Andes* [lugar] room, space. ➤ **campo de concentración** *sm* concentration camp.

camuflaje *sm* camouflage.

cana *sf* ⊳ **cano**.

Canadá *n pr*: **(el) Canadá** Canada.

canadiense *adj* & *smf* Canadian.

canal *sm* - **1.** [cauce artificial] canal; **canal de riego** irrigation channel - **2.** GEOGR channel, strait - **3.** RADIO & TV channel; **canal por cable** cable channel - **4.** ANAT canal, duct - **5.** [de agua, gas] conduit, pipe - **6.** *fig* [medio, vía] channel.

canalizar *vt* - **1.** [territorio] to canalize; [agua] to channel - **2.** *fig* [orientar] to channel.

canalla *smf fam* swine, dog.

canalón *sm* [de tejado] gutter; [en la pared] drainpipe.

canapé *sm* - **1.** CULIN canapé - **2.** [sofá] sofa, couch.

Canarias *sfpl*: **las (islas) Canarias** the Canary Islands, the Canaries.

canario, ria ⟨⟩ *adj* of the Canary Islands. ⟨⟩ *sm, f* [persona] Canary Islander. ➤ **canario** *sm* [pájaro] canary.

canasta *sf* [gen & DEP] basket.

canastilla *sf* - **1.** [cesto pequeño] basket - **2.** [de bebé] layette.

canasto *sm* large basket.

cancán, cancanes *sm* o *sf R Dom* tights *UK*, pantyhose *US*.

cancela *sf* wrought-iron gate.

cancelación *sf* cancellation.

cancelar *vt* - **1.** [anular] to cancel - **2.** [deuda] to pay, to settle - **3.** *Chile & Perú* [cuenta] to pay.

cáncer *sm fig* & MED cancer. ➤ **Cáncer** ⟨⟩ *sm* [zodiaco] Cancer. ⟨⟩ *smf* [persona] Cancer.

cancerígeno, na *adj* carcinogenic.

canceroso, sa *adj* [úlcera, tejido] cancerous; [enfermo] suffering from cancer.

canciller *sm* - **1.** [de gobierno, embajada] chancellor - **2.** [de asuntos exteriores] foreign minister.

canción *sf* song; **canción de cuna** lullaby; **la misma canción** *fig* the same old story.

cancionero *sm* songbook.

candado *sm* padlock.

candela *sf* - **1.** [vela] candle - **2.** *Amér* [fuego] fire.

candelabro *sm* candelabra.

candelero *sm* candlestick.

candente *adj* - **1.** [incandescente] red-hot - **2.** *fig* [actual] burning *(antes de s)*.

candidato, ta *sm, f* candidate.

candidatura *sf* [para un cargo] candidacy.

candidez *sf* ingenuousness.

cándido, da *adj* ingenuous, simple.

candil *sm* - **1.** [lámpara] oil lamp - **2.** *Méx* [araña] chandelier.

candilejas *sfpl* footlights.

canelo, la *adj fam fig* [inocentón] gullible. ➤ **canela** *sf* cinnamon.

canelón *sm* CULIN cannelloni *pl*.

cangrejo *sm* crab.

canguro ⟨⟩ *sm* [animal] kangaroo. ⟨⟩ *smf fam* [persona] babysitter; **hacer de canguro** to babysit.

caníbal *smf* cannibal.

canica *sf* [pieza] marble. ◆ **canicas** *sfpl* [juego] marbles.

caniche *sm* poodle.

canijo, ja *adj* sickly.

canilla *sf* - **1.** [espinilla] shinbone - **2.** *R Dom* [grifo] tap *UK*, faucet *US* - **3.** *Amér* [pierna] leg.

canillita *sm R Dom fam* newspaper vendor.

canino, na *adj* canine. ◆ **canino** *sm* [diente] canine (tooth).

canjear *vt* to exchange.

cano, na *adj* grey. ◆ **cana** *sf* grey hair; **echar una cana al aire** *fig* to let one's hair down.

canoa *sf* canoe.

canódromo *sm* greyhound track.

canon *sm* - **1.** [norma] canon; **como mandan los cánones** according to the rules - **2.** [modelo] ideal - **3.** [impuesto] tax - **4.** MÚS canon.

canónigo *sm* canon.

canonizar *vt* to canonize.

canoso, sa *adj* [pelo] grey; [persona] grey-haired.

cansado, da *adj* - **1.** [agotado] tired; **cansado de algo/de hacer algo** tired of sthg/of doing sthg - **2.** [pesado, cargante] tiring.

cansador, ra *adj Andes & R Plata* [que cansa] tiring; [que aburre] tiresome, boring.

cansancio *sm* tiredness.

cansar ⬦ *vt* to tire (out). ⬦ *vi* to be tiring. ◆ **cansarse** *vprnl*: **cansarse (de)** *lit & fig* to get tired (of).

Cantábrico *sm*: **el (mar) Cantábrico** the Cantabrian Sea.

cantaleta *sf Amér* nagging.

cantante ⬦ *adj* singing. ⬦ *smf* singer.

cantaor, ra *sm, f* flamenco singer.

cantar ⬦ *vt* - **1.** [canción] to sing - **2.** [bingo, línea, el gordo] to call (out); **cantar victoria** to claim victory; **cantar a alguien las cuarenta** to give sb a piece of one's mind. ⬦ *vi* - **1.** [persona, ave] to sing; [gallo] to crow; [grillo] to chirp - **2.** *fam fig* [confesar] to talk.

cántaro *sm* large pitcher; **llover a cántaros** to rain cats and dogs.

cante *sm*: **cante (jondo** O **hondo)** flamenco singing.

cantera *sf* [de piedra] quarry.

cantero *sm C Sur & Cuba* [de flores] flowerbed.

cantidad *sf* - **1.** [medida] quantity - **2.** [abundancia] abundance, large number; **en cantidad** in abundance; **cantidad de** lots of; **en cantidades industriales** in industrial quantities - **3.** [número] number - **4.** [suma de dinero] sum (of money).

cantilena, cantinela *sf*: **la misma cantilena** *fig* the same old story.

cantimplora *sf* water bottle.

cantina *sf* [de soldados] mess; [en fábrica] canteen; [en estación de tren] buffet; [bar] snack bar.

cantinela = cantilena.

canto *sm* - **1.** [acción, arte] singing - **2.** [canción] song - **3.** [lado, borde] edge; **de canto** edgeways - **4.** [de cuchillo] blunt edge - **5.** [guijarro] pebble; **canto rodado** [pequeño] pebble; [grande] boulder.

cantor, ra *sm, f* singer.

canturrear *vt & vi fam* to sing softly.

canuto *sm* - **1.** [tubo] tube - **2.** *fam* [porro] joint.

caña *sf* - **1.** BOT cane; **caña de azúcar** sugarcane - **2.** *Esp* [de cerveza] half; **una caña** one beer - **3.** *Andes, Cuba & R Plata* [aguardiente] type of rum made using sugar cane spirit. ◆ **caña de pescar** *sf* fishing rod.

cañabrava *sf Cuba & R Dom* kind of cane.

cáñamo *sm* hemp.

cañería *sf* pipe.

cañero, ra *sm, f Amér* [trabajador] sugar plantation worker.

caño *sm* [de fuente] jet.

cañón *sm* - **1.** [arma] gun; HIST cannon; **cañón antiaéreo** anti-aircraft gun; **cañón de nieve** snow cannon - **2.** [de fusil] barrel; [de chimenea] flue; [de órgano] pipe - **3.** GEOGR canyon.

caoba *sf* mahogany.

caos *sm inv* chaos.

caótico, ca *adj* chaotic.

cap. (*abrev de* capítulo) ch.

capa *sf* - **1.** [manto] cloak, cape; **andar de capa caída** to be in a bad way; **de capa y espada** cloak and dagger - **2.** [baño - de barniz, pintura] coat; [- de chocolate etc] coating - **3.** [estrato] layer; GEOL stratum; **capa de ozono** ozone layer; **capa de hielo** sheet of ice - **4.** [grupo social] stratum, class - **5.** TAUROM cape.

capacidad *sf* - **1.** [gen] capacity; **con capacidad para 500 personas** with a capacity of 500 - **2.** [aptitud] ability; **no tener capacidad para algo/para hacer algo** to be no good at sthg/at doing sthg. ◆ **capacidad de decisión** *sf* decision-making ability. ◆ **capacidad de trabajo** *sf* capacity for hard work.

capacitación *sf* training.

capacitar *vt*: **capacitar a alguien para algo** [habilitar] to qualify sb for sthg; [formar] to train sb for sthg.

capar *vt* to castrate.

caparazón *sm lit & fig* shell.

capataz *sm, f* foreman (*f* forewoman).

capaz *adj* - **1.** [gen] capable; **capaz de algo/de hacer algo** capable of sthg/of doing sthg - **2.** [atrevido]: **ser capaz** to dare; **ser capaz de**

hacer algo to bring oneself to do sthg - **3.** [espacioso]: **muy/poco capaz** with a large/small capacity; **capaz para** with room for.

capazo *sm* large wicker basket.

capellán *sm* chaplain.

caperuza *sf* [gorro] hood.

capicúa *adj inv* reversible.

capilla *sf* chapel; **capilla ardiente** funeral chapel.

cápita ◆ **per cápita** *loc adj* per capita.

capital ◇ *adj* - **1.** [importante] supreme - **2.** [principal] main. ◇ *sm* ECON capital. ◇ *sf* [ciudad] capital; **soy de Barcelona capital** I'm from the city of Barcelona.

capitalismo *sm* capitalism.

capitalista *adj* & *smf* capitalist.

capitalizar *vt* - **1.** ECON to capitalize - **2.** *fig* [sacar provecho] to capitalize on.

capitán, ana *sm, f* captain.

capitanear *vt* DEP & MIL to captain.

capitel *sm* capital.

capitoste *smf despec* big boss.

capitulación *sf* capitulation, surrender.

capitular *vi* to capitulate, to surrender.

capítulo *sm* - **1.** [sección, división] chapter - **2.** *fig* [tema] subject.

capó, capot [ka'po] *sm* bonnet *UK*, hood *US*.

caporal *sm* MIL ≃ corporal.

capot = **capó**.

capota *sf* hood *UK*, top *US*.

capote *sm* - **1.** [capa] cape with sleeves; [militar] greatcoat - **2.** TAUROM cape.

capricho *sm* - **1.** [antojo] whim, caprice; **darse un capricho** to treat o.s. - **2.** MÚS & ARTE caprice.

caprichoso, sa *adj* capricious.

Capricornio ◇ *sm* [zodiaco] Capricorn. ◇ *smf* [persona] Capricorn.

cápsula *sf* - **1.** [gen & ANAT] capsule - **2.** [tapón] cap. ◆ **cápsula espacial** *sf* space capsule.

captar *vt* - **1.** [atraer - simpatía] to win; [- interés] to gain, to capture - **2.** [entender] to grasp - **3.** [sintonizar] to pick up, to receive - **4.** [aguas] to collect.

captura *sf* capture.

capturar *vt* to capture.

capucha *sf* hood.

capuchón *sm* cap, top.

capullo, lla *vulg sm, f* [persona] prat. ◆ **capullo** *sm* - **1.** [de flor] bud - **2.** [de gusano] cocoon.

caqui, kaki *adj inv* [color] khaki.

cara *sf* - **1.** [rostro, aspecto] face; **cara a cara** face to face - **2.** [lado] side; GEOM face - **3.** [de moneda] heads *(U)*; **cara o cruz** heads or tails; **echar algo a cara o cruz** to toss (a coin) for sthg - **4.** *fam* [osadía] cheek - **5.** *loc*: **de cara a** with a

view to; **decir algo a alguien en** *O* **a la cara** to say sthg to sb's face; **echar en cara algo a alguien** to reproach sb for sthg; **por su linda cara, por su cara bonita** because his/her face fits; **verse las caras** [pelearse] to have it out; [enfrentarse] to fight it out.

carabina *sf* - **1.** [arma] carbine, rifle - **2.** *fam fig* [mujer] chaperone.

Caracas *n pr* Caracas.

caracol *sm* - **1.** [animal] snail - **2.** [concha] shell - **3.** [rizo] curl. ◆ **escalera de caracol** *sf* spiral staircase.

caracola *sf* conch.

carácter (*pl* **caracteres**) *sm* - **1.** [de persona] character; **tener buen/mal carácter** to be good-natured/bad-tempered - **2.** [índole] nature; **con carácter de urgencia** as a matter of urgency; **una reunión de carácter privado/oficial** a private/official meeting - **3.** INFORM character; **carácter alfanumérico** alphanumeric character; **caracteres de imprenta** typeface *sing* - **4.** BIOL trait.

característico, ca *adj* characteristic. ◆ **característica** *sf* characteristic.

caracterización *sf* - **1.** [gen] characterization - **2.** [maquillaje] make-up.

caracterizar *vt* - **1.** [definir] to characterize - **2.** [representar] to portray - **3.** [maquillar] to make up. ◆ **caracterizarse por** *vprnl* to be characterized by.

caradura *fam adj* cheeky.

carajillo *sm* coffee with a dash of liqueur.

carajo *mfam interj*: **¡carajo!** damn it!

caramba *interj*: **¡caramba!** [sorpresa] good heavens!; [enfado] for heaven's sake!

carambola *sf* - **1.** cannon *(in billiards)* - **2.** [fruta] starfruit. ◆ **carambolas** *interj Amér*: **¡carambolas!** good heavens!

caramelo *sm* - **1.** [golosina] sweet - **2.** [azúcar fundido] caramel; **de caramelo** *fig* great.

carátula *sf* - **1.** [de libro] front cover; [de disco] sleeve - **2.** [máscara] mask.

caravana *sf* - **1.** [gen] caravan *UK*, trailer *US* - **2.** [de coches] tailback. ◆ **caravanas** *sfpl Amér* [pendientes] earrings.

caray *interj*: **¡caray!** [sorpresa] good heavens!; [enfado] damn it!

carbón *sm* [para quemar] coal; **carbón mineral** *O* **de piedra** coal.

carboncillo *sm* charcoal; **al carboncillo** in charcoal.

carbonilla *sf* [ceniza] cinder.

carbonizar *vt* to char, to carbonize.

carbono *sm* carbon.

carburador *sm* carburettor.

carburante *sm* fuel.

carca *fam despec adj* old-fashioned.

carcajada sf guffaw; **reír a carcajadas** to roar with laughter.

carcamal smf fam despec old crock.

cárcel sf prison; **estar en la cárcel** to be in prison.

carcelero, ra sm, f warder, jailer.

carcoma sf - **1.** [insecto] woodworm - **2.** [polvo] wood dust.

carcomer vt lit & fig to eat away at.

cardar vt - **1.** [lana] to card - **2.** [pelo] to backcomb.

cardenal sm - **1.** RELIG cardinal - **2.** [hematoma] bruise.

cardiaco, ca, cardíaco, ca adj cardiac, heart (antes de s).

cárdigan, cardigán sm cardigan.

cardinal adj cardinal.

cardiólogo, ga sm, f cardiologist.

cardo sm [planta] thistle.

carecer vi: **carecer de algo** to lack sthg.

carencia sf [ausencia] lack; [defecto] deficiency.

carente adj: **carente de** lacking (in).

carestía sf [escasez] scarcity, shortage.

careta sf - **1.** [máscara] mask; **careta antigás** gas mask - **2.** fig [engaño] front.

carey sm [material] tortoiseshell.

carga sf - **1.** [acción] loading; **de carga frontal** front-loading - **2.** [cargamento - de avión, barco] cargo; [- de tren] freight; [- de camión] load - **3.** [peso] load - **4.** fig [sufrimiento] burden - **5.** [ataque, explosivo] charge; **volver a la carga** fig to persist - **6.** [de batería, condensador] charge - **7.** [para mechero, bolígrafo] refill - **8.** [impuesto] tax; **carga fiscal** tax burden.

cargado, da adj - **1.** [abarrotado]: **cargado (de)** loaded (with); **un árbol cargado de fruta** a tree laden with fruit - **2.** [arma] loaded - **3.** [bebida] strong - **4.** [bochornoso - habitación] stuffy; [- tiempo] sultry, close; [- cielo] overcast - **5.**: **cargado de hombros** round-shouldered (s).

cargador sm [de arma] chamber.

cargamento sm cargo.

cargante adj fam fig annoying.

cargar ◇ vt - **1.** [gen] to load; [pluma, mechero] to refill - **2.** [peso encima] to throw over one's shoulder - **3.** ELECTR to charge; INFORM to load - **4.** fig [responsabilidad, tarea] to give, to lay upon; **cargar a alguien de deudas** to encumber sb with debts - **5.** [producir pesadez - suj: humo] to make stuffy; [- suj: comida] to bloat - **6.** [gravar]: **cargar un impuesto a algo/alguien** to tax sthg/sb - **7.** [importe, factura, deuda]: **cargar algo (a)** to charge sthg (to); **cárguelo a mi cuenta** charge it to my account. ◇ vi [atacar]: **cargar (contra)** to charge. ▶ **cargar con** vi - **1.** [paquete etc] to carry away - **2.** fig

[coste, responsabilidad] to bear; [consecuencias] to accept; [culpa] to get. ▶ **cargarse** vprnl - **1.** fam [romper] to break - **2.** fam [matar - persona] to bump off; [- animal] to kill - **3.** [de humo] to get stuffy - **4.** ELECTR to become charged; INFORM to load.

cargo sm - **1.** [gen, ECON & DER] charge; **sin cargo** free of charge; **correr a cargo de** to be borne by; **estar a cargo de algo, tener algo a cargo de uno** to be in charge of sthg; **las personas a mi cargo** the people in my care; **hacerse cargo de** [asumir el control de] to take charge of; [ocuparse de] to take care of; [comprender] to understand - **2.** [empleo] post; **es un cargo público** he holds public office.

cargosear vt C Sur to annoy, to pester.

cargoso, sa adj C Sur annoying.

carguero sm cargo boat.

Caribe sm: **el (mar) Caribe** the Caribbean (Sea).

caribeño, ña adj Caribbean.

caricatura sf - **1.** [de personaje, situación] caricature - **2.** Méx [dibujos animados] cartoon.

caricia sf [a persona] caress; [a perro, gato etc] stroke.

caridad sf charity.

caries sf inv tooth decay; **tengo dos caries** I have two cavities.

cariño sm - **1.** [afecto] affection; **tomar cariño a** to grow fond of; **con mucho cariño** with great affection - **2.** [cuidado] loving care - **3.** [apelativo] love.

cariñoso, sa adj affectionate.

carisma sm charisma.

carismático, ca adj charismatic.

Cáritas sf charitable organization run by the Catholic Church.

caritativo, va adj charitable.

cariz sm look, appearance; **tomar mal/buen cariz** to take a turn for the worse/better.

carmesí (pl carmesíes O carmesís) adj & sm crimson.

carmín ◇ adj [color] carmine. ◇ sm - **1.** [color] carmine - **2.** [lápiz de labios] lipstick.

carnada sf lit & fig bait.

carnal ◇ adj - **1.** [de la carne] carnal - **2.** [primo] first (antes de s). ◇ sm Méx fam [amigo] mate.

carnaval sm carnival.

carnaza sf lit & fig bait.

carne sf - **1.** [de persona, fruta] flesh; **en carne viva** raw; **entrado** O **metido en carnes** plump; **ser de carne y hueso** fig to be human - **2.** [alimento] meat; **carne de cerdo** pork; **carne de cordero** lamb; **carne picada** mince; **carne de ternera** veal; **carne de vaca** beef; **poner toda la carne en el asador** fig to go for broke; **ser car-**

ne de cañón to be cannon fodder; poner la carne de gallina a alguien [de frío] to give sb goose pimples; [de miedo] to give sb the creeps.
◆ carne de membrillo sf quince jelly.

carné, carnet (pl carnets) sm [documento] card; carné de conducir driving licence; carné de identidad identity card; carné de estudiante student card; carné de prensa press pass.

carnicería sf - 1. [tienda] butcher's - 2. fig [masacre] carnage (U).

carnicero, ra sm, f lit & fig [persona] butcher.

carnitas sfpl Méx small pieces of braised pork.

carnívoro, ra adj carnivorous. ◆ carnívoro sm carnivore.

carnoso, sa adj fleshy; [labios] full.

caro, ra adj [precio] expensive. ◆ caro adv: costar caro to be expensive; fig to cost dear; vender caro algo to sell sthg at a high price; fig not to give sthg up easily; pagar caro algo fig to pay dearly for sthg; salir caro fig to be expensive; fig to cost dear.

carozo sm R Dom stone, pit US.

carpa sf - 1. [pez] carp - 2. [de circo] big top; [para fiestas etc] marquee - 3. Amér [tienda de campaña] tent.

carpeta sf file, folder.

carpintería sf - 1. [arte] carpentry; [de puertas y ventanas] joinery - 2. [taller] carpenter's/joiner's shop.

carpintero, ra sm, f carpenter; [de puertas y ventanas] joiner.

carraca sf [instrumento] rattle.

carraspear vi [toser] to clear one's throat.

carraspera sf hoarseness.

carrera sf - 1. [acción de correr] run, running (U) - 2. fig & DEP race; carrera ciclista cycle race; carrera de coches motor race; carrera de obstáculos steeplechase - 3. [trayecto] route - 4. [de taxi] ride - 5. [estudios] university course; hacer la carrera de derecho to study law (at university) - 6. [profesión] career - 7. [en medias] ladder UK, run US.

carreta sf cart.

carrete sm - 1. [de hilo] bobbin, reel; [de alambre] coil - 2. FOTO roll (of film) - 3. [para pescar] reel - 4. [de máquina de escribir] spool.

carretera sf road; viaje por carretera road journey; carretera de circunvalación ring road; carretera comarcal ≃ B road UK; carretera de cuota Méx toll road; carretera nacional ≃ A road UK, state highway US.

carretilla sf wheelbarrow.

carril sm - 1. [de carretera] lane; carril bici cycle lane; carril bus bus lane - 2. [de vía de tren] rail.

carrillo sm cheek; comer a dos carrillos fig to cram one's face with food.

carrito sm trolley UK, cart US.

carro sm - 1. [vehículo] cart; carro de combate MIL tank - 2. [de máquina de escribir] carriage - 3. Andes, Amér C, Caribe & Méx [automóvil] car - 4. Méx: carro comedor [en tren] dining car, restaurant car.

carrocería sf bodywork UK, body.

carromato sm [carro] wagon.

carroña sf carrion.

carroza sf [vehículo] carriage.

carruaje sm carriage.

carrusel sm [tiovivo] carousel.

carta sf - 1. [letter] letter; echar una carta to post a letter; carta certificada/urgente registered/express letter; carta de presentación letter of introduction; carta de recomendación reference (letter) - 2. [naipe] (playing) card; echar las cartas a alguien to tell sb's fortune (with cards) - 3. [en restaurante] menu - 4. [mapa] map; NÁUT chart - 5. [documento] charter; carta verde green card - 6. loc: jugarse todo a una carta to put all one's eggs in one basket; dar carta blanca a alguien to give sb carte blanche. ◆ carta de ajuste sf test card.
◆ Carta de Derechos sf Bill of Rights.
◆ Carta Magna sf Constitution.

cartabón sm set square.

cartapacio sm [carpeta] folder.

cartearse vprnl to correspond.

cartel sm - 1. [póster] poster; 'prohibido fijar carteles' 'billposters will be prosecuted' - 2. [letrero] sign.

cártel sm cartel.

cartelera sf - 1. [tablón] hoarding, billboard - 2. PRENSA entertainments page; estar en cartelera to be showing; lleva un año en cartelera it's been running for a year.

cárter sm AUTO housing.

cartera sf - 1. [para dinero] wallet - 2. [para documentos] briefcase; [sin asa] portfolio; [de colegial] satchel - 3. COM, FIN & POLÍT portfolio - 4. [bolsillo] pocket flap - 5. Andes & C Sur [bolso] handbag UK, purse US.

carterista smf pickpocket.

cartero, ra sm, f postman. (f postwoman).

cartílago sm cartilage.

cartilla sf - 1. [documento] book; cartilla (de ahorros) savings book - 2. [para aprender a leer] primer.

cartón sm - 1. [material] cardboard; cartón piedra papier mâché - 2. [de cigarrillos, leche] carton; [de huevos] box.

cartucho sm - 1. [de arma] cartridge; quemar el último cartucho fig to play one's last card.

cartujo, ja adj Carthusian.

cartulina sf card; cartulina amarilla/roja FÚT yellow/red card.

casa *sf* - **1.** [edificio] house; **casa adosada** semi-detached house; **casa de campo** country house; **casa unifamiliar** *house (usually detached) on an estate*; **se le cae la casa encima** [se deprime] it's the end of the world for him; **en casa del herrero cuchillo de palo** *prov* the shoemaker's wife is always worst shod - **2.** [hogar] home; **en casa** at home; **ir a casa** to go home; **pásate por mi casa** come round to my place; **jugar en casa/fuera de casa** to play at home/away - **3.** [empresa] company; **vino de la casa** house wine - **4.** [organismo]: **casa Consistorial** town hall; **casa de huéspedes** guesthouse; **casa de juego** gambling house; **casa de putas** brothel; **casa de socorro** first-aid post.

casaca *sf* frock coat.

casado, da *adj*: **casado (con)** married (to).

casamiento *sm* wedding, marriage.

casar ◇ *vt* - **1.** [en matrimonio] to marry - **2.** [unir] to fit together. ◇ *vi* to match. ◆ **casarse** *vprnl*: **casarse (con)** to get married (to).

cascabel *sm* (small) bell.

cascado, da *adj* - **1.** *fam* [estropeado] bust; [persona, ropa] worn-out - **2.** [ronco] rasping. ◆ **cascada** *sf* [de agua] waterfall.

cascanueces *sm inv* nutcracker.

cascar *vt* - **1.** [romper] to crack - **2.** *fam* [pegar] to thump. ◆ **cascarse** *vprnl* [romperse] to crack; **cascársela** *vulg* to jerk off.

cáscara *sf* - **1.** [de almendra, huevo etc] shell - **2.** [de limón, naranja] skin, peel - **3.** [de plátano] skin.

cascarilla *sf* husk.

cascarón *sm* eggshell; **salir del cascarón** *fig* to leave the nest.

cascarrabias *smf inv* grouch.

casco *sm* - **1.** [para la cabeza] helmet; [de motorista] crash helmet - **2.** [de barco] hull - **3.** [de ciudad]: **casco antiguo** old (part of) town; **casco urbano** city centre - **4.** [de caballo] hoof - **5.** [envase] empty bottle.

caserío *sm* [casa de campo] country house.

casero, ra ◇ *adj* - **1.** [de casa - comida] home-made; [- trabajos] domestic; [- reunión, velada] at home; [de la familia] family *(antes de s)* - **2.** [hogareño] home-loving. ◇ *sm, f* [propietario] landlord (*f* landlady).

caserón *sm* large, rambling house.

caseta *sf* - **1.** [casa pequeña] hut - **2.** [en la playa] bathing hut - **3.** [de feria] stall, booth - **4.** [para perro] kennel - **5.** *Méx*: **caseta de cobro** tollbooth; **caseta telefónica** phone box, phone booth *US*.

casete, cassette [ka'sete] ◇ *sf* [cinta] cassette. ◇ *sm* [aparato] cassette recorder.

casi *adv* almost; **casi me muero** I almost O nearly died; **casi no dormí** I hardly slept at all; **casi, casi** almost, just about; **casi nunca** hardly ever; **casi nada** hardly anything.

casilla *sf* - **1.** [de caja, armario] compartment; [para cartas] pigeonhole; **casilla de correos** *Andes & R Dom* PO Box; **casilla postal** *Amér C, Caribe & Méx* PO Box - **2.** [en un impreso] box - **3.** [de ajedrez etc] square - **4.** *Méx* [de votación] polling booth.

casillero *sm* - **1.** [mueble] set of pigeonholes - **2.** [casilla] pigeonhole.

casino *sm* [para jugar] casino.

caso *sm* - **1.** [gen, DER & GRAM] case; **el caso es que...** the fact is (that)...; **en el mejor/peor de los casos** at best/worst; **en todo caso** in any case; **caso clínico** clinical case - **2.** [ocasión] occasion; **en caso de** in the event of; **en caso de que** if; **(en) caso de que venga** should she come; **en cualquier** O **todo caso** in any event O case - **3.** *loc*: **hacer caso a** to pay attention to; **tú ni caso** take no notice.

caspa *sf* dandruff.

casquete *sm* [gorro] skullcap.

casquillo *sm* [de munición] case; **casquillo de bala** bullet shell.

cassette = casete.

casta *sf* ▷ **casto.**

castaña *sf* ▷ **castaño.**

castañetear *vi* [dientes] to chatter.

castaño, ña *adj* [color] chestnut. ◆ **castaño** *sm* - **1.** [color] chestnut - **2.** [árbol] chestnut (tree). ◆ **castaña** *sf* [fruto] chestnut.

castañuela *sf* castanet; **estar como unas castañuelas** to be very happy.

castellano, na *adj* & *sm, f* Castilian. ◆ **castellano** *sm* [lengua] (Castilian) Spanish.

castidad *sf* chastity.

castigador, ra *fam adj* seductive.

castigar *vt* - **1.** [imponer castigo] to punish - **2.** DEP to penalize - **3.** [maltratar] to damage.

castigo *sm* - **1.** [sanción] punishment - **2.** [sufrimiento] suffering (*U*); [daño] damage (*U*) - **3.** DEP penalty.

castillo *sm* [edificio] castle; **castillos en el aire** O **de naipes** *fig* castles in the air; **castillo de naipes** house of cards.

castizo, za *adj* pure; [autor] purist.

casto, ta *adj* chaste. ◆ **casta** *sf* - **1.** [linaje] lineage - **2.** [especie, calidad] breed - **3.** [en la India] caste.

castor *sm* beaver.

castrar *vt* [animal, persona] to castrate; [gato] to doctor.

castrense *adj* military.

casual *adj* chance, accidental.

casualidad sf coincidence; **fue pura casualidad** it was sheer coincidence; **dio la casualidad de que...** it so happened that...; **por casualidad** by chance; **¡qué casualidad!** what a coincidence!

casualmente adv by chance.

casulla sf chasuble.

cataclismo sm cataclysm.

catacumbas sfpl catacombs.

catador, ra sm, f taster.

catalán, ana adj & sm, f Catalan, Catalonian. ➤ **catalán** sm [lengua] Catalan.

catalejo sm telescope.

catalizador, ra adj fig [impulsor] catalysing (antes de s). ➤ **catalizador** sm - 1. fig & QUÍM catalyst - 2. AUTO catalytic converter.

catalogar vt - 1. [en catálogo] to catalogue - 2. [clasificar]: **catalogar a alguien (de)** to class sb (as).

catálogo sm catalogue.

Cataluña n pr Catalonia.

catamarán sm catamaran.

cataplasma sf MED poultice.

catapulta sf catapult.

catar vt to taste.

catarata sf - 1. [de agua] waterfall - 2. (gen pl) MED cataract.

catarro sm cold.

catastro sm land registry.

catástrofe sf catastrophe; [accidente] disaster; **catástrofe aérea** air disaster; **catástrofe natural** natural disaster.

catastrófico, ca adj catastrophic.

catch [katʃ] sm DEP all-in wrestling.

catchup ['katʃup], **ketchup** sm inv ketchup.

catear vt fam - 1. Esp: **he cateado las matemáticas** I failed O flunked US maths - 2. Amér [registrar] to search.

catecismo sm catechism.

Catedr. (abrev de catedrático) Prof.

cátedra sf - 1. [cargo - en universidad] chair; [- en instituto] post of head of department - 2. [departamento] department.

catedral sf cathedral.

catedrático, ca sm, f [de universidad] professor; [de instituto] head of department.

categoría sf - 1. [gen] category; **categoría gramatical** part of speech - 2. [posición social] standing; **de categoría** important - 3. [calidad] quality; **de (primera) categoría** first-class.

categórico, ca adj categorical.

catequesis sf inv catechesis.

cateto, ta despec sm, f country bumpkin.

catolicismo sm Catholicism.

católico, ca ◇ adj Catholic. ◇ sm, f Catholic.

catorce num fourteen; ver también **seis**.

catorceavo, va num fourteenth.

catre sm [cama] camp bed; **irse al catre** fam to hit the sack.

catrín, ina sm, f Amér C & Méx fam toff.

cauce sm - 1. fig & AGRIC channel - 2. [de río] river-bed; **volver a su cauce** to return to normal.

caucho sm [sustancia] rubber; **caucho vulcanizado** vulcanized rubber.

caudaloso, sa adj - 1. [río] with a large flow - 2. [persona] wealthy, rich.

caudillo sm [en la guerra] leader, head.

causa sf - 1. [origen, ideal] cause; **por una buena causa** for a good cause - 2. [razón] reason; **a causa de** because of - 3. DER case.

causalidad sf causality.

causante adj: **la razón causante** the cause.

causar vt [gen] to cause; [impresión] to make; [placer] to give; **causar asombro a alguien** to amaze sb.

cáustico, ca adj lit & fig caustic.

cautela sf caution, cautiousness.

cauteloso, sa adj cautious, careful.

cautivador, ra ◇ adj captivating, enchanting. ◇ sm, f charmer.

cautivar vt - 1. [apresar] to capture - 2. [seducir] to captivate, to enchant.

cautiverio sm captivity.

cautividad sf = **cautiverio**.

cautivo, va adj & sm, f captive.

cauto, ta adj cautious, careful.

cava ◇ sm [bebida] cava. ◇ sf [bodega] wine cellar.

cavar vt & vi [gen] to dig; [con azada] to hoe.

caverna sf cave; [más grande] cavern.

cavernícola smf caveman (f cavewoman).

caviar sm caviar.

cavidad sf cavity; [formada con las manos] cup.

cavilar vi to think deeply, to ponder.

cayado sm [de pastor] crook.

cayera etc ⊳ **caer**.

caza ◇ sf - 1. [acción de cazar] hunting; **dar caza a** to hunt down; **caza de brujas** fig witchhunt - 2. [animales, carne] game. ◇ sm fighter (plane).

cazabombardero sm fighter-bomber.

cazador, ra sm, f [persona] hunter; **cazador furtivo** poacher. ➤ **cazadora** sf [prenda] bomber jacket.

cazalla sf [bebida] aniseed-flavoured spirit.

cazar vt - 1. [animales etc] to hunt - 2. fig [pillar, atrapar] to catch; [en matrimonio] to trap.

cazo sm saucepan.

cazoleta sf - 1. [recipiente] pot - 2. [de pipa] bowl.

cazuela *sf* - 1. [recipiente] pot; [de barro] earthenware pot; [para el horno] casserole (dish) - 2. [guiso] casserole, stew; **a la cazuela** casseroled.

cazurro, rra *adj* [bruto] stupid.

cc - 1. (*abrev de* **centímetro cúbico**) cc (*cubic centimetre*) - 2. (*abrev de* **copia de carbón**) cc (*carbon copy*).

c/c (*abrev de* **cuenta corriente**) a/c.

CC (*abrev de* **corriente continua**) DC.

CC OO (*abrev de* **Comisiones Obreras**) *sfpl* Spanish Communist-inspired trade union.

CD *sm* - 1. (*abrev de* **compact disc**) CD - 2. (*abrev de* **club deportivo**) sports club; [en fútbol] FC.

CE *sf* - 1. (*abrev de* **Comunidad Europea**) EC - 2. (*abrev de* **Comisión Europea**) EC.

cebada *sf* barley.

cebar *vt* - 1. [sobrealimentar] to fatten (up) - 2. [máquina, arma] to prime - 3. [anzuelo] to bait - 4. *R Dom* [mate] to prepare, to brew. ◆ **cebarse en** *vprnl* to take it out on.

cebo *sm* - 1. [para cazar] bait - 2. *fig* [para atraer] incentive.

cebolla *sf* onion.

cebolleta *sf* - 1. BOT spring onion - 2. [en vinagre] pickled onion; [muy pequeña] silverskin onion.

cebollino *sm* - 1. BOT chive; [cebolleta] spring onion - 2. *fam* [necio] idiot.

cebra *sf* zebra.

cecear *vi* to lisp.

ceceo *sm* lisp.

cecina *sf* dried, salted meat.

cedazo *sm* sieve.

ceder ◇ *vt* - 1. [traspasar, transferir] to hand over - 2. [conceder] to give up; **'ceda el paso'** 'give way'; **ceder la palabra a alguien** to give the floor to. ◇ *vi* - 1. [venirse abajo] to give way - 2. [destensarse] to give, to become loose - 3. [disminuir] to abate - 4. [rendirse] to give up; **ceder a** to give in to - 5. [ensancharse] to stretch.

cedro *sm* cedar.

cédula *sf* document; **cédula hipotecaria** mortgage bond.

cegar *vt* - 1. [gen] to blind - 2. [tapar - ventana] to block off; [- tubo] to block up. ◆ **cegarse** *vprnl* [*lit & fig*] to be blinded.

cegato, ta *fam adj* short-sighted.

ceguera *sf lit & fig* blindness.

ceja *sf* ANAT eyebrow; **quemarse las cejas** *fam* to burn the midnight oil; **tener a alguien entre ceja y ceja** *fam* not to be able to stand the sight of sb.

cejar *vi*: **cejar en** to give up on.

CELAM *sm* (*abrev de* **Consejo Episcopal Latinoamericano**) *Latin American Episcopal Council*.

celda *sf* cell; **celda de castigo** solitary confinement cell.

celebración *sf* - 1. [festejo] celebration - 2. [realización] holding.

celebrar *vt* - 1. [festejar] to celebrate - 2. [llevar a cabo] to hold; [oficio religioso] to celebrate - 3. [alegrarse de] to be delighted with - 4. [alabar] to praise. ◆ **celebrarse** *vprnl* - 1. [festejarse] to be celebrated; **esa fiesta se celebra el 24 de julio** that festival falls on 24th July - 2. [llevarse a cabo] to take place.

célebre *adj* famous, celebrated.

celebridad *sf* - 1. [fama] fame - 2. [persona famosa] celebrity.

celeridad *sf* speed.

celeste *adj* [del cielo] celestial, heavenly.

celestial *adj* celestial, heavenly.

celestina *sf* lovers' go-between.

celibato *sm* celibacy.

célibe *adj & smf* celibate.

celo *sm* - 1. [esmero] zeal, keenness - 2. [devoción] devotion - 3. [de animal] heat; **en celo** on heat, in season - 4. [cinta adhesiva] Sellotape® *UK*, Scotch tape® *US*. ◆ **celos** *smpl* jealousy (U); **dar celos a alguien** to make sb jealous; **tener celos de alguien** to be jealous of sb.

celofán *sm* cellophane.

celosía *sf* lattice window, jalousie.

celoso, sa *adj* - 1. [con celos] jealous - 2. [cumplidor] keen, eager.

celta ◇ *adj* Celtic. ◇ *smf* [persona] Celt. ◇ *sm* [lengua] Celtic.

céltico, ca *adj* Celtic.

célula *sf* cell. ◆ **célula fotoeléctrica** *sf* photoelectric cell, electric eye. ◆ **célula madre** *sf* stem cell.

celulitis *sf inv* cellulitis.

celulosa *sf* cellulose.

cementerio *sm* - 1. [para personas] cemetery, graveyard - 2. [de cosas inutilizables] dump; **cementerio nuclear** *O* **radioactivo** nuclear dumping ground.

cemento *sm* [gen] cement; [hormigón] concrete; **cemento armado** reinforced concrete.

cena *sf* dinner, evening meal; **cena de despedida** farewell dinner; **cena de negocios** business dinner.

cenagal *sm* bog, marsh.

cenagoso, sa *adj* muddy, boggy.

cenar ◇ *vt* to have for dinner. ◇ *vi* to have dinner.

cencerro *sm* cowbell; **estar como un cencerro** *fam fig* to be as mad as a hatter.

cenefa *sf* border.

cenicero sm ashtray.

cenit, zenit sm lit & fig zenith.

cenizo, za adj ashen, ash-grey. ◆ **cenizo** sm - 1. [mala suerte] bad luck - 2. [gafe] jinx. ◆ **ceniza** sf ash. ◆ **cenizas** sfpl [de cadáver] ashes.

censar vt to take a census of.

censo sm - 1. [padrón] census; **censo de población** population census; **censo electoral** electoral roll - 2. [tributo] tax.

censor, ra sm, f [funcionario] censor.

censura sf - 1. [prohibición] censorship - 2. [organismo] censors pl - 3. [reprobación] censure, severe criticism.

censurar vt - 1. [prohibir] to censor - 2. [reprobar] to censure.

centavo, va num hundredth.

centella sf - 1. [rayo] flash - 2. [chispa] spark.

centellear vi [luz] to sparkle; [estrella] to twinkle.

centelleo sm [de luz] sparkle, sparkling (U); [de estrella] twinkle, twinkling (U).

centena sf hundred; **una centena de** a hundred.

centenar sm hundred; **a centenares** by the hundred.

centenario, ria adj [persona] in one's hundreds; [cifra] three-figure (antes de s). ◆ **centenario** sm centenary.

centeno sm rye.

centésimo, ma num hundredth.

centígrado, da adj centigrade.

centigramo sm centigram.

centilitro sm centilitre.

centímetro sm centimetre.

céntimo sm [moneda] cent; **estar sin un céntimo** fig to be flat broke.

centinela sm sentry.

centollo sm spider crab.

centrado, da adj - 1. [basado]: **centrado en** based on - 2. [equilibrado] stable, steady - 3. [rueda, cuadro etc] centred.

central ◇ adj central. ◇ sf - 1. [oficina] headquarters, head office; [de correos, comunicaciones] main office - 2. [de energía] power station; **central hidroeléctrica** O **hidráulica/nuclear/térmica** hydroelectric/nuclear/thermal power station; **central camionera** Méx bus station.

centralista adj & smf centralist.

centralita sf switchboard.

centralización sf centralization.

centralizar vt to centralize.

centrar vt - 1. [gen & DEP] to centre - 2. [arma] to aim - 3. [persona] to steady - 4. [atención, interés] to be the centre of. ◆ **centrarse** vprnl - 1. [concentrarse]: **centrarse en** to concentrate O focus on - 2. [equilibrarse] to find one's feet.

céntrico, ca adj central.

centrifugadora sf [para secar ropa] spin-dryer.

centrifugar vt [ropa] to spin-dry.

centrista adj centre (antes de s).

centro sm - 1. [gen] centre; **centro nervioso/óptico** nerve/optic centre; **centro de desintoxicación** detoxification centre; **centro de planificación familiar** family planning clinic; **centro social** community centre - 2. [de ciudad] town centre; **me voy al centro** I'm going to town; **centro urbano** town centre. ◆ **centro comercial** sm shopping centre. ◆ **centro de mesa** sm centrepiece. ◆ **centro de salud** sm health centre.

Centroamérica sf Central America.

centroamericano, na adj Central American.

centrocampista smf DEP midfielder.

ceñir vt - 1. [apretar] to be tight on - 2. [abrazar] to embrace. ◆ **ceñirse** vprnl - 1. [apretarse] to tighten - 2. [limitarse]: **ceñirse a** to keep O stick to.

ceño sm frown, scowl.

cepa sf lit & fig stock; **de pura cepa** [auténtico] real, genuine; [pura sangre] thoroughbred.

cepillar vt - 1. [ropa, pelo, dientes] to brush - 2. [madera] to plane.

cepillo sm - 1. [para limpiar] brush; [para pelo] hairbrush; **cepillo de dientes** toothbrush - 2. [de carpintero] plane.

cepo sm - 1. [para cazar] trap - 2. [para vehículos] wheel clamp - 3. [para sujetar] clamp.

cera sf [gen] wax; [de abeja] beeswax; **hacerse la cera en las piernas** to wax one's legs; **cera depilatoria** hair-removing wax.

cerámica sf - 1. [arte] ceramics (U), pottery - 2. [objeto] piece of pottery.

ceramista smf potter.

cebiche = **ceviche**.

cerca ◇ sf [valla] fence. ◇ adv near, close; **por aquí cerca** nearby; **de cerca** [examinar, ver] closely; [afectar, vivir] deeply. ◆ **cerca de** loc prep - 1. [en el espacio] near, close to - 2. [aproximadamente] nearly, about.

cercado sm - 1. [valla] fence - 2. [lugar] enclosure.

cercanía sf [proximidad] nearness. ◆ **cercanías** sfpl [de ciudad] outskirts, suburbs.

cercano, na adj - 1. [pueblo, lugar] nearby - 2. [tiempo] near - 3. [pariente, fuente de información]: **cercano (a)** close (to).

cercar vt - 1. [vallar] to fence (off) - 2. [rodear, acorralar] to surround.

cerciorar *vt* to assure.

cerco *sm* - **1.** [gen] circle, ring - **2.** [de puerta, ventana] frame - **3.** [asedio] siege; **poner cerco a** to lay siege to - **4.** *Amér* [valla] fence.

cerdo, da *sm, f* - **1.** [animal] pig (f sow) - **2.** *fam fig* [persona] pig, swine. ⬝ **cerda** *sf* [pelo - de cerdo, jabalí] bristle; [- de caballo] horsehair.

cereal *sm* cereal; **cereales** (breakfast) cereal *(U)*.

cerebro *sm* - **1.** [gen] brain - **2.** *fig* [cabecilla] brains *sing* - **3.** *fig* [inteligencia] brains *pl*.

ceremonia *sf* ceremony.

ceremonial *adj* & *sm* ceremonial.

ceremonioso, sa *adj* ceremonious.

cereza *sf* cherry.

cerezo *sm* [árbol] cherry tree.

cerilla *sf* match.

cerillo *sm* *Amér C, Ecuad & Méx* match.

cerner, cernir *vt* [cribar] to sieve. ⬝ **cernerse** *vprnl* - **1.** [ave, avión] to hover - **2.** *fig* [amenaza, peligro] to loom.

cernícalo *sm* - **1.** [ave] kestrel - **2.** *fam* [bruto] brute.

cernir = **cerner**.

cero ⬦ *adj inv* zero. ⬦ *sm* - **1.** [signo] nought, zero; [en fútbol] nil; [en tenis] love; **dos goles a cero** two goals to nil, two nil - **2.** [cantidad] nothing - **3.** *FÍS & METEOR* zero; **cero absoluto** absolute zero - **4.** *loc*: **ser un cero a la izquierda** *fam* [un inútil] to be useless; [un don nadie] to be a nobody; **partir de cero** to start from scratch; *ver también* **seis**.

cerquillo *sm* *Amér* fringe *UK*, bangs *US pl*.

cerrado, da *adj* - **1.** [al exterior] closed, shut; [con llave, pestillo etc] locked; **cerrado a** closed to - **2.** [tiempo, cielo] overcast; **era noche cerrada** it was completely dark - **3.** [rodeado] surrounded; [por montañas] walled in - **4.** [circuito] closed - **5.** [curva] sharp, tight - **6.** [vocal] close - **7.** [acento, deje] broad, thick.

cerradura *sf* lock.

cerrajero, ra *sm, f* locksmith.

cerrar ⬦ *vt* - **1.** [gen] to close; [puerta, cajón, boca] to shut; [puños] to clench; [con llave, pestillo etc] to lock - **2.** [tienda, negocio - definitivamente] to close down - **3.** [apagar] to turn off - **4.** [bloquear - suj: accidente, inundación etc] to block; [- suj: policía etc] to close off - **5.** [tapar - agujero, hueco] to fill, to block (up); [- bote] to put the lid O top on - **6.** [cercar] to fence (off) - **7.** [cicatrizar] to heal - **8.** [ir último en] to bring up the rear of - **9.**: **cerrar un trato** to seal a deal. ⬦ *vi* to close, to shut; [con llave, pestillo etc] to lock up. ⬝ **cerrarse** *vprnl* - **1.** [al exterior] to close, to shut - **2.** [incomuni-

carse] to clam up; **cerrarse a** to close one's mind to - **3.** [herida] to heal, to close up - **4.** [acto, debate, discusión etc] to come to a) close.

cerrazón *sf fig* stubbornness, obstinacy.

cerro *sm* hill; **irse por los cerros de Úbeda** to stray from the point.

cerrojo *sm* bolt.

certamen *sm* competition, contest.

certero, ra *adj* - **1.** [tiro] accurate - **2.** [opinión, respuesta etc] correct.

certeza *sf* certainty.

certidumbre *sf* certainty.

certificación *sf* - **1.** [hecho] certification - **2.** [documento] certificate.

certificado, da *adj* [gen] certified; [carta, paquete] registered. ⬝ **certificado** *sm* certificate; **certificado de depósito** *BANCA* certificate of deposit; **certificado de estudios** school-leaving certificate; **certificado de origen** *COM* certificate of origin.

certificar *vt* - **1.** [constatar] to certify - **2.** [en correos] to register.

cerumen *sm* earwax.

cervato *sm* fawn.

cervecería *sf* - **1.** [fábrica] brewery - **2.** [bar] bar.

cervecero, ra *sm, f* [que hace cerveza] brewer.

cerveza *sf* beer; **cerveza de barril** draught beer; **cerveza negra** stout; **cerveza rubia** lager.

cesante *adj* - **1.** [destituido] sacked; [ministro removido from office - **2.** *C Sur & Méx* [en paro] unemployed.

cesantear *vt* *Chile & R Dom* to make redundant.

cesar ⬦ *vt* [destituir] to sack; [ministro] to remove from office. ⬦ *vi* [parar]: **cesar (de hacer algo)** to stop O cease (doing sthg); **no cesaba de llorar** he didn't stop crying; **no cesa de intentarlo** he keeps trying; **sin cesar** nonstop, incessantly.

cesárea *sf* caesarean (section).

cese *sm* - **1.** [detención, paro] stopping, ceasing - **2.** [destitución] sacking; [de ministro] removal from office.

cesión *sf* cession, transfer; **cesión de bienes** surrender of property.

césped *sm* [hierba] lawn, grass *(U)*. ⬝ **césped artificial** *sm* artificial turf.

cesta *sf* basket. ⬝ **cesta de la compra** *sf* - **1.** *fig* cost of living - **2.** [para compras en Internet] shopping basket. ⬝ **cesta de Navidad** *sf* Christmas hamper.

cesto *sm* [cesta] (large) basket.

cetro *sm* - **1.** [vara] sceptre - **2.** *fig* [reinado] reign.

ceviche, cebiche *sm Méx* dish with raw fish or seafood, marinated in onion, lemon juice and pepper.

cf., cfr. *(abrev de confróntese)* cf.

cg *(abrev de centigramo)* cg.

chabacano, na *adj* vulgar. ◆ **chabacano** *sm Méx* [fruto] apricot.

chabola *sf* shack; **barrios de chabolas** shanty town *sing*.

chacal *sm* jackal.

chacarero, ra *sm, f Andes & R Plata* [agricultor] farmer.

chacha *sf* maid.

chachachá *sm* cha-cha.

cháchara *sf fam* chatter, nattering; **estar de cháchara** to have a natter.

chacra *sf Andes & R Plata* farm.

chafar *vt* - 1. [aplastar] to flatten - 2. *fig* [estropear] to spoil, to ruin. ◆ **chafarse** *vprnl* [estropearse] to be ruined.

chaflán *sm* [de edificio] corner.

chagra *Amér* ◇ *smf* peasant, person from the country. ◇ *sf* farm.

chal *sm* shawl.

chalado, da *fam adj* crazy, mad.

chalar *vt* to drive round the bend.

chalé, chalet *(pl chalets) sm* [gen] detached house (with garden); [en el campo] cottage; [de alta montaña] chalet;: **chalé pareado** semi-detached house.

chaleco *sm* waistcoat, vest *US*; [de punto] tank-top; **chaleco salvavidas** life jacket.

chalet = chalé.

chamaco, ca *sm, f Méx fam* kid.

chamarra *sf* sheepskin jacket.

chamba *sf Amér C, Méx, Perú & Ven fam* odd job.

chamiza *sf* [hierba] thatch.

chamizo *sm* - 1. [leña] half-burnt wood *(U)* - 2. [casa] thatched hut.

champán, champaña *sm* champagne.

champiñón *sm* mushroom.

champú *(pl champús O champúes) sm* shampoo.

chamuscar *vt* to scorch; [cabello, barba, tela] to singe. ◆ **chamuscarse** *vprnl* [cabello, barba, tela] to get singed.

chamusquina *sf* scorch, scorching *(U)*; **me huele a chamusquina** *fam fig* it smells a bit fishy to me.

chance ◇ *sf Amér* opportunity, chance. ◇ *adv Méx* maybe.

chanchada *sf Amér* [trastada] dirty trick.

chancho, cha *Amér adj* [sucio] filthy. ◆ **chancho** *sm* - 1. [animal] pig *(f sow)* - 2. [persona] slob - 3. [carne] pork.

chanchullo *sm fam* fiddle, racket.

chancla *sf* [chancleta] low sandal; [para la playa] flip-flop.

chancleta *sf* low sandal; [para la playa] flip-flop.

chándal *(pl chándales O chandals)*, **chandal** *(pl chandals) sm* tracksuit.

changarro *sm Méx* small store.

chantaje *sm* blackmail; **hacer chantaje a** to blackmail; **chantaje emocional** emotional blackmail.

chantajear *vt* to blackmail.

chanza *sf* joke; **estar de chanza** to be joking.

chao *interj*: ¡chao! *fam* bye!, see you!

chapa *sf* - 1. [lámina - de metal] sheet; [- de madera] board; **de tres chapas** three-ply - 2. [tapón] top, cap - 3. [insignia] badge - 4. [ficha de guardarropa] metal token *O* disc - 5. *Col, Cuba & Méx* [cerradura] lock - 6. *R Dom* [de matrícula] number plate *UK*, license plate *US*. ◆ **chapas** *sfpl* [juego] children's game played with bottle tops.

chapado, da *adj* [con metal] plated; [con madera] veneered; **chapado a la antigua** *fig* stuck in the past, old-fashioned.

chaparro, rra ◇ *adj* short and squat. ◇ *sm, f* [persona] short, squat person.

chaparrón *sm* downpour; *fam fig* [gran cantidad] torrent.

chapata *sf* ciabatta.

chapopote *sm Caribe & Méx* bitumen, pitch.

chapotear *vi* to splash about.

chapucear *vt* to botch (up).

chapucero, ra ◇ *adj* [trabajo] shoddy; [persona] bungling. ◇ *sm, f* bungler.

chapulín *sm Amér C & Méx* - 1. [saltamontes] grasshopper - 2. *fam* [niño] kid.

chapurrear, chapurrar *vt* to speak badly.

chapuza *sf* - 1. [trabajo mal hecho] botch (job) - 2. [trabajo ocasional] odd job.

chapuzón *sm* dip; **darse un chapuzón** to go for a dip.

chaqué *sm* morning coat.

chaqueta *sf* jacket; [de punto] cardigan.

chaquetón *sm* short coat.

charanga *sf* [banda] brass band.

charca *sf* pool, pond.

charco *sm* puddle; **cruzar el charco** *fig* to cross the pond *O* Atlantic.

charcutería *sf* - 1. [tienda] shop selling cold cooked meats and cheeses, ≃ delicatessen - 2. [productos] cold cuts *pl* and cheese.

charla *sf* - 1. [conversación] chat - 2. [conferencia] talk.

charlar *vi* to chat.

charlatán, ana ◇ *adj* talkative. ◇ *sm, f* - **1.** [hablador] chatterbox - **2.** [mentiroso] trickster, charlatan.

charlotada *sf* [payasada] clowning around (U).

charlotear *vi* to chat.

charnego, ga *sm, f pejorative term referring to immigrant to Catalonia from another part of Spain.*

charol *sm* - **1.** [piel] patent leather - **2.** *Andes* [bandeja] tray.

charola *sf Bol, Amér C & Méx* tray.

chárter *adj inv* charter *(antes de s)*.

chasca *sf Andes* [greña] mop of hair.

chascar ◇ *vt* - **1.** [lengua] to click - **2.** [dedos] to snap. ◇ *vi* - **1.** [madera] to crack - **2.** [lengua] to click.

chasco *sm* [decepción] disappointment; **llevarse un chasco** to be disappointed.

chasis *sm inv* AUTO chassis.

chasquear ◇ *vt* - **1.** [látigo] to crack - **2.** [la lengua] to click. ◇ *vi* [madera] to crack.

chasquido *sm* [de látigo, madera, hueso] crack; [de lengua, arma] click; [de dedos] snap.

chatarra *sf* - **1.** [metal] scrap (metal) - **2.** [objetos, piezas] junk.

chateo *sm* - **1.** [en bar] pub crawl; **ir de chateo** to go out drinking - **2.** INFORM chatting.

chato, ta ◇ *adj* - **1.** [nariz] snub; [persona] snub-nosed - **2.** [aplanado] flat - **3.** *R Dom* [mediocre] commonplace. ◇ *sm, f fam* [apelativo] love, dear. ◆ **chato** *sm* [de vino] small glass of wine.

chau, chaucito *interj Bol, C Sur & Perú fam* bye!, see you!

chauvinista = chovinista.

chaval, la *sm, f fam* kid, lad *(f* lass).

chavo, va *fam sm, f Méx* [joven] boy *(f* girl). ◆ **chavo** *sm* [dinero]: **no tener un chavo** to be penniless.

che *interj R Dom fam*: **¿como andás, che?** hey, how's it going?; **¡che, vení para acá!** hey, over here, you!

Chechenia Chechnya.

checheno *adj & sm, f* Chechen.

checo, ca *adj & sm, f* Czech. ◆ **checo** *sm* [lengua] Czech.

chef [tʃef] *(pl* chefs) *sm* chef.

chele, la *Amér C* ◇ *adj* [rubio] blond *(f* blonde); [de piel blanca] fair-skinned. ◇ *sm, f* [rubio] blond(e); [de piel blanca] fair-skinned person.

chelín *sm* shilling.

chelo, la ◇ *adj Amér* blond *(f* blonde). ◇ *sm, f* MÚS [instrumentista] cellist. ◆ **chelo** *sm* MÚS [instrumento] cello.

cheque *sm* cheque UK, check US; **extender un cheque** to make out a cheque; **cheque en blanco/sin fondos** blank/bad cheque; **cheque cruzado** O **barrado** crossed cheque; **cheque (de) gasolina** petrol voucher; **cheque nominativo** cheque in favour of a specific person; **cheque al portador** cheque payable to the bearer; **cheque de viaje** O **de viajero** traveller's cheque; **cheque regalo** gift voucher.

chequear *vt* - **1.** MED: **chequear a alguien** to examine sb, to give sb a checkup - **2.** [comprobar] to check.

chequeo *sm* - **1.** MED checkup - **2.** [comprobación] check, checking (U).

chequera *sf* chequebook UK, checkbook US.

chévere *adj Andes, Amér C, Caribe & Méx fam* great, fantastic.

chic *adj inv* chic.

chica *sf* - **1.** [criada] maid - **2.** *ver también* **chico.**

chicano, na *adj & sm, f* Chicano, Mexican-American. ◆ **chicano** *sm* [lengua] Chicano.

chicarrón, ona *sm, f* strapping lad *(f* strapping lass).

chícharo *sm Amér C & Méx* pea.

chicharra *sf* ZOOL cicada.

chicharro *sm* [pez] horse mackerel.

chicharrón *sm* [frito] pork crackling. ◆ **chicharrones** *smpl* [embutido] *cold processed meat made from pork.*

chichón *sm* bump.

chicle *sm* chewing gum.

chiclé, chicler *sm* AUTO jet.

chico, ca ◇ *adj* [pequeño] small; [joven] young; **cuando era chico** when I was little. ◇ *sm, f* - **1.** [joven] boy *(f* girl) - **2.** [tratamiento - hombre] sonny, mate; [- mujer] darling. ◆ **chico** *sm* [recadero] messenger, office-boy.

chicote *sm Amér* [látigo] whip.

chifla *sf* [silbido] whistle.

chiflado, da *fam adj* crazy, mad.

chiflar ◇ *vt fam* [encantar]: **me chiflan las patatas fritas** I'm mad about chips. ◇ *vi* [silbar] to whistle.

chiflido *sm Amér* whistling.

chigüín, güina *sm, f Amér C fam* kid.

chile *sm* chilli; **chile con carne** CULIN chilli con carne.

Chile *n pr* Chile.

chileno, na *adj & sm, f* Chilean.

chillar ◇ *vi* - **1.** [gritar - personas] to scream, to yell; [- ave, mono] to screech; [- cerdo] to squeal; [- ratón] to squeak - **2.** [chirriar] to screech; [puerta, madera] to creak; [bisagras] to squeak. ◇ *vt fam* [reñir] to yell at.

chillido *sm* [de persona] scream, yell; [de ave, mono] screech; [de cerdo] squeal; [de ratón] squeak.

chillón, ona *adj* - **1.** [voz] piercing - **2.** [persona] noisy - **3.** [color] gaudy.

chimenea *sf* - **1.** [hogar] fireplace - **2.** [en tejado] chimney.

chimpancé *sm* chimpanzee.

china ⟶ **chino**.

China *n pr*: (la) China China.

chinchar *vt fam* to pester, to bug. ⟶ **chincharse** *vprnl fam*: **ahora te chinchas** now you can lump it.

chinche ◇ *adj fam fig* annoying. ◇ *sf* [insecto] bedbug.

chincheta *sf* drawing pin *UK*, thumbtack *US*.

chinchín *sm* [brindis] toast; **¡chinchín!** cheers!

chinchón *sm* strong aniseed liquor.

chinga *sf Méx mfam* [paliza]: **me dieron una chinga** they kicked the shit out of me; [trabajo duro]: **es una chinga** it's a bitch of a job.

chingar *Esp & Méx* ◇ *vt* - **1.** *mfam* [molestar]: **chingar a alguien** to get up sb's nose, to piss sb off - **2.** *mfam* [estropear] to bust, to knacker *UK* - **3.** *vulg* [acostarse con] to screw, to fuck. ◇ *vi vulg* [fornicar] to screw.

chino, na *adj & sm, f* - **1.** Chinese - **2.** *Andes & R Plata* [mestizo] person of mixed ancestry. ⟶ **chino** *sm* - **1.** [lengua] Chinese - **2.** [piedra] pebble. ⟶ **china** *sf* - **1.** [piedra] pebble - **2.** [porcelana] china.

chip *(pl chips) sm* INFORM chip.

chipirón *sm* baby squid.

Chipre *n pr* Cyprus.

chipriota *adj & smf* Cypriot.

chiquillo, lla *sm, f* kid.

chiquito, ta *adj* tiny; **no andarse con chiquitas** *fig* not to mess about. ⟶ **chiquito** *sm* [de vino] small glass of wine.

chiribita *sf* [chispa] spark.

chirimbolo *sm fam* thingamajig.

chirimoya *sf* custard apple.

chiringuito *sm fam* [bar] refreshment stall.

chiripa *sf fam fig* fluke; **de O por chiripa** by luck.

chirivía *sf* BOT parsnip.

chirla *sf* small clam.

chirona *sf fam* clink, slammer; **en chirona** in the clink.

chirriar *vi* [gen] to screech; [puerta, madera] to creak; [bisagra, muelles] to squeak.

chirrido *sm* [gen] screech; [de puerta, madera] creak; [de bisagra, muelles] squeak.

chis, chist *interj*: ¡chis! ssh!

chisme *sm* - **1.** [cotilleo] rumour, piece of gossip - **2.** *fam* [cosa] thingamajig.

chismorrear *vi* to spread rumours, to gossip.

chismoso, sa ◇ *adj* gossipy. ◇ *sm, f* gossip, scandalmonger.

chispa *sf* - **1.** [de fuego, electricidad] spark; **echar chispas** *fam* to be hopping mad - **2.** [de lluvia] spot (of rain) - **3.** *fig* [pizca] bit; **una chispa de sal** a pinch of salt - **4.** *fig* [agudeza] sparkle.

chispear ◇ *vi* - **1.** [chisporrotear] to spark - **2.** [relucir] to sparkle. ◇ *v impers* [llover] to spit (with rain).

chisporrotear *vi* [fuego, leña] to crackle; [aceite] to splutter; [comida] to sizzle.

chist = **chis**.

chistar *vi*: me fui sin chistar I left without a word.

chiste *sm* joke; **contar chistes** to tell jokes; **chiste verde** dirty joke.

chistera *sf* [sombrero] top hat.

chistorra *sf* type of cured pork sausage typical of Aragon and Navarre.

chistoso, sa *adj* funny.

chita ⟶ **a la chita callando** *loc adv fam* quietly, on the quiet.

chitón *interj*: ¡chitón! quiet!

chivar *vt fam* to tell secretly. ⟶ **chivarse** *vprnl fam*: **chivarse (de/a)** [niños] to split (on/to); [delincuentes] to grass (on/to).

chivatazo *sm fam* tip-off; **dar el chivatazo** to grass.

chivato, ta *sm, f fam* [delator] grass, informer; [acusica] telltale.

chivo, va *sm, f* kid, young goat; **ser el chivo expiatorio** *fig* to be the scapegoat.

choc *(pl chocs), choque, shock* [tʃok] *sm* shock.

chocante *adj* startling.

chocar ◇ *vi* - **1.** [colisionar]: **chocar (contra)** to crash (into), to collide (with) - **2.** *fig* [enfrentarse] to clash. ◇ *vt fig* [sorprender] to startle.

chochear *vi* [viejo] to be senile.

chocho, cha *adj* - **1.** [viejo] senile - **2.** *fam fig* [encariñado] soft, doting.

choclo *sm Andes & R Plata* corncob, ear of maize *O* corn *US*.

chocolate *sm* [para comer, beber] chocolate; **chocolate (a la taza)** thick drinking chocolate; **chocolate blanco** white chocolate; **chocolate con leche** milk chocolate.

chocolatina *sf* chocolate bar.

chófer *(pl chóferes) smf* - **1.** [como oficio - de automóvil] chauffeur; [- de autobús] driver - **2.** *Amér* [conductor] driver.

chollo *sm fam* [producto, compra] bargain; [trabajo, situación] cushy number.

cholo, la Amér ◇ adj mestizo, mixed race. ◇ sm, f - **1.** [mestizo] person of mixed race - **2.** [indio] country bumpkin.

chomba, chompa sf Andes sweater.

chompipe sm Amér C & Méx turkey.

chongo sm Méx [moño] bun.

chopo sm poplar.

choque sm - **1.** [impacto] impact; [de coche, avión etc] crash; **choque frontal** head-on collision - **2.** fig [enfrentamiento] clash; **choque cultural** culture shock - **3.** = **choc.**

chorizar vt fam to nick, to pinch.

chorizo sm - **1.** [embutido] highly seasoned pork sausage - **2.** fam [ladrón] thief.

choro sm Andes mussel.

chorrada sf mfam rubbish (U); **eso es una chorrada** that's rubbish; **decir chorradas** to talk rubbish.

chorrear vi - **1.** [gotear - gota a gota] to drip; [- en un hilo] to trickle - **2.** [brotar] to spurt (out), to gush (out).

chorro sm - **1.** [de líquido - borbotón] jet, spurt; [- hilo] trickle; **salir a chorros** to spurt O gush out; **chorro de vapor** steam jet - **2.** fig [de luz, gente etc] stream; **tiene un chorro de dinero** she has loads of money; **a chorros** in abundance.

choteo sm fam joking, kidding; **tomar algo a choteo** to take sth as a joke.

choto, ta sm, f - **1.** [cabrito] kid, young goat - **2.** [ternero] calf.

chovinista, chauvinista [tʃoβiˈnista] ◇ adj chauvinistic. ◇ smf chauvinist.

choza sf hut.

christmas = crismas.

chubasco sm shower.

chubasquero sm raincoat, mac.

chúcaro, ra adj Andes, Amér C & R Plata fam [animal] wild; [persona] unsociable.

chuchería sf - **1.** [golosina] sweet - **2.** [objeto] trinket.

chucho sm fam mutt, dog.

chueco, ca adj Amér [torcido] twisted; Méx fam [proyecto, razonamiento] shady; Amér [patizambo] bowlegged.

chufa sf [tubérculo] tiger nut.

chulear fam vi [fanfarronear]: **chulear (de)** to be cocky (about).

chulería sf [descaro] cockiness.

chuleta sf - **1.** [de carne] chop; **chuleta de cordero** lamb chop - **2.** fam [en exámenes] crib note.

chulo, la ◇ adj - **1.** [descarado] cocky; **ponerse chulo** to get cocky - **2.** fam [bonito] lovely. ◇ sm, f [descarado] cocky person. ➤ **chulo** sm [proxeneta] pimp.

chumbera sf prickly pear.

chumbo ▷ **higo.**

chungo, ga adj fam [persona] horrible, nasty; [cosa] lousy. ➤ **chunga** sf: **tomarse algo a chunga** fam to take sth as a joke.

chupa sf fam: **chupa de cuero** leather jacket.

chupachup® (pl chupachups) sm lollipop.

chupado, da adj - **1.** [delgado] skinny - **2.** fam [fácil]: **estar chupado** to be dead easy O a piece of cake. ➤ **chupada** sf [gen] suck; [fumando] puff, drag.

chupar vt - **1.** [succionar] to suck; [fumando] to puff at - **2.** [absorber] to soak up - **3.** [quitar]: **chuparle algo a alguien** to milk sb for sthg; **chuparle la sangre a alguien** fig to bleed sb dry.

chupe sm Andes & Arg stew.

chupete sm dummy UK, pacifier US.

chupi adj fam great, brill.

chupón, ona sm, f fam [gorrón] sponger, cadger. ➤ **chupón** sm Méx [chupete] dummy UK, pacifier US.

churrería sf shop selling "churros".

churro sm [para comer] dough formed into sticks or rings and fried in oil.

churrusco sm piece of burnt toast.

churumbel sm fam kid.

chusco, ca adj funny. ➤ **chusco** sm fam bread bun.

chusma sf rabble, mob.

chut (pl chuts) sm kick.

chutar vi [lanzar] to shoot. ➤ **chutarse** vprnl mfam to shoot up.

chute sm - **1.** FÚT shot - **2.** mfam [de droga] fix.

CIA (abrev de Central Intelligence Agency) sf CIA.

cía., Cía. (abrev de compañía) Co.

cianuro sm cyanide.

ciático, ca adj sciatic. ➤ **ciática** sf sciatica.

cibercafé sm cybercafe, Internet cafe.

ciberespacio sm cyberspace.

cicatero, ra adj stingy, mean.

cicatriz sf lit & fig scar.

cicatrizar ◇ vi to heal (up). ◇ vt fig to heal.

cicerone smf guide.

cíclico, ca adj cyclical.

ciclismo sm cycling.

ciclista smf cyclist.

ciclo sm - **1.** [gen] cycle; **ciclo vital** life cycle - **2.** [de conferencias, actos] series - **3.** [de enseñanza] stage.

ciclocrós sm cyclo-cross.

ciclomotor sm moped.

ciclón sm cyclone.

cicuta sf hemlock.

ciego, ga ◇ *adj* - **1.** [invidente] blind; **quedarse ciego** to go blind; **a ciegas** *lit & fig* blindly - **2.** *fig* [enloquecido]: **ciego (de)** blinded (by) - **3.** [pozo, tubería] blocked (up). ◇ *sm, f* [invidente] blind person; **los ciegos** the blind.

cielo *sm* - **1.** [gen] sky; [mina] opencast - **2.** RELIG heaven - **3.** [nombre cariñoso] my love, my dear - **4.** *loc*: **clama al cielo** it's outrageous; **ser un cielo** to be an angel. ◆ **cielos** *interj*: **¡cielos!** good heavens!

ciempiés *sm inv* centipede.

cien ▷ **ciento**.

ciénaga *sf* marsh, bog.

ciencia *sf* [gen] science. ◆ **ciencias** *sfpl* EDUC science *(U)*. ◆ **ciencia ficción** *sf* science fiction. ◆ **a ciencia cierta** *loc adv* for certain.

cieno *sm* mud, sludge.

científico, ca ◇ *adj* scientific. ◇ *sm, f* scientist.

cientista *smf C Sur*: **cientista social** social scientist.

ciento, cien *num* a O one hundred; **ciento cincuenta** a O one hundred and fifty; **cien mil** a O one hundred thousand; **cientos de hundreds** of; **por ciento** per cent; **ciento por ciento, cien por cien** a hundred per cent; **cientos de veces** hundreds of times; **a cientos** by the hundred; *ver también* **seis**.

cierne ◆ **en ciernes** *loc adv*: **estar en ciernes** to be in its infancy; **una campeona en ciernes** a budding champion.

cierre *sm* - **1.** [gen] closing, shutting; [con llave] locking; [de fábrica] shutdown; RADIO & TV closedown; **cierre patronal** lockout - **2.** [mecanismo] fastener; **cierre metálico** [de tienda etc] metal shutter; **cierre relámpago** *Andes, Arg & Méx* [cremallera] zip *UK*, zipper *US*.

cierto, ta *adj* - **1.** [verdadero] true; **estar en lo cierto** to be right; **lo cierto es que...** the fact is that... - **2.** [seguro] certain, definite - **3.** [algún] certain; **cierto hombre** a certain man; **en cierta ocasión** once, on one occasion; **durante cierto tiempo** for a while. ◆ **cierto** *adv* right, certainly. ◆ **por cierto** *loc adv* by the way.

ciervo, va *sm, f* deer, stag (*f* hind).

CIF *(abrev de* código de identificación fiscal) *sm* tax code.

cifra *sf* [gen] figure; **cifra de negocios** ECON turnover; **cifra de ventas** sales figures.

cifrar *vt* - **1.** [codificar] to code - **2.** *fig* [centrar] to concentrate, to centre. ◆ **cifrarse en** *vprnl* to amount to.

cigala *sf* Dublin Bay prawn.

cigarra *sf* cicada.

cigarrillo *sm* cigarette.

cigarro *sm* - **1.** [habano] cigar - **2.** [cigarrillo] cigarette.

cigüeña *sf* stork.

cigüeñal *sm* crankshaft.

cilindrada *sf* cylinder capacity.

cilíndrico, ca *adj* cylindrical.

cilindro *sm* [gen] cylinder; [de imprenta] roller.

cima *sf* - **1.** [punta - de montaña] peak, summit; [- de árbol] top - **2.** *fig* [apogeo] peak, high point.

cimbrear *vt* - **1.** [vara] to waggle - **2.** [caderas] to sway.

cimentar *vt* - **1.** [edificio] to lay the foundations of; [ciudad] to found, to build - **2.** *fig* [idea, paz, fama] to cement.

cimiento *sm* (*gen pl*) CONSTR foundation; **echar los cimientos** *lit & fig* to lay the foundations.

cinc, zinc *sm* zinc.

cincel *sm* chisel.

cincelar *vt* to chisel.

cincha *sf* girth.

cinco *num* five; **¡choca esos cinco!** *fig* put it there!; **estar sin cinco** *fig* to be broke; *ver también* **seis**.

cincuenta *num* fifty; **los (años) cincuenta** the fifties; *ver también* **seis**.

cincuentón, ona *sm, f* fifty-year-old.

cine *sm* cinema; **hacer cine** to make films; **cine de estreno/de verano** first-run/open-air cinema; **cine de terror** horror films.

cineasta *smf* film maker O director.

cineclub *sm* - **1.** [asociación] film society - **2.** [sala] club cinema.

cinéfilo, la *sm, f* film buff.

cinematografía *sf* cinematography.

cinematográfico, ca *adj* film (*antes de s*).

cinematógrafo *sm* [local] cinema.

cínico, ca ◇ *adj* cynical. ◇ *sm, f* cynic.

cinismo *sm* cynicism.

cinta *sf* - **1.** [tira - de plástico, papel] strip, band; [- de tela] ribbon; **cinta métrica** tape measure - **2.** [de imagen, sonido, ordenadores] tape; **cinta digital/magnética** digital/magnetic tape; **cinta limpiadora** head-cleaning tape; **cinta magnetofónica** recording tape; **cinta de vídeo** videotape - **3.** [mecanismo] belt; **cinta transportadora** conveyor belt; **cinta de equipajes** baggage carousel - **4.** [película] film.

cintura *sf* waist.

cinturilla *sf* waistband.

cinturón *sm* - **1.** [cinto] belt - **2.** AUTO ring road - **3.** [cordón] cordon. ◆ **cinturón de castidad** *sm* chastity belt. ◆ **cinturón de seguridad** *sm* seat O safety belt. ◆ **cinturón de miseria** *sm* *Amér* slum or shanty town area round a large city.

ciprés *sm* cypress.

circo *sm* [gen] circus.

circuito *sm* - **1.** DEP & ELECTRÓN circuit - **2.** [recorrido] tour.

circulación *sf* - **1.** [gen] circulation; **circulación de la sangre** circulation of the blood; **circulación fiduciaria** O **monetaria** paper currency - **2.** [tráfico] traffic.

circular ◇ *adj* & *sf* circular. ◇ *vi* - **1.** [de mano en mano] to circulate; [moneda] to be in circulation - **2.** [difundirse] to go round.

círculo *sm lit* & *fig* circle. ◆ **círculos** *smpl* [medios] circles. ◆ **círculo polar** *sm* polar circle; **el círculo polar ártico/antártico** the Arctic/Antarctic Circle. ◆ **círculo vicioso** *sm* vicious circle.

circuncisión *sf* circumcision.

circundante *adj* surrounding.

circundar *vt* to surround.

circunferencia *sf* circumference.

circunloquio *sm* circumlocution.

circunscribir *vt* - **1.** [limitar] to restrict, to confine - **2.** GEOM to circumscribe. ◆ **circunscribirse a** *vprnl* to confine o.s. to.

circunscripción *sf* [distrito] district; MIL division; POLÍT constituency.

circunscrito, ta ◇ *pp* ▷ **circunscribir**. ◇ *adj* restricted, limited.

circunstancia *sf* circumstance; **en estas circunstancias** under the circumstances.

circunstancial *adj* [accidental] chance *(antes de s).*

circunvalar *vt* to go round.

cirio *sm* (wax) candle; **montar un cirio** to make a row.

cirrosis *sf inv* cirrhosis.

ciruela *sf* plum; **ciruela pasa** prune.

cirugía *sf* surgery; **cirugía estética** O **plástica** cosmetic O plastic surgery.

cirujano, na *sm, f* surgeon.

cisco *sm* - **1.** [carbón] slack; **hecho cisco** *fig* shattered - **2.** *fam* [alboroto] row, rumpus.

cisma *sm* - **1.** [separación] schism - **2.** [discordia] split.

cisne *sm* swan.

cisterna *sf* [de retrete] cistern.

cistitis *sf inv* cystitis.

cita *sf* - **1.** [entrevista] appointment; [de novios] date; **concertar una cita** to make an appointment; **darse cita** to meet; **tener una cita** to have an appointment - **2.** [referencia] quotation.

citación *sf* DER summons *sing.*

citar *vt* - **1.** [convocar] to make an appointment with - **2.** [aludir] to mention; [textualmente] to quote - **3.** DER to summons. ◆ **citarse** *vprnl*: **citarse (con alguien)** to arrange to meet (sb).

citología *sf* - **1.** [análisis] smear test - **2.** BIOL cytology.

cítrico, ca *adj* citric. ◆ **cítricos** *smpl* citrus fruits.

CiU (*abrev de* Convergència i Unió) *sf* Catalan coalition party to the centre-right of the political spectrum.

ciudad *sf* [localidad] city; [pequeña] town. ◆ **Ciudad del Cabo** *sf* Cape Town. ◆ **Ciudad del Vaticano** *sf* Vatican City. ◆ **Ciudad de México** *sf* Mexico City.

ciudadanía *sf* - **1.** [nacionalidad] citizenship - **2.** [población] citizens *pl.*

ciudadano, na *sm, f* citizen.

cívico, ca *adj* civic; [conducta] public-spirited.

civil ◇ *adj lit* & *fig* civil. ◇ *sm* [no militar] civilian.

civilización *sf* civilization.

civilizado, da *adj* civilized.

civilizar *vt* to civilize.

civismo *sm* - **1.** [urbanidad] community spirit - **2.** [cortesía] civility, politeness.

cizaña *sf* BOT darnel.

cl (*abrev de* centilitro) cl.

clamar ◇ *vt* - **1.** [expresar] to exclaim - **2.** [exigir] to cry out for. ◇ *vi* - **1.** [implorar] to appeal - **2.** [protestar] to cry out.

clamor *sm* clamour.

clamoroso, sa *adj* - **1.** [rotundo] resounding - **2.** [vociferante] loud, clamorous.

clan *sm* - **1.** [tribu, familia] clan - **2.** [banda] faction.

clandestino, na *adj* clandestine; POLÍT underground.

claqué *sm* tap dancing.

claqueta *sf* clapperboard.

clara *sf* ▷ **claro**.

claraboya *sf* skylight.

clarear *v impers* - **1.** [amanecer]: **empezaba a clarear** dawn was breaking - **2.** [despejarse] to clear up. ◆ **clarearse** *vprnl* [transparentarse] to be see-through.

claridad *sf* - **1.** [transparencia] clearness, clarity - **2.** [luz] light - **3.** [franqueza] candidness - **4.** [lucidez] clarity; **explicar algo con claridad** to explain sthg clearly.

clarificar *vt* - **1.** [gen] to clarify; [misterio] to clear up - **2.** [purificar] to refine.

clarín *sm* [instrumento] bugle.

clarinete *sm* [instrumento] clarinet.

clarividencia *sf* farsightedness.

claro, ra *adj* - **1.** [gen] clear; **claro está que...** of course...; **dejar algo claro** to make sthg clear; **a las claras** clearly; **pasar una noche en claro** to spend a sleepless night; **poner algo en claro** to get sthg clear, to clear sthg up; **sacar**

algo en claro (de) to make sthg out (from); **tener algo claro** to be sure of sthg - **2.** [luminoso] bright - **3.** [color] light - **4.** [diluido - té, café] weak. ◆ **claro** ◇ *sm* - **1.** [en bosque] clearing; [en multitud, texto] space, gap - **2.** METEOR bright spell. ◇ *adv* clearly. ◇ *interj*: **¡claro!** of course!; **¡claro que no!** of course not!; **¡claro que sí!** yes, of course. ◆ **clara** *sf* [de huevo] white.

clase *sf* - **1.** [gen] class; **clase alta/media** upper/middle class; **clase obrera** O **trabajadora** working class; **clase social** social class; **clase salón** Amér FERROC first class; **primera clase** first class - **2.** [tipo] sort, kind; **toda clase de** all sorts O kinds of - **3.** [EDUC - asignatura, alumnos] class; [- aula] classroom; **dar clases** [- en un colegio] to teach; [- en una universidad] to lecture; **clases particulares** private classes O lessons.

clásico, ca ◇ *adj* - **1.** [de la Antigüedad] classical - **2.** [ejemplar, prototípico] classic - **3.** [peinado, estilo, música etc] classical - **4.** [habitual] customary - **5.** [peculiar]: **clásico de** typical of. ◇ *sm, f* [persona] classic.

clasificación *sf* classification; DEP [league] table.

clasificar *vt* to classify. ◆ **clasificarse** *vprnl* [ganar acceso]: **clasificarse (para)** to qualify (for); DEP to get through (to).

clasista *adj* class-conscious; *despec* snobbish.

claudicar *vi* [ceder] to give in.

claustro *sm* - **1.** ARQUIT & RELIG cloister - **2.** [de universidad] senate.

claustrofobia *sf* claustrophobia.

cláusula *sf* clause.

clausura *sf* - **1.** [acto solemne] closing ceremony - **2.** [cierre] closing down - **3.** RELIG religious seclusion.

clausurar *vt* - **1.** [acto] to close, to conclude - **2.** [local] to close down.

clavadista *smf* Amér C & Méx diver.

clavado, da *adj* - **1.** [en punto - hora] on the dot - **2.** [parecido] almost identical; **ser clavado a alguien** to be the spitting image of sb.

clavar *vt* - **1.** [clavo, estaca etc] to drive; [cuchillo] to thrust; [chincheta, alfiler] to stick - **2.** [cartel, placa etc] to nail, to fix - **3.** *fig* [mirada, atención] to fix, to rivet.

clave ◇ *adj inv* key; **palabra clave** keyword. ◇ *sm* MÚS harpsichord. ◇ *sf* - **1.** [código] code; **en clave** in code - **2.** *fig* [solución] key; **la clave del problema** the key to the problem - **3.** MÚS clef; **clave de sol** treble clef - **4.** INFORM key.

clavel *sm* carnation.

clavicémbalo *sm* harpsichord.

clavicordio *sm* clavichord.

clavícula *sf* collar bone.

clavija *sf* - **1.** ELECTR & TECNOL pin; [de auriculares, teléfono] jack - **2.** MÚS peg.

clavo *sm* - **1.** [pieza metálica] nail; **agarrarse a un clavo ardiendo** to clutch at straws; **dar en el clavo** to hit the nail on the head; **¡por los clavos de Cristo!** for heaven's sake - **2.** BOT & CULIN clove - **3.** MED [para huesos] pin.

claxon® (*pl* **cláxones**) *sm* horn; **tocar el claxon** to sound the horn.

clemencia *sf* mercy, clemency.

clemente *adj* [persona] merciful.

cleptómano, na *sm, f* kleptomaniac.

clerical *adj* clerical.

clérigo *sm* [católico] priest; [anglicano] clergyman.

clero *sm* clergy.

clic *sm* INFORM click; **hacer clic en algo** to click on sthg.

cliché, clisé *sm* - **1.** FOTO negative - **2.** IMPR plate - **3.** *fig* [tópico] cliché.

cliente, ta *sm, f* [de tienda, garaje, bar] customer; [de banco, abogado etc] client; [de hotel] guest; **cliente habitual** regular customer.

clientela *sf* [de tienda, garaje] customers *pl*; [de banco, abogado etc] clients *pl*; [de hotel] guests *pl*; [de bar, restaurante] clientele.

clima *sm* lit & fig climate; **clima mediterráneo/tropical** Mediterranean/tropical climate.

climatizado, da *adj* air-conditioned.

climatizar *vt* to air-condition.

climatología *sf* - **1.** [tiempo] weather - **2.** [ciencia] climatology.

clímax *sm inv* climax.

clínico, ca *adj* clinical. ◆ **clínica** *sf* clinic.

clip *sm* [para papel] paper clip.

clisé = **cliché**.

clítoris *sm inv* clitoris.

cloaca *sf* sewer.

cloquear *vi* to cluck.

cloro *sm* - **1.** QUÍM chlorine - **2.** Amér C & Chile [lejía] bleach.

cloruro *sm* chloride; **cloruro de sodio** O **sódico** sodium chloride.

clóset, closets *sm* Amér fitted cupboard.

clown [klawn] *sm* clown.

club (*pl* **clubes** O **clubs**) *sm* club; **club de fans** fan club; **club de fútbol** football club; **club náutico** yacht club; **club nocturno** nightclub.

cm (*abrev de* **centímetro**) cm.

CNT (*abrev de* **Confederación Nacional del Trabajo**) *sf* Spanish anarchist trade union federation created in 1911.

Co. (*abrev de* **compañía**) Co.

coacción *sf* coercion.

coaccionar *vt* to coerce.

coagular vt [gen] to coagulate; [sangre] to clot; [leche] to curdle. ➤ **coagularse** vprnl [gen] to coagulate; [sangre] to clot; [leche] to curdle.

coágulo sm clot.

coalición sf coalition; **formar una coalición** to form a coalition.

coartada sf alibi.

coartar vt to limit, to restrict.

coba sf fam [halago] flattery; **dar coba a alguien** [hacer la pelota] to suck up O crawl to sb; [aplacar] to soft-soap sb.

cobalto sm cobalt.

cobarde ◇ adj cowardly. ◇ smf coward.

cobardía sf cowardice.

cobertizo sm - **1.** [tejado adosado] lean-to - **2.** [barracón] shed.

cobertura sf - **1.** [gen] cover - **2.** [de un edificio] covering - **3.** PRENSA: **cobertura informativa** news coverage - **4.** TELECOM: **no tengo cobertura** my network doesn't cover this area.

cobija sf Amér [manta] blanket.

cobijar vt - **1.** [albergar] to house - **2.** [proteger] to shelter. ➤ **cobijarse** vprnl to take shelter.

cobijo sm shelter; **dar cobijo a alguien** to give shelter to sb, to take sb in.

cobra sf cobra.

cobrador, ra sm, f [del autobús] conductor (f conductress); [de deudas, recibos] collector.

cobrar ◇ vt - **1.** [COM - dinero] to charge; [- cheque] to cash; [- deuda] to collect; **cantidades por cobrar** amounts due; **¿me cobra, por favor?** how much do I owe you? - **2.** [en el trabajo] to earn - **3.** [adquirir - importancia] to get, to acquire; **cobrar fama** to become famous - **4.** [sentir - cariño, afecto] to start to feel. ◇ vi [en el trabajo] to get paid.

cobre sm copper; **no tener un cobre** Amér to be flat broke.

cobrizo, za adj [color, piel] copper (antes de s).

cobro sm [de talón] cashing; [de pago] collection; **llamada a cobro revertido** reverse charge call UK, collect call US; **llamar a cobro revertido** to reverse the charges UK, to call collect US.

coca sf - **1.** [planta] coca - **2.** fam [cocaína] coke.

cocaína sf cocaine.

cocción sf [gen] cooking; [en agua] boiling; [en horno] baking.

cóccix, coxis sm inv coccyx.

cocear vi to kick.

cocer vt - **1.** [gen] to cook; [hervir] to boil; [en horno] to bake - **2.** [cerámica, ladrillos] to fire. ➤ **cocerse** vprnl fig [plan] to be afoot.

coche sm - **1.** [automóvil] car, automobile US; **ir en coche** [montado] to go by car; [conduciendo] to drive; **coche de alquiler** hire car; **coche blindado** armoured car; **coche de bomberos** fire engine; **coche de carreras** racing car; **coche celular** police van; **coche familiar** estate car UK, station wagon US - **2.** [de tren] coach, carriage; **coche cama** sleeping car, sleeper; **coche restaurante** restaurant O dining car - **3.** [de caballos] carriage. ➤ **coche bomba** sm car bomb.

cochera sf [para coches] garage; [de autobuses, tranvías] depot.

cochinilla sf - **1.** [crustáceo] woodlouse - **2.** [insecto] cochineal.

cochinillo sm sucking pig.

cochino, na ◇ adj - **1.** [persona] filthy - **2.** [tiempo, dinero] lousy. ◇ sm, f [animal - macho] pig; [- hembra] sow.

cocido sm stew; **cocido madrileño** CULIN stew made with chickpeas, bacon, meat and root vegetables, typical of Madrid.

cociente sm quotient; **cociente intelectual** intelligence quotient, I.Q.

cocina sf - **1.** [habitación] kitchen - **2.** [electrodoméstico] cooker, stove; **cocina eléctrica/de gas** electric/gas cooker - **3.** [arte] cooking; **alta cocina** haute cuisine; **cocina casera** home cooking; **cocina española** Spanish cuisine O cooking; **libro/clase de cocina** cookery book/class.

cocinar vt & vi to cook.

cocinero, ra sm, f cook; **haber sido cocinero antes que fraile** to know what one is talking about.

cocker sm cocker spaniel.

coco sm [árbol] coconut palm; [fruto] coconut.

cocodrilo sm crocodile.

cocotero sm coconut palm.

cóctel, coctel sm - **1.** [bebida, comida] cocktail; **cóctel de gambas** prawn cocktail - **2.** [reunión] cocktail party. ➤ **cóctel molotov** sm Molotov cocktail.

coctelera sf cocktail shaker.

codazo sm nudge, jab (with one's elbow); **abrirse paso a codazos** to elbow one's way through; **dar un codazo a alguien** [con disimulo] to give sb a nudge, to nudge sb; [con fuerza] to elbow sb.

codearse vprnl: **codearse (con)** to rub shoulders (with).

codera sf elbow patch.

codicia sf [avaricia] greed.

codiciar vt to covet.

codicioso, sa adj greedy.

codificar vt - **1.** [ley] to codify - **2.** [un mensaje] to encode - **3.** INFORM to code.

código sm [gen & INFORM] code; **código postal** post UK O zip US code; **código territorial** area

code; **código de barras/de señales** bar/signal code; **código de circulación** highway code; **código civil/penal** civil/penal code; **código máquina** machine code.

codillo *sm* [de jamón] shoulder.

codo *sm* [en brazo, tubería] elbow; **estaba de codos sobre la mesa** she was leaning (with her elbows) on the table; **dar con el codo** to nudge.

codorniz *sf* quail.

coeficiente *sm* - 1. [gen] coefficient; **coeficiente intelectual** *O* **de inteligencia** intelligence quotient, I.Q. - 2. [índice] rate.

coercer *vt* to restrict, to constrain.

coetáneo, a *adj* & *sm, f* contemporary.

coexistir *vi* to coexist.

cofia *sf* [de enfermera, camarera] cap; [de monja] coif.

cofradía *sf* - 1. [religiosa] brotherhood (*f* sisterhood) - 2. [no religiosa] guild.

cofre *sm* - 1. [arca] chest, trunk - 2. [para joyas] jewel box.

coger ⬦ *vt* - 1. [asir, agarrar] to take; **coger a alguien de** *O* **por la mano** to take sb by the hand - 2. [atrapar - ladrón, pez, pájaro] to catch - 3. [alcanzar - persona, vehículo] to catch up with - 4. [recoger - frutos, flores] to pick - 5. [quedarse con - propina, empleo, piso] to take - 6. [quitar]: **coger algo (a alguien)** to take sthg (from sb) - 7. [tren, autobús] to take, to catch - 8. [contraer - gripe, resfriado] to catch, to get - 9. [sentir - manía, odio, afecto] to start to feel - 10. [oír] to catch; [entender] to get - 11. [sorprender, encontrar]: **coger a alguien haciendo algo** to catch sb doing sthg; **lo cogieron robando** they caught him stealing - 12. [sintonizar - canal, emisora] to get, to receive - 13. *Méx, R Plata & Ven vulg* [tener relaciones sexuales con] to screw, to fuck. ⬦ *vi* [dirigirse]: **coger a la derecha/la izquierda** to turn right/left. ⬤ **cogerse** *vprnl* - 1. [agarrarse]: **cogerse de** *O* **a algo** to cling to *O* clutch sthg - 2. [pillarse]: **cogerse los dedos/la falda en la puerta** to catch one's fingers/skirt in the door.

cogida *sf* [de torero]: **sufrir una cogida** to be gored.

cognac = coñac.

cogollo *sm* - 1. [de lechuga] heart - 2. [brote - de árbol, planta] shoot.

cogorza *sf fam*: **agarrarse una cogorza** to get smashed, to get blind drunk; **llevar una cogorza** to be smashed, to be blind drunk.

cogote *sm* nape, back of the neck.

cohabitar *vi* to cohabit, to live together.

cohecho *sm* bribery.

coherencia *sf* [de razonamiento] coherence.

coherente *adj* coherent.

cohesión *sf* cohesion.

cohete *sm* rocket.

cohibido, da *adj* inhibited.

cohibir *vt* to inhibit. ⬤ **cohibirse** *vprnl* to become inhibited.

COI *(abrev de Comité Olímpico Internacional) sm* IOC.

coima *sf Andes & R Dom fam* bribe, backhander *UK*.

coincidencia *sf* coincidence; **¡qué coincidencia!** what a coincidence!

coincidir *vi* - 1. [superficies, versiones, gustos] to coincide - 2. [personas - encontrarse] to meet; [- estar de acuerdo] to agree; **coincidimos en una fiesta** we saw each other at a party.

coito *sm* (sexual) intercourse.

coja ▷ **coger.**

cojear *vi* - 1. [persona] to limp - 2. [mueble] to wobble.

cojera *sf* [acción] limp; [estado] lameness.

cojín *sm* cushion.

cojinete *sm* [en eje] bearing; [en un riel de ferrocarril] chair.

cojo, ja ⬦ *adj* - 1. [persona] lame - 2. [mueble] wobbly. ⬦ *sm, f* cripple. ⬦ *v* ▷ **coger.**

cojón *sm (gen pl) vulg* ball. ⬤ **cojones** *interj vulg*: **¡cojones!** [enfado] for fuck's sake!

cojonudo, da *adj vulg* bloody brilliant.

cojudez *sf Andes mfam*: **¡que cojudez!** [acto] what a bloody *UK O* goddamn *US* stupid thing to do!; [dicho] what a bloody *UK O* goddamn *US* stupid thing to say!

cojudo, da *adj Andes mfam* bloody *UK O* goddamn *US* stupid.

col *sf* cabbage; **col de Bruselas** Brussels sprout; **entre col y col, lechuga** *fam* variety is the spice of life.

cola *sf* - 1. [de animal, avión] tail - 2. [fila] queue *UK*, line *US*; **¡a la cola!** get in the queue! *UK*, get in line! *US*; **hacer cola** to queue (up) *UK*, to stand in line *US*; **ponerse a la cola** to join the end of the queue *UK O* line *US* - 3. [de clase, lista] bottom; [de desfile] end - 4. [pegamento] glue - 5. [peinado]: **cola (de caballo)** pony tail - 6. *Amér fam* [nalgas] bum *UK*, fanny *US*.

colaboración *sf* - 1. [gen] collaboration - 2. [de prensa] contribution, article.

colaborador, ra *sm, f* - 1. [gen] collaborator - 2. [de prensa] contributor.

colaborar *vi* - 1. [ayudar] to collaborate - 2. [en prensa]: **colaborar en** *O* **con** to write for - 3. [contribuir] to contribute.

colación *sf*: **sacar** *O* **traer algo a colación** [tema] to bring sthg up.

colado, da *adj* - 1. [líquido] strained - 2. [enamorado]: **estar colado por alguien** *fam* to have a crush on sb. ⬤ **colada** *sf* [ropa] laundry; **hacer la colada** to do the washing.

colador *sm* [para líquidos] strainer, sieve; [para verdura] colander.

colapsar ◇ *vt* to bring to a halt, to stop. ◇ *vi* to come O grind to a halt.

colapso *sm* - 1. MED collapse, breakdown; **sufrir un colapso** to collapse; **colapso nervioso** nervous breakdown - 2. [de actividad] stoppage; [de tráfico] traffic jam, hold-up.

colar ◇ *vt* [verdura, té] to strain; [café] to filter. ◇ *vi fam* [pasar por bueno]: **esto no colará** this won't wash. ◆ **colarse** *vprnl* - 1. [líquido]: **colarse por** to seep through - 2. [persona] to slip, to sneak; [en una cola] to jump the queue *UK* O line *US*; **colarse en una fiesta** to gatecrash a party.

colateral *adj* [lateral] on either side.

colcha *sf* bedspread.

colchón *sm* [de cama] mattress; **colchón inflable** air bed.

colchoneta *sf* [para playa] beach mat; [en gimnasio] mat.

cole *sm fam* school.

colear *vi* [animal] to wag its tail.

colección *sf lit & fig* collection.

coleccionable ◇ *adj* collectable. ◇ *sm special supplement in serialized form.*

coleccionar *vt* to collect.

coleccionista *smf* collector.

colecta *sf* collection.

colectividad *sf* community.

colectivo, va *adj* collective. ◆ **colectivo** *sm* - 1. [grupo] group - 2. *Andes* [taxi] collective taxi - 3. *Andes & Bol* [autobús] bus.

colector, ra ◆ **colector** *sm* - 1. [sumidero] sewer; **colector de basuras** chute - 2. MECÁN [de motor] manifold.

colega *smf* - 1. [compañero profesional] colleague - 2. [homólogo] counterpart, opposite number - 3. *fam* [amigo] mate.

colegiado, da *adj who belongs to a professional association.* ◆ **colegiado** *sm* DEP referee.

colegial, la *sm, f* schoolboy (*f* schoolgirl).

colegio *sm* - 1. [escuela] school; **colegio concertado** *private school with state subsidy*; **colegio de curas** school run by priests; **colegio de monjas** convent school - 2. [de profesionales]: **colegio (profesional)** professional association. ◆ **colegio electoral** *sm* [lugar] polling station; [votantes] ward. ◆ **colegio mayor** *sm* hall of residence.

cólera ◇ *sm* MED cholera. ◇ *sf* [ira] anger, rage; **montar en cólera** to get angry.

colérico, ca *adj* [carácter] bad-tempered.

colesterol *sm* cholesterol.

coleta *sf* pigtail.

coletilla *sf* postscript.

colgado, da *adj* - 1. [cuadro, jamón etc]: **colgado (de)** hanging (from) - 2. [teléfono] on the hook.

colgador *sm* hanger, coathanger.

colgante ◇ *adj* hanging. ◇ *sm* pendant.

colgar ◇ *vt* - 1. [suspender, ahorcar] to hang; **colgar el teléfono** to hang up - 2. [imputar]: **colgar algo a alguien** to blame sthg on sb. ◇ *vi* - 1. [pender]: **colgar (de)** to hang (from) - 2. [hablando por teléfono] to hang up.

colibrí *sm* hummingbird.

cólico *sm* stomachache; **cólico nefrítico** O renal **renal colic.**

coliflor *sf* cauliflower.

colilla *sf* (cigarette) butt O stub.

colimba *sf Arg fam* military service.

colina *sf* hill.

colindante *adj* neighbouring, adjacent.

colisión *sf* [de automóviles] collision, crash; [de ideas, intereses] clash.

colisionar *vi* [coche]: **colisionar (contra)** to collide (with), to crash (into).

collar *sm* - 1. [de personas] necklace - 2. [para animales] collar.

collarín *sm* surgical collar.

colmado, da *adj*: **colmado (de)** full to the brim (with). ◆ **colmado** *sm* grocer's (shop).

colmar *vt* - 1. [recipiente] to fill (to the brim) - 2. *fig* [aspiración, deseo] to fulfil; **colmar a alguien de regalos/elogios** to shower gifts/praise on sb.

colmena *sf* beehive.

colmillo *sm* - 1. [de persona] eye-tooth - 2. [de perro] fang; [de elefante] tusk.

colmo *sm* height; **para colmo de desgracias** to crown it all; **es el colmo de la locura** it's sheer madness; **¡eso es el colmo!** *fam* that's the last straw!

colocación *sf* - 1. [acción] placing, positioning; [situación] place, position - 2. [empleo] position, job.

colocado, da *adj* - 1. [gen] placed; **estar muy bien colocado** to have a very good job - 2. *fam* [borracho] legless; [drogado] high, stoned.

colocar *vt* - 1. [en su sitio] to place, to put - 2. [en un empleo] to find a job for - 3. [invertir] to place, to invest. ◆ **colocarse** *vprnl* - 1. [en un trabajo] to get a job - 2. *fam* [emborracharse] to get legless; [drogarse] to get high O stoned.

colofón *sm* [remate, fin] climax.

Colombia *n pr* Colombia.

colombiano, na *adj & sm, f* Colombian.

colon *sm* colon.

colonia *sf* - 1. [gen] colony - 2. [perfume] eau de cologne - 3. *Méx* [barrio] district; **colonia proletaria** shanty town, slum area.

colonial *adj* colonial.

colonización *sf* colonization.

colonizador, ra *sm, f* colonist.

colonizar *vt* to colonize.

colono *sm* settler, colonist.

coloquial *adj* colloquial.

coloquio *sm* - **1.** [conversación] conversation - **2.** [debate] discussion, debate.

color *sm* [gen] colour; **color rojo** red; **color azul** blue; **¿de qué color?** what colour?; **una falda de color rosa** a pink skirt; **a todo color** in full colour; **de color** [persona] coloured.

colorado, da *adj* [color] red; **ponerse colorado** to go red.

colorante *sm* colouring.

colorear *vt* to colour (in).

colorete *sm* rouge, blusher.

colorido *sm* colours *pl*.

colosal *adj* - **1.** [estatura, tamaño] colossal - **2.** [extraordinario] great, enormous.

coloso *sm* - **1.** [estatua] colossus - **2.** *fig* [cosa, persona] giant.

columna *sf* - **1.** [gen] column - **2.** *fig* [pilar] pillar. **columna vertebral** *sf* spinal column.

columnista *smf* columnist.

columpiar *vt* to swing. **columpiarse** *vprnl* to swing.

columpio *sm* swing.

colza *sf* BOT rape.

coma *sm* MED coma; **en coma** in a coma. *sf* - **1.** GRAM comma - **2.** MAT ≃ decimal point.

comadreja *sf* weasel.

comadrona *sf* midwife.

comandancia *sf* - **1.** [rango] command - **2.** [edificio] command headquarters.

comandante *sm* [MIL - rango] major; [- de un puesto] commander, commandant.

comandar *vt* MIL to command.

comando *sm* MIL commando.

comarca *sf* region, area.

comba *sf* - **1.** [juego] skipping - **2.** [cuerda] skipping rope.

combar *vt* to bend. **combarse** *vprnl* [gen] to bend; [madera] to warp; [pared] to bulge.

combate *sm* [gen] fight; [batalla] battle; **dejar a alguien fuera de combate** [en boxeo] to knock sb out; *fig* to put sb out of the running.

combatiente *smf* combatant, fighter.

combatir *vt* to combat, to fight. *vi*: **combatir (contra)** to fight (against).

combativo, va *adj* combative.

combi *sm* [frigorífico] fridge-freezer.

combinación *sf* - **1.** [gen] combination - **2.** [de bebidas] cocktail - **3.** [prenda] slip - **4.** [de medios de transporte] connections *pl*.

combinado *sm* - **1.** [bebida] cocktail - **2.** DEP combined team - **3.** *Amér* [radiograma] radiogram.

combinar *vt* - **1.** [gen] to combine - **2.** [bebidas] to mix - **3.** [colores] to match.

combustible *adj* combustible. *sm* fuel.

combustión *sf* combustion.

comecocos *sm inv fam* [para convencer]: **este panfleto es un comecocos** this pamphlet is designed to brainwash you.

comedia *sf* - **1.** [obra, película, género] comedy - **2.** *fig* [engaño] farce; **hacer la comedia** to pretend, to make believe.

comediante, ta *sm, f* actor (*f* actress); *fig* [farsante] fraud.

comedido, da *adj* moderate.

comedirse *vprnl* to be restrained.

comedor *sm* [habitación - de casa] dining room; [- de fábrica] canteen.

comensal *smf* fellow diner.

comentar *vt* [opinar sobre] to comment on; [hablar de] to discuss.

comentario *sm* - **1.** [observación] comment, remark - **2.** [crítica] commentary. **comentarios** *smpl* [murmuraciones] gossip *(U)*.

comentarista *smf* commentator.

comenzar *vt* to start, to begin; **comenzar a hacer algo** to start doing O to do sthg; **comenzar diciendo que...** to start O begin by saying that... *vi* to start, to begin.

comer *vi* [ingerir alimentos - gen] to eat; [- al mediodía] to have lunch. *vt* - **1.** [alimentos] to eat - **2.** [en juegos de tablero] to take, to capture - **3.** *fig* [consumir] to eat up. **comerse** *vprnl* - **1.** [alimentos] to eat - **2.** [desgastar - recursos] to eat up; [- metal] to corrode - **3.** [en los juegos de tablero] to take, to capture - **4.** *Amér vulg* [fornicar] to fuck.

comercial *adj* commercial. *sm Amér* [anuncio] advert.

comercializar *vt* to market.

comerciante *smf* tradesman (*f* tradeswoman); [tendero] shopkeeper.

comerciar *vi* to trade, to do business.

comercio *sm* - **1.** [de productos] trade; **comercio electrónico** e-business; **comercio exterior/interior** foreign/domestic trade; **comercio justo** fair trade; **libre comercio** free trade - **2.** [actividad] business, commerce - **3.** [tienda] shop.

comestible *adj* edible, eatable. **comestibles** *smpl* [gen] food *(U)*; [en una tienda] groceries.

cometa ⟨⟩ *sm* ASTRON comet. ⟨⟩ *sf* kite.

cometer *vt* [crimen] to commit; [error] to make.

cometido *sm* - **1.** [objetivo] mission, task - **2.** [deber] duty.

comezón *sf* [picor] itch, itching (U).

cómic (*pl* comics) *sm* (adult) comic.

comicios *smpl* elections.

cómico, ca ⟨⟩ *adj* - **1.** [de la comedia] comedy *(antes de s)*, comic - **2.** [gracioso] comic, comical. ⟨⟩ *sm, f* [actor de teatro] actor (f actress); [humorista] comedian (f comedienne), comic.

comida *sf* - **1.** [alimento] food (U); **comida basura** junk food; **comida chatarra** *Amér* junk food; **comida rápida** fast food - **2.** [almuerzo, cena etc] meal - **3.** [al mediodía] lunch; **comida de negocios** business lunch.

comidilla *sf:* **ser/convertirse en la comidilla del pueblo** *fam* to be/to become the talk of the town.

comienzo *sm* start, beginning; **a comienzos de los años 50** in the early 1950s; **dar comienzo** to start, to begin.

comillas *sfpl* inverted commas, quotation marks; **entre comillas** in inverted commas.

comilona *sf fam* [festín] blow-out.

comino *sm* [planta] cumin, cummin; **me importa un comino** *fam* I don't give a damn.

comisaría *sf* police station, precinct *US*.

comisario, ria *sm, f* - **1.**: **comisario (de policía)** police superintendent - **2.** [delegado] commissioner.

comisión *sf* - **1.** [de un delito] perpetration - **2.** COM commission; **(trabajar) a comisión** (to work) on a commission basis; **comisión fija** ECON flat fee - **3.** [delegación] commission, committee; **Comisión Europea** European Commission; **comisión investigadora** committee of inquiry; **comisión permanente** standing commission; **Comisiones Obreras** Spanish Communist-inspired trade union.

comisura *sf* corner (of mouth, eyes).

comité *sm* committee.

comitiva *sf* retinue.

como ⟨⟩ *adv* - **1.** *(compar):* **tan... como... as... as...**; **es (tan) negro como el carbón** it's as black as coal; **ser como algo** to be like sthg; **vive como un rey** he lives like a king; **lo que dijo fue como para ruborizarse** his words were enough to make you blush - **2.** [de la manera que] as; **lo he hecho como es debido** I did it as O the way it should be done; **me encanta como bailas** I love the way you dance - **3.** [según] as; **como te decía ayer...** as I was telling you yesterday... - **4.** [en calidad de] as; **trabaja como bombero** he works as a fireman; **dieron el dinero como anticipo** they gave the money as

an advance - **5.** [aproximadamente] about; **me quedan como cien euros** I've got about a hundred euros left; **tiene un sabor como a naranja** it tastes a bit like an orange. ⟨⟩ *conj* - **1.** [ya que] as, since; **como no llegabas, nos fuimos** as O since you didn't arrive, we left - **2.** [si] if; **como no me hagas caso, lo pasarás mal** if you don't listen to me, there will be trouble. ➤ **como que** *loc conj* - **1.** [que] that; **le pareció como que lloraban** it seemed to him (that) they were crying - **2.** [expresa causa]: **pareces cansado – como que he trabajado toda la noche** you seem tired – well, I've been up all night working. ➤ **como quiera** *loc adv* [de cualquier modo] anyway, anyhow. ➤ **como quiera** *loc conj* - **1.** [de cualquier modo que] whichever way, however; **como quiera que sea** whatever the case may be - **2.** [dado que] since, given that. ➤ **como si** *loc conj* as if.

cómo *adv* - **1.** [de qué modo, por qué motivo] how; **¿cómo lo has hecho?** how did you do it?; **¿cómo son?** what are they like?; **no sé cómo has podido decir eso** I don't know how you could say that; **¿cómo que no la has visto nunca?** what do you mean you've never seen her?; **¿a cómo están los tomates?** how much are the tomatoes?; **¿cómo es eso?** *fam* [¿por qué?] how come? - **2.** [exclamativo] how; **¡cómo pasan los años!** how time flies!; **¡cómo no!** of course!; **está lloviendo, ¡y cómo!** it isn't half raining!

cómoda *sf* chest of drawers.

comodidad *sf* comfort, convenience (U); **para su comodidad** for your convenience.

comodín *sm* [naipe] joker.

cómodo, da *adj* - **1.** [confortable] comfortable; **ponte cómodo** make yourself comfortable, make yourself at home; **sentirse cómodo con alguien** to feel comfortable with sb - **2.** [útil] convenient - **3.** [oportuno, fácil] easy.

comoquiera *adv:* **comoquiera que** [de cualquier manera que] whichever way, however; [dado que] since, seeing as.

compa *smf fam* pal, mate *UK*, buddy *US*.

compactar *vt* to compress.

compact disk, compact disc *sm* compact disc.

compacto, ta *adj* compact.

compadecer *vt* to pity, to feel sorry for. ➤ **compadecerse de** *vprnl* to pity, to feel sorry for.

compadre *sm fam* [amigo] friend, mate *UK*, buddy *US*.

compadrear *vi R Dom fam* to brag, to boast.

compaginar *vt* [combinar] to reconcile. ➤ **compaginarse** *vprnl:* **compaginarse con** to square with, to go together with.

compañerismo *sm* comradeship.

compañero, ra sm, f - **1.** [acompañante] companion - **2.** [pareja] partner; **compañero sentimental** partner - **3.** [colega] colleague; **compañero de clase** classmate; **compañero de piso** flatmate.

compañía sf company; **le perdieron las malas compañías** he was led astray by the bad company he kept; **en compañía de** accompanied by, in the company of; **hacer compañía a alguien** to keep sb company; **compañía de seguros** insurance company; **compañía teatral** O **de teatro** theatre company.

comparación sf comparison; **en comparación con** in comparison with, compared to.

comparar vt: **comparar algo (con)** to compare sthg (to).

comparativo, va adj comparative.

comparecer vi to appear.

comparsa ◇ sf TEATRO extras pl. ◇ smf - **1.** TEATRO extra - **2.** fig [en carreras, competiciones] also-ran; [en organizaciones, empresas] nobody.

compartimento, compartimiento sm compartment; **compartimento de fumadores** smoking compartment.

compartir vt - **1.** [ganancias] to share (out) - **2.** [piso, ideas] to share.

compás sm - **1.** [instrumento] pair of compasses - **2.** [MÚS - periodo] bar; [- ritmo] rhythm, beat; **al compás (de la música)** in time (with the music); **llevar el compás** to keep time; **perder el compás** to lose the beat.

compasión sf compassion, pity; **¡por compasión!** for pity's sake!; **tener compasión de** to feel sorry for.

compasivo, va adj compassionate.

compatibilizar vt to make compatible.

compatible adj [gen & INFORM] compatible.

compatriota smf compatriot, fellow countryman (f fellow countrywoman).

compendiar vt [cualidades, características] to summarize; [libro, historia] to abridge.

compendio sm - **1.** [libro] compendium - **2.** fig [síntesis] epitome, essence.

compenetración sf mutual understanding.

compenetrarse vprnl to understand each other.

compensación sf [gen] compensation; **en compensación (por)** in return (for); **compensación económica** financial compensation.

compensar vt - **1.** [valer la pena] to make up for; **no me compensa (perder tanto tiempo)** it's not worth my while (wasting all that time) - **2.** [indemnizar]: **compensar a alguien (de** O **por)** to compensate sb (for).

competencia sf - **1.** [entre personas, empresas] competition; **hacer la competencia a** to compete with; **competencia desleal** ECON unfair competition, dumping - **2.** [incumbencia] field, province - **3.** [aptitud, atribuciones] competence.

competente adj competent; **competente en materia de** responsible for.

competer ◆ **competer a** vi [gen] to be up to, to be the responsibility of; [una autoridad] to come under the jurisdiction of.

competición sf competition.

competidor, ra sm, f competitor.

competir vi: **competir (con/por)** to compete (with/for).

competitividad sf competitiveness.

competitivo, va adj competitive.

compilar vt [gen & INFORM] to compile.

compinche smf fam crony.

complacencia sf pleasure, satisfaction.

complacer vt to please.

complaciente adj - **1.** [amable] obliging, helpful - **2.** [indulgente] indulgent.

complejo, ja adj complex. ◆ **complejo** sm complex; **complejo de Edipo/de inferioridad/de superioridad** Oedipus/inferiority/superiority complex; **complejo deportivo** sports complex; **complejo hotelero** hotel complex; **complejo industrial** industrial park; **complejo turístico** tourist development; **complejo vitamínico** vitamin complex.

complementar vt to complement. ◆ **complementarse** vprnl to complement each other.

complementario, ria adj complementary.

complemento sm - **1.** [añadido] complement - **2.** GRAM object, complement; **complemento directo/indirecto** direct/indirect object.

completamente adv completely, totally.

completar vt to complete.

completo, ta adj - **1.** [entero, perfecto] complete; **por completo** completely; **un deportista muy completo** an all-round sportsman - **2.** [lleno] full.

complexión sf build; **de complexión atlética** with an athletic build; **de complexión fuerte** well-built, with a strong constitution.

complicación sf - **1.** [gen] complication - **2.** [complejidad] complexity.

complicado, da adj - **1.** [difícil] complicated - **2.** [implicado]: **complicado (en)** involved (in).

complicar vt [dificultar] to complicate.

cómplice smf accomplice.

complicidad sf complicity.

complot, compló sm plot, conspiracy.

componente ◇ sm [gen & ELECTR] component. ◇ smf [persona] member.

componer vt - **1.** [constituir, ser parte de] to make up - **2.** [música, versos] to compose

- **3.** [arreglar - algo roto] to repair. ◆ **componerse** *vprnl* [estar formado]: **componerse de** to be made up of, to consist of.

comportamiento *sm* behaviour.

comportar *vt* to involve, to entail. ◆ **comportarse** *vprnl* to behave.

composición *sf* composition.

compositor, ra *sm, f* composer.

compostura *sf* - **1.** [reparación] repair - **2.** [de persona, rostro] composure - **3.** [en comportamiento] restraint.

compota *sf* CULIN stewed fruit (U).

compra *sf* purchase; **ir de compras** to go shopping; **ir a** O **hacer la compra** to do the shopping; **compra al contado** cash purchase; **compra a plazos** hire purchase.

comprador, ra *sm, f* [gen] buyer; [en una tienda] shopper, customer.

comprar *vt* - **1.** [adquirir] to buy, to purchase; **comprar algo a alguien** to buy sthg from sb - **2.** [sobornar] to buy (off).

compraventa *sf* buying and selling, trading.

comprender *vt* - **1.** [incluir] to include, to comprise - **2.** [entender] to understand; **hacerse comprender** to make o.s. understood. ◆ **comprenderse** *vprnl* [personas] to understand each other.

comprensión *sf* understanding.

comprensivo, va *adj* understanding.

compresa *sf* [para menstruación] sanitary towel *UK*, sanitary napkin *US*.

comprimido, da *adj* compressed. ◆ **comprimido** *sm* pill, tablet.

comprimir *vt* to compress.

comprobante *sm* [documento] supporting document, proof; [recibo] receipt.

comprobar *vt* [averiguar] to check; [demostrar] to prove.

comprometer *vt* - **1.** [poner en peligro - éxito etc] to jeopardize; [- persona] to compromise - **2.** [avergonzar] to embarrass. ◆ **comprometerse** *vprnl* - **1.** [hacerse responsable]: **comprometerse (a hacer algo)** to commit o.s. (to doing sthg) - **2.** [ideológicamente, moralmente]: **comprometerse (en algo)** to become involved (in sthg).

comprometido, da *adj* - **1.** [con una idea] committed - **2.** [difícil] compromising, awkward.

compromiso *sm* - **1.** [obligación] commitment; [acuerdo] agreement - **2.** [cita] engagement; **sin compromiso** without obligation - **3.** [de matrimonio] engagement; **compromiso matrimonial** engagement - **4.** [dificultad, aprieto] compromising O difficult situation; **me pones en un compromiso** you're putting me in an awkward position.

compuerta *sf* sluice, floodgate.

compuesto, ta ◇ *pp* ▷ **componer**. ◇ *adj* [formado]: **compuesto de** composed of, made up of. ◆ **compuesto** *sm* GRAM & QUÍM compound.

compungido, da *adj* contrite.

computador *sm* = **computadora**.

computadora *sf* computer.

computar *vt* [calcular] to calculate.

cómputo *sm* calculation.

comulgar *vi* RELIG to take communion.

común *adj* - **1.** [gen] common; **por lo común** generally; **poco común** unusual - **2.** [compartido - amigo, interés] mutual; [- bienes, pastos] communal - **3.** [ordinario - vino etc] ordinary, average; **común y corriente** perfectly ordinary.

comuna *sf* - **1.** commune - **2.** *Amér* [municipalidad] municipality.

comunicación *sf* - **1.** [gen] communication; **ponerse en comunicación con alguien** to get in touch with sb - **2.** [escrito oficial] communiqué; [informe] report. ◆ **comunicaciones** *sfpl* communications.

comunicado, da *adj*: **bien comunicado** [lugar] well-served, with good connections. ◆ **comunicado** *sm* announcement, statement; **comunicado oficial** communiqué; **comunicado a la prensa** press release.

comunicar ◇ *vt* - **1.** [transmitir - sentimientos, ideas] to convey; [- movimiento, virus] to transmit - **2.** [información]: **comunicar algo a alguien** to inform sb of sthg, to tell sb sthg. ◇ *vi* - **1.** [hablar - gen] to communicate; [- al teléfono] to get through; [escribir] to get in touch - **2.** [dos lugares]: **comunicar con algo** to connect with sthg, to join sthg - **3.** [suj: el teléfono] to be engaged *UK*, to be busy *US*. ◆ **comunicarse** *vprnl* - **1.** [hablarse] to communicate (with each other) - **2.** [dos lugares] to be connected.

comunicativo, va *adj* communicative.

comunidad *sf* community; **comunidad autónoma** autonomous region; **Comunidad Económica Europea** HIST European Economic Community.

comunión *sf* lit & fig communion; **hacer la primera comunión** to take one's First Communion.

comunismo *sm* communism.

comunista *adj* & *smf* communist.

comunitario, ria *adj* - **1.** [de la comunidad] community *(antes de s)* - **2.** [de la UE] Community *(antes de s)*, of the European Community; **política comunitaria** EU O Community policy.

con *prep* - **1.** [gen] with; **¿con quién vas?** who are you going with?; **lo ha conseguido con su**

esfuerzo he has achieved it through his own efforts; **una cartera con varios documentos** a briefcase containing several documents - **2.** [a pesar de] in spite of; **con todo** despite everything; **con lo estudioso que es, lo suspendieron** for all his hard work, they still failed him - **3.** [hacia]: **para con** towards; **es amable para con todos** she is friendly towards O with everyone - **4.** (+ *infinitivo*) [para introducir una condición] by (+ *gerundio*); **con hacerlo así** by doing it this way; **con salir a las diez es suficiente** if we leave at ten, we'll have plenty of time - **5.** [a condición de que]: **con (tal) que** (+ *subjuntivo*) as long as; **con que llegue a tiempo me conformo** I don't mind as long as he arrives on time.

conato *sm* attempt; **conato de robo** attempted robbery; **un conato de incendio** the beginnings of a fire.

concatenar, concadenar *vt* to link together.

concavidad *sf* [lugar] hollow.

cóncavo, va *adj* concave.

concebir ⟨⟩ *vt* [plan, hijo] to conceive; [imaginar] to imagine. ⟨⟩ *vi* to conceive.

conceder *vt* - **1.** [dar] to grant; [premio] to award - **2.** [asentir] to admit, to concede.

concejal, la *sm, f* (town) councillor.

concentración *sf* - **1.** [gen] concentration - **2.** [de gente] gathering; **concentración parcelaria** ECON land consolidation.

concentrado *sm* concentrate.

concentrar *vt* - **1.** [gen] to concentrate - **2.** [reunir - gente] to bring together; [- tropas] to assemble. ◆ **concentrarse** *vprnl* to concentrate.

concéntrico, ca *adj* concentric.

concepción *sf* conception.

concepto *sm* - **1.** [idea] concept - **2.** [opinión] opinion; **te tiene en muy buen concepto** she thinks highly of you - **3.** [motivo]: **bajo ningún concepto** under no circumstances; **en concepto de** by way of, as.

concernir *v impers* to concern; **en lo que concierne a** as regards; **por lo que a mí me concierne** as far as I'm concerned.

concertado, da *adj* [centro de enseñanza] state-assisted, ≃ grant-maintained *UK*; **hospital concertado** *private hospital that has been contracted to provide free treatment for social security patients*.

concertar ⟨⟩ *vt* [precio] to agree on; [cita] to arrange; [pacto] to reach. ⟨⟩ *vi* [concordar]: **concertar (con)** to tally (with), to fit in (with).

concertina *sf* concertina.

concesión *sf* - **1.** [de préstamo etc] granting; [de premio] awarding - **2.** *fig* & COM concession.

concesionario, ria *sm, f* [persona con derecho exclusivo de venta] licensed dealer; [titular de una concesión] concessionaire, licensee.

concha *sf* - **1.** [de los animales] shell - **2.** [material] tortoiseshell - **3.** *Ven* [de frutas] peel, rind.

conchabarse *vprnl*: **conchabarse (contra)** *fam* to gang up (on).

conciencia, consciencia *sf* - **1.** [conocimiento] consciousness, awareness; **tener/tomar conciencia de** to be/become aware of; **conciencia de clase** class consciousness; **conciencia social** social conscience - **2.** [moral, integridad] conscience; **a conciencia** conscientiously; **me remuerde la conciencia** I have a guilty conscience; **tener la conciencia tranquila** to have a clear conscience.

concienciar *vt* to make aware. ◆ **concienciarse** *vprnl* to become aware.

concientizar *Amér vt*: **concientizar a alguien de algo** to make sb aware of sthg. ◆ **concientizarse** *vprnl*: **concientizarse (de)** to become aware (of).

concienzudo, da *adj* conscientious.

concierto *sm* - **1.** [actuación] concert - **2.** [composición] concerto.

conciliar *vt* to reconcile; **conciliar el sueño** to get to sleep.

concilio *sm* council.

concisión *sf* conciseness.

conciso, sa *adj* concise.

conciudadano, na *sm, f* fellow citizen.

cónclave, conclave *sm* conclave.

concluir ⟨⟩ *vt* to conclude; **concluir haciendo O por hacer algo** to end up doing sthg. ⟨⟩ *vi* to (come to an) end.

conclusión *sf* conclusion; **llegar a una conclusión** to come to O to reach a conclusion; **en conclusión** in conclusion.

concluyente *adj* conclusive.

concordancia *sf* [gen & GRAM] agreement.

concordar ⟨⟩ *vt* to reconcile. ⟨⟩ *vi* - **1.** [estar de acuerdo]: **concordar (con)** to agree O tally (with) - **2.** GRAM: **concordar (con)** to agree (with).

concordia *sf* harmony.

concretar *vt* [precisar] to specify, to state exactly. ◆ **concretarse** *vprnl* [materializarse] to take shape.

concreto, ta *adj* specific, particular; **en concreto** [en resumen] in short; [específicamente] specifically; **nada en concreto** nothing definite. ◆ **concreto armado** *sm Amér* reinforced concrete.

concurrencia *sf* - **1.** [asistencia] attendance; [espectadores] crowd, audience - **2.** [de sucesos] concurrence.

concurrido, da *adj* [bar, calle] crowded; [espectáculo] well-attended.

concurrir *vi* - 1. [reunirse]: **concurrir a algo** to go to sthg, to attend sthg - 2. [participar]: **concurrir a** [concurso] to take part in, to compete in; [examen] to take *UK*, to take.

concursante *smf* [en concurso] competitor, contestant; [en oposiciones] candidate.

concursar *vi* [competir] to compete; [en oposiciones] to be a candidate.

concurso *sm* - 1. [prueba - literaria, deportiva] competition; [- de televisión] game show; **fuera de concurso** out of the running - 2. [para una obra] tender; **salir a concurso** to be put out to tender - 3. [ayuda] cooperation.

condado *sm* [territorio] county.

condal *adj*: **la Ciudad Condal** Barcelona.

conde, esa *sm, f* count (*f* countess).

condecoración *sf* [insignia] medal.

condecorar *vt* to decorate.

condena *sf* sentence.

condenado, da *adj* - 1. [a una pena] convicted, sentenced; [a un sufrimiento] condemned - 2. *fam* [maldito] damned.

condenar *vt* - 1. [declarar culpable] to convict - 2. [castigar]: **condenar a alguien a algo** to sentence sb to sthg - 3. [recriminar] to condemn.

condensar *vt lit & fig* to condense.

condescendencia *sf* [benevolencia] graciousness; [altivez] condescension.

condescender *vi*: **condescender a** [con amabilidad] to consent to, to accede to; [con desprecio] to deign to, to condescend to.

condescendiente *adj* obliging.

condición *sf* - 1. [gen] condition; **condiciones de un contrato** terms of a contract; **con una sola condición** on one condition - 2. [naturaleza] nature - 3. [clase social] social class.
condiciones *sfpl* - 1. [aptitud] talent (*U*), ability (*U*) - 2. [circunstancias] conditions; **condiciones atmosféricas/de vida** weather/living conditions - 3. [estado] condition (*U*); **estar en condiciones de** *O* **para hacer algo** [físicamente] to be in a fit state to do sthg; [por la situación] to be in a position to do sthg; **estar en buenas condiciones** [casa, coche] to be in good condition; [carne, pescado] to be fresh; **estar en malas condiciones** [casa, coche] to be in bad condition; [carne, pescado] to be off.

condicional *adj & sm* conditional.

condicionar *vt*: **condicionar algo a algo** to make sthg dependent on sthg.

condimento *sm* seasoning (*U*).

condolencia *sf* condolence.

condolerse *vprnl*: **condolerse (de)** to feel pity (for).

condón *sm* condom.

cóndor *sm* condor.

conducción *sf* [de vehículo] driving.

conducir ⇔ *vt* - 1. [vehículo] to drive - 2. [dirigir - empresa] to manage, to run; [- ejército] to lead; [- asunto] to handle - 3. [a una persona a un lugar] to lead. ⇔ *vi* - 1. [en vehículo] to drive - 2. [a sitio, situación]: **conducir a** to lead to.

conducta *sf* behaviour, conduct.

conducto *sm* - 1. [de fluido] pipe - 2. *fig* [vía] channel - 3. ANAT duct.

conductor, ra *sm, f* - 1. [de vehículo] driver - 2. FÍS conductor.

conectar *vt*: **conectar algo (a** *O* **con)** to connect sthg (to *O* up to).

conejillo ➡ **conejillo de Indias** *sm* guinea pig.

conejo, ja *sm, f* rabbit (*f* doe); **conejo a la cazadora** CULIN *rabbit cooked in olive oil with chopped onion, garlic and parsley.*

conexión *sf* - 1. [gen] connection - 2. RADIO & TV link-up; **conexión a Internet** Internet connection; **conexión vía satélite** satellite link.

conexo, xa *adj* related, connected.

confabular ➡ **confabularse** *vprnl*: **confabularse (para)** to plot *O* conspire (to).

confección *sf* - 1. [de ropa] tailoring, dressmaking - 2. [de comida] preparation, making; [de lista] drawing up.

confeccionar *vt* - 1. [ropa] to make (up); [lista] to draw up - 2. [plato] to prepare; [bebida] to mix.

confederación *sf* confederation.

conferencia *sf* - 1. [charla] lecture; **dar una conferencia** to give a talk *O* lecture - 2. [reunión] conference - 3. [por teléfono] (long-distance) call; **poner una conferencia** to make a long-distance call; **conferencia a cobro revertido** reverse-charge call *UK*, collect call *US*.

conferir *vt* - 1.: **conferir algo a alguien** [honor, dignidad] to confer *O* bestow sthg upon sb; [responsabilidades] to give sthg to sb - 2. [cualidad] to give.

confesar *vt* [gen] to confess; [debilidad] to admit. ➡ **confesarse** *vprnl* RELIG: **confesarse (de algo)** to confess (sthg).

confesión *sf* - 1. [gen] confession - 2. [credo] religion, (religious) persuasion.

confesionario *sm* confessional.

confeti *sm* confetti (*U*).

confiado, da *adj* [seguro] confident; [crédulo] trusting.

confianza *sf* - 1. [seguridad]: **confianza (en)** confidence (in); **confianza en uno mismo** self-confidence - 2. [fe] trust; **de confianza** trustworthy; **ser digno de confianza** to be trustworthy - 3. [familiaridad] familiari..., **con toda confianza** in all confidence; **puedes hablar con toda confianza** you can talk quite freely; **en**

confianza in confidence; **en confianza, no creo que apruebe** don't tell anyone I said this, but I doubt she'll pass.

confiar vt - **1.** [secreto] to confide - **2.** [responsabilidad, persona, asunto]: **confiar algo a alguien** to entrust sthg to sb. ◆ **confiar en** vi - **1.** [tener fe] to trust in - **2.** [suponer]: **confiar en que** to be confident that. ◆ **confiarse** vprnl [despreocuparse] to be too sure (of o.s.)

confidencia sf confidence, secret; **hacer confidencias a alguien** to confide in sb.

confidencial adj confidential.

confidente smf - **1.** [amigo] confidant (f confidante) - **2.** [soplón] informer.

configurar vt [formar] to shape, to form.

confín (gen pl) sm - **1.** [límite] border, boundary - **2.** [extremo - del reino, universo] outer reaches pl; **en los confines de** on the very edge of.

confinar vt - **1.** [detener]: **confinar (en)** to confine (to) - **2.** [desterrar]: **confinar (en)** to banish (to).

confirmación sf [gen & RELIG] confirmation.

confirmar vt to confirm.

confiscar vt to confiscate.

confitado, da adj candied; **frutas confitadas** crystallized fruit.

confite sm sweet UK, candy US.

confitería sf - **1.** [tienda] sweetshop, confectioner's - **2.** R Dom [café] cafe.

confitura sf preserve, jam.

conflictivo, va adj [asunto] controversial; [situación] troubled; [trabajador] difficult.

conflicto sm [gen] conflict; [de intereses, opiniones] clash; **estar en conflicto** to be in conflict; **conflicto armado** armed conflict; **conflicto generacional** generation gap; **conflicto laboral** industrial dispute.

confluir vi - **1.** [corriente, cauce]: **confluir (en)** to converge O meet (at) - **2.** [personas]: **confluir (en)** to gather (in).

conformar vt [configurar] to shape. ◆ **conformarse con** vprnl [suerte, destino] to resign o.s. to; [apañárselas con] to make do with; [contentarse con] to settle for.

conforme ◇ adj - **1.** [acorde]: **conforme a** in accordance with - **2.** [de acuerdo]: **conforme (con)** in agreement (with) - **3.** [contento]: **conforme (con)** happy (with). ◇ adv [gen] as; **conforme envejecía** as he got older.

conformidad sf [aprobación]: **conformidad (con)** approval (of).

conformista adj & smf conformist.

confort (pl conforts) sm comfort; 'todo confort' 'all mod cons'.

confortable adj comfortable.

confortar vt to console, to comfort.

confrontar vt - **1.** [enfrentar] to confront - **2.** [comparar] to compare.

confundir vt - **1.** [trastocar]: **confundir una cosa con otra** to mistake one thing for another; **confundir dos cosas** to get two things mixed up - **2.** [liar] to confuse - **3.** [mezclar] to mix up. ◆ **confundirse** vprnl - **1.** [equivocarse] to make a mistake; **confundirse de piso** to get the wrong flat - **2.** [liarse] to get confused - **3.** [mezclarse - colores, siluetas]: **confundirse (en)** to merge (into); [- personas]: **confundirse entre la gente** to lose o.s. in the crowd.

confusión sf - **1.** [gen] confusion - **2.** [error] mix-up.

confuso, sa adj - **1.** [incomprensible - estilo, explicación] obscure - **2.** [poco claro - rumor] muffled; [- clamor, griterío] confused; [- contorno, forma] blurred - **3.** [turbado] confused, bewildered.

congelación sf - **1.** [de alimentos] freezing - **2.** ECON [de precios, salarios] freeze.

congelador sm freezer.

congelados smpl frozen foods.

congelar vt [gen & ECON] to freeze. ◆ **congelarse** vprnl to freeze.

congeniar vi: **congeniar (con)** to get on (with).

congénito, ta adj [enfermedad] congenital; [talento] innate.

congestión sf congestion.

congestionar vt to block. ◆ **congestionarse** vprnl - **1.** AUTO & MED to become congested - **2.** [cara - de rabia etc] to flush, to turn purple.

congoja sf anguish.

congraciarse vprnl: **congraciarse con alguien** to win sb over.

congratular vt: **congratular a alguien (por)** to congratulate sb (on).

congregación sf congregation.

congregar vt to assemble.

congresista smf - **1.** [en un congreso] delegate - **2.** [político] congressman (f congresswoman).

congreso sm - **1.** [de una especialidad] congress - **2.** [asamblea nacional]: **congreso de diputados** [en España] lower house of Spanish Parliament; UK ≃ House of Commons; US ≃ House of Representatives; **el Congreso** [en Estados Unidos] Congress.

congrio sm conger eel.

congruente adj consistent, congruous.

conjetura sf conjecture; **hacer conjeturas, hacerse una conjetura** to conjecture.

conjugación sf GRAM conjugation.

conjugar vt - **1.** GRAM to conjugate - **2.** [opiniones] to bring together, to combine; [esfuerzos, ideas] to pool.

conjunción *sf* ASTRON & GRAM conjunction.

conjunto, ta *adj* [gen] joint; [hechos, acontecimientos] combined. ◆ **conjunto** *sm* - **1.** [gen] set, collection; **un conjunto de circunstancias** a number of reasons - **2.** [de ropa] outfit - **3.** [MÚS - de rock] group, band; [- de música clásica] ensemble - **4.** [totalidad] whole; **en conjunto** overall, as a whole - **5.** MAT set.

conjurar ⋄ *vi* [conspirar] to conspire, to plot. ⋄ *vt* - **1.** [exorcizar] to exorcize - **2.** [evitar - un peligro] to ward off, to avert.

conjuro *sm* spell, incantation.

conllevar *vt* [implicar] to entail.

conmemoración *sf* commemoration.

conmemorar *vt* to commemorate.

conmigo *pron pers* with me; **conmigo mismo/misma** with myself.

conmoción *sf* - **1.** [física o psíquica] shock; **conmoción cerebral** concussion - **2.** *fig* [trastorno, disturbio] upheaval.

conmocionar *vt* - **1.** [psíquicamente] to shock - **2.** [físicamente] to concuss.

conmovedor, ra *adj* moving, touching.

conmover *vt* - **1.** [emocionar] to move, to touch - **2.** [sacudir] to shake.

conmutador *sm* - **1.** ELECTR switch - **2.** *Amér* [centralita] switchboard.

connotación *sf* connotation; **una connotación irónica** a hint of irony.

cono *sm* cone.

conocedor, ra *sm, f*: **conocedor (de)** [gen] expert (on); [de vinos] connoisseur (of).

conocer *vt* - **1.** [gen] to know; **darse a conocer** to make o.s. known; **conocer bien un tema** to know a lot about a subject; **conocer alguien de vista** to know sb by sight; **conocer a alguien de oídas** to have heard of sb - **2.** [descubrir - lugar, país] to get to know - **3.** [a una persona - por primera vez] to meet - **4.** [reconocer]: **conocer a alguien (por algo)** to recognize sb (by sthg). ◆ **conocerse** *vprnl* - **1.** [a uno mismo] to know o.s. - **2.** [dos o más personas - por primera vez] to meet, to get to know each other; [- desde hace tiempo] to know each other.

conocido, da ⋄ *adj* well-known. ⋄ *sm, f* acquaintance.

conocimiento *sm* - **1.** [gen] knowledge - **2.** MED [sentido] consciousness; **perder/recobrar el conocimiento** to lose/regain consciousness. ◆ **conocimientos** *smpl* knowledge (U); **tener muchos conocimientos** to be very knowledgeable.

conozca *etc* ▷ **conocer**.

conque *conj* so; **¿conque te has cansado?** so you're tired, are you?

conquista *sf* [de tierras, persona] conquest.

conquistador, ra *sm, f* - **1.** [de tierras] conqueror - **2.** HIST conquistador.

conquistar *vt* [tierras] to conquer.

consabido, da *adj* [conocido] well-known; [habitual] usual.

consagrar *vt* - **1.** RELIG to consecrate - **2.** [dedicar]: **consagrar algo a algo/alguien** [tiempo, espacio] to devote sthg to sthg/sb; [monumento, lápida] to dedicate sthg to sthg/sb - **3.** [acreditar, confirmar] to confirm, to establish.

consciencia = **conciencia**.

consciente *adj* conscious; **ser consciente de** to be aware of; **estar consciente** [físicamente] to be conscious.

consecución *sf* [de un deseo] realization; [de un objetivo] attainment; [de un premio] winning.

consecuencia *sf* [resultado] consequence; **a** *O* **como consecuencia de** as a consequence *O* result of; **atenerse a las consecuencias** to accept the consequences; **traer como consecuencia** to result in.

consecuente *adj* [coherente] consistent.

consecutivo, va *adj* consecutive.

conseguir *vt* [gen] to obtain, to get; [un objetivo] to achieve; **conseguir hacer algo** to manage to do sthg; **conseguir que alguien haga algo** to get sb to do sthg.

consejero, ra *sm, f* - **1.** [en asuntos personales] counsellor; [en asuntos técnicos] adviser, consultant - **2.** [de un consejo de administración] member; POLIT [en España] minister *(in an autonomous government)*.

consejo *sm* - **1.** [advertencia] advice *(U)*; **dar un consejo** to give some advice - **2.** [organismo] council; **consejo de administración** board of directors - **3.** [reunión] meeting. ◆ **Consejo de Europa** *sm* Council of Europe. ◆ **consejo de guerra** *sm* court martial. ◆ **consejo de ministros** *sm* cabinet.

consenso *sm* [acuerdo] consensus; [consentimiento] consent.

consentimiento *sm* consent.

consentir ⋄ *vt* - **1.** [tolerar] to allow, to permit - **2.** [mimar] to spoil. ⋄ *vi*: **consentir en algo/en hacer algo** to agree to sthg/to do sthg.

conserje *smf* [portero] porter; [encargado] caretaker.

conserjería *sf* - **1.** [de un hotel] reception desk - **2.** [de un edificio público o privado] porter's lodge.

conserva *sf*: **conserva de carne** tinned meat; **en conserva** tinned, canned.

conservación *sf* [gen] conservation; [de alimentos] preservation.

conservacionista ⋄ *adj* conservation *(antes de s)*. ⋄ *smf* conservationist.

conservante *smf* preservative.

conservar *vt* - **1.** [gen & CULIN] to preserve; [amistad] to keep up; [salud] to look after; [calor]

to retain - **2.** [guardar - libros, cartas, secreto] to keep. ◆ **conservarse** *vprnl* to keep; **se conserva bien** he's keeping well.

conservatorio *sm* conservatoire.

considerable *adj* [gen] considerable; [importante, eminente] notable.

consideración *sf* - **1.** [valoración] consideration - **2.** [respeto] respect; **tratar a alguien con consideración** to be nice to sb; **tratar a alguien sin consideración** to show no consideration to sb; **en consideración a algo** in recognition of sthg - **3.** [importancia]: **de consideración** serious.

considerado, da *adj* [atento] considerate, thoughtful; [respetado] respected.

considerar *vt* - **1.** [valorar] to consider - **2.** [juzgar, estimar] to think. ◆ **considerarse** *vprnl* to consider o.s.; **me considero feliz** I consider myself happy.

consigna *sf* - **1.** [órdenes] instructions *pl* - **2.** [para el equipaje] left-luggage office *UK*, checkroom *US*.

consignar *vt* - **1.** [poner por escrito] to record, to write down - **2.** [enviar - mercancía] to dispatch - **3.** [equipaje] to deposit in the left-luggage office.

consigo *pron pers* with him/her, *pl* with them; [con usted] with you; [con uno mismo] with o.s.; **consigo mismo/misma** with himself/herself; **hablar consigo mismo** to talk to o.s.

consiguiente *adj* consequent; **por consiguiente** consequently, therefore.

consistencia *sf lit & fig* consistency.

consistente *adj* - **1.** [sólido - material] solid - **2.** [coherente - argumento] sound - **3.** [compuesto]: **consistente en** consisting of.

consistir ◆ **consistir en** *vi* - **1.** [gen] to consist of - **2.** [deberse a] to lie in, to be based on.

consola *sf* - **1.** [mesa] console table - **2.** INFORM & TECNOL console; **consola de videojuegos** video console.

consolación *sf* consolation.

consolar *vt* to console.

consolidar *vt* to consolidate.

consomé *sm* consommé.

consonancia *sf* harmony; **en consonancia con** in keeping with.

consonante *sf* consonant.

consorcio *sm* consortium.

conspiración *sf* plot, conspiracy.

conspirador, ra *sm, f* conspirator.

conspirar *vi* to conspire, to plot.

constancia *sf* - **1.** [perseverancia - en una empresa] perseverance; [- en las ideas, opiniones] steadfastness - **2.** [testimonio] record; **dejar constancia de algo** [registrar] to put sthg on record; [probar] to demonstrate sthg.

constante ◇ *adj* - **1.** [persona - en una empresa] persistent - **2.** [acción] constant. ◇ *sf* constant.

constar *vi* - **1.** [una información]: **constar (en)** to appear (in), to figure (in); **constarle a alguien** to be clear to sb; **me consta que...** I am quite sure that...; **que conste que...** let it be clearly understood that..., let there be no doubt that...; **hacer constar** to put on record; **hacer constar por escrito** to confirm in writing - **2.** [estar constituido por]: **constar de** to consist of.

constatar *vt* [observar] to confirm; [comprobar] to check.

constelación *sf* constellation.

consternación *sf* consternation.

constipado, da *adj*: **estar constipado** to have a cold. ◆ **constipado** *sm* cold; **coger un constipado** to catch a cold.

constiparse *vprnl* to catch a cold.

constitución *sf* constitution.

constitucional *adj* constitutional.

constituir *vt* - **1.** [componer] to make up - **2.** [ser] to be - **3.** [crear] to set up.

constituyente *adj & sm* constituent.

constreñir *vt* [oprimir, limitar] to restrict.

construcción *sf* - **1.** [gen] construction; **en construcción** under construction - **2.** [edificio] building.

constructivo, va *adj* constructive.

constructor, ra *adj* building *(antes de s)*, construction *(antes de s)*. ◆ **constructor** *sm* [de edificios] builder.

construir *vt* [edificio, barco] to build; [aviones, coches] to manufacture; [frase, teoría] to construct.

consuelo *sm* consolation, solace.

cónsul, consulesa *sm, f* consul.

consulado *sm* [oficina] consulate; [cargo] consulship.

consulta *sf* - **1.** [pregunta] consultation; **hacer una consulta a alguien** to seek sb's advice; **consulta popular** referendum, plebiscite - **2.** [despacho de médico] consulting room; **horas de consulta** surgery hours.

consultar ◇ *vt* [dato, fecha] to look up; [libro, persona] to consult. ◇ *vi*: **consultar con** to consult, to seek advice from.

consultor, ra *sm, f* consultant.

consultorio *sm* - **1.** [de un médico] consulting room - **2.** [en periódico] problem page; [en radio] *programme answering listeners' questions* - **3.** [asesoría] advice bureau.

consumar vt [gen] to complete; [un crimen] to perpetrate; [el matrimonio] to consummate.

consumición sf - **1.** [acción] consumption; **está prohibida la consumición de bebidas alcohólicas** the consumption of alcohol is prohibited - **2.** [bebida] drink; [comida] food; **consumición mínima** cover charge.

consumidor, ra sm, f [gen] consumer; [en un bar, restaurante] patron.

consumir ⟨⟩ vt - **1.** [gen] to consume; **consumieron los refrescos en el bar** they had their drinks at the bar - **2.** [destruir - suj: fuego] to destroy. ⟨⟩ vi to consume. ⟶ **consumirse** vprnl - **1.** [persona] to waste away - **2.** [fuego] to burn out.

consumismo sm consumerism.

consumo sm consumption; **no apto para el consumo** unfit for human consumption; **bienes/sociedad de consumo** consumer goods/society.

contabilidad sf - **1.** [oficio] accountancy - **2.** [de persona, empresa] bookkeeping, accounting; **llevar la contabilidad** to do the accounts.

contable smf accountant.

contacto sm - **1.** [gen] contact; **perder el contacto** to lose touch - **2.** AUTO ignition.

contado, da adj [raro] rare, infrequent; **contadas veces** very rarely. ⟶ **al contado** loc adv: **pagar al contado** to pay (in) cash.

contador, ra sm, f AMÉR [contable] accountant; **contador público** chartered accountant UK, certified public accountant US. ⟶ **contador** sm [aparato] meter.

contaduría sf AMÉR: **contaduría general** audit office.

contagiar vt [persona] to infect; [enfermedad] to transmit. ⟶ **contagiarse** vprnl [enfermedad, risa] to be contagious; [persona] to become infected.

contagio sm infection, contagion.

contagioso, sa adj [enfermedad] contagious, infectious; [risa etc] infectious.

container = **contenedor**.

contaminación sf [gen] contamination; [del medio ambiente] pollution.

contaminar vt [gen] to contaminate; [el medio ambiente] to pollute.

contar ⟨⟩ vt - **1.** [enumerar, incluir] to count - **2.** [narrar] to tell; **¡a mí me lo vas a contar!** you're telling me!, tell me about it! ⟨⟩ vi to count. ⟶ **contar con** vi - **1.** [confiar en] to count on - **2.** [tener, poseer] to have - **3.** [tener en cuenta] to take into account; **con esto no contaba** I hadn't reckoned with that.

contemplación sf contemplation.

contemplar vt [mirar, considerar] to contemplate.

contemporáneo, a adj & sm, f contemporary.

contenedor, ra adj containing. ⟶ **contenedor** sm [gen] container; [para escombros] skip; **contenedor de basura** large rubbish bin for collecting rubbish from blocks of flats etc; **contenedor de vidrio reciclable** bottle bank.

contener vt - **1.** [encerrar] to contain - **2.** [detener, reprimir] to restrain. ⟶ **contenerse** vprnl to restrain o.s.

contenido sm [gen] contents pl; [de discurso, redacción] content.

contentar vt to please, to keep happy. ⟶ **contentarse** vprnl: **contentarse con** to make do with.

contento, ta adj [alegre] happy; [satisfecho] pleased; **estar contento con alguien/algo** to be pleased with sb/sthg; **tener contento a alguien** to keep sb happy.

contestación sf answer.

contestador ⟶ **contestador (automático)** sm answering machine.

contestar ⟨⟩ vt to answer; **contestó que vendría** she answered that she'd come. ⟨⟩ vi - **1.** [responder] to answer; **no contestan** there's no answer - **2.** [replicar] to answer back; **no contestes a tu madre** don't answer back to your mother.

contestatario, ria adj anti-establishment.

contexto sm context.

contienda sf [competición, combate] contest; [guerra] conflict, war.

contigo pron pers with you; **contigo mismo/misma** with yourself.

contiguo, gua adj adjacent.

continencia sf self-restraint.

continental adj continental.

continente sm GEOGR continent.

contingente ⟨⟩ adj unforeseeable. ⟨⟩ sm - **1.** [grupo] contingent - **2.** COM quota.

continuación sf continuation; **a continuación** next, then.

continuar ⟨⟩ vt to continue, to carry on with. ⟨⟩ vi to continue, to go on; **continuar haciendo algo** to continue doing O to do sthg; **continúa lloviendo** it's still raining; **'continuará'** 'to be continued'.

continuidad sf [en una sucesión] continuity; [permanencia] continuation.

continuo, nua adj - **1.** [ininterrumpido] continuous - **2.** [constante, perseverante] continual.

contonearse vprnl [hombre] to swagger; [mujer] to swing one's hips.

contorno sm - **1.** GEOGR contour; [línea] outline - **2.** (gen pl) [vecindad] neighbourhood; [de una ciudad] outskirts pl.

contorsionarse *vprnl* [gen] to do contortions; [de dolor] to writhe.

contra ⟨⟩ *prep* against; **un jarabe contra la tos** a cough syrup; **en contra** against; **estar en contra de algo** to be opposed to sthg; **en contra de** [a diferencia de] contrary to. ⟨⟩ *sm*: **los pros y los contras** the pros and cons.

contraataque *sm* counterattack.

contrabajo *sm* - **1.** [instrumento] double-bass - **2.** [voz, cantante] low bass.

contrabandista *smf* smuggler.

contrabando *sm* [acto] smuggling; [mercancías] contraband; **pasar algo de contrabando** to smuggle sthg in; **contrabando de armas** gunrunning.

contracción *sf* contraction.

contrachapado, da *adj* made of plywood. ⬥ **contrachapado** *sm* plywood.

contradecir *vt* to contradict.

contradicción *sf* contradiction; **estar en contradicción con** to be in (direct) contradiction to.

contradicho, cha *pp* ▷ **contradecir**.

contradictorio, ria *adj* contradictory.

contraer *vt* - **1.** [gen] to contract - **2.** [costumbre, acento etc] to acquire - **3.** [enfermedad] to catch. ⬥ **contraerse** *vprnl* to contract.

contrafuerte *sm* ARQUIT buttress.

contraindicación *sf*: 'contraindicaciones:...' 'not to be taken with...'

contralor *sm* Chile inspector of public spending.

contralto *sm* [voz] contralto.

contraluz *sm* back lighting; **a contraluz** against the light.

contramaestre *sm* - **1.** NÁUT boatswain; MIL warrant officer - **2.** [capataz] foreman.

contrapartida *sf* compensation; **como contrapartida** to make up for it.

contrapelo ⬥ **a contrapelo** *loc adv* - **1.** [acariciar] the wrong way - **2.** [vivir, actuar] against the grain.

contrapesar *vt* [físicamente] to counterbalance.

contrapeso *sm* - **1.** [en ascensores, poleas] counterweight - **2.** *fig* [fuerza que iguala] counterbalance.

contraponer *vt* [oponer]: **contraponer (a)** to set up (against). ⬥ **contraponerse** *vprnl* to oppose.

contraportada *sf* [de periódico, revista] back page; [de libro, disco] back cover.

contraproducente *adj* counterproductive.

contrariar *vt* - **1.** [contradecir] to go against - **2.** [disgustar] to upset.

contrariedad *sf* - **1.** [dificultad] setback - **2.** [disgusto] annoyance.

contrario, ria *adj* - **1.** [opuesto - dirección, sentido] opposite; [- parte] opposing; [- opinión] contrary; **ser contrario a algo** to be opposed to sthg - **2.** [perjudicial]: **contrario a** contrary to. ⬥ **contrario** *sm* - **1.** [rival] opponent - **2.** [opuesto] opposite; **al contrario, por el contrario** on the contrary; **de lo contrario** otherwise; **todo lo contrario** quite the contrary.

contrarreloj *adj inv*: **etapa contrarreloj** time trial.

contrarrestar *vt* [neutralizar] to counteract.

contrasentido *sm* nonsense *(U)*; **es un contrasentido hacer eso** it doesn't make sense to do that.

contraseña *sf* password.

contrastar ⟨⟩ *vi* to contrast. ⟨⟩ *vt* - **1.** [probar - hechos] to check, to verify - **2.** [resistir] to resist.

contraste *sm* contrast; **hacer contraste con algo** to contrast with sthg; **en contraste con** in contrast to; **por contraste** in contrast.

contratar *vt* - **1.** [obreros, personal, detective] to hire; [deportista] to sign - **2.** [servicio, obra, mercancía]: **contratar algo a alguien** to contract for sthg with sb.

contratiempo *sm* [accidente] mishap; [dificultad] setback.

contratista *smf* contractor.

contrato *sm* contract; **bajo contrato** under contract; **contrato matrimonial** marriage contract.

contraventana *sf* shutter.

contribución *sf* - **1.** [gen] contribution - **2.** [impuesto] tax.

contribuir *vi* - **1.** [gen]: **contribuir (a)** to contribute (to); **contribuir con algo para** to contribute sthg towards - **2.** [pagar impuestos] to pay taxes.

contribuyente *smf* taxpayer.

contrincante *smf* rival, opponent.

control *sm* - **1.** [gen] control; **bajo control** under control; **fuera de control** out of control; **perder el control** to lose one's temper; **control del estrés** stress management; **control remoto** remote control - **2.** [verificación] examination, inspection; **(bajo) control médico** (under) medical supervision; **control antidoping** dope test - **3.** [puesto policial] checkpoint; **control de pasaportes** passport control.

controlador, ra *sm, f* [gen & INFORM] controller; **controlador aéreo** air traffic controller. ⬥ **controlador de disco** *sm* disk controller.

controlar *vt* - **1.** [gen] to control; [cuentas] to audit - **2.** [comprobar] to check.

controversia *sf* controversy.

contundente *adj* - **1.** [arma, objeto] blunt; [golpe] thudding - **2.** *fig* [razonamiento, argumento] forceful.

contusión *sf* bruise.

convalecencia *sf* convalescence.

convaleciente *adj* convalescent.

convalidar *vt* [estudios] to recognize; [asignaturas] to validate.

convencer *vt* to convince; **convencer a alguien de algo** to convince sb of sthg. ◆ **convencerse** *vprnl*: **convencerse de** to become convinced of.

convencimiento *sm* [certeza] conviction; [acción] convincing.

convención *sf* convention.

convencional *adj* conventional.

conveniencia *sf* - **1.** [utilidad] usefulness; [oportunidad] suitability - **2.** [interés] convenience; **sólo mira su conveniencia** he only looks after his own interests.

conveniente *adj* [útil] useful; [oportuno] suitable, appropriate; [lugar, hora] convenient; [aconsejable] advisable; **sería conveniente asistir** it would be a good idea to go.

convenio *sm* agreement.

convenir *vi* - **1.** [venir bien] to be suitable; **conviene analizar la situación** it would be a good idea to analyse the situation; **no te conviene hacerlo** you shouldn't do it - **2.** [acordar]: **convenir en** to agree on.

convento *sm* [de monjas] convent; [de monjes] monastery.

converger *vi* to converge.

conversación *sf* conversation; **cambiar de conversación** to change the subject; **trabar conversación con alguien** to strike up a conversation with sb. ◆ **conversaciones** *sfpl* [negociaciones] talks.

conversada *sf* *Amér* chat.

conversar *vi* to talk, to converse.

conversión *sf* conversion.

converso, sa *adj* converted.

convertir *vt* - **1.** RELIG to convert - **2.** [transformar]: **convertir algo/a alguien en** to convert sthg/sb into, to turn sthg/sb into. ◆ **convertirse** *vprnl* - **1.** RELIG: **convertirse (a)** to convert (to) - **2.** [transformarse]: **convertirse en** to become, to turn into.

convexo, xa *adj* convex.

convicción *sf* conviction; **tener la convicción de que** to be convinced that.

convicto, ta *adj* convicted.

convidar *vt* [invitar] to invite.

convincente *adj* convincing.

convite *sm* - **1.** [invitación] invitation - **2.** [fiesta] banquet.

convivencia *sf* living together.

convivir *vi* to live together; **convivir con** to live with.

convocar *vt* [reunión] to convene; [huelga, elecciones] to call.

convocatoria *sf* - **1.** [anuncio, escrito] notice - **2.** [de examen] diet.

convulsión *sf* - **1.** [de músculos] convulsion - **2.** [política, social] upheaval *(U)*.

conyugal *adj* conjugal; **vida conyugal** married life.

cónyuge *smf* spouse; **los cónyuges** husband and wife.

coñac (*pl* **coñacs**), **cognac** (*pl* **cognacs**) *sm* brandy, cognac.

coñazo *sm* *fam* pain, drag.

coño *vulg* ◇ *sm* [genital] cunt. ◇ *interj* - **1.** [enfado]: **¡coño!** for fuck's sake! - **2.** [asombro]: **¡coño!** fucking hell!

cooperación *sf* cooperation.

cooperar *vi*: **cooperar (con alguien en algo)** to cooperate (with sb in sthg).

cooperativo, va *adj* cooperative. ◆ **cooperativa** *sf* cooperative.

coordinador, ra ◇ *adj* coordinating. ◇ *sm, f* coordinator.

coordinar *vt* - **1.** [movimientos, gestos] to coordinate - **2.** [esfuerzos, medios] to combine, to pool.

copa *sf* - **1.** [vaso] glass; **ir de copas** to go out drinking; **¿quieres (tomar) una copa?** would you like (to have) a drink?; **lleva unas copas de más** she's had one too many - **2.** [de árbol] top; **es un profesional como la copa de un pino** *fam* he's a consummate professional; **es una mentira como la copa de un pino** *fam* it's a whopper of a lie - **3.** [en deporte] cup. ◆ **copas** *sfpl* [naipes] *suit with pictures of goblets in Spanish playing cards.*

copete *sm* [de ave] crest.

copetín *sm* *Amér* [bebida] aperitif; [comida] appetizer.

copia *sf* [reproducción] copy; **sacar una copia** to make a copy; **copia al carbón** carbon copy; **copia de seguridad** INFORM backup; **hacer una copia de seguridad de algo** to back sthg up, to make a back-up of sthg.

copiar ◇ *vt* [gen] to copy; [al dictado] to take down. ◇ *vi* [en examen] to cheat, to copy.

copiloto *smf* copilot.

copión, ona *sm, f* [imitador] copycat; [en examen] cheat.

copioso, sa *adj* copious.

copla *sf* - **1.** [canción] folksong, popular song - **2.** [estrofa] verse, stanza.

copo *sm* [de nieve, cereales] flake; **copos de avena** rolled oats; **copos de maíz** cornflakes.

copropietario, ria *sm, f* co-owner.

copular *vi* to copulate.

copulativo, va *adj* copulative.

coquetear *vi* to flirt.

coqueto, ta *adj* [persona - que flirtea] flirtatious, coquettish; [- que se arregla mucho] concerned with one's appearance.

coraje *sm* - 1. [valor] courage - 2. [rabia] anger; **me da mucho coraje** it makes me furious.

coral ◇ *adj* choral. ◇ *sm* coral. ◇ *sf* - 1. [coro] choir - 2. [composición] chorale.

Corán *sm*: **el Corán** the Koran.

coraza *sf* - 1. [de soldado] cuirasse, armour - 2. [de tortuga] shell.

corazón *sm* - 1. [órgano] heart - 2. [centro - de ciudad, alcachofa] heart; [- de manzana] core - 3. ▷ **dedo**.

corazonada *sf* - 1. [presentimiento] hunch - 2. [impulso] sudden impulse.

corbata *sf* tie.

Córcega *n pr* Corsica.

corchea *sf* quaver.

corchete *sm* - 1. [broche] hook and eye - 2. [signo ortográfico] square bracket.

corcho *sm* cork.

cordel *sm* cord.

cordero, ra *sm, f lit & fig* lamb.

cordial *adj* cordial.

cordialidad *sf* cordiality.

cordillera *sf* mountain range; **la cordillera Cantábrica** the Cantabrian Mountains.

cordón *sm* - 1. [gen & ANAT] cord; [de zapato] lace; **cordón umbilical** umbilical cord - 2. [cable eléctrico] flex - 3. *fig* [para protección, vigilancia] cordon; **cordón sanitario** cordon sanitaire - 4. *C Sur* [de la vereda] kerb *UK*, curb *US*.

cordura *sf* [juicio] sanity; [sensatez] sense.

Corea *n pr*: **Corea del Norte/Sur** North/South Korea.

corear *vt* to chorus.

coreógrafo, fa *sm, f* choreographer.

corista *smf* [en coro] chorus singer.

cornada *sf* goring.

cornamenta *sf* [de toro] horns *pl*; [de ciervo] antlers *pl*.

córner *sm* corner (kick); **lanzar** *O* **sacar un córner** to take a corner.

corneta *sf* [instrumento] bugle.

cornisa *sf* ARQUIT cornice.

coro *sm* - 1. [gen] choir; **contestar a coro** to answer all at once - 2. [de obra musical] chorus.

corona *sf* - 1. [gen] crown - 2. [de flores] garland; **corona fúnebre/de laurel** funeral/laurel wreath - 3. [de santos] halo.

coronación *sf* [de monarca] coronation.

coronar *vt* - 1. [persona] to crown - 2. *fig* [terminar] to complete; [culminar] to crown, to cap.

coronel *sm* colonel.

coronilla *sf* crown (of the head); **estar hasta la coronilla (de)** to be sick and tired (of).

corpiño *sm* - 1. bodice - 2. *Arg* [sostén] bra.

corporación *sf* corporation.

corporal *adj* corporal.

corporativo, va *adj* corporate.

corpulento, ta *adj* corpulent.

corral *sm* [gen] yard; [para cerdos, ovejas] pen.

correa *sf* - 1. [de bolso, reloj] strap; [de pantalón] belt; [de perro] lead, leash - 2. TECNOL belt; **correa del ventilador** fan belt.

corrección *sf* - 1. [de errores] correction; **corrección de pruebas** proofreading - 2. [de exámenes] marking - 3. [de texto] revision - 4. [de comportamiento] correctness.

correctivo, va *adj* corrective. ➡ **correctivo** *sm* punishment.

correcto, ta *adj* - 1. [resultado, texto, respuesta] correct - 2. [persona] polite; [conducta] proper.

corredor, ra ◇ *adj* running. ◇ *sm, f* - 1. [deportista] runner - 2. [intermediario]: **corredor de bolsa** stockbroker; **corredor de comercio** COM registered broker; **corredor de seguros** COM insurance broker. ➡ **corredor** *sm* [pasillo] corridor.

corregir *vt* [gen] to correct; [exámenes] to mark. ➡ **corregirse** *vprnl* to change for the better.

correlación *sf* correlation.

correo *sm* post *UK*, mail *US*; **echar al correo** to post; **a vuelta de correo** by return (of post); **correo aéreo** air mail; **correo basura** INFORM spam; **correo comercial** direct mail; **correo electrónico** e-mail; **correo urgente** special delivery; **correo de voz** voice mail. ➡ **Correos** *sm* [organismo] the post office.

correr ◇ *vi* - 1. [andar de prisa] to run; **a todo correr** at full speed *O* pelt; **(ella) corre que se las pela** she runs like the wind - 2. [conducir de prisa] to drive fast - 3. [pasar por - río] to flow; [- camino, agua del grifo] to run; **deja correr el agua del grifo** leave the tap running - 4. [el tiempo, las horas] to pass, to go by - 5. [propagarse - noticia etc] to spread. ◇ *vt* - 1. [recorrer - una distancia] to cover; **corrió los 100 metros** he ran the 100 metres - 2. [deslizar - mesa, silla] to move *O* pull up - 3. [cortinas] to draw; **correr el pestillo** to bolt the door - 4. [experimentar - aventuras, vicisitudes] to have; [- riesgo] to run - 5. *Amér fam* [despedir] to throw out. ➡ **correrse** *vprnl* - 1. [desplazarse - persona] to move over; [- cosa] to slide - 2. [pintura, colores] to run.

correspondencia *sf* - 1. [gen] correspondence; **curso por correspondencia** correspondence course - 2. [de metro, tren] connection.

corresponder *vi* - **1.** [compensar]: **corresponder (con algo) a alguien/algo** to repay sb/sthg (with sthg) - **2.** [pertenecer] to belong - **3.** [coincidir]: **corresponder (a/con)** to correspond (to/with) - **4.** [tocar]: **corresponderle a alguien hacer algo** to be sb's responsibility to do sthg - **5.** [a un sentimiento] to reciprocate. ◆ **corresponderse** *vprnl* - **1.** [escribirse] to correspond - **2.** [amarse] to love each other.

correspondiente *adj* - **1.** [gen]: **correspondiente (a)** corresponding (to) - **2.** [respectivo] respective.

corresponsal *smf* PRENSA correspondent.

corretear *vi* [correr] to run about.

corrido, da *adj* [avergonzado] embarrassed. ◆ **corrida** *sf* - **1.** TAUROM bull fight - **2.** [acción de correr] run; **dar una corrida** to make a dash; **en una corrida** *inan* instant *O* a flash. ◆ **de corrido** *loc prep* by heart.

corriente ◇ *adj* - **1.** [normal] ordinary, normal; **corriente y moliente** run-of-the-mill - **2.** [agua] running - **3.** [mes, año, cuenta] current. ◇ *sf* - **1.** [de río, electricidad] current - **2.** [de aire] draught - **3.** *fig* [tendencia] trend, current; [de opinión] tide - **4.** *loc*: **dejarse llevar de** *O* **por la corriente** to follow the crowd; **ir contra corriente** to go against the tide; **llevarle** *O* **seguirle la corriente a alguien** to humour sb. ◇ *sm*: **estar al corriente de** to be up to date with; **poner al corriente** to bring up to date; **ponerse al corriente** to bring o.s. up to date; **tener a alguien al corriente** to keep sb informed.

corro *sm* [círculo] circle, ring; **en corro** in a circle.

corroborar *vt* to corroborate.

corroer *vt* [gen] to corrode; GEOL to erode.

corromper *vt* - **1.** [pudrir - madera] to rot; [- alimentos] to turn bad, to spoil - **2.** [pervertir] to corrupt.

corrosivo, va *adj lit & fig* corrosive.

corrupción *sf* - **1.** [gen] corruption; **corrupción de menores** corruption of minors - **2.** [de una substancia] decay.

corrusco *sm* hard crust.

corsario, ria *adj* pirate *(antes de s)*. ◆ **corsario** *sm* corsair, pirate.

corsé *sm* corset.

cortacésped *(pl* cortacéspedes*)* *sm* lawnmower.

cortado, da *adj* - **1.** [labios, manos] chapped - **2.** [leche] sour, off; [salsa] curdled - **3.** *fam fig* [tímido] inhibited. ◆ **cortado** *sm* [café] small coffee with just a little milk.

cortafuego *sm* firebreak.

cortafuegos *sm inv* INFORM firewall.

cortante *adj* - **1.** [afilado] sharp - **2.** *fig* [frase] cutting; [viento] biting; [frío] bitter.

cortapisa *sf* limitation, restriction; **poner cortapisas a algo** to hinder sth.

cortar ◇ *vt* - **1.** [seccionar - pelo, uñas] to cut; [- papel] to cut up; [- ramas] to cut off; [- árbol] to cut down - **2.** [amputar] to amputate, to cut off - **3.** [tela, figura de papel] to cut out - **4.** [interrumpir - retirada, luz, teléfono] to cut off; [- carretera] to block (off); [- hemorragia] to stop, to staunch; [- discurso, conversación] to interrupt - **5.** [labios, piel] to chap. ◇ *vi* - **1.** *R Dom* [comunicación] to hang up - **2.** [producir un corte] to cut - **3.** [cesar una relación] to break *O* split up; **he cortado con mi novio** I've split up with my boyfriend. ◆ **cortarse** *vprnl* - **1.** [herirse] to cut o.s.; **cortarse el pelo** to have a haircut - **2.** [alimento] to curdle - **3.** *fam* [turbarse] to become tongue-tied.

cortaúñas *sm inv* nail clippers *pl*.

corte ◇ *sm* - **1.** [raja] cut; [en pantalones, camisa etc] tear; **corte y confección** [para mujeres] dressmaking; [para hombres] tailoring - **2.** [interrupción]: **corte de digestión** stomach cramps - **3.** [sección] section - **4.** [concepción, estilo] style - **5.** *fam* [vergüenza] embarrassment. ◇ *sf* [palacio] court; **hacer la corte a alguien** *fig* to court sb. ◆ **Cortes** *sfpl* POLÍT the Spanish parliament.

cortejar *vt* to court.

cortejo *sm* retinue; **cortejo fúnebre** funeral cortège *O* procession.

cortés *adj* polite, courteous.

cortesía *sf* courtesy; **por cortesía de** courtesy of.

corteza *sf* - **1.** [del árbol] bark - **2.** [de pan] crust; [de queso, tocino, limón] rind; [de naranja etc] peel - **3.** [terrestre] crust.

cortina *sf* [de tela] curtain; *fig*: **cortina de agua** sheet of water.

cortisona *sf* cortisone.

corto, ta *adj* - **1.** [gen] short - **2.** [escaso - raciones] meagre; [- disparo] short of the target; **corto de** [dinero etc] short of - **3.** *fig* [bobo] dim, simple - **4.** *loc*: **ni corto ni perezoso** as bold as brass; **quedarse corto** [al calcular] to underestimate; **decir que es bueno es quedarse corto** it's an understatement to call it good.

cortocircuito *sm* short circuit.

cortometraje *sm* short (film).

cosa *sf* - **1.** [gen] thing; **¿queréis alguna cosa?** is there anything you want؟; **no es gran cosa** it's not important, it's no big deal; **poca cosa** nothing much - **2.** [asunto] matter; **esto es otra cosa** that's another matter; **no es cosa de risa** it's no laughing matter - **3.** *loc*: **¡a otra cosa, mariposa!** let's change the subject!; **decir cuatro cosas a alguien** to give sb a piece of one's mind; **eso es cosa mía** that's my affair *O* business; **hacer algo como quien no quiere la cosa** [disimuladamente] to do sthg as if one wasn't

intending to; [sin querer] to do sthg almost without realizing it; **son cosas de mamá** that's just the way Mum is, that's just one of Mum's little idiosyncrasies; **son las cosas de la vida** that's life. ➡ **cosa de** *loc adv* about; **es cosa de tres semanas** it takes about three weeks.

coscorrón *sm* bump on the head.

cosecha *sf* - **1.** [gen] harvest; **ser de la (propia) cosecha de alguien** to be made up O invented by sb - **2.** [del vino] vintage.

cosechar ◇ *vt* - **1.** [cultivar] to grow - **2.** [recolectar] to harvest. ◇ *vi* to (bring in the) harvest.

coser ◇ *vt* [con hilo] to sew. ◇ *vi* to sew; **coser a cuchilladas** to stab repeatedly; **ser cosa de coser y cantar** to be child's play O a piece of cake.

cosido *sm* stitching.

cosmético, ca *adj* cosmetic *(antes de s)*. ➡ **cosmético** *sm* cosmetic. ➡ **cosmética** *sf* cosmetics (U).

cosmopolita *adj & smf* cosmopolitan.

cosmos *sm inv* cosmos.

cosquillas *sfpl*: **hacer cosquillas** to tickle; **buscarle las cosquillas a alguien** to wind sb up, to irritate sb.

costa *sf* GEOGR coast. ➡ **a costa de** *loc prep* at the expense of; **lo hizo a costa de grandes esfuerzos** he did it by dint of much effort; **vive a costa de sus padres** she lives off her parents. ➡ **a toda costa** *loc prep* at all costs.

costado *sm* side; **es francés por los cuatro costados** he's French through and through.

costal *sm* sack.

costanera *sf C Sur* promenade.

costar ◇ *vt* - **1.** [dinero] to cost - **2.** [tiempo] to take. ◇ *vi* [ser difícil]: **costar caro a alguien** to cost sb dear.

Costa Rica *n pr* Costa Rica.

costarricense, costarriqueño, ña *adj & sm, f* Costa Rican.

coste *sm* [de producción] cost; [de un objeto] price; **coste unitario** ECON unit cost.

costear *vt* [pagar] to pay for.

costilla *sf* - **1.** [de persona, barco] rib - **2.** [de animal] cutlet.

costo *sm* [de una mercancía] price; [de un producto, de la vida] cost.

costoso, sa *adj* [operación, maquinaria] expensive.

costra *sf* [de herida] scab.

costumbre *sf* habit, custom; **coger/perder la costumbre de hacer algo** to get into/out of the

habit of doing sthg; **como de costumbre** as usual; **por costumbre** through force of habit, out of habit.

costura *sf* - **1.** [labor] sewing, needlework - **2.** [puntadas] seam - **3.** [oficio] dressmaking; **alta costura** haute couture.

costurero *sm* [caja] sewing box.

cota *sf* - **1.** [altura] altitude, height above sea level - **2.** *fig* [nivel] level, height.

cotarro *sm* riotous gathering; **alborotar el cotarro** to stir up trouble; **dirigir el cotarro** to rule the roost.

cotejar *vt* to compare.

cotejo *sm* comparison.

cotidiano, na *adj* daily.

cotilla *smf fam* gossip, busybody.

cotillear *vi fam* to gossip.

cotilleo *sm fam* gossip, tittle-tattle.

cotillón *sm* New Year's Eve party.

cotización *sf* - **1.** [valor] price - **2.** [en Bolsa] quotation, price.

cotizar ◇ *vt* - **1.** [valorar] to quote, to price - **2.** [pagar] to pay. ◇ *vi* to pay contributions. ➡ **cotizarse** *vprnl* - **1.** [estimarse - persona] to be valued O prized - **2.** [producto] to sell for, to fetch; [bonos, valores] to be quoted at.

coto *sm* preserve; **coto de caza** game preserve; **poner coto a** to put a stop to.

cotorra *sf* [ave] parrot.

COU (*abrev de Curso de Orientación Universitaria*) *sm formerly, a one-year course which prepared pupils aged 17-18 for Spanish university entrance examinations.*

coxis = cóccix.

coyote *sm* - **1.** [animal] coyote - **2.** *Méx fam* [guía] guide - **3.** *Méx fam* [intermediario] fixer, middleman.

coyuntura *sf* - **1.** [situación] moment - **2.** ANAT joint.

coz *sf* kick.

crac (*pl cracs*), **crack** (*pl cracks*) *sm* FIN crash.

crack (*pl cracks*) *sm* - **1.** FIN = **crac** - **2.** [droga] crack.

cráneo *sm* cranium, skull.

crápula *smf* libertine.

cráter *sm* crater.

creación *sf* creation.

creador, ra ◇ *adj* creative. ◇ *sm, f* creator; **creador gráfico** creator *(of cartoon etc)*.

crear *vt* - **1.** [gen] to create - **2.** [fundar - una academia] to found.

creatividad *sf* creativity.

creativo, va *adj* creative.

crecer *vi* - **1.** [persona, planta] to grow - **2.** [días, noches] to grow longer - **3.** [río, marea] to rise

- 4. [aumentar - animosidad etc] to grow, to increase; [- rumores] to spread. ◆ **crecerse** *vprnl* to become more self-confident.

creces ◆ **con creces** *adv* with interest.

crecido, da *adj* [cantidad] large; [hijo] grown-up. ◆ **crecida** *sf* spate, flood.

creciente *adj* [gen] growing; [luna] crescent.

crecimiento *sm* [gen] growth; [de precios] rise; **crecimiento económico** ECON economic growth.

credibilidad *sf* credibility.

crédito *sm* - **1.** [préstamo] loan; **a crédito** on credit; **crédito personal** ECON personal loan - **2.** [plazo de préstamo] credit - **3.** [confianza] trust, belief; **digno de crédito** trustworthy; **dar crédito a algo** to believe sthg - **4.** [en universidad] credit.

credo *sm* [religioso] creed.

crédulo, la *adj* credulous.

creencia *sf* belief.

creer *vt* - **1.** [gen] to believe; **¡ya lo creo!** of course!, I should say so! - **2.** [suponer] to think; **creo que no** I don't think so; **creo que sí** I think so; **según creo** to the best of my knowledge - **3.** [estimar] to think; **lo creo muy capaz de hacerlo** I think he's quite capable of doing it. ◆ **creer en** *vi* to believe in. ◆ **creerse** *vprnl* [considerarse] to believe o.s. to be.

creíble *adj* credible, believable.

creído, da *sm, f* [presumido] conceited.

crema *sf* - **1.** [gen] cream; **crema batida** whipped cream; **la crema del mundo literario** the cream of the literary world - **2.** [cosmético, betún] cream; **crema de afeitar** shaving cream; **crema dental** toothpaste; **crema depilatoria** hair remover; **crema facial** face cream; **crema hidratante** moisturizer - **3.** [licor] crème - **4.** [dulce, postre] custard.

cremallera *sf* [para cerrar] zip (fastener), zipper *US*.

crematorio, ria *adj*: **horno crematorio** cremator. ◆ **crematorio** *sm* crematorium.

cremoso, sa *adj* creamy.

crepe [krep] *sf* crepe.

crepitar *vi* to crackle.

crepúsculo *sm* [al amanecer] first light; [al anochecer] twilight, dusk.

crespo, pa *adj* tightly curled, frizzy.

cresta *sf* - **1.** [gen] crest; **estar en la cresta (de la ola)** to be riding high - **2.** [del gallo] comb.

cretino, na *sm, f* cretin.

creyente *smf* believer.

cría ▷ **crío**.

criadero *sm* [de animales] farm *(breeding place)*; [de árboles, plantas] nursery.

criadillas *sfpl* bull's testicles.

criado, da *sm, f* servant *(f* maid).

criador, ra *sm, f* [de animales] breeder; [de vinos] grower.

crianza *sf* - **1.** [de animales] breeding - **2.** [del vino] vintage - **3.** [educación] breeding.

criar *vt* - **1.** [amamantar - suj: mujer] to breast-feed; [- suj: animal] to suckle - **2.** [animales] to breed, to rear; [flores, árboles] to grow - **3.** [vino] to mature, to make - **4.** [educar] to bring up. ◆ **criarse** *vprnl* [crecer] to grow up.

criatura *sf* - **1.** [niño] child; [bebé] baby - **2.** [ser vivo] creature.

criba *sf* - **1.** [tamiz] sieve - **2.** [selección] screening.

cricket ['kriket] *sm* cricket.

crimen *sm* crime.

criminal *adj & smf* criminal; **criminal de guerra** war criminal.

crin *sf* mane.

crío, cría *sm, f* [niño] kid. ◆ **cría** *sf* - **1.** [hijo del animal] young - **2.** [crianza - de animales] breeding; [- de plantas] growing.

criogenia *sf* cryogenics *(sing)*.

criollo, lla *adj* - **1.** [persona] native to Latin America - **2.** [comida, lengua] creole.

cripta *sf* crypt.

crisantemo *sm* chrysanthemum.

crisis *sf inv* [gen] crisis; **crisis cardíaca** cardiac arrest, heart failure; **crisis de los cuarenta** mid-life crisis; **crisis económica** recession.

crisma *sf fam* bonce, nut; **romperle la crisma a alguien** to bash sb's head in.

crismas, christmas *sm inv* Christmas card.

crispar *vt* [los nervios] to set on edge; [los músculos] to tense; [las manos] to clench.

cristal *sm* - **1.** [material] glass *(U)*; [vidrio fino] crystal; **cristal de roca** rock crystal - **2.** [en la ventana] (window) pane - **3.** [en mineralogía] crystal.

cristalera *sf* [puerta] French window; [techo] glass roof; [armario] glass-fronted cabinet.

cristalino, na *adj* crystalline. ◆ **cristalino** *sm* crystalline lens.

cristalizar *vt* - **1.** [una sustancia] to crystallize - **2.** *fig* [un asunto] to bring to a head. ◆ **cristalizarse** *vprnl* to crystallize. ◆ **cristalizarse en** *vprnl fig* to develop into.

cristiandad *sf* Christianity.

cristianismo *sm* Christianity.

cristiano, na *adj & sm, f* Christian.

cristo *sm* crucifix. ◆ **Cristo** *sm* Christ; **estar hecho un Cristo** *fam* to be a pitiful sight.

criterio *sm* - **1.** [norma] criterion; **criterios de convergencia** [en UE] convergence criteria - **2.** [juicio] taste - **3.** [opinión] opinion.

crítica ▷ **crítico**.

criticar *vt* - **1.** [enjuiciar - literatura, arte] to review - **2.** [censurar] to criticize.

crítico, ca ◇ *adj* critical. ◇ *sm, f* [persona] critic. ◆ **crítica** *sf* - **1.** [juicio - sobre arte, literatura] review - **2.** [conjunto de críticos]: **la crítica** the critics *pl* - **3.** [ataque] criticism.

criticón, ona ◇ *adj* nit-picking. ◇ *sm, f* nitpicker.

Croacia *n pr* Croatia.

croar *vi* to croak.

croata ◇ *adj* Croatian. ◇ *smf* Croat.

crol *sm* DEP crawl.

cromo *sm* - **1.** [metal] chrome - **2.** [estampa] picture card; **ir hecho un cromo** to be dressed up to the nines.

cromosoma *sm* chromosome.

crónico, ca *adj* chronic. ◆ **crónica** *sf* - **1.** [de la historia] chronicle - **2.** [de un periódico] column; [de la televisión] feature, programme.

cronista *smf* [historiador] chronicler; [periodista] columnist.

cronología *sf* chronology.

cronometrar *vt* to time.

cronómetro *sm* DEP stopwatch; TECNOL chronometer.

croqueta *sf* croquette.

croquis *sm inv* sketch.

cross *sm inv* [carrera] cross-country race; [deporte] cross-country (running).

cruasán, croissant [krwa'san] (*pl* croissants) *sm* croissant.

cruce *sm* - **1.** [de líneas] crossing, intersection; [de carreteras] crossroads - **2.** [paso] crossing; **cruce a nivel** level crossing *UK*, grade crossing *US*; **cruce de peatones** pedestrian crossing - **3.** [de animales] cross.

crucero *sm* - **1.** [viaje] cruise - **2.** [barco] cruiser - **3.** [de iglesias] transept.

crucial *adj* crucial.

crucificar *vt* [en una cruz] to crucify.

crucifijo *sm* crucifix.

crucifixión *sf* crucifixion.

crucigrama *sm* crossword (puzzle).

cruda *sf* ⊳ **crudo**.

crudeza *sf* - **1.** [gen] harshness; **con crudeza** harshly - **2.** [de descripción, imágenes] brutality.

crudo, da *adj* - **1.** [natural] raw; [petróleo] crude - **2.** [sin cocer completamente] undercooked - **3.** [realidad, clima, tiempo] harsh; [novela] harshly realistic, hard-hitting - **4.** [cruel] cruel. ◆ **crudo** *sm* crude (oil). ◆ **cruda** *sf* *Guat & Méx fam* [resaca] hangover.

cruel *adj* [gen] cruel.

crueldad *sf* - **1.** [gen] cruelty - **2.** [acción cruel] act of cruelty.

crujido *sm* [de madera] creak, creaking (*U*); [de hojas secas] crackle, crackling (*U*).

crujiente *adj* [madera] creaky; [hojas secas] rustling; [patatas fritas] crunchy.

crujir *vi* [madera] to creak; [patatas fritas, nieve] to crunch; [hojas secas] to crackle; [dientes] to grind.

cruz *sf* - **1.** [gen] cross; **cruz gamada** swastika - **2.** [de una moneda] tails (*U*) - **3.** *fig* [aflicción] burden. ◆ **Cruz Roja** *sf* Red Cross.

cruza *sf* *Amér* cross, crossbreed.

cruzado, da *adj* - **1.** [cheque, piernas, brazos] crossed - **2.** [animal] crossbred - **3.** [abrigo, chaqueta] double-breasted. ◆ **cruzada** *sf* *lit & fig* crusade.

cruzar *vt* - **1.** [gen] to cross; **cruzar los dedos** to cross one's fingers - **2.** [unas palabras] to exchange. ◆ **cruzarse** *vprnl* - **1.** [gen] to cross; **cruzarse de brazos** to fold one's arms - **2.** [personas]: **cruzarse con alguien** to pass sb.

cta. (*abrev de* cuenta) a/c.

cte. (*abrev de* corriente) inst.

cuaderno *sm* [gen] notebook; [en el colegio] exercise book. ◆ **cuaderno de bitácora** *sm* logbook.

cuadra *sf* - **1.** [de caballos] stable - **2.** *Amér* [en calle] block.

cuadrado, da *adj* [gen & MAT] square; **elevar al cuadrado** to square. ◆ **cuadrado** *sm* square.

cuadragésimo, ma *num* fortieth.

cuadrar ◇ *vi* - **1.** [información, hechos]: **cuadrar (con)** to square O agree (with) - **2.** [números, cuentas] to tally, to add up. ◇ *vt* [gen] to square. ◆ **cuadrarse** *vprnl* MIL to stand to attention.

cuadrícula *sf* grid.

cuadrilátero *sm* - **1.** GEOM quadrilateral - **2.** DEP ring.

cuadrilla *sf* [de amigos, trabajadores] group; [de maleantes] gang.

cuadro *sm* - **1.** [pintura] painting, picture - **2.** [escena] scene, spectacle - **3.** [descripción] portrait - **4.** [cuadrado] square; **a cuadros** check (*antes de s*); **quedarse a cuadros** *fam* to be gobsmacked, to be flabbergasted; **quedarse en cuadros** to be down to a skeleton staff - **5.** [equipo] team; **cuadros medios** middle management - **6.** [gráfico] chart, diagram - **7.** [de la bicicleta] frame - **8.** TEATRO scene.

cuádruple *sm* quadruple.

cuajar ◇ *vt* [solidificar - leche] to curdle; [- huevo] to set; [- sangre] to clot, to coagulate. ◇ *vi* - **1.** [lograrse - acuerdo] to be settled; [- negocio] to take off, to get going - **2.** [ser aceptado - persona] to fit in; [- moda] to catch on - **3.** [nieve] to settle. ◆ **cuajarse** *vprnl* [leche] to curdle; [sangre] to clot, to coagulate.

cuajo *sm* rennet. ◆ **de cuajo** *loc adv*: **arrancar de cuajo** [árbol] to uproot; [brazo etc] to tear right off.

cual *pron relat*: **el/la cual** *etc* [de persona] (*sujeto*) who, (*complemento*) whom; [de cosa] which; **lo cual** which; **conoció a una española, la cual vivía en Buenos Aires** he met a Spanish girl who lived in Buenos Aires; **está muy enfadada, lo cual es comprensible** she's very angry, which is understandable; **todo lo cual** all of which; **sea cual sea** O **fuere su decisión** whatever his decision (may be).

cuál *pron* (*interrogativo*) what; [en concreto, especificando] which one; **¿cuál es tu nombre?** what is your name?; **¿cuál es la diferencia?** what's the difference?; **no sé cuáles son mejores** I don't know which are best; **¿cuál prefieres?** which one do you prefer?

cualesquiera ▷ **cualquiera**.

cualidad *sf* quality.

cualificado, da *adj* skilled.

cualitativo, va *adj* qualitative.

cualquiera (*pl* **cualesquiera**) ◇ *adj* (*antes de s*: **cualquier**) any; **cualquier día vendré a visitarte** I'll drop by one of these days; **en cualquier momento** at any time; **en cualquier lugar** anywhere. ◇ *pron* anyone; **cualquiera te lo dirá** anyone will tell you; **cualquiera que** [persona] anyone who; [cosa] whatever; **cualquiera que sea la razón** whatever the reason (may be). ◇ *sm, f* [don nadie] nobody.

cuan *adv* [todo lo que]: **se desplomó cuan largo era** he fell flat on the ground.

cuán *adv* how.

cuando ◇ *adv* when; **de cuando en cuando** from time to time; **de vez en cuando** now and again. ◇ *conj* - **1.** [de tiempo] when; **cuando llegue el verano iremos de viaje** when summer comes we'll go travelling - **2.** [si] if; **cuando tú lo dices será verdad** it must be true if you say so - **3.** (*después de 'aun'*) [aunque]: **no mentiría aun cuando le fuera en ello la vida** she wouldn't lie even if her life depended on it. ◆ **cuando más** *loc adv* at the most. ◆ **cuando menos** *loc adv* at least. ◆ **cuando quiera que** *loc conj* whenever.

cuándo *adv* when; **¿cuándo vas a venir?** when are you coming?; **quisiera saber cuándo sale el tren** I'd like to know when O at what time the train leaves.

cuantía *sf* [suma] quantity; [alcance] extent.

cuantificar *vt* to quantify.

cuantioso, sa *adj* large, substantial.

cuantitativo, va *adj* quantitative.

cuanto, ta ◇ *adj* - **1.** [todo]: **despilfarra cuanto dinero gana** he squanders all the money he earns; **soporté todas cuantas críticas me hizo** I put up with every single criticism he made of me - **2.** (*antes de adv*) [compara cantidades]: **cuantas más mentiras digas, menos te creerán** the more you lie, the less people will believe you. ◇ *pron relat (gen pl)* [de personas] everyone who; [de cosas] everything (that); **cuantos fueron alabaron el espectáculo** everyone who went said the show was excellent; **dio las gracias a todos cuantos le ayudaron** he thanked everyone who helped him. ◆ **cuanto** ◇ *pron relat (neutro)* - **1.** [todo lo que] everything, as much as; **come cuanto quieras** eat as much as you like; **comprendo cuanto dice** I understand everything he says; **todo cuanto** everything - **2.** [compara cantidades]: **cuanto más se tiene, más se quiere** the more you have, the more you want. ◇ *adv* [compara cantidades]: **cuanto más come, más gordo está** the more he eats, the fatter he gets. ◆ **cuanto antes** *loc adv* as soon as possible. ◆ **en cuanto** ◇ *loc conj* [tan pronto como] as soon as; **en cuanto acabe** as soon as I've finished. ◇ *loc prep* [en calidad de] as; **en cuanto cabeza de familia** as head of the family. ◆ **en cuanto a** *loc prep* as regards.

cuánto, ta ◇ *adj* - **1.** (*interrogativo*) how much (*pl* how many); **¿cuántas manzanas tienes?** how many apples do you have?; **¿cuánto pan quieres?** how much bread do you want?; **no sé cuántos hombres había** I don't know how many men were there - **2.** (*exclamativo*) what a lot of; **¡cuánta gente (había)!** what a lot of people (were there)! ◇ *pron* (*gen pl*) - **1.** (*interrogativo*) how much (*pl* how many); **¿cuántos han venido?** how many came?; **dime cuántas quieres** tell me how many you want - **2.** (*exclamativo*): **¡cuántos quisieran conocerte!** there are so many people who would like to meet you! ◆ **cuánto** *pron* (*neutro*) - **1.** (*interrogativo*) how much; **¿cuánto quieres?** how much do you want?; **me gustaría saber cuánto te costarán** I'd like to know how much they'll cost you - **2.** (*exclamativo*): **¡cuánto han cambiado las cosas!** how things have changed!

cuarenta *num* forty; **los (años) cuarenta** the forties; *ver también* **seis**.

cuarentena *sf* [por epidemia] quarantine; **poner en cuarentena** [enfermos] to (put in) quarantine; [noticia] to put on hold.

cuaresma *sf* Lent.

cuartear *vt* to cut O chop up.

cuartel *sm* MIL barracks *pl*; **cuartel general** headquarters *pl*.

cuartelazo *sm Amér* military uprising.

cuarteto *sm* quartet.

cuarto, ta *num* fourth; **la cuarta parte** a quarter. ◆ **cuarto** *sm* - **1.** [parte] quarter; **un cuarto de hora** a quarter of an hour; **son las dos y cuarto** it's a quarter past *UK* O after *US* two; **son las dos menos cuarto** it's a quarter to *UK* O of *US* two - **2.** [habitación] room; **cuarto de baño** bathroom; **cuarto de estar** living

room; **cuarto de huéspedes** guestroom; **cuarto oscuro** FOTO darkroom; **cuarto secreto** R Dom voting booth. ◆ **cuarta** sf [palmo] span.

cuarzo sm quartz.

cuate, ta sm, f Amér C, Ecuad & Méx fam pal, mate UK, buddy US.

cuatro ◇ num four; **más de cuatro** quite a few. ◇ adj fig [poco] a few; **hace cuatro días** a few days ago; ver también **seis**.

cuatrocientos, tas num four hundred; ver también **seis**.

cuba sf barrel, cask; **beber como una cuba** to drink like a fish; **estar como una cuba** to be legless O blind drunk.

Cuba n pr Cuba.

cubalibre sm rum and coke.

cubano, na adj & sm, f Cuban.

cubertería sf set of cutlery, cutlery (U).

cúbico, ca adj cubic.

cubierto, ta ◇ pp ▷ **cubrir**. ◇ adj - 1. [gen]: **cubierto (de)** covered (with); **estar a cubierto** [protegido] to be under cover; [con saldo acreedor] to be in the black; **ponerse a cubierto** to take cover - 2. [cielo] overcast. ◆ **cubierto** sm - 1. [pieza de cubertería] piece of cutlery - 2. [para cada persona] place setting. ◆ **cubierta** sf - 1. [gen] cover - 2. [de neumático] tyre - 3. [de barco] deck.

cubilete sm [en juegos] cup.

cubito sm - 1. [de hielo] ice cube - 2. [de caldo] stock cube.

cubo sm - 1. [recipiente] bucket; **cubo de la basura** rubbish bin UK, trashcan US, garbage can US - 2. GEOM & MAT cube; **elevar al cubo** to cube.

cubrecama sm bedspread.

cubrir vt - 1. [gen] to cover - 2. [proteger] to protect - 3. [disimular] to cover up, to hide - 4. [puesto, vacante] to fill. ◆ **cubrir de** vt: **cubrir de algo a alguien** to heap sthg on sb. ◆ **cubrirse** vprnl - 1. [taparse]: **cubrirse (de)** to become covered (with) - 2. [protegerse]: **cubrirse (de)** to shelter (from) - 3. [con sombrero] to put one's hat on - 4. [con ropa]: **cubrirse (con)** to cover o.s. (with) - 5. [cielo] to cloud over.

cucaracha sf cockroach UK, roach US.

cuchara sf [para comer] spoon; **cuchara de palo** wooden spoon; **cuchara de postre** dessert spoon; **meter la cuchara** fam to butt in.

cucharada sf spoonful.

cucharilla sf teaspoon.

cucharón sm ladle.

cuchichear vi to whisper.

cuchilla sf blade; **cuchilla de afeitar** razor blade.

cuchillo sm knife; **cuchillo de cocina** kitchen knife; **cuchillo de trinchar** carving knife.

cuchitril sm hovel.

cuclillas ◆ **en cuclillas** loc adv squatting; **ponerse en cuclillas** to squat (down).

cuclillo sm cuckoo.

cuco, ca adj fam - 1. [bonito] pretty - 2. [astuto] shrewd, canny. ◆ **cuco** sm cuckoo.

cucurucho sm - 1. [de papel] paper cone - 2. [para helado] cornet, cone.

cuello sm - 1. [gen] neck; **alargar el cuello** to stretch O crane one's neck; **cuello de botella** bottleneck; **cuello uterino** cervix - 2. [de prendas] collar; **cuello de pico** V-neck; **cuello alto** O **de cisne** polo neck UK, turtleneck US; **hablar para el cuello de su camisa** fam to talk to o.s.

cuenca sf - 1. [de río] basin - 2. [del ojo] (eye) socket - 3. [región minera] coalfield.

cuenco sm earthenware bowl.

cuenta sf - 1. [acción de contar] count; **echar cuentas** to reckon up; **llevar/perder la cuenta de** to keep/lose count of; **cuenta atrás** countdown - 2. [cálculo] sum - 3. BANCA & COM account; **abonar algo en cuenta a alguien** to credit sthg to sb's account; **cuenta de gastos** expenditure account; **pagar mil euros a cuenta** to pay a thousand euros down; **cuenta de ahorros** savings account; **cuenta corriente** current account UK, checking account US; **cuenta de crédito** current account with an overdraft facility; **cuenta deudora** overdrawn account; **cuenta a plazo fijo** deposit account - 4. [factura] bill UK, check US; **pasar la cuenta** to send the bill; **cuenta por cobrar/pagar** account receivable/payable - 5. [bolita - de collar, rosario] bead - 6. loc: **a fin de cuentas** in the end; **ajustarle a alguien las cuentas** to settle an account O a score with sb; **caer en la cuenta de algo** to realize sthg; **darse cuenta de algo** to realize sthg; **más de la cuenta** too much; **por mi/tu** etc **cuenta** on my/your etc own; **tener en cuenta algo** to bear sthg in mind.

cuentagotas sm inv dropper; **a** O **con cuentagotas** in dribs and drabs.

cuentakilómetros sm inv [de distancia recorrida] ≃ milometer; [de velocidad] speedometer.

cuentarrevoluciones sm inv tachometer, rev counter.

cuento sm - 1. [fábula] tale; **cuento de hadas** fairy tale; **el cuento de la lechera** fig wishful thinking - 2. [narración] short story - 3. [mentira, exageración] story, lie; **¡puro cuento!** what nonsense!; **cuento chino** tall story - 4. loc: **tener cuento** to put it on.

cuerda sf - 1. [para atar - fina] string; [- más gruesa] rope; **cuerda floja** tightrope - 2. [de instrumento] string - 3. [de reloj] spring; **dar cuerda a** [reloj] to wind up - 4. GEOM chord. ◆ **cuerdas vocales** sfpl vocal cords.

cuerdo, da *adj* - **1.** [sano de juicio] sane - **2.** [sensato] sensible.

cueriza *sf Andes fam* beating, leathering.

cuerno *sm* [gen] horn; [de ciervo] antler; **saber a cuerno quemado** *fam* to be fishy; **¡vete al cuerno!** *fam* go to hell!

cuero *sm* - **1.** [piel de animal] skin; [piel curtida] hide; **cuero cabelludo** scalp; **en cueros, en cueros vivos** stark naked - **2.** [material] leather.

cuerpo *sm* - **1.** [gen] body; **cuerpo celeste** heavenly body; **a cuerpo** without a coat on; **luchar cuerpo a cuerpo** to fight hand-to-hand; **tomar cuerpo** to take shape; **en cuerpo y alma** body and soul - **2.** [tronco] trunk - **3.** [corporación consular, militar etc] corps; **cuerpo de bomberos** fire brigade; **cuerpo diplomático** diplomatic corps.

cuervo *sm* crow.

cuesta *sf* slope; **cuesta arriba** uphill; **cuesta abajo** downhill; **a cuestas** on one's back, over one's shoulders; **ir cuesta abajo** to decline, to go downhill.

cuestión *sf* - **1.** [pregunta] question - **2.** [problema] problem - **3.** [asunto] matter, issue; **en cuestión** in question, at issue; **ser cuestión de** to be a question of.

cuestionar *vt* to question.

cuestionario *sm* questionnaire.

cueva *sf* cave; **cueva de ladrones** den of thieves.

cuico *sm Méx fam* cop.

cuidado <> *sm* care; **con cuidado** [con esmero] carefully; [con cautela] cautiously; **tener cuidado con** to be careful with; **cuidados intensivos** intensive care *(U)*; **eso me tiene** O **trae sin cuidado** I couldn't care less about that. <> *interj:* **¡cuidado!** careful!, look out!

cuidadoso, sa *adj* careful.

cuidar *vt* [gen] to look after; [estilo etc] to take care over; [detalles] to pay attention to. ◆ **cuidar de** *vi* to look after; **cuida de que no lo haga** make sure she doesn't do it. ◆ **cuidarse** *vprnl* to take care of O to look after o.s.; **cuidarse de** to worry about.

culata *sf* - **1.** [de arma] butt - **2.** [de motor] cylinder head.

culebra *sf* snake.

culebrón *sm* TV soap opera.

culinario, ria *adj* culinary.

culminación *sf* culmination.

culminar <> *vt:* **culminar (con)** to crown (with). <> *vi* to finish, to culminate.

culo *sm fam* - **1.** [de personas] backside, bum *UK;* **caerse de culo** *fam* to be flabbergasted, to be gobsmacked; **estar en el culo del mundo** *fam* to be in the back of beyond; **lamer el culo**

a alguien *fam* to lick sb's arse *UK,* to lick sb's ass *US;* **ser un culo de mal asiento** to be fidgety - **2.** [de objetos] bottom.

culpa *sf* [responsabilidad] fault; **tener la culpa de algo** to be to blame for sthg; **echar la culpa a alguien (de)** to blame sb (for); **por culpa de** because of.

culpabilidad *sf* guilt.

culpable <> *adj:* **culpable (de)** guilty (of); **declararse culpable** to plead guilty. <> *smf* DER guilty party; **tú eres el culpable** you're to blame.

culpar *vt:* **culpar a alguien (de)** [atribuir la culpa] to blame sb (for); [acusar] to accuse sb (of).

cultivar *vt* [tierra] to farm, to cultivate; [plantas] to grow. ◆ **cultivarse** *vprnl* [persona] to improve o.s.

cultivo *sm* - **1.** [de tierra] farming; [de plantas] growing - **2.** [plantación] crop.

culto, ta *adj* [persona] cultured, educated; [estilo] refined; [palabra] literary. ◆ **culto** *sm* - **1.** [devoción] worship; **libertad de culto** freedom of worship - **2.** [religión] cult.

cultura *sf* - **1.** [de sociedad] culture - **2.** [sabiduría] learning, knowledge; **cultura general** general knowledge.

cultural *adj* cultural.

culturismo *sm* body-building.

cumbre *sf* - **1.** [de montaña] summit - **2.** *fig* [punto culminante] peak - **3.** POLÍT summit (conference).

cumpleaños *sm inv* birthday.

cumplido, da *adj* - **1.** [completo, lleno] full, complete - **2.** [cortés] courteous. ◆ **cumplido** *sm* compliment; **andarse con cumplidos** to stand on ceremony; **visita de cumplido** courtesy call.

cumplidor, ra *adj* reliable.

cumplimentar *vt* - **1.** [felicitar] to congratulate - **2.** [cumplir - orden] to carry out; [- contrato] to fulfil.

cumplimiento *sm* [de un deber] performance; [de contrato, promesa] fulfilment; [de la ley] observance; [de órdenes] carrying out; [de condena] completion; [de plazo] expiry.

cumplir <> *vt* - **1.** [orden] to carry out; [promesa] to keep; [ley] to observe; [contrato] to fulfil - **2.** [años] to reach; **mañana cumplo los 20** I'm 20 O it's my 20th birthday tomorrow - **3.** [condena] to serve; [servicio militar] to do. <> *vi* - **1.** [plazo, garantía] to expire - **2.** [realizar el deber] to do one's duty; **para** O **por cumplir** out of politeness; **cumplir con el deber** to do one's duty; **cumplir con la palabra** to keep one's word.

cúmulo *sm* - **1.** [de objetos] pile - **2.** *fig* [de asuntos, acontecimientos] series.

cuna *sf* [para dormir] cot, cradle.

cundir *vi* - **1.** [propagarse] to spread - **2.** [dar de sí - comida, reservas, tiempo] to go a long way.

cuneta *sf* [de una carretera] ditch; [de una calle] gutter.

cuña *sf* - **1.** [pieza] wedge - **2.** [de publicidad] commercial break - **3.** *Andes & R Plata fam*: **tener cuña** to have friends in high places.

cuñado, da *sm, f* brother-in-law (*f* sister-in-law).

cuño *sm* - **1.** [troquel] die - **2.** [sello, impresión] stamp.

cuota *sf* - **1.** [contribución - a entidad, club] membership fee, subscription - **2.** [cupo] quota - **3.** *Méx* [peaje] toll.

cupiera *etc* ▷ **caber.**

cupo ◇ *sm* - **1.** [cantidad máxima] quota - **2.** [cantidad proporcional] share; [de una cosa racionada] ration - **3.** *Amér* [cabida] capacity. ◇ *v* ▷ **caber.**

cupón *sm* [gen] coupon; [de lotería, rifa] ticket.

cúpula *sf* - **1.** ARQUIT dome, cupola - **2.** *fig* [mandos] leaders *pl*.

cura ◇ *sm* priest. ◇ *sf* - **1.** [curación] recovery; **tener cura** to be curable - **2.** [tratamiento] treatment, cure; **cura de emergencia** first aid; **cura de reposo** rest cure.

curación *sf* - **1.** [de un enfermo - recuperación] recovery; [- tratamiento] treatment; [de una herida] healing - **2.** [de jamón] curing.

curado, da *adj* [alimento] cured; [pieles] tanned; **curado de espanto** unshockable.

curandero, ra *sm, f* quack.

curar ◇ *vt* - **1.** [gen] to cure - **2.** [herida] to dress - **3.** [pieles] to tan. ◇ *vi* [enfermo] to recover; [herida] to heal up. ◆ **curarse** *vprnl* - **1.** [sanar]: **curarse (de)** to recover (from) - **2.** [alimento] to cure.

curcuncho, cha ◇ *adj Andes fam* [jorobado] hunchbacked. ◇ *sm* [joroba] hump; [jorobado] hunchback.

curiosear ◇ *vi* [fisgonear] to nose around; [por una tienda] to browse round. ◇ *vt* [libros, revistas] to browse through.

curiosidad *sf* curiosity; **sentir O tener curiosidad por** to be curious about.

curioso, sa ◇ *adj* - **1.** [por saber, averiguar] curious, inquisitive - **2.** [raro] odd, strange. ◇ *sm, f* onlooker.

curita *sm Amér* sticking plaster, Band-Aid® US.

currante *adj fam* hard-working.

currar, currelar *vi fam* to work.

curre = **curro.**

currelar = **currar.**

currículum (vitae) [ku'rrikulum('bite)] (*pl* currícula (vitae) O currículums), **currículo** (*pl* currículos) *sm* curriculum vitae UK, résumé US.

curro, curre *sm fam* work.

cursar *vt* - **1.** [estudiar] to study - **2.** [enviar] to send - **3.** [dar - órdenes etc] to give, to issue - **4.** [tramitar] to submit.

cursi *adj fam* [vestido, canción etc] naff, tacky; [modales, persona] affected.

cursilería *sf* [cualidad] tackiness.

cursillo *sm* [curso] short course.

cursiva ▷ **letra.**

curso *sm* - **1.** [año académico] year - **2.** [lecciones] course; **curso intensivo** crash course; **curso por correspondencia** correspondence course - **3.** [dirección - de río, acontecimientos] course; [- de la economía] trend; **seguir su curso** to go on, to continue; **el resfriado debe seguir su curso** you should allow the cold to run its course.

cursor *sm* INFORM cursor.

curtido, da *adj* - **1.** [piel, cuero] tanned - **2.** *fig* [experimentado] seasoned.

curtir *vt* - **1.** [piel] to tan - **2.** *fig* [persona] to harden.

curva ▷ **curvo.**

curvatura *sf* curvature.

curvo, va *adj* [gen] curved; [doblado] bent. ◆ **curva** *sf* [gen] curve; [en carretera] bend; **curva cerrada** sharp bend; **curva de la felicidad** *fig* [barriga] paunch; **curva de nivel** contour line.

cúspide *sf* - **1.** [de montaña] summit, top - **2.** *fig* [apogeo] peak - **3.** GEOM apex.

custodia *sf* - **1.** [de cosas] safekeeping - **2.** [de personas] custody; **custodia preventiva** protective custody.

custodiar *vt* - **1.** [vigilar] to guard - **2.** [proteger] to look after.

custodio *sm* guard.

cutáneo, a *adj* skin (*antes de s*).

cutícula *sf* cuticle.

cutis *sm inv* skin, complexion.

cutre *adj fam* - **1.** [de bajo precio, calidad] cheap and nasty - **2.** [sórdido] shabby - **3.** [tacaño] tight, stingy.

cutter (*pl* cutters) *sm* (artist's) scalpel *(with retractable blade)*.

cuyo, ya *adj* [posesión - por parte de personas] whose; [- por parte de cosas] of which, whose; **ésos son los amigos en cuya casa nos hospedamos** those are the friends in whose house we spent the night; **ese señor, cuyo hijo conociste ayer** that man, whose son you met yesterday; **un equipo cuya principal estrella...** a team, the star player of which O whose star player...; **en cuyo caso** in which case.

CV (*abrev de* currículum vitae) *sm* CV.

D

d, D *sf* [letra] d, D.

D. *abrev de* **don**.

dactilar ⊳ **huella**.

dádiva *sf* [regalo] gift; [donativo] donation.

dado, da *adj* given; **en un momento dado** at a certain point; **ser dado a** to be fond of.
◆ **dado** *sm* dice, die; **echar** O **tirar los dados** to throw the dice; **jugar a los dados** to play dice. ◆ **dado que** *loc conj* since, seeing as.

daga *sf* dagger.

dale *interj* ¡dale! - ¡otra vez con lo mismo! there you go again!

dalia *sf* dahlia.

dálmata *adj* & *smf* [perro] Dalmatian.

daltónico, ca *adj* colour-blind.

daltonismo *sm* colour blindness.

dama *sf* - 1. [mujer] lady; **primera dama** TEA-TRO leading lady; POLÍT first lady *US* - 2. [en damas] king; [en ajedrez, naipes] queen. ◆ **damas** *sfpl* [juego] draughts *(U) UK*, checkers *(U) US*.

damisela *sf desus* damsel.

damnificar *vt* [cosa] to damage; [persona] to harm, to injure.

danés, esa ⊳ *adj* Danish. ⊳ *sm, f* [persona] Dane. ◆ **danés** *sm* [lengua] Danish.

danza *sf* [gen] dancing; [baile] dance.

danzar *vi* - 1. [bailar] to dance - 2. *fig* [ir de un sitio a otro] to run about.

dañar *vt* [vista, cosecha] to harm, to damage; [persona] to hurt; [pieza, objeto] to damage. ◆ **dañarse** *vprnl* [persona] to hurt o.s.; [cosa] to become damaged.

dañino, na *adj* harmful.

daño *sm* - 1. [dolor] pain, hurt; **hacer daño a alguien** to hurt sb; **hacerse daño** to hurt o.s. - 2. [perjuicio - a algo] damage; [- a una persona] harm; **daños colaterales** collateral damage; **daños y perjuicios** damages.

dar ⊳ *vt* - 1. [gen] to give; [baile, fiesta] to hold, to give; [naipes] to deal; **dar algo a alguien** to give sthg to sb, to give sb sthg - 2. [producir - gen] to give, to produce; [- frutos, flores] to bear; [- beneficios, intereses] to yield - 3. [suj: reloj] to strike; **el reloj ha dado las doce** the clock struck twelve - 4. [suministrar luz etc - por primera vez] to connect; [- tras un corte] to turn back on; [encender] to turn O switch on - 5. CINE, TEATRO & TV to show; [concierto, interpretación] to give - 6. [mostrar - señales etc] to show

- 7. [untar con] to apply; **dar barniz a una silla** to varnish a chair - 8. [provocar - gusto, escalofríos etc] to give; **me da vergüenza/pena** it makes me ashamed/sad; **me da risa** it makes me laugh; **me da miedo** it frightens me - 9. [expresa acción] **dar un grito** to give a cry; **darle un golpe/una puñalada a alguien** to hit/stab sb; **voy a dar un paseo** I'm going (to go) for a walk - 10. [considerar]: **dar algo por** to consider sthg as; **eso lo doy por hecho** I take that for granted; **dar a alguien por muerto** to give sb up for dead. ⊳ *vi* - 1. [repartir - en naipes] to deal - 2. [horas] to strike; **han dado las tres en el reloj** three o'clock struck - 3. [golpear]: **le dieron en la cabeza** they hit him on the head; **la piedra dio contra el cristal** the stone hit the window - 4. [accionar]: **dar a** [llave de paso] to turn; [botón, timbre] to press - 5. [estar orientado]: **dar a** [suj: ventana, balcón] to look out onto, to overlook; [suj: pasillo, puerta] to lead to; [suj: casa, fachada] to face - 6. [encontrar]: **dar con algo/alguien** to find sthg/sb; **he dado con la solución** I've hit upon the solution - 7. [proporcionar]: **dar de beber a alguien** to give sb sthg to drink; **le da de mamar a su hijo** she breast-feeds her son - 8. *loc*: **dar de sí** [ropa, calzado] to give, to stretch. ◆ **darse** *vprnl* - 1. [suceder] to occur, to happen; **se da pocas veces** it rarely happens - 2. [entregarse]: **darse a** [droga etc] to take to - 3. [golpearse]: **darse contra** to bump into - 4. [tener aptitud]: **se me da bien/mal el latín** I'm good/bad at Latin - 5. [considerarse]: **darse por** to consider o.s. (to be); **darse por vencido** to give in - 6. *loc*: **dársela a alguien** [engañar] to take sb in; **se las da de listo** he makes out (that) he is clever.

dardo *sm* dart.

dársena *sf* dock.

datar *vt* to date. ◆ **datar de** *vi* to date from.

dátil *sm* BOT & CULIN date.

dato *sm* [gen] piece of information, fact; **datos** [gen] information; INFORM data; **datos personales** personal details; **datos bancarios** bank details.

dcha. (*abrev de* **derecha**) rt.

d. de JC., d.JC. (*abrev de* **después de Jesucristo**) AD.

de *prep* (*de + el* = **del**) - 1. [posesión, pertenencia] of; **el coche de mi padre/mis padres** my father's/parents' car; **es de ella** it's hers; **la pata de la mesa** the table leg - 2. [materia] (made) of; **un vaso de plástico** a plastic cup; **un reloj de oro** a gold watch - 3. [en descripciones]: **un vaso de agua** a glass of water; **de fácil manejo** user-friendly; **la señora de verde** the lady in green; **el chico de la coleta** the boy with the ponytail; **he comprado las peras de dos euros**

el kilo I bought the pears that were O at two euros a kilo; **un sello de 50 céntimos** a 50 cent stamp - **4.** [asunto] about; **hablábamos de ti** we were talking about you; **libros de historia** history books - **5.** [uso]: **una bici de carreras** a racer; **ropa de deporte** sportswear - **6.** [en calidad de] as; **trabaja de bombero** he works as a fireman - **7.** [tiempo - desde] from; [- durante] in; **trabaja de nueve a cinco** she works from nine to five; **de madrugada** early in the morning; **a las cuatro de la tarde** at four in the afternoon; **trabaja de noche y duerme de día** he works at night and sleeps during the day - **8.** [procedencia, distancia] from; **salir de casa** to leave home; **soy de Bilbao** I'm from Bilbao - **9.** [causa, modo] with; **morirse de hambre** to die of hunger; **llorar de alegría** to cry with joy; **de una patada** with a kick; **de una sola vez** in one go - **10.** [con superlativos]: **el mejor de todos** the best of all; **el más importante del mundo** the most important in the world - **11.** [en comparaciones]: **más/menos de...** more/less than... - **12.** (antes de infinitivo) [condición] if; **de querer ayudarme, lo haría** if she wanted to help me, she'd do it; **de no ser por ti, me hubiese hundido** if it hadn't been for you, I wouldn't have made it - **13.** (después de adj y antes de s) [enfatiza cualidad]: **el idiota de tu hermano** your stupid brother - **14.** (adj): **es difícil de creer** it's hard to believe.

dé ▷ **dar**.

deambular vi to wander (about).

debajo adv underneath; **debajo de** underneath, under; **por debajo de lo normal** below normal.

debate sm debate.

debatir vt to debate. ◆ **debatirse** vprnl [luchar] to struggle; **se debate la vida y la muerte** she's fighting for her life.

debe sm debit (side).

deber ◇ vt [adeudar] to owe; **deber algo a alguien** to owe sb sthg, to owe sthg to sb. ◇ vi - **1.** (después de adj y antes de infinitivo) [expresa obligación]: **debo hacerlo** I have to do it, I must do it; **deberían abolir esa ley** they ought to O should abolish that law; **debes dominar tus impulsos** you must O should control your impulses - **2.** [expresa posibilidad]: **deber de: el tren debe de llegar alrededor de las diez** the train should arrive at about ten; **deben de ser las diez** it must be ten o'clock; **no debe de ser muy mayor** she can't be very old. ◇ sm duty. ◆ **deberse a** vprnl - **1.** [ser consecuencia de] to be due to - **2.** [dedicarse a] to have a responsibility towards. ◆ **deberes** smpl [trabajo escolar] homework (U).

debidamente adv properly.

debido, da adj [justo, conveniente] due, proper; **a su debido tiempo** in due course; **como es**

debido properly. ◆ **debido a** loc conj (a principio de frase) owing to; (en mitad de frase) due to.

débil adj - **1.** [persona - sin fuerzas] weak - **2.** [voz, sonido] faint; [luz] dim.

debilidad sf [gen] weakness; **tener debilidad por** to have a soft spot for.

debilitar vt to weaken. ◆ **debilitarse** vprnl to become O grow weak.

debutar vi to make one's debut.

década sf decade; **la década de los sesenta** the sixties.

decadencia sf [gen] decadence.

decadente adj decadent.

decaer vi [gen] to decline; [enfermo] to get weaker; [salud] to fail; [entusiasmo] to flag; [restaurante etc] to go downhill.

decaído, da adj [desalentado] gloomy, downhearted; [débil] frail.

decaimiento sm [desaliento] gloominess; [decadencia] decline; [falta de fuerzas] weakness.

decano, na sm, f [de corporación, facultad] dean.

decapitar vt to decapitate, to behead.

decena sf ten; **una decena de veces** about ten times.

decencia sf - **1.** [gen] decency; [en el vestir] modesty - **2.** [dignidad] dignity.

decenio sm decade.

decente adj - **1.** [gen] decent - **2.** [en el comportamiento] proper; [en el vestir] modest - **3.** [limpio] clean.

decepción sf disappointment; **llevarse una decepción** to be disappointed.

decepcionar vt to disappoint.

decibelio sm decibel.

decidido, da adj determined.

decidir ◇ vt - **1.** [gen] to decide; **decidir hacer algo** to decide to do sthg - **2.** [determinar] to determine. ◇ vi to decide. ◆ **decidirse** vprnl to decide, to make up one's mind; **decidirse a hacer algo** to decide to do sthg; **decidirse por** to decide on, to choose.

décima ▷ **décimo**.

decimal adj [sistema] decimal.

décimo, ma num tenth; **la décima parte** a tenth. ◆ **décimo** sm - **1.** [fracción] tenth - **2.** [en lotería] tenth part of a lottery ticket. ◆ **décima** sf [en medidas] tenth; **una décima de segundo** a tenth of a second.

decir vt - **1.** [gen] to say; **¿cómo se dice "estación" en inglés?** how do you say "estación" in English?; **¿diga?, ¿dígame?** [al teléfono] hello? - **2.** [contar, ordenar] to tell; **decir a alguien que haga algo** to tell sb to do sthg; **se dice que** they O people say (that); **decir la verdad** to tell the truth - **3.** fig [revelar] to tell, to show; **eso**

lo dice todo that says it all - **4.** *loc:* **como quien dice, como si dijéramos** so to speak; **decir para sí** to say to o.s.; **es decir** that is, that's to say; **(o) mejor dicho** or rather; **querer decir** to mean; **¿qué quieres decir con eso?** what do you mean by that?

decisión *sf* - **1.** [dictamen, resolución] decision; **tomar una decisión** to make *O* take a decision - **2.** [empeño, tesón] determination; [seguridad, resolución] decisiveness.

decisivo, va *adj* decisive.

declamar *vt* & *vi* to declaim, to recite.

declaración *sf* - **1.** [gen] statement; [de amor, guerra] declaration; **prestar declaración** to give evidence; **declaración de derechos** bill of rights - **2.** [de impuestos] tax return; **tengo que hacer la declaración** I have to do my tax return; **declaración conjunta** joint tax return; **declaración del impuesto sobre la renta** income tax return.

declarar ⬦ *vt* [gen] to declare; [afirmar] to state, to say; **declarar culpable/inocente a alguien** to find sb guilty/not guilty. ⬦ *vi* DER to testify, to give evidence. ➤ **declararse** *vprnl* - **1.** [incendio, epidemia] to break out - **2.** [confesar el amor] to declare one's feelings *O* love - **3.** [dar una opinión]: **declararse a favor de algo** to say that one supports sthg; **declararse en contra de algo** to say that one is opposed to sthg; **declararse culpable/inocente** to plead guilty/not guilty.

declinar ⬦ *vt* [gen & GRAM] to decline; [responsabilidad] to disclaim. ⬦ *vi* [día, tarde] to draw to a close; [fiebre] to subside; [economía] to decline.

declive *sm* - **1.** [decadencia] decline, fall; **en declive** in decline - **2.** [pendiente] slope.

decodificador = descodificador.

decoración *sf* - **1.** [acción] decoration; [efecto] décor - **2.** [adorno] decorations *pl.*

decorado *sm* CINE & TEATRO set.

decorar *vt* to decorate.

decorativo, va *adj* decorative.

decoro *sm* [pudor] decency.

decoroso, sa *adj* [decente] decent; [correcto] seemly, proper.

decrecer *vi* [gen] to decrease, to decline; [caudal del río] to go down.

decrépito, ta *adj despec* decrepit.

decretar *vt* to decree.

decreto *sm* decree; **decreto ley** decree, ≃ order in council *UK.*

dedal *sm* thimble.

dedicación *sf* dedication.

dedicar *vt* - **1.** [tiempo, dinero, energía] to devote - **2.** [libro, monumento] to dedicate. ➤ **dedicarse a** *vprnl* - **1.** [a una profesión]: **¿a qué se dedica usted?** what do you do for a

living?; **se dedica a la enseñanza** she works as a teacher - **2.** [a una actividad, persona] to spend time on; **los domingos me dedico al estudio** I spend Sundays studying.

dedicatoria *sf* dedication.

dedo *sm* - **1.** [de la mano] finger; **contar con los dedos** to count on one's fingers; **dos dedos de whisky** two fingers of whisky; **meterse el dedo en la nariz** to pick one's nose; **dedo anular/corazón** ring/middle finger; **dedo gordo** *O* **pulgar** thumb - **2.** [del pie] toe - **3.** *loc:* **estar a dos dedos de** to be within an inch of; **hacer dedo** *fam* to hitchhike; **nombrar a alguien a dedo** to handpick sb; **no mover un dedo** not to lift a finger; **pillarse** *O* **cogerse los dedos** *fig* to get one's fingers burnt; **poner el dedo en la llaga** to put one's finger on it.

deducción *sf* deduction.

deducir *vt* - **1.** [inferir] to guess, to deduce - **2.** [descontar] to deduct.

defecar *vi* to defecate.

defecto *sm* [físico] defect; [moral] fault; **defecto de pronunciación** speech defect. ➤ **por defecto** *loc adv* by default.

defectuoso, sa *adj* [mercancía] defective, faulty; [trabajo] inaccurate.

defender *vt* [gen] to defend; [amigo etc] to stand up for. ➤ **defenderse** *vprnl* [protegerse]: **defenderse (de)** to defend o.s. (against).

defensa ⬦ *sf* defence; **defensa personal** self-defence. ⬦ *smf* DEP defender; **defensa central** centre-back. ➤ **defensas** *sfpl* MED defences; **estoy baja de defensas** my body's defences are low.

defensivo, va *adj* defensive. ➤ **defensiva** *sf:* **ponerse/estar a la defensiva** to go/be on the defensive.

defensor, ra ⬦ *adj* ▷ **abogado.** ⬦ *sm, f* [gen] defender; [abogado] counsel for the defence; [adalid] champion; **defensor del pueblo** ≃ ombudsman.

deferencia *sf* deference.

deficiencia *sf* [defecto] deficiency, shortcoming; [insuficiencia] lack.

deficiente *adj* [defectuoso - gen] deficient; [audición, vista] defective. ➤ **deficiente (mental)** *smf* mentally handicapped person.

déficit *sm inv* ECON deficit.

deficitario, ria *adj* [empresa, operación] loss-making; [balance] negative.

definición *sf* - **1.** [gen] definition; **por definición** by definition - **2.** [en televisión] resolution.

definir *vt* [gen] to define. ➤ **definirse** *vprnl* to take a clear stance.

definitivamente *adv* - **1.** [sin duda] definitely - **2.** [para siempre] for good.

definitivo, va *adj* [texto etc] definitive; [respuesta] definite; **en definitiva** in short, anyway.

deforestación *sf* deforestation.

deformación *sf* [de huesos, objetos etc] deformation; [de la verdad etc] distortion; **deformación física** (physical) deformity; **tener la deformación profesional** *to be always acting as if one were still at work*.

deformar *vt* **- 1.** [huesos, objetos etc] to deform **- 2.** *fig* [la verdad etc] to distort. ➡ **deformarse** *vprnl* to go out of shape.

deforme *adj* [cuerpo] deformed; [imagen] distorted; [objeto] misshapen.

defraudar *vt* **- 1.** [decepcionar] to disappoint **- 2.** [estafar] to defraud; **defraudar a Hacienda** to practise tax evasion.

defunción *sf* decease, death.

degeneración *sf* degeneration.

degenerado, da *adj & sm, f* degenerate.

degenerar *vi*: **degenerar (en)** to degenerate (into).

degollar *vt* [cortar la garganta] to cut O slit the throat of; [decapitar] to behead.

degradar *vt* **- 1.** [moralmente] to degrade **- 2.** [de un cargo] to demote. ➡ **degradarse** *vprnl* to degrade O lower o.s.

degustación *sf* tasting (of wines etc).

dehesa *sf* meadow.

dejadez *sf* neglect; [en aspecto] slovenliness.

dejado, da *adj* careless; [aspecto] slovenly.

dejar ◇ *vt* **- 1.** [gen] to leave; **deja esa pera en el plato** put that pear on the plate; **deja el abrigo en la percha** leave your coat on the hanger; **dejar a alguien en algún sitio** [con el coche] to drop sb off somewhere; **deja algo de café para mí** leave some coffee for me; **dejar algo/a alguien a alguien** [encomendar] to leave sthg/sb with sb **- 2.** [prestar]: **dejar algo a alguien** to lend sb sthg, to lend sthg to sb **- 3.** [abandonar - casa, trabajo, país] to leave; [- tabaco, estudios] to give up; [- familia] to abandon; **dejar algo por imposible** to give sthg up as a lost cause; **dejar a alguien atrás** to leave sb behind **- 4.** [permitir]: **dejar a alguien hacer algo** to let sb do sthg, to allow sb to do sthg; **sus gritos no me dejaron dormir** his cries prevented me from sleeping; **deja que tu hijo venga con nosotros** let your son come with us; **dejar correr algo** *fig* to let sthg be **- 5.** [omitir] to leave out; **dejar algo por** O **sin hacer** to fail to do sthg; **dejó lo más importante por resolver** he left the most important question unsolved **- 6.** [esperar]: **dejar que** to wait until; **dejó que acabara de llover para salir** he waited until it had stopped raining before going out. ◇ *vi* **- 1.** [parar]: **dejar de hacer algo** to stop doing sthg; **no deja de venir ni un**

solo día he never fails to come **- 2.** [expresando promesa]: **no dejar de** to be sure to; **¡no dejes de escribirme!** be sure to write to me! ➡ **dejarse** *vprnl* **- 1.** [olvidar]: **dejarse algo en algún sitio** to leave sthg somewhere **- 2.** [permitir]: **dejarse engañar** to allow o.s. to be taken in.

deje *sm* [acento] accent.

dejo *sm* [acento] accent.

del ▷ **de**.

delantal *sm* apron.

delante *adv* **- 1.** [en primer lugar, en la parte delantera] in front; **el de delante** the one in front; **el asiento de delante** the seat in front **- 2.** [enfrente] opposite **- 3.** [presente] present. ➡ **delante de** *loc prep* in front of.

delantero, ra ◇ *adj* front. ◇ *sm, f* DEP forward; **delantero centro** centre forward. ➡ **delantera** *sf* **- 1.** DEP forwards *pl*, attack **- 2.** *loc*: **coger** O **tomar la delantera** to take the lead; **coger** O **tomar la delantera a alguien** to beat sb to it; **llevar la delantera** to be in the lead.

delatar *vt* to denounce; *fig* [suj: sonrisa, ojos etc] to betray. ➡ **delatarse** *vprnl* to give o.s. away.

delator, ra *sm, f* informer.

delegación *sf* **- 1.** [autorización, embajada] delegation; **delegación de poderes** devolution (of power) **- 2.** [sucursal] branch **- 3.** [oficina pública] local office **- 4.** *Méx* [comisaría] police station, precinct *US*, station house *US*.

delegado, da *sm, f* **- 1.** [gen] delegate; **delegado de curso** class representative **- 2.** COM representative.

delegar *vt*: **delegar algo (en** O **a)** to delegate sthg (to).

deleite *sm* delight.

deletrear *vt* to spell (out).

deleznable *adj fig* [malo - clima, libro, actuación] appalling; [- excusa, razón] contemptible.

delfín *sm* [animal] dolphin.

delgado, da *adj* [gen] thin; [esbelto] slim.

deliberación *sf* deliberation.

deliberar *vi* to deliberate.

delicadeza *sf* **- 1.** [miramiento - con cosas] care; [- con personas] kindness, attentiveness; **tener la delicadeza de** to be thoughtful enough to **- 2.** [finura - de perfume, rostro] delicacy; [- de persona] sensitivity **- 3.** [de un asunto, situación] delicacy.

delicado, da *adj* **- 1.** [gen] delicate; [perfume, gusto] subtle; [paladar] refined **- 2.** [persona - sensible] sensitive; [- muy exigente] fussy; [- educado] polite; **estar delicado de salud** to be very weak.

delicia *sf* delight.

delicioso, sa adj [comida] delicious; [persona] lovely, delightful.

delimitar vt [finca etc] to set out the boundaries of; [funciones etc] to define.

delincuencia sf crime; **delincuencia juvenil** juvenile delinquency.

delincuente smf criminal; **delincuente habitual** habitual offender; **delincuente juvenil** juvenile delinquent.

delineante sm, f draughtsman (f draughtswoman).

delinquir vi to commit a crime.

delirante adj [gen] delirious.

delirar vi [un enfermo] to be delirious; [desbarrar] to talk nonsense.

delirio sm [por la fiebre] delirium; [de un enfermo mental] ravings pl; **delirios de grandeza** delusions of grandeur; **con delirio** madly.

delito sm crime, offence; **delito común** common law offence; **delito ecológico** ecological crime; **delito fiscal** tax offence; **delito informático** computer crime.

delta ◇ sm delta. ◇ sf delta.

demacrado, da adj gaunt.

demagogo, ga sm, f demagogue.

demanda sf - 1. [petición] request; [reivindicación] demand; **demanda salarial** wage claim; **en demanda de** asking for - 2. ECON demand - 3. DER lawsuit; [por daños y perjuicios] claim; **presentar una demanda contra** to take legal action against.

demandante smf plaintiff.

demandar vt - 1. DER: **demandar a alguien (por)** to sue sb (for) - 2. [pedir] to ask for.

demarcación sf - 1. [señalización] demarcation - 2. [territorio demarcado] area; [jurisdicción] district.

demás ◇ adj other; **los demás invitados** the other O remaining guests. ◇ pron: **lo demás** the rest; **todo lo demás** everything else; **los/las demás** the others, the rest; **por lo demás** apart from that, otherwise; **y demás** and so on.

demasiado, da ◇ adj too much (pl too many); **demasiada comida** too much food; **demasiados niños** too many children. ◇ adv [gen] too much; (antes de adj o adv) too; **habla demasiado** she talks too much; **iba demasiado rápido** he was going too fast.

demencia sf madness, insanity; **demencia senil** senile dementia.

demencial adj [disparatado] chaotic.

demente adj mad.

democracia sf democracy.

demócrata ◇ adj democratic. ◇ smf democrat.

democrático, ca adj democratic.

demografía sf demography.

demoler vt [edificio] to demolish, to pull down; fig to destroy.

demolición sf demolition.

demonio sm - 1. lit & fig devil; **un pesado de mil demonios** one hell of a bore - 2. [para enfatizar]: **¿qué/dónde demonios...?** what/where the hell...? ◇ **demonios** interj: **¡demonios!** damn (it)!

demora sf delay.

demorar ◇ vt - 1. to delay - 2. Amér [tardar]: **demoraron 3 días en hacerlo** it took them three days to do it; **demora una hora para vestirse** it takes her one hour to get dressed. ◇ vi Amér [tardar]: **¡no demores!** don't be late! ◆ **demorarse** vprnl - 1. [retrasarse] to be delayed - 2. [detenerse] to stop (somewhere).

demostración sf - 1. [gen] demonstration; **hacer una demostración** [de cómo funciona algo] to demonstrate; [de gimnasia etc] to put on a display; **demostración de afecto** show of affection - 2. [de un teorema] proof - 3. [exhibición] display; [señal] sign; [prueba] proof.

demostrar vt - 1. [hipótesis, teoría, verdad] to prove - 2. [alegría, impaciencia, dolor] to show - 3. [funcionamiento, procedimiento] to demonstrate, to show.

denegar vt to turn down, to reject.

denigrante adj [humillante] degrading; [insultante] insulting.

denigrar vt [humillar] to denigrate, to vilify; [insultar] to insult.

denominación sf naming; **'denominación de origen'** 'appellation d'origine'.

denominador sm denominator; **denominador común** fig & MAT common denominator.

denotar vt to indicate, to show.

densidad sf [gen & INFORM] density; **densidad de población** population density; **alta/doble densidad** INFORM high/double density.

denso, sa adj [gen] dense; [líquido] thick.

dentadura sf teeth pl; **dentadura postiza** false teeth pl, dentures pl.

dentera sf: **dar dentera a alguien** to set sb's teeth on edge.

dentífrico, ca adj tooth (antes de s). ◆ **dentífrico** sm toothpaste.

dentista smf dentist.

dentro adv inside; **está ahí dentro** it's in there; **hacia/para dentro** inwards; **por dentro** (on the) inside; fig inside, deep down. ◆ **dentro de** loc prep in; **dentro del coche** in O inside the car; **dentro de poco/un año** in a while/a year; **dentro de un año terminaré los estudios** I'll have finished my studies within a year; **dentro de lo posible** as far as possible.

denuncia *sf* [acusación] accusation; [condena] denunciation; [a la policía] complaint; **presentar una denuncia contra** to file a complaint against.

denunciar *vt* to denounce; [delito] to report.

departamento *sm* - **1.** [gen] department - **2.** [división territorial] administrative district; [en Francia] department - **3.** [de maleta, cajón, tren] compartment - **4.** *Arg* [apartamento] flat *UK*, apartment *US*.

dependencia *sf* - **1.** [de una persona] dependence; [de país, drogas, alcohol] dependency - **2.** [departamento] section; [sucursal] branch. ▸ **dependencias** *sfpl* [habitaciones] rooms; [edificios] outbuildings.

depender *vi* to depend; **depende...** it depends... ▸ **depender de** *vi*: **depender de algo** to depend on sthg; **depender de alguien** to be dependent on sb; **depende de ti** it's up to you.

dependienta *sf* shop assistant, saleswoman.

dependiente ◇ *adj* dependent; **un organismo dependiente del gobierno central** a body which forms part of the central government. ◇ *sm* salesman, shop assistant *UK*, salesclerk *US*.

depilar *vt* [gen] to remove the hair from; [cejas] to pluck; [con cera] to wax.

depilatorio, ria *adj* hair-removing. ▸ **depilatorio** *sm* hair-remover.

deplorable *adj* [suceso, comportamiento] deplorable; [aspecto] sorry, pitiful.

deponer *vt* - **1.** [abandonar - actitud] to drop, to set aside; [las armas] to lay down - **2.** [destituir - ministro, secretario] to remove from office; [- líder, rey] to depose.

deportar *vt* to deport.

deporte *sm* sport; **hacer deporte** to do O practise sports; **hacer deporte es bueno para la salud** sport is good for your health; **practicar un deporte** to do a sport; **deportes de competición** competitive sports; **deportes extremos** extreme sports; **deportes náuticos** water sports.

deportista *sm, f* sportsman (*f* sportswoman).

deportivo, va *adj* - **1.** [revista, evento] sports (*antes de s*) - **2.** [conducta, espíritu] sportsmanlike. ▸ **deportivo** *sm* sports car.

depositar *vt* - **1.** [gen] to place; **depositar algo en alguien** [confianza, ilusiones] to place sthg in sb - **2.** [en el banco etc] to deposit. ▸ **depositarse** *vprnl* [asentarse] to settle.

depositario, ria *sm, f* - **1.** [de dinero] trustee - **2.** [de confianza etc] repository - **3.** [de mercancías etc] depositary.

depósito *sm* - **1.** [almacén - de mercancías] store, warehouse; [- de armas] dump; **depósito de cadáveres** morgue, mortuary; **depósito de equipaje** left luggage office *UK*, baggage room *US* - **2.** [recipiente] tank; **depósito de agua** [cisterna] water tank; [embalse] reservoir; **depósito de gasolina** petrol tank *UK*, gas tank *US* - **3.** [de dinero] deposit.

depravado, da *adj* depraved.

depreciar *vt* to (cause to) depreciate. ▸ **depreciarse** *vprnl* to depreciate.

depredador, ra ◇ *adj* predatory. ◇ *sm, f* predator.

depresión *sf* [gen] depression; **depresión nerviosa** nervous breakdown; **depresión posparto** postnatal depression.

depresivo, va ◇ *adj* PSICOL depressive; [deprimente] depressing. ◇ *sm, f* depressive.

deprimido, da *adj* depressed.

deprimir *vt* to depress. ▸ **deprimirse** *vprnl* to get depressed.

deprisa, de prisa *adv* fast, quickly; **¡deprisa!** quick!

depuración *sf* - **1.** [de agua, metal, gas] purification - **2.** *fig* [de organismo, sociedad] purge.

depurar *vt* - **1.** [agua, metal, gas] to purify - **2.** *fig* [organismo, sociedad] to purge.

derecha ⊳ **derecho**.

derecho, cha ◇ *adj* - **1.** [diestro] right; **el margen derecho** the right-hand margin - **2.** [vertical] upright; **siempre anda muy derecha** she always walks with a very upright posture - **3.** [recto] straight. ◇ *adv* - **1.** [en posición vertical] upright - **2.** [en línea recta] straight; **todo derecho** straight ahead; **siga todo derecho y llegará al museo** continue straight ahead and you'll come to the museum - **3.** [directamente] straight; **se fue derecha a casa** she went straight home. ▸ **derecho** *sm* - **1.** [leyes, estudio] law; **un estudiante de derecho** a law student; **derecho canónico/fiscal** canon/tax law - **2.** [prerrogativa] right; **con derecho a** with a right to; **de pleno derecho** fully-fledged; **el derecho al voto** the right to vote; **hacer valer sus derechos** to exercise one's rights; **¡no hay derecho!** it's not fair!; **reservado el derecho de admisión** the management reserves the right of admission; **derecho de asilo** right of asylum; **derecho de réplica** right to reply; **derecho de retención** ECON right of retention - **3.** [de una tela, prenda] right side; **del derecho** right side out. ▸ **derecha** *sf* - **1.** [contrario de izquierda] right, right-hand side; **a la derecha** to the right; **girar a la derecha** to turn right - **2.** POLIT right (wing); **ser de derechas** to be right-wing. ▸ **derechos** *smpl* [tasas] duties; [profesionales] fees; **derechos de aduana** customs duty (*U*); **derechos de**

inscripción membership fee *sing*; **derechos de autor** [potestad] copyright *(U)*; [dinero] royalties.

deriva *sf* drift; **a la deriva** adrift; **ir a la deriva** to drift.

derivado, da *adj* GRAM derived. ➤ **derivado** *sm* - **1.** [producto] by-product; **derivados lácteos** dairy products - **2.** QUÍM derivative.

derivar ◇ *vt* - **1.** [desviar] to divert - **2.** MAT to derive. ◇ *vi* [desviarse] to change direction, to drift. ➤ **derivar de** *vi* - **1.** [proceder] to derive from - **2.** GRAM to be derived from. ➤ **derivar en** *vi* to result in, to lead to.

derogación *sf* repeal.

derramamiento *sm* spilling; **derramamiento de sangre** bloodshed.

derramar *vt* [por accidente] to spill; [verter] to pour.

derrame *sm* - **1.** MED discharge - **2.** [de líquido] spilling; [de sangre] shedding.

derrapar *vi* to skid.

derretir *vt* [gen] to melt; [nieve] to thaw. ➤ **derretirse** *vprnl* [metal, mantequilla] to melt; [hielo, nieve] to thaw.

derribar *vt* - **1.** [construcción] to knock down, to demolish - **2.** [hacer caer - árbol] to fell; [- avión] to bring down - **3.** [gobierno, gobernante] to overthrow.

derribo *sm* [material] rubble.

derrocar *vt* [gobierno] to bring down, to overthrow; [ministro] to oust.

derrochar *vt* [malgastar] to squander.

derroche *sm* [malgaste] waste, squandering.

derrota *sf* [fracaso] defeat.

derrotar *vt* to defeat.

derrotero *sm* [camino] direction; **tomar diferentes derroteros** to follow a different course.

derrotista *adj & smf* defeatist.

derruir *vt* to demolish.

derrumbamiento *sm* - **1.** [de puente, edificio - por accidente] collapse; [- intencionado] demolition - **2.** *fig* [de imperio] fall; [de empresa etc] collapse.

derrumbar *vt* [puente, edificio] to demolish. ➤ **derrumbarse** *vprnl* [puente, edificio] to collapse; [techo] to fall *O* cave in.

desabotonar *vt* to unbutton. ➤ **desabotonarse** *vprnl* [suj: persona] to undo one's buttons; [suj: ropa] to come undone.

desabrochar *vt* to undo. ➤ **desabrocharse** *vprnl* [suj: persona] to undo one's buttons; [suj: ropa] to come undone.

desacato *sm* - **1.** [gen]: **desacato (a)** lack of respect (for), disrespect (for) - **2.** DER contempt of court.

desacierto *sm* [error] error.

desaconsejar *vt*: **desaconsejar algo (a alguien)** to advise (sb) against sthg; **desaconsejar a alguien que haga algo** to advise sb not to do sthg.

desacreditar *vt* to discredit.

desactivar *vt* to defuse.

desacuerdo *sm* disagreement.

desafiante *adj* defiant.

desafiar *vt* - **1.** [persona] to challenge; **desafiar a alguien a algo/a que haga algo** to challenge sb to sthg/to do sthg - **2.** [peligro] to defy.

desafinar *vi* MÚS to be out of tune.

desafío *sm* challenge.

desaforado, da *adj* - **1.** [excesivo - apetito] uncontrolled - **2.** [furioso - grito] furious, wild.

desafortunadamente *adv* unfortunately.

desafortunado, da *adj* - **1.** [gen] unfortunate - **2.** [sin suerte] unlucky.

desagradable *adj* unpleasant.

desagradar *vi* to displease; **su actitud le desagradó** he was displeased at her attitude.

desagradecido, da *sm, f* ungrateful person.

desagrado *sm* displeasure; **con desagrado** reluctantly.

desagraviar *vt*: **desagraviar a alguien por algo** [por una ofensa] to make amends to sb for sthg; [por un perjuicio] to compensate sb for sthg.

desagüe *sm* [vaciado] drain; [cañería] drainpipe.

desaguisado *sm* [destrozo] damage *(U)*.

desahogado, da *adj* - **1.** [de espacio] spacious - **2.** [de dinero] well-off.

desahogar *vt* [ira] to vent; [pena] to relieve, to ease. ➤ **desahogarse** *vprnl* - **1.** [contar penas]: **desahogarse con alguien** to pour out one's woes *O* to tell one's troubles to sb - **2.** [desfogarse] to let off steam.

desahogo *sm* - **1.** [moral] relief - **2.** [de espacio] space, room - **3.** [económico] ease.

desahuciar *vt* - **1.** [inquilino] to evict - **2.** [enfermo]: **desahuciar a alguien** to give up all hope of saving sb.

desahucio *sm* eviction.

desaire *sm* snub, slight; **hacer un desaire a alguien** to snub sb; **sufrir un desaire** to receive a rebuff.

desajuste *sm* - **1.** [de piezas] misalignment; [de máquina] breakdown - **2.** [de declaraciones] inconsistency; [económico etc] imbalance.

desalentar *vt* to discourage.

desaliento *sm* dismay, dejection.

desaliñado, da *adj* scruffy.

desaliño *sm* scruffiness.

desalmado, da *adj* heartless.

desalojar vt - **1.** [por una emergencia - edificio, personas] to evacuate - **2.** [por la fuerza - suj: policía, ejército] to clear; [- inquilinos etc] to evict - **3.** [por propia voluntad] to abandon, to move out of.

desamor sm [falta de afecto] indifference, coldness; [odio] dislike.

desamparado, da adj [niño] helpless; [lugar] desolate, forsaken.

desamparar vt to abandon.

desamparo sm [abandono] abandonment; [aflicción] helplessness.

desangrar vt - **1.** [animal, persona] to bleed - **2.** fig [económicamente] to bleed dry. ◆ **desangrarse** vprnl to lose a lot of blood.

desanimado, da adj [persona] downhearted.

desanimar vt to discourage. ◆ **desanimarse** vprnl to get downhearted O discouraged.

desánimo sm [gen] dejection; [depresión] depression.

desapacible adj unpleasant.

desaparecer vi - **1.** [gen] to disappear - **2.** [en guerra, accidente] to go missing.

desaparecido, da sm, f missing person.

desaparición sf disappearance.

desapego sm indifference.

desapercibido, da adj: pasar desapercibido to go unnoticed.

desaprensivo, va sm, f unscrupulous person.

desaprobar vt [gen] to disapprove of; [un plan etc] to reject.

desaprovechar vt to waste.

desarmador sm Méx - **1.** [herramienta] screwdriver - **2.** [cóctel] vodka and orange.

desarmar vt - **1.** [gen] to disarm - **2.** [desmontar] to take apart, to dismantle.

desarme sm MIL disarmament.

desarraigar vt - **1.** [vicio, costumbre] to root out - **2.** [persona, pueblo] to banish, to drive (out).

desarraigo sm [de árbol] uprooting; [de vicio, costumbre] rooting out; [de persona, pueblo] banishment.

desarreglar vt [armario, pelo] to mess up; [planes, horario] to upset.

desarreglo sm [de cuarto, persona] untidiness; [de vida] disorder.

desarrollado, da adj developed.

desarrollar vt - **1.** [mejorar - crecimiento, país] to develop - **2.** [exponer - teoría, tema, fórmula] to expound - **3.** [realizar - actividad, trabajo] to carry out. ◆ **desarrollarse** vprnl - **1.** [crecer, mejorar] to develop - **2.** [suceder - reunión] to take place; [- película] to be set.

desarrollo sm - **1.** [mejora] development; países en vías de desarrollo developing countries - **2.** [crecimiento] growth, development - **3.** [de idea, argumento, acontecimiento] development.

desarticular vt - **1.** [huesos] to dislocate - **2.** fig [organización, banda] to break up; [plan] to foil.

desasosegar vt to make uneasy.

desasosiego sm - **1.** [mal presentimiento] unease - **2.** [nerviosismo] restlessness.

desastrado, da adj [desaseado] scruffy; [sucio] dirty.

desastre sm disaster; su madre es un desastre her mother is hopeless; desastre natural natural disaster.

desastroso, sa adj disastrous.

desatar vt - **1.** [nudo, lazo] to untie; [paquete] to undo; [animal] to unleash - **2.** fig [tormenta, iras, pasión] to unleash; [entusiasmo] to arouse; [lengua] to loosen. ◆ **desatarse** vprnl - **1.** [nudo, lazo] to come undone - **2.** fig [desencadenarse - tormenta] to break; [- ira, cólera] to erupt.

desatascar vt to unblock.

desatender vt - **1.** [obligación, persona] to neglect - **2.** [ruegos, consejos] to ignore.

desatino sm - **1.** [locura] foolishness - **2.** [desacierto] foolish act.

desautorizar vt - **1.** [desmentir - noticia] to deny - **2.** [prohibir - manifestación, huelga] to ban - **3.** [desacreditar] to discredit.

desavenencia sf [desacuerdo] friction, tension; [riña] quarrel.

desavenirse vprnl to fall out.

desayunar ◇ vi to have breakfast. ◇ vt to have for breakfast.

desayuno sm breakfast; desayuno continental continental breakfast; desayuno de trabajo working breakfast.

desazón sf unease, anxiety.

desbancar vt fig [ocupar el puesto de] to oust, to replace.

desbandada sf breaking up, scattering; a la desbandada in great disorder.

desbarajuste sm disorder, confusion.

desbaratar vt to ruin, to wreck.

desbloquear vt [cuenta] to unfreeze; [país] to lift the blockade on; [negociación] to end the deadlock in.

desbocado, da adj [caballo] runaway.

desbocarse vprnl [caballo] to bolt.

desbole sm R Dom fam mess, chaos.

desbordar vt - **1.** [cauce, ribera] to overflow, to burst - **2.** [límites, previsiones] to exceed; [paciencia] to push beyond the limit. ◆ **desbor-**

darse *vprnl* - **1.** [líquido]: **desbordarse (de)** to overflow (from) - **2.** [río] to overflow - **3.** *fig* [sentimiento] to erupt.

descabalgar *vi* to dismount.

descabellado, da *adj* crazy.

descafeinado, da *adj* [sin cafeína] decaffeinated. ◆ **descafeinado** *sm* decaffeinated coffee.

descalabro *sm* setback, damage *(U)*.

descalificar *vt* - **1.** [en una competición] to disqualify - **2.** [desprestigiar] to discredit.

descalzar *vt*: **descalzar a alguien** to take sb's shoes off. ◆ **descalzarse** *vprnl* to take off one's shoes.

descalzo, za *adj* barefoot.

descaminado, da *adj fig* [equivocado]: **andar** *O* **ir descaminado** to be on the wrong track.

descampado *sm* open country.

descansar ◇ *vi* - **1.** [reposar] to rest - **2.** [dormir] to sleep; **¡que descanses!** sleep well! ◇ *vt* - **1.** to rest; **descansar la vista** to rest one's eyes; **descansa la cabeza en mi hombro** rest your head on my shoulder - **2.** [dormir] to sleep.

descansillo *sm* landing.

descanso *sm* - **1.** [reposo] rest; **tomarse un descanso** to take a rest; **día de descanso** day off - **2.** [pausa] break; CINE & TEATRO interval; DEP half-time - **3.** *fig* [alivio] relief.

descapotable *adj* & *sm* convertible.

descarado, da *adj* - **1.** [desvergonzado - persona] cheeky, impertinent - **2.** [flagrante - intento etc] barefaced.

descarga *sf* - **1.** [de mercancías] unloading - **2.** [de electricidad] shock - **3.** [disparo] firing, shots *pl* - **4.** INFORM download.

descargar *vt* - **1.** [vaciar - mercancías, pistola] to unload - **2.** [disparar - munición, arma, ráfaga]: **descargar (sobre)** to fire (at) - **3.** ELECTR to run down. ◆ **descargarse** *vprnl* - **1.** [desahogarse]: **descargarse con alguien** to take it out on sb - **2.** ELECTR to go flat.

descargo *sm* - **1.** [excusa]: **descargo a** argument against - **2.** DER defence - **3.** [COM - de deuda] discharge; [- recibo] receipt.

descarnado, da *adj* - **1.** [descripción] brutal - **2.** [persona, animal] scrawny.

descaro *sm* cheek, impertinence.

descarriarse *vprnl* - **1.** [ovejas, ganado] to stray - **2.** *fig* [pervertirse] to go astray.

descarrilamiento *sm* derailment.

descarrilar *vi* to be derailed.

descartar *vt* [ayuda] to refuse, to reject; [posibilidad] to rule out.

descendencia *sf* - **1.** [hijos] offspring - **2.** [linaje] lineage, descent.

descender *vi* - **1.** [en estimación] to go down; **descender a segunda** to be relegated to the second division - **2.** [cantidad, valor, temperatura, nivel] to fall, to drop. ◆ **descender de** *vi* - **1.** [avión] to get off - **2.** [linaje] to be descended from.

descenso *sm* - **1.** [en el espacio] descent - **2.** [de cantidad, valor, temperatura, nivel] drop.

descentralizar *vt* to decentralize.

descentrar *vt* - **1.** [sacar del centro] to knock off-centre - **2.** *fig* [desconcentrar] to distract.

descifrar *vt* - **1.** [clave, mensaje] to decipher - **2.** [motivos, intenciones] to work out; [misterio] to solve; [problemas] to puzzle out.

descodificador, decodificador *sm* decoder.

descolgar *vt* - **1.** [una cosa colgada] to take down - **2.** [teléfono] to pick up. ◆ **descolgarse** *vprnl* [bajar]: **descolgarse (por algo)** to let oneself down *O* to slide down (sthg).

descolorido, da *adj* faded.

descompasado, da *adj* excessive, uncontrollable.

descomponer *vt* - **1.** [pudrir - fruta] to rot; [- cadáver] to decompose - **2.** [dividir] to break down; **descomponer algo en** to break sthg down into - **3.** [desordenar] to mess up - **4.** [estropear] to damage. ◆ **descomponerse** *vprnl* - **1.** [pudrirse - fruta] to rot; [- cadáver] to decompose - **2.** [averiarse] to break down.

descomposición *sf* - **1.** [de elementos] decomposition - **2.** [putrefacción - de fruta] rotting; [- de cadáver] decomposition - **3.** [alteración] distortion - **4.** [diarrea] diarrhoea.

descompostura *sf* - **1.** [falta de mesura] lack of respect, rudeness - **2.** *Méx & R Dom* [avería] breakdown - **3.** *Amér* [malestar] sickness - **4.** *Amér* [diarrea] diarrhoea - **5.** *Méx & R Plata* [avería] breakdown.

descompuesto, ta ◇ *pp* ▷ **descomponer**. ◇ *adj* - **1.** [putrefacto - fruta] rotten; [- cadáver] decomposed - **2.** [alterado - rostro] distorted, twisted - **3.** *Méx & R Plata* [mecanismo, máquina] broken, broken down.

descomunal *adj* enormous.

desconcentrar *vt* to distract.

desconcertante *adj* disconcerting.

desconcertar *vt* to disconcert, to throw. ◆ **desconcertarse** *vprnl* to be thrown *O* bewildered.

desconchado *sm* [de pintura] peeling paint; [de enyesado] peeling plaster.

desconcierto *sm* [desorden] disorder; [desorientación, confusión] confusion.

desconectar *vt* [aparato] to switch off; [línea] to disconnect; [desenchufar] to unplug.

desconfianza *sf* distrust.

desconfiar ← **desconfiar de** vi - 1. [sospechar de] to distrust - 2. [no confiar en] to have no faith in.

descongelar vt - 1. [producto] to thaw; [nevera] to defrost - 2. fig [precios] to free; [créditos, salarios] to unfreeze.

descongestionar vt - 1. MED to clear - 2. fig [calle, centro de ciudad] to make less congested; **descongestionar el tráfico** to reduce congestion.

desconocer vt [ignorar] not to know.

desconocido, da ◇ adj [no conocido] unknown. ◇ sm, f stranger.

desconocimiento sm ignorance.

desconsiderado, da adj thoughtless, inconsiderate.

desconsolar vt to distress.

desconsuelo sm distress, grief.

descontado, da adj discounted. ← **por descontado** loc adv obviously; **dar algo por descontado** to take sthg for granted.

descontar vt - 1. [una cantidad] to deduct - 2. COM to discount.

descontentar vt to upset.

descontento, ta adj unhappy, dissatisfied. ← **descontento** sm dissatisfaction.

desconvocar vt to cancel, to call off.

descorazonador, ra adj discouraging.

descorazonar vt to discourage.

descorchar vt to uncork.

descorrer vt - 1. [cortinas] to draw back - 2. [cerrojo, pestillo] to draw back.

descortés adj rude.

descoser vt to unstitch. ← **descoserse** vprnl to come unstitched.

descosido, da adj unstitched.

descoyuntar vt to dislocate.

descrédito sm discredit; **ir en descrédito de algo/alguien** to count against sthg/sb.

descreído, da sm, f non-believer.

descremado, da adj skimmed.

describir vt to describe.

descripción sf description.

descrito, ta pp ▷ describir.

descuartizar vt [persona] to quarter; [res] to carve up.

descubierto, ta ◇ pp ▷ descubrir. ◇ adj - 1. [gen] uncovered; [coche] open - 2. [cielo] clear - 3. [sin sombrero] bareheaded. ← **descubierto** sm [FIN - de empresa] deficit; [- de cuenta bancaria] overdraft. ← **al descubierto** loc adv - 1. [al raso] in the open - 2. BANCA overdrawn; **quedar al descubierto** fig to be exposed O uncovered.

descubrimiento sm - 1. [de continentes, invenciones] discovery - 2. [de placa, busto] unveiling - 3. [de complots] uncovering; [de asesinos] detection.

descubrir vt - 1. [gen] to discover; [petróleo] to strike; [complot] to uncover - 2. [destapar - estatua, placa] to unveil - 3. [vislumbrar] to spot, to spy - 4. [delatar] to give away. ← **descubrirse** vprnl [quitarse el sombrero] to take one's hat off; **descubrirse ante algo** fig to take one's hat off to sthg.

descuento sm discount; **hacer descuento** to give a discount; **con descuento** at a discount; **un descuento del 10%** a 10% discount.

descuidado, da adj - 1. [desaseado - persona, aspecto] untidy; [- jardín] neglected - 2. [negligente] careless - 3. [distraído] off one's guard.

descuidar ◇ vt [desatender] to neglect. ◇ vi [no preocuparse] not to worry; **descuida, que yo me encargo** don't worry, I'll take care of it. ← **descuidarse** vprnl - 1. [abandonarse] to neglect one's appearance - 2. [despistarse] not to be careful.

descuido sm - 1. [falta de aseo] carelessness - 2. [olvido] oversight; [error] slip; **en un descuido** by mistake.

desde prep - 1. [tiempo] since; **no lo veo desde el mes pasado/desde ayer** I haven't seen him since last month/yesterday; **desde ahora** from now on; **desde hace mucho/un mes** for ages/a month; **desde... hasta...** from... until...; **desde el lunes hasta el viernes** from Monday till Friday; **desde que** since; **desde que murió mi madre** since my mother died - 2. [espacio] from; **desde... hasta...** from... to...; **desde aquí hasta el centro** from here to the centre. ← **desde luego** loc adv - 1. [por supuesto] of course - 2. [en tono de reproche] for goodness' sake!

desdecir ← **desdecir de** vi [desmerecer] to be unworthy of; [no cuadrar con] not to go with, to clash with. ← **desdecirse** vprnl to go back on one's word; **desdecirse de** to go back on.

desdén sm disdain, scorn.

desdeñar vt to scorn.

desdeñoso, sa adj disdainful.

desdibujarse vprnl to become blurred.

desdicha sf [desgracia - situación] misery; [- suceso] misfortune; **por desdicha** unfortunately.

desdichado, da adj [decisión, situación] unfortunate; [persona - sin suerte] unlucky; [- sin felicidad] unhappy.

desdicho, cha pp ▷ desdecir.

desdoblar vt [servilleta, carta] to unfold; [alambre] to straighten out.

desear vt - **1.** [querer] to want; [anhelar] to wish; **¿qué desea?** [en tienda] what can I do for you?; **desearía estar allí** I wish I was there; **dejar mucho/no dejar nada que desear** to leave much/nothing to be desired - **2.** [sexualmente] to desire.

desecar vt to dry out. ◆ **desecarse** vprnl to dry out.

desechable adj disposable.

desechar vt - **1.** [tirar - ropa, piezas] to throw out, to discard - **2.** [rechazar - ayuda, oferta] to refuse, to turn down - **3.** [desestimar - idea] to reject; [- plan, proyecto] to drop.

desecho sm [objeto usado] unwanted object; [ropa] castoff; **material de desecho** [gen] waste products pl; [metal] scrap. ◆ **desechos** smpl [basura] rubbish (U); [residuos] waste products; **desechos radiactivos** radioactive waste (U).

desembalar vt to unpack.

desembarazar vt to clear. ◆ **desembarazarse** vprnl: **desembarazarse de** to get rid of.

desembarcar ◇ vt [pasajeros] to disembark; [mercancías] to unload. ◇ vi - **1.** [de barco, avión] to disembark - **2.** Amér [de autobús, tren] to get off. ◆ **desembarcarse** vprnl Amér to get off.

desembarco sm - **1.** [de pasajeros] disembarkation - **2.** MIL landing.

desembarque sm [de mercancías] unloading.

desembocadura sf [de río] mouth; [de calle] opening.

desembocar ◆ **desembocar en** vi - **1.** [río] to flow into - **2.** [asunto] to result in.

desembolso sm payment; **desembolso inicial** down payment.

desempaquetar vt [paquete] to unwrap; [caja] to unpack.

desempatar vi to decide the contest; **jugar para desempatar** to have a play-off.

desempate sm final result; **partido de desempate** decider.

desempeñar vt - **1.** [función, misión] to carry out; [cargo, puesto] to hold - **2.** [papel] to play - **3.** [joyas] to redeem.

desempeño sm - **1.** [de función] carrying out - **2.** [de papel] performance - **3.** [de objeto] redemption.

desempleado, da adj unemployed.

desempleo sm - **1.** [falta de empleo] unemployment - **2.** [subsidio] unemployment benefit; **cobrar el desempleo** to receive unemployment benefit.

desempolvar vt - **1.** [mueble, jarrón] to dust - **2.** fig [recuerdos] to revive.

desencadenar vt - **1.** [preso, perro] to unchain - **2.** fig [suceso, polémica] to give rise to; [pasión, furia] to unleash. ◆ **desencadenarse** vprnl - **1.** [pasiones, odios, conflicto] to erupt; [guerra] to break out - **2.** [viento] to blow up; [tormenta] to burst; [terremoto] to strike.

desencajar vt - **1.** [mecanismo, piezas - sin querer] to knock out of place; [- intencionadamente] to take apart - **2.** [hueso] to dislocate. ◆ **desencajarse** vprnl - **1.** [piezas] to come apart - **2.** [rostro] to distort, to become distorted.

desencanto sm disappointment.

desenchufar vt to unplug.

desenfadado, da adj [persona, conducta] relaxed, easy-going; [comedia, programa de TV] light-hearted; [estilo] light; [en el vestir] casual.

desenfado sm [seguridad en sí mismo] self-assurance; [desenvoltura] ease; [desparpajo] uninhibited nature.

desenfocado, da adj [imagen] out of focus; [visión] blurred.

desenfrenado, da adj [ritmo, baile] frantic, frenzied; [comportamiento] uncontrolled; [apetito] insatiable.

desenfreno sm - **1.** [gen] lack of restraint - **2.** [vicio] debauchery.

desenfundar vt [pistola] to draw.

desenganchar vt - **1.** [vagón] to uncouple - **2.** [caballo] to unhitch - **3.** [pelo, jersey] to free.

desengañar vt - **1.** [a persona equivocada]: **desengañar a alguien** to reveal the truth to sb - **2.** [a persona esperanzada] to disillusion.

desengaño sm disappointment; **llevarse un desengaño con alguien** to be disappointed in sb.

desenlace sm denouement, ending.

desenmarañar vt - **1.** [ovillo, pelo] to untangle - **2.** fig [asunto] to sort out; [problema] to resolve.

desenmascarar vt [descubrir] to unmask.

desenredar vt - **1.** [hilos, pelo] to untangle - **2.** fig [asunto] to sort out; [problema] to resolve. ◆ **desenredarse** vprnl: **desenredarse (de algo)** to extricate oneself (from sthg).

desenrollar vt [hilo, cinta] to unwind; [persiana] to roll down; [pergamino, papel] to unroll.

desenroscar vt to unscrew.

desentenderse vprnl to pretend not to hear/know etc.

desenterrar vt - **1.** [cadáver] to disinter; [tesoro, escultura] to dig up - **2.** fig [recordar]: **desenterrar algo (de)** to recall O revive sthg (from).

desentonar vi - **1.** [MÚS - cantante] to sing out of tune; [- instrumento] to be out of tune - **2.** [color, cortinas, edificio]: **desentonar (con)** to clash (with).

desentumecer vt to stretch. ◆ **desentumecerse** vprnl to loosen up.

desenvoltura *sf* [al moverse, comportarse] ease; [al hablar] fluency.

desenvolver *vt* to unwrap. ◆ **desenvolverse** *vprnl* - **1.** [asunto, proceso] to progress; [trama] to unfold - **2.** [persona] to cope, to manage.

desenvuelto, ta ◇ *pp* ▷ **desenvolver**. ◇ *adj* [al moverse, comportarse] natural; [al hablar] fluent.

deseo *sm* - **1.** [anhelo] wish, desire; **su deseo se hizo realidad** her wish came true; **buenos deseos** good intentions; **pedir un deseo** to make a wish - **2.** [apetito sexual] desire.

deseoso, sa *adj*: **estar deseoso de algo/hacer algo** to long for sthg/to do sthg.

desequilibrado, da *adj* - **1.** [persona] unbalanced - **2.** [balanza, eje] off-centre.

desequilibrio *sm* [mecánico] lack of balance; [mental] mental instability.

desertar *vi* to desert.

desértico, ca *adj* [del desierto] desert *(antes de s)*; [despoblado] deserted.

desertización *sf* [del terreno] desertification; [de la población] depopulation.

desertor, ra *sm, f* deserter.

desesperación *sf* [falta de esperanza] despair, desperation; **con desesperación** in despair.

desesperado, da *adj* [persona, intento] desperate; [estado, situación] hopeless; [esfuerzo] furious.

desesperante *adj* infuriating.

desesperar ◇ *vt* to exasperate, to drive mad. ◇ *vi* to despair, to give up *O* lose hope. ◆ **desesperarse** *vprnl* - **1.** [perder la esperanza] to be driven to despair - **2.** [irritarse, enojarse] to get mad *O* exasperated.

desestabilizar *vt* to destabilize.

desestatización *sf Amér* privatization.

desestatizar *vt Amér* to privatize, to sell off.

desestimar *vt* - **1.** [rechazar] to turn down - **2.** [despreciar] to turn one's nose up at.

desfachatez *sf fam* cheek.

desfalco *sm* embezzlement.

desfallecer *vi* - **1.** [debilitarse] to be exhausted; **desfallecer de** to feel faint from - **2.** [desmayarse] to faint.

desfasado, da *adj* [persona] out of touch; [libro, moda] out of date.

desfase *sm* [diferencia] gap; **desfase horario** jet lag.

desfavorable *adj* unfavourable.

desfigurar *vt* - **1.** [rostro, cuerpo] to disfigure - **2.** *fig* [la verdad] to distort.

desfiladero *sm* narrow mountain pass.

desfilar *vi* MIL to parade.

desfile *sm* MIL parade; [de carrozas] procession.

desfogar *vt* to vent. ◆ **desfogarse** *vprnl* to let off steam.

desgajar *vt* [página] to tear out; [rama] to break off; [libro, periódico] to rip up; [naranja] to split into segments. ◆ **desgajarse** *vprnl* [rama] to break off; [hoja] to fall.

desgana *sf* - **1.** [falta de hambre] lack of appetite - **2.** [falta de ánimo] lack of enthusiasm; **con desgana** unwillingly, reluctantly.

desganado, da *adj* [sin apetito]: **estar desganado** to be off one's food.

desgarbado, da *adj* clumsy, ungainly.

desgarrador, ra *adj* harrowing.

desgarrar *vt* to rip; **desgarrar el corazón** to break one's heart.

desgarro *sm* tear.

desgastar *vt* to wear out. ◆ **desgastarse** *vprnl* to wear o.s. out.

desgaste *sm* - **1.** [de tela, muebles etc] wear and tear; [de roca] erosion; [de pilas] running down; [de cuerdas] fraying; [de metal] corrosion - **2.** [de persona] wear and tear; **desgaste político** erosion of voter confidence.

desglosar *vt* to break down.

desglose *sm* breakdown.

desgracia *sf* - **1.** [mala suerte] misfortune; **por desgracia** unfortunately; **tener la desgracia de** to be unfortunate enough to - **2.** [catástrofe] disaster; **desgracias personales** casualties; **es una desgracia que...** it's a terrible shame that... - **3.** *loc*: **caer en desgracia** to fall into disgrace; **las desgracias nunca vienen solas** it never rains but it pours.

desgraciado, da *adj* - **1.** [gen] unfortunate - **2.** [sin suerte] unlucky - **3.** [infeliz] unhappy.

desgravar *vt* to deduct from one's tax bill.

desgreñado, da *adj* dishevelled.

desguace *sm* [de coches] scrapping; [de buques] breaking.

deshabitado, da *adj* uninhabited.

deshabituar *vt*: **deshabituar a alguien (de)** to get sb out of the habit (of).

deshacer *vt* - **1.** [costura, nudo, paquete] to undo; [maleta] to unpack; [castillo de arena] to destroy - **2.** [disolver - helado, mantequilla] to melt; [- pastilla, terrón de azúcar] to dissolve - **3.** [poner fin a - contrato, negocio] to cancel; [- pacto, tratado] to break; [- plan, intriga] to foil; [- organización] to dissolve - **4.** [destruir - enemigo] to rout; [- matrimonio] to ruin - **5.** INFORM to undo. ◆ **deshacerse** *vprnl* - **1.** [desvanecerse] to disappear - **2.** *fig* [librarse]: **deshacerse de** to get rid of - **3.** *fig*: **deshacerse en algo (con *O* hacia alguien)** [cumplidos] to lavish sthg (on sb); [insultos] to heap sthg (on sb).

desharrapado, da *adj* ragged.

deshecho, cha ◇ *pp* ▷ **deshacer**. ◇ *adj* - **1.** [costura, nudo, paquete] undone; [ca-

ma] unmade; [maleta] unpacked - **2.** [enemigo] destroyed; [tarta, matrimonio] ruined - **3.** [derretido - pastilla, terrón de azúcar] dissolved; [- helado, mantequilla] melted - **4.** [afligido] devastated - **5.** [cansado] tired out.

desheredar *vt* to disinherit.

deshidratar *vt* to dehydrate.

deshielo *sm* thaw.

deshilachar *vt* to unravel. ◆ **deshilacharse** *vprnl* to fray.

deshinchar *vt* - **1.** [globo, rueda] to let down, to deflate - **2.** [hinchazón] to reduce the swelling in. ◆ **deshincharse** *vprnl* [globo, hinchazón] to go down; [neumático] to go flat.

deshojar *vt* [árbol] to strip the leaves off; [flor] to pull the petals off; [libro] to pull the pages out of. ◆ **deshojarse** *vprnl* [árbol] to shed its leaves; [flor] to drop its petals.

deshonesto, ta *adj* [sin honradez] dishonest; [sin pudor] indecent.

deshonor *sm* dishonour.

deshonra *sf* = **deshonor**.

deshonrar *vt* to dishonour.

deshora ◆ **a deshora, a deshoras** *loc adv* [en momento inoportuno] at a bad time; [en horas poco habituales] at an unearthly hour.

deshuesar *vt* [carne] to bone; [fruto] to stone.

desidia *sf* [en el trabajo] neglect; [en el aspecto] slovenliness.

desierto, ta *adj* - **1.** [gen] deserted - **2.** [vacante - premio] deferred. ◆ **desierto** *sm* desert.

designar *vt* - **1.** [nombrar] to appoint - **2.** [fijar, determinar] to name, to fix.

designio *sm* intention, plan.

desigual *adj* - **1.** [diferente] different; [terreno] uneven - **2.** [tiempo, persona, humor] changeable; [alumno, actuación] inconsistent; [lucha] unevenly matched, unequal; [tratamiento] unfair, unequal.

desilusión *sf* disappointment, disillusionment *(U)*; **llevarse una desilusión** to be disappointed.

desilusionar *vt* [desengañar] to reveal the truth to; [decepcionar] to disappoint, to disillusion. ◆ **desilusionarse** *vprnl* [decepcionarse] to be disappointed *O* disillusioned; [desengañarse] to realize the truth.

desinfección *sf* disinfection.

desinfectar *vt* to disinfect.

desinflar *vt* [quitar aire a] to deflate. ◆ **desinflarse** *vprnl* [perder aire - gen] to go down; [- neumático] to go flat.

desinstalar *vt* INFORM to uninstall.

desintegración *sf* - **1.** [de objetos] disintegration - **2.** [de grupos, organizaciones] breaking up.

desintegrar *vt* - **1.** [objetos] to disintegrate; [átomo] to split - **2.** [grupos, organizaciones] to break up.

desinterés *sm* - **1.** [indiferencia] disinterest - **2.** [generosidad] unselfishness.

desinteresado, da *adj* unselfish.

desinteresarse *vprnl*: **desinteresarse de** *O* **por algo** to lose interest in sthg.

desistir *vi*: **desistir (de hacer algo)** to give up *O* to stop (doing sthg).

desleal *adj* [competencia] unfair; **desleal (con)** disloyal (to).

deslealtad *sf* disloyalty.

desleír *vt* [sólido] to dissolve; [líquido] to dilute.

desligar *vt* - **1.** [desatar] to untie - **2.** *fig* [separar]: **desligar algo (de)** to separate sthg (from). ◆ **desligarse** *vprnl* - **1.** [desatarse] to untie oneself - **2.** *fig* [separarse]: **desligarse de** to become separated from; **desligarse de un grupo** to distance o.s. from a group.

deslindar *vt* - **1.** [limitar] to mark out (the boundaries of) - **2.** *fig* [separar] to define.

desliz *sm* slip, error; **tener** *O* **cometer un desliz** to slip up.

deslizar *vt* [mano, objeto]: **deslizar algo en** to slip sthg into; **deslizar algo por algo** to slide sthg along sthg. ◆ **deslizarse** *vprnl* [resbalar]: **deslizarse por** to slide along.

deslomar *vt* [a golpes] to thrash.

deslucido, da *adj* - **1.** [sin brillo] faded; [plata] tarnished - **2.** [sin gracia - acto, ceremonia] dull.

deslumbrar *vt lit & fig* to dazzle.

desmadrarse *vprnl fam* to go wild.

desmadre *sm fam* chaos.

desmán *sm* - **1.** [con la bebida, comida etc] excess - **2.** [abuso de poder] abuse (of power).

desmandarse *vprnl* - **1.** [desobedecer] to be disobedient - **2.** [insubordinarse] to get out of hand.

desmantelar *vt* [casa, fábrica] to clear out, to strip; [organización] to disband; [arsenal, andamio] to dismantle; [barco] to unrig.

desmaquillador *sm* make-up remover.

desmayar *vi* to lose heart. ◆ **desmayarse** *vprnl* to faint.

desmayo *sm* [físico] fainting fit; **sufrir desmayos** to have fainting fits.

desmedido, da *adj* excessive, disproportionate.

desmelenado, da *adj* - **1.** [persona] reckless, wild - **2.** [cabello] tousled.

desmembrar *vt* - **1.** [trocear - cuerpo] to dismember; [- miembro, extremidad] to cut off - **2.** [disgregar] to break up.

desmemoriado, da *adj* forgetful.

desmentir *vt* - **1.** [negar] to deny - **2.** [no corresponder] to belie.

desmenuzar *vt* - **1.** [trocear - pan, pastel, roca] to crumble; [- carne] to chop up; [- papel] to tear up into little pieces - **2.** *fig* [examinar, analizar] to scrutinize.

desmerecer ◇ *vt* to be unworthy of. ◇ *vi* to lose value; **desmerecer (en algo) de alguien** to be inferior to sb (in sthg).

desmesurado, da *adj* [excesivo] excessive, disproportionate; [enorme] enormous.

desmitificar *vt* to demythologize.

desmontar *vt* - **1.** [desarmar - máquina] to take apart *O* to pieces; [- motor] to strip down; [- piezas] to dismantle; [- rueda] to remove, to take off; [- tienda de campaña] to take down; [- arma] to uncock - **2.** [jinete - suj: caballo] to unseat; [- suj: persona] to help down.

desmoralizar *vt* to demoralize.

desmoronar *vt* [edificios, rocas] to cause to crumble. ➡ **desmoronarse** *vprnl* [edificio, roca, ideales] to crumble.

desnatado, da *adj* skimmed.

desnaturalizado, da *adj* [sustancia] adulterated; [alcohol] denatured.

desnivel *sm* [del terreno] irregularity, unevenness *(U)*.

desnivelar *vt* to make uneven; [balanza] to tip.

desnucar *vt* to break the neck of.

desnudar *vt* to undress. ➡ **desnudarse** *vprnl* to get undressed.

desnudez *sf* [de persona] nakedness, nudity; [de cosa] bareness.

desnudo, da *adj* - **1.** [persona, cuerpo] naked - **2.** *fig* [salón, hombro, árbol] bare; [verdad] plain; [paisaje] barren. ➡ **desnudo** *sm* nude.

desnutrición *sf* malnutrition.

desobedecer *vt* to disobey.

desobediencia *sf* disobedience; **desobediencia civil** civil disobedience.

desobediente *adj* disobedient.

desocupado, da *adj* - **1.** [persona - ocioso] free, unoccupied; [- sin empleo] unemployed - **2.** [lugar] vacant.

desocupar *vt* [edificio] to vacate; [habitación, mesa] to leave.

desodorante *sm* deodorant.

desolación *sf* - **1.** [destrucción] desolation - **2.** [desconsuelo] distress, grief.

desolar *vt* - **1.** [destruir] to devastate, to lay waste - **2.** [afligir] to cause anguish to.

desorbitado, da *adj* - **1.** [gen] disproportionate; [precio] exorbitant - **2.** *loc*: **con los ojos desorbitados** pop-eyed.

desorden *sm* - **1.** [confusión] disorder, chaos; [falta de orden] mess; **en desorden** topsy-turvy; **poner en desorden** to upset, to disarrange - **2.** [disturbio] disturbance.

desordenado, da *adj* [habitación, persona] untidy, messy; [documentos, fichas] jumbled (up).

desorganización *sf* disorganization.

desorganizar *vt* to disrupt, to disorganize.

desorientar *vt* - **1.** [en el espacio] to disorientate, to mislead - **2.** [aturdir] to confuse. ➡ **desorientarse** *vprnl* - **1.** [en el espacio] to lose one's way *O* bearings - **2.** *fig* [aturdirse] to get confused.

despabilado, da *adj* - **1.** [despierto] wide-awake - **2.** [listo] smart, quick.

despabilar *vt* - **1.** [despertar] to wake up - **2.** [hacer más avispado] to make streetwise. ➡ **despabilarse** *vprnl* - **1.** [despertarse] to wake up - **2.** [darse prisa] to hurry up.

despachar ◇ *vt* - **1.** [mercancía] to dispatch - **2.** [en tienda - cliente] to serve; [- entradas, bebidas etc] to sell - **3.** *fam fig* [terminar - trabajo, discurso] to finish off - **4.** [asunto, negocio] to settle - **5.** *Amér* [equipaje] to check in. ◇ *vi* [en una tienda] to serve.

despacho *sm* - **1.** [oficina] office; [en casa] study - **2.** [comunicación oficial] dispatch - **3.** [venta] sale; [lugar de venta]: **despacho de billetes/localidades** ticket/box office.

despacio *adv* - **1.** [lentamente] slowly - **2.** *esp Amér* [en voz baja] quietly.

desparpajo *sm fam* forwardness, self-assurance.

desparramar *vt* [líquido] to spill; [objetos] to spread, to scatter.

despecho *sm* [rencor, venganza] spite; [desengaño] bitterness; **(hacer algo) por despecho** (to do sthg) out of spite.

despectivo, va *adj* - **1.** [despreciativo] contemptuous - **2.** GRAM pejorative.

despedazar *vt* - **1.** [físicamente] to tear apart - **2.** *fig* [moralmente] to shatter.

despedida *sf* [adiós] farewell.

despedir *vt* - **1.** [decir adiós a] to say goodbye to; **fuimos a despedirle a la estación** we went to see him off at the station - **2.** [echar - de un empleo] to dismiss, to sack; [- de un club] to throw out - **3.** [lanzar, arrojar] to fling; **salir despedido de/por/hacia algo** to fly out of/through/towards sthg - **4.** *fig* [difundir, desprender] to give off. ➡ **despedirse** *vprnl*: **despedirse (de)** to say goodbye (to).

despegar ◇ *vt* to unstick. ◇ *vi* [avión] to take off. ➡ **despegarse** *vprnl* [etiqueta, pegatina, sello] to come unstuck.

despegue *sm* takeoff; **despegue vertical** vertical takeoff.

despeinar *vt* [pelo] to ruffle; **despeinar a alguien** to mess up sb's hair. ◆ **despeinarse** *vprnl* to mess up one's hair.

despejado, da *adj* - **1.** [tiempo, día] clear - **2.** *fig* [persona, mente] alert - **3.** [espacio - ancho] spacious; [- sin estorbos] clear, uncluttered.

despejar *vt* [gen] to clear. ◆ **despejarse** *vprnl* - **1.** [persona - espabilarse] to clear one's head; [- despertarse] to wake o.s. up - **2.** [tiempo] to clear up; [cielo] to clear.

despeje *sm* DEP clearance.

despellejar *vt* [animal] to skin.

despensa *sf* larder, pantry.

despeñadero *sm* precipice.

despeñar *vt* to throw over a cliff. ◆ **despeñarse** *vprnl* to fall over a cliff.

desperdiciar *vt* [tiempo, comida] to waste; [dinero] to squander; [ocasión] to throw away.

desperdicio *sm* - **1.** [acción] waste - **2.** [residuo]: **desperdicios** scraps.

desperdigar *vt* to scatter, to disperse.

desperezarse *vprnl* to stretch.

desperfecto *sm* [deterioro] damage (U); [defecto] flaw, imperfection.

despertador *sm* alarm clock.

despertar ◇ *vt* - **1.** [persona, animal] to wake (up) - **2.** *fig* [reacción] to arouse - **3.** *fig* [recuerdo] to revive, to awaken. ◇ *vi* to wake up. ◇ *sm* awakening. ◆ **despertarse** *vprnl* to wake up.

despiadado, da *adj* pitiless, merciless.

despido *sm* dismissal, sacking; **despido colectivo** collective dismissal.

despierto, ta *adj* - **1.** [sin dormir] awake - **2.** *fig* [espabilado, listo] sharp.

despilfarrar *vt* [dinero] to squander; [electricidad, agua etc] to waste.

despilfarro *sm* [de dinero] squandering; [de energía, agua etc] waste.

despiole *sm* R Dom fam rumpus, shindy.

despistado, da *adj* absent-minded.

despistar *vt* - **1.** [dar esquinazo a] to throw off the scent - **2.** [confundir] to mislead. ◆ **despistarse** *vprnl* - **1.** [perderse] to lose one's way, to get lost - **2.** *fig* [distraerse] to get confused.

despiste *sm* [distracción] absent-mindedness; [error] mistake, slip.

desplante *sm* rude remark; **hacer un desplante a alguien** to snub sb.

desplazamiento *sm* - **1.** [viaje] journey; [traslado] move - **2.** NÁUT displacement.

desplazar *vt* - **1.** [trasladar] to move - **2.** *fig* [desbancar] to take the place of. ◆ **desplazarse** *vprnl* [viajar] to travel.

desplegar *vt* - **1.** [tela, periódico, mapa] to unfold; [alas] to spread, to open; [bandera] to unfurl - **2.** [cualidad] to display - **3.** MIL to deploy.

despliegue *sm* - **1.** [de cualidad] display - **2.** MIL deployment.

desplomarse *vprnl* [gen] to collapse; [techo] to fall in.

desplumar *vt* - **1.** [ave] to pluck - **2.** *fig* [estafar] to fleece.

despoblado, da *adj* unpopulated, deserted.

despojar *vt*: **despojar a alguien de algo** to strip sb of sthg. ◆ **despojarse** *vprnl*: **despojarse de algo** [bienes, alimentos] to give sthg up; [abrigo, chandal] to take sthg off.

despojo *sm* [acción] plundering. ◆ **despojos** *smpl* - **1.** [sobras, residuos] leftovers - **2.** [de animales] offal (U).

desposar *vt* to marry. ◆ **desposarse** *vprnl* to get married.

desposeer *vt*: **desposeer a alguien de** to dispossess sb of.

déspota *smf* despot.

despotricar *vi*: **despotricar (contra)** to rant on (at).

despreciar *vt* - **1.** [desdeñar] to scorn - **2.** [rechazar] to spurn.

desprecio *sm* scorn, contempt.

desprender *vt* - **1.** [lo que estaba fijo] to remove, to detach - **2.** [olor, luz] to give off. ◆ **desprenderse** *vprnl* - **1.** [caerse, soltarse] to come O fall off - **2.** *fig* [deducirse]: **de sus palabras se desprende que...** from his words it is clear O it can be seen that... - **3.** [librarse]: **desprenderse de** to get rid of.

desprendimiento *sm* [separación] detachment; **desprendimiento de tierras** landslide.

despreocupado, da *adj* [libre de preocupaciones] unworried, unconcerned; [en el vestir] casual.

despreocuparse ◆ **despreocuparse de** *vprnl* [asunto] to stop worrying about.

desprestigiar *vt* to discredit.

desprevenido, da *adj* unprepared; **coger O pillar desprevenido a alguien** to catch sb unawares, to take sb by surprise.

desprolijo, ja *adj* Amér [casa, cuaderno] untidy; [persona] unkempt, dishevelled.

desproporcionado, da *adj* disproportionate.

despropósito *sm* stupid remark.

desprovisto, ta *adj*: **desprovisto de** lacking in, devoid of.

después *adv* - **1.** [en el tiempo - más tarde] afterwards, later; [- entonces] then; [- justo lo siguiente] next; **poco después** soon after; **años después** years later; **ellos llegaron después**

they arrived later; **llamé primero y después entré** I knocked first and then I went in; **yo voy después** it's my turn next - **2.** [en el espacio] next, after; **¿qué viene después?** what comes next O after?; **hay una farmacia y después está mi casa** there's a chemist's and then there's my house - **3.** [en una lista] further down. ◆ **después de** *loc prep* after; **llegó después de ti** she arrived after you; **después de él, nadie lo ha conseguido** since he did it, no one else has; **después de hacer algo** after doing sthg. ◆ **después de todo** *loc adv* after all.

despuntar ◇ *vt* [romper] to break the point off; [desgastar] to blunt. ◇ *vi* - **1.** fig [persona] to excel - **2.** [alba] to break; [día] to dawn.

desquiciar *vt* fig [desequilibrar] to derange; [sacar de quicio] to drive mad.

desquite *sm* revenge.

destacamento *sm* detachment; **destacamento de tropas** task force.

destacar ◇ *vt* - **1.** [poner de relieve] to emphasize, to highlight; **cabe destacar que...** it is important to point out that... - **2.** MIL to detach, to detail. ◇ *vi* [sobresalir] to stand out. ◆ **destacarse** *vprnl*: **destacarse (de/por)** to stand out (from/because of).

destajo *sm* piecework; **trabajar a destajo** [por trabajo hecho] to do piecework; fig [afanosamente] to work flat out.

destapador *sm Amér* bottle opener.

destapar *vt* - **1.** [abrir - caja, botella] to open; [olla] to take the lid off; [descorchar] to uncork - **2.** [descubrir] to uncover - **3.** R Dom [desobstruir] to unblock. ◆ **destaparse** *vprnl* [desabrigarse] to lose the covers.

destartalado, da *adj* [viejo, deteriorado] dilapidated; [desordenado] untidy.

destello *sm* - **1.** [de luz, brillo] sparkle; [de estrella] twinkle - **2.** fig [manifestación momentánea] glimmer.

destemplado, da *adj* - **1.** [persona] out of sorts - **2.** [tiempo, clima] unpleasant - **3.** [carácter, actitud] irritable.

desteñir ◇ *vt* to fade, to bleach. ◇ *vi* to run, not to be colour fast.

desternillarse *vprnl*: **desternillarse de risa** to split one's sides laughing O with laughter.

desterrar *vt* [persona] to banish, to exile.

destetar *vt* to wean.

destiempo ◆ **a destiempo** *loc adv* at the wrong time.

destierro *sm* exile; **en el destierro** in exile.

destilar *vt* [agua, petróleo] to distil.

destilería *sf* distillery; **destilería de petróleo** oil refinery.

destinar *vt* - **1.**: **destinar algo a** O **para** [cantidad, edificio] to set sthg aside for; [empleo, cargo] to assign sthg to; [carta] to address sthg to; - **2.**: **destinar a alguien a** [cargo, empleo] to appoint sb to; [plaza, lugar] to post sb to.

destinatario, ria *sm, f* addressee.

destino *sm* - **1.** [sino] destiny, fate - **2.** [rumbo] destination; **(ir) con destino a** (to be) bound for O going to; **un vuelo con destino a...** a flight to... - **3.** [empleo, plaza] position, post - **4.** [finalidad] function.

destitución *sf* dismissal.

destituir *vt* to dismiss.

destornillador *sm* screwdriver.

destornillar *vt* to unscrew.

destreza *sf* skill, dexterity.

destrozar *vt* - **1.** [físicamente - romper] to smash; [- estropear] to ruin - **2.** [moralmente - persona] to shatter, to devastate; [- vida] to ruin.

destrozo *sm* damage (U); **ocasionar grandes destrozos** to cause a lot of damage.

destrucción *sf* destruction.

destruir *vt* - **1.** [gen] to destroy; [casa, argumento] to demolish - **2.** [proyecto] to ruin, to wreck; [ilusión] to dash.

desuso *sm* disuse; **caer en desuso** to become obsolete, to fall into disuse.

desvaído, da *adj* [color] pale, washed-out; [forma, contorno] blurred; [mirada] vague.

desvalido, da *adj* needy, destitute.

desvalijar *vt* [casa] to burgle, to burglarize US; [persona] to rob.

desván *sm* attic, loft.

desvanecer *vt* - **1.** [humo, nubes] to dissipate - **2.** [sospechas, temores] to dispel. ◆ **desvanecerse** *vprnl* - **1.** [desmayarse] to faint - **2.** [disiparse - humo, nubes] to clear, to disappear; [- sonido, sospechas, temores] to fade away.

desvanecimiento *sm* [desmayo] fainting fit.

desvariar *vi* [delirar] to be delirious; [decir locuras] to talk nonsense, to rave.

desvarío *sm* - **1.** [dicho] raving; [hecho] act of madness - **2.** [delirio] delirium.

desvelar *vt* - **1.** [quitar el sueño a] to keep awake - **2.** [noticia, secreto etc] to reveal. ◆ **desvelarse** *vprnl Amér C & Méx* [quedarse despierto] to stay up O awake. ◆ **desvelarse por** *vprnl*: **desvelarse por hacer algo** to make every effort to do sthg.

desvelo *sm* [esfuerzo] effort.

desvencijado, da *adj* [silla, mesa] rickety; [camión, coche] battered.

desventaja *sf* disadvantage; **en desventaja** at a disadvantage.

desventura *sf* misfortune.

desvergonzado, da *adj* shameless.

desvergüenza *sf* [atrevimiento, frescura] shamelessness.

desvestir *vt* to undress. ◆ **desvestirse** *vprnl* to undress (o.s.)

desviación *sf* - **1.** [de dirección, cauce, norma] deviation - **2.** [en la carretera] diversion, detour.

desviar *vt* [río, carretera, tráfico] to divert; [dirección] to change; [golpe] to parry; [pelota, disparo] to deflect; [pregunta] to evade; [conversación] to change the direction of; [mirada, ojos] to avert. ◆ **desviarse** *vprnl* [cambiar de dirección - conductor] to take a detour; [- avión, barco] to go off course; **desviarse de** to turn off.

desvío *sm* diversion, detour.

desvirtuar *vt* [gen] to detract from; [estropear] to spoil; [verdadero sentido] to distort.

desvivirse *vprnl*: **desvivirse (por alguien/algo)** to do everything one can (for sb/sthg); **desvivirse por hacer algo** to bend over backwards to do sthg.

detallado, da *adj* detailed, thorough.

detallar *vt* [historia, hechos] to detail, to give a rundown of; [cuenta, gastos] to itemize.

detalle *sm* - **1.** [gen] detail; **con detalle** in detail; **entrar en detalles** to go into detail - **2.** [atención] kind gesture O thought; **¡qué detalle!** what a kind gesture!, how thoughtful!; **tener un detalle con alguien** to be thoughtful O considerate to sb. ◆ **al detalle** *loc adv* COM retail.

detallista *smf* COM retailer.

detectar *vt* to detect.

detective *smf* detective.

detener *vt* - **1.** [arrestar] to arrest - **2.** [parar] to stop; [retrasar] to hold up. ◆ **detenerse** *vprnl* - **1.** [pararse] to stop - **2.** [demorarse] to linger.

detenidamente *adv* carefully, thoroughly.

detenido, da ⋄ *adj* - **1.** [detallado] thorough - **2.** [arrestado]: **(estar) detenido** (to be) under arrest. ⋄ *sm, f* prisoner.

detenimiento ◆ **con detenimiento** *loc adv* carefully, thoroughly.

detergente *sm* detergent.

deteriorar *vt* to damage, to spoil. ◆ **deteriorarse** *vprnl* fig [empeorar] to deteriorate, to get worse.

deterioro *sm* [daño] damage; [empeoramiento] deterioration.

determinación *sf* - **1.** [fijación - de precio etc] settling, fixing - **2.** [resolución] determination, resolution - **3.** [decisión]: **tomar una determinación** to take a decision.

determinado, da *adj* - **1.** [concreto] specific; [en particular] particular - **2.** [resuelto] determined - **3.** GRAM definite.

determinar *vt* - **1.** [fijar - fecha, precio] to settle, to fix - **2.** [averiguar] to determine - **3.** [motivar] to cause, to bring about - **4.** [decidir] to decide; **determinar hacer algo** to decide to do sthg. ◆ **determinarse** *vprnl*: **determinarse a hacer algo** to make up one's mind to do sthg.

detestar *vt* to detest.

detonante *sm* [explosivo] explosive.

detractor, ra *sm, f* detractor.

detrás *adv* - **1.** [en el espacio] behind; **tus amigos vienen detrás** your friends are coming on behind; **el interruptor está detrás** the switch is at the back - **2.** [en el orden] then, afterwards; **Portugal y detrás Puerto Rico** Portugal and then Puerto Rico. ◆ **detrás de** *loc prep* [gen] behind. ◆ **por detrás** *loc adv* at the back; **hablar de alguien por detrás** to talk about sb behind his/her back.

detrimento *sm* damage; **en detrimento de** to the detriment of.

detrito *sm* BIOL detritus. ◆ **detritos** *smpl* [residuos] waste (U).

deuda *sf* debt; **deuda pública** ECON national debt UK, public debt US.

deudor, ra ⋄ *adj* [saldo] debit (antes de s); [entidad] indebted. ⋄ *sm, f* debtor.

devaluación *sf* devaluation.

devaluar *vt* to devalue.

devaneos *smpl* [amoríos] affairs; [coqueteos] flirting (U).

devastar *vt* to devastate.

devoción *sf*: **devoción (por)** devotion (to).

devolución *sf* [gen] return; [de dinero] refund.

devolver ⋄ *vt* - **1.** [restituir]: **devolver algo (a)** [coche, dinero etc] to give sthg back (to); [producto defectuoso, carta] to return sthg (to) - **2.** [restablecer, colocar en su sitio]: **devolver algo a** to return sthg to - **3.** [favor, agravio] to pay back for; [visita] to return - **4.** [vomitar] to bring O throw up. ⋄ *vi* to throw up. ◆ **devolverse** *vprnl* Andes, Amér, Caribe & Méx to come back.

devorar *vt* lit & fig to devour.

devoto, ta ⋄ *adj* [piadoso] devout; **ser devoto de** to have a devotion for. ⋄ *sm, f* [admirador] devotee.

devuelto, ta *pp* ▷ **devolver**.

dg (abrev de decigramo) dg.

di etc ▷ **dar**. ▷ **decir**.

día *sm* - **1.** [gen] day; **me voy el día ocho** I'm going on the eighth; **¿a qué día estamos?** what day is it today?; **¿qué tal día hace?** what's the weather like today?; **todos los días** every day; **día de la Madre** Mother's Day; **día de los enamorados** St Valentine's Day; **día de los inocentes** 28th December, ≃ April Fools' Day; **día de pago** payday; **día festivo** (public)

holiday; **de día en día** from day to day, day by day; **del día** fresh; **hoy (en) día** nowadays; **todo el (santo) día** all day long; **el día de mañana** in the future; **al día siguiente** on the following day; **un día sí y otro no** every other day; **menú del día** today's menu - **2.** [luz] daytime, day; **es de día** it's daytime; **hacer algo de día** to do sthg in the daytime O during the day; **día y noche** day and night - **3.** loc: **estar/ponerse al día (de)** to be/get up to date (with); **poner algo/a alguien al día** to update sthg/sb; **vivir al día** to live from hand to mouth. ➤ **buen día** interj Amér: ¡buen día! good morning! ➤ **buenos días** interj: ¡buenos días! [gen] hello!; [por la mañana] good morning!

diabético, ca adj & sm, f diabetic.

diablo sm lit & fig devil; **pobre diablo** poor devil.

diablura sf prank.

diabólico, ca adj - **1.** [del diablo] diabolic - **2.** fig [muy malo, difícil] diabolical.

diadema sf [para el pelo] hairband.

diáfano, na adj - **1.** [transparente] transparent, diaphanous - **2.** fig [claro] clear.

diafragma sm diaphragm.

diagnosticar vt to diagnose.

diagnóstico sm diagnosis; **diagnóstico precoz** early diagnosis.

diagonal adj & sf diagonal.

diagrama sm diagram; **diagrama de flujo** INFORM flow chart O diagram.

dial sm dial.

dialecto sm dialect.

dialogar vi: dialogar (con) [hablar] to have a conversation (with), to talk (to); [negociar] to hold a dialogue O talks (with).

diálogo sm [conversación] conversation; LITER & POLÍT dialogue.

diamante sm [piedra preciosa] diamond; **diamante en bruto** uncut diamond; **ser un diamante en bruto** fig to have a lot of potential.

diámetro sm diameter.

diana sf - **1.** [en blanco de tiro] bull's-eye, bull - **2.** [en cuartel] reveille.

diapasón sm tuning fork.

diapositiva sf slide, transparency.

diariero, ra sm, f Andes & R Plata newspaper seller.

diario, ria adj daily; **a diario** every day; **de diario** daily, everyday; **ropa de diario** everyday clothes. ➤ **diario** sm - **1.** [periódico] newspaper, daily - **2.** [relación día a día] diary; **diario de sesiones** parliamentary report; **diario de vuelo** log, logbook.

diarrea sf diarrhoea.

dibujante sm, f [gen] sketcher; [de dibujos animados] cartoonist; [de dibujo técnico] draughtsman (f draughtswoman).

dibujar vt & vi to draw, to sketch.

dibujo sm - **1.** [gen] drawing; **no se le da bien el dibujo** he's no good at drawing; **dibujos animados** cartoons; **dibujo artístico** art; **dibujo lineal** technical drawing; **dibujo al natural** drawing from life - **2.** [de tela, prenda etc] pattern.

diccionario sm dictionary.

dice ➪ **decir**.

dicha sf [alegría] joy.

dicho, cha ◇ pp ➪ **decir**. ◇ adj said, aforementioned; **dichos hombres** the said men, these men; **lo dicho** what I/we etc said; **o mejor dicho** or rather; **dicho y hecho** no sooner said than done. ➤ **dicho** sm saying; **del dicho al hecho hay un gran O mucho trecho** it's easier said than done.

dichoso, sa adj [feliz] happy; [afortunado] fortunate.

diciembre sm December; ver también **septiembre**.

dictado sm dictation; **escribir al dictado** to take dictation.

dictador, ra sm, f dictator.

dictadura sf dictatorship.

dictamen sm [opinión] opinion, judgment; [informe] report.

dictar vt - **1.** [texto] to dictate - **2.** [emitir - sentencia, fallo] to pronounce, to pass; [- ley] to enact; [- decreto] to issue.

didáctico, ca adj didactic.

diecinueve num nineteen; ver también **seis**.

dieciocho num eighteen; ver también **seis**.

dieciséis num sixteen; ver también **seis**.

diecisiete num seventeen; ver también **seis**.

diente sm tooth; **está echando O le están saliendo los dientes** she's teething; **diente de leche** milk tooth; **dientes postizos** false teeth; **armado hasta los dientes** armed to the teeth; **hablar entre dientes** to mumble, to mutter; **reírse entre dientes** to chuckle. ➤ **diente de ajo** sm clove of garlic.

diera ➪ **dar**.

diéresis sf inv diaeresis.

dieron etc ➪ **dar**.

diesel, diésel adj diesel.

diestro, tra adj [hábil]: **diestro (en)** skilful (at); **a diestro y siniestro** fig left, right and centre, all over the place.

dieta sf MED diet; **estar/ponerse a dieta** to be/go on a diet; **dieta blanda** soft-food diet; **dieta equilibrada** balanced diet; **dieta mediterránea** Mediterranean diet. ➤ **dietas** sfpl COM expenses.

dietético, ca *adj* dietetic, dietary. ➡ **dietética** *sf* dietetics (U).

dietista *smf Amér* dietician.

diez ◇ *num* ten. ◇ *sm* [en la escuela] A, top marks *pl*; *ver también* **seis**.

difamar *vt* [verbalmente] to slander; [por escrito] to libel.

diferencia *sf* difference; **con diferencia** by a long chalk, by far; **es, con diferencia, el más listo** he's the smartest by far; **partir la diferencia** to split the difference; **diferencia horaria** time difference.

diferenciar ◇ *vt*: **diferenciar (de)** to distinguish (from). ◇ *vi*: **diferenciar (entre)** to distinguish O differentiate (between). ➡ **diferenciarse** *vprnl* [diferir]: **diferenciarse (de/en)** to differ (from/in), to be different (from/in).

diferente ◇ *adj*: **diferente (de O a)** different (from O to). ◇ *adv* differently.

diferido ➡ **en diferido** *loc adv* TV recorded.

diferir *vi* [diferenciarse] to differ.

difícil *adj* difficult; **difícil de hacer** difficult to do; **es difícil que ganen** they are unlikely to win.

dificultad *sf* - **1.** [calidad de difícil] difficulty - **2.** [obstáculo] problem.

dificultar *vt* [estorbar] to hinder; [obstruir] to obstruct.

difuminar *vt* to blur.

difundir *vt* - **1.** [noticia, doctrina, epidemia] to spread - **2.** [luz, calor] to diffuse; [emisión radiofónica] to broadcast. ➡ **difundirse** *vprnl* - **1.** [noticia, doctrina, epidemia] to spread - **2.** [luz, calor] to be diffused.

difunto, ta *sm, f*: **el difunto** the deceased.

difusión *sf* - **1.** [de cultura, noticia, doctrina] dissemination - **2.** [de programa] broadcasting.

diga ▷ **decir**.

digerir *vt* to digest; *fig* [hechos] to assimilate, to take in.

digestión *sf* digestion; **hacer la digestión** to digest one's food.

digestivo, va *adj* digestive.

digital *adj* INFORM & TECNOL digital.

dígito *sm* digit.

dignarse *vprnl*: **dignarse a** to deign to.

dignidad *sf* [cualidad] dignity.

digno, na *adj* - **1.** [noble - actitud, respuesta] dignified; [- persona] honourable, noble - **2.** [merecedor]: **digno de** worthy of; **digno de elogio** praiseworthy; **digno de mención/de ver** worth mentioning/seeing - **3.** [adecuado]: **digno de** appropriate for, fitting for - **4.** [decente - sueldo, actuación etc] decent.

digo ▷ **decir**.

dijera *etc* ▷ **decir**.

dilapidar *vt* to squander, to waste.

dilatar *vt* - **1.** [extender] to expand; [retina, útero] to dilate - **2.** [prolongar] to prolong - **3.** [demorar] to delay.

dilema *sm* dilemma.

diligencia *sf* - **1.** [esmero, cuidado] diligence - **2.** [trámite, gestión] business (U); **hacer una diligencia** to run an errand - **3.** [vehículo] stagecoach. ➡ **diligencias** *sfpl* DER proceedings; **instruir diligencias** to start proceedings.

diligente *adj* diligent.

diluir *vt* to dilute. ➡ **diluirse** *vprnl* to dissolve.

diluvio *sm lit & fig* flood; **el Diluvio Universal** the Flood.

dimensión *sf* dimension; **las dimensiones de la tragedia** the extent of the tragedy.

diminutivo *sm* diminutive.

diminuto, ta *adj* tiny, minute.

dimisión *sf* resignation; **presentar la dimisión** to hand in one's resignation.

dimitir *vi*: **dimitir (de)** to resign (from).

dimos ▷ **dar**.

Dinamarca *n pr* Denmark.

dinámico, ca *adj* dynamic.

dinamismo *sm* dynamism.

dinamita *sf* dynamite.

dinamo, dínamo *sf* dynamo.

dinastía *sf* dynasty.

dineral *sm fam* fortune.

dinero *sm* money; **andar bien/mal de dinero** to be well off for/short of money; **hacer dinero** to make money; **tirar el dinero** to throw money away; **dinero en metálico** cash.

dinosaurio *sm* dinosaur.

dintel *sm* ARQUIT lintel.

dio ▷ **dar**.

diócesis *sf* diocese.

dios, osa *sm, f* god (*f* goddess). ➡ **Dios** *sm* God; **a la buena de Dios** any old how; **Dios los cría y ellos se juntan** *prov* birds of a feather flock together *prov*; **¡Dios me libre!** God O heaven forbid!; **Dios mediante, si Dios quiere** God willing; **¡Dios mío!** good God!, (oh) my God!; **Dios sabe, sabe Dios** God (alone) knows; **¡que Dios se lo pague!** God bless you!; **¡por Dios!** for God's sake!; **¡vaya por Dios!** for Heaven's sake!, honestly!

diploma *sm* diploma.

diplomacia *sf* [gen] diplomacy.

diplomado, da *adj* qualified.

diplomático, ca ◇ *adj lit & fig* diplomatic. ◇ *sm, f* diplomat.

diptongo *sm* diphthong.

diputación *sf* [corporación] committee; **diputación provincial** *governing body of each province of an autonomous region in Spain*, ≃ county council *UK*.

diputado, da *sm, f* ≃ Member of Parliament, MP *UK*, representative *US*.

dique *sm* - 1. [en río] dike - 2. [en puerto] dock; **estar en (el) dique seco** *fig* to be out of action.

dirá ▷ **decir**.

dirección *sf* - 1. [sentido, rumbo] direction; **calle de dirección única** one-way street; **'dirección prohibida'** 'no entry'; **en dirección a** towards, in the direction of - 2. [domicilio] address; **dirección comercial** business address; **dirección electrónica** *O* **de correo electrónico** e-mail address; **dirección particular** home address - 3. [mando - de empresa, hospital] management; [- de partido] leadership; [- de colegio] headship; [- de periódico] editorship; [- de película] direction; [- de obra de teatro] production; [- de orquesta] conducting - 4. [junta directiva] management - 5. [de vehículo] steering; **dirección asistida** power steering.
⮞ **Dirección** *sf*: Dirección General de Tráfico *traffic department (part of the Ministry of the Interior)*.

directivo, va ◇ *adj* managerial. ◇ *sm, f* [jefe] manager. ⮞ **directiva** *sf* [junta] board (of directors).

directo, ta *adj* - 1. [gen] direct - 2. [derecho] straight. ⮞ **directo** *adv* straight; **directo a** straight to. ⮞ **directa** *sf* AUTO top gear. ⮞ **en directo** *loc adv* live.

director, ra *sm, f* - 1. [de empresa] director; [de hotel, hospital] manager (*f* manageress); [de periódico] editor; [de cárcel] governor - 2. [de obra artística]: **director de cine** film director; **director de orquesta** conductor - 3. [de colegio] headmaster (*f* headmistress) - 4. [de tesis, trabajo de investigación] supervisor.

directorio *sm* - 1. [gen & INFORM] directory - 2.: **directorio telefónico** *Andes, Amér C, Caribe & Méx* directory.

directriz *sf* GEOM directrix. ⮞ **directrices** *sfpl* [normas] guidelines.

diría ▷ **decir**.

dirigente *smf* [de partido político] leader; [de empresa] manager.

dirigir *vt* - 1. [conducir - coche, barco] to steer; [- avión] to pilot; *fig* [- mirada] to direct - 2. [llevar - empresa, hotel, hospital] to manage; [- colegio, cárcel, periódico] to run; [- partido, revuelta] to lead; [- expedición] to head - 3. [película, obra de teatro] to direct; [orquesta] to conduct - 4. [carta, paquete] to address - 5. [guiar - persona] to guide - 6. [dedicar]: **dirigir algo a** to aim sthg at. ⮞ **dirigirse** *vprnl* - 1. [encaminarse]:

dirigirse a *O* **hacia** to head for - 2. [hablar]: **dirigirse a** to address, to speak to - 3. [escribir]: **dirigirse a** to write to.

discar *vt* *Andes & R Dom* to dial.

discapacidad *sf* disability.

discernir *vt* to discern, to distinguish.

disciplina *sf* discipline.

discípulo, la *sm, f* disciple.

disco *sm* - 1. ANAT, ASTRON & GEOM disc - 2. [de música] record; **parecer un disco rayado** *fam* to go on like a cracked record; **disco compacto** compact disc; **disco de larga duración** LP, long-playing record - 3. [semáforo] (traffic) light - 4. DEP discus - 5. INFORM disk; **disco de arranque/del sistema** startup/system disk.

discografía *sf* records previously released (by an artist or group).

disconforme *adj* in disagreement; **estar disconforme con** to disagree with.

discontinuo, nua *adj* [esfuerzo] intermittent; [línea] broken, dotted.

discordante *adj* [sonidos] discordant; [opiniones] clashing.

discordia *sf* discord.

discoteca *sf* [local] disco.

discreción *sf* discretion. ⮞ **a discreción** *loc adv* as much as one wants, freely.

discrecional *adj* [gen] optional; [parada] request (antes de s).

discrepancia *sf* [diferencia] difference, discrepancy; [desacuerdo] disagreement.

discrepar *vi*: **discrepar (de)** [diferenciarse] to differ (from); [disentir] to disagree (with).

discreto, ta *adj* - 1. [prudente] discreet - 2. [cantidad] moderate, modest - 3. [normal - actuación] fair, reasonable.

discriminación *sf* discrimination; **discriminación racial/sexual** racial/sexual discrimination.

discriminar *vt* - 1. [cosa]: **discriminar algo de** to discriminate *O* distinguish sthg from - 2. [persona, colectividad] to discriminate against.

disculpa *sf* [pretexto] excuse; [excusa, perdón] apology; **dar disculpas** to make excuses; **pedir disculpas a alguien (por)** to apologize to sb (for).

disculpar *vt* to excuse; **disculpar a alguien (de** *O* **por algo)** to forgive sb (for sthg). ⮞ **disculparse** *vprnl*: **disculparse (de** *O* **por algo)** to apologize (for sthg).

discurrir *vi* - 1. [pasar - personas] to wander, to walk; [- tiempo, vida, sesión] to go by, to pass; [- río, tráfico] to flow - 2. [pensar] to think, to reflect.

discurso *sm* speech.

discusión *sf* - **1.** [conversación] discussion - **2.** [pelea] argument.

discutible *adj* debatable.

discutir ⬦ *vi* - **1.** [hablar] to discuss - **2.** [pelear]: **discutir (de)** to argue (about). ⬦ *vt* [hablar] to discuss; [contradecir] to dispute.

disecar *vt* [animal] to stuff; [planta] to dry.

diseminar *vt* [semillas] to scatter; [ideas] to disseminate.

disentir *vi*: **disentir (de/en)** to disagree (with/on).

diseñar *vt* to design.

diseño *sm* design; **ropa de diseño** designer clothes; **diseño asistido por ordenador** INFORM computer-aided design; **diseño gráfico** graphic design.

disertación *sf* [oral] lecture, discourse; [escrita] dissertation.

disfraz *sm* [gen] disguise; [para baile, fiesta etc] fancy dress *(U)*.

disfrazar *vt* to disguise. ⬦ **disfrazarse** *vprnl* to disguise o.s.; **disfrazarse de** to dress up as.

disfrutar ⬦ *vi* - **1.** [sentir placer] to enjoy o.s. - **2.** [disponer de]: **disfrutar de algo** to enjoy sthg. ⬦ *vt* to enjoy.

disgregar *vt* - **1.** [multitud, manifestación] to disperse - **2.** [roca, imperio, estado] to break up; [átomo] to split. ⬦ **disgregarse** *vprnl* - **1.** [multitud, manifestación] to disperse - **2.** [roca, imperio, estado] to break up.

disgustar *vt* [suj: comentario, críticas, noticia] to upset. ⬦ **disgustarse** *vprnl*: **disgustarse (con alguien/por algo)** [sentir enfado] to get upset (with sb/about sthg); [enemistarse] to fall out (with sb/over sthg).

disgusto *sm* - **1.** [enfado] annoyance; [pesadumbre] sorrow; **dar un disgusto a alguien** to upset sb; **llevarse un disgusto** to be upset - **2.** [pelea] **tener un disgusto con alguien** to have a quarrel with sb.

disidente *smf* [político] dissident; [religioso] dissenter.

disimular ⬦ *vt* to hide, to conceal. ⬦ *vi* to pretend.

disimulo *sm* pretence, concealment.

disipar *vt* - **1.** [dudas, sospechas] to dispel; [ilusiones] to shatter - **2.** [fortuna, herencia] to squander, to throw away. ⬦ **disiparse** *vprnl* - **1.** [dudas, sospechas] to be dispelled; [ilusiones] to be shattered - **2.** [niebla, humo, vapor] to vanish.

diskette = disquete.

dislexia *sm* dyslexia.

dislocar *vt* to dislocate. ⬦ **dislocarse** *vprnl* to dislocate.

disminución *sf* decrease, drop.

disminuido, da *adj* handicapped.

disminuir ⬦ *vt* to reduce, to decrease. ⬦ *vi* [gen] to decrease; [precios, temperatura] to drop, to fall; [vista, memoria] to fail; [días] to get shorter; [beneficios] to fall off.

disolución *sf* - **1.** [en un líquido] dissolving - **2.** [de matrimonio, sociedad, partido] dissolution - **3.** [mezcla] solution.

disolvente *adj & sm* solvent.

disolver *vt* - **1.** [gen] to dissolve - **2.** [reunión, manifestación, familia] to break up. ⬦ **disolverse** *vprnl* - **1.** [gen] to dissolve - **2.** [reunión, manifestación, familia] to break up.

disparar ⬦ *vt* to shoot; [pedrada] to throw. ⬦ *vi* to shoot, to fire.

disparatado, da *adj* absurd, crazy.

disparate *sm* [acción] silly thing; [comentario] foolish remark; [idea] crazy idea; **hacer disparates** to do silly things; **decir disparates** to make foolish remarks, to talk nonsense.

disparo *sm* shot; **disparo de advertencia** warning shot; **disparo de salida** starting shot.

dispensar *vt* - **1.** [disculpar] to excuse, to forgive - **2.** [rendir]: **dispensar algo (a alguien)** [honores] to confer sthg (upon sb); [bienvenida, ayuda] to give sthg (to sb) - **3.** [eximir]: **dispensar a alguien de** to excuse O exempt sb from.

dispensario *sm* dispensary.

dispersar *vt* - **1.** [esparcir - objetos] to scatter - **2.** [disolver - gentío] to disperse; [- manifestación] to break up. ⬦ **dispersarse** *vprnl* to scatter.

dispersión *sf* [de objetos] scattering.

disperso, sa *adj* scattered.

disponer ⬦ *vt* - **1.** [gen] to arrange - **2.** [cena, comida] to lay on - **3.** [decidir - suj: persona] to decide; [suj: ley] to stipulate. ⬦ *vi* - **1.** [poseer]: **disponer de** to have - **2.** [usar]: **disponer de** to make use of. ⬦ **disponerse a** *vprnl*: **disponerse a hacer algo** to prepare O get ready to do sthg.

disponibilidad *sf* [gen] availability.

disponible *adj* [gen] available; [tiempo] free, spare.

disposición *sf* - **1.** [colocación] arrangement, layout - **2.** [orden] order; [de ley] provision - **3.** [uso]: **a disposición de** at the disposal of; **pasar a disposición policial** to be brought before the judge.

dispositivo *sm* device; **dispositivo intrauterino** intrauterine device, IUD.

dispuesto, ta ⬦ *pp* ▷ **disponer**. ⬦ *adj* [preparado] ready; **estar dispuesto a hacer algo** to be prepared to do sthg; **estar poco dispuesto a hacer algo** to be reluctant to do sthg.

disputa *sf* dispute.

disputar *vt* - **1.** [cuestión, tema] to argue about - **2.** [trofeo, puesto] to compete for; [carrera, partido] to compete in.

disquete, diskette [dis'kete] *sm* INFORM diskette, floppy disk.

disquetera *sf* INFORM disk drive.

distancia *sf* - **1.** [gen] distance; **a distancia** from a distance; **mantener a distancia** to keep at a distance; **mantener las distancias** to keep one's distance; **recorrer una gran distancia** to cover a lot of ground - **2.** [en el tiempo] gap, space.

distanciar *vt* [gen] to drive apart; [rival] to forge ahead of. ◆ **distanciarse** *vprnl* [alejarse - afectivamente] to grow apart; [- físicamente] to distance o.s.

distante *adj* - **1.** [en el espacio]: **distante (de)** far away (from) - **2.** [en el trato] distant.

distar *vi* [hallarse a]: **ese sitio dista varios kilómetros de aquí** that place is several kilometres away from here.

diste *etc* ▷ **dar**.

distendido, da *adj* [informal] relaxed, informal.

distensión *sf* - **1.** [entre países] détente; [entre personas] easing of tension - **2.** MED strain.

distinción *sf* - **1.** [diferencia] distinction; **a distinción de** in contrast to, unlike; **sin distinción** alike - **2.** [privilegio] privilege - **3.** [elegancia] refinement.

distinguido, da *adj* - **1.** [notable] distinguished - **2.** [elegante] refined.

distinguir *vt* - **1.** [diferenciar] to distinguish; **distinguir algo de algo** to tell sthg from sthg - **2.** [separar] to pick out - **3.** [caracterizar] to characterize. ◆ **distinguirse** *vprnl* [destacarse] to stand out.

distintivo, va *adj* distinctive; [señal] distinguishing. ◆ **distintivo** *sm* badge.

distinto, ta *adj* [diferente] different. ◆ **distintos, tas** *adj pl* [varios] various.

distorsión *sf* [de tobillo, rodilla] sprain; [de imágenes, sonidos, palabras] distortion.

distracción *sf* - **1.** [entretenimiento] entertainment; [pasatiempo] hobby, pastime - **2.** [despiste] slip; [falta de atención] absent-mindedness.

distraer *vt* - **1.** [divertir] to amuse, to entertain - **2.** [despistar] to distract. ◆ **distraerse** *vprnl* - **1.** [divertirse] to enjoy o.s.; [pasar el tiempo] to pass the time - **2.** [despistarse] to let one's mind wander.

distraído, da *adj* - **1.** [entretenido] amusing, entertaining - **2.** [despistado] absent-minded.

distribución *sf* - **1.** [gen] distribution; **distribución de premios** prizegiving - **2.** [de correo, mercancías] delivery - **3.** [de casa, habitaciones] layout.

distribuidor, ra ◇ *adj* [entidad] wholesale; [red] supply *(antes de s)*. ◇ *sm, f* [persona] deliveryman (*f* deliverywoman). ◆ **distribuidor** *sm* [aparato] vending machine.

distribuir *vt* - **1.** [gen] to distribute; [carga, trabajo] to spread; [pastel, ganancias] to divide up - **2.** [correo, mercancías] to deliver - **3.** [casa, habitaciones] to arrange.

distrito *sm* district.

disturbio *sm* disturbance; [violento] riot; **disturbios raciales** race riots.

disuadir *vt*: **disuadir (de)** to dissuade (from).

disuasión *sf* deterrence.

disuasivo, va *adj* deterrent.

disuelto, ta *pp* ▷ **disolver**.

DIU *(abrev de **dispositivo intrauterino**) sm* IUD.

diurno, na *adj* [gen] daytime *(antes de s)*; [planta, animal] diurnal.

diva ▷ **divo**.

divagar *vi* to digress.

diván *sm* divan; [de psiquiatra] couch.

divergencia *sf* - **1.** [de líneas] divergence - **2.** [de opiniones] difference of opinion.

divergir *vi* - **1.** [calles, líneas] to diverge - **2.** *fig* [opiniones]: **divergir (en)** to differ (on).

diversidad *sf* diversity.

diversificar *vt* to diversify.

diversión *sf* entertainment, amusement.

diverso, sa *adj* [diferente] different. ◆ **diversos, sas** *adj pl* [varios] several, various.

divertido, da *adj* [entretenido - película, libro] entertaining; [- fiesta] enjoyable; [que hace reír] funny.

divertir *vt* to entertain, to amuse. ◆ **divertirse** *vprnl* to enjoy o.s.

dividendo *sm* FIN & MAT dividend.

dividir *vt*: **dividir (en)** to divide (into); **dividir entre** [gen] to divide between; MAT to divide by.

divinidad *sf* divinity, god.

divino, na *adj lit & fig* divine.

divisa *sf* - **1.** *(gen pl)* [moneda] foreign currency - **2.** [distintivo] emblem.

divisar *vt* to spy, to make out.

división *sf* [gen] division; [partición] splitting up.

divo, va *sm, f* [MÚS - mujer] diva, prima donna; [- hombre] opera singer.

divorciado, da ◇ *adj* divorced. ◇ *sm, f* divorcé (*f* divorcée).

divorciar *vt lit & fig* to divorce. ◆ **divorciarse** *vprnl* to get divorced.

divorcio *sm* DER divorce.

divulgar vt [noticia, secreto] to reveal; [rumor] to spread; [cultura, ciencia, doctrina] to popularize.

DNI (abrev de documento nacional de identidad) sm ID card.

Dña abrev de **doña**.

do sm MÚS C; [en solfeo] doh; **dar el do de pecho** fam fig to give one's all.

dobladillo sm [de traje, vestido] hem; [de pantalón] turn-up UK, cuff US; **hacer un dobladillo** to turn up, to hem.

doblado, da adj - 1. [papel, camisa] folded - 2. [voz, película] dubbed.

doblar ◇ vt - 1. [duplicar] to double - 2. [plegar] to fold - 3. [torcer] to bend - 4. [esquina] to turn, to go round - 5. [voz, actor] to dub. ◇ vi - 1. [girar] to turn - 2. [campanas] to toll. ➡ **doblarse** vprnl [someterse]: **doblarse a** to give in to.

doble ◇ adj double; **tiene doble número de habitantes** it has double O twice the number of inhabitants; **es doble de ancho** it's twice as wide; **una frase de doble sentido** a phrase with a double meaning; **doble clic** INFORM double click. ◇ smf [gen & CINE] double. ◇ sm [duplo]: **el doble** twice as much; **gana el doble que yo** she earns twice as much as I do, she earns double what I do. ◇ adv double; **trabajar doble** to work twice as hard. ➡ **dobles** smpl DEP doubles.

doblegar vt [someter] to bend, to cause to give in. ➡ **doblegarse** vprnl: **doblegarse (ante)** to give in O yield (to).

doblez sm [pliegue] fold, crease.

doce num twelve; ver también **seis**.

doceavo, va num twelfth.

docena sf dozen; **a** O **por docenas** by the dozen.

docente adj teaching; **centro docente** educational institution.

dócil adj obedient.

doctor, ra sm, f: **doctor (en)** doctor (of).

doctrina sf doctrine.

documentación sf [identificación personal] papers pl.

documentado, da adj [informado - película, informe] researched; [- persona] informed.

documental adj & sm documentary.

documentar vt - 1. [evidenciar] to document - 2. [informar] to brief. ➡ **documentarse** vprnl to do research.

documento sm - 1. [escrito] document; **documento nacional de identidad** identity card - 2. [testimonio] record.

dogma sm dogma.

dogmático, ca adj dogmatic.

dólar sm dollar.

dolencia sf pain.

doler vi to hurt; **me duele la pierna** my leg hurts; **¿te duele?** does it hurt? ➡ **dolerse** vprnl: **dolerse de** O **por algo** [quejarse] to complain about sthg; [arrepentirse] to be sorry about sthg.

dolido, da adj hurt.

dolor sm - 1. [físico] pain; **siento un dolor en el brazo** I have a pain in my arm; **(tener) dolor de cabeza** (to have a) headache; **dolor de estómago** stomachache; **dolor de muelas** toothache - 2. [moral] grief, sorrow.

dolorido, da adj [físicamente] sore; [moralmente] grieving, sorrowing.

doloroso, sa adj [físicamente] painful; [moralmente] distressing.

domador, ra sm, f [de caballos] breaker; [de leones] tamer.

domar vt [gen] to tame; [caballo] to break in; fig [personas] to control.

domesticar vt lit & fig to tame.

doméstico, ca adj domestic.

domiciliación sf: **domiciliación (bancaria)** standing order, direct debit (U).

domiciliar vt [pago] to pay by direct debit O standing order.

domicilio sm - 1. [vivienda] residence, home; **domicilio particular** private residence - 2. [dirección] address; **sin domicilio fijo** of no fixed abode; **domicilio social** head office.

dominante adj - 1. [nación, religión, tendencia] dominant; [vientos] prevailing - 2. [persona] domineering.

dominar ◇ vt - 1. [controlar - país, territorio] to dominate, to rule (over); [- pasión, nervios, caballo] to control; [- situación] to be in control of; [- incendio] to bring under control; [- rebelión] to put down - 2. [conocer - técnica, tema] to master; [- lengua] to be fluent in. ◇ vi [predominar] to predominate. ➡ **dominarse** vprnl to control o.s.

domingo sm Sunday; **domingo de Resurrección** O **de Pascua** Easter Sunday; ver también **sábado**.

dominguero, ra sm, f Sunday tripper/driver etc.

dominical adj Sunday (antes de s).

dominicano, na adj & sm, f Dominican.

dominico, ca adj & sm, f Dominican.

dominio sm - 1. [dominación, posesión]: **dominio (sobre)** control (over); **dominio de** O **sobre sí mismo** self-control - 2. [autoridad] authority, power - 3. fig [territorio] domain; [ámbito] realm - 4. [conocimiento - de arte, técnica] mastery; [- de idiomas] command - 5. INFORM domain.

dominó *sm* - **1.** [juego] dominoes *(U)* - **2.** [fichas] set of dominoes.

don *sm* - **1.** [tratamiento]: **don Luis García** [gen] Mr Luis García; [en cartas] Luis García Esquire; **don Luis** *not translated in modern English or translated as 'Mr' + surname, if known* - **2.** [habilidad] gift; **el don de la palabra** the gift of the gab.

donaire *sm* [al expresarse] wit; [al andar etc] grace.

donante *smf* donor; **donante de sangre** blood donor.

donar *vt* to donate.

donativo *sm* donation.

doncella *sf* maid.

donde ⬦ *adv* where; **el bolso está donde lo dejaste** the bag is where you left it; **puedes marcharte donde quieras** you can go wherever you want; **hasta donde** as far as, up to where; **por donde** wherever. ⬦ *pron* where; **la casa donde nací** the house where I was born; **la ciudad de donde viene** the town (where) she comes from, the town from which she comes. ➤ **de donde** *loc adv* [de lo cual] from which.

dónde *adv (interrogativo)* where; **¿dónde está el niño?** where's the child?; **no sé dónde se habrá metido** I don't know where she can be; **¿a dónde vas?** where are you going?; **¿de dónde eres?** where are you from?; **¿hacia dónde vas?** where are you heading?; **¿por dónde?** whereabouts?; **¿por dónde se va al teatro?** how do you get to the theatre from here?

dondequiera ➤ **dondequiera que** *adv* wherever.

doña *sf*: **doña Luisa García** Mrs Luisa García; **doña Luisa** *not translated in modern English or translated as 'Mrs' + surname, if known.*

dopado, da *adj* having taken performance-enhancing drugs.

dopar *vt* to dope.

doping ['dopin] *sm* doping.

doquier ➤ **por doquier** *loc adv* everywhere.

dorado, da *adj lit & fig* golden. ➤ **dorada** *sf* [pez] gilthead.

dorar *vt* - **1.** [cubrir con oro] to gild - **2.** [alimento] to brown.

dormilón, ona *fam sm, f* [persona] sleepyhead.

dormir ⬦ *vt* [niño, animal] to put to bed; **dormir la siesta** to have an afternoon nap. ⬦ *vi* to sleep. ➤ **dormirse** *vprnl* - **1.** [persona] to fall asleep - **2.** [brazo, mano] to go to sleep.

dormitar *vi* to doze.

dormitorio *sm* [de casa] bedroom; [de colegio] dormitory.

dorsal ⬦ *adj* dorsal. ⬦ *sm* number *(on player's back).*

dorso *sm* back; **al dorso, en el dorso** on the back; **'véase al dorso'** 'see overleaf'; **dorso de la mano** back of one's hand.

dos *num* two; **cada dos por tres** every five minutes, continually; *ver también* **seis**.

doscientos, tas *num* two hundred; *ver también* **seis**.

dosificar *vt fig* [fuerzas, palabras] to use sparingly.

dosis *sf inv lit & fig* dose; **en pequeñas dosis** in small doses.

dossier [do'sjer] *sm inv* dossier, file.

dotación *sf* - **1.** [de dinero, armas, medios] amount granted - **2.** [personal] personnel; [tripulantes] crew; [patrulla] squad.

dotado, da *adj* gifted; **dotado de** [persona] blessed with; [edificio, instalación, aparato] equipped with.

dotar *vt* - **1.** [proveer]: **dotar algo de** to provide sthg with - **2.** *fig* [suj: la naturaleza]: **dotar a algo/alguien de** to endow sthg/sb with.

dote *sf* [en boda] dowry. ➤ **dotes** *sfpl* [dones] qualities; **dotes de mando** leadership qualities.

doy ▷ **dar**.

Dr. *(abrev de doctor)* Dr.

Dra. *(abrev de doctora)* Dr.

dragar *vt* to dredge.

dragón *sm* dragon.

drama *sm* [gen] drama; [obra] play.

dramático, ca *adj* dramatic.

dramatizar *vt* to dramatize.

dramaturgo, ga *sm, f* playwright, dramatist.

drástico, ca *adj* drastic.

drenar *vt* to drain.

driblar *vt* DEP to dribble.

droga *sf* drug; **la droga** drugs *pl*; **droga blanda/dura** soft/hard drug; **droga de diseño** designer drug.

drogadicto, ta *sm, f* drug addict.

drogar *vt* to drug. ➤ **drogarse** *vprnl* to take drugs.

droguería *sf* - **1.** [tienda] *shop selling paint, cleaning materials etc* - **2.** Col [farmacia] pharmacy, drugstore *US.*

dromedario *sm* dromedary.

dto. *abrev de* **descuento**.

dual *adj* dual.

Dublín *n pr* Dublin.

ducha *sf* shower; **una ducha de agua fría** *fam fig* a bucket of cold water; **ducha de teléfono** hand-held shower.

duchar *vt* to shower. ◆ **ducharse** *vprnl* to have a shower.

duda *sf* doubt; **poner algo en duda** to call sthg into question; **salir de dudas** to set one's mind at rest; **sin duda** doubtless, undoubtedly; **sin la menor duda** without the slightest doubt; **sin sombra de duda** beyond the shadow of a doubt; **no cabe duda** there is no doubt about it.

dudar ◇ *vi* - 1. [desconfiar]: **dudar de algo/ alguien** to have one's doubts about sthg/sb - 2. [no estar seguro]: **dudar sobre algo** to be unsure about sthg - 3. [vacilar] to hesitate; **dudar entre hacer una cosa u otra** to be unsure whether to do one thing or another. ◇ *vt* to doubt; **dudo que venga** I doubt whether he'll come.

dudoso, sa *adj* - 1. [improbable]: **ser dudoso (que)** to be doubtful (whether), to be unlikely (that) - 2. [vacilante] hesitant, indecisive - 3. [sospechoso] suspect.

duelo *sm* - 1. [combate] duel; **batirse en duelo** to fight a duel - 2. [sentimiento] grief, sorrow.

duende *sm* [personaje] imp, goblin.

dueño, ña *sm, f* [gen] owner; [de piso etc] landlord (*f* landlady); **cambiar de dueño** to change hands.

duerma *etc* ▷ **dormir**.

dulce ◇ *adj* - 1. [gen] sweet - 2. [agua] fresh - 3. [mirada] tender. ◇ *sm* [caramelo, postre] sweet; [pastel] cake, pastry; **a nadie le amarga un dulce** *fig* anything's better than nothing.

dulcificar *vt* [endulzar] to sweeten.

dulzura *sf* [gen] sweetness.

duna *sf* dune.

dúo *sm* - 1. MÚS duet - 2. [pareja] duo; **a dúo** together.

duodécimo, ma *num* twelfth.

dúplex, duplex *sm inv* [piso] duplex.

duplicado, da *adj* in duplicate. ◆ **duplicado** *sm*: **(por) duplicado** (in) duplicate.

duplicar *vt* - 1. [cantidad] to double - 2. [documento] to duplicate. ◆ **duplicarse** *vprnl* to double.

duque, esa *sm, f* duke (*f* duchess).

duración *sf* length; **de larga duración** [pila, bombilla] long-life; [parado] long-term; [disco] long-playing.

duradero, ra *adj* [gen] lasting; [ropa, zapatos] hard-wearing.

durante *prep* during; **le escribí durante las vacaciones** I wrote to him during the holidays; **estuve escribiendo durante una hora** I was writing for an hour; **durante toda la semana** all week.

durar *vi* [gen] to last; [permanecer, subsistir] to remain, to stay; [ropa] to wear well; **aún dura la fiesta** the party's still going on.

durazno *sm Amér* peach.

dureza *sf* - 1. [de objeto, metal etc] hardness - 2. [de clima, persona] harshness.

durmiera *etc* ▷ **dormir**.

duro, ra *adj* - 1. [gen] hard; [carne] tough - 2. [resistente] tough - 3. [palabras, clima] harsh. ◆ **duro** ◇ *sm* [moneda] five-peseta piece. ◇ *adv* hard.

e¹, E *sf* [letra] e, E. ◆ **E** *sm* (abrev de **este**) E.

e² *conj* (en lugar de 'y' ante palabras que empiecen por 'i' o 'hi') and.

ebanista *smf* cabinet-maker.

ébano *sm* ebony.

ebrio, ebria *adj* [borracho] drunk.

Ebro *sm*: **el Ebro** the Ebro.

ebullición *sf* boiling; **punto de ebullición** boiling point.

eccema *sm* eczema.

echar ◇ *vt* - 1. [tirar] to throw; [red] to cast - 2. [añadir]: **echar algo (a O en algo)** [vino etc] to pour sthg (into sthg); [sal, azúcar etc] to add sthg (to sthg) - 3. [carta, postal] to post - 4. [humo, vapor, chispas] to give off, to emit - 5. [hojas, flores] to shoot - 6. [expulsar]: **echar a alguien (de)** to throw sb out (of) - 7. [despedir]: **echar a alguien (de)** to sack sb (from) - 8. [accionar]: **echar la llave/el cerrojo** to lock/bolt the door; **echar el freno** to brake, to put the brakes on - 9. [acostar] to lie (down) - 10. *fam* [en televisión, cine] to show; **¿qué echan esta noche en la tele?** what's on telly tonight? - 11. *loc*: **echar abajo** [edificio] to pull down, to demolish; [gobierno] to bring down; [proyecto] to ruin; **echar a perder** [vestido, alimentos, plan] to ruin; [ocasión] to waste; **echar de menos** to miss. ◇ *vi* [empezar]: **echar a hacer algo** to begin to do sthg, to start doing sthg; **echar a correr** to break into a run; **echar a llorar** to burst into tears; **echar a reír** to burst out laughing. ◆ **echarse** *vprnl* - 1. [acostarse] to lie down

- **2.** [apartarse]: **echarse (a un lado)** to move (aside); **echarse atrás** *fig* to back out - **3.** *loc:* **echarse a perder** [comida] to go off, to spoil; [plan] to fall through.

echarpe *sm* shawl.

eclesiástico, ca *adj* ecclesiastical.

eclipsar *vt lit & fig* to eclipse.

eclipse *sm* eclipse; **eclipse lunar** *O* **de luna** lunar eclipse, eclipse of the moon; **eclipse solar** *O* **de sol** solar eclipse, eclipse of the sun; **eclipse total** total eclipse.

eco *sm* [gen] echo; **hacerse eco de** to report; **tener eco** to arouse interest.

ecología *sf* ecology.

ecológico, ca *adj* [gen] ecological; [alimentos] organic.

ecologista <> *adj* environmental, ecological. <> *smf* environmentalist.

economato *sm* company cooperative shop.

economía *sf* - **1.** [gen] economy; **economía sumergida** black economy *O* market - **2.** [estudio] economics *(U)*; **economía familiar** home economics - **3.** [ahorro] saving.

económico, ca *adj* - **1.** [problema, doctrina etc] economic - **2.** [barato] cheap, low-cost - **3.** [que gasta poco - motor etc] economical; [- persona] thrifty.

economista *smf* economist.

economizar *vt lit & fig* to save.

ecosistema *sm* ecosystem.

ecotasa *sf* ecotax.

ecoturismo *sm* ecotourism.

ecuación *sf* equation.

ecuador *sm* equator; **pasar el ecuador** to pass the halfway mark.

Ecuador *n pr* Ecuador.

ecuánime *adj* - **1.** [en el ánimo] level-headed - **2.** [en el juicio] impartial.

ecuatoriano, na *adj* & *sm, f* Ecuadorian, Ecuadoran.

ecuestre *adj* equestrian.

edad *sf* age; **¿qué edad tienes?** how old are you?; **tiene 25 años de edad** she's 25 (years old); **una persona de edad** an elderly person; **edad adulta** adulthood; **edad avanzada** old age; **edad del juicio** *O* **de la razón** age of reason; **edad escolar** school age; **Edad Media** Middle Ages *pl*; **edad mental** mental age; **edad del pavo** awkward age.

edecán *sm Méx* assistant, aide.

edén *sm RELIG* Eden; *fig* paradise.

edición *sf* - **1.** [acción - IMPR] publication; INFORM, RADIO & TV editing - **2.** [ejemplares] edition.

edicto *sm* edict.

edificante *adj* [conducta] exemplary; [libro, discurso] edifying.

edificar *vt* [construir] to build.

edificio *sm* building.

edil *sm* (town) councillor.

Edimburgo *n pr* Edinburgh.

editar *vt* - **1.** [libro, periódico] to publish; [disco] to release - **2.** INFORM, RADIO & TV to edit.

editor, ra <> *adj* publishing *(antes de s)*. <> *sm, f* - **1.** [de libro, periódico] publisher - **2.** RADIO & TV editor.

editorial <> *adj* publishing *(antes de s)*. <> *sm* editorial, leader. <> *sf* publisher, publishing house.

edredón *sm* eiderdown, comforter *US*; **edredón nórdico** duvet.

educación *sf* - **1.** [enseñanza] education; **educación física/sexual** physical/sex education; **educación primaria/secundaria** primary/secondary education - **2.** [modales] good manners *pl*; **¡qué poca educación!** how rude!; **mala educación** bad manners *pl*.

educado, da *adj* polite, well-mannered; **mal educado** rude, ill-mannered.

educador, ra *sm, f* teacher.

educar *vt* - **1.** [enseñar] to educate - **2.** [criar] to bring up - **3.** [cuerpo, voz, oído] to train.

edulcorante *sm* sweetener.

edulcorar *vt* to sweeten.

EE UU *(abrev de Estados Unidos) smpl* USA.

efectivamente *adv* [en respuestas] precisely, exactly.

efectividad *sf* effectiveness.

efectivo, va *adj* - **1.** [útil] effective - **2.** [real] actual, true; **hacer efectivo** [gen] to carry out; [promesa] to keep; [dinero, crédito] to pay; [cheque] to cash. **efectivo** *sm* [dinero] cash; **en efectivo** in cash; **efectivo en caja** cash in hand. **efectivos** *smpl* [personal] forces.

efecto *sm* - **1.** [gen] effect; **de efecto retardado** delayed-action; **tener efecto** [vigencia] to come into *O* take effect; **efecto 2000** INFORM millennium bug; **efecto dominó** domino effect; **efecto invernadero** greenhouse effect; **efecto óptico** optical illusion; **efectos sonoros/visuales** sound/visual effects; **efectos especiales** special effects; **efectos secundarios** side effects - **2.** [finalidad] aim, purpose; **a tal efecto** to that end; **a efectos** *O* **para los efectos de algo** as far as sthg is concerned - **3.** [impresión] impression; **producir buen/mal efecto** to make a good/bad impression - **4.** [de balón, bola] spin; **dar efecto a** to put spin on - **5.** COM [documento] bill. **efectos personales** *smpl* personal possessions *O* effects. **en efecto** *loc adv* indeed.

efectuar *vt* [gen] to carry out; [compra, pago, viaje] to make. **efectuarse** *vprnl* to take place.

efeméride *sf* [suceso] major event; [conmemoración] anniversary.

efervescencia *sf* [de líquido] effervescence; [de bebida] fizziness.

efervescente *adj* [bebida] fizzy.

eficacia *sf* [eficiencia] efficiency; [efectividad] effectiveness.

eficaz *adj* - **1.** [eficiente] efficient - **2.** [efectivo] effective.

eficiencia *sf* efficiency.

eficiente *adj* efficient.

efímero, ra *adj* ephemeral.

efusión *sf* [cordialidad] effusiveness.

efusivo, va *adj* effusive.

EGB (*abrev de* **Educación General Básica**) *sf* former Spanish primary education system.

egipcio, cia *adj & sm, f* Egyptian.

Egipto *n pr* Egypt.

egocéntrico, ca *adj* egocentric.

egoísmo *sm* selfishness, egoism.

egoísta ◇ *adj* egoistic, selfish. ◇ *smf* egoist, selfish person.

ególatra ◇ *adj* egotistical. ◇ *smf* egotist.

egresado, da *sm, f Amér* graduate.

egresar *vi Amér* to graduate.

egreso *sm Amér* graduation.

eh *interj* ¡eh! hey!

ej. *abrev de* **ejemplo**.

eje *sm* - **1.** [de rueda] axle; [de máquina] shaft - **2.** GEOM axis - **3.** *fig* [idea central] central idea, basis.

ejecución *sf* - **1.** [realización] carrying out - **2.** [de condenado] execution - **3.** [de concierto] performance, rendition.

ejecutar *vt* - **1.** [realizar] to carry out - **2.** [condenado] to execute - **3.** [concierto] to perform - **4.** INFORM [programa] to run.

ejecutivo, va ◇ *adj* executive. ◇ *sm, f* [persona] executive. **ejecutivo** *sm* POLÍT: **el ejecutivo** the government.

ejem *interj*: ¡ejem! [expresa duda] um!; [expresa ironía] ahem!

ejemplar ◇ *adj* exemplary. ◇ *sm* [de libro] copy; [de revista] issue; [de moneda] example; [de especie, raza] specimen; **ejemplar de muestra** specimen copy.

ejemplificar *vt* to exemplify.

ejemplo *sm* example; **por ejemplo** for example; **predicar con el ejemplo** to practise what one preaches.

ejercer ◇ *vt* - **1.** [profesión] to practise; [cargo] to hold - **2.** [poder, derecho] to exercise; [influencia, dominio] to exert; **ejercer presión sobre** to put pressure on. ◇ *vi* to practise (one's profession); **ejercer de** to practise O work as.

ejercicio *sm* - **1.** [gen] exercise; **hacer ejercicio** to (do) exercise; **ejercicio escrito** written exercise; **ejercicio físico** physical exercise; **ejerci-**

cios de calentamiento warm-up exercises; **ejercicios de mantenimiento** keep-fit exercises - **2.** [de profesión] practising; [de cargo, funciones] carrying out - **3.** [de poder, derecho] exercising - **4.** MIL drill - **5.** ECON: **ejercicio económico/fiscal** financial/tax year.

ejercitar *vt* [derecho] to exercise. **ejercitarse** *vprnl*: **ejercitarse (en)** to train (in).

ejército *sm fig &* MIL army.

ejote *sm Amér C & Méx* green bean.

el, la (*mpl* los, *fpl* las) *art* (*el antes de sf que empiece por 'a' o 'ha' tónica; a + el = al; de + el = del*) - **1.** [gen] the; [en sentido genérico] *no se traduce*; **el coche** the car; **la casa** the house; **los niños** the children; **el agua/hacha/águila** the water/axe/eagle; **fui a recoger a los niños** I went to pick up the children; **los niños imitan a los adultos** children copy adults - **2.** [con sustantivo abstracto] *no se traduce*; **el amor** love; **la vida** life - **3.** [indica posesión, pertenencia]: **se partió la pierna** he broke his leg; **se quitó los zapatos** she took her shoes off; **tiene el pelo oscuro** he has dark hair - **4.** [con días de la semana]: **vuelven el sábado** they're coming back on Saturday - **5.** [con nombres propios geográficos] the; **el Sena** the (River) Seine; **el Everest** (Mount) Everest; **la España de la postguerra** post-war Spain - **6.** [con complemento de nombre, especificativo]: **el de** the one; **he perdido el tren, cogeré el de las nueve** I've missed the train, I'll get the nine o'clock one; **el de azul** the one in blue - **7.** [con complemento de nombre, posesivo]: **mi hermano y el de Juan** my brother and Juan's - **8.** [antes de frase]: **el que** [cosa] the one, whichever; [persona] whoever; **coge el que quieras** take whichever you like; **el que más corra** whoever runs fastest - **9.** [antes de adjetivo]: **prefiero el rojo al azul** I prefer the red one to the blue.

él, ella *pron pers* - **1.** [sujeto, predicado - persona] he (*f* she); [- animal, cosa] it; **mi hermana es ella** she's the one who is my sister - **2.** (*después de prep*) [complemento] him (*f* her); **voy a ir de vacaciones con ella** I'm going on holiday with her; **díselo a ella** tell her it - **3.** [posesivo]: **de él** his; **de ella** hers.

elaborar *vt* [producto] to make, to manufacture; [idea] to work out; [plan, informe] to draw up.

elasticidad *sf* [gen] elasticity.

elástico, ca *adj* [gen] elastic. **elástico** *sm* [cinta] elastic.

elección *sf* - **1.** [nombramiento] election - **2.** [opción] choice. **elecciones** *sfpl* POLÍT election *sing*.

electo, ta *adj* elect; **el presidente electo** the president elect.

elector, ra *sm, f* voter, elector.

electorado *sm* electorate.

electoral *adj* electoral.

electricidad *sf* electricity; **electricidad estática** static electricity.

electricista *smf* electrician.

eléctrico, ca *adj* electric.

electrificar *vt* to electrify.

electrizar *vt fig* [exaltar] to electrify.

electrocutar *vt* to electrocute.

electrodoméstico *(gen pl) sm* electrical household appliance.

electromagnético, ca *adj* electromagnetic.

electrón *sm* electron.

electrónico, ca *adj* [de la electrónica] electronic. ◆ **electrónica** *sf* electronics *(U)*.

elefante, ta *sm, f* elephant.

elegancia *sf* elegance.

elegante *adj* - **1.** [persona, traje, estilo] elegant - **2.** [conducta, actitud, respuesta] dignified.

elegantoso, sa *adj Amér* elegant.

elegía *sf* elegy.

elegir *vt* - **1.** [escoger] to choose, to select - **2.** [por votación] to elect.

elemental *adj* - **1.** [básico] basic - **2.** [obvio] obvious.

elemento ◇ *sm* - **1.** [gen] element - **2.** [factor] factor - **3.** [persona - en equipo, colectivo] individual. ◇ *smf fam*: **una elementa de cuidado** a bad lot; **¡menudo elemento está hecho tu sobrino!** your nephew is a real tearaway!

elenco *sm* [reparto] cast.

elepé *sm* LP (record).

elevación *sf* - **1.** [de pesos, objetos etc] lifting; [de nivel, altura, precios] rise - **2.** [de terreno] elevation, rise.

elevado, da *adj* [alto] high; *fig* [sublime] lofty.

elevador *sm* - **1.** [montacargas] hoist - **2.** *Méx* [ascensor] lift *UK*, elevator *US*.

elevalunas *sm inv* window winder.

elevar *vt* - **1.** [gen & MAT] to raise; [peso, objeto] to lift - **2.** [ascender]: **elevar a alguien (a)** to elevate sb (to). ◆ **elevarse** *vprnl* [gen] to rise; [edificio, montaña] to rise up; **elevarse a** [altura] to reach; [gastos, daños] to amount O come to.

elidir *vt* to elide.

eliminar *vt* [gen] to eliminate; [contaminación, enfermedad] to get rid of.

eliminatorio, ria *adj* qualifying *(antes de s)*. ◆ **eliminatoria** *sf* [gen] qualifying round; [en atletismo] heat.

elipse *sf* ellipse.

élite, elite *sf* elite.

elitista *adj & smf* elitist.

elixir, elíxir *sm* - **1.** [producto medicinal]: **elixir bucal** mouthwash - **2.** *fig* [remedio milagroso] elixir.

ella ⊳ **él**.

ellas ⊳ **ellos**.

ello *pron pers (neutro)* it; **no nos llevamos bien, pero ello no nos impide formar un buen equipo** we don't get on very well, but it O that doesn't stop us making a good team; **no quiero hablar de ello** I don't want to talk about it; **por ello** for that reason.

ellos, ellas *pron pers* - **1.** [sujeto, predicado] they; **los invitados son ellos** they are the guests, it is they who are the guests - **2.** *(después de prep)* [complemento] them; **me voy al bar con ellas** I'm going with them to the bar; **díselo a ellos** tell them it - **3.** [posesivo]: **de ellos/ellas** theirs.

elocuencia *sf* eloquence.

elocuente *adj* eloquent; **se hizo un silencio elocuente** the silence said it all.

elogiar *vt* to praise.

elogio *sm* praise.

elote *sm Amér C & Méx* corncob, ear of maize O corn *US*.

El Salvador *n pr* El Salvador.

elucidar *vt* to elucidate.

elucubración *sf* - **1.** [reflexión] reflection, meditation - **2.** *despec* [divagación] mental meandering.

elucubrar *vt* - **1.** [reflexionar] to reflect O meditate upon - **2.** *despec* [divagar] to theorize about.

eludir *vt* [gen] to avoid; [perseguidores] to escape.

emanar ◆ **emanar de** *vi* to emanate from.

emancipación *sf* [de mujeres, esclavos] emancipation; [de menores de edad] coming of age; [de países] obtaining of independence.

emancipar *vt* [gen] to emancipate; [países] to grant independence (to). ◆ **emanciparse** *vprnl* to free o.s., to become independent.

embadurnar *vt*: **embadurnar algo (de)** to smear sthg (with).

embajada *sf* [edificio] embassy.

embajador, ra *sm, f* ambassador.

embalaje *sm* [acción] packing.

embalar *vt* to wrap up, to pack. ◆ **embalarse** *vprnl* [acelerar - corredor] to race away; [- vehículo] to pick up speed.

embalsamar *vt* to embalm.

embalse *sm* reservoir.

embarazada ◇ *adj f* pregnant; **dejar embarazada a alguien** to get sb pregnant; **quedarse embarazada** to get pregnant. ◇ *sf* pregnant woman.

embarazar *vt* - **1.** [impedir] to restrict - **2.** [cohibir] to inhibit.

embarazo *sm* - **1.** [preñez] pregnancy; **interrumpir un embarazo** to terminate a pregnancy; **prueba del embarazo** pregnancy test; **embarazo ectópico** O **extrauterino** ectopic pregnancy - **2.** [timidez] embarrassment.

embarazoso, sa *adj* awkward, embarrassing.

embarcación *sf* [barco] craft, boat; **embarcación pesquera** fishing boat; **embarcación de recreo** pleasure boat.

embarcadero *sm* jetty.

embarcar <> *vt* [personas] to board; [mercancías] to ship. <> *vi* to board. ◆ **embarcarse** *vprnl* [para viajar] to board.

embargar *vt* - **1.** DER to seize - **2.** [suj: emoción etc] to overcome.

embargo *sm* - **1.** DER seizure - **2.** ECON embargo. ◆ **sin embargo** *loc adv* however, nevertheless.

embarque *sm* [de personas] boarding; [de mercancías] embarkation.

embarrancar *vi* to run aground.

embarullar *vt fam* to mess up. ◆ **embarullarse** *vprnl fam* to get into a muddle.

embaucar *vt* to swindle, to deceive.

embeber *vt* to soak up. ◆ **embeberse** *vprnl*: **embeberse (en algo)** [ensimismarse] to become absorbed (in sthg); *fig* [empaparse] to immerse o.s. (in sthg).

embellecer *vt* to adorn, to embellish.

embestida *sf* [gen] attack; [de toro] charge.

embestir *vt* [gen] to attack; [toro] to charge.

emblema *sm* - **1.** [divisa, distintivo] emblem, badge - **2.** [símbolo] symbol.

embobar *vt* to captivate.

embocadura *sf* [de instrumento] mouthpiece.

embolia *sf* embolism.

émbolo *sm* AUTO piston.

embolsarse *vprnl* [ganar] to earn.

embonar *vt Andes, Cuba & Méx fam* - **1.** [ajustar] to suit - **2.** [abonar] to manure - **3.** [ensamblar] to join.

emborrachar *vt* to make drunk. ◆ **emborracharse** *vprnl* to get drunk.

emborronar *vt* [garabatear] to scribble on; [manchar] to smudge.

emboscada *sf lit & fig* ambush.

embotellado, da *adj* bottled.

embotellamiento *sm* [de tráfico] traffic jam.

embotellar *vt* [líquido] to bottle.

embragar *vi* to engage the clutch.

embrague *sm* clutch; **embrague automático** automatic clutch.

embriagar *vt* - **1.** [extasiar] to intoxicate - **2.** [emborrachar] to make drunk. ◆ **embriagarse** *vprnl* [emborracharse]: **embriagarse (con)** to get drunk (on).

embriaguez *sf* - **1.** [borrachera] drunkenness - **2.** [éxtasis] intoxication.

embrión *sm* embryo.

embrollo *sm* - **1.** [de hilos] tangle - **2.** *fig* [lío] mess; [mentira] lie.

embromado, da *adj Andes, Caribe & R Plata fam* [complicado] tricky.

embrujar *vt lit & fig* to bewitch.

embrujo *sm* [maleficio] curse, spell; *fig* [de ciudad, ojos] charm, magic.

embrutecer *vt* to brutalize. ◆ **embrutecerse** *vprnl* to become brutalized.

embuchado, da *adj*: **carne embuchada** cured cold meat.

embudo *sm* funnel.

embuste *sm* lie.

embustero, ra <> *adj* lying. <> *sm, f* liar.

embute *sm Amér fam* bribe.

embutido *sm* [comida] cold cured meat.

embutir *vt lit & fig* to stuff.

emergencia *sf* - **1.** [urgencia] emergency; **en caso de emergencia** in case of emergency - **2.** [brote] emergence.

emerger *vi* [salir del agua] to emerge; [aparecer] to come into view, to appear.

emigración *sf* [de personas] emigration; [de aves] migration.

emigrante *adj & smf* emigrant.

emigrar *vi* [persona] to emigrate; [ave] to migrate.

eminencia *sf* [persona] leading light. ◆ **Eminencia** *sf*: **Su Eminencia** His Eminence.

eminente *adj* [distinguido] eminent.

emirato *sm* emirate.

Emiratos Árabes Unidos *smpl*: **los Emiratos Árabes Unidos** United Arab Emirates.

emisión *sf* - **1.** [de energía, rayos etc] emission - **2.** [de bonos, sellos, monedas] issue; **emisión de obligaciones** COM debentures issue - **3.** RADIO & TV [- transmisión] broadcasting; [- programa] programme, broadcast.

emisor, ra *adj* transmitting *(antes de s)*. ◆ **emisora** *sf* radio station; **emisora pirata** pirate radio station.

emitir <> *vt* - **1.** [rayos, calor, sonidos] to emit - **2.** [moneda, sellos, bonos] to issue - **3.** [expresar - juicio, opinión] to express; [- fallo] to pronounce - **4.** RADIO & TV to broadcast. <> *vi* to broadcast.

emoción *sf* - **1.** [conmoción, sentimiento] emotion - **2.** [expectación] excitement; **¡qué emoción!** how exciting!

emocionante *adj* - **1.** [conmovedor] moving, touching - **2.** [apasionante] exciting, thrilling.

emocionar *vt* - **1.** [conmover] to move - **2.** [excitar, apasionar] to thrill, to excite. ◆ **emocionarse** *vprnl* - **1.** [conmoverse] to be moved - **2.** [excitarse, apasionarse] to get excited.

emotivo, va *adj* [persona] emotional; [escena, palabras] moving.

empacar *vi Amér* to pack.

empachar *vt* to give indigestion to. ◆ **empacharse** *vprnl* [hartarse] to stuff o.s.; [sufrir indigestión] to get indigestion.

empacho *sm* [indigestión] upset stomach, indigestion.

empadronar *vt* ≃ to register on the electoral roll. ◆ **empadronarse** *vprnl* ≃ to register on the electoral roll.

empalagoso, sa *adj* sickly, cloying.

empalizada *sf* [cerca] fence; MIL stockade.

empalmar ⬦ *vt* [tubos, cables] to connect, to join. ⬦ *vi* - **1.** [autocares, trenes] to connect - **2.** [carreteras] to link O join (up).

empalme *sm* - **1.** [entre cables, tubos] joint, connection - **2.** [de líneas férreas, carreteras] junction.

empanada *sf* pasty.

empanadilla *sf* small pasty.

empanar *vt* CULIN to coat in breadcrumbs.

empantanar *vt* to flood. ◆ **empantanarse** *vprnl* - **1.** [inundarse] to be flooded O waterlogged - **2.** *fig* [atascarse] to get bogged down.

empañar *vt* - **1.** [cristal] to mist O steam up - **2.** *fig* [reputación] to tarnish. ◆ **empañarse** *vprnl* to mist O steam up.

empapar *vt* - **1.** [mojar] to soak - **2.** [absorber] to soak up. ◆ **empaparse** *vprnl* - **1.** [mojarse] to get soaked - **2.** [enterarse bien]: **se empapó de sociología antes de dar la conferencia** she did a lot of reading up about sociology before giving her speech; **¡para que te empapes!** *fam* so there!

empapelar *vt* [pared] to paper.

empaque *sm Méx* [en paquetes, bolsas, cajas] packing; [en latas] canning; [en botellas] bottling.

empaquetar *vt* to pack, to package.

emparedado, da *adj* confined. ◆ **emparedado** *sm* sandwich.

emparedar *vt* to lock away.

emparejar *vt* [aparejar - personas] to pair off; [- zapatos etc] to match (up).

emparentar *vi*: **emparentar con** to marry into.

empastar *vt* to fill.

empaste *sm* filling.

empatar *vi* DEP to draw; [en elecciones etc] to tie; **empatar a cero** to draw nil-nil.

empate *sm* [resultado] draw; **un empate a cero/dos** a goalless/two-all draw.

empedernido, da *adj* [bebedor, fumador] heavy; [criminal, jugador] hardened.

empedrado *sm* paving.

empedrar *vt* to pave.

empeine *sm* [de pie, zapato] instep.

empellón *sm* push, shove; **abrirse paso a empellones** to shove O push one's way through.

empeñado, da *adj* - **1.** [en préstamo] in pawn - **2.** [obstinado] determined; **estar empeñado en hacer algo** to be determined to do sthg.

empeñar *vt* [joyas etc] to pawn. ◆ **empeñarse** *vprnl* - **1.** [obstinarse] to insist; **empeñarse en hacer algo** [obstinarse] to insist on doing sthg; [persistir] to persist in doing sthg - **2.** [endeudarse] to get into debt.

empeño *sm* - **1.** [de joyas etc] pawning; **casa de empeños** pawnshop - **2.** [obstinación] determination; **poner mucho empeño en algo** to put a lot of effort into sthg; **tener empeño en hacer algo** to be determined to do sthg.

empeorar *vi* to get worse, to deteriorate.

empequeñecer *vt* [quitar importancia a] to diminish; [en una comparación] to overshadow, to dwarf.

emperador, emperatriz *sm, f* emperor (*f* empress). ◆ **emperador** *sm* [pez] swordfish.

emperifollar *vt fam* to doll O tart up.

emperrarse *vprnl*: **emperrarse (en hacer algo)** to insist (on doing sthg).

empezar ⬦ *vt* to begin, to start. ⬦ *vi*: **empezar (a hacer algo)** to begin O start (to do sthg); **empezar (por hacer algo)** to begin O start (by doing sthg); **para empezar** to begin O start with; **por algo se empieza** you've got to start somewhere.

empinado, da *adj* steep.

empinar *vt* [levantar] to raise. ◆ **empinarse** *vprnl* - **1.** [animal] to stand up on its hind legs - **2.** [persona] to stand on tiptoe.

empírico, ca *adj* empirical.

emplasto *sm* poultice.

emplazamiento *sm* [ubicación] location.

emplazar *vt* - **1.** [situar] to locate; MIL to position - **2.** [citar] to summon; DER to summons.

empleado, da *sm, f* [gen] employee; [de banco, administración, oficina] clerk.

emplear *vt* - **1.** [usar - objetos, materiales etc] to use; [- tiempo] to spend; **emplear algo en hacer algo** to use sthg to do sthg - **2.** [contratar] to employ. ◆ **emplearse** *vprnl* - **1.** [colocarse] to find a job - **2.** [usarse] to be used.

empleo *sm* - **1.** [uso] use; **'modo de empleo'** 'instructions for use' - **2.** [trabajo] employment; [puesto] job; **estar sin empleo** to be out of work.

emplomadura *sf R Dom* [de diente] filling.

empobrecer *vt* to impoverish. ◆ **empobrecerse** *vprnl* to get poorer.

empollar ◇ *vt* - **1.** [huevo] to incubate - **2.** *fam* [estudiar] to swot up on. ◇ *vi fam* to swot.

empollón, ona *fam sm, f* swot.

empolvarse *vprnl* to powder one's face.

empotrado, da *adj* fitted, built-in.

empotrar *vt* to fit, to build in.

emprendedor, ra *adj* enterprising.

emprender *vt* - **1.** [trabajo] to start; [viaje, marcha] to set off on; **emprender vuelo** to fly off - **2.** *loc*: **emprenderla con alguien** to take it out on sb; **emprenderla a golpes con alguien** to start hitting sb.

empresa *sf* - **1.** [sociedad] company; **pequeña y mediana empresa** small and medium-sized business; **empresa de trabajo temporal** temping agency - **2.** [acción] enterprise, undertaking.

empresarial *adj* management *(antes de s)*. ◆ **empresariales** *sfpl* business studies.

empresario, ria *sm, f* [patrono] employer; [hombre, mujer de negocios] businessman (*f* businesswoman); [de teatro] impresario.

empréstito *sm* debenture loan.

empujar *vt* to push; **empujar a alguien a que haga algo** to push sb into doing sthg.

empuje *sm* - **1.** [presión] pressure - **2.** [energía] energy, drive.

empujón *sm* [empellón] shove, push; **abrirse paso a empujones** to shove O push one's way through.

empuñadura *sf* handle; [de espada] hilt.

empuñar *vt* to take hold of, to grasp.

emulsión *sf* emulsion.

en *prep* - **1.** [lugar - en el interior de] in; [- sobre la superficie de] on; [- en un punto concreto de] at; **viven en la capital** they live in the capital; **tiene el dinero en el banco** he keeps his money in the bank; **en la mesa/el plato** on the table/plate; **en casa/el trabajo** at home/work - **2.** [dirección] into; **el avión cayó en el mar** the plane fell into the sea; **entraron en la habitación** they came into the room - **3.** [tiempo - mes, año etc] in; [- día] on; **nació en 1940/mayo** he was born in 1940/May; **en aquel día** on that day; **en Nochebuena** on Christmas Eve; **en Navidades** at Christmas; **en aquella época** at that time, in those days; **en un par de días** in a couple of days - **4.** [medio de transporte] by; **ir en tren/coche/avión/barco** to go by train/car/plane/boat - **5.** [modo] in; **en voz baja** in a low

voice; **lo dijo en inglés** she said it in English; **pagar en libras** to pay in pounds; **la inflación aumentó en un 10%** inflation increased by 10%; **todo se lo gasta en ropa** he spends everything on clothes - **6.** [precio] in; **las ganancias se calculan en millones** profits are calculated in millions; **te lo dejo en 5.000** I'll let you have it for 5,000 - **7.** [tema]: **es un experto en la materia** he's an expert on the subject; **es doctor en medicina** he's a doctor of medicine - **8.** [causa] from; **lo detecté en su forma de hablar** I could tell from the way he was speaking - **9.** [materia] in, made of; **en seda** in silk - **10.** [cualidad] in terms of; **le supera en inteligencia** she is more intelligent than he is.

enagua *sf (gen pl)* petticoat.

enajenación *sf* [locura] insanity; [éxtasis] rapture.

enajenamiento *sm* = **enajenación**.

enajenar *vt* - **1.** [volver loco] to drive mad; [extasiar] to enrapture - **2.** [propiedad] to alienate.

enaltecer *vt* to praise.

enamoradizo, za *adj* who falls in love easily.

enamorado, da ◇ *adj*: **enamorado (de)** in love (with). ◇ *sm, f* lover.

enamorar *vt* to win the heart of. ◆ **enamorarse** *vprnl*: **enamorarse (de)** to fall in love (with).

enano, na *adj* & *sm, f* dwarf; **disfrutar como un enano** *fam* to have a whale of a time.

enarbolar *vt* [bandera] to raise, to hoist; [pancarta] to hold up; [arma] to brandish.

enardecer *vt* [gen] to inflame; [persona, multitud] to fill with enthusiasm.

encabezamiento *sm* [de carta, escrito] heading; [de artículo periodístico] headline; [preámbulo] foreword.

encabezar *vt* - **1.** [artículo de periódico] to headline; [libro] to write the foreword for - **2.** [lista, carta] to head - **3.** [marcha, expedición] to lead.

encabritarse *vprnl* - **1.** [caballo, moto] to rear up - **2.** *fam* [persona] to get shirty.

encadenar *vt* - **1.** [atar] to chain (up) - **2.** [enlazar] to link (together).

encajar ◇ *vt* - **1.** [meter ajustando]: **encajar (en)** to fit (into) - **2.** [meter con fuerza]: **encajar (en)** to push (into) - **3.** [hueso dislocado] to set - **4.** [recibir - golpe, noticia, críticas] to take. ◇ *vi* - **1.** [piezas, objetos] to fit - **2.** [hechos, declaraciones, datos]: **encajar (con)** to square (with), to match.

encaje *sm* [tejido] lace.

encalar *vt* to whitewash.

encallar *vi* [barco] to run aground.

encaminar *vt* - **1.** [persona, pasos] to direct - **2.** [medidas, leyes, actividades] to aim; **encaminado a** aimed at. ◆ **encaminarse** *vprnl*: **encaminarse a/hacia** to set off for/towards.

encamotarse *vprnl Andes & Amér C fam* to fall in love.

encandilar *vt* to dazzle.

encantado, da *adj* - **1.** [contento] delighted; **estar encantado con algo/alguien** to be delighted with sthg/sb; **encantado de conocerle** pleased to meet you - **2.** [hechizado - casa, lugar] haunted; [- persona] bewitched.

encantador, ra *adj* delightful, charming.

encantar *vt* - **1.** [gustar]: **encantarle a alguien algo/hacer algo** to love sthg/doing sthg; **me encanta el chocolate** I love chocolate; **le encanta bailar** she loves dancing - **2.** [embrujar] to cast a spell on.

encanto *sm* - **1.** [atractivo] charm; **ser un encanto** to be a treasure *O* a delight - **2.** [hechizo] spell.

encapotado, da *adj* overcast.

encapotarse *vprnl* to cloud over.

encapricharse *vprnl* [obstinarse]: **encapricharse con algo/hacer algo** to set one's mind on sthg/doing sthg.

encapuchado, da *adj* hooded.

encaramar *vt* to lift up. ◆ **encaramarse** *vprnl*: **encaramarse (a** *O* **en)** to climb up (onto).

encarar *vt* [hacer frente a] to confront, to face up to. ◆ **encararse** *vprnl* [enfrentarse]: **encararse a** *O* **con** to stand up to.

encarcelar *vt* to imprison.

encarecer *vt* [productos, precios] to make more expensive. ◆ **encarecerse** *vprnl* to become more expensive.

encarecidamente *adv* earnestly.

encarecimiento *sm* [de producto, coste] increase in price.

encargado, da ◇ *adj*: **encargado (de)** responsible (for), in charge (of). ◇ *sm, f* [gen] person in charge; COM manager (*f* manageress); **encargado de negocios** POLÍT chargé d'affaires.

encargar *vt* - **1.** [poner al cargo]: **encargar a alguien de algo** to put sb in charge of sthg; **encargar a alguien que haga algo** to tell sb to do sthg - **2.** [pedir] to order. ◆ **encargarse** *vprnl* [ocuparse]: **encargarse de** to be in charge of; **yo me encargaré de eso** I'll take care of *O* see to that.

encargo *sm* - **1.** [pedido] order; **por encargo** to order - **2.** [recado] errand - **3.** [tarea] task, assignment.

encariñarse *vprnl*: **encariñarse con** to become fond of.

encarnación *sf* [personificación - cosa] embodiment; [- persona] personification.

encarnado, da *adj* - **1.** [personificado] incarnate - **2.** [color] red.

encarnizado, da *adj* bloody, bitter.

encarnizarse *vprnl*: **encarnizarse con** [presa] to fall upon; [prisionero, enemigo] to treat savagely.

encarrilar *vt fig* [negocio, situación] to put on the right track.

encasillar *vt* [clasificar] to pigeonhole; TEATRO to typecast.

encasquetar *vt* - **1.** [imponer]: **encasquetar algo a alguien** [idea, teoría] to drum sthg into sb; [discurso, lección] to force sb to sit through sthg - **2.** [sombrero] to pull on.

encasquillarse *vprnl* to get jammed.

encauzar *vt* - **1.** [corriente] to channel - **2.** [orientar] to direct.

encendedor *sm* lighter.

encender *vt* - **1.** [vela, cigarro, chimenea] to light - **2.** [aparato] to switch on - **3.** *fig* [avivar - entusiasmo, ira] to arouse; [- pasión, discusión] to inflame. ◆ **encenderse** *vprnl* - **1.** [fuego, gas] to ignite; [luz, estufa] to come on - **2.** *fig* [ojos] to light up; [persona, rostro] to go red, to blush; [de ira] to flare up.

encendido, da *adj* [luz, colilla] burning; **la luz está encendida** the light is on. ◆ **encendido** *sm* AUTO ignition; **encendido electrónico** electronic ignition.

encerado, da *adj* waxed, polished. ◆ **encerado** *sm* [pizarra] blackboard.

encerar *vt* to wax, to polish.

encerrar *vt* - **1.** [recluir - gen] to shut (up *O* in); [- con llave] to lock (up *O* in); [- en la cárcel] to lock away *O* up - **2.** [contener] to contain. ◆ **encerrarse** *vprnl* [gen] to shut o.s. away; [con llave] to lock o.s. away.

encestar *vt & vi* to score *(in basketball)*.

enceste *sm* basket.

encharcar *vt* to waterlog. ◆ **encharcarse** *vprnl* - **1.** [terreno] to become waterlogged - **2.** [pulmones] to become flooded.

enchilada *sf Méx* filled tortilla.

enchilarse *vprnl Méx fam* [enfadarse] to get angry.

enchufado, da *adj fam*: **estar enchufado** to get where one is through connections.

enchufar *vt* - **1.** [aparato] to plug in - **2.** *fam* [a una persona] to pull strings for.

enchufe *sm* - **1.** [ELECTR - macho] plug; [- hembra] socket; **enchufe múltiple** adapter - **2.** *fam* [recomendación] connections *pl*; **obtener algo por enchufe** to get sthg by pulling strings *O* through one's connections.

encía *sf* gum.

encíclica *sf* encyclical.

enciclopedia *sf* encyclopedia.

encierro *sm* [protesta] sit-in.

encima *adv* - 1. [arriba] on top; **yo vivo encima** I live upstairs; **por encima** [superficialmente] superficially - 2. [además] on top of that - 3. [sobre sí]: **lleva un abrigo encima** she has a coat on; **¿llevas dinero encima?** have you got any money on you? ➡ **encima de** *loc prep* - 1. [en lugar superior que] above; **vivo encima de tu casa** I live upstairs from you - 2. [sobre, en] on (top of); **el pan está encima de la mesa** the bread is on (top of) the table - 3. [además] on top of. ➡ **por encima de** *loc prep* - 1. [gen] over; **vive por encima de sus posibilidades** he lives beyond his means - 2. *fig* [más que] more than; **por encima de todo** more than anything else.

encina *sf* holm oak.

encinta *adj f* pregnant.

enclave *sm* enclave.

enclenque *adj* sickly, frail.

encoger ◇ *vt* - 1. [ropa] to shrink - 2. [miembro, músculo] to contract. ◇ *vi* to shrink. ➡ **encogerse** *vprnl* - 1. [ropa] to shrink; [músculos etc] to contract; **encogerse de hombros** to shrug one's shoulders - 2. *fig* [apocarse] to cringe.

encolar *vt* [silla etc] to glue; [pared] to size, to paste.

encolerizar *vt* to infuriate, to enrage. ➡ **encolerizarse** *vprnl* to get angry.

encomendar *vt* to entrust. ➡ **encomendarse** *vprnl*: **encomendarse a** [persona] to entrust o.s. to; [Dios, santos] to put one's trust in.

encomienda *sf* - 1. [encargo] assignment, mission - 2. *Amér* [paquete] parcel.

encontrado, da *adj* conflicting.

encontrar *vt* - 1. [gen] to find - 2. [dificultades] to encounter - 3. [persona] to meet, to come across. ➡ **encontrarse** *vprnl* - 1. [hallarse] to be; **se encuentra en París** she's in Paris - 2. [coincidir]: **encontrarse (con alguien)** to meet (sb); **me encontré con Juan** I ran into O met Juan - 3. [de ánimo] to feel; **¿cómo te encuentras?** how do you feel?, how are you feeling?; **encontrarse bien/mal** to feel fine/ill - 4. [chocar] to collide.

encorvar *vt* to bend. ➡ **encorvarse** *vprnl* to bend down O over.

encrespar *vt* - 1. [pelo] to curl; [mar] to make choppy O rough - 2. [irritar] to irritate. ➡ **encresparse** *vprnl* - 1. [mar] to get rough - 2. [persona] to get irritated.

encrucijada *sf lit & fig* crossroads *sing*.

encuadernación *sf* binding; **encuadernación en cuero** leather binding; **encuadernación en tela** cloth binding.

encuadernador, ra *sm, f* bookbinder.

encuadernar *vt* to bind.

encuadrar *vt* - 1. [enmarcar - cuadro, tema] to frame - 2. [encerrar] to contain - 3. [encajar] to fit.

encubierto, ta ◇ *pp* ➡ **encubrir**. ◇ *adj* [intento] covert; [insulto, significado] hidden.

encubridor, ra *sm, f*: **encubridor (de)** accessory (to).

encubrir *vt* [delito] to conceal; [persona] to harbour.

encuentro *sm* - 1. [acción] meeting, encounter; **salir al encuentro de alguien** [para recibir] to go to meet sb; [para atacar] to confront sb - 2. DEP game, match - 3. [hallazgo] find.

encuesta *sf* - 1. [de opinión] survey, opinion poll - 2. [investigación] investigation, inquiry.

encuestador, ra *sm, f* pollster.

encuestar *vt* to poll.

endeble *adj* [persona, argumento] weak, feeble; [objeto] fragile.

endémico, ca *adj* MED endemic.

endemoniado, da *adj* - 1. *fam* [molesto - niño] wicked; [- trabajo] very tricky - 2. [desagradable] terrible, foul - 3. [poseído] possessed (of the devil).

endenantes *adv Amér* before.

enderezar *vt* - 1. [poner derecho] to straighten - 2. [poner vertical] to put upright - 3. *fig* [corregir] to set right. ➡ **enderezarse** *vprnl* [sentado] to sit up straight; [de pie] to stand up straight.

endeudamiento *sm* debt.

endeudarse *vprnl* to get into debt.

endiablado, da *adj* [persona] wicked; [tiempo, genio] foul; [problema, crucigrama] fiendishly difficult.

endibia, endivia *sf* endive.

endiñar *vt fam*: **endiñar algo a alguien** [golpe] to land O deal sb sthg; [trabajo, tarea] to lumber sb with sthg.

endivia = endibia.

endomingado, da *adj fam* dolled-up.

endorfina *sf* MED endorphin.

endosar *vt* - 1. [tarea, trabajo]: **endosar algo a alguien** to lumber sb with sthg - 2. COM to endorse.

endulzar *vt* [con azúcar] to sweeten; *fig* [hacer agradable] to ease.

endurecer *vt* - 1. [gen] to harden - 2. [fortalecer] to strengthen.

enemigo, ga ◇ *adj* enemy *(antes de s)*; **ser enemigo de algo** to hate sthg. ◇ *sm, f* enemy; **pasarse al enemigo** to go over to the enemy.

enemistad *sf* enmity.

enemistar vt to make enemies of. ◆ **enemistarse** vprnl: **enemistarse (con)** to fall out (with).

energético, ca adj energy (antes de s).

energía sf - 1. [gen] energy; **energía atómica** O **nuclear** nuclear power; **energía eléctrica/eólica/hidráulica** electric/wind/water power; **energía solar** solar energy O power - 2. [fuerza] strength; **hay que empujar con energía** you have to push hard.

enérgico, ca adj - 1. [gen] energetic; [carácter] forceful; [gesto, medida] vigorous; [decisión, postura] emphatic.

energúmeno, na sm, f madman (f madwoman); **gritaba como un energúmeno** he was screaming like one possessed.

enero sm January; ver también **septiembre**.

enervar vt - 1. [debilitar] to sap, to weaken - 2. [poner nervioso] to exasperate.

enésimo, ma adj - 1. MAT nth - 2. fig umpteenth; **por enésima vez** for the umpteenth time.

enfadado, da adj angry.

enfadar vt to anger. ◆ **enfadarse** vprnl: **enfadarse (con)** to get angry (with).

enfado sm anger.

énfasis sm inv emphasis; **poner énfasis en algo** to emphasize sthg.

enfático, ca adj emphatic.

enfatizar vt to emphasize, to stress.

enfermar ◇ vt [causar enfermedad a] to make ill. ◇ vi to fall ill; **enfermar del pecho** to develop a chest complaint.

enfermedad sf illness; **contraer una enfermedad** to catch an illness; **enfermedad contagiosa** contagious disease; **enfermedad de Creutzfeldt-Jakob** Creutzfeldt-Jakob disease, CJD; **enfermedad infecciosa/venérea** infectious/venereal disease; **enfermedad mental** mental illness; **enfermedad profesional** occupational disease; **enfermedad terminal** terminal illness.

enfermera ▷ **enfermero**.

enfermería sf sick bay.

enfermero, ra sm, f nurse.

enfermizo, za adj lit & fig unhealthy.

enfermo, ma ◇ adj ill, sick; **caer enfermo** to fall ill. ◇ sm, f [gen] invalid, sick person; [en el hospital] patient; **enfermo terminal** terminally ill patient.

enfilar vt - 1. [ir por - camino] to go O head straight along - 2. [apuntar - arma] to aim.

enflaquecer vi to grow thin.

enfocar vt - 1. [imagen, objetivo] to focus - 2. [suj: luz, foco] to shine on - 3. [tema, asunto] to approach, to look at.

enfoque sm - 1. [de imagen] focus - 2. [de asunto] approach, angle; **dar un enfoque nuevo a algo** to adopt a new approach to sthg.

enfrascar vt to bottle. ◆ **enfrascarse en** vprnl [riña] to get embroiled in; [lectura, conversación] to become engrossed in.

enfrentar vt - 1. [hacer frente a] to confront, to face - 2. [poner frente a frente] to bring face to face. ◆ **enfrentarse** vprnl - 1. [luchar, encontrarse] to meet, to clash - 2. [oponerse]: **enfrentarse con alguien** to confront sb.

enfrente adv - 1. [delante] opposite; **la tienda de enfrente** the shop across the road; **enfrente de** opposite - 2. [en contra]: **tiene a todos enfrente** everyone's against her.

enfriamiento sm - 1. [catarro] cold - 2. [acción] cooling.

enfriar vt lit & fig to cool. ◆ **enfriarse** vprnl - 1. [líquido, pasión, amistad] to cool down - 2. [quedarse demasiado frío] to go cold - 3. MED to catch a cold.

enfundar vt [espada] to sheathe; [pistola] to put away.

enfurecer vt to infuriate, to madden. ◆ **enfurecerse** vprnl [gen] to get furious.

enfurruñarse vprnl fam to sulk.

engalanar vt to decorate. ◆ **engalanarse** vprnl to dress up.

enganchar vt - 1. [agarrar - vagones] to couple; [- remolque, caballos] to hitch up; [- pez] to hook - 2. [colgar de un gancho] to hang up. ◆ **engancharse** vprnl - 1. [prenderse]: **engancharse algo con algo** to catch sthg on sthg - 2. [alistarse] to enlist, to join up - 3. [hacerse adicto]: **engancharse (a)** to get hooked (on).

enganche sm - 1. [de trenes] coupling - 2. [gancho] hook - 3. [reclutamiento] enlistment - 4. Méx [depósito] deposit.

engañar vt - 1. [gen] to deceive; **engaña a su marido** she cheats on her husband - 2. [estafar] to cheat, to swindle. ◆ **engañarse** vprnl - 1. [hacerse ilusiones] to delude o.s. - 2. [equivocarse] to be wrong.

engaño sm [gen] deceit; [estafa] swindle.

engañoso, sa adj [persona, palabras] deceitful; [aspecto, apariencia] deceptive; [consejo] misleading.

engarzar vt - 1. [encadenar - abalorios] to thread; [- perlas] to string - 2. [enlazar - palabras] to string together.

engatusar vt fam to get round; **engatusar a alguien para que haga algo** to coax O cajole sb into doing sthg.

engendrar vt - 1. [procrear] to give birth to - 2. [originar] to give rise to.

engendro *sm* - **1.** [obra de mala calidad] monstrosity - **2.** [ser deforme] freak; [niño] malformed child.

englobar *vt* to bring together.

engomar *vt* to stick, to glue.

engordar ◇ *vt* - **1.** [cebar] to fatten up - **2.** *fig* [aumentar] to swell. ◇ *vi* to put on weight.

engorroso, sa *adj* bothersome.

engranaje *sm* - **1.** [piezas - de reloj, piñón] cogs *pl*; AUTO gears *pl* - **2.** [aparato - político, burocrático] machinery.

engrandecer *vt* - **1.** *fig* [enaltecer] to exalt - **2.** [aumentar] to increase, to enlarge.

engrasar *vt* [gen] to lubricate; [bisagra, mecanismo] to oil; [eje, bandeja] to grease.

engreído, da *adj* conceited, full of one's own importance.

engrosar *vt fig* [aumentar] to swell.

engullir *vt* to gobble up.

enhebrar *vt* [gen] to thread; [perlas] to string.

enhorabuena ◇ *sf* congratulations *pl*; **dar la enhorabuena a alguien** to congratulate sb. ◇ *interj*: **¡enhorabuena (por...)!** congratulations (on...)!

enigma *sm* enigma.

enigmático, ca *adj* enigmatic.

enjabonar *vt* [con jabón] to soap.

enjambre *sm lit & fig* swarm.

enjaular *vt* [en jaula] to cage; *fam* [en prisión] to jail, to lock up.

enjuagar *vt* to rinse.

enjuague *sm* rinse.

enjugar *vt* - **1.** [secar] to dry, to wipe away - **2.** [pagar - deuda] to pay off; [- déficit] to cancel out.

enjuiciar *vt* - **1.** DER to try - **2.** [opinar] to judge.

enjuto, ta *adj* [delgado] lean.

enlace *sm* - **1.** [acción] link - **2.** [persona] go-between; **enlace sindical** shop steward - **3.** [casamiento]: **enlace (matrimonial)** marriage - **4.** [de trenes] connection; **estación de enlace** junction; **vía de enlace** crossover - **5.** INFORM: **enlace de datos** data link; **enlace hipertextual** *O* **de hipertexto** hypertext link.

enlatar *vt* to can, to tin.

enlazar ◇ *vt*: **enlazar algo a** [atar] to tie sthg up to; [trabar, relacionar] to link *O* connect sthg with. ◇ *vi*: **enlazar en** [trenes] to connect at.

enloquecer ◇ *vt* - **1.** [volver loco] to drive mad - **2.** *fig* [gustar mucho] to drive wild *O* crazy. ◇ *vi* to go mad.

enlutado, da *adj* in mourning.

enmarañar *vt* - **1.** [enredar] to tangle (up) - **2.** [complicar] to complicate. ◆ **enmara-**

ñarse *vprnl* - **1.** [enredarse] to become tangled - **2.** [complicarse] to become confused *O* complicated.

enmarcar *vt* to frame.

enmascarado, da *adj* masked.

enmascarar *vt* [rostro] to mask; *fig* [encubrir] to disguise.

enmendar *vt* [error] to correct; [ley, dictamen] to amend; [comportamiento] to mend; [daño, perjuicio] to redress. ◆ **enmendarse** *vprnl* to mend one's ways.

enmienda *sf* - **1.** [en un texto] corrections *pl* - **2.** POLIT amendment.

enmohecer *vt* [gen] to turn mouldy; [metal] to rust. ◆ **enmohecerse** *vprnl* [gen] to grow mouldy; [metal, conocimientos] to go rusty.

enmoquetar *vt* to carpet.

enmudecer ◇ *vt* to silence. ◇ *vi* [callarse] to fall silent, to go quiet; [perder el habla] to be struck dumb.

ennegrecer *vt* [gen] to blacken; [suj: nubes] to darken. ◆ **ennegrecerse** *vprnl* [gen] to become blackened; [nublarse] to darken, to grow dark.

ennoblecer *vt* - **1.** *fig* [dignificar] to lend distinction to - **2.** [dar un título a] to ennoble.

enojar *vt* [enfadar] to anger; [molestar] to annoy. ◆ **enojarse** *vprnl*: **enojarse (con)** [enfadarse] to get angry (with); [molestarse] to get annoyed (with).

enojo *sm* [enfado] anger; [molestia] annoyance.

enojoso, sa *adj* [molesto] annoying; [delicado, espinoso] awkward.

enorgullecer *vt* to fill with pride. ◆ **enorgullecerse de** *vprnl* to be proud of.

enorme *adj* [en tamaño] enormous, huge; [en gravedad] monstrous.

enormidad *sf* [de tamaño] enormity, hugeness.

enrarecer *vt* - **1.** [contaminar] to pollute - **2.** [rarificar] to rarefy. ◆ **enrarecerse** *vprnl* - **1.** [contaminarse] to become polluted - **2.** [rarificarse] to become rarefied - **3.** *fig* [situación, ambiente] to become tense.

enredadera *sf* creeper.

enredar *vt* - **1.** [madeja, pelo] to tangle up; [situación, asunto] to complicate, to confuse - **2.** [implicar]: **enredar a alguien (en)** to embroil sb (in), to involve sb (in). ◆ **enredarse** *vprnl* [plantas] to climb; [madeja, pelo] to get tangled up; [situación, asunto] to become confused.

enredo *sm* - **1.** [maraña] tangle, knot - **2.** [lío] mess, complicated affair; [asunto ilícito] shady affair - **3.** [amoroso] (love) affair.

enrejado *sm* - 1. [barrotes - de balcón, verja] railings *pl*; [- de jaula, celda, ventana] bars *pl* - 2. [de cañas] trellis.

enrevesado, da *adj* complex, complicated.

enriquecer *vt* - 1. [hacer rico] to make rich - 2. *fig* [engrandecer] to enrich. ➡ **enriquecerse** *vprnl* to get rich.

enrojecer ◇ *vt* [gen] to redden; [rostro, mejillas] to cause to blush. ◇ *vi* [por calor] to flush; [por turbación] to blush. ➡ **enrojecerse** *vprnl* [por calor] to flush; [por turbación] to blush.

enrolar *vt* to enlist. ➡ **enrolarse en** *vprnl* [la marina] to enlist in; [un buque] to sign up for.

enrollar *vt* - 1. [arrollar] to roll up - 2. *fam* [gustar]: **me enrolla mucho** I love it, I think it's great.

enroscar *vt* - 1. [atornillar] to screw in - 2. [enrollar] to roll up; [cuerpo, cola] to curl up.

ensaimada *sf* *cake made of sweet coiled pastry*.

ensalada *sf* [de lechuga etc] salad; **ensalada de frutas** fruit salad; **ensalada mixta** mixed salad; **ensalada rusa** Russian salad.

ensaladilla *sf*: **ensaladilla (rusa)** Russian salad.

ensalzar *vt* to praise.

ensambladura *sf* = **ensamblaje**.

ensamblaje *sm* [acción] assembly; [pieza] joint.

ensanchar *vt* [orificio, calle] to widen; [ropa] to let out; [ciudad] to expand.

ensanche *sm* - 1. [de calle etc] widening - 2. [en la ciudad] new suburb.

ensangrentar *vt* to cover with blood.

ensañarse *vprnl*: **ensañarse con** to torment, to treat cruelly.

ensartar *vt* - 1. [perlas] to string; [aguja] to thread - 2. [atravesar - torero] to gore; [puñal] to plunge, to bury.

ensayar *vt* - 1. [gen] to test - 2. TEATRO to rehearse.

ensayista *smf* essayist.

ensayo *sm* - 1. TEATRO rehearsal; **ensayo general** dress rehearsal - 2. [prueba] test; **ensayo nuclear** nuclear test - 3. LITER essay - 4. [en rugby] try.

enseguida *adv* [inmediatamente] immediately, at once; [pronto] very soon; **llegará enseguida** he'll be here any minute now.

ensenada *sf* cove, inlet.

enseñanza *sf* [gen] education; [instrucción] teaching; **enseñanza superior/universitaria** higher/university education.

enseñar *vt* - 1. [instruir, aleccionar] to teach; **enseñar a alguien a hacer algo** to teach sb (how) to do sthg - 2. [mostrar] to show.

enseres *smpl* - 1. [efectos personales] belongings - 2. [utensilios] equipment (U); **enseres domésticos** household goods.

ensillar *vt* to saddle up.

ensimismarse *vprnl* [enfrascarse] to become absorbed; [abstraerse] to be lost in thought.

ensombrecer *vt lit & fig* to cast a shadow over. ➡ **ensombrecerse** *vprnl* to darken.

ensoñación *sf* daydream.

ensopar *vt* Andes, R Plata & Ven to soak.

ensordecer ◇ *vt* [suj: sonido] to deafen. ◇ *vi* to go deaf.

ensuciar *vt* to (make) dirty; *fig* [desprestigiar] to sully, to tarnish. ➡ **ensuciarse** *vprnl* to get dirty.

ensueño *sm lit & fig* dream; **de ensueño** dream (antes de s), ideal.

entablado *sm* [armazón] wooden platform; [suelo] floorboards *pl*.

entablar *vt* - 1. [iniciar - conversación, amistad] to strike up - 2. [entablillar] to put in a splint.

entallar *vt* - 1. [prenda] to cut, to tailor - 2. [madera] to carve, to sculpt.

entarimado *sm* [plataforma] wooden platform; [suelo] floorboards *pl*.

ente *sm* - 1. [ser] being - 2. [corporación] body, organization; **ente público** [gen] state-owned body O institution; [televisión] Spanish state broadcasting company.

entender ◇ *vt* - 1. [gen] to understand; **¿tú qué entiendes por 'amistad'?** what do you understand by 'friendship'?; **dar algo a entender** to imply sthg - 2. [darse cuenta] to realize - 3. [oír] to hear - 4. [juzgar] to think; **yo no lo entiendo así** I don't see it that way. ◇ *vi* - 1. [comprender] to understand - 2. [saber]: **entender de** O **en algo** to be an expert on sthg; **entender poco/algo de** to know very little/a little about. ◇ *sm*: **a mi entender...** the way I see it... ➡ **entenderse** *vprnl* - 1. [comprenderse - uno mismo] to know what one means; [- dos personas] to understand each other - 2. [llevarse bien] to get on - 3. [ponerse de acuerdo] to reach an agreement - 4. [comunicarse] to communicate (with each other).

entendido, da *sm, f*: **entendido (en)** expert (on). ➡ **entendido** *interj*: **¡entendido!** all right!, okay!

entendimiento *sm* - 1. [comprensión] understanding; [juicio] judgment; [inteligencia] mind, intellect - 2. [acuerdo] understanding; **llegar a un entendimiento** to come to O reach an understanding.

enterado, da *adj*: **enterado (en)** well-informed (about); **estar enterado de algo** to be aware of sthg; **darse por enterado** to get the message; **no darse por enterado** to turn a deaf ear.

enterarse *vprnl* - **1.** [descubrir]: **enterarse (de)** to find out (about) - **2.** *fam* [comprender] to get it, to understand - **3.** [darse cuenta]: **enterarse (de algo)** to realize (sthg).

entereza *sf* [serenidad] composure; [honradez] integrity; [firmeza] firmness.

enternecer *vt* to move, to touch. **enternecerse** *vprnl* to be moved.

entero, ra *adj* - **1.** [completo] whole - **2.** [sereno] composed - **3.** [honrado] upright, honest.

enterrador, ra *sm, f* gravedigger.

enterrar *vt* [gen] to bury.

entibiar *vt* - **1.** [enfriar] to cool - **2.** [templar] to warm. **entibiarse** *vprnl* [sentimiento] to cool.

entidad *sf* - **1.** [corporación] body; [empresa] firm, company - **2.** FILOS entity - **3.** [importancia] importance.

entierro *sm* [acción] burial; [ceremonia] funeral.

entlo. *abrev de* **entresuelo.**

entoldado *sm* [toldo] awning; [para fiestas, bailes] marquee.

entonación *sf* intonation.

entonar *vt* - **1.** [cantar] to sing - **2.** [tonificar] to pick up. *vi* - **1.** [al cantar] to sing in tune - **2.** [armonizar]: **entonar (con algo)** to match (sthg).

entonces *adv* then; desde entonces since then; en O por aquel entonces at that time. *interj*: ¡entonces! well, then!

entornar *vt* to half-close.

entorno *sm* - **1.** [ambiente] environment, surroundings *pl* - **2.** INFORM environment; entorno gráfico graphic environment; entorno de programación programming environment.

entorpecer *vt* - **1.** [debilitar - movimientos] to hinder; [- mente] to cloud - **2.** [dificultar] to obstruct, to hinder.

entrada *sf* - **1.** [acción] entry; [llegada] arrival; 'prohibida la entrada' 'no entry' - **2.** [lugar] entrance; [puerta] doorway; 'entrada' 'way in', 'entrance'; **entrada principal** main entrance; **entrada de servicio** tradesman's entrance - **3.** TECNOL inlet, intake; **entrada de aire** air intake - **4.** [en espectáculos - billete] ticket; [- recaudación] receipts *pl*, takings *pl*; **entrada gratuita** admission free; **entrada libre** admission free; **sacar una entrada** to buy a ticket - **5.** [público] audience; DEP attendance - **6.** [pago inicial] down payment - **7.** [en contabilidad] income - **8.** [plato] starter - **9.** [en la frente]: **tener entradas** to have a receding hairline - **10.** [en un diccionario] entry - **11.** [principio]: **de entrada** right from the beginning O the word go.

entrante *adj* [año, mes] coming; [presidente, gobierno] incoming. *sm* - **1.** [plato] starter - **2.** [hueco] recess.

entraña (*gen pl*) *sf* - **1.** [víscera] entrails *pl*, insides *pl* - **2.** *fig* [centro, esencia] heart.

entrañable *adj* intimate.

entrañar *vt* to involve.

entrar *vi* - **1.** [introducirse - viniendo] to enter, to come in; [- yendo] to enter, to go in; **entrar en algo** to enter sthg, to come/go into sthg; **entré por la ventana** I got in through the window - **2.** [penetrar - clavo etc] to go in; **entrar en algo** to go into sthg - **3.** [caber]: **entrar (en)** to fit (in); **este anillo no te entra** this ring won't fit you - **4.** [incorporarse]: **entrar (en algo)** [colegio, empresa] to start (at sthg); [club, partido político] to join (sthg); **entrar de** [botones etc] to start off as - **5.** [estado físico o de ánimo]: **le entraron ganas de hablar** he suddenly felt like talking; **me está entrando frío** I'm getting cold; **me entró mucha pena** I was filled with pity - **6.** [periodo de tiempo]: **entrar en** [edad, vejez] to reach; [año nuevo] to enter - **7.** [cantidad]: **¿cuántos entran en un kilo?** how many do you get to the kilo? - **8.** [concepto, asignatura etc]: **no le entra la geometría** he can't get the hang of geometry - **9.** AUTO to engage. *vt* [introducir] to bring in.

entre *prep* - **1.** [gen] between; **entre nosotros** [en confianza] between you and me, between ourselves; **entre una cosa y otra** what with one thing and another - **2.** [en medio de muchos] among, amongst; **estaba entre los asistentes** she was among those present; **entre sí** amongst themselves; **discutían entre sí** they were arguing with each other.

entreabierto, ta *pp* ▷ **entreabrir**.

entreabrir *vt* to half-open.

entreacto *sm* interval.

entrecejo *sm* space between the brows; **fruncir el entrecejo** to frown.

entrecortado, da *adj* [voz, habla] faltering; [respiración] laboured; [señal, sonido] intermittent.

entrecot, entrecote *sm* entrecôte.

entredicho *sm*: **estar en entredicho** to be in doubt; **poner en entredicho** to question, to call into question.

entrega *sf* - **1.** [gen] handing over; [de pedido, paquete] delivery; [de premios] presentation; **entrega a domicilio** home delivery - **2.** [dedicación]: **entrega (a)** devotion (to) - **3.** [fascículo] instalment; **publicar por entregas** to serialize.

entregar *vt* [gen] to hand over; [pedido, paquete] to deliver; [examen, informe] to hand in; [persona] to turn over. **entregarse** *vprnl* [rendirse - soldado, ejército] to surrender; [- criminal] to turn o.s. in. **entregarse a** *vprnl* - **1.** [persona, trabajo] to devote o.s. to - **2.** [vicio, pasión] to give o.s. over to.

entreguerras **de entreguerras** *loc adj* between the wars.

entrelazar *vt* to interlace, to interlink.

entremés *sm (gen pl)* CULIN hors d'œuvres.

entremeter *vt* to insert, to put in. **entremeterse** *vprnl* [inmiscuirse]: **entremeterse (en)** to meddle (in).

entremezclar *vt* to mix up. **entremezclarse** *vprnl* to mix.

entrenador, ra *sm, f* coach; [seleccionador] manager.

entrenamiento *sm* training.

entrenar *vt & vi* to train. **entrenarse** *vprnl* to train.

entrepierna *sf* crotch.

entresacar *vt* to pick out.

entresijos *smpl* ins and outs.

entresuelo *sm* mezzanine.

entretanto *adv* meanwhile.

entretención *sf Chile* entertainment.

entretener *vt* - **1.** [despistar] to distract - **2.** [retrasar] to hold up, to keep - **3.** [divertir] to entertain. **entretenerse** *vprnl* - **1.** [despistarse] to get distracted - **2.** [divertirse] to amuse o.s. - **3.** [retrasarse] to be held up.

entretenido, da *adj* entertaining, enjoyable.

entretenimiento *sm* - **1.** [acción] entertainment - **2.** [pasatiempo] pastime.

entrever *vt* [vislumbrar] to barely make out; [por un instante] to glimpse.

entreverar *C Sur vt* to mix. **entreverarse** *vprnl* to get tangled.

entrevero *sm C Sur* [lío] tangle, mess; [pelea] brawl.

entrevista *sf* - **1.** [periodística, de trabajo] interview; **hacer una entrevista a alguien** to interview sb - **2.** [reunión] meeting.

entrevistar *vt* to interview. **entrevistarse** *vprnl*: **entrevistarse (con)** to have a meeting (with).

entrevisto, ta *pp* ⊳ **entrever**.

entristecer *vt* to make sad. **entristecerse** *vprnl* to become sad.

entrometerse *vprnl*: **entrometerse (en)** to interfere (in).

entrometido, da *sm, f* meddler.

entroncar *vi* - **1.** [trenes etc] to connect - **2.** *fig* [relacionarse]: **entroncar (con)** to be related (to).

entuerto *sm* wrong, injustice.

entumecer *vt* to numb. **entumecerse** *vprnl* to become numb.

entumecido, da *adj* numb.

enturbiar *vt lit & fig* to cloud. **enturbiarse** *vprnl lit & fig* to become cloudy.

entusiasmar *vt* - **1.** [animar] to fill with enthusiasm - **2.** [gustar]: **le entusiasma la música** he loves music. **entusiasmarse** *vprnl*: **entusiasmarse (con)** to get excited (about).

entusiasmo *sm* enthusiasm; **con entusiasmo** enthusiastically.

entusiasta ⟨⟩ *adj* enthusiastic. ⟨⟩ *smf* enthusiast.

enumeración *sf* enumeration, listing.

enumerar *vt* to enumerate, to list.

enunciar *vt* to formulate, to enunciate.

envainar *vt* to sheathe.

envalentonar *vt* to urge on, to fill with courage. **envalentonarse** *vprnl* to become daring.

envanecer *vt* to make vain. **envanecerse** *vprnl* to become vain.

envasado *sm* [en botellas] bottling; [en latas] canning; [en paquetes] packing.

envasar *vt* [en botellas] to bottle; [en latas] to can; [en paquetes] to pack.

envase *sm* - **1.** [envasado - en botellas] bottling; [- en latas] canning; [- en paquetes] packing - **2.** [recipiente] container; [botella] bottle; **envase desechable** disposable container; **envase retornable** returnable bottle; **envase sin retorno** non-returnable bottle.

envejecer ⟨⟩ *vi* [hacerse viejo] to grow old; [parecer viejo] to age. ⟨⟩ *vt* to age.

envejecimiento *sm* ageing.

envenenamiento *sm* poisoning.

envenenar *vt* to poison.

envergadura *sf* - **1.** [importancia] size, extent; [complejidad] complexity; **una reforma de gran envergadura** a wide-ranging reform - **2.** [anchura] span.

envés *sm* reverse (side), back; [de tela] wrong side.

enviado, da *sm, f* POLÍT envoy; PRENSA corresponpondent.

enviar *vt* to send; **enviar a alguien a hacer algo** to send sb to do sthg.

enviciar *vt* to addict, to get hooked. **enviciarse** *vprnl* to become addicted.

envidia *sf* envy; **era la envidia de todos** it was the envy of everyone; **dar envidia a alguien** to make sb jealous O envious; **tener envidia de alguien/algo** to envy sb/sthg, to be jealous O envious of sb/sthg; **morirse de envidia** to be green with envy.

envidiar *vt* to envy.

envidioso, sa *adj* envious.

envilecer *vt* to debase.

envío *sm* - **1.** COM dispatch; [de correo] delivery; [de víveres, mercancías] consignment; **gastos de envío** postage and packing *UK*, postage

and handling US; **envío a domicilio** home delivery; **envío contra reembolso** cash on delivery - **2.** [paquete] package.

enviudar vi to be widowed.

envoltorio sm wrapper, wrapping.

envoltura sf = envoltorio.

envolver vt - **1.** [embalar] to wrap (up) - **2.** [enrollar] to wind - **3.** [implicar]: **envolver a alguien en** to involve sb in.

envuelto, ta pp ⊳ envolver.

enyesar vt - **1.** MED to put in plaster - **2.** CONSTR to plaster.

enzarzar vt to entangle, to embroil. ◆ **enzarzarse** vprnl: **enzarzarse en** to get entangled O embroiled in.

enzima sf enzyme.

e.p.d. (abrev de en paz descanse) RIP.

épica ⊳ épico.

épico, ca adj epic. ◆ **épica** sf epic.

epidemia sf epidemic.

epígrafe sm heading.

epilepsia sf epilepsy.

epílogo sm epilogue.

episodio sm [gen] episode.

epístola sf culto [carta] epistle; RELIG Epistle.

epitafio sm epitaph.

epíteto sm epithet.

época sf period; [estación] season; **de época** period (antes de s); **en aquella época** at that time; **época dorada** golden age.

epopeya sf - **1.** [gen] epic - **2.** fig [hazaña] feat.

equidad sf fairness.

equidistante adj equidistant.

equilibrado, da adj - **1.** [gen] balanced - **2.** [sensato] sensible.

equilibrar vt to balance.

equilibrio sm balance; **hacer equilibrios** fig to perform a balancing act.

equilibrista smf [trapecista] trapeze artist; [funambulista] tightrope walker.

equino, na adj equine.

equinoccio sm equinox.

equipaje sm luggage UK, baggage US; **hacer el equipaje** to pack; **equipaje de mano** hand luggage.

equipar vt: **equipar (de)** [gen] to equip (with); [ropa] to fit out (with).

equiparar vt to compare. ◆ **equipararse** vprnl to be compared.

equipo sm - **1.** [equipamiento] equipment; **caerse con todo el equipo** fam to get it in the neck - **2.** [personas, jugadores] team; **equipo de rescate** rescue team - **3.** [de música] system.

equis adj X; **un número equis de personas** x number of people.

equitación sf [arte] equestrianism; [actividad] horse riding.

equitativo, va adj fair, even-handed.

equivalente adj & sm equivalent.

equivaler ◆ **equivaler a** vi to be equivalent to; fig [significar] to amount to.

equivocación sf mistake; **por equivocación** by mistake.

equivocado, da adj mistaken.

equivocar vt to choose wrongly; **equivocar algo con algo** to mistake sthg for sthg. ◆ **equivocarse** vprnl to be wrong; **equivocarse en** to make a mistake in; **se equivocó de nombre** he got the wrong name.

equívoco, ca adj - **1.** [ambiguo] ambiguous, equivocal - **2.** [sospechoso] suspicious. ◆ **equívoco** sm misunderstanding.

era sf [periodo] era; ⊳ ser.

erario sm funds pl.

erección sf erection.

erecto, ta adj erect.

eres ⊳ ser.

erguir vt to raise. ◆ **erguirse** vprnl to rise up.

erigir vt [construir] to erect, to build.

erizado, da adj [de punta] on end; [con púas o espinas] spiky.

erizar vt to cause to stand on end. ◆ **erizarse** vprnl [pelo] to stand on end; [persona] to stiffen.

erizo sm - **1.** [mamífero] hedgehog - **2.** [pez] globefish; **erizo de mar** sea urchin.

ermita sf hermitage.

erosionar vt to erode. ◆ **erosionarse** vprnl to erode.

erótico, ca adj erotic.

erotismo sm eroticism.

erradicación sf eradication.

erradicar vt to eradicate.

errante adj wandering.

errar ◇ vt [vocación, camino] to choose wrongly; [disparo, golpe] to miss. ◇ vi - **1.** [vagar] to wander - **2.** [equivocarse] to make a mistake - **3.** [al disparar] to miss.

errata sf misprint.

erróneo, a adj mistaken.

error sm mistake, error; **cometer un error** to make a mistake; **estar en un error** to be mistaken; **salvo error u omisión** errors and omissions excepted; **error de cálculo** miscalculation; **error humano** human error; **error de imprenta** misprint; **error judicial** miscarriage of justice; **error tipográfico** typo, typographical error.

ertzaintza [er'tʃaintʃa] sf Basque regional police force.

eructar vi to belch.

549 escaso

eructo sm belch.

erudito, ta adj erudite.

erupción sf - **1.** GEOL eruption; **en erupción** erupting; **entrar en erupción** to erupt - **2.** MED rash.

es ⊳ ser.

esa ⊳ ese.

ésa ⊳ ése.

esbelto, ta adj slender, slim.

esbozar vt to sketch, to outline; [sonrisa] to give a hint of.

esbozo sm sketch, outline.

escabechado, da adj CULIN marinated.

escabeche sm CULIN marinade.

escabroso, sa adj - **1.** [abrupto] rough - **2.** [obsceno] risqué - **3.** [espinoso] awkward, thorny.

escabullirse vprnl [desaparecer]: **escabullirse (de)** to slip away (from).

escacharrar vt fam to knacker.

escafandra sf diving suit.

escala sf - **1.** [gen] scale; [de colores] range; **a escala** [gráfica] to scale; **a escala mundial** fig on a worldwide scale; **a gran escala** on a large scale; **a pequeña escala** small-scale; **en pequeña escala** on a small scale; **escala salarial** salary scale - **2.** [en un viaje] stopover; **hacer escala** to stop over; **escala técnica** refuelling stop UK, refueling stop US.

escalada sf - **1.** [de montaña] climb; **escalada libre** free climbing - **2.** [de violencia, precios] escalation, rise.

escalador, ra sm, f [alpinista] climber.

escalafón sm scale, ladder.

escalar vt to climb.

escaldar vt to scald.

escalera sf - **1.** [gen] stairs pl, staircase; [escala] ladder; **escalera mecánica** O **automática** escalator; **escalera de caracol** spiral staircase - **2.** [en naipes] run.

escalfar vt to poach.

escalinata sf staircase.

escalofriante adj spine-chilling.

escalofrío (gen pl) sm shiver; **dar escalofríos a alguien** to give sb the shivers; **tener escalofríos** to have the shivers.

escalón sm step; fig grade.

escalonar vt - **1.** [gen] to spread out - **2.** [terreno] to terrace.

escalope sm escalope.

escama sf - **1.** [de peces, reptiles] scale - **2.** [de jabón, en la piel] flake.

escamar vt fam fig [mosquear] to make suspicious.

escamotear vt: **escamotear algo a alguien** [estafar] to do O swindle sb out of sthg; [hurtar] to rob sb of sthg.

escampar v impers to stop raining.

escandalizar vt to scandalize, to shock. ⇒ **escandalizarse** vprnl to be shocked.

escándalo sm - **1.** [inmoralidad] scandal; [indignación] outrage - **2.** [alboroto] uproar; **armar un escándalo** to kick up a fuss.

escandaloso, sa adj - **1.** [inmoral] outrageous - **2.** [ruidoso] very noisy.

Escandinavia n pr Scandinavia.

escandinavo, va adj & sm, f Scandinavian.

escanear vt to scan.

escáner (pl escaners) sm - **1.** [aparato] scanner - **2.** [exploración] scan; **hacerse un escáner** to have a scan.

escaño sm - **1.** [cargo] seat (in parliament) - **2.** [asiento] bench (in parliament).

escapada sf - **1.** [huida] escape, flight; DEP breakaway - **2.** [viaje] quick trip.

escapar vi [huir]: **escapar (de)** to get away O escape (from). ⇒ **escaparse** vprnl - **1.** [huir]: **escaparse (de)** to get away O escape (from); **escaparse de casa** to run away from home - **2.** [salir - gas, agua etc] to leak.

escaparate sm - **1.** [de tienda] (shop) window - **2.** Cuba & Ven [ropero] wardrobe.

escapatoria sf [fuga] escape; **no tener escapatoria** to have no way out.

escape sm [de gas etc] leak; [de coche] exhaust; **a escape** in a rush, at high speed.

escaquearse vprnl fam to duck out; **escaquearse de algo/de hacer algo** to worm one's way out of sthg/doing sthg.

escarabajo sm beetle.

escaramuza sf fig & MIL skirmish.

escarbar vt to scratch, to scrape.

escarcha sf frost.

escarlata adj & sm scarlet.

escarlatina sf scarlet fever.

escarmentar vi to learn (one's lesson); **¡no escarmienta!** he never learns!; **¡para que escarmientes!** that'll teach you!

escarmiento sm lesson; **servir de escarmiento** to serve as a lesson.

escarnio sm mockery, ridicule.

escarola sf endive.

escarpado, da adj [inclinado] steep; [abrupto] craggy.

escasear vi to be scarce.

escasez sf [insuficiencia] shortage; [pobreza] poverty.

escaso, sa adj - **1.** [insuficiente - conocimientos, recursos] limited, scant; [- tiempo] short; [- cantidad, número] low; [- víveres, trabajo]

scarce; [- visibilidad, luz] poor; **andar escaso de** to be short of - **2.** [casi completo]: **un metro escaso** barely a metre.

escatimar *vt* [gastos, comida] to be sparing with, to skimp on; [esfuerzo, energías] to use as little as possible; **no escatimar gastos** to spare no expense.

escay, skai *sm* Leatherette®.

escayola *sf* CONSTR plaster of Paris; MED plaster.

escena *sf* - **1.** [gen] scene; **hacer una escena** to make a scene - **2.** [escenario] stage; **llevar a la escena** to dramatize; **poner en escena** to stage; **salir a escena** to go on stage.

escenario *sm* - **1.** [tablas, escena] stage; CINE & TEATRO [lugar de la acción] setting - **2.** *fig* [de suceso] scene.

escenificar *vt* [novela] to dramatize; [obra de teatro] to stage.

escenografía *sf* set design.

escepticismo *sm* scepticism.

escéptico, ca <> *adj* [incrédulo] sceptical. <> *sm, f* sceptic.

escindir *vt* to split. ◆ **escindirse** *vprnl*: **escindirse (en)** to split (into).

escisión *sf* [del átomo] splitting; [de partido político] split.

esclarecer *vt* to clear up, to shed light on.

esclava ▷ **esclavo**.

esclavitud *sf lit & fig* slavery.

esclavizar *vt lit & fig* to enslave.

esclavo, va *sm, f lit & fig* [persona] slave; **es un esclavo del trabajo** he's a slave to his work.

esclerosis *sf inv* MED sclerosis; **esclerosis múltiple** multiple sclerosis.

esclusa *sf* [de canal] lock; [compuerta] floodgate.

escoba *sf* broom; **pasar la escoba** to sweep (up).

escocedura *sf* [sensación] stinging.

escocer *vi lit & fig* to sting.

escocés, esa <> *adj* [gen] Scottish; [whisky] Scotch; [tejido] tartan, plaid. <> *sm, f* [persona] Scot, Scotsman (*f* Scotswoman); **los escoceses** the Scottish, the Scots. ◆ **escocés** *sm* [lengua] Scots (U).

Escocia *n pr* Scotland.

escoger *vt* to choose.

escogido, da *adj* [elegido] selected, chosen; [selecto] choice, select.

escolar <> *adj* school (antes de s). <> *sm, f* pupil, schoolboy (*f* schoolgirl).

escolarizar *vt* to provide with schooling.

escollo *sm* - **1.** [en el mar] reef - **2.** *fig* stumbling block.

escolta *sf* escort.

escoltar *vt* to escort.

escombros *smpl* rubble (U), debris (U).

esconder *vt* to hide, to conceal. ◆ **esconderse** *vprnl*: **esconderse (de)** to hide (from).

escondido, da *adj* [lugar] secluded. ◆ **a escondidas** *loc adv* in secret; **hacer algo a escondidas de alguien** to do sthg behind sb's back.

escondite *sm* - **1.** [lugar] hiding place - **2.** [juego] hide-and-seek.

escondrijo *sm* hiding place.

escopeta *sf* shotgun; **escopeta de aire comprimido** air gun.

escoria *sf fig* dregs *pl*, scum.

Escorpio, Escorpión <> *sm* [zodiaco] Scorpio; **ser Escorpio** to be (a) Scorpio. <> *smf* [persona] Scorpio.

escorpión *sm* scorpion. ◆ **Escorpión** = **Escorpio**.

escotado, da *adj* low-cut.

escote *sm* [de prendas] neckline; [de persona] neck; **pagar a escote** to go Dutch; **escote en pico** V-neck; **escote redondo** round neck.

escotilla *sf* hatch, hatchway.

escozor *sm* stinging.

escribanía *sf Andes, C Rica & R Plata* [notaría] ≈ notary public's office.

escribano, na *sm, f Andes, C Rica & R Plata* [notario] notary (public).

escribir *vt & vi* to write; **escribir a lápiz** to write in pencil; **escribir a mano** to write by hand, to write in longhand; **escribir a máquina** to type. ◆ **escribirse** *vprnl* - **1.** [personas] to write to one another - **2.** [palabras]: **se escribe con 'h'** it is spelt with an 'h'.

escrito, ta <> *pp* ▷ **escribir**. <> *adj* written; **por escrito** in writing. ◆ **escrito** *sm* [gen] text; [documento] document; [obra literaria] writing, work.

escritor, ra *sm, f* writer.

escritorio *sm* [mueble] desk, bureau.

escritura *sf* - **1.** [arte] writing - **2.** [sistema de signos] script - **3.** DER deed.

escrúpulo *sm* - **1.** [duda, recelo] scruple - **2.** [minuciosidad] scrupulousness, great care - **3.** [aprensión] qualm; **le da escrúpulo** he has qualms about it.

escrupuloso, sa *adj* - **1.** [gen] scrupulous - **2.** [aprensivo] particular, fussy.

escrutar *vt* [con la mirada] to scrutinize, to examine; [votos] to count.

escrutinio *sm* count (of votes).

escuadra *sf* - **1.** GEOM square - **2.** [de buques] squadron - **3.** [de soldados] squad.

escuadrilla *sf* squadron.

escuadrón *sm* squadron; **escuadrón de la muerte** death squad.

escuálido, da *adj culto* emaciated.

escucha *sf* listening-in, monitoring; **estar O permanecer a la escucha** to listen in; **escuchas telefónicas** telephone tapping (U).

escuchar ◇ *vt* to listen to. ◇ *vi* to listen.

escudería *sf* team (in motor racing).

escudo *sm* - **1.** [arma] shield - **2.** [moneda] escudo - **3.** [emblema] coat of arms.

escudriñar *vt* [examinar] to scrutinize, to examine; [otear] to search.

escuela *sf* school; **escuela normal** teacher training college; **escuela nocturna** night school; **escuela parroquial** parish school; **escuela privada** private school, public school UK; **escuela pública** state school; **ser de la vieja escuela** to be of the old school.

escueto, ta *adj* [sucinto] concise; [sobrio] plain, unadorned.

escuincle, cla *sm, f Méx fam* [muchacho] nipper, kid.

esculpir *vt* to sculpt, to carve.

escultor, ra *sm, f* sculptor (f sculptress).

escultura *sf* sculpture.

escupir ◇ *vi* to spit. ◇ *vt* [suj: persona, animal] to spit out; [suj: volcán, chimenea etc] to belch out.

escupitajo *sm* gob, spit.

escurreplatos *sm inv* dish rack.

escurridizo, za *adj lit & fig* slippery.

escurridor *sm* colander.

escurrir ◇ *vt* [gen] to drain; [ropa] to wring out; [en lavadora] to spin-dry. ◇ *vi* [gotear] to drip. ◆ **escurrirse** *vprnl* [resbalarse] to slip.

ese¹ *sf* [figura] zigzag; **hacer eses** [en carretera] to zigzag; [al andar] to stagger about.

ese² *(pl* esos)*, esa* *(pl* esas) *adj demos* - **1.** [gen] that *(pl* those ones) - **2.** *(después de s) fam despec* that *(pl* those); **el hombre ese no me inspira confianza** I don't trust that guy.

ése *(pl* ésos)*, ésa* *(pl* ésas) *pron demos* - **1.** [gen] that one *(pl* those ones) - **2.** [mencionado antes] the former - **3.** *fam despec*: **ése fue el que me pegó** that's the guy who hit me - **4.** *loc*: **¡a ése!** stop that man!; **ni por ésas** not even then; **no me lo vendió ni por ésas** even then he wouldn't sell me it.

esencia *sf* essence; **quinta esencia** quintessence.

esencial *adj* essential.

esfera *sf* - **1.** [gen] sphere; **esfera terrestre** (terrestrial) globe - **2.** [de reloj] face - **3.** [círculo social] circle; **esfera de influencia** sphere of influence - **4.** INFORM: **esfera de arrastre** O **de desplazamiento** trackball.

esférico, ca *adj* spherical.

esfinge *sf* sphinx; **parecer una esfinge** to be inscrutable.

esforzar *vt* [voz] to strain. ◆ **esforzarse** *vprnl* to make an effort; **esforzarse en O por hacer algo** to try very hard to do sthg, to do one's best to do sthg.

esfuerzo *sm* effort; **hacer un esfuerzo** to make an effort, to try hard.

esfumarse *vprnl* [esperanzas, posibilidades] to fade away; [persona] to vanish.

esgrima *sf* fencing.

esgrimir *vt* - **1.** [arma] to brandish, to wield - **2.** [argumento, hecho, idea] to use, to employ.

esguince *sm* sprain.

eslabón *sm* link; **el eslabón perdido** the missing link.

eslogan *(pl* eslóganes)*, slogan* *(pl* slogans) *sm* slogan.

eslora *sf* NÁUT length.

eslovaco, ca *adj & sm, f* Slovak, Slovakian. ◆ **eslovaco** *sm* [lengua] Slovak.

Eslovaquia *n pr* Slovakia.

esloveno *adj & sm, f* Slovene.

esmaltar *vt* to enamel.

esmalte *sm* [sustancia - en dientes, cerámica etc] enamel; [- de uñas] (nail) varnish O polish.

esmerado, da *adj* [persona] painstaking, careful; [trabajo] polished.

esmeralda *sf* emerald.

esmerarse *vprnl*: **esmerarse (en algo/hacer algo)** [esforzarse] to take great pains (over sthg/doing sthg).

esmerilar *vt* [pulir] to polish with emery.

esmero *sm* great care.

esmoquin *(pl* esmóquines)*, smoking* *(pl* smokings) *sm* dinner jacket UK, tuxedo US.

esnifar *vt fam* to sniff (drugs).

esnob *(pl* esnobs)*, snob* *(pl* snobs) *sm, f* person who wants to be trendy.

eso *pron demos (neutro)* that; **eso es la Torre Eiffel** that's the Eiffel Tower; **eso es lo que yo pienso** that's just what I think; **eso que propones es irrealizable** what you're proposing is impossible; **eso de vivir solo no me gusta** I don't like the idea of living on my own; **¡eso, eso!** that's right!, yes!; **¡eso es!** that's it; **¿cómo es eso?, ¿y eso?** [¿por qué?] how come?; **para eso es mejor no ir** if that's all it is, you might as well not go; **por eso vine** that's why I came. ◆ **a eso de** *loc prep* (at) about O around. ◆ **en eso** *loc adv* at that very moment. ◆ **y eso que** *loc conj* even though.

esófago *sm* oesophagus.

esos, esas ▷ **ese²**.

ésos, ésas ▷ **ése**.

esotérico, ca *adj* esoteric.

espabilar *vt* - **1.** [despertar] to wake up - **2.** [avispar]: **espabilar a alguien** to sharpen sb's wits. ◆ **espabilarse** *vprnl* - **1.** [desper-

tarse] to wake up, to brighten up - **2.** [darse prisa] to get a move on - **3.** [avisparse] to sharpen one's wits.

espacial *adj* space *(antes de s)*.

espaciar *vt* to space out.

espacio *sm* - **1.** [gen] space; **no tengo mucho espacio** I don't have much room; **a doble espacio** double-spaced; **por espacio de** over a period of; **espacio aéreo** air space - **2.** RADIO & TV programme.

espacioso, sa *adj* spacious.

espada *sf* [arma] sword; **espada de dos filos** *fig* double-edged sword. ➤ **espadas** *sfpl* [naipes] ≃ spades.

espagueti, spaghetti *sm* spaghetti *(U)*.

espalda *sf* - **1.** [gen] back; **cargado de espaldas** round-shouldered; **por la espalda** from behind; *fig* behind one's back; **tumbarse de espaldas** to lie on one's back; **echarse algo sobre las espaldas** to take sthg on; **tirar O tumbar de espaldas** to be amazing O stunning - **2.** [en natación] backstroke.

espantadizo, za *adj* nervous, easily frightened.

espantajo *sm* [persona fea] fright, sight.

espantapájaros *sm inv* scarecrow.

espantar *vt* - **1.** [ahuyentar] to frighten O scare away - **2.** [asustar] to frighten, to scare. ➤ **espantarse** *vprnl* to get frightened O scared.

espanto *sm* fright.

espantoso, sa *adj* - **1.** [terrorífico] horrific - **2.** [enorme] terrible - **3.** [feísimo] frightful, horrible.

España *n pr* Spain.

español, la ◇ *adj* Spanish. ◇ *sm, f* [persona] Spaniard. ➤ **español** *sm* [lengua] Spanish.

esparadrapo *sm* (sticking) plaster, Band-Aid® *US*.

esparcido, da *adj* scattered.

esparcir *vt* [gen] to spread; [semillas, papeles, objetos] to scatter. ➤ **esparcirse** *vprnl* to spread (out).

espárrago *sm* asparagus *(U)*; **mandar a alguien a freír espárragos** *fam* to tell sb to get lost.

esparto *sm* esparto (grass).

espasmo *sm* spasm.

espasmódico, ca *adj* spasmodic.

espatarrarse *vprnl fam* to sprawl (with one's legs wide open).

espátula *sf* CULIN & MED spatula; ARTE palette knife; CONSTR bricklayer's trowel; [de empapelador] stripping knife.

especia *sf* spice.

especial *adj* - **1.** [gen] special; **especial para** specially for; **en especial** especially, particularly - **2.** [peculiar - carácter, gusto, persona] peculiar, strange.

especialidad *sf* speciality, specialty *US*; **especialidad de la casa** house speciality.

especialista *sm, f* - **1.** [experto]: **especialista (en)** specialist (in) - **2.** CINE stuntman *(f* stuntwoman).

especializado, da *adj*: **especializado en** specialized (in).

especializar *vt* to specialize.

especie *sf* - **1.** BIOL species *sing*; **especie protegida** protected species - **2.** [clase] kind, sort.

especificar *vt* to specify.

específico, ca *adj* specific.

espécimen *(pl* **especímenes)** *sm* specimen.

espectacular *adj* spectacular.

espectáculo *sm* - **1.** [diversión] entertainment - **2.** [función] show, performance; **espectáculo de variedades** variety show - **3.** [suceso, escena] sight.

espectador, ra *sm, f* TV viewer; CINE & TEATRO member of the audience; DEP spectator; [de suceso, discusión] onlooker.

espectro *sm* - **1.** [fantasma] spectre, ghost - **2.** FÍS & MED spectrum.

especulación *sf* speculation.

especular *vi*: **especular (sobre)** to speculate (about).

espejismo *sm* mirage; *fig* illusion.

espejo *sm* *lit & fig* mirror; **espejo retrovisor** rear-view mirror.

espeleología *sf* potholing.

espeluznante *adj* hair-raising, lurid.

espera *sf* [acción] wait.

esperanza *sf* [deseo, ganas] hope; [confianza, expectativas] expectation; **dar esperanzas** to encourage, to give hope to; **perder la esperanza** to lose hope; **tener esperanza de hacer algo** to hope to be able to do sthg.

esperanzar *vt* to give hope to, to encourage.

esperar ◇ *vt* - **1.** [aguardar] to wait for; **esperar a que alguien haga algo** to wait for sb to do sthg - **2.** [tener esperanza de]: **esperar que** to hope that; **espero que sí** I hope so; **esperar algo** to hope to do sthg - **3.** [tener confianza en] to expect; **esperar que** to expect (that) - **4.** [ser inminente para] to await, to be in store for. ◇ *vi* [aguardar] to wait; **espera y verás** wait and see; **como era de esperar** as was to be expected. ➤ **esperarse** *vprnl* - **1.** [imaginarse, figurarse] to expect - **2.** [aguardar] to wait; **esperarse a que alguien haga algo** to wait for sb to do sthg.

esperma ◇ *sm o sf* BIOL sperm. ◇ *sf Amér* [vela] candle.

esperpento *sm* [persona] grotesque sight; [cosa] piece of nonsense.

espeso, sa *adj* [gen] thick; [bosque, niebla] dense; [nieve] deep.

espesor *sm* - **1.** [grosor] thickness; **tiene 2 metros de espesor** it's 2 metres thick - **2.** [densidad - de niebla, bosque] density; [- de nieve] depth.

espesura *sf* - **1.** [vegetación] thicket - **2.** [grosor] thickness; [densidad] density.

espía *smf* spy.

espiar *vt* to spy on.

espiga *sf* - **1.** [de trigo etc] ear - **2.** [en telas] herringbone - **3.** [pieza - de madera] peg; [- de hierro] pin.

espigado, da *adj* [persona] tall and slim.

espigón *sm* breakwater.

espina *sf* [de pez] bone; [de planta] thorn; **me da mala espina** it makes me uneasy, there's something fishy about it; **tener una espina clavada** to bear a great burden; **sacarse la espina** to get even. ◆ **espina dorsal** *sf* spine. ◆ **espina bífida** *sf* spina bifida.

espinaca *sf (gen pl)* spinach (U).

espinazo *sm* spine, backbone.

espinilla *sf* - **1.** [hueso] shin, shinbone - **2.** [grano] blackhead.

espinoso, sa *adj lit & fig* thorny.

espionaje *sm* espionage.

espiral *sf lit & fig* spiral.

espirar *vi & vt* to exhale, to breathe out.

espiritista *adj* spiritualist.

espíritu *sm* [gen] spirit; RELIG soul; **espíritu de equipo** team spirit. ◆ **Espíritu Santo** *sm* Holy Ghost.

espiritual *adj & sm* spiritual.

espléndido, da *adj* - **1.** [magnífico] splendid, magnificent - **2.** [generoso] generous, lavish.

esplendor *sm* - **1.** [magnificencia] splendour - **2.** [apogeo] greatness.

espliego *sm* lavender.

espoleta *sf* [de proyectil] fuse.

espolvorear *vt* to dust, to sprinkle.

esponja *sf* sponge; **esponja vegetal** loofah, vegetable sponge; **beber como una esponja** *fam* to drink like a fish; **tirar la esponja** to throw in the towel.

esponjoso, sa *adj* spongy.

espontaneidad *sf* spontaneity.

espontáneo, a *adj* spontaneous.

esporádico, ca *adj* sporadic.

esposa ⊳ **esposo**.

esposar *vt* to handcuff.

esposo, sa *sm, f* [persona] husband (*f* wife). ◆ **esposas** *sfpl* [objeto] handcuffs.

espot *(pl espots)* = **spot**.

espray *(pl esprays)* *sm* spray.

esprint *(pl esprints)* *sm* sprint.

espuela *sf* [gen] spur.

espuma *sf* - **1.** [gen] foam; [de cerveza] head; [de jabón] lather; [de olas] surf; [de caldo] scum; **hacer espuma** to foam; **crecer como la espuma** to mushroom; **espuma de afeitar** shaving foam; **espuma seca** carpet shampoo - **2.** [para pelo] (styling) mousse.

espumadera *sf* skimmer.

espumoso, sa *adj* [gen] foamy, frothy; [vino] sparkling; [jabón] lathery.

esputo *sm* [gen] spittle; MED sputum.

esqueje *sm* cutting.

esquela *sf* obituary.

esqueleto *sm* [de persona] skeleton; **menear O mover el esqueleto** *fam* to boogie (on down).

esquema *sm* [gráfico] diagram; [resumen] outline; **su respuesta me rompe los esquemas** her answer has thrown all my plans up in the air.

esquemático, ca *adj* schematic.

esquí *(pl esquís)*, **ski** *(pl skis)* *sm* - **1.** [tabla] ski - **2.** [deporte] skiing; **esquí de fondo O nórdico** cross-country skiing.

esquiador, ra *sm, f* skier.

esquiar *vi* to ski.

esquilar *vt* to shear.

esquimal *adj & smf* Eskimo.

esquina *sf* corner; **a la vuelta de la esquina** just round the corner; **doblar la esquina** to turn the corner.

esquinazo *sm* corner; **dar (el) esquinazo a alguien** to give sb the slip.

esquirol *sm fam* blackleg, scab.

esquivar *vt* [gen] to avoid; [golpe] to dodge.

esquivo, va *adj* shy.

esquizofrenia *sf* schizophrenia.

esta ⊳ **este²**.

ésta ⊳ **éste**.

estabilidad *sf* stability.

estabilizar *vt* to stabilize. ◆ **estabilizarse** *vprnl* to stabilize.

estable *adj* - **1.** [firme] stable - **2.** [permanente - huésped] permanent; [- cliente] regular.

establecer *vt* - **1.** [gen] to establish; [récord] to set - **2.** [negocio, campamento] to set up - **3.** [inmigrantes etc] to settle. ◆ **establecerse** *vprnl* - **1.** [instalarse] to settle - **2.** [poner un negocio] to set up a business.

establecimiento *sm* - **1.** [gen] establishment; [de récord] setting - **2.** [de negocio, colonia] setting up.

establo *sm* cowshed.

estaca *sf* - **1.** [para clavar, delimitar] stake; [de tienda de campaña] peg - **2.** [garrote] cudgel.

estacada *sf* [valla] picket fence; MIL stockade, palisade; **dejar a alguien en la estacada** to leave sb in the lurch.

estación *sf* - **1.** [gen & INFORM] station; **estación de autocares/de tren** coach/railway station; **estación de esquí** ski resort; **estación de gasolina** petrol station; **estación de servicio** service station; **estación de trabajo** workstation; **estación meteorológica** weather station - **2.** [del año, temporada] season.

estacionamiento *sm* AUTO parking; **estacionamiento indebido** parking offence.

estacionar *vt* AUTO to park.

estacionario, ria *adj* [gen] stationary; ECON stagnant.

estadía *sf* C Sur stay, stop.

estadio *sm* - **1.** DEP stadium - **2.** [fase] stage.

estadista *smf* statesman (*f* stateswoman).

estadístico, ca *adj* statistical. ◆ **estadística** *sf* - **1.** [ciencia] statistics (*U*) - **2.** [datos] statistics *pl*.

estado *sm* state; **su estado es grave** his condition is serious; **estar en buen/mal estado** [coche, terreno etc] to be in good/bad condition; [alimento, bebida] to be fresh/off; **estado de ánimo** state of mind; **estado civil** marital status; **estado de bienestar** welfare state; **estado de excepción** O **emergencia** state of emergency; **estado de salud** (state of) health; **estar en estado (de esperanza** O **buena esperanza)** to be expecting. ◆ **Estado** *sm* [gobierno] State; **Estado Mayor** MIL general staff. ◆ **Estados Unidos (de América)** *n pr* United States (of America).

estadounidense ◇ *adj* United States (antes de s). ◇ *smf* United States citizen.

estafa *sf* [gen] swindle; COM fraud.

estafador, ra *sm, f* swindler.

estafar *vt* [gen] to swindle; COM to defraud.

estafeta *sf* sub-post office.

estallar *vi* - **1.** [reventar - bomba] to explode; [- neumático] to burst - **2.** [guerra, epidemia etc] to break out.

estallido *sm* - **1.** [de bomba] explosion; [de trueno] crash; [de látigo] crack - **2.** [de guerra etc] outbreak.

Estambul *n pr* Istanbul.

estamento *sm* stratum, class.

estampa *sf* - **1.** [imagen, tarjeta] print - **2.** [aspecto] appearance.

estampado, da *adj* printed. ◆ **estampado** *sm* [dibujo] (cotton) print.

estampar *vt* - **1.** [imprimir - gen] to print; [- metal] to stamp - **2.** [escribir]: **estampar la firma** to sign one's name.

estampida *sf* stampede.

estampido *sm* report, bang.

estampilla *sf* - **1.** [para marcar] rubber stamp - **2.** *Amér* [sello de correos] stamp.

estancado, da *adj* [agua] stagnant; [situación, proyecto] at a standstill.

estancarse *vprnl* [líquido] to stagnate; [situación] to come to a standstill.

estancia *sf* - **1.** [tiempo] stay - **2.** [habitación] room - **3.** C Sur [hacienda] cattle ranch.

estanciero *sm* C Sur ranch owner.

estanco, ca *adj* watertight. ◆ **estanco** *sm* tobacconist's.

estándar (*pl* **estándares**), **standard** (*pl* **standards**) *adj inv & sm* standard.

estandarizar *vt* to standardize.

estandarte *sm* standard, banner.

estanque *sm* - **1.** [alberca] pond; [para riego] reservoir - **2.** *Amér* [depósito] tank (of petrol).

estanquero, ra *sm, f* tobacconist.

estante *sm* shelf.

estantería *sf* [gen] shelves *pl*, shelving (*U*); [para libros] bookcase.

estaño *sm* tin.

estar ◇ *vi* - **1.** [hallarse] to be; **¿dónde está la llave?** where is the key?; **¿está María?** is Maria in?; **no está** she's not in - **2.** [con fechas]: **¿a qué estamos hoy?** what's the date today?; **hoy estamos a martes/a 15 de julio** today is Tuesday/the 15th of July; **estábamos en octubre** it was October - **3.** [quedarse] to stay, to be; **estaré un par de horas y me iré** I'll stay a couple of hours and then I'll go - **4.** *(antes de 'a')* [expresa valores, grados]: **estamos a veinte grados** it's twenty degrees here; **están a dos euros el kilo** they're two euros a kilo - **5.** [hallarse listo] to be ready; **¿aún no está ese trabajo?** is that piece of work still not ready? - **6.** [servir]: **estar para** to be (there) for; **para eso están los amigos** that's what friends are for - **7.** *(antes de gerundio)* [expresa duración] to be; **están golpeando la puerta** they're banging on the door - **8.** *(antes de sin + infinitivo)* [expresa negación]: **estoy sin dormir desde ayer** I haven't slept since yesterday; **está sin acabar** it's not finished - **9.** [faltar]: **eso está aún por escribir** that has yet to be written - **10.** [hallarse a punto de]: **estar por hacer algo** to be on the verge of doing sthg - **11.** [expresa disposición]: **estar para algo** to be in the mood for sthg. ◇ *v cop* - **1.** *(antes de adj)* [expresa cualidad, estado] to be; **los pasteles están ricos** the cakes are delicious; **esta calle está sucia** this street is dirty - **2.** *(antes de con o sin + s)* [expresa estado] to be; **estamos sin agua** we have no water, we're without water - **3.** [expresa situación, acción]: **estar de: estar de camarero** to work as a waiter, to be a waiter; **estar de vacaciones** to be on holiday; **estar de viaje** to be on a trip; **estar de mudanza** to be (in the process of) moving - **4.** [expresa permanencia]: **estar en**

uso to be in use; **estar en guardia** to be on guard - **5.** [expresa apoyo, predilección]: **estar por** to be in favour of - **6.** [expresa ocupación]: **estar como** to be; **está como cajera** she's a checkout girl - **7.** [consistir]: **estar en** to be, to lie in; **el problema está en la fecha** the problem is the date - **8.** [sentar - ropa]: **este traje te está bien** this suit looks good on you - **9.** *(antes de 'que' + v)* [expresa actitud]: **está que muerde porque ha suspendido** he's furious because he failed. ◆ **estarse** *vprnl* [permanecer] to stay; **te puedes estar con nosotros unos días** you can stay *O* spend a few days with us.

estárter (*pl* **estárters**), **starter** (*pl* **starters**) *sm* starter.

estatal *adj* state (*antes de s*).

estático, ca *adj* [inmóvil] stock-still.

estatización *sf Amér* nationalization.

estatizar *vt Amér* to nationalize.

estatua *sf* statue.

estatura *sf* height; **de estatura media** *O* **mediana** of average *O* medium height.

estatus, status *sm inv* status.

estatuto *sm* [gen] statute; [de empresa] article (of association); [de ciudad] by-law.

este [1] ◇ *adj* [posición, parte] east, eastern; [dirección, viento] easterly. ◇ *sm* east; **los países del Este** the Eastern bloc countries.

este [2] (*pl* **estos**), **esta** *adj demos* - **1.** [gen] this (*pl* these); **esta camisa** this shirt; **este año** this year - **2.** *fam despec* that (*pl* those); **no soporto a la niña esta** I can't stand that girl.

éste (*pl* **éstos**), **ésta** *pron demos* - **1.** [gen] this one (*pl* these ones); **dame otro boli; éste no funciona** give me another pen; this one doesn't work; **aquellos cuadros no están mal, aunque éstos me gustan más** those paintings aren't bad, but I like these (ones) better; **ésta ha sido la semana más feliz de mi vida** this has been the happiest week of my life - **2.** [recién mencionado] the latter; **entraron Juan y Pedro, éste con un abrigo verde** Juan and Pedro came in, the latter wearing a green coat - **3.** *fam despec*: **éste es el que me pegó** this is the guy who hit me. ◆ **en éstas** *loc adv fam* just then, at that very moment.

estela *sf* - **1.** [de barco] wake; [de avión, estrella fugaz] trail - **2.** *fig* [rastro] trail.

estelar *adj* - **1.** ASTRON stellar - **2.** CINE & TEATRO star (*antes de s*).

estepa *sf* steppe.

estera *sf* [tejido] matting; [alfombrilla] mat.

estéreo, stereo *adj inv* & *sm* stereo.

estereofónico, ca *adj* stereo.

estereotipo *sm* stereotype.

estéril *adj* - **1.** [persona, terreno, imaginación] sterile - **2.** [inútil] futile.

esterilizar *vt* to sterilize.

esterlina ⊳ **libra**.

esternón *sm* breastbone, sternum.

esteroides *smpl* steroids.

estética ⊳ **estético**.

esteticista, esthéticienne [esteti'θjen] *sf* beautician.

estético, ca *adj* aesthetic. ◆ **estética** *sf* FILOS aesthetics *(U).*

esthéticienne = **esteticista**.

estiércol *sm* [excrementos] dung; [abono] manure.

estigma *sm fig* [deshonor] stigma.

estilarse *vprnl fam* to be in (fashion).

estilo *sm* - **1.** [gen] style; **al estilo de** in the style of; **estilo de vida** lifestyle - **2.** [en natación] stroke - **3.** GRAM speech; **estilo directo/indirecto** direct/indirect speech - **4.** *loc*: **algo por el estilo** something of the sort.

estilográfica *sf* fountain pen.

estima *sf* esteem, respect.

estimación *sf* - **1.** [aprecio] esteem, respect - **2.** [valoración] valuation - **3.** [en impuestos] assessment.

estimado, da *adj* [querido] esteemed, respected; **Estimado señor** Dear Sir.

estimar *vt* - **1.** [valorar - gen] to value; [- valor] to estimate - **2.** [apreciar] to think highly of - **3.** [creer] to consider.

estimulante ◇ *adj* [que excita] stimulating. ◇ *sm* stimulant.

estimular *vt* - **1.** [animar] to encourage - **2.** [excitar] to stimulate.

estímulo *sm* - **1.** [aliciente] incentive; [ánimo] encouragement - **2.** [de un órgano] stimulus.

estío *sm culto* summer.

estipulación *sf* - **1.** [acuerdo] agreement - **2.** DER stipulation.

estipular *vt* to stipulate.

estirado, da *adj* [persona - altanero] haughty; [- adusto] uptight.

estirar ◇ *vt* - **1.** [alargar - gen] to stretch; [- cuello] to crane - **2.** [desarrugar] to straighten - **3.** *fig* [dinero etc] to make last; [discurso, tema] to spin out. ◇ *vi*: **estirar (de)** to pull. ◆ **estirarse** *vprnl* - **1.** [desperezarse] to stretch - **2.** [tumbarse] to stretch out.

estirón *sm* [acción] tug, pull.

estirpe *sf* stock, lineage.

estival *adj* summer (*antes de s*).

esto *pron demos (neutro)* this thing; **esto es tu regalo de cumpleaños** this is your birthday present; **esto que acabas de decir no tiene sentido** what you just said doesn't make sense; **esto de trabajar de noche no me gusta** I don't like this business of working at night; **esto es**

estofa *sf*: **de baja estofa** [gente] low-class; [cosas] poor-quality.

estofado *sm* stew.

estofar *vt* CULIN to stew.

estoicismo *sm* stoicism.

estoico, ca *adj* stoic, stoical.

estomacal *adj* [dolencia] stomach *(antes de s)*; [bebida] digestive.

estómago *sm* stomach; **revolver el estómago a alguien** to turn sb's stomach; **tener buen estómago** to be tough, to be able to stand a lot.

Estonia *n pr* Estonia.

estop = **stop**.

estorbar ◇ *vt* [obstaculizar] to hinder; [molestar] to bother. ◇ *vi* [estar en medio] to be in the way.

estorbo *sm* [obstáculo] hindrance; [molestia] nuisance.

estornudar *vi* to sneeze.

estos, tas ▷ **este²**.

éstos, tas ▷ **éste**.

estoy ▷ **estar**.

estrabismo *sm* squint.

estrado *sm* platform.

estrafalario, ria *adj* outlandish, eccentric.

estragón *sm* tarragon.

estragos *smpl*: **causar** O **hacer estragos en** [físicos] to wreak havoc with; [morales] to destroy, to ruin.

estrambótico, ca *adj* outlandish.

estrangulador, ra *sm, f* strangler.

estrangular *vt* [ahogar] to strangle; MED to strangulate.

estraperlo *sm* black market; **de estraperlo** black market *(antes de s)*.

estratagema *sf* MIL stratagem; *fig* [astucia] artifice, trick.

estrategia *sf* strategy.

estratégico, ca *adj* strategic.

estrato *sm* *fig* & GEOL stratum.

estrechar *vt* - **1.** [hacer estrecho - gen] to narrow; [- ropa] to take in - **2.** *fig* [relaciones] to make closer - **3.** [apretar] to squeeze, to hug; **estrechar la mano a alguien** to shake sb's hand. ◆ **estrecharse** *vprnl* [hacerse estrecho] to narrow.

estrechez *sf* - **1.** [falta de anchura] narrowness; [falta de espacio] lack of space; [de ropa] tightness; **estrechez de miras** narrow-mindedness - **2.** *fig* [falta de dinero] hardship; **pasar estrecheces** to be hard up - **3.** [intimidad] closeness.

estrecho, cha *adj* - **1.** [no ancho - gen] narrow; [- ropa] tight; [- habitación] cramped; **estrecho de miras** narrow-minded - **2.** *fig* [íntimo] close. ◆ **estrecho** *sm* GEOGR strait.

estrella *sf* [gen] star; *fig* [destino] fate; **estrella de cine** film star UK, movie star US; **estrella fugaz** shooting star. ◆ **estrella de mar** *sf* starfish.

estrellado, da *adj* - **1.** [con estrellas] starry - **2.** [por la forma] star-shaped.

estrellar *vt* [arrojar] to smash. ◆ **estrellarse** *vprnl* [chocar]: **estrellarse (contra)** [gen] to smash (against); [avión, coche] to crash (into).

estrellón *sm Amér* crash.

estremecer *vt* to shake. ◆ **estremecerse** *vprnl*: **estremecerse (de)** [horror, miedo] to tremble O shudder (with); [frío] to shiver (with).

estremecimiento *sm* [de miedo] shudder; [de frío] shiver.

estrenar *vt* - **1.** [gen] to use for the first time; [ropa] to wear for the first time; [piso] to move into - **2.** CINE to release; TEATRO to premiere. ◆ **estrenarse** *vprnl* [persona] to make one's debut, to start.

estreno *sm* [de espectáculo] premiere, first night; [de cosa] first use; [en un empleo] debut.

estreñido, da *adj* constipated.

estreñimiento *sm* constipation.

estrépito *sm* [ruido] racket, din; *fig* [ostentación] fanfare.

estrepitoso, sa *adj* - **1.** [gen] noisy; [aplausos] deafening - **2.** [derrota] resounding; [fracaso] spectacular.

estrés, stress *sm inv* stress.

estría *sf* [gen] groove; [en la piel] stretch mark.

estribar ◆ **estribar en** *vi* to be based on, to lie in.

estribillo *sm* MÚS chorus; LITER refrain.

estribo *sm* - **1.** [de montura] stirrup - **2.** [de coche, tren] step - **3.** *loc*: **estar con un pie en el estribo** to be ready to leave; **perder los estribos** to fly off the handle.

estribor *sm* starboard.

estricto, ta *adj* strict.

estridente *adj* - **1.** [ruido] strident, shrill - **2.** [color] garish, loud.

estrofa *sf* stanza, verse.

estropajo *sm* scourer.

estropear *vt* - **1.** [averiar] to break - **2.** [dañar] to damage - **3.** [echar a perder] to ruin, to spoil. ◆ **estropearse** *vprnl* - **1.** [máquina] to break down - **2.** [comida] to go off, to spoil; [piel] to get damaged - **3.** [plan] to fall through.

estropicio *sm*: **hacer** O **causar un estropicio** to wreak havoc.

estructura *sf* structure; **estructura profunda/ superficial** deep/surface structure.

estruendo *sm* - **1.** [estrépito] din, roar; [de trueno] crash - **2.** [alboroto] uproar, tumult.

estrujar *vt* - **1.** [limón] to squeeze; [trapo, ropa] to wring (out); [papel] to screw up; [caja] to crush - **2.** [abrazar - persona, mano] to squeeze - **3.** *fig* [sacar partido de] to bleed dry.

estuario *sm* estuary.

estuche *sm* - **1.** [caja] case; [de joyas] jewellery box - **2.** [utensilios] set.

estuco *sm* stucco.

estudiante *smf* student.

estudiantil *adj* student *(antes de s)*.

estudiar <> *vt* [gen] to study. <> *vi* to study; **estudiar para médico** to be studying to be a doctor.

estudio *sm* - **1.** [gen] study; **estar en estudio** to be under consideration; **estudio de mercado** [técnica] market research; [investigación] market survey - **2.** [oficina] study; [de fotógrafo, pintor] studio - **3.** [apartamento] studio apartment - **4.** *(gen pl)* CINE, RADIO & TV studio. ➤ **estudios** *smpl* [serie de cursos] studies; [educación] education *(U)*; **dar estudios a alguien** to pay for sb's education; **tener estudios** to be well-educated; **estudios primarios/ secundarios** primary/secondary education.

estudioso, sa *adj* studious.

estufa *sf* - **1.** [calefacción] heater, fire; **estufa de gas** gas heater; **estufa eléctrica** electric heater - **2.** *Col & Méx* [cocina] cooker.

estupefaciente *sm* narcotic, drug.

estupefacto, ta *adj* astonished.

estupendamente *adv* wonderfully; **estoy estupendamente** I feel wonderful.

estupendo, da *adj* great, fantastic. ➤ **estupendo** *interj*: **¡estupendo!** great!

estupidez *sf* stupidity; **decir/hacer una estupidez** to say/do sthg stupid.

estúpido, da *adj* stupid.

estupor *sm* astonishment.

esturión *sm* sturgeon.

estuviera *etc* ⊳ **estar**.

esvástica *sf* swastika.

ETA *(abrev de* **Euskadi ta Askatasuna)** *sf* ETA.

etapa *sf* stage; **por etapas** in stages.

etarra *smf* member of ETA.

etc. *(abrev de* **etcétera)** etc.

etcétera *adv* etcetera.

etéreo, a *adj fig* ethereal.

eternidad *sf* eternity; **hace una eternidad que no la veo** *fam* it's ages since I last saw her.

eterno, na *adj* eternal; *fam* [larguísimo] never-ending, interminable.

ético, ca *adj* ethical. ➤ **ética** *sf* [moralidad] ethics *pl*.

etílico, ca *adj* QUÍM ethyl *(antes de s)*; **intoxicación etílica** alcohol poisoning.

etimología *sf* etymology.

Etiopía *n pr* Ethiopia.

etiqueta *sf* - **1.** [gen & INFORM] label; **etiqueta autoadhesiva** sticky label; **etiqueta del precio** price tag - **2.** [ceremonial] etiquette; **de etiqueta** formal; **vestir de etiqueta** to wear formal dress.

etiquetar *vt lit & fig* to label; **etiquetar a alguien de algo** to label sb sthg.

etnia *sf* ethnic group.

étnico, ca *adj* ethnic.

EUA *(abrev de* **Estados Unidos de América)** *smpl* USA.

eucalipto *sm* eucalyptus.

eucaristía *sf*: **la Eucaristía** the Eucharist.

eufemismo *sm* euphemism.

euforia *sf* euphoria, elation.

eufórico, ca *adj* euphoric, elated.

eunuco *sm* eunuch.

euro *sm* [unidad monetaria] euro.

Eurocámara *sf* European Parliament.

eurocheque *sm* eurocheque *UK*, eurocheck *US*.

eurócrata *adj & smf* Eurocrat.

eurodiputado, da *sm, f* Euro-M.P., M.E.P.

Europa *n pr* Europe.

europeo, a *adj & sm, f* European.

Euskadi *n pr* the Basque Country.

euskara, euskera *sm* Basque.

eutanasia *sf* euthanasia.

evacuación *sf* evacuation.

evacuar *vt* [gen] to evacuate; [vientre] to empty, to void.

evadir *vt* to evade; [respuesta, peligro] to avoid. ➤ **evadirse** *vprnl*: **evadirse (de)** to escape (from).

evaluación *sf* - **1.** [gen] evaluation - **2.** [EDUC - examen] assessment.

evaluar *vt* to evaluate, to assess.

evangélico, ca *adj & sm, f* evangelical.

evangelio *sm* gospel.

evaporar *vt* to evaporate. ➤ **evaporarse** *vprnl* [líquido etc] to evaporate.

evasión *sf* - **1.** [huida] escape - **2.** [de dinero]: **evasión de capitales** *O* **divisas** capital flight; **evasión fiscal** tax evasion - **3.** [entretenimiento] amusement, recreation; [escapismo] escapism; **de evasión** escapist.

evasivo, va *adj* evasive. ➤ **evasiva** *sf* evasive answer.

evento *sm* event.

eventual *adj* - **1.** [no fijo - trabajador] temporary, casual; [- gastos] incidental - **2.** [posible] possible.

eventualidad *sf* - **1.** [temporalidad] temporariness - **2.** [hecho incierto] eventuality; [posibilidad] possibility.

evidencia *sf* - **1.** [prueba] evidence, proof; **negar la evidencia** to refuse to accept the obvious; **rendirse ante la evidencia** to bow to the evidence - **2.** [claridad] obviousness; **poner algo en evidencia** to demonstrate sthg; **poner a alguien en evidencia** to show sb up.

evidenciar *vt* to show, to demonstrate. ➡ **evidenciarse** *vprnl* to be obvious *O* evident.

evidente *adj* evident, obvious.

evitar *vt* [gen] to avoid; [desastre, accidente] to avert; **evitar hacer algo** to avoid doing sthg; **evitar que alguien haga algo** to prevent sb from doing sthg.

evocación *sf* recollection, evocation.

evocar *vt* [recordar] to evoke.

evolución *sf* - **1.** [gen] evolution; [de enfermedad] development, progress - **2.** MIL manoeuvre.

evolucionar *vi* - **1.** [gen] to evolve; [enfermedad] to develop, to progress; [cambiar] to change - **2.** MIL to carry out manoeuvres.

ex *prep* ex; **el ex presidente** the ex-president, the former president.

exacerbar *vt* - **1.** [agudizar] to exacerbate, to aggravate - **2.** [irritar] to irritate, to infuriate.

exactitud *sf* accuracy, precision.

exacto, ta *adj* - **1.** [justo - cálculo, medida] exact; **tres metros exactos** exactly three metres - **2.** [preciso] accurate, precise; [correcto] correct, right - **3.** [idéntico]: **exacto (a)** identical (to), exactly the same (as). ➡ **exacto** *interj*: **¡exacto!** exactly!, precisely!

exageración *sf* exaggeration; **este precio es una exageración** this price is over the top.

exagerado, da *adj* [gen] exaggerated; [persona] overly dramatic; [precio] exorbitant; [gesto] flamboyant.

exagerar *vt & vi* to exaggerate.

exaltado, da *adj* [jubiloso] elated; [acalorado - persona] worked up; [- discusión] heated; [excitable] hotheaded.

exaltar *vt* - **1.** [elevar] to promote, to raise - **2.** [glorificar] to exalt. ➡ **exaltarse** *vprnl* to get excited *O* worked up.

examen *sm* - **1.** [ejercicio] exam, examination; **presentarse a un examen** to sit an exam; **examen de conducir** driving test; **examen final/oral** final/oral (exam); **examen parcial** ≃ end-

of-term exam - **2.** [indagación] consideration, examination; **someter algo a examen** to examine sthg, to subject sthg to examination.

examinar *vt* to examine. ➡ **examinarse** *vprnl* to sit *O* take an exam.

exánime *adj* - **1.** [muerto] dead - **2.** [desmayado] lifeless.

exasperar *vt* to exasperate. ➡ **exasperarse** *vprnl* to get exasperated.

excavación *sf* [lugar] dig, excavation.

excavar *vt* [gen] to dig; [en arqueología] to excavate.

excedencia *sf* leave (of absence); EDUC sabbatical; **excedencia por maternidad** maternity leave.

excedente ⬦ *adj* [producción etc] surplus. ⬦ *sm* COM surplus.

exceder *vt* to exceed, to surpass. ➡ **excederse** *vprnl* - **1.** [pasarse de la raya]: **excederse (en)** to go too far *O* overstep the mark (in) - **2.** [rebasar el límite]: **se excede en el peso** it's too heavy.

excelencia *sf* [cualidad] excellence; **por excelencia** par excellence. ➡ **Su Excelencia** *sm, f* His Excellency (*f* Her Excellency).

excelente *adj* excellent.

excelentísimo, ma *adj* most excellent.

excentricidad *sf* eccentricity.

excéntrico, ca *adj & sm, f* eccentric.

excepción *sf* exception; **la excepción confirma la regla** *prov* the exception proves the rule. ➡ **de excepción** *loc adj* exceptional.

excepcional *adj* exceptional.

excepto *adv* except (for).

exceptuar *vt*: **exceptuar (de)** [excluir] to exclude (from); [eximir] to exempt (from); **exceptuando a...** excluding...

excesivo, va *adj* excessive.

exceso *sm* [demasía] excess; **exceso de equipaje** excess baggage; **exceso de peso** [obesidad] excess weight.

excitación *sf* [nerviosismo] agitation; [por enfado, sexo] arousal.

excitado, da *adj* [nervioso] agitated; [por enfado, sexo] aroused.

excitante *sm* stimulant.

excitar *vt* - **1.** [inquietar] to upset, to agitate - **2.** [estimular - sentidos] to stimulate; [- apetito] to whet; [- pasión, curiosidad, persona] to arouse. ➡ **excitarse** *vprnl* [alterarse] to get worked up *O* excited.

exclamación *sf* [interjección] exclamation; [grito] cry.

exclamar *vt & vi* to exclaim, to shout out.

excluir *vt* to exclude; [hipótesis, opción] to rule out; [hacer imposible] to preclude; **excluir a alguien de algo** to exclude sb from sthg.

exclusión *sf* exclusion.

exclusivo, va *adj* exclusive. **exclusiva** *sf* - **1.** PRENSA exclusive - **2.** COM exclusive *O* sole right.

Excma. *abrev de* **excelentísimo**.

Excmo. *abrev de* **excelentísimo**.

excombatiente *smf* ex-serviceman (*f* ex-servicewoman) *UK*, war veteran *US*.

excomulgar *vt* to excommunicate.

excomunión *sf* excommunication.

excremento *(gen pl) sm* excrement *(U)*.

excursión *sf* [viaje] excursion, trip; **ir de excursión** to go on an outing *O* a trip.

excursionista *smf* [en la ciudad] sightseer, tripper; [en el campo] rambler; [en la montaña] hiker.

excusa *sf* - **1.** [gen] excuse; **¡nada de excusas!** no excuses!; **buscar una excusa** to look for an excuse; **dar excusas** to make excuses - **2.** [petición de perdón] apology; **presentar uno sus excusas** to apologize, to make one's excuses.

excusar *vt* [disculpar a] to excuse; [disculparse por] to apologize for. **excusarse** *vprnl* to apologize.

exento, ta *adj* exempt; **exento de** [sin] free from, without; [eximido de] exempt from; **exento de impuestos** tax free.

exequias *sfpl* funeral *sing*, funeral rites.

exhalación *sf* [emanación] exhalation, vapour; [suspiro] breath.

exhalar *vt* - **1.** [aire] to exhale, to breathe out; [suspiros] to heave - **2.** [olor] to give off - **3.** [quejas] to utter.

exhaustivo, va *adj* exhaustive.

exhausto, ta *adj* exhausted.

exhibición *sf* - **1.** [demostración] show, display - **2.** [deportiva, artística etc] exhibition - **3.** [de películas] showing.

exhibir *vt* - **1.** [exponer - cuadros, fotografías] to exhibit; [- modelos] to show; [- productos] to display - **2.** [lucir - joyas, cualidades etc] to show off - **3.** [película] to show, to screen.

exhortación *sf* exhortation.

exhortar *vt*: **exhortar a alguien a** to exhort sb to.

exigencia *sf* - **1.** [obligación] demand, requirement - **2.** [capricho] fussiness *(U)*.

exigente *adj* demanding.

exigir *vt* - **1.** [gen] to demand; **exigir algo de** *O* **a alguien** to demand sthg from sb - **2.** [requerir, necesitar] to require.

exiguo, gua *adj* [escaso] meagre, paltry; [pequeño] minute.

exiliado, da <> *adj* exiled, in exile. <> *sm, f* exile.

exiliar *vt* to exile. **exiliarse** *vprnl* to go into exile.

exilio *sm* exile.

eximir *vt*: **eximir (de)** to exempt (from).

existencia *sf* existence. **existencias** *sfpl* COM stock *(U)*; **reponer las existencias** to restock.

existir *vi* to exist; **existe mucha pobreza** there is a lot of poverty.

éxito *sm* - **1.** [gen] success; **con éxito** successfully; **tener éxito** to be successful - **2.** [libro] bestseller; [canción] hit.

exitoso, sa *adj* successful.

éxodo *sm* exodus.

exorbitante *adj* exorbitant.

exorcizar *vt* to exorcize.

exótico, ca *adj* exotic.

expandir *vt* to spread; FÍS to expand. **expandirse** *vprnl* to spread; FÍS to expand.

expansión *sf* - **1.** FÍS expansion - **2.** ECON growth; **en expansión** expanding - **3.** [recreo] relaxation, amusement.

expansionarse *vprnl* - **1.** [desahogarse]: **expansionarse (con)** to open one's heart (to) - **2.** [divertirse] to relax, to let off steam - **3.** [desarrollarse] to expand.

expansivo, va *adj* - **1.** [gen] expansive - **2.** [persona] open, frank.

expatriar *vt* to expatriate; [exiliar] to exile. **expatriarse** *vprnl* to emigrate; [exiliarse] to go into exile.

expectación *sf* expectancy, anticipation.

expectativa *sf* [espera] expectation; [esperanza] hope; [perspectiva] prospect; **estar a la expectativa** to wait and see; **estar a la expectativa de** [atento] to be on the lookout for; [a la espera] to be hoping for; **expectativa de vida** life expectancy.

expedición *sf* [viaje, grupo] expedition; **expedición militar** military expedition; **expedición de salvamento** rescue mission.

expediente *sm* - **1.** [documentación] documents *pl*; [ficha] file - **2.** [historial] record; **expediente académico** academic record *UK*, transcript *US* - **3.** [investigación] inquiry; **abrir expediente a alguien** [castigar] to take disciplinary action against sb; [investigar] to start proceedings against sb.

expedir *vt* [carta, pedido] to send, to dispatch; [pasaporte, decreto] to issue; [contrato, documento] to draw up.

expedito, ta *adj* clear, free.

expeler *vt* [humo - suj: persona] to blow out; [- suj: chimenea, tubo de escape] to emit; [- suj: extractor, volcán] to expel.

expendedor, ra *sm, f* dealer; [de lotería] seller, vendor.

expendeduría *sf* [de tabaco] tobacconist's *UK*, cigar store *US*.

expensas *sfpl* [gastos] expenses, costs. ➡ **a expensas de** *loc prep* at the expense of.

experiencia *sf* [gen] experience; **por (propia) experiencia** from (one's own) experience.

experimentado, da *adj* [persona] experienced; [método] tried and tested.

experimentar *vt* - 1. [gen] to experience; [derrota, pérdidas] to suffer - 2. [probar] to test; [hacer experimentos con] to experiment with O on.

experimento *sm* experiment.

experto, ta *adj & sm, f* expert; **ser experto en la materia** to be a specialist in the subject; **ser experto en hacer algo** to be an expert at doing sthg.

expiar *vt* to atone for, to expiate.

expirar *vi* to expire.

explanada *sf* [llanura] flat O level ground (U).

explayar *vt* to extend. ➡ **explayarse** *vprnl* - 1. [divertirse] to amuse o.s., to enjoy o.s. - 2. [hablar mucho] to talk at length - 3. [desahogarse]: **explayarse (con)** to pour out one's heart (to).

explicación *sf* explanation; **dar/pedir explicaciones** to give/demand an explanation.

explicar *vt* [gen] to explain; [teoría] to expound. ➡ **explicarse** *vprnl* - 1. [comprender] to understand; **no me lo explico** I can't understand it - 2. [dar explicaciones] to explain o.s. - 3. [expresarse] to make o.s. understood.

explícito, ta *adj* explicit.

exploración *sf* [gen & MED] exploration.

explorador, ra *sm, f* explorer; [scout] boy scout (f girl guide).

explorar *vt* - 1. [gen] to explore; MIL to scout - 2. MED to examine; [internamente] to explore, to probe.

explosión *sf lit & fig* explosion; **hacer explosión** to explode.

explosivo, va *adj* [gen] explosive. ➡ **explosivo** *sm* explosive.

explotación *sf* - 1. [acción] exploitation; [de fábrica etc] running; [de yacimiento minero] mining; [agrícola] farming; [de petróleo] drilling - 2. [instalaciones]: **explotación agrícola** farm.

explotar ◇ *vt* - 1. [gen] to exploit - 2. [fábrica] to run, to operate; [terreno] to farm; [mina] to work. ◇ *vi* to explode.

expoliar *vt* to pillage, to plunder.

exponer *vt* - 1. [gen] to expose - 2. [teoría] to expound; [ideas, propuesta] to set out, to explain - 3. [cuadro, obra] to exhibit; [objetos en vitrinas] to display - 4. [vida, prestigio] to risk.

exportación *sf* - 1. [acción] export - 2. [mercancías] exports *pl*.

exportar *vt* COM & INFORM to export.

exposición *sf* - 1. [gen & FOTO] exposure - 2. [de arte etc] exhibition; [de objetos en vitrina] display; **exposición universal** world fair - 3. [de teoría] exposition; [de ideas, propuesta] setting out, explanation.

expositor, ra *sm, f* [de arte] exhibitor; [de teoría] exponent.

exprés ◇ *adj* - 1. [tren] express - 2. [café] espresso. ◇ *sm* = **expreso**.

expresamente *adv* [a propósito] expressly; [explícitamente] explicitly.

expresar *vt* to express; [suj: rostro] to show.

expresión *sf* expression.

expresivo, va *adj* expressive; [cariñoso] affectionate.

expreso, sa *adj* [explícito] specific; [deliberado] express; [claro] clear. ➡ **expreso** ◇ *sm* - 1. [tren] express train - 2. [café] expresso. ◇ *adv* on purpose, expressly.

exprimidor *sm* squeezer.

exprimir *vt* [fruta] to squeeze; [zumo] to squeeze out.

expropiar *vt* to expropriate.

expuesto, ta ◇ *pp* ▷ **exponer**. ◇ *adj* - 1. [dicho] stated, expressed - 2. [desprotegido]: **expuesto (a)** exposed (to) - 3. [arriesgado] dangerous, risky - 4. [exhibido] on display.

expulsar *vt* - 1. [persona - de clase, local, asociación] to throw out; [- de colegio] to expel - 2. DEP to send off - 3. [humo] to emit, to give off.

expulsión *sf* [gen] expulsion; [de clase, local, asociación] throwing-out; DEP sending-off.

exquisitez *sf* [cualidad] exquisiteness.

exquisito, ta *adj* exquisite; [comida] delicious, sublime.

extasiarse *vprnl*: **extasiarse (ante O con)** to go into ecstasies (over).

éxtasis *sm inv* ecstasy.

extender *vt* - 1. [desplegar - tela, plano, alas] to spread (out); [- brazos, piernas] to stretch out - 2. [esparcir - mantequilla] to spread; [- pintura] to smear; [- objetos etc] to spread out - 3. [ampliar - castigo, influencia etc] to extend - 4. [documento] to draw up; [cheque] to make out; [pasaporte, certificado] to issue. ➡ **extenderse** *vprnl* - 1. [ocupar]: **extenderse (por)** to stretch O extend across - 2. [hablar mucho]: **extenderse (en)** to enlarge O expand (on) - 3. [durar] to extend, to last - 4. [difundirse]: **extenderse (por)** to spread (across) - 5. [tenderse] to stretch out.

extensión *sf* - 1. [superficie - de terreno etc] area, expanse - 2. [amplitud - de país etc] size; [- de conocimientos] extent - 3. [duración] dura-

tion, length - **4.** [sentido - de concepto, palabra] range of meaning; **en toda la extensión de la palabra** in every sense of the word - **5.** INFORM & TELECOM extension.

extensivo, **va** *adj* extensive.

extenso, **sa** *adj* extensive; [país] vast; [libro, película] long.

extenuar *vt* to exhaust completely.

exterior ⟨⟩ *adj* - **1.** [de fuera] outside; [capa] outer, exterior - **2.** [visible] outward - **3.** [extranjero] foreign. ⟨⟩ *sm* - **1.** [superficie] outside; **en el exterior** outside - **2.** [extranjero] foreign countries *pl*; **en el exterior** abroad - **3.** [aspecto] appearance. ◆ **exteriores** *smpl* CINE outside shots; **rodar en exteriores** to film on location.

exteriorizar *vt* to show, to reveal.

exterminar *vt* [aniquilar] to exterminate.

exterminio *sm* extermination.

externalización *sf* outsourcing.

externalizar *vt* to outsource.

externo, **na** *adj* - **1.** [gen] external; [parte, capa] outer; [influencia] outside; [signo, aspecto] outward - **2.** [alumno] day *(antes de s)*.

extinción *sf* [gen] extinction; [de esperanzas] loss.

extinguir *vt* [incendio] to put out, to extinguish; [raza] to wipe out; [afecto, entusiasmo] to put an end to. ◆ **extinguirse** *vprnl* [fuego, luz] to go out; [animal, raza] to become extinct; [ruido] to die out; [afecto] to die.

extinto, **ta** *adj* extinguished; [animal, volcán] extinct.

extintor *sm* fire extinguisher.

extirpar *vt* [tumor] to remove; [muela] to extract; *fig* to eradicate.

extorsión *sf* - **1.** [molestia] trouble, bother - **2.** DER extortion.

extorsionista *smf* extortionist.

extra ⟨⟩ *adj* - **1.** [adicional] extra - **2.** [de gran calidad] top quality, superior. ⟨⟩ *smf* CINE extra. ⟨⟩ *sm* [gasto etc] extra. ⟨⟩ *sf* ▷ **paga**.

extracción *sf* - **1.** [gen] extraction - **2.** [en sorteos] draw - **3.** [de carbón] mining.

extracto *sm* - **1.** [resumen] summary, résumé; **extracto de cuentas** statement (of account) - **2.** [concentrado] extract.

extraditar *vt* to extradite.

extraer *vt*: **extraer (de)** [gen] to extract (from); [sangre] to draw (from); [carbón] to mine (from); [conclusiones] to come to O draw (from).

extralimitarse *vprnl* *fig* to go too far.

extranjero, **ra** ⟨⟩ *adj* foreign. ⟨⟩ *sm, f* [persona] foreigner. ◆ **extranjero** *sm* [territorio] foreign countries *pl*; **estar en el/ir al extranjero** to be/go abroad.

extrañar *vt* - **1.** [sorprender] to surprise; **me extraña (que digas esto)** I'm surprised (that you should say that) - **2.** [echar de menos] to miss. ◆ **extrañarse de** *vprnl* [sorprenderse de] to be surprised at.

extrañeza *sf* [sorpresa] surprise.

extraño, **ña** ⟨⟩ *adj* - **1.** [raro] strange; **¡qué extraño!** how odd O strange! - **2.** [ajeno] detached, uninvolved - **3.** MED foreign. ⟨⟩ *sm, f* stranger.

extraoficial *adj* unofficial.

extraordinario, **ria** *adj* - **1.** [gen] extraordinary; **no tiene nada de extraordinario** there's nothing extraordinary about that - **2.** [gastos] additional; [edición, suplemento] special - **3.** ▷ **paga**. ◆ **extraordinario** *sm* PRENSA special edition.

extraparlamentario, **ria** *adj* non-parliamentary.

extrapolar *vt* to generalize about.

extrarradio *sm* outskirts *pl*, suburbs *pl*.

extraterrestre *adj* & *smf* extraterrestrial.

extravagancia *sf* eccentricity.

extravagante *adj* eccentric, outlandish.

extravertido, **da**, **extrovertido**, **da** *adj* & *sm, f* extrovert.

extraviado, **da** *adj* [perdido] lost; [animal] stray.

extraviar *vt* - **1.** [objeto] to lose, to mislay - **2.** [excursionista] to mislead. ◆ **extraviarse** *vprnl* - **1.** [persona] to get lost - **2.** [objeto] to go missing.

extravío *sm* [pérdida] loss, mislaying.

extremado, **da** *adj* extreme.

extremar *vt* to maximize. ◆ **extremarse** *vprnl* to take great pains O care.

extremaunción *sf* extreme unction.

extremidad *sf* [extremo] end. ◆ **extremidades** *sfpl* ANAT extremities.

extremista *adj* & *smf* extremist.

extremo, **ma** *adj* [gen] extreme; [en el espacio] far, furthest. ◆ **extremo** *sm* - **1.** [punta] end - **2.** [límite] extreme; **en último extremo** as a last resort; **ir** O **pasar de un extremo al otro** to go from one extreme to the other; **ser el extremo opuesto** to be the complete opposite.

extrovertido, **da** = **extravertido**.

exuberancia *sf* exuberance.

exuberante *adj* exuberant.

exudar *vt* to exude, to ooze.

exultante *adj* exultant.

eyaculación *sf* ejaculation.

eyacular *vi* to ejaculate.

f **562**

f, F sf [letra] f, F. ◆ **23 F** sm 23rd February, day of the failed coup d'état in Spain in 1981.

f. - **1.** (abrev de factura) inv. - **2.** (abrev de folio) f.

fa sm MÚS F; [en solfeo] fa.

fabada sf Asturian stew made of beans, pork sausage and bacon.

fábrica sf [establecimiento] factory; **fábrica de cerveza** brewery; **fábrica de conservas** canning plant, cannery; **fábrica de papel** paper mill.

fabricación sf manufacture; **de fabricación casera** home-made; **fabricación en serie** mass production.

fabricante smf manufacturer.

fabricar vt - **1.** [producir] to manufacture, to make - **2.** [construir] to build, to construct - **3.** fig [inventar] to fabricate, to make up.

fábula sf LITER fable; [leyenda] legend.

fabuloso, sa adj - **1.** [ficticio] mythical - **2.** [muy bueno] fabulous, fantastic.

facción sf POLÍT faction. ◆ **facciones** sfpl [rasgos] features.

faceta sf facet.

facha sf - **1.** [aspecto] appearance, look - **2.** [mamarracho] mess; **vas hecho una facha** you look a mess.

fachada sf ARQUIT façade.

facial adj facial.

fácil adj - **1.** [gen] easy; **fácil de hacer** easy to do - **2.** [probable] likely.

facilidad sf - **1.** [simplicidad] ease, easiness; **con facilidad** easily; **con la mayor facilidad** with the greatest of ease - **2.** [aptitud] aptitude; **tener facilidad para algo** to have a gift for sthg. ◆ **facilidades** sfpl [comodidades] facilities; **dar facilidades a alguien para algo** to make sthg easy for sb; **facilidades de pago** easy (payment) terms.

facilitar vt - **1.** [simplificar] to facilitate, to make easy; [posibilitar] to make possible - **2.** [proporcionar] to provide; **facilitar algo a alguien** to provide O supply sb with sthg.

facsímil, facsímile sm facsimile.

factible adj feasible.

fáctico ▷ **poder**[1].

factor sm [gen] factor; **factor humano** human factor; **factor de riesgo** risk factor.

factoría sf [fábrica] factory.

factura sf - **1.** [por mercancías, trabajo realizado] invoice; **factura pro forma** O **proforma** COM proforma invoice - **2.** [de gas, teléfono] bill; [en tienda, hotel] bill - **3.** Arg [repostería] cakes and pastries.

facturación sf - **1.** [ventas] turnover UK, net revenue US - **2.** [de equipaje - en aeropuerto] checking-in; [- en estación] registration; **mostrador de facturación** check-in desk.

facturar vt - **1.** [cobrar]: **facturarle a alguien algo** to invoice O bill sb for sthg - **2.** [vender] to turn over - **3.** [equipaje - en aeropuerto] to check in; [- en estación] to register.

facultad sf - **1.** [capacidad & UNIV] faculty; **facultades mentales** mental faculties - **2.** [poder] power, right.

facultativo, va ▷ adj - **1.** [voluntario] optional - **2.** [médico] medical. ▷ sm, f doctor.

faena sf [tarea] task, work (U); **estar en plena faena** to be hard at work.

faenar vi to fish.

fagot sm [instrumento] bassoon.

faisán sm pheasant.

faja sf - **1.** [prenda de mujer, terapéutica] corset; [banda] sash, cummerbund - **2.** [de terreno - pequeña] strip; [- grande] belt.

fajo sm [de billetes, papel] wad; [de leña, cañas] bundle.

falacia sf deceit, trick.

falda sf - **1.** [prenda] skirt; **estar pegado** O **cosido a las faldas de su madre** to to be tied to one's mother's apron strings; **falda escocesa** kilt; **falda pantalón** culottes pl; **falda plisada** O **tableada** pleated skirt - **2.** [de montaña] slope, mountainside.

faldón sm [de ropa] tail; [de cortina, mesa camilla] folds pl.

falla sf [gen & GEOL] fault. ◆ **fallas** sfpl [fiesta] celebrations in Valencia during which cardboard figures are burnt.

fallar ▷ vt - **1.** [sentenciar] to pass sentence on; [premio] to award - **2.** [equivocar - respuesta] to get wrong; [- tiro] to miss. ▷ vi - **1.** [equivocarse] to get it wrong; [no acertar] to miss - **2.** [fracasar, flaquear] to fail; [plan] to go wrong - **3.** [decepcionar]: **fallarle a alguien** to let sb down - **4.** [sentenciar]: **fallar a favor/en contra de** to find in favour of/against.

fallecer vi to pass away, to die.

fallecimiento sm decease, death.

fallo sm - **1.** [error] mistake; DEP miss; **¡qué fallo!** what a stupid mistake!; **fallo humano** human error - **2.** [sentencia - de juez, jurado] verdict.

falo sm phallus.

falsear vt [hechos, historia] to falsify, to distort; [moneda, firma] to forge.

falsedad *sf* - **1.** [falta de verdad, autenticidad] falseness - **2.** [mentira] falsehood.

falsete *sm* falsetto.

falsificar *vt* to forge.

falso, sa *adj* - **1.** [rumor, excusa etc] false, untrue - **2.** [dinero, firma, cuadro] forged; [joyas] fake; **jurar en falso** to commit perjury - **3.** [hipócrita] deceitful.

falta *sf* - **1.** [carencia] lack; **hacer falta** to be necessary; **me hace falta suerte** I need some luck; **por falta de** for want O lack of - **2.** [escasez] shortage - **3.** [ausencia] absence; **echar en falta algo/a alguien** [notar la ausencia de] to notice that sthg/sb is missing; [echar de menos] to miss sthg/sb - **4.** [imperfección] fault; [error] mistake; **falta de educación** bad manners *pl*; **falta de ortografía** spelling mistake; **falta de respeto** disrespect, lack of respect - **5.** DEP foul; [en tenis] fault; **doble falta** double fault - **6.** DER offence. **a falta de** *loc prep* in the absence of; **a falta de pan, buenas son tortas** *prov* half a loaf is better than none. **sin falta** *loc adv* without fail.

faltante *sm Amér* deficit.

faltar *vi* - **1.** [no haber] to be lacking, to be needed; **falta aire** there's not enough air; **falta sal** it needs a bit of salt - **2.** [estar ausente] to be absent O missing; **falta Elena** Elena is missing - **3.** [carecer]: **le faltan las fuerzas** he lacks O doesn't have the strength - **4.** [hacer falta] to be necessary; **me falta tiempo** I need time - **5.** [quedar]: **falta un mes para las vacaciones** there's a month to go till the holidays; **sólo te falta firmar** all you have to do is sign; **¿cuánto falta para Leeds?** how much further is it to Leeds?; **falta mucho por hacer** there is still a lot to be done; **falta poco para que llegue** it won't be long till he arrives - **6.** *loc*: **¡no faltaba O faltaría más!** [asentimiento] of course!; [rechazo] that tops it all!, that's a bit much! **faltar a** *vi* - **1.** [palabra, promesa] to break, not to keep; [deber, obligación] to neglect - **2.** [cita, trabajo] not to turn up at; **¡no faltes (a la cita)!** don't miss it!, be there! - **3.** [no respetar] to be disrespectful towards; **faltar a alguien en algo** to offend sb in sthg.

falto, ta *adj*: **falto de** lacking in, short of.

fama *sf* - **1.** [renombre] fame; **tener fama** to be famous - **2.** [reputación] reputation; **cría fama y échate a dormir** *prov* build yourself a good reputation, then you can rest on your laurels.

famélico, ca *adj* starving, famished.

familia *sf* family; **en familia** in private; **ser de buena familia** to come from a good family; **ser como de la familia** to be like one of the family; **familia de acogida** host family; **familia monoparental** one-parent family; **familia política** in-laws *pl*; **familia real** royal family.

familiar <> *adj* - **1.** [de familia] family *(antes de s)* - **2.** [en el trato - agradable] friendly; [- en demasía] overly familiar - **3.** [lenguaje, estilo] informal - **4.** [conocido] familiar. <> *smf* relative, relation.

familiaridad *sf* familiarity.

familiarizar *vt*: **familiarizar (con)** to familiarize (with). **familiarizarse** *vprnl*: **familiarizarse con** [estudiar] to familiarize o.s. with; [acostumbrarse a] to get used to.

famoso, sa *adj* famous.

fanático, ca <> *adj* fanatical. <> *sm, f* [gen] fanatic; DEP fan.

fanatismo *sm* fanaticism.

fanfarria *sf* - **1.** *fam* [jactancia] bragging - **2.** [pieza musical] fanfare; [banda] brass band.

fanfarrón, ona *adj* boastful.

fango *sm* mud.

fantasear *vi* to fantasize.

fantasía *sf* [imaginación] imagination; [cosa imaginada] fantasy; **de fantasía** [ropa] fancy; [bisutería] imitation.

fantasma <> *sm* [espectro] ghost, phantom. <> *smf fam* [fanfarrón] show-off.

fantástico, ca *adj* fantastic.

fantoche *sm* - **1.** [títere] puppet - **2.** [mamarracho] (ridiculous) sight.

fardo *sm* bundle.

farfullar *vt & vi* to gabble, to splutter.

faringitis *sf inv* sore throat.

farmacéutico, ca <> *adj* pharmaceutical. <> *sm, f* chemist, pharmacist.

farmacia *sf* [establecimiento] chemist's (shop) *UK*, pharmacy, drugstore *US*; **farmacia de turno** O **de guardia** duty chemist's.

fármaco *sm* medicine, drug.

faro *sm* - **1.** [para barcos] lighthouse - **2.** [de coche] headlight, headlamp; **faro antiniebla** foglamp.

farol *sm* [farola] street lamp O light; [linterna] lantern, lamp.

farola *sf* [farol] street lamp O light; [poste] lamppost.

farsa *sf lit & fig* farce.

farsante *adj* deceitful.

fascículo *sm* part, instalment *(of serialization)*.

fascinante *adj* fascinating.

fascinar *vt* to fascinate.

fascismo *sm* fascism.

fascista *adj & smf* fascist.

fase *sf* phase; **en fase terminal** in terminal phase.

fastidiado, da *adj* [de salud] ill; **ando fastidiado del estómago** I've got a bad stomach.

fastidiar *vt* - **1.** [estropear - fiesta etc] to spoil, to ruin; [- máquina, objeto etc] to break - **2.** [molestar] to annoy, to bother. **fastidiarse** *vprnl* - **1.** [estropearse - fiesta etc] to be ruined; [- máquina] to break down - **2.** [aguantarse] to put up with it.

fastidio *sm* - **1.** [molestia] nuisance, bother; ¡qué fastidio! what a nuisance! - **2.** [enfado] annoyance.

fastidioso, sa *adj* [molesto] annoying.

fastuoso, sa *adj* lavish, sumptuous.

fatal ◇ *adj* - **1.** [mortal] fatal - **2.** [muy malo] terrible, awful - **3.** [inevitable] inevitable. ◇ *adv* terribly; **pasarlo fatal** to have an awful time; **sentirse fatal** to feel terrible.

fatalidad *sf* - **1.** [destino] fate, destiny - **2.** [desgracia] misfortune.

fatalismo *sm* fatalism.

fatídico, ca *adj* fateful, ominous.

fatiga *sf* [cansancio] tiredness, fatigue. **fatigas** *sfpl* [penas] hardships.

fatigar *vt* to tire, to weary. **fatigarse** *vprnl* to get tired.

fatigoso, sa *adj* tiring, fatiguing.

fatuo, tua *adj* - **1.** [necio] fatuous, foolish - **2.** [engreído] conceited.

fauna *sf* fauna.

favor *sm* favour; **a favor de** in favour of; **hacerle un favor a alguien** [ayudar a] to do sb a favour; *fam fig* [acostarse con] to go to bed with sb; **pedir un favor a alguien** to ask sb a favour; **tener a** *O* **en su favor a alguien** to enjoy sb's support. **por favor** *loc adv* please.

favorable *adj* favourable; **ser favorable a algo** to be in favour of sthg.

favorecer *vt* - **1.** [gen] to favour; [ayudar] to help, to assist - **2.** [sentar bien] to suit.

favoritismo *sm* favouritism.

favorito, ta *adj & sm, f* favourite.

fax *sm inv* - **1.** [aparato] fax (machine); **mandar algo por fax** to fax sthg - **2.** [documento] fax.

fayuquero, ra *sm, f Méx fam* smuggler.

faz *sf culto* - **1.** [cara] countenance, face - **2.** [del mundo, de la tierra] face.

fe *sf* - **1.** [gen] faith; **hacer algo de buena fe** to do sthg in good faith; **tener fe en** to have faith in, to believe in - **2.** [documento] certificate; **fe de bautismo** certificate of baptism; **fe de erratas** errata *pl* - **3.** *loc*: **dar fe de que** to testify that.

fealdad *sf* [de rostro etc] ugliness.

febrero *sm* February; *ver también* **septiembre**.

febril *adj* feverish; *fig* [actividad] hectic.

fecha *sf* [gen] date; [momento actual] current date; **a partir de esta fecha** from today; **hasta la fecha** to date, so far; **fecha de caducidad** [de alimentos] sell-by date; [de carné, pasaporte] expiry date; [de medicamento] 'use before' date; **fecha de nacimiento** date of birth; **fecha tope** *O* **límite** deadline.

fechar *vt* to date.

fechoría *sf* bad deed, misdemeanour.

fécula *sf* starch *(in food)*.

fecundación *sf* fertilization; **fecundación artificial** artificial insemination; **fecundación asistida** assisted fertilization; **fecundación in vitro** in vitro fertilization.

fecundar *vt* - **1.** [fertilizar] to fertilize - **2.** [hacer productivo] to make fertile.

fecundo, da *adj* [gen] fertile; [artista] prolific.

federación *sf* federation.

federal *adj & smf* federal.

federar *vt* to federate. **federarse** *vprnl* - **1.** [formar federación] to become *O* form a federation - **2.** [ingresar en federación] to join a federation.

felicidad *sf* happiness. **felicidades** *interj*: ¡felicidades! [gen] congratulations!; [en cumpleaños] happy birthday!

felicitación *sf* - **1.** [acción]: **felicitaciones** congratulations - **2.** [postal] greetings card; **felicitación de Navidad** Christmas card.

felicitar *vt* to congratulate; ¡te felicito! congratulations!; **felicitar a alguien por algo** to congratulate sb on sthg.

feligrés, esa *sm, f* parishioner.

felino, na *adj* feline.

feliz *adj* - **1.** [dichoso] happy; **hacer feliz a alguien** to make sb happy - **2.** [afortunado] lucky - **3.** [oportuno] timely.

felpa *sf* [de seda] plush; [de algodón] towelling.

felpudo *sm* doormat.

femenino, na *adj* [gen] feminine; BOT & ZOOL female. **femenino** *sm* GRAM feminine.

fémina *sf* woman, female.

feminismo *sm* feminism.

feminista *adj & smf* feminist.

fémur *(pl fémures) sm* femur, thighbone.

fénix *sm inv* [ave] phoenix.

fenomenal *adj* [magnífico] wonderful.

fenómeno ◇ *sm* [gen] phenomenon. ◇ *adv fam* brilliantly, fantastically; **pasarlo fenómeno** to have a great time. ◇ *interj*: ¡fenómeno! great!, terrific!

feo, a *adj* - **1.** [persona] ugly; **le tocó bailar con la más fea** he drew the short straw; **ser más feo que Picio** to be as ugly as sin - **2.** [aspecto, herida, conducta] nasty; **es feo escupir** it's rude to spit.

féretro *sm* coffin.

feria *sf* - **1.** [gen] fair; **feria (de muestras)** trade fair - **2.** [fiesta popular] festival.

feriado sm Amér (public) holiday.

fermentación sf fermentation.

fermentar vt & vi to ferment.

ferocidad sf ferocity, fierceness.

feroz adj - **1.** [animal, bestia] fierce, ferocious - **2.** fig [criminal, asesino] cruel, savage - **3.** fig [dolor, angustia] terrible.

férreo, a adj lit & fig iron (antes de s).

ferretería sf ironmonger's (shop) UK, hardware store.

ferrocarril sm [sistema, medio] railway, railroad US; [tren] train; **por ferrocarril** by train.

ferroviario, ria adj railway (antes de s) UK, rail (antes de s), railroad (antes de s) US.

ferry sm ferry.

fértil adj lit & fig fertile.

fertilidad sf lit & fig fertility.

fertilizante sm fertilizer.

fertilizar vt to fertilize.

ferviente adj fervent.

fervor sm fervour.

festejar vt [celebrar] to celebrate.

festejo sm [fiesta] party. ◆ **festejos** smpl [fiestas] public festivities.

festín sm banquet, feast.

festival sm festival.

festividad sf festivity.

festivo, va adj - **1.** [de fiesta] festive; **día festivo** (public) holiday - **2.** [alegre] cheerful, jolly; [chistoso] funny, witty.

fetiche sm fetish.

fétido, da adj fetid, foul-smelling.

feto sm foetus.

feudal adj feudal.

FF AA (abrev de **Fuerzas Armadas**) sfpl Spanish armed forces.

fiable adj [máquina] reliable; [persona] trustworthy.

fiador, ra sm, f guarantor, surety; **salir fiador por** to vouch for.

fiambre sm [comida] cold meat UK, cold cuts US.

fiambrera sf lunch O sandwich box.

fianza sf - **1.** [depósito] deposit - **2.** DER bail; **bajo fianza** on bail - **3.** [garantía] security, bond.

fiar ◇ vt COM to sell on credit. ◇ vi COM to sell on credit; **ser de fiar** to be trustworthy. ◆ **fiarse** vprnl: **¡no te fíes!** don't be too sure (about it)!; **fiarse de algo/alguien** to trust sthg/sb.

fibra sf [gen] fibre; [de madera] grain; **fibra de vidrio** fibreglass.

ficción sf [gen] fiction.

ficha sf - **1.** [tarjeta] (index) card; [con detalles personales] file, record card - **2.** [de guardarropa, aparcamiento] ticket - **3.** [de teléfono] token - **4.** [de juego - gen] counter; [en ajedrez] piece; [en casino] chip; **mover ficha** to act - **5.** INFORM card.

fichaje sm DEP [contratación] signing (up); [importe] transfer fee.

fichar ◇ vt - **1.** [archivar] to note down on an index card, to file - **2.** [suj: policía] to put on police files O records - **3.** DEP to sign up. ◇ vi - **1.** [suj: trabajador - al entrar] to clock in; [- al salir] to clock out - **2.** DEP: **fichar (por)** to sign up (for).

fichero sm - **1.** [mueble] filing cabinet - **2.** INFORM file.

ficticio, cia adj [imaginario] fictitious.

ficus sm inv rubber plant.

fidedigno, na adj reliable.

fidelidad sf - **1.** [lealtad] loyalty; [de cónyuge, perro] faithfulness - **2.** [precisión] accuracy; **alta fidelidad** high fidelity.

fideo sm noodle; **estar** O **quedarse como un fideo** to be as thin as a rake.

fiebre sf fever; **tener fiebre** to have a temperature; **fiebre aftosa** foot-and-mouth disease; **fiebre amarilla/de Malta** yellow/Malta fever; **fiebre del heno** hay fever.

fiel adj - **1.** [leal - amigo, seguidor] loyal; [- cónyuge, perro] faithful - **2.** [preciso] accurate. ◆ **fieles** smpl RELIG: **los fieles** the faithful.

fieltro sm felt.

fiero, ra adj savage, ferocious. ◆ **fiera** sf [animal] wild animal.

fierro sm Amér - **1.** [hierro] iron - **2.** [navaja] penknife.

fiesta sf - **1.** [reunión] party; [de pueblo etc] (local) festivities pl; **fiesta benéfica** fête; **fiesta de disfraces** fancy-dress party; **fiesta mayor** local celebrations for the festival of a town's patron saint; **no estar para fiestas** to be in no mood for joking - **2.** [día] public holiday; **ser fiesta** to be a public holiday; **hacer fiesta** to be on holiday. ◆ **fiestas** sfpl [vacaciones] holidays.

figura sf - **1.** [gen] figure; [forma] shape; **tener buena figura** to have a good figure - **2.** [en naipes] picture card.

figuraciones sfpl imaginings.

figurado, da adj figurative.

figurar ◇ vi - **1.** [aparecer]: **figurar (en)** to appear (in), to figure (in) - **2.** [ser importante] to be prominent O important. ◇ vt - **1.** [representar] to represent - **2.** [simular] to feign, to simulate. ◆ **figurarse** vprnl [imaginarse] to imagine; **ya me lo figuraba yo** I thought as much.

fijación sf - **1.** [gen & FOTO] fixing - **2.** [obsesión] fixation.

fijador sm [líquido] fixative; **fijador de pelo** [crema] hair gel; [espray] hair spray.

fijar vt - **1.** [gen] to fix; [asegurar] to fasten; [cartel] to stick up; [sello] to stick on - **2.** [significado] to establish; **fijar el domicilio** to take up residence; **fijar la mirada/la atención en** to fix one's gaze/attention on. **fijarse** vprnl to pay attention; **fijarse en algo** [darse cuenta] to notice sthg; [prestar atención] to pay attention to sthg.

fijo, ja adj - **1.** [gen] fixed; [sujeto] secure - **2.** [cliente] regular - **3.** [fecha] definite - **4.** [empleado, trabajo] permanent.

fila sf [hilera - gen] line; [- de asientos] row; **en fila, en fila india** in line, in single file; **ponerse en fila** to line up. **filas** sfpl MIL ranks; **cerrar filas** fig to close ranks.

filántropo, pa sm, f philanthropist.

filarmónico, ca adj philharmonic.

filatelia sf philately.

filete sm [CULIN - grueso] (fillet) steak; [- delgado] fillet; [solomillo] sirloin.

filiación sf POLÍT affiliation.

filial adj - **1.** [de hijo] filial - **2.** [de empresa] subsidiary. sf subsidiary.

filigrana sf [en orfebrería] filigree.

Filipinas sfpl: **(las) Filipinas** the Philippines sing.

filipino, na adj & sm, f Filipino. **filipino** sm [lengua] Filipino.

film = **filme**.

filmar vt to film, to shoot.

filme, film (pl films) sm film UK, movie US.

filmoteca sf [archivo] film library; [sala de cine] film institute.

filo sm (cutting) edge; **de doble filo, de dos filos** lit & fig double-edged. **al filo de** loc prep just before.

filología sf - **1.** [ciencia] philology - **2.** [carrera] language and literature.

filón sm - **1.** [de carbón etc] seam - **2.** fig [mina] gold mine.

filoso, sa, filudo, da adj Amér sharp.

filosofía sf [ciencia] philosophy.

filósofo, fa sm, f philosopher.

filtración sf - **1.** [de agua] filtration - **2.** fig [de noticia etc] leak.

filtrar vt - **1.** [tamizar] to filter - **2.** fig [datos, noticia] to leak. **filtrarse** vprnl - **1.** [penetrar]: **filtrarse (por)** to filter O seep (through) - **2.** fig [datos, noticia] to be leaked.

filtro sm [gen] filter; [de cigarrillo] filter, filter tip; **filtro del aceite** oil filter.

filudo, da = **filoso**.

fin sm - **1.** [final] end; **dar** O **poner fin a algo** to put an end to sthg; **tocar a su fin** to come to a close; **fin de semana** weekend; **a fines de** at the end of; **al** O **por fin** at last, finally; **a fin de cuentas** after all; **al fin y al cabo** after all

- **2.** [objetivo] aim, goal; **el fin justifica los medios** prov the end justifies the means. **a fin de** loc conj in order to. **a fin de que** loc conj so that. **en fin** loc adv anyway.

final adj final, end (antes de s). sm end; **final feliz** happy ending; **a finales de** at the end of. sf final.

finalidad sf aim, purpose.

finalista smf finalist.

finalizar vt to finish, to complete. vi: **finalizar (con)** to end O finish (in).

financiación sf financing.

financiar vt to finance.

financiero, ra adj financial. sm, f [persona] financier. **financiera** sf [firma] finance company.

financista smf Amér financier.

finanzas sfpl finance (U).

finca sf [gen] property; [casa de campo] country residence.

fingir vt to feign. vi to pretend.

finiquito sm settlement.

finito, ta adj finite.

finlandés, esa adj Finnish. sm, f [persona] Finn. **finlandés** sm [lengua] Finnish.

Finlandia n pr Finland.

fino, na adj - **1.** [gen] fine; [delgado] thin; [cintura] slim - **2.** [cortés] refined - **3.** [agudo - oído, olfato] sharp, keen; [- gusto, humor, ironía] refined. **fino** sm dry sherry.

finura sf [gen] fineness; [delgadez] thinness; [cortesía] refinement; [de oído, olfato] sharpness, keenness; [de gusto, humor, ironía] refinement.

firma sf - **1.** [rúbrica] signature; [acción] signing - **2.** [empresa] firm.

firmamento sm firmament.

firmar vt to sign; **firmar algo en blanco** fig to rubber-stamp sthg.

firme adj - **1.** [gen] firm; [mueble, andamio, edificio] stable - **2.** [argumento, base] solid - **3.** [carácter, actitud, paso] resolute.

firmeza sf - **1.** [gen] firmness; [de mueble, edificio] stability - **2.** [de argumento] solidity - **3.** [de carácter, actitud] resolution.

fiscal adj tax (antes de s), fiscal. smf public prosecutor UK, district attorney US.

fisco sm treasury, exchequer.

fisgar, fisgonear vi [gen] to pry; [escuchando] to eavesdrop.

fisgón, ona sm, f nosy parker.

fisgonear = **fisgar**.

físico, ca adj physical. sm, f [persona] physicist. **físico** sm [complexión] physique. **física** sf [ciencia] physics (U).

fisiológico, ca adj physiological.

fisionomía = fisonomía.

fisioterapeuta *smf* physiotherapist.

fisonomía, fisionomía *sf* features *pl*, appearance.

fisura *sf* [grieta] fissure.

flacidez, flaccidez *sf* flabbiness.

flácido, da, fláccido, da *adj* flaccid, flabby.

flaco, ca ⬦ *adj* thin, skinny. ⬦ *sm, f Amér* [como apelativo]: ¿cómo estás, flaca? hey, how are you doing?

flagelar *vt* to flagellate.

flagrante *adj* flagrant.

flamante *adj* [vistoso] resplendent; [nuevo] brand-new.

flambear *vt* to flambé.

flamenco, ca ⬦ *adj* - **1**. MÚS flamenco (*antes de s*) - **2**. [de Flandes] Flemish - **3**. [achulado] cocky; **ponerse flamenco** to get cocky. ⬦ *sm, f* [de Flandes] Fleming. ⬦ **flamenco** *sm* - **1**. [ave] flamingo - **2**. [lengua] Flemish - **3**. MÚS flamenco.

flan *sm* crème caramel; **estar hecho O como un flan** to shake like a jelly, to be a bundle of nerves.

flanco *sm* flank.

flanquear *vt* to flank.

flaquear *vi* to weaken; *fig* to flag.

flaqueza *sf* weakness.

flash [flaʃ] (*pl* flashes) *sm* - **1**. FOTO flash - **2**. [informativo] newsflash.

flato *sm*: **tener flato** to have a stitch.

flatulento, ta *adj* flatulent.

flauta ⬦ *sf* flute; **flauta dulce** recorder; **de la gran flauta** *Chile & R Dom fig* tremendous. ⬦ *interj*: ¡(la gran) flauta! *Chile & R Dom* good grief!, good heavens!

flecha *sf* [gen] arrow; ARQUIT spire; **salir como una flecha** to shoot out, to fly out.

flechazo *sm fam fig* [amoroso]: **fue un flechazo** it was love at first sight.

fleco *sm* [adorno] fringe.

flema *sf* phlegm.

flemático, ca *adj* [tranquilo] phlegmatic.

flemón *sm* gumboil.

flequillo *sm* fringe, bangs *pl* US.

flete *sm* - **1**. [precio] freightage - **2**. [carga] cargo, freight.

flexible *adj* flexible.

flexo *sm* adjustable table lamp O light.

flipar *fam vi* - **1**. [disfrutar] to have a wild time - **2**. [asombrarse] to be gobsmacked - **3**. [con una droga] to be stoned O high.

flirtear *vi* to flirt.

flojear *vi* - **1**. [decaer - piernas, fuerzas etc] to weaken; [- memoria] to be failing; [- película, libro] to flag; [- calor, trabajo] to ease off; [- ventas] to fall off - **2**. *Andes* [holgazanear] to laze about O around.

flojera *sf* lethargy, feeling of weakness.

flojo, ja *adj* - **1**. [suelto] loose - **2**. [débil - persona, bebida] weak; [- sonido] faint; [- tela] thin; [- salud] poor; [- viento] light - **3**. [inactivo - mercado, negocio] slack.

flor *sf* - **1**. BOT flower; **de flores** flowered; **echar flores a alguien** to pay sb compliments; **no tener ni flores (de)** *fam* not to have a clue (about); **ser flor de un día** *fig* to be a flash in the pan - **2**. [lo mejor]: **la flor (y nata)** the crème de la crème, the cream; **en la flor de la edad** O **de la vida** in the prime of life. ⬦ **a flor de** *loc adv*: **a flor de agua/tierra** at water/ground level.

flora *sf* flora.

florecer *vi* to flower; *fig* to flourish.

floreciente *adj fig* flourishing.

florero *sm* vase.

florido, da *adj* [con flores] flowery; [estilo, lenguaje] florid.

florista *smf* florist.

floristería *sf* florist's (shop).

flota *sf* fleet.

flotación *sf* [gen & ECON] flotation.

flotador *sm* - **1**. [para nadar] rubber ring - **2**. [de caña de pescar] float.

flotar *vi* [gen & ECON] to float; [banderas] to flutter.

flote ⬦ **a flote** *loc adv* afloat; **sacar algo a flote** *fig* to get sthg back on its feet; **salir a flote** *fig* to get back on one's feet.

flotilla *sf* flotilla.

fluctuar *vi* [variar] to fluctuate.

fluidez *sf* - **1**. [gen] fluidity; [del tráfico] free flow; [de relaciones] smoothness - **2**. *fig* [en el lenguaje] fluency.

fluido, da *adj* - **1**. [gen] fluid; [tráfico] free-flowing - **2**. [relaciones] smooth - **3**. *fig* [lenguaje] fluent. ⬦ **fluido** *sm* fluid; **fluido eléctrico** electric current O power.

fluir *vi* to flow.

flujo *sm* flow; **flujo de caja** cash flow.

flúor *sm* fluorine.

fluorescente *sm* strip light.

fluvial *adj* river (*antes de s*).

FM (*abrev de* frecuencia modulada) *sf* FM.

FMI (*abrev de* Fondo Monetario Internacional) *sm* IMF.

fobia *sf* phobia.

foca *sf* seal.

foco *sm* - **1.** *fig* [centro] centre, focal point - **2.** [lámpara - para un punto] spotlight; [- para una zona] floodlight - **3.** FÍS & GEOM focus - **4.** *Col, Ecuad, Méx & Perú* [bombilla] light bulb.

fofo, fa *adj* flabby.

fogata *sf* bonfire, fire.

fogón *sm* [para cocinar] stove.

fogoso, sa *adj* passionate.

fogueo *sm*: **de fogueo** blank.

foie-gras [fwa'yras] *sm* (pâté de) foie-gras.

folclore, folclor, folklor *sm* folklore.

folio *sm* [hoja] leaf, sheet; [tamaño] folio.

folklor = **folclore**.

follaje *sm* foliage.

folletín *sm* [dramón] melodrama.

folleto *sm* [turístico, publicitario] brochure; [explicativo, de instrucciones] leaflet.

follón *sm fam* - **1.** [discusión] row; **se armó follón** there was an almighty row - **2.** [lío] mess; **¡vaya follón!** what a mess!

fomentar *vt* to encourage, to foster.

fomento *sm* encouragement, fostering.

fonda *sf* boarding house.

fondear ◇ *vi* to anchor. ◇ *vt* [sondear] to sound; [registrar - barco] to search.

fondo *sm* - **1.** [de recipiente, mar, piscina] bottom; **tocar fondo** [embarcación] to scrape along the sea/river bed; *fig* to hit rock bottom; **doble fondo** false bottom - **2.** [de habitación etc] back; **al fondo de** [calle, pasillo] at the end of; [sala] at the back of - **3.** [dimensión] depth - **4.** [de tela, cuadro, foto] background; **al fondo** in the background - **5.** *R Dom* [patio] back patio - **6.** [de asunto, tema] heart, bottom - **7.** ECON fund; **a fondo perdido** non-returnable; **fondo común** kitty - **8.** [de biblioteca, archivo] catalogue, collection - **9.** DEP stamina - **10.** *Méx* [combinación] petticoat. ◆ **fondos** *smpl* ECON [capital] funds; **recaudar fondos** to raise funds. ◆ **a fondo** ◇ *loc adv* thoroughly; **emplearse a fondo** *fig* to do one's utmost. ◇ *loc adj* thorough. ◆ **en el fondo** *loc adv* - **1.** [en lo más íntimo] deep down - **2.** [en lo esencial] basically.

fonético, ca *adj* phonetic. ◆ **fonética** *sf* [ciencia] phonetics *(U).*

fono *sm Amér fam* phone.

fontanería *sf* plumbing.

fontanero, ra *sm, f* plumber.

football = **fútbol**.

footing ['futin] *sm* jogging; **hacer footing** to go jogging.

forajido, da *sm, f* outlaw.

foráneo, a *adj* foreign.

forastero, ra *sm, f* stranger.

forcejear *vi* to struggle.

fórceps *sm inv* forceps.

forense ◇ *adj* forensic. ◇ *smf* pathologist.

forestal *adj* forest *(antes de s).*

forja *sf* [fragua] forge; [forjadura] forging.

forjar *vt* - **1.** [metal] to forge - **2.** *fig* [inventarse] to invent; [crear] to build up. ◆ **forjarse** *vprnl fig* [labrarse] to carve out for o.s.

forma *sf* - **1.** [gen] shape, form; **dar forma a** to shape, to form; **en forma de** in the shape of; **tomar forma** to take shape; **guardar las formas** to keep up appearances - **2.** [manera] way, manner; **de cualquier forma, de todas formas** anyway, in any case; **de esta forma** in this way; **de forma que** in such a way that, so that - **3.** ARTE & LITER form - **4.** [condición física] fitness; **estar en forma** to be fit; **estar bajo de forma, estar en baja forma** to be in poor shape. ◆ **formas** *sfpl* - **1.** [silueta] figure *sing* - **2.** [modales] social conventions.

formación *sf* - **1.** [gen & MIL] formation - **2.** [educación] training; **formación profesional** vocational training - **3.** [conjunto] grouping.

formal *adj* - **1.** [gen] formal - **2.** [que se porta bien] well-behaved, good - **3.** [de confianza] reliable - **4.** [serio] serious.

formalidad *sf* - **1.** [gen] formality - **2.** [educación] (good) manners *pl* - **3.** [fiabilidad] reliability - **4.** [seriedad] seriousness.

formalizar *vt* to formalize.

formar ◇ *vt* - **1.** [gen] to form - **2.** [educar] to train, to educate. ◇ *vi* MIL to fall in. ◆ **formarse** *vprnl* - **1.** [gen] to form - **2.** [educarse] to be trained *o* educated.

formatear *vt* INFORM to format.

formato *sm* [gen & INFORM] format.

formica® *sf* Formica®.

formidable *adj* [enorme] tremendous; [extraordinario] amazing, fantastic.

fórmula *sf* formula; **fórmula uno** formula one; **por pura fórmula** purely as a matter of form.

formular *vt* to formulate.

formulario *sm* form.

fornido, da *adj* well-built.

foro *sm* - **1.** [tribunal] court (of law) - **2.** TEATRO back of the stage; **desaparecer por el foro** to slip away unnoticed - **3.** [debate] forum; **foro de discusión** INFORM forum.

forofo, fa *sm, f fam* fan, supporter.

forraje *sm* fodder.

forrar *vt*: **forrar (de)** [libro] to cover (with); [ropa] to line (with); [asiento] to upholster (with).

forro *sm* - **1.** [de libro] cover; [de ropa] lining; [de asiento] upholstery - **2.** *R Dom fam* [preservativo] rubber, johnny *UK*.

fortalecer *vt* to strengthen.

fortaleza *sf* - **1.** [gen] strength - **2.** [recinto] fortress.

fortificación *sf* fortification.

fortuito, ta *adj* chance *(antes de s)*.

fortuna *sf* - **1.** [suerte] (good) luck; **por fortuna** fortunately, luckily - **2.** [destino] fortune, fate - **3.** [riqueza] fortune.

forúnculo, furúnculo *sm* boil.

forzado, da *adj* forced.

forzar *vt* - **1.** [gen] to force; **forzar la vista** to strain one's eyes - **2.** [violar] to rape.

forzoso, sa *adj* [obligatorio] obligatory, compulsory; [inevitable] inevitable; [necesario] necessary.

forzudo, da *adj* strong.

fosa *sf* - **1.** [sepultura] grave - **2.** ANAT cavity; **fosas nasales** nostrils - **3.** [hoyo] pit; **fosa marina** ocean trough.

fosfato *sm* phosphate.

fosforescente *adj* phosphorescent.

fósforo *sm* - **1.** QUÍM phosphorus - **2.** [cerilla] match.

fósil *sm* GEOL fossil.

foso *sm* [hoyo] ditch; [de fortaleza] moat; [de garaje] pit; DEP & TEATRO pit.

foto *sf* photo, picture.

fotocomponer *vt* IMPR to typeset.

fotocopia *sf* [objeto] photocopy.

fotocopiadora *sf* photocopier.

fotocopiar *vt* to photocopy.

fotoeléctrico, ca *adj* photoelectric.

fotogénico, ca *adj* photogenic.

fotografía *sf* - **1.** [arte] photography - **2.** [imagen] photograph.

fotografiar *vt* to photograph.

fotógrafo, fa *sm, f* photographer.

fotomatón *sm* passport photo machine.

fotonovela *sf* photo story.

fotorrobot (*pl* fotorrobots) *sf* Identikit® picture.

fotosíntesis *sf inv* photosynthesis.

FP (*abrev de* **formación profesional**) *sf* vocational training.

frac (*pl* fracs) *sm* tails *pl*, dress coat.

fracasar *vi*: **fracasar (en/como)** to fail (at/as).

fracaso *sm* failure; **todo fue un fracaso** the whole thing was a disaster.

fracción *sf* - **1.** [gen] fraction; **en una fracción de segundo** in a split second - **2.** POLÍT faction.

fraccionario, ria *adj* fractional; **moneda fraccionaria** small change.

fractura *sf* fracture.

fragancia *sf* fragrance.

fraganti ⟜ **in fraganti** *loc adv*: **coger a alguien in fraganti** to catch sb red-handed O in the act.

fragata *sf* frigate.

frágil *adj* [objeto] fragile; [persona] frail.

fragilidad *sf* [de objeto] fragility; [de persona] frailty.

fragmentar *vt* [romper] to fragment; [dividir] to divide.

fragmento *sm* fragment, piece; [de obra] excerpt.

fragor *sm* [de batalla] clamour; [de trueno] crash.

fragua *sf* forge.

fraguar ⟨⟩ *vt* - **1.** [forjar] to forge - **2.** *fig* [idear] to think up. ⟨⟩ *vi* to set, to harden. ⟜ **fraguarse** *vprnl* to be in the offing.

fraile *sm* friar.

frambuesa *sf* raspberry.

francés, esa ⟨⟩ *adj* French. ⟨⟩ *sm, f* Frenchman (*f* Frenchwoman); **los franceses** the French; **marcharse** O **despedirse a la francesa** to leave without even saying goodbye. ⟜ **francés** *sm* [lengua] French.

Francia *n pr* France.

franco, ca *adj* - **1.** [sincero] frank, open; [directo] frank - **2.** [sin obstáculos, gastos] free - **3.** *C Sur* [de permiso]: **me dieron el día franco** they gave me the day off. ⟜ **franco** *sm* [moneda] franc.

francotirador, ra *sm, f* MIL sniper.

franela *sf* flannel.

franja *sf* strip; [en bandera, uniforme] stripe; **franja horaria** time zone.

franquear *vt* - **1.** [paso, camino] to clear - **2.** [río, montaña etc] to negotiate, to cross - **3.** [correo] to frank.

franqueo *sm* postage.

franqueza *sf* [sinceridad] frankness.

franquicia *sf* exemption.

franquismo *sm*: **el franquismo** [régimen] the Franco regime; [doctrina] Franco's doctrine.

frasco *sm* small bottle.

frase *sf* - **1.** [oración] sentence - **2.** [locución] expression; **frase hecha** [modismo] set phrase; [tópico] cliché.

fraternidad, fraternización *sf* brotherhood, fraternity.

fraterno, na *adj* brotherly, fraternal.

fraude *sm* fraud; **fraude electoral** election O electoral fraud; **fraude fiscal** tax evasion.

fraudulento, ta adj fraudulent.

frazada sf Amér blanket; **frazada eléctrica** electric blanket.

frecuencia sf frequency; **con frecuencia** often; **alta/baja frecuencia** high/low frequency; **frecuencia modulada, modulación de frecuencia** frequency modulation.

frecuentar vt [lugar] to frequent; [persona] to see, to visit.

frecuente adj [reiterado] frequent; [habitual] common.

fregadero sm (kitchen) sink.

fregado, da adj Andes, Méx & Ven fam [persona - ser] annoying; [- estar]: **perdí las llaves, ¡estoy fregada!** I've lost my keys, I've had it!; [roto] bust.

fregar vt - **1.** [limpiar] to wash; **fregar los platos** to do the washing-up - **2.** [frotar] scrub - **3.** Amér fam [molestar] to bother, to pester - **4.** Andes, Méx & Ven [estropear]: **vas a fregar la televisión** you're going to bust the television.

fregona sf - **1.** despec [criada] skivvy - **2.** [utensilio] mop; **pasar la fregona** to mop.

freidora sf [gen] deep fat fryer; [para patatas fritas] chip pan.

freír vt CULIN to fry.

fréjol sm Andes, Amér C & Méx bean.

frenar ⟨⟩ vt - **1.** AUTO to brake - **2.** [contener] to check. ⟨⟩ vi to stop; AUTO to brake.

frenazo sm - **1.** AUTO: **dar un frenazo** to brake hard - **2.** fig [parón] sudden stop.

frenesí (pl frenesíes O frenesís) sm frenzy.

frenético, ca adj - **1.** [colérico] furious, mad - **2.** [enloquecido] frenzied, frantic.

freno sm - **1.** AUTO brake; **freno de mano** handbrake - **2.** [de caballerías] bit - **3.** fig [contención] check; **poner freno a** to put a stop to.

frente ⟨⟩ sf forehead; **arrugar la frente** to knit one's brow, to frown; **frente a frente** face to face; **con la frente muy alta** with one's head held high. ⟨⟩ sm front; **estar al frente (de)** to be at the head (of); **hacer frente a** to face up to; **frente cálido/frío** warm/cold front. ⟨⟩ **de frente** loc adv - **1.** [hacia delante] forwards - **2.** [uno contra otro] head on. ⟨⟩ **en frente** loc adv opposite. ⟨⟩ **en frente de** loc adv opposite. ⟨⟩ **frente a** loc prep - **1.** [enfrente de] opposite - **2.** [con relación a] towards.

fresa sf [planta, fruto] strawberry.

fresco, ca ⟨⟩ adj - **1.** [gen] fresh; [temperatura] cool; [pintura, tinta] wet - **2.** [caradura] cheeky; **¡qué fresco!** what a nerve! ⟨⟩ sm, f [caradura] cheeky person. ⟨⟩ **fresco** sm - **1.** ARTE fresco; **al fresco** in fresco - **2.** [frescor] coolness; **hace fresco** it's chilly; **tomar el fresco** to get a breath of fresh air.

frescor sm coolness, freshness.

frescura sf - **1.** [gen] freshness - **2.** [descaro] cheek, nerve.

fresno sm ash (tree).

fresón sm large strawberry.

frialdad sf lit & fig coldness.

fricción sf [gen] friction; [friega] rub, massage.

friega sf rub, massage.

frigidez sf frigidity.

frigorífico, ca adj [camión] refrigerator (antes de s); [cámara] cold. ⟨⟩ **frigorífico** sm refrigerator, fridge UK, icebox US.

frijol, fríjol sm Andes, Amér C, Caribe & Méx bean.

frío, a adj [gen] cold; [inmutable] cool; **dejar a alguien frío** to leave sb cold. ⟨⟩ **frío** sm cold; **coger frío** to catch a chill; **hace frío** it's cold; **hacer un frío que pela** to be freezing cold; **tener frío** to be cold; **no darle a alguien ni frío ni calor** fig to leave sb cold.

friolento, ta Amér ⟨⟩ adj sensitive to the cold. ⟨⟩ sm, f: **es un friolento** he really feels the cold.

friolero, ra adj sensitive to the cold.

frito, ta ⟨⟩ pp ▷ **freír**. ⟨⟩ adj - **1.** [alimento] fried - **2.** fam fig [persona - harta] fed up (to the back teeth); [- dormida] flaked out, asleep. ⟨⟩ **frito** (gen pl) sm fried food (U).

frívolo, la adj frivolous.

frondoso, sa adj leafy.

frontal adj frontal.

frontera sf border; fig [límite] bounds pl.

fronterizo, za adj border (antes de s).

frontispicio sm - **1.** [de edificio - remate] pediment - **2.** [de libro] frontispiece.

frontón sm [deporte] pelota; [cancha] pelota court.

frotar vt to rub. ⟨⟩ **frotarse** vprnl: **frotarse las manos** to rub one's hands.

fructífero, ra adj fruitful.

frugal adj frugal.

fruncir vt - **1.** [labios] to purse; **fruncir el ceño** to frown - **2.** [tela] to gather.

fruslería sf triviality, trifle.

frustración sf frustration.

frustrar vt [persona] to frustrate. ⟨⟩ **frustrarse** vprnl - **1.** [persona] to get frustrated - **2.** [ilusiones] to be thwarted; [proyecto] to fail.

fruta sf fruit; **fruta confitada** candied fruit; **fruta de la pasión** passion fruit; **fruta del tiempo** seasonal fruit.

frutal sm fruit tree.

frutería sf fruit shop.

frutero, ra sm, f [persona] fruiterer. ⟨⟩ **frutero** sm [recipiente] fruit bowl.

frutilla sf Bol, C Sur & Ecuad strawberry.

fruto *sm* - **1.** [naranja, plátano etc] fruit; [nuez, avellana etc] nut; **frutos secos** dried fruit and nuts - **2.** [resultado] fruit; **dar fruto** to bear fruit; **sacar fruto a** O **de algo** to profit from sthg.

FSLN *sm* (*abrev de* **Frente Sandinista de Liberación Nacional**) SNLF.

fucsia *sf* [planta] fuchsia.

fue ⊳ **ir, ser**.

fuego *sm* - **1.** [gen & MIL] fire; [de cocina, fogón] ring, burner; **pegar fuego a algo** to set sthg on fire, to set fire to sthg; **pedir/dar fuego** to ask for/give a light; **¿tiene fuego?** have you got a light‡; **fuegos artificiales** fireworks - **2.** [apasionamiento] passion, ardour.

fuelle *sm* [gen] bellows *pl*.

fuente *sf* - **1.** [manantial] spring - **2.** [construcción] fountain - **3.** [bandeja] (serving) dish - **4.** [origen] source; **fuentes oficiales** official sources; **fuente de información/ingresos** source of information/income - **5.**: **fuente de soda** *Caribe, Chile, Col & Méx* cafe.

fuera ⟨⟩ *adv* - **1.** [en el exterior] outside; **le echó fuera** she threw him out; **hacia fuera** outwards; **por fuera** (on the) outside - **2.** [en otro lugar] away; [en el extranjero] abroad; **de fuera** [extranjero] from abroad - **3.** *fig* [alejado]: **fuera de** [alcance, peligro] out of; [cálculos, competencia] outside; **estar fuera de sí** to be beside o.s. (with rage) - **4.** DEP: **fuera de juego** offside. ⟨⟩ *interj*: **¡fuera!** [gen] (get) out!; [en el teatro] (get) off!; ⊳ **ir, ser**. ⫸ **fuera de** *loc prep* [excepto] except for, apart from. ⫸ **fuera de serie** *adj* exceptional.

fueraborda *sm inv* outboard motor O engine.

fuero *sm* - **1.** (*gen pl*) [ley local] *ancient regional law still existing in some parts of Spain* - **2.** [jurisdicción] code of laws.

fuerte ⟨⟩ *adj* - **1.** [gen] strong - **2.** [carácter] strong - **3.** [frío, dolor, color] intense; [lluvia] heavy; [ruido] loud; [golpe, pelea] hard - **4.** [comida, salsa] rich - **5.** [nudo] tight. ⟨⟩ *adv* - **1.** [intensamente - gen] hard; [- abrazar, agarrar] tight - **2.** [abundantemente] a lot - **3.** [en voz alta] loudly. ⟨⟩ *sm* - **1.** [fortificación] fort - **2.** [punto fuerte] strong point, forte.

fuerza *sf* - **1.** [gen] strength; [violencia] force; [de sonido] loudness; [de dolor] intensity; **cobrar fuerza** to gather strength; **por fuerza** of necessity; **tener fuerza** to be strong; **tener fuerzas para** to have the strength to; **fuerza mayor** DER force majeure; [en seguros] act of God; **no llegué por un caso de fuerza mayor** I didn't make it due to circumstances beyond my control; **a fuerza de** by dint of; **a la fuerza** [contra la voluntad] by force; [por necesidad] of necessity; **por la fuerza by force**; **írsele a alguien la fuerza por la boca** to be all talk and no action, to be all mouth; **fuerza bruta** brute

force; **fuerza de voluntad** willpower - **2.** FÍS & MIL force; **fuerza aérea** airforce; **fuerza disuasoria** deterrent; **fuerza de la gravedad** force of gravity; **fuerza motriz** [gen] motive power; *fig* driving force; **fuerzas armadas** armed forces; **fuerzas del orden público** police *pl*; **fuerzas de seguridad** security forces - **3.** ELECTR power; **fuerza hidráulica** water power. ⫸ **fuerzas** *sfpl* [grupo] forces.

fuese ⊳ **ir, ser**.

fuga *sf* - **1.** [huida] escape; **fuga de capitales** flight of capital - **2.** [escape] leak - **3.** MÚS fugue.

fugarse *vprnl* to escape; **fugarse de casa** to run away from home; **fugarse con alguien** to run off with sb.

fugaz *adj* fleeting.

fugitivo, va *sm, f* fugitive.

fui ⊳ **ir, ser**.

fulano, na *sm, f* what's his/her name, so-and-so. ⫸ **fulana** *sf* [prostituta] tart, whore.

fulgor *sm* shining; [de disparo] flash.

fulminante *adj fig* [despido, muerte] sudden; [enfermedad] devastating; [mirada] withering.

fulminar *vt* [suj: enfermedad] to strike down; **fulminar a alguien con la mirada** to look daggers at sb.

fumador, ra *sm, f* smoker; **fumador empedernido** chain-smoker; **fumador pasivo** passive smoker; **no fumador** nonsmoker.

fumar *vt & vi* to smoke.

fumigar *vt* to fumigate.

función *sf* - **1.** [gen] function; [trabajo] duty; **director en funciones** acting director; **entrar en funciones** to take up one's duties - **2.** CINE & TEATRO show. ⫸ **en función de** *loc prep* depending on.

funcional *adj* functional.

funcionamiento *sm* operation, functioning.

funcionar *vi* to work; **funcionar con gasolina** to run on petrol; **'no funciona'** 'out of order'.

funcionario, ria *sm, f* civil servant.

funda *sf* [de sofá, máquina de escribir] cover; [de almohada] case; [de disco] sleeve; [de pistola] sheath.

fundación *sf* foundation.

fundador, ra *sm, f* founder.

fundamental *adj* fundamental.

fundamentar *vt* - **1.** *fig* [basar] to base - **2.** CONSTR to lay the foundations of. ⫸ **fundamentarse en** *vprnl fig* [basarse] to be based O founded on.

fundamento *sm* - **1.** [base] foundation, basis - **2.** [razón] reason, grounds *pl*; **sin fundamento** unfounded, groundless.

fundar *vt* - **1.** [crear] to found - **2.** [basar]: **fundar (en)** to base (on). ➡ **fundarse** *vprnl* [basarse]: **fundarse (en)** to be based (on).

fundición *sf* - **1.** [fusión - de vidrio] melting; [- de metal] smelting - **2.** [taller] foundry.

fundir *vt* - **1.** [metalurgia] [plomo] to melt; [hierro] to smelt - **2.** ELECTR to fuse; [bombilla, fusible] to blow - **3.** *fig* & COM to merge. ➡ **fundirse** *vprnl* - **1.** ELECTR to blow - **2.** [derretirse] to melt - **3.** *fig* & COM to merge - **4.** *Amér* [arruinarse] to go bust.

fúnebre *adj* funeral (antes de s).

funeral (gen pl) *sm* funeral.

funerario, ria *adj* funeral (antes de s). ➡ **funeraria** *sf* undertaker's UK, mortician's US.

funesto, ta *adj* fateful, disastrous.

fungir *vi* Méx & Perú: **fungir (de** O **como)** to act (as), to serve (as).

funicular *sm* - **1.** [por tierra] funicular - **2.** [por aire] cable car.

furgón *sm* AUTO van; FERROC wagon; **furgón celular** O **policial** police van; **furgón de cola** guard's van UK, caboose US.

furgoneta *sf* van.

furia *sf* fury; **estar hecho una furia** to be furious.

furioso, sa *adj* furious.

furor *sm* - **1.** [enfado] fury, rage - **2.** *loc*: **hacer furor** to be all the rage.

furtivo, va *adj* [mirada, sonrisa] furtive.

furúnculo = **forúnculo**.

fusible *sm* fuse.

fusil *sm* rifle.

fusilar *vt* [ejecutar] to execute by firing squad, to shoot.

fusión *sf* - **1.** [agrupación] merging - **2.** [de empresas, bancos] merger - **3.** [derretimiento] melting - **4.** FÍS fusion.

fusionar *vt* - **1.** [gen & ECON] to merge - **2.** FÍS to fuse. ➡ **fusionarse** *vprnl* ECON to merge.

fusta *sf* riding crop.

fustán *sm* Amér petticoat.

fuste *sm* shaft.

fútbol, futbol *Amér C & Méx* ['fudbol] *sm* football, soccer US; **fútbol sala** indoor five-a-side.

futbolín *sm* table football.

futbolista *smf* footballer.

fútil *adj* trivial.

futilidad *sf* triviality.

futón *sm* futon.

futuro, ra ◇ *adj* future. ◇ *adv*: **a futuro** C Sur & Méx in the future. ➡ **futuro** *sm* [gen & GRAM] future; **en un futuro próximo** in the near future. ➡ **futuros** *smpl* ECON futures.

futurología *sf* futurology.

G

g[1], G *sf* [letra] g, G.

g[2] (abrev de gramo) g.

gabacho, cha *fam despec sm, f* Frog.

gabán *sm* overcoat.

gabardina *sf* [prenda] raincoat, mac.

gabinete *sm* - **1.** [gobierno] cabinet - **2.** [despacho] office; **gabinete de prensa** press office - **3.** [sala] study.

gacela *sf* gazelle.

gaceta *sf* gazette.

gachas *sfpl* CULIN (corn) porridge (U).

gacho, cha *adj* drooping.

gafas *sfpl* glasses; **gafas bifocales** bifocals; **gafas graduadas** prescription glasses; **gafas de sol** sunglasses.

gafe ◇ *adj* jinxed. ◇ *smf* jinxed person.

gaita *sf* [instrumento] bagpipes *pl*.

gajes *smpl*: **gajes del oficio** occupational hazards.

gajo *sm* [trozo de fruta] segment.

gala *sf* - **1.** [fiesta] gala; **ropa/uniforme de gala** [ropa] full dress/uniform; **cena de gala** black tie dinner, formal dinner - **2.** [ropa]: **galas** finery (U), best clothes - **3.** [actuación] show - **4.** *loc*: **hacer gala de algo** [preciarse] to be proud of sthg; [exhibir] to demonstrate sthg.

galán *sm* TEATRO leading man, lead.

galante *adj* gallant.

galantear *vt* to court, to woo.

galantería *sf* - **1.** [cualidad] politeness - **2.** [acción] gallantry, compliment.

galápago *sm* turtle.

galardón *sm* award, prize.

galaxia *sf* galaxy.

galera *sf* galley.

galería *sf* - **1.** [gen] gallery; [corredor descubierto] verandah - **2.** *fig* [vulgo] masses *pl*. ➡ **galerías (comerciales)** *sfpl* shopping arcade *sing*.

Gales *n pr*: **(el país de) Gales** Wales.

galés, esa ◇ *adj* Welsh. ◇ *sm, f* Welshman, *m* (f Welshwoman); **los galeses** the Welsh. ➡ **galés** *sm* [lengua] Welsh.

galgo *sm* greyhound; **¡échale un galgo!** you can forget it!

galimatías *sm inv* [lenguaje] gibberish (U); [lío] jumble.

gallardía *sf* - **1.** [valentía] bravery - **2.** [elegancia] elegance.

gallego, ga *adj* & *sm, f* - **1.** Galician - **2.** *C Sur fam* [español] *sometimes pejorative term used to refer to someone or something Spanish.* ◆ **gallego** *sm* [lengua] Galician.

galleta *sf* CULIN biscuit *UK*, cookie *US*; **galleta salada** cracker.

gallina ◇ *sf* [ave] hen; **la gallina ciega** blind man's buff; **acostarse con las gallinas** to go to bed early; **estar como gallina en corral ajeno** to be like a fish out of water. ◇ *smf fam* [persona] chicken, coward.

gallinero *sm* - **1.** [corral] henhouse - **2.** *fam* TEATRO gods *sing.*

gallo *sm* - **1.** [ave] cock *UK*, rooster *US*, cockerel; **en menos que canta un gallo** *fam* in no time at all; **otro gallo cantaría** things would be very different - **2.** [al cantar] false note; [al hablar] squeak - **3.** [pez] John Dory.

galo, la ◇ *adj* HIST Gallic; [francés] French. ◇ *sm, f* [persona] Gaul.

galón *sm* - **1.** [adorno] braid; MIL stripe - **2.** [medida] gallon.

galopar *vi* to gallop.

galope *sm* gallop; **al galope** at a gallop; **a galope tendido** at full gallop.

galpón *sm Andes, Caribe & R Plata* shed.

gama *sf* [gen] range; MÚS scale.

gamba *sf* prawn.

gamberro, rra ◇ *adj* loutish. ◇ *sm, f* vandal; [en fútbol etc] hooligan; **hacer el gamberro** to behave loutishly.

gamo *sm* fallow deer.

gamonal *sm Andes, Amér C & Ven* [cacique] village chief; [caudillo] cacique, local political boss.

gamuza *sf* - **1.** [tejido] chamois (leather); [trapo] duster - **2.** [animal] chamois.

gana *sf* - **1.** [afán]: **gana (de)** desire *O* wish (to); **de buena gana** willingly; **de mala gana** unwillingly; **me da/no me da la gana hacerlo** I damn well feel like/don't damn well feel like doing it - **2.** [apetito] appetite. ◆ **ganas** *sfpl* [deseo]: **tener ganas de algo/hacer algo, sentir ganas de algo/hacer algo** to feel like sthg/doing sthg; **no tengo ganas de que me pongan una multa** I don't fancy getting a fine; **morirse de ganas de hacer algo** to be dying to do sthg; **quedarse con ganas de hacer algo** not to manage to do sthg; **tenerle ganas a alguien** to have it in for sb.

ganadería *sf* - **1.** [actividad] livestock farming - **2.** [ganado] livestock.

ganado *sm* livestock, stock; **ganado porcino** pigs *pl*; **ganado vacuno** cattle *pl*.

ganador, ra ◇ *adj* winning. ◇ *sm, f* winner.

ganancia *sf* [rendimiento] profit; [ingreso] earnings *pl*; **ganancias y pérdidas** profit and loss; **ganancia líquida** net profit.

ganancial ▷ **bien**.

ganar ◇ *vt* - **1.** [gen] to win; [sueldo, dinero] to earn; [peso, tiempo, terreno] to gain - **2.** [derrotar] to beat; **ganar a alguien a algo** to beat sb at sthg - **3.** [aventajar]: **ganar a alguien en algo** to be better than sb as regards sthg. ◇ *vi* - **1.** [vencer] to win - **2.** [lograr dinero] to earn money - **3.** [mejorar]: **ganar en algo** to gain in sthg. ◆ **ganarse** *vprnl* - **1.** [conquistar - simpatía, respeto] to earn; [- persona] to win over - **2.** [merecer] to deserve.

ganchillo *sm* [aguja] crochet hook; [labor] crochet; **hacer ganchillo** to crochet.

gancho *sm* - **1.** [gen] hook; [de percha] peg - **2.** *Andes, Amér C, Méx & Ven* [percha] hanger - **3.** [cómplice - de timador] decoy; [- de vendedor] person who attracts buyers - **4.** *fam* [atractivo] sex appeal.

gandul, la *fam* ◇ *adj* lazy. ◇ *sm, f* lazybones, layabout.

ganga *sf fam* snip, bargain.

gangrena *sf* gangrene.

gángster (*pl* gángsters) *sm* gangster.

ganso, sa *sm, f* - **1.** [ave - hembra] goose; [- macho] gander - **2.** *fam* [persona] idiot, fool.

garabatear *vi* & *vt* to scribble.

garabato *sm* scribble.

garaje *sm* garage.

garante *smf* guarantor; **salir garante** to act as guarantor.

garantía *sf* - **1.** [gen] guarantee; **de garantía** reliable, dependable; **ser garantía de algo** to guarantee sthg; **garantías constitucionales** constitutional rights - **2.** [fianza] surety.

garantizar *vt* - **1.** [gen] to guarantee; **garantizar algo a alguien** to assure sb of sthg - **2.** [avalar] to vouch for.

garbanzo *sm* chickpea; **ser el garbanzo negro de la familia** to be the black sheep of the family.

garbeo *sm fam* stroll; **dar un garbeo** to go for *O* take a stroll.

garbo *sm* [de persona] grace; [de escritura] stylishness, style.

garete *sm*: **ir** *O* **irse al garete** *fam* to come adrift.

garfio *sm* hook.

gargajo *sm* phlegm.

garganta *sf* - **1.** ANAT throat; **lo tengo atravesado en la garganta** *fig* he/it sticks in my gullet - **2.** [desfiladero] gorge.

gargantilla *sf* - **1.** choker, necklace.

gárgara sf (gen pl) gargle, gargling (U); **hacer gárgaras** to gargle; **mandar a alguien a hacer gárgaras** fam to send sb packing; **¡vete a hacer gárgaras!** fam get lost!

garita sf [gen] cabin; [de conserje] porter's lodge; MIL sentry box.

garito sm despec [casa de juego] gambling den; [establecimiento] dive.

garra sf [de animal] claw; [de ave de rapiña] talon; despec [de persona] paw, hand; **caer en las garras de alguien** to fall into sb's clutches; **tener garra** [persona] to have charisma; [novela, canción etc] to be gripping.

garrafa sf carafe.

garrafal adj monumental, enormous.

garrapata sf tick.

garrapiñar vt [fruta] to candy; [almendras etc] to coat with sugar.

garrote sm - 1. [palo] club, stick - 2. [instrumento] garrotte.

garúa sf Andes, R Plata & Ven drizzle.

garza sf heron; **garza real** grey heron.

gas sm gas; **con gas** [agua] sparkling, carbonated; [refresco] fizzy, carbonated; **gas ciudad/natural** town/natural gas; **gas butano** butane (gas); **gas licuado de petróleo** liquified petroleum gas; **gas lacrimógeno** tear gas. ⬥ **gases** smpl [en el estómago] wind (U). ⬥ **a todo gas** loc adv flat out.

gasa sf gauze.

gaseoducto sm gas pipeline.

gaseoso, sa adj gaseous; [bebida] fizzy. ⬥ **gaseosa** sf lemonade UK, soda US.

gasfitería sf Chile, Ecuad & Perú plumber's (shop).

gasfitero, ra sm, f Chile, Ecuad & Perú plumber.

gasóleo sm diesel oil.

gasolina sf petrol UK, gas US; **poner gasolina** to fill up (with petrol).

gasolinera sf petrol station UK, gas station US.

gastado, da adj [ropa, pieza etc] worn out; [frase, tema] hackneyed; [persona] broken, burnt out.

gastar ⬦ vt - 1. [consumir - dinero, tiempo] to spend; [- gasolina, electricidad] to use (up); [- ropa, zapatos] to wear out - 2. fig [usar - gen] to use; [- ropa] to wear; [- número de zapatos] to take; **gastar una broma (a alguien)** to play a joke (on sb) - 3. [malgastar] to waste. ⬦ vi [despilfarrar] to spend (money). ⬥ **gastarse** vprnl - 1. [deteriorarse] to wear out - 2. [terminarse] to run out.

gasto sm [acción de gastar] outlay, expenditure; [cosa que pagar] expense; [de energía, gasolina] consumption; [despilfarro] waste; **cubrir gastos** to cover costs, to break even; **gasto**

deducible ECON tax-deductible expense; **gasto público** public expenditure; **gasto de envío** postage and packing; **gastos fijos** COM fixed charges O costs; [en una casa] overheads; **gastos generales** overheads; **gastos de mantenimiento** maintenance costs; **gastos de representación** entertainment allowance sing.

gastritis sf inv gastritis.

gastronomía sf gastronomy.

gastrónomo, ma sm, f gourmet.

gatas ⬥ **a gatas** loc adv on all fours.

gatear vi to crawl.

gatillo sm trigger; **apretar el gatillo** to press O pull the trigger.

gato, ta sm, f cat; **dar gato por liebre a alguien** to swindle O cheat sb; **buscar tres pies al gato** to overcomplicate matters; **jugar al gato y al ratón** to play cat and mouse; **llevarse el gato al agua** to pull it off; **aquí hay gato encerrado** there's something fishy going on here; **el gato escaldado del agua fría huye** prov once bitten twice shy. ⬥ **gato** sm AUTO jack.

gauchada sf C Sur favour; **hacerle una gauchada a alguien** to do sb a favour.

gaucho, cha adj R Dom helpful, obliging. ⬥ **gaucho** sm gaucho.

gavilán sm sparrowhawk.

gavilla sf sheaf.

gaviota sf seagull.

gay adj inv & smf gay (homosexual).

gazmoño, ña adj sanctimonious.

gazpacho sm gazpacho (Andalusian soup made from tomatoes, peppers, cucumbers and bread, served chilled).

géiser (pl géiseres), **géyser** (pl géyseres) sm geyser.

gel sm gel.

gelatina sf [de carne] gelatine; [de fruta] jelly.

gema sf gem.

gemelo, la ⬦ adj twin (antes de s). ⬦ sm, f [persona] twin. ⬥ **gemelo** sm [músculo] calf. ⬥ **gemelos** smpl - 1. [de camisa] cufflinks - 2. [prismáticos] binoculars; [para teatro] opera glasses.

gemido sm [de persona] moan, groan; [de animal] whine.

Géminis ⬦ sm [zodiaco] Gemini. ⬦ smf [persona] Gemini.

gemir vi - 1. [persona] to moan, to groan; [animal] to whine - 2. [viento] to howl.

genealogía sf genealogy.

generación sf generation.

generador, ra adj generating. ⬥ **generador** sm generator.

general ⬦ adj - 1. [gen] general; **por lo general, en general** in general, generally

- 2. [usual] usual. <> *sm* MIL general; **general de brigada** brigadier UK, brigadier general US; **general de división** major general.

generalidad *sf* **- 1.** [mayoría] majority **- 2.** [vaguedad] generalization.

generalísimo *sm* supreme commander, generalissimo.

Generalitat [xenerali'tat] *sf* autonomous government of Catalonia or Valencia.

generalizar <> *vt* to spread, to make widespread. <> *vi* to generalize. ⇔ **generalizarse** *vprnl* to become widespread.

generalmente *adv* generally.

generar *vt* [gen] to generate; [engendrar] to create.

genérico, ca *adj* [común] generic.

género *sm* **- 1.** [clase] kind, type **- 2.** GRAM gender **- 3.** LITER genre **- 4.** BIOL genus; **el género humano** the human race **- 5.** [productos] merchandise, goods *pl* **- 6.** [tejido] cloth, material; **géneros de punto** knitwear (U).

generosidad *sf* generosity.

generoso, sa *adj* generous.

genético, ca *adj* genetic. ⇔ **genética** *sf* genetics (U).

genial *adj* **- 1.** [autor, compositor etc] of genius **- 2.** [estupendo] brilliant, great.

genio *sm* **- 1.** [talento] genius **- 2.** [carácter] nature, disposition **- 3.** [mal carácter] bad temper; **estar de/tener mal genio** to be in a mood/ bad-tempered **- 4.** [ser sobrenatural] genie.

genital *adj* genital. ⇔ **genitales** *smpl* genitals.

genocidio *sm* genocide.

genoma *sm* genome; **genoma humano** human genome.

gente *sf* **- 1.** [gen] people *pl*; **gente bien** well-to-do people; **gente menuda** kids *pl* **- 2.** *fam* [familia] folks *pl*.

gentileza *sf* courtesy, kindness.

gentío *sm* crowd.

gentuza *sf* riffraff.

genuflexión *sf* genuflection.

genuino, na *adj* genuine.

GEO (*abrev de* **Grupo Especial de Operaciones**) *sm* specially trained police force, ≃ SAS UK, ≃ SWAT US.

geografía *sf* geography; *fig*: **varios puntos de la geografía nacional** several parts of the country; **geografía física** physical geography; **geografía política** political geography.

geógrafo, fa *sm, f* geographer.

geología *sf* geology.

geólogo, ga *sm, f* geologist.

geometría *sf* geometry; **geometría del espacio** solid geometry.

geranio *sm* geranium.

gerencia *sf* [gen] management.

gerente *smf* manager, director.

geriatría *sf* geriatrics (U).

germen *sm* *lit & fig* germ; **germen de trigo** wheatgerm.

germinar *vi* *lit & fig* to germinate.

gerundio *sm* gerund.

gestar *vi* to gestate. ⇔ **gestarse** *vprnl*: **se estaba gestando un cambio sin precedentes** the seeds of an unprecedented change had been sown.

gesticulación *sf* gesticulation; [de cara] face-pulling.

gesticular *vi* to gesticulate; [con la cara] to pull faces.

gestión *sf* **- 1.** [diligencia] step, thing that has to be done; **tengo que hacer unas gestiones** I have a few things to do **- 2.** [administración] management; **gestión de cartera** ECON portfolio management; **gestión de datos** INFORM data management; **gestión de ficheros** INFORM file management.

gestionar *vt* **- 1.** [tramitar] to negotiate **- 2.** [administrar] to manage.

gesto *sm* **- 1.** [gen] gesture; **hacer gestos** to gesture, to gesticulate **- 2.** [mueca] face, grimace; **torcer el gesto** to pull a face.

gestor, ra <> *adj* managing (*antes de s*). <> *sm, f* person who carries out dealings with public bodies on behalf of private customers or companies, combining the role of solicitor and accountant.

géyser = **géiser**.

ghetto = **gueto**.

giba *sf* [de camello] hump.

Gibraltar *n pr* Gibraltar.

gibraltareño, ña *adj & sm, f* Gibraltarian.

gigabyte [xiɣaˈβait] *sm* INFORM gigabyte.

gigahercio *sm* INFORM gigahertz.

gigante, ta *sm, f* giant. ⇔ **gigante** *adj* gigantic.

gigantesco, ca *adj* gigantic.

gil, gila C Sur fam <> *adj* stupid. <> *sm* jerk, twit UK.

gilipollada, jilipollada *sf* fam: **hacer/decir una gilipollada** to do/say sthg bloody stupid.

gilipollas, jilipollas fam <> *adj inv* daft, dumb US. <> *smf inv* prat.

gimnasia *sf* [deporte] gymnastics (U); [ejercicio] gymnastics *pl*.

gimnasio *sm* gymnasium.

gimnasta *smf* gymnast.

gimotear *vi* to whine, to whimper.

gin [ʤin] ⇔ **gin tonic** *sm* gin and tonic.

ginebra *sf* gin.

ginecología *sf* gynaecology.

ginecólogo, ga *sm, f* gynaecologist.

gira *sf* tour.

girar ⬦ *vi* - **1.** [dar vueltas, torcer] to turn; [rápidamente] to spin - **2.** *fig* [centrarse]: **girar en torno a** O **alrededor de** to be centred around, to centre on. ⬦ *vt* - **1.** [hacer dar vueltas a] to turn; [rápidamente] to spin - **2.** COM to draw - **3.** [dinero - por correo, telégrafo] to transfer, to remit.

girasol *sm* sunflower.

giratorio, ria *adj* revolving; [silla] swivel *(antes de s).*

giro *sm* - **1.** [gen] turn; **giro de 180 grados** *lit & fig* U-turn - **2.** [postal, telegráfico] money order; **giro postal** postal order - **3.** [de letras, órdenes de pago] draft; **giro en descubierto** overdraft - **4.** [expresión] turn of phrase.

gis *sm Méx* chalk.

gitano, na *sm, f* gypsy.

glacial *adj* glacial; [viento, acogida] icy.

glaciar ⬦ *adj* glacial. ⬦ *sm* glacier.

gladiolo, gladíolo *sm* gladiolus.

glándula *sf* gland; **glándula endocrina** endocrine gland; **glándula sebácea** sebaceous gland.

glicerina *sf* glycerine.

global *adj* global, overall.

globalización *sf* globalization.

globo *sm* - **1.** [Tierra] globe, earth - **2.** [aeróstato, juguete] balloon - **3.** [esfera] sphere.

glóbulo *sm* MED corpuscle; **glóbulo blanco/ rojo** white/red corpuscle.

gloria *sf* - **1.** [gen] glory - **2.** [placer] delight.

glorieta *sf* - **1.** [de casa, jardín] arbour - **2.** [plaza - redonda] circus, roundabout *UK*, traffic circle *US.*

glorificar *vt* to glorify.

glorioso, sa *adj* [importante] glorious.

glosa *sf* marginal note.

glosar *vt* - **1.** [anotar] to annotate - **2.** [comentar] to comment on.

glosario *sm* glossary.

glotón, ona ⬦ *adj* gluttonous, greedy. ⬦ *sm, f* glutton.

glúcido *sm* carbohydrate.

glucosa *sf* glucose.

gluten *sm* gluten.

gnomo, nomo *sm* gnome.

gobernador, ra *sm, f* governor.

gobernanta *sf* cleaning and laundry staff manageress.

gobernante ⬦ *adj* ruling *(antes de s).* ⬦ *smf* ruler, leader.

gobernar *vt* - **1.** [gen] to govern, to rule; [casa, negocio] to run, to manage - **2.** [barco] to steer; [avión] to fly.

gobierno *sm* - **1.** [gen] government - **2.** [administración, gestión] running, management - **3.** [control] control.

goce *sm* pleasure.

godo, da ⬦ *adj* Gothic. ⬦ *sm, f* HIST Goth.

gol *(pl* **goles)** *sm* goal; **marcar** O **meter un gol** to score a goal; **gol del empate** equalizer; **gol de penalti** penalty goal; **gol en propia meta** own goal; **meter un gol a alguien** to put one over on sb.

goleador, ra *sm, f* goalscorer.

golear *vt* to score a lot of goals against, to thrash.

golf *sm* golf.

golfear *vi fam* [vaguear] to loaf around.

golfista *smf* golfer.

golfo, fa *sm, f* [gamberro] lout; [vago] layabout. ➤ **golfo** *sm* GEOGR gulf, bay. ➤ **Golfo Pérsico** *sm:* **el Golfo Pérsico** the Persian Gulf.

golondrina *sf* [ave] swallow.

golosina *sf* [dulce] sweet; [exquisitez] titbit, delicacy.

goloso, sa *adj* sweet-toothed.

golpe *sm* - **1.** [gen] blow; [bofetada] smack; [con puño] punch; [en puerta etc] knock; [en tenis, golf] shot; [entre coches] bump, collision; **a golpes** by force; *fig* in fits and starts; **un golpe bajo** *fig* & DEP a blow below the belt; **golpe de castigo** [en rugby] penalty (kick); **golpe franco** free kick; **golpe de tos** coughing fit; **golpe de viento** gust of wind - **2.** [disgusto] blow - **3.** [atraco] raid, job, heist *US* - **4.** POLÍT: **golpe (de Estado)** coup (d'état) - **5.** *loc:* **dar el golpe** *fam* to cause a sensation, to be a hit; **errar** O **fallar el golpe** to miss the mark; **no dar** O **pegar golpe** not to lift a finger, not to do a stroke of work. ➤ **de golpe** *loc adv* suddenly. ➤ **de un golpe** *loc adv* at one fell swoop, all at once. ➤ **golpe de gracia** *sm* coup de grâce. ➤ **golpe maestro** *sm* masterstroke. ➤ **golpe de suerte** *sm* stroke of luck. ➤ **golpe de vista** *sm* glance; **al primer golpe de vista** at a glance.

golpear *vt & vi* [gen] to hit; [puerta] to bang; [con puño] to punch.

golpista *smf* person involved in military coup.

golpiza *sf Amér* beating.

goma *sf* - **1.** [sustancia viscosa, pegajosa] gum; **goma arábiga** gum arabic; **goma de mascar** chewing gum; **goma de pegar** glue, gum - **2.** [tira elástica] rubber band, elastic band *UK*; **goma elástica** elastic - **3.** [caucho] rubber; **goma espuma** foam rubber; **goma de borrar** rubber *UK*, eraser *US* - **4.** Cuba & C Sur [neumático] tyre *UK*, tire *US* - **5.** Amér C [fam] [resaca] hangover. ➤ **Goma 2** *sf* plastic explosive.

gomina *sf* hair gel.

gong *sm inv* gong.

gordinflón, ona *sm, f* fatty.

gordo, da ◇ *adj* - **1.** [persona] fat; **me cae gordo** I can't stand him - **2.** [grueso] thick - **3.** [grande] big - **4.** [grave] big, serious. ◇ *sm, f* - **1.** [persona obesa] fat man (*f* fat woman); **armar la gorda** *fig* to kick up a row O stink - **2.** *Amér* [querido] sweetheart, darling - **3.** *Amér* [como apelativo]: **¿cómo estás, gordo?** hey, how's it going? **gordo** *sm* [en lotería] first prize, jackpot; **el gordo** *first prize in the Spanish national lottery*.

gordura *sf* fatness.

gorgorito *sm* warble.

gorila *sm* - **1.** ZOOL gorilla - **2.** [guardaespaldas] bodyguard - **3.** [en discoteca etc] bouncer.

gorjear *vi* to chirp, to twitter.

gorra *sf* (peaked) cap; **de gorra** for free; **vivir de gorra** to scrounge.

gorrear = **gorronear**.

gorrinada *sf* [guarrada - acción] disgusting behaviour (*U*); [- lugar] pigsty.

gorrión *sm* sparrow.

gorro *sm* [gen] cap; [de niño] bonnet; **gorro de baño** [para ducha] shower cap; [para piscina] swimming cap.

gorrón, ona *fam sm, f* sponger.

gorronear, gorrear *vt & vi fam* to sponge, to scrounge.

gota *sf* - **1.** [de agua, leche, sangre] drop; [de sudor] bead; **caer cuatro gotas** to spit (with rain); **la gota que colma el vaso** the last straw, the straw that breaks the camel's back; **sudar la gota gorda** to sweat blood, to work very hard - **2.** [cantidad pequeña]: **una gota de** a (tiny) drop of; **ni gota: no se veía ni gota** you couldn't see a thing; **no tienes ni gota de sentido común** you haven't got an ounce of common sense - **3.** [enfermedad] gout. **gotas** *sfpl* [medicamento] drops. **gota a gota** *sm* MED intravenous drip. **gota fría** *sf* METEOR *cold front that remains in one place for some time, causing continuous heavy rain*.

gotear ◇ *vi* [líquido] to drip; [techo, depósito etc] to leak; *fig* to trickle through. ◇ *v impers* [chispear] to spit, to drizzle.

gotera *sf* [filtración] leak.

gótico, ca *adj* Gothic.

gozada *sf fam*: **es una gozada** it's wonderful.

gozar *vi* to enjoy o.s.; **gozar de algo** to enjoy sthg; **gozar con** to take delight in.

gozne *sm* hinge.

gozo *sm* joy, pleasure.

grabación *sf* recording; **grabación digital** digital recording; **grabación en vídeo** video recording.

grabado *sm* - **1.** [gen] engraving; [en madera] carving - **2.** [en papel - acción] printing; [- lámina] print.

grabar *vt* - **1.** [gen] to engrave; [en madera] to carve; [en papel] to print - **2.** [sonido, cinta] to record. **grabarse en** *vprnl fig*: **grabársele a alguien en la memoria** to become engraved on sb's mind.

gracia *sf* - **1.** [humor, comicidad] humour; **hacer gracia a alguien** to amuse sb; **no me hizo gracia** I didn't find it funny; **¡maldita la gracia!** it's not a bit funny!; **¡qué gracia!** how funny!; **tener gracia** (ser divertido) to be funny; **tiene gracia** (es curioso) it's funny; **caer en gracia** to be liked - **2.** [arte, habilidad] skill, natural ability - **3.** [encanto] grace, elegance - **4.** [chiste] joke; **hacer una gracia a alguien** to play a prank on sb; **no le rías las gracias** don't laugh when he says something silly. **gracias** *sfpl* thank you, thanks; **gracia a Dios** thank God; **dar las gracias a alguien (por)** to thank sb (for); **muchas gracias** thank you, thanks very much.

gracioso, sa ◇ *adj* [divertido] funny, amusing; **¡qué gracioso!** how funny!; **es gracioso que...** it's funny how... ◇ *sm, f* comedian; **hacerse el gracioso** to try to be funny.

grada *sf* - **1.** [peldaño] step - **2.** TEATRO row. **gradas** *sfpl* DEP terraces.

gradación *sf* [escalonamiento] scale.

gradería *sf* = **graderío**.

graderío *sm* TEATRO rows *pl*; DEP terraces *pl*.

grado *sm* - **1.** [gen] degree - **2.** [fase] stage, level; [índice, nivel] extent, level; **en grado sumo** greatly - **3.** [rango - gen] grade; MIL rank - **4.** EDUC year, class, grade *US* - **5.** [voluntad]: **hacer algo de buen/mal grado** to do sthg willingly/unwillingly.

graduación *sf* - **1.** [acción] grading; [de la vista] eye-test - **2.** EDUC graduation - **3.** [de bebidas] strength, ≃ proof - **4.** MIL rank.

graduado, da *sm, f* [persona] graduate. **graduado** *sm* [título - gen] certificate.

gradual *adj* gradual.

graduar *vt* - **1.** [medir] to gauge, to measure; [regular] to regulate; [vista] to test - **2.** [escalonar] to stagger - **3.** EDUC to confer a degree on - **4.** MIL to commission. **graduarse** *vprnl*: **graduarse (en)** to graduate (in).

grafía *sf* written symbol.

gráfico, ca ◇ *adj* graphic. **gráfico** *sm* [gráfica] graph, chart; [dibujo] diagram; **gráfico de barras** bar chart. **gráfica** *sf* graph, chart.

gragea *sf* MED pill, tablet.

grajo *sm* rook.

gral. (*abrev de general*) gen.

gramática ▷ **gramático**.

gramatical adj grammatical.

gramático, ca adj grammatical. ◆ **gramática** sf [disciplina, libro] grammar.

gramo sm gram.

gramófono sm gramophone.

gramola sf gramophone.

gran ▷ **grande**.

granada sf - 1. [fruta] pomegranate - 2. [proyectil] grenade.

granate ◇ sm garnet. ◇ adj inv garnet-coloured.

Gran Bretaña sf Great Britain.

grande ◇ adj (antes de m sing: gran) - 1. [de tamaño] big, large; [de altura] tall; [de intensidad, importancia] great; **un hombre grande** a big man; **un gran hombre** a great man; **este traje me está grande** this suit is too big for me - 2. loc: **hacer algo a lo grande** to do sthg in style; **pasarlo en grande** fam to have a great time; **vivir a lo grande** to live in style. ◇ sm [noble] grandee. ◆ **grandes** smpl [adultos] grown-ups. ◆ **a lo grande** loc adv in style.

grandeza sf - 1. [de tamaño] (great) size - 2. [de sentimientos] generosity.

grandioso, sa adj grand, splendid.

grandullón, ona sm, f big boy (f big girl).

granel ◆ **a granel** loc adv [sin envase - gen] loose; [- en gran cantidad] in bulk.

granero sm granary.

granito sm granite.

granizada sf METEOR hailstorm.

granizado sm iced drink.

granizar v impers to hail.

granizo sm hail.

granja sf farm; **granja avícola** chicken O poultry farm.

granjearse vprnl to gain, to earn.

granjero, ra sm, f farmer.

grano sm - 1. [semilla - de cereales] grain; **grano de café** coffee bean; **grano de pimienta** peppercorn - 2. [partícula] grain - 3. [en la piel] spot, pimple - 4. loc: **apartar el grano de la paja** to separate the wheat from the chaff; **aportar O poner uno su grano de arena** to do one's bit; **ir al grano** to get to the point.

granuja smf [pillo] rogue, scoundrel; [canalla] trickster, swindler.

granulado, da adj granulated.

grapa sf - 1. [para papeles etc] staple; [para heridas] stitch, (wire) suture - 2. C Sur [bebida] grappa.

grapadora sf stapler.

grapar vt to staple.

grasa sf ▷ **graso**.

grasiento, ta adj greasy.

graso, sa adj [gen] greasy; [con alto contenido en grasas] fatty. ◆ **grasa** sf - 1. [en comestibles] fat; [de cerdo] lard; **grasa animal** animal fat; **grasa saturada** saturated fat - 2. [lubricante] grease, oil - 3. [suciedad] grease.

gratén sm gratin; **al gratén** au gratin.

gratificación sf - 1. [moral] reward - 2. [monetaria] bonus.

gratificante adj rewarding.

gratificar vt [complacer] to reward; [retribuir] to give a bonus to; [dar propina a] to tip.

gratinado, da adj au gratin.

gratis adv [sin dinero] free, for nothing; [sin esfuerzo] for nothing.

gratitud sf gratitude.

grato, ta adj pleasant; **nos es grato comunicarle que...** we are pleased to inform you that...

gratuito, ta adj - 1. [sin dinero] free - 2. [arbitrario] gratuitous; [infundado] unfair, uncalled for.

grava sf gravel.

gravamen sm - 1. [impuesto] tax - 2. [obligación moral] burden.

gravar vt [con impuestos] to tax.

grave adj - 1. [gen] serious; [estilo] formal; **estar grave** to be seriously ill - 2. [sonido, voz] low, deep.

gravedad sf - 1. [cualidad] seriousness - 2. FÍS gravity.

gravilla sf gravel.

gravitar vi to gravitate; fig [pender]: **gravitar sobre** to hang O loom over.

graznar vi [cuervo] to caw; [ganso] to honk; [pato] to quack; [persona] to squawk.

graznido sm [de cuervo] caw, cawing (U); [de ganso] honk, honking (U); [de pato] quack, quacking (U); [de personas] squawk, squawking (U).

Grecia n pr Greece.

gremio sm [sindicato] (trade) union; [profesión] profession, trade; HIST guild; **ser del gremio** to be in the trade.

greña (gen pl) sf tangle of hair; **andar a la greña (con alguien)** to be at daggers drawn (with sb).

gres sm stoneware.

gresca sf row.

griego, ga adj & sm, f Greek. ◆ **griego** sm [lengua] Greek.

grieta sf crack; [entre montañas] crevice; [que deja pasar luz] chink.

grifería sf taps pl, plumbing.

grifo sm [llave] tap UK, faucet US; **grifo monomando** mixer tap.

grillado, da adj fam crazy, loopy.

grillete sm shackle.

grillo *sm* cricket.

grima *sf* [dentera]: **dar grima** to set one's teeth on edge.

gringo, ga <> *adj despec Esp* [estadounidense] gringo, Yankee; *Amér* [extranjero] gringo, foreign. <> *sm, f Esp* [estadounidense] gringo, Yank; *Amér* [extranjero] gringo, foreigner.

gripa *sf Col & Méx* flu.

gripe *sf* flu.

gris <> *adj* [color] grey; [triste] gloomy, miserable. <> *sm* grey.

gritar <> *vi* [hablar alto] to shout; [chillar] to scream, to yell. <> *vt*: **gritar (algo) a alguien** to shout (sthg) at sb.

griterío *sm* screaming, shouting.

grito *sm* [gen] shout; [de dolor, miedo] cry, scream; [de sorpresa, de animal] cry; **dar O pegar un grito** to shout O scream (out); **a grito limpio** O **pelado** at the top of one's voice; **pedir algo a gritos** *fig* to be crying out for sthg; **poner el grito en el cielo** to hit the roof; **ser el último grito** to be the latest fashion O craze, to be the in thing.

Groenlandia *n pr* Greenland.

grogui *adj lit & fig* groggy.

grosella *sf* redcurrant; **grosella negra** blackcurrant; **grosella silvestre** gooseberry.

grosería *sf* [cualidad] rudeness; [acción] rude thing; [palabra] swear word.

grosero, ra *adj* - **1.** [maleducado] rude, crude - **2.** [tosco] coarse, rough.

grosor *sm* thickness.

grotesco, ca *adj* grotesque.

grúa *sf* - **1.** CONSTR crane - **2.** AUTO breakdown truck - **3.** [de la policía] tow truck.

grueso, sa *adj* - **1.** [espeso] thick - **2.** [corpulento] thickset; [obeso] fat - **3.** [grande] large, big - **4.** [mar] stormy. ➡ **grueso** *sm* [grosor] thickness.

grulla *sf* crane.

grumete *sm* cabin boy.

grumo *sm* [gen] lump; [de sangre] clot.

gruñido *sm* - **1.** [gen] growl; [de cerdo] grunt; **dar gruñidos** to growl, to grunt - **2.** [de persona] grumble.

gruñir *vi* - **1.** [gen] to growl; [cerdo] to grunt - **2.** [persona] to grumble.

gruñón, ona *fam adj* grumpy.

grupa *sf* hindquarters.

grupo *sm* [gen] group; [de árboles] cluster; TECNOL unit, set; **en grupo** in a group; **grupo de discusión** INFORM forum; **grupo electrógeno** generator; **grupo de noticias** INFORM newsgroup. ➡ **grupo sanguíneo** *sm* blood group.

gruta *sf* grotto.

guacal *sm Amér C & Méx* [calabaza] gourd; *Col, Méx & Caribe* [jaula] cage.

guachada *sf R Dom fam* mean trick.

guachimán *sm Amér* night watchman.

guacho, cha *sm, f Andes & R Dom fam* bastard.

guaco *sm Amér* pottery object found in pre-Columbian Indian tomb.

guadaña *sf* scythe.

guagua *sf Caribe* [autobús] bus; *Andes* [niño] baby.

guajolote *sm Amér C & Méx* [pavo] turkey; *fig* [tonto] fool, idiot.

guampa *sf Bol & C Sur* horn.

guanajo *sm Caribe* turkey.

guantazo *sm fam* slap.

guante *sm* glove; **echar el guante a algo** *fam* to get hold of sthg, to get one's hands on sthg; **echar el guante a alguien** *fam* to nab sb.

guantera *sf* glove compartment.

guapo, pa *adj* - **1.** [gen] good-looking; [hombre] handsome; [mujer] pretty - **2.** *fam* [bonito] cool.

guarangada *sf Bol & C Sur* rude remark.

guarda <> *smf* [vigilante] guard, keeper; **guarda jurado** security guard. <> *sf* - **1.** [tutela] guardianship - **2.** [de libros] flyleaf.

guardabarros *sm inv* mudguard *UK*, fender *US*.

guardabosque *smf* forest ranger.

guardacoches *smf inv* parking attendant.

guardacostas *sm inv* [barco] coastguard boat.

guardaespaldas *smf inv* bodyguard.

guardameta *smf* goalkeeper.

guardapolvo *sm* overalls *pl*.

guardar *vt* - **1.** [gen] to keep; [en su sitio] to put away - **2.** [vigilar] to keep watch over; [proteger] to guard - **3.** [reservar, ahorrar]: **guardar algo (a O para alguien)** to save sthg (for sb) - **4.** [cumplir - ley] to observe; [- secreto, promesa] to keep. ➡ **guardarse de** *vprnl*: **guardarse de hacer algo** [evitar] to avoid doing sthg; [abstenerse de] to be careful not to do sthg.

guardarropa *sm* [gen] wardrobe; [de cine, discoteca etc] cloakroom.

guardarropía *sf* TEATRO wardrobe.

guardavallas *smf inv Amér* goalkeeper.

guardería *sf* nursery; [en el lugar de trabajo] crèche.

guardia <> *sf* - **1.** [gen] guard; [vigilancia] watch, guard; **montar (la) guardia** to mount guard; **guardia municipal** urban police - **2.** [turno] guard; **estar de guardia** to be on duty. <> *sm, f* [policía] policeman (*f* policewoman); **guardia de tráfico** traffic warden. ➡ **Guardia Civil** *sf*: **la Guardia Civil** the Civil Guard.

guardián, **ana** sm, f [de persona] guardian; [de cosa] watchman, keeper.

guarecer vt: **guarecer (de)** to protect O shelter (from). ➡ **guarecerse** vprnl: **guarecerse (de)** to shelter (from).

guarida sf lair; fig hideout.

guarnición sf - **1.** CULIN garnish - **2.** MIL garrison.

guarrería sf - **1.** [suciedad] filth, muck - **2.** [acción] filthy thing.

guarro, **rra** ◇ adj filthy. ◇ sm, f - **1.** [animal] pig - **2.** fam [persona] filthy O dirty pig.

guarura sm Méx fam bodyguard.

guasa sf fam [gracia] humour; [ironía] irony; **estar de guasa** to be joking.

guasearse vprnl fam: **guasearse (de)** to take the mickey (out of).

guasón, **ona** sm, f joker, tease.

Guatemala n pr - **1.** [país] Guatemala - **2.** [ciudad] Guatemala City.

guatemalteco, **ca**, **guatemaltés**, **esa** adj & sm, f Guatemalan.

guau sm woof.

guay adj fam cool, neat.

guayín sm Méx van.

gubernativo, **va** adj government (antes de s).

guepardo sm cheetah.

güero, **ra** adj Méx fam blond (f blonde), fair-haired.

guerra sf war; [referido al tipo de conflicto] warfare; [pugna] struggle, conflict; [de intereses, ideas] conflict; **declarar la guerra** to declare war; **en guerra** at war; **hacer la guerra** to wage war; **guerra bacteriológica/química** germ/chemical warfare; **guerra espacial** O **de las galaxias** star wars; **guerra fría** cold war; **guerra de guerrillas** guerrilla warfare; **guerra a muerte** fight to the death; **guerra psicológica** psychological warfare; **dar guerra** to be a pain, to be annoying.

guerrear vi to (wage) war.

guerrero, **ra** ◇ adj warlike. ◇ sm, f [luchador] warrior.

guerrilla sf [grupo] guerrilla group.

guerrillero, **ra** sm, f guerrilla.

gueto, **ghetto** ['geto] sm ghetto.

güevón sm Andes, Arg & Ven vulg prat UK, pillock UK, jerk US.

guía ◇ smf [persona] guide; **guía turístico** tourist guide. ◇ sf - **1.** [indicación] guidance - **2.** [libro] guide (book); **guía de carreteras** road atlas; **guía de ferrocarriles** train timetable; **guía telefónica** telephone book O directory.

guiar vt - **1.** [indicar dirección a] to guide, to lead; [aconsejar] to guide, to direct - **2.** AUTO to drive; NÁUT to steer. ➡ **guiarse** vprnl: **guiarse por algo** to be guided by O to follow sthg.

guijarro sm pebble.

guillotina sf guillotine.

guinda sf morello cherry.

guindilla sf chilli (pepper).

guiñapo sm [persona] (physical) wreck.

guiño sm wink.

guiñol sm puppet theatre.

guión sm - **1.** CINE & TV script - **2.** GRAM [signo] hyphen.

guionista smf scriptwriter.

guiri fam despec smf foreigner.

guirigay sm fam [jaleo] racket.

guirlache sm brittle sweet made of roasted almonds or hazelnuts and toffee.

guirnalda sf garland.

guisa sf way; **a guisa de** by way of.

guisado sm stew.

guisante sm pea.

guisar vt & vi to cook. ➡ **guisarse** vprnl fig to be cooking, to be going on.

guiso sm dish.

güisqui, **whisky** sm whisky.

guitarra sf guitar; **guitarra acústica** acoustic guitar.

guitarrista smf guitarist.

gula sf gluttony.

gurí, **risa** sm, f R Dom fam [niño] kid, child; [chico] lad, boy; [chica] lass, girl.

guru, **gurú** sm guru.

gusanillo sm fam: **el gusanillo de la conciencia** conscience; **entrarle a uno el gusanillo de los videojuegos** to be bitten by the videogame bug; **matar el gusanillo** [bebiendo] to have a drink on an empty stomach; [comiendo] to have a snack between meals; **sentir un gusanillo en el estómago** to have butterflies (in one's stomach).

gusano sm lit & fig worm.

gustar ◇ vi [agradar] to be pleasing; **me gusta esa chica/ir al cine** I like that girl/going to the cinema; **me gustan las novelas** I like novels; **como guste** as you wish. ◇ vt to taste, to try.

gustazo sm fam great pleasure; **darse el gustazo de algo/hacer algo** to allow o.s. the pleasure of sthg/doing sthg.

gusto sm - **1.** [gen] taste; [sabor] taste, flavour; **de buen/mal gusto** in good/bad taste - **2.** [placer] pleasure; **con mucho gusto** gladly, with pleasure; **da gusto estar aquí** it's a real pleasure to be here; **dar gusto a alguien** to

please sb; **mucho** O **tanto gusto** pleased to meet you; **tener el gusto de** to have the pleasure of; **tengo el gusto de invitarle** I have the pleasure of inviting you; **tomar gusto a algo** to take a liking to sthg - **3.** [capricho] whim. ◆ **a gusto** *loc adv*: **hacer algo a gusto** [de buena gana] to do sthg willingly O gladly; [cómodamente] to do sthg comfortably; **estar a gusto** to be comfortable O at ease.

gustoso, sa *adj* - **1.** [sabroso] tasty - **2.** [con placer]: **hacer algo gustoso** to do sthg gladly O willingly.

gutural *adj* guttural.

h¹, H *sf* [letra] h, H; **por h o por b** *fig* for one reason or another.

h², h. (*abrev de* **hora**) hr, h.

ha ◇ ▷ **haber.** ◇ (*abrev de* **hectárea**) ha.

haba *sf* broad bean.

habano, na *adj* Havanan. ◆ **habano** *sm* Havana cigar.

haber ◇ *v aux* - **1.** [en tiempos compuestos] to have; **lo he/había hecho** I have/had done it; **los niños ya han comido** the children have already eaten; **en el estreno ha habido mucha gente** there were a lot of people at the premiere - **2.** [expresa reproche]: **haber venido antes** you could have come a bit earlier; **¡haberlo dicho!** why didn't you say so? - **3.** [expresa obligación]: **haber de hacer algo** to have to do sthg; **has de estudiar más** you have to study more. ◇ *v impers* - **1.** [existir, estar]: **hay** there is/are; **hay mucha gente en la calle** there are a lot of people in the street; **había/hubo muchos problemas** there were many problems; **habrá dos mil** [expresa futuro] there will be two thousand; [expresa hipótesis] there must be two thousand - **2.** [expresa obligación]: **haber que hacer algo** to have to do sthg; **hay que hacer más ejercicio** one O you should do more exercise; **habrá que soportar su mal humor** we'll have to put up with his bad mood - **3.** *loc*: **algo habrá** there must be something

in it; **allá se las haya** that's his/her/your *etc* problem; **habérselas con alguien** to face O confront sb; **¡hay que ver!** well I never!; **no hay de qué** don't mention it; **¿qué hay?** *fam* [saludo] how are you doing? ◇ *sm* - **1.** [bienes] assets *pl* - **2.** [en cuentas, contabilidad] credit (side). ◆ **haberes** *smpl* [sueldo] remuneration *(U)*.

habichuela *sf* bean.

hábil *adj* - **1.** [diestro] skilful; [inteligente] clever - **2.** [utilizable - lugar] suitable, fit - **3.** DER: **días hábiles** working days.

habilidad *sf* [destreza] skill; [inteligencia] cleverness; **tener habilidad para algo** to be good at sthg.

habilitar *vt* - **1.** [acondicionar] to fit out, to equip - **2.** [autorizar] to authorize.

habiloso, sa *adj Chile fam* shrewd, astute.

habitación *sf* [gen] room; [dormitorio] bedroom; **habitación doble** [con cama de matrimonio] double room; [con dos camas] twin room; **habitación individual** O **simple** single room; **habitación para invitados** guest room.

habitante *sm* [de ciudad, país] inhabitant; [de barrio] resident.

habitar ◇ *vi* to live. ◇ *vt* to live in, to inhabit.

hábitat (*pl* **hábitats**) *sm* [gen] habitat.

hábito *sm* habit; **tener el hábito de hacer algo** to be in the habit of doing sthg.

habitual *adj* habitual; [cliente, lector] regular.

habituar *vt*: **habituar a alguien a** to accustom sb to. ◆ **habituarse** *vprnl*: **habituarse a** [gen] to get used O accustomed to; [drogas etc] to become addicted to.

habla *sf (el)* - **1.** [idioma] language; [dialecto] dialect; **de habla española** Spanish-speaking - **2.** [facultad] speech; **dejar a alguien sin habla** to leave sb speechless; **quedarse sin habla** to be left speechless - **3.** LING discourse - **4.** [al teléfono]: **estar al habla con alguien** to be on the line to sb.

hablador, ra *adj* talkative.

habladurías *sfpl* [rumores] rumours; [chismes] gossip *(U)*.

hablante ◇ *adj* speaking. ◇ *smf* speaker.

hablar ◇ *vi*: **hablar (con)** to talk (to), to speak (to); **hablar de** to talk about; **hablar bien/mal de** to speak well/badly of; **hablar en español/inglés** to speak Spanish/English; **¡mira quién habla!** look who's talking!; **¡ni hablar!** no way! ◇ *vt* - **1.** [idioma] to speak - **2.** [asunto]: **hablar algo (con)** to discuss sthg (with). ◆ **hablarse** *vprnl* to speak (to each other); **no hablarse** not to be speaking, not to be on speaking terms; **'se habla inglés'** 'English spoken'.

habrá *etc* ▷ **haber**.

hacendado, da *sm, f* landowner.

hacer ◇ *vt* - **1**. [elaborar, crear, cocinar] to make; **hacer un vestido/planes** to make a dress/plans; **hacer un poema/una sinfonía** to write a poem/symphony; **para hacer la carne...** to cook the meat... - **2**. [construir] to build; **han hecho un edificio nuevo** they've put up a new building - **3**. [generar] to produce; **el árbol hace sombra** the tree gives shade; **la carretera hace una curva** there's a bend in the road - **4**. [movimientos, sonidos, gestos] to make; **le hice señas** I signalled to her; **el reloj hace tic-tac** the clock goes tick-tock; **hacer ruido** to make a noise - **5**. [obtener - fotocopia] to make; [- retrato] to paint; [- fotografía] to take - **6**. [realizar - trabajo, estudios] to do; [- viaje] to make; [- comunión] to take; **hoy hace guardia** she's on duty today; **estoy haciendo segundo** I'm in my second year - **7**. [practicar - gen] to do; [- tenis, fútbol] to play; **debes hacer deporte** you should start doing some sport - **8**. [arreglar - casa, colada] to do; [- cama] to make - **9**. [transformar en]: **hacer a alguien feliz** to make sb happy; **la guerra no le hizo un hombre** the war didn't make him (into) a man; **hizo pedazos el papel** he tore the paper to pieces; **hacer de algo/alguien algo** to make sthg/sb into sthg; **hizo de ella una buena cantante** he made a good singer of her - **10**. [comportarse como]: **hacer el tonto** to act the fool; **hacer el vándalo** to act like a hooligan - **11**. [causar]: **hacer daño a alguien** to hurt sb; **me hizo gracia** I thought it was funny - **12**. CINE & TEATRO to play; **hace el papel de la hija del rey** she plays (the part of) the king's daughter - **13**. [ser causa de]: **hacer que alguien haga algo** to make sb do sthg; **me hizo reír** it made me laugh; **has hecho que se enfadara** you've made him angry - **14**. [mandar]: **hacer que se haga algo** to have sthg done; **voy a hacer teñir este traje** I'm going to have the dress dyed. ◇ *vi* - **1**. [actuar]: **hacer de** CINE & TEATRO to play; [trabajar] to act as - **2**. [aparentar]: **hacer como si** to act as if; **haz como que no te importa** act as if you don't care - **3**. [procurar, intentar]: **hacer por hacer algo** to try to do sthg; **haré por verle esta noche** I'll try to see him tonight - **4**. *loc*: **¿hace?** all right? ◇ *v impers* - **1**. [tiempo meteorológico]: **hace frío/sol/viento** it's cold/sunny/windy; **hace un día precioso** it's a beautiful day - **2**. [tiempo transcurrido]: **hace diez años** ten years ago; **hace mucho/poco** a long time/not long ago; **hace un mes que llegué** it's a month since I arrived; **no la veo desde hace un año** I haven't seen her for a year. ◆ **hacerse** *vprnl* - **1**. [formarse] to form - **2**. [desarrollarse, crecer] to grow - **3**. [guisarse, cocerse] to cook - **4**. [convertirse] to become; **hacerse musulmán** to become a Moslem - **5**. [crearse en la mente]: hacer-

se ilusiones to get one's hopes up; **hacerse una idea de algo** to imagine what sthg is like - **6**. [mostrarse]: **se hace el gracioso/el simpático** he tries to act the comedian/the nice guy; **hacerse el distraído** to pretend to be miles away.

hacha *sf* (el) axe; **enterrar el hacha de guerra** to bury the hatchet.

hachís, hash [xa'ʃis] *sm* hashish.

hacia *prep* - **1**. [dirección, tendencia, sentimiento] towards; **hacia aquí/allí** this/that way; **hacia abajo** downwards; **hacia arriba** upwards; **hacia atrás** backwards; **hacia adelante** forwards - **2**. [tiempo] around, about; **hacia las diez** around O about ten o'clock.

hacienda *sf* - **1**. [finca] country estate O property - **2**. [bienes] property; **hacienda pública** public purse - **3**. *R Plata* [ganadería] ranch. ◆ **Hacienda** *sf*: Ministerio de Hacienda the Treasury.

hada *sf* (el) fairy; **hada madrina** fairy godmother.

haga *etc* ▷ **hacer**.

Haití *n pr* Haiti.

hala *interj*: **¡hala!** [para dar ánimo, prisa] come on!; [para expresar incredulidad] no!, you're joking!; [para expresar admiración, sorpresa] wow!

halagador, ra *adj* flattering.

halagar *vt* to flatter.

halago *sm* flattery.

halagüeño, ña *adj* [prometedor] promising, encouraging.

halcón *sm* - **1**. ZOOL falcon, hawk - **2**. *Amér fam* [matón] government-paid killer.

hálito *sm* [aliento] breath.

halitosis *sf inv* bad breath.

hall [xol] (*pl* halls) *sm* foyer.

hallar *vt* [gen] to find; [averiguar] to find out. ◆ **hallarse** *vprnl* - **1**. [en un lugar - persona] to be, to find o.s.; [- casa etc] to be (situated) - **2**. [en una situación] to be; **hallarse enfermo** to be ill.

hallazgo *sm* - **1**. [descubrimiento] discovery - **2**. [objeto] find.

halo *sm* [de astros, santos] halo; [de objetos, personas] aura.

halógeno, na *adj* QUÍM halogenous; [faro] halogen (*antes de s*).

halterofilia *sf* weightlifting.

hamaca *sf* - **1**. [para colgar] hammock - **2**. [tumbona - silla] deckchair; [- canapé] sunlounger - **3**. *R Plata* [columpio] swing - **4**. *R Plata* [mecedora] rocking chair.

hambre *sf* (el) - **1**. [apetito] hunger; [inanición] starvation; **tener hambre** to be hungry; **matar de hambre a alguien** to starve sb to death; **matar el hambre** to satisfy one's hunger; **morirse de hambre** to be starving, to be dying of hun-

ger; pasar hambre to starve **- 2.** [epidemia] fam-ine **- 3.** *fig* [deseo]: **hambre de** hunger O thirst for.

hambriento, ta *adj* starving.

hamburguesa *sf* hamburger.

hampa *sf* (el) underworld.

hámster ['xamster] (*pl* **hámsters**) *sm* ham-ster.

hándicap ['xandikap] (*pl* **hándicaps**) *sm* han-dicap.

hará *etc* ⊳ **hacer**.

haraganear *vi* to laze about.

harapiento, ta *adj* ragged, tattered.

harapo *sm* rag, tatter.

hardware ['xar'wer] *sm* INFORM hardware.

harén *sm* harem.

harina *sf* flour; **estar metido en harina** to be right in the middle of sthg.

harinoso, sa *adj* floury; [manzana] mealy.

hartar *vt* **- 1.** [atiborrar] to stuff (full) **- 2.** [fasti-diar]: **hartar a alguien** to annoy sb, to get on sb's nerves. ⬦ **hartarse** *vprnl* **- 1.** [atiborrar-se] to stuff O gorge o.s. **- 2.** [cansarse]: **hartarse (de)** to get fed up (with) **- 3.** [no parar]: **hartarse de algo** to do sthg non-stop.

hartazgo, hartón *sm* fill; **darse un hartazgo (de)** to have one's fill (of).

harto, ta *adj* **- 1.** [de comida] full **- 2.** [cansado]: **harto (de)** tired (of), fed up (with) **- 3.** *Andes, Amér C, Caribe & Méx* [mucho] a lot of, lots of; **tiene harto dinero** she has a lot of O lots of money; **de este aeropuerto salen hartos aviones** a lot of O lots of planes fly from this airport. ⬦ **harto** *adv* **- 1.** somewhat, rather **- 2.** *Andes, Amér C, Caribe & Méx fam* [mucho] a lot, very much; [muy] very, really.

hartón = hartazgo.

hash = hachís.

hasta ⬦ *prep* **- 1.** [en el espacio] as far as, up to; **desde aquí hasta allí** from here to there; **¿hasta dónde va este tren?** where does this train go? **- 2.** [en el tiempo] until, till; **hasta ahora** (up) until now, so far; **hasta el final** right up until the end; **hasta luego** O **pronto** O **la vista** see you (later) **- 3.** [con cantidades] up to. ⬦ *adv* **- 1.** [incluso] even **- 2.** *Amér C, Col, Ecuad & Méx* [no antes de]: **pintaremos la casa hasta fin de mes** we won't start painting the house until the end of the month. ⬦ **hasta que** *loc conj* until, till.

hastiar *vt* [aburrir] to bore; [asquear] to sicken, to disgust. ⬦ **hastiarse de** *vprnl* to tire of.

hastío *sm* [tedio] boredom (*U*); [repugnancia] disgust.

hatillo *sm* bundle of clothes.

haya ⬦ ⊳ **haber**. ⬦ *sf* (el) [árbol] beech (tree); [madera] beech (wood).

haz *sm* **- 1.** [de leña] bundle; [de cereales] sheaf **- 2.** [de luz] beam; ⊳ **hacer**.

hazaña *sf* feat, exploit.

hazmerreír *sm* laughing stock.

he ⊳ **haber**.

hebilla *sf* buckle.

hebra *sf* **- 1.** [de hilo] thread; [de judías, puerros] string; [de tabaco] strand (of tobacco) **- 2.** *loc*: **pegar la hebra** *fam* to strike up a conversa-tion; **perder la hebra** to lose the thread.

hebreo, a *adj & sm, f* Hebrew. ⬦ **hebreo** *sm* [lengua] Hebrew.

hechicero, ra *sm, f* wizard (*f* witch), sorcer-er (*f* sorceress).

hechizar *vt* to cast a spell on; *fig* to bewitch, to captivate.

hechizo *sm* **- 1.** [maleficio] spell **- 2.** *fig* [encan-to] magic, charm.

hecho, cha ⬦ *pp* ⊳ **hacer**. ⬦ *adj* **- 1.** [acabado, realizado] done; **bien/mal hecho** well/badly done **- 2.** [manufacturado] made; **hecho a mano** handmade; **hecho a máquina** machine-made **- 3.** [convertido en]: **estás he-cho un artista** you've become quite an artist **- 4.** [formado]: **una mujer hecha y derecha** a fully-grown woman **- 5.** [carne] done. ⬦ **he-cho** *sm* **- 1.** [obra] action, deed **- 2.** [suceso] event **- 3.** [realidad, dato] fact. ⬦ **de hecho** *loc adv* in fact, actually.

hechura *sf* **- 1.** [de traje] cut **- 2.** [forma] shape.

hectárea *sf* hectare.

heder *vi* [apestar] to stink, to reek.

hediondo, da *adj* [pestilente] stinking.

hedor *sm* stink, stench.

hegemonía *sf* [gen] dominance; POLIT hege-mony.

helada ⊳ **helado**.

heladería *sf* [tienda] ice-cream parlour; [pues-to] ice-cream stall.

helado, da *adj* **- 1.** [hecho hielo - agua] frozen; [- lago] frozen over **- 2.** [muy frío - manos, agua] freezing. ⬦ **helado** *sm* ice-cream. ⬦ **hela-da** *sf* frost.

helar ⬦ *vt* [líquido] to freeze. ⬦ *v impers*: **ayer heló** there was a frost last night. ⬦ **he-larse** *vprnl* to freeze; [plantas] to be frostbit-ten.

helecho *sm* fern, bracken.

hélice *sf* **- 1.** TECNOL propeller **- 2.** [espiral] spir-al.

helicóptero *sm* helicopter.

helio *sm* helium.

hematoma *sm* bruise; MED haematoma.

hembra *sf* **- 1.** BIOL female; [mujer] woman; [ni-ña] girl **- 2.** [del enchufe] socket.

hemiciclo *sm* [en el parlamento] floor.

hemisferio *sm* hemisphere.

hemofilia *sf* haemophilia.

hemorragia *sf* haemorrhage; **hemorragia nasal** nosebleed.

hemorroides *sfpl* haemorrhoids, piles.

hender, hendir *vt* [carne, piel] to carve open, to cleave; [piedra, madera] to crack open; [aire, agua] to cut O slice through.

hendidura *sf* [en carne, piel] cut, split; [en piedra, madera] crack.

hendir = **hender**.

heno *sm* hay.

hepatitis *sf inv* hepatitis.

herbicida *sm* weedkiller.

herbolario, ria *sm, f* [persona] herbalist.

hercio ['erθjo], **hertz** *sm* hertz.

heredar *vt*: heredar (de) to inherit (from).

heredero, ra *sm, f* heir (*f* heiress); **heredero forzoso** heir apparent; **heredero universal** residuary legatee.

hereditario, ria *adj* hereditary.

hereje *smf* heretic.

herejía *sf* heresy.

herencia *sf* [de bienes] inheritance; [de características] legacy; BIOL heredity.

herido, da <> *adj* [gen] injured; [en lucha, atentado] wounded; [sentimentalmente] hurt, wounded. <> *sm, f* [gen] injured person; [en lucha, atentado] wounded person; **no hubo heridos** there were no casualties; **los heridos** the wounded. ← **herida** *sf* [lesión] injury; [en lucha, atentado] wound; **herida superficial** flesh wound; **heridas múltiples** multiple injuries.

herir *vt* - **1.** [físicamente] to injure; [en lucha, atentado] to wound; [vista] to hurt; [oído] to pierce - **2.** [sentimentalmente] to hurt.

hermanado, da *adj* [gen] united, joined; [ciudades] twinned.

hermanar *vt* [ciudades] to twin.

hermanastro, tra *sm, f* stepbrother (*f* stepsister).

hermandad *sf* [asociación] association; [RELIG - de hombres] brotherhood; [- de mujeres] sisterhood.

hermano, na *sm, f* brother (*f* sister); **hermano gemelo** twin brother; **hermano mayor** older brother, big brother; **hermano menor** younger brother, little brother; **hermano de sangre** blood brother.

hermético, ca *adj* - **1.** [al aire] airtight, hermetic; [al agua] watertight, hermetic - **2.** *fig* [persona] inscrutable.

hermoso, sa *adj* [gen] beautiful, lovely; [hombre] handsome; [excelente] wonderful.

hermosura *sf* [gen] beauty; [de hombre] handsomeness.

hernia *sf* hernia, rupture; **hernia discal** slipped disc.

herniarse *vprnl* MED to rupture o.s.

héroe *sm* hero.

heroico, ca *adj* heroic.

heroína *sf* - **1.** [mujer] heroine - **2.** [droga] heroin.

heroinómano, na *sm, f* heroin addict.

heroísmo *sm* heroism.

herpes *sm inv* herpes (*U*).

herradura *sf* horseshoe.

herramienta *sf* tool.

herrería *sf* [taller] smithy, forge.

herrero *sm* blacksmith, smith.

herrumbre *sf* [óxido] rust.

hertz = **hercio**.

hervidero *sm* - **1.** [de pasiones, intrigas] hotbed - **2.** [de gente - muchedumbre] swarm, throng; [- sitio] place throbbing O swarming with people.

hervir <> *vt* to boil. <> *vi* - **1.** [líquido] to boil - **2.** *fig* [lugar]: **hervir de** to swarm with.

hervor *sm* boiling; **dar un hervor a algo** to blanch sthg.

heterodoxo, xa *adj* unorthodox.

heterogéneo, a *adj* heterogeneous.

heterosexual *adj* & *smf* heterosexual.

hexágono *sm* hexagon.

hez *sf lit* & *fig* dregs *pl.* ← **heces** *sfpl* [excrementos] faeces.

hibernar *vi* to hibernate.

híbrido, da *adj lit* & *fig* hybrid. ← **híbrido** *sm* [animal, planta] hybrid.

hice *etc* ⊳ **hacer**.

hidalgo, ga *sm, f* nobleman (*f* noblewoman).

hidratante *sm* moisturizing cream.

hidratar *vt* [piel] to moisturize; QUÍM to hydrate.

hidrato *sm*: **hidrato de carbono** carbohydrate.

hidráulico, ca *adj* hydraulic.

hidroavión *sm* seaplane.

hidroeléctrico, ca *adj* hydroelectric.

hidrógeno *sm* hydrogen.

hidroplano *sm* [barco] hydrofoil.

hiedra *sf* ivy.

hiel *sf* - **1.** [bilis] bile; **echar la hiel** to sweat blood - **2.** [mala intención] spleen, bitterness.

hielo *sm* ice; **con hielo** [whisky] with ice, on the rocks; **romper el hielo** *fig* to break the ice; **ser más frío que el hielo** to be as cold as ice.

hiena *sf* hyena.

hierático, ca *adj* solemn.

hierba, yerba *sf* - **1.** [planta] herb; **mala hierba** weed - **2.** [césped] grass - **3.** *fam* [droga] grass.

hierbabuena sf mint.

hierro sm [metal] iron; **de hierro** [severo] iron (antes de s); **hierro forjado** wrought iron; **hierro fundido** cast iron; **hierro laminado** sheet metal.

hígado sm liver.

higiene sf hygiene; **higiene personal** personal hygiene.

higiénico, ca adj hygienic; **papel higiénico** toilet paper.

higienizar vt to sterilize.

higo sm fig; **higo chumbo** prickly pear; **de higos a brevas** once in a blue moon; **me importa un higo** fam I couldn't care less.

higuera sf fig tree; **estar en la higuera** fig to live in a world of one's own.

hijastro, tra sm, f stepson (f stepdaughter).

hijo, ja sm, f [descendiente] child, son (f daughter); **hijo adoptivo** adopted child; **hijo de la chingada** Méx O **de puta** vulg fucking bastard, motherfucker (f fucking bitch); **hijo de papá** fam daddy's boy; **hijo ilegítimo** O **natural** illegitimate child; **hijo no deseado** unwanted child; **hijo único** only child; **cualquier** O **todo hijo de vecino** fam fig any Tom, Dick or Harry. ➡ **hijos** smpl children.

hilacha sf loose thread.

hilada sf row.

hilar vt [hilo, tela] to spin; [ideas, planes] to think up.

hilaridad sf hilarity.

hilera sf row.

hilo sm - **1.** [fibra, hebra] thread; **colgar** O **pender de un hilo** to be hanging by a thread; **mover los hilos** to pull some strings - **2.** [tejido] linen - **3.** [de metal, teléfono] wire; **sin hilos** wireless - **4.** [de agua, sangre] trickle - **5.** [de pensamiento] train; [de discurso, conversación] thread; **perder el hilo** to lose the thread; **seguir el hilo** to follow (the thread).

hilvanar vt - **1.** [ropa] to tack UK, to baste US - **2.** [coordinar - ideas] to piece together.

himno sm hymn; **himno nacional** national anthem.

hincapié sm: **hacer hincapié en** [insistir] to insist on; [subrayar] to emphasize, to stress.

hincar vt: **hincar algo en** to stick sthg into. ➡ **hincarse** vprnl: **hincarse de rodillas** to fall to one's knees.

hinchado, da adj - **1.** [rueda, globo] inflated; [cara, tobillo] swollen - **2.** fig [persona] bigheaded, conceited; [lenguaje, estilo] bombastic.

hinchar vt lit & fig to blow up. ➡ **hincharse** vprnl - **1.** [pierna, mano] to swell (up) - **2.** fig

[de comida]: **hincharse (a)** to stuff o.s. (with). ➡ **hincharse a** vprnl [no parar de]: **hincharse a hacer algo** to do sthg a lot.

hinchazón sf swelling.

hindú (pl **hindúes** O **hindús**) adj & smf - **1.** [de la India] Indian - **2.** RELIG Hindu.

hinduismo sm Hinduism.

hinojo sm fennel.

hipar vi to hiccup, to have hiccups.

híper sm fam hypermarket.

hiperactivo, va adj hyperactive.

hipérbola sf hyperbola.

hiperenlace sm INFORM hyperlink.

hipermercado sm hypermarket.

hipertensión sf high blood pressure.

hipertexto sm INFORM hypertext.

hípico, ca adj [de las carreras] horseracing (antes de s); [de la equitación] showjumping (antes de s). ➡ **hípica** sf [carreras de caballos] horseracing; [equitación] showjumping.

hipnosis sf inv hypnosis.

hipnótico, ca adj hypnotic.

hipnotismo sm hypnotism.

hipnotizador, ra adj hypnotic; fig spellbinding, mesmerizing.

hipnotizar vt to hypnotize; fig to mesmerize.

hipo sm hiccups pl; **tener hipo** to have (the) hiccups; **quitar el hipo a uno** fig to take one's breath away.

hipocondriaco, ca adj & sm, f hypochondriac.

hipocresía sf hypocrisy.

hipócrita ⬦ adj hypocritical. ⬦ smf hypocrite.

hipodérmico, ca adj hypodermic.

hipódromo sm racecourse, racetrack.

hipopótamo sm hippopotamus.

hipoteca sf mortgage.

hipotecar vt [bienes] to mortgage.

hipotecario, ria adj mortgage (antes de s).

hipotenusa sf hypotenuse.

hipótesis sf inv hypothesis.

hipotético, ca adj hypothetical.

hippy, hippie ['xipi] (pl **hippies**) adj & smf hippy.

hiriente adj [palabras] hurtful, cutting.

hirsuto, ta adj [cabello] wiry; [brazo, pecho] hairy.

hispánico, ca adj & sm, f Hispanic, Spanish-speaking.

hispanidad sf [cultura] Spanishness; [pueblos] Spanish-speaking world.

hispano, na <> *adj* [español] Spanish; [hispanoamericano] Spanish-American; [en Estados Unidos] Hispanic. <> *sm, f* [español] Spaniard; [estadounidense] Hispanic.

hispanoamericano, na <> *adj* Spanish-American. <> *sm, f* Spanish American.

hispanohablante <> *adj* Spanish-speaking. <> *smf* Spanish speaker.

histeria *sf fig* & MED hysteria.

histérico, ca *adj fig* & MED hysterical; **ponerse histérico** to get hysterical.

histerismo *sm fig* & MED hysteria.

historia *sf* - **1.** [gen] history; **historia antigua/ universal** ancient/world history; **historia del arte** art history; **hacer historia** to make history; **pasar a la historia** to go down in history - **2.** [narración, chisme] story; **dejarse de historias** to stop beating about the bush.

historiador, ra *sm, f* historian.

historial *sm* [gen] record; [profesional] curriculum vitae, résumé *US*.

histórico, ca *adj* - **1.** [de la historia] historical - **2.** [verídico] factual - **3.** [importante] historic.

historieta *sf* - **1.** [chiste] funny story, anecdote - **2.** [tira cómica] comic strip.

hito *sm lit* & *fig* milestone.

hizo ⊳ **hacer.**

hobby ['xoβi] (*pl* **hobbies**) *sm* hobby.

Hno. (*abrev de* **hermano**) Br.

Hnos. (*abrev de* **hermanos**) Bros.

hocico *sm* [de perro] muzzle; [de gato] nose; [de cerdo] snout.

hockey ['xokei] *sm* hockey; **hockey sobre hielo/patines** ice/roller hockey; **hockey sobre hierba** (field) hockey.

hogar *sm* - **1.** [de chimenea] fireplace; [de horno, cocina] grate - **2.** [domicilio] home; **artículos para el hogar** household goods; **labores del hogar** housework; **hogar, dulce hogar** home, sweet home; **hogar de ancianos** old people's home.

hogareño, ña *adj* [gen] family (*antes de s*); [amante del hogar] home-loving.

hogaza *sf* large loaf.

hoguera *sf* bonfire; **morir en la hoguera** to be burned at the stake.

hoja *sf* - **1.** [de plantas] leaf; **de hoja caduca** deciduous; **de hoja perenne** evergreen; [de flor] petal; [de hierba] blade - **2.** [de papel] sheet (of paper); [de libro] page - **3.** [de cuchillo] blade; **hoja de afeitar** razor blade - **4.** [de puertas, ventanas] leaf. ➤ **hoja de cálculo** *sf* INFORM spreadsheet.

hojalata *sf* tinplate.

hojaldre *sm* puff pastry.

hojarasca *sf* - **1.** [hojas secas] (dead) leaves *pl*; [frondosidad] tangle of leaves - **2.** *fig* [paja] rubbish.

hojear *vt* to leaf through.

hola *interj*: ¡hola! hello!

Holanda *n pr* Holland.

holandés, esa <> *adj* Dutch. <> *sm, f* [persona] Dutchman (*f* Dutchwoman). ➤ **holandés** *sm* [lengua] Dutch. ➤ **holandesa** *sf* [papel] *piece of paper measuring 22 x 28 cm.*

holding ['xoldin] (*pl* **holdings**) *sm* holding company.

holgado, da *adj* - **1.** [ropa] baggy, loose-fitting; [habitación, espacio] roomy - **2.** [victoria, situación económica] comfortable.

holgar *vi* [sobrar] to be unnecessary; **huelga decir que...** needless to say...

holgazán, ana <> *adj* idle, good-for-nothing. <> *sm, f* good-for-nothing.

holgazanear *vi* to laze about.

holgura *sf* - **1.** [anchura - de espacio] room; [- de ropa] bagginess, looseness; [- entre piezas] play, give - **2.** [bienestar] comfort, affluence.

hollar *vt* to tread (on).

hollín *sm* soot.

holocausto *sm* holocaust.

hombre <> *sm* man; **el hombre de la calle** *O* **de a pie** the man in the street; **hombre de las cavernas** caveman; **hombre de negocios** businessman; **hombre de palabra** man of his word; **un pobre hombre** a nobody; ¡**pobre hombre!** poor chap *UK O* guy!; **de hombre a hombre** man to man; **ser un hombre hecho y derecho** to be a grown man; **hombre precavido vale por dos** *prov* forewarned is forearmed *prov*. <> *interj*: ¡**hombre! ¡qué alegría verte!** (hey,) how nice to see you! ➤ **hombre orquesta** (*pl* **hombres orquesta**) *sm* one-man band. ➤ **hombre rana** (*pl* **hombres rana**) *sm* frogman.

hombrera *sf* [de traje, vestido] shoulder pad; [de uniforme] epaulette.

hombría *sf* manliness.

hombro *sm* shoulder; **a hombros** over one's shoulders; **hombro con hombro** shoulder to shoulder; **encogerse de hombros** to shrug one's shoulders; **arrimar el hombro** *fig* to lend a hand; **mirar por encima del hombro a alguien** *fig* to look down one's nose at sb.

hombruno, na *adj* mannish.

homenaje *sm* [gen] tribute; [al soberano] homage; **partido (de) homenaje** testimonial (match); **en homenaje de** *O* **a** in honour of, as a tribute to; **rendir homenaje a** to pay tribute to.

homenajeado, da *sm, f* guest of honour.

homenajear *vt* to pay tribute to.

homeopatía *sf* homeopathy.

homicida ◇ adj [mirada etc] murderous; **arma homicida** murder weapon. ◇ smf murderer.

homicidio sm homicide, murder; **homicidio frustrado** attempted murder.

homilía sf homily, sermon.

homogeneizar vt to homogenize.

homogéneo, a adj homogeneous.

homologar vt - **1.** [equiparar]: **homologar (con)** to bring into line (with), to make comparable (with) - **2.** [dar por válido - producto] to authorize officially; [- récord] to confirm officially.

homólogo, ga ◇ adj [semejante] equivalent. ◇ sm, f counterpart.

homosexual adj & smf homosexual.

hondo, da adj - **1.** lit & fig [gen] deep; **tiene tres metros de hondo** it's three metres deep; **lo hondo** the depths pl; **calar hondo en** to strike a chord with; **en lo más hondo de** in the depths of - **2.** ▷ **cante**. ➤ **honda** sf sling.

hondonada sf hollow.

hondura sf depth.

Honduras n pr Honduras.

hondureño, ña adj & sm, f Honduran.

honestidad sf [honradez] honesty; [decencia] modesty, decency; [justicia] fairness.

honesto, ta adj [honrado] honest; [decente] modest, decent; [justo] fair.

hongo sm - **1.** [planta - comestible] mushroom; [- no comestible] toadstool - **2.** [enfermedad] fungus.

honor sm honour; **hacer honor a** to live up to; **en honor a la verdad** to be (quite) honest. ➤ **honores** smpl [ceremonial] honours.

honorable adj honourable.

honorario, ria adj honorary. ➤ **honorarios** smpl fees.

honorífico, ca adj honorific.

honra sf honour; **¡y a mucha honra!** and proud of it! ➤ **honras fúnebres** sfpl funeral sing.

honradez sf honesty.

honrado, da adj honest.

honrar vt to honour. ➤ **honrarse** vprnl: **honrarse (con algo/de hacer algo)** to be honoured (by sthg/to do sthg).

honroso, sa adj - **1.** [que da honra] honorary - **2.** [respetable] honourable, respectable.

hora sf - **1.** [del día] hour; **a primera hora** first thing in the morning; **a última hora** [al final del día] at the end of the day; [en el último momento] at the last moment; **dar la hora** to strike the hour; **de última hora** [noticia] latest, up-to-the-minute; [preparativos] last-minute; **'última hora'** 'stop press'; **(pagar) por horas** (to pay) by the hour; **hora de dormir** bedtime; **horas**

de oficina/trabajo office/working hours; **hora de visita/trabajo** local/official time; **hora punta** O **pico** Amér rush hour; **horas extraordinarias** overtime (U); **horas libres** free time (U); **horas de visita** visiting times; **horas de vuelo** flying time sing; **media hora** half an hour - **2.** [momento determinado] time; **¿a qué hora sale?** what time O when does it leave?; **es hora de irse** it's time to go; **es hora de cenar** it's time for supper; **a la hora** on time; **cada hora** hourly; **en su hora** when the time comes, at the appropriate time; **¿qué hora es?** what time is it?; **hora de cerrar** closing time - **3.** [cita] appointment; **pedir/dar hora** to ask for/give an appointment; **tener hora en/con** to have an appointment at/with - **4.** loc: **a altas horas de la noche** in the small hours; **en mala hora** unluckily; **la hora de la verdad** the moment of truth; **¡ya era hora!** and about time too!

horadar vt to pierce; [con máquina] to bore through.

horario, ria adj time (antes de s). ➤ **horario** sm timetable; **horario comercial/laboral** opening/working hours pl; **horario intensivo** working day without a long break for lunch; **horario de visitas** visiting hours pl.

horca sf - **1.** [patíbulo] gallows pl - **2.** AGRIC pitchfork.

horcajadas ➤ **a horcajadas** loc adv astride.

horchata sf cold drink made from ground tiger nuts or almonds, milk and sugar.

horizontal adj horizontal.

horizonte sm horizon.

horma sf [gen] mould, pattern; [para arreglar zapatos] last; [para conservar zapatos] shoe tree; [de sombrero] hat block.

hormiga sf ant; **ser una hormiga** fig to be hard-working and thrifty.

hormigón sm concrete; **hormigón armado** reinforced concrete.

hormigueo sm pins and needles pl.

hormiguero sm ants' nest; ▷ **oso**.

hormona sf hormone.

hornada sf lit & fig batch.

hornear vt to bake.

hornillo sm [para cocinar] camping O portable stove; [de laboratorio] small furnace.

horno sm CULIN oven; TECNOL furnace; [de cerámica, ladrillos] kiln; **alto horno** blast furnace; **altos hornos** [factoría] iron and steelworks; **horno eléctrico** electric oven; **horno de gas** gas oven; **horno microondas** microwave (oven).

horóscopo sm - **1.** [signo zodiacal] star sign - **2.** [predicción] horoscope.

horquilla sf [para el pelo] hairpin, bobby pin US.

horrendo, da *adj* [gen] horrendous; [muy malo] terrible, awful.

horrible *adj* [gen] horrible; [muy malo] terrible, awful.

horripilante *adj* [terrorífico] horrifying, spine-chilling.

horripilar *vt* to terrify.

horror *sm* - 1. [miedo] terror, horror; ¡qué horror! how awful! - 2. *(gen pl)* [atrocidad] atrocity.

horrorizado, da *adj* terrified, horrified.

horrorizar *vt* to terrify, to horrify. ◆ **horrorizarse** *vprnl* to be terrified O horrified.

horroroso, sa *adj* - 1. [gen] awful - 2. [muy feo] horrible, hideous.

hortaliza *sf* (garden) vegetable.

hortelano, na *sm, f* market gardener.

hortensia *sf* hydrangea.

hortera *fam adj* tasteless, tacky.

horticultura *sf* horticulture.

hosco, ca *adj* [persona] sullen, gruff; [lugar] grim, gloomy.

hospedar *vt* - 1. to put up - 2. INFORM to host. ◆ **hospedarse** *vprnl* to stay.

hospicio *sm* [para niños] children's home; [para pobres] poorhouse.

hospital *sm* hospital.

hospitalario, ria *adj* [acogedor] hospitable.

hospitalidad *sf* hospitality.

hospitalizar *vt* to hospitalize, to take O send to hospital.

hostal *sm* guesthouse.

hostelería *sf* catering.

hostia *sf* - 1. RELIG host - 2. *vulg* [bofetada] bash, punch - 3. *vulg* [accidente] smash-up; darse O pegarse una hostia to have a smash-up. ◆ **hostias** *interj vulg*: ¡hostias! bloody hell!, damn it!

hostiar *vt vulg* to bash.

hostigar *vt* - 1. [acosar] to pester, to bother - 2. MIL to harass.

hostil *adj* hostile.

hostilidad *sf* [sentimiento] hostility. ◆ **hostilidades** *sfpl* MIL hostilities.

hotel *sm* hotel.

hotelero, ra *adj* hotel *(antes de s)*.

hoy *adv* - 1. [en este día] today; de hoy en adelante from now on; hoy mismo this very day; por hoy for now, for the time being - 2. [en la actualidad] nowadays, today; hoy día, hoy en día, hoy por hoy these days, nowadays.

hoyo *sm* [gen] hole, pit; [de golf] hole.

hoyuelo *sm* dimple.

hoz *sf* sickle; la hoz y el martillo the hammer and sickle.

HTML *(abrev de hypertext markup language)* *sm* INFORM HTML.

huacal *sm Méx* - 1. [jaula] cage - 2. [cajón] drawer.

hubiera *etc* ▷ **haber**.

hucha *sf* moneybox.

hueco, ca *adj* - 1. [vacío] hollow - 2. [sonido] resonant, hollow - 3. [sin ideas] empty. ◆ **hueco** *sm* - 1. [cavidad - gen] hole; [- en pared] recess - 2. [tiempo libre] spare moment - 3. [espacio libre] space, gap; [de escalera] well; [de ascensor] shaft; hacer un hueco a alguien to make space for sb.

huela *etc* ▷ **oler**.

huelga *sf* strike; estar/declararse en huelga to be/to go on strike; huelga de brazos caídos O cruzados sit-down (strike); huelga de celo work-to-rule; huelga de hambre hunger strike; huelga general general strike; huelga salvaje wildcat strike.

huelguista *smf* striker.

huella *sf* - 1. [de persona] footprint; [de animal, rueda] track; huella digital O dactilar fingerprint - 2. *fig* [vestigio] trace; sin dejar huella without (a) trace - 3. *fig* [impresión profunda] mark; dejar huella to leave one's mark.

huérfano, na *adj & sm, f* orphan; es huérfano de madre his mother is dead, he's lost his mother.

huerta *sf* [huerto] market garden *UK*, truck farm *US*.

huerto *sm* [de hortalizas] vegetable garden; [de frutales] orchard.

hueso *sm* - 1. [del cuerpo] bone; estar calado hasta los huesos to be soaked to the skin; ser un hueso duro de roer to be a hard nut to crack - 2. [de fruto] stone *UK*, pit *US* - 3. *Amér & Méx fam* [enchufe] contacts *pl*, influence - 4. *Méx fam* [trabajo fácil] cushy job.

huésped, da *sm, f* guest.

huesudo, da *adj* bony.

hueva *sf* roe.

huevo *sm* - 1. [de animales] egg; huevo a la copa O tibio *Andes* soft-boiled egg; huevo escalfado/frito poached/fried egg; huevo pasado por agua/duro soft-boiled/hard-boiled egg; huevo de Pascua Easter egg; huevos revueltos scrambled eggs; parecerse como un huevo a una castaña to be like chalk and cheese - 2. *(gen pl) vulg* [testículos] balls *pl*.

huevón, ona *sm, f Andes, Arg & Ven vulg* prat *UK*, pillock *UK*, jerk *US*.

huida *sf* escape, flight.

huidizo, za *adj* shy, elusive.

huir *vi* - 1. [escapar]: huir (de) [gen] to flee (from); [de cárcel etc] to escape (from); huir del país to flee the country - 2. [evitar]: huir de algo to avoid sthg, to keep away from sthg.

hule *sm* oilskin.

humanidad *sf* humanity. ● **humanidades** *sfpl* [letras] humanities.

humanitario, ria *adj* humanitarian.

humanizar *vt* to humanize.

humano, na *adj* - **1.** [del hombre] human - **2.** [compasivo] humane. ● **humano** *sm* human being; **los humanos** mankind (U).

humareda *sf* cloud of smoke.

humear *vi* [salir humo] to (give off) smoke; [salir vapor] to steam.

humedad *sf* - **1.** [gen] dampness; [en pared, techo] damp; [de algo chorreando] wetness; [de piel, ojos etc] moistness - **2.** [de atmósfera etc] humidity; **humedad absoluta/relativa** absolute/relative humidity.

humedecer *vt* to moisten. ● **humedecerse** *vprnl* to become moist; **humedecerse los labios** to moisten one's lips.

húmedo, da *adj* - **1.** [gen] damp; [chorreando] wet; [piel, ojos etc] moist - **2.** [aire, clima, atmósfera] humid.

humidificar *vt* to humidify.

humildad *sf* humility.

humilde *adj* humble.

humillación *sf* humiliation.

humillado, da *adj* humiliated.

humillante *adj* humiliating.

humillar *vt* to humiliate. ● **humillarse** *vprnl* to humble o.s..

humo *sm* [gen] smoke; [vapor] steam; [de coches etc] fumes *pl*; **echar humo** [gen] to smoke; *fig* to be fuming; **tragarse el humo** [al fumar] to inhale. ● **humos** *smpl fig* [aires] airs; **bajarle a alguien los humos** to take sb down a peg or two; **tener muchos humos** to put on airs.

humor *sm* - **1.** [estado de ánimo] mood; [carácter] temperament; **estar de buen/mal humor** to be in a good/bad mood - **2.** [gracia] humour; **un programa de humor** a comedy programme; **humor negro** black humour - **3.** [ganas] mood; **no estoy de humor** I'm not in the mood.

humorismo *sm* humour; TEATRO & TV comedy.

humorista *smf* humorist; TEATRO & TV comedian (*f* comedienne).

humorístico, ca *adj* humorous.

hundimiento *sm* - **1.** [naufragio] sinking - **2.** [ruina] collapse.

hundir *vt* - **1.** [gen] to sink; **hundir algo en el agua** to put sthg underwater - **2.** [afligir] to devastate, to destroy - **3.** [hacer fracasar] to ruin. ● **hundirse** *vprnl* - **1.** [sumergirse] to sink; [intencionadamente] to dive - **2.** [derrumbarse] to collapse; [techo] to cave in - **3.** [fracasar] to be ruined.

húngaro, ra *adj* & *sm, f* Hungarian. ● **húngaro** *sm* [lengua] Hungarian.

Hungría *n pr* Hungary.

huracán *sm* hurricane.

huraño, ña *adj* unsociable.

hurgar *vi*: **hurgar (en)** [gen] to rummage around (in); [con el dedo, un palo] to poke around (in). ● **hurgarse** *vprnl*: **hurgarse la nariz** to pick one's nose; **hurgarse los bolsillos** to rummage around in one's pockets.

hurón *sm* ZOOL ferret.

hurra *interj*: ¡**hurra**! hurray!

hurtadillas ● **a hurtadillas** *loc adv* on the sly, stealthily.

hurtar *vt* to steal.

hurto *sm* theft.

husmear ◇ *vt* [olfatear] to sniff out, to scent. ◇ *vi* [curiosear] to nose around.

huso *sm* spindle; [en máquina] bobbin.

huy *interj*: ¡**huy**! [dolor] ouch!; [sorpresa] gosh!

i (*pl* íes), **I** (*pl* Íes) *sf* [letra] i, I.

IAE (*abrev de* impuesto sobre actividades económicas) *sm* Spanish tax paid by professionals and shop owners.

iba ⊳ **ir**.

ibérico, ca *adj* Iberian.

íbero, ra, ibero, ra *adj* & *sm, f* Iberian. ● **íbero, ibero** *sm* [lengua] Iberian.

iberoamericano, na *adj* & *sm, f* Latin American.

iceberg (*pl* icebergs) *sm* iceberg.

icono *sm* icon.

iconoclasta *smf* iconoclast.

id ⊳ **ir**.

ida *sf* outward journey; **(billete de) ida y vuelta** return (ticket).

idea *sf* - **1.** [gen] idea; [propósito] intention; **con la idea de** with the idea O intention of; **hacerse a la idea de que...** to get used to the idea that...; **hacerse una idea de algo** to get an idea of sthg; **idea fija** obsession; **idea preconcebida** preconception; **cuando se le mete una**

idea en la cabeza... when he gets an idea into his head...; **¡ni idea!** *fam* search me!, I haven't got a clue!; **no tener ni idea (de)** not to have a clue (about) - **2.** [opinión] impression; **cambiar de idea** to change one's mind.

ideal *adj* & *sm* ideal; **lo ideal sería hacerlo mañana** ideally, we would do it tomorrow.

idealista ◇ *adj* idealistic. ◇ *smf* idealist.

idealizar *vt* to idealize.

idear *vt* - **1.** [planear] to think up, to devise - **2.** [inventar] to invent.

ideario *sm* ideology.

ídem *pron* ditto.

idéntico, ca *adj*: **idéntico (a)** identical (to).

identidad *sf* [gen] identity.

identificación *sf* identification.

identificar *vt* to identify. ➡ **identificarse** *vprnl*: **identificarse (con)** to identify (with).

ideología *sf* ideology.

idílico, ca *adj* idyllic.

idilio *sm* love affair.

idioma *sm* language.

idiosincrasia *sf* individual character.

idiota ◇ *adj despec* [tonto] stupid. ◇ *smf* idiot.

idiotez *sf* [tontería] stupid thing, stupidity (U).

ido, ida *adj* - **1.** [loco] mad, touched - **2.** [distraído]: **estar ido** to be miles away.

idolatrar *vt* to worship; *fig* to idolize.

ídolo *sm* idol.

idóneo, a *adj*: **idóneo (para)** suitable (for).

iglesia *sf* church.

iglú (*pl* iglúes *O* iglús) *sm* igloo.

ignorancia *sf* ignorance.

ignorante ◇ *adj* ignorant. ◇ *smf* ignoramus.

ignorar *vt* - **1.** [desconocer] not to know, to be ignorant of - **2.** [no tener en cuenta] to ignore.

igual ◇ *adj* - **1.** [idéntico]: **igual (que)** the same (as); **llevan jerseys iguales** they're wearing the same jumper; **son iguales** they're the same - **2.** [parecido]: **igual (que)** similar (to) - **3.** [equivalente]: **igual (a)** equal (to) - **4.** [liso] even - **5.** [constante - velocidad] constant; [- clima, temperatura] even - **6.** MAT: **A más B es igual a C** A plus B equals C. ◇ *smf* equal; **sin igual** without equal, unrivalled. ◇ *adv* - **1.** [de la misma manera] the same; **yo pienso igual** I think the same, I think so too; **al igual que** just like; **por igual** equally - **2.** [posiblemente] perhaps; **igual llueve** it could well rain - **3.** DEP: **van iguales** the scores are level - **4.** *loc*: **dar** *O* **ser igual a alguien** to be all the same to sb; **es** *O* **da igual** it doesn't matter, it doesn't make any difference.

igualado, da *adj* level.

igualar *vt* - **1.** [gen] to make equal; DEP to equalize; **igualar algo a** *O* **con** to equate sthg with - **2.** [persona] to be equal to; **nadie le iguala en generosidad** nobody is as generous as he is - **3.** [terreno] to level; [superficie] to smooth. ➡ **igualarse** *vprnl* - **1.** [gen] to be equal; **igualarse a** *O* **con** to be equated with - **2.** [a otra persona]: **igualarse a** *O* **con alguien** to treat sb as an equal.

igualdad *sf* - **1.** [equivalencia] equality; **en igualdad de condiciones** on equal terms; **igualdad de oportunidades** equal opportunities *pl* - **2.** [identidad] sameness.

igualitario, ria *adj* egalitarian.

igualmente *adv* - **1.** [también] also, likewise - **2.** [fórmula de cortesía] the same to you, likewise.

ikurriña *sf* Basque national flag.

ilegal *adj* illegal.

ilegible *adj* illegible.

ilegítimo, ma *adj* illegitimate.

ileso, sa *adj* unhurt, unharmed; **salir** *O* **resultar ileso** to escape unharmed.

ilícito, ta *adj* illicit.

ilimitado, da *adj* unlimited, limitless.

iluminación *sf* - **1.** [gen] lighting; [acción] illumination - **2.** RELIG enlightenment.

iluminar *vt* [gen] to illuminate, to light up. ➡ **iluminarse** *vprnl* to light up.

ilusión *sf* - **1.** [esperanza - gen] hope; [- infundada] delusion, illusion; **hacerse** *O* **forjarse ilusiones** to build up one's hopes; **hacerse la ilusión de** to imagine that; **tener ilusión por** to look forward to - **2.** [emoción] thrill, excitement (U); **¡qué ilusión!** how exciting!; **me hace mucha ilusión** I'm really looking forward to it - **3.** [espejismo] illusion; **ilusión óptica** optical illusion.

ilusionar *vt* - **1.** [esperanzar]: **ilusionar a alguien (con algo)** to build up sb's hopes (about sthg) - **2.** [emocionar] to excite, to thrill. ➡ **ilusionarse** *vprnl* [emocionarse]: **ilusionarse (con)** to get excited (about).

ilusionista *smf* conjurer.

iluso, sa *adj* gullible.

ilusorio, ria *adj* illusory; [promesa] empty.

ilustración *sf* - **1.** [estampa] illustration - **2.** [cultura] learning. ➡ **Ilustración** *sf* HIST: **la Ilustración** the Enlightenment.

ilustrado, da *adj* - **1.** [publicación] illustrated - **2.** [persona] learned - **3.** HIST enlightened.

ilustrar *vt* - **1.** [explicar] to illustrate, to explain - **2.** [publicación] to illustrate.

ilustre *adj* [gen] illustrious, distinguished.

imagen *sf* [gen] image; TV picture; **ser la viva imagen de alguien** to be the spitting image of

sb; **imagen borrosa** blur; **imagen congelada** freeze frame; **imagen corporativa** corporate identity.

imaginación sf - 1. [facultad] imagination; **se deja llevar por la imaginación** he lets his imagination run away with him; **pasar por la imaginación de alguien** to occur to sb, to cross sb's mind - 2. (gen pl) [idea falsa] delusion.

imaginar vt - 1. [gen] to imagine - 2. [idear] to think up, to invent. ➣ **imaginarse** vprnl to imagine; **¡imagínate!** just think O imagine!; **me imagino que sí** I suppose so.

imaginario, ria adj imaginary.

imaginativo, va adj imaginative.

imán sm [para atraer] magnet.

imbécil ◇ adj stupid. ◇ smf idiot.

imbecilidad sf stupidity; **decir/hacer una imbecilidad** to say/do sthg stupid.

imborrable adj fig indelible; [recuerdo] unforgettable.

imbuir vt: **imbuir (de)** to imbue (with).

imitación sf imitation; [de humorista] impersonation; **a imitación de** in imitation of; **piel de imitación** imitation leather.

imitador, ra sm, f imitator; [humorista] impersonator.

imitar vt [gen] to imitate, to copy; [a personajes famosos] to impersonate; [producto, material] to simulate.

impaciencia sf impatience.

impacientar vt to make impatient. ➣ **impacientarse** vprnl to grow impatient.

impaciente adj impatient; **impaciente por hacer algo** impatient O anxious to do sthg.

impactante adj [imagen] hard-hitting; [belleza] striking.

impactar ◇ vt [suj: noticia] to have an impact on. ◇ vi [bala] to hit.

impacto sm - 1. [gen] impact; [de bala] hit - 2. [señal] (impact) mark; **impacto de bala** bullethole.

impagado, da adj unpaid.

impar adj MAT odd.

imparable adj unstoppable.

imparcial adj impartial.

impartir vt to give.

impase, impasse [im'pas] sm impasse.

impasible adj impassive.

impávido, da adj [valeroso] fearless, courageous; [impasible] impassive.

impecable adj impeccable.

impedido, da adj disabled; **estar impedido de un brazo** to have the use of only one arm.

impedimento sm [gen] obstacle; [contra un matrimonio] impediment.

impedir vt - 1. [imposibilitar] to prevent; **impedir a alguien hacer algo** to prevent sb from doing sthg - 2. [dificultar] to hinder, to obstruct.

impenetrable adj lit & fig impenetrable.

impensable adj unthinkable.

imperante adj prevailing.

imperar vi to prevail.

imperativo, va adj - 1. [gen & GRAM] imperative - 2. [autoritario] imperious. ➣ **imperativo** sm [gen & GRAM] imperative.

imperceptible adj imperceptible.

imperdible sm safety pin.

imperdonable adj unforgivable.

imperfección sf - 1. [cualidad] imperfection - 2. [defecto] flaw, defect.

imperfecto, ta adj [gen] imperfect; [defectuoso] faulty, defective. ➣ **imperfecto** sm GRAM imperfect.

imperial adj imperial.

imperialismo sm imperialism.

impericia sf lack of skill; [inexperiencia] inexperience.

imperio sm - 1. [territorio] empire - 2. [dominio] rule.

imperioso, sa adj - 1. [autoritario] imperious - 2. [apremiante] urgent.

impermeable ◇ adj waterproof. ◇ sm raincoat, mac UK.

impersonal adj impersonal.

impertinencia sf - 1. [gen] impertinence - 2. [comentario] impertinent remark.

impertinente adj impertinent.

imperturbable adj imperturbable.

ímpetu sm - 1. [brusquedad] force - 2. [energía] energy - 3. FÍS impetus.

impetuoso, sa adj - 1. [olas, viento, ataque] violent - 2. [persona] impulsive, impetuous.

impío, a adj godless, impious.

implacable adj implacable, relentless.

implantar vt - 1. [establecer] to introduce - 2. MED to insert. ➣ **implantarse** vprnl [establecerse] to be introduced.

implicación sf - 1. [participación] involvement - 2. (gen pl) [consecuencia] implication.

implicar vt - 1. [involucrar]: **implicar (en)** to involve (in); DER to implicate (in) - 2. [significar] to mean. ➣ **implicarse** vprnl DER to incriminate o.s.; **implicarse en** to become involved in.

implícito, ta adj implicit.

implorar vt to implore.

imponente adj - 1. [impresionante] imposing, impressive - 2. [estupendo] sensational, terrific.

imponer ⬦ *vt* - **1.**: imponer algo (a alguien) [gen] to impose sthg (on sb); [respeto] to command sthg (from sb) - **2.** [moda] to set; [costumbre] to introduce. ⬦ *vi* to be imposing. ⬥ **imponerse** *vprnl* - **1.** [hacerse respetar] to command respect, to show authority - **2.** [prevalecer] to prevail - **3.** [ser necesario] to be necessary - **4.** DEP to win, to prevail.

impopular *adj* unpopular.

importación *sf* [acción] importing; [artículo] import.

importador, ra *sm, f* importer.

importancia *sf* importance; **dar importancia a algo** to attach importance to sthg; **quitar importancia a algo** to play sthg down; **darse importancia** to give o.s. airs, to show off.

importante *adj* - **1.** [gen] important; [lesión] serious - **2.** [cantidad] considerable.

importar ⬦ *vt* - **1.** [gen & INFORM] to import - **2.** [suj: factura, coste] to amount to, to come to. ⬦ *vi* - **1.** [preocupar] to matter; **no me importa** I don't care, it doesn't matter to me; **¿y a ti qué te importa?** what's it got to do with you?; **me importa un bledo** O **comino** O **pito** *fam* I don't give a damn, I couldn't care less - **2.** [en preguntas] to mind; **¿le importa que me siente?** do you mind if I sit down?; **¿te importaría acompañarme?** would you mind coming with me? ⬦ *v impers* to matter; **no importa** it doesn't matter.

importe *sm* [gen] price, cost; [de factura] total.

importunar *vt* to bother, to pester.

importuno, na = **inoportuno**.

imposibilidad *sf* impossibility; **su imposibilidad para contestar la pregunta** his inability to answer the question.

imposibilitado, da *adj* disabled; **estar imposibilitado para hacer algo** to be unable to do sthg.

imposibilitar *vt*: imposibilitar a alguien para hacer algo to make it impossible for sb to do sthg, to prevent sb from doing sthg.

imposible *adj* - **1.** [irrealizable] impossible - **2.** [insoportable] unbearable, impossible.

imposición *sf* - **1.** [obligación] imposition - **2.** [impuesto] tax - **3.** BANCA deposit; **hacer** O **efectuar una imposición** to make a deposit.

impostor, ra *sm, f* [suplantador] impostor.

impotencia *sf* impotence.

impotente *adj* impotent.

impracticable *adj* - **1.** [irrealizable] impracticable - **2.** [intransitable] impassable.

imprecisión *sf* imprecision, vagueness (U).

impreciso, sa *adj* imprecise, vague.

impredecible *adj* unforeseeable; [variable] unpredictable.

impregnar *vt*: impregnar (de) to impregnate (with). ⬥ **impregnarse** *vprnl*: impregnarse (de) to become impregnated (with).

imprenta *sf* - **1.** [arte] printing - **2.** [máquina] (printing) press - **3.** [establecimiento] printing house.

imprescindible *adj* indispensable, essential.

impresentable *adj* unpresentable.

impresión *sf* - **1.** [gen] impression; [sensación física] feeling; **causar (una) buena/mala impresión** to make a good/bad impression; **dar la impresión de** to give the impression of; **tener la impresión de que** to have the impression that - **2.** [huella] imprint - **3.** [IMPR - acción] printing; [- edición] edition.

impresionable *adj* impressionable.

impresionante *adj* impressive; [error] enormous.

impresionar ⬦ *vt* - **1.** [maravillar] to impress - **2.** [conmocionar] to move - **3.** [horrorizar] to shock - **4.** FOTO to expose. ⬦ *vi* [maravillar] to make an impression. ⬥ **impresionarse** *vprnl* - **1.** [maravillarse] to be impressed - **2.** [conmocionarse] to be moved - **3.** [horrorizarse] to be shocked.

impreso, sa ⬦ *pp* ▷ **imprimir**. ⬦ *adj* printed. ⬥ **impreso** *sm* - **1.** [texto] printed matter (U) - **2.** [formulario] form.

impresor, ra *sm, f* [persona] printer. ⬥ **impresora** *sf* INFORM printer; **impresora láser/térmica** laser/thermal printer; **impresora de matriz** O **de agujas** dot-matrix printer; **impresora de chorro de tinta** ink-jet printer.

imprevisible *adj* unforeseeable; [variable] unpredictable.

imprevisto, ta *adj* unexpected. ⬥ **imprevisto** *sm* [hecho]: **salvo imprevistos** barring accidents.

imprimir *vt* - **1.** [gen] to print; [huella, paso] to leave - **2.** *fig* [transmitir]: **imprimir algo a** to impart O bring sthg to.

improbable *adj* improbable, unlikely.

improcedente *adj* - **1.** [inoportuno] inappropriate - **2.** DER inadmissible.

improperio *sm* insult.

impropio, pia *adj*: impropio (de) improper (for), unbecoming (to).

improvisado, da *adj* [gen] improvised; [discurso, truco] impromptu; [comentario] ad-lib; [cama etc] makeshift.

improvisar ⬦ *vt* [gen] to improvise; [comida] to rustle up; **improvisar una cama** to make (up) a makeshift bed. ⬦ *vi* [gen] to improvise; MÚS to extemporize.

improviso ⬥ **de improviso** *loc adv* unexpectedly, suddenly; **coger a alguien de improviso** to catch sb unawares.

imprudencia *sf* [en los actos] carelessness *(U)*; [en los comentarios] indiscretion.

imprudente *adj* [en los actos] careless, rash; [en los comentarios] indiscreet.

impúdico, ca *adj* immodest, indecent.

impuesto, ta *pp* ▷ **imponer**. ◆ **impuesto** *sm* tax; **impuesto de circulación** road tax; **impuesto sobre el valor añadido** value-added tax; **impuesto sobre la renta** ≃ income tax.

impugnar *vt* to contest, to challenge.

impulsar *vt* - **1.** [empujar] to propel, to drive - **2.** [promocionar] to stimulate.

impulsivo, va *adj* impulsive.

impulso *sm* - **1.** [progreso] stimulus, boost - **2.** [fuerza] momentum - **3.** [motivación] impulse, urge.

impulsor, ra *sm, f* dynamic force.

impune *adj* unpunished.

impunidad *sf* impunity.

impureza *sf* (gen pl) impurity.

impuro, ra *adj lit & fig* impure.

imputación *sf* accusation.

imputar *vt* [atribuir]: **imputar algo a alguien** [delito] to accuse sb of sthg; [fracaso, error] to attribute sthg to sb.

inacabable *adj* interminable, endless.

inaccesible *adj* inaccessible.

inaceptable *adj* unacceptable.

inactividad *sf* inactivity.

inactivo, va *adj* inactive.

inadaptado, da *adj* maladjusted.

inadecuado, da *adj* [inapropiado] unsuitable, inappropriate.

inadmisible *adj* inadmissible.

inadvertido, da *adj* unnoticed; **pasar inadvertido** to go unnoticed.

inagotable *adj* inexhaustible.

inaguantable *adj* unbearable.

inalámbrico, ca *adj* cordless; INFORM wireless.

inalcanzable *adj* unattainable.

inalterable *adj* - **1.** [gen] unalterable; [salud] stable; [amistad] undying - **2.** [color] fast - **3.** [rostro, carácter] impassive - **4.** [resultado, marcador] unchanged.

inamovible *adj* immovable, fixed.

inanición *sf* starvation.

inanimado, da *adj* inanimate.

inánime *adj* lifeless.

inapreciable *adj* - **1.** [incalculable] invaluable - **2.** [insignificante] imperceptible.

inapropiado, da *adj* inappropriate.

inaudito, ta *adj* unheard-of.

inauguración *sf* inauguration, opening.

inaugurar *vt* to inaugurate, to open.

inca *adj* & *smf* Inca.

incalculable *adj* incalculable.

incalificable *adj* unspeakable.

incandescente *adj* incandescent.

incansable *adj* untiring, tireless.

incapacidad *sf* - **1.** [imposibilidad] inability - **2.** [inaptitud] incompetence - **3.** DER incapacity.

incapacitado, da *adj* [DER - gen] disqualified; [- para testar] incapacitated; [- para trabajar] unfit.

incapacitar *vt*: **incapacitar (para)** [gen] to disqualify (from); [para trabajar etc] to render unfit (for).

incapaz *adj* - **1.** [gen]: **incapaz de** incapable of - **2.** [sin talento]: **incapaz para** incompetent at, no good at - **3.** DER incompetent.

incautación *sf* seizure, confiscation.

incautarse ◆ **incautarse de** *vprnl* DER to seize, to confiscate.

incauto, ta *adj* gullible.

incendiar *vt* to set fire to. ◆ **incendiarse** *vprnl* to catch fire.

incendiario, ria ◇ *adj* - **1.** [bomba etc] incendiary - **2.** [artículo, libro etc] inflammatory. ◇ *sm, f* arsonist.

incendio *sm* fire; **incendio forestal** forest fire; **incendio provocado** arson.

incentivo *sm* incentive; **incentivo fiscal** tax incentive.

incertidumbre *sf* uncertainty.

incesto *sm* incest.

incidencia *sf* - **1.** [repercusión] impact, effect - **2.** [suceso] event.

incidente *sm* incident; **incidente diplomático** diplomatic incident.

incidir ◆ **incidir en** *vi* - **1.** [incurrir en] to fall into, to lapse into - **2.** [insistir en] to focus on - **3.** [influir en] to have an impact on, to affect.

incienso *sm* incense.

incierto, ta *adj* - **1.** [dudoso] uncertain - **2.** [falso] untrue.

incineración *sf* [de cadáver] cremation; [de basura] incineration.

incinerar *vt* [cadáver] to cremate; [basura] to incinerate.

incipiente *adj* incipient; [estado, etapa] early.

incisión *sf* incision.

incisivo, va *adj* - **1.** [instrumento] sharp, cutting - **2.** *fig* [mordaz] incisive.

inciso, sa *adj* cut. ◆ **inciso** *sm* passing remark.

incitar *vt*: **incitar a alguien a algo** [violencia, rebelión etc] to incite sb to sthg; **incitar a alguien a la fuga/venganza** to urge sb to flee/

avenge himself; **incitar a alguien a hacer algo** [rebelarse etc] to incite sb to do sthg; [fugarse, vengarse] to urge sb to do sthg.

inclemencia *sf* harshness, inclemency.

inclinación *sf* - **1.** [desviación] slant, inclination; [de terreno] slope - **2.** *fig* [afición]: **inclinación (a O por)** penchant O propensity (for) - **3.** [cariño]: **inclinación hacia alguien** fondness towards sb - **4.** [saludo] bow.

inclinar *vt* - **1.** [doblar] to bend; [ladear] to tilt - **2.** [cabeza] to bow. ◆ **inclinarse** *vprnl* - **1.** [doblarse] to lean - **2.** [para saludar]: **inclinarse (ante)** to bow (before). ◆ **inclinarse a** *vi* [tender a] to be O feel inclined to. ◆ **inclinarse por** *vi* [preferir] to favour, to lean towards.

incluir *vt* [gen] to include; [adjuntar - en cartas] to enclose.

inclusive *adv* inclusive.

incluso, sa *adj* enclosed. ◆ **incluso** *adv* & *prep* even.

incógnito, ta *adj* unknown. ◆ **incógnita** *sf* - **1.** MAT unknown quantity - **2.** [misterio] mystery. ◆ **de incógnito** *loc adv* incognito.

incoherencia *sf* - **1.** [cualidad] incoherence - **2.** [comentario] nonsensical remark.

incoherente *adj* - **1.** [inconexo] incoherent - **2.** [inconsecuente] inconsistent.

incoloro, ra *adj* *lit* & *fig* colourless.

incomodar *vt* - **1.** [causar molestia] to bother, to inconvenience - **2.** [enfadar] to annoy.

incomodidad *sf* - **1.** [de silla etc] uncomfortableness - **2.** [de situación, persona] awkwardness.

incómodo, da *adj* - **1.** [silla etc] uncomfortable - **2.** [situación, persona] awkward, uncomfortable; **sentirse incómodo** to feel awkward O uncomfortable.

incomparable *adj* incomparable.

incompatible *adj*: **incompatible (con)** incompatible (with).

incompetencia *sf* incompetence.

incompetente *adj* incompetent.

incompleto, ta *adj* - **1.** [gen] incomplete - **2.** [inacabado] unfinished.

incomprendido, da *adj* misunderstood.

incomprensible *adj* incomprehensible.

incomprensión *sf* lack of understanding.

incomunicado, da *adj* - **1.** [gen] isolated - **2.** [por la nieve etc] cut off - **3.** [preso] in solitary confinement.

inconcebible *adj* inconceivable.

inconcluso, sa *adj* unfinished.

incondicional ◇ *adj* unconditional; [ayuda] wholehearted; [seguidor] staunch. ◇ *smf* staunch supporter.

inconexo, xa *adj* [gen] unconnected; [pensamiento, texto] disjointed.

inconformista *adj* & *smf* nonconformist.

inconfundible *adj* unmistakable; [prueba] irrefutable.

incongruente *adj* incongruous.

inconsciencia *sf* - **1.** [gen] unconsciousness - **2.** *fig* [falta de juicio] thoughtlessness.

inconsciente *adj* - **1.** [gen] unconscious - **2.** *fig* [irreflexivo] thoughtless.

inconsecuente *adj* inconsistent.

inconsistente *adj* [tela, pared etc] flimsy; [salsa] runny; [argumento, discurso etc] lacking in substance.

inconstancia *sf* - **1.** [en el trabajo, la conducta] unreliability - **2.** [de opinión, ideas] changeability.

inconstante *adj* - **1.** [en el trabajo, la conducta] unreliable - **2.** [de opinión, ideas] changeable.

inconstitucional *adj* unconstitutional.

incontable *adj* [innumerable] countless.

incontestable *adj* indisputable.

incontinencia *sf* incontinence.

incontrolable *adj* uncontrollable.

inconveniencia *sf* - **1.** [inoportunidad] inappropriateness - **2.** [comentario] tactless remark; [acto] mistake.

inconveniente ◇ *adj* - **1.** [inoportuno] inappropriate - **2.** [descortés] rude. ◇ *sm* - **1.** [dificultad] obstacle, problem; **no tener inconveniente en hacer algo** to have no objection to doing sthg - **2.** [desventaja] drawback.

incordiar *vt* *fam* to bother, to pester.

incorporación *sf*: **incorporación (a)** [gen] incorporation (into); [a un puesto] induction (into).

incorporar *vt* - **1.** [añadir]: **incorporar (a)** [gen] to incorporate (into); CULIN to mix (into) - **2.** [levantar] to sit up. ◆ **incorporarse** *vprnl* [levantarse] to sit up.

incorrección *sf* - **1.** [inexactitud] incorrectness; [error gramatical] mistake - **2.** [descortesía] lack of courtesy, rudeness *(U)*.

incorrecto, ta *adj* - **1.** [equivocado] incorrect, wrong - **2.** [descortés] rude, impolite.

incorregible *adj* incorrigible.

incredulidad *sf* incredulity.

incrédulo, la *adj* sceptical, incredulous; RELIG unbelieving.

increíble *adj* - **1.** [difícil de creer] unconvincing - **2.** *fig* [extraordinario] incredible - **3.** *fig* [inconcebible] unbelievable; **es increíble que pasen cosas así** it's hard to believe that such things can happen.

incrementar *vt* to increase. ◆ **incrementarse** *vprnl* to increase.

incremento *sm* increase; [de temperatura] rise; **incremento salarial** pay increase.

increpar *vt* - **1.** [reprender] to reprimand - **2.** [insultar] to abuse, insult.

incriminar *vt* to accuse.

incrustar *vt* - **1.** TECNOL to inlay; [en joyería] to set - **2.** *fam fig* [empotrar]: **incrustar algo en algo** to sink sthg into sthg. ◆ **incrustarse** *vprnl* [cal etc] to become encrusted.

incubar *vt* - **1.** [huevo] to incubate - **2.** [enfermedad] to be sickening for.

inculcar *vt*: **inculcar algo a alguien** to instil sthg into sb.

inculpar *vt*: **inculpar a alguien (de)** [gen] to accuse sb (of); DER to charge sb (with).

inculto, ta ◇ *adj* [persona] uneducated. ◇ *sm, f* ignoramus.

incumbencia *sf*: **no es asunto de tu incumbencia** it's none of your business.

incumbir ◆ **incumbir a** *vi*: **incumbir a alguien** to be a matter for sb; **esto no te incumbe** this is none of your business.

incumplimiento *sm* [de deber] failure to fulfil; [de orden, ley] non-compliance; [de promesa] failure to keep; **incumplimiento de contrato** breach of contract.

incumplir *vt* [deber] to fail to fulfil, to neglect; [orden, ley] to fail to comply with; [promesa] to break; [contrato] to breach.

incurable *adj* incurable.

incurrir ◆ **incurrir en** *vi* - **1.** [delito, falta] to commit; [error] to make - **2.** [desprecio etc] to incur.

incursión *sf* incursion.

indagación *sf* investigation, inquiry.

indagar ◇ *vt* to investigate, to inquire into. ◇ *vi* to investigate, to inquire.

indecencia *sf* - **1.** [cualidad] indecency - **2.** [acción] outrage, crime.

indecente *adj* - **1.** [impúdico] indecent - **2.** [indigno] miserable, wretched.

indecible *adj* [alegría] indescribable; [dolor] unspeakable.

indecisión *sf* indecisiveness.

indeciso, sa ◇ *adj* - **1.** [persona - inseguro] indecisive; [- que está dudoso] undecided - **2.** [pregunta, respuesta] hesitant; [resultado] undecided. ◇ *sm, f* undecided voter.

indefenso, sa *adj* defenceless.

indefinido, da *adj* - **1.** [ilimitado] indefinite; [contrato] open-ended - **2.** [impreciso] vague - **3.** GRAM indefinite.

indeleble *adj* *culto* indelible.

indemne *adj* unhurt, unharmed.

indemnización *sf* [gen] compensation; [por despido] severance pay; **indemnización por daños y perjuicios** DER damages *pl*.

indemnizar *vt*: **indemnizar a alguien (por)** to compensate sb (for).

independencia *sf* independence; **con independencia de** independently of.

independiente *adj* - **1.** [gen] independent - **2.** [aparte] separate.

independizar *vt* to grant independence to. ◆ **independizarse** *vprnl*: **independizarse (de)** to become independent (of).

indeseable *adj* undesirable.

indeterminación *sf* indecisiveness.

indeterminado, da *adj* - **1.** [sin determinar] indeterminate; **por tiempo indeterminado** indefinitely - **2.** [impreciso] vague.

indexar *vt* INFORM to index.

India *n pr*: **(la) India** India.

indiano, na *sm, f* - **1.** [indígena] (Latin American) Indian - **2.** [emigrante] *Spanish emigrant to Latin America who returned to Spain having made his fortune*.

indicación *sf* - **1.** [señal, gesto] sign, signal - **2.** *(gen pl)* [instrucción] instruction; [para llegar a un sitio] directions *pl* - **3.** [nota, corrección] note.

indicado, da *adj* suitable, appropriate.

indicador, ra *adj* indicating *(antes de s)*. ◆ **indicador** *sm* [gen] indicator; TECNOL gauge, meter; **indicador económico** economic indicator; **indicador de velocidad** speedometer.

indicar *vt* [señalar] to indicate; [suj: aguja etc] to read.

indicativo, va *adj* indicative. ◆ **indicativo** *sm* GRAM indicative.

índice *sm* - **1.** [gen] index; [proporción] level, rate; **índice alfabético** alphabetical index; **índice del coste de la vida** cost of living index; **índice de materias** O **temático** table of contents; **índice de natalidad** birth rate - **2.** [señal] sign, indicator; **índice económico** economic indicator - **3.** [catálogo] catalogue - **4.** [dedo] index finger.

indicio *sm* sign; [pista] clue; [cantidad pequeña] trace.

Índico *sm*: **el (océano) Índico** the Indian Ocean.

indiferencia *sf* indifference.

indiferente *adj* indifferent.

indígena ◇ *adj* indigenous, native. ◇ *smf* native.

indigencia *sf* *culto* destitution.

indigente *adj* destitute.

indigestarse *vprnl* to get indigestion; **se me ha indigestado esa chica** *fam fig* I can't stomach that girl.

indigestión *sf* indigestion.

indigesto, ta *adj* indigestible; *fam fig* [pesado] stodgy, heavy.

indignación *sf* indignation.

indignar *vt* to anger. ◆ **indignarse** *vprnl*: **indignarse (por)** to get angry O indignant (about).

indigno, na *adj* - 1. [gen]: **indigno (de)** unworthy (of) - 2. [impropio] not fitting, wrong - 3. [vergonzoso] contemptible.

indio, dia ◇ *adj* Indian. ◇ *sm, f* Indian; **indio americano** Native American; **hacer el indio** to play the fool.

indirecto, ta *adj* indirect. ◆ **indirecta** *sf* hint; **lanzar una indirecta a alguien** to drop a hint to sb.

indisciplina *sf* indiscipline.

indiscreción *sf* - 1. [cualidad] indiscretion - 2. [comentario] indiscreet remark; **si no es indiscreción** if you don't mind my asking.

indiscreto, ta *adj* indiscreet.

indiscriminado, da *adj* indiscriminate.

indiscutible *adj* [gen] indisputable; [poder] undisputed.

indispensable *adj* indispensable.

indisponer *vt* - 1. [enfermar] to make ill, to upset - 2. [enemistar] to set at odds.

indisposición *sf* [malestar] indisposition.

indispuesto, ta ◇ *pp* ▷ **indisponer**. ◇ *adj* indisposed, unwell.

indistinto, ta *adj* - 1. [indiferente]: **es indistinto** it doesn't matter, it makes no difference - 2. [cuenta, cartilla] joint - 3. [perfil, figura] indistinct, blurred.

individual *adj* - 1. [gen] individual; [habitación, cama] single; [despacho] personal - 2. [prueba, competición] singles *(antes de s)*. ◆ **individuales** *smpl* DEP singles.

individualizar *vi* to single people out.

individuo, dua *sm, f* person; *despec* individual.

indocumentado, da *adj* - 1. [sin documentación] without identity papers - 2. [ignorante] ignorant.

índole *sf* [naturaleza] nature; [tipo] type, kind.

indolencia *sf* indolence, laziness.

indoloro, ra *adj* painless.

indómito, ta *adj* - 1. [animal] untameable - 2. [carácter] rebellious; [pueblo] unruly.

Indonesia *n pr* Indonesia.

inducir *vt* [incitar]: **inducir a alguien a algo/a hacer algo** to lead sb into sthg/into doing sthg; **inducir a error** to mislead.

inductor, ra *adj* instigating.

indudable *adj* undoubted.

indulgencia *sf* indulgence.

indultar *vt* to pardon.

indulto *sm* pardon.

indumentaria *sf* attire.

industria *sf* [gen] industry.

industrial ◇ *adj* industrial. ◇ *smf* industrialist.

industrializar *vt* to industrialize.

INE *sm (abrev de* Instituto Nacional de Estadísticas*)* National Institute of Statistics in Bolivia, Chile, Guatemala and Uruguay.

inédito, ta *adj* - 1. [no publicado] unpublished - 2. [sorprendente] unprecedented.

inefable *adj* ineffable, inexpressible.

ineficaz *adj* - 1. [de bajo rendimiento] inefficient - 2. [de baja efectividad] ineffective.

ineficiente *adj* - 1. [de bajo rendimiento] inefficient - 2. [de baja efectividad] ineffective.

ineludible *adj* unavoidable.

INEM *(abrev de* Instituto Nacional de Empleo*) sm* Spanish department of employment.

inenarrable *adj* spectacular.

ineptitud *sf* ineptitude.

inepto, ta *adj* inept.

inequívoco, ca *adj* [apoyo, resultado] unequivocal; [señal, voz] unmistakeable.

inercia *sf lit & fig* inertia.

inerme *adj* [sin armas] unarmed; [sin defensa] defenceless.

inerte *adj* - 1. [materia] inert - 2. [cuerpo, cadáver] lifeless.

inesperado, da *adj* unexpected.

inestable *adj lit & fig* unstable.

inevitable *adj* inevitable.

inexacto, ta *adj* - 1. [impreciso] inaccurate - 2. [erróneo] incorrect, wrong.

inexistente *adj* nonexistent.

inexperiencia *sf* inexperience.

inexperto, ta *adj* - 1. [falto de experiencia] inexperienced - 2. [falto de habilidad] unskilful.

inexpresivo, va *adj* expressionless.

infalible *adj* infallible.

infame *adj* vile, base.

infamia *sf* [deshonra] infamy, disgrace.

infancia *sf* [periodo] childhood.

infante, ta *sm, f* - 1. [niño] infant - 2. [hijo del rey] infante (*f* infanta), prince (*f* princess).

infantería *sf* infantry; **infantería ligera** light infantry.

infantil *adj* - 1. [para niños] children's; [de niños] child *(antes de s)* - 2. *fig* [inmaduro] infantile, childish.

infarto *sm*: **infarto cerebral** stroke; **de infarto** *fam* heart-stopping.

infatigable *adj* indefatigable, tireless.

infección *sf* infection.

infeccioso, sa *adj* infectious.

infectar *vt* to infect. ◆ **infectarse** *vprnl* to become infected.

infeliz adj - **1.** [desgraciado] unhappy - **2.** fig [ingenuo] gullible.

inferior ⬦ adj: **inferior (a)** [en espacio, cantidad] lower (than); [en calidad] inferior (to). ⬦ smf inferior.

inferioridad sf inferiority; **estar en inferioridad de condiciones** to be at a disadvantage.

inferir vt [ocasionar - herida] to inflict; [- mal] to cause.

infernal adj lit & fig infernal.

infestar vt to infest; [suj: carteles, propaganda etc] to be plastered across.

infidelidad sf [conyugal] infidelity; [a la patria, un amigo] disloyalty.

infiel ⬦ adj - **1.** [desleal - cónyuge] unfaithful; [- amigo] disloyal - **2.** [inexacto] inaccurate, unfaithful. ⬦ smf RELIG infidel.

infiernillo sm portable stove.

infierno sm lit & fig hell; **en el quinto infierno** in the middle of nowhere; **¡vete al infierno!** go to hell!

infiltrado, da sm, f infiltrator.

infiltrar vt [inyectar] to inject. ➡ **infiltrarse en** vprnl to infiltrate.

ínfimo, ma adj [calidad, categoría] extremely low; [precio] giveaway; [importancia] minimal.

infinidad sf: **una infinidad de** an infinite number of; fig masses of.

infinitivo sm infinitive.

infinito, ta adj lit & fig infinite. ➡ **infinito** sm infinity.

inflación sf ECON inflation; **inflación subyacente** underlying inflation.

inflamable adj inflammable.

inflamación sf MED inflammation.

inflamar vt fig & MED to inflame. ➡ **inflamarse** vprnl [hincharse] to become inflamed.

inflamatorio, ria adj inflammatory.

inflar vt - **1.** [soplando] to blow up, to inflate; [con bomba] to pump up - **2.** fig [exagerar] to blow up, to exaggerate. ➡ **inflarse** vprnl: **inflarse (de)** [hartarse] to stuff o.s. (with).

inflexible adj lit & fig inflexible.

inflexión sf inflection.

infligir vt to inflict; [castigo] to impose.

influencia sf influence; **bajo la influencia del alcohol** under the influence of alcohol.

influenciable adj easily influenced.

influenciar vt to influence.

influir ⬦ vt to influence. ⬦ vi to have influence; **influir en** to influence.

influjo sm influence.

influyente adj influential.

infografía sf computer graphics.

información sf - **1.** [conocimiento] information - **2.** [PRENSA - noticias] news (U); [- noticia] report, piece of news; [- sección] section, news (U); **información meteorológica** weather report O forecast - **3.** [oficina] information office; [mostrador] information desk - **4.** TELECOM directory enquiries pl UK, directory assistance US.

informal adj - **1.** [desenfadado] informal - **2.** [irresponsable] unreliable.

informante smf informant.

informar ⬦ vt: **informar a alguien (de)** to inform O tell sb (about). ⬦ vi to inform; PRENSA to report. ➡ **informarse** vprnl to find out (details); **informarse de** to find out about.

informático, ca ⬦ adj computer (antes de s). ⬦ sm, f [persona] computer expert. ➡ **informática** sf [ciencia] information technology, computing.

informativo, va adj - **1.** [instructivo, esclarecedor] informative - **2.** [que da noticias] news (antes de s); [que da información] information (antes de s). ➡ **informativo** sm news (bulletin).

informatizar vt to computerize.

informe ⬦ adj shapeless. ⬦ sm - **1.** [gen] report - **2.** DER plea. ➡ **informes** smpl [gen] information (U); [sobre comportamiento] report sing; [para un empleo] references.

infortunio sm misfortune, bad luck (U).

infracción sf infringement; [de circulación] offence.

infraestructura sf [de organización] infrastructure.

in fraganti loc adv red-handed, in the act; **coger a alguien in fraganti** to catch sb red-handed O in the act.

infrahumano, na adj subhuman.

infranqueable adj impassable; fig insurmountable.

infrarrojo, ja adj infrared.

infravalorar vt to undervalue, to underestimate.

infringir vt [quebrantar] to infringe, to break.

infundado, da adj unfounded.

infundir vt: **infundir algo a alguien** to fill sb with sthg, to inspire sthg in sb; **infundir miedo** to inspire fear.

infusión sf infusion; **infusión de manzanilla** camomile tea.

ingeniar vt to invent, to devise. ➡ **ingeniarse** vprnl: **ingeniárselas** to manage, to engineer it; **ingeniárselas para hacer algo** to manage O contrive to do sthg.

ingeniería sf engineering.

ingeniero, ra sm, f engineer; **ingeniero de caminos, canales y puertos** civil engineer.

ingenio sm - **1.** [inteligencia] ingenuity - **2.** [agudeza] wit - **3.** [máquina] device; **ingenio nuclear** nuclear device.

ingenioso, sa adj [inteligente] ingenious, clever; [agudo] witty.

ingenuidad sf ingenuousness, naivety.

ingenuo, nua adj ingenuous, naive.

ingerir vt to consume, to ingest.

Inglaterra n pr England.

ingle sf groin.

inglés, esa ◇ adj English. ◇ sm, f [persona] Englishman (f Englishwoman); **los ingleses** the English. ➠ **inglés** sm [lengua] English.

ingratitud sf ingratitude.

ingrato, ta adj ungrateful; [trabajo] thankless.

ingrávido, da adj weightless.

ingrediente sm ingredient.

ingresar ◇ vt BANCA to deposit, to pay in. ◇ vi: **ingresar (en)** [asociación, ejército] to join; [hospital] to be admitted (to); [convento, universidad] to enter; **ingresar cadáver** to be dead on arrival.

ingreso sm - **1.** [gen] entry; [en asociación, ejército] joining; [en hospital, universidad] admission - **2.** BANCA deposit; **hacer un ingreso** to make a deposit. ➠ **ingresos** smpl - **1.** [sueldo etc] income (U); **ingresos brutos/netos** gross/net income - **2.** [recaudación] revenue (U).

inhabilitar vt to disqualify.

inhabitable adj uninhabitable.

inhabitado, da adj uninhabited.

inhalador sm inhaler.

inhalar vt to inhale.

inherente adj: **inherente (a)** inherent (in).

inhibir vt to inhibit. ➠ **inhibirse de** vprnl [gen] to keep out of, to stay away from; [responsabilidades] to shirk.

inhóspito, ta adj inhospitable.

inhumano, na adj [despiadado] inhuman; [desconsiderado] inhumane.

iniciación sf - **1.** [gen] initiation - **2.** [de suceso, curso] start, beginning.

inicial adj & sf initial.

inicializar vt INFORM to initialize.

iniciar vt [gen] to start, to initiate; [debate, discusión] to start off.

iniciativa sf initiative; **no tener iniciativa** to lack initiative; **por iniciativa propia** on one's own initiative; **iniciativa de paz** peace initiative.

inicio sm start, beginning.

inigualable adj unrivalled.

ininteligible adj unintelligible.

ininterrumpido, da adj uninterrupted.

injerencia sf interference, meddling.

injerir vt to introduce, to insert. ➠ **injerirse** vprnl [entrometerse]: **injerirse (en)** to interfere (in), to meddle (in).

injertar vt to graft.

injerto sm graft.

injuria sf [insulto] insult, abuse (U); [agravio] offence; DER slander.

injuriar vt [insultar] to insult, to abuse; [agraviar] to offend; DER to slander.

injurioso, sa adj insulting, abusive; DER slanderous.

injusticia sf injustice; **¡es una injusticia!** that's unfair!; **cometer una injusticia con alguien** to do sb an injustice.

injustificado, da adj unjustified.

injusto, ta adj unfair, unjust.

inmadurez sf immaturity.

inmaduro, ra adj [persona] immature.

inmediaciones sfpl [de localidad] surrounding area sing; [de lugar, casa] vicinity sing.

inmediatamente adv immediately.

inmediato, ta adj - **1.** [gen] immediate; **de inmediato** immediately, at once - **2.** [contiguo] next, adjoining.

inmejorable adj unbeatable.

inmensidad sf [grandeza] immensity.

inmenso, sa adj immense.

inmersión sf immersion; [de submarinista] dive; **inmersión lingüística** language immersion.

inmerso, sa adj: **inmerso (en)** immersed (in).

inmigración sf immigration.

inmigrante smf immigrant.

inmigrar vi to immigrate.

inminente adj imminent, impending.

inmiscuirse vprnl: **inmiscuirse (en)** to interfere O meddle (in).

inmobiliario, ria adj property (antes de s), real estate US (antes de s). ➠ **inmobiliaria** sf [agencia] estate agency UK, real estate agent US.

inmoral adj immoral.

inmortal adj immortal.

inmortalizar vt to immortalize.

inmóvil adj motionless, still; [coche, tren] stationary.

inmovilizar vt to immobilize.

inmueble ◇ adj: **bienes inmuebles** real estate (U). ◇ sm [edificio] building.

inmundicia sf [suciedad] filth, filthiness; [basura] rubbish.

inmundo, da adj filthy, dirty.

inmune adj MED immune.

inmunidad *sf* immunity; **inmunidad diplomática/parlamentaria** diplomatic/parliamentary immunity.

inmunizar *vt* to immunize.

inmutar *vt* to upset, to perturb. ➤ **inmutarse** *vprnl* to get upset, to be perturbed; **ni se inmutó** he didn't bat an eyelid.

innato, ta *adj* innate.

innecesario, ria *adj* unnecessary.

innoble *adj* ignoble.

innovación *sf* innovation.

innovador, ra ◇ *adj* innovative. ◇ *sm, f* innovator.

innovar *vt* [método, técnica] to improve on.

innumerable *adj* countless, innumerable.

inocencia *sf* innocence.

inocentada *sf* practical joke, trick.

inocente *adj* - **1.** [gen & DER] innocent; **declarar inocente a alguien** to find sb innocent *O* not guilty - **2.** [ingenuo - persona] naive, innocent - **3.** [sin maldad - persona] harmless.

inodoro, ra *adj* odourless. ➤ **inodoro** *sm* toilet *UK*, washroom *US*.

inofensivo, va *adj* inoffensive, harmless.

inolvidable *adj* unforgettable.

inoperante *adj* ineffective.

inoportuno, na, importuno, na *adj* - **1.** [en mal momento] inopportune, untimely - **2.** [molesto] inconvenient - **3.** [inadecuado] inappropriate.

inoxidable *adj* rustproof; [acero] stainless.

inquebrantable *adj* unshakeable; [lealtad] unswerving.

inquietar *vt* to worry, to trouble. ➤ **inquietarse** *vprnl* to worry.

inquieto, ta *adj* - **1.** [preocupado]: **inquieto (por)** worried *O* anxious (about) - **2.** [agitado, emprendedor] restless.

inquietud *sf* [preocupación] worry, anxiety.

inquilino, na *sm, f* tenant.

inquirir *vt culto* to inquire into, to investigate.

inquisición *sf* [indagación] inquiry, investigation. ➤ **Inquisición** *sf* [tribunal] Inquisition.

inquisidor, ra *adj* inquisitive. ➤ **inquisidor** *sm* inquisitor.

insaciable *adj* insatiable.

insalubre *adj culto* insalubrious, unhealthy.

insatisfecho, cha *adj* - **1.** [descontento] dissatisfied - **2.** [no saciado] not full, unsatisfied.

inscribir *vt* - **1.** [grabar]: **inscribir algo (en)** to engrave *O* inscribe sthg (on) - **2.** [apuntar]: **inscribir algo/a alguien (en)** to register sthg/sb (on). ➤ **inscribirse** *vprnl*: **inscribirse (en)** [gen] to enrol (on); [asociación] to enrol (with); [concurso] to enter.

inscripción *sf* - **1.** EDUC registration, enrolment; [en censo, registro] registration; [en partido etc] enrolment; [en concursos etc] entry - **2.** [escrito] inscription.

inscrito, ta *pp* ▷ **inscribir**.

insecticida *sm* insecticide.

insecto *sm* insect.

inseguridad *sf* - **1.** [falta de confianza] insecurity - **2.** [duda] uncertainty - **3.** [peligro] lack of safety.

inseguro, ra *adj* - **1.** [sin confianza] insecure - **2.** [dudoso] uncertain - **3.** [peligroso] unsafe.

inseminación *sf* insemination; **inseminación artificial** artificial insemination.

insensatez *sf* foolishness; **hacer/decir una insensatez** to do/say sthg foolish.

insensato, ta ◇ *adj* foolish, senseless. ◇ *sm, f* fool.

insensibilidad *sf* [emocional] insensitivity; [física] numbness.

insensible *adj* - **1.** [indiferente]: **insensible (a)** insensitive (to) - **2.** [entumecido] numb - **3.** [imperceptible] imperceptible.

insertar *vt* [gen & INFORM]: **insertar (en)** to insert (into).

inservible *adj* useless, unserviceable.

insidioso, sa *adj* malicious.

insigne *adj* distinguished, illustrious.

insignia *sf* - **1.** [distintivo] badge; MIL insignia - **2.** [bandera] flag, banner.

insignificante *adj* insignificant.

insinuar *vt*: **insinuar algo (a)** to hint at *O* insinuate sthg (to). ➤ **insinuarse** *vprnl* - **1.** [amorosamente]: **insinuarse (a)** to make advances (to) - **2.** [asomar]: **insinuarse detrás de algo** to peep out from behind sthg.

insípido, da *adj lit & fig* insipid.

insistencia *sf* insistence.

insistir *vi*: **insistir (en)** to insist (on).

insociable *adj* unsociable.

insolación *sf* MED sunstroke *(U)*; **coger una insolación** to get sunstroke.

insolencia *sf* insolence.

insolente *adj* [descarado] insolent; [orgulloso] haughty.

insolidario, ria *adj* lacking in solidarity.

insólito, ta *adj* very unusual.

insoluble *adj* insoluble.

insolvencia *sf* insolvency.

insolvente *adj* insolvent.

insomnio *sm* insomnia.

insondable *adj lit & fig* unfathomable.

insonorizar *vt* to soundproof.

insoportable *adj* unbearable, intolerable.

insostenible *adj* untenable.

inspección *sf* inspection; [policial] search; **inspección ocular** visual inspection.

inspeccionar *vt* to inspect; [suj: policía] to search.

inspector, ra *sm, f* inspector; **inspector de aduanas** customs official; **inspector de Hacienda** tax inspector.

inspiración *sf* - 1. [gen] inspiration - 2. [respiración] inhalation, breath.

inspirar *vt* - 1. [gen] to inspire - 2. [respirar] to inhale, to breathe in. ◆ **inspirarse** *vprnl*: **inspirarse (en)** to be inspired (by).

instalación *sf* - 1. [gen] installation; **instalación eléctrica** wiring - 2. [de gente] settling. ◆ **instalaciones** *sfpl* [deportivas etc] facilities.

instalar *vt* - 1. [montar - antena etc] to instal, to fit; [- local, puesto etc] to set up - 2. [situar - objeto] to place; [- gente] to settle. ◆ **instalarse** *vprnl* [establecerse]: **instalarse en** to settle (down) in; [nueva casa] to move into.

instancia *sf* - 1. [solicitud] application (form) - 2. [ruego] request; **a instancias de** at the request O bidding of; **en última instancia** as a last resort.

instantáneo, a *adj* - 1. [momentáneo] momentary - 2. [rápido] instantaneous. ◆ **instantánea** *sf* snapshot, snap.

instante *sm* moment; **a cada instante** all the time, constantly; **al instante** instantly, immediately; **en un instante** in a second.

instar *vt*: **instar a alguien a que haga algo** to urge O press sb to do sthg.

instaurar *vt* to establish, to set up.

instigar *vt*: **instigar a alguien (a que haga algo)** to instigate sb (to do sthg); **instigar algo** to incite to sthg.

instintivo, va *adj* instinctive.

instinto *sm* instinct; **por instinto** instinctively; **instinto maternal** maternal instinct; **instinto de supervivencia** survival instinct.

institución *sf* - 1. [gen] institution; **ser una institución** *fig* to be an institution - 2. [de ley, sistema] introduction; [de organismo] establishment; [de premio] foundation.

instituir *vt* [fundar - gobierno] to establish; [- premio, sociedad] to found; [- sistema, reglas] to introduce.

instituto *sm* - 1. [corporación] institute - 2. EDUC: **instituto (de Enseñanza Secundaria)** state secondary school; **instituto de Formación Profesional** ≃ technical college. ◆ **instituto de belleza** *sm* beauty salon.

institutriz *sf* governess.

instrucción *sf* - 1. [conocimientos] education; [docencia] instruction - 2. [DER - investigación] preliminary investigation; [- curso del proceso] proceedings *pl*. ◆ **instrucciones** *sfpl* [de uso] instructions.

instructivo, va *adj* [gen] instructive; [juguete, película] educational.

instructor, ra ◇ *adj* training. ◇ *sm, f* [gen] instructor, teacher; DEP coach.

instruido, da *adj* educated.

instruir *vt* [enseñar] to instruct.

instrumental *sm* instruments *pl*.

instrumentista *smf* - 1. MÚS instrumentalist - 2. MED surgeon's assistant.

instrumento *sm* - 1. fig & MÚS instrument - 2. [herramienta] tool, instrument.

insubordinado, da *adj* insubordinate.

insubordinar *vt* to incite to rebellion. ◆ **insubordinarse** *vprnl* to rebel.

insubstancial = insustancial.

insuficiencia *sf* - 1. [escasez] lack, shortage - 2. MED failure; **insuficiencia cardiaca/renal** heart/kidney failure.

insuficiente ◇ *adj* insufficient. ◇ *sm* [nota] fail.

insufrible *adj* intolerable, insufferable.

insular *adj* insular, island (antes de s).

insulina *sf* insulin.

insulso, sa *adj* lit & fig bland, insipid.

insultar *vt* to insult.

insulto *sm* insult.

insumiso, sa ◇ *adj* rebellious. ◇ *sm, f* [gen] rebel; MIL *person who refuses to do military or community service.*

insuperable *adj* - 1. [inmejorable] unsurpassable - 2. [sin solución] insurmountable, insuperable.

insurrección *sf* insurrection, revolt.

insustancial, insubstancial *adj* insubstantial.

intachable *adj* irreproachable.

intacto, ta *adj* untouched; fig intact.

integral *adj* - 1. [total] total, complete - 2. [sin refinar - pan, harina, pasta] wholemeal; [- arroz] brown.

integrante ◇ *adj* integral, constituent; **estado integrante de la CE** member state of the EC. ◇ *smf* member.

integrar *vt* - 1. [gen & MAT] to integrate - 2. [componer] to make up. ◆ **integrarse** *vprnl* to integrate.

integridad *sf* [gen] integrity; [totalidad] wholeness.

íntegro, gra *adj* - 1. [completo] whole, entire; [versión etc] unabridged - 2. [honrado] honourable.

intelecto *sm* intellect.

intelectual *adj* & *smf* intellectual.

inteligencia *sf* intelligence; **inteligencia artificial** INFORM artificial intelligence; **inteligencia emocional** emotional intelligence.

inteligente *adj* [gen & INFORM] intelligent.

inteligible *adj* intelligible.

intemperie *sf*: **a la intemperie** in the open air.

intempestivo, va *adj* [clima, comentario] harsh; [hora] ungodly, unearthly; [proposición, visita] inopportune.

intención *sf* intention; **con intención** intentionally; **sin intención** without meaning to; **tener la intención de** to intend to; **tener malas intenciones** to be up to no good; **buena/mala intención** good/bad intentions *pl*; **segunda intención** underhandedness, duplicity; **intención de voto** voting intention; **de buenas intenciones está el infierno lleno** *prov* the road to hell is paved with good intentions.

intencionado, da *adj* intentional, deliberate; **bien intencionado** [acción] well-meant; [persona] well-meaning.

intensidad *sf* [gen] intensity; [de lluvia] heaviness; [de luz, color] brightness; [de amor] passion, strength.

intensificar *vt* to intensify. ◆ **intensificarse** *vprnl* to intensify.

intensivo, va *adj* intensive.

intenso, sa *adj* [gen] intense; [lluvia] heavy; [luz, color] bright; [amor] passionate, strong.

intentar *vt*: **intentar (hacer algo)** to try (to do sthg).

intento *sm* [tentativa] attempt; [intención] intention; **intento de golpe/robo** attempted coup/robbery; **intento de suicidio** suicide attempt.

interactivo, va *adj* INFORM interactive.

intercalar *vt* to insert, to put in.

intercambiable *adj* interchangeable.

intercambio *sm* exchange; **hacer un intercambio** to go on an exchange programme; **intercambio comercial** trade.

interceder *vi*: **interceder (por alguien)** to intercede (on sb's behalf).

interceptar *vt* - **1.** [detener] to intercept - **2.** [obstruir] to block.

interés *sm* - **1.** [gen & FIN] interest; **de interés** interesting; **esperar algo con interés** to await sthg with interest; **tener interés en** *O* **por to** be interested in; **tengo interés en que venga pronto** it's in my interest that he should come soon; **interés acumulado** accrued interest; **interés compuesto** compound interest; **interés simple** simple interest; **intereses creados** vested interests - **2.** [egoísmo] self-interest; **por interés** out of selfishness.

interesado, da ◇ *adj* - **1.** [gen]: **interesado (en** *O* **por)** interested (in) - **2.** [egoísta] selfish, self-interested. ◇ *sm, f* [deseoso] interested person; **los interesados** those interested.

interesante *adj* interesting; **hacerse el/la interesante** to try to draw attention to oneself.

interesar *vi* to interest; **le interesa el arte** she's interested in art. ◆ **interesarse** *vprnl*: **interesarse (en** *O* **por)** to take an interest (in), to be interested (in); **se interesó por tu salud** she asked after your health.

interfaz *sf* INFORM interface.

interferencia *sf* interference.

interferir ◇ *vt* - **1.** TELECOM, RADIO & TV to jam - **2.** [interponerse] to interfere with. ◇ *vi*: **interferir (en)** to interfere (in).

interfono *sm* intercom.

interino, na ◇ *adj* [gen] temporary; [presidente, director etc] acting; [gobierno] interim. ◇ *sm, f* [gen] stand-in; [médico, juez] locum; [profesor] supply teacher. ◆ **interina** *sf* [asistenta] cleaning lady.

interior ◇ *adj* - **1.** [gen] inside, inner; [patio, jardín etc] interior, inside; [habitación, vida] inner - **2.** POLÍT domestic - **3.** GEOGR inland. ◇ *sm* - **1.** [parte de dentro] inside, interior - **2.** GEOGR interior - **3.** [de una persona] inner self; **en mi interior** deep down. ◆ **interiores** *sfpl* CINE interiors.

interiorismo *sm* interior design.

interiorizar *vt* to internalize; [sentimientos] to bottle up.

interjección *sf* interjection.

interlocutor, ra *sm, f* interlocutor, speaker; **su interlocutor** the person she was speaking to.

intermediario, ria *sm, f* [gen] intermediary; COM middleman; [en disputas] mediator.

intermedio, dia *adj* - **1.** [etapa] intermediate, halfway; [calidad] average; [tamaño] medium - **2.** [tiempo] intervening; [espacio] in between. ◆ **intermedio** *sm* [gen & TEATRO] interval; CINE intermission.

interminable *adj* endless, interminable.

intermitente ◇ *adj* intermittent. ◇ *sm* indicator.

internacional *adj* international.

internado, da *adj* [en manicomio] confined; [en colegio] boarding; POLÍT interned. ◆ **internado** *sm* [colegio] boarding school.

internar *vt*: **internar (en)** [internado] to send to boarding school (at); [manicomio] to commit (to); [campo de concentración] to intern (in). ◆ **internarse** *vprnl*: **internarse (en)** [un lugar] to go *O* penetrate deep (into); [un tema] to become deeply involved (in).

internauta *smf* Internet user.

Internet *sf*: **(la) Internet** the Internet; **en Internet** on the Internet.

interno, na ◇ *adj* - **1.** [gen] internal; POLIT domestic - **2.** [alumno] boarding. ◇ *sm, f* - **1.** [alumno] boarder - **2.** ▷ **médico** - **3.** [preso] prisoner, inmate.

interpelación *sf* formal question.

interpolar *vt* to interpolate, to put in.

interponer *vt* - **1.** [gen] to interpose, to put in - **2.** DER to lodge, to make. ◆ **interponerse** *vprnl* to intervene.

interpretación *sf* - **1.** [explicación] interpretation; **mala interpretación** misinterpretation - **2.** [artística] performance - **3.** [traducción] interpreting.

interpretar *vt* - **1.** [gen] to interpret - **2.** [artísticamente] to perform.

intérprete *smf* - **1.** [traductor & INFORM] interpreter - **2.** [artista] performer.

interpuesto, ta *pp* ▷ **interponer**.

interrogación *sf* - **1.** [acción] questioning - **2.** [signo] question mark.

interrogante *sm o sf* [incógnita] question mark.

interrogar *vt* [gen] to question; [con amenazas etc] to interrogate.

interrogatorio *sm* [gen] questioning; [con amenazas] interrogation.

interrumpir *vt* - **1.** [gen] to interrupt - **2.** [discurso, trabajo] to break off; [viaje, vacaciones] to cut short.

interrupción *sf* - **1.** [gen] interruption; **interrupción (voluntaria) del embarazo** termination of pregnancy - **2.** [de discurso, trabajo] breaking-off; [de viaje, vacaciones] cutting-short.

interruptor *sm* switch.

intersección *sf* intersection.

interurbano, na *adj* inter-city; TELECOM long-distance.

intervalo *sm* - **1.** [gen & MÚS] interval; [de espacio] space, gap; **a intervalos** at intervals - **2.** [duración]: **en el intervalo de un mes** in the space of a month.

intervención *sf* - **1.** [gen] intervention - **2.** [discurso] speech; [interpelación] contribution - **3.** COM auditing - **4.** MED operation - **5.** TELECOM tapping.

intervenir ◇ *vi* - **1.** [participar]: **intervenir (en)** [gen] to take part (in); [pelea] to get involved (in); [discusión etc] to make a contribution (to) - **2.** [dar un discurso] to make a speech - **3.** [interferir]: **intervenir (en)** to intervene (in) - **4.** MED to operate. ◇ *vt* - **1.** MED to operate on - **2.** TELECOM to tap - **3.** [incautar] to seize - **4.** COM to audit.

interventor, ra *sm, f* COM auditor.

interviú *(pl* interviús) *sf* interview.

intestino, na *adj* internecine. ◆ **intestino** *sm* intestine; **intestino delgado/grueso** small/large intestine.

intimar *vi*: **intimar (con)** to become intimate O very friendly (with).

intimidad *sf* - **1.** [vida privada] private life; [privacidad] privacy; **en la intimidad** in private - **2.** [amistad] intimacy.

íntimo, ma ◇ *adj* - **1.** [vida, fiesta] private; [ambiente, restaurante] intimate - **2.** [relación, amistad] close - **3.** [sentimiento etc] innermost; **en lo (más) íntimo de su corazón/alma** deep down in her heart/soul. ◇ *sm, f* close friend.

intolerable *adj* intolerable, unacceptable; [dolor, ruido] unbearable.

intolerancia *sf* [actitud] intolerance.

intoxicación *sf* poisoning *(U)*; **intoxicación alimenticia** food poisoning; **intoxicación etílica** alcohol poisoning.

intoxicar *vt* to poison.

intranquilizar *vt* to worry. ◆ **intranquilizarse** *vprnl* to get worried.

intranquilo, la *adj* [preocupado] worried, uneasy; [nervioso] restless.

intransferible *adj* non-transferable.

intransigente *adj* intransigent.

intransitable *adj* impassable.

intrascendente *adj* insignificant, unimportant.

intrépido, da *adj* intrepid.

intriga *sf* - **1.** [curiosidad] curiosity; **de intriga** suspense *(antes de s)* - **2.** [maquinación] intrigue - **3.** [trama] plot.

intrigar *vt & vi* to intrigue.

intrincado, da *adj* [problema etc] intricate.

intríngulis *sm inv fam*: **tiene su intríngulis** it is quite tricky.

intrínseco, ca *adj* intrinsic.

introducción *sf*: **introducción (a)** introduction (to).

introducir *vt* - **1.** [meter - llave, carta etc] to put in, to insert - **2.** [mercancías etc] to bring in, to introduce - **3.** [dar a conocer]: **introducir a alguien en** to introduce sb to; **introducir algo en** to introduce O bring sthg to. ◆ **introducirse** *vprnl*: **introducirse en** to get into.

introductorio, ria *adj* introductory.

intromisión *sf* meddling, interfering.

introspectivo, va *adj* introspective.

introvertido, da *adj & sm, f* introvert.

intruso, sa *sm, f* intruder; **intruso informático** hacker.

intuición *sf* intuition.

intuir *vt* to know by intuition, to sense.

intuitivo, va *adj* intuitive.

inundación *sf* flood, flooding *(U)*.

inundar vt to flood; fig to inundate. ► **inundarse** vprnl to flood; **inundarse de** fig to be inundated O swamped with.

inusitado, da adj uncommon, rare.

inútil adj - **1.** [gen] useless; [intento, esfuerzo] unsuccessful, vain - **2.** [inválido] disabled.

inutilidad sf [gen] uselessness; [falta de sentido] pointlessness.

inutilizar vt [gen] to make unusable; [máquinas, dispositivos] to disable.

invadir vt to invade; **la invade la tristeza** she's overcome by sadness.

invalidez sf - **1.** MED disability; **invalidez permanente/temporal** permanent/temporary disability - **2.** DER invalidity.

inválido, da adj - **1.** MED disabled - **2.** DER invalid. <> sm, f invalid, disabled person; **los inválidos** the disabled.

invariable adj invariable.

invasión sf invasion.

invasor, ra <> adj invading. <> sm, f invader.

invención sf invention.

inventar vt [gen] to invent; [narración, falsedades] to make up. ► **inventarse** vprnl to make up.

inventario sm inventory.

inventiva sf inventiveness.

invento sm invention.

inventor, ra sm, f inventor.

invernadero, invernáculo sm greenhouse.

invernar vi [pasar el invierno] to (spend the) winter; [hibernar] to hibernate.

inverosímil adj unlikely, improbable.

inversión sf - **1.** [del orden] inversion - **2.** [de dinero, tiempo] investment.

inverso, sa adj opposite, inverse; **a la inversa** the other way round; **en orden inverso** in reverse order.

inversor, ra sm, f COM & FIN investor.

invertebrado, da adj invertebrate. ► **invertebrado** sm invertebrate.

invertido, da adj - **1.** [al revés] reversed, inverted; [sentido, dirección] opposite - **2.** [homosexual] homosexual.

invertir vt - **1.** [gen] to reverse; [poner boca abajo] to turn upside down - **2.** [dinero, tiempo, esfuerzo] to invest - **3.** [tardar - tiempo] to spend.

investidura sf investiture.

investigación sf - **1.** [estudio] research; **investigación y desarrollo** research and development - **2.** [indagación] investigation, inquiry; **investigación judicial** judicial inquiry.

investigador, ra sm, f - **1.** [estudioso] researcher - **2.** [detective] investigator.

investigar <> vt - **1.** [estudiar] to research - **2.** [indagar] to investigate. <> vi - **1.** [estudiar] to do research - **2.** [indagar] to investigate.

investir vt: **investir a alguien con algo** to invest sb with sthg.

inveterado, da adj deep-rooted.

inviable adj impractical, unviable.

invidente smf blind O sightless person; **los invidentes** the blind.

invierno sm winter; **invierno nuclear** nuclear winter.

invisible adj invisible.

invitación sf invitation.

invitado, da sm, f guest.

invitar <> vt - **1.** [convidar]: **invitar a alguien (a algo/a hacer algo)** to invite sb (to sthg/to do sthg) - **2.** [pagar]: **os invito** it's my treat, this one's on me; **te invito a cenar fuera** I'll take you out for dinner. <> vi to pay; **invita la casa** it's on the house. ► **invitar a** vi fig [incitar]: **invitar a algo** to encourage sthg; **la lluvia invita a quedarse en casa** the rain makes you want to stay at home.

in vitro loc adv - **1.** [de probeta] in vitro - **2.** ▷ **fecundación**.

invocar vt to invoke.

involucrar vt: **involucrar a alguien (en)** to involve sb (in). ► **involucrarse** vprnl: **involucrarse (en)** to get involved (in).

involuntario, ria adj [espontáneo] involuntary; [sin querer] unintentional.

inyección sf injection.

inyectar vt to inject. ► **inyectarse** vprnl [drogas] to take drugs intravenously; **inyectarse algo** to inject o.s. with sthg.

iodo = yodo.

ion sm ion.

IPC (abrev de **índice de precios al consumo**) sm Spanish cost of living index, ≃ RPI UK.

ir vi - **1.** [gen] to go; **ir hacia el sur/al cine** to go south/to the cinema; **ir en autobús/coche** to go by bus/car; **ir en avión** to fly; **ir en bicicleta** to ride; **ir andando** to go on foot, to walk; **¡vamos!** let's go! - **2.** [expresa duración gradual]: **ir haciendo algo** to be (gradually) doing sthg; **va anocheciendo** it's getting dark; **voy mejorando mi estilo** I'm working on improving my style - **3.** [expresa intención, opinión]: **ir a hacer algo** to be going to do sthg; **voy a decírselo a tu padre** I'm going to tell your father - **4.** [cambiar]: **ir a mejor/peor** etc to get better/worse etc - **5.** [funcionar] to work; **la manivela va floja** the crank is loose; **la televisión no va** the television isn't working - **6.** [desenvolverse] to go; **le va bien en su nuevo trabajo** things are going well for him in his new job; **su negocio va mal** his business is going badly; **¿cómo te va?** how

are you doing? - **7.** [vestir]: **ir en/con** to wear; **iba en camisa y con corbata** he was wearing a shirt and tie; **ir de azul/de uniforme** to be dressed in blue/in uniform - **8.** [tener aspecto físico] to look like; **iba hecho un pordiosero** he looked like a beggar - **9.** [vacaciones, tratamiento]: **irle bien a alguien** to do sb good - **10.** [ropa]: **irle (bien) a alguien** to suit sb; **ir con algo** to go with sthg - **11.** [comentario, indirecta]: **ir con O por alguien** to be meant for sb, to be aimed at sb - **12.** *loc*: **fue y dijo que...** he went and said that...; **ni me va ni me viene** *fam* I don't care; **¡qué va!** you must be joking!; **ser el no va más** to be the ultimate. ◆ **ir de** *vi* - **1.** [película, novela] to be about - **2.** *fig* [persona] to think o.s.; **va de listo** he thinks he's clever. ◆ **ir por** *vi* - **1.** [buscar]: **ir por algo/alguien** to go and get sthg/sb, to go and fetch sthg/sb - **2.** [alcanzar]: **va por el cuarto vaso de vino** he's already on his fourth glass of wine; **vamos por la mitad de la asignatura** we covered about half the subject. ◆ **irse** *vprnl* - **1.** [marcharse] to go, to leave; **irse a** to go to; **¡vete!** go away! - **2.** [gastarse, desaparecer] to go - **3.** *loc*: **irse abajo** [edificio] to fall down; [negocio] to collapse; [planes] to fall through.

ira *sf* anger, rage.

iracundo, da *adj* angry, irate; [irascible] irascible.

Irán *n pr*: **(el) Irán** Iran.

iraní (*pl* **iraníes** *O* **iranís**) *adj* & *smf* Iranian.

Iraq *n pr*: **(el) Iraq** Iraq.

iraquí (*pl* **iraquíes** *O* **iraquís**) *adj* & *smf* Iraqi.

irascible *adj* irascible.

iris *sm inv* iris.

Irlanda *n pr* Ireland.

irlandés, esa ◇ *adj* Irish. ◇ *sm, f* [persona] Irishman (*f* Irishwoman); **los irlandeses** the Irish. ◆ **irlandés** *sm* [lengua] Irish.

ironía *sf* irony.

irónico, ca *adj* ironic, ironical.

ironizar ◇ *vt* to ridicule. ◇ *vi*: **ironizar (sobre)** to be ironical (about).

IRPF (*abrev de* **impuesto sobre la renta de las personas físicas**) *sm* Spanish personal income tax.

irracional *adj* irrational.

irradiar *vt lit & fig* to radiate.

irreal *adj* unreal.

irreconciliable *adj* irreconcilable.

irreconocible *adj* unrecognizable.

irrecuperable *adj* irretrievable.

irreflexión *sf* rashness.

irreflexivo, va *adj* rash.

irrefutable *adj* irrefutable.

irregular *adj* [gen] irregular; [terreno, superficie] uneven.

irrelevante *adj* irrelevant.

irremediable *adj* irremediable.

irreparable *adj* irreparable.

irresistible *adj* irresistible.

irresoluto, ta *adj culto* irresolute.

irrespetuoso, sa *adj* disrespectful.

irrespirable *adj* unbreathable.

irresponsable *adj* irresponsible.

irreverente *adj* irreverent.

irreversible *adj* irreversible.

irrevocable *adj* irrevocable.

irrigar *vt* to irrigate.

irrisorio, ria *adj* - **1.** [excusa etc] laughable, derisory - **2.** [precio etc] ridiculously low.

irritable *adj* irritable.

irritar *vt* to irritate. ◆ **irritarse** *vprnl* - **1.** [enfadarse] to get angry *O* annoyed - **2.** [suj: piel etc] to become irritated.

irrompible *adj* unbreakable.

irrupción *sf* bursting in.

isla *sf* island.

islam *sm* Islam.

islamismo *sm* Islam.

islandés, esa ◇ *adj* Icelandic. ◇ *sm, f* [persona] Icelander. ◆ **islandés** *sm* [lengua] Icelandic.

Islandia *n pr* Iceland.

isleño, ña ◇ *adj* island (*antes de s*). ◇ *sm, f* islander.

islote *sm* small, rocky island.

Israel *n pr* Israel.

israelí (*pl* **israelíes** *O* **israelís**) *adj* & *smf* Israeli.

istmo *sm* isthmus.

Italia *n pr* Italy.

italiano, na *adj* & *sm, f* Italian. ◆ **italiano** *sm* [lengua] Italian.

itálico, ca *adj* ▷ **letra**.

itinerante *adj* itinerant; [embajador] roving.

itinerario *sm* route, itinerary.

ITV (*abrev de* **inspección técnica de vehículos**) *sf* annual technical inspection for motor vehicles of ten years or more, ≃ MOT *UK*.

IVA (*abrev de* **impuesto sobre el valor añadido**) *sm* VAT.

izar *vt* to raise, to hoist.

izda (*abrev de* **izquierda**) L, l.

izquierda *sf* ▷ **izquierdo**.

izquierdo, da *adj* left. ◆ **izquierda** *sf* - **1.** [lado] left; **a la izquierda (de)** on *O* to the left (of); **girar a la izquierda** to turn left - **2.** [mano] left hand - **3.** POLIT left (wing); **de izquierdas** left-wing.

605

J

j, J *sf* [letra] j, J.

ja *interj*: ¡ja! ha!

jabalí (*pl* jabalíes *O* jabalís) *sm* wild boar.

jabalina *sf* DEP javelin.

jabón *sm* soap.

jabonar *vt* to soap.

jabonera *sf* soap dish.

jaca *sf* [caballo pequeño] pony; [yegua] mare.

jacal *sm Méx* hut.

jacinto *sm* hyacinth.

jactarse *vprnl*: jactarse (de) to boast (about *O* of).

jadear *vi* to pant.

jadeo *sm* panting.

jaguar (*pl* jaguars) *sm* jaguar.

jaiba *sf Andes, Amér C, Caribe & Méx* crayfish.

jalea *sf* jelly; jalea real royal jelly.

jalear *vt* to cheer on.

jaleo *sm* - **1.** *fam* [alboroto] row, rumpus - **2.** *fam* [lío] mess, confusion.

jalonar *vt* to stake *O* mark out; *fig* to mark.

Jamaica *n pr* Jamaica.

jamás *adv* never; no lo he visto jamás I've never seen him; la mejor película que jamás se haya hecho the best film ever made; jamás de los jamases never ever.

jamón *sm* ham; jamón (de) York *O* (en) dulce boiled ham; jamón serrano cured ham, ≃ Parma ham.

Japón *n pr*: (el) Japón Japan.

japonés, esa *adj & sm, f* Japanese. ▸ **japonés** *sm* [lengua] Japanese.

jaque *sm*: jaque mate checkmate.

jaqueca *sf* migraine.

jarabe *sm* syrup; jarabe para la tos cough mixture *O* syrup.

jarana *sf* [juerga]: estar/irse de jarana to be/go out on the town.

jaranero, ra *adj* fond of partying.

jardín *sm* garden, yard US; jardín botánico botanical garden; jardín zoológico zoological garden, zoo. ▸ **jardín de infancia** *sm* kindergarten, nursery school.

jardinera ⊳ **jardinero**.

jardinería *sf* gardening.

jardinero, ra *sm, f* gardener. ▸ **jardinera** *sf* flowerpot stand.

jarra *sf* - **1.** [para servir] jug - **2.** [para beber] tankard. ▸ **en jarras** *loc adv* [postura] hands on hips.

jarro *sm* jug.

jarrón *sm* vase.

jaspeado, da *adj* mottled, speckled.

jauja *sf fam* paradise.

jaula *sf* cage.

jauría *sf* pack of dogs.

jazmín *sm* jasmine.

jazz [jas] *sm* jazz.

JC (*abrev de* Jesucristo) JC.

je *interj*: ¡je! ha!

jeep [jip] (*pl* jeeps) *sm* jeep.

jefa ⊳ **jefe**.

jefatura *sf* - **1.** [cargo] leadership - **2.** [organismo] headquarters, head office.

jefe, fa *sm, f* [gen] boss; COM manager (*f* manageress); [líder] leader; [de tribu, ejército] chief; [de departamento etc] head; en jefe MIL in-chief; jefe de cocina chef; jefe de estación stationmaster; jefe de Estado head of state; jefe de estudios deputy head; jefe de producción/ventas production/sales manager; jefe de redacción editor-in-chief.

jején *sm Amér* [insecto] ≃ midge.

jengibre *sm* ginger.

jeque *sm* sheikh.

jerarquía *sf* - **1.** [organización] hierarchy - **2.** [persona] high-ranking person, leader.

jerárquico, ca *adj* hierarchical.

jerez *sm* sherry.

jerga *sf* jargon; [argot] slang.

jeringuilla *sf* syringe.

jeroglífico, ca *adj* hieroglyphic. ▸ **jeroglífico** *sm* - **1.** [inscripción] hieroglyphic - **2.** [pasatiempo] rebus.

jerséi (*pl* jerséis), **jersey** (*pl* jerseys) *sm* jumper, pullover.

Jerusalén *n pr* Jerusalem.

jesuita *adj & sm* Jesuit.

jesús *interj*: ¡jesús! [sorpresa] good heavens!; [tras estornudo] bless you!

jet [jet] (*pl* jets) *sm* jet.

jeta *mfam sf* [cara] mug, face; tener (mucha) jeta to be a cheeky bugger.

jet-set ['jetset] *sf* jet set.

Jibuti *n pr* Djibouti.

jilguero *sm* goldfinch.

jilipollada = gilipollada.

jilipollas = gilipollas.

jinete *smf* rider; [yóquey] jockey.

jirafa *sf* ZOOL giraffe.

jirón *sm* [andrajo] shred, rag; hecho jirones in tatters.

jitomate *sm Amér C & Méx* tomato.

JJ OO (*abrev de* juegos olímpicos) *smpl* Olympic Games.

jockey ['jokei] = **yóquey**.

jocoso, sa *adj* jocular.

joder *vulg vi* - **1.** [copular] to fuck - **2.** [fastidiar] to be a pain in the arse; **¡no jodas!** [incredulidad] bollocks!, pull the other one!

jofaina *sf* wash basin.

jolgorio *sm* merrymaking.

jolín, jolines *interj fam:* ¡jolín! hell!, Christ!

jondo ⊳ **cante**.

jornada *sf* - **1.** [de trabajo] working day; **jornada intensiva** *working day from 8 to 3 with only a short lunch break*; **jornada laboral** working day; **media jornada** half day; **jornada partida** *typical Spanish working day from 9 to 1 and 4 to 7* - **2.** [de viaje] day's journey - **3.** DEP round of matches, programme. ⬥ **jornadas** *sfpl* [conferencia] conference *sing*.

jornal *sm* day's wage.

jornalero, ra *sm, f* day labourer.

joroba *sf* hump.

jorobado, da ⟷ *adj* [con joroba] hunchbacked. ⟷ *sm, f* hunchback.

jorongo *sm Méx* - **1.** [manta] blanket - **2.** [poncho] poncho.

jota *sf* [baile] *Aragonese folk song and dance*.

joto *sm Méx fam despec* queer *UK*, faggot *US*.

joven ⟷ *adj* young. ⟷ *smf* young man (*f* young woman); **los jóvenes** young people.

jovial *adj* jovial, cheerful.

joya *sf* jewel; *fig* gem.

joyería *sf* - **1.** [tienda] jeweller's (shop) - **2.** [arte, comercio] jewellery.

joyero, ra *sm, f* [persona] jeweller. ⬥ **joyero** *sm* [estuche] jewellery box.

juanete *sm* bunion.

jubilación *sf* [retiro] retirement; **jubilación anticipada** early retirement; **jubilación forzosa** compulsory retirement; **jubilación voluntaria** voluntary retirement.

jubilado, da ⟷ *adj* retired. ⟷ *sm, f* pensioner *UK*, senior citizen.

jubilar *vt:* jubilar a alguien (de) to pension sb off *O* retire sb (from). ⬥ **jubilarse** *vprnl* to retire.

jubileo *sm* RELIG jubilee.

júbilo *sm* jubilation, joy.

judía *sf* bean.

judicial *adj* judicial.

judío, a ⟷ *adj* Jewish. ⟷ *sm, f* Jew (*f* Jewess).

judo = **yudo**.

juega ⊳ **jugar**.

juego *sm* - **1.** [gen & DEP] game; [acción] play, playing; [con dinero] gambling; **abrir/cerrar el juego** to begin/finish the game; **juego de azar** game of chance; **juego de manos** conjuring trick; **juego de palabras** play on words, pun; **juego sucio/limpio** foul/clean play; **descubrirle el juego a alguien** to see through sb; **estar (en) fuera de juego** DEP to be offside; *fig* not to know what's going on - **2.** [conjunto de objetos] set; **juego de herramientas** tool kit; **juego de llaves/sábanas** set of keys/sheets; **hacer juego (con)** to match. ⬥ **Juegos Olímpicos** *smpl* Olympic Games.

juerga *sf fam* rave-up.

juerguista *fam smf* reveller.

jueves *sm inv* Thursday; **Jueves Santo** Maundy Thursday; *ver también* **sábado**.

juez *smf* - **1.** DER judge; **juez de paz** Justice of the Peace - **2.** [DEP - gen] judge; [- en atletismo] official; **juez de línea** [- fútbol] linesman; [- rugby] touch judge; **juez de salida** starter; **juez de silla** umpire.

jugada *sf* - **1.** DEP period of play; [en tenis, pingpong] rally; [en fútbol, rugby etc] move; [en ajedrez etc] move; [en billar] shot - **2.** [treta] dirty trick; **hacer una mala jugada a alguien** to play a dirty trick on sb.

jugador, ra *sm, f* [gen] player; [de juego de azar] gambler.

jugar ⟷ *vi* - **1.** [gen] to play; **jugar al ajedrez** to play chess; **jugar en un equipo** to play for a team; **te toca jugar** it's your turn *O* go; **jugar limpio/sucio** to play clean/dirty; **jugar con algo** to play with sthg; **jugar contra alguien** to play (against) sb - **2.** [con dinero]: **jugar (a)** to gamble (on); **jugar (a la Bolsa)** to speculate (on the Stock Exchange). ⟷ *vt* - **1.** [gen] to move - **2.** [ficha, pieza] to move - **3.** [dinero]: **jugar algo (a algo)** to gamble sthg (on sthg). ⬥ **jugarse** *vprnl* - **1.** [apostarse] to bet - **2.** [arriesgar] to risk - **3.** *loc:* jugársela a alguien to play a dirty trick on sb.

jugarreta *sf fam* dirty trick.

juglar *sm* minstrel.

jugo *sm* - **1.** [gen & ANAT] juice; BOT sap; **jugos gástricos** gastric juices - **2.** [interés] meat, substance; **sacar jugo a algo/alguien** to get the most out of sthg/sb.

jugoso, sa *adj* - **1.** [con jugo] juicy - **2.** *fig* [picante] juicy; [sustancioso] meaty, substantial.

juguete *sm lit & fig* toy; **de juguete** toy (*antes de s*); **juguete educativo** educational toy.

juguetear *vi* to play (around); **juguetear con algo** to toy with sthg.

juguetería *sf* toy shop.

juguetón, ona *adj* playful.

juicio *sm* - **1.** DER trial; **juicio civil** civil action; **juicio criminal** criminal trial - **2.** [sensatez]

(sound) judgement; [cordura] sanity, reason; **estar/no estar en su (sano) juicio** to be/not to be in one's right mind; **perder el juicio** to lose one's reason, to go mad - **3.** [opinión] opinion; **a mi juicio** in my opinion. ➤ **Juicio Final** *sm*: **el Juicio Final** the Last Judgement.

juicioso, sa *adj* sensible, wise.

julio *sm* - **1.** [mes] July - **2.** FÍS joule; *ver también* **septiembre**.

junco *sm* - **1.** [planta] rush, reed - **2.** [embarcación] junk.

jungla *sf* jungle.

junio *sm* June; *ver también* **septiembre**.

júnior (*pl* **juniors**) *adj inv* - **1.** DEP under-21 - **2.** [hijo] junior.

junta *sf* - **1.** [gen] committee; [de empresa, examinadores] board; **junta directiva** board of directors; **junta militar** military junta - **2.** [reunión] meeting - **3.** [juntura] joint; **junta de culata** gasket.

juntar *vt* [gen] to put together; [fondos] to raise; [personas] to bring together. ➤ **juntarse** *vprnl* - **1.** [reunirse - personas] to get together; [- ríos, caminos] to meet - **2.** [arrimarse] to draw O move closer - **3.** [convivir] to live together.

junto, ta ⬦ *adj* - **1.** [gen] together - **2.** [próximo] close together. ⬦ *adv*: **todo junto** [ocurrir etc] all at the same time; [escribirse] as one word. ➤ **junto a** *loc prep* - **1.** [al lado de] next to - **2.** [cerca de] right by, near. ➤ **junto con** *loc prep* together with.

juntura *sf* joint.

Júpiter *sm* Jupiter.

jurado, da *adj* - **1.** [declaración etc] sworn - **2.** ▷ **guarda**. ➤ **jurado** *sm* - **1.** [tribunal] jury - **2.** [miembro] member of the jury.

juramento *sm* - **1.** [promesa] oath - **2.** [blasfemia] oath, curse.

jurar ⬦ *vt* to swear; [constitución etc] to pledge allegiance to; **te lo juro** I promise, I swear it; **jurar por... que** to swear by... that. ⬦ *vi* [blasfemar] to swear; **tenérsela jurada a alguien** to have it in for sb.

jurel *sm* scad, horse mackerel.

jurídico, ca *adj* legal.

jurisdicción *sf* jurisdiction.

jurisdiccional *adj* jurisdictional; [aguas] territorial.

jurisprudencia *sf* [ciencia] jurisprudence; [casos previos] case law.

jurista *smf* jurist.

justa *sf* HIST joust.

justamente *adv* - **1.** [con justicia] justly - **2.** [exactamente] exactly.

justicia *sf* - **1.** [gen] justice; [equidad] fairness, justice; **hacer justicia** to do justice; **ser de justicia** to be only fair - **2.** [organización]: **la justicia** the law.

justiciero, ra *adj* righteous.

justificación *sf* [gen & IMPR] justification.

justificante *sm* documentary evidence (U).

justificar *vt* - **1.** [gen & IMPR] to justify - **2.** [excusar]: **justificar a alguien** to make excuses for sb. ➤ **justificarse** *vprnl* [suj: persona] to justify O excuse o.s.

justo, ta *adj* - **1.** [equitativo] fair - **2.** [merecido - recompensa, victoria] deserved; [- castigo] just - **3.** [exacto - medida, hora] exact - **4.** [idóneo] right - **5.** [apretado] tight; **estar O venir justo** to be a tight fit. ➤ **justo** *adv* just; **justo ahora iba a llamarte** I was just about to ring you; **justo en medio** right in the middle.

juvenil *adj* youthful; DEP youth (*antes de s*).

juventud *sf* - **1.** [edad] youth; **¡juventud, divino tesoro!** what it is to be young! - **2.** [conjunto] young people *pl*.

juzgado *sm* [tribunal] court; **juzgado de guardia** court open during the night or at other times when ordinary courts are shut.

juzgar *vt* - **1.** [enjuiciar] to judge; DER to try; **juzgar mal a alguien** to misjudge sb; **a juzgar por (como)** judging by (how) - **2.** [estimar] to consider, to judge.

k, K *sf* [letra] k, K.

kaki = caqui.

kárate, cárate *sm* karate.

kart (*pl* **karts**) *sm* go-kart.

Kazajstán *n pr* Kazakhstan.

Kenia *n pr* Kenya.

ketchup [ˈketʃup] *sm* ketchup.

kg (*abrev de* **kilogramo**) kg.

kibutz [kiˈβuθ] (*pl* **kibutzim**) *sm* kibbutz.

kilo, quilo *sm* [peso] kilo.

kilogramo, quilogramo *sm* kilogram.

kilometraje, quilometraje *sm* ≃ mileage, distance in kilometres.

kilométrico, ca,   quilométrico, ca adj
[distancia] kilometric.

kilómetro, quilómetro sm kilometre; **kiló-
metro cuadrado** square kilometre; **kilómetros
por hora** kilometres per hour.

kilovatio, quilovatio sm kilowatt.

kínder sm Andes & Cuba nursery school UK,
kindergarten US.

kiosco = quiosco.

kiwi sm [fruto] kiwi (fruit).

km (abrev de **kilómetro**) km.

km/h (abrev de **kilómetro por hora**) km/h.

KO (abrev de **knockout**) sm KO.

kurdo, da ◇ adj Kurdish. ◇ sm, f Kurd.

Kuwait [ku'βait] n pr Kuwait.

I¹, L sf [letra] l, L.

I² (abrev de **litro**) l.

la¹ sm MÚS A; [en solfeo] lah.

la² ◇ art ▷ **el**. ◇ pron ▷ **lo**.

laberinto sm lit & fig labyrinth.

labia sf fam smooth talk; **tener mucha labia**
to have the gift of the gab.

labio sm - 1. ANAT lip; **leer los labios** to lip-read
- 2. [borde] edge.

labor sf - 1. [trabajo] work; [tarea] task; **labo-
res domésticas** household chores; **ser de pro-
fesión sus labores** to be a housewife; **no es-
tar por la labor** [distraerse] not to have one's
mind on the job; [ser reacio] not to be keen on
the idea - 2. [de costura] needlework; **labores
de punto** knitting.

laboral adj labour; [semana, condiciones]
working (antes de s).

laboratorio sm laboratory; **laboratorio es-
pacial** space laboratory; **laboratorio fotográfi-
co** photographic laboratory; **laboratorio de
idiomas** O **lenguas** language laboratory.

laborioso, sa adj [difícil] laborious.

laborista ◇ adj Labour. ◇ smf Labour
Party supporter O member; **los laboristas** La-
bour.

labrador, ra sm, f [agricultor] farmer; [trabaja-
dor] farm worker.

labranza sf farming.

labrar vt - 1. [campo - cultivar] to cultivate;
[- arar] to plough - 2. [piedra, metal etc] to work
- 3. fig [desgracia etc] to bring about; [porvenir,
fortuna] to carve out. ◆ **labrarse** vprnl [por-
venir etc] to carve out for o.s.

labriego, ga sm, f farmworker.

laburar vi R Dom fam [trabajar] to work.

laburo sm R Dom fam [trabajo] job.

laca sf - 1. [gen] lacquer; [para cuadros] lake
- 2. [para el pelo] hairspray.

lacar vt to lacquer.

lacayo sm footman; fig lackey.

lacerar vt to lacerate; fig to wound.

lacio, cia adj - 1. [cabello - liso] straight; [- sin
fuerza] lank - 2. [planta] wilted - 3. fig [sin fuerza]
limp.

lacón sm shoulder of pork.

lacónico, ca adj laconic.

lacra sf scourge.

lacrar vt to seal with sealing wax.

lacre sm sealing wax.

lacrimógeno, na adj - 1. [novela etc] weepy,
tear-jerking - 2. ▷ **gas**.

lacrimoso, sa adj - 1. [ojos etc] tearful
- 2. [historia etc] weepy, tear-jerking.

lactancia sf lactation; **lactancia artificial** bot-
tlefeeding; **lactancia materna** breastfeeding.

lactante smf breast-fed baby.

lácteo, a adj [gen] milk (antes de s); [industria,
productos] dairy.

ladear vt to tilt.

ladera sf slope, mountainside.

ladino, na ◇ adj crafty. ◇ sm, f Amér C,
Méx & Ven [mestizo hispanohablante] non-white
Spanish-speaking person. ◆ **ladino** sm [dia-
lecto] Ladino.

lado sm - 1. [gen] side; **en el lado de arriba/
abajo** on the top/bottom; **a ambos lados** on
both sides; **al otro lado de** on the other side
of; **estoy de su lado** I'm on her side; **de lado**
[torcido] crooked; **dormir de lado** to sleep on
one's side; **de lado a lado** from side to side;
echar a un lado to push aside; **echarse** O **ha-
cerse a un lado** to move aside; **ponerse del la-
do de alguien** to side with sb; **por un lado** on
the one hand; **por otro lado** on the other
hand - 2. [lugar] place; **debe estar en otro lado**
it must be somewhere else; **de un lado para**
O **a otro** to and fro; **por todos lados** on all
sides, all round - 3. loc: **dar de lado a alguien**
to cold-shoulder sb. ◆ **al lado** loc adv [cerca]
nearby. ◆ **al lado de** loc prep [junto a] be-
side. ◆ **de al lado** loc adj next door; **la casa
de al lado** the house next door.

ladrar *vi lit & fig* to bark.

ladrido *sm lit & fig* bark, barking *(U)*.

ladrillo *sm* CONSTR brick.

ladrón, ona *sm, f* [persona] thief, robber.
➤ **ladrón** *sm* [para varios enchufes] adapter.

lagartija *sf* (small) lizard.

lagarto, ta *sm, f* ZOOL lizard.

lago *sm* lake.

lágrima *sf* tear; **deshacerse en lágrimas** to dissolve into tears; **llorar a lágrima viva** to cry buckets.

lagrimal *sm* corner of the eye.

laguna *sf* - **1.** [lago] lagoon - **2.** *fig* [en colección, memoria] gap; [en leyes, reglamento] loophole.

La Habana *n pr* Havana.

laico, ca *adj* lay, secular.

lama *sm* lama.

lamber *vt Amér fam* to lick.

La Meca *n pr* Mecca.

lamentable *adj* - **1.** [triste] terribly sad - **2.** [malo] lamentable, deplorable.

lamentar *vt* to regret, to be sorry about; **lo lamento** I'm very sorry.

lamento *sm* moan.

lamer *vt* to lick. ➤ **lamerse** *vprnl* to lick o.s.

lamido, da *adj* skinny. ➤ **lamido** *sm* lick.

lámina *sf* - **1.** [plancha] sheet; [placa] plate - **2.** [rodaja] slice - **3.** [plancha grabada] engraving - **4.** [dibujo] plate.

laminar *vt* to laminate, to roll.

lámpara *sf* - **1.** [aparato] lamp; **lámpara de pie** standard lamp; **lámpara de soldar** blowtorch; **lámpara de techo** ceiling lamp - **2.** [bombilla] bulb - **3.** TECNOL valve.

lamparón *sm* grease stain.

lampiño, ña *adj* [sin barba] beardless; [sin vello] hairless.

lamprea *sf* lamprey.

lana *sf* - **1.** wool; **de lana** woollen; **pura lana virgen** pure new wool; **ir a por lana y volver trasquilado** *prov* to be hoist by one's own petard; **unos cardan la lana y otros llevan la fama** *prov* some do all the work and others get all the credit - **2.** *Andes & Cuba fam* [dinero] dough, cash.

lance *sm* - **1.** [en juegos, deportes] incident; [acontecimiento] event - **2.** [riña] dispute.

lanceta *sf Andes & Cuba* sting.

lancha *sf* [embarcación - grande] launch; [- pequeña] boat; **lancha motora** motorboat, motor launch; **lancha salvavidas** lifeboat.

lanero, ra *adj* wool *(antes de s)*.

langosta *sf* - **1.** [crustáceo] lobster - **2.** [insecto] locust.

langostino *sm* king prawn.

languidecer *vi* to languish; [conversación, entusiasmo] to flag.

languidez *sf* [debilidad] listlessness; [falta de ánimo] disinterest.

lánguido, da *adj* [débil] listless; [falto de ánimo] disinterested.

lanilla *sf* - **1.** [pelillo] nap - **2.** [tejido] flannel.

lanolina *sf* lanolin.

lanza *sf* [arma - arrojadiza] spear; [- en justas, torneos] lance; **estar lanza en ristre** to be ready for action; **romper una lanza por alguien** to fight for sb.

lanzado, da *adj* [atrevido] forward; [valeroso] fearless.

lanzagranadas *sm inv* grenade launcher.

lanzamiento *sm* - **1.** [de objeto] throwing; [de cohete] launching - **2.** DEP - con la mano] throw; [- con el pie] kick; [- en béisbol] pitch; **lanzamiento de peso** shot put - **3.** [de producto, artista] launch; [de disco] release.

lanzamisiles *sm inv* rocket launcher.

lanzar *vt* - **1.** [gen] to throw; [con fuerza] to hurl, to fling; [de una patada] to kick; [bomba] to drop; [flecha, misil] to fire; [cohete] to launch - **2.** [proferir] to let out; [acusación, insulto] to hurl; [suspiro] to heave - **3.** [COM - producto, artista, periódico] to launch; [- disco] to release. ➤ **lanzarse** *vprnl* - **1.** [tirarse] to throw o.s. - **2.** [abalanzarse]: **lanzarse (sobre)** to throw o.s. (upon).

lapa *sf* ZOOL limpet.

La Paz *n pr* La Paz.

lapicera *sf C Sur* ballpoint (pen), Biro®.

lapicero *sm* - **1.** pencil - **2.** *Amér C & Perú* [bolígrafo] ballpoint pen, Biro®.

lápida *sf* memorial stone; **lápida mortuoria** tombstone.

lapidar *vt* to stone.

lapidario, ria *adj* solemn.

lápiz *(pl* **lápices)** *sm* pencil; **escribir algo a lápiz** to write sthg in pencil; **lápiz de cejas** eyebrow pencil; **lápiz de labios** lipstick; **lápiz de ojos** eyeliner; **lápiz óptico** INFORM light pen.

lapón, ona *adj & sm, f* Lapp. ➤ **lapón** *sm* [lengua] Lapp.

lapso *sm* space, interval; **lapso de tiempo** space O interval of time.

lapsus *sm inv* lapse, slip.

larga ▷ **largo**.

largar *vt* - **1.** [aflojar] to pay out - **2.** *fam* [dar, decir] to give; **le largué un bofetón** I gave him a smack. ➤ **largarse** *vprnl fam* to clear off.

largavistas *sm inv Bol & C Sur* binoculars *pl*.

largo, ga *adj* - **1.** [en espacio, tiempo] long - **2.** [alto] tall - **3.** [sobrado]: **media hora larga** a good half hour. ➤ **largo** ◇ *sm* length; **a lo**

largo lengthways; **tiene dos metros de largo** it's two metres long; **pasar de largo** to pass by; **a lo largo de** [en el espacio] along; [en el tiempo] throughout; **¡largo de aquí!** go away!, get out of here! ⋄ adv at length; **largo y tendido** at great length. ⬦ **larga** sf: **a la larga** in the long run; **dar largas a algo** to put sthg off.

largometraje sm feature film.

larguero sm - **1.** CONSTR main beam - **2.** DEP crossbar.

largura sf length.

laringe sf larynx.

laringitis sf inv laryngitis.

larva sf larva.

las ⋄ art ▷ **el.** ⋄ pron ▷ **lo.**

lasaña sf lasagne, lasagna.

lascivo, va adj lascivious, lewd.

láser ⋄ adj inv ▷ **rayo.** ⋄ sm inv laser.

lástima sf - **1.** [compasión] pity - **2.** [pena] shame, pity; **da lástima ver gente así** it's sad to see people in that state; **es una lástima que** it's a shame O pity that; **¡qué lástima!** what a shame O pity!; **tener** O **sentir lástima de** to feel sorry for; **quedarse hecho una lástima** to be a sorry O pitiful sight.

lastimar vt to hurt. ⬦ **lastimarse** vprnl to hurt o.s.

lastimoso, sa adj pitiful, woeful.

lastre sm - **1.** [peso] ballast - **2.** fig [estorbo] burden.

lata sf - **1.** [envase] can, tin; [de bebidas] can; **en lata** tinned, canned - **2.** fam [fastidio] pain; **¡qué lata!** what a pain!; **dar la lata a alguien** to pester sb.

latente adj latent.

lateral ⋄ adj [del lado - gen] lateral; [- puerta, pared] side. ⋄ sm [lado] side.

latido sm [del corazón] beat; [en dedo etc] throb, throbbing (U).

latifundio sm large rural estate.

latigazo sm - **1.** [golpe] lash - **2.** [chasquido] crack (of the whip).

látigo sm whip.

latín sm Latin; **latín de cocina** O **macarrónico** dog Latin; **saber (mucho) latín** fig to be sharp, to be on the ball.

latinajo sm fam despec Latin word used in an attempt to sound academic.

latino, na adj & sm, f Latin.

latinoamericano, na adj & sm, f Latin American.

latir vi [suj: corazón] to beat.

latitud sf GEOGR latitude. ⬦ **latitudes** sfpl [parajes] region sing, area sing.

latón sm brass.

latoso, sa fam adj tiresome.

laúd sm lute.

laureado, da adj prize-winning.

laurel sm BOT laurel; CULIN bay leaf. ⬦ **laureles** smpl [honores] laurels; **dormirse en los laureles** fig to rest on one's laurels.

lava sf lava.

lavabo sm - **1.** [objeto] washbasin - **2.** [habitación] lavatory UK, washroom US; **ir al lavabo** to go to the toilet.

lavadero sm [en casa] laundry room; [público] washing place.

lavado sm wash, washing (U); **lavado a mano** hand-wash; **lavado de cerebro** brainwashing; **lavado de dinero** money-laundering; **lavado en seco** dry cleaning.

lavadora sf washing machine; **lavadora secadora** washer-drier.

lavamanos sm inv washbasin.

lavanda sf lavender.

lavandería sf laundry; [automática] launderette.

lavaplatos sm inv - **1.** [aparato] dishwasher - **2.** Chile, Col, Méx & Ven [fregadero] kitchen sink.

lavar vt [limpiar] to wash; **lavar a mano** to wash by hand; **lavar en seco** to dry-clean; **lavar y marcar** shampoo and set. ⬦ **lavarse** vprnl [gen] to wash o.s.; [cara, manos, pelo] to wash; [dientes] to clean.

lavarropas sm inv R Plata washing machine.

lavativa sf enema.

lavavajillas sm inv dishwasher.

laxante sm laxative.

laxar vt [vientre] to loosen.

lazada sf bow.

lazarillo sm - **1.** [persona] blind person's guide - **2.** ▷ **perro.**

lazo sm - **1.** [atadura] bow; **hacer un lazo** to tie a bow - **2.** [trampa] snare; [de vaquero] lasso - **3.** (gen pl) fig [vínculo] tie, bond.

Lda. abrev de **licenciado.**

Ldo. abrev de **licenciado.**

le pron pers - **1.** (complemento indirecto) [hombre] (to) him; [mujer] (to) her; [cosa] to it; [usted] to you; **le expliqué el motivo** I explained the reason to him/her; **le tengo miedo** I'm afraid of him/her; **ya le dije lo que pasaría** [a usted] I told you what would happen - **2.** (complemento directo) him; [usted] you.

leal adj: **leal (a)** loyal (to).

lealtad sf: **lealtad (a)** loyalty (to).

leasing ['lisin] (pl leasings) sm system of leasing whereby the lessee has the option of purchasing the property after a certain time.

lección sf lesson; **aprenderse la lección** to learn one's lesson.

lechal sm sucking lamb.

611

leche sf - 1. [gen] milk; **leche esterilizada/homogeneizada** sterilized/homogenized milk; **leche merengada** drink made from milk, egg whites, sugar and cinnamon - 2. mfam [bofetada]: **pegar una leche a alguien** to belt O clobber sb - 3. mfam [mal humor] bloody awful mood; **estar de mala leche** to be in a bloody awful mood; **tener mala leche** to be a miserable git.

lechera ▷ **lechero**.

lechería sf dairy.

lechero, ra ◇ adj milk (antes de s), dairy. ◇ sm, f [persona] milkman (f milkwoman). ◆ **lechera** sf [para transportar] milk churn; [para beber] milk jug.

lecho sm [gen] bed; **lecho de muerte** deathbed.

lechón sm sucking pig.

lechuga sf lettuce; **lechuga iceberg/romana** iceberg/cos lettuce; **ser más fresco que una lechuga** to be a cheeky devil.

lechuza sf (barn) owl.

lectivo, va adj school (antes de s).

lector, ra sm, f - 1. [gen] reader - 2. EDUC language assistant. ◆ **lector** sm [de microfilms etc] reader, scanner; **lector óptico** optical scanner.

lectura sf - 1. [gen] reading; **dar lectura a algo** to read sthg out loud - 2. [de tesis] viva voce - 3. [escrito] reading (matter) (U) - 4. [de datos] scanning; **lectura óptica** optical scanning.

leer ◇ vt [gen & INFORM] to read. ◇ vi to read; **leer de corrido** to read fluently.

legado sm - 1. [herencia] legacy - 2. [representante - persona] legate.

legajo sm file.

legal adj - 1. [gen] legal; [hora] standard - 2. fam [persona] honest, decent.

legalidad sf legality.

legalizar vt [gen] to legalize.

legañoso, sa adj full of sleep.

legar vt - 1. [gen] to bequeath - 2. [delegar] to delegate.

legendario, ria adj legendary.

legible adj legible.

legión sf lit & fig legion.

legionario, ria adj legionary. ◆ **legionario** sm HIST legionary; MIL legionnaire.

legislación sf [leyes] legislation.

legislar vi to legislate.

legislatura sf [periodo] period of office.

legitimar vt - 1. [legalizar] to legitimize - 2. [certificar] to authenticate.

legítimo, ma adj [gen] legitimate; [auténtico] real, genuine; [oro] pure.

lego, ga ◇ adj - 1. [gen] lay - 2. [ignorante] ignorant. ◇ sm, f [gen] layman (f laywoman).

legua sf league; **legua marina** marine league.

legumbre (gen pl) sf pulse, pod vegetable.

lehendakari = lendakari.

leído, da adj [persona] well-read. ◆ **leída** sf reading.

lejanía sf distance.

lejano, na adj distant; **no está lejano** it's not far (away).

lejía sf bleach.

lejos adv - 1. [en el espacio] far (away); ¿está **lejos?** is it far?; **a lo lejos** in the distance; **de** O **desde lejos** from a distance - 2. [en el pasado] long ago; [en el futuro] far in the future; **eso queda ya lejos** that happened a long time ago - 3. loc: **ir demasiado lejos** to go too far; **llegar lejos** to go far; **sin ir más lejos** indeed. ◆ **lejos de** ◇ loc conj far from; **lejos de mejorar...** far from getting better... ◇ loc prep far (away) from.

lelo, la ◇ adj stupid; **quedarse lelo** to be stunned. ◇ sm, f idiot.

lema sm - 1. [norma] motto; [político, publicitario] slogan - 2. LING & MAT lemma.

lencería sf - 1. [ropa] linen - 2. [tienda] draper's.

lendakari, lehendakari [lenda'kari] sm president of the autonomous Basque government.

lengua sf - 1. [gen] tongue; **sacarle la lengua a alguien** to stick one's tongue out at sb; **con la lengua fuera** out of breath; **lengua de gato** CULIN ≃ chocolate finger (biscuit); **lengua de fuego/tierra** tongue of flame/land; **lengua de víbora** O **viperina** malicious tongue; **darle a la lengua** fam to chatter; **irse de la lengua** to let the cat out of the bag; **las malas lenguas dicen que...** according to the gossip...; **morderse la lengua** to bite one's tongue; **¿te ha comido la lengua el gato?** has the cat got your tongue?, have you lost your tongue?; **tirar a alguien de la lengua** to draw sb out - 2. [idioma, lenguaje] language; **lengua materna** mother tongue; **lengua oficial** official language.

lenguado sm sole.

lenguaje sm [gen & INFORM] language; **lenguaje coloquial/comercial** colloquial/business language; **lenguaje cifrado** code; **lenguaje corporal** body language; **lenguaje gestual** gestures pl; **lenguaje máquina** machine language; **lenguaje de alto nivel/de bajo nivel** high-level/low-level language; **lenguaje de programación** programming language; **lenguaje de los sordomudos** sign language.

lengüeta sf [gen & MÚS] tongue.

lengüetada sf = **lengüetazo**.

lengüetazo *sm* lick.

lente *sf* lens; **lente de aumento** magnifying glass; **lentes de contacto** contact lenses. ◆ **lentes** *smpl* [gafas] glasses.

lenteja *sf* lentil; **ganarse las lentejas** to earn one's daily bread.

lentejuela *sf* sequin.

lentilla *(gen pl) sf* contact lens.

lentitud *sf* slowness; **con lentitud** slowly.

lento, ta *adj* slow; [veneno] slow-working; [agonía, enfermedad] lingering.

leña *sf* [madera] firewood; **echar leña al fuego** to add fuel to the flames O fire; **llevar leña al monte** to carry coals to Newcastle.

leñador, ra *sm, f* woodcutter.

leño *sm* [de madera] log; **dormir como un leño** to sleep like a log.

Leo ◇ *sm* [zodiaco] Leo. ◇ *smf* [persona] Leo.

león, ona *sm, f* lion (*f* lioness); *fig* fierce person; **no es tan fiero el león como lo pintan** *prov* he/it *etc* is not as bad as he/it *etc* is made out to be. ◆ **león marino** *sm* sea lion.

leonera *sf* fam *fig* [cuarto sucio] pigsty.

leonino, na *adj* [contrato, condiciones] one-sided.

leopardo *sm* leopard.

leotardo *sm* - 1. *(gen pl)* [medias] stockings *pl*, thick tights *pl* - 2. [de gimnasta etc] leotard.

lépero, ra *adj Amér C & Méx fam* [vulgar] coarse, vulgar; *Cuba fam* [astuto] smart, crafty.

leproso, sa *sm, f* leper.

lerdo, da *adj* [idiota] dim, slow-witted; [torpe] useless.

les *pron pers pl* - 1. *(complemento indirecto)* (to) them; [ustedes] (to) you; **les expliqué el motivo** I explained the reason to them; **les tengo miedo** I'm afraid of them; **ya les dije lo que pasaría** [a ustedes] I told you what would happen - 2. *(complemento directo)* them; [ustedes] you.

lesbiano, na *adj* lesbian. ◆ **lesbiana** *sf* lesbian.

leseras *sfpl Chile fam* nonsense, rubbish *UK*.

lesión *sf* - 1. [herida] injury; **lesión cerebral** brain damage - 2. DER: **lesión grave** grievous bodily harm.

lesionado, da ◇ *adj* injured. ◇ *sm, f* injured person.

lesionar *vt* to injure; *fig* to damage, to harm. ◆ **lesionarse** *vprnl* to injure o.s.

letal *adj* lethal.

letanía *(gen pl) sf lit & fig* litany.

letargo *sm* ZOOL hibernation.

Letonia *n pr* Latvia.

letra *sf* - 1. [signo] letter - 2. [caligrafía] handwriting - 3. [estilo] script; IMPR typeface; **letra bastardilla** O **cursiva** O **itálica** italic type, italics *pl*; **letra de imprenta** O **molde** IMPR print; [en formularios etc] block capitals *pl*; **letra mayúscula/minúscula** capital/small letter; **letra negrita** O **negrilla** bold (face); **letra versalita** small capital; **la letra con sangre entra** *prov* spare the rod and spoil the child; **leer la letra pequeña** to read the small print; **mandar cuatro letras a alguien** to drop sb a line - 4. [de canción] lyrics *pl* - 5. COM: **letra (de cambio)** bill of exchange. ◆ **letras** *sfpl* EDUC arts.

letrado, da ◇ *adj* learned. ◇ *sm, f* lawyer.

letrero *sm* sign; **letrero luminoso** neon sign.

letrina *sf* latrine.

leucemia *sf* leukaemia.

leva *sf* MIL levy.

levadura *sf* yeast; **levadura de cerveza** brewer's yeast; **levadura en polvo** baking powder.

levantamiento *sm* - 1. [sublevación] uprising - 2. [elevación] raising; **levantamiento de pesas** DEP weightlifting - 3. [supresión] lifting, removal.

levantar *vt* - 1. [gen] to raise; [peso, capó, trampilla] to lift; **levantar el ánimo** to cheer up; **levantar la vista** O **mirada** to look up - 2. [separar - pintura, venda, tapa] to remove - 3. [recoger - campamento] to strike; [- tienda de campaña, puesto] to take down; [- mesa] to clear - 4. [encender - protestas, polémica] to stir up; **levantar a alguien contra** to stir sb up against - 5. [suspender - embargo, prohibición] to lift; [- pena, castigo] to suspend; [- sesión] to adjourn - 6. [redactar - acta, atestado] to draw up. ◆ **levantarse** *vprnl* - 1. [ponerse de pie] to stand up - 2. [de la cama] to get up; **levantar tarde** to sleep in - 3. [elevarse - avión etc] to take off; [- niebla] to lift - 4. [sublevarse] to rise up - 5. [empezar - viento, oleaje] to get up; [- tormenta] to gather.

levante *sm* - 1. [este] east; [región] east coast - 2. [viento] east wind.

levar *vt* to weigh.

leve *adj* - 1. [gen] light; [olor, sabor, temblor] slight - 2. [pecado, falta, herida] minor - 3. [enfermedad] mild, slight.

levedad *sf* lightness; [de temblor etc] slightness; [de pecado, falto, herida] minor nature; [de enfermedad] mildness.

levita *sf* frock coat.

levitar *vi* to levitate.

léxico, ca *adj* lexical. ◆ **léxico** *sm* [vocabulario] vocabulary.

lexicografía *sf* lexicography.

lexicón *sm* lexicon.

ley sf - **1.** [gen] law; [parlamentaria] act; **aprobar una ley** to pass a law; **ley de incompatibilidades** act regulating which other positions may be held by people holding public office; **ley marcial** martial law; **con todas las de la ley** in due form, properly - **2.** [regla] rule; **ley del embudo** one law for o.s. and another for everyone else; **ley de la ventaja** DEP advantage (law); **ley de la oferta y de la demanda** law of supply and demand - **3.** [de un metal]: **de ley** [oro] pure; [plata] sterling. ◆ **leyes** sfpl [derecho] law sing.

leyenda sf [narración] legend.

liar vt - **1.** [atar] to tie up - **2.** [envolver - cigarrillo] to roll; **liar algo en** [- papel] to wrap sthg up in; [- toalla etc] to roll sthg up in - **3.** [involucrar]: **liar a alguien (en)** to get sb mixed up (in) - **4.** [complicar - asunto etc] to confuse; **¡ya me has liado!** now you've really got me confused! ◆ **liarse** vprnl - **1.** [enredarse] to get muddled up - **2.** [empezar] to begin, to start.

Líbano sm: **el Líbano** the Lebanon.

libélula sf dragonfly.

liberación sf [gen] liberation; [de preso] release.

liberado, da adj [gen] liberated; [preso] freed.

liberal adj & smf liberal.

liberar vt [gen] to liberate; [preso] to free; **liberar de algo a alguien** to free sb from sthg. ◆ **liberarse** vprnl to liberate o.s.; **liberarse de algo** to free O liberate o.s. from sthg.

Liberia n pr Liberia.

libertad sf freedom, liberty; **tener libertad para hacer algo** to be free to do sthg; **tomarse la libertad de hacer algo** to take the liberty of doing sthg; **libertad de circulación de capitales/trabajadores** ECON free movement of capital/workers; **libertad de conciencia** freedom of conscience; **libertad condicional** probation; **libertad de expresión** freedom of speech.

libertar vt [gen] to liberate; [preso] to set free.

libertino, na ◇ adj licentious. ◇ sm, f libertine.

Libia n pr Libya.

libido sf libido.

libra sf [peso, moneda] pound; **libra esterlina** pound sterling. ◆ **Libra** ◇ sm [zodiaco] Libra. ◇ smf [persona] Libran.

librador, ra sm, f drawer.

libramiento sm order of payment.

libranza sf = **libramiento**.

librar ◇ vt - **1.** [eximir]: **librar a alguien (de algo/de hacer algo)** [gen] to free sb (from sthg/from doing sthg); [pagos, impuestos] to exempt sb (from sthg/from doing sthg) - **2.** [entablar - pelea, lucha] to engage in; [- batalla, combate] to join, to wage - **3.** COM to draw. ◇ vi [no tra-

bajar] to be off work. ◆ **librarse** vprnl - **1.** [salvarse]: **librarse de algo** to escape (from doing sthg); **de buena te libraste** you had a narrow escape - **2.** [deshacerse]: **librarse de algo/alguien** to get rid of sthg/sb.

libre adj - **1.** [gen] free; [rato, tiempo] spare; [camino, vía] clear; [espacio, piso, lavabo] empty, vacant; **200 metros libres** 200 metres freestyle; **libre de** [gen] free from; [exento] exempt from; **libre de franqueo** post-free; **libre de impuestos** tax-free; **ser libre de O para hacer algo** to be free to do sthg; **ir por libre** to go it alone - **2.** [alumno] external; **estudiar por libre** to be an external student.

librecambio sm free trade.

librería sf - **1.** [tienda] bookshop; **librería de ocasión** second-hand bookshop - **2.** [mueble] bookcase.

librero, ra ◇ sm, f [persona] bookseller. ◇ sm Amér C, Col & Méx [mueble] bookcase.

libreta sf - **1.** [para escribir] notebook; **libreta de direcciones** address book - **2.** [del banco]: **libreta (de ahorros)** savings book.

libretista smf Amér [guionista] screenwriter, scriptwriter.

libreto sm - **1.** MÚS libretto - **2.** Amér [guión] script.

libro sm [gen & COM] book; **llevar los libros** to keep the books; **libro de bolsillo** paperback; **libro de cuentas** O **contabilidad** accounts book; **libro de ejercicios** workbook; **libro de escolaridad** school report; **libro de familia** document containing personal details of the members of a family; **libro de reclamaciones** complaints book; **libro de registro (de entradas)** register; **libro de texto** textbook; **libro de visitas** visitor's book; **colgar los libros** to give up one's studies; **ser como un libro abierto** to be an open book.

Lic. abrev de **licenciado**.

licencia sf - **1.** [documento] licence, permit; [autorización] permission; **licencia de exportación/importación** export/import licence; **licencia de obras** planning permission; **licencia poética** poetic licence - **2.** MIL discharge - **3.** [confianza] licence, freedom.

licenciado, da sm, f - **1.** EDUC graduate; **licenciado en económicas** economics graduate - **2.** MIL discharged soldier.

licenciar vt MIL to discharge. ◆ **licenciarse** vprnl - **1.** EDUC: **licenciarse (en)** to graduate (in) - **2.** MIL to be discharged.

licenciatura sf degree.

licencioso, sa adj licentious.

liceo sm - **1.** EDUC lycée - **2.** C Sur & Ven [instituto] secondary school UK, high school US.

lícito, ta adj - **1.** [legal] lawful - **2.** [correcto] right - **3.** [justo] fair.

licor sm liquor.

licuado sm Amér [batido] milk shake.

licuadora sf liquidizer, blender.

licuar vt CULIN to liquidize.

líder ◇ adj leading. ◇ smf leader.

liderato, liderazgo sm - **1.** [primer puesto] lead; [en liga] first place - **2.** [dirección] leadership.

lidia sf - **1.** [arte] bullfighting - **2.** [corrida] bullfight.

lidiar ◇ vi [luchar]: **lidiar (con)** to struggle (with). ◇ vt TAUROM to fight.

liebre sf ZOOL hare.

lienzo sm - **1.** [para pintar] canvas - **2.** [cuadro] painting.

lifting ['liftin] (pl **liftings**) sm facelift.

liga sf - **1.** [gen] league - **2.** [de medias] suspender.

ligadura sf - **1.** MED & MÚS ligature - **2.** [atadura] bond, tie.

ligamento sm ANAT ligament.

ligar ◇ vt [gen & CULIN] to bind; [atar] to tie (up). ◇ vi - **1.** [coincidir]: **ligar (con)** to tally (with) - **2.** fam [conquistar]: **ligar (con)** to get off (with).

ligazón sf link, connection.

ligereza sf - **1.** [levedad] lightness - **2.** [agilidad] agility - **3.** [irreflexión - cualidad] rashness; [- acto] rash act; **con ligereza** in a superficial manner.

ligero, ra adj - **1.** [gen] light; [dolor, rumor, descenso] slight; [traje, tela] thin - **2.** [ágil] agile, nimble - **3.** [rápido] quick, swift - **4.** [irreflexivo] flippant; **hacer algo a la ligera** to do sthg without much thought; **juzgar a alguien a la ligera** to be quick to judge sb; **tomarse algo a la ligera** not to take sthg seriously.

light [lait] adj inv [comida] low-calorie; [refresco] diet (antes de s); [cigarrillos] light.

ligón, ona fam adj: **es muy ligón** he's always getting off with sb or other.

liguero, ra adj DEP league (antes de s). ◆ **liguero** sm suspender belt UK, garter belt US.

lija sf [papel] sandpaper.

lila ◇ sf [flor] lilac. ◇ adj inv & sm [color] lilac.

lima sf - **1.** [utensilio] file; **lima de uñas** nail file - **2.** BOT lime.

Lima n pr Lima.

limar vt - **1.** [pulir] to file down - **2.** [perfeccionar] to polish.

limitación sf - **1.** [restricción] limitation, limit - **2.** [distrito] boundaries pl.

limitado, da adj - **1.** [gen] limited - **2.** [poco inteligente] dim-witted.

limitar ◇ vt - **1.** [gen] to limit - **2.** [terreno] to mark out - **3.** [atribuciones, derechos etc] to set out, to define. ◇ vi: **limitar (con)** to border (on). ◆ **limitarse a** vprnl to limit o.s. to.

límite ◇ adj inv - **1.** [precio, velocidad, edad] maximum - **2.** [situación] extreme; [caso] borderline - **3.** [tope] limit; **dentro de un límite** within limits; **su pasión no tiene límite** her passion knows no bounds; **límite de velocidad** speed limit - **2.** [confín] boundary.

limítrofe adj [país, territorio] bordering; [terreno, finca] neighbouring.

limón sm lemon.

limonada sf lemonade.

limonero, ra adj lemon (antes de s). ◆ **limonero** sm lemon tree.

limosna sf alms pl; **pedir limosna** to beg.

limpia sf Amér cleaning.

limpiabotas smf inv shoeshine, bootblack UK.

limpiacristales sm inv window-cleaning fluid.

limpiamente adv - **1.** [con destreza] cleanly - **2.** [honradamente] honestly.

limpiaparabrisas sm inv windscreen wiper UK, windshield wiper US.

limpiar vt - **1.** [gen] to clean; [con trapo] to wipe; [mancha] to wipe away; [zapatos] to polish - **2.** fig [desembarazar]: **limpiar algo de algo** to clear sthg of sthg.

limpieza sf - **1.** [cualidad] cleanliness - **2.** [acción] cleaning; **limpieza en seco** dry cleaning - **3.** [destreza] skill, cleanness - **4.** [honradez] honesty.

limpio, pia adj - **1.** [gen] clean; [pulcro] neat; [cielo, imagen] clear - **2.** [neto - sueldo etc] net - **3.** [honrado] honest; [intenciones] honourable; [juego] clean - **4.** [sin culpa]: **estar limpio** to be in the clear. ◆ **limpio** adv cleanly, fair; **pasar a O poner en limpio** to make a fair copy of; **sacar algo en limpio de** to make sthg out from.

linaje sm lineage.

linaza sf linseed.

lince sm lynx; **ser un lince para algo** to be very sharp at sthg.

linchar vt to lynch.

lindar ◆ **lindar con** vi - **1.** [terreno] to adjoin, to be next to - **2.** [conceptos, ideas] to border on.

linde sm o sf boundary.

lindero, ra adj [terreno] adjoining. ◆ **lindero** sm boundary.

lindo, da adj pretty, lovely; **de lo lindo** a great deal.

línea sf - **1.** [gen, DEP & TELECOM] line; **cortar la línea (telefónica)** to cut off the phone; **línea aérea** airline; **línea de conducta** course of ac-

tion; **línea continua** AUTO solid white line; **línea de mira** O **tiro** line of fire; **línea de puntos** dotted line - **2.** [de un coche etc] lines *pl*, shape - **3.** [silueta] figure; **guardar la línea** to watch one's figure - **4.** [estilo] style; **de línea clásica** classical - **5.** [categoría] class, category; **de primera línea** first-rate - **6.** INFORM: **en línea** online; **fuera de línea** off-line - **7.** *loc:* **en líneas generales** in broad terms; **en toda la línea** [completamente] all along the line; **leer entre líneas** to read between the lines.

lineamientos *smpl Amér* [generalidades] outline; [directrices] guidelines.

lingote *sm* ingot.

lingüista *smf* linguist.

lingüístico, ca *adj* linguistic. ◆ **lingüística** *sf* linguistics.

linier [li'njer] (*pl* **liniers**) *sm* linesman.

linimento *sm* liniment.

lino *sm* - **1.** [planta] flax - **2.** [tejido] linen.

linterna *sf* - **1.** [farol] lantern, lamp - **2.** [de pilas] torch *UK*, flashlight *US*.

lío *sm* - **1.** [paquete] bundle - **2.** *fam* [enredo] mess; **hacerse un lío** to get muddled up; **meterse en líos** to get into trouble - **3.** *fam* [jaleo] racket, row - **4.** *fam* [amorío] affair.

liposucción *sf* liposuction.

liquen *sm* lichen.

liquidación *sf* - **1.** [pago] settlement, payment - **2.** [rebaja] clearance sale - **3.** [fin] liquidation.

liquidar *vt* - **1.** [pagar - deuda] to pay; [- cuenta] to settle - **2.** [rebajar] to sell off - **3.** [malgastar] to throw away - **4.** [acabar - asunto] to settle; [- negocio, sociedad] to wind up.

líquido, da *adj* - **1.** [gen] liquid - **2.** ECON [neto] net. ◆ **líquido** *sm* - **1.** [gen] liquid - **2.** ECON liquid assets *pl* - **3.** MED fluid.

lira *sf* - **1.** MÚS lyre - **2.** [moneda] lira.

lírico, ca *adj* LITER lyrical. ◆ **lírica** *sf* lyric poetry.

lirio *sm* iris.

lirón *sm* ZOOL dormouse; **dormir como un lirón** to sleep like a log.

lisiado, da ◇ *adj* crippled. ◇ *sm, f* cripple.

lisiar *vt* to maim, to cripple.

liso, sa ◇ *adj* - **1.** [llano] flat; [sin asperezas] smooth; [pelo] straight; **los 400 metros lisos** the 400 metres; **lisa y llanamente** quite simply; **hablando lisa y llanamente** to put it plainly - **2.** [no estampado] plain. ◇ *sm, f Andes, Amér C & Ven* [insolente] cheeky person.

lisonja *sf* flattering remark.

lisonjear *vt* to flatter.

lista *sf* - **1.** [enumeración] list; **pasar lista** to call the register - **2.** [de tela, madera] strip; [de papel] slip; [de color] stripe. ◆ **lista de correos** *sf* poste restante.

listado, da *adj* striped.

listín ◆ **listín (de teléfonos)** *sm* (telephone) directory.

listo, ta *adj* - **1.** [inteligente, hábil] clever, smart; **dárselas de listo** to make o.s. out to be clever; **pasarse de listo** to be too clever by half; **ser más listo que el hambre** to be nobody's fool - **2.** [preparado] ready; **¿estáis listos?** are you ready?

listón *sm* lath; DEP bar; **poner el listón muy alto** *fig* to set very high standards.

litera *sf* - **1.** [cama] bunk (bed); [de barco] berth; [de tren] couchette - **2.** [vehículo] litter.

literal *adj* literal.

literario, ria *adj* literary.

literato, ta *sm, f* writer.

literatura *sf* literature.

litigar *vi* to go to law.

litigio *sm* DER litigation (U); *fig* dispute; **en litigio** in dispute.

litografía *sf* - **1.** [arte] lithography - **2.** [grabado] lithograph.

litoral ◇ *adj* coastal. ◇ *sm* coast.

litro *sm* litre.

Lituania *n pr* Lithuania.

liturgia *sf* liturgy.

liviano, na *adj* - **1.** [ligero - blusa] thin; [- carga] light - **2.** [sin importancia] slight.

lívido, da *adj* - **1.** [pálido] very pale - **2.** [amoratado] livid.

living ['liβin] *sm C Sur* living room.

ll, Ll *sf* [letra] ll, Ll.

llaga *sf lit & fig* wound.

llagar *vt* to wound.

llama *sf* - **1.** [de fuego, pasión] flame; **en llamas** ablaze - **2.** ZOOL llama.

llamada *sf* - **1.** [gen] call; [a la puerta] knock; [con timbre] ring - **2.** TELECOM telephone call; **devolver una llamada** to phone back; **hacer una llamada** to make a phone call.

llamado, da *adj* so-called. ◆ **llamado** *sm Amér* [de teléfono] call.

llamamiento *sm* [apelación] appeal, call.

llamar ◇ *vt* - **1.** [gen] to call; [con gestos] to beckon - **2.** [por teléfono] to phone, to call - **3.** [convocar] to summon, to call; **llamar (a filas)** MIL to call up - **4.** [atraer] to attract, to call. ◇ *vi* - **1.** [a la puerta etc - con golpes] to knock; [- con timbre] to ring; **están llamando** there's somebody at the door - **2.** [por teléfono]

to phone. ■ **llamarse** *vprnl* [tener por nombre] to be called; **¿cómo te llamas?** what's your name?; **me llamo Pepe** my name's Pepe.

llamarada *sf* [de fuego, ira etc] blaze.

llamativo, va *adj* [color] bright, gaudy; [ropa] showy.

llamear *vi* to burn, to blaze.

llano, na *adj* - **1.** [campo, superficie] flat - **2.** [trato, persona] natural, straightforward - **3.** [pueblo, clase] ordinary - **4.** [lenguaje, expresión] simple, plain. ■ **llano** *sm* [llanura] plain.

llanta *sf* - **1.** rim - **2.** *Amér* [cubierta] tyre *UK*, tire *US*.

llanto *sm* tears *pl*, crying.

llanura *sf* plain.

llave *sf* - **1.** [gen] key; **bajo llave** under lock and key; **cerrar con llave** to lock; **echar la llave** to lock up; **llave en mano** [vivienda] ready for immediate occupation; **llave de contacto** ignition key; **llave maestra** master key - **2.** [del agua, gas] tap *UK*, faucet *US*; [de la electricidad] switch; **cerrar la llave de paso** to turn the water/gas off at the mains - **3.** [herramienta] spanner; **llave inglesa** monkey wrench - **4.** [de judo etc] hold, lock - **5.** [signo ortográfico] curly bracket.

llavero *sm* keyring.

llavín *sm* latchkey.

llegada *sf* - **1.** [gen] arrival - **2.** DEP finish.

llegar *vi* - **1.** [a un sitio]: **llegar (de)** to arrive (from); **llegar a un hotel/una ciudad** to arrive at a hotel/in a city; **llegaré pronto** I'll be there early - **2.** [un tiempo, la noche etc] to come - **3.** [durar]: **llegar a O hasta** to last until - **4.** [alcanzar]: **llegar a** to reach; **no llego al techo** I can't reach the ceiling; **llegar hasta** to reach up to - **5.** [ser suficiente]: **llegar (para)** to be enough (for) - **6.** [lograr]: **llegar a (ser) algo** to get to be sthg, to become sthg; **si llego a saberlo** if I get to know of it. ■ **llegarse a** *vprnl* to go round to.

llenar *vt* - **1.** [ocupar]: **llenar algo (de)** [vaso, hoyo, habitación] to fill sthg (with); [pared, suelo] to cover sthg (with) - **2.** [satisfacer] to satisfy - **3.** [rellenar - impreso] to fill in *O* out - **4.** [colmar]: **llenar a alguien de** to fill sb with. ■ **llenarse** *vprnl* - **1.** [ocuparse] to fill up - **2.** [saciarse] to be full - **3.** [cubrirse]: **llenarse de** to become covered in.

lleno, na *adj* - **1.** [gen] full; [cubierto] covered; **lleno de** [gen] full of; [manchas, pósters] covered in; **lleno hasta los topes** full to bursting, packed out - **2.** *fam* [regordete] chubby. ■ **de lleno** *loc adv* full in the face; **acertó de lleno** he was bang on target.

llevadero, ra *adj* bearable.

llevar ⟨⟩ *vt* - **1.** [gen] to carry - **2.** [acompañar, coger y depositar] to take; **llevar algo/a alguien a** to take sthg/sb to; **me llevó en coche** he drove me there - **3.** [prenda, objeto personal] to wear; **llevo gafas** I wear glasses; **no llevo dinero** I haven't got any money on me - **4.** [caballo, coche etc] to handle - **5.** [conducir]: **llevar a alguien a algo** to lead sb to sthg; **llevar a alguien a hacer algo** to lead *O* cause sb to do sthg - **6.** [ocuparse de, encargarse de]: **estar al frente de** to be in charge of; [casa, negocio] to run; **lleva la contabilidad** she keeps the books - **7.** [hacer - de alguna manera]: **lleva muy bien sus estudios** he's doing very well in his studies - **8.** [tener - de alguna manera] to have; **llevar el pelo largo** to have long hair; **llevas las manos sucias** your hands are dirty - **9.** [soportar] to deal *O* cope with - **10.** [mantener] to keep; **llevar el paso** to keep in step - **11.** [pasarse - tiempo]: **lleva tres semanas sin venir** she hasn't come for three weeks now, it's three weeks since she came last - **12.** [ocupar - tiempo] to take; **me llevó un día hacer este guiso** it took me a day to make this dish - **13.** [sobrepasar en]: **te llevo seis puntos** I'm six points ahead of you; **me lleva dos centímetros** he's two centimetres taller than me - **14.** *loc*: **llevar consigo** [implicar] to lead to, to bring about; **llevar las de perder** to be heading for defeat. ⟨⟩ *vi* - **1.** [conducir]: **llevar a** to lead to; **esta carretera lleva al norte** this road leads north - **2.** *(antes de pp)* [haber]: **llevo leída media novela** I'm halfway through the novel; **llevo dicho esto mismo docenas de veces** I've said the same thing time and again - **3.** *(antes de gerundio)* [estar]: **llevar mucho tiempo haciendo algo** to have been doing sthg for a long time. ■ **llevarse** *vprnl* - **1.** [coger] to take, to steal - **2.** [conseguir] to get; **se ha llevado el premio** she has carried off the prize; **yo me llevo siempre las culpas** I always get the blame - **3.** [recibir - susto, sorpresa etc] to get, to receive; **me llevé un disgusto** I was upset - **4.** [entenderse]: **llevarse bien/mal (con alguien)** to get on well/badly (with sb) - **5.** [estar de moda] to be in (fashion); **este año se lleva el verde** green is in this year - **6.** MAT.: **me llevo una** carry (the) one.

llorar *vi* [con lágrimas] to cry.

lloriquear *vi* to whine, to snivel.

lloro *sm* crying (*U*), tears *pl*.

llorón, ona *sm, f* crybaby.

lloroso, sa *adj* tearful.

llover *v impers* to rain; **está lloviendo** it's raining.

llovizna *sf* drizzle.

lloviznar *v impers* to drizzle.

lluvia *sf* METEOR rain; **bajo la lluvia** in the rain; **lluvia ácida** acid rain; **lluvia radiactiva** (nuclear) fallout; **lluvia torrencial** torrential rain.

lluvioso, sa *adj* rainy.

lo, la (*mpl* los, *fpl* las) *pron pers (complemento directo)* [cosa] it (*pl* them); [persona] him (*f* her, *pl* them); [usted] you. **lo** ◇ *pron pers (neutro, predicado)* it; **su hermana es muy guapa pero él no lo es** his sister is very good-looking, but he isn't; **es muy bueno aunque no lo parezca** it's very good, even if it doesn't look it. ◇ *art det (neutro):* **lo antiguo me gusta más que lo moderno** I like old things better than modern things; **lo mejor/peor** the best/worst part; **no te imaginas lo grande que era** you can't imagine how big it was. **lo de** *loc prep:* **¿y lo de la fiesta?** what about the party, then?; **siento lo de ayer** I'm sorry about yesterday. **lo que** *loc conj* what; **acepté lo que me ofrecieron** I accepted what they offered me.

loa *sf* - 1. [gen] praise - 2. LITER eulogy.

loable *adj* praiseworthy.

loar *vt* to praise.

lobato, lobezno *sm* wolf cub.

lobby ['loβi] (*pl* lobbies) *sm* lobby, pressure group.

lobezno = lobato.

lobo, ba *sm, f* wolf. **lobo de mar** *sm* [marinero] sea dog.

lóbrego, ga *adj* gloomy, murky.

lóbulo *sm* lobe.

local ◇ *adj* local. ◇ *sm* - 1. [edificio] premises *pl* - 2. [sede] headquarters *pl*.

localidad *sf* - 1. [población] place, town - 2. [asiento] seat - 3. [entrada] ticket; **'no hay localidades'** 'sold out'.

localizar *vt* - 1. [encontrar] to locate - 2. [circunscribir] to localize.

loción *sf* lotion.

loco, ca ◇ *adj* - 1. [gen] mad; **volverse loco por** to be mad about; **loco de atar** *O* **remate** stark raving mad - 2. [extraordinario - interés, ilusión] tremendous; [- amor, alegría] wild. ◇ *sm, f* - 1. *lit & fig* madman (*f* madwoman), lunatic; **conduce como un loco** he drives like a madman - 2. *Chile* [molusco] false abalone.

locomoción *sf* transport; [de tren] locomotion.

locomotor, ra *O* **triz** *adj* locomotive. **locomotora** *sf* engine, locomotive.

locuaz *adj* loquacious, talkative.

locución *sf* phrase.

locura *sf* - 1. [demencia] madness - 2. [imprudencia] folly; **hacer locuras** to do crazy things; **ser una locura** to be madness.

locutor, ra *sm, f* [de radio] announcer; [de televisión] presenter.

locutorio *sm* - 1. TELECOM phone box *O* booth - 2. RADIO & TV studio.

lodo *sm lit & fig* mud.

logaritmo *sm* logarithm.

lógico, ca *adj* logical; **es lógico que se enfade** it stands to reason that he should get angry. **lógica** *sf* [ciencia] logic.

logístico, ca *adj* logistic. **logística** *sf* logistics *pl*.

logopeda *smf* speech therapist.

logotipo *sm* logo.

logrado, da *adj* [bien hecho] accomplished.

lograr *vt* [gen] to achieve; [puesto, beca, divorcio] to get, to obtain; [resultado] to obtain, to achieve; [perfección] to attain; [victoria, premio] to win; [deseo, aspiración] to fulfil; **lograr hacer algo** to manage to do sthg; **lograr que alguien haga algo** to manage to get sb to do sthg.

logro *sm* achievement.

LOGSE (*abrev de* Ley de Ordenación General del Sistema Educativo) *sf* Spanish Education Act.

loma *sf* hillock.

lombarda *sf* red cabbage.

lombriz *sf* earthworm, worm.

lomo *sm* - 1. [espalda] back - 2. [carne] loin - 3. [de libro] spine.

lona *sf* canvas.

loncha *sf* slice; [de beicon] rasher.

lonche *sm Perú & Ven* - 1. [merienda] *snack eaten during break time* - 2. *Méx* [torta] filled roll.

londinense ◇ *adj* London (*antes de s*). ◇ *smf* Londoner.

Londres *n pr* London.

longaniza *sf type of spicy, cold pork sausage.*

longitud *sf* - 1. [dimensión] length; **tiene medio metro de longitud** it's half a metre long; **longitud de onda** wavelength - 2. ASTRON & GEOGR longitude.

lonja *sf* - 1. [loncha] slice - 2. [edificio] exchange; **lonja de pescado** fish market.

loro *sm* - 1. [animal] parrot - 2. *loc:* **estar al loro** *vulg* to have one's finger on the pulse.

los ◇ *art* ⊳ **el.** ◇ *pron* ⊳ **lo.**

losa *sf* - 1. [gen] paving stone, flagstone; [de tumba] tombstone - 2.: **losa radiante** *R Dom* underfloor heating.

loseta *sf* floor tile.

lote *sm* - 1. [parte] share - 2. [conjunto] batch, lot - 3. *Amér* [de tierra] plot (of land).

lotería *sf* - 1. [gen] lottery; **jugar a la lotería** to play the lottery; **le tocó la lotería** she won the lottery; **lotería primitiva** *twice-weekly state-run lottery* - 2. [juego de mesa] lotto.

loza *sf* - 1. [material] earthenware; [porcelana] china - 2. [objetos] crockery.

lozanía *sf* [de persona] youthful vigour.

lozano, na adj - **1.** [planta] lush - **2.** [persona] youthfully vigorous.

lubina sf sea bass.

lubricante, lubrificante ⬦ adj lubricating. ⬦ sm lubricant.

lubricar, lubrificar vt to lubricate.

lucero sm bright star.

lucha sf fight; fig struggle; **abandonar la lucha** to give up the struggle; **lucha armada** armed struggle; **lucha libre** all-in wrestling.

luchar vi to fight; fig to struggle; **luchar contra/por** to fight against/for.

lucidez sf lucidity, clarity.

lúcido, da adj lucid.

luciérnaga sf glow-worm.

lucimiento sm [de ceremonia etc] sparkle; [de actriz etc] brilliant performance.

lucir ⬦ vi - **1.** [gen] to shine - **2.** [llevar puesto] to wear - **3.** Amér [parecer] to look. ⬦ vt [gen] to show off; [ropa] to sport. ⬦ **lucirse** vprnl - **1.** [destacar]: **lucirse (en)** to shine (at) - **2.** fam fig & irón [quedar mal] to mess things up.

lucrativo, va adj lucrative; **no lucrativo** non profit-making.

lucro sm profit, gain.

lucubrar vt to rack one's brains over.

lúdico, ca adj [del juego] game (antes de s); [ocioso] of enjoyment, of pleasure.

ludopatía sf pathological addiction to gambling.

luego ⬦ adv - **1.** [justo después] then, next; **primero aquí y luego allí** first here and then there - **2.** [más tarde] later; **¡hasta luego!** see you!, bye!; **hazlo luego** do it later - **3.** Chile, Méx & Ven [pronto] soon. ⬦ conj - **1.** [así que] so, therefore - **2.**: **luego luego** Méx fam [inmediatamente] immediately, straight away; [de vez en cuando] from time to time.

lugar sm - **1.** [gen] place; [localidad] place, town; [del crimen, accidente etc] scene; [para acampar, merendar etc] spot; **en primer lugar** in the first place, firstly; **en último lugar** lastly, last; **fuera de lugar** out of place; **no hay lugar a duda** there's no room for doubt; **ponte en mi lugar** put yourself in my place; **sin lugar a dudas** without a doubt, undoubtedly; **yo en tu lugar** if I were you; **dejar a alguien en buen/mal lugar** to make sb look good/bad; **poner las cosas en su lugar** to set things straight; **tener lugar** to take place; **lugar de nacimiento** birthplace; **lugar de trabajo** workplace - **2.** [motivo] cause, reason; **dar lugar a** to bring about, to cause - **3.** [puesto] position. ⬦ **en lugar de** loc prep instead of. ⬦ **lugar común** sm platitude.

lugareño, ña sm, f villager.

lúgubre adj gloomy, mournful.

lujo sm luxury; fig profusion; **permitirse el lujo de algo/de hacer algo** to be able to afford sthg/to do sthg.

lujoso, sa adj luxurious.

lujuria sf lust.

lumbago sm lumbago.

lumbre sf [fuego] fire; **dar lumbre a alguien** to give sb a light.

lumbrera sf fam leading light.

luminoso, sa adj [gen] bright; [fuente, energía] light (antes de s).

luna sf - **1.** [astro] moon - **2.** [cristal] window (pane) - **3.** loc: **estar de mala luna** to be in a bad mood; **estar en la luna** to be miles away. ⬦ **luna de miel** sf honeymoon.

lunar ⬦ adj lunar. ⬦ sm - **1.** [en la piel] mole, beauty spot - **2.** [en telas] spot; **a lunares** spotted.

lunático, ca sm, f lunatic.

lunes sm inv Monday; ver también **sábado**.

luneta sf [de coche] windscreen; **luneta térmica** demister.

lupa sf magnifying glass.

lustrabotas sm inv Andes & R Dom shoeshine, bootblack UK.

lustrador sm Andes & R Plata shoeshine, bootblack UK.

lustrar vt to polish.

lustre sm [brillo] shine.

lustro sm five-year period.

lustroso, sa adj shiny.

luto sm mourning; **de luto** in mourning.

luxación sf dislocation.

Luxemburgo n pr Luxembourg.

luxemburgués, esa ⬦ adj Luxembourg (antes de s). ⬦ sm, f Luxembourger.

luz sf [gen] light; [electricidad] electricity; [destello] flash (of light); **apagar la luz** to switch off the light; **a plena luz del día** in broad daylight; **cortar la luz** to cut off the electricity supply; **dar O encender la luz** to switch on the light; **pagar (el recibo de) la luz** to pay the electricity (bill); **se ha ido la luz** the lights have gone out; **luz eléctrica** electric light; **luz solar** sunlight; **a la luz de** [una vela, la luna etc] by the light of; [los acontecimientos etc] in the light of; **arrojar luz sobre** to shed light on; **dar a luz (un niño)** to give birth (to a child); **sacar algo a la luz** [secreto] to bring sthg to light; [obra] to bring sthg out, to publish sthg; **salir a la luz** [descubrirse] to come to light; [publicarse] to come out; **ver la luz** to see the light. ⬦ **luces** sfpl AUTO lights; **poner las luces de carretera O largas** to put (one's) headlights on full beam; **luces de tráfico O de señalización** traffic lights.

lycra® sf Lycra®.

m¹, M *sf* [letra] m, M.

m² *(abrev de metro)* m.

m. *(abrev de muerto)* d.

macabro, bra *adj* macabre.

macana *sf* C Sur, Perú & Ven *fam* [disparate] stupid thing; [fastidio] pain, drag; [pena] shame.

macanear *vi* C Sur *fam* [decir tonterías] to talk nonsense; [hacer tonterías] to be stupid.

macarra *sm fam* [de prostitutas] pimp; [rufián] thug.

macarrón *sm* [tubo] sheath *(of cable)*.   ●   **macarrones** *smpl* [pasta] macaroni (U).

macedonia *sf* salad; **macedonia de frutas** fruit salad.

macerar *vt* CULIN to soak, to macerate.

maceta *sf* [tiesto] flowerpot.

macetero *sm* flowerpot holder.

machaca *smf* [trabajador] dogsbody.

machacar ◇ *vt* - 1. [triturar] to crush - 2. *fig* [insistir] to keep going on about. ◇ *vi fig:* **machacar (sobre)** to go on (about).

machete *sm* machete.

machista *adj* & *smf* male chauvinist.

macho ◇ *adj* - 1. BIOL male - 2. *fig* [hombre] macho. ◇ *sm* - 1. BIOL male - 2. *fig* [hombre] he-man - 3. TECNOL male part; [de enchufe] pin. ◇ *interj fam:* **¡oye, macho!** oy, mate!

macizo, za *adj* solid; **estar macizo** *fam* [hombre] to be hunky; [mujer] to be gorgeous.   ●   **macizo** *sm* - 1. GEOGR massif - 2. BOT: **macizo de flores** flowerbed.

macro *sf* INFORM macro.

macrobiótico, ca *adj* macrobiotic.

mácula *sf* spot; *fig* blemish.

macuto *sm* backpack.

madeja *sf* hank, skein; **enredar la madeja** to complicate matters.

madera *sf* - 1. [gen] wood; CONSTR timber; [tabla] piece of wood; **de madera** wooden; **madera contrachapada** plywood; **tocar madera** to touch wood *UK*, to knock on wood *US* - 2. [disposición]: **tener madera de algo** to have the makings of sthg.

madero *sm* [tabla] log.

madrastra *sf* stepmother.

madre *sf* - 1. [gen] mother; **es madre de tres niños** she's a mother of three; **madre adoptiva/de alquiler** foster/surrogate mother; **madre biológica** biological mother; **madre de familia** mother; **madre política** mother-in-law; **madre soltera** single mother; **madre superiora** mother superior - 2. [poso] dregs *pl.*   ●   **madre mía** *interj:* **¡madre mía!** Jesus!, Christ!

Madrid *n pr* Madrid.

madriguera *sf lit & fig* den; [de conejo] burrow.

madrileño, ña *sm, f* native/inhabitant of Madrid.

madrina *sf* [gen] patroness; [de boda] bridesmaid; [de bautizo] godmother.

madroño *sm* - 1. [árbol] strawberry tree - 2. [fruto] strawberry-tree berry.

madrugada *sf* - 1. [amanecer] dawn; **de madrugada** at daybreak - 2. [noche] early morning; **las tres de la madrugada** three in the morning.

madrugador, ra *adj* early-rising.

madrugar *vi* to get up early; *fig* to be quick off the mark; **no por mucho madrugar amanece más temprano** *prov* time must take its course.

madurar ◇ *vt* - 1. [gen] to mature; [fruta, mies] to ripen - 2. [idea, proyecto etc] to think through. ◇ *vi* [gen] to mature; [fruta] to ripen.

madurez *sf* - 1. [cualidad - gen] maturity; [- de fruta, mies] ripeness - 2. [edad adulta] adulthood.

maduro, ra *adj* [gen] mature; [fruta, mies] ripe; **de edad madura** middle-aged.

maestra ▷ **maestro.**

maestría *sf* - 1. [habilidad] mastery, skill - 2. *Amér* [título] master's degree.

maestro, tra ◇ *adj* - 1. [perfecto] masterly - 2. [principal] main; [llave] master *(antes de s)*. ◇ *sm, f* - 1. [profesor] teacher - 2. [sabio] master - 3. MÚS maestro - 4. *Méx* [de universidad] lecturer *UK*, professor *US* - 5. [director]: **maestro de ceremonias** master of ceremonies; **maestro de cocina** chef; **maestro de obras** foreman; **maestro de orquesta** conductor.

mafia *sf* mafia.

mafioso, sa *sm, f* mafioso.

magdalena *sf* fairy cake.

magia *sf* magic; **magia blanca/negra** white/black magic.

mágico, ca *adj* - 1. [con magia] magic - 2. [atractivo] magical.

magisterio *sm* - 1. [enseñanza] teaching - 2. [profesión] teaching profession.

magistrado, da *sm, f* [juez] judge.

magistral *adj* - 1. [de maestro] magisterial - 2. [genial] masterly.

magistratura *sf* - 1. [jueces] magistrature - 2. [tribunal] tribunal; **magistratura de trabajo** industrial tribunal.

magnánimo, ma *adj* magnanimous.

magnate *sm* magnate; **magnate del petró-leo/de la prensa** oil/press baron.

magnesia *sf* magnesia.

magnesio *sm* magnesium.

magnético, ca *adj lit & fig* magnetic.

magnetizar *vt* to magnetize; *fig* to mesmer-ize.

magnetófono *sm* tape recorder.

magnicidio *sm* assassination *(of somebody important)*.

magnificencia *sf* magnificence.

magnífico, ca *adj* wonderful, magnificent.

magnitud *sf* magnitude.

magnolia *sf* magnolia.

mago, ga *sm, f* - **1.** [prestidigitador] magician - **2.** [en cuentos etc] wizard.

magro, gra *adj* - **1.** [sin grasa] lean - **2.** [pobre] poor. ◆ **magro** *sm* lean meat.

magulladura *sf* bruise.

magullar *vt* to bruise.

mahometano, na *adj & sm, f* Muslim.

mahonesa = mayonesa.

maicena® *sf* cornflour *UK*, cornstarch *US*.

maíz *sm* maize *UK*, corn *US*; **maíz dulce** sweetcorn.

majadero, ra *sm, f* idiot.

majareta *fam* ◇ *adj* nutty. ◇ *smf* nut-case.

majestad *sf* majesty. ◆ **Su Majestad** *sf* His/Her Majesty.

majestuoso, sa *adj* majestic.

majo, ja *adj* - **1.** [simpático] nice - **2.** [bonito] pretty.

mal ◇ *adj* ▷ **malo**. ◇ *sm* - **1.** [perver-sión]: **el mal** evil - **2.** [daño] harm, damage - **3.** [enfermedad] illness; **mal de montaña** alti-tude *O* mountain sickness; **mal de ojo** evil eye - **4.** [inconveniente] bad thing; **un mal necesa-rio** a necessary evil. ◇ *adv* - **1.** [incorrectamen-te] wrong; **esto está mal hecho** this has been done wrong; **has escrito mal esta palabra** you've spelt that word wrong - **2.** [inadecua-damente] badly; **la fiesta salió mal** the party went off badly; **oigo/veo mal** I can't hear/see very well; **encontrarse mal** [enfermo] to feel ill; [incómodo] to feel uncomfortable; **oler mal** [te-ner mal olor] to smell bad; *fam* [tener mal cariz] to smell fishy; **sentar mal a alguien** [ropa] not to suit sb; [comida] to disagree with sb; [co-mentario, actitud] to upset sb; **tomar algo a mal** to take sthg the wrong way - **3.** [difícilmente] hardly; **mal puede saberlo si no se lo cuentas** he's hardly going to know it if you don't tell him - **4.** *loc*: **estar a mal con alguien** to have fallen out with sb; **ir de mal en peor** to go from bad to worse; **no estaría mal que...** it

would be nice if... ◆ **mal que** *loc conj* al-though, even though. ◆ **mal que bien** *loc adv* somehow or other.

malabarismo *sm lit & fig* juggling *(U)*.

malabarista *smf* juggler.

malacostumbrado, da *adj* spoiled.

malaria *sf* malaria.

Malasia *n pr* Malaysia.

malcriado, da *adj* spoiled.

maldad *sf* - **1.** [cualidad] evil - **2.** [acción] evil thing.

maldecir ◇ *vt* to curse. ◇ *vi* to curse.

maldición *sf* curse.

maldito, ta *adj* - **1.** [embrujado] cursed - **2.** *fam* [para enfatizar] damned; **¡maldita sea!** damn it!

maleable *adj lit & fig* malleable.

maleante *smf* crook.

malecón *sm* [atracadero] jetty.

maleducado, da *adj* rude.

maleficio *sm* curse.

malentendido *sm* misunderstanding.

malestar *sm* - **1.** [dolor] upset, discomfort; **siento un malestar en el estómago** I've got an upset stomach; **sentir malestar general** to feel unwell - **2.** [inquietud] uneasiness, unrest.

maleta *sf* suitcase; **hacer** *O* **preparar la male-ta** to pack (one's bags).

maletero *sm* boot *UK*, trunk *US*.

maletín *sm* briefcase.

malévolo, la *adj* malevolent, wicked.

maleza *sf* [arbustos] undergrowth; [malas hier-bas] weeds *pl*.

malformación *sf* malformation; **malforma-ción congénita** congenital malformation.

malgastar *vt* [dinero, tiempo] to waste; [salud] to ruin.

malhablado, da *adj* foul-mouthed.

malhechor, ra *adj & sm, f* criminal.

malhumorado, da *adj* bad-tempered; [en-fadado] in a bad mood.

malicia *sf* [maldad] wickedness, evil; [mala in-tención] malice.

malicioso, sa *adj* [malo] wicked, evil; [malin-tencionado] malicious.

maligno, na *adj* malignant.

malla *sf* - **1.** [tejido] mesh; **malla de alambre** wire mesh - **2.** [red] net - **3.** *R Dom* [traje de ba-ño] swimsuit. ◆ **mallas** *sfpl* - **1.** [de gimnasia] leotard *sing*; [de ballet] tights - **2.** [de portería] net *sing*.

Mallorca *n pr* Majorca.

malo, la *(peor es el comparativo y el superla-tivo de malo; antes de sm sing: mal) adj* - **1.** [gen] bad; [calidad] poor, bad; **lo malo fue**

que... the problem was (that)...; **más vale malo conocido que bueno por conocer** *prov* better the devil you know (than the devil you don't) - **2.** [malicioso] wicked - **3.** [enfermo] ill, sick; **estar/ponerse malo** to be/fall ill - **4.** [travieso] naughty. ◆ **malo, la** *sm, f* [de película etc] villain, baddie. ◆ **malas** *sfpl*: **estar de malas** to be in a bad mood; **por las malas** by force.

malograr *vt* - **1.** to waste - **2.** Andes [estropear] to make a mess of, to ruin. ◆ **malograrse** *vprnl* - **1.** [fracasar] to fail - **2.** [morir] to die before one's time - **3.** Andes [estropearse - máquina] to break down; [- alimento] to go off, to spoil.

malparado, da *adj*: **salir malparado de algo** to come out of sthg badly.

malpensado, da *adj* malicious, evil-minded.

malsano, na *adj* unhealthy.

malsonante *adj* rude.

malta *sm* malt.

malteada *sf Amér* [batido] milkshake.

maltés, esa *adj & sm, f* Maltese.

maltratar *vt* - **1.** [pegar, insultar] to ill-treat - **2.** [estropear] to damage.

maltrecho, cha *adj* battered; **dejar maltrecho a alguien** to leave sb in a bad way.

malva ◇ *sf* BOT mallow; **criar malvas** *fam fig* to push up daisies. ◇ *adj inv* mauve. ◇ *sm* [color] mauve.

malvado, da *adj* evil, wicked.

malversación *sf*: **malversación (de fondos)** embezzlement (of funds).

malversar *vt* to embezzle.

Malvinas *sfpl*: **las (islas) Malvinas** the Falkland Islands, the Falklands.

malvivir *vi* to scrape together an existence.

mama *sf* - **1.** [órgano - de mujer] breast; ZOOL udder - **2.** *fam* [madre] mum.

mamá *sf* - **1.** *fam* mum, mummy - **2.**: **mamá grande** Col & Méx fam grandma.

mamadera *sf C Sur & Perú* [biberón] (baby's) bottle.

mamar ◇ *vt* - **1.** [suj: bebé] to suckle - **2.** [aprender]: **lo mamó desde pequeño** he was immersed in it as a child. ◇ *vi* to suckle.

mamarracho *sm* [fantoche] mess.

mambo *sm* mambo.

mamífero, ra *adj* mammal. ◆ **mamífero** *sm* mammal.

mamografía *sf* - **1.** MED [técnica] breast scanning, mammography - **2.** MED [resultado] breast scan, mammograph.

mamotreto *sm* - **1.** *despec* [libro] hefty tome - **2.** [objeto grande] monstrosity.

mampara *sf* screen.

manada *sf* ZOOL - gen] herd; [- de lobos] pack; [- de ovejas] flock; [- de leones] pride.

manager (*pl* managers) *sm* manager.

Managua *n pr* Managua.

manantial *sm* spring; *fig* source.

manar *vi lit & fig*: **manar (de)** to flow (from).

manazas *adj inv* clumsy.

mancha *sf* - **1.** [gen] stain, spot; [de tinta] blot; [de color] spot, mark; **extenderse como una mancha de aceite** to spread like wildfire - **2.** ASTRON spot - **3.** [deshonra] blemish; **sin mancha** unblemished.

manchar *vt* - **1.** [ensuciar]: **manchar algo (de O con)** [gen] to make sthg dirty (with); [con manchas] to stain sthg (with); [emborronar] to smudge sthg (with) - **2.** [deshonrar] to tarnish.

manchego, ga *adj* of/relating to La Mancha. ◆ **manchego** ▷ **queso.**

manco, ca *adj* [sin una mano] one-handed; [sin manos] handless; [sin un brazo] one-armed; [sin brazos] armless; **no ser manco para O en** to be a dab hand at.

mancomunidad *sf* association.

mancorna, mancuerna *sf Andes, Amér C, Méx & Ven* cufflink.

mandado, da *sm, f* [subordinado] underling. ◆ **mandado** *sm* [recado] errand.

mandamás (*pl* mandamases) *smf* bigwig.

mandamiento *sm* - **1.** [orden - militar] order, command; [- judicial] writ - **2.** RELIG commandment; **los diez mandamientos** the Ten Commandments.

mandar ◇ *vt* - **1.** [dar órdenes a] to order; **mandar a alguien hacer algo** to order sb to do sthg; **mandar hacer algo** to have sthg done - **2.** [enviar] to send - **3.** [dirigir, gobernar] to lead, to be in charge of; [país] to rule. ◇ *vi* - **1.** [gen] to be in charge; [jefe de estado] to rule; **aquí mando yo** I'm in charge here; **mandar en algo** to be in charge of sthg - **2.** *despec* [dar órdenes] to order people around - **3.** *loc*: **¿mande?** *fam* eh?, you what?

mandarina *sf* mandarin.

mandatario, ria *sm, f* representative, agent; **primer mandatario** [jefe de estado] head of state.

mandato *sm* - **1.** [gen] order, command - **2.** [poderes de representación, disposición] mandate; **mandato judicial** warrant - **3.** POLÍT term of office; [reinado] period of rule.

mandíbula *sf* jaw.

mandil *sm* [delantal] apron.

mando *sm* - **1.** [poder] command, authority; **al mando de** in charge of; **entregar el mando** to hand over command - **2.** [periodo en poder] term of office - **3.** (*gen pl*) [autoridades] leadership (U); MIL command (U); **alto mando** MIL high command; **mandos intermedios** middle

management *sing* - **4.** [dispositivo] control; **mando automático/a distancia** automatic/remote control.

mandolina *sf* mandolin.

mandón, ona ◇ *adj* bossy. ◇ *sm, f* bossy-boots.

manecilla *sf* [del reloj] hand.

manejable *adj* [gen] manageable; [herramienta] easy to use.

manejar ◇ *vt* - **1.** [conocimientos, datos] to use, to marshal - **2.** [máquina, mandos] to operate; [caballo, bicicleta] to handle; [arma] to wield - **3.** [negocio etc] to manage, to run; [gente] to handle - **4.** *Amér* [vehículo] to drive. ◇ *vi Amér* [conducir] to drive. ➡ **manejarse** *vprnl* - **1.** [moverse] to move *O* get about - **2.** [desenvolverse] to manage.

manejo *sm* - **1.** [de máquina, mandos] operation; [de armas, herramientas] use; **de fácil manejo** user-friendly - **2.** [de conocimientos, datos] marshalling; [de idiomas] command - **3.** [de caballo, bicicleta] handling - **4.** [de negocio etc] management, running - **5.** *(gen pl) fig* [intriga] intrigue.

manera *sf* way, manner; **lo haremos a mi manera** we'll do it my way; **a mi manera de ver** the way I see it; **de cualquier manera** [sin cuidado] any old how; [de todos modos] anyway, in any case; **de esta manera** in this way; **de la misma manera** similarly, in the same way; **de ninguna manera, en manera alguna** [refuerza negación] by no means, under no circumstances; [respuesta exclamativa] no way!, certainly not!; **de todas maneras** anyway; **en cierta manera** in a way; **manera de ser** way of being, nature; **de manera que** [para] so (that); **no hay manera** there is no way, it's impossible; **¡qué manera de...!** what a way to...! ➡ **maneras** *sfpl* [modales] manners; **buenas/malas maneras** good/bad manners.

manga *sf* - **1.** [de prenda] sleeve; **en mangas de camisa** in shirtsleeves; **sin mangas** sleeveless; **manga raglán** *O* **ranglán** raglan sleeve; **andar manga por hombro** to be a mess; **ser de manga ancha, tener manga ancha** to be over-indulgent - **2.** [manguera] hosepipe - **3.** [de pastelería] forcing *O* piping bag - **4.** DEP stage, round.

mangante *fam smf* thief.

mango *sm* - **1.** [asa] handle - **2.** [árbol] mango tree; [fruta] mango.

mangonear *vi fam* - **1.** [entrometerse] to meddle - **2.** [mandar] to be bossy - **3.** [manipular] to fiddle about.

manguera *sf* hosepipe; [de bombero] fire hose.

maní, manises *sm Andes, Caribe & R Plata* peanut.

manía *sf* - **1.** [idea fija] obsession - **2.** [peculiaridad] idiosyncrasy - **3.** [mala costumbre] bad habit - **4.** [afición exagerada] mania, craze - **5.** *fam* [ojeriza] dislike - **6.** PSICOL mania.

maniaco, ca, maníaco, ca ◇ *adj* manic. ◇ *sm, f* maniac.

maniatar *vt* to tie the hands of.

maniático, ca ◇ *adj* fussy. ◇ *sm, f* fussy person; **es un maniático del fútbol** he's football-crazy.

manicomio *sm* mental *O* psychiatric hospital *UK*, insane asylum *US*.

manicuro, ra *sm, f* [persona] manicurist. ➡ **manicura** *sf* [técnica] manicure.

manido, da *adj* [tema etc] hackneyed.

manifestación *sf* - **1.** [de alegría, dolor etc] show, display; [de opinión] declaration, expression; [indicio] sign - **2.** [por la calle] demonstration; **hacer una manifestación** to hold a demonstration.

manifestar *vt* - **1.** [alegría, dolor etc] to show - **2.** [opinión etc] to express. ➡ **manifestarse** *vprnl* - **1.** [por la calle] to demonstrate - **2.** [hacerse evidente] to become clear *O* apparent.

manifiesto, ta *adj* clear, evident; **poner de manifiesto algo** [revelar] to reveal sthg; [hacer patente] to make sthg clear. ➡ **manifiesto** *sm* manifesto.

manillar *sm* handlebars *pl*.

maniobra *sf* - **1.** [gen] manoeuvre; **estar de maniobras** MIL to be on manoeuvres - **2.** [treta] trick.

maniobrar *vi* to manoeuvre.

manipulación *sf* - **1.** [gen] handling - **2.** [engaño] manipulation.

manipular *vt* - **1.** [manejar] to handle - **2.** [mangonear - información, resultados] to manipulate; [- negocios, asuntos] to interfere in.

maniquí *(pl* **maniquíes** *O* **maniquís)** ◇ *sm* dummy. ◇ *sm, f* [modelo] model.

manirroto, ta ◇ *adj* extravagant. ◇ *sm, f* spendthrift.

manitas *smf inv* handy person.

manito *sm Méx fam* pal, mate *UK*, buddy *US*.

manivela *sf* crank.

manjar *sm* delicious food *(U)*.

mano ◇ *sf* - **1.** [gen] hand; **a mano armada** armed; **dar** *O* **estrechar la mano a alguien** to shake hands with sb; **darse** *O* **estrecharse la mano** to shake hands; **echar/tender una mano** to give/offer a hand; **¡manos arriba!, ¡arriba las manos!** hands up!; **mano de obra** [capacidad de trabajo] labour; [trabajadores] workforce - **2.** [ZOOL - gen] forefoot; [- de perro, gato] (front) paw; [- de cerdo] (front) trotter - **3.** [lado]: **a mano derecha/izquierda** on the right/left - **4.**: **calle de una sola mano** *R Dom* one-way street - **5.** [de pintura etc] coat - **6.** [in-

fluencia] influence - **7.** [partida de naipes] game - **8.** [serie, tanda] series - **9.** *loc:* **bajo mano** secretly; **caer en manos de alguien** to fall into sb's hands; **con las manos cruzadas, mano sobre mano** sitting around doing nothing; **coger a alguien con las manos en la masa** to catch sb red-handed O in the act; **de primera mano** [coche etc] brand new; [noticias etc] first-hand; **de segunda mano** second-hand; **mano a mano** tête-à-tête; **¡manos a la obra!** let's get down to it!; **tener buena mano para algo** to have a knack for sthg. ⬦ *sm Andes, Amér C, Caribe & Méx* pal, mate *UK,* buddy *US.*

manojo *sm* bunch.

manoletina *sf* [zapato] *type of open, low-heeled shoe, often with a bow.*

manómetro *sm* pressure gauge.

manopla *sf* mitten.

manosear *vt* - **1.** [gen] to handle roughly; [papel, tela] to rumple - **2.** [persona] to fondle.

manotazo *sm* slap.

mansalva ⬥ **a mansalva** *loc adv* [en abundancia] in abundance.

mansedumbre *sf* [gen] calmness, gentleness; [de animal] tameness.

mansión *sf* mansion.

manso, sa *adj* - **1.** [apacible] calm, gentle - **2.** [domesticado] tame - **3.** *Chile* [extraordinario] tremendous.

manta *sf* [para abrigarse] blanket; **manta eléctrica** electric blanket; **manta de viaje** travelling rug; **liarse la manta a la cabeza** to take the plunge.

manteca *sf* fat; [mantequilla] butter; **manteca de cacao** cocoa butter; **manteca de cerdo** lard.

mantecado *sm* - **1.** [pastel] shortcake - **2.** [helado] *ice-cream made of milk, eggs and sugar.*

mantel *sm* tablecloth.

mantener *vt* - **1.** [sustentar, aguantar] to support - **2.** [conservar] to keep; [en buen estado] to maintain, to service - **3.** [tener - relaciones, conversación] to have - **4.** [defender - opinión] to stick to, to maintain; [- candidatura] to refuse to withdraw. ⬥ **mantenerse** *vprnl* - **1.** [sustentarse] to subsist, to support o.s. - **2.** [permanecer, continuar] to remain; [edificio] to remain standing; **mantenerse aparte** [en discusión] to stay out of it.

mantenimiento *sm* - **1.** [sustento] sustenance - **2.** [conservación] upkeep, maintenance.

mantequilla *sf* butter.

mantilla *sf* - **1.** [de mujer] mantilla - **2.** [de bebé] shawl.

manto *sm* [gen] cloak.

mantón *sm* shawl.

manual ⬦ *adj* [con las manos] manual. ⬦ *sm* manual.

manubrio *sm* - **1.** crank - **2.** *Amér* [manillar] handlebars *pl.*

manufacturar *vt* to manufacture.

manuscrito, ta *adj* handwritten. ⬥ **manuscrito** *sm* manuscript.

manutención *sf* - **1.** [sustento] support, maintenance - **2.** [alimento] food.

manzana *sf* - **1.** [fruta] apple - **2.** [grupo de casas] block (of houses).

manzanilla *sf* - **1.** [planta] camomile - **2.** [infusión] camomile tea.

manzano *sm* apple tree.

maña *sf* - **1.** [destreza] skill; **tener maña para** to have a knack for - **2.** [astucia] wits *pl,* guile *(U).*

mañana ⬦ *sf* morning; **a la mañana siguiente** the next morning; **a las dos de la mañana** at two in the morning; **por la mañana** in the morning. ⬦ *sm:* **el mañana** tomorrow, the future. ⬦ *adv* tomorrow; **a partir de mañana** starting tomorrow, as of tomorrow; **¡hasta mañana!** see you tomorrow!; **mañana por la mañana** tomorrow morning; **pasado mañana** the day after tomorrow.

mañanitas *sfpl Méx* birthday song *sing.*

mañoso, sa *adj* skilful.

mapa *sm* map; **mapa de carreteras** road map.

mapamundi *sm* world map.

maqueta *sf* - **1.** [reproducción a escala] (scale) model - **2.** [de libro] dummy.

maquila *sf Amér* [de máquinas] assembly; [de ropas] making-up.

maquiladora *sf Amér* assembly plant.

maquillaje *sm* - **1.** [producto] make-up - **2.** [acción] making-up.

maquillar *vt* [pintar] to make up. ⬥ **maquillarse** *vprnl* to make o.s. up.

máquina *sf* - **1.** [gen] machine; **a toda máquina** at full pelt; **coser a máquina** to machine-sew; **escribir a máquina** to type; **hecho a máquina** machine-made; **máquina de afeitar** electric razor; **máquina de coser** sewing machine; **máquina de escribir** typewriter; **máquina fotográfica** camera; **máquina tragaperras** O **traganíqueles** *Amér* slot machine, fruit machine *UK* - **2.** [locomotora] engine; **máquina de vapor** steam engine - **3.** [mecanismo] mechanism - **4.** *Cuba* [vehículo] car - **5.** [de estado, partido etc] machinery *(U).*

maquinación *sf* machination.

maquinal *adj* mechanical.

maquinar *vt* to machinate, to plot.

maquinaria *sf* - **1.** [gen] machinery - **2.** [de reloj etc] mechanism.

maquinilla *sf:* **maquinilla de afeitar** razor; **maquinilla eléctrica** electric razor.

maquinista *smf* [de tren] engine driver *UK*, engineer *US*; [de barco] engineer.

mar *sm o sf lit & fig* sea; **alta mar** high seas *pl*; **mar de fondo** *lit & fig* groundswell; **mar gruesa** heavy sea; **el mar del Norte** the North Sea; **llover a mares** to rain buckets.

marabunta *sf* [muchedumbre] crowd.

maraca *sf* maraca.

maracujá *sf Amér* passion fruit.

maraña *sf* - 1. [maleza] thicket - 2. *fig* [enredo] tangle.

maratón *sm o sf lit & fig* marathon.

maravilla *sf* - 1. [gen] marvel, wonder; **es una maravilla** it's wonderful; **hacer maravillas** to do O work wonders; **a las mil maravillas, de maravilla** wonderfully; **venir de maravilla** to be just the thing O ticket - 2. BOT marigold.

maravillar *vt* to amaze. **maravillarse** *vprnl*: **maravillarse (con)** to be amazed (by).

maravilloso, sa *adj* marvellous, wonderful.

marca *sf* - 1. [señal] mark; [de rueda, animal] track; [en ganado] brand; [en papel] watermark; **marca de nacimiento** birthmark - 2. [COM - de tabaco, café etc] brand; [- de coche, ordenador etc] make; **de marca** designer *(antes de s)*; **marca de fábrica** trademark; **marca registrada** registered trademark - 3. [etiqueta] label - 4. [DEP - gen] performance; [- en carreras] time; [- plusmarca] record.

marcado, da *adj* [gen] marked. **marcado** *sm* - 1. [señalado] marking - 2. [peinado] set.

marcador, ra *adj* marking. **marcador** *sm* - 1. [tablero] scoreboard - 2. [DEP - defensor] marker; [- goleador] scorer - 3. *Amér* [rotulador] felt-tip pen; *Méx* [fluorescente] highlighter pen.

marcapasos *sm inv* pacemaker.

marcar ◇ *vt* - 1. [gen] to mark - 2. [poner precio a] to price - 3. [indicar] to indicate - 4. [resaltar] to emphasise - 5. [número de teléfono] to dial - 6. [suj: termómetro, contador etc] to read; [suj: reloj] to say - 7. [DEP - tanto] to score; [- a un jugador] to mark - 8. [cabello] to set. ◇ *vi* - 1. [dejar secuelas] to leave a mark - 2. DEP [anotar un tanto] to score.

marcha *sf* - 1. [partida] departure - 2. [ritmo] speed; **en marcha** [motor] running; [plan] underway; **poner en marcha** [gen] to start; [dispositivo, alarma] to activate; **ponerse en marcha** [persona] to start off; [máquina] to start; **hacer algo sobre la marcha** to do sthg as one goes along - 3. AUTO gear; **marcha atrás** reverse - 4. MIL & POLÍT march - 5. MÚS march - 6. [transcurso] course; [progreso] progress - 7. DEP walk - 8. *fam* [animación] liveliness, life; **hay mucha marcha** there's a great atmosphere.

marchar *vi* - 1. [andar] to walk - 2. [partir] to leave, to go - 3. [funcionar] to work - 4. [de sarrollarse] to progress; **el negocio marcha** business is going well. **marcharse** *vprnl* to leave, to go.

marchitar *vt lit & fig* to wither. **marchitarse** *vprnl* - 1. [planta] to fade, to wither - 2. *fig* [persona] to languish.

marchito, ta *adj* [planta] faded.

marcial *adj* martial.

marco *sm* - 1. [cerco] frame - 2. *fig* [ambiente, paisaje] setting - 3. [ámbito] framework - 4. [moneda] mark - 5. [portería] goalmouth.

marea *sf* [del mar] tide; **marea alta/baja** high/low tide; **marea negra** oil slick.

marear *vt* - 1. [provocar náuseas a] to make sick; [en coche, avión etc] to make travelsick; [en barco] to make seasick - 2. [aturdir] to make dizzy - 3. *fam* [fastidiar] to annoy. **marearse** *vprnl* - 1. [tener náuseas] to feel sick; [en coche, avión etc] to feel travelsick; [en barco] to get seasick - 2. [estar aturdido] to get dizzy - 3. [emborracharse] to get drunk.

marejada *sf* [mar rizada] heavy sea.

maremoto *sm* tidal wave.

mareo *sm* - 1. [náuseas] sickness; [en coche, avión etc] travelsickness; [en barco] seasickness - 2. [aturdimiento] dizziness - 3. *fam fig* [fastidio] drag, pain.

marfil *sm* ivory.

margarina *sf* margarine.

margarita *sf* - 1. BOT daisy; **echar margaritas a los cerdos** to cast pearls before swine - 2. IMPR daisy wheel.

margen *sm o sf* - 1. *(gen f)* [de río] bank; [de camino] side - 2. *(gen m)* [de página] margin - 3. *(gen m)* COM margin - 4. *(gen m)* [límites] leeway; **dejar al margen** to exclude; **estar al margen de** to have nothing to do with; **mantenerse al margen de** to keep out of; **margen de error** margin of error - 5. *(gen m)* [ocasión]: **dar margen a alguien para hacer algo** to give sb the chance to do sthg.

marginación *sf* exclusion.

marginado, da ◇ *adj* excluded. ◇ *sm, f* outcast.

marica *sm mfam despec* queer, poof.

Maricastaña ▷ **tiempo**.

maricón *sm mfam despec* queer, poof.

marido *sm* husband.

marihuana *sf* marijuana.

marimacho *sm fam* mannish woman; *despec* butch woman.

marina ▷ **marino**.

marinero, ra *adj* [gen] sea *(antes de s)*; [buque] seaworthy; [pueblo] seafaring. **marinero** *sm* sailor.

marino, na adj sea (antes de s), marine. ➡ **marino** sm sailor. ➡ **marina** sf MIL: marino (de guerra) navy.

marioneta sf [muñeco] marionette, puppet. ➡ **marionetas** sfpl [teatro] puppet show sing.

mariposa sf - 1. [insecto] butterfly - 2. [en natación] butterfly.

mariquita sf [insecto] ladybird UK, ladybug US.

marisco sm seafood (U), shellfish (U).

marisma sf salt marsh.

marisquería sf seafood restaurant.

marítimo, ma adj [del mar] maritime; [cercano al mar] seaside (antes de s).

marketing ['marketin] sm marketing; marketing direct direct marketing.

mármol sm marble.

marmota sf marmot.

mar Muerto sm: el mar Muerto the Dead Sea.

mar Negro sm: el mar Negro the Black Sea.

marqués, esa sm marquis (f marchioness).

marquesina sf glass canopy; [parada de autobús] bus-shelter.

marrano, na sm, f - 1. [animal] pig - 2. fam fig [sucio] (filthy) pig.

mar Rojo sm: el mar Rojo the Red Sea.

marrón adj & sm brown.

marroquí (pl marroquíes O marroquís) adj & sm, f Moroccan.

Marruecos n pr Morocco.

Marte sm Mars.

martes sm inv Tuesday; martes de Carnaval Shrove Tuesday; martes y trece ≃ Friday 13th; ver también **sábado**.

martillear, martillar vt to hammer.

martillo sm - 1. hammer - 2. Col [subasta] auction.

mártir smf lit & fig martyr.

martirio sm - 1. RELIG martyrdom - 2. fig [sufrimiento] trial, torment; ser un martirio chino to be torture.

martirizar vt - 1. [torturar] to martyr - 2. fig [hacer sufrir] to torment.

marxismo sm Marxism.

marxista adj & smf Marxist.

marzo sm March; ver también **septiembre**.

mas conj but.

más ◇ adv - 1. (compar) more; Pepe es más alto/ambicioso Pepe is taller/more ambitious; tener más hambre to be hungrier O more hungry; más de/que more than; más... que... more... than...; Juan es más alto que tú Juan is taller than you; de más [de sobra] left over; hay diez euros de más there are ten

euros left over; eso está de más that's not necessary - 2. (superl): el/la/lo más the most; el más listo/ambicioso the cleverest/most ambitious - 3. (en frases negativas) any more; no necesito más (trabajo) I don't need any more (work) - 4. (con pronombres interrogativos e indefinidos) else; ¿qué/quién más? what/who else?; nadie más vino nobody else came - 5. [indica suma] plus; dos más dos igual a cuatro two plus two is four - 6. [indica intensidad]: no le aguanto, ¡es más tonto! I can't stand him, he's so stupid!; ¡qué día más bonito! what a lovely day! - 7. [indica preferencia]: más vale que nos vayamos a casa it would be better for us to go home - 8. loc: el que más y el que menos everyone; es más indeed, what is more; más bien rather; más o menos more or less; ¿qué más da? what difference does it make?; sin más (ni más) just like that. ◇ sm inv MAT plus (sign); tiene sus más y sus menos it has its good points and its bad points. ➡ **por más que** loc conj however much; por más que lo intente no lo conseguirá however much O hard she tries, she'll never manage it.

masa sf - 1. [gen] mass - 2. CULIN dough - 3. R Dom [pastelillo] cake. ➡ **masas** sfpl: las masas the masses.

masacre sf massacre.

masaje sm massage.

masajista smf masseur (f masseuse).

mascar vt & vi to chew.

máscara sf [gen] mask; máscara antigás gas mask; máscara de oxígeno oxygen mask.

mascarilla sf - 1. MED mask - 2. [cosmética] face pack.

mascota sf mascot.

masculino, na adj - 1. BIOL male - 2. [varonil] manly - 3. GRAM masculine.

mascullar vt to mutter.

masificación sf overcrowding.

masilla sf putty.

masivo, va adj mass (antes de s).

masón, ona ◇ adj masonic. ◇ sm, f mason, freemason.

masoquista ◇ adj masochistic. ◇ smf masochist.

máster (pl masters) sm Master's (degree).

masticar vt [mascar] to chew.

mástil sm - 1. NÁUT mast - 2. [palo] pole - 3. MÚS neck.

mastín sm mastiff.

masturbación sf masturbation.

masturbar vt to masturbate. ➡ **masturbarse** vprnl to masturbate.

mata sf [arbusto] bush, shrub; [matojo] tuft; matas scrub. ➡ **mata de pelo** sf mop of hair.

matadero *sm* abattoir, slaughterhouse.

matador, ra *fam adj* [cansado] killing, exhausting. ◆ **matador** *sm* matador.

matambre *sm Andes & Ven* [carne] flank *O UK* skirt steak; [plato] *flank steak rolled with boiled egg, olives and red pepper, which is cooked and then sliced and served cold.*

matamoscas *sm inv* [pala] flyswat; [esprai] flyspray.

matanza *sf* [masacre] slaughter.

matar *vt* - **1.** [gen] to kill; **matarlas callando** to be up to sthg on the quiet - **2.** [apagar - sed] to quench; [- hambre] to stay. ◆ **matarse** *vprnl* - **1.** [morir] to die - **2.** [suicidarse, esforzarse] to kill o.s.

matasellos *smf inv* postmark.

mate ◇ *adj* matt. ◇ *sm* - **1.** [en ajedrez] mate, checkmate - **2.** [en baloncesto] dunk; [en tenis] smash - **3.** BOT [bebida] maté.

matemático, ca ◇ *adj* mathematical. ◇ *sm, f* [científico] mathematician. ◆ **matemáticas** *sfpl* [ciencia] mathematics (U).

materia *sf* - **1.** [sustancia] matter - **2.** [material] material; **materia prima, primera materia** raw material - **3.** [tema, asignatura] subject; **en materia de** on the subject of, concerning.

material ◇ *adj* - **1.** [gen] physical; [daños, consecuencias] material - **2.** [real] real, actual. ◇ *sm* - **1.** [gen] material - **2.** [instrumentos] equipment; **material bélico** *O* **de guerra** war material; **material de oficina** office stationery.

materialismo *sm* materialism; **materialismo dialéctico/histórico** dialectical/historical materialism.

materialista ◇ *adj* materialistic. ◇ *smf* materialist.

materializar *vt* - **1.** [idea, proyecto] to realize - **2.** [hacer tangible] to produce. ◆ **materializarse** *vprnl* to materialize.

maternal *adj* motherly, maternal.

maternidad *sf* - **1.** [cualidad] motherhood - **2.** [hospital] maternity hospital.

materno, na *adj* maternal; [lengua] mother *(antes de s).*

matinal *adj* morning *(antes de s).*

matiz *sm* - **1.** [variedad - de color, opinión] shade; [- de sentido] nuance, shade of meaning - **2.** [atisbo] trace, hint.

matizar *vt* - **1.** [teñir]: **matizar (de)** to tinge (with) - **2.** *fig* [distinguir - rasgos, aspectos] to distinguish; [- tema] to explain in detail - **3.** *fig* [dar tono especial] to tinge - **4.** ARTE to blend.

matojo *sm* [mata] tuft; [arbusto] bush, shrub.

matón, ona *sm, f fam* bully.

matorral *sm* thicket.

matraca *sf* [instrumento] rattle.

matriarcado *sm* matriarchy.

matrícula *sf* - **1.** [inscripción] registration - **2.** [documento] registration document - **3.** AUTO number plate. ◆ **matrícula de honor** *sf* top marks *pl.*

matricular *vt* to register. ◆ **matricularse** *vprnl* to register.

matrimonial *adj* marital; [vida] married.

matrimonio *sm* - **1.** [gen] marriage; **fuera del matrimonio** out of wedlock; **matrimonio de conveniencia** marriage of convenience; **matrimonio religioso** church wedding - **2.** [pareja] married couple.

matriz ◇ *sf* - **1.** ANAT womb - **2.** [de talonario] (cheque) stub - **3.** [molde] mould - **4.** MAT matrix. ◇ *adj* [empresa] parent *(antes de s)*; [casa] head *(antes de s)*; [iglesia] mother *(antes de s).*

matrona *sf* - **1.** [madre] matron - **2.** [comadrona] midwife.

matutino, na *adj* morning *(antes de s).*

maullar *vi* to miaow.

maxilar *sm* jaw.

máxima ▷ **máximo.**

máxime *adv* especially.

máximo, ma ◇ *superl de* **grande.** ◇ *adj* maximum; [galardón, puntuación] highest. ◆ **máximo** *sm* maximum; **al máximo** to the utmost; **llegar al máximo** to reach the limit; **como máximo** [a más tardar] at the latest; [como mucho] at the most. ◆ **máxima** *sf* - **1.** [sentencia, principio] maxim - **2.** [temperatura] high, highest temperature.

mayo *sm* May; *ver también* **septiembre.**

mayonesa, mahonesa *sf* mayonnaise.

mayor ◇ *adj* - **1.** *(compar)*: **mayor (que)** [de tamaño] bigger (than); [de importancia etc] greater (than); [de edad] older (than); [de número] higher (than) - **2.** *(superl)*: **el/la mayor...** [de tamaño] the biggest...; [de importancia etc] the greatest...; [de edad] the oldest...; [de número] the highest... - **3.** [adulto] grown-up; **hacerse mayor** to grow up - **4.** [anciano] elderly - **5.** MÚS: **en do mayor** in C major - **6.** *loc*: **al por mayor** COM wholesale. ◇ *smf*: **el/la mayor** [hijo, hermano] the eldest. ◇ *sm* MIL major. ◆ **mayores** *smpl* - **1.** [adultos] grown-ups - **2.** [antepasados] ancestors.

mayoral *sm* [capataz] foreman.

mayordomo *sm* butler.

mayoreo *sm Amér* wholesale; **al mayoreo** wholesale.

mayoría *sf* majority; **la mayoría de** most of; **la mayoría de los españoles** most Spaniards; **la mayoría de las veces** usually, most often; **en su mayoría** in the main; **mayoría simple** simple majority. ◆ **mayoría de edad** *sf*: **llegar a la mayoría de edad** to come of age.

mayorista *smf* wholesaler.

mayoritario, ria *adj* majority *(antes de s).*

mayúscula ▷ **letra**.

mayúsculo, la *adj* tremendous, enormous.

maza *sf* mace; [del bombo] drumstick.

mazapán *sm* marzipan.

mazmorra *sf* dungeon.

mazo *sm* - 1. [martillo] mallet - 2. [de mortero] pestle - 3. [conjunto - de naipes] balance (of the deck).

MDSMA *sm* (*abrev de* **Ministerio de Desarrollo Sostenible y Medio Ambiente**) *Bolivian Department of Sustainable Development and the Environment.*

me *pron pers* - 1. (*complemento directo*) me; **le gustaría verme** she'd like to see me - 2. (*complemento indirecto*) (to) me; **me lo dio** he gave it to me; **me tiene miedo** he's afraid of me - 3. (*reflexivo*) myself.

mear *vi vulg* to piss.

MEC *sm* (*abrev de* **Ministerio de Educación y Cultura**), *Uruguayan Department of Education and Culture.*

mecachis *interj fam eufem*: ¡**mecachis**! sugar! *UK*, shoot! *US*

mecánico, ca ◇ *adj* mechanical. ◇ *sm, f* [persona] mechanic. ◆ **mecánica** *sf* - 1. [ciencia] mechanics (*U*) - 2. [funcionamiento] mechanics *pl*.

mecanismo *sm* [estructura] mechanism.

mecanografía *sf* typing.

mecanógrafo, fa *sm, f* typist.

mecapal *sm Amér C & Méx* porter's leather harness.

mecedora *sf* rocking chair.

mecenas *smf inv* patron.

mecer *vt* to rock. ◆ **mecerse** *vprnl* to rock back and forth; [en columpio] to swing.

mecha *sf* - 1. [de vela] wick - 2. [de explosivos] fuse - 3. [de pelo] streak.

mechero *sm* (cigarette) lighter.

mechón *sm* [de pelo] lock; [de lana] tuft.

medalla *sf* medal; **ponerse medallas** *fig* to show off.

medallón *sm* - 1. [joya] medallion - 2. [rodaja] médaillon; **medallón de pescado** [empanado] fishcake.

media *sf* - 1. ▷ **medio** - 2. *Amér* [calcetín] sock.

mediación *sf* mediation; **por mediación de** through.

mediado, da *adj* [medio lleno] half-full; **mediada la película** halfway through the film. ◆ **a mediados de** *loc prep* in the middle of, halfway through.

medialuna *sf Amér* croissant.

mediana ▷ **mediano**.

mediano, na *adj* - 1. [intermedio - de tamaño] medium; [- de calidad] average; **de mediana edad** middle-aged; **de mediana estatura** of medium *O* average height - 2. [mediocre] average, ordinary. ◆ **mediana** *sf* - 1. GEOM median - 2. [de carretera] central reservation.

medianoche (*pl* **mediasnoches**) *sf* [hora] midnight; **a medianoche** at midnight.

mediante *prep* by means of.

mediar *vi* - 1. [llegar a la mitad] to be halfway through; **mediaba julio** it was mid-July - 2. [estar en medio - tiempo, distancia, espacio]: **mediar entre** to be between; **media un jardín/un kilómetro entre las dos casas** there is a garden/one kilometre between the two houses; **medió una semana** a week passed by - 3. [intervenir]: **mediar (en/entre)** to mediate (in/between) - 4. [interceder]: **mediar (en favor de** *O* **por)** to intercede (on behalf of *O* for).

mediatizar *vt* to determine.

medicación *sf* medication.

medicamento *sm* medicine.

medicar *vt* to give medicine to. ◆ **medicarse** *vprnl* to take medicine.

medicina *sf* medicine.

medicinal *adj* medicinal.

medición *sf* measurement.

médico, ca ◇ *adj* medical. ◇ *sm, f* doctor; **médico de cabecera** *O* **familia** family doctor, general practitioner; **médico de guardia** duty doctor; **médico interno** houseman *UK*, intern *US*.

medida *sf* - 1. [gen] measure; [medición] measurement - 2. [disposición] measure, step; **tomar medidas** to take measures *O* steps; **medida cautelar** precautionary measure; **medidas de seguridad** security measures - 3. [moderación] moderation - 4. [grado] extent, degree; **en cierta/gran medida** to some/a large extent; **en la medida de lo posible** as far as possible; **en mayor/menor medida** to a greater/lesser extent; **a medida que entraban** as they were coming in. ◆ **medidas** *sfpl* [del cuerpo] measurements.

medidor *sm Amér* meter.

medieval *adj* medieval.

medievo, medioevo *sm* Middle Ages *pl*.

medio, dia *adj* - 1. [gen] half; **a medio camino** [en viaje] halfway there; [en trabajo etc] halfway through; **media docena/hora** half a dozen/an hour; **medio pueblo estaba allí** half the town was there; **a media luz** in the half-light; **hacer algo a medias** to half-do sthg; **pagar a medias** to go halves, to share the cost; **un kilo y medio** one and a half kilos; **son (las dos) y media** it's half past (two) - 2. [intermedio - estatura, tamaño] middle; [- posición, punto] middle - 3. [de promedio - temperatura, velocidad] average. ◆ **medio** ◇ *adv* half; **medio borracho** half drunk; **a medio hacer** half done.

◇ *sm* - **1.** [mitad] half - **2.** [centro] middle, centre; **en medio (de)** in the middle (of); **estar por (en) medio** to be in the way; **meterse O ponerse de por medio** to get in the way; *fig* to interfere; **quitar de en medio a alguien** to get rid of sb, to get sb out of the way - **3.** [sistema, manera] means, method; **por medio de** by means of, through - **4.** [elemento físico] environment; **medio ambiente** environment - **5.** [ambiente social] circle; **en medios bien informados** in well-informed circles - **6.** DEP midfielder. ➡ **medios** *smpl* [recursos] means, resources. ➡ **media** *sf* - **1.** [promedio] average - **2.** [hora]: **al dar la media** on the half-hour - **3.** *(gen pl)* [prenda] tights *pl*, stockings *pl* - **4.** DEP midfielders *pl*.

medioambiental *adj* environmental.

mediocre *adj* mediocre, average.

mediodía (*pl* **mediodías**) *sm* [hora] midday, noon; **al mediodía** at noon O midday.

medioevo = medievo.

medir *vt* - **1.** [gen] to measure; **¿cuánto mides?** how tall are you?; **mido 1,80** ≃ I'm 6 foot (tall); **mide diez metros** it's ten metres long - **2.** [pros, contras etc] to weigh up - **3.** [palabras] to weigh carefully.

meditar ◇ *vi*: **meditar (sobre)** to meditate (on). ◇ *vt* - **1.** [gen] to meditate, to ponder - **2.** [planear] to plan, to think through.

mediterráneo, a *adj* Mediterranean. ➡ **Mediterráneo** *sm*: **el (mar) Mediterráneo** the Mediterranean (Sea).

médium *smf inv* medium.

médula *sf* - **1.** ANAT (bone) marrow; **médula espinal** spinal cord; **médula ósea** bone marrow - **2.** [esencia] core; **hasta la médula** to the core.

medusa *sf* jellyfish.

megafonía *sf* public-address system; **llamar por megafonía a alguien** to page sb.

megáfono *sm* megaphone.

mejicano, na = mexicano.

Méjico *n pr* **= México**.

mejilla *sf* cheek.

mejillón *sm* mussel.

mejor ◇ *adj (compar)* better; **mejor (que)** better (than). ◇ *smf*: **el/la mejor (de)** the best (in); **el mejor de todos** the best of all; **lo mejor fue que...** the best thing was that... ◇ *adv* - **1.** *(compar)*: **mejor (que)** better (than); **ahora veo mejor** I can see better now; **es mejor que no vengas** it would be better if you didn't come - **2.** *(superl)* best; **el que la conoce mejor** the one who knows her best. ➡ **a lo mejor** *loc adv* maybe, perhaps. ➡ **mejor dicho** *loc adv* (or) rather.

mejora *sf* [progreso] improvement.

mejorar ◇ *vt* [gen] to improve; [enfermo] to make better. ◇ *vi* to improve, to get better. ➡ **mejorarse** *vprnl* to improve, to get better; **¡que te mejores!** get well soon!

mejoría *sf* improvement.

mejunje *sm lit & fig* concoction.

melancolía *sf* melancholy.

melancólico, ca *adj* melancholic.

melaza *sf* molasses *pl*.

melena *sf* - **1.** [de persona] long hair (*U*); **soltarse la melena** to let one's hair down - **2.** [de león] mane.

melenudo, da *despec adj* with a mop of hair.

mellado, da *adj* - **1.** [con hendiduras] nicked - **2.** [sin dientes] gap-toothed.

mellizo, za *adj & sm, f* twin.

melocotón *sm* peach.

melodía *sf* - **1.** MÚS melody, tune - **2.** [de teléfono móvil] ring tone.

melódico, ca *adj* melodic.

melodioso, sa *adj* melodious.

melodrama *sm* melodrama.

melómano, na *sm, f* music lover.

melón *sm* [fruta] melon.

meloso, sa *adj* - **1.** [como la miel] honey; *fig* sweet - **2.** [empalagoso] sickly.

membrana *sf* membrane.

membresía *sf Amér* membership.

membrete *sm* letterhead.

membrillo *sm* - **1.** [fruto] quince - **2.** [dulce] quince jelly.

memorable *adj* memorable.

memorándum (*pl* **memorándum** O **memorandos**) *sm* - **1.** [cuaderno] notebook - **2.** [nota diplomática] memorandum.

memoria *sf* - **1.** [gen & INFORM] memory; **si la memoria no me falla** if my memory serves me right; **¡qué memoria la mía!** what a memory I have!; **de memoria** by heart; **falta de memoria** forgetfulness; **hacer memoria** to try to remember; **tener buena/mala memoria** to have a good/bad memory; **traer a la memoria** to call to mind; **venir a la memoria** to come to mind - **2.** [recuerdo] remembrance; **ser de feliz/ingrata memoria** to be a happy/an unhappy memory - **3.** [disertación] (academic) paper - **4.** [informe]: **memoria (anual)** (annual) report. ➡ **memorias** *sfpl* [biografía] memoirs.

memorizar *vt* to memorize.

menaje *sm* household goods and furnishings *pl*; **menaje de cocina** kitchenware.

mención *sf* mention; **mención honorífica** honourable mention.

mencionar *vt* to mention.

menda ⬦ *pron fam* [el que habla] yours truly. ⬦ *smf* [uno cualquiera]: **vino un menda y... this bloke came along and...**

mendigar ⬦ *vt* to beg for. ⬦ *vi* to beg.

mendigo, ga *sm, f* beggar.

mendrugo *sm* crust (of bread).

menear *vt* [mover - gen] to move; [- cabeza] to shake; [- cola] to wag; [- caderas] to wiggle. ➤ **menearse** *vprnl* - **1.** [moverse] to move (about); [agitarse] to shake; [oscilar] to sway - **2.** [darse prisa, espabilarse] to get a move on.

menester *sm* necessity. ➤ **menesteres** *smpl* [asuntos] business (U), matters *pl*.

menestra *sf* vegetable stew.

mengano, na *sm, f* so-and-so.

menguante *adj* [luna] waning.

menguar ⬦ *vi* [disminuir] to decrease, to diminish; [luna] to wane. ⬦ *vt* [disminuir] to lessen, to diminish.

menopausia *sf* menopause.

menor ⬦ *adj* - **1.** *(compar):* **menor (que)** [de tamaño] smaller (than); [de edad] younger (than); [de importancia etc] less O lesser (than); [de número] lower (than) - **2.** *(superl):* **el/la menor...** [de tamaño] the smallest...; [de edad] the youngest...; [de importancia] the slightest...; [de número] the lowest... - **3.** [de poca importancia] minor; **un problema menor** a minor problem - **4.** [joven]: **ser menor de edad** [para votar, conducir etc] to be under age; DER to be a minor - **5.** MÚS: **en do menor** in C minor - **6.** *loc:* **al por menor** COM retail. ⬦ *smf* - **1.** *(superl):* **el/la menor** [hijo, hermano] the youngest - **2.** DER [niño] minor.

Menorca *n pr* Minorca.

menos ⬦ *adj inv* - **1.** *(compar)* [cantidad] less; [número] fewer; **menos aire** less air; **menos manzanas** fewer apples; **menos... que...** less/ fewer... than...; **tiene menos experiencia que tú** she has less experience than you; **hace menos calor que ayer** it's not as hot as it was yesterday - **2.** *(superl)* [cantidad] the least; [número] the fewest; **el que compró menos acciones** the one who bought the fewest shares; **lo que menos tiempo llevó** the thing that took the least time - **3.** *fam* [peor]: **éste es menos coche que el mío** that car isn't as good as mine. ⬦ *adv* - **1.** *(compar)* less; **menos de/que** less than; **estás menos gordo** you're not as fat - **2.** *(superl):* **el/la/lo menos** the least; **él es el menos indicado para criticar** he's the last person who should be criticizing; **ella es la menos adecuada para el cargo** she's the least suitable person for the job; **es lo menos que puedo hacer** it's the least I can do - **3.** [expresa resta] minus; **tres menos dos igual a uno** three minus two is one - **4.** [con las horas] to; **son (las dos) menos diez** it's ten to (two) - **5.** *loc:* **es lo de menos** that's the least of it, that's of no

importance; **hacer de menos a alguien** to snub sb; **¡menos mal!** just as well!, thank God!; **no es para menos** not without (good) reason; **venir a menos** to go down in the world. ⬦ *sm inv* MAT minus (sign). ⬦ *prep* [excepto] except (for); **todo menos eso** anything but that.
➤ **al menos, por lo menos** *loc adv* at least.
➤ **a menos que** *loc conj* unless; **no iré a menos que me acompañes** I won't go unless you come with me. ➤ **de menos** *loc adj* [que falta] missing; **hay dos euros de menos** there's two euros missing.

menoscabar *vt* [fama, honra etc] to damage; [derechos, intereses, salud] to harm; [belleza, perfección] to diminish.

menospreciar *vt* [despreciar] to scorn, to despise; [infravalorar] to undervalue.

mensaje *sm* [gen & INFORM] message; **mensaje de texto** [en teléfono móvil] text message.

mensajero, ra *sm, f* [gen] messenger; [de mensajería] courier.

menstruación *sf* menstruation.

menstruar *vi* to menstruate, to have a period.

mensual *adj* monthly; **1.000 euros mensuales** 1,000 euros a month.

mensualidad *sf* - **1.** [sueldo] monthly salary - **2.** [pago] monthly payment O instalment.

menta *sf* mint.

mental *adj* mental.

mentalidad *sf* mentality.

mentalizar *vt* to put into a frame of mind.
➤ **mentalizarse** *vprnl* to get into a frame of mind.

mentar *vt* to mention.

mente *sf* [gen] mind; **traer a la mente** to bring to mind.

mentecato, ta *sm, f* idiot.

mentir *vi* to lie.

mentira *sf* lie; [acción] lying; **aunque parezca mentira** strange as it may seem; **de mentira** pretend, false; **parece mentira (que...)** it hardly seems possible (that...); **mentira piadosa** white lie.

mentirijillas ➤ **de mentirijillas** *fam* ⬦ *loc adv* [en broma] as a joke, in fun. ⬦ *loc adj* [falso] pretend, make-believe.

mentiroso, sa ⬦ *adj* lying; [engañoso] deceptive. ⬦ *sm, f* liar.

mentón *sm* chin.

menú *(pl* menús) *sm* - **1.** [lista] menu; [comida] food; **menú del día** set meal - **2.** INFORM menu.

menudencia *sf* trifle, insignificant thing.

menudeo *sm Amér* COM retailing.

menudillos *smpl* giblets.

menudo, da *adj* - **1.** [pequeño] small - **2.** [insignificante] trifling, insignificant - **3.** *(antes de s)* [para enfatizar] what!; ¡menudo lío/gol! what a mess/goal! ● **a menudo** *loc adv* often.

meollo *sm* core, heart; **llegar al meollo de la cuestión** to come to the heart of the matter.

mercader *smf* trader.

mercadería *sf* merchandise, goods *pl*.

mercadillo *sm* flea market.

mercado *sm* market; **mercado común** Common Market; **mercado libre/negro** free/black market; **Mercado Único Europeo** European Single Market.

mercancía *sf* merchandise *(U)*, goods *pl*. ● **mercancías** *sm inv* FERROC goods train, freight train US.

mercante *adj* merchant.

mercantil *adj* mercantile, commercial.

mercenario, ria *adj & sm, f* mercenary.

mercería *sf* [tienda] haberdasher's (shop) UK, notions store US.

MERCOSUR *sm (abrev de Mercado Común del Sur)* MERCOSUR.

mercurio *sm* mercury.

Mercurio *sm* Mercury.

merecedor, ra *adj:* **merecedor de** worthy of.

merecer ◇ *vt* to deserve, to be worthy of; **la isla merece una visita** the island is worth a visit; **no merece la pena** it's not worth it. ◇ *vi* to be worthy.

merecido *sm:* **recibir su merecido** to get one's just deserts.

merendar ◇ *vi* to have tea *(as a light afternoon meal)*. ◇ *vt* to have for tea.

merendero *sm* open-air café or bar (in the country or on the beach).

merengue *sm* - **1.** CULIN meringue - **2.** [baile] merengue.

meridiano, na *adj* - **1.** [hora etc] midday - **2.** *fig* [claro] crystal-clear. ● **meridiano** *sm* meridian.

merienda *sf* tea *(as a light afternoon meal)*; [en el campo] picnic.

mérito *sm* - **1.** [cualidad] merit - **2.** [valor] value, worth; **tiene mucho mérito** it's no mean achievement; **de mérito** worthy, deserving.

merluza *sf* [pez, pescado] hake.

merma *sf* decrease, reduction.

mermar ◇ *vi* to diminish, to lessen. ◇ *vt* to reduce, to diminish.

mermelada *sf* jam; **mermelada de naranja** marmalade.

mero, ra *adj (antes de s)* mere. ● **mero** *sm* grouper.

merodear *vi:* **merodear (por)** to snoop O prowl (about).

mes *sm* - **1.** [del año] month - **2.** [salario] monthly salary.

mesa *sf* - **1.** [gen] table; [de oficina, despacho] desk; **bendecir la mesa** to say grace; **mesa camilla** *small round table under which a heater is placed*; **mesa de billar** billiard table; **mesa de mezclas** mixing desk; **mesa plegable** folding table - **2.** [comité] board, committee; [en un debate etc] panel; **mesa directiva** executive board O committee. ● **mesa redonda** *sf* [coloquio] round table.

mesada *sf* - **1.** *Amér* [mensualidad] monthly payment, monthly instalment - **2.** *R Dom* [encimera] worktop.

mesero, ra *sm, f Amér C, Col & Méx* waiter (f waitress).

meseta *sf* plateau, tableland.

mesías *sm fig* Messiah.

mesilla *sf* small table; **mesilla de noche** bedside table.

mesón *sm* - **1.** HIST inn - **2.** [bar-restaurante] *old, country-style restaurant and bar.*

mestizo, za ◇ *adj* [persona] half-caste; [animal, planta] cross-bred. ◇ *sm, f* half-caste.

mesura *sf* - **1.** [moderación] moderation, restraint - **2.** [cortesía] courtesy.

meta *sf* - **1.** [DEP - llegada] finishing line; [- portería] goal - **2.** [objetivo] aim, goal.

metabolismo *sm* metabolism.

metáfora *sf* metaphor.

metal *sm* - **1.** [material] metal - **2.** MÚS brass.

metálico, ca ◇ *adj* [sonido, color] metallic; [objeto] metal. ◇ *sm:* **pagar en metálico** to pay (in) cash.

metalizado, da *adj* [pintura] metallic.

metalurgia *sf* metallurgy.

metamorfosis *sf inv lit & fig* metamorphosis.

metedura ● **metedura de pata** *sf* clanger.

meteorito *sm* meteorite.

meteoro *sm* meteor.

meteorología *sf* meteorology.

meteorológico, ca *adj* meteorological.

meteorólogo, ga *sm, f* meteorologist; RADIO & TV weatherman (f weatherwoman).

meter *vt* - **1.** [gen] to put in; **meter algo/a alguien en algo** to put sthg/sb in sthg; **meter la llave en la cerradura** to get the key into the lock; **lo metieron en la cárcel** they put him in prison; **meter dinero en el banco** to put money in the bank - **2.** [hacer participar]: **meter a alguien en algo** to get sb into sthg - **3.** [obligar a]: **meter a alguien a hacer algo** to make sb start doing sthg - **4.** [causar]: **meter prisa/mie-**

do a alguien to rush/scare sb; **meter ruido** to make a noise - **5.** *fam* [asestar] to give; **le metió un puñetazo** he gave him a punch - **6.** [estrechar - prenda] to take in; **meter el bajo de una falda** to take up a skirt. ◆ **meterse** *vprnl* - **1.** [entrar] to get in; **meterse en** to get into - **2.** *(en frase interrogativa)* [estar] to get to; **¿dónde se ha metido ese chico?** where has that boy got to? - **3.** [dedicarse]: **meterse a** to become; **meterse a torero** to become a bullfighter - **4.** [involucrarse]: **meterse (en)** to get involved (in) - **5.** [entrometerse] to meddle; **se mete en todo** he never minds his own business; **meterse por medio** to interfere - **6.** [empezar]: **meterse a hacer algo** to get started on doing sthg. ◆ **meterse con** *vprnl* - **1.** [incordiar] to hassle - **2.** [atacar] to go for.

meterete *smf C Sur fam* busybody, noseyparker *UK*.

metete *smf Andes & Amér C fam* busybody, nosey-parker *UK*.

meticuloso, sa *adj* meticulous.

metido, da *adj* - **1.** [envuelto]: **andar** *O* **estar metido en** to be involved in - **2.** [abundante]: **metido en años** elderly; **metido en carnes** plump.

metódico, ca *adj* methodical.

método *sm* - **1.** [sistema] method - **2.** EDUC course.

metodología *sf* methodology.

metomentodo *fam smf* busybody.

metralla *sf* shrapnel.

metralleta *sf* submachine gun.

métrico, ca *adj* [del metro] metric.

metro *sm* - **1.** [gen] metre - **2.** [transporte] underground *UK*, tube *UK*, subway *US* - **3.** [cinta métrica] tape measure.

metrópoli *sf* [ciudad] metropolis.

metrópolis *sf inv* = **metrópoli**.

metropolitano, na *adj* metropolitan.

mexicano, na, mejicano, na *adj & sm, f* Mexican.

México, Méjico *n pr* Mexico.

mezcla *sf* - **1.** [gen] mixture; [tejido] blend; [de grabación] mix - **2.** [acción] mixing.

mezclar *vt* - **1.** [gen] to mix; [combinar, armonizar] to blend - **2.** [confundir, desordenar] to mix up - **3.** [implicar]: **mezclar a alguien en** to get sb mixed up in. ◆ **mezclarse** *vprnl* - **1.** [gen]: **mezclarse (con)** to mix (with) - **2.** [esfumarse]: **mezclarse entre** to disappear *O* blend into - **3.** [implicarse]: **mezclarse en** to get mixed up in.

mezquino, na *adj* mean, cheap *US*.

mezquita *sf* mosque.

mg *(abrev de miligramo)* mg.

MHz *(abrev de megahercio)* MHz.

mi [1] *sm* MÚS E; [en solfeo] mi.

mi [2] *(pl* mis*) adj poses* my; **mi casa** my house; **mis libros** my books.

mí *pron pers (después de prep)* - **1.** [gen] me; **este trabajo no es para mí** this job isn't for me; **no se fía de mí** he doesn't trust me - **2.** *(reflexivo)* myself - **3.** *loc:* **¡a mí qué!** so what?, why should I care?; **para mí** [yo creo] as far as I'm concerned, in my opinion; **por mí** as far as I'm concerned; **por mí, no hay inconveniente** it's fine by me.

mía ▷ **mío**.

miaja *sf* crumb; *fig* tiny bit.

miau *sm* miaow.

michelines *smpl fam* spare tyre *sing*.

mico *sm fam* [persona] ugly devil; **se volvió mico para abrir la puerta** he had a hell of a job opening the door.

micro ◇ *sm fam (abrev de micrófono)* mike. ◇ *sm o sf Chile* [microbús] bus, coach *UK*.

microbio *sm* germ, microbe.

microbús *sm* - **1.** minibus - **2.** *Méx* [taxi] (collective) taxi.

microfilm *(pl* microfilms*)*, **microfilme** *sm* microfilm.

micrófono *sm* microphone.

microondas *sm inv* microwave (oven).

microordenador *sm* INFORM microcomputer.

microprocesador *sm* INFORM microprocessor.

microscópico, ca *adj* microscopic.

microscopio *sm* microscope; **microscopio electrónico** electron microscope.

MIDA *sm (abrev de Ministerio de Desarrollo Agropecuario) Panamanian Department of Agricultural Development.*

miedo *sm* fear; **coger miedo a algo** to develop a fear of sthg; **dar miedo** to be frightening; **me da miedo conducir** I'm afraid *O* frightened of driving; **por miedo de que...** for fear that...; **temblar de miedo** to tremble with fear; **tener miedo** to be frightened *O* scared ▶▶ **de miedo** *fam*: **esta película está de miedo** this film is brilliant; **lo pasamos de miedo** we had a whale of a time.

miedoso, sa *adj* fearful.

miel *sf* honey.

miembro *sm* - **1.** [gen] member - **2.** [extremidad] limb, member; **miembros superiores/inferiores** upper/lower limbs; **miembro (viril)** penis.

miércoles *sm* Wednesday; **miércoles de ceniza** Ash Wednesday; *ver también* **sábado**.

mierda *vulg sf* - **1.** [excremento] shit - **2.** [suciedad] filth, shit - **3.** [cosa sin valor]: **es una mierda** it's (a load of) crap - **4.** *loc:* **¡vete a la mierda!** go to hell!, piss off!

mies sf [cereal] ripe corn. ◆ **mieses** sfpl [campo] cornfields.

miga sf [de pan] crumb; **tener miga** fam [ser sustancioso] to have a lot to it; [ser complicado] to have more to it than meets the eye. ◆ **migas** sfpl CULIN fried breadcrumbs; **hacer migas a alguien** fam [desmoralizar] to shatter sb.

migra sf Méx fam despec: **la migra** US police border patrol.

migración sf migration.

migraña sf migraine.

migrar vi to migrate.

migratorio, ria adj migratory.

mijo sm millet.

mil num thousand; **dos mil** two thousand; **mil euros** a thousand euros; ver también **seis**.

milagro sm miracle; **de milagro** miraculously.

milagroso, sa adj miraculous; fig amazing.

milenario, ria adj ancient. ◆ **milenario** sm millennium.

milenio sm millennium.

milésimo, ma num thousandth.

mili sf fam military service; **hacer la mili** to do one's military service.

milicia sf - 1. [profesión] military (profession) - 2. [grupo armado] militia.

miliciano, na sm, f militiaman (f female soldier).

miligramo sm milligram.

milímetro sm millimetre.

militante adj & smf militant.

militar ◇ adj military. ◇ smf soldier; **los militares** the military. ◇ vi: **militar (en)** to be active (in).

milla sf mile; **milla (marina)** nautical mile.

millar sm thousand; **un millar de personas** a thousand people.

millón num million; **dos millones** two million; **un millón de personas** a million people; **un millón de cosas que hacer** a million things to do; **un millón de gracias** thanks a million. ◆ **millones** smpl [dineral] a fortune sing.

millonario, ria sm, f millionaire (f millionairess).

millonésimo, ma num millionth.

mimado, da adj spoilt.

mimar vt to spoil, to pamper.

mimbre sm wicker; **de mimbre** wickerwork.

mímica sf - 1. [mimo] mime - 2. [lenguaje] sign language.

mimo sm - 1. [zalamería] mollycoddling - 2. [cariño] show of affection - 3. TEATRO mime.

mimosa sf BOT mimosa.

min (abrev de minuto) min.

mina sf GEOL & MIL mine; **mina de carbón** coalmine.

minar vt - 1. MIL to mine - 2. fig [aminorar] to undermine.

mineral ◇ adj mineral. ◇ sm - 1. GEOL mineral - 2. [en mineralogía] ore.

minería sf - 1. [técnica] mining - 2. [sector] mining industry.

minero, ra ◇ adj mining (antes de s); [producción, riqueza] mineral. ◇ sm, f miner.

miniatura sf miniature.

minicadena sf midi system.

minifalda sf mini skirt.

minigolf (pl minigolfs) sm [juego] crazy golf.

mínimo, ma ◇ superl de **pequeño**. ◇ adj - 1. [lo más bajo posible o necesario] minimum - 2. [lo más bajo temporalmente] lowest - 3. [muy pequeño - efecto, importancia etc] minimal, very small; [- protesta, ruido etc] slightest; **no tengo la más mínima idea** I haven't the slightest idea; **como mínimo** at the very least; **en lo más mínimo** in the slightest. ◆ **mínimo** sm [límite] minimum. ◆ **mínima** sf METEOR low, lowest temperature.

ministerio sm - 1. POLÍT ministry UK, department US - 2. RELIG ministry. ◆ **Ministerio de Asuntos Exteriores** sm ≃ Foreign Office UK, ≃ State Department US. ◆ **Ministerio de Economía y Hacienda** sm ≃ Treasury UK, ≃ Treasury Department US. ◆ **Ministerio del Interior** sm ≃ Home Office UK, ≃ Department of the Interior US.

ministro, tra sm, f POLÍT minister UK, secretary US; **primer ministro** prime minister.

minoría sf minority; **estar en minoría** to be in a O the minority; **minorías étnicas** ethnic minorities.

minorista ◇ adj retail. ◇ smf retailer.

minoritario, ria adj minority (antes de s).

minucia sf trifle, insignificant thing.

minucioso, sa adj - 1. [meticuloso] meticulous - 2. [detallado] highly detailed.

minúsculo, la adj - 1. [tamaño] tiny, minute - 2. [letra] small; IMPR lower-case. ◆ **minúscula** sf small letter; IMPR lower-case letter.

minusvalía sf [física] handicap, disability.

minusválido, da ◇ adj disabled, handicapped. ◇ sm, f disabled O handicapped person.

minuta sf - 1. [factura] fee - 2. [menú] menu - 3. R Dom [comida] quick meal.

minutero sm minute hand.

minuto sm minute; **guardar un minuto de silencio** to observe a minute's silence.

mío, mía ◇ adj poses mine; **este libro es mío** this book is mine; **un amigo mío** a friend of mine; **no es asunto mío** it's none of my

business. <> *pron poses*: **el mío** mine; **el mío es rojo** mine is red; **esta es la mía** *fam* this is the chance I've been waiting for; **lo mío es el teatro** [lo que me va] theatre is what I should be doing; **los míos** *fam* [mi familia] my folks; [mi bando] my lot, my side.

miope *adj* shortsighted, myopic.

miopía *sf* shortsightedness, myopia.

mira <> *sf* sight; *fig* intention; **con miras a** with a view to, with the intention of. <> *interj*: ¡mira! look!

mirado, da *adj* [prudente] careful; **bien mirado** [bien pensado] if you look at it closely.

➤ **mirada** *sf* [gen] look; [rápida] glance; [de cariño, placer, admiración] gaze; **apartar la mirada** to look away; **dirigir O lanzar la mirada a** to glance at; **echar una mirada (a algo)** to glance O to have a quick look (at sthg); **fulminar con la mirada a alguien** to look daggers at sb; **hay miradas que matan** if looks could kill; **levantar la mirada** to look up; **mirada fija** stare.

mirador *sm* - 1. [balcón] enclosed balcony - 2. [para ver un paisaje] viewpoint.

miramiento *sm* circumspection; **andarse con miramientos** to stand on ceremony; **sin miramientos** just like that, without the least consideration.

mirar <> *vt* - 1. [gen] to look at; [observar] to watch; [fijamente] to stare at; **mirar algo de cerca/lejos** to look at sthg closely/from a distance; **mirar algo por encima** to glance over sthg, to have a quick look at sthg - 2. [fijarse en] to keep an eye on - 3. [examinar, averiguar] to check, to look through; **le miraron todas las maletas** they searched all her luggage; **mira si ha llegado la carta** go and see if the letter has arrived - 4. [considerar] to consider, to take a look at. <> *vi* - 1. [gen] to look; [observar] to watch; [fijamente] to stare; **mira, yo creo que...** look, I think that... - 2. [buscar] to check, to look; **he mirado en todas partes** I've looked everywhere - 3. [orientarse]: **mirar a** to face - 4. [cuidar]: **mirar por alguien/algo** to look after sb/sthg. ➤ **mirarse** *vprnl* [uno mismo] to look at o.s.

mirilla *sf* spyhole.

mirlo *sm* blackbird.

mirón, ona *fam sm, f* - 1. [espectador] onlooker - 2. [curioso] nosy parker - 3. [voyeur] peeping Tom.

misa *sf* mass; **cantar/decir/oír misa** to sing/say/hear mass.

misal *sm* missal.

misántropo, pa *sm, f* misanthropist.

miscelánea *sf* - 1. miscellany - 2. *Méx* [tienda] small general store.

miserable <> *adj* - 1. [pobre] poor; [vivienda] wretched, squalid - 2. [penoso, insuficiente] miserable - 3. [vil] contemptible, base - 4. [tacaño] mean. <> *smf* [ruin] wretch, vile person.

miseria *sf* - 1. [pobreza] poverty; **vivir en la miseria** to live in poverty - 2. [cantidad muy pequeña] pittance - 3. [desgracia] misfortune - 4. [tacañería] meanness.

misericordia *sf* compassion; **pedir misericordia** to beg for mercy.

mísero, ra *adj* [pobre] wretched; **ni un mísero...** not even a measly O miserable...

misil (*pl* misiles) *sm* missile; **misil de crucero** cruise missile.

misión *sf* - 1. [gen] mission; [cometido] task - 2. [expedición científica] expedition.

misionero, ra *adj & sm, f* missionary.

misiva *sf culto* missive.

mismo, ma <> *adj* - 1. [igual] same; **el mismo piso** the same flat; **del mismo color que** the same colour as - 2. [para enfatizar]: **yo mismo** I myself; **en este mismo cuarto** in this very room; **en su misma calle** right in the street where he lives; **por mí/ti mismo** by myself/yourself; **¡tú mismo!** it's up to you. <> *pron*: **el mismo** the same; **el mismo que vi ayer** the same one I saw yesterday; **lo mismo** the same (thing); **lo mismo que** the same as; **da O es lo mismo** it doesn't matter, it doesn't make any difference; **me da lo mismo** I don't care. ➤ **mismo** (*después de s*) *adv* - 1. [para enfatizar]: **lo vi desde mi casa mismo** I saw it from my own house; **ahora/aquí mismo** right now/here; **ayer mismo** only yesterday; **por eso mismo** precisely for that reason - 2. [por ejemplo]: **escoge uno – cualquiera este mismo** choose any – this one, for instance.

misógino, na *adj* misogynistic.

misterio *sm* mystery.

misterioso, sa *adj* mysterious.

mística ➩ **místico**.

místico, ca *adj* mystical. ➤ **mística** *sf* [práctica] mysticism.

mitad *sf* - 1. [gen] half; **a mitad de precio** at half price; **a mitad de camino** halfway there; **a mitad de película** halfway through the film; **la mitad de** half (of); **la mitad del tiempo no está** half the time she's not in; **mitad y mitad** half and half - 2. [centro] middle; **en mitad de** in the middle of; **(cortar algo) por la mitad** (to cut sthg) in half.

mítico, ca *adj* mythical.

mitigar *vt* - 1. [gen] to alleviate, to reduce; [ánimos] to calm; [sed] to slake; [hambre] to take the edge off; [choque, golpe] to soften; [dudas, sospechas] to allay - 2. [justificar] to mitigate.

mitin (*pl* mítines) *sm* rally, meeting.

mito *sm* [gen] myth.

mitología *sf* mythology.

mitote *sm Méx fam* [bulla] racket.

mixto, ta *adj* mixed; [comisión] joint.

ml (*abrev de mililitro*) ml.

mm (*abrev de milímetro*) mm.

mobiliario *sm* furniture; **mobiliario urbano** street furniture.

mocasín *sm* moccasin.

mochila *sf* backpack.

mochuelo *sm* little owl.

moción *sf* motion.

moco *sm fam* snot *(U)*; MED mucus *(U)*; **limpiarse los mocos** to wipe one's nose; **sorberse los mocos** to sniffle, to snuffle.

mocoso, sa *sm, f fam despec* brat.

moda *sf* [gen] fashion; [furor pasajero] craze; **estar de moda** to be fashionable *O* in fashion; **estar pasado de moda** to be unfashionable *O* out of fashion; **ponerse de moda** to come into fashion; **moda pasajera** fad.

modal *adj* modal. ➤ **modales** *smpl* manners.

modalidad *sf* form, type; DEP discipline.

modelar *vt* to model; *fig* to shape.

modelo ◇ *adj* model. ◇ *smf* model. ◇ *sm* - **1.** [gen] model; **modelo económico** ECON economic model - **2.** [prenda de vestir] number.

módem ['moðem] (*pl* **modems**) *sm* INFORM modem; **módem fax** fax modem.

moderación *sf* moderation.

moderado, da *adj* & *sm, f* moderate.

moderador, ra *sm, f* chair, chairperson.

moderar *vt* - **1.** [gen] to moderate; [velocidad] to reduce - **2.** [debate] to chair. ➤ **moderarse** *vprnl* to restrain o.s.

modernizar *vt* to modernize.

moderno, na *adj* modern.

modestia *sf* modesty.

modesto, ta *adj* modest.

módico, ca *adj* modest.

modificar *vt* - **1.** [variar] to alter - **2.** GRAM to modify.

modista *smf* - **1.** [diseñador] fashion designer - **2.** [que cose] tailor (*f* dressmaker).

modisto *sm* - **1.** [diseñador] fashion designer - **2.** [sastre] tailor.

modo *sm* [manera, forma] way; **a modo de** as, by way of; **a mi modo** (in) my own way; **de ese modo** in that way; **de ningún modo** in no way; **de todos modos** in any case, anyway; **de un modo u otro** one way or another; **en cierto modo** in some ways; **modo de empleo** instructions *pl* for use; **modo de pensar/ser** way of thinking/being; **modo de vida** way of life; **de modo que** [de manera que] in such a way

that; [así que] so. ➤ **modos** *smpl* [modales] manners; **buenos/malos modos** good/bad manners.

modorra *sf fam* drowsiness.

modoso, sa *adj* [recatado] modest; [formal] well-behaved.

modular *vt* to modulate.

módulo *sm* - **1.** [gen] module; **módulo lunar** lunar module - **2.** [de muebles] unit.

mofa *sf* mockery.

mofarse *vprnl* to scoff; **mofarse de** to mock.

moflete *sm* chubby cheek.

mogollón *sm fam* - **1.** [muchos]: **mogollón de** tons *pl* of, loads *pl* of - **2.** [lío] row, commotion; **entraron/salieron a mogollón** everyone rushed in/out at once.

moho *sm* - **1.** [hongo] mould; **criar moho** to go mouldy - **2.** [herrumbre] rust.

mohoso, sa *adj* - **1.** [con hongo] mouldy - **2.** [oxidado] rusty.

moisés *sm inv* Moses basket.

mojado, da *adj* wet; [húmedo] damp.

mojar *vt* [sin querer] to get wet; [a propósito] to wet; [humedecer] to dampen; [comida] to dunk; **moja el pan en la salsa** dip your bread in the sauce. ➤ **mojarse** *vprnl* [con agua] to get wet.

mojigato, ta *adj* - **1.** [beato] prudish - **2.** [con falsa humildad] sanctimonious.

mojón *sm* [piedra] milestone; [poste] milepost.

molar *fam vi* to be bloody gorgeous.

molcajete *sm Méx* mortar.

molde *sm* mould.

moldeado *sm* - **1.** [del pelo] soft perm - **2.** [de figura, cerámica] moulding.

moldear *vt* - **1.** [gen] to mould - **2.** [modelar] to cast - **3.** [cabello] to give a soft perm to.

mole ◇ *sf* hulk. ◇ *sm Méx* [salsa] thick, cooked chilli sauce; [guiso] dish served in 'mole' sauce.

molécula *sf* molecule.

moler *vt* - **1.** [gen] to grind; [aceitunas] to press; [trigo] to mill - **2.** *fam* [cansar] to wear out.

molestar *vt* - **1.** [perturbar] to annoy; **¿le molesta que fume?** do you mind if I smoke?; **perdone que le moleste...** I'm sorry to bother you... - **2.** [doler] to hurt - **3.** [ofender] to offend. ➤ **molestarse** *vprnl* - **1.** [incomodarse] to bother; **molestarse en hacer algo** to bother to do sthg; **molestarse por alguien/algo** to put o.s. out for sb/sthg - **2.** [ofenderse]: **molestarse (por algo)** to take offence (at sthg).

molestia *sf* - **1.** [incomodidad] nuisance; **disculpen las molestias** we apologize for any inconvenience; **si no es demasiada molestia** if

it's not too much trouble - **2.** [malestar] discomfort; **siento una molestia en el estómago** my stomach doesn't feel too good.

molesto, ta adj - **1.** [incordiante] annoying; [visita] inconvenient - **2.** [irritado]: **molesto (con)** annoyed (with) - **3.** [con malestar] in discomfort.

molido, da adj fam [cansado] worn out; **estar molido de** to be worn out from.

molinero, ra sm, f miller.

molinillo sm grinder; **molinillo de café** coffee mill O grinder.

molino sm mill; **molino de viento** windmill.

molla sf [parte blanda] flesh.

molleja sf gizzard.

mollera sf fam [juicio] brains pl; **ser duro de mollera** [estúpido] to be thick in the head; [testarudo] to be pig-headed.

molusco sm mollusc.

momentáneo, a adj [de un momento] momentary; [pasajero] temporary.

momento sm [gen] moment; [periodo] time; **llegó un momento en que...** there came a time when...; **a cada momento** all the time; **al momento** straightaway; **a partir de este momento** from this moment (on); **de momento, por el momento** for the time being O moment; **del momento** [actual] of the day; **de un momento a otro** any minute now; **dentro de un momento** in a moment; **desde el momento (en) que...** [tiempo] from the moment that...; [causa] seeing as...; **en algún momento** sometime; **momentos después** moments later; **¡un momento!** just a minute!; **momento decisivo** turning point.

momia sf mummy.

monada sf - **1.** [persona]: **su novia es una monada** his girlfriend is gorgeous; **¡qué monada de bebé!** what a cute baby! - **2.** [cosa] lovely thing; **¡qué monada de falda!** what a lovely skirt! **monadas** sfpl [gracias] antics; **hacer monadas** to monkey O clown around.

monaguillo sm altar boy.

monarca sm monarch.

monarquía sf monarchy; **monarquía absoluta/constitucional/parlamentaria** absolute/constitutional/parliamentary monarchy.

monárquico, ca adj monarchic.

monasterio sm [de monjes] monastery; [de monjas] convent.

Moncloa sf: **la Moncloa** residence of the Spanish premier.

monda sf [acción] peeling; [piel] peel; **ser la monda** mfam [extraordinario] to be amazing; [gracioso] to be a scream.

mondadientes sm inv toothpick.

mondadura sf [piel] peel.

mondar vt to peel. **mondarse** vprnl: **mondarse (de risa)** fam to laugh one's head off.

moneda sf - **1.** [pieza] coin; **pagar a alguien con O en la misma moneda** to pay sb back in kind; **ser moneda corriente** to be commonplace - **2.** [divisa] currency.

monedero sm - **1.** [gen] purse - **2.** [tarjeta]: **monedero electrónico** electronic purse.

monegasco, ca adj & sm, f Monegasque.

monetario, ria adj monetary.

mongólico, ca sm, f MED Down's syndrome person.

mongolismo sm Down's syndrome.

monigote sm - **1.** [muñeco] rag O paper doll - **2.** [dibujo] doodle - **3.** fig [persona] puppet.

monitor, ra sm, f [persona] instructor. **monitor** sm INFORM & TECNOL monitor.

monja sf nun.

monje sm monk.

mono, na adj - **1.** [bonito] lovely - **2.** Col [rubio] blond(e). sm, f - **1.** [animal] monkey; **aunque la mona se vista de seda, mona se queda** prov you can't make a silk purse out of a sow's ear prov; **mandar a alguien a freír monas** fam to tell sb to get lost; **ser el último mono** to be bottom of the heap - **2.** Col [rubio] blond(e). **mono** sm - **1.** [prenda - con peto] dungarees pl; [- con mangas] overalls pl - **2.** fam [abstinencia] cold turkey.

monóculo sm monocle.

monogamia sf monogamy.

monografía sf monograph.

monolingüe adj monolingual.

monólogo sm monologue; TEATRO soliloquy.

monopatín sm skateboard.

monopolio sm monopoly.

monopolizar vt lit & fig to monopolize.

monosílabo, ba adj monosyllabic. **monosílabo** sm monosyllable.

monotonía sf [uniformidad] monotony.

monótono, na adj monotonous.

monovolumen sm people carrier.

monseñor sm Monsignor.

monserga sf fam drivel (U); **déjate de monsergas, no me vengas con monsergas** don't give me that rubbish.

monstruo adj inv [grande] enormous, monster (antes de s). sm - **1.** [gen] monster - **2.** [prodigio] giant, marvel.

monstruosidad sf - **1.** [crueldad] monstrosity, atrocity - **2.** [fealdad] hideousness - **3.** [anomalía] freak.

monstruoso, sa adj - **1.** [cruel] monstrous - **2.** [feo] hideous - **3.** [enorme] huge, enormous - **4.** [deforme] terribly deformed.

monta *sf* [importancia] importance; **de poca monta** of little importance.

montacargas *sm inv* goods lift *UK*, freight elevator *US*.

montaje *sm* - **1.** [de máquina] assembly - **2.** TEATRO staging - **3.** FOTO montage - **4.** CINE editing - **5.** [farsa] put-up job.

montante *sm* - **1.** [ventanuco] fanlight - **2.** [importe] total; **montantes compensatorios** COM compensating duties - **3.** *loc*: **coger el montante** to go away, to leave.

montaña *sf lit & fig* mountain; **ir de excursión a la montaña** to go on a trip to the mountains; **montaña rusa** roller coaster; **hacer una montaña de un grano de arena** to make a mountain out of a molehill.

montañero, ra *sm, f* mountaineer.

montañismo *sm* mountaineering.

montañoso, sa *adj* mountainous.

montar ◇ *vt* - **1.** [ensamblar - máquina, estantería] to assemble; [- tienda de campaña, tenderete] to put up - **2.** [encajar]: **montar algo en algo** to fit sthg into sthg - **3.** [organizar - negocio, piso] to set up - **4.** [cabalgar] to ride - **5.** [poner encima]: **montar a alguien en** to lift sb onto - **6.** CULIN - nata] to whip; [- claras, yemas] to beat - **7.** TEATRO to stage - **8.** CINE to cut, to edit. ◇ *vi* - **1.** [subir] to get on; [en coche] to get in; **montar en** [gen] to get onto; [coche] to get into; [animal] to mount - **2.** [ir montado] to ride; **montar en bicicleta/a caballo** to ride a bicycle/a horse. ◆ **montarse** *vprnl* [gen] to get on; [en coche] to get in; [en animal] to mount; **montarse en** [gen] to get onto; [coche] to get into; [animal] to mount.

monte *sm* [elevación] mountain; [terreno] woodland; **monte bajo** scrub; **no todo el monte es orégano** *prov* life's not a bowl of cherries. ◆ **monte de piedad** *sm* state pawnbroker's.

montepío *sm* mutual aid society.

montés *adj* wild.

montículo *sm* hillock.

monto *sm* total.

montón *sm* - **1.** [pila] heap, pile; **a O en montón** everything together O at once; **del montón** ordinary, run-of-the-mill - **2.** [muchos] loads; **un montón de** loads of.

montura *sf* - **1.** [cabalgadura] mount - **2.** [arreos] harness; [silla] saddle - **3.** [soporte - de gafas] frame.

monumental *adj* - **1.** [ciudad, lugar] famous for its monuments - **2.** [fracaso etc] monumental.

monumento *sm* monument.

monzón *sm* monsoon.

moña *sf fam* [borrachera]: **coger una moña** to get smashed.

moño *sm* - **1.** [de pelo] bun *(of hair)*; **agarrarse del moño** [pegarse] to pull each other's hair out; **estar hasta el moño (de)** to be sick to death (of) - **2.** *Amér* [lazo] bow.

moquear *vi* to have a runny nose.

moqueta *sf* fitted carpet.

mora *sf* - **1.** [de la zarzamora] blackberry - **2.** [del moral] mulberry.

morada *sf culto* dwelling.

morado, da *adj* purple. ◆ **morado** *sm* [color] purple.

moral ◇ *adj* moral. ◇ *sf* - **1.** [ética] morality - **2.** [ánimo] morale.

moraleja *sf* moral.

moralizar *vi* to moralize.

morbo *sm fam* [placer malsano] morbid pleasure.

morboso, sa *adj* morbid.

morcilla *sf* CULIN ≈ black pudding *UK*, ≈ blood sausage *US*; **¡que te/os den morcilla!** *mfam* you can stuff it, then!

mordaz *adj* caustic, biting.

mordaza *sf* gag.

mordedura *sf* bite.

morder ◇ *vt* - **1.** [con los dientes] to bite - **2.** [gastar] to eat into. ◇ *vi* to bite; **estar que muerde** to be hopping mad. ◆ **morderse** *vprnl*: **morderse la lengua/las uñas** to bite one's tongue/nails.

mordida *sf Amér C & Méx fam* [soborno] bribe.

mordisco *sm* bite.

mordisquear *vt* to nibble (at).

moreno, na ◇ *adj* - **1.** [pelo, piel] dark; [por el sol] tanned; **ponerse moreno** to get a tan - **2.** [pan, azúcar] brown. ◇ *sm, f* [de pelo] dark-haired person; [de piel] dark-skinned person.

morera *sf* white mulberry.

moretón *sm* bruise.

morfina *sf* morphine.

moribundo, da *adj* dying.

morir *vi* - **1.** [gen] to die; **morir de algo** to die of sthg - **2.** [río, calle] to come out - **3.** [fuego] to die down; [luz] to go out; [día] to come to a close. ◆ **morirse** *vprnl* - **1.** [fallecer]: **morirse (de)** to die (of) - **2.** [sentir con fuerza]: **morirse de envidia/ira** to be burning with envy/rage; **me muero de ganas de ir a bailar** I'm dying to go dancing; **me muero de hambre/frío** I'm starving/freezing; **morirse por algo** to be dying for sthg; **morirse por alguien** to be crazy about sb.

mormón, ona *adj & sm, f* Mormon.

moro, ra ◇ *adj* HIST Moorish. ◇ *sm, f* - **1.** HIST Moor; **moros y cristianos** *traditional Spanish festival involving mock battle*

between Moors and Christians - **2.** [árabe] Arab (N.B.: the term 'moro' is considered to be racist).

morocho, cha ◇ adj Andes & R Plata [persona] dark-haired; Ven [mellizo] twin. ◇ sm, f Andes & R Plata [moreno] dark-haired person; Ven [mellizo] twin.

moroso, sa ◇ adj COM defaulting. ◇ sm, f COM defaulter, bad debtor.

morrear mfam vt & vi to snog.

morriña sf [por el país de uno] homesickness; [por el pasado] nostalgia.

morro sm - **1.** [hocico] snout - **2.** fam [de coche, avión] nose.

morsa sf walrus.

morse sm (en aposición invariable) Morse (code).

mortadela sf Mortadella.

mortaja sf shroud.

mortal ◇ adj mortal; [caída, enfermedad] fatal; [aburrimiento, susto, enemigo] deadly. ◇ smf mortal.

mortalidad sf mortality.

mortandad sf mortality.

mortero sm mortar.

mortífero, ra adj deadly.

mortificar vt to mortify.

mosaico, ca adj Mosaic. ◆ **mosaico** sm mosaic.

mosca sf fly; no se oía ni una mosca you could have heard a pin drop; por si las moscas just in case; ¿qué mosca te ha picado? what's up with you? ◆ **mosca muerta** smf slyboots.

moscardón sm ZOOL blowfly.

moscón sm ZOOL bluebottle.

moscovita adj & smf Muscovite.

mosquearse vprnl fam [enfadarse] to get cross; [sospechar] to smell a rat.

mosquete sm musket.

mosquetero sm musketeer.

mosquitero sm mosquito net.

mosquito sm mosquito.

mosso d'Esquadra sm member of the Catalan police force.

mostacho sm moustache.

mostaza sf mustard.

mosto sm [residuo] must; [zumo de uva] grape juice.

mostrador sm [en tienda] counter; [en bar] bar.

mostrar vt to show. ◆ **mostrarse** vprnl to appear, to show o.s.; se mostró muy interesado he expressed great interest.

mota sf [de polvo] speck; [en tela] dot.

mote sm - **1.** nickname; poner un mote a alguien to nickname sb - **2.** Andes [maíz] stewed maize UK O corn US.

motel sm motel.

motín sm [del pueblo] uprising, riot; [de las tropas] mutiny.

motivación sf motive, motivation (U).

motivar vt - **1.** [causar] to cause; [impulsar] to motivate - **2.** [razonar] to explain, to justify.

motivo sm - **1.** [causa] reason, cause; [de crimen] motive; bajo ningún motivo under no circumstances; dar motivo a to give reason to; tener motivos para to have reason to - **2.** ARTE, LITER & MÚS motif.

moto sf motorbike UK, motorcycle.

motocicleta sf motorbike, motorcycle.

motociclismo sm motorcycling.

motociclista smf motorcyclist.

motoneta sf Amér (motor) scooter.

motonetista smf Amér scooter rider.

motor, motora O **motriz** adj motor. ◆ **motor** sm - **1.** [aparato] motor, engine; motor fuera borda outboard motor - **2.** [fuerza] dynamic force. ◆ **motora** sf motorboat.

motorismo sm motorcycling.

motorista smf motorcyclist.

motriz ▷ **motor.**

mousse [mus] sm inv CULIN mousse.

movedizo, za adj [movible] movable, easily moved.

mover vt - **1.** [gen & INFORM] to move; [mecánicamente] to drive - **2.** [cabeza - afirmativamente] to nod; [- negativamente] to shake - **3.** [suscitar] to provoke - **4.** fig [empujar]: mover a alguien a algo/a hacer algo to drive sb to sthg/to do sthg. ◆ **mover a** vi - **1.** [incitar] to incite to - **2.** [causar] to provoke, to cause. ◆ **moverse** vprnl - **1.** [gen] to move; [en la cama] to toss and turn - **2.** [darse prisa] to get a move on.

movido, da adj - **1.** [debate, torneo] lively; [persona] active, restless; [jornada, viaje] hectic - **2.** FOTO blurred, fuzzy. ◆ **movida** sf fam [ambiente] scene; la movida madrileña the Madrid scene of the late 1970s.

móvil ◇ adj mobile, movable. ◇ sm - **1.** [motivo] motive - **2.** [juguete] mobile.

movilidad sf mobility.

movilizar vt to mobilize.

movimiento sm - **1.** [gen & POLÍT] movement; movimiento obrero/pacifista working-class/pacifist movement - **2.** FÍS & TECNOL motion; movimiento continuo/de rotación perpetual/rotational motion; movimiento sísmico earth tremor - **3.** [circulación - gen] activity; [- de personal, mercancías] turnover; [- de vehículos] traffic - **4.** [MÚS - parte de la obra] movement.

moviola *sf* editing projector.

moza ▷ **mozo**.

mozárabe ◇ *adj* Mozarabic. ◇ *sm* [lengua] Mozarabic.

mozo, za ◇ *adj* [joven] young; [soltero] single. ◇ *sm, f* - 1. young boy (*f* young girl), young lad (*f* young lass) - 2. *Andes & R Plata* [camarero] waiter (*f* waitress). ◆ **mozo** *sm* - 1. [trabajador] assistant (worker); **mozo de cordel** *O* **de cuerda** porter; **mozo de estación** (station) porter - 2. [recluta] conscript.

MP3 (*abrev de* MPEG-1 Audio Layer-3) *sm* INFORM MP3.

mu *sm* [mugido] moo; **no decir ni mu** not to say a word.

mucamo, ma *sm, f Andes & R Plata* [en casa] maid; [en hotel] chamberperson (*f* chambermaid).

muchacho, cha *sm, f* boy (*f* girl). ◆ **muchacha** *sf* [sirvienta] maid.

muchedumbre *sf* [de gente] crowd, throng; [de cosas] great number, masses *pl*.

mucho, cha ◇ *adj* - 1. (*en sing*) [gran cantidad] a lot of; (*pl*) many, a lot of; (*en interrogativas y negativas*) much, a lot of; **tengo mucho sueño** I'm very sleepy; **muchos días** several days; **no tengo mucho tiempo** I haven't got much time - 2. (*en sing*) [demasiado]: **hay mucho niño aquí** there are too many kids here. ◇ *pron* (*en sing*) a lot; (*en pl*) many, a lot; **tengo mucho que contarte** I have a lot to tell you; **¿queda dinero? - no mucho** is there any money left? - not much *O* not a lot; **muchos piensan igual** a lot of *O* many people think the same. ◆ **mucho** *adv* - 1. [gen] a lot; **habla mucho** he talks a lot; **me canso mucho** I get really *O* very tired; **me gusta mucho** I like it a lot *O* very much; **no me gusta mucho** I don't like it much; **(no) mucho más tarde** (not) much later - 2. [largo tiempo]: **hace mucho que no vienes** I haven't seen you for a long time; **¿dura mucho la obra?** is the play long?; **mucho antes/después** long before/after - 3. [frecuentemente]: **¿vienes mucho por aquí?** do you come here often? - 4. *loc*: **como mucho** at the most; **con mucho** by far, easily; **ni con mucho** not by a long chalk; **ni mucho menos** by no means; **no está ni mucho menos decidido** it is by no means decided. ◆ **por mucho que** *loc conj* no matter how much, however much; **por mucho que insistas** no matter how much *O* however much you insist.

mucosidad *sf* mucus.

muda *sf* [ropa interior] change of underwear.

mudanza *sf* move; **estar de mudanza** to be moving.

mudar ◇ *vt* - 1. [gen] to change; [casa] to move; **cuando mude la voz** when his voice breaks - 2. [piel, plumas] to moult. ◇ *vi* [cambiar]: **mudar de** [opinión, color] to change; [domicilio] to move. ◆ **mudarse** *vprnl*: **mudarse (de casa)** to move (house); **mudarse (de ropa)** to change.

mudéjar *adj & smf* Mudejar.

mudo, da *adj* - 1. [sin habla] dumb - 2. [callado] silent, mute; **se quedó mudo** he was left speechless - 3. [sin sonido] silent.

mueble ◇ *sm* piece of furniture; **los muebles** the furniture (*U*); **salvar los muebles** to save face. ◇ *adj* ▷ **bien**.

mueca *sf* [gen] face, expression; [de dolor] grimace.

muela *sf* [diente - gen] tooth; [- molar] molar; **muela del juicio** wisdom tooth.

muelle *sm* - 1. [de colchón, reloj] spring - 2. [en el puerto] dock, quay; [en el río] wharf.

muera ▷ **morir**.

muérdago *sm* mistletoe.

muermo *sm fam* bore, drag.

muerte *sf* - 1. [gen] death; **a muerte** to the death, to the bitter end; **un susto de muerte** a terrible shock; **muerte natural/violenta** natural/violent death; **muerte súbita** [de bebé] cot death; [en tenis] tiebreak, tiebreaker; **estar de muerte** *fam* [comida] to be yummy; [persona] to be gorgeous - 2. [homicidio] murder.

muerto, ta ◇ *pp* ▷ **morir**. ◇ *adj* - 1. [gen] dead; **caer muerto** to drop dead; **estar muerto (de cansancio)** to be dead tired; **estar muerto de miedo/frío** to be scared/freezing to death - 2. *loc*: **no tener donde caerse muerto** not to have a penny to one's name. ◇ *sm, f* dead person; [cadáver] corpse; **cargar con el muerto** [trabajo, tarea] to be left holding the baby; [culpa] to get the blame; **el muerto al hoyo y el vivo al bollo** *prov* dead men have no friends *prov*.

muesca *sf* - 1. [concavidad] notch, groove - 2. [corte] nick.

muestra *sf* - 1. [pequeña cantidad] sample; **para muestra (basta) un botón** one example is enough - 2. [señal] sign, show; [prueba] proof; [de cariño, aprecio] token - 3. [modelo] model, pattern - 4. [exposición] show, exhibition.

muestrario *sm* collection of samples.

muestreo *sm* sample; [acción] sampling.

mugido *sm* [de vaca] moo, mooing (*U*); [de toro] bellow, bellowing (*U*).

mugir *vi* [vaca] to moo; [toro] to bellow.

mugre *sf* filth, muck.

mugriento, ta *adj* filthy.

mujer *sf* woman; [cónyuge] wife; **mujer fatal** femme fatale; **mujer de la limpieza** cleaning lady.

mujeriego, ga *adj* fond of the ladies. ➤ **mujeriego** *sm* womanizer.

mujerzuela *sf despec* loose woman.

mulato, ta *adj & sm, f* mulatto.

muleta *sf* - **1.** [para andar] crutch; *fig* prop, support - **2.** TAUROM muleta *(red cape hanging from a stick used to tease the bull).*

mullido, da *adj* soft, springy.

mulo, la *sm, f* ZOOL mule.

multa *sf* fine; **poner una multa a alguien** to fine sb.

multar *vt* to fine.

multiconfesional *adj* [sociedad, organización] multifaith.

multicopista *sf* duplicator.

multimedia *adj inv* INFORM multimedia.

multimillonario, ria *sm, f* multimillionaire.

multinacional *adj & sf* multinational.

múltiple *adj* [variado] multiple. ➤ **múltiples** *adj pl* [numerosos] many, numerous.

multiplicación *sf* multiplication.

multiplicar *vt & vi* to multiply. ➤ **multiplicarse** *vprnl* - **1.** [persona] to do lots of things at the same time - **2.** BIOL to multiply.

múltiplo, pla *adj* multiple. ➤ **múltiplo** *sm* multiple; **mínimo común múltiplo** lowest common multiple.

multitud *sf* [de personas] crowd; **una multitud de cosas** loads of *O* countless things.

multitudinario, ria *adj* extremely crowded; [manifestación] mass *(antes de s).*

multiuso *adj inv* multipurpose.

mundanal *adj* worldly.

mundano, na *adj* - **1.** [del mundo] worldly, of the world - **2.** [de la vida social] (high) society.

mundial ◇ *adj* [política, economía, guerra] world *(antes de s);* [tratado, organización, fama] worldwide. ◇ *sm* World Championships *pl;* [en fútbol] World Cup.

mundo *sm* - **1.** [gen] world; **el otro mundo** the next world, the hereafter; **irse al otro mundo** to pass away; **por nada del mundo** not for (all) the world; **se le cayó el mundo encima** his world fell apart; **todo el mundo** everyone, everybody; **venir al mundo** to come into the world, to be born - **2.** [experiencia]: **ver** *O* **correr mundo** to see life.

munición *sf* ammunition.

municipal ◇ *adj* town *(antes de s),* municipal; [elecciones] local; [instalaciones] public. ◇ *smf* ▷ **guardia**.

municipio *sm* - **1.** [corporación] town council - **2.** [territorio] town, municipality.

muñeco, ca *sm, f* [juguete] doll; [marioneta] puppet; **muñeco de peluche** cuddly *O* soft toy; **muñeco de trapo** rag doll. ➤ **muñeco** *sm fig* puppet. ➤ **muñeca** *sf* - **1.** ANAT wrist - **2.** *Andes & R Dom fam* [enchufe]: **tener muñeco** to have friends in high places. ➤ **muñeco de nieve** *sm* snowman.

muñequera *sf* wristband.

muñón *sm* stump.

mural ◇ *adj* [pintura] mural; [mapa] wall. ◇ *sm* mural.

muralla *sf* wall.

murciélago *sm* bat.

murmullo *sm* [gen] murmur, murmuring *(U);* [de hojas] rustle, rustling *(U);* [de insectos] buzz, buzzing *(U).*

murmuración *sf* gossip *(U).*

murmurar ◇ *vt* to murmur. ◇ *vi* - **1.** [susurrar - persona] to murmur, to whisper; [- agua, viento] to murmur, to gurgle - **2.** [rezongar, quejarse] to grumble.

muro *sm lit & fig* wall; **muro de las lamentaciones** Wailing Wall.

mus *sm inv* card game played in pairs with bidding and in which players communicate by signs.

musa *sf* [inspiración] muse.

musaraña *sf* ZOOL shrew; **pensar en las musarañas** to have one's head in the clouds.

muscular *adj* muscular.

musculatura *sf* muscles *pl.*

músculo *sm* muscle.

musculoso, sa *adj* muscular.

museo *sm* museum.

musgo *sm* moss.

música ▷ **músico**.

músico, ca ◇ *adj* musical. ◇ *sm, f* [persona] musician; **músico callejero** street musician, busker. ➤ **música** *sf* music; **poner música a algo** to set sthg to music; **música ligera/pop** light/pop music; **música ambiental** background music.

musitar *vt* to mutter, to mumble.

muslo *sm* thigh; [de pollo] drumstick.

mustio, tia *adj* - **1.** [flor, planta] withered, wilted - **2.** [persona] gloomy.

musulmán, ana *adj & sm, f* Muslim.

mutación *sf* [cambio] sudden change; BIOL mutation.

mutante *adj & smf* mutant.

mutar *vt* to mutate.

mutilado, da *adj* mutilated.

mutilar *vt* [gen] to mutilate; [estatua] to deface.

mutismo *sm* [silencio] silence.

mutua ▷ **mutuo**.

mutualidad *sf* [asociación] mutual benefit society.

mutuo, tua *adj* mutual. ◆ **mutua** *sf* mutual benefit society.

muy *adv* - **1.** [mucho] very; **muy bueno/cerca** very good/near; **muy de mañana** very early in the morning; **¡muy bien!** [vale] OK!, all right!; **[qué bien]** very good!, well done!; **es muy hombre** he's a real man; **eso es muy de ella** that's just like her; **eso es muy de los americanos** that's typically American; **¡el muy idiota!** what an idiot! - **2.** [demasiado] too; **es muy joven para votar** she's too young to vote.

N

n, N *sf* [letra] n, N. ◆ **N** *sm* - **1.** *(abrev de norte)* N - **2.**: **el 20 N** *20th November, the date of Franco's death.*

nabo *sm* turnip.

nácar *sm* mother-of-pearl.

nacer *vi* - **1.** [venir al mundo - niño, animal] to be born; [- planta] to sprout; [- pájaro] to hatch (out); **nacer de familia humilde** to be born into a poor family; **nacer para algo** to be born to be sthg; **ha nacido cantante** she's a born singer; **volver a nacer** to have a lucky escape - **2.** [surgir - pelo] to grow; [- río] to rise; [- costumbre, actitud, duda] to have its roots.

nacido, da ◇ *adj* born. ◇ *sm, f*: **los nacidos hoy** those born today; **recién nacido** newborn baby; **ser un mal nacido** to be a wicked O vile person.

naciente *adj* - **1.** [día] dawning; [sol] rising - **2.** [gobierno, estado] new, fledgling; [interés] growing.

nacimiento *sm* - **1.** [gen] birth; [de planta] sprouting - **2.** [de río] source - **3.** [origen] origin, beginning - **4.** [belén] Nativity scene.

nación *sf* [gen] nation; [territorio] country. ◆ **Naciones Unidas** *sfpl* United Nations.

nacional *adj* national; [mercado, vuelo] domestic; [asuntos] home *(antes de s).*

nacionalidad *sf* nationality; **doble nacionalidad** dual nationality.

nacionalismo *sm* nationalism.

nacionalista *adj* & *smf* nationalist.

nacionalizar *vt* - **1.** [banca, bienes] to nationalize - **2.** [persona] to naturalize. ◆ **nacionalizarse** *vprnl* to become naturalized.

nada ◇ *pron* nothing; *(en negativas)* anything; **no he leído nada de este autor** I haven't read anything by this author; **no hay nada como un buen libro** there is nothing like a good book; **nada más** nothing else, nothing more; **no quiero nada más** I don't want anything else; **te he traído un regalito de nada** I've brought you a little something; **de nada** [respuesta a 'gracias'] you're welcome; **no es nada** that's nothing. ◇ *adv* - **1.** [en absoluto] at all; **la película no me ha gustado nada** I didn't like the film at all; **no es nada extraño** it's not at all strange - **2.** [poco] a little, a bit; **no hace nada que salió** he left just a minute ago; **nada menos que** [cosa] no less than; [persona] none other than. ◇ *sf*: **la nada** nothingness, the void; **salir de la nada** to appear out of O from nowhere. ◆ **nada más** *loc conj* no sooner, as soon as; **nada más salir de casa se puso a llover** no sooner had I left the house than it started to rain, as soon as I left the house, it started to rain.

nadador, ra *sm, f* swimmer.

nadar *vi* [gen] to swim; [flotar] to float.

nadería *sf* trifle, little thing.

nadie *pron* nobody, no one; **casi nadie** hardly anybody; **no se lo dije a nadie** I didn't tell anybody; **no ha llamado nadie** nobody phoned.

nado ◆ **a nado** *loc adv* swimming.

náhuatl ◇ *adj* Nahuatl. ◇ *smf* Nahuatl (Indian).

naïf [na'if] *adj* naïve, primitivistic.

nailon, nilón, nylon® *sm* nylon.

naipe *sm* (playing) card. ◆ **naipes** *smpl* cards.

nalga *sf* buttock.

nana *sf* - **1.** [canción] lullaby - **2.** *Col & Méx* [niñera] nanny.

nanómetro *sm* nanometre.

naranja ◇ *adj inv* orange. ◇ *sm* [color] orange. ◇ *sf* [fruto] orange. ◆ **media naranja** *sf fam* other O better half.

naranjo *sm* [árbol] orange tree.

narciso *sm* BOT narcissus.

narcótico, ca *adj* narcotic. ◆ **narcótico** *sm* narcotic; [droga] drug.

narcotizar *vt* to drug.

narcotraficante *smf* drug trafficker.

narcotráfico *sm* drug trafficking.

nardo *sm* nard, spikenard.

narigudo, da *adj* big-nosed.

nariz *sf* - **1.** [órgano] nose; **hablar por la nariz** to talk through one's nose; **tener la nariz tapada** to have a stuffed up *O* blocked nose - **2.** [orificio] nostril - **3.** [olfato] sense of smell - **4.** *loc:* **de narices** *fam* [estupendo] great, brilliant; **estar hasta las narices (de algo)** *fam* to be fed up to the back teeth (with sthg); **meter las narices en algo** *fam* to poke *O* stick one's nose into sthg.

narración *sf* - **1.** [cuento, relato] narrative, story - **2.** [acción] narration.

narrador, ra *sm, f* narrator.

narrar *vt* [contar] to recount, to tell.

narrativo, va *adj* narrative. **narrativa** *sf* narrative.

nasal *adj* nasal.

nata *sf* - **1.** *fig* [gen] cream; **nata batida** *O* **montada** whipped cream - **2.** [de leche hervida] skin.

natación *sf* swimming.

natal *adj* [país] native; [ciudad, pueblo] home *(antes de s)*.

natalidad *sf* birth rate.

natillas *sfpl* custard (U).

nativo, va *adj* & *sm, f* native.

nato, ta *adj* [gen] born; [cargo, título] ex officio.

natural ⬦ *adj* - **1.** [gen] natural; [flores, fruta, leche] fresh; **soy rubia natural** I'm a natural blonde; **al natural** [persona] in one's natural state; [fruta] in its own juice; **ser natural en alguien** to be natural *O* normal for sb - **2.** [nativo] native; **ser natural de** to come from. ⬦ *smf* [nativo] native. ⬦ *sm* [talante] nature, disposition.

naturaleza *sf* - **1.** [gen] nature; **por naturaleza** by nature - **2.** [complexión] constitution.

naturalidad *sf* naturalness; **con naturalidad** naturally.

naturalizar *vt* to naturalize. **naturalizarse** *vprnl* to become naturalized.

naturista *smf* person favouring return to nature.

naufragar *vi* [barco] to sink, to be wrecked; [persona] to be shipwrecked.

naufragio *sm* [de barco] shipwreck.

náufrago, ga *sm, f* castaway.

náusea *(gen pl) sf* nausea (U), sickness (U); **me da náuseas** it makes me sick; **tener náuseas** to feel nauseated, to feel sick.

nauseabundo, da *adj* nauseating.

náutico, ca *adj* [gen] nautical; DEP water *(antes de s)*. **náutica** *sf* navigation, seamanship.

navaja *sf* - **1.** [cuchillo - pequeño] penknife; [- más grande] jackknife - **2.** [molusco] razor-shell.

navajero, ra *sm, f* thug who carries a knife.

naval *adj* naval.

Navarra *n pr* Navarre.

navarro, rra *adj* & *sm, f* Navarrese.

nave *sf* - **1.** [barco] ship; **quemar las naves** to burn one's boats *O* bridges - **2.** [vehículo] craft; **nave espacial** spaceship - **3.** [de fábrica] shop, plant; [almacén] warehouse - **4.** [de iglesia] nave.

navegación *sf* navigation.

navegador *sm* INFORM browser.

navegante *smf* navigator.

navegar ⬦ *vi* [barco] to sail; [avión] to fly; **navegar por Internet** INFORM to surf the Net. ⬦ *vt* [barco] to sail; [avión] to fly.

Navidad *sf* - **1.** [día] Christmas (Day) - **2.** *(gen pl)* [periodo] Christmas (time); **felices Navidades** Merry Christmas.

navideño, ña *adj* Christmas *(antes de s)*.

naviero, ra *adj* shipping. **naviero** *sm* [armador] shipowner. **naviera** *sf* [compañía] shipping company.

navío *sm* large ship.

nazi *adj* & *smf* Nazi.

nazismo *sm* Nazism.

neblina *sf* mist.

nebuloso, sa *adj* - **1.** [con nubes] cloudy; [de niebla] foggy - **2.** [idea, mirada] vague. **nebulosa** *sf* ASTRON nebula.

necedad *sf* - **1.** [estupidez] stupidity, foolishness - **2.** [dicho, hecho] stupid *O* foolish thing; **decir necedades** to talk nonsense.

necesario, ria *adj* necessary; **un mal necesario** a necessary evil; **es necesario hacerlo** it needs to be done; **no es necesario que lo hagas** you don't need to do it; **si fuera necesario** if need be.

neceser *sm* toilet bag *O* case.

necesidad *sf* - **1.** [gen] need; **tener necesidad de algo** to need sthg; **hacer de la necesidad virtud** to make a virtue of necessity; **la necesidad aguza el ingenio** *prov* necessity is the mother of invention *prov* - **2.** [obligación] necessity; **por necesidad** out of necessity - **3.** [hambre] hunger. **necesidades** *sfpl:* **hacer (uno) sus necesidades** *eufem* to answer the call of nature.

necesitado, da ⬦ *adj* needy. ⬦ *sm, f* needy *O* poor person; **los necesitados** the poor.

necesitar *vt* to need; **necesito que me lo digas** I need you to tell me; **'se necesita piso'** 'flat wanted'. **necesitar de** *vi* to have need of.

necio, cia *adj* stupid, foolish; *Méx* [fastidioso] boring.

necrología sf obituary; [lista de esquelas] obituary column.

néctar sm nectar.

nectarina sf nectarine.

nefasto, ta adj [funesto] ill-fated; [dañino] bad, harmful; [pésimo] terrible, awful.

negación sf - 1. [desmentido] denial - 2. [negativa] refusal - 3. [lo contrario] antithesis, negation - 4. GRAM negative.

negado, da adj useless.

negar vt - 1. [rechazar] to deny - 2. [denegar] to refuse, to deny; **negarle algo a alguien** to refuse O deny sb sthg. ➡ **negarse** vprnl: **negarse (a)** to refuse (to).

negativo, va adj [gen] negative. ➡ **negativo** sm FOTO negative. ➡ **negativa** sf - 1. [rechazo] refusal; **una negativa rotunda** a flat refusal - 2. [mentís] denial.

negligencia sf negligence.

negligente adj negligent.

negociable adj negotiable.

negociación sf negotiation.

negociante sm, f [comerciante] businessman (f businesswoman).

negociar ◇ vi - 1. [comerciar] to do business; **negociar con** o **deal** O trade with - 2. [discutir] to negotiate. ◇ vt to negotiate.

negocio sm - 1. [gen] business; **el mundo de los negocios** the business world - 2. [transacción] deal, (business) transaction; **negocio sucio** shady deal, dirty business (U) - 3. [operación ventajosa] good deal, bargain; **hacer negocio** to do well - 4. [comercio] trade.

negra sf ➡ **negro**.

negrero, ra sm, f - 1. HIST slave trader - 2. [explotador] slave driver.

negrita, negrilla ➡ **letra**.

negro, gra ◇ adj - 1. [gen] black - 2. [furioso] furious; **ponerse negro** to get mad O angry - 3. CINE: **cine negro** film noir. ◇ sm, f black man (f black woman). ➡ **negro** sm [color] black. ➡ **negra** sf - 1. MÚS crotchet - 2. loc: **tener la negra** fam to have bad luck.

negrura sf blackness.

nene, na sm, f fam [niño] baby.

nenúfar sm water lily.

neocelandés, esa = **neozelandés**.

neologismo sm neologism.

neón sm QUÍM neon.

neoyorquino, na ◇ adj New York (antes de s), of/relating to New York. ◇ sm, f New Yorker.

neozelandés, esa, **neocelandés, esa** sm, f New Zealander.

Nepal n pr: **el Nepal** Nepal.

Neptuno n pr Neptune.

nervio sm - 1. ANAT nerve; **nervio óptico** optic nerve - 2. [de carne] sinew - 3. [vigor] energy, vigour; **sus niños son puro nervio** her kids never sit still for five minutes. ➡ **nervios** smpl [estado mental] nerves; **tener nervios** to be nervous; **poner los nervios de punta a alguien** to get on sb's nerves; **tener los nervios de punta** to be on edge.

nerviosismo sm nervousness, nerves pl.

nervioso, sa adj - 1. [ANAT - sistema, enfermedad] nervous; [- tejido, célula, centro] nerve (antes de s) - 2. [inquieto] nervous; **ponerse nervioso** to get nervous - 3. [irritado] worked-up; **ponerse nervioso** to get uptight O worked up.

nervudo, da adj sinewy.

netiqueta sf INFORM netiquette.

neto, ta adj - 1. [claro] clear, clean; [verdad] simple, plain - 2. [peso, sueldo] net.

neumático, ca adj pneumatic. ➡ **neumático** sm tyre; **neumático de repuesto** spare tyre.

neumonía sf pneumonia.

neurálgico, ca adj - 1. MED neuralgic - 2. [importante] critical.

neurastenia sf nervous exhaustion.

neurología sf neurology.

neurólogo, ga sm, f neurologist.

neurona sf neuron, nerve cell.

neurosis sf inv neurosis.

neurótico, ca adj & sm, f neurotic.

neutral adj & smf neutral.

neutralidad sf neutrality.

neutralizar vt to neutralize.

neutro, tra adj - 1. [gen] neutral - 2. BIOL & GRAM neuter.

neutrón sm neutron.

nevado, da adj snowy. ➡ **nevada** sf snowfall.

nevar v impers to snow.

nevera sf fridge UK, icebox US.

nevería sf Caribe & Méx [heladería] ice cream parlour.

nevisca sf snow flurry.

nexo sm link, connection; [relación] relation, connection.

ni ◇ conj: **ni... ni...** neither... nor...; **ni mañana ni pasado** neither tomorrow nor the day after; **no... ni...** neither... nor... nor...; (either); **no es alto ni bajo** he's neither tall nor short, he's not tall or short (either); **no es rojo ni verde** ni azul it's neither red nor green nor blue; **ni un/una...** not a single...; **no me quedaré ni un minuto más** I'm not staying a minute longer; **ni uno/una** not a single one; **no he aprobado ni una** I haven't passed a single one; **ni que** as if; **¡ni que yo fuera tonto!** as if I were that stupid! ◇ adv not even; **an-**

da tan atareado que ni tiene tiempo para comer he's so busy he doesn't even have time to eat.

Nicaragua *n pr* Nicaragua.

nicaragüense *adj & smf* Nicaraguan.

nicho *sm* niche; **nicho ecológico** ecological niche.

nicotina *sf* nicotine.

nido *sm* [gen] nest.

niebla *sf* [densa] fog; [neblina] mist; **hay niebla** it's foggy.

nieto, ta *sm, f* grandson (*f* granddaughter).

nieve *sf* - 1. METEOR snow - 2. CULIN: **a punto de nieve** beaten stiff - 3. *Caribe & Méx* [granizado] *drink of flavoured crushed ice.* **nieves** *sfpl* [nevada] snows, snowfall *sing.*

NIF (*abrev de número de identificación fiscal*) *sm* ≃ National Insurance number *UK.*

Nilo *sm:* **el Nilo** the (river) Nile.

nilón = nailon.

nimiedad *sf* - 1. [cualidad] insignificance, triviality - 2. [dicho, hecho] trifle.

nimio, mia *adj* insignificant, trivial.

ninfa *sf* nymph.

ninfómana *sf* nymphomaniac.

ninguno, na ◇ *adj* (*antes de sm:* **ningún**) no; **no dieron ninguna respuesta** no answer was given; **no tengo ningún interés en hacerlo** I've no interest in doing it, I'm not at all interested in doing it; **no tengo ningún hijo/ninguna buena idea** I don't have any children/good ideas; **no tiene ninguna gracia** it's not funny. ◇ *pron* [cosa] none, not any; [persona] nobody, no one; **ninguno funciona** none of them works; **no hay ninguno** there aren't any, there are none; **ninguno lo sabrá** no one O nobody will know; **ninguno de** none of; **ninguno de ellos** none of them; **ninguno de los dos** neither of them.

niña ▷ **niño.**

niñería *sf* - 1. [cualidad] childishness (*U*) - 2. [tontería] silly O childish thing.

niñero, ra *adj* fond of children. **niñera** *sf* nanny.

niñez *sf* childhood.

niño, ña ◇ *adj* young. ◇ *sm, f* [crío] child, boy (*f* girl); [bebé] baby; **los niños** the children; **niño prodigio** child prodigy; **ser el niño bonito de alguien** to be sb's pet O blue-eyed boy. **niña** *sf* [del ojo] pupil.

nipón, ona *adj & sm, f* Japanese.

níquel *sm* nickel.

niquelar *vt* to nickel-plate.

niqui *sm* T-shirt.

níspero *sm* medlar.

nitidez *sf* clarity; [de imágenes, colores] sharpness.

nítido, da *adj* clear; [imágenes, colores] sharp.

nitrato *sm* nitrate.

nitrógeno *sm* nitrogen.

nivel *sm* - 1. [gen] [altura] height; **al nivel de** level with; **al nivel del mar** at sea level; **nivel del agua** water level - 2. [grado] level, standard; **al mismo nivel (que)** on a level O par (with); **a nivel europeo** at a European level; **nivel de vida** standard of living; **niveles de audiencia** ratings.

nivelador, ra *adj* levelling. **niveladora** *sf* bulldozer.

nivelar *vt* - 1. [allanar] to level - 2. [equilibrar] to even out; FIN to balance.

no ◇ *adv* - 1. [expresa negación - gen] not; [- en respuestas] no; [- con sustantivos] non-; **no sé** I don't know; **no veo nada** I can't see anything; **no es fácil** it's not easy, it isn't easy; **no tiene dinero** he has no money, he hasn't got any money; **todavía no** not yet; **¿no vienes? - no, no creo** aren't you coming? - no, I don't think so; **no fumadores** non-smokers; **no bien** as soon as; **no ya... sino que...** not only... but (also)...; **¡a que no lo haces!** I bet you don't do it!; **¿cómo no?** of course; **pues no, eso sí que no** certainly not; **¡que no!** I said no! - 2. [expresa duda, extrañeza]: **¿no irás a venir?** you're not coming, are you?; **estamos de acuerdo, ¿no?** we're agreed then, are we?; **es español, ¿no?** he's Spanish, isn't he? ◇ *sm* no.

n.° (*abrev de número*) no.

nobiliario, ria *adj* noble.

noble *adj & smf* noble; **los nobles** the nobility.

nobleza *sf* nobility.

noche *sf* night; [atardecer] evening; **al caer la noche** at nightfall; **ayer por la noche** last night; **esta noche** tonight; **hacer noche en** to stay the night in; **hacerse de noche** to get dark; **por la noche, de noche** at night; **buenas noches** [despedida] good night; [saludo] good evening; **noche cerrada** dark night; **noche de bodas** wedding night; **noche del estreno** first O opening night; **noche toledana** sleepless night; **de la noche a la mañana** overnight.

Nochebuena *sf* Christmas Eve.

nochero *sm* - 1. *C Sur* night watchman - 2. *Amér* [mesita] bedside table.

Nochevieja *sf* New Year's Eve.

noción *sf* [concepto] notion; **tener noción (de)** to have an idea (of). **nociones** *sfpl* [conocimiento básico]: **tener nociones de** to have a smattering of.

nocivo, va *adj* [gen] harmful; [gas] noxious.

noctámbulo, la *sm, f* night owl.

nocturno, na *adj* - 1. [club, tren, vuelo] night (*antes de s*); [clase] evening (*antes de s*) - 2. [animales, plantas] nocturnal.

nodriza *sf* wet nurse.

nómada ⟨⟩ *adj* nomadic. ⟨⟩ *smf* nomad.

nombramiento *sm* appointment.

nombrar *vt* - 1. [citar] to mention - 2. [designar] to appoint.

nombre *sm* - 1. [gen] name; **conocer a alguien de nombre** to know somebody by name; **poner nombre a** to name; **sin nombre** nameless; **nombre artístico/comercial** stage/trade name; **nombre y apellidos** full name; **nombre compuesto** compound name; **nombre de dominio** [inform] domain name; **nombre de pila** first O Christian name; **nombre de soltera** maiden name; **en nombre de** on behalf of; **lo que hizo no tiene nombre** what he did is outrageous - 2. [fama] reputation; **hacerse un nombre** to make a name for o.s.; **tener mucho nombre** to be renowned O famous - 3. GRAM noun; **nombre abstracto/colectivo** abstract/collective noun.

nomenclatura *sf* nomenclature.

nómina *sf* - 1. [lista de empleados] payroll - 2. [hoja de salario] payslip.

nominal *adj* nominal.

nominar *vt* to nominate.

nomo, gnomo *sm* gnome.

non *sm* odd number. ⟐ **nones** *adv* [no] no way.

nonagésimo, ma *num* ninetieth.

nordeste = noreste.

nórdico, ca *adj* - 1. [del norte] northern, northerly - 2. [escandinavo] Nordic.

noreste, nordeste ⟨⟩ *adj* [posición, parte] northeast, northeastern; [dirección, viento] northeasterly. ⟨⟩ *sm* north-east.

noria *sf* - 1. [para agua] water wheel - 2. [de feria] big wheel UK, Ferris wheel.

norma *sf* standard; [regla] rule; **es la norma hacerlo así** it's usual to do it this way; **tener por norma hacer algo** to make it a rule to do sthg; **normas de seguridad** safety regulations.

normal *adj* normal; **normal y corriente** run-of-the-mill; **es una persona normal y corriente** he's a perfectly ordinary person.

normalidad *sf* normality.

normalizar *vt* - 1. [volver normal] to return to normal - 2. [estandarizar] to standardize. ⟐ **normalizarse** *vprnl* to return to normal.

normativo, va *adj* normative. ⟐ **normativa** *sf* regulations *pl*.

noroeste ⟨⟩ *adj* [posición, parte] northwest, northwestern; [dirección, viento] northwesterly. ⟨⟩ *sm* northwest.

norte ⟨⟩ *adj* [posición, parte] north, northern; [dirección, viento] northerly. ⟨⟩ *sm* GEOGR north.

norteamericano, na *adj* & *sm, f* North American, American.

Noruega *n pr* Norway.

noruego, ga *adj* & *sm, f* Norwegian. ⟐ **noruego** *sm* [lengua] Norwegian.

nos *pron pers* - 1. *(complemento directo)* us; **le gustaría vernos** she'd like to see us - 2. *(complemento indirecto)* (to) us; **nos lo dio** he gave it to us; **nos tiene miedo** he's afraid of us - 3. *(reflexivo)* ourselves - 4. *(recíproco)* each other; **nos enamoramos** we fell in love (with each other).

nosocomio *sm* Amér hospital.

nosotros, tras *pron pers* - 1. *(sujeto)* we - 2. *(predicado)*: **somos nosotros** it's us - 3. *(después de prep,complemento)*: **vente a comer con nosotros** come and eat with us - 4. *loc*: **entre nosotros** between you and me, just between the two of us.

nostalgia *sf* [del pasado] nostalgia; [de país, amigos] homesickness.

nota *sf* - 1. [gen & MÚS] note; **tomar nota de algo** [apuntar] to note sthg down; [fijarse] to take note of sthg; **tomar notas** to take notes; **nota al margen** marginal note; **nota dominante** prevailing mood - 2. EDUC mark - 3. [cuenta] bill - 4. *loc*: **dar la nota** to make o.s. conspicuous.

notable ⟨⟩ *adj* remarkable, outstanding. ⟨⟩ *sm* EDUC merit, second class.

notar *vt* - 1. [advertir] to notice; **te noto cansado** you look tired to me; **hacer notar algo** to point sthg out - 2. [sentir] to feel; **noto un dolor raro** I can feel a strange pain. ⟐ **notarse** *vprnl* to be apparent; **se nota que le gusta** you can tell she likes it.

notaría *sf* [oficina] notary's office.

notario, ria *sm, f* notary (public).

noticia *sf* news (U); **una noticia** a piece of news; **¿tienes noticias suyas?** have you heard from him?; **noticia bomba** *fam* bombshell. ⟐ **noticias** *sfpl*: **las noticias** RADIO & TV the news.

notificación *sf* notification.

notificar *vt* to notify, to inform.

notoriedad *sf* [fama] fame.

notorio, ria *adj* - 1. [evidente] obvious - 2. [conocido] widely-known.

novato, ta ⟨⟩ *adj* inexperienced. ⟨⟩ *sm, f* novice, beginner.

novecientos, tas *num* nine hundred; *ver también* **seis**.

novedad *sf* - 1. [cualidad - de nuevo] newness; [- de novedoso] novelty - 2. [cambio] change - 3. [noticia] news (U); **sin novedad** without incident; MIL all quiet. ⟐ **novedades** *sfpl* [libros, discos] new releases; [moda] latest fashion *sing*.

novedoso, sa *adj* novel, new.

novel adj new, first-time.

novela sf novel; **novela policíaca** detective story.

novelesco, ca adj - **1.** [de la novela] fictional - **2.** [fantástico] fantastic.

novelista smf novelist.

noveno, na num ninth.

noventa num ninety; **los (años) noventa** the nineties; ver también **seis**.

noviar vi C Sur & Méx: **noviar con alguien** to go out with sb, to date sb US; **están noviando** they are going out together, they are dating US.

noviazgo sm engagement.

noviembre sm November; ver también **septiembre**.

novillada sf TAUROM bullfight with young bulls.

novillo, lla sm, f young bull or cow; **hacer novillos** fam to play truant UK, to play hooky US.

novio, via sm, f - **1.** [compañero] boyfriend (f girlfriend) - **2.** [prometido] fiancé (f fiancée) - **3.** [recién casado] bridegroom (f bride); **los novios** the newly-weds.

nubarrón sm storm cloud.

nube sf - **1.** fig [gen] cloud; **nube atómica** mushroom cloud; **nube de tormenta** thundercloud - **2.** [de personas, moscas] swarm - **3.** loc: **poner algo/a alguien por las nubes** to praise sthg/sb to the skies; **por las nubes** [caro] sky-high, terribly expensive.

nublado, da adj - **1.** [encapotado] cloudy, overcast - **2.** fig [turbado] clouded.

nublar vt lit & fig to cloud. ➡ **nublarse** vprnl to cloud over.

nubosidad sf cloudiness, clouds pl.

nuca sf nape, back of the neck.

nuclear adj nuclear.

núcleo sm - **1.** [centro] nucleus; fig centre UK, center US; **núcleo de población** population centre UK, population center US - **2.** [grupo] core.

nudillo sm knuckle.

nudismo sm nudism.

nudo sm - **1.** [gen] knot; **se le hizo un nudo en la garganta** she got a lump in her throat - **2.** [cruce] junction - **3.** [vínculo] tie, bond - **4.** [punto principal] crux.

nudoso, sa adj knotty, gnarled.

nuera sf daughter-in-law.

nuestro, tra <> adj poses our; **nuestro coche** our car; **este libro es nuestro** this book is ours, this is our book; **un amigo nuestro** a friend of ours; **no es asunto nuestro** it's none of our business. <> pron poses: **el nuestro** ours; **el nuestro es rojo** ours is red; **ésta es la**

nuestra fam this is the chance we have been waiting for; **lo nuestro es el teatro** [lo que nos va] theatre is what we should be doing; **los nuestros** fam [nuestra familia] our folks; [nuestro bando] our lot, our side.

nueva ▷ **nuevo**.

Nueva York n pr New York.

Nueva Zelanda n pr New Zealand.

nueve num nine; ver también **seis**.

nuevo, va <> adj [gen] new; [patatas, legumbres] new, fresh; [vino] young; **esto es nuevo para mí, no lo sabía** that's news to me, I didn't know it; **ser nuevo en** to be new to; **estar/quedar como nuevo** to be as good as new. <> sm, f newcomer. ➡ **buena nueva** sf good news (U). ➡ **de nuevo** loc adv again.

nuez sf - **1.** BOT [gen] nut; [de nogal] walnut - **2.** ANAT Adam's apple. ➡ **nuez moscada** sf nutmeg.

nulidad sf - **1.** [no validez] nullity - **2.** [ineptitud] incompetence.

nulo, la adj - **1.** [sin validez] null and void - **2.** fam [incapacitado]: **nulo (para)** useless (at).

núm. (abrev de **número**) No.

numeración sf - **1.** [acción] numbering - **2.** [sistema] numerals pl, numbers pl.

numeral adj numeral.

numerar vt to number.

numérico, ca adj numerical.

número sm - **1.** [gen] number; **número de matrícula** AUTO registration number; **número de serie** serial number; **número de teléfono** telephone number; **número redondo** round number; **en números rojos** in the red; **hacer números** to reckon up - **2.** [tamaño, talla] size - **3.** [de publicación] issue; **número atrasado** back number - **4.** [de lotería] ticket - **5.** [de un espectáculo] turn, number; **montar el número** fam to make O cause a scene.

numeroso, sa adj numerous; **un grupo numeroso** a large group.

nunca adv (en frases afirmativas) never; (en frases negativas) ever; **casi nunca viene** he almost never comes, he hardly ever comes; **¿nunca le has visto?** have you never seen her?, haven't you ever seen her?; **más que nunca** more than ever; **nunca jamás** O **más nunca more** O **again**.

nuncio sm nuncio.

nupcial adj wedding (antes de s).

nupcias sfpl wedding sing, nuptials; **casarse en segundas nupcias** to remarry, to marry again.

nutria sf otter.

nutrición sf nutrition.

nutricionista smf Amér dietician.

nutrido, da *adj* - **1.** [alimentado] nourished; **mal nutrido** undernourished - **2.** [numeroso] large.

nutrir *vt* - **1.** [alimentar]: **nutrir (con** O **de)** to nourish O feed (with) - **2.** [fomentar] to feed, to nurture - **3.** [suministrar]: **nutrir (de)** to supply (with). ◆ **nutrirse** *vprnl* - **1.** [gen]: **nutrirse de** O **con** to feed on - **2.** [proveerse]: **nutrirse de** O **con** to supply O provide o.s. with.

nutritivo, va *adj* nutritious.

nylon® ['nailon] = **nailon**.

Ñ

ñ, Ñ *sf* [letra] ñ, Ñ.

ñato, ta *adj* Andes & R Plata snub-nosed.

ñoñería, ñoñez *sf* inanity, insipidness (U).

ñoño, ña *adj* - **1.** [remilgado] squeamish; [quejica] whining - **2.** [soso] dull, insipid.

ñudo Amér ◆ **al ñudo** *loc adv* in vain.

O

o¹ (*pl* **oes**), **O** (*pl* **Oes**) *sf* [letra] o, O.

o² *conj* or; **o... o** either... or; **o sea (que)** in other words.

O *sm* (abrev de **oeste**) W.

o/ abrev de **orden**.

oasis *sm inv* lit & fig oasis.

obcecar *vt* to blind. ◆ **obcecarse** *vprnl* to become stubborn; **obcecarse en hacer algo** to insist on doing sthg.

obedecer ◇ *vt*: **obedecer (a alguien)** to obey (sb). ◇ *vi* - **1.** [acatar] to obey; **hacerse**

obedecer to command obedience - **2.** [someterse]: **obedecer a** to respond to - **3.** [estar motivado]: **obedecer a** to be due to.

obediencia *sf* obedience.

obediente *adj* obedient.

obertura *sf* overture.

obesidad *sf* obesity.

obeso, sa *adj* obese.

óbice *sm*: **no ser óbice para** not to be an obstacle to.

obispo *sm* bishop.

objeción *sf* objection; **poner objeciones a** to raise objections to; **tener objeciones** to have objections; **objeción de conciencia** conscientious objection.

objetar *vt* to object to; **no tengo nada que objetar** I have no objection.

objetivo, va *adj* objective. ◆ **objetivo** *sm* - **1.** [finalidad] objective, aim - **2.** MIL target - **3.** FOTO lens.

objeto *sm* - **1.** [gen] object; **ser objeto de** to be the object of; **objeto volante no identificado** unidentified flying object; **objetos de valor** valuables; **objetos perdidos** lost property (U) - **2.** [propósito] purpose, object; **sin objeto** [inútilmente] to no purpose, pointlessly; **al** O **con objeto de** [para] in order to.

objetor, ra *sm, f* objector; **objetor de conciencia** conscientious objector.

oblicuo, cua *adj* [inclinado] oblique; [mirada] sidelong.

obligación *sf* - **1.** [gen] obligation, duty; **por obligación** out of a sense of duty - **2.** (gen pl) FIN bond, security.

obligar *vt*: **obligar a alguien (a hacer algo)** to oblige O force sb (to do sthg). ◆ **obligarse** *vprnl*: **obligarse a hacer algo** to undertake to do sthg.

obligatorio, ria *adj* obligatory, compulsory.

oboe *sm* [instrumento] oboe.

obra *sf* - **1.** [gen] work (U); **es obra suya** it's his doing; **poner en obra** to put into effect; **obra de caridad** [institución] charity; **obras sociales** community work (U); **por obra (y gracia) de** thanks to; **obras son amores y no buenas razones** *prov* actions speak louder than words *prov* - **2.** ARTE work (of art); TEATRO play; LITER book; MÚS opus; **obra maestra** masterpiece; **obras completas** complete works - **3.** CONSTR [lugar] building site; [reforma] alteration; **'obras'** [en carretera] 'roadworks'; **obras públicas** public works.

obrar ◇ *vi* - **1.** [actuar] to act - **2.** [causar efecto] to work, to take effect - **3.** [estar en poder]: **obrar en manos de** to be in the possession of. ◇ *vt* to work.

obrero, ra ⬦ *adj* [clase] working; [movimiento] labour *(antes de s)*. ⬦ *sm, f* [en fábrica] worker; [en obra] workman; **obrero cualificado** skilled worker.

obscenidad *sf* obscenity.

obsceno, na *adj* obscene.

obscurecer = **oscurecer**.

obscuridad = **oscuridad**.

obscuro, ra = **oscuro**.

obsequiar *vt*: **obsequiar a alguien con algo** to present sb with sthg.

obsequio *sm* gift, present.

observación *sf* - **1.** [gen] observation; **en O bajo observación** under observation - **2.** [comentario] remark, observation; **hacer una observación** to make a remark - **3.** [nota] note - **4.** [cumplimiento] observance.

observador, ra ⬦ *adj* observant. ⬦ *sm, f* observer.

observar *vt* - **1.** [contemplar] to observe, to watch - **2.** [advertir] to notice, to observe - **3.** [acatar - ley, normas] to observe; [- conducta, costumbre] to follow. ➤ **observarse** *vprnl* to be noticed.

observatorio *sm* observatory.

obsesión *sf* obsession.

obsesionar *vt* to obsess. ➤ **obsesionarse** *vprnl* to be obsessed.

obsesivo, va *adj* obsessive.

obseso, sa ⬦ *adj* obsessed. ⬦ *sm, f* obsessed O obsessive person.

obstaculizar *vt* to hinder, to hamper.

obstáculo *sm* obstacle; **un obstáculo para an** obstacle to; **poner obstáculos a algo/alguien** to hinder sthg/sb.

obstante ➤ **no obstante** *loc adv* nevertheless, however.

obstetricia *sf* obstetrics (U).

obstinado, da *adj* [persistente] persistent; [terco] obstinate, stubborn.

obstinarse *vprnl* to refuse to give way; **obstinarse en** to persist in.

obstrucción *sf lit & fig* obstruction.

obstruir *vt* - **1.** [bloquear] to block, to obstruct - **2.** [obstaculizar] to obstruct, to impede. ➤ **obstruirse** *vprnl* to get blocked (up).

obtener *vt* [beca, cargo, puntos] to get; [premio, victoria] to win; [ganancias] to make; [satisfacción] to gain.

obturar *vt* to block.

obtuso, sa *adj* - **1.** [sin punta] blunt - **2.** [tonto] obtuse, stupid.

obús *(pl* obuses*) sm* [proyectil] shell.

obviar *vt* to avoid, to get round.

obvio, via *adj* obvious.

oca *sf* [ave] goose.

ocasión *sf* - **1.** [oportunidad] opportunity, chance - **2.** [momento] moment, time; [vez] ocasion; **en dos ocasiones** on two occasions; **en alguna ocasión** sometimes; **en cierta ocasión** once; **en otra ocasión** some other time - **3.** [motivo]: **con ocasión de** on the occasion of; **dar ocasión para algo/hacer algo** to give cause for sthg/to do sthg - **4.** [ganga] bargain; **de ocasión** [precio, artículos etc] bargain *(antes de s)*.

ocasional *adj* - **1.** [accidental] accidental - **2.** [irregular] occasional.

ocasionar *vt* to cause.

ocaso *sm* - **1.** [puesta del sol] sunset - **2.** [decadencia] decline.

occidental *adj* western.

occidente *sm* west. ➤ **Occidente** *sm* [bloque de países] the West.

OCDE *(abrev de* Organización para la Cooperación y el Desarrollo Económico*) sf* OECD.

Oceanía *n pr* Oceania.

océano *sm* ocean; [inmensidad] sea, host.

ochenta *num* eighty; **los (años) ochenta** the eighties; *ver también* **seis**.

ocho *num* eight; **de aquí en ocho días** [en una semana] a week today; *ver también* **seis**.

ochocientos, tas *num* eight hundred; *ver también* **seis**.

ocio *sm* [tiempo libre] leisure; [inactividad] idleness.

ocioso, sa *adj* - **1.** [inactivo] idle - **2.** [innecesario] unnecessary; [inútil] pointless.

ocre ⬦ *sm* ochre. ⬦ *adj inv* ochre.

octágono, na *adj* octagonal. ➤ **octágono** *sm* octagon.

octano *sm* octane.

octava ➤ **octavo**.

octavilla *sf* - **1.** [de propaganda política] pamphlet, leaflet - **2.** [tamaño] octavo.

octavo, va *num* eighth. ➤ **octavo** *sm* [parte] eighth. ➤ **octava** *sf* MÚS octave.

octeto *sm* INFORM byte.

octogenario, ria *adj & sm, f* octogenarian.

octogésimo, ma *num* eightieth.

octubre *sm* October; *ver también* **septiembre**.

ocular *adj* eye *(antes de s)*.

oculista *smf* ophthalmologist.

ocultar *vt* - **1.** [gen] to hide - **2.** [delito] to cover up. ➤ **ocultarse** *vprnl* to hide.

oculto, ta *adj* hidden.

ocupación *sf* - **1.** [gen] occupation; **ocupación ilegal de viviendas** squatting - **2.** [empleo] job.

ocupado, da *adj* - **1.** [persona] busy - **2.** [teléfono, lavabo etc] engaged - **3.** [lugar - gen, por ejército] occupied; [plaza] taken.

ocupante *smf* occupant; **ocupante ilegal de viviendas** squatter.

ocupar *vt* - 1. [gen] to occupy - 2. [superficie, espacio] to take up; [habitación, piso] to live in; [mesa] to sit at; [sillón] to sit in - 3. [actividad] to take up - 4. [cargo] to hold - 5. [dar trabajo a] to find *O* provide work for - 6. *Amér C & Méx* [usar] to use. ◆ **ocuparse** *vprnl* [encargarse]: **ocuparse de** [gen] to deal with; [niños, enfermos, finanzas] to look after.

ocurrencia *sf* - 1. [idea] bright idea - 2. [dicho gracioso] witty remark.

ocurrir *vi* - 1. [acontecer] to happen - 2. [pasar, preocupar]: **¿qué le ocurre a Juan?** what's up with Juan? ◆ **ocurrirse** *vprnl* [venir a la cabeza]: **no se me ocurre ninguna solución** I can't think of a solution; **¡ni se te ocurra!** don't even think about it!; **se me ocurre que...** it occurs to me that...

ODECA *sf* (*abrev de* **Organización de Estados Centroamericanos**) OCAS.

odiar *vt & vi* to hate.

odio *sm* hatred.

odioso, sa *adj* hateful, horrible.

odontólogo, ga *sm, f* dentist, dental surgeon.

OEA (*abrev de* **Organización de Estados Americanos**) *sf* OAS.

oeste ◇ *adj* [posición, parte] west, western; [dirección, viento] westerly. ◇ *sm* west.

ofender *vt* [injuriar] to insult; [palabras] to offend, to hurt. ◆ **ofenderse** *vprnl*: **ofenderse (por)** to take offence (at).

ofensa *sf* - 1. [acción]: **ofensa (a)** offence (against) - 2. [injuria] slight, insult.

ofensivo, va *adj* offensive. ◆ **ofensiva** *sf* offensive.

oferta *sf* - 1. [gen] offer; **'ofertas de trabajo'** 'situations vacant' - 2. ECON [suministro] supply; **la oferta y la demanda** supply and demand; **oferta monetaria** money supply - 3. [rebaja] bargain, special offer; **de oferta** bargain (*antes de s*), on offer - 4. FIN [proposición] bid, tender; **oferta pública de adquisición** COM takeover bid.

ofertar *vt* to offer.

oficial, la *sm, f* [obrero] journeyman; [aprendiz] trainee. ◆ **oficial** ◇ *adj* official. ◇ *sm* - 1. MIL officer - 2. [funcionario] clerk.

oficialismo *sm Amér*: **el oficialismo** [gobierno] the Government; [partidarios del gobierno] government supporters...

oficialista *adj Amér* pro-government.

oficiar *vt* to officiate at.

oficina *sf* office; **oficina de empleo** job centre; **oficina de turismo** tourist office.

oficinista *smf* office worker.

oficio *sm* - 1. [profesión manual] trade; **de oficio** by trade - 2. [trabajo] job - 3. [experiencia]: **tener mucho oficio** to be very experienced - 4. RELIG service.

oficioso, sa *adj* unofficial.

ofimática *sf* office automation.

ofrecer *vt* - 1. [gen] to offer; [fiesta] to give, to throw; **ofrecerle algo a alguien** to offer sb sthg - 2. [aspecto] to present. ◆ **ofrecerse** *vprnl* [presentarse] to offer, to volunteer; **ofrecerse a** *O* **para hacer algo** to offer to do sthg.

ofrecimiento *sm* offer.

ofrenda *sf* RELIG offering; [por gratitud, amor] gift.

ofrendar *vt* to offer up.

oftalmología *sf* ophthalmology.

ofuscar *vt* - 1. [deslumbrar] to dazzle - 2. [turbar] to blind. ◆ **ofuscarse** *vprnl*: **ofuscarse (con)** to be blinded (by).

ogro *sm* ogre.

oh *interj*: **¡oh!** oh!

oídas ◆ **de oídas** *loc adv* by hearsay.

oído *sm* - 1. [órgano] ear; **de oído** by ear; **hacer oídos sordos** to turn a deaf ear - 2. [sentido] (sense of) hearing; **ser duro de oído** to be hard of hearing.

oír ◇ *vt* - 1. [gen] to hear - 2. [atender] to listen to. ◇ *vi* to hear; **¡oiga, por favor!** excuse me!; **¡oye!** *fam* hey!

ojal *sm* buttonhole.

ojalá *interj*: **¡ojalá!** if only (that were so)!; **¡ojalá lo haga!** I hope she does it!; **¡ojalá fuera ya domingo!** I wish it were Sunday!

ojeada *sf* glance, look; **echar una ojeada a algo/alguien** to take a quick glance at sthg/sb, to take a quick look at sthg/sb.

ojear *vt* to have a look at.

ojera (*gen pl*) *sf* bags *pl* under the eyes.

ojeriza *sf fam* dislike; **tener ojeriza a alguien** to have it in for sb.

ojeroso, sa *adj* haggard.

ojo ◇ *sm* - 1. ANAT eye; **ojos saltones** popping eyes - 2. [agujero - de aguja] eye; [- de puente] span; **ojo de la cerradura** keyhole - 3. *loc*: **a ojo (de buen cubero)** roughly, approximately; **andar con (mucho) ojo** to be (very) careful; **comerse con los ojos a alguien** *fam* to drool over sb; **echar el ojo a algo** to have one's eye on sthg; **en un abrir y cerrar de ojos** in the twinkling of an eye; **estar ojo alerta** *O* **avizor** to be on the lookout; **mirar algo con buenos/malos ojos** to look favourably/unfavourably on sthg; **no pegar ojo** not to get a wink of sleep; **tener (buen) ojo** to have a good eye; **ojos que no ven, corazón que no siente** *prov* what the eye doesn't see, the heart doesn't grieve over. ◇ *interj*: **¡ojo!** be careful!, watch out!

okupa *smf mfam* squatter.

ola *sf* wave; **ola de calor** heatwave; **ola de frío** cold spell.

ole, olé *interj*: ¡olé! bravo!

oleada *sf* - **1.** [del mar] swell - **2.** *fig* [avalancha] wave.

oleaje *sm* swell.

óleo *sm* oil (painting).

oleoducto *sm* oil pipeline.

oler ◇ *vt* to smell. ◇ *vi* - **1.** [despedir olor]: **oler (a)** to smell (of) - **2.** *fam* [indicando sospecha]: **oler a** to smack of. ◆ **olerse** *vprnl*: **olerse algo** *fam* to sense sthg.

olfatear *vt* - **1.** [olisquear] to sniff - **2.** [barruntar] to smell, to sense. ◆ **olfatear en** *vi* [indagar] to pry into.

olfato *sm* - **1.** [sentido] sense of smell - **2.** *fig* [sagacidad] nose, instinct; **tener olfato para algo** to be a good judge of sthg.

oligarquía *sf* oligarchy.

olimpiada, olimpíada *sf* Olympic Games *pl*; **las olimpiadas** the Olympics.

olisquear *vt* to smell (at).

oliva *sf* olive.

olivar *sm* olive grove.

olivera *sf* olive tree.

olivo *sm* olive tree.

olla *sf* pot; **olla exprés** *O* **a presión** pressure cooker; **olla podrida** CULIN stew.

olmo *sm* elm (tree).

olor *sm* smell; **olor a** smell of.

oloroso, sa *adj* fragrant. ◆ **oloroso** *sm* oloroso (sherry).

OLP (*abrev de* **Organización para la Liberación de Palestina**) *sf* PLO.

olvidadizo, za *adj* forgetful.

olvidar *vt* - **1.** [gen] to forget - **2.** [dejarse] to leave; **olvidé las llaves en la oficina** I left my keys at the office. ◆ **olvidarse** *vprnl* - **1.** [gen] to forget; **olvidarse de algo/hacer algo** to forget sthg/to do sthg - **2.** [dejarse] to leave.

olvido *sm* - **1.** [de un nombre, hecho etc] forgetting; **caer en el olvido** to fall into oblivion - **2.** [descuido] oversight.

ombligo *sm* ANAT navel.

omisión *sf* omission.

omitir *vt* to omit.

ómnibus *sm inv* - **1.** omnibus; FERROC local train - **2.** *Cuba & Urug* [urbano] bus; *Andes, Cuba & Urug* [interurbano, internacional] intercity bus.

omnipotente *adj* omnipotent.

omnívoro, ra *adj* omnivorous.

omoplato, omóplato *sm* shoulder-blade.

OMS (*abrev de* **Organización Mundial de la Salud**) *sf* WHO.

once *num* eleven; *ver también* **seis**. ◆ **onces** *sm Andes* [por la mañana] elevenses; [por la tarde] tea.

ONCE (*abrev de* **Organización Nacional de Ciegos Españoles**) *sf Spanish association for the blind, famous for its national lottery.*

onceavo, va *num* eleventh.

onda *sf* wave; **onda eléctrica** *O* **hertziana** Hertzian wave; **onda expansiva** shock wave; **onda luminosa/sonora** light/sound wave; **estar en la onda** *fam* to be on the ball; **¿que onda?** *Méx & R Plata fam* how's it going?, how are things?

ondear *vi* to ripple.

ondulación *sf* [acción] rippling.

ondulado, da *adj* wavy.

ondular ◇ *vi* [agua] to ripple; [terreno] to undulate. ◇ *vt* to wave.

ONG (*abrev de* **organización no gubernamental**) *sf* NGO.

ónice, ónix *smf* onyx.

onomástico, ca *adj culto* onomastic. ◆ **onomástica** *sf culto* name day.

ONU (*abrev de* **Organización de las Naciones Unidas**) *sf* UN.

onza *sf* [unidad de peso] ounce.

OPA (*abrev de* **oferta pública de adquisición**) *sf* takeover bid.

opaco, ca *adj* opaque.

ópalo *sm* opal.

opción *sf* - **1.** [elección] option; **no hay opción** there is no alternative; **opciones sobre acciones** stock options - **2.** [derecho] right; **dar opción a** to give the right to; **tener opción a** [empleo, cargo] to be eligible for.

opcional *adj* optional.

OPEP (*abrev de* **Organización de Países Exportadores de Petróleo**) *sf* OPEC.

ópera *sf* opera; **ópera bufa** comic opera, opera buffa.

operación *sf* - **1.** [gen] operation; **operación quirúrgica** (surgical) operation - **2.** COM transaction.

operador, ra *sm, f* - **1.** INFORM & TELECOM operator - **2.** [de la cámara] cameraman; [del proyector] projectionist. ◆ **operador** *sm* MAT operator. ◆ **operador turístico** *sm* tour operator.

operar ◇ *vt* - **1.** [enfermo]: **operar a alguien (de algo)** [enfermedad] to operate on sb (for sthg); **lo operaron del hígado** they've operated on his liver - **2.** [cambio etc] to bring about, to produce. ◇ *vi* - **1.** [gen] to operate - **2.** [actuar] to act - **3.** COM & FIN to deal. ◆ **operarse** *vprnl* - **1.** [enfermo] to be oper-

ated on, to have an operation; **me voy a operar del hígado** I'm going to have an operation on my liver - **2.** [cambio etc] to occur.

operario, ria *sm, f* worker.

operativo, va *adj* operative. ◆ **operativo** *sm Amér* operation.

opereta *sf* operetta.

opinar ⟨⟩ *vt* to believe, to think. ⟨⟩ *vi* to give one's opinion.

opinión *sf* [parecer] opinion; **la opinión pública** public opinion.

opio *sm* opium.

opíparo, ra *adj* sumptuous.

oponente *smf* opponent.

oponer *vt* - **1.** [resistencia] to put up - **2.** [argumento, razón] to put forward, to give. ◆ **oponerse** *vprnl* - **1.** [no estar de acuerdo] to be opposed; **oponerse a algo** [desaprobar] to be opposed to sthg, to oppose sthg; [contradecir] to contradict sthg; **me opongo a creerlo** I refuse to believe it - **2.** [obstaculizar]: **oponerse a** to impede.

oporto *sm* port (wine).

oportunidad *sf* [ocasión] opportunity, chance; **darle una/otra oportunidad a alguien** to give sb a/another chance.

oportunismo *sm* opportunism.

oportunista *smf* opportunist.

oportuno, na *adj* - **1.** [pertinente] appropriate - **2.** [propicio] timely; **el momento oportuno** the right time.

oposición *sf* - **1.** [gen] opposition - **2.** [resistencia] resistance - **3.** *(gen pl)* [examen] public entrance examination; **oposición a profesor** public examination to be a teacher; **preparar oposiciones** to be studying for a public entrance examination.

opositar *vi*: **opositar (a)** to sit a public entrance examination (for).

opositor, ra *sm, f* - **1.** [a un cargo] *candidate in a public entrance examination* - **2.** [oponente] opponent.

opresión *sf fig* [represión] oppression.

opresivo, va *adj* oppressive.

opresor, ra *sm, f* oppressor.

oprimir *vt* - **1.** [apretar - botón etc] to press; [- garganta, brazo etc] to squeeze - **2.** [zapatos, cinturón] to pinch - **3.** *fig* [reprimir] to oppress - **4.** *fig* [angustiar] to weigh down on, to burden.

optar *vi* [escoger]: **optar (por algo)** to choose (sthg); **optar por hacer algo** to choose to do sthg; **optar entre** to choose between.

optativo, va *adj* optional.

óptico, ca ⟨⟩ *adj* optic. ⟨⟩ *sm, f* [persona] optician. ◆ **óptica** *sf* - **1.** FÍS optics *(U)* - **2.** [tienda] optician's (shop) - **3.** *fig* [punto de vista] point of view.

optimismo *sm* optimism.

optimista ⟨⟩ *adj* optimistic. ⟨⟩ *smf* optimist.

óptimo, ma ⟨⟩ *superl de* **bueno**. ⟨⟩ *adj* optimum.

opuesto, ta ⟨⟩ *pp* ⟨⟩ **oponer**. ⟨⟩ *adj* - **1.** [contrario] conflicting; **opuesto a** opposed O contrary to - **2.** [de enfrente] opposite.

opulencia *sf* [riqueza] opulence; [abundancia] abundance.

opulento, ta *adj* [rico] opulent.

oración *sf* - **1.** [rezo] prayer - **2.** GRAM sentence.

orador, ra *sm, f* speaker.

oral ⟨⟩ *adj* oral. ⟨⟩ *sm* ⟨⟩ **examen**.

órale *interj Méx fam* [de acuerdo] right!, sure!; [¡venga!] come on!

orangután *sm* orangutang.

orar *vi* to pray.

órbita *sf* - **1.** ASTRON orbit; **entrar/poner en órbita** to go/put into orbit - **2.** [de ojo] eye socket.

orca *sf* killer whale.

orden ⟨⟩ *sm* - **1.** [gen] order; **por orden** in order; **las fuerzas del orden** the forces of law and order; **orden de compra** COM purchase order; **orden público** law and order - **2.** [tipo] type, order; **problemas de orden económico** economic problems. ⟨⟩ *sf* order; **por orden de** by order of; **¡a la orden!** MIL (yes) sir!; **estar a la orden del día** to be the order of the day. ◆ **del orden de** *loc prep* around, approximately. ◆ **orden del día** agenda.

ordenado, da *adj* [lugar, persona] tidy.

ordenador *sm* INFORM computer; **ordenador personal** personal computer; **ordenador portátil** laptop computer.

ordenanza ⟨⟩ *sm* [de oficina] messenger. ⟨⟩ *sf (gen pl)* ordinance, law; **ordenanzas municipales** by-laws.

ordenar *vt* - **1.** [poner en orden - gen] to arrange; [- habitación, armario etc] to tidy (up) - **2.** [mandar] to order - **3.** RELIG to ordain - **4.** *Amér* [solicitar] to order. ◆ **ordenarse** *vprnl* RELIG to be ordained.

ordeñar *vt* to milk.

ordinariez *sf* commonness, coarseness.

ordinario, ria *adj* - **1.** [común] ordinary, usual - **2.** [vulgar] common, coarse - **3.** [no selecto] unexceptional - **4.** [no especial - presupuesto, correo] daily; [- tribunal] of first instance.

orégano *sm* oregano.

oreja *sf* ANAT ear.

orfanato, orfelinato *sm* orphanage.

orfandad *sf* orphanhood; *fig* abandonment.

orfebre *smf* [de plata] silversmith; [de oro] goldsmith.

orfebrería *sf* [obra - de plata] silver work; [- de oro] gold work.

orfelinato = orfanato.

orgánico, ca *adj* organic.

organigrama *sm* [gen & INFORM] flowchart.

organillo *sm* barrel organ.

organismo *sm* - **1.** BIOL organism - **2.** ANAT body - **3.** *fig* [entidad] organization, body.

organización *sf* organization; **Organización Mundial del Comercio** COM World Trade Organization.

organizar *vt* to organize.

órgano *sm* organ.

orgasmo *sm* orgasm.

orgía *sf* orgy.

orgullo *sm* pride.

orgulloso, sa *adj* proud.

orientación *sf* - **1.** [dirección - acción] guiding; [- rumbo] direction - **2.** [posicionamiento - acción] positioning; [- lugar] position - **3.** *fig* [información] guidance; **orientación profesional** careers advice O guidance.

oriental ◇ *adj* - **1.** [gen] eastern; [del Lejano Oriente] oriental - **2.** *Amér* [de Uruguay] Uruguayan. ◇ *smf* - **1.** oriental - **2.** *Amér* [de Uruguay] Uruguayan.

orientar *vt* - **1.** [dirigir] to direct; [casa] to build facing - **2.** *fig* [medidas etc]: **orientar hacia** to direct towards O at - **3.** *fig* [aconsejar] to give advice O guidance to. ◆ **orientarse** *vprnl* - **1.** [dirigirse - foco etc]: **orientarse a** to point towards O at - **2.** [encontrar el camino] to get one's bearings - **3.** *fig* [encaminarse]: **orientarse hacia** to be aiming at.

oriente *sm* east. ◆ **Oriente** *sm*: **el Oriente** the East, the Orient; **Oriente Medio/Próximo** Middle/Near East; **Lejano** O **Extremo Oriente** Far East.

orificio *sm* hole; TECNOL opening.

origen *sm* - **1.** [gen] origin; [ascendencia] origins *pl*, birth; **de origen español** of Spanish origin - **2.** [causa] cause; **dar origen a** to give rise to.

original ◇ *adj* - **1.** [gen] original - **2.** [raro] eccentric, different. ◇ *sm* original.

originalidad *sf* - **1.** [gen] originality - **2.** [extravagancia] eccentricity.

originar *vt* to cause. ◆ **originarse** *vprnl* to be caused.

originario, ria *adj* [inicial, primitivo] original.

orilla *sf* - **1.** [ribera - de río] bank; [- de mar] shore; **a orillas de** [río] on the banks of; **a orillas del mar** by the sea - **2.** [borde] edge - **3.** [acera] pavement.

orillar *vt* [dificultad, obstáculo] to skirt around.

orín *sm* [herrumbre] rust. ◆ **orines** *smpl* [orina] urine (U).

orina *sf* urine.

orinal *sm* chamberpot.

orinar *vi* & *vt* to urinate. ◆ **orinarse** *vprnl* to wet o.s.

oriundo, da *adj*: **oriundo de** native of.

ornamentación *sf* ornamentation.

ornamento *sm* [objeto] ornament.

ornar *vt* to decorate, to adorn.

ornitología *sf* ornithology.

oro *sm* gold; *fig* riches *pl*; **hacerse de oro** to make one's fortune; **pedir el oro y el moro** to ask the earth. ◆ **oros** *smpl* [naipes] *suit of Spanish cards bearing gold coins.* ◆ **oro negro** *sm* oil.

orografía *sf* [relieve] terrain.

orquesta *sf* - **1.** [músicos] orchestra; **orquesta de cámara/sinfónica** chamber/symphony orchestra - **2.** [lugar] orchestra pit.

orquestar *vt* to orchestrate.

orquestina *sf* dance band.

orquídea *sf* orchid.

ortiga *sf* (stinging) nettle.

ortodoxia *sf* orthodoxy.

ortodoxo, xa *adj* orthodox.

ortografía *sf* spelling.

ortográfico, ca *adj* spelling (antes de s).

ortopedia *sf* orthopaedics (U).

ortopédico, ca *adj* orthopaedic.

ortopedista *smf* orthopaedist.

oruga *sf* caterpillar.

orujo *sm* strong spirit made from grape pressings.

orzuelo *sm* stye.

os *pron pers* - **1.** *(complemento directo)* you; **me gustaría veros** I'd like to see you - **2.** *(complemento indirecto)* (to) you; **os lo dio** he gave it to you; **os tengo miedo** I'm afraid of you - **3.** *(reflexivo)* yourselves - **4.** *(recíproco)* each other; **os enamorasteis** you fell in love (with each other).

osadía *sf* - **1.** [valor] boldness, daring - **2.** [descaro] audacity, cheek.

osado, da *adj* - **1.** [valeroso] daring, bold - **2.** [descarado] impudent, cheeky.

osamenta *sf* skeleton.

osar *vi* to dare.

oscilación *sf* - **1.** [movimiento] swinging; FÍS oscillation - **2.** *fig* [variación] fluctuation.

os

oscilar *vi* - **1.** [moverse] to swing; FÍS to oscillate - **2.** *fig* [variar] to fluctuate.

oscurecer, obscurecer ⟨⟩ *vt* - **1.** [privar de luz] to darken - **2.** *fig* [mente] to confuse, to cloud. ⟨⟩ *v impers* [anochecer] to get dark. ➤ **oscurecerse, obscurecerse** *vprnl* to grow dark.

oscuridad, obscuridad *sf* - **1.** [falta de luz] darkness - **2.** [zona oscura]: **en la oscuridad** in the dark - **3.** *fig* [falta de claridad] obscurity.

oscuro, ra, obscuro, ra *adj* - **1.** [gen] dark; **a oscuras** in the dark - **2.** [nublado] overcast - **3.** *fig* [inusual] obscure - **4.** *fig* [intenciones, asunto] shady.

óseo, a *adj* bone *(antes de s)*.

oso, osa *sm, f* bear *(f she-bear)*; **oso de felpa** *O* **peluche** teddy bear; **oso hormiguero** anteater; **oso panda** panda; **oso polar** polar bear.

ostensible *adj* evident, clear.

ostentación *sf* ostentation, show.

ostentar *vt* [poseer] to hold, to have.

ostentoso, sa *adj* ostentatious.

osteópata *smf* osteopath.

ostra *sf* oyster; **aburrirse como una ostra** *fam* to be bored to death. ➤ **ostras** *interj fam*: **¡ostras!** blimey!

OTAN *(abrev de Organización del Tratado del Atlántico Norte) sf* NATO.

OTI *(abrev de Organización de Televisiones Iberoamericanas) sf* association of all Spanish-speaking television networks.

otitis *sf inv* inflammation of the ear.

otoñal *adj* autumn *UK (antes de s)*, autumnal *UK*, fall *US (antes de s)*.

otoño *sm lit & fig* autumn *UK*, fall *US*.

otorgar *vt* to grant; [premio] to award, to present; DER to execute.

otorrino, na *sm, f fam* ear, nose and throat specialist.

otorrinolaringología *sf* ear, nose and throat medicine.

otro, tra ⟨⟩ *adj* - **1.** [distinto] another, other; **otro chico** another boy; **el otro chico** the other boy; **(los) otros chicos** (the) other boys; **no hacer otra cosa que llorar** to do nothing but cry; **el otro día** [pasado] the other day - **2.** [nuevo] another; **estamos ante otro Dalí** this is another Dalí; **otros tres goles** another three goals. ⟨⟩ *pron (sing)* another (one), *(pl)* others; **dame otro** give me another (one); **el otro** the other one; **(los) otros** (the) others; **yo no lo hice, fue otro** it wasn't me, it was somebody else; **otro habría abandonado, pero no él** anyone else would have given up, but not him; **¡otra!** [en conciertos] encore!, more!

output ['autput] *(pl outputs) sm* INFORM output *(U)*.

ovación *sf* ovation.

ovacionar *vt* to give an ovation to.

oval *adj* oval.

ovalado, da *adj* oval.

ovario *sm* ovary.

oveja *sf* sheep, ewe. ➤ **oveja negra** *sf* black sheep.

overol, overoles *sm Amér* [ropa - con peto] dungarees *pl UK*, overalls *pl US*; [- para bebé] rompers *pl*.

ovillo *sm* ball *(of wool etc)*; **hacerse un ovillo** to curl up into a ball.

ovino, na *adj* ovine, sheep *(antes de s)*.

ovni ['ofni] *sm (abrev de objeto volador no identificado)* UFO.

ovulación *sf* ovulation.

ovular ⟨⟩ *adj* ovular. ⟨⟩ *vi* to ovulate.

oxidación *sf* rusting.

oxidar *vt* to rust; QUÍM to oxidize. ➤ **oxidarse** *vprnl* to get rusty.

óxido *sm* - **1.** QUÍM oxide - **2.** [herrumbre] rust.

oxigenado, da *adj* - **1.** QUÍM oxygenated - **2.** [cabello] peroxided *(antes de s)*, bleached.

oxigenar *vt* QUÍM to oxygenate. ➤ **oxigenarse** *vprnl* [airearse] to get a breath of fresh air.

oxígeno *sm* oxygen.

oye ⟨⟩ **oír**.

oyente *smf* - **1.** RADIO listener - **2.** [alumno] unregistered student.

ozono *sm* ozone.

p, P *sf* [letra] p, P.

p. - **1.** = **pág.** - **2.** *abrev de paseo*.

pabellón *sm* - **1.** [edificio] pavilion - **2.** [parte de un edificio] block, section - **3.** [en parques, jardines] summerhouse - **4.** [tienda de campaña] bell tent - **5.** [bandera] flag.

PAC *(abrev de Política Agrícola Común) sf* CAP.

pacer *vi* to graze.

pachá *(pl pachás O pachaes) sm* pasha; **vivir como un pachá** *fam* to live like a lord.

Pachamama *sf Andes* Mother Earth.

pachanga *sf fam* rowdy celebration.

pacharán *sm liqueur made from anis and sloes.*

pachorra *sf fam* calmness.

pachucho, cha *adj fam* under the weather.

paciencia *sf* patience; **perder la paciencia** to lose one's patience; **tener paciencia** to be patient.

paciente *adj* & *smf* patient.

pacificación *sf* pacification.

pacificar *vt* - 1. [país] to pacify - 2. [ánimos] to calm.

pacífico, ca *adj* [gen] peaceful; [persona] peaceable.

Pacífico *sm*: **el (océano) Pacífico** the Pacific (Ocean).

pacifismo *sm* pacifism.

pacifista *adj* & *smf* pacifist.

paco, ca *sm, f Andes & Pan fam* cop.

pacotilla *sf*: **de pacotilla** trashy, third-rate.

pactar ⬦ *vt* to agree to. ⬦ *vi*: **pactar (con)** to strike a deal (with).

pacto *sm* [gen] agreement, pact; [entre países] treaty.

padecer ⬦ *vt* to suffer, to endure; [enfermedad] to suffer from. ⬦ *vi* to suffer; [enfermedad]: **padecer de** to suffer from.

padecimiento *sm* suffering.

pádel ['paðel] *sm ball game for two or four players, played with a small rubber bat on a two-walled court.*

padrastro *sm* - 1. [pariente] stepfather - 2. [pellejo] hangnail.

padre ⬦ *sm* [gen & RELIG] father. ⬦ *adj inv* - 1. *Esp fam* [enorme] incredible - 2. *Méx fam* [estupendo] fantastic, great. ⬦ **padres** *smpl* [padre y madre] parents.

padrenuestro (*pl* **padrenuestros**) *sm* Lord's Prayer.

padrino *sm* - 1. [de bautismo] godfather; [de boda] best man - 2. [en duelos, torneos etc] second - 3. *fig* [protector] patron. ⬦ **padrinos** *smpl* [padrino y madrina] godparents.

padrísimo *adj Méx fam* great.

padrón *sm* [censo] census; [para votar] electoral roll *O* register.

padrote *sm Méx fam* pimp.

paella *sf* paella.

paellera *sf large frying pan or earthenware dish for cooking paella.*

pág., p. (*abrev de* **página**) p.

paga *sf* payment; [salario] salary, wages *pl*; [de niño] pocket money; **paga extra** *O* **extraordinaria** bonus paid twice a year to Spanish workers.

pagadero, ra *adj* payable; **pagadero a 90 días/a la entrega** payable within 90 days/on delivery.

pagano, na *adj* & *sm, f* pagan, heathen.

pagar ⬦ *vt* [gen] to pay; [deuda] to pay off, to settle; [ronda, gastos, delito] to pay for; [ayuda, favor] to repay; **me las pagarás** *fam* you'll pay for this; **pagar el pato/los platos rotos** *fam* to carry the can. ⬦ *vi* to pay; **pagar en efectivo** *O* **metálico** to pay (in) cash.

pagaré (*pl* **pagarés**) *sm* COM promissory note, IOU; **pagaré del Tesoro** Treasury note.

página *sf* page; **página inicial** *O* **de inicio** INFORM home page; **página Web** Web page; **las páginas amarillas** the Yellow Pages.

pago *sm* payment; *fig* reward, payment; **en pago de** [en recompensa por] as a reward for; [a cambio de] in return for; **pago anticipado/inicial** advance/down payment; **pago por visión** pay-per-view. ⬦ **pagos** *smpl* [lugar]: **por estos pagos** around here.

pai *sm Amér C* & *Méx* pie.

paila *sf* - 1. *Andes, Amér C* & *Caribe* [sartén] frying pan - 2. *Chile* [huevos fritos] fried eggs *pl*.

paisaje *sm* [gen] landscape; [vista panorámica] scenery *(U)*, view.

paisano, na *sm, f* [del mismo país] compatriot. ⬦ **paisano** *sm* [civil] civilian; **de paisano** MIL in civilian clothes; **de paisano** [policía] in plain clothes.

Países Bajos *smpl*: **los Países Bajos** the Netherlands.

País Vasco *sm*: **el País Vasco** the Basque Country.

paja *sf* - 1. [gen] straw - 2. *fig* [relleno] waffle - 3. *vulg* [masturbación] wank.

pajar *sm* straw loft.

pájara *sf fig* crafty *O* sly woman.

pajarería *sf* pet shop.

pajarita *sf Esp* [corbata] bow tie.

pájaro *sm* ZOOL bird; **pájaro bobo** penguin; **pájaro carpintero** woodpecker; **pájaro de mal agüero** bird of ill omen; **más vale pájaro en mano que ciento volando** *prov* a bird in the hand is worth two in the bush; **matar dos pájaros de un tiro** to kill two birds with one stone; **tener pájaros en la cabeza** to be scatterbrained *O* empty-headed.

paje *sm* page.

pajilla, pajita *sf* (drinking) straw.

pajuerano, na *R Dom* ⬦ *adj* [de pueblo] countrified. ⬦ *sm, f* [palurdo] bumpkin, hick *US*.

Pakistán = Paquistán.

pala *sf* - 1. [herramienta] spade; [para recoger] shovel; CULIN slice - 2. [de frontón, ping-pong] bat - 3. [de remo, hélice] blade.

palabra *sf* - **1.** [gen] word; **de palabra** by word of mouth; **no tener palabra** to go back on one's word; **palabra divina** O **de Dios** word of God; **palabra de honor** word of honour - **2.** [habla] speech - **3.** [derecho de hablar] right to speak; **dar la palabra a alguien** to give the floor to sb - **4.** *loc*: **en cuatro** O **dos palabras** in a few words; **en una palabra** in a word. ► **palabras** *sfpl* [discurso] words.

palabrear *vt* *Amér fam* to agree on.

palabrería *sf* *fam* hot air.

palabrota *sf* swearword; **decir palabrotas** to swear.

palacete *sm* mansion, small palace.

palacio *sm* palace; **palacio de congresos** conference centre.

palada *sf* - **1.** [al cavar] spadeful, shovelful - **2.** [de remo] stroke.

paladar *sm* palate.

paladear *vt* to savour.

palanca *sf* [barra, mando] lever; **palanca de cambio** gear lever O stick, gearshift *US*; **palanca de mando** joystick.

palangana *sf* [para fregar] washing-up bowl; [para lavarse] wash bowl.

palco *sm* box *(at theatre)*; **palco de autoridades** VIP box.

Palestina *n pr* Palestine.

palestino, na *adj* & *sm, f* Palestinian.

paleta *sf* [gen] small shovel, small spade; [llana] trowel; CULIN slice; ARTE palette; [de pingpong] bat; *Méx* [helado] ice lolly *UK*, Popsicle® *US*.

paletilla *sf* shoulder blade.

paleto, ta *Esp* ◇ *adj* coarse, uncouth. ◇ *sm, f* yokel, hick *US*.

paliar *vt* [atenuar] to ease, to relieve.

palidecer *vi* [ponerse pálido] to go O turn pale.

palidez *sf* paleness.

pálido, da *adj* pale; *fig* dull.

palillero *sm* toothpick holder.

palillo *sm* - **1.** [mondadientes] toothpick - **2.** [baqueta] drumstick - **3.** [para comida china] chopstick.

palique *sm* *Esp fam* chat, natter; **estar de palique** to chat, to natter.

paliza *sf* - **1.** [golpes, derrota] beating - **2.** [esfuerzo] hard grind.

palma *sf* - **1.** [de mano] palm - **2.** [palmera] palm (tree); [hoja de palmera] palm leaf. ► **palmas** *sfpl* [aplausos] applause *(U)*; **batir palmas** to clap (one's hands).

palmada *sf* - **1.** [golpe] pat; [más fuerte] slap - **2.** [aplauso] clap; **palmadas** clapping *(U)*.

palmar[1] *sm* palm grove.

palmar[2] *fam vi* to kick the bucket.

palmarés *sm* - **1.** [historial] record - **2.** [lista] list of winners.

palmear *vi* to clap, to applaud.

palmera *sf* [árbol] palm (tree); [datilera] date palm.

palmito *sm* - **1.** [árbol] palmetto, fan palm - **2.** CULIN palm heart.

palmo *sm* handspan; *fig* small amount; **palmo a palmo** bit by bit; **dejar a alguien con un palmo de narices** to let sb down.

palmotear *vi* to clap.

palo *sm* - **1.** [gen] stick; [de golf] club; [de portería] post; [de la escoba] handle - **2.** [mástil] mast - **3.** [golpe] blow *(with a stick)* - **4.** [de baraja] suit - **5.** *fig* [pesadez] bind, drag - **6.** *loc*: **a palo seco** [gen] without anything else; [bebida] neat.

paloma ▷ **palomo**.

palomar *sm* dovecote; [grande] pigeon shed.

palomilla *sf* - **1.** [insecto] grain moth - **2.** [tornillo] wing nut - **3.** [soporte] bracket.

palomita *sf*: **palomitas** popcorn *(U)*.

palomo, ma *sm, f* dove, pigeon; **paloma mensajera** carrier O homing pigeon.

palpable *adj* touchable, palpable; *fig* obvious, clear.

palpar ◇ *vt* - **1.** [tocar] to feel, to touch; MED to palpate - **2.** *fig* [percibir] to feel. ◇ *vi* to feel around.

palpitación *sf* beat, beating *(U)*; [con fuerza] throb, throbbing *(U)*. ► **palpitaciones** *sfpl* MED palpitations.

palpitante *adj* - **1.** [que palpita] beating; [con fuerza] throbbing - **2.** *fig* [interesante - interés, deseo, cuestión] burning.

palpitar *vi* [latir] to beat; [con fuerza] to throb.

palta *sf* *Andes* & *R Dom* avocado.

paludismo *sm* malaria.

palurdo, da *sm, f* yokel, hick *US*.

pamela *sf* sun hat.

pampa *sf*: **la pampa** the pampas *pl*.

pamplina *(gen pl)* *sf fam* trifle, unimportant thing.

pan *sm* - **1.** [alimento] bread; **pan integral** wholemeal bread; **pan lactal** *Arg* sliced bread; **pan moreno** O **negro** [integral] wholemeal bread; [con centeno] black O rye bread; **pan rallado** breadcrumbs *pl* - **2.** [hogaza] loaf - **3.** *loc*: **contigo pan y cebolla** I'll go through thick and thin with you; **llamar al pan pan y al vino vino** to call a spade a spade; **ser pan comido** to be a piece of cake, to be as easy as pie; **ser el pan nuestro de cada día** to be a regular occurrence, to be commonplace; **ser más bueno que el pan** to be kindness itself; **no sólo de pan vive el hombre** man cannot live on bread alone.

PAN *sm* - **1.** *(abrev de* **Partido Acción Nacional)** *Mexican political party* - **2.** *(abrev de* **Partido de Avanzada Nacional)** *Guatemalan political party.*

pana *sf* corduroy.

panacea *sf lit & fig* panacea.

panadería *sf* bakery, baker's.

panadero, ra *sm, f* baker.

panal *sm* honeycomb.

Panamá *n pr* Panama.

panameño, ña *adj & sm, f* Panamanian.

pancarta *sf* placard, banner.

panceta *sf* bacon.

pancho, cha *adj fam* calm, unruffled; **estar/ quedarse tan pancho** to be/remain perfectly calm. ➡ **pancho** *sm R Dom* [comida] hot dog.

páncreas *sm inv* pancreas.

panda ◇ *sm* ▷ **oso.** ◇ *sf Esp* gang.

pandereta *sf* tambourine.

pandero *sm* MÚS tambourine.

pandilla *sf* gang.

panecillo *sm Esp* bread roll.

panecito *sm Amér* bread roll.

panegírico, ca *adj* panegyrical. ➡ **panegírico** *sm* panegyric.

panel *sm* - **1.** [gen] panel - **2.** [pared, biombo] screen - **3.** [tablero] board; **panel solar** solar panel.

panera *sf* [para servir] bread basket; [para guardar] bread bin.

pánfilo, la *adj* simple, foolish.

panfleto *sm* pamphlet.

pánico *sm* panic.

panificadora *sf* (large) bakery.

panocha *sf* ear, cob.

panorama *sm* - **1.** [vista] panorama - **2.** *fig* [situación] overall state; [perspectiva] outlook.

panorámico, ca *adj* panoramic. ➡ **panorámica** *sf* panorama.

pantaletas *sfpl Amér C, Caribe & Méx* [bragas] panties, knickers *UK*.

pantalla *sf* - **1.** [gen & INFORM] screen; **pantalla ancha** widescreen; **pantalla de cristal líquido** liquid crystal display; **la pequeña pantalla** the small screen, television - **2.** [de lámpara] lampshade.

pantallazo *sm* screenshot.

pantalón *(gen pl) sm* trousers *pl*, pants *pl US*; **pantalón tejano** *O* **vaquero** jeans *pl*; **pantalón pitillo** drainpipe trousers *pl*.

pantano *sm* - **1.** [ciénaga] marsh; [laguna] swamp - **2.** [embalse] reservoir.

pantanoso, sa *adj* - **1.** [cenagoso] marshy, boggy - **2.** *fig* [difícil] tricky.

panteón *sm* pantheon; [familiar] mausoleum, vault.

pantera *sf* panther.

pantimedias *sfpl Méx* tights *UK*, pantyhose *US*.

pantorrilla *sf* calf.

pantufla *(gen pl) sf* slipper.

panty *(pl* **pantys)** *sm* tights *pl*.

panza *sf* belly.

pañal *sm* nappy *UK*, diaper *US*; **estar en pañales** [en sus inicios] to be in its infancy; [sin conocimientos] not to have a clue.

pañería *sf* [producto] drapery; [tienda] draper's (shop), dry-goods store *US*.

paño *sm* - **1.** [tela] cloth, material - **2.** [trapo] cloth; [para polvo] duster; [de cocina] tea towel - **3.** [lienzo] panel. ➡ **paños** *smpl* [vestiduras] drapes; **en paños menores** in one's underwear.

pañoleta *sf* shawl, wrap.

pañuelo *sm* [de nariz] handkerchief; [para el cuello] scarf; [para la cabeza] headscarf; **pañuelo de papel** paper handkerchief, tissue.

papa *sf* potato; **no saber ni papa** *fam* not to have a clue. ➡ **Papa** *sm* Pope.

papá *sm fam* dad, daddy, pop *US*. ➡ **Papá Noel** *sm* Father Christmas.

papachador, ra *adj Méx* comforting.

papachar *vt Méx* to spoil.

papada *sf* [de persona] double chin; [de animal] dewlap.

papagayo *sm* - **1.** [pájaro] parrot - **2.** *Ven* [cometa] kite.

papalote *sm Amér C, Caribe & Méx* kite.

papamoscas *sm inv* flycatcher.

papanatas *smf inv fam* sucker.

papaya *sf* [fruta] papaya, pawpaw.

papel *sm* - **1.** [gen] paper; [hoja] sheet of paper; **papel celofán** Cellophane; **papel confort** *Chile* toilet paper; **papel continuo** INFORM continuous paper; **papel de embalar** *O* **de embalaje** wrapping paper; **papel de fumar** cigarette paper; **papel de lija** sandpaper; **papel higiénico** toilet paper; **papel madera** *R Dom* cardboard; **papel milimetrado** graph paper; **papel pintado** wallpaper; **papel reciclado** recycled paper; **papel tapiz** INFORM wallpaper - **2.** *fig* & CINE & TEATRO role, part; **desempeñar** *O* **hacer el papel de** to play the role *O* part of; **papel principal/secundario** main/minor part - **3.** FIN stocks and shares *pl*; **papel moneda** paper money, banknotes *pl*. ➡ **papeles** *smpl* [documentos] papers.

papeleo *sm* paperwork, red tape.

papelera *sf* ▷ **papelero.**

papelería *sf* stationer's (shop).

papelero, ra *adj* paper *(antes de s).* ➡ **papelera** *sf* [cesto - en oficina etc] wastepaper basket *O* bin; [- en la calle] litter bin.

papeleta *sf* - **1.** [boleto] ticket, slip (of paper); [de votación] ballot paper - **2.** EDUC *slip of paper with university exam results.*

paperas *sfpl* mumps.

papi *sm fam* daddy, dad.

papilla *sf* [para niños] baby food; **echar** O **arrojar la primera papilla** *fam* to be as sick as a dog; **hecho papilla** *fam* [cansado] shattered; [cosa] smashed to bits.

papiro *sm* papyrus.

paquete *sm* - **1.** [de libros, regalos etc] parcel; **paquete bomba** parcel bomb; **paquete postal** parcel - **2.** [de cigarrillos, klínex, folios etc] pack, packet; [de azúcar, arroz] bag - **3.** [de medidas] package; **paquete turístico** package tour - **4.** INFORM package.

Paquistán, Pakistán *n pr* Pakistan.

par ⟨⟩ *adj* - **1.** MAT even; **echar algo a pares o nones** *to decide something between two people by a game involving guessing the number of fingers that another person is holding out behind his/her back* - **2.** [igual] equal. ⟨⟩ *sm* - **1.** [pareja - de zapatos etc] pair - **2.** [dos - veces etc] couple - **3.** [número indeterminado] few, couple; **un par de copas** a couple of O a few drinks - **4.** [en golf] par - **5.** [noble] peer. ► **a la par** *loc adv* - **1.** [simultáneamente] at the same time - **2.** [a igual nivel] at the same level. ► **de par en par** *loc adj*: **abierto de par en par** wide open. ► **sin par** *loc adj* matchless.

para *prep* - **1.** [finalidad] for; **es para ti** it's for you; **una mesa para el salón** a table for the living room; **esta agua no es buena para beber** this water isn't fit for drinking O to drink; **te lo repetiré para que te enteres** I'll repeat it so you understand; **¿para qué?** what for? - **2.** [motivación] (in order) to; **para conseguir sus propósitos** in order to achieve his aims; **lo he hecho para agradarte** I did it to please you - **3.** [dirección] towards; **ir para casa** to head (for) home; **salir para el aeropuerto** to leave for the airport - **4.** [tiempo] for; **tiene que estar acabado para mañana** it has to be finished by O for tomorrow - **5.** [comparación] **está muy delgado para lo que come** he's very thin considering how much he eats; **para ser verano hace mucho frío** considering it's summer, it's very cold - **6.** *(después de adj y antes de infinitivo)* [inminencia, propósito] to; **la comida está lista para servir** the meal is ready to be served; **el atleta está preparado para ganar** the athlete is ready to win. ► **para con** *loc prep* towards; **es buena para con los demás** she is kind towards other people.

parabién *(pl* parabienes) *sm* congratulations *pl*.

parábola *sf* - **1.** [alegoría] parable - **2.** GEOM parabola.

parabólico, ca *adj* parabolic.

parabrisas *sm inv* windscreen, windshield US.

paracaídas *sm inv* parachute.

paracaidista *smf* parachutist; MIL paratrooper.

parachoques *sm inv* AUTO bumper, fender US; FERROC buffer.

parada ▷ **parado**.

paradero *sm* - **1.** [de persona] whereabouts *pl* - **2.** *Chile, Col, Méx & Perú* [parada de autobús] bus stop.

paradisiaco, ca, paradisíaco, ca *adj* heavenly.

parado, da ⟨⟩ *adj* - **1.** [inmóvil - coche] stationary, standing; [- persona] still, motionless; [- fábrica, proyecto] at a standstill - **2.** *Esp* [sin empleo] unemployed - **3.** *loc*: **salir bien/mal parado de algo** to come off well/badly out of sthg. ⟨⟩ *sm, f Esp* [desempleado] unemployed person; **los parados** the unemployed. ► **parada** *sf* - **1.** [detención] stop, stopping *(U)* - **2.** DEP save - **3.** [de autobús] (bus) stop; [de taxis] taxi rank *UK* O stand *US*; [de metro] (underground) station; **parada discrecional** request stop - **4.** MIL parade.

paradoja *sf* paradox.

paradójico, ca *adj* paradoxical, ironical.

parador *sm* [hotel]: **parador (nacional)** *Esp* state-owned luxury hotel, usually a building of historic or artistic importance.

parafernalia *sf* paraphernalia.

parafrasear *vt* to paraphrase.

paráfrasis *sf inv* paraphrase.

paraguas *sm inv* umbrella.

Paraguay *n pr*: **(el) Paraguay** Paraguay.

paraguayo, ya *adj & sm, f* Paraguayan.

paragüero *sm* umbrella stand.

paraíso *sm* RELIG Paradise; *fig* paradise.

paraje *sm* spot, place.

paralelismo *sm* - **1.** GEOM parallelism - **2.** [semejanza] similarity, parallels *pl*.

paralelo, la *adj*: **paralelo (a)** parallel (to). ► **paralelo** *sm* GEOGR parallel. ► **paralela** *sf* GEOM parallel (line).

parálisis *sf inv* paralysis; **parálisis cerebral** cerebral palsy.

paralítico, ca *adj & sm, f* paralytic.

paralizar *vt* to paralyse. ► **paralizarse** *vprnl* to become paralysed; [producción etc] to come to a standstill.

parámetro *sm* parameter.

páramo *sm* moor, moorland *(U)*; *fig* wilderness.

parangón *sm* paragon; **sin parangón** unparalleled.

paranoia *sf* paranoia.

paranormal *adj* paranormal.

parapente *sm* [deporte] parapenting, paragliding; [paracaídas] parapente.

parapetarse *vprnl lit & fig:* **parapetarse (tras)** to take refuge (behind).

parapeto *sm* [antepecho] parapet; [barandilla] bannister; [barricada] barricade.

parapléjico, ca *adj* & *sm, f* paraplegic.

parapsicología *sf* parapsychology.

parar ◇ *vi* - **1.** [gen] to stop; **parar de hacer algo** to stop doing sthg; **sin parar** non-stop - **2.** [alojarse] to stay - **3.** [recaer]: **parar en manos de alguien** to come into the possession of sb - **4.** [acabar] to end up; **¿en qué parará este lío?** where will it all end? ◇ *vt* - **1.** [gen] to stop; [golpe] to parry - **2.** [preparar] to prepare - **3.** *Amér* [levantar] to raise. ◆ **pararse** *vprnl* - **1.** [detenerse] to stop - **2.** *Amér* [ponerse de pie] to stand up - **3.** *Méx & Ven* [salir de la cama] to get up.

pararrayos *sm inv* lightning conductor.

parásito, ta *adj* BIOL parasitic. ◆ **parásito** *sm fig* & BIOL parasite. ◆ **parásitos** *smpl* [interferencias] statics *pl*.

parasol *sm* parasol.

parcela *sf* - **1.** [de tierra] plot (of land) - **2.** [de saber] area.

parche *sm* - **1.** [gen] patch - **2.** [chapuza - para salir del paso] makeshift solution.

parchís *sm* ludo.

parcial ◇ *adj* - **1.** [no total] partial - **2.** [no ecuánime] biased. ◇ *sm* [examen] *end-of-term exam at university.*

parcialidad *sf* [tendenciosidad] bias, partiality.

parco, ca *adj* [escaso] meagre; [cena] frugal; [explicación] brief, concise.

pardillo, lla *Esp* ◇ *adj* - **1.** [ingenuo] naive - **2.** [palurdo] countrified. ◇ *sm, f* - **1.** [ingenuo] naive person - **2.** [palurdo] bumpkin, hick *US*.

pardo, da *adj* greyish-brown, dull brown.

parecer ◇ *sm* - **1.** [opinión] opinion - **2.** [apariencia]: **de buen parecer** good-looking. ◇ *vi* (antes de *s*) to look like; **parece un palacio** it looks like a palace. ◇ *v cop* to look, to seem; **pareces cansado** you look *O* seem tired. ◇ *v impers* - **1.** [opinar]: **me parece que...** I think *O* it seems to me that...; **me parece que sí/no** I think/don't think so; **¿qué te parece?** what do you think (of it)? - **2.** [tener aspecto de]: **parece que va a llover** it looks like it's going to rain; **parece que le gusta** it looks as if *O* it seems that she likes it; **eso parece** so it seems; **al parecer** apparently. ◆ **parecerse** *vprnl*: **parecerse (en)** to be alike (in); **parecerse a alguien** [físicamente] to look like sb; [en carácter] to be like sb.

parecido, da *adj* similar; **bien parecido** [atractivo] good-looking. ◆ **parecido** *sm*: **parecido (con/entre)** resemblance (to/between).

pared *sf* - **1.** [gen] wall; **las paredes oyen** walls have ears; **subirse por las paredes** to hit the roof - **2.** [de montaña] side.

paredón *sm* (thick) wall; [de fusilamiento] (execution) wall.

parejo, ja *adj*: **parejo (a)** similar (to). ◆ **pareja** *sf* - **1.** [gen] pair; [de novios] couple; **pareja de hecho** common-law heterosexual or homosexual relationship; **son una pareja de hecho** they live together as man and wife; **por parejas** in pairs - **2.** [miembro del par - persona] partner.

parentela *sf fam* relations *pl*, family.

parentesco *sm* relationship.

paréntesis *sm inv* - **1.** [signo] bracket; **entre paréntesis** in brackets, in parentheses - **2.** [intercalación] digression - **3.** [interrupción] break.

paria *smf* pariah.

parida *sf fam*: **eso es una parida** that's a load of nonsense; **decir paridas** to talk nonsense.

pariente, ta *sm, f* [familiar] relation, relative.

parir ◇ *vi* to give birth. ◇ *vt* to give birth to.

París *n pr* Paris.

parking ['parkin] (*pl* **parkings**) *sm* car park *UK*, parking lot *US*.

parlamentar *vi* to negotiate.

parlamentario, ria ◇ *adj* parliamentary. ◇ *sm, f* member of parliament.

parlamento *sm* POLÍT parliament.

parlanchín, ina *fam* ◇ *adj* chatty. ◇ *sm, f* chatterbox.

parlante *adj* talking. ◆ **parlante** *sm Amér* speaker.

parlotear *vi fam* to chatter.

paro *sm* - **1.** *Esp* [desempleo] unemployment - **2.** *Esp* [subsidio] unemployment benefit - **3.** [cesación - acción] shutdown; [- estado] stoppage; **paro cardíaco** cardiac arrest - **4.** *Amér* [huelga] strike.

parodia *sf* parody.

parodiar *vt* to parody.

parpadear *vi* - **1.** [pestañear] to blink - **2.** [centellear] to flicker.

párpado *sm* eyelid.

parque *sm* - **1.** [gen] park; **parque acuático** waterpark; **parque de atracciones** amusement park; **parque comercial** retail park *UK*, shopping mall *US*; **parque eólico** wind farm; **parque nacional** national park; **parque tecnológico** science park; **parque temático** theme park; **(parque) zoológico** zoo - **2.** [vehículos] fleet - **3.** [para niños] playpen.

parqué, parquet [par'ke] (*pl* parquets) *sm* parquet (floor).

parqueadero *sm Amér* car park, parking lot *US*.

parquear *vt Amér* to park.

parquet = **parqué**.

parquímetro *sm* parking meter.

parra *sf* grapevine.

parrafada *sf* earful, dull monologue.

párrafo *sm* paragraph.

parranda *sf fam* [juerga]: **irse de parranda** to go out on the town.

parrilla *sf* [utensilio] grill; **a la parrilla** grilled, broiled *US*.

parrillada *sf* mixed grill.

párroco *sm* parish priest.

parroquia *sf* - **1.** [iglesia] parish church - **2.** [jurisdicción] parish - **3.** [clientela] clientele.

parroquiano, na *sm, f* - **1.** [feligrés] parishioner - **2.** [cliente] customer.

parsimonia *sf* deliberation; **con parsimonia** unhurriedly.

parte <> *sm* report; **dar parte (a alguien de algo)** to report (sthg to sb); **parte facultativo** O **médico** medical report; **parte meteorológico** weather forecast. <> *sf* [gen] part; [bando] side; DER party; **la mayor parte de la gente** most people; **la tercera parte de** a third of; **en alguna parte** somewhere; **no lo veo por ninguna parte** I can't find it anywhere; **en parte** to a certain extent, partly; **por mi parte** for my part; **por parte de padre/madre** on one's father's/mother's side; **por partes** bit by bit; **por una parte... por la otra...** on the one hand... on the other (hand)...; **tomar parte en algo** to take part in sthg. ◆ **de parte de** *loc prep* on behalf of, for; **¿de parte de (quién)?** TELECOM who is calling, please? ◆ **por otra parte** *loc adv* [además] what is more, besides.

partera *sf* midwife.

parterre *sm Esp* flowerbed.

partición *sf* [reparto] sharing out; [de territorio] partitioning.

participación *sf* - **1.** [colaboración] participation - **2.** [de lotería] share of a lottery ticket - **3.** [comunicación] notice.

participante *smf* participant.

participar <> *vi* [colaborar]: **participar (en)** to take part O participate (in); FIN to have a share (in). <> *vt*: **participar algo a alguien** to notify sb of sthg.

partícipe <> *adj*: **partícipe (de)** involved (in); **hacer partícipe de algo a alguien** [notificar] to notify sb of sthg; [compartir] to share sthg with sb. <> *smf* participant.

partícula *sf* particle.

particular <> *adj* - **1.** [gen] particular; **tiene su sabor particular** it has its own particular taste; **en particular** in particular - **2.** [no público - domicilio, clases etc] private - **3.** [no corriente - habilidad etc] uncommon. <> *smf* [persona] member of the public. <> *sm* [asunto] matter.

particularizar <> *vt* [caracterizar] to characterize. <> *vi* - **1.** [detallar] to go into details - **2.** [personalizar]: **particularizar en alguien** to single sb out.

partida *sf* - **1.** [marcha] departure - **2.** [en juego] game - **3.** [documento] certificate; **partida de defunción/matrimonio/nacimiento** death/marriage/birth certificate - **4.** [COM - mercancía] consignment; [- entrada] item, entry.

partidario, ria <> *adj*: **partidario de** in favour of, for. <> *sm, f* supporter.

partidista *adj* partisan, biased.

partido *sm* - **1.** POLÍT party - **2.** DEP match; **partido amistoso** friendly (match) - **3.** *loc*: **sacar partido de** to make the most of; **tomar partido por** to side with.

partir <> *vt* - **1.** [dividir] to divide, to split - **2.** [repartir] to share out - **3.** [romper] to break open; [cascar] to crack; [tronco, loncha etc] to cut. <> *vi* - **1.** [marchar] to leave, to set off - **2.** [basarse]: **partir de** to start from. ◆ **partirse** *vprnl* - **1.** [romperse] to split - **2.** [rajarse] to crack. ◆ **a partir de** *loc prep* starting from; **a partir de aquí** from here on.

partitura *sf* score.

parto *sm* birth; **estar de parto** to be in labour; **parto natural/prematuro** natural/premature birth.

parvulario *sm* nursery school, kindergarten.

pasa *sf* [fruta] raisin; **pasa de Corinto** currant; **pasa de Esmirna** sultana.

pasable *adj* passable.

pasada ▷ **pasado.**

pasadizo *sm* passage.

pasado, da *adj* - **1.** [gen] past; **pasado un año** a year later; **lo pasado, pasado está** let bygones be bygones - **2.** [último] last; **el año pasado** last year - **3.** [podrido] off, bad - **4.** [hecho - filete, carne] well done. ◆ **pasado** *sm* [gen] past; GRAM past (tense). ◆ **pasada** *sf* [con el trapo] wipe; [con la brocha] coat. ◆ **de pasada** *loc adv* in passing. ◆ **mala pasada** *sf* dirty trick.

pasador *sm* - **1.** [cerrojo] bolt - **2.** [para el pelo] slide.

pasaje *sm* - **1.** [billete] ticket - **2.** [pasajeros] passengers *pl* - **3.** [calle] passage - **4.** [fragmento] passage.

pasajero, ra <> *adj* passing. <> *sm, f* passenger.

pasamanos *sm inv* [de escalera interior] banister; [de escalera exterior] handrail.

pasamontañas *sm inv* balaclava (helmet).

pasapalos *smpl Méx & Ven* snacks, appetizers.

pasaporte *sm* passport.

pasapuré *sm* food mill.

pasapurés *sm inv* = **pasapuré**.

pasar ◇ *vt* - **1.** [gen] to pass; [noticia, aviso] to pass on; ¿me pasas la sal? would you pass me the salt?; **pasar algo por** [filtrar] to pass sthg through - **2.** [cruzar] to cross; **pasar la calle** to cross the road; **pasé el río a nado** I swam across the river - **3.** [traspasar] to pass through - **4.** [trasladar]: **pasar algo a** to move sthg to - **5.** [llevar adentro] to show in; **el criado nos pasó al salón** the butler showed us into the living room - **6.** [contagiar]: **pasar algo a alguien** to give sthg to sb, to infect sb with sthg; **me has pasado la tos** you've given me your cough - **7.** [admitir - instancia etc] to accept - **8.** [consentir]: **pasar algo a alguien** to let sb get away with sthg - **9.** [rebasar - en el espacio] to go through; [- en el tiempo] to have been through; **pasar un semáforo en rojo** to go through a red light - **10.** [emplear - tiempo] to spend; **pasó dos años en Roma** he spent two years in Rome - **11.** [padecer] to go through, to suffer; **pasarlo mal** to have a hard time of it - **12.** [sobrepasar]: **ya ha pasado los veinticinco** he's over twenty-five now; **mi hijo me pasa ya dos centímetros** my son is already two centimetres taller than me - **13.** [adelantar - coche, contrincante etc] to overtake - **14.** CINE to show. ◇ *vi* - **1.** [gen] to pass, to go; **pasó por mi lado** he passed by my side; **el autobús pasa por mi casa** the bus goes past O passes in front of my house; **el Manzanares pasa por Madrid** the Manzanares goes O passes through Madrid; **he pasado por tu calle** I went down your street; **pasar de... a...** to go O pass from... to...; **pasar de largo** to go by - **2.** [entrar] to go/come in; **¡pase!** come in! - **3.** [poder entrar]: **pasar (por)** to go (through); **por ahí no pasa** it won't go through there - **4.** [ir un momento] to pop in; **pasaré por mi oficina/por tu casa** I'll pop into my office/round to your place - **5.** [suceder] to happen; **¿qué pasa aquí?** what's going on here?; **¿qué pasa?** what's the matter?; **pase lo que pase** whatever happens, come what may - **6.** [terminarse] to be over; **pasó la Navidad** Christmas is over - **7.** [transcurrir] to go by - **8.** [cambiar - acción]: **pasar a** to move on to; **pasemos a otra cosa** let's move on to something else - **9.** [conformarse]: **pasar (con/sin algo)** to make do (with/without sthg); **tendrá que pasar sin coche** she'll have to make do without a car - **10.** [servir] to be all right, to be usable; **puede pasar** it'll do - **11.** *fam* [prescindir]: **pasar de algo/alguien** to want nothing to do with sthg/sb; **paso de política** I'm not into politics - **12.** [tolerar]: **pasar por algo** to put up with

sthg. ◆ **pasarse** *vprnl* - **1.** [acabarse] to pass; **siéntate hasta que se te pase** sit down until you feel better - **2.** [emplear - tiempo] to spend, to pass; **se pasaron el día hablando** they spent all day talking - **3.** [desaprovecharse] to slip by; **se me pasó la oportunidad** I missed my chance - **4.** [estropearse - comida] to go off; [- flores] to fade - **5.** [cambiar de bando]: **pasarse a** to go over to - **6.** [omitir] to miss out; **te has pasado una página** you've missed a page out - **7.** [olvidarse]: **pasársele a alguien** to slip sb's mind; **se me pasó decírtelo** I forgot to mention it to you - **8.** [no fijarse]: **pasársele a alguien** to escape sb's attention; **no se le pasa nada** he never misses a thing - **9.** [excederse]: **pasarse de generoso/bueno** to be far too generous/kind - **10.** *fam* [propasarse] to go over the top; **te has pasado diciéndole eso** what you said went too far O was over the top - **11.** [divertirse]: **¿qué tal te lo estás pasando?** how are you enjoying yourself?

pasarela *sf* - **1.** [puente] footbridge; [para desembarcar] gangway - **2.** [en un desfile] catwalk.

pasatiempo *sm* [hobby] pastime, hobby.

Pascua *sf* - **1.** [de los judíos] Passover - **2.** [de los cristianos] Easter; **hacer la Pascua a alguien** *fam* [ser pesado] to pester sb; [poner en apuros] to land sb in it. ◆ **Pascuas** *sfpl* [Navidad] Christmas *sing*; **¡felices Pascuas!** Merry Christmas!; **de Pascuas a Ramos** *fam* once in a blue moon.

pase *sm* - **1.** [gen, DEP & TAUROM] pass - **2.** *Esp* [proyección] showing, screening - **3.** [desfile] parade; **pase de modelos** fashion parade.

pasear ◇ *vi* to go for a walk. ◇ *vt* to take for a walk; [perro] to walk; *fig* to show off, to parade.

paseo *sm* - **1.** [acción - a pie] walk; [- en coche] drive; [- a caballo] ride; [- en barca] row; **dar un paseo** [a pie] to go for a walk - **2.** [lugar] avenue; **paseo marítimo** promenade.

pasillo *sm* corridor.

pasión *sf* passion. ◆ **Pasión** *sf* RELIG: **la pasión** the Passion.

pasivo, va *adj* - **1.** [gen & GRAM] passive - **2.** [población etc] inactive. ◆ **pasivo** *sm* COM liabilities *pl*.

pasmado, da *adj* - **1.** [asombrado] astonished, astounded - **2.** [atontado] stunned.

pasmar *vt* to astound. ◆ **pasmarse** *vprnl* to be astounded.

pasmo *sm* astonishment.

pasmoso, sa *adj* astonishing.

paso *sm* - **1.** [gen] step; [huella] footprint - **2.** [acción] passing; [cruce] crossing; [camino de acceso] way through, thoroughfare; **abrir paso a alguien** *lit & fig* to make way for sb; **ceder el paso (a alguien)** to let sb past; AUTO to give way (to sb); **'ceda el paso'** 'give way'; **'prohi-**

bido el paso' 'no entry'; **paso elevado** flyover; **paso a nivel** level crossing; **paso de cebra** zebra crossing - **3.** [forma de andar] walk; [ritmo] pace - **4.** [GEOGR - en montaña] pass; [- en el mar] strait - **5.** (gen pl) [gestión] step; [progreso] advance; **dar los pasos necesarios** to take the necessary steps - **6.** loc: **a cada paso** every other minute; **está a dos O cuatro pasos** it's just down the road; **estar de paso** to be passing through; **paso a paso** step by step; **salir del paso** to get out of trouble. ◆ **de paso** loc adv in passing.

pasodoble sm paso doble.

pasota Esp fam ⟨⟩ adj apathetic. ⟨⟩ smf dropout.

pasta sf - **1.** [masa] paste; [de papel] pulp; **pasta dentífrica** toothpaste - **2.** [CULIN - espagueti etc] pasta; [- de pasteles] pastry; [- de pan] dough - **3.** [pastelillo] pastry - **4.** Esp fam [dinero] dough - **5.** [encuadernación]: **en pasta** hardback.

pastar vi to graze.

pastel sm - **1.** [CULIN - dulce] cake; [- salado] pie - **2.** ARTE pastel.

pastelería sf - **1.** [establecimiento] cake shop, patisserie - **2.** [repostería] pastries pl.

pasteurizado, **da** [pasteuriˈθaðo, da] adj pasteurized.

pastiche sm pastiche.

pastilla sf - **1.** MED pill, tablet - **2.** [de jabón, chocolate] bar - **3.** [de caldo] cube.

pasto sm - **1.** [sitio] pasture - **2.** [hierba] fodder - **3.** Amér [hierba] lawn, grass - **3.** loc: **ser pasto de las llamas** to go up in flames.

pastón sm fam: **vale un pastón** it costs a bomb.

pastor, **ra** sm, f [de ganado] shepherd (f shepherdess). ◆ **pastor** sm - **1.** [sacerdote] minister - **2.** ▷ **perro**.

pastoso, **sa** adj - **1.** [blando] pasty; [arroz] sticky - **2.** [seco] dry.

pata ⟨⟩ sf - **1.** [pierna] leg - **2.** [pie - gen] foot; [- de perro, gato] paw; [- de vaca, caballo] hoof - **3.** fam [de persona] leg; **a cuatro patas** on all fours; **ir a la pata coja** to hop - **4.** [de mueble] leg; [de gafas] arm - **5.** loc: **meter la pata** to put one's foot in it; **poner/estar patas arriba** to turn/be upside down; **tener mala pata** to be unlucky. ⟨⟩ sm Perú [amigo] pal, mate UK, buddy US. ◆ **patas** sfpl Chile fam [poca vergüenza] cheek (U). ◆ **pata de gallo** sf [en la cara] crow's feet pl.

patada sf kick; [en el suelo] stamp; **dar una patada a** to kick; **tratar a alguien a patadas** to treat sb like dirt.

patalear vi to kick about; [en el suelo] to stamp one's feet.

pataleo sm kicking (U); [en el suelo] stamping (U).

pataleta sf tantrum.

patán sm bumpkin.

patata sf potato; **patatas fritas** [de sartén] chips UK, French fries US; [de bolsa] crisps UK, chips US; **patata caliente** fig hot potato.

paté sm paté.

patear ⟨⟩ vt [dar un puntapié] to kick; [pisotear] to stamp on. ⟨⟩ vi [patalear] to stamp one's feet.

patentado, **da** adj patent, patented.

patente ⟨⟩ adj obvious; [demostración, prueba] clear. ⟨⟩ sf - **1.** [de invento] patent - **2.** C Sur [matrícula] number plate UK, license plate US.

paternal adj fatherly, paternal.

paternidad sf fatherhood; DER paternity.

paterno, **na** adj paternal.

patético, **ca** adj pathetic, moving.

patetismo sm pathos (U).

patidifuso, **sa** adj fam stunned.

patilla sf - **1.** [de pelo] sideboard, sideburn - **2.** [de gafas] arm.

patín sm - **1.** [calzado - de cuchilla] ice skate; [- de ruedas] roller skate; [- en línea] roller blade - **2.** [patinete] scooter - **3.** [embarcación] pedal boat.

pátina sf patina.

patinaje sm skating.

patinar vi - **1.** [sobre hielo] to skate; [sobre ruedas] to roller-skate - **2.** [resbalar - coche] to skid; [- persona] to slip - **3.** fam [meter la pata] to put one's foot in it.

patinazo sm - **1.** [de coche] skid; [de persona] slip - **2.** fam [planchazo] blunder.

patinete sm scooter.

patio sm [gen] patio, courtyard; [de escuela] playground; [de cuartel] parade ground.

patitieso, **sa** adj fam - **1.** [de frío] frozen stiff - **2.** [de sorpresa] aghast, amazed.

pato, **ta** sm, f duck; **pagar el pato** to carry the can.

patológico, **ca** adj pathological.

patoso, **sa** adj fam clumsy.

patria ▷ **patrio**.

patriarca sm patriarch.

patrimonio sm - **1.** [bienes - heredados] inheritance; [- propios] wealth - **2.** fig [de una colectividad] exclusive birthright.

patrio, **tria** adj native. ◆ **patria** sf native country.

patriota smf patriot.

patriotismo sm patriotism.

patrocinador, **ra** sm, f sponsor.

patrocinar vt to sponsor.

patrocinio sm sponsorship.

patrón, **ona** sm, f - **1.** [de obreros] boss; [de criados] master (f mistress) - **2.** [de pensión etc]

landlord (*f* landlady) - **3.** [santo] patron saint.
➤ **patrón** *sm* - **1.** [de barco] skipper - **2.** [en costura] pattern.

patronal ◇ *adj* [empresarial] management (*antes de s*). ◇ *sf* - **1.** [de empresa] management - **2.** [de país] employers' organization.

patronato *sm* [gen] board; [con fines benéficos] trust.

patrono, na *sm, f* - **1.** [de empresa - encargado] boss; [- empresario] employer - **2.** [santo] patron saint.

patrulla *sf* patrol; **patrulla urbana** vigilante group.

patrullar *vt* & *vi* to patrol.

paulatino, na *adj* gradual.

pausa *sf* pause, break; MÚS rest; **con pausa** unhurriedly; **hacer una pausa** to pause; **pausa publicitaria** commercial break.

pausado, da *adj* deliberate, slow.

pauta *sf* - **1.** [gen] standard, model; **marcar la pauta** to set the standard - **2.** [en un papel] guideline.

pava ▷ **pavo**.

pavimentación *sf* [de carretera] road surfacing; [de acera] paving; [de suelo] flooring.

pavimento *sm* [de carretera] road surface; [de acera] paving; [de suelo] flooring.

pavo, va *sm, f* [ave] turkey; **pavo real** peacock (*f* peahen); **se le subió el pavo** she turned as red as a beetroot.

pavonearse *vprnl despec*: **pavonearse (de)** to boast *O* brag (about).

pavor *sm* terror.

paya *sf Amér* improvised poem accompanied by guitar.

payasada *sf* clowning (*U*); **hacer payasadas** to clown around.

payaso, sa *sm, f* clown.

payo, ya *sm, f* non-gipsy.

paz *sf* peace; [tranquilidad] peacefulness; **dejar a alguien en paz** to leave sb alone *O* in peace; **estar** *O* **quedar en paz** to be quits; **hacer las paces** to make (it) up; **poner paz entre** to reconcile, to make peace between; **que en paz descanse, que descanse en paz** may he/she rest in peace.

PC *sm* (*abrev de* **personal computer**) PC.

PD (*abrev de* **posdata**) PS.

pdo. *abrev de* **pasado**.

peaje *sm* toll.

peana *sf* pedestal.

peatón *sm* pedestrian.

peca *sf* freckle.

pecado *sm* sin; **estar en pecado** to be in sin; **morir en pecado** to die unrepentant; **pecado**

mortal mortal sin; **sería un pecado tirar este vestido** it would be a crime to throw out this dress.

pecador, ra *sm, f* sinner.

pecaminoso, sa *adj* sinful.

pecar *vi* RELIG to sin.

pecera *sf* [de pez] fish tank; [redonda] fish bowl.

pecho *sm* - **1.** [tórax] chest; [de mujer] bosom - **2.** [mama] breast; **dar el pecho a** to breastfeed - **3.** *Amér* [en natación] breaststroke; **nadar pecho** to swim the breaststroke - **4.** *loc*: **a lo hecho, pecho** it's no use crying over spilt milk; **tomarse algo a pecho** to take sthg to heart.

pechuga *sf* [de ave] breast *(meat)*.

pecoso, sa *adj* freckly.

pectoral *adj* ANAT pectoral, chest *(antes de s)*.

peculiar *adj* - **1.** [característico] typical, characteristic - **2.** [curioso] peculiar.

peculiaridad *sf* - **1.** [cualidad] uniqueness - **2.** [detalle] particular feature *O* characteristic.

pedagogía *sf* education, pedagogy.

pedagogo, ga *sm, f* educator; [profesor] teacher.

pedal *sm* pedal; **pedal de embrague** clutch (pedal); **pedal de freno** brake pedal.

pedalear *vi* to pedal.

pedante *adj* pompous.

pedantería *sf* pomposity (*U*).

pedazo *sm* piece, bit; **a pedazos** in pieces *O* bits; **caerse a pedazos** to fall to pieces.

pedestal *sm* pedestal, stand; **poner/tener a alguien en un pedestal** to put sb on a pedestal.

pedestre *adj* on foot.

pediatra *smf* paediatrician.

pedicuro, ra *sm, f* chiropodist *UK*, podiatrist *US*.

pedido *sm* COM order; **hacer un pedido** to place an order.

pedigrí, pedigree [peði'ɣri] *sm* pedigree.

pedir ◇ *vt* - **1.** [gen] to ask for; [en comercios, restaurantes] to order; **pedir a alguien que haga algo** to ask sb to do sthg; **pedir a alguien (en matrimonio)** to ask for sb's hand (in marriage); **pedir prestado algo a alguien** to borrow sthg from sb - **2.** [exigir] to demand - **3.** [requerir] to call for, to need - **4.** [poner precio]: **pedir (por)** to ask (for); **pide un millón por la moto** he's asking a million for the motorbike. ◇ *vi* [mendigar] to beg.

pedo *sm fam* [ventosidad] fart; **tirarse un pedo** to fart.

pedrada *sf* [golpe]: **a pedradas** by stoning; **matar a alguien a pedradas** to stone sb to death.

pedregullo *sm R Dom* gravel.

pedrería *sf* precious stones *pl*.

pedrusco *sm* rough stone.

pega *sf* [obstáculo] difficulty, hitch; **poner pegas (a)** to find problems (with).

pegadizo, za *adj* - **1.** [música] catchy - **2.** [contagioso] catching.

pegajoso, sa *adj* sticky; *despec* clinging.

pegamento *sm* glue.

pegar <> *vt* - **1.** [adherir] to stick; [con pegamento] to glue; [póster, cartel] to fix, to put up; [botón] to sew on - **2.** [arrimar]: **pegar algo a** to put O place sthg against; **pega la silla a la pared** put the chair against the wall - **3.** [golpear] to hit - **4.** [propinar - bofetada, paliza etc] to give; [- golpe] to deal - **5.** [contagiar]: **pegar algo a alguien** to give sb sthg, to pass sthg on to sb. <> *vi* - **1.** [adherir] to stick - **2.** [golpear] to hit - **3.** [armonizar] to go together, to match; **pegar con** to go with - **4.** [sol] to beat down. ◆ **pegarse** *vprnl* - **1.** [adherirse] to stick - **2.** [agredirse] to fight - **3.** [golpearse]: **pegarse (un golpe) con algo** to hit o.s. against sthg - **4.** [contagiarse - enfermedad] to be transmitted.

pegatina *sf* sticker.

pegote *sm fam* - **1.** [masa pegajosa] sticky mess - **2.** [chapucería] botch.

peinado *sm* hairdo; [estilo, tipo] hairstyle.

peinar *vt lit & fig* to comb. ◆ **peinarse** *vprnl* to comb one's hair.

peine *sm* comb; **pasarse el peine** to comb one's hair; **enterarse de O saber lo que vale un peine** *fam* to find out what's what O a thing or two.

peineta *sf* comb worn in the back of the hair.

p.ej. *(abrev de por ejemplo)* e.g.

Pekín *n pr* Peking, Beijing.

pela *sf fam* peseta; **no tengo pelas** I'm skint.

peladilla *sf* sugared almond.

pelado, da <> *adj* - **1.** [cabeza] shorn - **2.** [piel, cara etc] peeling; [fruta] peeled - **3.** [habitación, monte, árbol] bare - **4.** [número] exact, round; **saqué un aprobado pelado** I passed, but only just - **5.** *fam* [sin dinero] broke, skint. <> *sm, f Andes fam* [niño] kid. ◆ **pelado** *sm Esp* haircut.

pelaje *sm* [de gato, oso, conejo] fur; [de perro, caballo] coat.

pelar *vt* - **1.** [persona] to cut the hair of - **2.** [fruta, patatas] to peel; [guisantes, marisco] to shell - **3.** [aves] to pluck; [conejos etc] to skin. ◆ **pelarse** *vprnl* - **1.** [cortarse el pelo] to have one's hair cut - **2.** [piel, espalda etc] to peel.

peldaño *sm* step; [de escalera de mano] rung.

pelea *sf* - **1.** [a golpes] fight - **2.** [riña] row, quarrel.

pelear *vi* - **1.** [a golpes] to fight - **2.** [a gritos] to have a row O quarrel - **3.** [esforzarse] to struggle. ◆ **pelearse** *vprnl* - **1.** [a golpes] to fight - **2.** [a gritos] to have a row O quarrel.

pelele *sm fam despec* [persona] puppet.

peletería *sf* [tienda] fur shop, furrier's.

peliagudo, da *adj* tricky.

pelícano, pelicano *sm* pelican.

película *sf* [gen] film; **echar O poner una película** to show a film; **película muda/de terror** silent/horror film; **película del Oeste** western; **de película** amazing.

peligro *sm* danger; **correr peligro (de)** to be in danger (of); **estar/poner en peligro** to be/put at risk; **en peligro de extinción** [especie, animal] endangered; **peligro de incendio** fire hazard; **¡peligro de muerte!** danger!

peligroso, sa *adj* dangerous.

pelín *sm fam* mite, tiny bit.

pelirrojo, ja <> *adj* ginger, red-headed. <> *sm, f* redhead.

pellejo *sm* [piel, vida] skin.

pellizcar *vt* [gen] to pinch.

pellizco *sm* pinch; **dar un pellizco a alguien** to give sb a pinch.

pelma, pelmazo, za *fam despec* <> *adj* annoying, tiresome. <> *sm, f* bore, pain.

pelo *sm* - **1.** [gen] hair - **2.** [de oso, conejo, gato] fur; [de perro, caballo] coat - **3.** [de una tela] nap - **4.** *loc*: **con pelos y señales** with all the details; **no tener pelos en la lengua** *fam* not to mince one's words; **poner a alguien los pelos de punta** *fam* to make sb's hair stand on end; **por los pelos, por un pelo** by the skin of one's teeth; **tomar el pelo a alguien** *fam* to pull sb's leg. ◆ **a contra pelo** *loc adv lit & fig* against the grain.

pelota <> *sf* - **1.** [gen & DEP] ball; **jugar a la pelota** to play ball; **pelota vasca** pelota; **hacer la pelota (a alguien)** *fam* to suck up (to sb) - **2.** *fam* [cabeza] nut. <> *smf* [persona] crawler, creep.

pelotera *sf fam* scrap, fight.

pelotón *sm* [de soldados] squad; [de gente] crowd; DEP pack.

pelotudo, da *R Dom fam* <> *adj* stupid. <> *sm, f* jerk.

peluca *sf* wig.

peluche *sm* plush.

peludo, da *adj* hairy.

peluquería *sf* - **1.** [establecimiento] hairdresser's (shop) - **2.** [oficio] hairdressing.

peluquero, ra *sm, f* hairdresser.

peluquín *sm* toupee; **¡ni hablar del peluquín!** *fam* it's out of the question!

pelusa *sf* - **1.** [de tela] fluff - **2.** [vello] down.

pelvis *sf inv* pelvis.

Pemex *smpl* *(abrev de* **Petróleos Mexicanos**) Mexican Oil.

pena *sf* - **1.** [lástima] shame, pity; **¡qué pena!** what a shame *O* pity!; **dar pena** to inspire pity; **el pobre me da pena** I feel sorry for the poor chap - **2.** [tristeza] sadness, sorrow - **3.** *(gen pl)* [desgracia] problem, trouble - **4.** *(gen pl)* [dificultad] struggle *(U)*; **a duras penas** with great difficulty - **5.** [castigo] punishment; **so** *O* **bajo pena de** under penalty of; **pena capital** *O* **de muerte** death penalty - **6.** *Amér* [vergüenza] shame, embarrassment; **me da pena** I'm ashamed of it.

penacho *sm* - **1.** [de pájaro] crest - **2.** [adorno] plume.

penal ⬦ *adj* criminal. ⬦ *sm* prison.

penalidad *(gen pl)* *sf* suffering *(U)*, hardship.

penalización *sf* - **1.** [acción] penalization - **2.** [sanción] penalty.

penalti, penalty *sm* DEP penalty.

penar ⬦ *vt* [castigar] to punish. ⬦ *vi* [sufrir] to suffer.

pender *vi* - **1.** [colgar]: **pender (de)** to hang (from) - **2.** [amenaza etc]: **pender sobre** to hang over.

pendiente ⬦ *adj* - **1.** [por resolver] pending; [deuda] outstanding; **estar pendiente de** [atento a] to keep an eye on; [a la espera de] to be waiting for - **2.** [asignatura] failed. ⬦ *sm* earring. ⬦ *sf* slope.

pendón, ona *sm, f fam* libertine.

péndulo *sm* pendulum.

pene *sm* penis.

penene *smf untenured teacher or lecturer.*

penetración *sf* - **1.** [gen] penetration; **penetración de mercado** ECON market penetration - **2.** [sagacidad] astuteness.

penetrante *adj* - **1.** [intenso - dolor] acute; [- olor] sharp; [- frío] biting; [- mirada] penetrating; [- voz, sonido etc] piercing - **2.** [sagaz] sharp, penetrating.

penetrar ⬦ *vi*: **penetrar en** [internarse en] to enter; [filtrarse por] to get into; [perforar] to pierce; [llegar a conocer] to get to the bottom of. ⬦ *vt* - **1.** [introducirse en - arma, sonido etc] to pierce, to penetrate; [- humedad, líquido] to permeate; [- emoción, sentimiento] to pierce - **2.** [llegar a conocer - secreto etc] to get to the bottom of - **3.** [sexualmente] to penetrate.

penicilina *sf* penicillin.

península *sf* peninsula.

peninsular *adj* peninsular.

penitencia *sf* penance.

penitenciaría *sf* penitentiary.

penoso, sa *adj* - **1.** [trabajoso] laborious - **2.** [lamentable] distressing; [aspecto, espectáculo] sorry - **3.** *Amér C, Caribe, Col & Méx* [vergonzoso] shy.

pensador, ra *sm, f* thinker.

pensamiento *sm* - **1.** [gen] thought; [mente] mind; [idea] idea - **2.** BOT pansy.

pensar ⬦ *vi* to think; **pensar bien/mal de alguien** to think well/ill of sb; **pensar en algo/en alguien/en hacer algo** to think about sthg/about sb/about doing sthg; **pensar sobre algo** to think about sthg; **piensa en un número/buen regalo** think of a number/good present; **dar que pensar a alguien** to give sb food for thought. ⬦ *vt* - **1.** [reflexionar] to think about *O* over - **2.** [opinar, creer] to think; **pensar algo de alguien/algo** to think sthg of sb/sthg; **pienso que no vendrá** I don't think she'll come - **3.** [idear] to think up - **4.** [tener la intención de]: **pensar hacer algo** to intend to do sthg.

⬦ **pensarse** *vprnl*: **pensarse algo** to think sthg over.

pensativo, va *adj* pensive, thoughtful.

pensión *sf* - **1.** [dinero] pension; **pensión de jubilación/de viudedad** retirement/widow's pension - **2.** [de huéspedes] ≈ guest house; **media pensión** [en hotel] half board; **estar a media pensión** [en colegio] to have school dinners; **pensión completa** full board.

pensionista *smf* [jubilado] pensioner.

pentágono *sm* pentagon.

pentagrama *sm* MÚS stave.

penúltimo, ma *adj & sm, f* penultimate, last but one.

penumbra *sf* half-light.

penuria *sf* - **1.** [pobreza] penury, poverty - **2.** [escasez] paucity, dearth.

peña *sf* [grupo de amigos] circle, group; [club] club; [quinielística] pool.

peñasco *sm* large crag *O* rock.

peñón *sm* rock. ⬦ **Peñón** *sm*: **el Peñón (de Gibraltar)** the Rock (of Gibraltar).

peón *sm* - **1.** [obrero] unskilled labourer - **2.** [en ajedrez] pawn.

peonza *sf* (spinning) top.

peor ⬦ *adj* - **1.** *(compar)*: **peor (que)** worse (than); **peor para él** that's his problem - **2.** *(superl)*: **el/la peor...** the worst... ⬦ *pron*: **el/la peor (de)** the worst (in); **el peor de todos** the worst of all; **lo peor fue que...** the worst thing was that... ⬦ *adv* - **1.** *(compar)*: **peor (que)** worse (than); **ahora veo peor** I see worse now; **estar peor** [enfermo] to get worse - **2.** *(superl)* worst; **el que lo hizo peor** the one who did it (the) worst.

pepinillo *sm* gherkin.

pepino *sm* BOT cucumber; **me importa un pepino** I couldn't care less.

pepita *sf* - **1.** [de fruta] pip - **2.** [de oro] nugget.

peppermint *sm* = **pipermín.**

pequeñez *sf* - **1.** [gen] smallness - **2.** *fig* [insignificancia] trifle; **discutir por pequeñeces** to argue over silly little things.

pequeño, ña *adj* small; **me queda pequeño** it's too small for me; [hermano] little; [posibilidad] slight; [ingresos, cifras etc] low.

pequinés *sm* [perro] Pekinese.

pera *sf* - **1.** [fruta] pear - **2.** [para ducha etc] (rubber) bulb - **3.** C Sur [barbilla] chin - **4.** *loc*: **pedir peras al olmo** to ask (for) the impossible; **ser la pera** *fam* to be the limit; **ser una pera en dulce** *fam* to be a gem.

peral *sm* pear tree.

percance *sm* mishap.

percatarse *vprnl*: **percatarse (de algo)** to notice (sthg).

percebe *sm* [pez] barnacle.

percepción *sf* [de los sentidos] perception; **percepción extrasensorial** extrasensory perception.

perceptible *adj* [por los sentidos] noticeable, perceptible.

percha *sf* - **1.** [de armario] (coat) hanger - **2.** [de pared] coat rack - **3.** [para pájaros] perch.

perchero *sm* [de pared] coat rack; [de pie] coat stand.

percibir *vt* - **1.** [con los sentidos] to perceive, to notice; [por los oídos] to hear; [ver] to see - **2.** [cobrar] to receive, to get.

percusión *sf* percussion.

perdedor, ra *sm, f* loser.

perder ◇ *vt* - **1.** [gen] to lose; **llevas las de perder** you can't hope to win; **salir perdiendo** to come off worst - **2.** [desperdiciar] to waste - **3.** [tren, oportunidad] to miss. ◇ *vi* - **1.** [salir derrotado] to lose - **2.** *loc*: **echar algo a perder** to spoil sthg; **echarse a perder** [alimento] to go off. ➡ **perderse** *vprnl* - **1.** [gen] to get lost; **¡piérdete!** *mfam* get lost! - **2.** [desaparecer] to disappear - **3.** [desperdiciarse] to be wasted - **4.** [desaprovechar]: **¡no te lo pierdas!** don't miss it! - **5.** *fig* [por los vicios] to be beyond salvation.

perdición *sf* ruin, undoing.

pérdida *sf* - **1.** [gen] loss; **no tiene pérdida** you can't miss it - **2.** [de tiempo, dinero] waste - **3.** [escape] leak. ➡ **pérdidas** *sfpl* - **1.** FIN & MIL losses; **pérdidas humanas** loss of life - **2.** [daños] damage *(U)*.

perdidamente *adv* hopelessly.

perdido, da *adj* - **1.** [extraviado] lost; [animal, bala] stray - **2.** [sucio] filthy - **3.** *fam* [de remate] complete, utter - **4.** *loc*: **dar algo por perdido** to give sthg up for lost; **estar perdido** to be done for O lost.

perdigón *sm* pellet.

perdiz *sf* partridge.

perdón *sm* pardon, forgiveness; **no tener perdón** to be unforgivable; **¡perdón!** sorry!; **perdón, ¿me deja pasar?** excuse me, could you let me through?

perdonar ◇ *vt* - **1.** [gen] to forgive; **perdonarle algo a alguien** to forgive sb for sthg; **perdone que le moleste** sorry to bother you - **2.** [eximir de - deuda, condena]: **perdonar algo a alguien** to let sb off sthg; **perdonarle la vida a alguien** to spare sb their life. ◇ *vi*: **perdone, ¿cómo ha dicho?** excuse me, what did you say?

perdonavidas *smf inv fam* bully.

perdurar *vi* - **1.** [durar mucho] to endure, to last - **2.** [persistir] to persist.

perecedero, ra *adj* - **1.** [productos] perishable - **2.** [naturaleza] transitory.

perecer *vi* to perish, to die.

peregrinación *sf* RELIG pilgrimage.

peregrinaje *sm* RELIG pilgrimage.

peregrino, na ◇ *adj* - **1.** [ave] migratory - **2.** *fig* [extraño] strange. ◇ *sm, f* [persona] pilgrim.

perejil *sm* parsley.

perenne *adj* BOT perennial.

pereza *sf* idleness.

perezoso, sa *adj* [vago] lazy.

perfección *sf* perfection; **es de una gran perfección** it's exceptionally good.

perfeccionar *vt* - **1.** [redondear] to perfect - **2.** [mejorar] to improve.

perfeccionista *adj & smf* perfectionist.

perfecto, ta *adj* perfect.

perfidia *sf* perfidy, treachery.

perfil *sm* - **1.** [contorno] outline, shape - **2.** [de cara, cuerpo] profile; **de perfil** in profile - **3.** *fig* [característica] characteristic - **4.** *fig* [retrato moral] profile - **5.** GEOM cross section.

perfilar *vt* to outline. ➡ **perfilarse** *vprnl* - **1.** [destacarse] to be outlined - **2.** [concretarse] to shape up.

perforación *sf* - **1.** [gen & MED] perforation - **2.** [taladro] bore-hole.

perforar *vt* [horadar] to perforate; [agujero] to drill; INFORM to punch.

perfume *sm* perfume.

perfumería *sf* - **1.** [tienda, arte] perfumery - **2.** [productos] perfumes *pl*.

pergamino *sm* parchment.

pericia *sf* skill.

periferia *sf* periphery; [alrededores] outskirts *pl*.

periférico, ca *adj* peripheral; [barrio] outlying.

perifollos *smpl fam* frills (and fripperies).

perífrasis *sf inv*: **perífrasis (verbal)** compound verb.

perilla *sf* goatee; **venir de perilla(s)** to be just the right thing.

perímetro *sm* perimeter.

periódico, ca adj [gen] periodic. ➤ **periódico** sm newspaper; **periódico dominical** Sunday paper.

periodismo sm journalism.

periodista smf journalist.

periodo, período sm period; DEP half.

peripecia sf incident, adventure.

peripuesto, ta adj fam dolled-up.

periquete sm: **en un periquete** fam in a jiffy.

periquito sm parakeet.

periscopio sm periscope.

peritar vt [casa] to value; [coche] to assess the damage to.

perito sm - 1. [experto] expert; **perito agrónomo** agronomist - 2. [ingeniero técnico] technician.

perjudicar vt to damage, to harm.

perjudicial adj: **perjudicial (para)** harmful (to).

perjuicio sm harm (U), damage (U).

perjurar vi [jurar en falso] to commit perjury.

perla sf pearl; **perla de cultivo** cultured pearl; fig [maravilla] gem, treasure; **de perlas** great, fine; **me viene de perlas** it's just the right thing.

perlé sm beading.

permanecer vi - 1. [en un lugar] to stay - 2. [en un estado] to remain, to stay.

permanencia sf - 1. [en un lugar] staying, continued stay - 2. [en un estado] continuation.

permanente ⬦ adj permanent; [comisión] standing. ⬦ sf perm; **hacerse la permanente** to have a perm.

permeable adj permeable.

permisible adj permissible, acceptable.

permisivo, va adj permissive.

permiso sm - 1. [autorización] permission; **con permiso** if I may, if you'll excuse me; **dar permiso para hacer algo** to give permission to do sthg - 2. [documento] licence, permit; **permiso de armas** gun licence; **permiso de conducir** driving licence UK, driver's license US; **permiso de residencia** residence permit - 3. [vacaciones] leave.

permitir vt to allow; **permitir a alguien hacer algo** to allow sb to do sthg; **¿me permite?** may I? ➤ **permitirse** vprnl to allow o.s. (the luxury of); **no puedo permitírmelo** I can't afford it.

permuta, permutación sf exchange.

pernicioso, sa adj damaging, harmful.

pero ⬦ conj but; **la casa es vieja pero céntrica** the house may be old, but it's central; **pero ¿qué es tanto ruido?** what on earth is all this noise about? ⬦ sm snag, fault; **poner peros a todo** to find fault with everything.

perol sm casserole (dish).

perorata sf long-winded speech.

perpendicular adj perpendicular; **ser perpendicular a algo** to be at right angles to sthg.

perpetrar vt to perpetrate, to commit.

perpetuar vt to perpetuate. ➤ **perpetuarse** vprnl to last, to endure.

perpetuo, tua adj - 1. [gen] perpetual - 2. [para toda la vida] lifelong; DER life (antes de s).

perplejo, ja adj perplexed, bewildered.

perra sf - 1. [rabieta] tantrum; **coger una perra** to throw a tantrum - 2. [dinero] penny; **estoy sin una perra** I'm flat broke - 3. ➤ **perro**.

perrera ➤ **perrero**.

perrería sf fam: **hacer perrerías a alguien** to play dirty tricks on sb.

perrero, ra sm, f [persona] dogcatcher. ➤ **perrera** sf - 1. [lugar] kennels pl - 2. [vehículo] dogcatcher's van.

perro, rra sm, f [animal] dog (f bitch); **perro callejero** stray dog; **perro de caza** hunting dog; **perro de compañía** pet dog; **perro faldero** lapdog; **perro lazarillo** guide dog; **perro lobo** alsatian; **perro pastor** sheepdog; **perro policía** police dog; **echar los perros a alguien** to have a go at sb; **ser perro viejo** to be an old hand. ➤ **perro caliente** sm hot dog.

persecución sf - 1. [seguimiento] pursuit - 2. [acoso] persecution.

perseguir vt - 1. [seguir, tratar de obtener] to pursue - 2. [acosar] to persecute - 3. [mala suerte, problema etc] to dog.

perseverante adj persistent.

perseverar vi: **perseverar (en)** to persevere (with), to persist (in).

persiana sf blind, shade US; **enrollarse como una persiana** fam to go on and on.

persistente adj persistent.

persistir vi: **persistir (en)** to persist (in).

persona sf - 1. [individuo] person; **cien personas** a hundred people; **de persona a persona** person to person; **en persona** in person; **por persona** per head; **ser buena persona** to be nice; **persona mayor** adult, grown-up - 2. DER party - 3. GRAM person.

personaje sm - 1. [persona importante] important person, celebrity; **ser todo un personaje** fam to be a real big shot - 2. [de obra] character.

personal ⬦ adj [gen] personal; [teléfono, dirección] private, home (antes de s). ⬦ sm [trabajadores] staff, personnel.

personalidad sf - 1. [características] personality - 2. [persona importante] important person, celebrity.

personalizar vi [nombrar] to name names.

personarse *vprnl* to turn up.

personero, ra *sm, f Amér* - **1.** [representante] representative - **2.** [portavoz] spokesperson.

personificar *vt* to personify.

perspectiva *sf* - **1.** [gen] perspective - **2.** [paisaje] view - **3.** [futuro] prospect; **en perspectiva** in prospect.

perspicacia *sf* insight, perceptiveness.

perspicaz *adj* sharp, perceptive.

persuadir *vt* to persuade; **persuadir a alguien para que haga algo** to persuade sb to do sthg. ◆ **persuadirse** *vprnl* to convince o.s.; **persuadirse de algo** to become convinced of sthg.

persuasión *sf* persuasion.

persuasivo, va *adj* persuasive.

pertenecer *vi* - **1.** [gen]: **pertenecer a** to belong to - **2.** [corresponder] to be a matter for.

perteneciente *adj*: **ser perteneciente a** to belong to.

pertenencia *sf* - **1.** [propiedad] ownership - **2.** [afiliación] membership. ◆ **pertenencias** *sfpl* [enseres] belongings.

pértiga *sf* - **1.** [vara] pole - **2.** DEP pole-vault.

pertinaz *adj* - **1.** [terco] stubborn - **2.** [persistente] persistent.

pertinente *adj* - **1.** [adecuado] appropriate - **2.** [relativo] relevant, pertinent.

pertrechos *smpl* - **1.** MIL supplies and ammunition - **2.** *fig* [utensilios] gear *(U)*.

perturbación *sf* - **1.** [desconcierto] disquiet, unease - **2.** [disturbio] disturbance; **perturbación del orden público** breach of the peace - **3.** MED mental imbalance.

perturbado, da *adj* - **1.** MED disturbed - **2.** [desconcertado] perturbed.

perturbador, ra ◇ *adj* unsettling. ◇ *sm, f* troublemaker.

perturbar *vt* - **1.** [trastornar] to disrupt - **2.** [inquietar] to disturb, to unsettle - **3.** [enloquecer] to perturb.

Perú *n pr*: **(el) Perú** Peru.

peruano, na *adj & sm, f* Peruvian.

perversión *sf* perversion.

perverso, sa *adj* depraved.

pervertido, da *sm, f* pervert.

pervertir *vt* to corrupt. ◆ **pervertirse** *vprnl* to be corrupted.

pesa *sf* - **1.** [gen] weight - **2.** *(gen pl)* DEP weights *pl*; **alzar pesas** to lift weights.

pesadez *sf* - **1.** [peso] weight - **2.** [sensación] heaviness - **3.** [molestia, fastidio] drag, pain - **4.** [aburrimiento] ponderousness.

pesadilla *sf* nightmare.

pesado, da ◇ *adj* - **1.** [gen] heavy - **2.** [caluroso] sultry - **3.** [lento] ponderous, sluggish

- **4.** [duro] difficult, tough - **5.** [aburrido] boring - **6.** [molesto] annoying, tiresome; **¡qué pesado eres!** you're so annoying! ◇ *sm, f* bore, pain.

pesadumbre *sf* grief, sorrow.

pésame *sm* sympathy, condolences *pl*; **dar el pésame** to offer one's condolences; **mi más sentido pésame** my deepest sympathies.

pesar ◇ *sm* - **1.** [tristeza] grief - **2.** [arrepentimiento] remorse - **3.** *loc*: **a pesar mío** against my will. ◇ *vt* - **1.** [determinar el peso de] to weigh - **2.** [examinar] to weigh up. ◇ *vi* - **1.** [tener peso] to weigh - **2.** [ser pesado] to be heavy - **3.** [importar] to play an important part - **4.** [entristecer]: **me pesa tener que decirte esto** I'm sorry to have to tell you this. ◆ **a pesar de** *loc prep* despite; **a pesar de todo** in spite of everything. ◆ **a pesar de que** *loc conj* in spite of the fact that.

pesca *sf* - **1.** [acción] fishing; **ir de pesca** to go fishing; **pesca con caña** angling; **pesca con red** net fishing - **2.** [lo pescado] catch.

pescadería *sf* fishmonger's (shop).

pescadilla *sf* whiting.

pescado *sm* fish.

pescador, ra *sm, f* fisherman (*f* fisherwoman).

pescar ◇ *vt* - **1.** [peces] to catch - **2.** *fig* [enfermedad] to catch - **3.** *fam fig* [conseguir] to get o.s., to land - **4.** *fam fig* [atrapar] to catch. ◇ *vi* to fish, to go fishing.

pescuezo *sm* neck.

pese ◆ **pese a** *loc prep* despite; **pese a que** even though.

pesebre *sm* - **1.** [para los animales] manger - **2.** [belén] crib, Nativity scene.

pesero *sm Amér C & Méx* fixed-rate taxi service.

peseta *sf* [unidad] peseta. ◆ **pesetas** *sfpl fig* [dinero] money *(U)*.

pesetero, ra *adj* moneygrubbing.

pesimismo *sm* pessimism.

pesimista ◇ *adj* pessimistic. ◇ *smf* pessimist.

pésimo, ma ◇ *superl de* **malo**. ◇ *adj* terrible, awful.

peso *sm* - **1.** [gen] weight; **tiene un kilo de peso** it weighs a kilo; **peso atómico/molecular** atomic/molecular weight; **peso bruto/neto** gross/net weight; **peso muerto** dead weight - **2.** [moneda] peso - **3.** [de atletismo] shot - **4.** [balanza] scales *pl*.

pesquero, ra *adj* fishing. ◆ **pesquero** *sm* fishing boat.

pesquisa *sf* investigation, inquiry.

pestaña *sf* [de párpado] eyelash; **pestañas postizas** false eyelashes; **quemarse las pestañas** *fig* to burn the midnight oil.

pestañear *vi* to blink; **sin pestañear** without batting an eyelid.

peste *sf* - **1.** [enfermedad, plaga] plague; **peste bubónica** bubonic plague - **2.** *fam* [mal olor] stink, stench - **3.** *loc*: **decir pestes de alguien** to heap abuse on sb.

pesticida *sm* pesticide.

pestilencia *sf* stench.

pestillo *sm* [cerrojo] bolt; [mecanismo, en verjas] latch; **correr** O **echar el pestillo** to shoot the bolt.

petaca *sf* - **1.** [para cigarrillos] cigarette case; [para tabaco] tobacco pouch - **2.** [para bebidas] flask - **3.** *Méx* [maleta] suitcase. ◆ **petacas** *sfpl Méx fam* buttocks.

pétalo *sm* petal.

petanca *sf* game similar to bowls played in parks, on beach etc.

petardo *sm* [cohete] firecracker.

petate *sm* kit bag; **liar el petate** *fam* [marcharse] to pack one's bags and go; [morir] to kick the bucket.

petición *sf* - **1.** [acción] request; **a petición de** at the request of - **2.** DER [escrito] petition.

petiso, sa, petizo, za ◇ *adj Andes & R Dom fam* [persona] short. ◇ *sm Andes & R Dom* [caballo] small horse.

peto *sm* [de prenda] bib; **pantalón con peto** overalls.

petrificar *vt lit & fig* to petrify.

petrodólar *sm* petrodollar.

petróleo *sm* oil, petroleum.

petrolero, ra *adj* oil (*antes de s*). ◆ **petrolero** *sm* oil tanker.

petrolífero, ra *adj* oil (*antes de s*).

petulante *adj* opinionated.

peúco (*gen pl*) *sm* bootee.

peyorativo, va *adj* pejorative.

pez *sm* fish; **pez de colores** goldfish; **pez de río** freshwater fish; **pez espada** swordfish; **estar pez (en algo)** to have no idea (about sthg). ◆ **pez gordo** *sm fam fig* big shot.

pezón *sm* [de pecho] nipple.

pezuña *sf* hoof.

piadoso, sa *adj* - **1.** [compasivo] kind-hearted - **2.** [religioso] pious.

pianista *smf* pianist.

piano *sm* piano.

pianola *sf* pianola.

piar *vi* to cheep, to tweet.

PIB (*abrev de producto interior bruto*) *sm* GDP.

pibe, ba *sm, f R Dom fam* kid.

pica *sf* - **1.** [naipe] spade - **2.** [lanza] pike; **poner una pica en Flandes** to do the impossible. ◆ **picas** *sfpl* [palo de baraja] spades.

picadero *sm* [de caballos] riding school.

picadillo *sm* - **1.** [de carne] mince; [de verdura] chopped vegetables *pl*; **hacer picadillo a alguien** *fam* to beat sb to a pulp - **2.** *Chile* [tapas] snacks, appetizers.

picado, da *adj* - **1.** [marcado - piel] pockmarked; [- fruta] bruised - **2.** [agujereado] perforated; **picado de polilla** moth-eaten - **3.** [triturado - alimento] chopped; [- carne] minced; [- tabaco] cut - **4.** [vino] sour - **5.** [diente] decayed - **6.** [mar] choppy - **7.** *fig* [enfadado] annoyed.

picador, ra *sm, f* TAUROM picador.

picadora *sf* mincer.

picadura *sf* - **1.** [de mosquito, serpiente] bite; [de avispa, ortiga, escorpión] sting - **2.** [tabaco] (cut) tobacco (*U*).

picaflor *sm Amér* - **1.** [colibrí] hummingbird - **2.** [galanteador] womanizer.

picante ◇ *adj* - **1.** [comida etc] spicy, hot - **2.** *fig* [obsceno] saucy. ◇ *sm* [comida] spicy food; [sabor] spiciness.

picantería *sf Andes* cheap restaurant.

picaporte *sm* [aldaba] doorknocker; [barrita] latch.

picar ◇ *vt* - **1.** [suj: mosquito, serpiente] to bite; [suj: avispa, escorpión, ortiga] to sting - **2.** [escocer] to itch; **me pican los ojos** my eyes are stinging - **3.** [triturar - verdura] to chop; [- carne] to mince - **4.** [suj: ave] to peck - **5.** [aperitivo] to pick at - **6.** [tierra, piedra, hielo] to hack at - **7.** *fig* [enojar] to irritate - **8.** *fig* [estimular - persona, caballo] to spur on; [- curiosidad] to prick - **9.** [perforar - billete, ficha] to punch. ◇ *vi* - **1.** [alimento] to be spicy O hot - **2.** [pez] to bite - **3.** [escocer] to itch - **4.** [ave] to peck - **5.** [tomar un aperitivo] to nibble - **6.** [sol] to burn - **7.** [dejarse engañar] to take the bait. ◆ **picarse** *vprnl* - **1.** [vino] to turn sour - **2.** [mar] to get choppy - **3.** [diente] to get a cavity - **4.** [oxidarse] to go rusty - **5.** *fig* [enfadarse] to get annoyed O cross.

picardía *sf* - **1.** [astucia] craftiness - **2.** [travesura] naughty trick, mischief (*U*).

picaresco, ca *adj* mischievous, roguish. ◆ **picaresca** *sf* - **1.** LITER picaresque literature - **2.** [modo de vida] roguery.

pícaro, ra *sm, f* - **1.** [astuto] sly person, rogue - **2.** [travieso] rascal; *ver también* **picaresca**.

picatoste *sm* crouton.

pichi *sm* pinafore (dress).

pichichi *sm* DEP top scorer.

pichincha *sf Bol & R Dom fam* bargain.

pichón *sm* ZOOL young pigeon.

picnic (*pl* picnics) *sm* picnic.

pico *sm* - **1.** [de ave] beak - **2.** [punta, saliente] corner - **3.** [herramienta] pick, pickaxe - **4.** [cumbre] peak - **5.** [cantidad indeterminada]: **cincuen-**

ta y pico fifty-odd, fifty-something; llegó a las cinco y pico he got there just after five - 6. fam [boca] gob, mouth; ser O tener un pico de oro to be a smooth talker, to have the gift of the gab.

picor sm [del calor] burning; [que irrita] itch.

picoso, sa adj Méx spicy, hot.

picotear vt [suj: ave] to peck.

pida, pidiera etc ⊏▷ **pedir**.

pie sm - 1. [gen & ANAT] foot; **a pie** on foot; **estar de O en pie** to be on one's feet O standing; **ponerse de O en pie** to stand up; **de pies a cabeza** fig from head to toe; **seguir en pie** [vigente] to be still valid; **en pie de igualdad** on an equal footing; **en pie de guerra** at war; **pie de foto** caption - 2. [de micrófono, lámpara etc] stand; [de copa] stem - 3. loc: **al pie de la letra** to the letter, word for word; **andar con pies de plomo** to tread carefully; **buscarle (los) tres pies al gato** to split hairs; **dar pie a alguien para que haga algo** to give sb cause to do sthg; **no tener ni pies ni cabeza** to make no sense at all; **no tenerse de O en pie** [por cansancio] not to be able to stand up a minute longer; fig [por ser absurdo] not to stand up; **pararle los pies a alguien** to put sb in their place; **tener un pie en la tumba** to have one foot in the grave.

piedad sf - 1. [compasión] pity; **por piedad** for pity's sake; **tener piedad de** to take pity on - 2. [religiosidad] piety.

piedra sf - 1. [gen] stone; **piedra angular** lit & fig cornerstone; **piedra pómez** pumice stone; **piedra preciosa** precious stone; **piedra de toque** touchstone - 2. [de mechero] flint.

piel sf - 1. ANAT skin; **piel roja** redskin (N.B.: the term 'piel roja' is considered to be racist); **piel de gallina** goose bumps - 2. [cuero] leather - 3. [pelo] fur - 4. [cáscara] skin, peel.

piensa etc ⊏▷ **pensar**.

pierda etc ⊏▷ **perder**.

pierna sf leg; **estirar las piernas** to stretch one's legs.

pieza sf - 1. [gen] piece; [de mecanismo] part; **dejar/quedarse de una pieza** to leave/be thunderstruck - 2. [obra dramática] play - 3. [habitación] room.

pifiar vt: **pifiarla** fam to put one's foot in it.

pigmento sm pigment.

pijama sm pyjamas pl.

pila sf - 1. [generador] battery - 2. [montón] pile; **tiene una pila de deudas** he's up to his neck in debt - 3. [fregadero] sink.

pilar sm lit & fig pillar.

píldora sf pill; [anticonceptivo]: **la píldora** the pill; **píldora del día siguiente** morning after pill; **dorar la píldora** to sugar the pill.

pileta sf R Dom [piscina] swimming pool; [en baño] washbasin; [en cocina] sink.

pillaje sm pillage.

pillar ⟨▷ vt - 1. [gen] to catch - 2. [chiste, explicación] to get - 3. [atropellar] to knock down. ⟨▷ vi fam [hallarse]: **me pilla lejos** it's out of the way for me; **me pilla de camino** it's on my way; **no me pilla de nuevas** it doesn't surprise me. ◆ **pillarse** vprnl [dedos etc] to catch.

pillo, lla fam ⟨▷ adj - 1. [travieso] mischievous - 2. [astuto] crafty. ⟨▷ sm, f [pícaro] rascal.

pilotar vt [avión] to fly, to pilot; [coche] to drive; [barco] to steer.

piloto ⟨▷ smf [gen] pilot; [de coche] driver; **piloto automático** automatic pilot. ⟨▷ sm - 1. [luz - de coche] tail light; [- de aparato] pilot lamp - 2. C Sur [impermeable] raincoat. ⟨▷ adj inv pilot (antes de s).

piltrafa (gen pl) sf scrap; fam [persona débil] wreck.

pimentón sm - 1. [dulce] paprika - 2. [picante] cayenne pepper.

pimienta sf pepper; **pimienta blanca/negra** white/black pepper.

pimiento sm [fruto] pepper, capsicum; [planta] pimiento, pepper plant; **pimiento morrón** sweet pepper; **me importa un pimiento** fam I couldn't care less.

pimpollo sm - 1. [de rama, planta] shoot; [de flor] bud - 2. fam fig [persona atractiva] gorgeous person.

pinacoteca sf art gallery.

pinar sm pine wood O grove.

pinaza sf pine needles pl.

pincel sm [para pintar] paintbrush; [para maquillar etc] brush.

pinchadiscos smf inv disc jockey.

pinchar ⟨▷ vt - 1. [punzar - gen] to prick; [- rueda] to puncture; [- globo, balón] to burst - 2. [penetrar] to pierce - 3. fam [teléfono] to tap - 4. fig [irritar] to torment - 5. fig [incitar]: **pinchar a alguien para que haga algo** to urge sb to do sthg. ⟨▷ vi - 1. [rueda] to get a puncture - 2. [barba] to be prickly. ◆ **pincharse** vprnl - 1. [punzarse - persona] to prick o.s.; [- rueda] to get a puncture - 2. [inyectarse]: **pincharse (algo)** [medicamento] to inject o.s. (with sthg); fam [droga] to shoot up (with sthg).

pinchazo sm - 1. [punzada] prick - 2. [marca] needle mark - 3. [de neumático, balón etc] puncture, flat US.

pinche ⟨▷ sm, f kitchen boy (f kitchen maid). ⟨▷ adj Méx fam lousy, rotten.

pinchito sm - 1. CULIN [tapa] aperitif on a stick - 2. CULIN [pincho moruno] shish kebab.

pincho sm - 1. [punta] (sharp) point - 2. [espina - de planta] prickle, thorn - 3. CULIN aperitif on a stick; **pincho moruno** shish kebab.

pinga sf Andes & Méx vulg prick, cock.

pingajo sm fam despec rag.

ping-pong® [pin'pon] *sm* table-tennis.

pingüino *sm* penguin.

pinitos *smpl*: **hacer pinitos** *lit & fig* to take one's first steps.

pino *sm* pine; **en el quinto pino** in the middle of nowhere.

pinta ⊳ **pinto**.

pintado, da *adj* - 1. [coloreado] coloured; 'recién pintado' 'wet paint' - 2. [maquillado] made-up - 3. [moteado] speckled. ⬥ **pintada** *sf* [escrito] graffiti (U).

pintalabios *sm inv* lipstick.

pintar ⊳ *vt* - 1. to paint; **pintar algo de negro** to paint sthg black - 2. [significar, importar] to count; **aquí no pinto nada** there's no place for me here; **¿qué pinto yo en este asunto?** where do I come in? ⊳ *vi* [con pintura] to paint. ⬥ **pintarse** *vprnl* [maquillarse] to make o.s. up.

pinto, ta *adj* speckled, spotted. ⬥ **pinta** *sf* - 1. [lunar] spot - 2. *fig* [aspecto] appearance; **tener pinta de algo** to look O seem like sthg; **tiene buena pinta** it looks good - 3. [unidad de medida] pint - 4. *Méx* [pintada] graffiti (U).

pintor, ra *sm, f* painter.

pintoresco, ca *adj* picturesque; *fig* [extravagante] colourful.

pintura *sf* - 1. ARTE painting; **pintura a la acuarela** watercolour; **pintura al óleo** oil painting - 2. [materia] paint.

pinza (*gen pl*) *sf* - 1. [gen] tweezers *pl*; [de tender ropa] peg, clothespin *US* - 2. [de animal] pincer, claw - 3. [pliegue] fold.

piña *sf* - 1. [del pino] pine cone - 2. [ananás] pineapple - 3. *fig* [conjunto de gente] close-knit group.

piñata *sf* pot full of sweets which blindfolded children try to break open with sticks at parties.

piñón *sm* - 1. [fruto] pine nut - 2. [rueda dentada] pinion.

pío, a *adj* pious. ⬥ **pío** *sm* cheep, cheeping (U); [de gallina] cluck, clucking (U); **no decir ni pío** *fig* not to make a peep.

piojo *sm* louse; **piojos** lice.

piola ⊳ *adj Arg fam* - 1. [astuto] shrewd - 2. [estupendo] fabulous. ⊳ *sf Amér* [cuerda] cord.

pionero, ra *sm, f* pioneer.

pipa *sf* - 1. [para fumar] pipe - 2. [pepita] seed, pip; **pipas (de girasol)** sunflower seeds coated in salt - 3. *loc*: **pasarlo** O **pasárselo pipa** to have a whale of a time.

pipermín, peppermint [piper'min] *sm* peppermint liqueur.

pipí *sm fam* wee-wee; **hacer pipí** to have a wee-wee.

pique *sm* - 1. [enfado] grudge - 2. [rivalidad] rivalry - 3. *loc*: **irse a pique** [barco] to sink; [negocio] to go under; [plan] to fail.

piquete *sm* [grupo]: **piquete de ejecución** firing squad; **piquete (de huelga)** picket.

pirado, da *adj fam* crazy.

piragua *sf* canoe.

piragüismo *sm* canoeing.

pirámide *sf* pyramid.

piraña *sf* piranha.

pirarse *vprnl fam* to clear off.

pirata ⊳ *adj* pirate *(antes de s)*; [disco] bootleg. ⊳ *smf lit & fig* pirate; **pirata informático** hacker.

piratear ⊳ *vi* - 1. [gen] to be involved in piracy - 2. INFORM to hack. ⊳ *vt* INFORM to hack into.

pirenaico, ca *adj* Pyrenean.

pírex, pyrex® *sm* Pyrex®.

Pirineos *smpl*: **los Pirineos** the Pyrenees.

piripi *adj fam* tipsy.

pirómano, na *sm, f* pyromaniac.

piropo *sm fam* flirtatious remark, ≃ wolf whistle.

pirotecnia *sf* pyrotechnics (U).

pirrarse *vprnl fam*: **pirrarse por algo/alguien** to be dead keen on sthg/sb.

pirueta *sf* pirouette.

piruleta *sf* lollipop.

pirulí (*pl* pirulís) *sm* lollipop.

pis (*pl* pises) *sm fam* pee.

pisada *sf* - 1. [acción] footstep; **seguir las pisadas de alguien** to follow in sb's footsteps - 2. [huella] footprint.

pisapapeles *sm inv* paperweight.

pisar *vt* - 1. [con el pie] to tread on - 2. [uvas] to tread - 3. *fig* [llegar a] to set foot in - 4. *fig* [despreciar] to trample on - 5. *fig* [anticiparse]: **pisar un contrato a alguien** to beat sb to a contract; **pisar una idea a alguien** to think of sthg before sb; **pisar fuerte** *fig* to be firing on all cylinders.

piscina *sf* swimming pool; **piscina al aire libre** open air swimming pool; **piscina climatizada** heated swimming pool.

Piscis ⊳ *sm* [zodiaco] Pisces. ⊳ *smf* [persona] Pisces.

piscolabis *sm inv fam* snack.

piso *sm* - 1. [vivienda] flat - 2. [planta] floor - 3. [suelo - de carretera] surface; [- de edificio] floor - 4. [capa] layer.

pisotear *vt* - 1. [con el pie] to trample on - 2. [humillar] to scorn.

pista *sf* - 1. [gen] track; **pista de aterrizaje** runway; **pista de baile** dance floor; **pista cubierta**

indoor track; **pista de esquí** ski slope; **pista de hielo** ice rink; **pista de tenis** tennis court - **2.** *fig* [indicio] clue.

pistacho *sm* pistachio.

pisto *sm* ≃ ratatouille.

pistola *sf* - **1.** [arma - con cilindro] gun; [- sin cilindro] pistol - **2.** [pulverizador] spraygun; **pintar a pistola** to spray-paint.

pistolero, ra *sm, f* [persona] gunman. ➡ **pistolera** *sf* [funda] holster.

pistón *sm* - **1.** MECÁN piston - **2.** [MÚS - corneta] cornet; [- llave] key.

pitada *sf Amér fam* drag, puff.

pitar ⬦ *vt* - **1.** [arbitrar - partido] to referee; [- falta] to blow for - **2.** [abuchear]: **pitar a alguien** to whistle at sb in disapproval - **3.** *Amér fam* [fumar] to puff (on). ⬦ *vi* [tocar el pito] to blow a whistle; [del coche] to toot one's horn.

pitido *sm* whistle.

pitillera *sf* cigarette case.

pitillo *sm* [cigarrillo] cigarette.

pito *sm* - **1.** [silbato] whistle - **2.** [claxon] horn.

pitón *sm* [cuerno] horn.

pitonisa *sf* fortune-teller.

pitorrearse *vprnl fam*: **pitorrearse (de)** to take the mickey (out of).

pitorro *sm* spout.

piyama *sm o sf Amér* [pijama] pyjamas; **un piyama** a pair of pyjamas.

pizarra *sf* - **1.** [roca, material] slate - **2.** [encerado] blackboard, chalkboard *US*.

pizarrón *sm Amér* blackboard.

pizca *sf fam* - **1.** [gen] tiny bit; [de sal] pinch - **2.** *Méx* [cosecha] harvest, crop.

pizza ['pitsa] *sf* pizza.

pizzería [pitse'ria] *sf* pizzeria.

placa *sf* - **1.** [lámina] plate; [de madera] sheet; **placa solar** solar panel - **2.** [inscripción] plaque; [de policía] badge - **3.** [matrícula] number plate - **4.** [de cocina] ring - **5.** ELECTRÓN board - **6.**: **placa dental** dental plaque.

placenta *sf* placenta.

placentero, ra *adj* pleasant.

placer *sm* pleasure; **ha sido un placer (conocerle)** it has been a pleasure meeting you.

plácido, da *adj* [persona] placid; [día, vida, conversación] peaceful.

plafón *sm* ELECTR ceiling rose.

plaga *sf* - **1.** [gen] plague; AGRIC blight; [animal] pest - **2.** [epidemia] epidemic.

plagado, da *adj*: **plagado (de)** infested (with).

plagar *vt*: **plagar de** [propaganda etc] to swamp with; [moscas etc] to infest with.

plagiar *vt* [copiar] to plagiarize.

plagio *sm* [copia] plagiarism.

plan *sm* - **1.** [proyecto, programa] plan - **2.** *fam* [ligue] date - **3.** *fam* [modo, forma]: **lo dijo en plan serio** he was serious about it; **¡vaya plan de vida!** what a life!; **si te pones en ese plan...** if you're going to be like that about it...

plana ➢ **plano**.

plancha *sf* - **1.** [para planchar] iron; **plancha de vapor** steam iron - **2.** [para cocinar] grill; **a la plancha** grilled - **3.** [placa] plate; [de madera] sheet - **4.** IMPR plate.

planchado *sm* ironing.

planchar *vt* to iron.

planeador *sm* glider.

planear ⬦ *vt* to plan. ⬦ *vi* - **1.** [hacer planes] to plan - **2.** [en el aire] to glide. ⬦ *vi* GEOM to plane.

planeta *sm* planet.

planicie *sf* plain.

planificación *sf* planning; **planificación familiar** family planning.

planificar *vt* to plan.

planilla *sf Amér* [formulario] form.

plano, na *adj* flat. ➡ **plano** *sm* - **1.** [diseño, mapa] plan - **2.** [nivel, aspecto] level - **3.** CINE shot; **primer plano** close-up; **en segundo plano** *fig* in the background - **4.** GEOM plane. ➡ **plana** *sf* - **1.** [página] page; **en primera plana** on the front page - **2.** [loc]: **enmendarle la plana a alguien** to find fault with sb.

planta *sf* - **1.** BOT plant - **2.** [fábrica] plant; **planta depuradora** purification plant; **planta de envase** *O* **envasadora** packaging plant - **3.** [piso] floor; **planta baja** ground floor - **4.** [del pie] sole.

plantación *sf* - **1.** [terreno] plantation - **2.** [acción] planting.

plantado, da *adj* standing, planted; **dejar plantado a alguien** *fam* [cortar la relación] to walk out on sb; [no acudir] to stand sb up; **ser bien plantado** to be good-looking.

plantar *vt* - **1.** [sembrar]: **plantar algo (de)** to plant sthg (with) - **2.** [fijar - tienda de campaña] to pitch; [- poste] to put in - **3.** *fam* [asestar] to deal, to land. ➡ **plantarse** *vprnl* - **1.** [gen] to plant o.s. - **2.** [en un sitio con rapidez]: **plantarse en** to get to, to reach.

planteamiento *sm* - **1.** [exposición] raising, posing - **2.** [enfoque] approach.

plantear *vt* - **1.** [exponer - problema] to pose; [- posibilidad, dificultad, duda] to raise - **2.** [enfocar] to approach. ➡ **plantearse** *vprnl*: **plantearse algo** to consider sthg, to think about sthg.

plantel *sm fig* [conjunto] group.

plantilla *sf* - **1.** [de empresa] staff - **2.** [suela interior] insole - **3.** [patrón] pattern, template.

plantón *sm*: **dar un plantón a alguien** *fam* to stand sb up.

plañidero, ra *adj* plaintive.

plañir *vi* to moan, to wail.

plasmar *vt* - **1.** *fig* [reflejar] to give shape to - **2.** [modelar] to shape, to mould. ➡ **plasmarse** *vprnl* to take shape.

plasta ◇ *adj mfam*: **ser plasta** to be a pain. ◇ *smf mfam* [pesado] pain, drag.

plástico, ca *adj* [gen] plastic. ➡ **plástico** *sm* [gen] plastic.

plastificar *vt* to plasticize.

plastilina® *sf* ≃ Plasticine®.

plata *sf* - **1.** [metal] silver; **plata de ley** sterling silver; **hablar en plata** *fam* to speak bluntly - **2.** [objetos de plata] silverware - **3.** *Amér* [dinero] money.

plataforma *sf* - **1.** [gen] platform; **plataforma espacial** space station; **plataforma petrolífera** oil rig - **2.** *fig* [punto de partida] launching pad - **3.** GEOL shelf.

platal *sm Amér fam*: **un platal** a fortune, loads of money.

plátano *sm* - **1.** [fruta] banana - **2.** [banano] banana tree; [árbol platanáceo] plane tree.

platea *sf* stalls *pl*.

plateado, da *adj* - **1.** [con plata] silver-plated - **2.** *fig* [color] silvery.

plática *sf Amér C & Méx* talk, chat.

platicar *vi Amér C & Méx* to talk, to chat.

platillo *sm* - **1.** [plato pequeño] small plate; [de taza] saucer - **2.** [de una balanza] pan - **3.** *(gen pl)* MÚS cymbal. ➡ **platillo volante** *sm* flying saucer.

platina *sf* [de microscopio] slide.

platino *sm* [metal] platinum. ➡ **platinos** *smpl* AUTO & MECÁN contact points.

plato *sm* - **1.** [recipiente] plate, dish; **lavar los platos** to do the washing-up; **pagar los platos rotos** to carry the can - **2.** [parte de una comida] course; **primer plato** first course, starter; **de primer plato** for starters; **segundo plato** second course, main course; **plato fuerte** [en una comida] main course; *fig* main part - **3.** [comida] dish; **plato combinado** *single-course meal which usually consists of meat or fish accompanied by chips and vegetables*; **plato principal** main course - **4.** [de tocadiscos, microondas] turntable.

plató *sm* set.

platónico, ca *adj* Platonic.

platudo, da *adj Amér fam* loaded, rolling in it.

plausible *adj* - **1.** [admisible] acceptable - **2.** [posible] plausible.

playa *sf* - **1.** [en el mar] beach; **ir a la playa de vacaciones** to go on holiday to the seaside - **2.**: **playa de estacionamiento** *Amér* car park *UK*, parking lot *US*.

play-back ['pleiβak] *(pl play-backs)* *sm*: **hacer play-back** to mime (the lyrics).

playero, ra *adj* beach *(antes de s)*. ➡ **playera** *sf Amér C & Méx* [camiseta] T-shirt. ➡ **playeras** *sfpl* - **1.** [de deporte] tennis shoes - **2.** [para la playa] canvas shoes.

plaza *sf* - **1.** [en una población] square; **plaza mayor** main square - **2.** [sitio] place - **3.** [asiento] seat; **de dos plazas** two-seater *(antes de s)* - **4.** [puesto de trabajo] position, job; **plaza vacante** vacancy - **5.** [mercado] market, marketplace - **6.** TAUROM: **plaza (de toros)** bullring.

plazo *sm* - **1.** [de tiempo] period (of time); **en un plazo de un mes** within a month; **mañana termina el plazo de inscripción** the deadline for registration is tomorrow; **a corto/largo plazo** [gen] in the short/long term; ECON short/long term - **2.** [de dinero] instalment; **a plazos** in instalments, on hire purchase.

plazoleta *sf* small square.

plebe *sf*: **la plebe** *lit & fig* the plebs.

plebeyo, ya *adj* - **1.** HIST plebeian - **2.** [vulgar] common.

plebiscito *sm* plebiscite.

plegable *adj* collapsible, foldaway; [chair] folding.

plegar *vt* to fold; [mesita, hamaca] to fold away.

plegaria *sf* prayer.

pleito *sm* - **1.** DER [litigio] legal action *(U)*, lawsuit; [disputa] dispute - **2.** *Amér* [discusión] argument.

plenario, ria *adj* plenary.

plenilunio *sm* full moon.

plenitud *sf* [totalidad] completeness, fullness.

pleno, na *adj* full, complete; **en pleno día** in broad daylight; **en plena guerra** in the middle of the war; **le dio en plena cara** she hit him right in the face; **en pleno uso de sus facultades** in full command of his faculties; **en plena forma** on top form. ➡ **pleno** *sm* [reunión] plenary meeting.

pletórico, ca *adj*: **pletórico de** full of.

pliego *sm* - **1.** [hoja] sheet (of paper) - **2.** [carta, documento] sealed document O letter; **pliego de condiciones** specifications *pl*.

pliegue *sm* - **1.** [gen & GEOL] fold - **2.** [en un plisado] pleat.

plisado *sm* pleating.

plomería *sf Méx, R Plata & Ven* plumber's.

plomero *sm Amér C, Caribe, Méx & R Plata* plumber.

plomizo, za *adj* [color] leaden.

plomo *sm* - **1.** [metal] lead; **caer a plomo** to fall O drop like a stone - **2.** [pieza de metal] lead weight - **3.** [fusible] fuse.

pluma ⬦ *sf* - **1.** [de ave] feather - **2.** [para escribir] (fountain) pen; HIST quill; **pluma estilográfica** fountain pen - **3.** *Caribe & Méx* [bolígrafo] ballpoint pen - **4.** *Caribe, Col & Méx* [grifo] tap. ⬦ *adj inv* DEP featherweight.

plum-cake [pluŋ'keik] (*pl* plum-cakes) *sm* fruit cake.

plumero *sm* feather duster; **vérsele a alguien el plumero** *fam* to see through sb.

plumier (*pl* plumiers) *sm* pencil box.

plumilla *sf* nib.

plumón *sm* - **1.** [de ave] down - **2.** *Chile & Méx* [rotulador] felt-tip pen.

plural *adj & sm* plural.

pluralidad *sf* diversity.

pluralismo *sm* pluralism.

pluralizar *vi* to generalize.

pluriempleo *sm*: **hacer pluriempleo** to have more than one job.

plus (*pl* pluses) *sm* bonus.

pluscuamperfecto *adj & sm* pluperfect.

plusmarca *sf* record.

plusvalía *sf* ECON appreciation, added value.

Plutón *n pr* Pluto.

pluvial *adj* rain (*antes de s*).

p.m. (*abrev de* post merídiem) p.m.

PNB (*abrev de* producto nacional bruto) *sm* GNP.

PNV (*abrev de* Partido Nacionalista Vasco) *sm* Basque nationalist party.

población *sf* - **1.** [ciudad] town, city; [pueblo] village - **2.** *Chile* [chabola] shanty town - **3.** [habitantes] population.

poblado, da *adj* - **1.** [habitado] inhabited; **una zona muy poblada** a densely populated area - **2.** *fig* [lleno] full; **poblado de algo** full of sthg; [barba, cejas] bushy. ⬦ **poblado** *sm* settlement.

poblador, ra *sm, f* settler.

poblar *vt* - **1.** [establecerse en] to settle, to colonize - **2.** *fig* [llenar]: **poblar (de)** [plantas, árboles] to plant (with); [peces etc] to stock (with) - **3.** [habitar] to inhabit. ⬦ **poblarse** *vprnl* - **1.** [colonizarse] to be settled with - **2.** *fig* [llenarse] to fill up; **poblarse (de)** to fill up (with).

pobre ⬦ *adj* poor; **¡pobre hombre!** poor man!; **¡pobre de mí!** poor me! ⬦ *smf* [gen] poor person; **los pobres** the poor, poor people; **¡el pobre!** poor thing!

pobreza *sf* [escasez] poverty; **pobreza de** lack O scarcity of.

pochismo *sm* *Méx fam* language mistake caused by English influence.

pocho, cha *adj* - **1.** [persona] off-colour - **2.** [fruta] over-ripe - **3.** *Méx fam* [americanizado] Americanized.

pocilga *sf lit & fig* pigsty.

pocillo *sm Amér* small cup.

pócima *sf* [poción] potion.

poción *sf* potion.

poco, ca ⬦ *adj* little (*pl* few), not much (*pl* not many); **poca agua** not much water; **de poca importancia** of little importance; **hay pocos árboles** there aren't many trees; **pocas personas lo saben** few O not many people know it; **tenemos poco tiempo** we don't have much time; **hace poco tiempo** not long ago; **dame unos pocos días** give me a few days. ⬦ *pron* little (*pl* few), not much (*pl* not many); **queda poco** there's not much left; **tengo muy pocos** I don't have very many, I have very few; **pocos hay que sepan tanto** not many people know so much; **un poco** a bit; **¿me dejas un poco?** can I have a bit?; **un poco de** a bit of; **un poco de sentido común** a bit of common sense; **unos pocos** a few. ⬦ **poco** *adv* - **1.** [escasamente] not much; **este niño come poco** this boy doesn't eat much; **es poco común** it's not very common; **es un poco triste** it's rather sad; **por poco** almost, nearly - **2.** [brevemente]: **tardaré muy poco** I won't be long; **al poco de...** shortly after...; **dentro de poco** soon, in a short time; **hace poco** a little while ago, not long ago; **poco a poco** [progresivamente] little by little; **¡poco a poco!** [despacio] steady on!, slow down!

podar *vt* to prune.

podenco *sm* hound.

poder [1] *sm* - **1.** [gen] power; **estar en/hacerse con el poder** to be in/to seize power; **poder adquisitivo** purchasing power; **tener poder de convocatoria** to be a crowd-puller; **poderes fácticos** the church, military and press - **2.** [posesión]: **estar en poder de alguien** to be in sb's hands - **3.** (gen *pl*) [autorización] power, authorization; **dar poderes a alguien para que haga algo** to authorize sb to do sthg; **por poderes** by proxy.

poder [2] ⬦ *vi* - **1.** [tener facultad] can, to be able to; **no puedo decírtelo** I can't tell you, I'm unable to tell you - **2.** [tener permiso] can, may; **no puedo salir por la noche** I'm not allowed to O I can't go out at night; **¿se puede fumar aquí?** may I smoke here? - **3.** [ser capaz moralmente] can; **no podemos portarnos así con él** we can't treat him like that - **4.** [tener posibilidad, ser posible] may, can; **podías haber cogido el tren** you could have caught the train; **puede estallar la guerra** war could O may break out; **¡hubiera podido invitarnos!** [expresa enfado] she could O might have invited us! - **5.** [ser capaz de dominar - enfermedad, rival]: **poder con** to be able to overcome - **6.** [ser capaz de realizar - tarea]: **poder con** to be able to cope with - **7.** *loc*: **a tope más no poder** as much as can be; **es avaro a más no poder** he's as miserly as can be; **no poder más** [estar cansado] to be too

tired to carry on; [estar harto de comer] to be full (up); [estar enfadado] to have had enough; ¿se puede? may I come in?; no poder con algo/alguien [soportar] not to be able to stand sthg/sb; no puedo con la hipocresía I can't stand hypocrisy. ◇ v impers [ser posible] may; puede que llueva it may O might rain; ¿vendrás mañana? - puede will you come tomorrow? - I may do; puede ser perhaps, maybe. ◇ vt [ser más fuerte que] to be stronger than.

poderío sm [poder] power.

poderoso, sa adj powerful.

podio, podium sm podium.

podólogo, ga sm, f chiropodist.

podrá ⊳ **poder**.

podrido, da ◇ pp ⊳ **pudrir**. ◇ adj - 1. rotten - 2. R Dom [persona]: **estoy podrido** I'm fed up.

poema sm poem.

poesía sf - 1. [género literario] poetry - 2. [poema] poem.

poeta smf poet.

poético, ca adj poetic.

poetisa sf female poet.

póker = póquer.

polaco, ca adj & sm, f Polish. ◆ **polaco** sm [lengua] Polish.

polar adj polar.

polarizar vt fig [miradas, atención, esfuerzo] to concentrate. ◆ **polarizarse** vprnl [vida política, opinión pública] to become polarized.

polaroid® sf inv Polaroid®.

polca sf polka.

polea sf pulley.

polémico, ca adj controversial. ◆ **polémica** sf controversy.

polemizar vi to argue, to debate.

polen sm pollen.

poleo sm pennyroyal.

poli fam ◇ smf cop. ◇ sf cops pl.

polichinela sm - 1. [personaje] Punchinello - 2. [títere] puppet, marionette.

policía ◇ sm, f policeman (f policewoman). ◇ sf: **la policía** the police.

policiaca, ca, policíaco, ca adj police (antes de s); [novela, película] detective (antes de s).

policial adj police (antes de s).

polideportivo, va adj multi-sport; [gimnasio] multi-use. ◆ **polideportivo** sm sports centre.

poliéster sm inv polyester.

polietileno sm polythene UK, polyethylene US.

polifacético, ca adj multifaceted, versatile.

poligamia sf polygamy.

polígamo, ma adj polygamous.

polígloto, ta, políglota, ta adj & sm, f polyglot.

polígono sm - 1. GEOM polygon - 2. [terreno]: **polígono industrial/residencial** industrial/housing estate; **polígono de tiro** firing range.

polilla sf moth.

polipiel sf artificial skin.

Polisario (abrev de Frente Popular para la Liberación de Sakiet el Hamra y Río de Oro) sm: **el (Frente) Polisario** the Polisario Front.

politécnico, ca adj polytechnic. ◆ **politécnica** sf polytechnic.

político, ca adj - 1. [de gobierno] political - 2. [pariente]: **hermano político** brother-in-law; **familia política** in-laws pl. ◆ **político** sm politician. ◆ **política** sf - 1. [arte de gobernar] politics (U) - 2. [modo de gobernar, táctica] policy.

politizar vt to politicize. ◆ **politizarse** vprnl to become politicized.

polivalente adj [vacuna, suero] polyvalent; [edificio, sala] multipurpose.

póliza sf - 1. [de seguro] (insurance) policy - 2. [sello] stamp on a document showing that a certain tax has been paid.

polizón sm stowaway.

polla ⊳ **pollo**.

pollera sf C Sur skirt.

pollería sf poultry shop.

pollito sm chick.

pollo, lla sm, f ZOOL chick. ◆ **pollo** sm CULIN chicken. ◆ **polla** sf vulg cock, prick.

polo sm - 1. [gen] pole; **polo de atracción** O **atención** fig centre of attraction - 2. ELECTR terminal; **polo negativo/positivo** negative/positive terminal - 3. [helado] ice lolly - 4. [jersey] polo shirt - 5. DEP polo.

pololo, la sm, f Chile fam boyfriend (f girlfriend).

Polonia n pr Poland.

polución sf [contaminación] pollution.

polvareda sf dust cloud; **levantar una gran polvareda** fig to cause a commotion.

polvera sf powder compact.

polvo sm - 1. [en el aire] dust; **limpiar** O **quitar el polvo** to do the dusting - 2. [de un producto] powder; **en polvo** powdered; **polvos de talco** talcum powder; **polvos picapica** itching powder; **estar hecho polvo** fam to be knackered; **hacer polvo algo** to smash sthg; **limpio de polvo y paja** including all charges. ◆ **polvos** smpl [maquillaje] powder (U); **ponerse polvos** to powder one's face.

pólvora sf [sustancia explosiva] gunpowder; **correr como la pólvora** to spread like wildfire.

polvoriento, ta *adj* [superficie] dusty; [sustancia] powdery.

polvorín *sm* munitions dump.

polvorón *sm crumbly sweet made from flour, butter and sugar.*

pomada *sf* ointment.

pomelo *sm* [fruto] grapefruit.

pómez ⊳ **piedra.**

pomo *sm* knob.

pompa *sf* - **1.** [suntuosidad] pomp - **2.** [ostentación] show, ostentation - **3.: pompa (de jabón)** (soap) bubble. ◆ **pompas** *sfpl Méx fam* backside, bottom. ◆ **pompas fúnebres** *sfpl* [servicio] undertaker's *sing.*

pompis *sm inv fam* bottom, backside.

pompón *sm* pompom.

pomposo, sa *adj* - **1.** [suntuoso] sumptuous; [ostentoso] showy - **2.** [lenguaje] pompous.

pómulo *sm* [hueso] cheekbone.

ponchar *vt Amér C, Caribe & Méx* [rueda] to puncture.

ponchar *vt Amér C & Méx* [rueda] to puncture.

ponche *sm* punch.

poncho *sm* poncho.

ponderar *vt* - **1.** [alabar] to praise - **2.** [considerar] to weigh up.

ponencia *sf* [conferencia] lecture, paper; [informe] report.

poner ⊳ *vt* - **1.** [gen] to put; [colocar] to place, to put - **2.** [vestir]: **poner algo a alguien** to put sthg on sb - **3.** [contribuir, invertir] to put in; **poner dinero en el negocio** to put money into the business; **poner algo de mi/tu** *etc* **parte** to do my/your *etc* bit - **4.** [hacer estar de cierta manera]: **poner a alguien en un aprieto/de mal humor** to put sb in a difficult position/in a bad mood; **le has puesto colorado** you've made him blush - **5.** [calificar]: **poner a alguien de algo** to call sb sthg - **6.** [oponer]: **poner obstáculos a algo** to hinder sthg; **poner pegas a algo** to raise objections to sthg - **7.** [asignar - precio, medida] to fix, to settle; [- multa, tarea] to give; **le pusieron Mario** they called him Mario - **8.** [TELECOM - telegrama, fax] to send; [- conferencia] to make; **¿me pones con él?** can you put me through to him? - **9.** [conectar - televisión etc] to switch O put on; [- despertador] to set; [- instalación, gas] to put in - **10.** CINE, TEATRO & TV to show; **¿qué ponen en la tele?** what's on the telly? - **11.** [montar - negocio] to set up; **ha puesto una tienda** she has opened a shop - **12.** [decorar] to do up; **han puesto su casa con mucho lujo** they've done up their house in real style - **13.** [suponer] to suppose; **pongamos que sucedió así** (let's) suppose that's what happened; **pon que necesitemos cinco días** suppose we need five days; **poniendo que todo salga bien** assuming everything goes according to plan - **14.** [decir] to say; **¿qué pone ahí?** what does it say? - **15.** [huevo] to lay. ⊳ *vi* [ave] to lay (eggs). ◆ **ponerse** ⊳ *vprnl* - **1.** [colocarse] to put o.s.; **ponerse de pie** to stand up; **ponte en la ventana** stand by the window - **2.** [ropa, gafas, maquillaje] to put on - **3.** [estar de cierta manera] to go, to become; **se puso rojo de ira** he went red with anger; **se puso colorado** he blushed; **se puso muy guapa** she made herself attractive - **4.** [iniciar]: **ponerse a hacer algo** to start doing sthg - **5.** [de salud]: **ponerse malo** O **enfermo** to fall ill; **ponerse bien** to get better - **6.** [llenarse]: **ponerse de algo** to get covered in sthg; **se puso de barro hasta las rodillas** he got covered in mud up to the knees - **7.** [suj: astro] to set - **8.** [llegar]: **ponerse en** to get to. ⊳ *v impers Amér fam* [parecer]: **se me pone que...** it seems to me that...

pongo ⊳ **poner.**

poniente *sm* [occidente] West; [viento] west wind.

pontífice *sm* Pope, Pontiff.

pop *adj* pop.

popa *sf* stern.

popote *sm Méx* drinking straw.

populacho *sm despec* mob, masses *pl.*

popular *adj* - **1.** [del pueblo] of the people; [arte, música] folk - **2.** [famoso] popular.

popularidad *sf* popularity; **gozar de popularidad** to be popular.

popularizar *vt* to popularize. ◆ **popularizarse** *vprnl* to become popular.

popurrí *sm* potpourri.

póquer, póker *sm* [juego] poker.

por *prep* - **1.** [causa] because of; **se enfadó por tu comportamiento** she got angry because of your behaviour - **2.** *(antes de infinitivo)* [finalidad] (in order) to; *(antes de s, pron)* for; **lo hizo por complacerte** he did it to please you; **lo hice por ella** I did it for her - **3.** [medio, modo, agente] by; **por mensajero/fax** by courier/fax; **por escrito** in writing; **lo cogieron por el brazo** they took him by the arm; **el récord fue batido por el atleta** the record was broken by the athlete - **4.** [tiempo aproximado]: **creo que la boda será por abril** I think the wedding will be some time in April - **5.** [tiempo concreto]: **por la mañana/tarde** in the morning/afternoon; **por la noche** at night; **ayer salimos por la noche** we went out last night; **por unos días** for a few days - **6.** [lugar - aproximadamente en]: **¿por dónde vive?** whereabouts does he live?; **vive por las afueras** he lives somewhere on the outskirts; **había papeles por el suelo** there were papers all over the floor - **7.** [lugar - a través de] through; **iba paseando por el bosque/la calle** she was walking through the forest/along

the street; **pasar por la aduana** to go through customs - **8.** [a cambio de, en lugar de] for; **lo ha comprado por poco dinero** she bought it for very little; **cambió el coche por la moto** he exchanged his car for a motorbike; **él lo hará por mí** he'll do it for me - **9.** [distribución] per; **dos euros por unidad** 2 euros each; **20 kms por hora** 20 km an O per hour - **10.** MAT: **dos por dos igual a cuatro** two times two is four - **11.** [en busca de] for; **baja por tabaco** go down to the shops for some cigarettes, go down to get some cigarettes; **a por** for; **vino a por las entradas** she came for the tickets - **12.** [concesión]: **por más** O **mucho que lo intentes no lo conseguirás** however hard you try O try as you might, you'll never manage it; **no me cae bien, por (muy) simpático que te parezca** you may think he's nice, but I don't like him. ➤ **por qué** *pron* why; **¿por qué lo dijo?** why did she say it?; **¿por qué no vienes?** why don't you come?

porcelana *sf* [material] porcelain, china.

porcentaje *sm* percentage; **trabaja a porcentaje** he works on a commission basis.

porche *sm* [soportal] arcade; [entrada] porch.

porción *sf* portion, piece.

pordiosero, ra *sm, f* beggar.

porfía *sf* [insistencia] persistence; [tozudez] stubbornness.

porfiar *vi* [empeñarse]: **porfiar en** to be insistent on.

pormenor *(gen pl)* *sm* detail; **entrar en pormenores** to go into detail.

porno *adj fam* porno.

pornografía *sf* pornography.

pornográfico, ca *adj* pornographic.

poro *sm* pore.

poroso, sa *adj* porous.

poroto *sm Andes & R Plata* kidney bean.

porque *conj* - **1.** [debido a que] because; **¿por qué lo hiciste? – porque sí** why did you do it? – just because - **2.** [para que] so that, in order that.

porqué *sm* reason; **el porqué de** the reason for.

porquería *sf* - **1.** [suciedad] filth - **2.** [cosa de mala calidad] rubbish (U).

porra *sf* - **1.** [palo] club; [de policía] truncheon - **2.** *Méx* DEP [hinchada] supporters - **3.** *loc*: **mandar a alguien a la porra** *fam* to tell sb to go to hell; **¡y una porra!** like hell!

porrazo *sm* [golpe] bang, blow; [caída] bump.

porro *sm fam* [de droga] joint.

porrón *sm* glass wine jar used for drinking wine from its long spout.

portaaviones, portaviones *sm inv* aircraft carrier.

portada *sf* - **1.** [de libro] title page; [de revista] (front) cover; [de periódico] front page - **2.** [de disco] sleeve.

portador, ra *sm, f* carrier, bearer; **al portador** COM to the bearer.

portaequipajes *sm inv* - **1.** [maletero] boot UK, trunk US - **2.** [baca] roofrack.

portafolio *sm* = **portafolios**.

portafolios *sm inv* [carpeta] file; [maletín] attaché case.

portal *sm* - **1.** [entrada] entrance hall; [puerta] main door - **2.** INFORM [página web] portal.

portalámparas *sm inv* socket.

portamonedas *sm inv* purse.

portar *vt* to carry. ➤ **portarse** *vprnl* to behave; **se ha portado bien conmigo** she has treated me well; **portarse mal** to misbehave.

portátil *adj* portable.

portavoz *sm, f* [persona] spokesman (*f* spokeswoman).

portazo *sm*: **dar un portazo** to slam the door.

porte *sm* - **1.** *(gen pl)* [gasto de transporte] carriage; **porte debido/pagado** COM carriage due/paid - **2.** [transporte] carriage, transport - **3.** [aspecto] bearing, demeanour.

portento *sm* wonder, marvel.

portentoso, sa *adj* wonderful, amazing.

porteño, ña *adj* from the city of Buenos Aires.

portería *sf* - **1.** [de casa, colegio] caretaker's UK o super(intendant)'s US office O lodge; [de hotel, ministerio] porter's office O lodge - **2.** DEP goal, goalmouth.

portero, ra *sm, f* - **1.** [de casa, colegio] caretaker UK, super(intendant) US; [de hotel, ministerio] porter; **portero automático** O **electrónico** O **eléctrico** entry-phone - **2.** DEP goalkeeper.

pórtico *sm* - **1.** [fachada] portico - **2.** [arcada] arcade.

portuario, ria *adj* port *(antes de s)*; [de los muelles] dock *(antes de s)*; **trabajador portuario** docker.

Portugal *n pr* Portugal.

portugués, esa *adj* & *sm, f* Portuguese. ➤ **portugués** *sm* [lengua] Portuguese.

porvenir *sm* future.

pos ➤ **en pos de** *loc prep* - **1.** [detrás de] behind - **2.** [en busca de] after; **correr en pos de alguien** to run after sb.

posada *sf* - **1.** [fonda] inn, guest house - **2.** [hospedaje] lodging, accommodation.

posaderas *sfpl fam* backside *sing*, bottom *sing*.

posar ➤ *vt* to put O lay down; [mano, mirada] to rest. ➤ *vi* to pose. ➤ **posarse** *vprnl* - **1.** [gen] to settle - **2.** [pájaro] to perch; [nave, helicóptero] to come down.

posavasos *sm inv* coaster; [de cartón] beer mat.

posdata, postdata *sf* postscript.

pose *sf* pose; **adoptar una pose** to strike a pose.

poseedor, ra *sm, f* owner; [de cargo, acciones, récord] holder.

poseer *vt* [ser dueño de] to own; [estar en poder de] to have, to possess.

poseído, da *adj*: **poseído por** possessed by.

posesión *sf* possession.

posesivo, va *adj* possessive.

poseso, sa *sm, f* possessed person.

posgraduado, da, postgraduado, da *adj & sm, f* postgraduate.

posguerra, postguerra *sf* post-war period.

posibilidad *sf* possibility, chance; **cabe la posibilidad de que...** there is a chance that...

posibilitar *vt* to make possible.

posible *adj* possible; **es posible que llueva** it could rain; **dentro de lo posible, en lo posible** as far as possible; **de ser posible** if possible; **hacer (todo) lo posible** to do everything possible; **lo antes posible** as soon as possible; **¡no es posible!** surely not!

posición *sf* - **1.** [gen] position; **en posición de descanso** standing at ease - **2.** [categoría - social] status (U); **de buena posición** of high social status; [- económica] situation - **3.** DEP position.

posicionarse *vprnl* to take a position O stance.

positivo, va *adj* [gen & ELECTR] positive.

poso *sm* sediment; *fig* trace.

posponer *vt* - **1.** [relegar] to put behind, to relegate - **2.** [aplazar] to postpone.

pospuesto, ta *pp* ⊳ **posponer**.

posta ➡ **a posta** *loc adv* on purpose.

postal ◇ *adj* postal. ◇ *sf* postcard.

postdata = **posdata**.

poste *sm* post, pole; **poste de alta tensión** electricity pylon; DEP post.

póster (*pl* **posters**) *sm* poster.

postergar *vt* - **1.** [retrasar] to postpone - **2.** [relegar] to put behind, to relegate.

posteridad *sf* - **1.** [generación futura] posterity - **2.** [futuro] future.

posterior *adj* - **1.** [en el espacio] rear, back - **2.** [en el tiempo] subsequent, later.

posteriori ➡ **a posteriori** *loc adv* later, afterwards.

posterioridad *sf*: **con posterioridad** later, subsequently.

postgraduado = **posgraduado**.

postguerra = **posguerra**.

postigo *sm* [contraventana] shutter.

postín *sm* showiness; **darse postín** to show off; **de postín** posh.

postizo, za *adj* [falso] false. ➡ **postizo** *sm* hairpiece.

postor, ra *sm, f* bidder.

postre *sm* dessert, pudding; **para postre** *fig* to cap it all.

postrero, ra *adj* (*antes de sm sing*: **postrer**) *culto* last.

postrimerías *sfpl* final stages.

postulado *sm* postulate.

postular ◇ *vt* [exigir] to call for. ◇ *vi* [para colectas] to collect.

póstumo, ma *adj* posthumous.

postura *sf* - **1.** [posición] position, posture - **2.** [actitud] attitude, stance; **tomar postura** to adopt an attitude.

potable *adj* [bebible] drinkable; **agua potable** drinking water.

potaje *sm* [CULIN - guiso] vegetable stew; [- sopa] vegetable soup.

potasio *sm* potassium.

pote *sm* pot.

potencia *sf* [gen, MAT & POLÍT] power; **tiene mucha potencia** it's very powerful.

potencial ◇ *adj* [gen & FÍS] potential. ◇ *sm* - **1.** [fuerza] power - **2.** [posibilidades] potential - **3.** GRAM conditional.

potenciar *vt* - **1.** [fomentar] to encourage, to promote - **2.** [reforzar] to boost.

potente *adj* powerful.

potra ⊳ **potro**.

potrero *sm Amér* [prado] field, pasture.

potro, tra *sm, f* ZOOL colt (*f* filly). ➡ **potro** *sm* DEP vaulting horse.

pozo *sm* well; [de mina] shaft.

PP (*abrev de* **Partido Popular**) *sm* Spanish political party to the right of the political spectrum.

ppp (*abrev de* **puntos por pulgada**) INFORM dpi.

práctica ⊳ **práctico**.

practicante ◇ *adj* practising. ◇ *smf* - **1.** [de deporte] practitioner; [de religión] practising member of a church - **2.** MED medical assistant.

practicar ◇ *vt* - **1.** [gen] to practise; [deporte] to play - **2.** [realizar] to carry out, to perform. ◇ *vi* to practise.

práctico, ca *adj* practical. ➡ **práctica** *sf* - **1.** [gen] practice; [de un deporte] playing; **llevar algo a la práctica, poner algo en práctica** to put sthg into practice; **en la práctica** in practice; **prácticas de tiro** target practice - **2.** [clase no teórica] practical.

pradera *sf* large meadow, prairie.

prado *sm* meadow. ➡ **Prado** *sm*: **el (Museo del) Prado** the Prado (Museum).

pragmático, ca <> adj pragmatic. <> sm, f [persona] pragmatist.

pral. abrev de **principal**.

praliné sm praline.

PRD sm (abrev de **Partido de la Revolución Democrática**) Mexican political party.

preacuerdo sm draft agreement.

preámbulo sm [introducción - de libro] foreword, preface; [- de congreso, conferencia] introduction.

precalentar vt - 1. CULIN to pre-heat - 2. DEP to warm up.

precario, ria adj precarious.

precaución sf - 1. [prudencia] caution, care - 2. [medida] precaution; **tomar precauciones** to take precautions.

precaver vt to guard against. ➤ **precaverse** vprnl to take precautions; **precaverse de O contra** to guard (o.s.) against.

precavido, da adj [prevenido] prudent; **es muy precavido** he always comes prepared.

precedente <> adj previous, preceding. <> sm precedent.

preceder vt to go before, to precede.

preceptivo, va adj obligatory, compulsory. ➤ **preceptiva** sf rules pl.

precepto sm precept; **fiestas de precepto** RELIG days of obligation.

preciado, da adj valuable, prized.

preciarse vprnl to have self-respect; **preciarse de** to be proud of.

precintar vt to seal.

precinto sm seal.

precio sm lit & fig price; **a cualquier precio** at any price; **poner precio a la cabeza de alguien** to put a price on sb's head; **¿qué precio tiene esto?** how much is this?; **subir/bajar los precios** to raise/lower prices; **al precio de** fig at the cost of; **precio de salida** starting price; **precio de venta (al público)** retail price.

preciosidad sf [cosa bonita]: **¡es una preciosidad!** it's lovely O beautiful!

precioso, sa adj - 1. [valioso] precious - 2. [bonito] lovely, beautiful.

precipicio sm precipice.

precipitación sf - 1. [apresuramiento] haste - 2. [lluvia] rainfall (U).

precipitado, da adj hasty.

precipitar vt - 1. [arrojar] to throw O hurl down - 2. [acelerar] to speed up. ➤ **precipitarse** vprnl - 1. [caer] to plunge (down) - 2. [acelerarse - acontecimientos etc] to speed up - 3. [apresurarse]: **precipitarse (hacia)** to rush (towards) - 4. [obrar irreflexivamente] to act rashly.

precisamente adv [justamente]: **¡precisamente!** exactly!, precisely!; **precisamente por eso** for that very reason; **precisamente tú lo sugeriste** in fact it was you who suggested it.

precisar vt - 1. [determinar] to fix, to set; [aclarar] to specify exactly - 2. [necesitar] to need, to require.

precisión sf accuracy, precision.

preciso, sa adj - 1. [determinado, conciso] precise - 2. [necesario]: **ser preciso (para algo/hacer algo)** to be necessary (for sthg/to do sthg); **es preciso que vengas** you must come - 3. [justo] just; **en este preciso momento** at this very moment.

precocinado, da adj pre-cooked. ➤ **precocinado** sm pre-cooked dish.

preconcebido, da adj [idea] preconceived; [plan] drawn up in advance.

preconcebir vt to draw up in advance.

preconizar vt to recommend.

precoz adj [persona] precocious.

precursor, ra sm, f precursor.

predecesor, ra sm, f predecessor.

predecir vt to predict.

predestinado, da adj: **predestinado (a)** predestined (to).

predestinar vt to predestine.

predeterminar vt to predetermine.

predicado sm GRAM predicate.

predicador, ra sm, f preacher.

predicar vt & vi to preach.

predicción sf prediction; [del tiempo] forecast.

predicho, cha pp ▷ **predecir**.

predilección sf: **predilección (por)** preference (for).

predilecto, ta adj favourite.

predisponer vt: **predisponer (a)** to predispose (to).

predisposición sf - 1. [aptitud]: **predisposición para** aptitude for - 2. [tendencia]: **predisposición a** predisposition to.

predispuesto, ta <> pp ▷ **predisponer**. <> adj: **predispuesto (a)** predisposed (to).

predominante adj predominant; [viento, actitudes] prevailing.

predominar vi: **predominar (sobre)** to dominate O prevail (over).

predominio sm preponderance, predominance (U).

preelectoral adj pre-election (antes de s).

preeminente adj preeminent.

preescolar adj nursery (antes de s), preschool.

prefabricado, da adj prefabricated.

prefabricar *vt* to prefabricate.

prefacio *sm* preface.

preferencia *sf* preference; **con** *O* **de preferencia** preferably; **dar preferencia (a)** to give priority (to); **tener preferencia** AUTO to have right of way; **tener preferencia por** to have a preference for.

preferente *adj* preferential.

preferentemente *adv* preferably.

preferible *adj*: **preferible (a)** preferable (to).

preferido, da *adj* favourite.

preferir *vt*: **preferir algo (a algo)** to prefer sthg (to sthg); **prefiero que vengas** I'd rather you came.

prefijo *sm* - **1.** GRAM prefix - **2.** TELECOM (telephone) dialling code.

pregón *sm* [discurso] speech; [bando] proclamation.

pregonar *vt* - **1.** [bando etc] to proclaim - **2.** *fig* [secreto] to spread about.

pregunta *sf* question; **hacer una pregunta** to ask a question; **andar a la cuarta** *O* **última pregunta** to be broke.

preguntar ◇ *vt* to ask; **preguntar algo a alguien** to ask sb sthg. ◇ *vi*: **preguntar por** to ask about *O* after. ◆ **preguntarse** *vprnl*: **preguntarse (si)** to wonder (whether).

prehistoria *sf* prehistory.

prehistórico, ca *adj* prehistoric.

prejuicio *sm* prejudice.

preliminar ◇ *adj* preliminary. ◇ *sm (gen pl)* preliminary.

preludio *sm* [gen & MÚS] prelude.

premamá *adj inv* maternity.

prematrimonial *adj* premarital.

prematuro, ra *adj* premature.

premeditación *sf* premeditation.

premeditar *vt* to think out in advance.

premiar *vt* - **1.** [recompensar] to reward - **2.** [dar un premio a] to give a prize to.

premier (*pl* **premiers**) *sm* British prime minister.

premio *sm* [en competición] prize; [recompensa] reward; **premio gordo** first prize.

premisa *sf* premise.

premonición *sf* premonition.

premura *sf* [urgencia] haste.

prenatal *adj* prenatal, antenatal.

prenda *sf* - **1.** [vestido] garment, article of clothing - **2.** [garantía] pledge; **dejar algo en prenda** to leave sthg as a pledge - **3.** [de un juego] forfeit; **jugar a las prendas** to play forfeits - **4.** *loc*: **no soltar prenda** not to say a word.

prendarse *vprnl* to fall in love with.

prender ◇ *vt* - **1.** [arrestar] to arrest, to apprehend - **2.** [sujetar] to fasten - **3.** [encender] to light - **4.** [agarrar] to grip. ◇ *vi* [arder] to catch (fire). ◆ **prenderse** *vprnl* [arder] to catch fire.

prendido, da *adj* caught.

prensa *sf* - **1.** [gen] press; **prensa del corazón** romantic magazines *pl*; **tener buena/mala prensa** *fig* to have a good/bad press - **2.** [imprenta] printing press.

prensar *vt* to press.

preñado, da *adj* - **1.** [mujer] pregnant; **quedarse preñada** to get pregnant - **2.** *fig* [lleno]: **preñado de** full of.

preocupación *sf* concern, worry.

preocupado, da *adj*: **preocupado (por)** worried *O* concerned (about).

preocupar *vt* - **1.** [inquietar] to worry - **2.** [importar] to bother. ◆ **preocuparse** *vprnl* - **1.** [inquietarse]: **preocuparse (por)** to worry (about), to be worried (about) - **2.** [encargarse]: **preocuparse de algo** to take care of sthg; **preocuparse de hacer algo** to see to it that sthg is done; **preocuparse de que...** to make sure that...

preparación *sf* - **1.** [gen] preparation - **2.** [conocimientos] training.

preparado, da *adj* - **1.** [dispuesto] ready; [de antemano] prepared - **2.** CULIN ready-cooked. ◆ **preparado** *sm* [sustancia] preparation.

preparar *vt* - **1.** [gen] to prepare; [trampa] to set, to lay; [maletas] to pack - **2.** [examen] to prepare for - **3.** DEP to train. ◆ **prepararse** *vprnl*: **prepararse (para algo)** to prepare o.s. *O* get ready (for sthg); **prepararse para hacer algo** to prepare *O* get ready to do sthg.

preparativo, va *adj* preparatory, preliminary. ◆ **preparativos** *smpl* preparations.

preposición *sf* preposition.

prepotente *adj* [arrogante] domineering.

prerrogativa *sf* prerogative.

presa *sf* - **1.** [captura - de cazador] catch; [- de animal] prey; **hacer presa en alguien** to seize *O* grip sb; **ser presa de** to be prey to; **ser presa del pánico** to be panic-stricken - **2.** [dique] dam.

presagiar *vt* [felicidad, futuro] to foretell; [tormenta, problemas] to warn of.

presagio *sm* - **1.** [premonición] premonition - **2.** [señal] omen.

prescindir ◆ **prescindir de** *vi* - **1.** [renunciar a] to do without - **2.** [omitir] to dispense with - **3.** [no tener en cuenta] to disregard.

prescribir ◇ *vt* to prescribe. ◇ *vi* - **1.** [ordenar] to prescribe - **2.** DER to expire.

prescripción *sf* prescription.

prescrito, ta *pp* ▷ **prescribir**.

presencia *sf* [asistencia, aspecto] presence; **en presencia de** in the presence of. ◆ **presencia de ánimo** *sf* presence of mind.

presencial ▷ **testigo**.

presenciar *vt* [asistir] to be present at; [ser testigo de] to witness.

presentación *sf* - **1.** [gen] presentation - **2.** [entre personas] introduction.

presentador, ra *sm, f* presenter.

presentar *vt* - **1.** [gen] to present; [dimisión] to tender; [tesis, pruebas, propuesta] to submit; [solicitud, recurso, denuncia] to lodge; [moción] to propose; [libro, disco] to launch - **2.** [ofrecer - ventajas, novedades] to offer; [- disculpas, excusas] to make; [- respetos] to pay - **3.** [persona, amigos etc] to introduce - **4.** [enseñar] to show - **5.** [tener - aspecto etc] to have, to show; **presenta difícil solución** it's going to be difficult to solve - **6.** [proponer]: **presentar a alguien para** to propose sb for, to put sb forward for. ◆ **presentarse** *vprnl* - **1.** [aparecer] to turn up - **2.** [en juzgado, comisaría]: **presentarse (en)** to report (to); **presentarse a un examen** to sit an exam - **3.** [darse a conocer] to introduce o.s. - **4.** [para un cargo]: **presentarse (a)** to stand *O* run (for) - **5.** [futuro] to appear, to look - **6.** [problema etc] to arise.

presente ◇ *adj* - **1.** [gen] present; **aquí presente** here present - **2.** [en curso] current; **del presente mes** of this month. ◇ *smf* [escrito]: **por la presente le informo...** I hereby inform you... ◇ *sm* - **1.** [gen & GRAM] present - **2.** [regalo] gift, present - **3.** [corriente]: **el presente** [mes] the current month; [año] the current year.

presentimiento *sm* presentiment, feeling.

presentir *vt* to foresee; **presentir que algo va a pasar** to have a feeling that sthg is going to happen; **presentir lo peor** to fear the worst.

preservar *vt* to protect.

preservativo *sm* condom.

presidencia *sf* [de nación] presidency; [de asamblea, empresa] chairmanship.

presidenciable *smf Amér* potential presidential candidate.

presidente, ta *sm, f* [de nación] president; [de asamblea, empresa] chairman (*f* chairwoman); **presidente (del gobierno)** ≃ prime minister; **presidente de mesa** chief scrutineer.

presidiario, ria *sm, f* convict.

presidio *sm* prison.

presidir *vt* - **1.** [ser presidente de] to preside over; [reunión] to chair - **2.** [predominar] to dominate.

presión *sf* pressure; **presión fiscal** ECON tax burden.

presionar *vt* - **1.** [apretar] to press - **2.** *fig* [coaccionar] to pressurize.

preso, sa *sm, f* prisoner.

prestación *sf* [de servicio - acción] provision; [- resultado] service. ◆ **prestaciones** *sfpl* - **1.** [servicio social] benefits - **2.** [de coche etc] performance features.

prestado, da *adj* on loan; **dar prestado algo** to lend sthg; **vivir de prestado** to live off other people.

prestamista *smf* moneylender.

préstamo *sm* - **1.** [acción - de prestar] lending; [- de pedir prestado] borrowing - **2.** [cantidad] loan.

prestar *vt* - **1.** [dejar - dinero etc] to lend, to loan - **2.** [dar - ayuda etc] to give, to offer; [- servicio] to provide; [- atención] to pay; [- declaración, juramento] to make. ◆ **prestarse a** *vprnl* - **1.** [ofrecerse a] to offer to - **2.** [acceder a] to consent to - **3.** [dar motivo a] to be open to.

presteza *sf* promptness.

prestidigitador, ra *sm, f* conjurer.

prestigio *sm* prestige.

prestigioso, sa *adj* prestigious.

presto, ta *adj* [dispuesto]: **presto (a)** ready (to).

presumible *adj* probable, likely.

presumido, da *adj* conceited, vain.

presumir ◇ *vt* [suponer] to presume; **es de presumir que irán** presumably they'll go. ◇ *vi* - **1.** [jactarse] to show off - **2.** [ser vanidoso] to be conceited *O* vain.

presunción *sf* - **1.** [suposición] presumption - **2.** [vanidad] conceit, vanity.

presunto, ta *adj* presumed, supposed; [criminal, robo etc] alleged.

presuntuoso, sa *adj* [vanidoso] conceited; [pretencioso] pretentious.

presuponer *vt* to presuppose.

presupuesto, ta *pp* ▷ **presuponer**. ◆ **presupuesto** *sm* - **1.** [cálculo] budget; [de costo] estimate; **presupuestos generales del Estado** ECON *Spanish national budget* - **2.** [suposición] assumption.

prêt-à-porter [pretapor'te] *sm* off-the-peg clothing.

pretencioso, sa *adj* [persona] pretentious; [cosa] showy.

pretender *vt* - **1.** [intentar]: **pretender hacer algo** to try to do sthg - **2.** [aspirar a]: **pretender hacer algo** to aspire *O* want to do sthg; **pretender que alguien haga algo** to want sb to do sthg; **¿qué pretendes decir?** what do you mean? - **3.** [afirmar] to claim - **4.** [cortejar] to court.

pretendido, da *adj* supposed.

pretendiente ⬦ *smf* - **1.** [aspirante]: **pretendiente (a)** candidate (for) - **2.** [a un trono]: **pretendiente (a)** pretender (to). ⬦ *sm* [a una mujer] suitor.

pretensión *sf* - **1.** [intención] aim, intention - **2.** [aspiración] aspiration - **3.** [supuesto derecho]: **pretensión (a** O **sobre)** claim (to) - **4.** [afirmación] claim - **5.** *(gen pl)* [exigencia] demand - **6.** *(gen pl)* [presuntuosidad] pretentiousness; **sin pretensiones** unpretentious.

pretérito, ta *adj* past. ➡ **pretérito** *sm* GRAM preterite, past.

pretexto *sm* pretext, excuse.

prevalecer *vi*: **prevalecer (sobre)** to prevail (over).

prevaler *vi*: **prevaler (sobre)** to prevail (over).

prevención *sf* [acción] prevention; [medida] precaution.

prevenido, da *adj* - **1.** [previsor]: **ser prevenido** to be cautious - **2.** [avisado, dispuesto]: **estar prevenido** to be prepared.

prevenir *vt* - **1.** [evitar] to prevent; **más vale prevenir que curar** *prov* prevention is better than cure *prov* - **2.** [avisar] to warn - **3.** [prever] to foresee - **4.** [predisponer]: **prevenir a alguien contra algo/alguien** to prejudice sb against sthg/sb.

preventivo, va *adj* [medicina, prisión] preventive; [medida] precautionary.

prever ⬦ *vt* - **1.** [conjeturar] to foresee - **2.** [planear] to plan - **3.** [predecir] to forecast. ⬦ *vi*: **como era de prever** as was to be expected.

previniera *etc* ⬥ **prevenir**.

previo, via *adj* prior; **previo pago de multa** on payment of a fine.

previó *etc* ⬥ **prever**.

previsible *adj* foreseeable.

previsión *sf* - **1.** [predicción] forecast - **2.** [visión de futuro] foresight - **3.** *Andes & R Plata* [social] social security.

previsor, ra *adj* prudent, farsighted.

previsto, ta ⬦ *pp* ⬥ **prever**. ⬦ *adj* [conjeturado] predicted; [planeado] planned.

prieto, ta *adj* - **1.** [ceñido] tight - **2.** *Cuba & Méx fam* [moreno] dark-skinned.

prima ⬥ **primo**.

primacía *sf* primacy; **tener primacía sobre algo** to take priority over sthg.

primar *vi*: **primar (sobre)** to have priority (over).

primario, ria *adj* primary; *fig* primitive.

primavera *sf* [estación] spring.

primaveral *adj* spring *(antes de s)*.

primer, primera ⬥ **primero**.

primerizo, za *sm, f* [principiante] beginner.

primero, ra ⬦ *num & adj (antes de sm sing: primer)* - **1.** [para ordenar] first; **el primero de mayo** the first of May - **2.** [en importancia] main, basic; **lo primero** the most important O main thing. ⬦ *num m y f* - **1.** [en orden]: **el primero** the first one; **llegó el primero** he came first; **es el primero de la clase** he's top of the class; **a primeros de mes** at the beginning of the month - **2.** [mencionado antes]: **vinieron Pedro y Juan, el primero con...** Pedro and Juan arrived, the former with... ➡ **primero** ⬦ *adv* - **1.** [en primer lugar] first - **2.** [antes, todo menos]: **primero morir que traicionarle** I'd rather die than betray him. ⬦ *sm* - **1.** [piso] first floor - **2.** [curso] first year. ➡ **primera** *sf* - **1.** AUTO first (gear) - **2.** AERON & FERROC first class - **3.** DEP first division - **4.** *loc*: **de primera** first-class, excellent.

primicia *sf* scoop, exclusive.

primitivo, va *adj* - **1.** [gen] primitive - **2.** [original] original.

primo, ma *sm, f* - **1.** [pariente] cousin; **primo hermano** first cousin - **2.** *fam* [tonto] sucker; **hacer el primo** to be taken for a ride. ➡ **prima** *sf* - **1.** [paga extra] bonus - **2.** [en un seguro] premium. ➡ **prima dona** *sf* prima donna.

primogénito, ta *adj & sm, f* first-born.

primor *sm* fine thing.

primordial *adj* fundamental.

primoroso, sa *adj* - **1.** [delicado] exquisite, fine - **2.** [hábil] skilful.

princesa *sf* princess.

principado *sm* principality.

principal *adj* main, principal; [puerta] front.

príncipe *sm* prince.

principiante ⬦ *adj* inexperienced. ⬦ *smf* novice.

principio *sm* - **1.** [comienzo] beginning, start; **a principios de** at the beginning of; **a principios de siglo** at the turn of the century; **en un principio** at first - **2.** [fundamento, ley] principle; **en principio** in principle; **por principio** on principle - **3.** [origen] origin, source - **4.** [elemento] element. ➡ **principios** *smpl* - **1.** [reglas de conducta] principles - **2.** [nociones] rudiments.

pringar *vt* - **1.** [ensuciar] to make greasy - **2.** [mojar] to dip.

pringoso, sa *adj* [grasiento] greasy; [pegajoso] sticky.

pringue *sm* [suciedad] muck, dirt; [grasa] grease.

priori ➡ **a priori** *loc adv* in advance, a priori.

prioridad *sf* priority; AUTO right of way.

prioritario, ria *adj* priority *(antes de s)*.

prisa sf haste, hurry; **correr prisa** to be urgent; **darse prisa** to hurry (up); **meter prisa a alguien** to hurry O rush sb; **tener prisa** to be in a hurry.

prisión sf - 1. [cárcel] prison - 2. [encarcelamiento] imprisonment.

prisionero, ra sm, f prisoner; **hacer prisionero a alguien** to take sb prisoner.

prisma sm - 1. FÍS & GEOM prism - 2. fig [perspectiva] perspective.

prismáticos smpl binoculars.

privación sf [gen] deprivation; [de libertad] loss.

privado, da adj private; **en privado** in private.

privar vt [quitar]: **privar a alguien/algo de** to deprive sb/sthg of. **privarse de** vprnl to go without.

privativo, va adj exclusive.

privilegiado, da adj - 1. [favorecido] privileged - 2. [excepcional] exceptional.

privilegiar vt [persona] to favour.

privilegio sm privilege.

pro ⬦ prep for, supporting; **una asociación pro derechos humanos** a human rights organization. ⬦ sm advantage; **los pros y los contras** the pros and cons. **en pro de** loc prep for, in support of.

proa sf NÁUT prow, bows pl; AERON nose.

probabilidad sf probability; **con toda probabilidad** in all probability; [oportunidad] chance.

probable adj probable, likely; **es probable que llueva** it'll probably rain.

probador sm fitting room.

probar ⬦ vt - 1. [demostrar, indicar] to prove - 2. [comprobar] to test, to check - 3. [experimentar] to try - 4. [degustar] to taste, to try. ⬦ vi: **probar a hacer algo** to try to do sthg. **probarse** vprnl [ropa] to try on.

probeta sf test tube.

problema sm problem.

problemático, ca adj problematic. **problemática** sf problems pl.

procedencia sf - 1. [origen] origin - 2. [punto de partida] point of departure; **con procedencia de** (arriving) from.

procedente adj - 1. [originario]: **procedente de** [gen] originating in; AERON & FERROC (arriving) from - 2. [oportuno] appropriate; DER right and proper.

proceder ⬦ sm conduct, behaviour. ⬦ vi - 1. [originarse]: **proceder de** to come from - 2. [actuar]: **proceder (con)** to act (with) - 3. [empezar]: **proceder (a algo/a hacer algo)** to proceed (with sthg/to do sthg) - 4. [ser oportuno] to be appropriate.

procedimiento sm - 1. [método] procedure, method - 2. DER proceedings pl.

procesado, da sm, f accused, defendant.

procesador sm INFORM processor; **procesador Pentium®** Pentium® processor; **procesador de textos** word processor.

procesar vt - 1. DER to prosecute - 2. INFORM to process.

procesión sf fig & RELIG procession.

proceso sm - 1. [gen] process - 2. [desarrollo, intervalo] course - 3. [DER - juicio] trial; [- causa] lawsuit.

proclama sf proclamation.

proclamar vt - 1. [nombrar] to proclaim - 2. [anunciar] to declare. **proclamarse** vprnl - 1. [nombrarse] to proclaim o.s. - 2. [conseguir un título]: **proclamarse campeón** to become champion.

proclive adj: **proclive a** prone to.

procreación sf procreation.

procrear vi to procreate.

procurador, ra sm, f DER attorney.

procurar vt - 1. [intentar]: **procurar hacer algo** to try to do sthg; **procurar que...** to make sure that... - 2. [proporcionar] to get, to secure. **procurarse** vprnl to get, to obtain (for o.s.)

prodigar vt: **prodigar algo a alguien** to lavish sthg on sb.

prodigio sm [suceso] miracle; [persona] prodigy.

prodigioso, sa adj - 1. [sobrenatural] miraculous - 2. [extraordinario] wonderful.

pródigo, ga adj [generoso] generous, lavish.

producción sf - 1. [gen & CINE] production - 2. [productos] products pl.

producir vt - 1. [gen & CINE] to produce - 2. [causar] to cause, to give rise to - 3. [interés, fruto] to yield, to bear. **producirse** vprnl [ocurrir] to take place.

productividad sf productivity.

productivo, va adj productive; [que da beneficio] profitable.

producto sm - 1. [gen & MAT] product; AGRIC produce (U); **producto acabado/manufacturado** finished/manufactured product; **producto de belleza** beauty product; **producto interior/nacional bruto** gross domestic/national product; **producto químico** chemical - 2. [ganancia] profit - 3. fig [resultado] result.

productor, ra ⬦ adj producing. ⬦ sm, f CINE [persona] producer. **productora** sf CINE [firma] production company.

proeza sf exploit, deed.

profanar vt to desecrate.

# #

profano, na ⬦ *adj* - **1.** [no sagrado] profane, secular - **2.** [ignorante] ignorant, uninitiated. ⬦ *sm, f* layman (*f* laywoman).

profecía *sf* [predicción] prophecy.

proferir *vt* to utter; [insultos] to hurl.

profesar *vt* - **1.** [una religión] to follow; [una profesión] to practise - **2.** [admiración etc] to profess.

profesión *sf* profession.

profesional *adj & smf* professional.

profesionista *smf Méx* professional.

profesor, ra *sm, f* [gen] teacher; [de universidad] lecturer; [de autoescuela, esquí etc] instructor.

profesorado *sm* [plantilla] teaching staff, faculty *US*; [profesión] teachers *pl*, teaching profession.

profeta *sm* prophet.

profetisa *sf* prophetess.

profetizar *vt* to prophesy.

profiera *etc* ⬦ **proferir.**

prófugo, ga *adj & sm, f* fugitive.

profundidad *sf lit & fig* depth; **en profundidad** in depth; **tiene dos metros de profundidad** it's two metres deep.

profundizar ⬦ *vt fig* to study in depth. ⬦ *vi* to go into detail; **profundizar en** to study in depth.

profundo, da *adj* - **1.** [gen] deep - **2.** *fig* [respeto, libro, pensamiento] profound, deep; [dolor] intense.

profusión *sf* profusion.

progenitor, ra *sm, f* father (*f* mother). ➤ **progenitores** *smpl* parents.

programa *sm* - **1.** [gen] programme - **2.** [de actividades] schedule, programme; [de estudios] syllabus - **3.** INFORM program.

programación *sf* - **1.** INFORM programming - **2.** TV scheduling; **la programación del lunes** Monday's programmes.

programador, ra *sm, f* [persona] programmer.

programar *vt* - **1.** [vacaciones, reforma etc] to plan - **2.** CINE & TV to put on, to show - **3.** TECNOL to programme; INFORM to program.

progre *fam smf* progressive.

progresar *vi* to progress.

progresión *sf* [gen & MAT] progression; [mejora] progress, advance; **progresión aritmética/geométrica** arithmetic/geometric progression.

progresista *adj & smf* progressive.

progresivo, va *adj* progressive.

progreso *sm* progress; **hacer progresos** to make progress.

prohibición *sf* ban, banning (*U*).

prohibido, da *adj* prohibited, banned; **'prohibido aparcar/fumar'** 'no parking/smoking', 'parking/smoking prohibited'; **'prohibida la entrada'** 'no entry'; **'dirección prohibida'** AUTO 'no entry'.

prohibir *vt* - **1.** [gen] to forbid; **prohibir a alguien hacer algo** to forbid sb to do sthg; **'se prohíbe el paso'** 'no entry' - **2.** [por ley - de antemano] to prohibit; [- a posteriori] to ban.

prohibitivo, va *adj* prohibitive.

prójimo *sm* fellow human being.

prole *sf* offspring.

proletariado *sm* proletariat.

proletario, ria *adj & sm, f* proletarian.

proliferación *sf* proliferation.

proliferar *vi* to proliferate.

prolífico, ca *adj* prolific.

prolijo, ja *adj* [extenso] long-winded.

prólogo *sm* [de libro] preface, foreword; *fig* prelude.

prolongación *sf* extension.

prolongado, da *adj* long; *fig* [dilatado] lengthy.

prolongar *vt* [gen] to extend; [espera, visita, conversación] to prolong; [cuerda, tubo] to lengthen.

promedio *sm* average; **como promedio** on average.

promesa *sf* [compromiso] promise; **hacer una promesa** to make a promise; **romper una promesa** to break a promise.

prometer ⬦ *vt* to promise. ⬦ *vi* [tener futuro] to show promise. ➤ **prometerse** *vprnl* to get engaged.

prometido, da ⬦ *sm, f* fiancé (*f* fiancée). ⬦ *adj* [para casarse] engaged.

prominente *adj* - **1.** [abultado] protruding - **2.** [elevado, ilustre] prominent.

promiscuo, cua *adj* promiscuous.

promoción *sf* - **1.** [gen & DEP] promotion - **2.** [curso] class, year.

promocionar *vt* to promote.

promotor, ra *sm, f* promoter; [de una rebelión] instigator; **promotor inmobiliario** COM real estate developer.

promover *vt* - **1.** [iniciar - fundación etc] to set up; [- rebelión] to stir up - **2.** [impulsar] to stimulate - **3.** [ocasionar] to cause - **4.** [ascender]: **promover a alguien a** to promote sb to.

promulgar *vt* [ley] to enact.

pronombre *sm* pronoun.

pronosticar *vt* to predict, to forecast.

pronóstico *sm* - **1.** [predicción] forecast; **pronóstico del tiempo** weather forecast - **2.** MED prognosis; **de pronóstico grave** serious, in a serious condition.

pronto, ta *adj* quick, fast; [respuesta] prompt, early; [curación, tramitación] speedy. ◆ **pronto** ◇ *adv* - **1.** [rápidamente] quickly; **tan pronto como** as soon as - **2.** [temprano] early; **salimos pronto** we left early - **3.** [dentro de poco] soon; **¡hasta pronto!** see you soon! ◇ *sm fam* sudden impulse. ◆ **al pronto** *loc adv* at first. ◆ **de pronto** *loc adv* suddenly. ◆ **por lo pronto** *loc adv* - **1.** [de momento] for the time being - **2.** [para empezar] to start with.

pronunciación *sf* pronunciation.

pronunciado, da *adj* [facciones] pronounced; [curva] sharp; [pendiente, cuesta] steep; [nariz] prominent.

pronunciamiento *sm* - **1.** [sublevación] uprising - **2.** DER pronouncement.

pronunciar *vt* - **1.** [decir - palabra] to pronounce; [- discurso] to deliver, to make - **2.** DER to pass. ◆ **pronunciarse** *vprnl* - **1.** [definirse]: **pronunciarse (sobre)** to state an opinion (on) - **2.** [sublevarse] to revolt.

propagación *sf* - **1.** [gen] spreading (U) - **2.** BIOL & FÍS propagation.

propaganda *sf* - **1.** [publicidad] advertising (U) - **2.** [política, religiosa] propaganda.

propagar *vt* to spread; [razas, especies] to propagate. ◆ **propagarse** *vprnl* - **1.** [gen] to spread - **2.** BIOL & FÍS to propagate.

propasarse *vprnl*: **propasarse (con algo)** to go too far (with sthg); **propasarse con alguien** [sexualmente] to take liberties with sb.

propensión *sf* propensity, tendency.

propenso, sa *adj*: **propenso a algo/a hacer algo** prone to sthg/doing sthg.

propicio, cia *adj* - **1.** [favorable] propitious, favourable - **2.** [adecuado] suitable, appropriate.

propiedad *sf* - **1.** [derecho] ownership; [bienes] property; **propiedad privada** private property; **propiedad pública** public ownership - **2.** [facultad] property - **3.** [exactitud] accuracy; **usar una palabra con propiedad** to use a word properly.

propietario, ria *sm, f* [de bienes] owner.

propina *sf* tip; **dar de propina** to tip.

propinar *vt* [paliza] to give; [golpe] to deal.

propio, pia *adj* - **1.** [gen] own; **tiene coche propio** she has a car of her own, she has her own car; **por tu propio bien** for your own good - **2.** [peculiar]: **propio de** typical O characteristic of; **no es propio de él** it's not like him - **3.** [apropiado]: **propio (para)** suitable O right (for) - **4.** [en persona] himself (f herself); **el propio compositor** the composer himself.

proponer *vt* to propose; [candidato] to put forward. ◆ **proponerse** *vprnl*: **proponerse hacer algo** to plan O intend to do sthg.

proporción *sf* - **1.** [gen & MAT] proportion; **en proporción a** in proportion to - **2.** (gen pl) [importancia] extent, size. ◆ **proporciones** *sfpl* [tamaño] size *sing*.

proporcionado, da *adj*: **proporcionado (a)** [estatura, sueldo] commensurate with; [medidas] proportionate (to); **bien proporcionado** well-proportioned.

proporcionar *vt* - **1.** [facilitar]: **proporcionar algo a alguien** to provide sb with sthg - **2.** *fig* [conferir] to lend, to add.

proposición *sf* [propuesta] proposal.

propósito *sm* - **1.** [intención] intention - **2.** [objetivo] purpose. ◆ **a propósito** ◇ *loc adj* [adecuado] suitable ◇ *loc adv* - **1.** [adrede] on purpose - **2.** [por cierto] by the way. ◆ **a propósito de** *loc prep* with regard to.

propuesta *sf* proposal; **a propuesta de** at the suggestion of; [de empleo] offer.

propuesto, ta *pp* ▷ **proponer**.

propugnar *vt* to advocate, to support.

propulsar *vt* - **1.** [impeler] to propel - **2.** *fig* [promover] to promote.

propulsión *sf* propulsion; **propulsión a chorro** jet propulsion.

propulsor, ra *sm, f* [persona] promoter. ◆ **propulsor** *sm* - **1.** [dispositivo] engine - **2.** [combustible] propellent.

propusiera *etc* ▷ **proponer**.

prórroga *sf* - **1.** [gen] extension; [de estudios, servicio militar] deferment - **2.** DEP extra time.

prorrogar *vt* [alargar] to extend; [aplazar] to defer, to postpone.

prorrumpir *vi*: **prorrumpir en** to burst into.

prosa *sf* LITER prose.

proscrito, ta ◇ *adj* [prohibido] banned. ◇ *sm, f* [desterrado] exile.

proseguir ◇ *vt* to continue. ◇ *vi* to go on, to continue.

prosiga *etc* ▷ **proseguir**.

prosiguiera *etc* ▷ **proseguir**.

prospección *sf* [gen] exploration; [petrolífera, minera] prospecting.

prospecto *sm* leaflet; COM & EDUC prospectus.

prosperar *vi* [mejorar] to prosper.

prosperidad *sf* - **1.** [mejora] prosperity - **2.** [éxito] success.

próspero, ra *adj* prosperous.

prostíbulo *sm* brothel.

prostitución *sf* [gen] prostitution.

prostituir *vt* lit & fig to prostitute. ◆ **prostituirse** *vprnl* to become a prostitute.

prostituta *sf* prostitute.

protagonista *sm, f* [gen] main character, hero (f heroine); TEATRO lead, leading role.

protagonizar *vt* - **1.** [obra, película] to play the lead in, to star in - **2.** *fig* [crimen] to be one of the main people responsible for; *fig* [hazaña] to play a leading part in.

protección *sf* protection; **bajo la protección de alguien** under the protection of sb; **protección de datos** INFORM data protection.

proteccionismo *sm* protectionism.

protector, ra ◇ *adj* protective. ◇ *sm, f* [persona] protector.

proteger *vt* [gen] to protect; **proteger algo de algo** to protect sthg from sthg. ◆ **protegerse** *vprnl* to take cover O refuge.

protegeslip *sm* panty pad O liner.

protegido, da *sm, f* protégé (f protégée).

proteína *sf* protein; **rico en proteínas** rich in protein.

prótesis *sf inv* MED prosthesis; [miembro] artificial limb.

protesta *sf* protest; DER objection.

protestante *adj & smf* Protestant.

protestar *vi* - **1.** [quejarse]: **protestar (por/contra)** to protest (about/against); **¡protesto!** DER objection! - **2.** [refunfuñar] to grumble.

protocolo *sm* - **1.** [gen & INFORM] protocol - **2.** [ceremonial] etiquette.

prototipo *sm* - **1.** [modelo] archetype - **2.** [primer ejemplar] prototype.

protuberancia *sf* protuberance, bulge.

provecho *sm* - **1.** [gen] benefit; **buen provecho** enjoy your meal!; **sacar provecho de** to make the most of, to take advantage of - **2.** [rendimiento] good effect.

provechoso, sa *adj* - **1.** [ventajoso] beneficial, advantageous - **2.** [lucrativo] profitable.

proveedor, ra *sm, f* supplier; **proveedor de servicios** service provider; **proveedor de acceso a Internet** Internet access provider.

proveer *vt* - **1.** [abastecer] to supply, to provide - **2.** [puesto, cargo] to fill. ◆ **proveerse de** *vprnl* - **1.** [ropa, víveres] to stock up on - **2.** [medios, recursos] to arm o.s. with.

provenir *vi*: **provenir de** to come from.

proverbial *adj* proverbial.

proverbio *sm* proverb.

providencia *sf* [medida] measure.

providencial *adj lit & fig* providential.

proviene *etc* ▷ **provenir**.

provincia *sf* [división administrativa] province. ◆ **provincias** *sfpl* [no la capital] the provinces.

provinciano, na *adj & sm, f despec* provincial.

proviniera *etc* ▷ **provenir**.

provisión *sf* - **1.** (gen pl) [suministro] supply, provision; [de una plaza] filling (U) - **2.** [disposición] measure.

provisional *adj* provisional.

provisorio, ria *adj Amér* provisional.

provisto, ta *pp* ▷ **proveer**.

provocación *sf* [hostigamiento] provocation.

provocar *vt* - **1.** [incitar] to incite; **provocar a alguien a hacer algo** [gen] to cause sb to do sthg, to make sb do sthg; [matar, luchar etc] to provoke sb to do sthg - **2.** [irritar] to provoke - **3.** [ocasionar - gen] to cause - **4.** [excitar sexualmente] to arouse - **5.**: **¿te provoca hacerlo?** *Caribe, Col & Méx* [te apetece] would you like to do it?

provocativo, va *adj* provocative.

próximamente *adv* soon, shortly; CINE coming soon.

proximidad *sf* [cercanía] closeness, proximity. ◆ **proximidades** *sfpl* - **1.** [de ciudad] surrounding area *sing* - **2.** [de lugar] vicinity *sing*.

próximo, ma *adj* - **1.** [cercano] near, close; **próximo a algo** close to sthg; [casa, ciudad] nearby; **en fecha próxima** shortly - **2.** [siguiente] next; **el próximo año** next year.

proyección *sf* - **1.** [gen & GEOM] projection - **2.** CINE screening - **3.** *fig* [trascendencia] importance.

proyectar *vt* - **1.** [dirigir - focos etc] to shine, to direct - **2.** [mostrar - película] to screen; [- sombra] to cast; [- diapositivas] to show - **3.** [planear - viaje, operación, edificio] to plan; [- puente, obra] to design - **4.** [arrojar] to throw forwards.

proyectil *sm* projectile, missile.

proyecto *sm* - **1.** [intención] project - **2.** [plan] plan - **3.** [diseño - ARQUIT] design; TECNOL plan - **4.** [borrador] draft; **proyecto de ley** bill - **5.** EDUC: **proyecto fin de carrera** *design project forming part of doctoral thesis for architecture students etc*; **proyecto de investigación** [de un grupo] research project; [de una persona] dissertation.

proyector, ra *adj* projecting. ◆ **proyector** *sm* [de cine, diapositivas] projector.

prudencia *sf* [cuidado] caution, care; [previsión, sensatez] prudence; [moderación] moderation; **con prudencia** in moderation.

prudente *adj* - **1.** [cuidadoso] careful, cautious; [previsor, sensato] sensible - **2.** [razonable] reasonable.

prueba ◇ *v* ▷ **probar**. ◇ *sf* - **1.** [demostración] proof; DER evidence, proof; **no tengo pruebas** I have no proof - **2.** [manifestación] sign, token; **en O como prueba de** in O as proof of - **3.** EDUC & MED test; **prueba de alcoholemia** Breathalyser®test; **prueba de acceso** entrance examination; **prueba de aptitud** aptitude test; **prueba del embarazo** pregnancy test - **4.** [comprobación] test; **a O de prue-**

ba [trabajador] on trial; [producto comprado] on approval; **poner a prueba** to (put to the) test - **5.** DEP event - **6.** IMPR proof.

PS (*abrev de post scriptum*) PS.

psicoanálisis, sicoanálisis *sm inv* psychoanalysis.

PSC *sf* (*abrev de* **Partido Conservador** o **Partido Social Conservador**) *Colombian political party*.

psicoanalista, sicoanalista *smf* psychoanalyst.

psicodélico, ca, sicodélico, ca *adj* psychedelic.

psicología, sicología *sf* lit & fig psychology.

psicológico, ca, sicológico, ca *adj* psychological.

psicólogo, ga, sicólogo, ga *sm, f* psychologist.

psicópata, sicópata *smf* psychopath.

psicosis, sicosis *sf inv* psychosis.

psicosomático, ca, sicosomático, ca *adj* psychosomatic.

psiquiatra, siquiatra *smf* psychiatrist.

psiquiátrico, ca, siquiátrico, ca *adj* psychiatric.

psíquico, ca, síquico, ca *adj* psychic.

PSOE [pe'soe] (*abrev de* **Partido Socialista Obrero Español**) *sm major Spanish political party to the centre-left of the political spectrum*.

pta. (*abrev de peseta*) pta.

púa *sf* - **1.** [de planta] thorn; [de erizo] quill; [de peine] tooth; [de tenedor] prong - **2.** MÚS plectrum.

pub [paβ] (*pl* **pubs**) *sm* bar.

pubertad *sf* puberty.

pubis *sm inv* pubes *pl*.

publicación *sf* publication; **publicación periódica** periodical.

publicar *vt* - **1.** [editar] to publish - **2.** [difundir] to publicize; [ley] to pass; [aviso] to issue.

publicidad *sf* - **1.** [difusión] publicity; **dar publicidad a algo** to publicize sthg - **2.** COM advertising; TV adverts *pl*, commercials *pl*.

publicitario, ria *adj* advertising (*antes de s*).

público, ca *adj* public; **ser público** [conocido] to be common knowledge; **en público** in public. ◆ **público** *sm* - **1.** CINE, TEATRO & TV audience; DEP crowd - **2.** [comunidad] public; **el gran público** the (general) public.

publirreportaje *sm* [anuncio de televisión] promotional film; [en revista] advertising spread.

pucha *interj Andes & R Plata fam* - **1.** [lamento, enojo] sugar! *UK*, shoot! *US* - **2.** [expresa sorpresa] wow! - **3.** [expresa enojo] damn!

puchero *sm* - **1.** [perola] cooking pot - **2.** [comida] stew. ◆ **pucheros** *smpl* [gesto] pout *sing*; **hacer pucheros** to pout.

pucho *sm C Sur fam* [colilla] cigarette butt; [cigarillo] cigarette.

pudding = **pudin**.

púdico, ca *adj* - **1.** [recatado] modest - **2.** [tímido] bashful.

pudiente *adj* wealthy.

pudiera *etc* ⊳ **poder**.

pudin (*pl* **púdines**), **pudding** ['puðiŋ] (*pl* **puddings**) *sm* (plum) pudding.

pudor *sm* - **1.** [recato] (sense of) shame - **2.** [timidez] bashfulness.

pudoroso, sa *adj* - **1.** [recatado] modest - **2.** [tímido] bashful.

pudrir *vt* - **1.** [descomponerse] to rot - **2.** [fastidiar] to be fed up. ◆ **pudrirse** *vprnl* to rot.

puebla *etc* ⊳ **poblar**.

pueblerino, na *adj* village (*antes de s*); *despec* provincial.

pueblo *sm* - **1.** [población - pequeña] village; [- grande] town - **2.** [nación] people.

pueda *etc* ⊳ **poder**.

puente *sm* - **1.** [gen] bridge; **puente peatonal** footbridge; **tender un puente** to build bridges - **2.** [días festivos]: **hacer puente** *to take an extra day off between two public holidays*. ◆ **puente aéreo** *sm* [civil] air shuttle; [militar] airlift.

puenting *sm* bungee-jumping.

puerco, ca ◇ *adj* filthy. ◇ *sm, f* [animal] pig (*f* sow).

puercoespín *sm* porcupine.

puericultor, ra *sm, f* nursery nurse.

pueril *adj fig* childish.

puerro *sm* leek.

puerta *sf* - **1.** [de casa] door; [de jardín, ciudad etc] gate; **de puerta en puerta** from door to door; **llamar a la puerta** to knock on the door; **puerta de embarque** boarding gate; **puerta blindada/vidriera** reinforced/glass door - **2.** *fig* [posibilidad] gateway, opening - **3.** DEP goalmouth - **4.** *loc*: **a las puertas de** on the verge of.

puerto *sm* - **1.** [de mar] port; **puerto deportivo** marina; **puerto franco** O **libre** free port; **puerto pesquero** fishing port - **2.** [de montaña] pass - **3.** INFORM port; **puerto paralelo/serie/USB** parallel/serial/USB port - **4.** *fig* [refugio] haven.

Puerto Rico *n pr* Puerto Rico.

pues *conj* - **1.** [dado que] since, as - **2.** [por lo tanto] therefore, so; **creo, pues, que...** so, I think that... - **3.** [así que] so; **querías verlo, pues**

ahí está you wanted to see it, so here it is - **4.** [enfático]: **¡pues ya está!** well, that's it!; **¡pues claro!** but of course!

puesto, ta ◇ *pp* ▷ **poner.** ◇ *adj*: **ir muy puesto** to be all dressed up. ◆ **puesto** *sm* - **1.** [lugar] place - **2.** [empleo] post, position; **puesto de trabajo** job - **3.** [en fila, clasificación etc] place - **4.** [tenderete] stall, stand - **5.** MIL post; **puesto de mando/vigilancia** command/sentry post; **puesto de policía** police station; **puesto de socorro** first-aid post. ◆ **puesta** *sf* [acción]: **puesta a punto** [de una técnica] perfecting; [de un motor] tuning; **puesta al día** updating; **puesta en escena** staging, production; **puesta en marcha** [de máquina] starting, start-up; [de acuerdo, proyecto] implementation; **puesta en práctica** implementation. ◆ **puesta de sol** *sf* sunset. ◆ **puesto que** *loc conj* since, as.

puf (*pl* **pufs**) *sm* pouf, pouffe.

púgil *sm* boxer.

pugna *sf* fight, battle.

pugnar *vi fig* [esforzarse]: **pugnar por** to struggle O fight for.

puja *sf* [en subasta - acción] bidding; [- cantidad] bid.

pujar ◇ *vi* [en subasta] to bid higher. ◇ *vt* to bid.

pulcro, cra *adj* neat, tidy.

pulga *sf* flea.

pulgada *sf* inch.

pulgar ▷ **dedo.**

pulgón *sm* aphid.

pulimentar *vt* to polish.

pulir *vt* to polish. ◆ **pulirse** *vprnl* [gastarse] to blow.

pulmón *sm* lung; **a pleno pulmón** [gritar] at the top of one's voice; [respirar] deeply; **tener buenos pulmones** to have a powerful voice.

pulmonía *sf* pneumonia.

pulpa *sf* pulp.

púlpito *sm* pulpit.

pulpo *sm* [animal] octopus.

pulsación *sf* [del corazón] beat, beating (*U*).

pulsador *sm* button, push button.

pulsar *vt* [botón, timbre etc] to press; [teclas de ordenador] to hit, to strike; [teclas de piano] to play; [cuerdas de guitarra] to pluck.

pulsera *sf* bracelet; **pulsera de tobillo** ankle bracelet.

pulso *sm* - **1.** [latido] pulse; **tomar el pulso a algo/alguien** *fig* to sound sthg/sb out - **2.** [firmeza]: **tener buen pulso** to have a steady hand; **a pulso** unaided; **ganarse algo a pulso** to deserve sthg.

pulular *vi* to swarm.

pulverizador, ra *adj* spray *(antes de s)*. ◆ **pulverizador** *sm* spray.

pulverizar *vt* - **1.** [líquido] to spray - **2.** [sólido] to reduce to dust; TECNOL to pulverize - **3.** *fig* [aniquilar] to pulverize.

puma *sm* puma.

punción *sf* puncture.

punta *sf* - **1.** [extremo - gen] point; [- de pan, pelo] end; [- de dedo, cuerno] tip; **de punta a punta** from one end to the other; **en punta** pointed; **en la otra punta de algo** at the other end of sthg; **sacar punta a (un lápiz)** to sharpen (a pencil); **a punta (de) pala** by the dozen O bucket; **tener algo en la punta de la lengua** *fig* to have sthg on the tip of one's tongue - **2.** [pizca] touch, bit; [de sal] pinch.

puntada *sf* [pespunte] stitch.

puntal *sm* [madero] prop; *fig* [apoyo] mainstay.

puntapié *sm* kick; **dar un puntapié a alguien** to kick sb; **tratar a alguien a puntapiés** *fig* to be nasty to sb.

puntear *vt* to pluck.

puntera ▷ **puntero.**

puntería *sf* - **1.** [destreza] marksmanship; **hacer puntería** to take aim - **2.** [orientación] aim.

puntero, ra ◇ *adj* leading. ◇ *sm, f* [líder] leader. ◆ **puntera** *sf* [de zapato] toecap.

puntiagudo, da *adj* pointed.

puntilla *sf* point lace; **dar la puntilla** *fig* to give the coup de grâce. ◆ **de puntillas** *loc adv* on tiptoe.

puntilloso, sa *adj* - **1.** [susceptible] touchy - **2.** [meticuloso] punctilious.

punto *sm* - **1.** [gen] point; **punto débil/fuerte** weak/strong point; *fig* backup, support; **punto culminante** high point; **puntos a tratar** matters to be discussed; **poner punto final a algo** to bring sthg to a close - **2.** [signo ortográfico] dot; **punto y coma** semi-colon; **puntos suspensivos** dots, suspension points; **dos puntos** colon - **3.** [marca] spot, dot - **4.** [lugar] spot, place; **punto de venta** COM point of sale - **5.** [momento] point, moment; **estar a punto** to be ready; **estar a punto de hacer algo** to be on the point of doing sthg - **6.** [estado] state, condition; **llegar a un punto en que...** to reach the stage where...; **estar en su punto** [gen] to be just right; [comida] to be done to a turn - **7.** [cláusula] clause - **8.** [puntada - en costura, cirugía] stitch; **punto de cruz** cross-stitch; **hacer punto** to knit; **un jersey de punto** a knitted jumper - **9.** [estilo de tejer] knitting; **punto de ganchillo** crochet - **10.** [objetivo] target. ◆ **en punto** *loc adv* on the dot. ◆ **hasta cierto punto** *loc adv* to some extent, up to a point. ◆ **punto de partida** *sm* starting point. ◆ **punto de vista** *sm* point

of view. **punto muerto** *sm* - **1.** AUTO neutral - **2.** [en un proceso] deadlock; **estar en un punto muerto** to be deadlocked.

puntuación *sf* - **1.** [calificación] mark; [en concursos, competiciones] score - **2.** [ortográfica] punctuation.

puntual *adj* - **1.** [en el tiempo] punctual; **ser puntual** to be on time - **2.** [exacto, detallado] detailed - **3.** [aislado] isolated, one-off.

puntualidad *sf* [en el tiempo] punctuality.

puntualizar *vt* to specify, to clarify.

puntuar ◇ *vt* - **1.** [calificar] to mark; DEP to award marks to - **2.** [escrito] to punctuate. ◇ *vi* - **1.** [calificar] to mark - **2.** [entrar en el cómputo]: **puntuar (para)** to count (towards).

punzada *sf* [dolor intenso] stabbing pain *(U)*; *fig* pang.

punzante *adj* - **1.** [que pincha] sharp - **2.** [intenso] sharp - **3.** [mordaz] caustic.

punzón *sm* punch.

puñado *sm* handful.

puñal *sm* dagger.

puñalada *sf* stab; [herida] stab wound.

puñeta ◇ *sf fam* [tontería]: **mandar a alguien a hacer puñetas** to tell sb to get lost; **en la quinta puñeta** in the back of beyond. ◇ *interj fam*: ¡**puñeta(s)!** damn it!

puñetazo *sm* punch; **lo derribó de un puñetazo** he knocked him to the ground.

puñetero, ra *fam* ◇ *adj* - **1.** [persona] damn; **tu puñetero marido** your damn husband - **2.** [cosa] tricky. ◇ *sm, f* pain.

puño *sm* - **1.** [mano cerrada] fist; **de su puño y letra** in his/her own handwriting; **meter O tener a alguien en un puño** to have sb under one's thumb - **2.** [de manga] cuff - **3.** [empuñadura - de espada] hilt; [- de paraguas] handle.

pupila *sf* pupil.

pupilo, la *sm, f* [discípulo] pupil.

pupitre *sm* desk.

puré *sm* CULIN purée; [sopa] thick soup; **puré de patatas** mashed potatoes *pl*; **hacer puré a alguien** to beat sb to a pulp.

pureza *sf* purity.

purga *sf fig* [depuración] purge.

purgante *adj* & *sm* purgative.

purgar *vt lit* & *fig* to purge.

purgatorio *sm* purgatory.

purificar *vt* to purify; [mineral, metal] to refine.

puritano, na *adj* & *sm, f* puritan.

puro, ra *adj* - **1.** [gen] pure; [oro] solid - **2.** [conducta, persona] chaste, innocent - **3.** [mero] sheer; [verdad] plain; **por pura casualidad** by pure chance. **puro** *sm* cigar.

púrpura ◇ *adj inv* purple. ◇ *sm* purple.

pus *sm* pus.

pusilánime *adj* cowardly.

puso ▷ **poner**.

puta ◇ *adj* ▷ **puto**. ◇ *sf vulg* whore; **ir de putas** to go whoring; **de puta madre** fucking brilliant.

puto, ta *adj vulg* [maldito] bloody. **puto** *sm vulg* male prostitute.

putrefacción *sf* rotting, putrefaction.

puzzle ['puθle], **puzle** *sm* jigsaw puzzle.

PVP *(abrev de precio de venta al público) sm* ≃ RRP.

PYME *(abrev de Pequeña y Mediana Empresa) sf* SME.

pyrex® = **pírex**.

pza. *(abrev de plaza)* Sq.

q, Q *sf* [letra] q, Q.

q.e.p.d. *(abrev de que en paz descanse)* RIP.

que ◇ *pron relat* - **1.** *(sujeto)* [persona] who, that; [cosa] that, which; **la mujer que me saluda** the woman (who O that is) waving to me; **el que me lo compró** the one who bought it from me; **la moto que me gusta** the motorbike (that) I like - **2.** *(complemento directo)* [persona] whom, that; [cosa] that, which; **el hombre que conociste ayer** the man (whom O that) you met yesterday; **ese coche es el que me quiero comprar** that car is the one (that O which) I want to buy - **3.** *(complemento indirecto)*: **al/a la que** (to) whom; **ese es el chico al que presté dinero** that's the boy to whom I lent some money - **4.** *(complemento circunstancial)*: **la playa a la que fui** the beach where O to which I went; **la mujer con la que hablas** the woman to whom you are talking; **la mesa sobre la que escribes** the table on which you are writing - **5.** *(complemento de tiempo)*: **(en) que** when; **el día (en) que me fui** the day (when) I left. ◇ *conj* - **1.** *(con oraciones de sujeto)* that; **es importante que me escuches** it's important that you listen to me - **2.** *(con oraciones de complemento directo)* that; **me ha confesado que me quiere** he has told me that he loves me - **3.** *(compar)* than; **es más rápido**

que tú he's quicker than you; **antes morir que vivir la guerra** I'd rather die than live through a war - **4.** [expresa causa]: **hemos de esperar, que todavía no es la hora** we'll have to wait, as it isn't time yet - **5.** [expresa consecuencia] that; **tanto me lo pidió que se lo di** he asked me for it so insistently that I gave it to him - **6.** [expresa finalidad] so (that); **ven aquí que te vea** come over here so (that) I can see you - **7.** (+ subjuntivo) [expresa deseo] that; **quiero que lo hagas** I want you to do it; **espero que te diviertas** I hope (that) you have fun - **8.** (en oraciones exclamativas): **¡que te diviertas!** have fun!; **¡que te doy un bofetón!** do that again and I'll slap you! - **9.** (en oraciones interrogativas): **¿que quiere venir? pues que venga** so she wants to come? then let her - **10.** [expresa disyunción] or; **quieras que no, harás lo que yo mando** you'll do what I tell you, whether you like it or not - **11.** [expresa hipótesis] if; **que no quieres hacerlo, pues no pasa nada** it doesn't matter if you don't want to do it - **12.** [expresa reiteración] and; **estaban charla que charla** they were talking and talking.

qué ◇ adj [gen] what; [al elegir, al concretar] which; **¿qué hora es?** what's the time?; **¿qué coche prefieres?** which car do you prefer?; **¿a qué distancia?** how far away? ◇ pron (interrogativo) what; **¿qué te dijo?** what did he tell you?; **no sé qué hacer** I don't know what to do; **¿qué?** [¿cómo?] sorry?, pardon? ◇ adv - **1.** [exclamativo] how; **¡qué horror!** how awful!; **¡qué tonto eres!** how stupid you are!, you're so stupid!; **¡qué casa más bonita!** what a lovely house!; **¡y qué!** so what? - **2.** [expresa gran cantidad]: **¡qué de...!** what a lot of...!; **¡qué de gente hay aquí!** what a lot of people there are here!, there are so many people here!

quebradero ➡ **quebradero de cabeza** sm headache, problem.

quebradizo, za adj - **1.** [frágil] fragile, brittle - **2.** [débil] frail - **3.** [voz] weak.

quebrado, da adj [terreno] rough, uneven; [perfil] rugged.

quebrantar vt - **1.** [incumplir - promesa, ley] to break; [- obligación] to fail in - **2.** [debilitar] to weaken; [moral, resistencia] to break. ➡ **quebrantarse** vprnl [debilitarse] to deteriorate.

quebranto sm [debilitamiento] weakening, debilitation.

quebrar ◇ vt [romper] to break. ◇ vi FIN to go bankrupt. ➡ **quebrarse** vprnl - **1.** [romperse] to break - **2.** [voz] to break, to falter.

quechua sm [idioma] Quechua.

quedar vi - **1.** [permanecer] to remain, to stay - **2.** [haber aún, faltar] to be left, to remain; **¿queda azúcar?** is there any sugar left?; **nos quedan 10 euros** we have 10 euros left; **¿cuánto queda para León?** how much further is it to

León?; **quedar por hacer** to remain to be done; **queda por fregar el suelo** the floor has still to be cleaned - **3.** [mostrarse]: **quedar como** to come across as; **quedar bien/mal (con alguien)** to make a good/bad impression (on sb) - **4.** [llegar a ser, resultar]: **el trabajo ha quedado perfecto** the job turned out perfectly; **el cuadro queda muy bien ahí** the picture looks great there - **5.** [acabar]: **quedar en** to end in; **quedar en nada** to come to nothing - **6.** [sentar] to look; **te queda un poco corto el traje** your suit is a bit too short; **quedar bien/mal a alguien** to look good/bad on sb; **quedar bien/mal con algo** to go well/badly with sthg - **7.** [citarse]: **quedar (con alguien)** to arrange to meet (sb); **hemos quedado el lunes** we've arranged to meet on Monday - **8.** [acordar]: **quedar en algo/en hacer algo** to agree on sthg/to do sthg; **quedar en que...** to agree that...; **¿en qué quedamos?** what's it to be, then? - **9.** fam [estar situado] to be; **¿por dónde queda?** whereabouts is it? ➡ **quedarse** vprnl - **1.** [permanecer - en un lugar] to stay, to remain - **2.** [terminar - en un estado]: **quedarse ciego/sordo** to go blind/deaf; **quedarse triste** to be O feel sad; **quedarse sin dinero** to be left penniless; **la pared se ha quedado limpia** the wall is clean now - **3.** [comprar] to take; **me quedo éste** I'll take this one. ➡ **quedarse con** vprnl - **1.** [retener, guardarse] to keep - **2.** [preferir] to go for, to prefer.

quedo, da adj quiet, soft. ➡ **quedo** adv quietly, softly.

quehacer (gen pl) sm task; **quehaceres domésticos** housework (U).

queja sf - **1.** [lamento] moan, groan - **2.** [protesta] complaint; **presentar una queja** to lodge O make a complaint.

quejarse vprnl - **1.** [lamentar] to groan, to cry out; **quejarse de algo/alguien** to bemoan sthg/sb - **2.** [protestar] to complain; **quejarse de** to complain about.

quejica despec adj whining, whingeing.

quejido sm cry, moan.

quejoso, sa adj: **quejoso (de)** annoyed O upset (with).

quemado, da adj - **1.** [gen] burnt; **oler a quemado** to smell burning; [por agua hirviendo] scalded; [por electricidad] burnt-out; [fusible] blown - **2.** [por sol] sunburnt - **3.** Amér [bronceado] tanned - **4.** loc: **estar quemado** [agotado] to be burnt-out; [harto] to be fed up.

quemador sm burner.

quemadura sf [por fuego] burn; **quemadura en tercer grado** third-degree burning; [por agua hirviendo] scald.

quemar ◇ vt - **1.** [gen] to burn; [suj: agua hirviendo] to scald; [suj: electricidad] to blow - **2.** fig [malgastar] to fritter away - **3.** fig [desgastar] to

burn out - **4.** *fig* [hartar] to make fed up. ◇ *vi* [estar caliente] to be (scalding) hot. ◆ **quemarse** *vprnl* - **1.** [por fuego] to burn down; [por agua hirviendo] to get scalded; [por calor] to burn; [por electricidad] to blow - **2.** [por el sol] to get burned - **3.** *fig* [desgastarse] to burn out - **4.** *fig* [hartarse] to get fed up.

quemarropa ◆ **a quemarropa** *loc adv* point-blank.

quemazón *sf* burning; [picor] itch.

quepa *etc* ▷ **caber**.

querella *sf* - **1.** DER [acusación] charge; **presentar una querella contra alguien** to bring an action against sb - **2.** [discordia] dispute.

querer ◇ *vt* - **1.** [gen] to want; **quiero una bicicleta** I want a bicycle; **¿quieren ustedes algo más?** would you like anything else?; **querer que alguien haga algo** to want sb to do sthg; **quiero que lo hagas tú** I want you to do it; **querer que pase algo** to want sthg to happen; **queremos que las cosas te vayan bien** we want things to go well for you; **quisiera hacerlo, pero...** I'd like to do it, but... - **2.** [amar] to love - **3.** [en preguntas - con amabilidad]: **¿quiere decirle a su amigo que pase?** could you tell your friend to come in, please? - **4.** [pedir - precio]: **querer algo (por)** to want sthg (for); **¿cuánto quieres por el coche?** how much do you want for the car? - **5.** *fig & irón* [dar motivos para]: **tú lo que quieres es que te pegue** you're asking for a smack. - **6.** *loc*: **como quien no quiere la cosa** as if it were nothing; **quien bien te quiere te hará llorar** *prov* you have to be cruel to be kind *prov*. ◇ *vi* to want; **ven cuando quieras** come whenever you like *O* want; **no me voy porque no quiero** I'm not going because I don't want to; **queriendo** on purpose; **sin querer** accidentally; **querer decir** to mean; **¿qué quieres decir con eso?** what do you mean by that?; **querer es poder** where there's a will there's a way. ◇ *v impers* [haber atisbos]: **parece que quiere llover** it looks like rain. ◇ *sm* love. ◆ **quererse** *vprnl* to love each other.

querido, da ◇ *adj* dear. ◇ *sm, f* lover; [apelativo afectuoso] darling.

quesadilla *sf* *Amér C & Méx* filled fried tortilla.

queso *sm* cheese; **queso gruyère/parmesano/roquefort** Gruyère/Parmesan/Roquefort (cheese); **queso de bola** Dutch cheese; **queso manchego** hard mild yellow cheese made in La Mancha; **queso para untar** cheese spread; **queso rallado** grated cheese; **dárselas con queso a alguien** to fool sb.

quicio *sm* jamb; **estar fuera de quicio** *fig* to be out of kilter; **sacar de quicio a alguien** *fig* to drive sb mad.

quiebra *sf* - **1.** [ruina] bankruptcy; **ir a la quiebra** to go bankrupt; [en bolsa] crash; **quiebra fraudulenta** DER fraudulent bankruptcy - **2.** *fig* [pérdida] collapse.

quiebro *sm* [ademán] swerve.

quien *pron* - **1.** *(relativo)* [sujeto] who; [complemento] whom; **fue mi hermano quien me lo explicó** it was my brother who explained it to me; **era Pepe a quien vi/de quien no me fiaba** it was Pepe (whom) I saw/didn't trust - **2.** *(indefinido)*: **quienes quieran verlo que se acerquen** whoever wants to see it will have to come closer; **hay quien lo niega** there are those who deny it - **3.** *loc*: **quien más quien menos** everyone.

quién *pron (interrogativo)* [sujeto] who; [complemento] who, whom; **¿quién es ese hombre?** who's that man?; **no sé quién viene** I don't know who is coming; **¿a quiénes has invitado?** who *O* whom have you invited?; **¿de quién es?** whose is it?; **¿quién es?** [en la puerta] who is it?; [al teléfono] who's calling?

quienquiera *(pl quienesquiera) pron* whoever; **quienquiera que venga** whoever comes.

quiera *etc* ▷ **querer**.

quieto, ta *adj* [parado] still; **¡estáte quieto!** keep still!; **¡quieto ahí!** don't move!

quietud *sf* - **1.** [inmovilidad] stillness - **2.** [tranquilidad] quietness.

quijada *sf* jaw.

quijotesco, ca *adj* quixotic.

quilate *sm* carat.

quilla *sf* NÁUT keel.

quilo *etc* = **kilo**.

quilombo *sm* - **1.** *mfam* [prostíbulo] whorehouse - **2.** *mfam* [lío] mess.

quimera *sf* fantasy.

quimérico, ca *adj* fanciful.

químico, ca ◇ *adj* chemical. ◇ *sm, f* [científico] chemist. ◆ **química** *sf* [ciencia] chemistry.

quina *sf* [bebida] quinine.

quincalla *sf* trinket.

quince *num* fifteen; **quince días** a fortnight; *ver también* **seis**.

quinceañero, ra *sm, f* teenager.

quinceavo, va *num* fifteenth.

quincena *sf* fortnight.

quincenal *adj* fortnightly.

quincuagésimo, ma *num* fiftieth.

quiniela *sf* [boleto] pools coupon. ◆ **quinielas** *sfpl* [apuestas] (football) pools; **jugar a las quinielas** to play the pools. ◆ **quiniela hípica** *sf* sweepstake.

quinientos, tas *num* five hundred; *ver también* **seis**.

quinina *sf* quinine.

quinqué *sm* oil lamp.

quinquenio *sm* [periodo] five-year period.

quinqui *smf fam* delinquent.

quinta ⊳ **quinto**.

quinteto *sm* quintet.

quinto, ta *num* fifth. ➤ **quinto** *sm*
- 1. [parte] fifth - 2. MIL recruit. ➤ **quinta** *sf*
- 1. [finca] country house - 2. MIL call-up year.

quintuplicar *vt* to increase fivefold.
➤ **quintuplicarse** *vprnl* to increase five-
fold.

quiosco, kiosco *sm* kiosk; [de periódicos]
newspaper stand; **quiosco de música** band-
stand.

quiosquero, ra *sm, f* owner of a newspaper
stand.

quirófano *sm* operating theatre.

quiromancia *sf* palmistry, chiromancy.

quiromasaje *sm* (manual) massage.

quirúrgico, ca *adj* surgical.

quisiera *etc* ⊳ **querer**.

quisque *sm*: **cada O todo quisque** every man
Jack.

quisquilloso, sa *adj* - 1. [detallista] pernick-
ety - 2. [susceptible] touchy.

quiste *sm* cyst.

quitaesmalte *sm* nail-polish remover.

quitaipón ➤ **de quitaipón** *loc adj* remov-
able; [capucha] detachable.

quitamanchas *sm inv* stain remover.

quitanieves *sm inv* snow plough.

quitar *vt* - 1. [gen] to remove; [ropa, zapatos
etc] to take off; **quitarle algo a alguien** to take
sthg away from sb; **de quita y pon** remov-
able; [capucha] detachable - 2. [dolor, ansiedad]
to take away, to relieve; [sed] to quench
- 3. [tiempo] to take up - 4. [robar] to take, to
steal - 5. [impedir]: **esto no quita que sea un
vago** that doesn't change the fact that he's
a layabout - 6. [exceptuar]: **quitando el queso,
me gusta todo** apart from cheese, I'll eat any-
thing - 7. [desconectar] to switch off. ➤ **qui-
tarse** *vprnl* - 1. [apartarse] to get out of the
way - 2. [ropa] to take off - 3. [suj: mancha] to
come out - 4. *loc*: **quitarse a alguien de encima
O de en medio** to get rid of sb.

quitasol *sm* sunshade UK, parasol.

quite *sm* DEP parry; **estar al quite** to be on
hand to help.

Quito *n pr* Quito.

quizá, quizás *adv* perhaps; **quizá llueva ma-
ñana** it might rain tomorrow; **quizá no lo
creas** you may not believe it; **quizá sí** maybe;
quizá no maybe not.

R

r, R *sf* [letra] r, R.

rábano *sm* radish; **coger el rábano por las ho-
jas** to get the wrong end of the stick; **me im-
porta un rábano** I couldn't care less, I don't
give a damn.

rabí *sm* rabbi.

rabia *sf* - 1. [ira] rage; **me da rabia** it makes me
mad - 2. [enfermedad] rabies.

rabiar *vi* - 1. [sufrir] to writhe in pain - 2. [en-
fadarse] to be furious.

rabieta *sf fam* tantrum; **tener una rabieta** to
throw a tantrum.

rabillo *sm* corner; **mirar algo con el rabillo del
ojo** to look at sthg out of the corner of one's
eye.

rabioso, sa *adj* - 1. [furioso] furious - 2. [exce-
sivo] terrible - 3. [enfermo de rabia] rabid
- 4. [chillón] loud, gaudy.

rabo *sm* - 1. [de animal] tail; **rabo de buey** ox-
tail; **irse O salir con el rabo entre las piernas**
to go off with one's tail between one's legs
- 2. [de hoja, fruto] stem.

rácano, na *fam adj* [tacaño] mean, stingy.

RACE (*abrev de* **Real Automóvil Club de Espa-
ña**) *sm Spanish automobile association*, ≃ AA
UK, ≃ AAA US.

racha *sf* - 1. [ráfaga] gust (of wind) - 2. [época]
spell; [serie] string; **buena/mala racha** good/
bad patch; **a rachas** in fits and starts.

racial *adj* racial.

racimo *sm* - 1. [de frutos] bunch - 2. [de flores]
raceme.

raciocinio *sm* [razón] (power of) reason.

ración *sf* - 1. [porción] portion - 2. [en bar, res-
taurante] *large portion of a dish served as a
snack*.

racional *adj* rational.

racionalizar *vt* to rationalize.

racionar *vt* to ration.

racismo *sm* racism.

racista *adj & smf* racist.

radar (*pl* **radares**) *sm* radar.

radiación *sf* radiation.

radiactivo, va, radioactivo, va *adj* radio-
active.

radiador *sm* radiator.

radiante *adj* radiant; **lucía un sol radiante** it
was brilliantly sunny.

radiar *vt* - **1.** [irradiar] to radiate - **2.** [por radio] to broadcast.

radical *adj & smf* radical.

radicar *vi*: radicar en [suj: problema etc] to lie in; [suj: población] to be (situated) in. ➤ **radicarse** *vprnl* [establecerse]: radicarse (en) to settle (in).

radio ◇ *sm* - **1.** ANAT & GEOM radius - **2.** [de rueda] spoke - **3.** QUÍM radium. ◇ *sf* radio; **oír algo por la radio** to hear sthg on the radio; **oír algo por radio macuto** *fam* to hear sthg on the bush telegraph; **radio digital** digital radio; **radio por Internet** Internet radio; **radio pirata** pirate radio station.

radioactivo = **radiactivo**.

radioaficionado, da *sm, f* radio ham.

radiocasete *sm* radio cassette (player).

radiocontrol *sm* remote control.

radiodespertador *sm* clock radio.

radiodifusión *sf* broadcasting.

radioescucha *smf inv* listener.

radiofónico, ca *adj* radio (antes de s).

radiografía *sf* [fotografía] X-ray; **hacerse una radiografía** to be X-rayed; [ciencia] radiography.

radionovela *sf* radio soap opera.

radiorreloj *sm* clock radio.

radiotaxi *sm* taxi (with radio link).

radioteléfono *sm* radiotelephone.

radioterapia *sf* radiotherapy.

radioyente *smf* listener.

RAE (abrev de Real Academia Española) *sf* institution that sets lexical and syntactic standards for Spanish.

raer *vt* to scrape (off).

ráfaga *sf* [de aire, viento] gust; [de disparos] burst; [de luces] flash.

raído, da *adj* threadbare; [por los bordes] frayed.

raigambre *sf* [tradición] tradition.

raíl, rail *sm* rail.

raíz (pl raíces) *sf* [gen & MAT] root; **raíz cuadrada/cúbica** square/cube root; **a raíz de** as a result of, following; **echar raíces** to put down roots.

raja *sf* - **1.** [porción] slice - **2.** [grieta] crack.

rajar *vt* - **1.** [partir] to crack; [melón] to slice - **2.** *mfam* [apuñalar] to slash. ➤ **rajarse** *vprnl* - **1.** [partirse] to crack - **2.** *fam* [echarse atrás] to chicken out.

rajatabla ➤ **a rajatabla** *loc adv* to the letter, strictly.

ralentí *sm* neutral.

rallado, da *adj* grated.

rallador *sm* grater.

ralladura (gen pl) *sf* grating.

rallar *vt* to grate.

rally ['rali] (pl rallies) *sm* rally.

RAM (abrev de random access memory) *sf* INFORM RAM.

rama *sf* branch; **andarse por las ramas** *fam* to beat about the bush; **irse por las ramas** *fam* to go off at a tangent.

ramaje *sm* branches pl.

ramal *sm* [de carretera, ferrocarril] branch.

ramalazo *sm* - **1.** *fam* [hecho que delata] giveaway sign; **tener un ramalazo** *fam* to be effeminate - **2.** [ataque] fit.

rambla *sf* - **1.** [avenida] avenue, boulevard - **2.** R Plata [paseo marítimo] seafront.

ramera *sf* whore, hooker US.

ramificación *sf* - **1.** [gen] ramification - **2.** [de carretera, ferrocarril, ciencia] branch.

ramificarse *vprnl* - **1.** [bifurcarse] to branch out - **2.** [subdividirse]: ramificarse (en) to subdivide (into).

ramillete *sm* bunch, bouquet.

ramo *sm* - **1.** [de flores] bunch, bouquet - **2.** [rama] branch; **el ramo de la construcción** the building industry.

rampa *sf* - **1.** [para subir y bajar] ramp - **2.** [cuesta] steep incline.

rana *sf* frog.

ranchero, ra *sm, f* rancher. ➤ **ranchera** *sf* - **1.** MÚS popular Mexican song - **2.** AUTO estate car.

rancho *sm* - **1.** [comida] mess - **2.** [granja] ranch - **3.** loc: hacer rancho aparte to keep to o.s. - **4.** C Sur & Ven [choza] shack, shanty; Ven [chabola] shanty town.

rancio, cia *adj* - **1.** [pasado] rancid - **2.** [antiguo] ancient - **3.** [añejo - vino] mellow.

rango *sm* - **1.** [social] standing - **2.** [jerárquico] rank.

ranking ['rankin] (pl rankings) *sm* ranking.

ranura *sf* groove; [de máquina tragaperras, cabina telefónica] slot.

rapaces ▷ **rapaz**.

rapapolvo *sm fam* ticking-off; **dar O echar un rapapolvo a alguien** to tick sb off.

rapar *vt* [barba, bigote] to shave off; [cabeza] to shave; [persona] to shave the hair of.

rapaz, za *sm, f fam* lad (f lass). ➤ **rapaz** *adj* - **1.** [que roba] rapacious, greedy - **2.** ZOOL ▷ **ave**. ➤ **rapaces** *sfpl* ZOOL birds of prey.

rape *sm* monkfish; **cortar el pelo al rape a alguien** to crop sb's hair.

rapé *sm* (en aposición invariable) snuff.

rapero, ra *sm, f* rapper.

rápidamente *adv* quickly.

rapidez *sf* speed.

rápido, da *adj* quick, fast; [coche] fast; [beneficio, decisión] quick. ► **rápido** ◇ *adv* quickly; **más rápido** quicker; **¡ven, rápido!** come, quick! ◇ *sm* [tren] express train. ► **rápidos** *smpl* [de río] rapids.

rapiña *sf* [robo] robbery with violence.

rapsodia *sf* rhapsody.

raptar *vt* to abduct, to kidnap.

rapto *sm* - **1.** [secuestro] abduction, kidnapping - **2.** [ataque] fit.

raqueta *sf* [para jugar - al tenis] racquet; [- al ping pong] bat.

raquítico, ca *adj* - **1.** MED rachitic - **2.** [insuficiente] miserable.

rareza *sf* - **1.** [poco común, extraño] rarity - **2.** [extravagancia] eccentricity.

raro, ra *adj* - **1.** [extraño] strange; **¡qué raro!** how odd *O* strange! - **2.** [excepcional] unusual, rare; [visita] infrequent - **3.** [extravagante] odd, eccentric - **4.** [escaso] rare; **rara vez** rarely.

ras *sm*: **a ras de** level with; **a ras de tierra** at ground level; **volar a ras de tierra** to fly low.

rasante *sf* [de carretera] gradient.

rascacielos *sm inv* skyscraper.

rascar ◇ *vt* - **1.** [con uñas, clavo] to scratch - **2.** [con espátula] to scrape (off); [con cepillo] to scrub. ◇ *vi* to be rough. ► **rascarse** *vprnl* to scratch o.s.

rasgar *vt* to tear; [sobre] to tear open.

rasgo *sm* - **1.** [característica] trait, characteristic - **2.** [trazo] flourish, stroke. ► **rasgos** *smpl* - **1.** [del rostro] features - **2.** [letra] handwriting (U). ► **a grandes rasgos** *loc adv* in general terms.

rasguear *vt* to strum.

rasguñar *vt* to scratch.

rasguño *sm* scratch.

raso, sa *adj* - **1.** [cucharada etc] level - **2.** [a poca altura] low - **3.** MIL: **soldado raso** private. ► **raso** *sm* [tela] satin.

raspa *sf* backbone (of fish).

raspadura *sf* (gen pl) scraping; [señal] scratch.

raspar *vt* - **1.** [rascar] to scrape (off) - **2.** [rasar] to graze, to shave. ► **rasparse** *vprnl* to scratch o.s.

rasposo, sa *adj* rough.

rastras ► **a rastras** *loc adv*: **llevar algo/a alguien a rastras** *lit & fig* to drag sthg/sb along.

rastreador, ra *sm, f* tracker.

rastrear *vt* [seguir las huellas de] to track.

rastrero, ra *adj* despicable.

rastrillo *sm* - **1.** [en jardinería] rake - **2.** [mercado] flea market; [benéfico] jumble sale - **3.** *Méx* [para afeitarse] safety razor.

rastro *sm* - **1.** [pista] trail; **perder el rastro de alguien** to lose track of sb; **sin dejar rastro** without trace - **2.** [vestigio] trace - **3.** [mercado] flea market.

rastrojo *sm* stubble.

rasurar *vt* to shave. ► **rasurarse** *vprnl* to shave.

rata *sf* rat.

ratero, ra *sm, f* petty thief.

ratificar *vt* to ratify. ► **ratificarse en** *vprnl* to stand by.

rato *sm* while; **estuvimos hablando mucho rato** we were talking for quite a while; **al poco rato (de)** shortly after; **pasar el rato** to kill time, to pass the time; **pasar un mal rato** to have a hard time of it; **ratos libres** spare time (U); **a ratos** at times; **un rato (largo)** *fig* really, terribly.

ratón *sm* [gen & INFORM] mouse.

ratonera *sf* - **1.** [para ratas] mousetrap - **2.** *fig* [trampa] trap.

raudal *sm* - **1.** [de agua] torrent - **2.** *fig* [montón] abundance; [de lágrimas] flood; [de desgracias] string; **a raudales** in abundance, by the bucket.

ravioli *(gen pl)* *sm* ravioli (U).

raya *sf* - **1.** [línea] line; [en tejido] stripe; **a rayas** striped - **2.** [del pelo] parting; **hacerse la raya** to part one's hair - **3.** [de pantalón] crease - **4.** *fig* [límite] limit; **pasarse de la raya** to overstep the mark; **mantener** *O* **tener a raya a alguien** to keep sb in line - **5.** [señal - en disco, pintura etc] scratch - **6.** [pez] ray - **7.** [guión] dash.

rayado, da *adj* - **1.** [a rayas - tela] striped; [- papel] ruled - **2.** [estropeado] scratched. ► **rayado** *sm* [rayas] stripes *pl*.

rayar ◇ *vt* - **1.** [marcar] to scratch - **2.** [trazar rayas] to rule lines on. ◇ *vi* - **1.** [aproximarse]: **rayar en algo** to border on sthg; **raya en los cuarenta** he's pushing forty - **2.** [alba] to break. ► **rayarse** *vprnl* to get scratched.

rayo *sm* - **1.** [de luz] ray; **rayo solar** sunbeam - **2.** FÍS beam, ray; **rayo láser** laser beam; **rayos infrarrojos/ultravioleta/uva** infrared/ultraviolet/UVA rays; **rayos X** X-rays; **caer como un rayo** *fig* to be a bombshell - **3.** METEOR bolt of lightning; **rayos** lightning (U).

rayón *sm* rayon.

rayuela *sf* hopscotch.

raza *sf* - **1.** [humana] race; **raza humana** human race - **2.** [animal] breed - **3.** *Perú fam* [cara] cheek, nerve.

razón *sf* - **1.** [gen] reason; **con razón no vino** no wonder he didn't come; **dar la razón a alguien** to say that sb is right; **en razón de** *O* **a** in view of; **razón de ser** raison d'être; **tener razón (en hacer algo)** to be right (to do sthg); **no tener razón** to be wrong; **razón de más pa-**

ra hacer algo all the more reason to do sthg; y con razón and quite rightly so - 2. [información]: se vende piso: razón aquí flat for sale: enquire within; dar razón de to give an account of - 3. MAT ratio. ◆ a razón de loc adv at a rate of.

razonable adj reasonable.

razonamiento sm reasoning (U).

razonar ◇ vt [argumentar] to reason out. ◇ vi [pensar] to reason.

RDSI (abrev de Red Digital de Servicios Integrados) sf INFORM ISDN.

re sm MÚS D; [en solfeo] re.

reacción sf reaction; **reacción en cadena** chain reaction.

reaccionar vi to react; **reaccionar a algo** to react to sthg.

reaccionario, ria adj & sm, f reactionary.

reacio, cia adj stubborn.

reactivación sf revival.

reactor sm - 1. [propulsor] reactor - 2. [avión] jet (plane).

readmitir vt to accept O take back.

reafirmar vt to confirm. ◆ **reafirmarse** vprnl to assert o.s.; **reafirmarse en algo** to become confirmed in sthg.

reajuste sm - 1. [cambio] readjustment; **reajuste ministerial** cabinet reshuffle - 2. [ECON - de precios, impuestos] increase; [- de sector] streamlining; [- de salarios] reduction; **reajuste de plantilla** redundancies pl.

real adj - 1. [verdadero] real - 2. [de monarquía] royal.

realce sm - 1. [esplendor] glamour; **dar realce a algo/alguien** to enhance sthg/sb - 2. [en pintura] highlight.

realeza sf [monarcas] royalty.

realidad sf - 1. [mundo real] reality; **realidad virtual** INFORM virtual reality - 2. [verdad] truth; **en realidad** actually, in fact.

realista ◇ adj realistic. ◇ smf ARTE realist.

realización sf - 1. [ejecución] carrying-out; [de proyecto, medidas] implementation; [de sueños, deseos] fulfilment - 2. [obra] achievement - 3. CINE production.

realizador, ra sm, f CINE & TV director.

realizar vt - 1. [ejecutar - esfuerzo, viaje, inversión] to make; [- operación, experimento, trabajo] to perform; [- encargo] to carry out; [- plan, reformas] to implement - 2. [hacer real] to fulfil, to realize - 3. CINE to produce. ◆ **realizarse** vprnl - 1. [en un trabajo] to find fulfilment - 2. [hacerse real - sueño, predicción, deseo] to come true; [- esperanza, ambición] to be fulfilled - 3. [ejecutarse] to be carried out.

realmente adv - 1. [en verdad] in fact, actually - 2. [muy] really, very.

realquilado, da sm, f sub-tenant.

realquilar vt to sublet.

realzar vt - 1. [resaltar] to enhance - 2. [en pintura] to highlight.

reanimar vt - 1. [físicamente] to revive - 2. [moralmente] to cheer up - 3. MED to resuscitate.

reanudar vt [conversación, trabajo] to resume; [amistad] to renew.

reaparición sf reappearance.

rearme sm rearmament.

reavivar vt to revive.

rebaja sf - 1. [acción] reduction - 2. [descuento] discount; **hacer una rebaja** to give a discount. ◆ **rebajas** sfpl COM sales; **'grandes rebajas'** 'massive reductions'; **estar de rebajas** to have a sale on.

rebajado, da adj - 1. [precio] reduced - 2. [humillado] humiliated.

rebajar vt - 1. [precio] to reduce; **te rebajo 2 euros** I'll knock 2 euros off for you - 2. [persona] to humiliate - 3. [intensidad] to tone down - 4. [altura] to lower. ◆ **rebajarse** vprnl [persona] to humble o.s.; **rebajarse a hacer algo** to lower o.s. O stoop to do sthg; **rebajarse ante alguien** to humble o.s. before sb.

rebanada sf slice.

rebañar vt to scrape clean.

rebaño sm flock; [de vacas] herd.

rebasar vt to exceed, to surpass; [agua] to overflow; AUTO to overtake.

rebatir vt to refute.

rebeca sf cardigan.

rebelarse vprnl to rebel.

rebelde ◇ adj - 1. [sublevado] rebel (antes de s) - 2. [desobediente] rebellious. ◇ smf [sublevado, desobediente] rebel.

rebeldía sf - 1. [cualidad] rebelliousness - 2. [acción] (act of) rebellion.

rebelión sf rebellion; **rebelión militar** military uprising.

rebenque sm C Sur riding crop.

reblandecer vt to soften.

rebobinar vt to rewind.

rebosante adj: **rebosante (de)** brimming O overflowing (with).

rebosar ◇ vt to overflow with. ◇ vi to overflow; **rebosar de** to be overflowing with; fig [persona] to brim with.

rebotar vi: **rebotar (en)** to bounce (off), to rebound (off).

rebote sm - 1. [bote] bounce, bouncing (U) - 2. DEP rebound; **de rebote** on the rebound.

rebozado, da adj CULIN coated in batter O breadcrumbs.

rebozar vt CULIN to coat in batter O breadcrumbs.

rebuscado, **da** adj recherché, pretentious.

rebuznar vi to bray.

recabar vt [pedir] to ask for; [conseguir] to obtain.

recadero, **ra** sm, f messenger.

recado sm - **1.** [mensaje] message; **mandar recado de que...** to send word that... - **2.** [encargo] errand; **hacer recados** to run errands.

recaer vi - **1.** [enfermo] to have a relapse - **2.** [ir a parar]: **recaer sobre** to fall on - **3.** [reincidir]: **recaer en** to relapse into.

recaída sf relapse.

recalcar vt to stress, to emphasize.

recalcitrante adj recalcitrant.

recalentar vt - **1.** [volver a calentar] to warm up - **2.** [calentar demasiado] to overheat.

recámara sf - **1.** [de arma de fuego] chamber - **2.** Amér C, Col & Méx [dormitorio] bedroom.

recamarera sf Amér C, Col & Méx chambermaid.

recambio sm spare (part); [para pluma] refill; **de recambio** spare.

recapacitar vi to reflect, to think; **recapacitar sobre** to think about.

recapitulación sf recap, recapitulation.

recargado, **da** adj [estilo etc] overelaborate.

recargar vt - **1.** [volver a cargar - encendedor, recipiente] to refill; [- batería, pila] to recharge; [- fusil, camión] to reload; [- teléfono móvil] to top up - **2.** [cargar demasiado] to overload - **3.** [adornar en exceso] to overelaborate - **4.** [cantidad]: **recargar 20 euros a alguien** to charge sb 20 euros extra - **5.** [poner en exceso]: **recargar algo de algo** to put too much of sthg in sthg. ➤ **recargarse** vprnl Méx [apoyarse] to lean.

recargo sm extra charge, surcharge.

recatado, **da** adj [pudoroso] modest, demure.

recato sm [pudor] modesty, demureness.

recaudación sf - **1.** [acción] collection - **2.** [cantidad] takings pl; DEP gate; [de un cine] box-office takings.

recaudador, **ra** sm, f: **recaudador (de impuestos)** tax collector.

recaudar vt to collect.

recelar vi: **recelar de** to mistrust.

recelo sm mistrust, suspicion.

receloso, **sa** adj mistrustful, suspicious.

recepción sf [gen] reception.

recepcionista smf receptionist.

receptáculo sm receptacle.

receptivo, **va** adj receptive.

receptor, **ra** sm, f [persona] recipient. ➤ **receptor** sm [aparato] receiver.

recesión sf recession.

receta sf - **1.** fig & CULIN recipe - **2.** MED prescription.

rechazar vt - **1.** [gen & MED] to reject; [oferta] to turn down - **2.** [repeler - a una persona] to push away; MIL to repel.

rechazo sm - **1.** [gen & MED] rejection; [hacia una ley, un político] disapproval; **rechazo a hacer algo** refusal to do sthg - **2.** [negación] denial.

rechinar vi - **1.** [puerta] to creak; [dientes] to grind; [frenos, ruedas] to screech; [metal] to clank - **2.** [dando dentera] to grate.

rechistar vi to answer back.

rechoncho, **cha** adj fam chubby.

rechupete ➤ **de rechupete** loc adv fam [gen] brilliant, great; [comida] scrumptious.

recibidor sm entrance hall.

recibimiento sm reception, welcome.

recibir ◇ vt - **1.** [gen] to receive; [clase, instrucción] to have - **2.** [dar la bienvenida a] to welcome - **3.** [ir a buscar] to meet. ◇ vi [atender visitas] to receive visitors. ➤ **recibirse** vprnl Amér: **recibirse (de)** to graduate, to qualify (as).

recibo sm receipt; **acusar recibo de** to acknowledge receipt of; **no ser de recibo** to be unacceptable.

reciclaje sm - **1.** [de residuos] recycling - **2.** [de personas] retraining.

reciclar vt [residuos] to recycle.

recién adv - **1.** recently, newly; **el recién casado** the newly-wed; **los recién llegados** the newcomers; **el recién nacido** the newborn baby - **2.** Amér [hace poco] just; **recién llegó** he has just arrived.

reciente adj - **1.** [acontecimiento etc] recent - **2.** [pintura, pan etc] fresh.

recientemente adv recently.

recinto sm [zona cercada] enclosure; [área] place, area; [alrededor de edificios] grounds pl; **recinto ferial** fairground (of trade fair).

recio, **cia** adj - **1.** [persona] robust - **2.** [voz] gravelly - **3.** [objeto] solid - **4.** [material, tela] tough, strong.

recipiente sm container, receptacle.

reciprocidad sf reciprocity.

recíproco, **ca** adj mutual, reciprocal.

recital sm - **1.** [de música clásica] recital; [de rock] concert - **2.** [de lectura] reading.

recitar vt to recite.

reclamación sf - **1.** [petición] claim, demand - **2.** [queja] complaint; **hacer una reclamación** to lodge a complaint.

reclamar ◇ vt [pedir, exigir] to demand, to ask for. ◇ vi [protestar]: **reclamar (contra)** to protest (against), to complain (about).

reclamo *sm* - **1.** [para atraer] inducement - **2.** [para cazar] decoy, lure - **3.** *Amér* [queja] complaint; *Amér* [reivindicación] claim.

reclinar *vt*: **reclinar algo (sobre)** to lean sthg (on). ➤ **reclinarse** *vprnl* to lean back; **reclinarse contra algo** to lean against sthg.

recluir *vt* to shut O lock away. ➤ **recluirse** *vprnl* to shut o.s. away.

reclusión *sf* - **1.** [encarcelamiento] imprisonment - **2.** *fig* [encierro] seclusion.

recluso, sa *sm, f* [preso] prisoner.

recluta *sm* [obligatorio] conscript; [voluntario] recruit.

reclutamiento *sm* [de soldados - obligatorio] conscription; [- voluntario] recruitment.

recobrar *vt* [gen] to recover; [conocimiento] to regain; [tiempo perdido] to make up for. ➤ **recobrarse** *vprnl*: **recobrarse (de)** to recover (from).

recodo *sm* bend.

recogedor *sm* dustpan.

recoger *vt* - **1.** [coger] to pick up - **2.** [ordenar, limpiar - mesa] to clear; [- habitación, cosas] to tidy O clear up - **3.** [ir a buscar] to pick up, to fetch - **4.** [albergar] to take in - **5.** [cosechar] gather, to harvest; [fruta] to pick. ➤ **recogerse** *vprnl* - **1.** [a dormir, meditar] to retire - **2.** [cabello] to put up.

recogido, da *adj* - **1.** [lugar] withdrawn, secluded - **2.** [cabello] tied back. ➤ **recogida** *sf* - **1.** [gen] collection - **2.** [cosecha] harvest, gathering; [de fruta] picking.

recolección *sf* - **1.** [cosecha] harvest, gathering - **2.** [recogida] collection.

recolector, ra *sm, f* - **1.** [gen] collector - **2.** [de cosecha] harvester; [de fruta] picker.

recomendación *sf (gen pl)* - **1.** [gen] recommendation - **2.** [referencia] reference.

recomendado, da ◇ *sm, f* protégé (*f* protégée). ◇ *adj Amér* [correspondencia] registered.

recomendar *vt* to recommend; **recomendar a alguien que haga algo** to recommend that sb do sthg.

recompensa *sf* reward; **en recompensa por** in return for.

recompensar *vt* [premiar] to reward.

recomponer *vt* to repair, to mend.

recompuesto, ta *pp* ▷ **recomponer**.

reconciliación *sf* reconciliation.

reconciliar *vt* to reconcile. ➤ **reconciliarse** *vprnl* to be reconciled.

recóndito, ta *adj* hidden, secret.

reconfortar *vt* - **1.** [anímicamente] to comfort - **2.** [físicamente] to revitalize.

reconocer *vt* - **1.** [gen] to recognize - **2.** MED to examine - **3.** [terreno] to survey. ➤ **reconocerse** *vprnl* - **1.** [identificarse] to recognize each other - **2.** [confesarse]: **reconocerse culpable** to admit one's guilt.

reconocido, da *adj* - **1.** [admitido] recognized, acknowledged - **2.** [agradecido] grateful; **quedo muy reconocido** I am very much obliged to you.

reconocimiento *sm* - **1.** [gen] recognition; **reconocimiento del habla** INFORM & LING speech recognition - **2.** [agradecimiento] gratitude - **3.** MED examination - **4.** MIL reconnaissance.

reconquista *sf* reconquest, recapture. ➤ **Reconquista** *sf*: **la Reconquista** HIST *the Reconquest of Spain, when the Christian Kings retook the country from the Muslims.*

reconstruir *vt* - **1.** [edificio, país etc] to rebuild - **2.** [suceso] to reconstruct.

reconversión *sf* restructuring; **reconversión industrial** rationalization of industry.

recopilación *sf* [texto - de poemas, artículos] compilation, collection; [- de leyes] code.

recopilar *vt* - **1.** [recoger] to collect, to gather - **2.** [escritos, leyes] to compile.

récord *(pl* records) ◇ *sm* record; **batir un récord** to break a record. ◇ *adj inv* record.

recordar ◇ *vt* - **1.** [acordarse de] to remember; **recordar a alguien algo/que haga algo** to remind sb to do sthg - **2.** [traer a la memoria] to remind; **me recuerda a un amigo mío** he reminds me of a friend of mine. ◇ *vi* to remember; **si mal no recuerdo** as far as I can remember.

recordatorio *sm* [aviso] reminder.

recordman [re'korman] *(pl* recordmen O recordmans) *sm* record holder.

recorrer *vt* - **1.** [atravesar - lugar, país] to travel through O across, to cross; [- ciudad] to go round - **2.** [distancia] to cover - **3.** *fig* [con la mirada] to look over.

recorrida *sf Amér* [ruta, itinerario] route; [viaje] journey.

recorrido *sm* - **1.** [trayecto] route, path - **2.** [viaje] journey.

recortado, da *adj* - **1.** [cortado] cut - **2.** [borde] jagged.

recortar *vt* - **1.** [cortar - lo que sobra] to cut off O away; [- figuras de un papel] to cut out - **2.** [pelo, flequillo] to trim - **3.** *fig* [reducir] to cut. ➤ **recortarse** *vprnl* [figura etc] to stand out; **recortarse sobre algo** to stand out against sthg.

recorte *sm* - **1.** [pieza cortada] cut, trimming; [de periódico, revista] cutting - **2.** [reducción] cut, cutback; **recortes presupuestarios** budget cuts.

recostar *vt* to lean (back). ➤ **recostarse** *vprnl* to lie down.

recoveco sm - **1.** [rincón] nook - **2.** [curva] bend - **3.** fig [lo más oculto]: **los recovecos del alma** the innermost recesses of the mind.

recreación sf re-creation.

recrear vt - **1.** [volver a crear] to recreate - **2.** [entretener] to amuse, to entertain. ◆ **recrearse** vprnl - **1.** [entretenerse] to amuse o.s., to entertain o.s. - **2.** [regodearse] to take delight O pleasure.

recreativo, va adj recreational.

recreo sm - **1.** [entretenimiento] recreation, amusement - **2.** [EDUC - en primaria] playtime UK, recess US; [- en secundaria] break UK, recess US.

recriminar vt to reproach.

recrudecerse vprnl to get worse.

recta ▷ **recto**.

rectángulo sm rectangle.

rectificar vt - **1.** [error] to rectify, to correct - **2.** [conducta, actitud etc] to improve - **3.** [ajustar] to put right.

rectitud sf straightness; fig rectitude.

recto, ta adj - **1.** [sin curvas, vertical] straight - **2.** fig [íntegro] honourable. ◆ **recto** ◇ sm ANAT rectum. ◇ adv straight on O ahead. ◆ **recta** sf straight line.

rector, ra ◇ adj governing. ◇ sm, f [de universidad] vice-chancellor UK, president US. ◆ **rector** sm RELIG rector.

recuadro sm box.

recubrir vt [gen] to cover; [con pintura, barniz] to coat.

recuento sm recount.

recuerdo sm - **1.** [rememoración] memory - **2.** [objeto - de viaje] souvenir; [- de persona] keepsake; **de recuerdo** as a souvenir. ◆ **recuerdos** smpl [saludos] regards; **dale recuerdos de mi parte** give her my regards.

recular vi [retroceder] to go O move back.

recuperable adj [gen] recoverable; [fiestas, horas de trabajo] that can be made up later.

recuperación sf - **1.** [de lo perdido, la salud, la economía] recovery; **recuperación de datos** INFORM data recovery - **2.** [fisioterapia] physiotherapy.

recuperar vt [lo perdido] to recover; [horas de trabajo] to catch up; [conocimiento] to regain. ◆ **recuperarse** vprnl - **1.** [enfermo] to recuperate, to recover - **2.** [de una crisis] to recover; [negocio] to pick up; **recuperarse de algo** to get over sthg.

recurrir vi - **1.** [buscar ayuda]: **recurrir a alguien** to turn to sb; **recurrir a algo** to resort to sthg - **2.** DER to appeal; **recurrir contra algo** to appeal against sthg.

recurso sm - **1.** [medio] resort; **como último recurso** as a last resort - **2.** DER appeal. ◆ **recursos** smpl [fondos] resources; [financieros] means; **es una mujer llena de recursos** she's a

resourceful woman; **sin recursos** with no means of support; **recursos propios** ECON equities.

red sf - **1.** [malla] net; [para cabello] hairnet - **2.** [sistema] network, system; [de electricidad, agua] mains sing; **red viaria** road network O system - **3.** [organización - de espionaje] ring; [- de tiendas] chain - **4.** INFORM network; **red local/neuronal** local (area)/neural network. ◆ **Red** sf: **la Red** the Net; **navegar por la Red** to surf the Net.

redacción sf - **1.** [acción - gen] writing; [- de periódico etc] editing - **2.** [estilo] wording - **3.** [equipo de redactores] editorial team O staff - **4.** [oficina] editorial office - **5.** EDUC essay.

redactar vt to write (up); [carta] to draft.

redactor, ra sm, f [PRENSA - escritor] writer; [- editor] editor; **redactor jefe** editor-in-chief.

redada sf [de policía - en un solo lugar] raid; [- en varios lugares] round-up.

redención sf redemption.

redil sm fold, pen.

redimir vt - **1.** [gen] to redeem - **2.** [librar] to free, to exempt. ◆ **redimirse** vprnl to redeem o.s.

rédito sm interest (U), yield (U).

redoblar ◇ vt to redouble. ◇ vi to roll.

redomado, da adj out-and-out.

redondear vt - **1.** [hacer redondo] to make round - **2.** [negocio, acuerdo] to round off - **3.** [cifra, precio] to round up/down.

redondel sm - **1.** [gen] circle, ring - **2.** TAUROM bullring.

redondo, da adj - **1.** [circular, esférico] round; **a la redonda** around; **caerse redondo** fig to collapse in a heap; **girar en redondo** to turn around - **2.** [perfecto] excellent.

reducción sf - **1.** [gen] reduction; **reducción de gastos** reduction in costs - **2.** [sometimiento] suppression.

reducido, da adj - **1.** [pequeño] small - **2.** [limitado] limited - **3.** [estrecho] narrow.

reducir vt - **1.** [gen] to reduce - **2.** [someter - país, ciudad] to suppress; [- sublevados, atracadores] to bring under control - **3.** MAT [convertir] to convert. ◆ **reducirse a** vprnl - **1.** [limitarse a] to be reduced to - **2.** [equivaler a] to boil O come down to.

reducto sm - **1.** [fortificación] redoubt - **2.** fig [refugio] stronghold, bastion.

redundancia sf redundancy; **y valga la redundancia** if you'll excuse the repetition.

redundante adj redundant, superfluous.

redundar vi: **redundar en algo** to have an effect on sthg; **redunda en beneficio nuestro** it is to our advantage.

reeditar vt to bring out a new edition of; [reimprimir] to reprint.

reelección *sf* re-election.

reembolsar, rembolsar *vt* [gastos] to reimburse; [fianza, dinero] to refund; [deuda] to repay.

reembolso, rembolso *sm* [de gastos] reimbursement; [de fianza, dinero] refund; [de deuda] repayment; **contra reembolso** cash on delivery.

reemplazar, remplazar *vt* [gen & INFORM] to replace; **reemplazar algo/alguien por algo/alguien** to replace sthg/sb with sthg/sb.

reemplazo, remplazo *sm* - 1. [gen & INFORM] replacement - 2. MIL call-up, draft.

reemprender *vt* to start again.

reencarnación *sf* reincarnation.

reencuentro *sm* reunion.

reestructurar *vt* to restructure.

ref. (*abrev de* **referencia**) ref.

refacción *sf* Andes, Amér C, R Plata & Ven repair; *Méx* [recambio] spare part.

refaccionar *vt* Andes, Amér C & Ven to repair.

refaccionaria *sf* Amér repair workshop.

referencia *sf* reference; **con referencia a** with reference to. ◆ **referencias** *sfpl* [informes] references; **tener buenas referencias** to have good references.

referéndum (*pl* **referendos** O **referéndum**) *sm* referendum; **convocar un referéndum** to call a referendum.

referente *adj*: **referente a** concerning, relating to; **en lo referente a** regarding.

referir *vt* - 1. [narrar] to tell, to recount - 2. [remitir]: **referir a alguien a** to refer sb to - 3. [relacionar]: **referir algo a** to relate sthg to. ◆ **referirse a** *vprnl* to refer to; **¿a qué te refieres?** what do you mean?; **por lo que se refiere a...** as far as... is concerned.

refilón ◆ **de refilón** *loc adv* - 1. [de lado] sideways; **mirar algo de refilón** to look at sthg out of the corner of one's eye - 2. *fig* [de pasada] briefly.

refinado, da *adj* refined.

refinamiento *sm* refinement.

refinar *vt* to refine.

refinería *sf* refinery.

reflector *sm* ELECTR spotlight; MIL searchlight.

reflejar *vt lit & fig* to reflect. ◆ **reflejarse** *vprnl lit & fig*: **reflejarse (en)** to be reflected (in).

reflejo, ja *adj* [movimiento, dolor] reflex (*antes de s*). ◆ **reflejo** *sm* - 1. [gen] reflection - 2. [destello] glint, gleam - 3. ANAT reflex. ◆ **reflejos** *smpl* [de peluquería] highlights.

reflexión *sf* reflection; **con reflexión** on reflection; **sin previa reflexión** without thinking.

reflexionar *vi* to reflect, to think; **reflexionar sobre algo** to think about sthg.

reflexivo, va *adj* - 1. [que piensa] thoughtful - 2. GRAM reflexive.

reflujo *sm* ebb (tide).

reforma *sf* - 1. [modificación] reform; **reforma agraria** agrarian reform - 2. [en local, casa etc] alterations *pl*; **hacer reformas** to renovate. ◆ **Reforma** *sf*: **la Reforma** RELIG the Reformation.

reformar *vt* - 1. [gen & RELIG] to reform - 2. [local, casa etc] to renovate. ◆ **reformarse** *vprnl* to mend one's ways.

reformatorio *sm* ≃ youth custody centre *UK*, ≃ borstal *UK*, reformatory *US*; [de menores de 15 años] ≃ remand home.

reforzar *vt* to reinforce.

refractario, ria *adj* - 1. [material] refractory - 2. [opuesto]: **refractario a** averse to.

refrán *sm* proverb, saying.

refregar *vt* - 1. [frotar] to scrub - 2. *fig* [reprochar]: **refregar algo a alguien** to reproach sb for sthg.

refrenar *vt* to curb, to restrain.

refrendar *vt* [aprobar] to approve.

refrescante *adj* refreshing.

refrescar ◇ *vt* - 1. [gen] to refresh; [bebidas] to chill - 2. *fig* [conocimientos] to brush up. ◇ *vi* - 1. [tiempo] to cool down - 2. [bebida] to be refreshing. ◆ **refrescarse** *vprnl* - 1. [tomar aire fresco] to get a breath of fresh air - 2. [beber algo] to have a drink - 3. [mojarse con agua fría] to splash o.s. down.

refresco *sm* - 1. [bebida] soft drink; **refrescos** refreshments - 2. [relevo]: **de refresco** new, fresh.

refriega *sf* scuffle; MIL skirmish.

refrigeración *sf* - 1. [aire acondicionado] air-conditioning - 2. [de alimentos] refrigeration - 3. [de máquinas] cooling.

refrigerador, ra *adj* cooling. ◆ **refrigerador** *sm* [de alimentos] refrigerator, fridge *UK*, icebox *US*.

refrigerar *vt* - 1. [alimentos] to refrigerate - 2. [local] to air-condition - 3. [máquina] to cool.

refrigerio *sm* snack.

refrito, ta *adj* [demasiado frito] over-fried; [frito de nuevo] re-fried. ◆ **refrito** *sm fig* [cosa rehecha] rehash.

refuerzo *sm* reinforcement.

refugiado, da *sm, f* refugee.

refugiar *vt* to give refuge to. ◆ **refugiarse** *vprnl* to take refuge; **refugiarse de algo** to shelter from sthg.

refugio sm - **1.** [lugar] shelter, refuge; **refugio atómico** nuclear bunker - **2.** fig [amparo, consuelo] refuge, comfort.

refulgir vi to shine brightly.

refunfuñar vi to grumble.

refutar vt to refute.

regadera sf - **1.** [para regar] watering can - **2.** Col, Méx & Ven [ducha] shower.

regadío sm irrigated land.

regalado, da adj - **1.** [muy barato] dirt cheap - **2.** [agradable] comfortable.

regalar vt - **1.** [dar - de regalo] to give (as a present); [- gratis] to give away - **2.** [agasajar]: **regalar a alguien con algo** to shower sb with sthg.

regaliz sm liquorice.

regalo sm - **1.** [obsequio] present, gift; **un regalo del cielo** a godsend - **2.** [placer] joy, delight.

regalón, ona adj R Dom & Chile fam spoilt.

regañadientes ⭢ a regañadientes loc adv fam unwillingly, reluctantly.

regañar ⬦ vt [reprender] to tell off. ⬦ vi [pelearse] to fall out, to argue.

regañina sf [reprimenda] ticking off.

regar vt - **1.** [con agua - planta] to water; [- calle] to hose down - **2.** [suj: río] to flow through.

regata sf NÁUT regatta, boat race.

regatear ⬦ vt - **1.** [escatimar] to be sparing with; **no ha regateado esfuerzos** he has spared no effort - **2.** DEP to beat, to dribble past - **3.** [precio] to haggle over. ⬦ vi - **1.** [negociar el precio] to barter - **2.** NÁUT to race.

regateo sm bartering, haggling.

regazo sm lap.

regeneración sf regeneration; [moral] reform.

regenerar vt to regenerate; [moralmente] to reform.

regentar vt [país] to run, to govern; [negocio] to run, to manage; [puesto] to hold.

regente ⬦ adj regent. ⬦ sm, f - **1.** [de un país] regent - **2.** [administrador - de tienda] manager; [- de colegio] governor - **3.** Méx [alcalde] mayor (f mayoress).

regidor, ra sm, f TEATRO stage manager; CINE & TV assistant director.

régimen (pl regímenes) sm - **1.** [sistema político] regime; **Antiguo régimen** ancien régime - **2.** [normativa] rules pl - **3.** [dieta] diet; **estar/ponerse a régimen** to be/go on a diet - **4.** [de vida, lluvias etc] pattern; **régimen de vida** lifestyle.

regimiento sm fig & MIL regiment.

regio, gia adj - **1.** lit & fig royal - **2.** Amér fam fig fantastic.

región sf region; MIL district.

regir ⬦ vt - **1.** [reinar en] to rule, to govern - **2.** [administrar] to run, to manage - **3.** fig [determinar] to govern, to determine. ⬦ vi [ley] to be in force, to apply. ⬢ **regirse por** vprnl to trust in.

registradora sf Amér cash register.

registrar vt - **1.** [inspeccionar - zona, piso] to search; [- persona] to frisk - **2.** [nacimiento, temperatura etc] to register, to record. ⬢ **registrarse** vprnl - **1.** [suceder] to occur - **2.** [observarse] to be recorded.

registro sm - **1.** [oficina] registry (office); **registro civil** registry (office) - **2.** [libro] register - **3.** [inspección] search, searching (U) - **4.** INFORM record - **5.** LING & MÚS register.

regla sf - **1.** [para medir] ruler, rule - **2.** [norma] rule; **en regla** in order; **por regla general** as a rule - **3.** MAT operation - **4.** fam [menstruación] period.

reglamentación sf [acción] regulation; [reglas] rules pl, regulations pl.

reglamentar vt to regulate.

reglamentario, ria adj lawful; [arma, balón] regulation (antes de s); DER statutory.

reglamento sm regulations pl, rules pl; **reglamento de tráfico** traffic regulations pl.

regocijar ⬢ regocijarse vprnl: **regocijarse (de O con)** to rejoice (in).

regocijo sm joy, delight.

regodeo sm delight, pleasure; [malicioso] (cruel) delight O pleasure.

regordete adj chubby.

regresar ⬦ vi [yendo] to go back, to return; [viniendo] to come back, to return. ⬦ vt Andes, Amér C, Caribe & Méx [devolver] to give back.

regresión sf - **1.** [de epidemia] regression - **2.** [de exportaciones] drop, decline.

regresivo, va adj regressive.

regreso sm return; **estar de regreso** to be back.

reguero sm [de sangre, agua] trickle; [de harina etc] trail; **correr como un reguero de pólvora** to spread like wildfire.

regulación sf [gen] regulation; [de nacimientos, tráfico] control; [de mecanismo] adjustment.

regulador, ra adj regulatory.

regular ⬦ adj - **1.** [gen] regular; [de tamaño] medium; **de un modo regular** regularly - **2.** [mediocre] average, fair - **3.** [normal] normal, usual. ⬦ adv all right; [de salud] so-so. ⬦ vt [gen] to control, to regulate; [mecanismo] to adjust. ⬢ **por lo regular** loc adv as a rule, generally.

regularidad sf regularity; **con regularidad** regularly.

regularizar vt [legalizar] to regularize.

regusto *sm* aftertaste; [semejanza, aire] flavour, hint.

rehabilitación *sf* - **1.** [de personas] rehabilitation; [en un puesto] reinstatement - **2.** [de local] restoration.

rehabilitar *vt* - **1.** [personas] to rehabilitate; [en un puesto] to reinstate - **2.** [local] to restore.

rehacer *vt* - **1.** [volver a hacer] to redo, to do again - **2.** [reconstruir] to rebuild - **3.** INFORM redo. ◆ **rehacerse** *vprnl* [recuperarse] to recuperate, to recover.

rehecho, cha *pp* ▷ **rehacer**.

rehén (*pl* rehenes) *sm* hostage; **tomar como rehén** to take hostage.

rehogar *vt* to fry over a low heat.

rehuir *vt* to avoid.

rehusar *vt* & *vi* to refuse.

reimpresión *sf* [tirada] reprint; [acción] reprinting.

reina *sf* [monarca] queen; **reina de belleza** beauty queen; **reina madre** queen mother.

reinado *sm* lit & fig reign.

reinante *adj* - **1.** [monarquía, persona] reigning, ruling - **2.** [viento] prevailing; [frío, calor] current.

reinar *vi* lit & fig to reign.

reincidir *vi*: reincidir en [falta, error] to relapse into, to fall back into; [delito] to repeat.

reincorporar *vt* to reincorporate. ◆ **reincorporarse** *vprnl*: reincorporarse (a) to rejoin, to go back to.

reino *sm* BIOL & POLÍT kingdom; fig realm.

Reino Unido *n pr*: **el Reino Unido** the United Kingdom.

reinstalar *vt* to re-install.

reintegrar *vt* - **1.** [a un puesto] to reinstate - **2.** [dinero] to reimburse. ◆ **reintegrarse** *vprnl*: reintegrarse (a) to return (to).

reintegro *sm* - **1.** [de dinero] reimbursement; BANCA withdrawal - **2.** [en lotería] return of one's stake (in lottery).

reír ◇ *vi* to laugh. ◇ *vt* to laugh at. ◆ **reírse** *vprnl*: reírse (de) to laugh (at).

reiterar *vt* to reiterate.

reiterativo, va *adj* repetitious.

reivindicación *sf* - **1.** [de derechos] claim, demand - **2.** [de atentado] claiming of responsibility.

reivindicar *vt* - **1.** [derechos, salario etc] to claim, to demand - **2.** [atentado] to claim responsibility for.

reivindicativo, va *adj*: **plataforma reivindicativa** (set of) demands; **jornada reivindicativa** day of protest.

reja *sf* [gen] bars *pl*; [en el suelo] grating; [celosía] grille.

rejego, ga *adj* Amér fam [terco] stubborn.

rejilla *sf* - **1.** [enrejado] grid, grating; [de ventana] grille; [de cocina] grill (on stove); [de horno] gridiron - **2.** [para sillas, muebles] wickerwork - **3.** [para equipaje] luggage rack.

rejón *sm* TAUROM type of "banderilla" used by mounted bullfighter.

rejoneador, ra *sm, f* TAUROM bullfighter on horseback who uses the "rejón".

rejuntarse *vprnl* fam to live together.

rejuvenecer *vt* & *vi* to rejuvenate.

relación *sf* - **1.** [nexo] relation, connection; **con relación a, en relación con** in relation to; **tener relación con algo** to bear a relation to sthg; **relación precio-calidad** value for money - **2.** [comunicación, trato] relations *pl*, relationship - **3.** [lista] list - **4.** [descripción] account - **5.** [informe] report - **6.** (gen *pl*) [noviazgo] relationship - **7.** MAT ratio; **en una relación de tres a uno** in a ratio of three to one. ◆ **relaciones** *sfpl* [contactos] connections.

relacionar *vt* [vincular] to relate, to connect. ◆ **relacionarse** *vprnl*: relacionarse (con) [alternar] to mix (with).

relajación *sf* relaxation.

relajar *vt* to relax. ◆ **relajarse** *vprnl* to relax.

relajo *sm* Amér fam [alboroto] racket, din.

relamer *vt* to lick repeatedly. ◆ **relamerse** *vprnl* - **1.** [persona] to lick one's lips - **2.** [animal] to lick its chops.

relamido, da *adj* prim and proper.

relámpago *sm* [descarga] flash of lightning, lightning (U); [destello] flash.

relampaguear *vi* fig to flash.

relatar *vt* [suceso] to relate, to recount; [historia] to tell.

relatividad *sf* relativity.

relativo, va *adj* - **1.** [gen] relative - **2.** [escaso] limited.

relato *sm* [exposición] account, report; [cuento] tale.

relax *sm inv* - **1.** [relajación] relaxation - **2.** [sección de periódico] personal column.

relegar *vt*: relegar (a) to relegate (to); **relegar algo al olvido** to banish sthg from one's mind.

relevante *adj* outstanding, important.

relevar *vt* - **1.** [sustituir] to relieve, to take over from - **2.** [destituir]: relevar (de) to dismiss (from), to relieve (of) - **3.** [eximir]: relevar (de) to free (from) - **4.** [DEP - en partidos] to substitute; [- en relevos] to take over from. ◆ **relevarse** *vprnl* to take turns.

relevo *sm* - **1.** MIL relief, changing - **2.** DEP [acción] relay - **3.** loc: **tomar el relevo** to take over. ◆ **relevos** *smpl* DEP [carrera] relay (race) sing.

relieve sm - **1.** [gen, ARTE & GEOGR] relief; **bajo relieve** bas-relief - **2.** [importancia] importance; **poner de relieve** to underline (the importance of).

religión sf religion.

religioso, sa ◇ adj religious. ◇ sm, f [monje] monk (f nun).

relinchar vi to neigh, to whinny.

reliquia sf relic; [familiar] heirloom.

rellano sm [de escalera] landing.

rellenar vt - **1.** [volver a llenar] to refill - **2.** [documento, formulario] to fill in O out - **3.** [pollo, cojín etc] to stuff; [tarta, pastel] to fill.

relleno, na adj [gen] stuffed; [tarta, pastel] filled. ▸ **relleno** sm [de pollo] stuffing; [de pastel] filling.

reloj sm [de pared] clock; [de pulsera] watch; **reloj analógico/digital** analogue/digital watch; **reloj de arena** hourglass; **reloj de pulsera** watch, wristwatch; **hacer algo contra reloj** to do sthg against the clock; **ser como un reloj** fig to be like clockwork.

relojero, ra sm, f watchmaker.

reluciente adj shining, gleaming.

relucir vi lit & fig to shine; **sacar algo a relucir** to bring sthg up, to mention sthg; **salir a relucir** to come to the surface.

remachar vt - **1.** [machacar] to rivet - **2.** fig [recalcar] to drive home, to stress.

remache sm [clavo] rivet.

remanente sm - **1.** [de géneros] surplus stock; [de productos agrícolas] surplus - **2.** [en cuenta bancaria] balance.

remangar, arremangar vt to roll up. ▸ **remangarse** vprnl to roll up one's sleeves.

remanso sm still pool.

remar vi to row.

rematado, da adj utter, complete.

rematar ◇ vt - **1.** [acabar] to finish; **y para rematarla** fam to cap it all - **2.** [matar - persona] to finish off; [- animal] to put out of its misery - **3.** DEP to shoot - **4.** [liquidar, vender] to sell off cheaply - **5.** Amér [subastar] to auction. ◇ vi [en fútbol] to shoot; [de cabeza] to head at goal.

remate sm - **1.** [fin, colofón] end; **para remate** [colmo] to cap it all - **2.** [en fútbol] shot; [de cabeza] header at goal. ▸ **de remate** loc adv totally, completely.

rembolsar = reembolsar.

rembolso = reembolso.

remedar vt to imitate; [por burla] to ape.

remediar vt [daño] to remedy, to put right; [problema] to solve; [peligro] to avoid.

remedio sm - **1.** [solución] solution, remedy; **como último remedio** as a last resort; **no hay O queda más remedio que...** there's nothing

for it but...; **no tener más remedio** to have no alternative O choice - **2.** [consuelo] consolation - **3.** [medicamento] remedy, cure.

rememorar vt to remember, to recall.

remendar vt to mend, to darn.

remero, ra sm, f [persona] rower. ▸ **remera** sf R Dom [prenda] T-shirt.

remesa sf [de productos] consignment; [de dinero] remittance.

remeter vt to tuck in.

remezón sm Andes & R Dom earth tremor.

remiendo sm [parche] mend, darn.

remilgado, da adj - **1.** [afectado] affected - **2.** [escrupuloso] squeamish; [con comida] fussy.

remilgo sm - **1.** [afectación] affectation - **2.** [escrupulosidad] squeamishness; [con comida] fussiness.

reminiscencia sf reminiscence; **tener reminiscencias de** to be reminiscent of.

remiso, sa adj: **ser remiso a hacer algo** to be reluctant to do sthg.

remite sm sender's name and address.

remitente smf sender.

remitir ◇ vt - **1.** [enviar] to send - **2.** [traspasar]: **remitir algo a** to refer sthg to. ◇ vi - **1.** [en texto]: **remitir a** to refer to - **2.** [disminuir] to subside. ▸ **remitirse a** vprnl - **1.** [atenerse a] to abide by - **2.** [referirse a] to refer to.

remo sm - **1.** [pala] oar - **2.** [deporte] rowing.

remodelar vt [gen] to redesign; [gobierno] to reshuffle.

remojar vt [humedecer] to soak.

remojo sm: **poner en remojo** to leave to soak; **estar en remojo** to be soaking.

remolacha sf beetroot UK, beet US; [azucarera] (sugar) beet.

remolcador, ra adj [coche] tow (antes de s); [barco] tug (antes de s). ▸ **remolcador** sm [camión] breakdown lorry; [barco] tug, tugboat.

remolcar vt [coche] to tow; [barco] to tug.

remolino sm - **1.** [de agua] eddy, whirlpool; [de viento] whirlwind; [de humo] cloud, swirl - **2.** [de gente] throng, mass - **3.** [de pelo] cowlick.

remolón, ona adj lazy.

remolque sm - **1.** [acción] towing; **ir a remolque** fig [voluntariamente] to go in tow, to tag along; [obligado] to be dragged along - **2.** [vehículo] trailer.

remontar vt [pendiente, río] to go up; [obstáculo] to overcome. ▸ **remontarse** vprnl - **1.** [ave, avión] to soar, to climb high - **2.** [gastos]: **remontarse a** to amount O come to - **3.** fig [datar]: **remontarse a** to go O date back to.

remorder *vt fig*: **remorderle a alguien** to fill sb with remorse.

remordimiento *sm* remorse; **tener remordimientos de conciencia** to suffer pangs of conscience.

remoto, ta *adj* remote; **no tengo ni la más remota idea** I haven't got the faintest idea.

remover *vt* - **1.** [agitar - sopa, café] to stir; [- ensalada] to toss; [- bote, frasco] to shake; [- tierra] to dig up - **2.** [reavivar - recuerdos, pasado] to rake up - **3.** *Amér* [despedir] to dismiss, to sack. ◆ **removerse** *vprnl* to move about.

remplazar = reemplazar.

remplazo = reemplazo.

remuneración *sf* remuneration.

remunerar *vt* [pagar] to remunerate.

renacer *vi* - **1.** [gen] to be reborn; [flores, hojas] to grow again - **2.** [alegría, esperanza] to return, to revive.

renacimiento *sm* [gen] rebirth; [de flores, hojas] budding. ◆ **Renacimiento** *sm*: **el Renacimiento** the Renaissance.

renacuajo *sm* tadpole; *fam fig* tiddler.

renal *adj* renal, kidney *(antes de s)*.

rencilla *sf* quarrel.

rencor *sm* resentment, bitterness.

rencoroso, sa *adj* resentful, bitter.

rendición *sf* surrender.

rendido, da *adj* - **1.** [agotado] exhausted; **caer rendido** to collapse - **2.** [sumiso] submissive; [admirador] devoted.

rendija *sf* crack, gap.

rendimiento *sm* - **1.** [de inversión, negocio] yield, return; [de trabajador, fábrica] productivity; [de tierra, cosecha] yield; **a pleno rendimiento** at full capacity - **2.** [de motor] performance.

rendir ◇ *vt* - **1.** [cansar] to tire out - **2.** [rentar] to yield - **3.** [vencer] to defeat, to subdue - **4.** [ofrecer] to give, to present; [pleitesía] to pay. ◇ *vi* [máquina] to perform well; [negocio] to be profitable; [fábrica, trabajador] to be productive. ◆ **rendirse** *vprnl* - **1.** [entregarse] to surrender - **2.** [ceder]: **rendirse a** to give in to - **3.** [desanimarse] to give in *O* up.

renegado, da *adj & sm, f* renegade.

renegar *vi fam* [gruñir] to grumble.

Renfe *(abrev de Red Nacional de los Ferrocarriles Españoles)* *sf* Spanish state railway network.

renglón *sm* line; COM item; **a renglón seguido** *fig* in the same breath, straight after.

reno *sm* reindeer.

renombrar *vt* INFORM to rename.

renombre *sm* renown, fame; **de renombre** famous.

renovación *sf* [de carné, contrato] renewal; [de mobiliario, local] renovation.

renovar *vt* - **1.** [cambiar - mobiliario, local] to renovate; [- vestuario] to clear out; [- personal, plantilla] to shake out - **2.** [rehacer - carné, contrato, ataques] to renew - **3.** [restaurar] to restore - **4.** [innovar] to rethink, to revolutionize; POLIT to reform.

renquear *vi* to limp, to hobble.

renta *sf* - **1.** [ingresos] income; **renta fija** fixed income; **renta variable/vitalicia** variable/life annuity - **2.** [alquiler] rent - **3.** [beneficios] return - **4.** [intereses] interest.

rentable *adj* profitable.

rentar ◇ *vt* - **1.** [rendir] to produce, to yield - **2.** *Méx* [alquilar] to rent. ◇ *vi* to be profitable.

rentista *smf* person of independent means.

renuncia *sf* [abandono] giving up; [dimisión] resignation; **presentar la renuncia** to resign.

renunciar *vi* - **1.** [abandonar] to give up - **2.** [dimitir] to resign. ◆ **renunciar a** *vi* - **1.** [prescindir de] to give up; [plan, proyecto] to drop; **renunciar al tabaco** to give up *O* stop smoking - **2.** [rechazar]: **renunciar (a hacer algo)** to refuse (to do sthg).

reñido, da *adj* - **1.** [enfadado]: **reñido (con)** on bad terms *O* at odds (with); **están reñidos** they've fallen out - **2.** [disputado] hard-fought - **3.** [incompatible]: **estar reñido con** to be incompatible with.

reñir ◇ *vt* - **1.** [regañar] to tell off - **2.** [disputar] to fight. ◇ *vi* [enfadarse] to argue, to fall out.

reo, a *sm, f* [culpado] offender, culprit; [acusado] accused, defendant.

reojo *sm*: **mirar algo de reojo** to look at sthg out of the corner of one's eye.

repantigarse *vprnl* to sprawl out.

reparación *sf* - **1.** [arreglo] repair, repairing *(U)*; **en reparación** under repair - **2.** [compensación] reparation, redress.

reparador, ra *adj* [descanso, sueño] refreshing.

reparar ◇ *vt* [coche etc] to repair, to fix; [error, daño etc] to make amends for; [fuerzas] to restore. ◇ *vi* [advertir]: **reparar en algo** to notice sthg; **no reparar en gastos** to spare no expense.

reparo *sm* - **1.** [objeción] objection - **2.** [apuro]: **no tener reparos en** not to be afraid to.

repartición *sf* [reparto] sharing out.

repartidor, f *sm, f* [gen] distributor; [de butano, carbón] deliveryman (*f* deliverywoman); [de leche] milkman (*f* milkwoman); [de periódicos] paperboy (*f* papergirl).

repartir *vt* - **1.** [dividir - gen] to share out, to divide; [- territorio, nación] to partition - **2.** [distribuir - leche, periódicos, correo] to deliver;

[- naipes] to deal (out) - **3.** [asignar - trabajo, órdenes] to give out, to allocate; [- papeles] to assign.

reparto *sm* - **1.** [división] division, distribution; **reparto de beneficios** ECON profit sharing; **reparto de premios** prizegiving - **2.** [distribución - de leche, periódicos, correo] delivery - **3.** [asignación] allocation; **reparto a domicilio** home delivery - **4.** CINE & TEATRO cast.

repasador *sm R Dom* tea towel.

repasar *vt* - **1.** [revisar] to go over; [lección] to revise *UK*, to review *US* - **2.** [zurcir] to darn, to mend.

repaso *sm* [revisión] revision; [de ropa] darning, mending; **dar un repaso a algo** to look over sthg; **dar un último repaso a algo** to give sthg a final check; **curso de repaso** refresher course.

repatriar *vt* to repatriate.

repecho *sm* steep slope.

repelente *adj* - **1.** [desagradable, repugnante] repulsive - **2.** [ahuyentador] repellent.

repeler *vt* - **1.** [rechazar] to repel - **2.** [repugnar] to repulse, to disgust.

repelús *sm:* **me da repelús** it gives me the shivers.

repente *sm* [arrebato] fit. **de repente** *loc adv* suddenly.

repentino, na *adj* sudden.

repercusión *sf* - **1.** *fig* [consecuencia] repercussion - **2.** [resonancia] echoes *pl*.

repercutir *vi fig* [afectar]: **repercutir en** to have repercussions on.

repertorio *sm* - **1.** [obras] repertoire - **2.** *fig* [serie] selection.

repesca *sf* - **1.** EDUC resit - **2.** DEP repêchage.

repetición *sf* repetition; [de una jugada] action replay.

repetidor, ra *sm, f* EDUC student repeating a year. **repetidor** *sm* ELECTR repeater.

repetir <> *vt* to repeat; [ataque] to renew; [en comida] to have seconds of. <> *vi* - **1.** [alumno] to repeat a year - **2.** [sabor, alimento] **repetir (a alguien)** to repeat (on sb) - **3.** [comensal] to have seconds. **repetirse** *vprnl* - **1.** [fenómeno] to recur - **2.** [persona] to repeat o.s.

repicar *vi* [campanas] to ring.

repique *sm* peal, ringing (*U*).

repiqueteo *sm* [de campanas] pealing; [de tambor] beating; [de timbre] ringing; [de lluvia, dedos] drumming.

repisa *sf* [estante] shelf; [sobre chimenea] mantelpiece.

replantear *vt* - **1.** [reenfocar] to reconsider, to restate - **2.** [volver a mencionar] to bring up again.

replegar *vt* [ocultar] to retract. **replegarse** *vprnl* [retirarse] to withdraw, to retreat.

repleto, ta *adj:* **repleto (de)** packed (with).

réplica *sf* - **1.** [respuesta] reply - **2.** [copia] replica.

replicar <> *vt* [responder] to answer; [objetar] to answer back, to retort. <> *vi* [objetar] to answer back.

repliegue *sm* - **1.** [retirada] withdrawal, retreat - **2.** [pliegue] fold.

repoblación *sf* [con gente] repopulation; [con peces] restocking; **repoblación forestal** reafforestation.

repoblar *vt* [con gente] to repopulate; [con peces] to restock; [con árboles] to replant.

repollo *sm* cabbage.

reponer *vt* - **1.** [gen] to replace - **2.** CINE & TEATRO to rerun; TV to repeat - **3.** [replicar]: **reponer que** to reply that.

reportaje *sm* RADIO & TV report; PRENSA article.

reportar *vt* - **1.** [traer] to bring - **2.** *Méx* [denunciar] to report; *Andes, Amér C, Méx & Ven* [informar] to report. **reportarse** *vprnl Amér C, Méx & Ven:* **reportarse (a)** to report (to).

reporte *sm Amér C & Méx* [informe] report; [noticia] news item O report.

reportero, ra, o repórter *sm, f* reporter.

reposado, da *adj* relaxed, calm.

reposar *vi* - **1.** [descansar] to (have a) rest - **2.** [sedimentarse] to stand.

reposera *sf R Dom* sun-lounger *UK*, beach recliner *US*.

reposición *sf* - **1.** CINE rerun; TEATRO revival; TV repeat - **2.** [de existencias, pieza etc] replacement.

reposo *sm* [descanso] rest.

repostar <> *vi* [coche] to fill up; [avión] to refuel. <> *vt* - **1.** [gasolina] to fill up with - **2.** [provisiones] to stock up on.

repostería *sf* [oficio, productos] confectionery.

reprender *vt* [a niños] to tell off; [a empleados] to reprimand.

reprensión *sf* [a niños] telling-off; [a empleados] reprimand.

represalia *(gen pl) sf* reprisal; **tomar represalias** to retaliate, to take reprisals.

representación *sf* - **1.** [gen & COM] representation; **en representación de** on behalf of - **2.** TEATRO performance.

representante <> *adj* representative. <> *smf* - **1.** [gen & COM] representative; **representante de la ley** officer of the law - **2.** [de artista] agent.

representar *vt* - **1.** [gen & COM] to represent - **2.** [aparentar] to look; **representa unos 40**

años she looks about 40 - **3.** [significar] to mean; **representa el 50% del consumo interno** it accounts for 50% of domestic consumption - **4.** [TEATRO - función] to perform; [- papel] to play.

representativo, va *adj* - **1.** [simbolizador]: **ser representativo de** to represent - **2.** [característico, relevante]: **representativo (de)** representative (of).

represión *sf* repression.

reprimenda *sf* reprimand.

reprimir *vt* (gen) to suppress; [minorías, disidentes] to repress. ◆ **reprimirse** *vprnl*: **reprimirse (de hacer algo)** to restrain o.s. (from doing sthg).

reprobar *vt* - **1.** to censure, to condemn - **2.** *Amér* [suspender] to fail.

reprochar *vt*: **reprochar algo a alguien** to reproach sb for sthg. ◆ **reprocharse** *vprnl*: **reprocharse algo (uno mismo)** to reproach o.s. for sthg.

reproche *sm* reproach.

reproducción *sf* reproduction.

reproducir *vt* [gen & ARTE] to reproduce; [gestos] to copy, to imitate. ◆ **reproducirse** *vprnl* - **1.** [volver a suceder] to recur - **2.** [procrear] to reproduce.

reptil *sm* reptile.

república *sf* republic.

República Checa *sf* Czech Republic.

República Dominicana *sf* Dominican Republic.

republicano, na *adj & sm, f* republican.

repudiar *vt* - **1.** [condenar] to repudiate - **2.** [rechazar] to disown.

repuesto, ta ◇ *pp* ▷ **reponer.** ◇ *adj*: **repuesto (de)** recovered (from). ◆ **repuesto** *sm* (gen) reserve; AUTO spare part; **la rueda de repuesto** the spare wheel.

repugnancia *sf* disgust.

repugnante *adj* disgusting.

repugnar *vt*: **me repugna ese olor/su actitud** I find that smell/her attitude disgusting; **me repugna hacerlo** I'm loath to do it.

repujar *vt* to emboss.

repulsa *sf* [censura] condemnation.

repulsión *sf* repulsion.

repulsivo, va *adj* repulsive.

repuntar *vi* *Amér* [mejorar] to improve.

reputación *sf* reputation; **tener mucha reputación** to be very famous.

requerimiento *sm* - **1.** [demanda] entreaty; **a requerimiento de alguien** at sb's request - **2.** [DER - intimación] writ, injunction; [- aviso] summons *sing*.

requerir *vt* - **1.** [necesitar] to require - **2.** [ordenar] to demand - **3.** [pedir]: **requerir a alguien**

(para) que haga algo to ask sb to do sthg - **4.** DER to order. ◆ **requerirse** *vprnl* [ser necesario] to be required O necessary.

requesón *sm* cottage cheese.

requisa *sf* [requisición - MIL] requisition; [- en aduana] seizure.

requisito *sm* requirement; **requisito previo** prerequisite.

res *sf* - **1.** [animal] beast, animal - **2.** *Amér salvo C Sur*: **carne de res** beef. ◆ **reses** *smpl Amér* [ganado vacuno] cattle.

resabio *sm* - **1.** [sabor] nasty aftertaste - **2.** [vicio] persistent bad habit.

resaca *sf* - **1.** *fam* [de borrachera] hangover - **2.** [de las olas] undertow.

resalado, da *adj fam* charming.

resaltar ◇ *vi* - **1.** [destacar] to stand out - **2.** [en edificios - decoración] to stand out. ◇ *vt* [destacar] to highlight.

resarcir *vt*: **resarcir a alguien (de)** to compensate sb (for). ◆ **resarcirse** *vprnl* to be compensated; **resarcirse de** [daño, pérdida] to be compensated for; [desengaño, derrota] to make up for.

resbalada *sf Amér fam* slip.

resbaladizo, za *adj lit & fig* slippery.

resbalar *vi* - **1.** [deslizarse] to slide - **2.** [estar resbaladizo] to be slippery. ◆ **resbalarse** *vprnl* to slip (over).

resbalón *sm* slip; **dar** O **pegar un resbalón** to slip.

rescatar *vt* - **1.** [liberar, salvar] to rescue; [pagando rescate] to ransom - **2.** [recuperar - herencia etc] to recover.

rescate *sm* - **1.** [liberación, salvación] rescue - **2.** [dinero] ransom - **3.** [recuperación] recovery.

rescindir *vt* to rescind.

rescisión *sf* cancellation.

rescoldo *sm* ember; *fig* lingering feeling.

resecar *vt* [piel] to dry out. ◆ **resecarse** *vprnl* - **1.** [piel] to dry out - **2.** [tierra] to become parched.

reseco, ca *adj* - **1.** [piel, garganta, pan] very dry - **2.** [tierra] parched - **3.** [flaco] emaciated.

resentido, da *adj* bitter, resentful; **estar resentido con alguien** to be really upset with sb.

resentimiento *sm* resentment, bitterness.

resentirse *vprnl* - **1.** [debilitarse] to be weakened; [salud] to deteriorate - **2.** [sentir molestias]: **resentirse de** to be suffering from - **3.** [ofenderse] to be offended.

reseña *sf* [de libro, concierto] review; [de partido, conferencia] report.

reseñar *vt* - **1.** [criticar - libro, concierto] to review; [- partido, conferencia] to report on - **2.** [describir] to describe.

reserva *sf* - **1.** [de hotel, avión etc] reservation - **2.** [provisión] reserves *pl*; **tener algo de reserva** to keep sthg in reserve - **3.** [objeción] reservation - **4.** [de indígenas] reservation - **5.** [de animales] reserve; **reserva natural** nature reserve - **6.** MIL reserve. ◆ **reservas** *sfpl* - **1.** [energía acumulada] energy reserves - **2.** [recursos] resources.

reservado, da *adj* - **1.** [gen] reserved - **2.** [tema, asunto] confidential. ◆ **reservado** *sm* [en restaurante] private room; FERROC reserved compartment.

reservar *vt* - **1.** [habitación, asiento etc] reserve, to book - **2.** [guardar - dinero, pasteles etc] to set aside; [- sorpresa] to keep - **3.** [callar - opinión, comentarios] to reserve. ◆ **reservarse** *vprnl* - **1.** [esperar]: **reservarse para** to save o.s. for - **2.** [guardar para sí - secreto] to keep to o.s.; [- dinero, derecho] to retain (for o.s.)

resfriado, da *adj*: **estar resfriado** to have a cold. ◆ **resfriado** *sm* cold; **pescar un resfriado** to catch a cold.

resfriar ◆ **resfriarse** *vprnl* [constiparse] to catch a cold.

resguardar *vt & vi*: **resguardar de** to protect against. ◆ **resguardarse** *vprnl*: **resguardarse de** [en un portal] to shelter from; [con abrigo, paraguas] to protect o.s. against.

resguardo *sm* - **1.** [documento] receipt - **2.** [protección] protection.

residencia *sf* - **1.** [estancia] stay - **2.** [localidad, domicilio] residence; **segunda residencia** second home; **residencia canina** kennels - **3.** [establecimiento - de estudiantes] hall of residence; [- de ancianos] old people's home; [- de oficiales] residence - **4.** [hospital] hospital - **5.** [permiso para extranjeros] residence permit.

residencial *adj* residential.

residente *adj & smf* resident.

residir *vi* - **1.** [vivir] to reside - **2.** [radicar]: **residir en** to lie in, to reside in.

residuo *sm* (*gen pl*) [material inservible] waste; QUÍM residue; **residuos nucleares** nuclear waste *(U)*; **residuos tóxicos** toxic waste *(U)*.

resignación *sf* resignation.

resignarse *vprnl*: **resignarse (a hacer algo)** to resign o.s. to (doing sthg).

resina *sf* resin.

resistencia *sf* - **1.** [gen, ELECTR & POLÍT] resistance; **ofrecer resistencia** to put up resistance - **2.** [de puente, cimientos] strength - **3.** [física - para correr etc] stamina.

resistente *adj* [gen] tough, strong; **resistente al calor** heat-resistant.

resistir ◇ *vt* - **1.** [dolor, peso, críticas] to withstand - **2.** [tentación, impulso, deseo] to resist - **3.** [tolerar] to tolerate, to stand - **4.** [ataque] to resist, to withstand. ◇ *vi* - **1.** [ejército, ciudad etc]: **resistir (a algo/a alguien)** to resist (sthg/sb) - **2.** [corredor etc] to keep going; **resistir a algo** to stand up to sthg, to withstand sthg - **3.** [mesa, dique etc] to take the strain; **resistir a algo** to withstand sthg - **4.** [mostrarse firme - ante tentaciones etc] to resist (it); **resistir a algo** to resist sthg. ◆ **resistirse** *vprnl*: **resistirse (a algo)** to resist (sthg); **me resisto a creerlo** I refuse to believe it; **se le resisten las matemáticas** she just can't get the hang of maths.

resollar *vi* to gasp (for breath); [jadear] to pant.

resolución *sf* - **1.** [solución - de una crisis] resolution; [- de un crimen] solution - **2.** [firmeza] determination - **3.** [decisión] decision; DER ruling - **4.** [de Naciones Unidas etc] resolution.

resolver *vt* - **1.** [solucionar - duda, crisis] to resolve; [- problema, caso] to solve - **2.** [decidir]: **resolver hacer algo** to decide to do sthg - **3.** [partido, disputa, conflicto] to settle. ◆ **resolverse** *vprnl* - **1.** [solucionarse - duda, crisis] to be resolved; [- problema, caso] to be solved - **2.** [decidirse]: **resolverse a hacer algo** to decide to do sthg.

resonancia *sf* - **1.** [gen & FÍS] resonance *(U)* - **2.** *fig* [importancia] repercussions *pl*.

resonar *vi* to resound, to echo.

resoplar *vi* [de cansancio] to pant; [de enfado] to snort.

resoplido *sm* [por cansancio] pant; [por enfado] snort.

resorte *sm* spring; **saltar como movido por un resorte** to spring up; *fig* means *pl*; **tocar todos los resortes** to pull out all the stops.

respaldar *vt* to back, to support. ◆ **respaldarse** *vprnl* *fig* [apoyarse]: **respaldarse en** to fall back on.

respaldo *sm* - **1.** [de asiento] back - **2.** *fig* [apoyo] backing, support.

respectar *v impers*: **por lo que respecta a alguien/a algo, en lo que respecta a alguien/a algo** as far as sb/sthg is concerned.

respectivo, va *adj* respective; **en lo respectivo a** with regard to.

respecto *sm*: **al respecto, a este respecto** in this respect; **no sé nada al respecto** I don't know anything about it.

respetable *adj* - **1.** [venerable] respectable - **2.** [bastante] considerable.

respetar *vt* [gen] to respect; [la palabra] to honour.

respeto *sm*: **respeto (a O por)** respect (for); **es una falta de respeto** it shows a lack of respect; **por respeto a** out of consideration for.

respetuoso, sa *adj*: **respetuoso (con)** respectful (of).

respingo *sm* [movimiento] start, jump.

respingón, ona *adj* snub.

respiración *sf* breathing; MED respiration; **quedarse sin respiración** [asombrado] to be stunned.

respirar ⇔ *vt* [aire] to breathe. ⇔ *vi* to breathe; *fig* [sentir alivio] to breathe again; **no dejar respirar a alguien** *fig* not to allow sb a moment's peace; **sin respirar** [sin descanso] without a break; [atentamente] with great attention.

respiratorio, ria *adj* respiratory.

respiro *sm* - 1. [descanso] rest - 2. [alivio] relief, respite; **dar un respiro a alguien** *fam* to give sb a break.

resplandecer *vi* - 1. [brillar] to shine - 2. *fig* [destacar] to shine, to stand out.

resplandeciente *adj* shining; [sonrisa] beaming; [época] glittering; [vestimenta, color] resplendent.

resplandor *sm* - 1. [luz] brightness; [de fuego] glow - 2. [brillo] gleam.

responder ⇔ *vt* to answer. ⇔ *vi* - 1. [contestar] **responder (a algo)** to answer (sthg) - 2. [reaccionar]: **responder (a)** to respond (to) - 3. [responsabilizarse]: **responder de algo/por alguien** to answer for sthg/for sb - 4. [replicar] to answer back.

respondón, ona *adj* insolent.

responsabilidad *sf* responsibility; DER liability; **exigir responsabilidades a alguien** to hold sb accountable; **tener la responsabilidad de algo** to be responsible for sthg; **responsabilidad civil/penal** DER civil/criminal liability; **responsabilidad limitada** limited liability.

responsabilizar *vt*: **responsabilizar a alguien (de algo)** to hold sb responsible (for sthg). ◆ **responsabilizarse** *vprnl*: **responsabilizarse (de)** to accept responsibility (for).

responsable ⇔ *adj* responsible; **responsable de** responsible for. ⇔ *smf* - 1. [culpable] person responsible - 2. [encargado] person in charge.

respuesta *sf* - 1. [gen] answer, reply; [en exámenes] answer; **en respuesta a** in reply to - 2. *fig* [reacción] response.

resquebrajar *vt* to crack. ◆ **resquebrajarse** *vprnl* to crack.

resquicio *sm* - 1. [abertura] chink; [grieta] crack - 2. *fig* [pizca] glimmer.

resta *sf* MAT subtraction.

restablecer *vt* to reestablish, to restore. ◆ **restablecerse** *vprnl* [curarse]: **restablecerse (de)** to recover (from).

restallar *vt* & *vi* [látigo] to crack; [lengua] to click.

restante *adj* remaining; **lo restante** the rest.

restar ⇔ *vt* - 1. MAT to subtract - 2. [disminuir]: **restar importancia a algo/méritos a alguien** to play down the importance of sthg/sb's qualities. ⇔ *vi* [faltar] to be left.

restauración *sf* restoration.

restaurante *sm* restaurant.

restaurar *vt* to restore.

restitución *sf* return.

restituir *vt* [devolver - objeto] to return; [- salud] to restore.

resto *sm*: **el resto** [gen] the rest; MAT the remainder. ◆ **restos** *smpl* - 1. [sobras] leftovers - 2. [cadáver] remains - 3. [ruinas] ruins.

restregar *vt* to rub hard; [para limpiar] to scrub. ◆ **restregarse** *vprnl* [frotarse] to rub.

restricción *sf* restriction.

restrictivo, va *adj* restrictive.

restringir *vt* to limit, to restrict.

resucitar ⇔ *vt* [person] to bring back to life; [costumbre] to revive. ⇔ *vi* [persona] to rise from the dead.

resuello *sm* gasp, gasping *(U)*; [jadeo] pant, panting *(U)*.

resuelto, ta ⇔ *pp* ▷ **resolver**. ⇔ *adj* [decidido] determined.

resulta *sf*: **de resultas de** as a result of.

resultado *sm* result; **dar buen/mal resultado** to be a success/failure.

resultante *adj* & *sf* resultant.

resultar ⇔ *vi* - 1. [acabar siendo]: **resultar (ser)** to turn out (to be); **resultó ileso** he was uninjured; **nuestro equipo resultó vencedor** our team came out on top - 2. [salir bien] to work (out), to be a success - 3. [originarse]: **resultar de** to come of, to result from - 4. [ser] to be; **resulta sorprendente** it's surprising; **me resultó imposible terminar antes** I was unable to finish earlier - 5. [venir a costar]: **resultar a** to come to, to cost. ⇔ *v impers* [suceder]: **resultar que** to turn out that; **ahora resulta que no quiere alquilarlo** now it seems that she doesn't want to rent it.

resumen *sm* summary; **en resumen** in short.

resumidero *sm* *Amér* drain.

resumir *vt* to summarize; [discurso] to sum up. ◆ **resumirse en** *vprnl* - 1. [sintetizarse en] to be able to be summed up in - 2. [reducirse a] to boil down to.

resurgir *vi* to undergo a resurgence.

resurrección *sf* resurrection.

retablo *sm* altarpiece.

retaguardia *sf* [tropa] rearguard; [territorio] rear.

retahíla *sf* string, series.

retal *sm* remnant.

retardar *vt* [retrasar] to delay; [frenar] to hold up, to slow down.

retazo *sm* remnant; *fig* fragment.

rete *adv Amér fam* very.

retén *sm* - **1.** reserve - **2.** *Amér* [de menores] reformatory, reform school.

retención *sf* - **1.** [en el sueldo] deduction - **2.** *(gen pl)* [de tráfico] hold-up.

retener *vt* - **1.** [detener] to hold back; [en comisaría] to detain - **2.** [hacer permanecer] to keep - **3.** [contener - impulso, ira] to hold back, to restrain - **4.** [conservar] to retain - **5.** [quedarse con] to hold on to, to keep - **6.** [memorizar] to remember - **7.** [deducir del sueldo] to deduct.

reticente *adj* [reacio] unwilling, reluctant.

retina *sf* retina.

retintín *sm* [ironía] sarcastic tone.

retirado, da *adj* - **1.** [jubilado] retired - **2.** [solitario, alejado] isolated, secluded. ◆ **retirada** *sf* - **1.** MIL retreat; **batirse en retirada** to beat a retreat - **2.** [de fondos, moneda, carné] withdrawal - **3.** [de competición, actividad] withdrawal.

retirar *vt* - **1.** [quitar - gen] to remove; [- dinero, moneda, carné] to withdraw; [- nieve] to clear - **2.** [jubilar - a deportista] to force to retire; [- a empleado] to retire - **3.** [retractarse de] to take back. ◆ **retirarse** *vprnl* - **1.** [gen] to retire - **2.** [de competición, elecciones] to withdraw; [de reunión] to leave - **3.** [de campo de batalla] to retreat - **4.** [apartarse] to move away.

retiro *sm* - **1.** [jubilación] retirement; [pensión] pension - **2.** [refugio, ejercicio] retreat.

reto *sm* challenge.

retocar *vt* to touch up.

retoño *sm* BOT sprout, shoot; *fig* offspring (U).

retoque *sm* touching-up (U); [de prenda de vestir] alteration; **dar los últimos retoques a** to put the finishing touches to.

retorcer *vt* [torcer - brazo, alambre] to twist; [- ropa, cuello] to wring. ◆ **retorcerse** *vprnl* [contraerse]: **retorcerse (de)** [risa] to double up (with); [dolor] to writhe about (in).

retorcido, da *adj* - **1.** [torcido - brazo, alambre] twisted - **2.** *fig* [rebuscado] complicated.

retornable *adj* returnable; **no retornable** non-returnable.

retornar *vt* & *vi* to return.

retorno *sm* [gen & INFORM] return; **retorno de carro** carriage return.

retortijón *(gen pl) sm* stomach cramp.

retozar *vi* to frolic; [amantes] to romp about.

retractarse *vprnl* [de una promesa] to go back on one's word; [de una opinión] to take back what one has said; **retractarse de** [lo dicho] to retract, to take back.

retraer *vt* [encoger] to retract. ◆ **retraerse** *vprnl* - **1.** [encogerse] to retract - **2.** [retroceder] to withdraw, to retreat.

retraído, da *adj* withdrawn, retiring.

retransmisión *sf* broadcast; **retransmisión en directo/diferido** live/recorded broadcast.

retransmitir *vt* to broadcast.

retrasado, da ◇ *adj* - **1.** [país, industria] backward; [reloj] slow; [tren] late, delayed - **2.** [en el pago, los estudios] behind - **3.** MED retarded, backward. ◇ *sm, f*: **retrasado (mental)** mentally retarded person.

retrasar *vt* - **1.** [aplazar] to postpone - **2.** [demorar] to delay, to hold up - **3.** [hacer más lento] to slow down, to hold up - **4.** [en el pago, los estudios] to set back - **5.** [reloj] to put back. ◆ **retrasarse** *vprnl* - **1.** [llegar tarde] to be late - **2.** [quedarse atrás] to fall behind - **3.** [aplazarse] to be put off - **4.** [reloj] to lose time.

retraso *sm* - **1.** [por llegar tarde] delay; **llegar con (15 minutos de) retraso** to be (15 minutes) late - **2.** [por sobrepasar una fecha]: **llevo en mi trabajo un retraso de 20 páginas** I'm 20 pages behind with my work - **3.** [subdesarrollo] backwardness - **4.** MED mental deficiency.

retratar *vt* - **1.** [fotografiar] to photograph - **2.** [dibujar] to do a portrait of - **3.** *fig* [describir] to portray.

retrato *sm* - **1.** [dibujo] portrait; [fotografía] photograph; **retrato robot** photofit picture; **ser el vivo retrato de alguien** to be the spitting image of sb - **2.** *fig* [reflejo] portrayal.

retrete *sm* toilet.

retribución *sf* [pago] payment; [recompensa] reward.

retribuir *vt* - **1.** [pagar] to pay; [recompensar] to reward - **2.** *Amér* [favor, obsequio] to return.

retro *adj* old-fashioned.

retroactivo, va *adj* [ley] retroactive; [pago] backdated.

retroceder *vi* to go back; *fig* to back down.

retroceso *sm* [regresión - gen] backward movement; [- en negociaciones] setback; [- en la economía] recession.

retrógrado, da *adj & sm, f* reactionary.

retroproyector *sm* overhead projector.

retrospectivo, va *adj* retrospective.

retrovisor *sm* rear-view mirror.

retumbar *vi* [resonar] to resound.

reuma, reúma *sm o sf* rheumatism.

reumatismo *sm* rheumatism.

reunión *sf* meeting.

reunir *vt* - **1.** [público, accionistas etc] to bring together - **2.** [objetos, textos etc] to collect, to bring together; [fondos] to raise - **3.** [requisitos] to meet; [cualidades] to possess, to combine. ◆ **reunirse** *vprnl* [congregarse] to meet.

revalidar vt - 1. [ratificar] to confirm - 2. *Amér* [estudios, diploma] to validate.

revalorizar vt - 1. [aumentar el valor] to increase the value of; [moneda] to revalue - 2. [restituir el valor] to reassess in a favourable light. ➡ **revalorizarse** *vprnl* [aumentar de valor] to appreciate; [moneda] to be revalued.

revancha sf - 1. [venganza] revenge - 2. DEP return match.

revelación sf revelation.

revelado sm FOTO developing.

revelador, ra adj [aclarador] revealing.

revelar vt - 1. [declarar] to reveal - 2. [evidenciar] to show - 3. FOTO to develop. ➡ **revelarse** *vprnl*: **revelarse como** to show o.s. to be.

revendedor, ra sm, f ticket tout.

reventa sf resale; [de entradas] touting.

reventar ◇ vt - 1. [explotar] to burst - 2. [echar abajo] to break down; [con explosivos] to blow up. ◇ vi [explotar] to burst. ➡ **reventarse** *vprnl* [explotar] to explode; [rueda] to burst.

reventón sm [pinchazo] blowout, puncture UK, flat US.

reverberación sf [de sonido] reverberation; [de luz, calor] reflection.

reverberar vi [sonido] to reverberate; [luz, calor] to reflect.

reverdecer vi fig [amor] to revive.

reverencia sf - 1. [respeto] reverence - 2. [saludo - inclinación] bow; [- flexión de piernas] curtsy.

reverenciar vt to revere.

reverendo, da adj reverend. ➡ **reverendo** sm reverend.

reverente adj reverent.

reversible adj reversible.

reverso sm back, other side.

revertir vi - 1. [volver, devolver] to revert - 2. [resultar]: **revertir en** to result in; **revertir en beneficio/perjuicio de** to be to the advantage/ detriment of.

revés sm - 1. [parte opuesta - de papel, mano] back; [- de tela] other O wrong side; **al revés** [- en sentido contrario] the wrong way round; [- en forma opuesta] the other way round; **del revés** [- lo de detrás, delante] the wrong way round, back to front; [- lo de dentro, fuera] inside out; [- lo de arriba, abajo] upside down - 2. [bofetada] slap - 3. DEP backhand - 4. [contratiempo] setback.

revestimiento sm covering.

revestir vt - 1. [recubrir]: **revestir (de)** [gen] to cover (with); [pintura] to coat (with); [forro] to line (with) - 2. [poseer - solemnidad, gravedad etc] to take on, to have.

revisar vt - 1. [repasar] to go over again - 2. [inspeccionar] to inspect; [cuentas] to audit - 3. [modificar] to revise.

revisión sf - 1. [repaso] revision - 2. [inspección] inspection; **revisión de cuentas** audit; **revisión médica** check-up - 3. [modificación] amendment - 4. [AUTO - puesta a punto] service; [- anual] ≃ MOT (test).

revisor, ra sm, f [en tren] ticket inspector, conductor US; [en autobús] (bus) conductor.

revista sf - 1. [publicación] magazine; **revista del corazón** gossip magazine; **revista de modas** fashion magazine - 2. [sección de periódico] section, review - 3. [espectáculo teatral] revue - 4. [inspección] inspection; **pasar revista a** MIL to inspect, to review; [examinar] to examine.

revistero sm [mueble] magazine rack.

revivir ◇ vi to revive. ◇ vt [recordar] to revive memories of.

revocar vt [gen] to revoke.

revolcar vt to upend. ➡ **revolcarse** *vprnl* to roll about.

revolotear vi to flutter (about).

revoltijo, revoltillo sm jumble.

revoltoso, sa adj - 1. [travieso] mischievous - 2. [sedicioso] rebellious.

revolución sf revolution.

revolucionar vt [transformar] to revolutionize.

revolucionario, ria adj & sm, f revolutionary.

revolver vt - 1. [dar vueltas] to turn around; [líquido] to stir - 2. [mezclar] to mix; [ensalada] to toss - 3. [desorganizar] to mess up; [cajones] to turn out - 4. [irritar] to upset. ➡ **revolver en** vi [cajones etc] to rummage around in. ➡ **revolverse** *vprnl* [volverse] to turn around.

revólver sm revolver.

revuelo sm [agitación] commotion; **armar un gran revuelo** to cause a great stir.

revuelto, ta ◇ pp ▷ **revolver**. ◇ adj - 1. [desordenado] in a mess - 2. [alborotado - época etc] turbulent - 3. [clima] unsettled - 4. [aguas] choppy. ➡ **revuelto** sm CULIN scrambled eggs pl. ➡ **revuelta** sf [disturbio] riot, revolt.

revulsivo, va adj fig stimulating, revitalizing. ➡ **revulsivo** sm fig kick-start.

rey sm king. ➡ **Reyes** smpl: **los Reyes** the King and Queen; **(Día de) Reyes** Twelfth Night.

reyerta sf fight, brawl.

rezagado, da adj: **ir rezagado** to lag behind.

rezar vi - 1. [orar]: **rezar (a)** to pray (to); **rezar por algo/alguien** to pray for sthg/sb - 2. [decir] to read, to say - 3. [corresponderse]: **rezar con** to have to do with.

rezo sm [oración] prayer.

rezumar ⟨⟩ vt - **1.** [transpirar] to ooze - **2.** fig [manifestar] to be overflowing with. ⟨⟩ vi to ooze O seep out.

ría sf estuary.

riachuelo sm brook, stream.

riada sf lit & fig flood.

ribera sf [del río] bank; [del mar] shore.

ribete sm edging (U), trimming (U); fig touch, nuance.

ricino sm [planta] castor oil plant.

rico, ca ⟨⟩ adj - **1.** [gen] rich - **2.** [abundante]: **rico (en)** rich (in) - **3.** [sabroso] delicious - **4.** [simpático] cute. ⟨⟩ sm, f rich person; **los ricos** the rich.

rictus sm inv - **1.** [de ironía] smirk - **2.** [de desprecio] sneer - **3.** [de dolor] wince.

ridiculez sf - **1.** [payasada] silly thing, nonsense (U) - **2.** [nimiedad] trifle; **cuesta una ridiculez** it costs next to nothing.

ridiculizar vt to ridicule.

ridículo, la adj ridiculous; [precio, suma] laughable, derisory. ⬤ **ridículo** sm ridicule; **hacer el ridículo** to make a fool of o.s.; **poner** O **dejar en ridículo a alguien** to make sb look stupid; **quedar en ridículo** to look like a fool.

riego sm [de campo] irrigation; [de jardín] watering.

riel sm - **1.** [de vía] rail - **2.** [de cortina] (curtain) rail.

rienda sf [de caballería] rein; **dar rienda suelta a** fig to give free rein to. ⬤ **riendas** sfpl fig [dirección] reins; **llevar** O **tener las riendas** to hold the reins, to be in control.

riesgo sm risk.

riesgoso, sa adj Amér risky.

rifa sf raffle.

rifar vt to raffle. ⬤ **rifarse** vprnl fig to fight over.

rifle sm rifle.

rigidez sf - **1.** [de un cuerpo, objeto etc] rigidity - **2.** [del rostro] stoniness - **3.** fig [severidad] strictness, harshness.

rígido, da adj - **1.** [cuerpo, objeto etc] rigid - **2.** [rostro] stony - **3.** [severo - normas etc] harsh; [- carácter] inflexible.

rigor sm - **1.** [severidad] strictness - **2.** [exactitud] accuracy, rigour - **3.** [inclemencia] harshness. ⬤ **de rigor** loc adj usual.

riguroso, sa adj - **1.** [severo] strict - **2.** [exacto] rigorous - **3.** [inclemente] harsh.

rimar vt & vi to rhyme; **rimar con algo** to rhyme with sthg.

rimbombante adj [estilo, frases] pompous.

rímel, rimmel® sm mascara.

rincón sm corner (inside).

rinconera sf corner piece.

ring (pl rings) sm (boxing) ring.

rinoceronte sm rhinoceros.

riña sf [disputa] quarrel; [pelea] fight.

riñón sm kidney; **tener el riñón bien cubierto** fig to be well-heeled.

riñonera sf [pequeño bolso] bum bag UK, fanny pack US.

río sm lit & fig river; **a río revuelto, ganancia de pescadores** prov it's an ill wind that blows nobody any good prov; **cuando el río suena, agua lleva** prov there's no smoke without fire prov.

rioja sm Rioja (wine).

riojano, na adj & sm, f Riojan.

riqueza sf - **1.** [fortuna] wealth - **2.** [abundancia] richness.

risa sf laugh, laughter (U); **me da risa** I find it funny; **¡qué risa!** how funny!; **de risa** funny.

risotada sf guffaw; **soltar una risotada** to laugh loudly.

ristra sf lit & fig string.

ristre ⬤ **en ristre** loc adv at the ready.

risueño, ña adj [alegre] smiling.

ritmo sm - **1.** [gen] rhythm; **al ritmo de** to the rhythm of; **llevar el ritmo** to keep time; **perder el ritmo** to get out of time; [cardíaco] beat - **2.** [velocidad] pace.

rito sm - **1.** RELIG rite - **2.** [costumbre] ritual.

ritual adj & sm ritual.

rival adj & smf rival; **sin rival** unrivalled.

rivalidad sf rivalry.

rivalizar vi: rivalizar (con) to compete (with).

rizado, da adj - **1.** [pelo] curly - **2.** [mar] choppy. ⬤ **rizado** sm [en peluquería]: **hacerse un rizado** to have one's hair curled.

rizar vt [pelo] to curl. ⬤ **rizarse** vprnl [pelo] to curl.

rizo sm - **1.** [de pelo] curl - **2.** [del agua] ripple - **3.** [de avión] loop - **4.** loc: **rizar el rizo** to split hairs.

robar vt - **1.** [gen] to steal; [casa] to burgle, burglarize US; **robar a alguien** to rob sb - **2.** [en naipes] to draw - **3.** [cobrar caro] to rob.

roble sm - **1.** BOT oak - **2.** fig [persona] strong person; **más fuerte que un roble** as strong as an ox.

robo sm [delito] robbery, theft; [en casa] burglary; **ser un robo** [precios etc] to be daylight robbery.

robot (pl robots) sm [gen & INFORM] robot.

robótica sf robotics (U).

robustecer vt to strengthen. ⬤ **robustecerse** vprnl to get stronger.

robusto, ta adj robust.

roca *sf* rock; **firme como una roca** solid as a rock.

rocalla *sf* rubble.

roce *sm* - **1.** [rozamiento - gen] rub, rubbing *(U)*; [- suave] brush, brushing *(U)*; FÍS friction - **2.** [desgaste] wear - **3.** [rasguño - en piel] graze; [- en zapato, puerta] scuffmark; [- en metal] scratch - **4.** [trato] close contact - **5.** [desavenencia] brush; **tener un roce con alguien** to have a brush with sb.

rociar *vt* - **1.** [arrojar gotas] to sprinkle; [con espray] to spray - **2.** [con vino] to wash down.

rocío *sm* dew.

rock, rock and roll *sm inv* rock and roll.

rockero, ra = roquero.

rocoso, sa *adj* rocky.

rodaballo *sm* turbot.

rodado, da *adj* - **1.** [piedra] rounded - **2.** [tráfico] road *(antes de s)* - **3.** *loc*: **estar muy rodado** [persona] to be very experienced; **venir rodado para** to be the perfect opportunity to.

rodaja *sf* slice.

rodaje *sm* - **1.** [filmación] shooting - **2.** [de motor] running-in - **3.** [experiencia] experience.

Ródano *sm*: **el Ródano** the (River) Rhône.

rodapié *sm* skirting board.

rodar ◇ *vi* - **1.** [deslizar] to roll; **echar algo a rodar** *fig* to set sthg in motion - **2.** [circular] to travel, to go - **3.** [caer]: **rodar (por)** to tumble (down) - **4.** [ir de un lado a otro] to go around - **5.** CINE to shoot. ◇ *vt* - **1.** CINE to shoot - **2.** [automóvil] to run in.

rodear *vt* - **1.** [gen] to surround; **le rodeó el cuello con los brazos** she put her arms around his neck; **rodear algo de algo** to surround sthg with sthg - **2.** [dar la vuelta a] to go around - **3.** [eludir] to skirt around. ➡ **rodearse** *vprnl*: **rodearse de** to surround o.s. with.

rodeo *sm* - **1.** [camino largo] detour; **dar un rodeo** to make a detour - **2.** *(gen pl)* [evasiva] evasiveness *(U)* - **3.** [espectáculo] rodeo.

rodilla *sf* knee; **de rodillas** on one's knees.

rodillera *sf* [protección] knee pad.

rodillo *sm* [gen] roller; [para repostería] rolling pin.

rodríguez *sm inv* grass widower; **estar** *O* **quedarse de rodríguez** to be a grass widower.

roedor, ra *adj* ZOOL rodent *(antes de s)*. ➡ **roedor** *sm* rodent.

roer *vt* - **1.** [con dientes] to gnaw (at) - **2.** *fig* [gastar] to eat away (at).

rogar *vt* [implorar] to beg; [pedir] to ask; **rogar a alguien que haga algo** to ask *O* beg sb to do sthg; **le ruego me perdone** I beg your pardon; **'se ruega silencio'** 'silence, please'.

rogativa *(gen pl) sf* rogation.

rojizo, za *adj* reddish.

rojo, ja ◇ *adj* red; **ponerse rojo** [gen] to turn red; [ruborizarse] to blush. ◇ *sm, f* POLÍT red. ➡ **rojo** *sm* [color] red; **al rojo vivo** [en incandescencia] red hot; *fig* heated.

rol *(pl roles) sm* [papel] role.

rollizo, za *adj* chubby, plump.

rollo *sm* - **1.** [cilindro] roll; **rollo de primavera** CULIN spring roll - **2.** CINE roll - **3.** *fam* [discurso]: **el rollo de costumbre** the same old story; **tener mucho rollo** to witter on - **4.** *fam* [embuste] tall story - **5.** *fam* [pelmazo, pesadez] bore, drag.

ROM *(abrev de read-only memory) sf* INFORM ROM.

romance *sm* - **1.** LING Romance language - **2.** [idilio] romance.

románico, ca *adj* - **1.** ARQUIT & ARTE Romanesque - **2.** LING Romance.

romano, na *sm, f* Roman.

romanticismo *sm* - **1.** ARTE & LITER Romanticism - **2.** [sentimentalismo] romanticism.

romántico, ca *adj & sm, f* - **1.** ARTE & LITER Romantic - **2.** [sentimental] romantic.

rombo *sm* GEOM rhombus.

romería *sf* [peregrinación] pilgrimage.

romero, ra *sm, f* [peregrino] pilgrim. ➡ **romero** *sm* BOT rosemary.

romo, ma *adj* [sin filo] blunt.

rompecabezas *sm inv* - **1.** [juego] jigsaw - **2.** *fam* [problema] puzzle.

rompeolas *sm inv* breakwater.

romper ◇ *vt* - **1.** [gen] to break; [hacer añicos] to smash; [rasgar] to tear - **2.** [interrumpir - monotonía, silencio, hábito] to break; [- hilo del discurso] to break off; [- tradición] to put an end to - **3.** [terminar - relaciones etc] to break off. ◇ *vi* - **1.** [terminar una relación]: **romper (con alguien)** to break *O* split up (with sb) - **2.** [olas, el día] to break; [hostilidades] to break out; **al romper el alba** *O* **día** at daybreak - **3.** [empezar]: **romper a hacer algo** to suddenly start doing sthg; **romper a llorar** to burst into tears; **romper a reír** to burst out laughing. ➡ **romperse** *vprnl* [partirse] to break; [rasgarse] to tear; **se ha roto una pierna** he has broken a leg.

rompevientos *sm Amér* [anorak] anorak; *R Dom* [suéter] polo-neck jersey.

rompimiento *sm* - **1.** breaking; [de relaciones] breaking-off - **2.** *Amér* [de relaciones, conversaciones] breaking-off; [de pareja] break-up; [de contrato] breach.

ron *sm* rum.

roncar *vi* to snore.

roncha *sf* red blotch.

ronco, ca *adj* - **1.** [afónico] hoarse; **se quedó ronco de tanto gritar** he shouted himself hoarse - **2.** [bronco] harsh.

ronda *sf* - 1. [de vigilancia, visitas] rounds *pl*; **hacer la ronda** to do one's rounds - 2. *fam* [de bebidas, en el juego etc] round - 3. *C Sur* [corro] circle, ring.

rondar ◇ *vt* - 1. [vigilar] to patrol - 2. [rayar - edad] to be around. ◇ *vi* [merodear]: **rondar (por)** to wander O hang around.

ronquera *sf* hoarseness.

ronquido *sm* snore, snoring *(U)*.

ronronear *vi* to purr.

ronroneo *sm* purr, purring *(U)*.

roña ◇ *adj fam* [tacaño] stingy. ◇ *sf* - 1. [suciedad] filth, dirt - 2. [veterinaria] mange.

roñoso, sa ◇ *adj* - 1. [sucio] dirty - 2. [tacaño] mean. ◇ *sm, f* miser.

ropa *sf* clothes *pl*; **ropa blanca** linen; **ropa de abrigo** warm clothes *pl*; **ropa de cama** bed linen; **ropa hecha** ready-to-wear clothes; **ropa interior** underwear; **ropa sucia** laundry; **nadar y guardar la ropa** *fig* to cover one's back.

ropaje *sm* robes *pl*.

ropero *sm* - 1. [armario] wardrobe - 2. [habitación] walk-in wardrobe; TEATRO cloakroom.

roquero, ra, rockero, ra *sm, f* - 1. [músico] rock musician - 2. [fan] rock fan.

rosa ◇ *sf* [flor] rose; **estar (fresco) como una rosa** to be as fresh as a daisy; **no hay rosa sin espinas** there's no rose without a thorn. ◇ *sm* [color] pink. ◇ *adj inv* [color] pink; **verlo todo de color (de) rosa** *fig* to see everything through rose-tinted spectacles. ➤ **rosa de los vientos** *sf* NÁUT compass.

rosado, da ◇ *adj* pink. ◇ *sm* [vino] rosé.

rosal *sm* [arbusto] rose bush.

rosario *sm* - 1. RELIG rosary; **rezar el rosario** to say one's rosary - 2. [sarta] string.

rosca *sf* - 1. [de tornillo] thread - 2. [forma - de anillo] ring; [- espiral] coil - 3. CULIN ring doughnut.

rosco *sm* ring-shaped bread roll.

roscón *sm* ring-shaped cake; **roscón de reyes** cake eaten on 6th January.

rosetón *sm* [ventana] rose window.

rosquilla *sf* ring doughnut.

rosticería *sf Chile* shop selling roast chicken.

rostro *sm* face; **tener (mucho) rostro** *fam fig* to have a real nerve.

rotación *sf* - 1. [giro] rotation; **rotación de cultivos** crop rotation - 2. [alternancia] rota; **por rotación** in turn.

rotativo, va *adj* rotary, revolving. ➤ **rotativo** *sm* newspaper. ➤ **rotativa** *sf* rotary press.

roto, ta ◇ *pp* ▷ **romper**. ◇ *adj* - 1. [gen] broken; [tela, papel] torn - 2. *fig* [deshecho - vida etc] destroyed; [- corazón] broken

- 3. *fig* [exhausto] shattered. ◇ *sm, f Chile fam despec* [trabajador] worker. ➤ **roto** *sm* [en tela] tear, rip.

rotonda *sf* - 1. [glorieta] roundabout *UK*, traffic circle *US* - 2. [plaza] circus.

rotoso, sa *adj Andes & R Dom fam* ragged.

rótula *sf* kneecap.

rotulador *sm* felt-tip pen; [fluorescente] marker pen.

rótulo *sm* - 1. [letrero] sign - 2. [encabezamiento] headline, title.

rotundo, da *adj* - 1. [categórico - negativa, persona] categorical; [- lenguaje, estilo] emphatic - 2. [completo] total.

rotura *sf* [gen] break, breaking *(U)*; [de hueso] fracture; [en tela] rip, hole.

roulotte [ru'lot] *sf* caravan *UK*, trailer *US*.

rozadura *sf* - 1. [señal] scratch, scrape - 2. [herida] graze.

rozamiento *sm* [fricción] rub, rubbing *(U)*; FÍS friction *(U)*.

rozar *vt* - 1. [gen] to rub; [suavemente] to brush; [suj: zapato] to graze - 2. [pasar cerca de] to skim. ➤ **rozar con** *vi* - 1. [tocar] to brush against - 2. *fig* [acercarse a] to verge on. ➤ **rozarse** *vprnl* - 1. [tocarse] to touch - 2. [pasar cerca] to brush past each other - 3. [herirse - rodilla etc] to graze - 4. *fig* [tener trato]: **rozarse con** to rub shoulders with.

Rte. *abrev de* **remitente**.

RTVE (*abrev de* **Radiotelevisión Española**) *sf* Spanish state broadcasting company.

rubeola, rubéola *sf* German measles *(U)*.

rubí (*pl* **rubíes** O **rubís**) *sm* ruby.

rubio, bia ◇ *adj* - 1. [pelo, persona] blond (*f* blonde), fair; **teñirse de rubio** to dye one's hair blond; **rubia platino** platinum blonde - 2. [tabaco] Virginia (*antes de s*) - 3. [cerveza] lager (*antes de s*). ◇ *sm, f* [persona] blond (*f* blonde).

rubor *sm* - 1. [vergüenza] embarrassment; **causar rubor** to embarrass - 2. [sonrojo] blush.

ruborizar *vt* [avergonzar] to embarrass. ➤ **ruborizarse** *vprnl* to blush.

rúbrica *sf* - 1. [de firma] flourish - 2. [conclusión] final flourish; **poner rúbrica a algo** to complete sthg.

rubricar *vt* - 1. *fig* [confirmar] to confirm - 2. *fig* [concluir] to complete.

rucio, cia *adj* [gris] grey.

rudeza *sf* - 1. [tosquedad] roughness - 2. [grosería] coarseness.

rudimentario, ria *adj* rudimentary.

rudimentos *smpl* rudiments.

rudo, da *adj* - 1. [tosco] rough - 2. [brusco] sharp, brusque - 3. [grosero] rude, coarse.

rueda *sf* - **1.** [pieza] wheel; **rueda delantera/ trasera** front/rear wheel; **rueda de repuesto** spare wheel; **comulgar con ruedas de molino** *fig* to be very gullible; **ir sobre ruedas** *fig* to go smoothly - **2.** [corro] circle. ◆ **rueda de prensa** *sf* press conference.

ruedo *sm* TAUROM bullring.

ruega *etc* ➭ **rogar**.

ruego *sm* request; **ruegos y preguntas** any other business.

rufián *sm* villain.

rugby *sm* rugby.

rugido *sm* [gen] roar; [de persona] bellow.

rugir *vi* [gen] to roar; [persona] to bellow.

rugoso, sa *adj* - **1.** [áspero - material, terreno] rough - **2.** [con arrugas - rostro etc] wrinkled; [- tejido] crinkled.

ruido *sm* - **1.** [gen] noise; [sonido] sound; **mucho ruido y pocas nueces** much ado about nothing - **2.** *fig* [escándalo] row; **hacer** O **meter ruido** to cause a stir.

ruidoso, sa *adj* [que hace ruido] noisy.

ruin *adj* - **1.** [vil] low, contemptible - **2.** [avaro] mean.

ruina *sf* - **1.** [gen] ruin; **dejar en** O **llevar a la ruina a alguien** to ruin sb; **estar en la ruina** to be ruined; **ser una ruina** to cost a fortune - **2.** [destrucción] destruction - **3.** [fracaso - persona] wreck; **estar hecho una ruina** to be a wreck. ◆ **ruinas** *sfpl* [históricas] ruins; **en ruinas** in ruins.

ruinoso, sa *adj* - **1.** [poco rentable] ruinous - **2.** [edificio] ramshackle.

ruiseñor *sm* nightingale.

ruleta *sf* roulette.

ruletear *vi* Amér C & Méx fam to drive a taxi.

ruletero *sm* Amér C & Méx fam taxi driver.

rulo *sm* [para el pelo] roller.

ruma *sf* Andes & Ven heap, pile.

Rumanía, Rumania *n pr* Romania.

rumano, na *adj* & *sm, f* Romanian. ◆ **rumano** *sm* [lengua] Romanian.

rumba *sf* rumba.

rumbo *sm* - **1.** [dirección] direction, course; **caminar sin rumbo fijo** to walk aimlessly; **ir con rumbo a** to be heading for; **perder el rumbo** [barco] to go off course; *fig* [persona] to lose one's way; **tomar otro rumbo** to take a different tack - **2.** *fig* [camino] path, direction.

rumiante *adj* & *sm* ruminant.

rumiar ◇ *vt* [suj: rumiante] to chew; *fig* to chew over. ◇ *vi* [masticar] to ruminate, to chew the cud.

rumor *sm* - **1.** [ruido sordo] murmur - **2.** [chisme] rumour; **corre el rumor de que** there's a rumour going around that.

rumorearse *v impers*: **rumorearse que...** to be rumoured that...

runrún *sm* [ruido confuso] hum, humming (U).

rupestre *adj* cave (antes de s).

ruptura *sf* [gen] break; [de relaciones, conversaciones] breaking-off; [de contrato] breach.

rural *adj* rural.

Rusia *n pr* Russia.

ruso, sa *adj* & *sm, f* Russian. ◆ **ruso** *sm* [lengua] Russian.

rústico, ca *adj* - **1.** [del campo] country (antes de s) - **2.** [tosco] rough, coarse. ◆ **en rústica** *loc adj* paperback.

ruta *sf* route; *fig* way, course.

rutina *sf* [gen & INFORM] routine; **por rutina** as a matter of course.

rutinario, ria *adj* routine.

S

s, S[1] *sf* [letra] s, S.

s. (abrev de **siglo**) c (century).

S[2] - **1.** (abrev de **sur**) S - **2.** (abrev de **san**) St.

SA (abrev de **sociedad anónima**) *sf* ≃ Ltd, ≃ PLC.

sábado *sm* Saturday; **¿qué día es hoy? - (es) sábado** what day is it (today)? - (it's) Saturday; **cada sábado, todos los sábados** every Saturday; **cada dos sábados, un sábado sí y otro no** every other Saturday; **caer en sábado** to be on a Saturday; **te llamo el sábado** I'll call you on Saturday; **el próximo sábado, el sábado que viene** next Saturday; **el sábado pasado** last Saturday; **el sábado por la mañana/tarde/ noche** Saturday morning/afternoon/night; **en sábado** on Saturdays; **nací en sábado** I was born on a Saturday; **este sábado** [pasado] last Saturday; [próximo] this (coming) Saturday; **¿trabajas los sábados?** do you work (on) Saturdays?; **un sábado cualquiera** on any Saturday.

sábana *sf* sheet.

sabandija *sf* *fig* [persona] worm.

sabañón *sm* chilblain.

sabático, ca *adj* [del sábado] Saturday *(antes de s)*.

saber ◇ *sm* knowledge. ◇ *vt* - **1.** [conocer] to know; **ya lo sé** I know; **hacer saber algo a alguien** to inform sb of sthg, to tell sb sthg; **¿se puede saber qué haces?** would you mind telling me what you are doing? - **2.** [ser capaz de]: **saber hacer algo** to know how to do sthg, to be able to do sthg; **sabe hablar inglés/montar en bici** she can speak English/ride a bike - **3.** [enterarse] to learn, to find out; **lo supe ayer** I only found out yesterday - **4.** [entender de] to know about; **sabe mucha física** he knows a lot about physics. ◇ *vi* - **1.** [tener sabor]: **saber (a)** to taste (of); **saber bien/mal** to taste good/bad; **saber mal a alguien** *fig* to upset O annoy sb - **2.** [entender]: **saber de algo** to know about sthg - **3.** [tener noticia]: **saber de alguien** to hear from sb; **saber de algo** to learn of sthg - **4.** [parecer]: **eso me sabe a disculpa** that sounds like an excuse to me - **5.** *Andes, Arg & Chile fam* [soler]: **saber hacer algo** to be wont to do sthg - **6.** *loc*: **que yo sepa** as far as I know; **¡quién sabe!**, **¡vete a saber!** who knows! ◆ **saberse** *vprnl*: **saberse algo** to know sthg; **sabérselas todas** *fig* to know all the tricks. ◆ **a saber** *loc adv* [es decir] namely.

sabiduría *sf* - **1.** [conocimientos] knowledge, learning - **2.** [prudencia] wisdom; **sabiduría popular** popular wisdom.

sabiendas ◆ **a sabiendas** *loc adv* knowingly.

sabihondo = **sabiondo**.

sabio, bia *adj* - **1.** [sensato, inteligente] wise - **2.** [docto] learned.

sabiondo, da, sabihondo, da *adj & sm, f* know-all.

sablazo *sm fam fig* [de dinero] scrounging *(U)*; **dar un sablazo a alguien** to scrounge money off sb.

sable *sm* sabre.

sablear *vi fam* to scrounge money.

sabor *sm* - **1.** [gusto] taste, flavour; **tener sabor a algo** to taste of sthg; **dejar mal/buen sabor (de boca)** *fig* to leave a nasty taste in one's mouth/a warm feeling - **2.** *fig* [estilo] flavour.

saborear *vt lit & fig* to savour.

sabotaje *sm* sabotage.

sabotear *vt* to sabotage.

sabrá *etc* ▷ **saber**.

sabroso, sa *adj* - **1.** [gustoso] tasty - **2.** *fig* [substancioso] tidy, considerable.

sabueso *sm* - **1.** [perro] bloodhound - **2.** *fig* [policía] sleuth.

saca *sf* sack.

sacacorchos *sm inv* corkscrew.

sacapuntas *sm inv* pencil sharpener.

sacar ◇ *vt* - **1.** [poner fuera, hacer salir] to take out; [lengua] to stick out; **sacar algo de** to take sthg out of; **nos sacaron algo de comer** they gave us something to eat; **sacar a alguien a bailar** to ask sb to dance - **2.** [quitar]: **sacar algo (de)** to remove sthg (from) - **3.** [librar, salvar]: **sacar a alguien de** to get sb out of - **4.** [conseguir]: **no sacas nada mintiéndole** you don't gain anything by lying to him - **5.** [obtener - carné, buenas notas] to get, to obtain; [- premio] to win; [- foto] to take; [- fotocopia] to make; [- dinero del banco] to withdraw - **6.** [sonsacar]: **sacar algo a alguien** to get sthg out of sb - **7.** [extraer - producto]: **sacar algo de** to extract sthg from - **8.** [fabricar] to produce - **9.** [crear - modelo, disco etc] to bring out - **10.** [exteriorizar] to show - **11.** [resolver - crucigrama etc] to do, to finish - **12.** [deducir] to gather, to understand; [conclusión] to come to - **13.** [mostrar] to show; **lo sacaron en televisión** he was on television - **14.** [comprar - entradas etc] to get, to buy - **15.** [prenda - de ancho] to let out; [- de largo] to let down - **16.** [aventajar]: **sacó tres minutos a su rival** he was three minutes ahead of his rival - **17.** [DEP - con la mano] to throw in; [- con la raqueta] to serve. ◇ *vi* DEP to put the ball into play; [con la raqueta] to serve. ◆ **sacarse** *vprnl* [carné etc] to get. ◆ **sacar adelante** *vt* - **1.** [hijos] to bring up - **2.** [negocio] to make a go of.

sacarina *sf* saccharine.

sacerdote, tisa *sm, f* [pagano] priest (*f* priestess). ◆ **sacerdote** *sm* [cristiano] priest.

saciar *vt* [satisfacer - sed] to quench; [- hambre] to satisfy.

saco *sm* - **1.** [bolsa] sack, bag; **saco de dormir** sleeping bag - **2.** *Amér* [chaqueta] coat - **3.** *loc*: **dar por saco a alguien** *mfam* to screw sb; **entrar a saco en** to sack, to pillage; **mandar a alguien a tomar por saco** *mfam* to tell sb to get stuffed; **no echar algo en saco roto** to take good note of sthg.

sacramento *sm* sacrament.

sacrificar *vt* - **1.** [gen] to sacrifice; **sacrificar algo a** *lit & fig* to sacrifice sthg to - **2.** [animal - para consumo] to slaughter.

sacrificio *sm lit & fig* sacrifice.

sacrilegio *sm lit & fig* sacrilege.

sacristán, ana *sm, f* sacristan, sexton.

sacristía *sf* sacristy.

sacro, cra *adj* [sagrado] holy, sacred.

sacudida *sf* - **1.** [gen] shake; [de la cabeza] toss; [de tren, coche] jolt; **dar sacudidas** to jolt; **sacudida eléctrica** electric shock - **2.** [terremoto] tremor.

sacudir *vt* - **1.** [agitar] to shake - **2.** [golpear - alfombra etc] to beat - **3.** [hacer temblar] to shake - **4.** *fig* [conmover] to shake, to shock - **5.** *fam fig* [pegar] to smack.

sádico, ca ◇ *adj* sadistic. ◇ *sm, f* sadist.

sadismo *sm* sadism.

saeta *sf* - 1. [flecha] arrow - 2. MÚS *flamenco-style song sung on religious occasions.*

safari *sm* [expedición] safari; **ir de safari** to go on safari.

saga *sf* saga.

sagacidad *sf* astuteness.

sagaz *adj* astute, shrewd.

Sagitario ◇ *sm* [zodiaco] Sagittarius. ◇ *smf* [persona] Sagittarian.

sagrado, da *adj* holy, sacred; *fig* sacred.

Sáhara, Sahara *sm*: **el (desierto del) Sáhara** the Sahara (Desert).

sal *sf* CULIN & QUÍM salt; **la sal de la vida** *fig* the spark of life. ◆ **sales** *sfpl* - 1. [para reanimar] smelling salts - 2. [para baño] bath salts.

sala *sf* - 1. [habitación - gen] room; [- de una casa] lounge, living room; [- de hospital] ward; **sala de embarque** departure lounge; **sala de espera** waiting room; **sala de estar** lounge, living room; **sala de partos** delivery room - 2. [local - de conferencias, conciertos] hall; [- de cine, teatro] auditorium; **sala de fiestas** discotheque - 3. [DER - lugar] court (room); [- magistrados] bench.

salado, da *adj* - 1. [con sal] salted; [agua] salt *(antes de s)*; [con demasiada sal] salty - 2. *fig* [gracioso] witty - 3. *Amér C, Caribe & Méx* [desgraciado] unfortunate.

salamandra *sf* - 1. [animal] salamander - 2. [estufa] salamander stove.

salami, salame *sm C Sur* salami.

salar *vt* - 1. [para conservar] to salt - 2. [para cocinar] to add salt to.

salarial *adj* wage *(antes de s).*

salario *sm* salary, wages *pl*; [semanal] wage.

salchicha *sf* sausage.

salchichón *sm* ≃ salami.

saldar *vt* - 1. [pagar - cuenta] to close; [- deuda] to settle - 2. *fig* [poner fin a] to settle - 3. COM to sell off. ◆ **saldarse** *vprnl* [acabar]: **saldarse con** to produce; **la pelea se saldó con 11 heridos** 11 people were injured in the brawl.

saldo *sm* - 1. [de cuenta] balance - 2. [de deudas] settlement - 3. *(gen pl)* [restos de mercancías] remnant; [rebajas] sale; **de saldo** bargain - 4. *fig* [resultado] balance.

saldrá *etc* ▷ **salir**.

saledizo, za *adj* projecting.

salero *sm* - 1. [recipiente] salt cellar *UK*, salt shaker *US* - 2. *fig* [gracia] wit; [donaire] charm.

salga *etc* ▷ **salir**.

salida *sf* - 1. [acción de partir - gen] leaving; [- de tren, avión] departure; **salidas nacionales/internacionales** domestic/international departures - 2. DEP start; **dar la salida** to start the race - 3. [lugar] exit, way out; **salida de emergencia/incendios** emergency/fire exit - 4. [momento]: **quedamos a la salida del trabajo** we agreed to meet after work - 5. [viaje] trip - 6. [aparición - de sol, luna] rise; [- de revista, nuevo modelo] appearance - 7. [COM - posibilidades] market; [- producción] output - 8. *fig* [solución] way out; **si no hay otra salida** if there's no alternative - 9. *fig* [futuro - de carreras etc] opening, opportunity.

salido, da *adj* - 1. [saliente] projecting, sticking out; [ojos] bulging - 2. [animal] on heat - 3. *mfam* [persona] horny.

saliente ◇ *adj* POLÍT outgoing. ◇ *sm* projection.

salino, na *adj* saline.

salir *vi* - 1. [ir fuera] to go out; [venir fuera] to come out; **salir de** to go/come out of; **¿salimos al jardín?** shall we go out into the garden?; **¡sal aquí fuera!** come out here! - 2. [ser novios]: **salir (con alguien)** to go out (with sb) - 3. [marcharse]: **salir (de/para)** to leave (from/for); **salir corriendo** to go off like a shot - 4. [desembocar - calle]: **salir a** to open out onto - 5. [resultar] to turn out; **ha salido muy estudioso** he has turned out to be very studious; **¿qué salió en la votación?** what was the result of the vote?; **salir elegida actriz del año** to be voted actress of the year; **salir bien/mal** to turn out well/badly; **salir ganando/perdiendo** to come off well/badly - 6. [proceder]: **salir de** to come from; **el vino sale de la uva** wine comes from grapes - 7. [surgir - luna, estrellas, planta] to come out; [- sol] to rise; [- dientes] to come through; **le ha salido un sarpullido en la espalda** her back has come out in a rash - 8. [aparecer - publicación, producto, traumas] to come out; [- moda, ley] to come in; [- en imagen, prensa, televisión] to appear; **¡qué bien sales en la foto!** you look great in the photo!; **ha salido en los periódicos** it's in the papers; **hoy salió por la televisión** he was on television today; **salir de** CINE & TEATRO to appear as - 9. [costar]: **salir (a O por)** to work out (at); **salir caro** [de dinero] to be expensive; [por las consecuencias] to be costly - 10. [parecerse]: **salir a alguien** to turn out like sb, to take after sb - 11. [en juegos] to lead; **te toca salir a ti** it's your lead - 12. [quitarse - manchas] to come out - 13. [librarse]: **salir de** [gen] to get out of; [problema] to get round - 14. INFORM: **salir (de)** to quit, to exit. ◆ **salirse** *vprnl* - 1. [marcharse - de lugar, asociación etc]: **salirse (de)** to leave - 2. [filtrarse]: **salirse (por)** [líquido, gas] to leak O escape (through); [humo, aroma] to come out (through) - 3. [rebosar] to overflow; [leche] to boil over; **el río se salió del cauce** the river broke its banks - 4. [desviarse]: **salirse (de)** to come off; **el coche se salió de la carretera** the car came off O left

the road - **5.** fig [escaparse]: **salirse de** [gen] to deviate from; [límites] to go beyond; **salirse del tema** to digress - **6.** loc: **salirse con la suya** to get one's own way. ◆ **salir adelante** vi - **1.** [persona, empresa] to get by - **2.** [proyecto, propuesta, ley] to be successful.

salitre sm saltpetre.

saliva sf saliva; **tragar saliva** fig to bite one's tongue.

salmo sm psalm.

salmón ◇ sm [pez] salmon. ◇ adj & sm inv [color] salmon (pink).

salmonete sm red mullet.

salmuera sf brine.

salobre adj salty.

salón sm - **1.** [habitación - en casa] lounge, sitting room; **salón comedor** living room-dining room; [- en residencia, edificio público] reception hall - **2.** [local - de sesiones etc] hall; **salón de actos** assembly hall - **3.** [feria] show, exhibition; **salón de exposiciones** exhibition hall - **4.** [establecimiento] shop; **salón de belleza/masaje** beauty/massage parlour; **salón de té** tearoom.

salpicadera sf Méx mudguard UK, fender US.

salpicadero sm dashboard.

salpicar vt [rociar] to splash.

salpimentar vt to season with salt and pepper.

salpullido = sarpullido.

salsa sf - **1.** [CULIN - gen] sauce; [- de carne] gravy; **salsa bearnesa/tártara** bearnaise/tartar sauce; **salsa rosa** thousand island dressing; **salsa de tomate** tomato sauce; **en su propia salsa** fig in one's element - **2.** fig [interés] spice - **3.** MÚS salsa.

salsera sf gravy boat.

saltamontes sm inv grasshopper.

saltar ◇ vt - **1.** [obstáculo] to jump (over) - **2.** [omitir] to skip, to miss out. ◇ vi - **1.** [gen] to jump; **saltar de alegría** to jump for joy; [a la comba] to skip; [al agua] to dive; **saltar sobre alguien** [abalanzarse] to set upon sb; **saltar de un tema a otro** to jump (around) from one subject to another - **2.** [levantarse] to jump up; **saltar de la silla** to jump out of one's seat - **3.** [salir para arriba - objeto] to jump (up); [- champán, aceite] to spurt (out); [- corcho, válvula] to pop out - **4.** [explotar] to explode, to blow up - **5.** [romperse] to break - **6.** [reaccionar violentamente] to explode. ◆ **saltarse** vprnl - **1.** [omitir] to skip, to miss out - **2.** [salir despedido] to pop off - **3.** [no respetar - cola, semáforo] to jump; [- ley, normas] to break.

salteado, da adj - **1.** CULIN sautéed - **2.** [espaciado] unevenly spaced.

salteador, ra sm, f: **salteador de caminos** highwayman.

saltear vt CULIN to sauté.

saltimbanqui smf acrobat.

salto sm - **1.** [gen & DEP] jump; [grande] leap; [al agua] dive; **levantarse de un salto** to leap to sb's feet; **dar O pegar un salto** to jump; [grande] to leap - **2.** fig [diferencia, omisión] gap - **3.** fig [progreso] leap forward. ◆ **salto de agua** sm waterfall. ◆ **salto de cama** sm negligée.

saltón, ona adj [ojos] bulging; [dientes] sticking out.

salubre adj healthy.

salud ◇ sf lit & fig health. ◇ interj: ¡salud! [para brindar] cheers!; ¡a su salud! your health!; [después de estornudar] bless you!

saludable adj - **1.** [sano] healthy - **2.** fig [provechoso] beneficial.

saludar vt to greet; MIL to salute; **saludar con la mano a alguien** to wave to sb; **saluda a Ana de mi parte** give my regards to Ana; **le saluda atentamente** yours faithfully. ◆ **saludarse** vprnl to greet one another.

saludo sm greeting; MIL salute; **retirarle el saludo a alguien** to stop speaking to sb; **Ana te manda saludos** [en cartas] Ana sends you her regards; [al teléfono] Ana says hello; **un saludo afectuoso** [en cartas] yours sincerely; **saludos** best regards.

salva sf MIL salvo; **una salva de aplausos** fig a round of applause.

salvación sf - **1.** [remedio]: **no tener salvación** to be beyond hope - **2.** [rescate] rescue - **3.** RELIG salvation.

salvado sm bran.

salvador, ra sm, f [persona] saviour. ◆ **Salvador** sm GEOGR: **El Salvador** El Salvador.

salvadoreño, ña adj & sm, f Salvadoran.

salvaguardar vt to safeguard.

salvaje ◇ adj - **1.** [gen] wild - **2.** [pueblo, tribu] savage. ◇ smf - **1.** [primitivo] savage - **2.** [bruto] maniac.

salvamanteles sm inv [llano] table mat; [con pies] trivet.

salvamento sm rescue, saving; **equipo de salvamento** rescue team.

salvar vt - **1.** [gen & INFORM] to save; **salvar algo/a alguien de algo** to save sthg/sb from sthg - **2.** [rescatar] to rescue - **3.** [superar - moralmente] to overcome; [- físicamente] to go over O around - **4.** [recorrer] to cover - **5.** [exceptuar]: **salvando algunos detalles** except for a few details. ◆ **salvarse** vprnl - **1.** [librarse] to escape - **2.** RELIG to be saved.

salvavidas ◇ adj inv life (antes de s). ◇ sm [chaleco] lifejacket; [flotador] lifebelt.

salvedad sf exception.

salvia *sf* sage.

salvo, va *adj* safe; **estar a salvo** to be safe; **poner algo a salvo** to put sthg in a safe place. ◆ **salvo** *adv* except; **salvo que** unless.

salvoconducto *sm* safe-conduct, pass.

san *adj* Saint; **san José** Saint Joseph.

sanar ◇ *vt* [persona] to cure; [herida] to heal. ◇ *vi* [persona] to get better; [herida] to heal.

sanatorio *sm* sanatorium, nursing home.

sanción *sf* [castigo] punishment; ECON sanction.

sancionar *vt* [castigar] to punish.

sandalia *sf* sandal.

sandez *sf* silly thing, nonsense *(U)*; **decir sandeces** to talk nonsense.

sandía *sf* watermelon.

sándwich ['sanwitʃ] *(pl* **sándwiches)** *sm* - **1.** [con pan de molde] sandwich - **2.** *Amér* [con pan de barra] filled baguette - **3.** *C Sur* [feriado] *day(s) taken off between two public holidays.*

saneamiento *sm* - **1.** [higienización - de edificio] disinfection - **2.** *fig* & FIN [- de moneda etc] stabilization; [- de economía] putting back on a sound footing.

sanear *vt* - **1.** [higienizar - tierras] to drain; [- un edificio] to disinfect - **2.** *fig* & FIN [- moneda] to stabilize; [- economía] to put back on a sound footing.

sanfermines *smpl festival held in Pamplona when bulls are run through the streets of the town.*

sangrar ◇ *vi* to bleed. ◇ *vt* - **1.** [sacar sangre] to bleed - **2.** IMPR to indent.

sangre *sf* blood; **no llegó la sangre al río** it didn't get too nasty. ◆ **sangre fría** *sf* sangfroid; **a sangre fría** in cold blood.

sangría *sf* - **1.** [bebida] sangria - **2.** MED bloodletting - **3.** *fig* [ruina] drain.

sangriento, ta *adj* [ensangrentado, cruento] bloody.

sanguijuela *sf lit* & *fig* leech.

sanguinario, ria *adj* bloodthirsty.

sanguíneo, a *adj* blood *(antes de s).*

sanidad *sf* - **1.** [salubridad] health, healthiness - **2.** [servicio] public health; [ministerio] health department.

sanitario, ria *adj* health *(antes de s).* ◆ **sanitarios** *smpl* [instalación] bathroom fittings *pl.*

San José *n pr* San José.

sano, na *adj* - **1.** [saludable] healthy; **sano y salvo** safe and sound - **2.** [positivo - principios, persona etc] sound; [- ambiente, educación] wholesome - **3.** [entero] intact.

San Salvador *n pr* San Salvador.

santería *sf Amér* [tienda] *shop selling religious mementos such as statues of saints.*

santero, ra *adj* pious.

Santiago (de Chile) *n pr* Santiago.

santiamén ◆ **en un santiamén** *loc adv fam* in a flash.

santidad *sf* saintliness, holiness.

santiguar *vt* to make the sign of the cross over. ◆ **santiguarse** *vprnl* [persignarse] to cross o.s.

santo, ta ◇ *adj* - **1.** [sagrado] holy - **2.** [virtuoso] saintly - **3.** *fam fig* [dichoso] damn; **todo el santo día** all day long. ◇ *sm, f* RELIG saint. ◆ **santo** *sm* - **1.** [onomástica] saint's day - **2.** *loc:* **¿a santo de qué?** why on earth? ◆ **santo y seña** *sm* MIL password.

Santo Domingo *n pr* Santo Domingo.

santuario *sm* shrine; *fig* sanctuary.

saña *sf* viciousness, malice.

sapo *sm* toad; **echar sapos y culebras** *fig* to rant and rave.

saque *sm* - **1.** [en fútbol]: **saque de banda** throw-in; **saque inicial** *O* **de centro** kick-off - **2.** [en tenis etc] serve.

saquear *vt* - **1.** [rapiñar - ciudad] to sack; [- tienda etc] to loot - **2.** *fam* [vaciar] to ransack.

saqueo *sm* [de ciudad] sacking; [de tienda etc] looting.

sarao *sm* [fiesta] party.

sarcasmo *sm* sarcasm.

sarcástico, ca *adj* sarcastic.

sarcófago *sm* sarcophagus.

sardana *sf traditional Catalan dance and music.*

sardina *sf* sardine; **como sardinas en canasta** *O* **en lata** like sardines.

sardónico, ca *adj* sardonic.

sargento *smf* MIL ≃ sergeant.

sarpullido, salpullido *sm* rash.

sarro *sm* [de dientes] tartar.

sarta *sf lit* & *fig* string; **una sarta de mentiras** a pack of lies.

sartén *sf* frying pan; **tener la sartén por el mango** to be in control.

sastre, tra *sm, f* tailor.

sastrería *sf* [oficio] tailoring; [taller] tailor's (shop).

Satanás *sm* Satan.

satélite ◇ *sm* satellite. ◇ *adj fig* satellite *(antes de s).*

satén *sm* satin; [de algodón] sateen.

satinado, da *adj* glossy.

sátira *sf* satire.

satírico, ca ◇ *adj* satirical. ◇ *sm, f* satirist.

satirizar *vt* to satirize.

satisfacción *sf* satisfaction.

satisfacer *vt* - **1.** [gen] to satisfy; [sed] to quench - **2.** [deuda, pago] to pay, to settle - **3.** [ofensa, daño] to redress - **4.** [duda, pregunta] to answer - **5.** [cumplir - requisitos, exigencias] to meet.

satisfactorio, ria *adj* satisfactory.

satisfecho, cha ◇ *pp* ▷ **satisfacer**. ◇ *adj* satisfied; **satisfecho de sí mismo** self-satisfied; **darse por satisfecho** to be satisfied.

saturar *vt* to saturate. ➤ **saturarse** *vprnl*: **saturarse (de)** to become saturated (with).

saturnismo *sm* lead poisoning.

Saturno *n pr* Saturn.

sauce *sm* willow; **sauce llorón** weeping willow.

sauna *sf* sauna.

savia *sf* sap; *fig* vitality; **savia nueva** *fig* new blood.

saxo *sm* [instrumento] sax.

saxófono, saxofón *sm* [instrumento] saxophone.

sazón *sf* - **1.** [madurez] ripeness; **en sazón** ripe - **2.** [sabor] seasoning. ➤ **a la sazón** *loc adv* then, at that time.

sazonado, da *adj* seasoned.

sazonar *vt* to season.

scanner [es'kaner] = **escáner**.

scout [es'kaut] (*pl* scouts) *sm* scout.

SCT *sf* (*abrev de* **Secretaría de Comunicaciones y Transportes**) *Mexican Department of Communication and Transport.*

se *pron pers* - **1.** (*reflexivo*) [de personas] himself (*f* herself, *pl* themselves); [usted mismo] yourself (*pl* yourselves); [de cosas, animales] self (*pl* themselves); **se está lavando, está lavándose** she is washing (herself); **se lavó los dientes** she cleaned her teeth; **espero que se diviertan** I hope you enjoy yourselves; **el perro se lame** the dog is licking itself; **se lame la herida** it's licking its wound; **se levantaron y se fueron** they got up and left - **2.** (*reflexivo impersonal*) oneself; **hay que afeitarse todos los días** one has to shave every day, you have to shave every day - **3.** (*recíproco*) each other, one another; **se aman** they love each other; **se escriben cartas** they write to each other - **4.** [en construcción pasiva]: **se ha suspendido la reunión** the meeting has been cancelled; **'se prohíbe fumar'** 'no smoking'; **'se habla inglés'** 'English spoken' - **5.** (*impersonal*): **en esta sociedad ya no se respeta a los ancianos** in our society old people are no longer respected; **se dice que...** it is said that..., people say that... - **6.** (*en vez de 'le' o 'les' antes de 'lo', 'la', 'los' o 'las'*) (*complemento indirecto*) [gen] to him (*f* to her, *pl* to them); [de cosa, animal] to it (*pl* to them); [usted, ustedes] to you; **se lo dio** he gave it to him/her *etc*; **se lo dije, pero no me hizo**

caso I told her, but she didn't listen; **si usted quiere, yo se lo arreglo en un minuto** if you like, I'll sort it out for you in a minute.

sé ▷ **saber**.

SE *sf* (*abrev de* **Secretaría de Economía**) *Mexican Department of Economy.*

sebo *sm* fat; [para jabón, velas] tallow.

secador *sm* dryer; **secador de pelo** hair-dryer.

secadora *sf* clothes *O* tumble dryer.

secar *vt* - **1.** [desecar] to dry - **2.** [enjugar] to wipe away; [con fregona] to mop up. ➤ **secarse** *vprnl* [gen] to dry up; [ropa, vajilla, suelo] to dry.

sección *sf* - **1.** [gen & GEOM] section - **2.** [departamento] department.

seccionar *vt* - **1.** [cortar] to cut; TECNOL to section - **2.** [dividir] to divide (up).

secesión *sf* secession.

seco, ca *adj* - **1.** [gen] dry; [plantas, flores] withered; [higos, pasas] dried; **lavar en seco** to dry-clean - **2.** [tajante] brusque - **3.** *loc*: **dejar a alguien seco** [matar] to kill sb stone dead; [pasmar] to stun sb; **parar en seco** to stop dead. ➤ **a secas** *loc adv* simply, just; **llámame Juan a secas** just call me Juan.

secretaría *sf* - **1.** [oficina, lugar] secretary's office - **2.** [organismo] secretariat; **secretaría general** general secretariat.

secretariado *sm* EDUC secretarial skills *pl*; **curso desecretariado** secretarial course.

secretario, ria *sm, f* secretary.

secreto, ta *adj* [gen] secret; [tono] confidential; **en secreto** in secret. ➤ **secreto** *sm* - **1.** [gen] secret; **guardar un secreto** to keep a secret; **secreto bancario** banking confidentiality; **declarar el secreto de sumario** to deny access to information regarding a judicial enquiry - **2.** [sigilo] secrecy.

secta *sf* sect.

sector *sm* - **1.** [gen] sector; [grupo] group - **2.** [zona] area.

secuaz *smf despec* minion.

secuela *sf* consequence.

secuencia *sf* sequence.

secuestrador, ra *sm, f* - **1.** [de persona] kidnapper - **2.** [de avión] hijacker.

secuestrar *vt* - **1.** [raptar] to kidnap - **2.** [avión] to hijack - **3.** [embargar] to seize.

secuestro *sm* - **1.** [rapto] kidnapping - **2.** [de avión, barco] hijack - **3.** [de bienes etc] seizure, confiscation.

secular *adj* - **1.** [seglar] secular, lay - **2.** [centenario] age-old.

secundar *vt* to support, to back (up); [propuesta] to second.

secundario, ria adj secondary. ◆ **secundaria** sf secondary education.

secuoya sf sequoia.

sed ◇ v ▷ **ser**. ◇ sf thirst; **el calor da sed** heat makes you thirsty; **tener sed** to be thirsty.

seda sf silk.

sedal sm fishing line.

sedante ◇ adj MED sedative; [música] soothing. ◇ sm sedative.

sede sf - 1. [emplazamiento] headquarters pl; [de gobierno] seat; **sede social** head office - 2. [de campeonato] host - 3. RELIG see. ◆ **Santa Sede** sf: **la Santa Sede** the Holy See.

sedentario, ria adj sedentary.

sedición sf sedition.

sediento, ta adj - 1. [de agua] thirsty - 2. fig [deseoso]: **sediento de** hungry for.

sedimentar vt to deposit. ◆ **sedimentarse** vprnl [líquido] to settle.

sedimento sm - 1. [poso] sediment - 2. GEOL deposit.

sedoso, sa adj silky.

seducción sf - 1. [cualidad] seductiveness - 2. [acción - gen] attraction, charm; [- sexual] seduction.

seducir vt - 1. [atraer] to attract, to charm; [sexualmente] to seduce - 2. [persuadir]: **seducir a alguien para que haga algo** to tempt sb to do sthg.

seductor, ra ◇ adj [gen] charming; [sexualmente] seductive; [persuasivo] tempting. ◇ sm, f seducer.

segador, ra sm, f [agricultor] reaper.

segar vt - 1. AGRIC to reap - 2. [cortar] to cut off - 3. fig [truncar] to put an end to.

seglar sm lay person.

segmento sm - 1. GEOM & ZOOL segment - 2. [trozo] piece - 3. [sector] sector.

segregación sf - 1. [separación, discriminación] segregation; **segregación racial** racial segregation - 2. [secreción] secretion.

segregar vt - 1. [separar, discriminar] to segregate - 2. [secretar] to secrete.

seguidilla sf - 1. (gen pl) [baile] traditional Spanish dance - 2. [cante] mournful flamenco song.

seguido, da adj - 1. [consecutivo] consecutive; **diez años seguidos** ten years in a row - 2. [sin interrupción - gen] one after the other; [- línea, pitido etc] continuous. ◆ **seguido** adv - 1. [inmediatamente después] straight after - 2. [en línea recta] straight on - 3. Amér [frecuentemente] often. ◆ **en seguida** loc adv straight away, at once; **en seguida nos vamos** we're going in a minute.

seguidor, ra sm, f follower.

seguimiento sm [de noticia] following; [de clientes] follow-up.

seguir ◇ vt - 1. [gen] to follow; **seguir de cerca algo** to follow sthg closely; **seguir de cerca a alguien** to tail sb - 2. [perseguir] to chase - 3. [reanudar] to continue, to resume. ◇ vi - 1. [sucederse]: **seguir a algo** to follow sthg; **a la tormenta siguió la lluvia** the storm was followed by rain - 2. [continuar] to continue, to go on; **seguir adelante** to carry on; **¡sigue! ¡no te pares!** go O carry on, don't stop!; **sigo trabajando en la fábrica** I'm still working at the factory; **debes seguir haciéndolo** you should keep on O carry on doing it; **sigo pensando que está mal** I still think it's wrong; **sigue enferma/en el hospital** she's still ill/at the hospital. ◆ **seguirse** vprnl to follow; **seguirse de algo** to follow O be deduced from sthg; **de esto se sigue que estás equivocado** it therefore follows that you are wrong.

según ◇ prep - 1. [de acuerdo con] according to; **según su opinión, ha sido un éxito** in his opinion O according to him, it was a success; **según yo/tú** etc in my/your etc opinion - 2. [dependiendo de] depending on; **según la hora que sea** depending on the time. ◇ adv - 1. [como] (just) as; **todo permanecía según lo recordaba** everything was just as she remembered it; **actuó según se le recomendó** he did as he had been advised - 2. [a medida que] as; **entrarás en forma según vayas entrenando** you'll get fit as you train - 3. [dependiendo]: **¿te gusta la música? - según** do you like music? - it depends; **lo intentaré según esté de tiempo** I'll try to do it, depending on how much time I have. ◆ **según que** loc adv depending on whether. ◆ **según qué** loc adj certain; **según qué días la clase es muy aburrida** some days the class is really boring.

segunda ▷ **segundo**.

segundero sm second hand.

segundo, da ◇ num & adj second. ◇ num m y f - 1. [en orden] second; **el segundo** the second one; **llegó el segundo** he came second - 2. [mencionado antes]: **vinieron Pedro y Juan, el segundo con...** Pedro and Juan arrived, the latter with... - 3. [ayudante] number two; **segundo de abordo** NÁUT first mate. ◆ **segundo** sm - 1. [gen] second - 2. [piso] second floor. ◆ **segunda** sf - 1. AUTO second (gear); **meter la segunda** to go into second (gear) - 2. AERON & FERROC second class; **viajar en segunda** to travel second class - 3. DEP second division. ◆ **con segundas** loc adv with an ulterior motive.

seguramente adv probably; **seguramente iré, pero aún no lo sé** the chances are I'll go, but I'm not sure yet.

seguridad sf - 1. [fiabilidad, ausencia de peligro] safety; [protección, estabilidad] security; **de se-**

guridad [cinturón, cierre] safety *(antes de s)*; [puerta, guardia] security *(antes de s)*; **seguridad ciudadana** public safety; **seguridad vial** road safety - 2. [certidumbre] certainty; **con seguridad** for sure, definitely - 3. [confianza] confidence; **seguridad en sí mismo** self-confidence. ◆ **Seguridad Social** *sf* Social Security.

seguro, ra *adj* - 1. [fiable, sin peligro] safe; [protegido, estable] secure - 2. [infalible - prueba, negocio etc] reliable - 3. [confiado] sure; **estar seguro de algo** to be sure about sthg - 4. [indudable - nombramiento, fecha etc] definite, certain; **tener por seguro que** to be sure that - 5. [con aplomo] self-confident; **estar seguro de sí mismo** to be self-confident. ◆ **seguro** ⬦ *sm* - 1. [contrato] insurance *(U)*; **seguro a todo riesgo/a terceros** comprehensive/ third party insurance; **seguro de incendios/de vida** fire/life insurance; **seguro del coche** car insurance; **seguro de invalidez** *O* **incapacidad** disability insurance; **seguro mutuo** joint insurance; **seguro de vida** life insurance - 2. [dispositivo] safety device; [de armas] safety catch - 3. *Amér C & Méx* [imperdible] safety pin. ⬦ *adv* for sure, definitely; **seguro que vendrá** she's bound to come.

seis ⬦ *num & adj inv* - 1. [para contar] six; **tiene seis años** she's six (years old) - 2. [para ordenar] (number) six; **la página seis** page six. ⬦ *num m* - 1. [número] six; **el seis** number six; **doscientos seis** two hundred and six; **treinta y seis** thirty-six - 2. [en fechas] sixth; **el seis de agosto** the sixth of August - 3. [en direcciones]: **calle Mayor (número) seis** number six calle Mayor - 4. [en naipes] six; **el seis de diamantes** the six of diamonds; **echar** *O* **tirar un seis** to play a six. ⬦ *num & smpl* - 1. [referido a grupos]: **invité a diez y sólo vinieron seis** I invited ten and only six came along; **somos seis** there are six of us; **de seis en seis** in sixes; **los seis** the six of them - 2. [en temperaturas]: **estamos a seis bajo cero** the temperature is six below zero - 3. [en puntuaciones]: **empatar a seis** to draw six all; **seis a cero** six-nil. ⬦ *num f pl* [hora]: **las seis** six o'clock; **son las seis** it's six o'clock.

seiscientos, tas *num* six hundred; *ver también* **seis**.

seísmo *sm* earthquake.

selección *sf* - 1. [gen] selection; [de personal] recruitment - 2. [equipo] team; **selección nacional** national team.

seleccionador, ra *sm, f* - 1. DEP selector, ≈ manager - 2. [de personal] recruiter.

seleccionar *vt* to pick, to select.

selectividad *sf* [examen] university entrance examination.

selectivo, va *adj* selective.

selecto, ta *adj* - 1. [excelente] fine, excellent - 2. [escogido] exclusive, select.

self-service [self'serβis] *sm inv* self-service restaurant.

sellar *vt* - 1. [timbrar] to stamp - 2. [lacrar] to seal.

sello *sm* - 1. [gen] stamp - 2. [tampón] rubber stamp - 3. [lacre] seal - 4. *Andes & Ven* [de monedas] tails - 5. *fig* [carácter] hallmark.

selva *sf* [gen] jungle; [bosque] forest.

semáforo *sm* traffic lights *pl*.

semana *sf* week; **entre semana** during the week; **la semana próxima/que viene** next week; **semana laboral** working week. ◆ **Semana Santa** *sf* Easter; RELIG Holy Week.

semanada *sf Amér* (weekly) pocket money.

semanal *adj* weekly.

semanario, ria *adj* weekly. ◆ **semanario** *sm* [publicación semanal] weekly.

semántico, ca *adj* semantic. ◆ **semántica** *sf* semantics *(U)*.

semblante *sm* countenance, face.

semblanza *sf* portrait, profile.

sembrado, da *adj fig* [lleno]: **sembrado de** scattered *O* plagued with.

sembrar *vt* - 1. [plantar] to sow; **sembrar algo de algo** to sow sthg with sthg - 2. *fig* [llenar] to scatter - 3. *fig* [confusión, pánico etc] to sow.

semejante ⬦ *adj* - 1. [parecido]: **semejante (a)** similar (to) - 2. [tal] such; **jamás aceptaría semejante invitación** I would never accept such an invitation. ⬦ *sm (gen pl)* fellow (human) being.

semejanza *sf* similarity; **a semejanza de** similar to.

semejar *vt* to resemble. ◆ **semejarse** *vprnl* to be alike.

semen *sm* semen.

semental *sm* stud; [caballo] stallion.

semestral *adj* half-yearly, six-monthly.

semestre *sm* period of six months, semester *US*; **cada semestre** every six months.

semidirecto *adj* express.

semifinal *sf* semifinal.

semilla *sf* seed.

seminario *sm* - 1. [escuela para sacerdotes] seminary - 2. [EDUC - curso, conferencia] seminar; [- departamento] department.

sémola *sf* semolina.

Sena *sm*: **el Sena** the (river) Seine.

senado *sm* senate.

senador, ra *sm, f* senator.

sencillez *sf* - 1. [facilidad] simplicity - 2. [modestia] unaffectedness - 3. [discreción] plainness.

señor

sencillo, lla *adj* - **1.** [fácil, sin lujo, llano] simple - **2.** [campechano] unaffected - **3.** [billete, unidad etc] single. ➡ **sencillo** *sm* - **1.** [disco] single - **2.** *Andes, Amér C & Méx fam* [cambio] loose change.

senda *sf* = **sendero**.

sendero *sm* path.

sendos, das *adj pl* each, respective; **llegaron los dos con sendos paquetes** they arrived each carrying a parcel, they both arrived with their respective parcels.

Senegal *n pr:* **(el) Senegal** Senegal.

senil *adj* senile.

sénior (*pl* **seniores**) *adj inv & sm* senior.

seno *sm* - **1.** [pecho] breast - **2.** [pechera] bosom; **en el seno de** *fig* within - **3.** [útero]: **seno (materno)** womb - **4.** *fig* [amparo, cobijo] refuge, shelter - **5.** ANAT [de la nariz] sinus.

sensación *sf* - **1.** [percepción] feeling, sensation - **2.** [efecto] sensation - **3.** [premonición] feeling.

sensacional *adj* sensational.

sensacionalista *adj* sensationalist.

sensatez *sf* wisdom, common sense.

sensato, ta *adj* sensible.

sensibilidad *sf* - **1.** [perceptibilidad] feeling - **2.** [sentimentalismo] sensitivity; **tener la sensibilidad a flor de piel** to be very sensitive - **3.** [don especial] feel - **4.** [de emulsión fotográfica, balanza etc] sensitivity.

sensibilizar *vt* - **1.** [concienciar] to raise the awareness of - **2.** FOTO to sensitize.

sensible *adj* - **1.** [gen] sensitive - **2.** [evidente] perceptible; [pérdida] significant.

sensiblero, ra *adj despec* mushy, sloppy.

sensitivo, va *adj* - **1.** [de los sentidos] sensory - **2.** [receptible] sensitive.

sensor *sm* sensor; **sensor de humo** smoke detector.

sensorial *adj* sensory.

sensual *adj* sensual.

sentado, da *adj* - **1.** [en asiento] seated; **estar sentado** to be sitting down - **2.** [establecido]: **dar algo por sentado** to take sthg for granted; **dejar sentado que...** to make it clear that...

sentar ⬦ *vt* - **1.** [en asiento] to seat, to sit - **2.** [establecer] to establish. ⬦ *vi* - **1.** [ropa, color] to suit - **2.** [comida]: **sentar bien/mal a alguien** to agree/disagree with sb - **3.** [vacaciones, medicamento]: **sentar bien a alguien** to do sb good - **4.** [comentario, consejo]: **le sentó mal** it upset her; **le sentó bien** she appreciated it. ➡ **sentarse** *vprnl* to sit down.

sentencia *sf* - **1.** DER sentence - **2.** [proverbio, máxima] maxim.

sentenciar *vt* DER: **sentenciar (a alguien a algo)** to sentence (sb to sthg).

sentido, da *adj* [profundo] heartfelt. ➡ **sentido** *sm* - **1.** [gen] sense; **en cierto sentido** in a sense; **en sentido literal** in a literal sense; **tener sentido** to make sense; **sentido común** common sense; **sentido del humor** sense of humour; **sexto sentido** sixth sense - **2.** [conocimiento] consciousness - **3.** [significado] meaning, sense; **doble sentido** double meaning - **4.** [dirección] direction; **de sentido único** one-way.

sentimental *adj* sentimental.

sentimentaloide *adj* mushy, sloppy.

sentimiento *sm* - **1.** [gen] feeling - **2.** [pena, aflicción]: **le acompaño en el sentimiento** my deepest sympathy.

sentir ⬦ *vt* - **1.** [gen] to feel - **2.** [lamentar] to regret, to be sorry about; **siento que no puedas venir** I'm sorry you can't come; **lo siento (mucho)** I'm (really) sorry - **3.** [oír] to hear. ⬦ *sm* feelings *pl*, sentiments *pl*. ➡ **sentirse** *vprnl* to feel; **me siento mareada** I feel sick.

seña *sf* [gesto, indicio, contraseña] sign, signal. ➡ **señas** *sfpl* - **1.** [dirección] address *sing*; **señas personales** (personal) description *sing* - **2.** [gesto, indicio] signs; **dar señas de algo** to show signs of sthg; **(hablar) por señas** (to talk) in sign language; **hacer señas (a alguien)** to signal (to sb) - **3.** [detalle] details; **para O por más señas** to be precise.

señal *sf* - **1.** [gen & TELECOM] signal; **señal de alarma/salida** alarm/starting signal; [de teléfono] tone; **señal de ocupado** engaged tone, busy signal *US* - **2.** [indicio, símbolo] sign; **dar señales de vida** to show signs of life; **señal de la Cruz** sign of the Cross; **señal de tráfico** road sign; **en señal de** as a mark O sign of - **3.** [marca, huella] mark; **no dejó ni señal** she didn't leave a trace - **4.** [cicatriz] scar, mark - **5.** [fianza] deposit.

señalado, da *adj* [importante - fecha] special; [- personaje] distinguished.

señalar *vt* - **1.** [marcar, denotar] to mark; [hora, temperatura etc] to indicate, to say - **2.** [indicar - con el dedo, con un comentario] to point out - **3.** [fijar] to set, to fix.

señalización *sf* - **1.** [conjunto de señales] signs *pl*; **señalización vial** roadsigns *pl* - **2.** [colocación de señales] signposting.

señalizar *vt* to signpost.

señor, ra *adj* [refinado] noble, refined. ➡ **señor** *sm* - **1.** [tratamiento - antes de nombre, cargo] Mr; [- al dirigir la palabra] Sir; **el señor López** Mr López; **¡señor presidente!** Mr President!; **¿qué desea el señor?** what would you like, Sir?; **Muy señor mío** [en cartas] Dear Sir - **2.** [hombre] man - **3.** [caballero] gentleman - **4.** [dueño] owner - **5.** [amo - de criado] master. ➡ **señora** *sf* - **1.** [tratamiento - antes de nom-

bre, cargo] Mrs; [- al dirigir la palabra] Madam; **la señora López** Mrs López; **¡señora presidenta!** Madam President!; **¿qué desea la señora?** what would you like, Madam?; **¡señoras y señores!...** Ladies and Gentlemen!...; **Estimada señora** [en cartas] Dear Madam - **2.** [mujer] lady; **señora de la limpieza** cleaning woman - **3.** [dama] lady - **4.** [dueña] owner - **5.** [ama - de criado] mistress - **6.** [esposa] wife. ➣ **señores** *smpl* [matrimonio]: **los señores Ruiz** Mr & Mrs Ruiz.

señoría *sf* lordship (*f* ladyship); **su señoría** [gen] his lordship; [a un noble] your lordship; [a un parlamentario] the right honourable gentleman/lady; [a un juez] your Honour.

señorial *adj* [majestuoso] stately.

señorío *sm* - **1.** [dominio] dominion, rule - **2.** [distinción] nobility.

señorito, ta *adj fam despec* [refinado] lordly. ➣ **señorito** *sm* - **1.** *desus* [hijo del amo] master - **2.** *fam despec* [niñato] rich kid. ➣ **señorita** *sf* - **1.** [soltera, tratamiento] Miss - **2.** [joven] young lady - **3.** [maestra]: **la señorita** miss, the teacher - **4.** *desus* [hija del amo] mistress.

señuelo *sm* - **1.** [reclamo] decoy - **2.** *fig* [trampa] bait, lure.

SEP *sf* (*abrev de* Secretaría de Educación Pública) *Mexican Department of Public Education*.

sepa *etc* ⊳ **saber**.

separación *sf* - **1.** [gen] separation - **2.** [espacio] space, distance.

separado, da *adj* - **1.** [gen] separate; **está muy separado de la pared** it's too far away from the wall; **por separado** separately - **2.** [del cónyuge] separated.

separar *vt* - **1.** [gen] to separate; **separar algo de** to separate sthg from - **2.** [desunir] to take off, to remove - **3.** [apartar - silla etc] to move away - **4.** [reservar] to put aside - **5.** [destituir]: **separar de** to remove O dismiss from. ➣ **separarse** *vprnl* - **1.** [apartarse] to move apart - **2.** [ir por distinto lugar] to part company - **3.** [matrimonio]: **separarse (de alguien)** to separate (from sb) - **4.** [desprenderse] to come away O off.

separatismo *sm* separatism.

separo *sm Méx* (prison) cell.

sepia *sf* [molusco] cuttlefish.

septentrional *adj* northern.

septiembre, setiembre *sm* September; **el 1 de septiembre** the 1st of September; **uno de los septiembres más lluviosos de la última década** one of the rainiest Septembers in the last decade; **a principios/mediados/finales de septiembre** at the beginning/in the middle/at the end of September; **el pasado/próximo (mes de) septiembre** last/next September; **en septiembre** in September; **en pleno septiem-**

bre in mid-September; **este (mes de) septiembre** [pasado] (this) last September; [próximo] next September, this coming September; **pa-ra septiembre** by September.

séptimo, ma, sétimo, ma *num* seventh.

septuagésimo, ma *num* seventieth.

sepulcral *adj fig* [profundo - voz, silencio] lugubrious, gloomy.

sepulcro *sm* tomb.

sepultar *vt* to bury.

sepultura *sf* - **1.** [enterramiento] burial; **dar sepultura a alguien** to bury sb - **2.** [fosa] grave.

sepulturero, ra *sm, f* gravedigger.

sequedad *sf* - **1.** [falta de humedad] dryness - **2.** *fig* [antipatía] brusqueness.

sequía *sf* drought.

séquito *sm* [comitiva] retinue, entourage.

ser ⬦ *v aux* (*antes de pp forma la voz pasiva*) to be; **fue visto por un testigo** he was seen by a witness. ⬦ *v cop* - **1.** [gen] to be; **es alto/gracioso** he is tall/funny; **es azul/difícil** it's blue/difficult; **es un amigo/el dueño** he is a friend/the owner - **2.** [empleo, dedicación] to be; **soy abogado/actriz** I'm a lawyer/an actress; **son estudiantes** they're students. ⬦ *vi* - **1.** [gen] to be; **fue aquí** it was here; **lo importante es decidirse** the important thing is to reach a decision; **ser de** [estar hecho de] to be made of; [provenir de] to be from; [ser propiedad de] to belong to; [formar parte de] to be a member of; **¿de dónde eres?** where are you from?; **los juguetes son de mi hijo** the toys are my son's - **2.** [con precios, horas, números] to be; **¿cuánto es?** how much is it?; **son 30 euros** that'll be 30 euros; **¿qué (día) es hoy?** what day is it today?, what's today?; **mañana será 15 de julio** tomorrow (it) will be the 15th of July; **¿qué hora es?** what time is it?, what's the time?; **son las tres (de la tarde)** it's three o'clock (in the afternoon), it's three (pm) - **3.** [servir, ser adecuado]: **ser para** to be for; **este trapo es para (limpiar) las ventanas** this cloth is for (cleaning) the windows; **este libro es para niños** this book is (meant) for children - **4.** (*uso partitivo*): **ser de los que...** to be one of those (people) who...; **ése es de los que están en huelga** he is one of those on strike. ⬦ *v impers* - **1.** [expresa tiempo] to be; **es muy tarde** it's rather late; **era de noche/de día** it was night/day - **2.** [expresa necesidad, posibilidad]: **es de desear que...** it is to be hoped that...; **es de suponer que aparecerá** presumably, he'll turn up - **3.** [expresa motivo]: **es que no vine porque estaba enfermo** the reason I didn't come is that I was ill - **4.** *loc*: **a no ser que** unless; **como sea** one way or another, somehow or other; **de no ser por** had it not been for; **érase una vez, érase que se era** once upon a time; **no es para menos** not without

reason; **o sea** that is (to say), I mean; **por si fuera poco** as if that wasn't enough. ◇ *sm* [ente] being; **ser humano/vivo** human/living being.

Serbia *n pr* Serbia.

serenar *vt* [calmar] to calm. ◆ **serenarse** *vprnl* [calmarse] to calm down.

serenata *sf* MÚS serenade.

serenidad *sf* - **1.** [tranquilidad] calm - **2.** [quietud] tranquility.

sereno, na *adj* calm. ◆ **sereno** *sm* [vigilante] night watchman.

serial *sm* serial.

serie *sf* - **1.** [gen & TV] series *sing*; [de hechos, sucesos] chain; [de mentiras] string - **2.** [de sellos, monedas] set - **3.** *loc*: **ser un fuera de serie** to be unique. ◆ **de serie** *loc adj* [equipamiento] (fitted) as standard. ◆ **en serie** *loc adv* [fabricación]: **fabricar en serie** to mass-produce.

seriedad *sf* - **1.** [gravedad] seriousness - **2.** [responsabilidad] sense of responsibility - **3.** [formalidad - de persona] reliability.

serio, ria *adj* - **1.** [gen] serious; **estar serio** to look serious - **2.** [responsable, formal] responsible - **3.** [sobrio] sober. ◆ **en serio** *loc adv* seriously; **lo digo en serio** I'm serious; **tomar(se) algo/a alguien en serio** to take sthg/sb seriously.

sermón *sm* lit & fig sermon; **echar un sermón por algo** to give a lecture for sthg.

seropositivo, va ◇ *adj* MED HIV-positive. ◇ *sm, f* MED HIV-positive person.

serpentear *vi* - **1.** [río, camino] to wind - **2.** [culebra] to wriggle.

serpentina *sf* streamer.

serpiente *sf* [culebra] snake; LITER serpent.

serranía *sf* mountainous region.

serrano, na *adj* - **1.** [de la sierra] mountain *(antes de s)* - **2.** [jamón] cured.

serrar *vt* to saw (up).

serrín *sm* sawdust.

serrucho *sm* handsaw.

servicial *adj* attentive, helpful.

servicio *sm* - **1.** [gen] service; **fuera de servicio** out of order; **servicio de inteligencia** O **secreto** intelligence O secret service; **servicio de mesa** dinner service; **servicio militar** military service; **servicio de té** tea set - **2.** [servidumbre] servants *pl* - **3.** [turno] duty - **4.** *(gen pl)* [WC] toilet, lavatory, bathroom US - **5.** DEP serve, service.

servidor, ra *sm, f* - **1.** [en cartas]: **su seguro servidor** yours faithfully - **2.** [yo] yours truly, me. ◆ **servidor** *sm* INFORM server; **servidor seguro** secure server.

servidumbre *sf* - **1.** [criados] servants *pl* - **2.** [dependencia] servitude.

servil *adj* servile.

servilleta *sf* serviette, napkin.

servilletero *sm* serviette O napkin ring.

servir ◇ *vt* to serve; **sírvanos dos cervezas** bring us two beers; **¿te sirvo más patatas?** would you like some more potatoes?; **¿en qué puedo servirle?** what can I do for you? ◇ *vi* - **1.** [gen] to serve; **servir en el gobierno** to be a government minister - **2.** [valer, ser útil] to serve, to be useful; **no sirve para estudiar** he's no good at studying; **de nada sirve que se lo digas** it's no use telling him; **servir de algo** to serve as sthg. ◆ **servirse** *vprnl* - **1.** [aprovecharse]: **servirse de** to make use of; **sírvase llamar cuando quiera** please call whenever you want - **2.** [comida, bebida] to help o.s.

sésamo *sm* sesame.

sesenta *num* sixty; **los (años) sesenta** the sixties; *ver también* **seis**.

sesgo *sm* - **1.** [oblicuidad] slant - **2.** *fig* [rumbo] course, path - **3.** [enfoque] bias.

sesión *sf* - **1.** [reunión] meeting, session; DER sitting, session; **abrir/levantar la sesión** to open/to adjourn the meeting - **2.** [proyección, representación] show, performance; **sesión continua** continuous showing; **sesión matinal** matinée; **sesión de tarde** afternoon matinée; **sesión de noche** evening showing - **3.** [periodo] session.

seso *(gen pl)* *sm* - **1.** [cerebro] brain - **2.** [sensatez] brains *pl*, sense; **calentarse** O **devanarse los sesos** to rack one's brains; **sorber el seso** O **los sesos a alguien** to brainwash sb.

sesudo, da *adj* [inteligente] brainy.

set *(pl sets)* *sm* DEP set.

seta *sf* mushroom; **seta venenosa** toadstool.

setecientos, tas *num* seven hundred; *ver también* **seis**.

setenta *num* seventy; **los (años) setenta** the seventies; *ver también* **seis**.

setiembre = septiembre.

sétimo = séptimo.

seto *sm* fence; **seto vivo** hedge.

seudónimo *sm* pseudonym.

severidad *sf* - **1.** [rigor] severity - **2.** [intransigencia] strictness.

severo, ra *adj* - **1.** [castigo] severe, harsh - **2.** [persona] strict.

Sevilla *n pr* Seville.

sevillano, na *adj* & *sm, f* Sevillian. ◆ **sevillanas** *sfpl* Andalusian dance and song.

sexagésimo, ma *num* sixtieth.

sexista *adj* & *smf* sexist.

sexo *sm* [gen] sex; **sexo tántrico** tantric sex.

sexteto *sm* MÚS sextet.

sexto, ta *num* sixth.

sexual *adj* [gen] sexual; [educación, vida] sex *(antes de s)*.

sexualidad *sf* sexuality.

sha [sa, ʃa] *sm* shah.

shock = **choc**.

shorts [ʃorts] *smpl* shorts.

show [ʃou] *(pl shows) sm* show; **montar un show** *fig* to cause a scene.

si¹ *(pl sis) sm* MÚS B; [en solfeo] ti.

si² *conj* - 1. *(condicional)* if; **si viene él yo me voy** if he comes, then I'm going; **si hubieses venido te habrías divertido** if you had come, you would have enjoyed yourself - 2. *(en oraciones interrogativas indirectas)* if, whether; **ignoro si lo sabe** I don't know if O whether she knows - 3. [expresa protesta] but; **¡si te dije que no lo hicieras!** but I told you not to do it!

sí¹ *(pl síes)* ◇ *adv* - 1. [afirmación] yes; **¿vendrás? - sí, iré** will you come? - yes, I will; **claro que sí** of course; **creo que sí** I think so; **¿están de acuerdo? - algunos sí** do they agree? - some do - 2. [uso enfático]: **sí que me gusta** I really O certainly like it - 3. *loc*: **no creo que puedas hacerlo - ¡a que sí!** I don't think you can do it - I bet I can!; **¿sí?** [incredulidad] really? ◇ *pron pers* - 1. *(reflexivo)* [de personas] himself (f herself, pl themselves); [usted] yourself (pl yourselves); [de cosas, animales] itself (pl themselves); **lo quiere todo para sí (misma)** she wants everything for herself; **se acercó la silla hacia sí** he drew the chair nearer (himself); **de (por) sí** [cosa] in itself - 2. *(reflexivo impersonal)* oneself; **cuando uno piensa en sí mismo** when one thinks about oneself, when you think about yourself. ◇ *sm* consent; **dar el sí** to give one's consent.

siamés, esa *adj* Siamese. ◆ **siamés** *sm* [gato] Siamese.

Siberia *n pr*: **(la) Siberia** Siberia.

Sicilia *n pr* Sicily.

sicoanalista = **psicoanalista**.

sicodélico = **psicodélico**.

sicología = **psicología**.

sicológico = **psicológico**.

sicólogo, ga = **psicólogo**.

sicópata = **psicópata**.

sicosis = **psicosis**.

sicosomático = **psicosomático**.

sida *(abrev de* síndrome de inmunodeficiencia adquirida*) sm* AIDS.

siderurgia *sf* iron and steel industry.

siderúrgico, ca *adj* iron and steel *(antes de s)*.

sidra *sf* cider.

siega *sf* - 1. [acción] reaping, harvesting - 2. [época] harvest (time).

siembra *sf* - 1. [acción] sowing - 2. [época] sowing time.

siempre *adv* [gen] always; **como siempre** as usual; **de siempre** usual; **lo de siempre** the usual; **somos amigos de siempre** we've always been friends; **es así desde siempre** it has always been that way; **para siempre, para siempre jamás** for ever and ever. ◆ **siempre que** *loc conj* - 1. [cada vez que] whenever - 2. [con tal de que] provided that, as long as. ◆ **siempre y cuando** *loc conj* provided that, as long as.

sien *sf* temple.

sienta *etc* ▷ **sentar, sentir**.

sierra *sf* - 1. [herramienta] saw - 2. [cordillera] mountain range - 3. [región montañosa] mountains *pl*.

siervo, va *sm, f* - 1. [esclavo] serf - 2. RELIG servant.

siesta *sf* siesta, nap; **dormir** O **echarse la siesta** to have an afternoon nap.

siete ◇ *num* seven. ◇ *sf* R Dom *fig*: **de la gran siete** amazing, incredible; **¡la gran siete!** *fam* sugar! UK, shoot! US; **ver también seis**.

sífilis *sf inv* syphilis.

sifón *sm* - 1. [agua carbónica] soda (water) - 2. [tubo] siphon.

sigilo *sm* [gen] secrecy; [al robar, escapar] stealth.

sigiloso, sa *adj* [discreto] secretive; [al robar, escapar] stealthy.

siglas *sfpl* acronym.

siglo *sm* - 1. [cien años] century; **el siglo XX** the 20th century; **el siglo III antes de Cristo** the third century before Christ - 2. *fig* [mucho tiempo]: **hace siglos que no la veo** I haven't seen her for ages.

signatura *sf* - 1. [en biblioteca] catalogue number - 2. [firma] signature.

significación *sf* - 1. [importancia] significance - 2. [significado] meaning.

significado, da *adj* important. ◆ **significado** *sm* [sentido] meaning.

significar ◇ *vt* - 1. [gen] to mean - 2. [expresar] to express. ◇ *vi* [tener importancia]: **no significa nada para mí** it means nothing to me.

significativo, va *adj* significant.

signo *sm* - 1. [gen] sign; **signo de multiplicar/dividir** multiplication/division sign; **signo del zodiaco** sign of the zodiac - 2. [en la escritura] mark; **signo de admiración/interrogación** exclamation/question mark - 3. [símbolo] symbol.

sigo *etc* ▷ **seguir**.

siguiente ◇ *adj* - **1.** [en el tiempo, espacio] next - **2.** [a continuación] following. ◇ *smf* - **1.** [el que sigue]: **el siguiente** the next one; **¡el siguiente!** next, please! - **2.** [lo que sigue]: **lo siguiente** the following.

sílaba *sf* syllable.

silbar ◇ *vt* - **1.** [gen] to whistle - **2.** [abuchear] to hiss. ◇ *vi* - **1.** [gen] to whistle - **2.** [abuchear] to hiss - **3.** *fig* [oídos] to ring.

silbato *sm* whistle.

silbido, silbo *sm* - **1.** [gen] whistle - **2.** [para abuchear, de serpiente] hiss, hissing *(U)*.

silenciador *sm* silencer.

silenciar *vt* to hush up, to keep quiet.

silencio *sm* - **1.** [gen] silence; **guardar silencio (sobre algo)** to keep silent (about sthg); **reinaba el silencio más absoluto** there was complete silence; **romper el silencio** to break the silence - **2.** MÚS rest.

silencioso, sa *adj* silent, quiet.

silicona *sf* silicone.

silla *sf* - **1.** [gen] chair; **silla de ruedas** wheelchair; **silla eléctrica** electric chair; **silla de tijera** folding chair - **2.** [de caballo]: **silla (de montar)** saddle.

sillín *sm* saddle, seat.

sillón *sm* armchair.

silueta *sf* - **1.** [cuerpo] figure - **2.** [contorno] outline - **3.** [dibujo] silhouette.

silvestre *adj* wild.

simbólico, ca *adj* symbolic.

simbolizar *vt* to symbolize.

símbolo *sm* symbol.

simetría *sf* symmetry.

simiente *sf culto* seed.

símil *sm* - **1.** [paralelismo] similarity, resemblance - **2.** LITER simile.

similar *adj*: **similar (a)** similar (to).

similitud *sf* similarity.

simio, mia *sm, f* simian, ape.

simpatía *sf* - **1.** [cordialidad] friendliness - **2.** [cariño] affection; **coger simpatía a alguien** to take a liking to sb; **tener simpatía a, sentir simpatía por** to like - **3.** MED sympathy.

simpático, ca *adj* - **1.** [gen] nice, likeable; [abierto, cordial] friendly; **Juan me cae simpático** I like Juan - **2.** [anécdota, comedia etc] amusing, entertaining - **3.** [reunión, velada etc] pleasant, agreeable.

simpatizante *smf* sympathizer.

simpatizar *vi*: **simpatizar (con)** [persona] to hit it off (with); [cosa] to like.

simple ◇ *adj* - **1.** [gen] simple - **2.** [fácil] easy, simple - **3.** [único, sin componentes] single; **dame una simple razón** give me one single reas-

on - **4.** [mero] mere; **por simple estupidez** through sheer stupidity. ◇ *smf* [persona] simpleton.

simplemente *adv* simply.

simpleza *sf* - **1.** [de persona] simple-mindedness - **2.** [tontería] trifle.

simplicidad *sf* simplicity.

simplificar *vt* to simplify.

simplista *adj* simplistic.

simposio, simposium *sm* symposium.

simulacro *sm* simulation; **simulacro de combate** mock battle; **simulacro de incendio** fire drill.

simular *vt* - **1.** [sentimiento, desmayo etc] to feign; **simuló que no me había visto** he pretended not to have seen me - **2.** [enfermedad] to fake - **3.** [combate, salvamento] to simulate.

simultáneo, nea *adj* simultaneous.

sin *prep* without; **sin alcohol** alcohol-free; **estoy sin un euro** I'm penniless; **ha escrito cinco libros sin (contar) las novelas** he has written five books, not counting his novels; **está sin hacer** it hasn't been done yet; **estamos sin vino** we're out of wine; **sin que** (+ *subjuntivo*) without (+ *gerundio*); **sin que nadie se enterara** without anyone noticing. ➡ **sin embargo** *conj* however.

sinagoga *sf* synagogue.

sincerarse *vprnl*: **sincerarse (con alguien)** to open one's heart (to sb).

sinceridad *sf* sincerity; [llaneza, franqueza] frankness; **con toda sinceridad** in all honesty.

sincero, ra *adj* sincere; [abierto, directo] frank; **para ser sincero** to be honest.

síncope *sm* blackout; **le dio un síncope** she blacked out.

sincronizar *vt* [regular] to synchronize.

sindical *adj* (trade) union *(antes de s)*.

sindicalista *smf* trade unionist.

sindicato *sm* trade union, labor union *US*.

síndrome *sm* syndrome; **síndrome de abstinencia** withdrawal symptoms *pl*; **síndrome de clase turista** economy-class syndrome; **síndrome de Down** Down's syndrome; **síndrome de inmunodeficiencia adquirida** acquired immune deficiency syndrome; **síndrome premenstrual** premenstrual syndrome; **síndrome tóxico** toxic syndrome caused by ingestion of adulterated rapeseed oil.

sinfín *sm* vast number; **un sinfín de problemas** no end of problems.

sinfonía *sf* symphony.

sinfónico, ca *adj* symphonic. ➡ **sinfónica** *sf* symphony orchestra.

Singapur *n pr* Singapore.

single ['singəl] *sm* - **1.** single - **2.** *C Sur* [habitación] single room.

singular ◇ *adj* - **1.** [raro] peculiar, odd - **2.** [único] unique - **3.** GRAM singular. ◇ *sm* GRAM singular; **en singular** in the singular.

singularidad *sf* - **1.** [rareza, peculiaridad] peculiarity - **2.** [exclusividad] uniqueness.

singularizar *vt* to distinguish, to single out.
◆ **singularizarse** *vprnl* to stand out; **singularizarse por algo** to stand out because of sthg.

siniestro, tra *adj* - **1.** [perverso] sinister - **2.** [desgraciado] disastrous. ◆ **siniestro** *sm* disaster; [accidente de coche] accident, crash; [incendio] fire.

sinnúmero *sm*: **un sinnúmero de** countless.

sino *conj* - **1.** [para contraponer] but; **no lo hizo él, sino ella** he didn't do it, she did; **no sólo es listo, sino también trabajador** he's not only clever but also hardworking - **2.** [para exceptuar] except, but; **¿quién sino tú lo haría?** who else but you would do it?; **no quiero sino que se haga justicia** I only want justice to be done.

sinónimo, ma *adj* synonymous; **ser sinónimo de algo** to be synonymous with sthg.
◆ **sinónimo** *sm* synonym.

sinopsis *sf inv* synopsis.

síntesis *sf inv* synthesis; **en síntesis** in short; **síntesis del habla** INFORM & LING speech synthesis.

sintético, ca *adj* [artificial] synthetic.

sintetizador, ra *adj* synthesizing. ◆ **sintetizador** *sm* synthesizer.

sintetizar *vt* - **1.** [resumir] to summarize - **2.** [fabricar artificialmente] to synthesize.

sintiera *etc* ▷ **sentir**.

síntoma *sm* symptom.

sintonía *sf* - **1.** [música] signature tune - **2.** [conexión] tuning - **3.** *fig* [compenetración] harmony; **en sintonía con** in tune with.

sintonizar ◇ *vt* [conectar] to tune in to. ◇ *vi* - **1.** [conectar]: **sintonizar (con)** to tune in (to) - **2.** *fig* [compenetrarse]: **sintonizar en algo (con alguien)** to be on the same wavelength (as sb) about sthg.

sinuoso, sa *adj* - **1.** [camino] winding - **2.** [movimiento] sinuous.

sinvergüenza *smf* - **1.** [canalla] rogue - **2.** [fresco, descarado] cheeky person.

sionismo *sm* Zionism.

siquiatra = **psiquiatra**.

siquiátrico = **psiquiátrico**.

síquico = **psíquico**.

siquiera ◇ *conj* [aunque] even if; **ven siquiera por pocos días** do come, even if it's only for a few days. ◇ *adv* [por lo menos] at least; **dime siquiera tu nombre** (you could) at least tell me your name. ◆ **ni (tan) siquiera** *loc conj* not even; **ni (tan) siquiera me hablaron** they didn't even speak to me.

sirena *sf* - **1.** MITOL mermaid, siren - **2.** [señal] siren.

Siria *n pr* Syria.

sirimiri *sm* drizzle.

sirviente, ta *sm, f* servant.

sisa *sf* [en costura] dart; [de manga] armhole.

sisear *vt* & *vi* to hiss.

sísmico, ca *adj* seismic.

sistema *sm* - **1.** [gen & INFORM] system; **sistema monetario/nervioso/solar** monetary/nervous/solar system; **sistema métrico (decimal)** metric (decimal) system; **sistema monetario europeo** European Monetary System; **sistema montañoso** mountain chain O range; **sistema periódico de los elementos** periodic table of elements - **2.** [método, orden] method. ◆ **por sistema** *loc adv* systematically.

Sistema Ibérico *sm*: **el Sistema Ibérico** the Iberian mountain chain.

sistemático, ca *adj* systematic.

sistematizar *vt* to systematize.

sitiar *vt* [cercar] to besiege.

sitio *sm* - **1.** [lugar] place; **cambiar de sitio (con alguien)** to change places (with sb); **en otro sitio** elsewhere; **poner a alguien en su sitio** to put sb in his/her place - **2.** [espacio] room, space; **hacer sitio a alguien** to make room for sb; **ocupar sitio** to take up space - **3.** [cerco] siege - **4.** INFORM: **sitio Web** Web site - **5.** *Méx* [de taxi] taxi rank *UK* O stand *US*.

situación *sf* - **1.** [circunstancias] situation; [legal, social] status - **2.** [condición, estado] state, condition - **3.** [ubicación] location.

situado, da *adj* - **1.** [acomodado] comfortably off; **estar bien situado** to be well off - **2.** [ubicado] located.

situar *vt* - **1.** [colocar] to place, to put; [edificio, ciudad] to site, to locate - **2.** [en clasificación] to place, to rank - **3.** [localizar] to locate, to find. ◆ **situarse** *vprnl* - **1.** [colocarse] to take up position - **2.** [ubicarse] to be located - **3.** [acomodarse, establecerse] to get o.s. established - **4.** [en clasificación] to be placed; **se sitúa entre los mejores** he's (ranked) amongst the best.

skai [es'kai] = **escay**.

ski [es'ki] = **esquí**.

SL (*abrev de sociedad limitada*) *sf* ≃ Ltd.

slip [es'lip] *sm* briefs *pl*.

slogan [es'loɣan] = **eslogan**.

smoking [es'mokin] = **esmoquin**.

s/n (*abrev de sin número*) abbreviation used in addresses after the street name, where the building has no number.

snob = **esnob**.

snowboard *sm* snowboard *m*.

so ⬦ *prep* under; **so pretexto de** under; **so pena de** under penalty of. ⬦ *adv*: **¡so tonto!** you idiot! ⬦ *interj*: **¡so!** whoa!

sobaco *sm* armpit.

sobado, da *adj* - **1.** [cuello, puños etc] worn, shabby; [libro] dog-eared - **2.** *fig* [argumento, excusa] hackneyed. ◆ **sobado** *sm* CULIN shortcrust pastry.

sobar *vt* - **1.** [tocar] to finger, to paw - **2.** *despec* [acariciar, besar] to touch up.

soberanía *sf* sovereignty.

soberano, na ⬦ *adj* - **1.** [independiente] sovereign - **2.** *fig* [grande] massive; [paliza] thorough; [belleza, calidad] unrivalled. ⬦ *sm, f* sovereign.

soberbio, bia *adj* - **1.** [arrogante] proud, arrogant - **2.** [magnífico] superb. ◆ **soberbia** *sf* - **1.** [arrogancia] pride, arrogance - **2.** [magnificencia] grandeur.

sobornar *vt* to bribe.

soborno *sm* - **1.** [acción] bribery - **2.** [dinero, regalo] bribe.

sobra *sf* excess, surplus; **lo sabemos de sobra** we know it only too well. ◆ **sobras** *sfpl* [de comida] leftovers.

sobrado, da *adj* - **1.** [de sobra] more than enough, plenty of - **2.** [de dinero] well off.

sobrante *adj* remaining.

sobrar *vi* - **1.** [quedar, restar] to be left over; **nos sobró comida** we had some food left over - **2.** [haber de más] to be more than enough; **parece que van a sobrar bocadillos** it looks like there are going to be too many sandwiches - **3.** [estar de más] to be superfluous; **lo que dices sobra** that goes without saying.

sobrasada *sf* Mallorcan spiced sausage.

sobre¹ *sm* - **1.** [para cartas] envelope - **2.** [para alimentos] sachet, packet.

sobre² *prep* - **1.** [encima de] on (top of); **el libro está sobre la mesa** the book is on (top of) the table - **2.** [por encima de] over, above; **el pato vuela sobre el lago** the duck is flying over the lake - **3.** [acerca de] about, on; **un libro sobre el amor** a book about O on love; **una conferencia sobre el desarme** a conference on disarmament - **4.** [alrededor de] about; **llegarán sobre las diez** they'll arrive at about ten o'clock - **5.** [acumulación] upon; **nos contó mentira sobre mentira** he told us lie upon lie O one lie after another - **6.** [cerca de] upon; **la desgracia estaba ya sobre nosotros** the disaster was already upon us.

sobrecarga *sf* - **1.** [exceso de carga] excess weight - **2.** [saturación] overload.

sobrecargo *sm* [de avión] purser.

sobrecoger *vt* - **1.** [asustar] to startle - **2.** [impresionar] to move. ◆ **sobrecogerse** *vprnl* - **1.** [asustarse] to be startled - **2.** [impresionarse] to be moved.

sobredosis *sf inv* overdose.

sobreentender = sobrentender.

sobregiro *sm* COM overdraft.

sobremesa *sf* after-dinner period; **de sobremesa** [programación etc] mid-afternoon *(antes de s)*.

sobrenatural *adj* [extraordinario] supernatural.

sobrenombre *sm* nickname.

sobrentender, sobreentender *vt* to understand, to deduce. ◆ **sobrentenderse** *vprnl* to be inferred O implied.

sobrepasar *vt* - **1.** [exceder] to exceed - **2.** [aventajar]: **sobrepasar a alguien** to overtake sb. ◆ **sobrepasarse** *vprnl* to go too far.

sobrepeso *sm* excess weight.

sobreponer = superponer. ◆ **sobreponerse** *vprnl*: **sobreponerse a algo** to overcome sthg.

sobreproducción, superproducción *sf* ECON overproduction (U).

sobrepuesto, ta ⬦ *adj* **= superpuesto**. ⬦ *pp* ⊳ **sobreponer**.

sobresaliente ⬦ *adj* [destacado] outstanding. ⬦ *sm* [en escuela] excellent, ≃ A; [en universidad] ≃ first class.

sobresalir *vi* - **1.** [en tamaño] to jut out - **2.** [en importancia] to stand out.

sobresaltar *vt* to startle. ◆ **sobresaltarse** *vprnl* to be startled, to start.

sobresalto *sm* start, fright.

sobrestimar *vt* to overestimate.

sobretodo *sm Amér* overcoat.

sobrevenir *vi* to happen, to ensue; **sobrevino la guerra** the war intervened.

sobreviviente = superviviente.

sobrevivir *vi* to survive.

sobrevolar *vt* to fly over.

sobriedad *sf* - **1.** [moderación] restraint, moderation - **2.** [no embriaguez] soberness.

sobrino, na *sm, f* nephew (f niece).

sobrio, bria *adj* - **1.** [moderado] restrained - **2.** [no excesivo] simple - **3.** [austero, no borracho] sober.

socarrón, ona *adj* sarcastic.

socavar *vt* [excavar por debajo] to dig under; *fig* [debilitar] to undermine.

socavón *sm* [hoyo] hollow; [en la carretera] pothole.

sociable *adj* sociable.

social adj - 1. [gen] social - 2. COM company (antes de s).

socialdemócrata smf social democrat.

socialismo sm socialism.

socialista adj & smf socialist.

sociedad sf - 1. [gen] society; **sociedad de consumo** consumer society; **sociedad deportiva** sports club; **sociedad literaria** literary society - 2. COM [empresa] company; **sociedad anónima** public (limited) company UK, incorporated company US; **sociedad (de responsabilidad) limitada** private limited company.

socio, cia sm, f - 1. COM partner - 2. [miembro] member.

sociología sf sociology.

sociólogo, ga sm, f sociologist.

socorrer vt to help.

socorrismo sm first aid; [en la playa] lifesaving.

socorrista smf first aid worker; [en la playa] lifeguard.

socorro <> sm help, aid. <> interj: ¡socorro! help!

soda sf [bebida] soda water, club soda US.

sodio sm sodium.

soez adj vulgar, dirty.

sofá sm sofa; **sofá cama** O **nido** sofa bed.

sofisticación sf sophistication.

sofisticado, da adj sophisticated.

sofocar vt - 1. [ahogar] to suffocate - 2. [incendio] to put out - 3. fig [rebelión] to quell - 4. fig [avergonzar] to mortify. ➤ **sofocarse** vprnl - 1. [ahogarse] to suffocate - 2. fig [irritarse]: **sofocarse (por)** to get hot under the collar (about).

sofoco sm - 1. [ahogo] breathlessness (U); [sonrojo, bochorno] hot flush - 2. fig [vergüenza] mortification - 3. fig [disgusto]: **llevarse un sofoco** to have a fit.

sofreír vt to fry lightly over a low heat.

sofrito, ta pp ▷ **sofreír**. ➤ **sofrito** sm fried tomato and onion sauce.

software ['sofwer] sm INFORM software.

soga sf rope; [para ahorcar] noose.

sois ▷ ser.

soja sf soya.

sol sm - 1. [astro] sun; **a pleno sol** in the sun; **al salir/ponerse el sol** at sunrise/sunset; **hace sol** it's sunny; **no dejar a alguien ni a sol ni a sombra** not to give sb a moment's peace - 2. [rayos, luz] sunshine, sun; **tomar el sol** to sunbathe - 3. MÚS G; [en solfeo] so - 4. [moneda] sol.

solamente adv only, just; **vino solamente él** only he came.

solapa sf - 1. [de prenda] lapel - 2. [de libro, sobre] flap.

solapado, da adj underhand, devious.

solar <> adj solar. <> sm undeveloped plot (of land).

solárium (pl **soláriums**), **solario** sm solarium.

solazar vt - 1. to amuse, to entertain - 2. [aliviar] to solace, to entertain.

soldada sf pay.

soldado sm soldier; **soldado raso** private.

soldador, ra sm, f [persona] welder. ➤ **soldador** sm [aparato] soldering iron.

soldar vt to solder, to weld.

soleado, da adj sunny.

soledad sf loneliness; **en soledad** alone; culto solitude.

solemne adj - 1. [con pompa] formal - 2. [grave] solemn - 3. fig [enorme] utter.

solemnidad sf [suntuosidad] pomp, solemnity; **de solemnidad** extremely.

soler vi: **soler hacer algo** to do sthg usually; **aquí suele llover mucho** it usually rains a lot here; **solíamos ir a la playa cada día** we used to go to the beach every day.

solera sf - 1. [tradición] tradition - 2. [del vino] sediment; **de solera** vintage - 3. C Sur [vestido] sundress - 4. Chile [de acera] kerb.

solfeo sm MÚS solfeggio, singing of scales.

solicitar vt - 1. [pedir] to request; [un empleo] to apply for; **solicitar algo a** O **de alguien** to request sthg of sb - 2. [persona] to pursue; **estar muy solicitado** to be very popular, to be much sought after.

solícito, ta adj solicitous, obliging.

solicitud sf - 1. [petición] request; **presentar una solicitud** to submit a request - 2. [documento] application - 3. [atención] care.

solidaridad sf solidarity; **en solidaridad con** in solidarity with.

solidario, ria adj - 1. [adherido]: **solidario (con)** sympathetic (to), supporting (of) - 2. [obligación, compromiso] mutually binding.

solidez sf [física] solidity.

solidificar vt to solidify. ➤ **solidificarse** vprnl to solidify.

sólido, da adj - 1. [gen] solid; [cimientos, fundamento] firm - 2. [argumento, conocimiento, idea] sound. ➤ **sólido** sm solid.

soliloquio sm soliloquy.

solista <> adj solo. <> smf soloist.

solitario, ria <> adj - 1. [sin compañía] solitary - 2. [lugar] lonely, deserted. <> sm, f [persona] loner. ➤ **solitario** sm [juego] patience.

sollozar vi to sob.

sollozo sm sob.

solo, la adj - 1. [sin nadie] alone; **dejar solo a alguien** to leave sb alone; **se quedó solo a temprana edad** he was on his own from an early

soñoliento

age; **a solas** alone, by oneself - **2.** [sin nada] on its own; [café] black; [whisky] neat - **3.** [único] single, sole; **ni una sola gota** not a (single) drop; **dame una sola cosa** give me just one thing - **4.** [solitario] lonely. ◆ **solo** *sm* MÚS solo.

sólo *adv* only, just; **no sólo... sino (también)...** not only... but (also)...; **con sólo, sólo con** just by; **sólo que...** only...

solomillo *sm* sirloin.

soltar *vt* - **1.** [desasir] to let go of - **2.** [desatar - gen] to unfasten; [- nudo] to untie; [- hebilla, cordones] to undo - **3.** [dejar libre] to release - **4.** [desenrollar - cable etc] to let O pay out - **5.** [patada, grito, suspiro etc] to give; **no suelta ni un duro** you can't get a penny out of her - **6.** [decir bruscamente] to come out with. ◆ **soltarse** *vprnl* - **1.** [desasirse] to break free - **2.** [desatarse] to come undone - **3.** [desprenderse] to come off - **4.** [perder timidez] to let go.

soltero, ra ◇ *adj* single, unmarried. ◇ *sm, f* bachelor (*f* single woman).

solterón, ona ◇ *adj* unmarried. ◇ *sm, f* old bachelor (*f* spinster, old maid).

soltura *sf* - **1.** [gen] fluency - **2.** [seguridad de sí mismo] assurance.

soluble *adj* - **1.** [que se disuelve] soluble - **2.** [que se soluciona] solvable.

solución *sf* solution.

solucionar *vt* to solve; [disputa] to resolve.

solventar *vt* - **1.** [pagar] to settle - **2.** [resolver] to resolve.

solvente *adj* - **1.** [económicamente] solvent - **2.** *fig* [fuentes etc] reliable.

Somalia *n pr* Somalia.

sombra *sf* - **1.** [proyección - fenómeno] shadow; [- zona] shade; **dar sombra a** to cast a shadow over; **tener mala sombra** to be a nasty swine - **2.** [en pintura] shade - **3.** *fig* [anonimato] background; **permanecer en la sombra** to stay out of the limelight. ◆ **sombra de ojos** *sf* eyeshadow.

sombrero *sm* [prenda] hat; **quitarse el sombrero** *fig* to take one's hat off.

sombrilla *sf* sunshade, parasol; **me vale sombrilla** *Méx fig* I couldn't care less.

sombrío, bría *adj* - **1.** [oscuro] gloomy, dark - **2.** *fig* [triste] sombre, gloomy.

somero, ra *adj* superficial.

someter *vt* - **1.** [a rebeldes] to subdue - **2.** [presentar]: **someter algo a la aprobación de alguien** to submit sthg for sb's approval; **someter algo a votación** to put sthg to the vote - **3.** [subordinar] to subordinate - **4.** [a operación, interrogatorio etc]: **someter a alguien a algo** to subject sb to sthg. ◆ **someterse** *vprnl* - **1.** [rendirse] to surrender - **2.** [conformarse]: so-

meterse a algo to yield O bow to sthg - **3.** [a operación, interrogatorio etc]: **someterse a algo** to undergo sthg.

somier (*pl* **somieres**) *sm* [de muelles] bed springs *pl*; [de tablas] slats (*of bed*).

somnífero, ra *adj* somniferous. ◆ **somnífero** *sm* sleeping pill.

somos ▷ **ser**.

son *sm* - **1.** [sonido] sound; **bailar al son que le tocan** *fig* to toe the line - **2.** [estilo] way; **en son de** in the manner of; **en son de paz** in peace; ▷ **ser**.

sonajero *sm* rattle.

sonambulismo *sm* sleepwalking.

sonámbulo, la *sm, f* sleepwalker.

sonar[1] *sm* sonar.

sonar[2] *vi* - **1.** [gen] to sound; **suena a falso/chiste** it sounds false/like a joke; **(así O tal) como suena** literally, in so many words - **2.** [timbre] to ring - **3.** [hora]: **sonaron las doce** the clock struck twelve - **4.** [ser conocido, familiar] to be familiar; **me suena** it rings a bell; **no me suena su nombre** I don't remember hearing her name before - **5.** [pronunciarse - letra] to be pronounced - **6.** [rumorearse] to be rumoured. ◆ **sonarse** *vprnl* to blow one's nose.

sonda *sf* - **1.** MED & TECNOL probe - **2.** NÁUT sounding line - **3.** [en una mina] drill, bore.

sondear *vt* - **1.** [indagar] to sound out - **2.** [terreno] to test; [roca] to drill.

sondeo *sm* - **1.** [encuesta] (opinion) poll - **2.** [de un terreno] drilling (*U*) - **3.** NÁUT sounding.

sonido *sm* sound.

sonoro, ra *adj* - **1.** [gen] sound (*antes de s*); [película] talking - **2.** [ruidoso, resonante, vibrante] resonant.

sonreír *vi* [reír levemente] to smile. ◆ **sonreírse** *vprnl* to smile.

sonriente *adj* smiling.

sonrisa *sf* smile.

sonrojar *vt* to cause to blush. ◆ **sonrojarse** *vprnl* to blush.

sonrojo *sm* blush, blushing (*U*).

sonrosado, da *adj* rosy.

sonsacar *vt*: **sonsacar algo a alguien** [conseguir] to wheedle sthg out of sb; [hacer decir] to extract sthg from sb; **sonsacar a alguien** to pump sb for information.

sonso, sa ◇ *adj* *Amér fam* foolish, silly. ◇ *sm, f* fool, idiot.

soñador, ra *sm, f* dreamer.

soñar ◇ *vt lit & fig* to dream; **¡ni soñarlo!** not on your life! ◇ *vi lit & fig*: **soñar (con)** to dream (of O about).

soñoliento, ta *adj* sleepy, drowsy.

sopa *sf* - **1.** [guiso] soup - **2.** [de pan] *piece of soaked bread.*

sopapo *sm fam* slap.

sopero, ra *adj soup (antes de s).* ◆ **sopera** *sf* [recipiente] soup tureen.

sopesar *vt* to try the weight of; *fig* to weigh up.

sopetón ◆ **de sopetón** *loc adv* suddenly, abruptly.

soplar ◇ *vt* - **1.** [vela, fuego] to blow out - **2.** [ceniza, polvo] to blow off - **3.** [globo etc] to blow up - **4.** [vidrio] to blow - **5.** *fig* [pregunta, examen] to prompt. ◇ *vi* [gen] to blow.

soplete *sm* blowlamp.

soplido *sm* blow, puff.

soplo *sm* - **1.** [soplido] blow, puff - **2.** MED murmur - **3.** *fam* [chivatazo] tip-off.

soplón, ona *sm, f fam* grass.

soponcio *sm fam* fainting fit; **le dio un soponcio** [desmayo] she passed out; [ataque] she had a fit.

sopor *sm* drowsiness.

soporífero, ra *adj lit & fig* soporific.

soportar *vt* - **1.** [sostener] to support - **2.** [resistir, tolerar] to stand; **¡no le soporto!** I can't stand him! - **3.** [sobrellevar] to endure, to bear.

soporte *sm* - **1.** [apoyo] support - **2.** INFORM medium; **soporte físico** hardware; **soporte lógico** software.

soprano *smf* soprano.

sor *sf* RELIG sister.

sorber *vt* - **1.** [beber] to sip; [haciendo ruido] to slurp - **2.** [absorber] to soak up - **3.** [atraer] to draw *O* suck in.

sorbete *sm* sorbet.

sorbo *sm* [acción] gulp, swallow; **beber algo de un sorbo** to drink sthg in one gulp; [pequeño] sip; **beber a sorbos** to sip.

sordera *sf* deafness.

sórdido, da *adj* - **1.** [miserable] squalid - **2.** [obsceno, perverso] sordid.

sordo, da ◇ *adj* - **1.** [que no oye] deaf - **2.** [ruido, dolor] dull. ◇ *sm, f* [persona] deaf person; **los sordos** the deaf.

sordomudo, da ◇ *adj* deaf and dumb. ◇ *sm, f* deaf-mute.

sorna *sf* sarcasm.

soroche *sm Andes & Arg* altitude sickness.

sorprendente *adj* surprising.

sorprender *vt* - **1.** [asombrar] to surprise - **2.** [atrapar]: **sorprender a alguien (haciendo algo)** to catch sb (doing sthg) - **3.** [coger desprevenido] to catch unawares. ◆ **sorprenderse** *vprnl* to be surprised.

sorprendido, da *adj* surprised; **quedarse sorprendido** to be surprised.

sorpresa *sf* surprise.

sorpresivo, va *adj Amér* unexpected.

sortear *vt* - **1.** [rifar] to raffle - **2.** [echar a suertes] to draw lots for - **3.** *fig* [esquivar] to dodge.

sorteo *sm* - **1.** [lotería] draw - **2.** [rifa] raffle.

sortija *sf* ring.

sortilegio *sm* [hechizo] spell.

SOS *sm* SOS.

sosa *sf* soda.

sosegado, da *adj* calm.

sosegar *vt* to calm. ◆ **sosegarse** *vprnl* to calm down.

soseras *smf inv fam* dull person, bore.

sosias *sm inv* double, lookalike.

sosiego *sm* calm.

soslayo ◆ **de soslayo** *loc adv* [oblicuamente] sideways, obliquely; **mirar a alguien de soslayo** to look at sb out of the corner of one's eye.

soso, sa *adj* - **1.** [sin sal] bland, tasteless - **2.** [sin gracia] dull, insipid.

sospecha *sf* suspicion; **despertar sospechas** to arouse suspicion.

sospechar ◇ *vt* [creer, suponer] to suspect; **sospecho que no lo terminará** I doubt whether she'll finish it. ◇ *vi*: **sospechar de** to suspect.

sospechoso, sa ◇ *adj* suspicious. ◇ *sm, f* suspect.

sostén *sm* - **1.** [apoyo] support - **2.** [sustento] main support; [alimento] sustenance - **3.** [sujetador] bra.

sostener *vt* - **1.** [sujetar] to support, to hold up - **2.** [defender - idea, opinión, tesis] to defend; [- promesa, palabra] to stand by, to keep; **sostener que...** to maintain that... - **3.** [tener - conversación] to hold, to have; [- correspondencia] to keep up. ◆ **sostenerse** *vprnl* to hold o.s. up; [en pie] to stand up; [en el aire] to hang.

sostenido, da *adj* - **1.** [persistente] sustained - **2.** MÚS sharp.

sota *sf* ≃ jack.

sotana *sf* cassock.

sótano *sm* basement.

soterrar *vt* [enterrar] to bury; *fig* to hide.

soufflé [su'fle] *sm* soufflé.

soul *sm* MÚS soul (music).

soviético, ca ◇ *adj* - **1.** [del soviet] soviet - **2.** [de la URSS] Soviet. ◇ *sm, f* Soviet.

soy ▷ **ser**.

spaghetti [espa'yeti] = **espagueti**.

spanglish [es'panglis] *sm* Spanglish.

spot [es'pot], **espot** *sm* advertising spot, commercial.

spray [es'prai] = **espray**.

sprint [es'prin] = **esprint**.

squash [es'kuaʃ] *sm inv* squash.

Sr. (*abrev de señor*) Mr.

Sra. (*abrev de señora*) Mrs.

SRE *sf* (*abrev de Secretaría de Relaciones Exteriores*) *Mexican Department of Foreign Affairs*.

Sres. (*abrev de señores*) Messrs.

Srta. (*abrev de señorita*) Miss.

Sta. (*abrev de santa*) St.

standard [es'tandar] = **estándar**.

starter [es'tarter] = **estárter**.

status [es'tatus] = **estatus**.

stereo [es'tereo] = **estéreo**.

Sto. (*abrev de santo*) St.

stock [es'tok] *sm* stock.

stop, estop [es'top] *sm* - 1. AUTO stop sign - 2. [en telegrama] stop.

stress [es'tres] = **estrés**.

strip-tease [es'triptis] *sm inv* striptease.

su (*pl* sus) *adj poses* [de él] his; [de ella] her; [de cosa, animal] its; [de uno] one's; [de ellos, ellas] their; [de usted, ustedes] your.

suave *adj* - 1. [gen] soft - 2. [liso] smooth - 3. [sabor, olor, color] delicate - 4. [apacible - persona, carácter] gentle; [- clima] mild - 5. [fácil - cuesta, tarea, ritmo] gentle; [- dirección de un coche] smooth.

suavidad *sf* - 1. [gen] softness - 2. [lisura] smoothness - 3. [de sabor, olor, color] delicacy - 4. [de carácter] gentleness - 5. [de clima] mildness - 6. [de cuesta, tarea, ritmo] gentleness; [de la dirección de un coche] smoothness.

suavizante *sm* conditioner; **suavizante para la ropa** fabric conditioner.

suavizar *vt* - 1. [gen] to soften; [ropa, cabello] to condition - 2. [ascensión, conducción, tarea] to ease; [clima] to make milder - 3. [sabor, olor, color] to tone down - 4. [alisar] to smooth.

subacuático, ca *adj* subaquatic.

subalquilar *vt* to sublet.

subalterno, na *sm, f* [empleado] subordinate.

subasta *sf* - 1. [venta pública] auction; **sacar algo a subasta** to put sthg up for auction - 2. [contrata pública] tender; **sacar algo a subasta** to put sthg out to tender.

subastar *vt* to auction.

subcampeón, ona *sm, f* runner-up.

subconsciente *adj* & *sm* subconscious.

subdesarrollado, da *adj* underdeveloped.

subdesarrollo *sm* underdevelopment.

subdirector, ra *sm, f* assistant manager.

subdirectorio *sm* INFORM subdirectory.

súbdito, ta *sm, f* - 1. [subordinado] subject - 2. [ciudadano] citizen, national.

subdivisión *sf* subdivision.

subestimar *vt* to underestimate; [infravalorar] to underrate. ⮞ **subestimarse** *vprnl* to underrate o.s.

subido, da *adj* - 1. [intenso] strong, intense - 2. *fam* [atrevido] risqué. ⮞ **subida** *sf* - 1. [cuesta] hill - 2. [ascensión] ascent, climb - 3. [aumento] increase, rise.

subir ◇ *vi* - 1. [a piso, azotea] to go/come up; [a montaña, cima] to climb - 2. [aumentar - precio, temperatura] to go up, to rise; [- cauce, marea] to rise - 3. [montar - en avión, barco] to get on; [- en coche] to get in; **sube al coche** get into the car - 4. [cuenta, importe]: **subir a** to come O amount to - 5. [de categoría] to be promoted. ◇ *vt* - 1. [ascender - calle, escaleras] to go/come up; [- pendiente, montaña] to climb - 2. [poner arriba] to lift up; [llevar arriba] to take/bring up - 3. [aumentar - precio, peso] to put up, to increase; [- volumen de radio etc] to turn up - 4. [montar]: **subir algo/a alguien a** to lift sthg/sb onto - 5. [alzar - mano, bandera, voz] to raise; [- persiana] to roll up; [- ventanilla] to wind up. ⮞ **subirse** *vprnl* - 1. [ascender]: **subirse a** [árbol] to climb up; [mesa] to climb onto; [piso] to go/come up to - 2. [montarse]: **subirse a** [tren, avión] to get on, to board; [caballo, bicicleta] to mount; [coche] to get into; **el taxi paró y me subí** the taxi stopped and I got in - 3. [alzarse - pernera, mangas] to roll up; [- cremallera] to do up; [- pantalones, calcetines] to pull up.

súbito, ta *adj* sudden; **de súbito** suddenly.

subjetivo, va *adj* subjective.

sub júdice [suβ'djuðiθe] *adj* DER sub judice.

subjuntivo, va *adj* subjunctive. ⮞ **subjuntivo** *sm* subjunctive.

sublevación *sf* uprising.

sublevamiento *sm* = **sublevación**.

sublevar *vt* - 1. [amotinar] to stir up - 2. [indignar] to infuriate. ⮞ **sublevarse** *vprnl* [amotinarse] to rebel.

sublime *adj* sublime.

submarinismo *sm* skin-diving.

submarinista *smf* skin-diver.

submarino, na *adj* underwater. ⮞ **submarino** *sm* submarine.

subnormal ◇ *adj* - 1. *despec* [minusválido] subnormal - 2. *fig* & *despec* [imbécil] moronic. ◇ *smf fig* & *despec* [imbécil] moron.

suboficial *sm* MIL non-commissioned officer.

subordinado, da *adj* & *sm, f* subordinate.

subordinar *vt* [gen & GRAM] to subordinate; **subordinar algo a algo** to subordinate sthg to sthg.

subproducto *sm* by-product.

subrayar vt lit & fig to underline.

subsanar vt - **1.** [solucionar] to resolve - **2.** [corregir] to correct.

subscribir = suscribir.

subscripción = suscripción.

subscriptor = suscriptor.

subsecretario, ria sm, f - **1.** [de secretario] assistant secretary - **2.** [de ministro] undersecretary.

subsidiario, ria adj DER ancillary.

subsidio sm benefit, allowance; **subsidio de invalidez** disability allowance; **subsidio de paro** unemployment benefit.

subsiguiente adj subsequent.

subsistencia sf [vida] subsistence. ◆ **subsistencias** sfpl [provisiones] provisions.

subsistir vi - **1.** [vivir] to live, to exist - **2.** [sobrevivir] to survive.

substancia = sustancia.

substancial = sustancial.

substancioso = sustancioso.

substantivo = sustantivo.

substitución = sustitución.

substituir = sustituir.

substituto = sustituto.

substracción = sustracción.

substraer = sustraer.

subsuelo sm subsoil.

subte sm R Dom metro, underground UK, subway US.

subterráneo, a adj subterranean, underground. ◆ **subterráneo** sm - **1.** underground tunnel - **2.** Arg [metro] underground.

subtítulo sm [gen & CINE] subtitle.

suburbio sm poor suburb.

subvención sf subsidy.

subvencionar vt to subsidize.

subversión sf subversion.

subversivo, va adj subversive.

subyacer vi [ocultarse]: **subyacer bajo algo** to underlie sthg.

subyugar vt - **1.** [someter] to subjugate - **2.** fig [dominar] to quell, to master - **3.** fig [atraer] to captivate.

succionar vt [suj: raíces] to suck up; [suj: bebé] to suck.

sucedáneo, a adj ersatz, substitute. ◆ **sucedáneo** sm substitute.

suceder ◇ v impers [ocurrir] to happen; **suceda lo que suceda** whatever happens. ◇ vi [venir después]: **suceder a** to come after, to follow; **a la guerra sucedieron años muy tristes** the war was followed by years of misery.

sucesión sf [gen] succession.

sucesivamente adv successively; **y así sucesivamente** and so on.

sucesivo, va adj - **1.** [consecutivo] successive, consecutive - **2.** [siguiente]: **en días sucesivos les informaremos** we'll let you know over the next few days; **en lo sucesivo** in future.

suceso sm - **1.** [acontecimiento] event - **2.** (gen pl) [hecho delictivo] crime; [incidente] incident; **sección de sucesos** accident and crime reports.

sucesor, ra sm, f successor.

suciedad sf - **1.** [cualidad] dirtiness (U) - **2.** [porquería] dirt, filth (U).

sucinto, ta adj [conciso] succinct.

sucio, cia adj - **1.** [gen] dirty; [al comer, trabajar] messy; **en sucio** in rough - **2.** [juego] dirty.

suculento, ta adj tasty.

sucumbir vi - **1.** [rendirse, ceder]: **sucumbir (a)** to succumb (to) - **2.** [fallecer] to die - **3.** [desaparecer] to fall.

sucursal sf branch.

sudadera sf [prenda] sweatshirt.

Sudáfrica n pr South Africa.

sudafricano, na adj & sm, f South African.

Sudán n pr Sudan.

sudar vi [gen] to sweat.

sudeste, sureste ◇ adj [posición, parte] southeast, southeastern; [dirección, viento] southeasterly. ◇ sm southeast.

sudoeste, suroeste ◇ adj [posición, parte] southwest, southwestern; [dirección, viento] southwesterly. ◇ sm southwest.

sudor sm [gen] sweat (U); **sudor frío** cold sweat.

sudoroso, sa adj sweaty.

Suecia n pr Sweden.

sueco, ca ◇ adj Swedish. ◇ sm, f [persona] Swede. ◆ **sueco** sm [lengua] Swedish.

suegro, gra sm, f father-in-law (f mother-in-law).

suela sf sole; **no llegarle a alguien a la suela del zapato** fig not to hold a candle to sb.

sueldo sm salary, wages pl; [semanal] wage.

suelo sm - **1.** [pavimento - en interiores] floor; [- en el exterior] ground; **caerse al suelo** to fall over; **besar el suelo** to fall flat on one's face - **2.** [terreno, territorio] soil; [para edificar] land - **3.** [base] bottom - **4.** loc: **echar por el suelo un plan** to ruin a project; **estar por los suelos** [persona, precio] to be at rock bottom; [productos] to be dirt cheap; **poner O tirar por los suelos** to run down, to criticize; ▷ **soler**.

suelto, ta adj - **1.** [gen] loose; [cordones] undone; **¿tienes cinco euros sueltos?** have you got five euros in loose change?; **andar suelto** [en libertad] to be free; [en fuga] to be at large; [con diarrea] to have diarrhoea - **2.** [separado] separate; [desparejado] odd; **no los vendemos sueltos** we don't sell them separately

- **3.** [arroz] fluffy - **4.** [lenguaje, estilo] fluent - **5.** [desenvuelto] comfortable. ➡ **suelto** *sm* [calderilla] loose change.

suena *etc* ⟶ **sonar**.

sueño *sm* - **1.** [ganas de dormir] sleepiness; [por medicamento etc] drowsiness; **¡qué sueño!** I'm really sleepy!; **tener sueño** to be sleepy - **2.** [estado] sleep; **coger el sueño** to get to sleep - **3.** [imagen mental, objetivo, quimera] dream; **en sueños** in a dream; **ni en sueños** *fig* no way, under no circumstances.

suero *sm* - **1.** MED serum; **suero artificial** saline solution - **2.** [de la leche] whey.

suerte *sf* - **1.** [azar] chance; **echar** O **tirar algo a suertes** to draw lots for sthg; **la suerte está echada** the die is cast - **2.** [fortuna] luck; **desear suerte a alguien** to wish sb luck; **estar de suerte** to be in luck; **por suerte** luckily; **¡qué suerte!** that was lucky!; **tener (buena) suerte** to be lucky; **tener mala suerte** to be unlucky - **3.** [destino] fate; **tocar** O **caer en suerte a alguien** to fall to sb's lot; **traer mala suerte** to bring bad luck - **4.** [situación] situation, lot - **5.** *culto* [clase]: **toda suerte de** all manner of - **6.** *culto* [manera] manner, fashion; **de suerte que** in such a way that.

suéter (*pl* **suéteres**) *sm* sweater.

suficiencia *sf* - **1.** [capacidad] proficiency - **2.** [presunción] smugness.

suficiente ⟨⟩ *adj* - **1.** [bastante] enough; [medidas, esfuerzos] adequate; **no llevo lo suficiente** I don't have enough (money) on me; **no tienes la estatura suficiente** you're not tall enough - **2.** [presuntuoso] smug. ⟨⟩ *sm* [nota] pass.

sufragar ⟨⟩ *vt* [costes] to defray. ⟨⟩ *vi Amér* [votar] to vote.

sufragio *sm* suffrage.

sufragista *smf* suffragette.

sufrido, da *adj* - **1.** [resignado] patient, uncomplaining; [durante mucho tiempo] long-suffering - **2.** [resistente - tela] hardwearing; [- color] that does not show the dirt.

sufrimiento *sm* suffering.

sufrir ⟨⟩ *vt* - **1.** [gen] to suffer; [accidente] to have - **2.** [soportar] to bear, to stand; **tengo que sufrir sus manías** I have to put up with his idiosyncrasies - **3.** [experimentar - cambios etc] to undergo. ⟨⟩ *vi* [padecer] to suffer; **sufrir de** [enfermedad] to suffer from; **sufrir del estómago** *etc* to have a stomach *etc* complaint.

sugerencia *sf* suggestion; **hacer una sugerencia** to make a suggestion.

sugerente *adj* evocative.

sugerir *vt* - **1.** [proponer] to suggest; **sugerir a alguien que haga algo** to suggest that sb should do sthg - **2.** [evocar] to evoke.

sugestión *sf* suggestion.

sugestionar *vt* to influence.

sugestivo, va *adj* - **1.** [atrayente] attractive - **2.** [que sugiere] stimulating, suggesting.

suiche *sm Col & Ven* switch.

suicida ⟨⟩ *adj* suicidal. ⟨⟩ *smf* [por naturaleza] suicidal person; [suicidado] person who has committed suicide.

suicidarse *vprnl* to commit suicide.

suicidio *sm* suicide.

Suiza *n pr* Switzerland.

suizo, za *adj* & *sm, f* Swiss.

sujeción *sf* - **1.** [atadura] fastening - **2.** [sometimiento] subjection.

sujetador *sm* bra.

sujetar *vt* - **1.** [agarrar] to hold down - **2.** [aguantar] to fasten; [papeles] to fasten together - **3.** [someter] to subdue; [a niños] to control. ➡ **sujetarse** *vprnl* - **1.** [agarrarse]: **sujetarse a** to hold on to, to cling to - **2.** [aguantarse] to keep in place - **3.** [someterse]: **sujetarse a** to keep O stick to.

sujeto, ta *adj* - **1.** [agarrado - objeto] fastened - **2.** [expuesto]: **sujeto a** subject to. ➡ **sujeto** *sm* - **1.** [gen & GRAM] subject - **2.** [individuo] individual; **sujeto pasivo** ECON taxpayer.

sulfato *sm* sulphate.

sulfurar *vt* [encolerizar] to infuriate. ➡ **sulfurarse** *vprnl* [encolerizarse] to get mad.

sultán *sm* sultan.

sultana *sf* sultana.

suma *sf* - **1.** [MAT - acción] addition; [- resultado] total - **2.** [conjunto - de conocimientos, datos] total, sum; [- de dinero] sum - **3.** [resumen]: **en suma** in short.

sumamente *adv* extremely.

sumar *vt* - **1.** MAT to add together; **sumar algo a algo** to add sthg to sthg; **tres y cinco suman ocho** three and five are O make eight - **2.** [costar] to come to. ➡ **sumarse** *vprnl* - **1.:** **sumarse (a)** [unirse] to join (in) - **2.** [agregarse] to be in addition to.

sumario, ria *adj* - **1.** [conciso] brief - **2.** DER summary. ➡ **sumario** *sm* - **1.** DER indictment - **2.** [resumen] summary.

sumergible *adj* waterproof.

sumergir *vt* [hundir] to submerge; [con fuerza] to plunge; [bañar] to dip. ➡ **sumergirse** *vprnl* [hundirse] to submerge; [con fuerza] to plunge.

sumidero *sm* drain.

suministrador, ra *sm, f* supplier.

suministrar *vt* to supply; **suministrar algo a alguien** to supply sb with sthg.

suministro *sm* [gen] supply; [acto] supplying.

sumir *vt*: **sumir a alguien en** to plunge sb into. **← sumirse en** *vprnl* **- 1.** [depresión, sueño etc] to sink into **- 2.** [estudio, tema] to immerse o.s. in.

sumisión *sf* **- 1.** [obediencia - acción] submission; [- cualidad] submissiveness **- 2.** [rendición] surrender.

sumiso, sa *adj* submissive.

sumo, ma *adj* **- 1.** [supremo] highest, supreme **- 2.** [gran] extreme, great.

sunnita ⬦ *adj* Sunni. ⬦ *smf* Sunnite.

suntuoso, sa *adj* sumptuous.

supeditar *vt*: **supeditar (a)** to subordinate (to); **estar supeditado a** to be dependent on. **← supeditarse** *vprnl*: **supeditarse a** to submit to.

súper ⬦ *sm fam* supermarket. ⬦ *sf*: **(gasolina) súper** ≃ four-star (petrol).

superable *adj* surmountable.

superar *vt* **- 1.** [mejorar] to beat; [récord] to break; **superar algo/a alguien en algo** to beat sthg/sb in sthg **- 2.** [ser superior] to exceed, to surpass **- 3.** [adelantar - corredor] to overtake, to pass **- 4.** [época, técnica]: **estar superado** to have been superseded **- 5.** [vencer - dificultad etc] to overcome. **← superarse** *vprnl* **- 1.** [mejorar] to better o.s. **- 2.** [lucirse] to excel o.s.

superávit *sm inv* surplus.

superdotado, da *sm, f* extremely gifted person.

superficial *adj lit & fig* superficial.

superficie *sf* **- 1.** [gen] surface; **salir a la superficie** to surface **- 2.** [área] area.

superfluo, flua *adj* superfluous; [gasto] unnecessary.

superior, ra *sm, f* RELIG superior (*f* mother superior). **← superior** ⬦ *adj* **- 1.** [de arriba] top **- 2.** [mayor]: **superior (a)** higher (than) **- 3.** [mejor]: **superior (a)** superior (to) **- 4.** [excelente] excellent **- 5.** ANAT & GEOGR upper **- 6.** EDUC higher. ⬦ *sm* (*gen pl*) [jefe] superior.

superioridad *sf lit & fig* superiority; **superioridad sobre algo/alguien** superiority over sthg/sb.

superlativo, va *adj* **- 1.** [belleza etc] exceptional **- 2.** GRAM superlative.

supermercado *sm* supermarket.

superpoblación *sf* overpopulation.

superpotencia *sf* superpower.

superponer, sobreponer *vt fig* [anteponer]: **superponer algo a algo** to put sthg before sthg.

superpuesto, ta, sobrepuesto, ta ⬦ *adj* superimposed. ⬦ *pp* ▷ **superponer**.

supersónico, ca *adj* supersonic.

superstición *sf* superstition.

supersticioso, sa *adj* superstitious.

supervisar *vt* to supervise.

supervisor, ra *sm, f* supervisor.

supervivencia *sf* survival.

superviviente, sobreviviente ⬦ *adj* surviving. ⬦ *smf* survivor.

supiera *etc* ▷ **saber**.

suplementario, ria *adj* supplementary, extra.

suplemento *sm* **- 1.** [gen & PRENSA] supplement **- 2.** [complemento] attachment.

suplente *smf* **- 1.** [gen] stand-in **- 2.** TEATRO understudy **- 3.** DEP substitute.

supletorio, ria *adj* additional, extra. **← supletorio** *sm* TELECOM extension.

súplica *sf* **- 1.** [ruego] plea, entreaty **- 2.** DER petition.

suplicar *vt* [rogar]: **suplicar algo (a alguien)** to plead for sthg (with sb); **suplicar a alguien que haga algo** to beg sb to do sthg.

suplicio *sm lit & fig* torture.

suplir *vt* **- 1.** [sustituir]: **suplir algo/a alguien (con)** to replace sthg/sb (with) **- 2.** [compensar]: **suplir algo (con)** to compensate for sthg (with).

supo ▷ **saber**.

suponer ⬦ *vt* **- 1.** [creer, presuponer] to suppose **- 2.** [implicar] to involve, to entail **- 3.** [significar] to mean **- 4.** [conjeturar] to imagine; **lo suponía** I guessed as much; **te suponía mayor** I thought you were older. ⬦ *sm*: **ser un suponer** to be conjecture. **← suponerse** *vprnl* to suppose; **se supone que es el mejor** he's supposed to be the best.

suposición *sf* assumption.

supositorio *sm* suppository.

supremacía *sf* supremacy.

supremo, ma *adj lit & fig* supreme.

supresión *sf* **- 1.** [de ley, impuesto, derecho] abolition; [de sanciones, restricciones] lifting **- 2.** [de palabras, texto] deletion **- 3.** [de puestos de trabajo, proyectos] axing.

suprimir *vt* **- 1.** [ley, impuesto, derecho] to abolish; [sanciones, restricciones] to lift **- 2.** [palabras, texto] to delete **- 3.** [puestos de trabajo, proyectos] to axe.

supuesto, ta ⬦ *pp* ▷ **suponer**. ⬦ *adj* supposed; [culpable, asesino] alleged; [nombre] false; **por supuesto** of course. **← supuesto** *sm* assumption; **en el supuesto de que...** assuming...; **partimos del supuesto de que...** we work on the assumption that...

supurar *vi* to fester.

sur ⬦ *adj* [posición, parte] south, southern; [dirección, viento] southerly. ⬦ *sm* south.

surcar *vt* [tierra] to plough; [aire, agua] to cut *O* slice through.

surco *sm* - **1.** [zanja] furrow - **2.** [señal - de disco] groove; [- de rueda] rut - **3.** [arruga] line, wrinkle.

sureño, ña ◇ *adj* southern; [viento] southerly. ◇ *sm, f* southerner.

sureste = **sudeste**.

surf, surfing *sm* surfing.

surgir *vi* - **1.** [brotar] to spring forth - **2.** [aparecer] to appear - **3.** *fig* [producirse] to arise.

suroeste = **sudoeste**.

surrealista *adj* & *smf* surrealist.

surtido, da *adj* [variado] assorted. ◆ **surtido** *sm* - **1.** [gama] range - **2.** [caja surtida] assortment.

surtidor *sm* [de gasolina] pump; [de un chorro] spout.

surtir *vt* [proveer]: **surtir a alguien (de)** to supply sb (with). ◆ **surtirse de** *vprnl* [proveerse de] to stock up on.

susceptible *adj* - **1.** [sensible] sensitive - **2.** [propenso a ofenderse] touchy - **3.** [posible]: **susceptible de** liable to.

suscitar *vt* to provoke; [interés, dudas, sospechas] to arouse.

suscribir, subscribir *vt* - **1.** [firmar] to sign - **2.** [ratificar] to endorse - **3.** COM [acciones] to subscribe for. ◆ **suscribirse, subscribirse** *vprnl* - **1.** PRENSA: **suscribirse (a)** to subscribe (to) - **2.** COM: **suscribirse a** to take out an option on.

suscripción, subscripción *sf* subscription.

suscriptor, ra, subscriptor, ra *sm, f* subscriber.

sushi *sm* CULIN sushi.

susodicho, cha *adj* above-mentioned.

suspender *vt* - **1.** [colgar] to hang (up); **suspender algo de algo** to hang sthg from sthg - **2.** EDUC to fail - **3.** [interrumpir] to suspend; [sesión] to adjourn - **4.** [aplazar] to postpone - **5.** [de un cargo] to suspend.

suspense *sm* suspense.

suspensión *sf* - **1.** [gen & AUTO] suspension - **2.** [aplazamiento] postponement; [de reunión, sesión] adjournment.

suspenso, sa *adj* - **1.** [colgado]: **suspenso de** hanging from - **2.** [no aprobado]: **estar suspenso** to have failed - **3.** *fig* [interrumpido]: **en suspenso** pending. ◆ **suspenso** *sm* failure.

suspensores *smpl* Andes & Arg braces UK, suspenders US.

suspicacia *sf* suspicion.

suspicaz *adj* suspicious.

suspirar *vi* [dar suspiros] to sigh.

suspiro *sm* [aspiración] sigh.

sustancia, substancia *sf* - **1.** [gen] substance; **sin sustancia** lacking in substance - **2.** [esencia] essence - **3.** [de alimento] nutritional value.

sustancial, substancial *adj* substantial, significant.

sustancioso, sa, substancioso, sa *adj* substantial.

sustantivación, substantivación *sf* nominalization.

sustantivar, substantivar *vi* nominalize.

sustantivo, va, substantivo, va *adj* GRAM noun *(antes de s).* ◆ **sustantivo, substantivo** *sm* GRAM noun.

sustentar *vt* - **1.** [gen] to support - **2.** *fig* [mantener - argumento, teoría] to defend.

sustento *sm* - **1.** [alimento] sustenance; [mantenimiento] livelihood - **2.** [apoyo] support.

sustitución, substitución *sf* [cambio] replacement; **la sustitución de Elena por Luis** the substitution of Luis for Elena.

sustituir, substituir *vt*: **sustituir (por)** to replace (with); **sustituir a Elena por Luis** to replace Elena with Luis, to substitute Luis for Elena.

sustituto, ta, substituto, ta *sm, f* substitute, replacement.

susto *sm* fright; **darse** *O* **pegarse un susto** to get a fright.

sustracción, substracción *sf* - **1.** [robo] theft - **2.** MAT subtraction.

sustraer, substraer *vt* - **1.** [robar] to steal - **2.** MAT to subtract. ◆ **sustraerse, substraerse** *vprnl*: **sustraerse a** *O* **de** [obligación, problema] to avoid.

susurrar *vt* & *vi* to whisper.

susurro *sm* whisper; *fig* murmur.

sutil *adj* [gen] subtle; [velo, tejido] delicate, thin; [brisa] gentle; [hilo, línea] fine.

sutileza *sf* subtlety; [de velo, tejido] delicacy, thinness; [de brisa] gentleness; [de hilo, línea] fineness.

sutura *sf* suture.

suyo, ya ◇ *adj poses* [de él] his; [de ella] hers; [de uno] one's (own); [de ellos, ellas] theirs; [de usted, ustedes] yours; **este libro es suyo** this book is his/hers *etc*; **un amigo suyo** a friend of his/hers *etc*; **no es asunto suyo** it's none of his/her *etc* business; **es muy suyo** *fam fig* he/she is really selfish. ◇ *pron poses* - **1.**: **el suyo** [de él] his; [de ella] hers; [de cosa, animal] its (own); [de uno] one's own; [de ellos, ellas] theirs; [de usted, ustedes] yours - **2.** *loc*: **de suyo** in itself; **hacer de las suyas** to be up to his/her *etc* usual tricks; **hacer suyo** to make one's own; **lo suyo es el teatro** he/she *etc* should be on the stage; **lo suyo sería volver** the proper thing to do would be to go back.

T

t¹, T sf [letra] t, T.

t² (abrev de tonelada) t.

tabacalero, ra adj tobacco (antes de s).

tabaco sm - **1.** [planta] tobacco plant - **2.** [picadura] tobacco; **tabaco negro/rubio** dark/Virginia tobacco - **3.** [cigarrillos] cigarettes pl.

tábano sm horsefly.

tabarra sf fam: **dar la tabarra** to be a pest.

taberna sf country-style bar, usually cheap.

tabernero, ra sm, f [propietario] landlord (f landlady); [encargado] barman (f barmaid).

tabique sm [pared] partition (wall).

tabla sf - **1.** [plancha] plank; **tabla de planchar** ironing board - **2.** [pliegue] pleat - **3.** [lista, gráfico] table; **tabla de multiplicación O pitagórica** multiplication O Pythagorean table; **tabla periódica O de los elementos** periodic table - **4.** NÁUT [de surf, vela etc] board - **5.** ARTE panel. ➡ **tablas** sfpl TEATRO stage sing, boards.

tablado sm [de teatro] stage; [de baile] dancefloor; [plataforma] platform.

tablao sm flamenco show.

tablero sm - **1.** [gen] board - **2.** [en baloncesto] backboard - **3.: tablero (de mandos)** [de avión] instrument panel; [de coche] dashboard.

tableta sf - **1.** MED tablet - **2.** [de chocolate] bar.

tablón sm plank; [en el techo] beam; **tablón de anuncios** notice board.

tabú (pl tabúes O tabús) adj & sm taboo.

tabular vt & vi to tabulate.

taburete sm stool.

tacaño, ña adj mean, miserly.

tacha sf - **1.** [defecto] flaw, fault; **sin tacha** faultless - **2.** [clavo] tack.

tachar vt - **1.** [lo escrito] to cross out - **2.** fig [acusar]: **tachar a alguien de mentiroso** etc to accuse sb of being a liar etc.

tacho sm Andes & R Plata waste bin.

tachón sm - **1.** [tachadura] correction, crossing out - **2.** [clavo] stud.

tachuela sf tack.

tácito, ta adj tacit; [norma, regla] unwritten.

taciturno, na adj taciturn.

taco sm - **1.** [tarugo] plug - **2.** [cuña] wedge - **3.** fam fig [palabrota] swearword; **soltar un taco** to swear - **4.** [de billar] cue - **5.** [de hojas, billetes de banco] wad; [de billetes de autobús, metro] book - **6.** [de jamón, queso] hunk - **7.** Andes & R Plata [tacón] heel - **8.** [tortilla de maíz] taco.

tacón sm heel.

táctico, ca adj tactical. ➡ **táctica** sf lit & fig tactics pl.

tacto sm - **1.** [sentido] sense of touch - **2.** [textura] feel - **3.** fig [delicadeza] tact.

tafetán sm taffeta.

Tailandia n pr Thailand.

taimado, da adj crafty.

Taiwán [tai'wan] n pr Taiwan.

tajada sf - **1.** [rodaja] slice - **2.** fig [parte] share; **sacar tajada de algo** to get sthg out of sthg.

tajante adj [categórico] categorical.

tajo sm - **1.** [corte] deep cut - **2.** [acantilado] precipice.

Tajo sm: **el (río) Tajo** the (River) Tagus.

tal ➡ adj - **1.** [semejante, tan grande] such - **1.** **jamás se vio cosa tal!** you've never seen such a thing!; **lo dijo con tal seguridad que...** he said it with such conviction that...; **dijo cosas tales como...** he said such things as... - **2.** [sin especificar] such and such; **a tal hora** at such and such a time - **3.** [desconocido]: **un tal Pérez** a (certain) Mr Pérez. ➡ pron - **1.** [alguna cosa] such a thing - **2.** loc: **que si tal que si cual** this, that and the other; **ser tal para cual** to be two of a kind; **tal y cual, tal y tal** this and that; **y tal** [etcétera] and so on. ➡ adv: **¿qué tal?** how's it going?, how are you doing?; **¿qué tal fue el viaje?** how was the trip?; **déjalo tal cual** leave it just as it is. ➡ **con tal de** loc prep as long as, provided; **con tal de volver pronto...** as long as we're back early... ➡ **con tal (de) que** loc conj as long as, provided. ➡ **tal (y) como** loc conj just as O like. ➡ **tal que** loc prep fam [como por ejemplo] like.

taladrador, ra adj drilling. ➡ **taladradora** sf drill.

taladrar vt to drill; fig [suj: sonido] to pierce.

taladro sm - **1.** [taladradora] drill - **2.** [agujero] drill hole.

talante sm - **1.** [humor] mood; **estar de buen talante** to be in good humour - **2.** [carácter] character, disposition.

talar vt to fell.

talco sm talc, talcum powder.

talego sm - **1.** [talega] sack - **2.** mfam [mil pesetas] 1000 peseta note.

talento sm - **1.** [don natural] talent; **de talento** talented - **2.** [inteligencia] intelligence.

Talgo (abrev de tren articulado ligero Goicoechea Oriol) sm Spanish intercity high-speed train.

talibán ➡ adj taliban. ➡ sm taliban.

talismán sm talisman.

talla sf - **1.** [medida] size; **¿qué talla usas?** what size are you? - **2.** [estatura] height - **3.** fig

[capacidad] stature; **dar la talla** to be up to it - **4.** [ARTE - en madera] carving; [- en piedra] sculpture.

tallado, da *adj* [madera] carved; [piedras preciosas] cut.

tallar *vt* [esculpir - madera, piedra] to carve; [- piedra preciosa] to cut.

tallarín *(gen pl) sm* noodle.

talle *sm* - **1.** [cintura] waist - **2.** [figura, cuerpo] figure.

taller *sm* - **1.** [gen] workshop - **2.** AUTO garage - **3.** ARTE studio.

tallo *sm* stem; [brote] sprout, shoot.

talón *sm* - **1.** [gen & ANAT] heel; **talón de Aquiles** *fig* Achilles' heel; **pisarle a alguien los talones** to be hot on sb's heels - **2.** [cheque] cheque; [matriz] stub; **talón cruzado/devuelto/en blanco** crossed/bounced/blank cheque; **talón bancario** cashier's cheque UK, cashier's check US.

talonario *sm* [de cheques] cheque book; [de recibos] receipt book.

tamal *sm Amér* tamale.

tamaño, ña *adj* such; **¡cómo pudo decir tamaña estupidez!** how could he say such a stupid thing! ◆ **tamaño** *sm* size; **de gran tamaño** large; **de tamaño familiar** family-size; **de tamaño natural** life-size.

tambalearse *vprnl* - **1.** [bambolearse - persona] to stagger; [- mueble] to wobble; [- tren] to sway - **2.** *fig* [gobierno, sistema] to totter.

también *adv* also, too; **yo también** me too; **Juan está enfermo - Elena también** Juan is sick - so is Elena; **también a mí me gusta** I like it too, I also like it.

tambor *sm* - **1.** MÚS & TECNOL drum; [de pistola] cylinder - **2.** ANAT eardrum - **3.** AUTO brake drum.

Támesis *sm*: **el (río) Támesis** the (River) Thames.

tamiz *sm* [cedazo] sieve; **pasar algo por el tamiz** to sift sthg.

tamizar *vt* - **1.** [cribar] to sieve - **2.** *fig* [seleccionar] to screen.

tampoco *adv* neither, not... either; **ella no va y tú tampoco** she's not going and neither are you, she's not going and you aren't either.

tampón *sm* - **1.** [sello] stamp; [almohadilla] ink-pad - **2.** [para la menstruación] tampon.

tan *adv* - **1.** [mucho] so; **tan grande/deprisa** so big/quickly; **¡qué película tan larga!** what a long film!; **tan... que...** so... that...; **tan es así que...** so much so that... - **2.** [en comparaciones] **tan... como...** as... as... ◆ **tan sólo** *loc adv* only.

tanda *sf* - **1.** [grupo, lote] group, batch - **2.** [serie] series; [de inyecciones] course - **3.** [turno de trabajo] shift.

tándem *(pl tándemes, tándems O tándem) sm* - **1.** [bicicleta] tandem - **2.** [pareja] duo, pair.

tangente *sf* tangent; **irse O salirse por la tangente** to go off at a tangent.

tangible *adj* tangible.

tango *sm* tango.

tanque *sm* - **1.** MIL tank - **2.** [vehículo cisterna] tanker - **3.** [depósito] tank.

tantear ◇ *vt* - **1.** [sopesar - peso, precio, cantidad] to try to guess; [- problema, posibilidades, ventajas] to weigh up - **2.** [probar, sondear] to test (out) - **3.** [toro, contrincante etc] to size up. ◇ *vi* - **1.** [andar a tientas] to feel one's way - **2.** [apuntar los tantos] to (keep) score.

tanteo *sm* - **1.** [prueba, sondeo] testing out; [de posibilidades, ventajas] weighing up; [de contrincante, puntos débiles] sizing up - **2.** [puntuación] score.

tanto, ta ◇ *adj* - **1.** [gran cantidad] so much (*pl* so many); **tanto dinero** so much money, such a lot of money; **tanta gente** so many people; **tiene tanto entusiasmo/tantos amigos que...** she has so much enthusiasm/so many friends that... - **2.** [cantidad indeterminada] so much (*pl* so many); **nos daban tantos euros al día** they used to give us so many euros per day; **cuarenta y tantos** forty-something, forty-odd; **nos conocimos en el sesenta y tantos** we met sometime in the Sixties - **3.** [en comparaciones] **tanto... como** as much... as (*pl* as many... as). ◇ *pron* - **1.** [gran cantidad] so much (*pl* so many); **¿cómo puedes tener tantos?** how can you have so many? - **2.** [cantidad indeterminada] so much (*pl* so many); **a tantos de agosto** on such and such a date in August - **3.** [igual cantidad] as much (*pl* as many); **había mucha gente aquí, allí no había tanta** there were a lot of people here, but not as many there; **otro tanto** as much again, the same again; **otro tanto le ocurrió a los demás** the same thing happened to the rest of them - **4.** *loc*: **ser uno de tantos** to be nothing special. ◆ **tanto** ◇ *sm* - **1.** [punto] point; [gol] goal; **marcar un tanto** to score - **2.** *fig* [ventaja] point; **apuntarse un tanto** to earn o.s. a point - **3.** [cantidad indeterminada]: **un tanto** so much, a certain amount; **tanto por ciento** percentage - **4.** *loc*: **estar al tanto (de)** to be on the ball (about). ◇ *adv* - **1.** [mucho]: **tanto (que...)** [cantidad] so much (that...); [tiempo] so long (that...); **no bebas tanto** don't drink so much; **tanto mejor/peor** so much the better/worse; **tanto más cuanto que...** all the more so because... - **2.** [en comparaciones]: **tanto como** as much as; **tanto hombres como mujeres** both men and women; **tanto si estoy como si no** whether I'm there or not - **3.** *loc*: **¡y tanto!** most certainly!, you bet! ◆ **tantas** *sfpl fam*: **eran las tantas** it was very late. ◆ **en tanto (que)** *loc conj* while. ◆ **entre**

tanto *loc adv* meanwhile. ◆ **por (lo) tanto** *loc conj* therefore, so. ◆ **tanto (es así) que** *loc conj* so much so that. ◆ **un tanto** *loc adv* [un poco] a bit, rather.

tanzano, na *adj & sm, f* Tanzanian.

tañido *sm* [de instumento] sound; [de campana] ringing.

tapa *sf* - 1. [de caja, baúl, recipiente] lid; **levantarse** *O* **volarse la tapa de los sesos** *fam* to blow one's brains out - 2. [aperitivo] snack, tapa; **irse de tapas** to go for some tapas - 3. [de libro] cover - 4. [de zapato] heel plate - 5. *Andes & R Dom* [de botella] top; [de frasco] stopper.

tapadera *sf* - 1. [tapa] lid - 2. [para encubrir] front.

tapar *vt* - 1. [cerrar - ataúd, cofre] to close (the lid of); [- olla, caja] to put the lid on; [- botella] to put the top on - 2. [ocultar, cubrir] to cover; [no dejar ver] to block out; [obstruir] to block - 3. [abrigar - con ropa] to wrap up; [- en la cama] to tuck in - 4. [encubrir] to cover up - 5. *Chile & Méx* [empaste] to fill. ◆ **taparse** *vprnl* - 1. [cubrirse] to cover (up) - 2. [abrigarse - con ropa] to wrap up; [- en la cama] to tuck o.s. in.

taparrabos *sm inv* - 1. [de hombre primitivo] loincloth - 2. *fam* [tanga] tanga briefs *pl*.

tapete *sm* - 1. [paño] runner; [de billar, para cartas] baize - 2. *Col & Méx* [alfombra] rug.

tapia *sf* (stone) wall.

tapiar *vt* - 1. [cercar] to wall in - 2. [enladrillar] to brick up.

tapicería *sf* - 1. [tela] upholstery - 2. [tienda - para muebles] upholsterer's - 3. [oficio - de muebles] upholstery - 4. [tapices] tapestries *pl*.

tapiz *sm* [para la pared] tapestry; *fig* [de nieve, flores] carpet.

tapizado *sm* - 1. [de mueble] upholstery - 2. [de pared] tapestries *pl*.

tapizar *vt* [mueble] to upholster; *fig* [campos, calles] to carpet, to cover.

tapón *sm* - 1. [para tapar - botellas, frascos] stopper; [- de corcho] cork; [- de metal, plástico] cap, top; [- de bañera, lavabo] plug - 2. [en el oído - de cerumen] wax *(U)* in the ear; [- de algodón] earplug - 3. [atasco] traffic jam - 4. [en baloncesto] block - 5. *Amér* [fusible] fuse.

taponar *vt* [cerrar - lavadero] to put the plug in; [- salida] to block; [- tubería] to stop up.

tapujo *sm*: **andarse con tapujos** [rodeos] to beat about the bush; **hacer algo sin tapujos** to do sthg openly.

taquería *sf Méx* [quiosco] taco stall; [restaurante] taco restaurant.

taquigrafía *sf* shorthand.

taquilla *sf* - 1. [ventanilla - gen] ticket office; CINE & TEATRO box office; **en taquilla** at the ticket/box office - 2. [recaudación] takings *pl* - 3. [armario] locker.

taquillero, ra ◇ *adj*: **es un espectáculo taquillero** the show is a box-office hit. ◇ *sm, f* ticket clerk.

taquimecanógrafo, fa *sm, f* shorthand typist.

tara *sf* - 1. [defecto] defect - 2. [peso] tare.

tarántula *sf* tarantula.

tararear *vt* to hum.

tardanza *sf* lateness.

tardar *vi* - 1. [llevar tiempo] to take; **esto va a tardar** this will take time; **tardó un año en hacerlo** she took a year to do it; **¿cuánto tardarás (en hacerlo)?** how long will it take you (to do it)?; **¿cuánto tardarás (en hacerlo)?** how long will it take you (to do it)? - 2. [retrasarse] to be late; [ser lento] to be slow; **¡no tardéis!** don't be long!; **tardar en hacer algo** to take a long time to do sthg; **no tardaron en hacerlo** they were quick to do it; **a más tardar** at the latest.

tarde ◇ *sf* [hasta las cinco] afternoon; [después de las cinco] evening; **por la tarde** [hasta las cinco] in the afternoon; [después de las cinco] in the evening; **buenas tardes** [hasta las cinco] good afternoon; [después de las cinco] good evening; **de tarde en tarde** from time to time; **muy de tarde en tarde** very occasionally. ◇ *adv* [gen] late; [en exceso] too late; **ya es tarde para eso** it's too late for that now; **tarde o temprano** sooner or later.

tardío, a *adj* [gen] late; [intento, decisión] belated.

tarea *sf* [gen] task; EDUC homework; **tareas de la casa** housework *(U)*.

tarifa *sf* - 1. [precio] charge; COM tariff; [en transportes] fare; **tarifa plana** flat rate - 2. *(gen pl)* [lista] price list.

tarima *sf* - 1. [estrado] platform - 2. [suelo] floorboards *pl*.

tarjeta *sf* [gen & INFORM] card; **tarjeta amarilla/roja** DEP yellow/red card; **tarjeta de cliente** store card; **tarjeta de crédito/débito** credit/debit card; **tarjeta de embarque** boarding pass; **tarjeta de felicitación** greetings card; **tarjeta postal** postcard; **tarjeta de recarga** top-up card; **tarjeta de sonido/vídeo** sound/video card; **tarjeta telefónica** postcard; **tarjeta de visita** visiting *O* calling card.

tarot *sm* tarot.

tarrina *sf* tub.

tarro *sm* [recipiente] jar.

tarta *sf* [gen] cake; [plana, con base de pasta dura] tart; [plana, con base de bizcocho] flan.

tartaleta *sf* tartlet.

tartamudear *vi* to stammer, to stutter.

tartamudo, da ◇ *adj* stammering. ◇ *sm, f* stammerer.

tartana *sf fam* [coche viejo] banger.

tártaro, ra ◇ *adj* [pueblo] Tartar. ◇ *sm, f* Tartar.

tartera *sf* [fiambrera] lunch box.

tarugo *sm* - 1. [de madera] block of wood; [de pan] chunk (of stale bread) - 2. *fam* [necio] blockhead.

tasa *sf* - 1. [índice] rate; **tasa de paro** O **desempleo** (level of) unemployment - 2. [impuesto] tax; **tasas de aeropuerto** airport tax - 3. EDUC: **tasas** fees - 4. [tasación] valuation.

tasación *sf* valuation.

tasar *vt* - 1. [valorar] to value - 2. [fijar precio] to fix a price for.

tasca *sf* ≃ pub.

tatarabuelo, la *sm, f* great-great-grandfather (*f* grandmother).

tatuaje *sm* - 1. [dibujo] tattoo - 2. [acción] tattooing.

tatuar *vt* to tattoo.

taurino, na *adj* bullfighting (*antes de s*).

tauro ◇ *sm* [zodiaco] Taurus. ◇ *smf* [persona] Taurean.

tauromaquia *sf* bullfighting.

taxativo, va *adj* precise, exact.

taxi *sm* taxi.

taxidermista *smf* taxidermist.

taxímetro *sm* taximeter.

taxista *smf* taxi driver.

Tayikistán *sm* Tajikistan, Tadjikistan.

taza *sf* - 1. [para beber] cup; **una taza de té** [recipiente] a teacup; [contenido] a cup of tea - 2. [de retrete] bowl.

tazón *sm* bowl.

te *pron pers* - 1. *(complemento directo)* you; **le gustaría verte** she'd like to see you - 2. *(complemento indirecto)* (to) you; **te lo dio** he gave it to you; **te tiene miedo** he's afraid of you - 3. *(reflexivo)* yourself - 4. *(valor impersonal) fam*: **si te dejas pisar, estás perdido** if you let people walk all over you, you've had it.

té *(pl tés) sm* tea.

tea *sf* [antorcha] torch.

teatral *adj* - 1. [de teatro - gen] theatre (*antes de s*); [- grupo] drama (*antes de s*) - 2. [exagerado] theatrical.

teatro *sm* - 1. [gen] theatre; **teatro de la ópera** opera house - 2. *fig* [fingimiento] playacting.

tebeo® *sm* (children's) comic; **estar más visto que el tebeo** to be old hat.

techo *sm* - 1. [gen] roof; [dentro de casa] ceiling; **techo solar** AUTO sun roof; **bajo techo** under cover - 2. *fig* [límite] ceiling. ◆ **sin techo** *smf*: **los sin techo** the homeless.

techumbre *sf* roof.

tecla *sf* [gen, INFORM & MÚS] key.

teclado *sm* [gen & MÚS] keyboard.

teclear *vt & vi* [en ordenador etc] to type; [en piano] to play.

técnico, ca ◇ *adj* technical. ◇ *sm, f* - 1. [mecánico] technician - 2. [experto] expert - 3. DEP [entrenador] coach, manager *UK*. ◆ **técnica** *sf* - 1. [gen] technique - 2. [tecnología] technology.

tecnicolor *sm* Technicolor®.

tecnócrata *smf* technocrat.

tecnología *sf* technology; **tecnologías de la información** information technology; **tecnología punta** state-of-the-art technology.

tecnológico, ca *adj* technological.

tecolote *sm Amér C & Méx* [búho] owl; [policía] cop *(on night patrol)*.

tedio *sm* boredom, tedium.

tedioso, sa *adj* tedious.

Tegucigalpa *n pr* Tegucigalpa.

teja *sf* [de tejado] tile; **color teja** brick red.

tejado *sm* roof.

tejano, na ◇ *adj* - 1. [de Texas] Texan - 2. [tela] denim. ◇ *sm, f* [persona] Texan. ◆ **tejanos** *smpl* [pantalones] jeans.

tejemaneje *sm fam* - 1. [maquinación] intrigue - 2. [ajetreo] to-do, fuss.

tejer ◇ *vt* - 1. [gen] to weave; [labor de punto] to knit - 2. [telaraña] to spin. ◇ *vi* [hacer ganchillo] to crochet; [hacer punto] to knit.

tejido *sm* - 1. [tela] fabric, material; [en industria] textile - 2. ANAT tissue.

tejo *sm* - 1. [juego] hopscotch - 2. BOT yew.

tejón *sm* badger.

tel., teléf. *(abrev de teléfono)* tel.

tela *sf* - 1. [tejido] fabric, material; [retal] piece of material; **tela de araña** cobweb; **tela metálica** wire netting - 2. ARTE [lienzo] canvas - 3. *fam* [dinero] dough - 4. *loc*: **poner en tela de juicio** to call into question.

telar *sm* - 1. [máquina] loom - 2. *(gen pl)* [fábrica] textiles mill.

telaraña *sf* spider's web, cobweb; **la telaraña mundial** INFORM the (World Wide) Web.

tele *sf fam* telly.

telearrastre *sm* ski-tow.

telecomedia *sf* television comedy programme.

telecomunicación *sf* [medio] telecommunication. ◆ **telecomunicaciones** *sfpl* [red] telecommunications.

telediario *sm* television news *(U)*.

teledirigido, da *adj* remote-controlled.

teléf. *(abrev de teléfono)* = tel.

telefax *sm inv* telefax, fax.

teleférico *sm* cable-car.

telefilme, telefilm *(pl telefilms) sm* TV film.

telefonear vt & vi to phone.

telefónico, ca adj telephone (antes de s).

telefonista smf telephonist.

teléfono sm - 1. [gen] telephone, phone; **coger el teléfono** to answer the phone; **hablar por teléfono** to be on the phone; **llamar por teléfono** to phone; **teléfono fijo/inalámbrico/móvil** land line/cordless/mobile UK O cell US phone; **teléfono público** public phone; **teléfono WAP** WAP phone - 2.: **(número de) teléfono** telephone number.

telegrafía sf telegraphy.

telegráfico, ca adj lit & fig telegraphic.

telégrafo sm [medio, aparato] telegraph.

telegrama sm telegram.

telele sm: **le dio un telele** [desmayo] he had a fainting fit; [enfado] he had a fit.

telemando sm remote control.

telemática sf telematics (U).

telenovela sf television soap opera.

telepatía sf telepathy.

telescópico, ca adj telescopic.

telescopio sm telescope.

telesilla sm chair lift.

telespectador, ra sm, f viewer.

telesquí sm ski lift.

teletexto sm Teletext®.

teletienda sf home shopping programme.

teletipo sm - 1. [aparato] teleprinter - 2. [texto] Teletype®.

teletrabajo sm teleworking.

televenta sf - 1. [por teléfono] telesales pl - 2. [por televisión] TV advertising in which a phone number is given for clients to contact.

televidente smf viewer.

televisar vt to televise.

televisión sf - 1. [sistema, empresa] television; **televisión en blanco y negro/en color** black and white/colour television; **televisión digital** digital television; **televisión privada/pública** commercial/public television - 2. [televisor] television (set).

televisor sm television (set); **televisor de pantalla plana** flatscreen television.

télex sm inv telex.

telón sm [de escenario - delante] curtain; [- detrás] backcloth; **el telón de acero** HIST the Iron Curtain.

telonero, ra sm, f [cantante] support artist; [grupo] support band.

tema sm - 1. [asunto] subject - 2. MÚS [de composición, película] theme; [canción] song - 3. EDUC [de asignatura, oposiciones] topic; [en libro de texto] unit.

temario sm [de asignatura] curriculum; [de oposiciones] list of topics.

temático, ca adj thematic. ➡ **temática** sf subject matter.

temblar vi - 1. [tiritar]: **temblar (de)** [gen] to tremble (with); [de frío] to shiver (with); **tiemblo por lo que pueda pasarle** I shudder to think what could happen to him - 2. [vibrar - suelo, edificio, vehículo] to shudder, to shake; [- voz] to tremble, to shake.

temblor sm shaking (U), trembling (U).

tembloroso, sa adj trembling, shaky.

temer ⬦ vt - 1. [tener miedo de] to fear, to be afraid of - 2. [sospechar] to fear. ⬦ vi to be afraid; **no temas** don't worry; **temer por** to fear for. ➡ **temerse** vprnl: **temerse que** to be afraid that, to fear that; **me temo que no vendrá** I'm afraid she won't come.

temerario, ria adj rash; [conducción] reckless.

temeridad sf - 1. [cualidad] recklessness - 2. [acción] folly (U), reckless act.

temeroso, sa adj [receloso] fearful.

temible adj fearsome.

temor sm: **por temor a** O **de** for fear of.

temperamental adj - 1. [cambiante] temperamental - 2. [impulsivo] impulsive.

temperamento sm temperament.

temperatura sf temperature.

tempestad sf storm.

tempestuoso, sa adj lit & fig stormy.

templado, da adj - 1. [tibio - agua, bebida, comida] lukewarm - 2. GEOGR [clima, zona] temperate - 3. [nervios] steady; [persona, carácter] calm, composed.

templanza sf - 1. [serenidad] composure - 2. [moderación] moderation.

templar vt - 1. [entibiar - lo frío] to warm (up); [- lo caliente] to cool down - 2. [calmar - nervios, ánimos] to calm; [- ira] to restrain - 3. TECNOL [metal etc] to temper - 4. MÚS to tune. ➡ **templarse** vprnl [lo frío] to warm up; [lo caliente] to cool down.

temple sm - 1. [serenidad] composure - 2. TECNOL tempering - 3. ARTE tempera.

templete sm pavilion.

templo sm lit & fig temple; **como un templo** fig huge.

temporada sf - 1. [periodo concreto] season; [de exámenes] period; **de temporada** [fruta, trabajo] seasonal; **temporada alta/baja** high/low season; **temporada media** mid-season - 2. [periodo indefinido] (period of) time; **pasé una temporada en el extranjero** I spent some time abroad.

temporal ⬦ adj - 1. [provisional] temporary - 2. [del tiempo] time (s) - 3. ANAT & RELIG temporal. ⬦ sm [tormenta] storm; **capear el temporal** lit & fig to ride out the storm.

temporario, ria adj Amér temporary.

temporero, ra sm, f casual labourer.

temporizador sm timing device.

temprano, na adj early. → **temprano** adv early.

ten ▷ **tener.** → **ten con ten** sm tact.

tenacidad sf tenacity.

tenacillas sfpl tongs; [para vello] tweezers; [para rizar el pelo] curling tongs.

tenaz adj [perseverante] tenacious.

tenaza (gen pl) sf - 1. [herramienta] pliers pl - 2. [pinzas] tongs pl - 3. ZOOL pincer.

tendedero sm - 1. [cuerda] clothes line; [armazón] clothes horse - 2. [lugar] drying place.

tendencia sf tendency; **tendencia a hacer algo** tendency to do sthg; **nuevas tendencias** [en moda, arte] new trends.

tendencioso, sa adj tendentious.

tender vt - 1. [colgar - ropa] to hang out - 2. [tumbar] to lay (out) - 3. [extender] to stretch (out); [mantel] to spread - 4. [dar - cosa] to hand; [- mano] to hold out, to offer - 5. [entre dos puntos - cable, vía] to lay; [- puente] to build - 6. fig [preparar - trampa etc] to lay - 7. Amér [cama] to make; [mesa] to set, to lay. → **tender a** vi - 1. [propender]: **tender a hacer algo** to tend to do something; **tender a la depresión** to have a tendency to get depressed - 2. MAT to approach. → **tenderse** vprnl to stretch out, to lie down.

tenderete sm [puesto] stall.

tendero, ra sm, f shopkeeper.

tendido, da adj - 1. [extendido, tumbado] stretched out - 2. [colgado - ropa] hung out, on the line. → **tendido** sm - 1. [instalación - de cable, vía] laying; **tendido eléctrico** electrical installation - 2. TAUROM front rows pl.

tendón sm tendon.

tendrá etc v ▷ **tener.**

tenebroso, sa adj dark, gloomy; fig shady, sinister.

tenedor[1] sm [utensilio] fork.

tenedor[2]**, ra** sm, f [poseedor] holder; **tenedor de libros** COM bookkeeper.

teneduría sf COM bookkeeping.

tenencia sf possession; **tenencia ilícita de armas** illegal possession of arms. → **tenencia de alcaldía** sf deputy mayor's office.

tener ◇ v aux - 1. (antes de pp) [haber]: **teníamos pensado ir al teatro** we had thought of going to the theatre; **te lo tengo dicho** I've told you many times - 2. (antes de adj) [hacer estar]: **me tuvo despierto** it kept me awake; **eso la tiene despistada** that has confused her - 3. [expresa obligación]: **tener que hacer algo** to have to do sthg; **tiene que ser así** it has to be

this way - 4. [expresa propósito]: **tenemos que ir a cenar un día** we ought to O should go for dinner some time. ◇ vt - 1. [gen] to have; **tengo un hermano** I have O I've got a brother; **tener fiebre** to have a temperature; **tuvieron una pelea** they had a fight; **tener un niño** to have a baby; **¡que tengan buen viaje!** have a good journey!; **hoy tengo clase** I have to go to school today - 2. [medida, edad, sensación, cualidad] to be; **tiene 3 metros de ancho** it's 3 metres wide; **¿cuántos años tienes?** how old are you?; **tiene diez años** she's ten (years old); **tener hambre/miedo** to be hungry/afraid; **tener mal humor** to be bad-tempered; **le tiene lástima** he feels sorry for her - 3. [sujetar] to hold; **¿puedes tenerme esto?** could you hold this for me, please?; **tenlo por el asa** hold it by the handle - 4. [tomar]: **ten el libro que me pediste** here's the book you asked me for; **¡aquí tienes!** here you are! - 5. [recibir] to get; **tuve un verdadero desengaño** I was really disappointed; **tendrá una sorpresa** he'll get a surprise - 6. [valorar]: **me tienen por tonto** they think I'm stupid; **tener a alguien en mucho** to think the world of sb - 7. [guardar, contener] to keep - 8. Amér [llevar]: **tengo tres años aquí** I've been here for three years - 9. loc: **no las tiene todas consigo** he is not too sure about it; **tener a bien hacer algo** to be kind enough to do sthg; **tener que ver con algo/alguien** [estar relacionado] to have something to do with sthg/sb; [ser equiparable] to be in the same league as sthg/sb. → **tenerse** vprnl - 1. [sostenerse]: **tenerse de pie** to stand upright - 2. [considerarse]: **se tiene por listo** he thinks he's clever.

tengo ▷ **tener.**

tenia sf tapeworm.

teniente ◇ sm lieutenant; **teniente coronel/general** lieutenant colonel/general. ◇ adj fam [sordo] deaf (as a post).

tenis sm inv tennis; **tenis de mesa** table tennis.

tenista smf tennis player.

tenor sm - 1. MÚS tenor - 2. [estilo] tone. → **a tenor de** loc prep in view of.

tensar vt [cable, cuerda] to tauten; [arco] to draw.

tensión sf - 1. [gen] tension; **tensión nerviosa** nervous tension - 2. TECNOL [estiramiento] stress - 3. MED: **tensión (arterial)** blood pressure; **tener la tensión alta/baja** to have high/low blood pressure; **tomar la tensión a alguien** to take sb's blood pressure - 4. ELECTR voltage; **alta tensión** high voltage.

tenso, sa adj taut; fig tense.

tentación sf temptation; **caer en la tentación** to give in to temptation; **tener la tentación de**

to be tempted to; **estos bombones son una tentación** these chocolates are really tempting.

tentáculo *sm* tentacle.

tentador, ra *adj* tempting.

tentar *vt* - **1.** [palpar] to feel - **2.** [atraer, incitar] to tempt.

tentativa *sf* attempt; **tentativa de asesinato** attempted murder; **tentativa de suicidio** suicide attempt.

tentempié (*pl* tentempiés) *sm* snack.

tenue *adj* - **1.** [tela, hilo, lluvia] fine - **2.** [luz, sonido, dolor] faint - **3.** [relación] tenuous.

teñir *vt* - **1.** [ropa, pelo]: **teñir algo (de rojo *etc*)** to dye sthg (red *etc*) - **2.** *fig* [matizar]: **teñir algo (de)** to tinge sthg (with). ➡ **teñirse** *vprnl*: **teñirse (el pelo)** to dye one's hair.

teología *sf* theology; **teología de la liberación** liberation theology.

teólogo, ga *sm, f* theologian.

teorema *sm* theorem.

teoría *sf* theory; **en teoría** in theory.

teórico, ca ⬦ *adj* theoretical; **clase teórica** theory class. ⬦ *sm, f* [persona] theorist.

teorizar *vi* to theorize.

tequila *sm o sf* tequila.

terapéutico, ca *adj* therapeutic.

terapia *sf* therapy.

tercer ⊳ **tercero**.

tercera ⊳ **tercero**.

tercermundista *adj* third-world (antes de s).

tercero, ra *num* (antes de sm sing: tercer) third. ➡ **tercero** *sm* - **1.** [piso] third floor - **2.** [curso] third year - **3.** [mediador, parte interesada] third party. ➡ **tercera** *sf* AUTO third (gear).

terceto *sm* MÚS trio.

terciar ⬦ *vt* [poner en diagonal - gen] to place diagonally; [- sombrero] to tilt. ⬦ *vi* - **1.** [mediar]: **terciar (en)** to mediate (in) - **2.** [participar] to intervene, to take part. ➡ **terciarse** *vprnl* to arise; **si se tercia** if the opportunity arises.

tercio *sm* - **1.** [tercera parte] third - **2.** TAUROM stage (of bullfight).

terciopelo *sm* velvet.

terco, ca *adj* stubborn.

tergal® *sm* Tergal®.

tergiversar *vt* to distort, to twist.

termal *adj* thermal.

termas *sfpl* [baños] hot baths, spa *sing*.

térmico, ca *adj* thermal.

terminación *sf* - **1.** [finalización] completion - **2.** [parte final] end - **3.** GRAM ending.

terminal ⬦ *adj* [gen] final; [enfermo] terminal. ⬦ *sm* ELECTR & INFORM terminal. ⬦ *sf* [de aeropuerto] terminal; [de autobuses] terminus.

terminante *adj* categorical; [prueba] conclusive.

terminar ⬦ *vt* to finish. ⬦ *vi* - **1.** [acabar] to end; [tren] to stop, to terminate; **terminar en** [objeto] to end in - **2.** [ir a parar]: **terminar (de/en)** to end up (as/in); **terminar por hacer algo** to end up doing sthg. ➡ **terminarse** *vprnl* - **1.** [finalizar] to finish - **2.** [agotarse] to run out; **se nos ha terminado la sal** we have run out of salt.

término *sm* - **1.** [fin, extremo] end; **poner término a algo** to put a stop to sthg - **2.** [territorio]: **término (municipal)** district - **3.** [plazo] period; **en el término de un mes** within (the space of) a month - **4.** [lugar, posición] place; **en primer término** ARTE & FOTO in the foreground; **en último término** ARTE & FOTO in the background; *fig* [si es necesario] as a last resort; [en resumidas cuentas] in the final analysis - **5.** [situación, punto] point; **término medio** [media] average; [compromiso] compromise, happy medium; **por término medio** on average - **6.** LING & MAT term; **a mí no me hables en esos términos** don't talk to me like that; **los términos del contrato** the terms of the contract; **en términos generales** generally speaking.

terminología *sf* terminology.

termo *sm* Thermos ®(flask).

termómetro *sm* thermometer; **poner el termómetro a alguien** to take sb's temperature.

termostato *sm* thermostat.

terna *sf* POLÍT shortlist of three candidates.

ternasco *sf* suckling lamb.

ternero, ra *sm, f* [animal] calf. ➡ **ternera** *sf* [carne] veal.

ternura *sf* tenderness.

terquedad *sf* stubbornness.

terracota *sf* terracotta.

terral, tierral *sm* Amér dust cloud.

terraplén *sm* embankment.

terráqueo, a *adj* Earth (antes de s), terrestrial.

terrateniente *smf* landowner.

terraza *sf* - **1.** [balcón] balcony - **2.** [de café] terrace, patio - **3.** [azotea] terrace roof - **4.** [bancal] terrace.

terremoto *sm* earthquake.

terrenal *adj* earthly.

terreno, na *adj* earthly. ➡ **terreno** *sm* - **1.** [suelo - gen] land; GEOL terrain; AGRIC soil - **2.** [solar] plot (of land) - **3.** DEP: **terreno (de juego)** field, pitch - **4.** *fig* [ámbito] field.

terrestre *adj* - **1.** [del planeta] terrestrial - **2.** [de la tierra] land (antes de s).

tiempo

terrible *adj* - **1.** [enorme, insoportable] terrible - **2.** [aterrador] terrifying.

terrícola *smf* earthling.

territorial *adj* territorial.

territorio *sm* territory; **por todo el territorio nacional** across the country, nationwide.

terrón *sm* - **1.** [de tierra] clod of earth - **2.** [de harina etc] lump.

terror *sm* [miedo, persona terrible] terror; CINE horror; **película de terror** horror movie; **dar terror** to terrify.

terrorífico, ca *adj* - **1.** [enorme, insoportable] terrible - **2.** [aterrador] terrifying.

terrorismo *sm* terrorism.

terrorista *adj & smf* terrorist.

terroso, sa *adj* - **1.** [parecido a la tierra] earthy - **2.** [con tierra] muddy.

terso, sa *adj* - **1.** [piel, superficie] smooth - **2.** [aguas, mar] clear - **3.** [estilo, lenguaje] polished.

tersura *sf* - **1.** [de piel, superficie] smoothness - **2.** [de aguas, mar] clarity.

tertulia *sf* regular meeting of people for informal discussion of a particular issue of common interest; **tertulia literaria** literary circle.

tesina *sf* (undergraduate) dissertation.

tesis *sf inv* [gen & UNIV] thesis.

tesitura *sf* [circunstancia] circumstances *pl*.

tesón *sm* - **1.** [tenacidad] tenacity, perseverance - **2.** [firmeza] firmness.

tesorero, ra *sm, f* treasurer.

tesoro *sm* - **1.** [botín] treasure - **2.** [hacienda pública] treasury, exchequer. ◆ **Tesoro** *sm* ECON: **el Tesoro (Público)** the Treasury.

test *sm* (*pl* tests) test.

testamentario, ria ◇ *adj* testamentary. ◇ *sm, f* executor.

testamento *sm* will; *fig* [artístico, intelectual] legacy; **hacer testamento** to write one's will. ◆ **Antiguo Testamento** *sm* Old Testament. ◆ **Nuevo Testamento** *sm* New Testament.

testar ◇ *vi* [hacer testamento] to make a will. ◇ *vt* [probar] to test.

testarudo, da *adj* stubborn.

testear *vt* C Sur to test.

testículo *sm* testicle.

testificar ◇ *vt* to testify; *fig* to testify to. ◇ *vi* to testify, to give evidence.

testigo ◇ *smf* [persona] witness; **testigo de cargo/descargo** witness for the prosecution/defence; **testigo ocular** O **presencial** eyewitness. ◇ *sm* DEP baton. ◆ **testigo de Jehová** *smf* Jehovah's Witness.

testimonial *adj* [documento, prueba etc] testimonial.

testimoniar *vt* to testify; *fig* to testify to.

testimonio *sm* - **1.** [relato] account; DER testimony; **prestar testimonio** to give evidence - **2.** [prueba] proof; **como testimonio de** as proof of; **dar testimonio de** to prove.

teta *sf* - **1.** *fam* [de mujer] tit - **2.** [de animal] teat.

tétanos *sm inv* tetanus.

tetera *sf* teapot.

tetilla *sf* - **1.** [de persona, animal] nipple - **2.** [de biberón] teat.

tetina *sf* teat.

tetrapléjico, ca *adj & sm, f* quadriplegic.

tétrico, ca *adj* gloomy.

textil *adj & sm* textile.

texto *sm* - **1.** [gen] text; **el Sagrado Texto** the Holy Scripture, the Bible - **2.** [pasaje] passage.

textual *adj* - **1.** [del texto] textual - **2.** [exacto] exact.

textura *sf* texture.

tez *sf* complexion.

ti *pron pers (después de prep)* - **1.** [gen] you; **siempre pienso en ti** I'm always thinking about you; **me acordaré de ti** I'll remember you - **2.** [reflexivo] yourself; **sólo piensas en ti (mismo)** you only think about yourself.

tía ▷ **tío.**

tianguis *sm inv* Amér C & Méx open-air market.

tibia *sf* shinbone, tibia.

tibieza *sf* [calidez] warmth; [falta de calor] lukewarmness.

tibio, bia *adj* - **1.** [cálido] warm; [falto de calor] tepid, lukewarm - **2.** *fig* [frío] lukewarm.

tiburón *sm* [gen] shark.

tic *sm* tic.

ticket = tíquet.

tictac *sm* tick tock.

tiempo *sm* - **1.** [gen] time; **al poco tiempo** soon afterwards; **a tiempo (de hacer algo)** in time (to do sthg); **con el tiempo** in time; **no me dio tiempo a terminarlo** I didn't have (enough) time to finish it; **estar a** O **tener tiempo de** to have time to; **fuera de tiempo** at the wrong moment; **ganar tiempo** to save time; **perder el tiempo** to waste time; **tiempo libre** O **de ocio** spare time; **a tiempo parcial** part-time; **en tiempos de Maricastaña** donkey's years ago; **matar el tiempo** to kill time - **2.** [periodo largo] long time; **con tiempo** in good time; **hace tiempo que** it is a long time since; **hace tiempo que no vive aquí** he hasn't lived here for some time; **tomarse uno su tiempo** to take one's time - **3.** [edad] age; **¿qué tiempo tiene?** how old is he? - **4.** [movimiento] movement; **motor de cuatro tiempos** four-stroke engine - **5.** METEOR weather; **hizo buen/mal tiempo** the weather was good/bad; **si el tiempo lo permite** O **no lo impide** weather

permitting; **hace un tiempo de perros** it's a foul day - **6.** DEP half - **7.** GRAM tense - **8.** [MÚS - compás] time; [- ritmo] tempo.

tienda *sf* - **1.** [establecimiento] shop; **ir de tiendas** to go shopping; **tienda virtual** online retailer - **2.** [para acampar]: **tienda (de campaña)** tent.

tiene *v* ⊳ **tener.**

tienta *v* ⊳ **tentar.** ◆ **a tientas** *loc adv* blindly; **andar a tientas** to grope along.

tierno, na *adj* - **1.** [blando, cariñoso] tender - **2.** [del día] fresh.

tierra *sf* - **1.** [gen] land; **tierra adentro** inland; **tierra firme** terra firma; **tierra prometida** *O* **de promisión** Promised Land - **2.** [materia inorgánica] earth, soil; **un camino de tierra** a dirt track; **pista de tierra batida** clay court - **3.** [suelo] ground; **caer a tierra** to fall to the ground; **quedarse en tierra** [pasajero] to miss the plane/boat/train; **tomar tierra** to touch down - **4.** [patria] homeland, native land; **de la tierra** [vino, queso] local - **5.** ELECTR earth *UK*, ground *US*; **conectado a tierra** earthed *UK*, grounded *US*. ◆ **Tierra** *sf*: **la Tierra** the Earth.

tierral = terral.

tieso, sa *adj* - **1.** [rígido] stiff - **2.** [erguido] erect - **3.** *fam* [muerto] stone dead - **4.** *fam* [sin dinero] broke - **5.** *fig* [engreído] haughty.

tiesto *sm* flowerpot.

tifoideo, a *adj* typhoid *(antes de s).*

tifón *sm* typhoon.

tifus *sm inv* typhus.

tigre *sm* tiger.

tigresa *sf* tigress.

tijera *(gen pl)* *sf* scissors *pl*; [de jardinero, esquilador] shears *pl*; **unas tijeras** a pair of scissors/shears; **de tijera** [escalera, silla] folding; **meter la tijera** *lit & fig* to cut.

tijereta *sf* [insecto] earwig.

tila *sf* [infusión] lime blossom tea.

tildar *vt*: **tildar a alguien de algo** to brand *O* call sb sthg.

tilde *sf* - **1.** [signo ortográfico] tilde - **2.** [acento gráfico] accent.

tiliches *smpl Amér C & Méx* bits and pieces.

tilín *sm* tinkle, tinkling *(U)*; **me hace tilín** *fam* I fancy him.

tilo *sm* [árbol] linden *O* lime tree.

timar *vt* [estafar]: **timar a alguien** to swindle sb; **timar algo a alguien** to swindle sb out of sthg.

timbal *sm* [MÚS - de orquesta] kettledrum.

timbre *sm* - **1.** [aparato] bell; **tocar el timbre** to ring the bell - **2.** [de voz, sonido] tone; TECNOL

timbre - **3.** [sello - de documentos] stamp; [- de impuestos] seal; *Amér C & Méx* [- de correos] stamp.

timidez *sf* shyness.

tímido, da *adj* shy.

timo *sm* [estafa] swindle.

timón *sm* - **1.** AERON & NÁUT rudder - **2.** *fig* [gobierno] helm; **llevar el timón de** to be at the helm of - **3.** *Andes & Cuba* [volante] steering wheel.

timonel, timonero *sm* NÁUT helmsman.

timorato, ta *adj* [mojigato] prudish.

tímpano *sm* ANAT eardrum.

tina *sf* - **1.** [tinaja] pitcher - **2.** [gran cuba] vat - **3.** *Amér C, Col & Méx* [bañera] bathtub.

tinaja *sf* (large) pitcher.

tinglado *sm* - **1.** [cobertizo] shed - **2.** [armazón] platform - **3.** *fig* [lío] fuss - **4.** *fig* [maquinación] plot.

tinieblas *sfpl* darkness *(U)*; *fig* confusion *(U)*, uncertainty *(U)*; **entre tinieblas** *lit & fig* in the dark.

tino *sm* - **1.** [puntería] good aim - **2.** *fig* [habilidad] skill - **3.** *fig* [juicio] sense, good judgment.

tinta *sf* ink; **tinta china** Indian ink; **cargar** *O* **recargar las tintas** to exaggerate; **saberlo de buena tinta** to have it on good authority; **sudar tinta** to sweat blood. ◆ **medias tintas** *sfpl*: **andarse con medias tintas** to be wishy-washy.

tinte *sm* - **1.** [sustancia] dye - **2.** [operación] dyeing - **3.** [tintorería] dry cleaner's - **4.** *fig* [tono] shade, tinge.

tintero *sm* [frasco] ink pot; [en la mesa] inkwell.

tintinear *vi* to jingle, to tinkle.

tinto, ta *adj* - **1.** [manchado] stained; **tinto en sangre** bloodstained - **2.** [vino] red. ◆ **tinto** *sm* - **1.** [vino] red wine - **2.** *Col & Ven* [café] black coffee.

tintorera *sf* ZOOL blue shark.

tintorería *sf* dry cleaner's.

tiña *sf* MED ringworm.

tío, a *sm, f* - **1.** [familiar] uncle *(f aunt)*; **el tío Sam** *fig* Uncle Sam - **2.** *fam* [individuo] guy *(f bird)* - **3.** *fam* [como apelativo] mate *(f darling)*.

tiovivo *sm* merry-go-round *UK*, carousel *US*.

tipear ⋄ *vt Amér* to type. ⋄ *vi* to type.

típico, ca *adj* typical; [traje, restaurante etc] traditional; **típico de** typical of.

tipificar *vt* - **1.** [gen & DER] to classify - **2.** [simbolizar] to typify.

tiple *smf* [cantante] soprano.

tipo, pa *sm, f fam* guy *(f woman)*. ◆ **tipo** *sm* - **1.** [clase] type, sort; **todo tipo de** all sorts of - **2.** [cuerpo - de mujer] figure; [- de hombre] build - **3.** ECON rate - **4.** IMPR & ZOOL type.

tipografía *sf* [procedimiento] printing.

tipográfico, ca *adj* typographical.

tipógrafo, fa *sm, f* printer.

tíquet *(pl* **tiquets)**, **ticket** ['tiket] *(pl* **tickets)** *sm* ticket.

tiquismiquis <> *adj inv fam* [maniático] pernickety. <> *smf inv fam* [maniático] fusspot. <> *smpl* - **1.** [riñas] squabbles - **2.** [bagatelas] trifles.

tira *sf* - **1.** [banda cortada] strip - **2.** [de viñetas] comic strip - **3.** *loc*: **la tira de** *fam* loads *pl* of; **la tira** *Méx fam* [la policía] the cops, the fuzz *UK*. ◆ **tira y afloja** *sm* give and take.

tirabuzón *sm* [rizo] curl.

tirachinas *sm inv* catapult.

tiradero *sm Amér* rubbish dump.

tirado, da *adj* - **1.** *fam* [barato] dirt cheap - **2.** *fam* [fácil] simple, dead easy; **estar tirado** to be a cinch - **3.** *loc*: **dejar tirado a alguien** *fam* to leave sb in the lurch. ◆ **tirada** *sf* - **1.** [lanzamiento] throw - **2.** [IMPR - número de ejemplares] print run; [- reimpresión] reprint; [- número de lectores] circulation - **3.** [sucesión] series.

tirador, ra *sm, f* [con arma] marksman. ◆ **tirador** *sm* [mango] handle. ◆ **tiradores** *smpl Bol & R Dom* [tirantes] braces *UK*, suspenders *US*.

tiranía *sf* tyranny.

tirano, na <> *adj* tyrannical. <> *sm, f* tyrant.

tirante <> *adj* - **1.** [estirado] taut - **2.** *fig* [violento, tenso] tense. <> *sm* - **1.** [de tela] strap - **2.** ARQUIT brace. ◆ **tirantes** *smpl* [para pantalones] braces *UK*, suspenders *US*.

tirantez *sf fig* tension.

tirar <> *vt* - **1.** [lanzar] to throw; **tirar algo a alguien/algo** [para hacer daño] to throw sthg at sb/sthg; **tírame una manzana** throw me an apple; **tirale un beso** blow him a kiss - **2.** [dejar caer] to drop; [derramar] to spill; [volcar] to knock over - **3.** [desechar, malgastar] to throw away - **4.** [disparar] to fire; [bomba] to drop; [petardo, cohete] to let off; [foto] to take - **5.** [derribar] to knock down - **6.** [jugar - carta] to play; [- dado] to throw - **7.** [DEP - falta, penalti etc] to take; [- balón] to pass - **8.** [imprimir] to print - **9.** *fam* [suspender] to fail. <> *vi* - **1.** [estirar, arrastrar]: **tirar (de algo)** to pull (sthg); **tira y afloja** give and take - **2.** [suj: prenda, pernera, manga] to be too tight - **3.** [disparar] to shoot - **4.** *fam* [atraer] to have a pull; **me tira la vida del campo** I feel drawn towards life in the country - **5.** [cigarrillo, chimenea etc] to draw - **6.** [dirigirse] to go, to head - **7.** *fam* [apañárselas] to get by; **ir tirando** to get by; **voy tirando** I'm O.K., I've been worse - **8.** [parecerse]: **tira a gris** it's greyish; **tira a su abuela** she takes after her grandmother; **tirando a** approaching, not far from - **9.** [tender]: **tirar para algo**

[persona] to have the makings of sthg; **este programa tira a (ser) hortera** this programme is a bit on the tacky side; **el tiempo tira a mejorar** the weather looks as if it's getting better - **10.** [DEP - con el pie] to kick; [- con la mano] to throw; [- a meta, canasta etc] to shoot. ◆ **tirarse** *vprnl* - **1.** [lanzarse]: **tirarse (a)** [al agua] to dive (into); [al vacío] to jump (into); **tirarse sobre alguien** to jump on top of sb - **2.** [tumbarse] to stretch out - **3.** [pasar tiempo] to spend.

tirita® *sf* (sticking) plaster *UK*, ≃ Bandaid® *US*.

tirilla® *sf* ≃ neckband.

tiritar *vi*: **tiritar (de)** to shiver (with).

tiro *sm* - **1.** [gen] shot; **pegar un tiro a alguien** to shoot sb; **pegarse un tiro** to shoot o.s.; **ni a tiros** never in a million years - **2.** [acción] shooting; **tiro al blanco** [deporte] target shooting; [lugar] shooting range; **tiro con arco** archery - **3.** [huella, marca] bullet mark; [herida] gunshot wound - **4.** [alcance] range; **a tiro de** within the range of; **a tiro de piedra** a stone's throw away; **ponerse/estar a tiro** [de arma] to come/be within range; *fig* [de persona] to come/be within one's reach - **5.** [de chimenea, horno] draw - **6.** [de caballos] team - **7.** *fam* [de cocaína] line.

tiroides *sm o sf inv* thyroid (gland).

tirón *sm* - **1.** [estirón] pull - **2.** [robo] bagsnatching - **3.** MED: **tirón (muscular)** strained muscle - **4.** *fam* [popularidad] pull. ◆ **de un tirón** *loc adv* in one go.

tirotear <> *vt* to fire at. <> *vi* to shoot.

tiroteo *sm* [tiros] shooting; [intercambio de disparos] shootout.

tisana *sf* herbal tea.

tisis *sf inv* MED (pulmonary) tuberculosis.

titánico, ca *adj* titanic.

títere *sm lit & fig* puppet. ◆ **títeres** *smpl* [guiñol] puppet show *sing*.

titilar *vi* [estrella, luz] to flicker.

titiritero, ra *sm, f* - **1.** [de títeres] puppeteer - **2.** [acróbata] acrobat.

titubeante *adj* - **1.** [actitud] hesitant; [voz] stuttering - **2.** [al andar] tottering.

titubear *vi* [dudar] to hesitate; [al hablar] to stutter.

titubeo *(gen pl)* *sm* - **1.** [duda] hesitation; [al hablar] stutter, stuttering *(U)* - **2.** [al andar] tottering.

titulado, da *sm, f* [diplomado] holder of a qualification; [licenciado] graduate.

titular <> *adj* [profesor, médico] official. <> *smf* [poseedor] holder. <> *sm (gen pl)* PRENSA headline. <> *vt* [llamar] to title, to call. ◆ **titularse** *vprnl* - **1.** [llamarse] to be titled O

called - **2.** [licenciarse]: **titularse (en)** to graduate (in) - **3.** [diplomarse]: **titularse (en)** to obtain a qualification (in).

título *sm* - **1.** [gen] title; **título de propiedad** title deed; **títulos de crédito** CINE credits - **2.** [licenciatura] degree; [diploma] diploma; **tiene muchos títulos** she has a lot of qualifications - **3.** *fig* [derecho] right; **a título de** as.

tiza *sf* chalk; **una tiza** a piece of chalk.

tiznar *vt* to blacken.

tizne *sm o sf* soot.

tizón *sm* burning stick O log.

tlapalería *sf Méx* ironmonger's (shop).

TLC, TLCAN *sm (abrev de* **Tratado de Libre Comercio de América del Norte)** NAFTA.

toalla *sf* [para secarse] towel; **toalla de ducha/manos** bath/hand towel; *Amér* **toalla higiénica** O **sanitaria** sanitary towel *UK* O **napkin** *US*; **arrojar** O **tirar la toalla** to throw in the towel.

toallero *sm* towel rail.

tobillo *sm* ankle.

tobogán *sm* [rampa] slide; [en parque de atracciones] helter-skelter; [en piscina] flume.

toca *sf* wimple.

tocadiscos *sm inv* record player.

tocado, da *adj fam* [chiflado] soft in the head. ➡ **tocado** *sm* [prenda] headgear (*U*).

tocador *sm* - **1.** [mueble] dressing table - **2.** [habitación - en lugar público] powder room; [- en casa] boudoir.

tocar <> *vt* - **1.** [gen] to touch; [palpar] to feel - **2.** [instrumento, canción] to play; [bombo] to bang; [sirena, alarma] to sound; [campana, timbre] to ring; **el reloj tocó las doce** the clock struck twelve - **3.** [abordar - tema etc] to touch on - **4.** *fig* [conmover] to touch. <> *vi* - **1.** [entrar en contacto] to touch - **2.** [estar próximo]: **tocar (con)** [gen] to be touching; [país, jardín] to border (on) - **3.** [llamar - a la puerta, ventana] to knock - **4.** [corresponder en reparto]: **tocar a alguien** to be due to sb; **tocamos a mil cada uno** we're due a thousand each; **le tocó la mitad** he got half of it; **te toca a ti hacerlo** [turno] it's your turn to do it; [responsabilidad] it's up to you to do it - **5.** [caer en suerte]: **me ha tocado la lotería** I've won the lottery; **le ha tocado sufrir mucho** he has had to suffer a lot - **6.** [llegar el momento]: **nos toca pagar ahora** it's time (for us) to pay now. ➡ **tocarse** *vprnl* to touch.

tocayo, ya *sm, f* namesake.

tocinería *sf* pork butcher's (shop).

tocino *sm* [para cocinar] lard; [para comer] fat (*of bacon*). ➡ **tocino de cielo** *sm* CULIN dessert made of syrup and eggs.

todavía *adv* - **1.** [aún] still; [con negativo] yet, still; **todavía no lo he recibido** I still haven't got it, I haven't got it yet; **todavía ayer** as late

as yesterday; **todavía no** not yet - **2.** [sin embargo] still - **3.** [incluso] even; **todavía mejor** even better.

todo, da <> *adj* - **1.** [gen] all; **todo el mundo** everybody; **todo el libro** the whole book, all (of) the book; **todo el día** all day - **2.** [cada, cualquier]: **todos los días/lunes** every day/Monday; **todo español** every Spaniard, all Spaniards - **3.** [para enfatizar]: **es todo un hombre** he's every bit a man; **ya es toda una mujer** she's a big girl now; **fue todo un éxito** it was a great success. <> *pron* - **1.** [todas las cosas] everything, all of them *pl*; **lo vendió todo** he sold everything, he sold it all; **todos están rotos** they're all broken, all of them are broken; **ante todo** [principalmente] above all; [en primer lugar] first of all; **con todo** despite everything; **sobre todo** above all; **está en todo** he/she always makes sure everything is just so; **todo lo más** at (the) most - **2.** [todas las personas]: **todos** everybody; **todas vinieron** everybody O they all came. ➡ **todo** <> *sm* whole. <> *adv* completely, all. ➡ **del todo** *loc adv*: **no estoy del todo contento** I'm not entirely happy; **no lo hace mal del todo** she doesn't do it at all badly.

todopoderoso, sa *adj* almighty.

todoterreno *sm* all-terrain vehicle.

tofe *sm* coffee-flavoured toffee.

toga *sf* - **1.** [manto] toga - **2.** [traje] gown.

toldo *sm* [de tienda] awning; [de playa] sunshade.

tolerancia *sf* tolerance.

tolerante *adj* tolerant.

tolerar *vt* - **1.** [consentir, aceptar] to tolerate; **tolerar que alguien haga algo** to tolerate sb doing sthg - **2.** [aguantar] to stand.

toma *sf* - **1.** [de biberón, papilla] feed; [de medicamento] dose - **2.** [de sangre] sample - **3.** [de ciudad etc] capture - **4.** [de agua, aire] inlet; **toma de corriente** ELECTR socket; **toma de tierra** ELECTR earth - **5.** CINE [de escena] take. ➡ **toma de posesión** *sf* - **1.** [de gobierno, presidente] investiture - **2.** [de cargo] undertaking.

tomar <> *vt* - **1.** [gen] to take; [actitud, costumbre] to adopt - **2.** [datos, información] to take down - **3.** [medicina, drogas] to take; [consumir, bebida] to have; **¿qué quieres tomar?** what would you like (to drink/eat)? - **4.** [autobús, tren etc] to catch; [taxi] to take - **5.** [considerar, confundir]: **tomar a alguien por algo/alguien** to take sb for sthg/sb - **6.** *loc*: **tomarla con alguien** *fam* to have it in for sb; **¡toma!** [al dar algo] here you are!; [expresando sorpresa] well I never!; **¡toma (ésa)!** *fam* [expresa venganza] take that! <> *vi* - **1.** [encaminarse] to go, to head - **2.** *Amér* [beber alcohol] to drink. ➡ **tomarse** *vprnl* - **1.** [comida, bebida] to have; [medicina, drogas] to take - **2.** [interpretar] to take.

tomate *sm* [fruto] tomato.

tómbola *sf* tombola.

tomillo *sm* thyme.

tomo *sm* [volumen] volume.

ton ➤ **sin ton ni son** *loc adv* for no apparent reason.

tonada *sf* tune.

tonadilla *sf* ditty.

tonalidad *sf* [de color] tone.

tonel *sm* [recipiente] barrel.

tonelada *sf* tonne.

tonelaje *sm* tonnage.

tónico, ca *adj* - **1.** [reconstituyente] revitalizing - **2.** GRAM & MÚS tonic. ➤ **tónico** *sm* [reconstituyente] tonic. ➤ **tónica** *sf* - **1.** [bebida] tonic water - **2.** [tendencia] trend - **3.** MÚS tonic.

tonificar *vt* to invigorate.

tono *sm* - **1.** [gen] tone; **fuera de tono** out of place - **2.** [MÚS - tonalidad] key; [- altura] pitch - **3.** [de color] shade; **tono de piel** complexion.

tonsura *sf* tonsure.

tontear *vi* [hacer el tonto] to fool about.

tontería *sf* - **1.** [estupidez] stupid thing; **decir una tontería** to talk nonsense; **hacer una tontería** to do sthg foolish - **2.** [cosa sin importancia o valor] trifle.

tonto, ta ◇ *adj* stupid; **tonto de capirote** O **remate** daft as a brush. ◇ *sm, f* idiot; **hacer el tonto** to play the fool; **hacerse el tonto** to act innocent. ➤ **a tontas y a locas** *loc adv* haphazardly.

top (*pl* **tops**) *sm* [prenda] short top.

topacio *sm* topaz.

topadora *sf* R Dom bulldozer.

topar *vi* [encontrarse]: **topar con alguien** to bump into sb; **topar con algo** to come across sthg.

tope ◇ *adj inv* [máximo] top, maximum; [fecha] last. ◇ *sm* - **1.** [pieza] block; [para puerta] doorstop - **2.** FERROC buffer - **3.** [límite máximo] limit; [de plazo] deadline - **4.** *Méx* [para velocidad] speed bump - **5.** [freno]: **poner tope a** to rein in, to curtail - **6.** *loc*: **estar hasta los topes** to be bursting at the seams. ➤ **a tope** ◇ *loc adv* [de velocidad, intensidad] flat out. ◇ *loc adj fam* [lleno - lugar] packed.

topetazo *sm* bump; **darse un topetazo** [en la cabeza] to bump o.s. on the head.

tópico, ca *adj* - **1.** [manido] clichéd - **2.** MED topical. ➤ **tópico** *sm* cliché.

topo *sm* - **1.** *fig* & ZOOL mole - **2.** [lunar] polka dot.

topógrafo, fa *sm, f* topographer.

topónimo *sm* place name.

toque *sm* - **1.** [gen] touch; **dar los últimos toques a algo** to put the finishing touches to sthg - **2.** [aviso] warning - **3.** [sonido - de campana] chime, chiming *(U)*; [- de tambor] beat, beating *(U)*; [- de sirena etc] blast; **toque de diana** reveille; **toque de difuntos** death knell; **toque de queda** curfew.

toquetear *vt* [manosear - cosa] to fiddle with; [- persona] to fondle.

toquilla *sf* shawl.

tórax *sm inv* thorax.

torbellino *sm* - **1.** [remolino - de aire] whirlwind; [- de agua] whirlpool; [- de polvo] dustcloud - **2.** *fig* [mezcla confusa] spate.

torcedura *sf* [esguince] sprain.

torcer ◇ *vt* - **1.** [gen] to twist; [doblar] to bend - **2.** [girar] to turn. ◇ *vi* [girar] to turn. ➤ **torcerse** *vprnl* - **1.** [retorcerse] to twist; [doblarse] to bend; **me tuerzo al andar/escribir** I can't walk/write in a straight line - **2.** [dislocarse] to sprain - **3.** [ir mal - negocios, día] to go wrong; [- persona] to go astray.

torcido, da *adj* [enroscado] twisted; [doblado] bent; [cuadro, corbata] crooked.

tordo, da *adj* dappled. ➤ **tordo** *sm* [pájaro] thrush.

torear ◇ *vt* - **1.** [lidiar] to fight *(bulls)* - **2.** *fig* [eludir] to dodge - **3.** *fig* [burlarse de]: **torear a alguien** to mess sb about. ◇ *vi* [lidiar] to fight bulls.

toreo *sm* bullfighting.

torero, ra *sm, f* [persona] bullfighter. ➤ **torera** *sf* [prenda] bolero (jacket).

tormenta *sf* lit & fig storm.

tormento *sm* torment; **ser un tormento** [persona] to be a torment; [cosa] to be torture.

tormentoso, sa *adj* stormy; [sueño] troubled.

tornado *sm* tornado.

tornar *culto* ◇ *vt* [convertir]: **tornar algo en (algo)** to turn sthg into (sthg). ◇ *vi* - **1.** [regresar] to return - **2.** [volver a hacer]: **tornar a hacer algo** to do sthg again. ➤ **tornarse** *vprnl* [convertirse]: **tornarse (en)** to turn (into), to become.

torneado, da *adj* [cerámica] turned.

torneo *sm* tournament.

tornillo *sm* screw; [con tuerca] bolt; **le falta un tornillo** *fam* he has a screw loose.

torniquete *sm* MED tourniquet.

torno *sm* - **1.** [de alfarero] (potter's) wheel - **2.** [para pesos] winch. ➤ **en torno a** *loc prep* - **1.** [alrededor de] around - **2.** [acerca de] about; **girar en torno a** to be about.

toro *sm* bull. ➤ **toros** *smpl* [lidia] bullfight *sing*, bullfighting *(U)*.

toronja *sf* grapefruit.

torpe *adj* - **1.** [gen] clumsy - **2.** [necio] slow, dim-witted.

torpedear *vt* to torpedo.

torpedero *sm* torpedo boat.

torpedo *sm* [proyectil] torpedo.

torpeza *sf* - 1. [gen] clumsiness; **fue una torpeza hacerlo/decirlo** it was a clumsy thing to do/say - 2. [falta de inteligencia] slowness.

torre *sf* - 1. [construcción] tower; ELECTR pylon; **torre (de apartamentos)** tower block; **torre de control** control tower; **torre de marfil** *fig* ivory tower; **torre de perforación** oil derrick - 2. [en ajedrez] rook, castle - 3. MIL turret.

torrefacto, ta *adj* high-roast *(antes de s)*.

torrencial *adj* torrential.

torrente *sm* torrent; **un torrente de** *fig* [gente, palabras etc] a stream O flood of; [dinero, energía] masses of; **un torrente de voz** a powerful voice.

torreta *sf* - 1. MIL turret - 2. ELECTR pylon.

torrezno *sm* chunk of fried bacon.

tórrido, da *adj lit & fig* torrid.

torrija *sf* French toast *(U) (dipped in milk or wine)*.

torsión *sf* - 1. [del cuerpo, brazo] twist, twisting *(U)* - 2. MECÁN torsion.

torso *sm culto* torso.

torta *sf* - 1. CULIN cake - 2. *Andes, Col, R Plata & Ven* [tarta] cake - 3. *fam* [bofetada] thump - 4. *fam* [accidente] crash. **ni torta** *loc adv fam* not a thing.

tortazo *sm* - 1. *fam* [bofetada] thump - 2. *fam* [accidente] crash; **darse** O **pegarse un tortazo** to crash.

tortícolis *sf inv* crick in the neck.

tortilla *sf* - 1. [de huevo] omelette; **tortilla (a la) española** Spanish O potato omelette; **tortilla (a la) francesa** French O plain omelette; **se dio la vuelta** O **se volvió la tortilla** the tables turned - 2. [de maíz] tortilla.

tórtola *sf* turtledove.

tortolito, ta *sm, f (gen pl) fam* [enamorado] lovebird.

tortuga *sf* - 1. [terrestre] tortoise; [marina] turtle; [fluvial] terrapin - 2. *fam* [persona o cosa lenta] snail.

tortuoso, sa *adj* - 1. [sinuoso] tortuous, winding - 2. *fig* [perverso] devious.

tortura *sf* torture.

torturar *vt* to torture.

tos *sf* cough; **tos ferina** whooping cough.

tosco, ca *adj* - 1. [basto] crude - 2. *fig* [ignorante] coarse.

toser *vi* to cough.

tostado, da *adj* - 1. [pan, almendras] toasted - 2. [color] brownish - 3. [piel] tanned. **tostada** *sf* piece of toast; **café con tostadas** coffee and toast.

tostador *sm* toaster.

tostadora *sf* = **tostador**.

tostar *vt* - 1. [dorar, calentar - pan, almendras] to toast; [- carne] to brown - 2. [broncear] to tan - 3. INFORM to burn. **tostarse** *vprnl* to get brown; **tostarse (al sol)** to sunbathe.

tostón *sm fam* [rollo, aburrimiento] bore, drag.

total ⬦ *adj* - 1. [absoluto, completo] total - 2. *mfam* [estupendo] brill, ace. ⬦ *sm* - 1. [suma] total - 2. [totalidad, conjunto] whole; **el total del grupo** the whole group; **en total** in all. ⬦ *adv* anyway; **total que me marché** so anyway, I left.

totalidad *sf* whole; **en su totalidad** as a whole.

totalitario, ria *adj* totalitarian.

totalizar *vt* to amount to.

tóxico, ca *adj* toxic, poisonous. **tóxico** *sm* poison.

toxicómano, na *sm, f* drug addict.

toxina *sf* toxin.

tozudo, da *adj* stubborn.

traba *sf fig* [obstáculo] obstacle; **poner trabas (a alguien)** to put obstacles in the way (of sb).

trabajador, ra ⬦ *adj* hard-working. ⬦ *sm, f* worker.

trabajar ⬦ *vi* - 1. [gen] to work; **trabajar de/en** to work as/in; **trabajar en una empresa** to work for a firm - 2. CINE & TEATRO to act. ⬦ *vt* - 1. [hierro, barro, tierra] to work; [masa] to knead - 2. [mejorar] to work on O at.

trabajo *sm* - 1. [gen] work; **hacer un buen trabajo** to do a good job; **trabajo intelectual/físico** mental/physical effort; **trabajo manual** manual labour; **trabajos forzados** O **forzosos** hard labour *(U)*; **trabajos manuales** [en el colegio] arts and crafts - 2. [empleo] job; **no tener trabajo** to be out of work - 3. [estudio escrito] essay - 4. ECON & POLÍT labour - 5. *fig* [esfuerzo] effort.

trabajoso, sa *adj* - 1. [difícil] hard, difficult - 2. [molesto] tiresome.

trabalenguas *sm inv* tongue-twister.

trabar *vt* - 1. [sujetar] to fasten; [con grilletes] to shackle - 2. [unir] to join - 3. [iniciar - conversación, amistad] to strike up - 4. [obstaculizar] to hinder - 5. CULIN to thicken. **trabarse** *vprnl* - 1. [enredarse] to get tangled - 2. *loc*: **se le trabó la lengua** he got tongue-tied.

trabazón *sf* [de ideas, episodios] connection; [de discurso, novela] consistency.

trabucar *vt* to mix up. **trabucarse** *vprnl* [al hablar] to get tongue-tied.

tracción *sf* traction; **tracción a las cuatro ruedas** four-wheel drive.

tractor *sm* tractor.

tradición *sf* tradition.

tradicional *adj* traditional.

tradicionalismo *sm* traditionalism; POLÍT conservatism.

traducción *sf* translation; **traducción directa/inversa** translation into/out of one's own language.

traducir ⬦ *vt* [a otro idioma] to translate. ⬦ *vi*: **traducir (de/a)** to translate (from/into). ⬦ **traducirse** *vprnl* [a otro idioma]: **traducirse (por)** to be translated (by O as).

traductor, ra *sm, f* translator.

traer *vt* - **1.** [trasladar, provocar] to bring; [consecuencias] to carry, to have; **traer consigo** [implicar] to mean, to lead to - **2.** [llevar] to carry; **¿qué traes ahí?** what have you got there? - **3.** [llevar adjunto, dentro] to have; **trae un artículo interesante** it has an interesting article in it - **4.** [llevar puesto] to wear. ⬦ **traerse** *vprnl*: **traérselas** *fam fig* to be a real handful.

traficante *smf* [de drogas, armas etc] trafficker.

traficar *vi*: **traficar (en/con algo)** to traffic (in sthg).

tráfico *sm* [de vehículos] traffic; [de drogas, armas] trafficking, dealing.

tragaluz *sm* skylight.

traganíqueles *sf inv Amér fam* ▷ **máquina**.

tragaperras *sf inv* slot machine.

tragar ⬦ *vt* - **1.** [ingerir, creer] to swallow - **2.** [absorber] to swallow up - **3.** *fig* [soportar] to put up with. ⬦ *vi* - **1.** [ingerir] to swallow - **2.** [aguantar] to grin and bear it; [acceder, ceder] to give in. ⬦ **tragarse** *vprnl fig* [soportarse]: **no se tragan** they can't stand each other.

tragedia *sf* tragedy.

trágico, ca *adj* tragic.

trago *sm* - **1.** [de líquido] mouthful; **dar un trago de algo** to take a swig of sthg; **de un trago** in one gulp - **2.** *fam* [copa] drink - **3.** *fam* [disgusto]: **ser un trago para alguien** to be tough on sb.

tragón, ona *fam* ⬦ *adj* greedy. ⬦ *sm, f* pig, glutton.

traición *sf* - **1.** [infidelidad] betrayal - **2.** DER treason.

traicionar *vt* [persona, país, ideales] to betray.

traicionero, ra *adj* [desleal] treacherous; DER treasonous.

traidor, ra ⬦ *adj* treacherous; DER treasonous. ⬦ *sm, f* traitor.

traiga *etc* ▷ **traer**.

tráiler ['trailer] (*pl* trailers) *sm* - **1.** CINE trailer - **2.** AUTO articulated lorry - **3.** *Méx* [caravana] caravan *UK*, trailer *US*.

traje *sm* - **1.** [con chaqueta] suit; [de una pieza] dress; **ir de traje** to wear a suit; **traje de baño** swimsuit; **traje de ceremonia** O **de gala** dress

suit, formal dress (*U*); **traje de chaqueta** woman's two-piece suit - **2.** [regional, de época etc] costume; **traje de luces** matador's outfit - **3.** [ropa] clothes *pl*; **traje de paisano** [de militar] civilian clothes; [de policía] plain clothes.

trajeado, da *adj fam* [arreglado] spruced up.

trajín *sm fam* [ajetreo] bustle.

trajinar *vi fam* to bustle about.

trajo ▷ **traer**.

trama *sf* - **1.** [de hilos] weft - **2.** [argumento] plot - **3.** [conspiración] intrigue.

tramar *vt* [planear] to plot; [complot] to hatch; **estar tramando algo** to be up to something.

tramitar *vt* - **1.** [suj: autoridades - pasaporte, permiso] to take the necessary steps to obtain; [- solicitud, dimisión] to process - **2.** [suj: solicitante]: **tramitar un permiso/visado** to be in the process of applying for a licence/visa.

trámite *sm* [gestión] formal step; **de trámite** routine, formal. ⬦ **trámites** *smpl* - **1.** [proceso] procedure *sing* - **2.** [papeleo] paperwork (*U*).

tramo *sm* [espacio] section, stretch; [de escalera] flight (of stairs).

tramoya *sf* TEATRO stage machinery (*U*).

trampa *sf* - **1.** [para cazar] trap; *fig* [engaño] trick; **tender una trampa (a alguien)** to set O lay a trap (for sb); **hacer trampas** to cheat - **2.** *fam* [deuda] debt.

trampear *vi fam* [estafar] to swindle money.

trampilla *sf* [en el suelo] trapdoor.

trampolín *sm* [de piscina] diving board; [de esquí] ski jump; [en gimnasia] springboard.

tramposo, sa ⬦ *adj* [fullero] cheating. ⬦ *sm, f* [fullero] cheat.

tranca *sf* - **1.** [en puerta, ventana] bar - **2.** [arma] cudgel - **3.** *loc*: **a trancas y barrancas** with great difficulty.

trancarse *vprnl Amér* [atorarse] to get blocked, to get clogged up.

trance *sm* - **1.** [apuro] difficult situation; **estar en trance de hacer algo** to be about to do sthg; **pasar por un mal trance** to go through a bad patch - **2.** [estado hipnótico] trance.

tranquilidad *sf* peacefulness, calmness; **para mayor tranquilidad** to be on the safe side.

tranquilizante *sm* MED tranquilizer.

tranquilizar *vt* - **1.** [calmar] to calm (down) - **2.** [dar confianza] to reassure. ⬦ **tranquilizarse** *vprnl* - **1.** [calmarse] to calm down - **2.** [ganar confianza] to feel reassured.

tranquillo *sm Esp fam*: **coger el tranquillo a algo** to get the knack of sthg.

tranquilo, la *adj* - **1.** [sosegado - lugar, música] peaceful; [- persona, tono de voz, mar] calm; **¡(tú) tranquilo!** *fam* don't you worry! - **2.** [ve-

lada, charla, negocio] quiet - **3.** [mente] un-
troubled; [conciencia] clear - **4.** [despreocupado]
casual, laid-back.

transacción sf COM transaction.

transar vi Amér [negociar] to come to an ar-
rangement, to reach a compromise; [transigir]
to compromise, to give in.

transatlántico, ca, trasatlántico, ca adj
transatlantic. ◆ **transatlántico, trasa-
tlántico** sm NÁUT (ocean) liner.

transbordador, trasbordador sm - **1.** NÁUT
ferry - **2.** AERON: **transbordador (espacial)** space
shuttle.

transbordar, trasbordar vi to change
(trains etc).

transbordo, trasbordo sm: hacer transbor-
do to change (trains etc).

transcendencia = trascendencia.

transcendental = trascendental.

transcender = trascender.

transcribir, trascribir vt [escribir] to tran-
scribe.

transcurrir, trascurrir vi - **1.** [tiempo] to
pass, to go by - **2.** [ocurrir] to take place.

transcurso, trascurso sm - **1.** [paso de tiem-
po] passing - **2.** [periodo de tiempo]: **en el
transcurso de** in the course of.

transeúnte smf [viandante] passer-by.

transexual adj & smf transsexual.

transferencia, trasferencia sf transfer.

transferir, trasferir vt to transfer.

transfigurarse, trasfigurarse vprnl to be-
come transfigured.

transformación, trasformación sf
- **1.** [cambio, conversión] transformation - **2.** [en
rugby] conversion.

transformador, trasformador sm ELEC-
TRÓN transformer.

transformar, trasformar vt - **1.** [cambiar ra-
dicalmente]: **transformar algo/a alguien (en)** to
transform sthg/sb (into) - **2.** [convertir]: **trans-
formar algo (en)** to convert sthg (into) - **3.** [en
rugby] to convert. ◆ **transformarse, tras-
formarse** vprnl - **1.** [cambiar radicalmente] to
be transformed - **2.** [convertirse]: **transformarse
en algo** to be converted into sthg.

tránsfuga, trásfuga smf POLÍT defector.

transfuguismo, trasfuguismo sm POLÍT
defection.

transfusión, trasfusión sf transfusion.

transgredir, trasgredir vt to transgress.

transgresor, ra, trasgresor, ra sm, f
transgressor.

transición sf transition; **periodo de transi-
ción** transition period; **transición democrática**
transition to democracy.

transido, da adj: **transido (de)** stricken
(with); **transido de pena** grief-stricken.

transigir vi - **1.** [ceder] to compromise - **2.** [ser
tolerante] to be tolerant.

transistor sm transistor.

transitar vi to go (along).

tránsito sm - **1.** [circulación - gen] movement;
[- de vehículos] traffic; **pasajeros en tránsito a...**
passengers with connecting flights to...
- **2.** [transporte] transit.

transitorio, ria adj [gen] transitory; [residen-
cia] temporary; [régimen, medida] transitional,
interim.

translúcido, da, traslúcido, da adj trans-
lucent.

transmisión, trasmisión sf - **1.** [gen & AUTO]
transmission - **2.** RADIO & TV broadcast, broad-
casting (U) - **3.** [de herencia, poderes etc] trans-
ference.

transmisor, ra, trasmisor, ra adj trans-
mission (antes de s). ◆ **transmisor, tras-
misor** sm transmitter.

transmitir, trasmitir vt - **1.** [gen] to trans-
mit; [saludos, noticias] to pass on - **2.** RADIO & TV
to broadcast - **3.** [ceder] to transfer.

transparencia, trasparencia sf transpar-
ency.

transparentarse, trasparentarse vprnl
[tela] to be see-through; [vidrio, líquido] to be
transparent.

transparente, trasparente adj [gen] trans-
parent; [tela] see-through.

transpiración, traspiración sf perspira-
tion.

transpirar, traspirar vi to perspire.

transponer, trasponer vt [cambiar] to
switch. ◆ **transponerse, trasponerse**
vprnl [adormecerse] to doze off.

transportador sm [para medir ángulos] pro-
tractor.

transportar, trasportar vt - **1.** [trasladar] to
transport - **2.** [embelesar] to captivate.
◆ **transportarse, trasportarse** vprnl [em-
belesarse] to go into raptures.

transporte sm transport UK, transporta-
tion US; **transporte público** O **colectivo** public
transport UK O transportation US.

transportista smf carrier.

transvase sm - **1.** [de líquido] de-
canting - **2.** [de río] transfer.

transversal, trasversal adj transverse.

tranvía sm tram, streetcar US.

trapecio sm [de gimnasia] trapeze.

trapecista smf trapeze artist.

trapero, ra sm, f rag-and-bone man (f rag-
and-bone woman).

trapío sm TAUROM good bearing.

trapisonda sf fam [enredo] scheme.

trapo sm - 1. [trozo de tela] rag - 2. [gamuza, bayeta] cloth; **pasar el trapo a algo** to wipe sthg with a cloth; **poner a alguien como un trapo** to tear sb to pieces. ➡ **trapos** smpl fam [ropa] clothes.

tráquea sf windpipe; MED trachea.

traqueteo sm [ruido] rattling.

tras prep - 1. [detrás de] behind - 2. [después de, en pos de] after; **uno tras otro** one after the other; **andar tras algo** to be after sthg.

trasatlántico, ca = **transatlántico**.

trasbordador = **transbordador**.

trasbordar = **transbordar**.

trasbordo = **transbordo**.

trascendencia, transcendencia sf importance; **tener una gran trascendencia** to be deeply significant.

trascendental, transcendental adj - 1. [importante] momentous - 2. [meditación] transcendental.

trascendente adj momentous.

trascender, transcender vi - 1. [extenderse]: **trascender (a algo)** to spread (across sthg) - 2. [filtrarse] to be leaked - 3. [sobrepasar]: **trascender de** to transcend, to go beyond.

trascribir = **transcribir**.

trascurrir = **transcurrir**.

trascurso = **transcurso**.

trasegar vt [desordenar] to rummage about amongst.

trasero, ra adj back (antes de s), rear (antes de s). ➡ **trasero** sm fam backside, butt US.

trasferencia = **transferencia**.

trasferir = **transferir**.

trasfigurarse = **transfigurarse**.

trasfondo sm background; [de palabras, intenciones] undertone.

trasformación = **transformación**.

trasformador = **transformador**.

trasformar = **transformar**.

trásfuga = **tránsfuga**.

trasfusión = **transfusión**.

trasgredir = **transgredir**.

trasgresor, ra = **transgresor**.

trashumante adj seasonally migratory.

trasiego sm [movimiento] comings and goings pl.

traslación sf ASTRON passage.

trasladar vt - 1. [desplazar] to move - 2. [a empleado, funcionario] to transfer - 3. [reunión, fecha] to postpone. ➡ **trasladarse** vprnl - 1. [desplazarse] to go - 2. [mudarse] to move; **me traslado de piso** I'm moving flat.

traslado sm - 1. [de casa, empresa, muebles] move, moving (U) - 2. [de trabajo] transfer - 3. [de personas] movement.

traslúcido, da = **translúcido**.

trasluz sm reflected light; **al trasluz** against the light.

trasmisión = **transmisión**.

trasmisor, ra = **transmisor**.

trasmitir = **transmitir**.

trasnochar vi to stay up late.

traspapelar vt to mislay.

trasparencia = **transparencia**.

trasparentarse = **transparentarse**.

trasparente = **transparente**.

traspasar vt - 1. [perforar, atravesar] to go through, to pierce; [suj: líquido] to soak through - 2. [cruzar] to cross (over); [puerta] to pass through - 3. [cambiar de sitio] to move - 4. [vender - jugador] to transfer; [- negocio] to sell (as a going concern) - 5. fig [exceder] to go beyond.

traspaso sm [venta - de jugador] transfer; [- de negocio] sale (as a going concern).

traspié (pl **traspiés**) sm - 1. [resbalón] trip, stumble; **dar un traspié** to trip up - 2. fig [error] slip.

traspiración = **transpiración**.

traspirar = **transpirar**.

trasplantar vt to transplant.

trasplante sm transplant, transplanting (U).

trasponer = **transponer**.

trasportar = **transportar**.

trasquilar vt [esquilar] to shear.

trastabillar vi [tambalearse] to stagger; [tropezar] to stumble; [tartamudear] to stutter.

trastada sf fam dirty trick; **hacer una trastada a alguien** to play a dirty trick on sb.

traste sm - 1. MÚS fret - 2. C Sur fam [trasero] bottom - 3. Andes, Amér C, Caribe & Méx: **trastes** utensils - 4. loc: **dar al traste con algo** to ruin sthg; **irse al traste** to fall through.

trastero sm junk room.

trastienda sf backroom.

trasto sm - 1. [utensilio inútil] piece of junk, junk (U) - 2. fam [persona traviesa] menace, nuisance. ➡ **trastos** smpl fam [pertenencias, equipo] things, stuff (U); **tirarse los trastos a la cabeza** to have a flaming row.

trastocar vt [cambiar] to turn upside down. ➡ **trastocarse** vprnl [enloquecer] to go mad.

trastornado, da adj disturbed, unbalanced.

trastornar vt - 1. [volver loco] to drive mad - 2. [inquietar] to worry, to trouble - 3. [alterar] to turn upside down; [planes] to disrupt. ➡ **trastornarse** vprnl [volverse loco] to go mad.

trastorno *sm* - **1.** [mental] disorder; **trastorno bipolar** bipolar disorder; [digestivo] upset - **2.** [alteración - por huelga, nevada] disruption *(U)*; [- por guerra etc] upheaval.

trasvase = **transvase**.

tratable *adj* easy-going, friendly.

tratado *sm* - **1.** [convenio] treaty - **2.** [escrito] treatise.

tratamiento *sm* - **1.** [gen & MED] treatment - **2.** [título] title, form of address - **3.** INFORM processing; **tratamiento de datos/textos** data/word processing; **tratamiento por lotes** batch processing.

tratar ⬦ *vt* - **1.** [gen & MED] to treat - **2.** [discutir] to discuss - **3.** INFORM to process - **4.** [dirigirse a]: **tratar a alguien de** [usted, tú etc] to address sb as. ⬦ *vi* - **1.** [intentar]: **tratar de hacer algo** to try to do sthg - **2.** [versar]: **tratar de/sobre** to be about - **3.** [tener relación]: **tratar con alguien** to mix with sb, to have dealings with sb - **4.** [comerciar]: **tratar en** to deal in. ⬦ **tratarse** *vprnl* - **1.** [relacionarse]: **tratarse con** to mix with, to have dealings with - **2.** [versar]: **tratarse de** to be about; **¿de qué se trata?** what's it about?

tratativas *sfpl* C Sur negotiation *sing*.

trato *sm* - **1.** [comportamiento] treatment; **de trato agradable** pleasant; **malos tratos** battering *(U)* (of child, wife) - **2.** [relación] dealings *pl* - **3.** [acuerdo] deal; **cerrar** O **hacer un trato** to do O make a deal; **¡trato hecho!** it's a deal! - **4.** [tratamiento] title, term of address.

trauma *sm* trauma.

traumatólogo, ga *sm, f* traumatologist.

través ⬥ **a través de** *loc prep* - **1.** [de un lado a otro de] across, over - **2.** [por, por medio de] through. ⬥ **de través** *loc adv* [transversalmente] crossways; [de lado] sideways.

travesaño *sm* - **1.** ARQUIT crosspiece - **2.** DEP crossbar - **3.** [de escalera] rung.

travesía *sf* - **1.** [viaje - por mar] voyage, crossing - **2.** [calle] cross-street.

travestido, da, travestí (*pl* travestis) *sm, f* transvestite.

travesura *sf* [acción] prank, mischief *(U)*; **hacer travesuras** to play pranks, to get up to mischief.

traviesa *sf* - **1.** FERROC sleeper (on track) - **2.** CONSTR crossbeam.

travieso, sa *adj* mischievous.

trayecto *sm* - **1.** [distancia] distance - **2.** [viaje] journey, trip - **3.** [ruta] route; **final de trayecto** end of the line.

trayectoria *sf* - **1.** [recorrido] trajectory - **2.** *fig* [evolución] path.

traza *sf* [aspecto] appearance *(U)*, looks *pl*; **tener trazas de hacer algo** to show signs of doing sthg; **esto no tiene trazas de acabar pronto** this doesn't look as if it's going to finish soon.

trazado *sm* - **1.** [trazo] outline, sketching - **2.** [diseño] plan, design - **3.** [recorrido] route.

trazar *vt* - **1.** [dibujar] to draw, to trace; [ruta] to plot - **2.** [indicar, describir] to outline - **3.** [idear] to draw up.

trazo *sm* - **1.** [de dibujo, rostro] line - **2.** [de letra] stroke.

trébol *sm* [planta] clover. ⬥ **tréboles** *smpl* [naipes] clubs.

trece *num* thirteen; *ver también* **seis**.

treceavo, va *num* thirteenth.

trecho *sm* [espacio] distance; [tiempo] time.

tregua *sf* truce; *fig* respite.

treinta *num* thirty; **los (años) treinta** the Thirties; *ver también* **seis**.

treintena *sf* thirty.

tremendo, da *adj* [enorme] tremendous, enormous.

trémulo, la *adj* [voz] trembling; [luz] flickering.

tren *sm* - **1.** [ferrocarril] train; **ir en tren** to go by train; **estar como (para parar) un tren** to be really gorgeous; **perder el tren** *fig* to miss the boat; **subirse al tren** *fig* to climb on the bandwagon - **2.** TECNOL line; **tren de aterrizaje** undercarriage, landing gear; **tren de lavado** car wash.

trenza *sf* - **1.** [de pelo] plait - **2.** [de fibras] braid.

trenzar *vt* - **1.** [pelo] to plait - **2.** [fibras] to braid.

trepa *smf fam* social climber.

trepador, ra ⬦ *adj*: **planta trepadora** creeper. ⬦ *sm, f fam* social climber.

trepar ⬦ *vt* to climb. ⬦ *vi* - **1.** [subir] to climb - **2.** *fam* [medrar] to be a social climber.

trepidar *vi* to shake, to vibrate.

tres *num* three; **ni a la de tres** for anything in the world, no way; *ver también* **seis**. ⬥ **tres cuartos** *sm inv* [abrigo] three-quarter-length coat. ⬥ **tres en raya** *sm* noughts and crosses *(U)* UK, tick-tack-toe US.

trescientos, tas *num* three hundred; *ver también* **seis**.

tresillo *sm* [sofá] three-piece suite.

treta *sf* trick.

triangular *adj* triangular.

triángulo *sm* GEOM & MÚS triangle; **triángulo equilátero/rectángulo** equilateral/right-angled triangle.

triates *smpl* Amér triplets.

tribu *sf* tribe.

tribulación *sf* tribulation.

tribuna *sf* - **1.** [estrado] rostrum, platform; [del jurado] jury box - **2.** DEP - [localidad] stand; [- graderío] grandstand - **3.** PRENSA: **tribuna de prensa** press box; **tribuna libre** open forum.

tribunal *sm* - **1.** [gen] court - **2.** [de examen] board of examiners; [de concurso] panel.

tributar *vt* [homenaje] to pay; [respeto, admiración] to have.

tributo *sm* - **1.** [impuesto] tax - **2.** *fig* [precio] price - **3.** [homenaje] tribute.

triciclo *sm* tricycle.

tricornio *sm* three-cornered hat.

tricotar *vt & vi* to knit.

tricotosa *sf* knitting machine.

tridimensional *adj* three-dimensional.

trifulca *sf fam* row, squabble.

trigésimo, ma *num* thirtieth.

trigo *sm* wheat.

trigonometría *sf* trigonometry.

trillado, da *adj fig* trite.

trilladora *sf* [máquina] threshing machine.

trillar *vt* to thresh.

trillizo, za *sm, f* triplet.

trillón *sm* trillion *UK*, quintillion *US*.

trilogía *sf* trilogy.

trimestral *adj* three-monthly, quarterly; [exámenes, notas] end-of-term *(antes de s)*.

trimestre *sm* three months *pl*, quarter; [en escuela, universidad] term.

trinar *vi* to chirp; **está que trina** *fig* she's fuming.

trincar *fam* ◇ *vt* - **1.** [agarrar] to grab - **2.** [detener] to nick, to arrest. ◇ *vi* [beber] to guzzle.

trinchar *vt* to carve.

trinchera *sf* - **1.** MIL trench - **2.** [abrigo] trench coat.

trineo *sm* [pequeño] sledge; [grande] sleigh.

Trinidad *sf*: **la (Santísima) Trinidad** the (Holy) Trinity.

Trinidad y Tobago *n pr* Trinidad and Tobago.

trino *sm* [de pájaros] chirp, chirping *(U)*; MÚS trill.

trío *sm* [gen] trio.

tripa *sf* - **1.** [intestino] gut, intestine - **2.** *fam* [barriga] gut, belly. ➤ **tripas** *sfpl fig* [interior] insides.

triple ◇ *adj* triple. ◇ *sm* - **1.** [tres veces]: **el triple** three times as much; **el triple de gente** three times as many people - **2.** [en baloncesto] three-pointer.

triplicado *sm* second copy, triplicate.

triplicar *vt* to triple, to treble. ➤ **triplicarse** *vprnl* to triple, to treble.

trípode *sm* tripod.

tripulación *sf* crew.

tripulante *smf* crew member.

tripular *vt* to man.

tris *sm*: **estar en un tris de (hacer algo)** to be within a whisker of (doing sthg).

triste *adj* - **1.** [gen] sad; [día, tiempo, paisaje] gloomy, dreary; **es triste que** it's a shame *O* pity that - **2.** *fig* [color, vestido, luz] pale - **3.** *(antes de s)* [humilde] poor; [sueldo] sorry, miserable; **ni un triste** *fig* not a single.

tristeza *sf* [gen] sadness; [de paisaje, día] gloominess, dreariness.

triturador *sm* [de basura] waste-disposal unit; [de papeles] shredder.

triturar *vt* - **1.** [moler, desmenuzar] to crush, to grind; [papel] to shred - **2.** [masticar] to chew.

triunfador, ra *sm, f* winner.

triunfal *adj* triumphant.

triunfar *vi* - **1.** [vencer] to win, to triumph - **2.** [tener éxito] to succeed, to be successful.

triunfo *sm* [gen] triumph; [en encuentro, elecciones] victory, win.

trivial *adj* trivial.

trivializar *vt* to trivialize.

trizas *sfpl*: **hacer trizas algo** [hacer añicos] to smash sthg to pieces; [desgarrar] to tear sthg to shreds; **estar hecho trizas** [persona] to be shattered.

trocar *vt* - **1.** [transformar]: **trocar algo (en algo)** to change sthg (into sthg) - **2.** [intercambiar] to swap.

trocear *vt* to cut up (into pieces).

trocha *sf* [senda] path; [atajo] shortcut.

troche ➤ **a troche y moche** *loc adv* haphazardly.

trofeo *sm* trophy.

troglodita *smf* - **1.** [cavernícola] cave dweller, troglodyte - **2.** *fam* [bárbaro, tosco] roughneck.

trola *sf fam* fib, lie.

trolebús *sm* trolleybus.

trombón *sm* [instrumento] trombone; [músico] trombonist.

trombosis *sf inv* thrombosis.

trompa *sf* - **1.** [de elefante] trunk; [de oso hormiguero] snout; [de insecto] proboscis - **2.** MÚS horn.

trompazo *sm fam* bang; **darse** *O* **pegarse un trompazo con** to bang into.

trompear *vt Amér fam* to punch. ➤ **trompearse** *vprnl Amér fam* to have a fight.

trompeta *sf* trumpet.

trompetista *smf* trumpeter.

trompicón *sm* [tropezón] stumble; **a trompicones** in fits and starts.

trompo *sm* - **1.** [juguete] spinning top - **2.** [giro] spin.

tronado, da adj fam [loco] nuts, crazy.

tronar ⋄ v impers & vi to thunder. ⋄ vt Méx fam [fracasar] to fail. ● **tronarse** vprnl Amér fam to shoot o.s.

tronchar vt [partir] to snap. ● **troncharse** vprnl fam: **troncharse (de risa)** to split one's sides laughing.

tronco, ca sm, f mfam [tipo] guy (f bird); [como apelativo] pal, mate. ● **tronco** sm ANAT & BOT trunk; [talado y sin ramas] log; **dormir como un tronco, estar hecho un tronco** to sleep like a log.

tronera sf - 1. ARQUIT & HIST embrasure - 2. [en billar] pocket.

trono sm throne; **subir al trono** to ascend the throne.

tropa sf (gen pl) MIL troops pl.

tropecientos, tas adj fam loads of.

tropel sm [de personas] mob, crowd.

tropero sm R Dom cowboy.

tropezar vi [con el pie]: **tropezar (con)** to trip O stumble (on). ● **tropezarse** vprnl [encontrarse] to bump into each other; **tropezarse con alguien** to bump into sb. ● **tropezar con** vi [problema, persona] to run into, to come across.

tropezón sm - 1. [con el pie] trip, stumble; **dar un tropezón** to trip up, to stumble - 2. fig [desacierto] slip-up. ● **tropezones** smpl CULIN small chunks.

tropical adj tropical.

trópico sm tropic.

tropiezo sm - 1. [con el pie] trip, stumble; **dar un tropiezo** to trip up, to stumble - 2. fig [equivocación] slip-up; [revés] setback.

troquel sm [molde] mould, die.

trotamundos smf inv globe-trotter.

trotar vi to trot; fam fig [de aquí para allá] to dash O run around.

trote sm [de caballo] trot; **al trote** at a trot.

troupe [trup, 'trupe] (pl troupes) sf troupe.

trovador sm troubadour.

trozar vt Amér [carne] to cut up; [res, tronco] to butcher, to cut up.

trozo sm [gen] piece; [de sendero, camino] stretch; [de obra, película] extract; **cortar algo en trozos** to cut sthg into pieces; **hacer algo a trozos** to do sthg in bits.

trucar vt to doctor; [motor] to soup up.

trucha sf [pez] trout.

truco sm - 1. [trampa, engaño] trick; **truco de magia** magic trick - 2. [habilidad, técnica] knack; **coger el truco** to get the knack; **truco publicitario** advertising gimmick.

truculento, ta adj horrifying, terrifying.

trueno sm METEOR clap of thunder, thunder (U).

trueque sm - 1. COM & HIST barter - 2. [intercambio] exchange, swap.

trufa sf [hongo, bombón] truffle.

truhán, ana sm, f rogue, crook.

truncar vt [frustrar - vida, carrera] to cut short; [- planes, ilusiones] to spoil, to ruin.

trusa sf Caribe [traje de baño] swimsuit; R Dom [faja] girdle.

tu (pl tus) adj poses (antes de s) your.

tú pron pers you; **es más alta que tú** she's taller than you; **de tú a tú** [lucha] evenly matched; **hablar** O **tratar de tú a alguien** to address sb as 'tú'.

tubérculo sm tuber, root vegetable.

tuberculosis sf inv tuberculosis.

tubería sf - 1. [cañerías] pipes pl, pipework - 2. [tubo] pipe.

tubo sm - 1. [tubería] pipe; **tubo de escape** AUTO exhaust (pipe); **tubo del desagüe** drainpipe - 2. [recipiente] tube; **tubo de ensayo** test tube - 3. ANAT tract; **tubo digestivo** digestive tract, alimentary canal.

tuerca sf nut.

tuerto, ta adj [sin un ojo] one-eyed; [ciego de un ojo] blind in one eye.

tuétano sm ANAT (bone) marrow.

tufillo sm whiff.

tufo sm [mal olor] stench.

tugurio sm hovel.

tul sm tulle.

tulipa sf [de lámpara] tulip-shaped lampshade.

tulipán sm tulip.

tullido, da ⋄ adj crippled. ⋄ sm, f cripple, disabled person.

tumba sf grave, tomb; **ser (como) una tumba** to be as silent as the grave.

tumbar vt [derribar] to knock over O down. ● **tumbarse** vprnl [acostarse] to lie down.

tumbo sm jolt, jerk; **ir dando tumbos** fig [persona] to have a lot of ups and downs.

tumbona sf [en la playa] deck chair; [en el jardín] (sun) lounger.

tumor sm tumour.

tumulto sm - 1. [disturbio] riot, disturbance - 2. [alboroto] uproar, tumult; **un tumulto de gente** a crowd of people.

tumultuoso, sa adj - 1. [conflictivo] tumultuous - 2. [turbulento] rough, stormy.

tuna sf - 1. = tuno - 2. Amér C & Méx [fruta] prickly pear.

tunante, ta sm, f crook, scoundrel.

tunda sf fam [paliza] thrashing.

túnel sm tunnel; **salir del túnel** fig to turn the corner. ● **túnel de lavado** sm AUTO car wash.

Túnez *n pr* - **1.** [capital] Tunis - **2.** [país] Tunisia.

túnica *sf* tunic.

Tunicia *n pr* Tunisia.

tuno, na *sm, f* rogue, scoundrel. ➠ **tuna** *sf* group of student minstrels.

tuntún ➠ **al tuntún** *loc adv* without thinking.

tupé *sm* [cabello] quiff.

tupido, da *adj* thick, dense.

turba *sf* - **1.** [combustible] peat, turf - **2.** [muchedumbre] mob.

turbación *sf* - **1.** [desconcierto] upset, disturbance - **2.** [azoramiento] embarrassment.

turbante *sm* turban.

turbar *vt* - **1.** [alterar] to disturb - **2.** [emocionar] to upset - **3.** [desconcertar] to trouble, to disconcert. ➠ **turbarse** *vprnl* - **1.** [alterarse] to get upset - **2.** [aturdirse] to get embarrassed.

turbina *sf* turbine.

turbio, bia *adj* - **1.** [agua etc] cloudy - **2.** [vista] blurred - **3.** *fig* [negocio etc] shady - **4.** *fig* [época etc] turbulent.

turbulencia *sf* - **1.** [de fluido] turbulence - **2.** [alboroto] uproar, clamour.

turbulento, ta *adj* - **1.** [gen] turbulent - **2.** [revoltoso] unruly, rebellious.

turco, ca ◇ *adj* Turkish. ◇ *sm, f* [persona] Turk. ➠ **turco** *sm* [lengua] Turkish.

turismo *sm* - **1.** [gen] tourism; **hacer turismo (por)** to go touring (round); **turismo rural** rural tourism - **2.** AUTO private car.

turista *smf* tourist.

turístico, ca *adj* tourist *(antes de s)*.

turnarse *vprnl*: **turnarse (con alguien)** to take turns (with sb).

turno *sm* - **1.** [tanda] turn, go; **le ha llegado el turno de hacerlo** it's his turn to do it - **2.** [de trabajo] shift; **trabajar por turnos** to work shifts; **turno de día/noche** day/night shift.

turquesa ◇ *sf* [mineral] turquoise. ◇ *adj inv* [color] turquoise. ◇ *sm* [color] turquoise.

Turquía *n pr* Turkey.

turrón *sm* Christmas sweet similar to marzipan or nougat, made with almonds and honey.

tute *sm* [juego] card game similar to whist.

tutear *vt* to address as 'tú'. ➠ **tutearse** *vprnl* to address each other as 'tú'.

tutela *sf* - **1.** DER guardianship - **2.** [cargo]: **tutela (de)** responsibility (for); **bajo la tutela de** under the protection of.

tutelar ◇ *adj* DER tutelary. ◇ *vt* to act as guardian to.

tutor, ra *sm, f* - **1.** DER guardian - **2.** [profesor - privado] tutor; [- de un curso] form teacher.

tutoría *sf* DER guardianship.

tutú *sm* tutu.

tuviera *etc* ➞ **tener**.

tuyo, ya ◇ *adj poses* yours; **este libro es tuyo** this book is yours; **un amigo tuyo** a friend of yours; **no es asunto tuyo** it's none of your business. ◇ *pron poses*: **el tuyo** yours; **el tuyo es rojo** yours is red; **ésta es la tuya** *fam* this is the chance you've been waiting for; **lo tuyo es el teatro** [lo que haces bien] you should be on the stage; **los tuyos** *fam* [tu familia] your folks; [tu bando] your lot.

TV (*abrev de* **televisión**) *sf* TV.

TVE (*abrev de* **Televisión Española**) *sf* Spanish state television network.

u¹ (*pl* **úes**), **U** (*pl* **Úes**) *sf* [letra] u, U.

u² *conj* ('u' en vez de 'o' antes de palabras que empiezan por 'o' u 'ho') or; *ver también* **o²**.

ubicación *sf* position, location.

ubicar *vt* to place, to position; [edificio etc] to locate. ➠ **ubicarse** *vprnl* [edificio etc] to be situated.

ubre *sf* udder.

UCI (*abrev de* **unidad de cuidados intensivos**) *sf* ICU.

Ucrania *n pr* the Ukraine.

Ud., Vd. *abrev de* **usted**.

Uds., Vds. *abrev de* **usted**.

UE (*abrev de* **Unión Europea**) *sf* EU.

UEFA (*abrev de* **Unión de Asociaciones Europeas de Fútbol**) *sf* UEFA.

ufanarse *vprnl*: **ufanarse de** to boast about.

ufano, na *adj* - **1.** [satisfecho] proud, pleased - **2.** [engreído] boastful, conceited.

Uganda *n pr* Uganda.

UGT (*abrev de* **Unión General de los Trabajadores**) *sf* major socialist Spanish trade union.

UHF (*abrev de* **ultra high frequency**) *sf* UHF.

ujier (*pl* **ujieres**) *sm* usher.

újule *interj Amér*: ¡újule! wow!

úlcera *sf* MED ulcer.

ulcerar *vt* to ulcerate. ➠ **ulcerarse** *vprnl* MED to ulcerate.

ulterior *adj culto* [en el tiempo] subsequent, ulterior.

ulteriormente *adv culto* subsequently.

ultimador, ra *sm, f Amér* killer.

últimamente *adv* recently, of late.

ultimar *vt* - **1.** [gen] to conclude, to complete - **2.** *Amér* [matar] to kill.

ultimátum (*pl* ultimatos *O* ultimátum) *sm* ultimatum.

último, ma ◇ *adj* - **1.** [gen] last; **por último** lastly, finally; **ser lo último** [lo final] to come last; [el último recurso] to be a last resort; [el colmo] to be the last straw - **2.** [más reciente] latest, most recent - **3.** [más remoto] furthest, most remote - **4.** [más bajo] bottom - **5.** [más alto] top - **6.** [de más atrás] back. ◇ *sm, f* - **1.** [en fila, carrera etc]: **el último** to come last; **llegar el último** to come last - **2.** *(en comparaciones, enumeraciones)*: **éste último...** the latter...

ultra *smf* POLIT right-wing extremist.

ultraderecha *sf* extreme right (wing).

ultraizquierda *sf* extreme left (wing).

ultrajar *vt* to insult, to offend.

ultraje *sm* insult.

ultramar *sm* overseas *pl*; **de ultramar** overseas *(antes de s)*.

ultramarino, na *adj* overseas *(antes de s)*. ➡ **ultramarinos** *smpl* [comestibles] groceries. ◇ *sm inv* [tienda] grocer's (shop) *sing*.

ultranza ➡ **a ultranza** *loc adv* - **1.** [con decisión] to the death - **2.** [acérrimamente] out-and-out.

ultrasonido *sm* ultrasound.

ultratumba *sf*: **de ultratumba** from beyond the grave.

ultravioleta *adj inv* ultraviolet.

ulular *vi* - **1.** [viento, lobo] to howl - **2.** [búho] to hoot.

umbilical ▷ **cordón**.

umbral *sm* - **1.** [gen] threshold - **2.** *fig* [límite] bounds *pl*, realms *pl*.

un, una ◇ *art (antes de sf que empiece por 'a' o 'ha' tónica: un)* a, an *(ante sonido vocálico)*; **un hombre/coche** a man/car; **una mujer/mesa** a woman/table; **un águila/hacha** an eagle/axe; **una hora** an hour. ◇ *adj* ▷ **uno**.

unánime *adj* unanimous.

unanimidad *sf* unanimity; **por unanimidad** unanimously.

unción *sf* unction.

undécimo, ma *num* eleventh.

UNED (*abrev de* **Universidad Nacional de Educación a Distancia**) *sf* Spanish open university.

ungüento *sm* ointment.

únicamente *adv* only, solely.

único, ca *adj* - **1.** [sólo] only; **es lo único que quiero** it's all I want - **2.** [excepcional] unique - **3.** [precio, función, razón] single.

unicornio *sm* unicorn.

unidad *sf* - **1.** [gen, MAT & MIL] unit; **25 euros la unidad** 25 euros each; **unidad de cuidados intensivos** *O* **vigilancia intensiva** intensive care (unit); **unidad central de proceso** INFORM central processing unit; **unidad de disco** INFORM disk drive; **unidad monetaria** monetary unit - **2.** [cohesión, acuerdo] unity.

unido, da *adj* united; [familia, amigo] close.

unifamiliar *adj* detached; **vivienda unifamiliar** house *(detached or terraced)*.

unificar *vt* - **1.** [unir] to unite, to join; [países] to unify - **2.** [uniformar] to standardize.

uniformar *vt* - **1.** [igualar] to standardize - **2.** [poner uniforme] to put into uniform.

uniforme ◇ *adj* uniform; [superficie] even. ◇ *sm* uniform.

uniformidad *sf* uniformity; [de superficie] evenness.

unión *sf* - **1.** [gen] union; **en unión de** together with; **Unión Africana** African Union - **2.** [suma, adherimiento] joining together - **3.** TECNOL join, joint.

Unión Europea *sf*: **la Unión Europea** the European Union.

unir *vt* - **1.** [pedazos, habitaciones etc] to join - **2.** [empresas, estados, facciones] to unite - **3.** [comunicar - ciudades etc] to link - **4.** [suj: amistad, circunstancias etc] to bind - **5.** [casar] to join, to marry - **6.** [combinar] to combine; **unir algo a algo** to combine sthg with sthg - **7.** [mezclar] to mix *O* blend in. ➡ **unirse** *vprnl* - **1.** [gen] to join together; **unirse a algo** to join sthg - **2.** [casarse]: **unirse en matrimonio** to be joined in wedlock.

unisexo, unisex *adj inv* unisex.

unísono ➡ **al unísono** *loc adv* in unison.

unitario, ria *adj* - **1.** [de una unidad - estado, nación] single; [- precio] unit *(antes de s)* - **2.** POLIT unitarian.

universal *adj* - **1.** [gen] universal - **2.** [mundial] world *(antes de s)*.

universidad *sf* university, college *US*, school *US*.

universitario, ria ◇ *adj* university *(antes de s)*. ◇ *sm, f* [estudiante] university student.

universo *sm* - **1.** ASTRON universe - **2.** *fig* [mundo] world.

unívoco, ca *adj* univocal, unambiguous.

uno, una ◇ *adj* - **1.** [indefinido] one; **un día volveré** one *O* some day I'll return; **había unos coches mal aparcados** there were some badly

parked cars; **había unos 12 muchachos** there were about O some 12 boys there - **2.** [numeral] one; **un hombre, un voto** one man, one vote; **la fila uno** row one. <> *pron* - **1.** [indefinido] one; **coge uno** take one; **uno de vosotros** one of you; **unos... otros...** some... others...; **uno a otro, unos a otros** each other, one another; **uno y otro** both; **unos y otros** all of them - **2.** *fam* [cierta persona] someone, somebody; **hablé con uno que te conoce** I spoke to someone who knows you; **me lo han contado unos** certain people told me so - **3.** [yo] one; **uno ya no está para estos trotes** one isn't really up to this sort of thing any more - **4.** *loc*: **a una** [en armonía, a la vez] together; **de uno en uno, uno a uno, uno por uno** one by one; **juntar varias cosas en una** to combine several things into one; **lo uno por lo otro** it all evens out in the end; **más de uno** many people; **una de dos** it's either one thing or the other; **unos cuantos** a few; **una y no más** once was enough, once bitten, twice shy. ◆ **uno** *sm* [número] (number) one; **el uno** number one; *ver también* **seis.** ◆ **una** *sf* [hora]: **la una** one o'clock.

untar *vt* - **1.** [pan, tostada]: **untar (con)** to spread (with); [piel, cara etc] to smear (with) - **2.** [máquina, bisagra etc] to grease.

untuoso, sa *adj* [graso] greasy, oily.

uña *sf* - **1.** [de mano] fingernail, nail; **ser uña y carne** to be as thick as thieves - **2.** [de pie] toenail - **3.** [garra] claw; **enseñar** O **sacar las uñas** to get one's claws out.

uralita® *sf* CONSTR *material made of asbestos and cement, usually corrugated and used mainly for roofing.*

uranio *sm* uranium.

Urano *n pr* Uranus.

urbanidad *sf* politeness, courtesy.

urbanismo *sm* town planning.

urbanización *sf* - **1.** [acción] urbanization - **2.** [zona residencial] (housing) estate.

urbanizar *vt* to develop, to urbanize.

urbano, na *adj* urban, city *(antes de s)*.

urbe *sf* large city.

urdir *vt* - **1.** [planear] to plot, to forge - **2.** [hilos] to warp.

urgencia *sf* - **1.** [cualidad] urgency - **2.** MED emergency; **de urgencia** emergency - **3.** [necesidad] urgent need; **en caso de urgencia** in case of emergency. ◆ **urgencias** *sfpl* MED casualty (department) *sing*; **ingresar por urgencias** to be admitted as an emergency.

urgente *adj* - **1.** [apremiante] urgent - **2.** MED emergency *(s)* - **3.** [correo] express.

urgir *vi* to be urgently necessary; **me urge hacerlo** I urgently need to do it; **urgir a alguien a que haga algo** to urge sb to do sthg.

urinario, ria *adj* urinary. ◆ **urinario** *sm* urinal, comfort station *US*.

URL (*abrev de* **uniform resource locator**) *sf* INFORM URL.

urna *sf* - **1.** [vasija] urn - **2.** [caja de cristal] glass case - **3.** [para votar] ballot box.

urraca *sf* magpie.

URSS (*abrev de* **Unión de Repúblicas Socialistas Soviéticas**) *sf* HIST USSR.

urticaria *sf* nettle rash.

Uruguay *n pr*: **(el) Uruguay** Uruguay.

uruguayo, ya *adj & sm, f* Uruguayan.

usado, da *adj* - **1.** [utilizado] used; **muy usado** widely used - **2.** [de segunda mano] secondhand - **3.** [gastado] worn-out, worn.

usanza *sf*: **a la vieja usanza** in the old way O style.

usar *vt* - **1.** [gen] to use; **usar algo/a alguien de** O **como algo** to use sthg/sb as sthg - **2.** [prenda] to wear. ◆ **usarse** *vprnl* - **1.** [emplearse] to be used - **2.** [estar de moda] to be worn.

USB (*abrev de* **universal serial bus**) *sm* INFORM USB.

usina *sf* *Amér*: **usina eléctrica** power station; **usina nuclear** nuclear power station.

uso *sm* - **1.** [gen] use; **al uso** fashionable; **al uso andaluz** in the Andalusian style; **'de uso externo'** MED 'for external use only' - **2.** *(gen pl)* [costumbre] custom - **3.** LING usage - **4.** [desgaste] wear and tear.

usted *pron pers* - **1.** [tratamiento de respeto - sing] you; [- pl]: **ustedes** you *pl*; **contesten ustedes a las preguntas** please answer the questions; **me gustaría hablar con usted** I'd like to talk to you; **¡oiga, usted!** hey, you!; **tratar a alguien de usted** *to address sb using the 'usted' form* - **2.** [tratamiento de respeto - posesivo]: **de usted/ustedes** yours.

usual *adj* usual.

usuario, ria *sm, f* user.

usufructo *sm* DER usufruct, use.

usura *sf* usury.

usurero, ra *sm, f* usurer.

usurpar *vt* to usurp.

utensilio *sm* [gen] tool, implement; CULIN utensil; **utensilios de pesca** fishing tackle.

útero *sm* womb, uterus.

útil <> *adj* [beneficioso, aprovechable] useful. <> *sm (gen pl)* [herramienta] tool; **útiles de jardinería** gardening tools; AGRIC implement; **útiles de labranza** agricultural implements.

utilidad *sf* - **1.** [cualidad] usefulness - **2.** [beneficio] profit.

utilitario, ria *adj* AUTO utility. ◆ **utilitario** *sm* AUTO utility car, compact *US*.

utilización *sf* use.

utilizar *vt* [gen] to use.

utopía *sf* utopia.

utópico, ca *adj* utopian.

UV (*abrev de* **ultravioleta**) UV.

uva *sf* grape; **uva de mesa** dessert grape; **uva moscatel** muscatel grape; **uva pasa** raisin; **estar de mala uva** to be in a bad mood; **tener mala uva** to be a nasty piece of work; **uvas de la suerte** grapes eaten for good luck as midnight chimes on New Year's Eve.

uy *interj* ¡uy! ahh!, oh!

v, V ['uβe] *sf* [letra] v, V. ➠ **v doble** *sf* W.

v. = vid.

va ▷ **ir**.

vaca *sf* - **1.** [animal] cow; **vaca lechera/sagrada** dairy/sacred cow; **ponerse como una vaca** to put on a lot of weight - **2.** [carne] beef.

vacaciones *sfpl* holiday *sing*, holidays *UK*, vacation *sing US*; **estar/irse de vacaciones** to be/go on holiday.

vacante ◇ *adj* vacant. ◇ *sf* vacancy.

vaciar *vt* - **1.** [gen]: **vaciar algo (de)** to empty sthg (of) - **2.** [dejar hueco] to hollow (out) - **3.** ARTE to cast, to mould.

vacilación *sf* - **1.** [duda] hesitation; [al elegir] indecision - **2.** [oscilación] swaying; [de la luz] flickering.

vacilante *adj* - **1.** [gen] hesitant; [al elegir] indecisive - **2.** [luz] flickering; [pulso] irregular; [paso] swaying, unsteady.

vacilar *vi* - **1.** [dudar] to hesitate; [al elegir] to be indecisive - **2.** [voz, principios, régimen] to falter - **3.** [fluctuar - luz] to flicker; [- pulso] to be irregular - **4.** [tambalearse] to wobble, to sway - **5.** *fam* [chulear] to swank - **6.** *fam* [bromear] to take the mickey.

vacilón, ona *fam sm, f* - **1.** [chulo] show-off - **2.** [bromista] tease. ➠ **vacilón** *sm Amér C, Caribe & Méx* [fiesta] party.

vacío, a *adj* empty. ➠ **vacío** *sm* - **1.** FÍS vacuum; **envasar al vacío** to vacuum-pack; **vacío de poder** power vacuum - **2.** [abismo, carencia] void - **3.** [hueco] space, gap.

vacuna *sf* vaccine; **poner una vacuna a alguien** to vaccinate sb.

vacunar *vt* to vaccinate; **vacunar contra algo** to vaccinate against sthg.

vacuno, na *adj* bovine.

vadear *vt* to ford; *fig* to overcome.

vado *sm* - **1.** [en acera] lowered kerb; **'vado permanente'** 'keep clear' - **2.** [de río] ford.

vagabundear *vi* [vagar]: **vagabundear (por)** to wander, to roam.

vagabundo, da ◇ *adj* [persona] vagrant; [perro] stray. ◇ *sm, f* tramp, bum *US*.

vagancia *sf* - **1.** [holgazanería] laziness, idleness - **2.** [vagabundeo] vagrancy.

vagar *vi*: **vagar (por)** to wander, to roam.

vagina *sf* vagina.

vago, ga *adj* - **1.** [perezoso] lazy, idle - **2.** [impreciso] vague.

vagón *sm* [de pasajeros] carriage, car *US*; [de mercancías] wagon.

vagoneta *sf* wagon.

vaguedad *sf* - **1.** [cualidad] vagueness - **2.** [dicho] vague remark.

vahído *sm* blackout, fainting fit.

vaho *sm* - **1.** [vapor] steam - **2.** [aliento] breath.

vaina *sf* - **1.** [gen] sheath - **2.** BOT - envoltura] pod - **3.** *Amér fam* [engreído] pain in the neck; ¡**qué vaina!** *Col, Méx & Ven mfam* what a pain! - **4.** *Col, Perú & Ven* [problema] pain - **5.** *Col, Perú & Ven* [cosa] thing.

vainilla *sf* vanilla.

vaivén *sm* - **1.** [balanceo - de barco] swaying, rocking; [- de péndulo, columpio] swinging - **2.** [altibajo] ups-and-downs *pl*.

vajilla *sf* crockery; **una vajilla** a dinner service.

vale ◇ *sm* - **1.** [bono] coupon, voucher - **2.** [comprobante] receipt - **3.** [pagaré] I.O.U. - **4.** *Méx & Ven fam* [amigo] pal, mate *UK*, buddy *US*. ◇ *interj* ▷ **valer**.

valedero, ra *adj* valid.

valenciano, na *adj & sm, f* [de Valencia] Valencian.

valentía *sf* [valor] bravery.

valer ◇ *vt* - **1.** [costar - precio] to cost; [tener un valor de] to be worth; ¿**cuánto vale?** [de precio] how much does it cost?, how much is it? - **2.** [ocasionar] to earn - **3.** [merecer] to deserve, to be worth - **4.** [equivaler] to be equivalent *O* equal to. ◇ *vi* - **1.** [merecer aprecio] to be worthy; **hacerse valer** to show one's worth - **2.** [servir]: **valer para algo** to be good for sthg; **eso aún vale** you can still use that; ¿**para qué vale?** what's it for? - **3.** [ser válido] to be valid; [en juegos] to be allowed - **4.** [ayudar] to help, to be of use - **5.** [tener calidad] to be of worth; **no valer nada** to be worthless *O* use-

less - 6. [equivaler]: **valer por** to be worth - 7. loc: **más vale tarde que nunca** better late than never; **más vale que te calles/vayas** it would be better if you shut up/left; **¿vale?** okay?, all right?; **¡vale!** okay!, all right!
➤ **valerse** vprnl - 1. [servirse]: **valerse de algo/alguien** to use sthg/sb - 2. [desenvolverse]: **valerse (por sí mismo)** to manage on one's own - 3. Méx loc: **¡no se vale!** that's not fair!

valeroso, sa adj brave, courageous.

valía sf value, worth.

validar vt to validate.

validez sf validity; **dar validez a** to validate.

válido, da adj valid.

valiente adj [valeroso] brave.

valija sf - 1. [maleta] case, suitcase; **valija diplomática** diplomatic bag - 2. [de correos] mailbag.

valioso, sa adj - 1. [gen] valuable - 2. [intento, esfuerzo] worthy.

valla sf - 1. [cerca] fence - 2. DEP hurdle. ➤ **valla publicitaria** sf billboard, hoarding.

vallar vt to put a fence round.

valle sm valley.

valor sm - 1. [gen, MAT & MÚS] value; **joyas por valor de...** jewels worth...; **sin valor** worthless - 2. [importancia] importance; **dar valor a** to give O attach importance to; **quitar valor a algo** to take away from sthg - 3. [valentía] bravery. ➤ **valores** smpl - 1. [principios] values - 2. FIN securities, bonds; **valores en cartera** investments.

valoración sf - 1. [de precio, pérdidas] valuation - 2. [de mérito, cualidad, ventajas] evaluation, assessment.

valorar vt - 1. [tasar, apreciar] to value - 2. [evaluar] to evaluate, to assess.

vals (pl valses) sm waltz.

válvula sf valve. ➤ **válvula de escape** sf fig means of letting off steam.

vampiresa sf fam vamp, femme fatale.

vampiro sm [personaje] vampire.

vanagloriarse vprnl: **vanagloriarse (de)** to boast (about), to show off (about).

vandalismo sm vandalism.

vanguardia sf - 1. MIL vanguard; **ir a la vanguardia de** fig to be at the forefront of - 2. [cultural] avant-garde, vanguard; **de vanguardia** avant-garde.

vanidad sf - 1. [orgullo] vanity - 2. [inutilidad] futility.

vanidoso, sa adj vain, conceited.

vano, na adj - 1. [gen] vain; **en vano** in vain - 2. [vacío, superficial] shallow, superficial.

vapor sm - 1. [emanación] vapour; [de agua] steam; **al vapor** CULIN steamed; **de vapor** [máquina etc] steam (antes de s); **a todo vapor** at full speed - 2. [barco] steamship.

vaporizador sm - 1. [pulverizador] spray - 2. [para evaporar] vaporizer.

vaporoso, sa adj [fino - tela etc] diaphanous.

vapulear vt to beat, to thrash; fig to slate.

vaquero, ra ◇ adj cowboy (antes de s). ◇ sm, f [persona] cowboy (f cowgirl), cowherd. ➤ **vaqueros** smpl [pantalón] jeans.

vara sf - 1. [rama, palo] stick - 2. [de metal etc] rod - 3. [insignia] staff.

variable adj changeable, variable.

variación sf variation; [del tiempo] change.

variado, da adj varied; [galletas, bombones] assorted.

variante ◇ adj variant. ◇ sf - 1. [variación] variation; [versión] version - 2. AUTO by-pass.

variar ◇ vt - 1. [modificar] to alter, to change - 2. [dar variedad] to vary. ◇ vi [cambiar]: **para variar** irón (just) for a change.

varicela sf chickenpox.

varicoso, sa adj varicose.

variedad sf variety. ➤ **variedades, varietés** sfpl TEATRO variety (U), music hall (U).

varilla sf - 1. [barra larga] rod, stick - 2. [tira larga - de abanico, paraguas] spoke, rib; [- de gafas] arm; [- de corsé] bone, stay.

vario, ria adj [variado] varied, different. ➤ **varios, rias** adj & pron pl several.

variopinto, ta adj diverse.

varita sf wand; **varita mágica** magic wand.

variz (gen pl) sf varicose vein.

varón sm [hombre] male, man; [chico] boy.

varonil adj masculine, male.

vasallo, lla sm, f [siervo] vassal.

vasco, ca adj & sm, f Basque. ➤ **vasco** sm [lengua] Basque.

vascuence sm [lengua] Basque.

vasectomía sf vasectomy.

vaselina® sf Vaseline®.

vasija sf vessel.

vaso sm - 1. [recipiente, contenido] glass; **un vaso de plástico** a plastic cup - 2. ANAT vessel; **vasos sanguíneos** blood vessels.

vástago sm - 1. [descendiente] offspring (U) - 2. [brote] shoot - 3. [varilla] rod.

vasto, ta adj vast.

váter (pl váteres), **water** (pl wateres) sm toilet.

vaticinar vt to prophesy, to predict.

vatio, watio ['batjo] sm watt.

vaya interj - 1. [sorpresa]: **¡vaya!** well! - 2. [énfasis]: **¡vaya moto!** what a motorbike!; ▷ **ir**.

VB abrev de **visto bueno**.

Vd. (abrev de usted) = **Ud.**

Vda. (abrev de viuda) abrev de **viuda**.

Vds. (abrev de ustedes) = **Uds.**

ve ▷ **ir**.

véase ⊳ ver.

vecinal adj [camino, impuestos] local.

vecindad sf - 1. [vecindario] neighbourhood - 2. [alrededores] vicinity - 3. Méx [vivienda] tenement house.

vecindario sm [de barrio] neighbourhood; [de población] community, inhabitants pl.

vecino, na ⋄ adj [cercano] neighbouring. ⋄ sm, f - 1. [de la misma casa, calle] neighbour; [de un barrio] resident - 2. [de una localidad] inhabitant.

vector sm vector.

veda sf - 1. [prohibición] ban (on hunting and fishing); **levantar la veda** to open the season - 2. [periodo] close season.

vedado, da adj prohibited. ◆ **vedado** sm reserve.

vedar vt to prohibit.

vedette [be'det] sf star.

vegetación sf vegetation.

vegetal ⋄ adj - 1. BIOL vegetable, plant (antes de s) - 2. [sandwich] salad (antes de s). ⋄ sm vegetable.

vegetar vi to vegetate.

vegetariano, na adj & sm, f vegetarian.

vehemencia sf [pasión, entusiasmo] vehemence.

vehemente adj [apasionado, entusiasta] vehement.

vehículo sm [gen] vehicle; [de infección] carrier.

veinte num twenty; **los (años) veinte** the twenties; ver también **seis**.

veinteavo, va num twentieth.

veintena sf - 1. [veinte] twenty - 2. [aproximadamente]: **una veintena (de)** about twenty.

vejación sf humiliation.

vejamen sm = vejación.

vejestorio sm despec old fogey.

vejez sf old age.

vejiga sf bladder.

vela sf - 1. [para dar luz] candle; **¿quién le ha dado vela en este entierro?** who asked you to stick your oar in?; **estar a dos velas** not to have two halfpennies to rub together - 2. [de barco] sail - 3. DEP sailing; **hacer vela** to go sailing - 4. [vigilia] vigil; **pasar la noche en vela** [adrede] to stay awake all night; [desvelado] to have a sleepless night.

velada sf evening.

velado, da adj - 1. [oculto] veiled, hidden - 2. FOTO fogged.

velar ⋄ vi - 1. [cuidar]: **velar por** to look after, to watch over - 2. [no dormir] to stay awake. ⋄ vt - 1. [de noche - muerto] to keep a vigil over - 2. [ocultar] to mask, to veil. ◆ **velarse** vprnl FOTO to get fogged.

veleidad sf - 1. [inconstancia] fickleness - 2. [antojo, capricho] whim, caprice.

velero sm sailing boat/ship.

veleta sf weather vane.

vello sm - 1. [pelusilla] down - 2. [pelo] hair; **vello púbico** pubic hair.

velloso, sa adj hairy.

velo sm lit & fig veil; **correr** O **echar un (tupido) velo sobre algo** to draw a veil over sthg.

velocidad sf - 1. [gen] speed; **cobrar velocidad** to pick up speed; **perder velocidad** to lose speed; **velocidad máxima** top speed; TECNOL velocity; **a toda velocidad** at full speed; **de alta velocidad** high-speed; **velocidad punta** top speed - 2. AUTO [marcha] gear; **cambiar de velocidad** to change gear.

velocímetro sm speedometer.

velódromo sm cycle track, velodrome.

veloz adj fast, quick.

ven ⊳ venir.

vena sf - 1. [gen, ANAT & GEOL] vein - 2. [inspiración] inspiration - 3. [don] vein, streak; **tener vena de algo** to have a gift for doing sthg.

venado sm ZOOL deer; CULIN venison.

vencedor, ra ⋄ adj winning, victorious. ⋄ sm, f winner.

vencer ⋄ vt - 1. [ganar] to beat, to defeat - 2. [derrotar - suj: sueño, cansancio, emoción] to overcome - 3. [aventajar]: **vencer a alguien a** O **en algo** to outdo sb at sthg - 4. [superar - miedo, obstáculos] to overcome; [- tentación] to resist. ⋄ vi - 1. [ganar] to win, to be victorious - 2. [caducar - garantía, contrato, plazo] to expire; [- deuda, pago] to fall due; [- bono] to mature - 3. [prevalecer] to prevail. ◆ **vencerse** vprnl [estante etc] to give way, to collapse.

vencido, da adj - 1. [derrotado] defeated; **darse por vencido** to give up - 2. [caducado - garantía, contrato, plazo] expired; [- pago, deuda] due, payable.

vencimiento sm [término - de garantía, contrato, plazo] expiry; [- de pago, deuda] falling due.

venda sf bandage; **venda de gasa** gauze bandage; **tener una venda en** O **delante de los ojos** fig to be blind.

vendaje sm bandaging; **poner un vendaje** to put on a dressing.

vendar vt to bandage; **vendar los ojos a alguien** to blindfold sb.

vendaval sm gale.

vendedor, ra sm, f [gen] seller; [en tienda] shop O sales assistant; [de coches, seguros] salesman (f saleswoman).

vender vt lit & fig to sell; **vender algo a** O **por** to sell sthg for. ◆ **venderse** vprnl - 1. [ser vendido] to be sold O on sale; **'se vende'** 'for sale' - 2. [dejarse sobornar] to sell o.s., to be bribed.

vendimia *sf* grape harvest.

vendrá *etc* ▷ **venir**.

veneno *sm* [gen] poison; [de serpiente, insecto] venom.

venenoso, sa *adj* - **1.** [gen] poisonous - **2.** *fig* [malintencionado] venomous.

venerable *adj* venerable.

venerar *vt* to venerate, to worship.

venéreo, a *adj* venereal.

venezolano, na *adj* & *sm, f* Venezuelan.

Venezuela *n pr* Venezuela.

venga *interj*: ¡venga! come on!

venganza *sf* vengeance, revenge.

vengar *vt* to avenge. ◆ **vengarse** *vprnl*: vengarse (de) to take revenge (on).

vengativo, va *adj* vengeful, vindictive.

vengo ▷ **venir**.

venia *sf* - **1.** [permiso] permission - **2.** DER [perdón] pardon; **con la venia** [tomando la palabra] by your leave.

venial *adj* petty, venial.

venida *sf* [llegada] arrival.

venidero, ra *adj* coming, future.

venir ◇ *vi* - **1.** [gen] to come; **venir a/de hacer algo** to come to do sthg/from doing sthg; **venir de algo** [proceder, derivarse] to come from sthg; **no me vengas con exigencias** don't come to me making demands; **venir a por algo** to come to pick up sthg; **el año que viene** next year - **2.** [llegar] to arrive; **vino a las doce** he arrived at twelve o'clock - **3.** [hallarse] to be; **su foto viene en primera página** his photo is O appears on the front page; **el texto viene en inglés** the text is in English - **4.** [acometer, sobrevenir]: **me viene sueño** I'm getting sleepy; **le vinieron ganas de reír** he was seized by a desire to laugh; **le vino una tremenda desgracia** he suffered a great misfortune - **5.** [ropa, calzado]: **venir a alguien** to fit sb; **¿qué tal te viene?** does it fit all right?; **el abrigo le viene pequeño** the coat is too small for her - **6.** [convenir]: **venir bien/mal a alguien** to suit/not to suit sb - **7.** [aproximarse]: **viene a costar un millón** it costs almost a million - **8.** *loc*: **¿a qué viene esto?** what do you mean by that?, what's that in aid of?; **venir a menos** [negocio] to go downhill; [persona] to go down in the world; **venir a parar en** to end in; **venir a ser** to amount to. ◇ *v aux* - **1.** *(antes de gerundio)* [haber estado]: **venir haciendo algo** to have been doing sthg - **2.** *(antes de participio)* [estar]: **los cambios vienen motivados por la presión de la oposición** the changes have resulted from pressure on the part of the opposition - **3.** *(antes de infinitivo)* [estar]: **esto viene a costar unos veinte euros** it costs almost twenty euros. ◆ **venirse** *vprnl* - **1.** [volver]: venirse

(de) to come back O return (from) - **2.** *loc*: **venirse abajo** [techo, estante etc] to collapse; [ilusiones] to be dashed.

venta *sf* - **1.** [acción] sale, selling; **estar en venta** to be for sale; **venta al contado** cash sale; **venta a plazos** sale by instalments - **2.** *(gen pl)* [cantidad] sales *pl*.

ventaja *sf* - **1.** [hecho favorable] advantage - **2.** [en competición] lead; **llevar ventaja a alguien** to have a lead over sb.

ventajoso, sa *adj* advantageous.

ventana *sf* [gen & INFORM] window.

ventanilla *sf* - **1.** [de vehículo, sobre] window - **2.** [taquilla] counter.

ventilación *sf* ventilation.

ventilador *sm* ventilator, fan.

ventilar *vt* - **1.** [airear] to air - **2.** [resolver] to clear up - **3.** [discutir] to air. ◆ **ventilarse** *vprnl* [airearse] to air.

ventiscar, ventisquear *v impers* to blow a blizzard.

ventolera *sf* [viento] gust of wind.

ventosa *sf* [gen & ZOOL] sucker.

ventosidad *sf* wind, flatulence.

ventoso, sa *adj* windy.

ventrílocuo, cua *sm, f* ventriloquist.

ventura *sf* - **1.** [suerte] luck; **a la (buena) ventura** [al azar] at random, haphazardly; [sin nada previsto] without planning O a fixed plan - **2.** [casualidad] fate, fortune.

Venus *n pr* Venus.

ver ◇ *vi* - **1.** [gen] to see - **2.** *loc*: **a ver** [veamos] let's see; **¿a ver?** [mirando con interés] let me see, let's have a look; **¡a ver!** [¡pues claro!] what do you expect?; [al empezar algo] right!]; **dejarse ver (por un sitio)** to show one's face (somewhere); **eso está por ver** that remains to be seen; **verás, iba a ir pero...** listen, I was thinking of coming but...; **ya veremos** we'll see. ◇ *vt* - **1.** [gen; mirar] to look at; [televisión, partido de fútbol] to watch; **¿ves algo?** can you see anything?; **he estado viendo tu trabajo** I've been looking at your work; **ya veo que estás de mal humor** I can see you're in a bad mood; **¿ves lo que quiero decir?** do you see what I mean?; **ir a ver lo que pasa** to go and see what's going on; **es una manera de ver las cosas** that's one way of looking at it; **yo no lo veo tan mal** I don't think it's that bad - **2.** *loc*: **eso habrá que verlo** that remains to be seen; **¡hay que ver qué lista es!** you wouldn't believe how clever she is!; **no puedo verle (ni en pintura)** *fam* I can't stand him; **si no lo veo, no lo creo** you'll never believe it; **ver venir a alguien** to see what sb is up to. ◇ *sm*: **estar de buen ver** to be good-looking. ◆ **verse** *vprnl* - **1.** [mirarse, imaginarse] to see o.s.; **verse en el espejo** to see o.s. in the mirror - **2.** [percibirse]: **desde aquí se ve el mar** you can see the

sea from here - **3.** [encontrarse] to meet, to see each other; **verse con alguien** to see sb; **hace mucho que no nos vemos** we haven't seen each other for a long time - **4.** [darse, suceder] to be seen - **5.** loc: **vérselas venir** fam to see it coming; **vérselas y deseárselas para hacer algo** to have a real struggle doing sthg. ➤ **véase** vprnl [en textos] see. ➤ **por lo visto, por lo que se ve** loc adv apparently.

vera sf - **1.** [orilla - de río, lago] bank; [- de camino] edge, side - **2.** fig [lado] side; **a la vera de** next to.

veracidad sf truthfulness.

veraneante smf holidaymaker, (summer) vacationer US.

veranear vi: **veranear en** to spend one's summer holidays in.

veraneo sm summer holidays pl; **de veraneo** holiday (antes de s).

veraniego, ga adj summer (antes de s).

verano sm summer.

veras sfpl truth (U); **de veras** [verdaderamente] really; [en serio] seriously.

veraz adj truthful.

verbal adj verbal.

verbena sf [fiesta] street party (on the eve of certain saints' days).

verbo sm GRAM verb.

verdad sf - **1.** [gen] truth; **a decir verdad** to tell the truth - **2.** [principio aceptado] fact - **3.** loc: **no te gusta, ¿verdad?** you don't like it, do you?; **está bueno, ¿verdad?** it's good, isn't it? ➤ **verdades** sfpl [opinión sincera] true thoughts; **cantar las verdades** fig to speak one's mind; **cantarle** O **decirle a alguien cuatro verdades** fig to tell sb a few home truths. ➤ **de verdad** ◇ loc adv - **1.** [en serio] seriously - **2.** [realmente] really. ◇ loc adj [auténtico] real.

verdadero, ra adj - **1.** [cierto, real] true, real; **fue un verdadero lío** it was a real mess - **2.** [sin falsificar] real - **3.** [enfático] real.

verde ◇ adj - **1.** [gen] green; **estar verde de envidia** to be green with envy; **poner verde a alguien** to criticize sb - **2.** [fruta] unripe, green - **3.** fig [obsceno] blue, dirty - **4.** fig [inmaduro - proyecto etc] in its early stages. ◇ sm [color] green. ➤ **Verdes** smpl [partido]: **los Verdes** the Greens.

verdor sm [color] greenness.

verdugo sm - **1.** [de preso] executioner; [que ahorca] hangman - **2.** [pasamontañas] balaclava helmet.

verdulería sf greengrocer's (shop).

verdulero, ra sm, f [tendero] greengrocer.

verdura sf vegetables pl, greens pl.

vereda sf - **1.** [senda] path; **hacer entrar** O **meter a alguien en vereda** to bring sb into line - **2.** C Sur & Perú [acera] pavement UK, sidewalk US.

veredicto sm verdict.

vergonzoso, sa adj - **1.** [deshonroso] shameful - **2.** [tímido] bashful.

vergüenza sf - **1.** [turbación] embarrassment; **dar vergüenza** to embarrass; **¡qué vergüenza!** how embarrassing!; **sentir vergüenza** to feel embarrassed - **2.** [timidez] bashfulness - **3.** [remordimiento] shame; **sentir vergüenza** to feel ashamed - **4.** [deshonra, escándalo] disgrace; **¡es una vergüenza!** it's disgraceful!

verídico, ca adj [cierto] true, truthful.

verificar vt - **1.** [comprobar - verdad, autenticidad] to check, to verify - **2.** [examinar - funcionamiento, buen estado] to check, to test - **3.** [confirmar - fecha, cita] to confirm - **4.** [llevar a cabo] to carry out. ➤ **verificarse** vprnl [tener lugar] to take place.

verja sf - **1.** [puerta] iron gate; **la verja de Gibraltar** the border between Spain and Gibraltar - **2.** [valla] railings pl - **3.** [enrejado] grille.

vermú, vermut (pl **vermuts**) sm - **1.** [bebida] vermouth - **2.** Andes & R Plata [en cine] early-evening showing; Andes & R Plata [en teatro] early-evening performance.

vernáculo, la adj vernacular.

verosímil adj - **1.** [creíble] believable, credible - **2.** [probable] likely, probable.

verruga sf wart.

versado, da adj: **versado (en)** versed (in).

versar vi: **versar sobre** to be about, to deal with.

versátil adj - **1.** [voluble] fickle - **2.** (considerado incorrecto) [polifacético] versatile.

versículo sm verse.

versión sf [gen] version; [en música pop] cover version; **versión original** CINE original (version).

verso sm - **1.** [género] verse; **verso blanco/libre** blank/free verse - **2.** [unidad rítmica] line (of poetry) - **3.** [poema] poem.

vértebra sf vertebra.

vertebrado, da adj vertebrate. ➤ **vertebrados** smpl ZOOL vertebrates.

vertedero sm [de basuras] rubbish tip O dump; [de agua] overflow.

verter vt - **1.** [derramar] to spill - **2.** [vaciar - líquido] to pour (out); [- recipiente] to empty - **3.** [tirar - basura, residuos] to dump - **4.** fig [decir] to tell. ➤ **verterse** vprnl [derramarse] to spill.

vertical ◇ adj GEOM vertical; [derecho] upright. ◇ sf GEOM vertical.

vértice sm [gen] vertex; [de cono] apex.

vertido sm - **1.** (gen pl) [residuo] waste (U) - **2.** [acción] dumping.

vertiente *sf* - **1.** [pendiente] slope - **2.** *fig* [aspecto] side, aspect.

vertiginoso, sa *adj* - **1.** [mareante] dizzy - **2.** *fig* [raudo] giddy.

vértigo *sm* [enfermedad] vertigo; [mareo] dizziness; **trepar me da vértigo** climbing makes me dizzy.

vesícula *sf*: **vesícula biliar** gall bladder.

vespertino, na *adj* evening *(antes de s)*.

vestíbulo *sm* [de casa] (entrance) hall; [de hotel, oficina] lobby, foyer.

vestido, da *adj* dressed; **ir vestido** to be dressed; **iba vestido de negro** he was dressed in black. ◆ **vestido** *sm* - **1.** [indumentaria] clothes *pl* - **2.** [prenda femenina] dress; **vestido de noche** evening dress.

vestidura *(gen pl)* *sf* clothes *pl*; RELIG vestments *pl*; **rasgarse las vestiduras** to make a fuss.

vestigio *sm* vestige; *fig* sign, trace.

vestimenta *sf* clothes *pl*, wardrobe.

vestir ◇ *vt* - **1.** [gen] to dress - **2.** [llevar puesto] to wear - **3.** [cubrir] to cover - **4.** *fig* [encubrir]: **vestir algo de** to invest sthg with. ◇ *vi* - **1.** [llevar ropa] to dress - **2.** *fig* [estar bien visto] to be the done thing. ◆ **vestirse** *vprnl* - **1.** [ponerse ropa] to get dressed, to dress; **vestirse de** to wear - **2.** [adquirir ropa]: **vestirse en** to buy one's clothes at.

vestuario *sm* - **1.** [vestimenta] clothes *pl*, wardrobe; TEATRO costumes *pl* - **2.** [para cambiarse] changing room; [de actores] dressing room.

veta *sf* - **1.** [filón] vein, seam - **2.** [faja, lista] grain.

vetar *vt* to veto.

veterano, na *adj & sm, f* veteran.

veterinario, ria ◇ *adj* veterinary. ◇ *sm, f* [persona] vet, veterinary surgeon. ◆ **veterinaria** *sf* [ciencia] veterinary science O medicine.

veto *sm* veto; **poner veto a algo** to veto sthg.

vetusto, ta *adj culto* ancient, very old.

vez *sf* - **1.** [gen] time; **una vez** once; **dos veces** twice; **tres veces** three times; **¿has estado allí alguna vez?** have you ever been there?; **a mi/tu** *etc* **vez** in my/your *etc* turn; **a la vez (que)** at the same time (as); **cada vez (que)** every time; **cada vez más** more and more; **cada vez menos** less and less; **cada vez la veo más feliz** she seems happier and happier; **de una vez** in one go; **de una vez para siempre** O **por todas** once and for all; **muchas veces** often, a lot; **otra vez** again; **pocas veces, rara vez** rarely, seldom; **por última vez** for the last time; **una** O **alguna que otra vez** occasionally; **una vez más** once again; **una y otra vez** time and again; **érase una vez** once upon a time - **2.** [turno] turn; **pedir la vez** to ask who is last. ◆ **a ve-**

ces, algunas veces *loc adv* sometimes, at times. ◆ **de vez en cuando** *loc adv* from time to time, now and again. ◆ **en vez de** *loc prep* instead of. ◆ **tal vez** *loc adv* perhaps, maybe. ◆ **una vez que** *loc conj* once, after.

VHF *(abrev de very high frequency)* *sf* VHF.

VHS *(abrev de video home system)* *sm* VHS.

vía ◇ *sf* - **1.** [medio de transporte] route; **por vía aérea** [gen] by air; [correo] (by) airmail; **por vía marítima** by sea; **por vía terrestre** overland, by land; **vía fluvial** waterway - **2.** [calzada, calle] road; **vía pública** public thoroughfare - **3.** [FERROC - raíl] rails *pl*, track; [- andén] platform; **vía férrea** [ruta] railway line - **4.** [proceso]: **estar en vías de** to be in the process of; **país en vías de desarrollo** developing country; **una especie en vías de extinción** an endangered species - **5.** ANAT tract - **6.** [opción] channel, path; **por vía oficial/judicial** through official channels/the courts - **7.** [camino] way; **dar vía libre** [dejar paso] to give way; [dar libertad de acción] to give a free rein - **8.** DER procedure. ◇ *prep* via. ◆ **Vía Láctea** *sf* Milky Way.

viabilidad *sf* viability.

viable *adj fig* [posible] viable.

viaducto *sm* viaduct.

viajante *smf* travelling salesperson.

viajar *vi* - **1.** [trasladarse, irse]: **viajar (en)** to travel (by) - **2.** [circular] to run.

viaje *sm* - **1.** [gen] journey, trip; [en barco] voyage; **¡buen viaje!** have a good journey O trip!; **estar/ir de viaje** to be/go away (on a trip); **hay 11 días de viaje** it's an 11-day journey; **viaje de ida/de vuelta** outward/return journey; **viaje de ida y vuelta** return journey O trip; **viaje de negocios** business trip; **viaje de novios** honeymoon; **viaje organizado** package tour - **2.** [recorrido] trip. ◆ **viajes** *smpl* [singladuras] travels.

viajero, ra ◇ *adj* [persona] travelling; [ave] migratory. ◇ *sm, f* [gen] traveller; [en transporte público] passenger.

vial *adj* road *(antes de s)*.

viandante *smf* - **1.** [peatón] pedestrian - **2.** [transeúnte] passer-by.

viario, ria *adj* road *(antes de s)*.

víbora *sf* viper.

vibración *sf* vibration.

vibrante *adj* - **1.** [oscilante] vibrating - **2.** *fig* [emocionante] vibrant - **3.** [trémulo] quivering.

vibrar *vi* - **1.** [oscilar] to vibrate - **2.** *fig* [voz, rodillas etc] to shake - **3.** *fig* [público] to get excited.

vicaría *sf* [residencia] vicarage.

vicario *sm* vicar.

vicepresidente, ta *sm, f* [de país, asociación] vice-president; [de comité, empresa] vice-chairman.

viceversa *adv* vice versa.

viciado, da *adj* [aire] stuffy; [estilo] marred.

viciar *vt* [pervertir] to corrupt. ◆ **viciarse** *vprnl* [enviciarse] to take to vice.

vicio *sm* - 1. [mala costumbre] bad habit, vice; **llorar** O **quejarse de vicio** to complain for no (good) reason - 2. [libertinaje] vice - 3. [defecto físico, de dicción etc] defect.

vicioso, sa ◇ *adj* dissolute, depraved. ◇ *sm, f* dissolute person, depraved person.

vicisitud *sf (gen pl)* [avatar] vicissitude; **las vicisitud de la vida** life's ups and downs.

víctima *sf* victim; [en accidente, guerra] casualty; **ser víctima de** to be the victim of.

victimar *vt Amér* to kill, to murder.

victoria *sf* victory; **cantar victoria** to claim victory.

victorioso, sa *adj* victorious.

vid *sf* vine.

vid., v. *(abrev de véase)* v., vid.

vida *sf* life; **de por vida** for life; **en vida de** during the life O lifetime of; **en mi/tu etc vida** never in my/your etc life; **estar con vida** to be alive; **ganarse la vida** to earn a living; **pasar a mejor vida** to pass away; **pasarse la vida haciendo algo** to spend one's life doing sthg; **perder la vida** to lose one's life; **quitar la vida a alguien** to kill sb; **¡así es la vida!** that's life!, such is life!

vidente *smf* clairvoyant.

vídeo, video *sm* - 1. [gen] video; **grabar en vídeo** to videotape; **video a la carta** video on demand - 2. [aparato reproductor] video, VCR US.

videocámara *sf* camcorder.

videocasete *sm* video, videocassette.

videoclip *(pl videoclips) sm* (pop) video.

videoclub *(pl videoclubes* O *videoclubs) sm* video club.

videojuego *sm* video game.

videotexto *sm* [por señal de televisión] teletext; [por línea telefónica] videotext, viewdata.

videotex *sm inv* = **videotexto**.

vidriero, ra *sm, f* - 1. [que fabrica cristales] glass merchant O manufacturer - 2. [que coloca cristales] glazier. ◆ **vidriera** *sf* - 1. [puerta] glass door; [ventana] glass window - 2. [en catedrales] stained glass window.

vidrio *sm* - 1. [material] glass - 2. *Amér* [de anteojos] glass - 3. *Amér* [de vehículo] window.

vidrioso, sa *adj* - 1. *fig* [tema, asunto] thorny, delicate - 2. *fig* [ojos] glazed.

vieira *sf* scallop.

viejo, ja ◇ *adj* old; **hacerse viejo** to get O grow old. ◇ *sm, f* - 1. [anciano] old man (f old

woman); **los viejos** the elderly; **viejo verde** dirty old man (f dirty old woman) - 2. *fam* [padres] old man (f old girl); **mis viejos** my folks - 3. *Amér fam* [amigo] pal, mate. ◆ **Viejo de Pascua** *sm Chile*: Viejo de Pascua O Pascuero Father Christmas.

viene ⇨ **venir**.

vienés, esa *adj & sm, f* Viennese.

viento *sm* - 1. [aire] wind; **hace viento** it's windy - 2. MÚS wind - 3. *loc*: **contra viento y marea** in spite of everything; **despedir** O **echar a alguien con viento fresco** to send sb packing; **mis esperanzas se las llevó el viento** my hopes flew out of the window; **viento en popa** splendidly.

vientre *sm* ANAT stomach.

viera ⇨ **ver**.

viernes *sm inv* Friday; **ver también sábado**. ◆ **Viernes Santo** *sm* RELIG Good Friday.

Vietnam *n pr* Vietnam.

vietnamita *adj & smf* Vietnamese.

viga *sf* [de madera] beam, rafter; [de metal] girder.

vigencia *sf* [de ley etc] validity; [de costumbre] use; **estar/entrar en vigencia** to be in/come into force.

vigente *adj* [ley etc] in force; [costumbre] in use.

vigésimo, ma *num* twentieth.

vigía *smf* lookout.

vigilancia *sf* - 1. [cuidado] vigilance, care; **estar bajo vigilancia** to be under surveillance - 2. [vigilantes] guards *pl*.

vigilante ◇ *adj* vigilant. ◇ *smf* guard; **vigilante nocturno** night watchman.

vigilar ◇ *vt* [enfermo] to watch over; [presos, banco] to guard; [niños, bolso] to keep an eye on; [proceso] to oversee. ◇ *vi* to keep watch.

vigilia *sf* [vela] wakefulness; **estar de vigilia** to be awake.

vigor *sm* - 1. [gen] vigour - 2. [vigencia]: **entrar en vigor** to come into force, to take effect.

vigorizar *vt* [fortalecer] to fortify.

vigoroso, sa *adj* [gen] vigorous, energetic.

vikingo, ga *adj & sm, f* Viking.

vil *adj* vile, despicable; [metal] base.

vileza *sf* - 1. [acción] vile O despicable act - 2. [cualidad] vileness.

villa *sf* - 1. [población] small town - 2. [casa] villa, country house - 3.: **villa miseria** *Arg & Bol* shanty town.

villancico *sm* [navideño] Christmas carol.

villano, na *sm, f* villain.

vilo ◆ **en vilo** *loc adv* - 1. [suspendido] in the air, suspended - 2. [inquieto] on tenterhooks; **tener a alguien en vilo** to keep sb in suspense.

vinagre *sm* vinegar.

vinagrera *sf* [vasija] vinegar bottle. ◆ **vina-greras** *sfpl* CULIN [convoy] cruet *sing*.

vinagreta *sf* vinaigrette, French dressing.

vinculación *sf* link, linking (*U*).

vincular *vt* - 1. [enlazar] to link; **vincular algo con algo** to link sthg with *O* to sthg; [por obligación] to tie, to bind - 2. DER to entail.

vínculo *sm* [lazo - entre hechos, países] link; [- personal, familiar] tie, bond.

vinícola *adj* [país, región] wine-producing (antes de s); [industria] wine (antes de s).

vinicultura *sf* wine producing.

vino *sm* wine; **vino blanco/tinto** white/red wine; **vino rosado** rosé; ⊳ **venir**.

viña *sf* vineyard.

viñedo *sm* (large) vineyard.

viñeta *sf* - 1. [de tebeo] (individual) cartoon - 2. [de libro] vignette.

vio ⊳ **ver**.

viola *sf* viola.

violación *sf* - 1. [de ley, derechos] violation, infringement - 2. [de persona] rape.

violador, ra *adj & sm, f* rapist.

violar *vt* - 1. [ley, derechos, domicilio] to violate, to infringe - 2. [persona] to rape.

violencia *sf* - 1. [agresividad] violence; **violencia doméstica** domestic violence - 2. [fuerza - de viento, pasiones] force - 3. [incomodidad] embarrassment, awkwardness.

violentar *vt* - 1. [incomodar] to embarrass - 2. [forzar - domicilio] to break into. ◆ **violentarse** *vprnl* [incomodarse] to feel awkward.

violento, ta *adj* - 1. [gen] violent; [goce] intense - 2. [incómodo] awkward.

violeta ⬦ *sf* [flor] violet. ⬦ *adj inv & sm* [color] violet.

violín *sm* violin.

violón *sm* double bass.

violonchelo, violoncelo *sm* cello.

viperino, na *adj fig* venomous.

viraje *sm* - 1. [giro - AUTO] turn; NÁUT tack - 2. *fig* [cambio] change of direction.

virar ⬦ *vt* [girar] to turn (round); NÁUT to tack. ⬦ *vi* [girar] to turn (round).

virgen ⬦ *adj* [gen] virgin; [cinta] blank; [película] unused. ⬦ *smf* [persona] virgin. ⬦ *sf* ARTE Madonna. ◆ **Virgen** *sf*: **la Virgen** RELIG the (Blessed) Virgin; **¡Virgen santa!** good heavens!

virgo *sm* [virginidad] virginity. ◆ **Virgo** ⬦ *sm* [zodiaco] Virgo. ⬦ *smf* [persona] Virgo.

virguería *sf fam* gem.

viril *adj* virile, manly.

virilidad *sf* virility.

virtual *adj* - 1. [posible] possible, potential - 2. [casi real] virtual.

virtud *sf* - 1. [cualidad] virtue; **virtud cardinal/teologal** cardinal/theological virtue - 2. [po-der] power; **tener la virtud de** to have the power *O* ability to. ◆ **en virtud de** *loc prep* by virtue of.

virtuoso, sa ⬦ *adj* [honrado] virtuous. ⬦ *sm, f* [genio] virtuoso.

viruela *sf* - 1. [enfermedad] smallpox - 2. [pústula] pockmark; **picado de viruelas** pockmarked.

virulé ◆ **a la virulé** *loc adj* - 1. [torcido] crooked - 2. [hinchado]: **un ojo a la virulé** a black eye.

virulencia *sf fig & MED* virulence.

virus *sm inv* [gen & INFORM] virus; **virus informático** computer virus.

viruta *sf* shaving.

visa *sf Amér* visa.

visado *sm* visa.

víscera *sf* internal organ; **vísceras** entrails.

visceral *adj fig & ANAT* visceral.

viscoso, sa *adj* [gen] viscous; [baboso] slimy. ◆ **viscosa** *sf* [tejido] viscose.

visera *sf* - 1. [de gorra] peak - 2. [de casco, suelta] visor - 3. [de automóvil] sun visor.

visibilidad *sf* visibility.

visible *adj* visible; **estar visible** [presentable] to be decent *O* presentable.

visigodo, da *sm, f* Visigoth.

visillo (gen pl) *sm* net/lace curtain.

visión *sf* - 1. [sentido, lo que se ve] sight - 2. [alucinación, lucidez] vision; **ver visiones** to be seeing things - 3. [punto de vista] (point of) view.

visionar *vt* to view privately.

visionario, ria *adj & sm, f* visionary.

visita *sf* - 1. [gen] visit; [breve] call; **hacer una visita a alguien** to visit sb, to pay sb a visit - 2. [visitante] visitor; **tener visita** *O* **visitas** to have visitors - 3. [a página web] hit.

visitante *smf* visitor.

visitar *vt* [gen] to visit; [suj: médico] to call on.

vislumbrar *vt* - 1. [entrever] to make out, to discern - 2. [adivinar] to have an inkling of. ◆ **vislumbrarse** *vprnl* - 1. [entreverse] to be barely visible - 2. [adivinarse] to become a little clearer.

vislumbre *sm o sf lit & fig* glimmer.

viso *sm* - 1. [aspecto]: **tener visos de** to seem; **tiene visos de hacerse realidad** it could become a reality - 2. [reflejo - de tejido] sheen; [- de metal] glint.

visón *sm* mink.

víspera *sf* [día antes] day before, eve; **en vísperas de** on the eve of; **víspera de festivo** day prior to a public holiday.

vista ⊳ **visto**.

vistazo *sm* glance, quick look.

visto, ta ⬦ *pp* ⊳ **ver**. ⬦ *adj*: **estar bien/mal visto** to be considered good/frowned upon. ◆ **vista** ⬦ *v* ⊳ **vestir**.

◇ *sf* - **1.** [sentido] sight, eyesight; [ojos] eyes *pl* - **2.** [observación] watching - **3.** [mirada] gaze; **alzar/bajar la vista** to look up/down; **fijar la vista en** to fix one's eyes on; **a primera** *O* **simple vista** [aparentemente] at first sight, on the face of it; **estar a la vista** [visible] to be visible; [muy cerca] to be staring one in the face - **4.** [panorama] view - **5.** DER hearing; **vista oral** hearing - **6.** *loc:* **conocer a alguien de vista** to know sb by sight; **hacer la vista gorda** to turn a blind eye; **¡hasta la vista!** see you!; **no perder de vista a alguien/algo** [vigilar] not to let sb/sthg out of one's sight; [tener en cuenta] not to lose sight of sb/sthg; **perder de vista** [dejar de ver] to lose sight of; [perder contacto] to lose touch with; **saltar a la vista** to be blindingly obvious. ◆ **vistas** *sfpl* [panorama] view *sing;* **con vistas al mar** with a sea view. ◆ **visto bueno** *sm:* **el visto bueno** the go-ahead; **'visto bueno'** 'approved'. ◆ **a la vista** *loc adv* BANCA at sight. ◆ **con vistas a** *loc prep* with a view to. ◆ **en vista de** *loc prep* in view of. ◆ **en vista de que** *loc conj* since, seeing as. ◆ **por lo visto** *loc adv* apparently. ◆ **visto que** *loc conj* seeing *O* given that.

vistoso, sa *adj* eye-catching.

visual ◇ *adj* visual. ◇ *sf* line of sight.

visualizar *vt* - **1.** [gen] to visualize - **2.** INFORM to display.

vital *adj* [gen] vital; [ciclo] life *(antes de s)*; [persona] full of life, vivacious.

vitalicio, cia *adj* for life, life *(antes de s)*.

vitalidad *sf* vitality.

vitamina *sf* vitamin.

vitaminado, da *adj* vitamin-enriched.

vitamínico, ca *adj* vitamin *(antes de s)*.

viticultor, ra *sm, f* wine grower.

viticultura *sf* wine growing, viticulture.

vitorear *vt* to cheer.

vítreo, a *adj* vitreous.

vitrina *sf* - **1.** [en casa] display cabinet; [en tienda] showcase, glass case - **2.** *Andes & Ven* [escaparate] (shop) window.

vituperar *vt* to criticize harshly.

viudedad *sf* - **1.** [viudez - de mujer] widowhood; [- de hombre] widowerhood - **2.: (pensión de) viudedad** widow's/widower's pension.

viudo, da *sm, f* widower (*f* widow).

viva ◇ *sm* cheer; **dar vivas** to cheer. ◇ *interj* **¡viva!** hurrah!; **¡viva el rey!** long live the King!

vivac = **vivaque**.

vivacidad *sf* liveliness.

vivales *smf inv* crafty person.

vivamente *adv* - **1.** [relatar, describir] vividly - **2.** [afectar, emocionar] deeply.

vivaque, vivac *sm* bivouac.

vivaz *adj* - **1.** [color, descripción] vivid - **2.** [persona, discusión, ojos] lively - **3.** [ingenio, inteligencia] alert, sharp.

vivencia *(gen pl) sf* experience.

víveres *smpl* provisions, supplies.

vivero *sm* - **1.** [de plantas] nursery - **2.** [de peces] fish farm; [de moluscos] bed.

viveza *sf* - **1.** [de colorido, descripción] vividness - **2.** [de persona, discusión, ojos] liveliness; [de ingenio, inteligencia] sharpness.

vívido, da *adj* vivid.

vividor, ra *sm, f despec* scrounger.

vivienda *sf* - **1.** [alojamiento] housing - **2.** [morada] dwelling.

viviente *adj* living.

vivir ◇ *vt* [experimentar] to experience, to live through. ◇ *vi* [gen] to live; [estar vivo] to be alive; **vivir para ver** who'd have thought it?

vivito *adj:* **vivito y coleando** *fam* alive and kicking.

vivo, va *adj* - **1.** [existente - ser, lengua etc] living; **estar vivo** [persona, costumbre, recuerdo] to be alive - **2.** [dolor, deseo, olor] intense; [luz, color, tono] bright - **3.** [gestos, ojos, descripción] lively, vivid - **4.** [activo - ingenio, niño] quick, sharp; [- ciudad] lively - **5.** [genio] quick, hot. ◆ **vivos** *smpl:* **los vivos** the living. ◆ **en vivo** *loc adv* [en directo] live.

Vizcaya *n pr* Vizcaya; **Golfo de Vizcaya** Bay of Biscay.

vizconde, esa *sm, f* viscount (*f* viscountess).

vocablo *sm* word, term.

vocabulario *sm* [riqueza léxica] vocabulary.

vocación *sf* vocation.

vocacional *adj* vocational.

vocal ◇ *adj* vocal. ◇ *sf* vowel.

vocalizar *vi* to vocalize.

vocear ◇ *vt* - **1.** [gritar] to shout *O* call out - **2.** [llamar] to shout *O* call to - **3.** [pregonar - mercancía] to hawk. ◇ *vi* [gritar] to shout.

vociferar *vi* to shout.

vodka ['boθka] *sm o sf* vodka.

vol. (*abrev de volumen*) vol.

volador, ra *adj* flying.

volandas ◆ **en volandas** *loc adv* in the air.

volante ◇ *adj* flying. ◇ *sm* - **1.** [para conducir] (steering) wheel; **estar** *O* **ir al volante** to be at the wheel - **2.** [de tela] frill, flounce - **3.** [del médico] (referral) note - **4.** [en bádminton] shuttlecock.

volar ◇ *vt* [en guerras, atentados] to blow up; [caja fuerte, puerta] to blow open; [edificio en

ruinas] to demolish (with explosives); [en cantera] to blast. ◇ vi - 1. [gen] to fly; [papeles etc] to blow away; **volar a** [una altura] to fly at; [un lugar] to fly to; **echar(se) a volar** to fly away O off - 2. fam [desaparecer] to disappear, to vanish.

volátil adj fig & QUÍM volatile.

vol-au-vent = volován.

volcán sm volcano.

volcánico, ca adj volcanic.

volcar ◇ vt - 1. [tirar] to knock over; [carretilla] to tip up - 2. [vaciar] to empty out. ◇ vi [coche, camión] to overturn; [barco] to capsize. ◆ **volcarse** vprnl [esforzarse]: **volcarse (con/en)** to bend over backwards (for/in).

volea sf volley.

voleibol sm volleyball.

voleo sm volley; **a O al voleo** [arbitrariamente] randomly, any old how.

volován (pl volovanes), **vol-au-vent** [bolo'βan] (pl vol-au-vents) sm vol-au-vent.

volquete sm dumper truck, dump truck US.

voltaje sm voltage.

voltear ◇ vt - 1. [heno, crepe, torero] to toss; [tortilla - con plato] to turn over; [mesa, silla] to turn upside-down - 2. Amér [derribar] to knock over; Andes, Amér C, Caribe & Méx [volver] to turn. ◇ vi Méx [torcer] to turn, to go round. ◆ **voltearse** vprnl Andes, Amér C, Caribe & Méx [volverse] to turn around.

voltereta sf [en el suelo] handspring; [en el aire] somersault; **voltereta lateral** cartwheel.

voltio sm volt.

voluble adj changeable, fickle.

volumen sm - 1. [gen & COM] volume; **a todo volumen** at full blast; **volumen de negocio O ventas** turnover - 2. [espacio ocupado] size, bulk.

voluminoso, sa adj bulky.

voluntad sf - 1. [determinación] will, willpower; **voluntad de hierro** iron will - 2. [intención] intention; **buena voluntad** goodwill; **mala voluntad** ill will - 3. [deseo] wishes pl, will; **contra la voluntad de alguien** against sb's will - 4. [albedrío] free will; **a voluntad** [cuanto se quiere] as much as one likes; **por voluntad propia** of one's own free will.

voluntariado sm voluntary enlistment.

voluntario, ria ◇ adj voluntary. ◇ sm, f volunteer.

voluntarioso, sa adj [esforzado] willing.

voluptuoso, sa adj voluptuous.

volver ◇ vt - 1. [dar la vuelta a] to turn round; [lo de arriba abajo] to turn over - 2. [poner del revés - boca abajo] to turn upside down; [- lo de dentro fuera] to turn inside out; [- lo de detrás delante] to turn back to front - 3. [cabeza, ojos etc] to turn - 4. [convertir en]: **eso le volvió un**

delincuente that made him a criminal, that turned him into a criminal. ◇ vi [ir de vuelta] to go back, to return; [venir de vuelta] to come back, to return; **volver de** to come back from; **volver atrás** to turn back; **yo allí no vuelvo** I'm not going back there; **vuelve, no te vayas** come back, don't go; **volver en sí** to come to, to regain consciousness. ◆ **volver a** vi [reanudar] to return to; **volver a hacer algo** [hacer otra vez] to do sthg again. ◆ **volverse** vprnl - 1. [darse la vuelta, girar la cabeza] to turn round - 2. [ir de vuelta] to go back, to return; [venir de vuelta] to come back, to return - 3. [convertirse en] to become; **volverse loco/pálido** to go mad/pale - 4. loc: **volverse atrás** [de una afirmación, promesa] to go back on one's word; [de una decisión] to change one's mind, to back out; **volverse (en) contra (de) alguien** to turn against sb.

vomitar ◇ vt [devolver] to vomit, to bring up. ◇ vi to vomit, to be sick.

vómito sm [substancia] vomit (U).

voraz adj - 1. [persona, apetito] voracious - 2. fig [fuego, enfermedad] raging.

vos pron pers Amér [tú - sujeto] you; [- objeto] you.

vosotros, tras pron pers you pl.

votación sf vote, voting (U); **decidir algo por votación** to put sthg to the vote; **votación a mano alzada** show of hands.

votante smf voter.

votar ◇ vt - 1. [partido, candidato] to vote for; [ley] to vote on - 2. [aprobar] to pass, to approve (by vote). ◇ vi to vote; **votar por** [emitir un voto por] to vote for; fig [estar a favor de] to be in favour of; **votar por que...** to vote (that)...; **votar en blanco** to return a blank ballot paper.

voto sm - 1. [gen] vote - 2. RELIG vow.

voy ⊳ **ir.**

voz sf - 1. [gen & GRAM] voice; **a media voz** in a low voice, under one's breath; **aclararse O aclarar la voz** to clear one's throat; **alzar O levantar la voz a alguien** to raise one's voice to sb; **en voz alta** aloud; **en voz baja** softly, in a low voice; **voz en off** CINE voice-over; TEATRO voice offstage - 2. [grito] shout; **a voces** shouting; **dar voces** to shout - 3. [vocablo] word - 4. [derecho a expresarse] say, voice; **no tener ni voz ni voto** to have no say in the matter.

VPO (abrev de vivienda de protección oficial) sf ≈ council house/flat UK, ≈ public housing unit US.

vudú (en aposición invariable) sm voodoo.

vuelco sm upset; **dar un vuelco** [coche] to overturn; [relaciones] to change completely; [empresa] to go to ruin; **me dio un vuelco el corazón** my heart missed O skipped a beat.

vuelo *sm* - **1.** [gen & AERON] flight; **alzar** *O* **emprender** *O* **levantar el vuelo** [despegar] to take flight, to fly off; *fig* [irse de casa] to fly the nest; **coger algo al vuelo** [en el aire] to catch sthg in flight; *fig* [rápido] to catch on to sthg very quickly; **remontar el vuelo** to soar; **vuelo libre** hang gliding; **vuelo sin motor** gliding - **2.** [de vestido]: **una falda de vuelo** a full skirt.

vuelta *sf* - **1.** [gen] turn; [acción] turning; **dar una vuelta (a algo)** [recorriéndolo] to go round (sthg); **dar la vuelta al mundo** to go around the world; **darse la vuelta** to turn round; **dar vueltas (a algo)** [girándolo] to turn (sthg) round; **vuelta al ruedo** TAUROM bullfighter's lap of honour - **2.** DEP lap; **vuelta (ciclista)** tour - **3.** [regreso, devolución] return; **billete de ida y vuelta** return ticket; **a la vuelta** [volviendo] on the way back; [al llegar] on one's return; **estar de vuelta** to be back - **4.** [paseo]: **dar una vuelta** to go for a walk - **5.** [dinero sobrante] change - **6.** [ronda, turno] round - **7.** [parte opuesta] back, other side; **a la vuelta de la esquina** *lit & fig* round the corner; **a la vuelta de la página** over the page - **8.** [cambio, avatar] change - **9.** *loc*: **a vuelta de correo** by return of post; **dar la vuelta a la tortilla** *fam* to turn the tables; **dar una vuelta/dos** *etc* **vueltas de campana** [coche] to turn over once/twice *etc*; **darle vueltas a algo** to turn sthg over in one's mind; **estar de vuelta de algo** to be blasé about sthg; **no tiene vuelta de hoja** there are no two ways about it.

vuelto, ta ⬦ *pp* ▷ **volver**. ⬦ *adj* turned. ◆ **vuelto** *sm Amér* change.

vuestro, tra ⬦ *adj poses* your; **vuestro libro/amigo** your book/friend; **este libro es vuestro** this book is yours; **un amigo vuestro** a friend of yours; **no es asunto vuestro** it's none of your business. ⬦ *pron poses*: **el vuestro** yours; **los vuestros están en la mesa** yours are on the table; **lo vuestro es el teatro** [lo que hacéis bien] you should be on the stage; **los vuestros** *fam* [vuestra familia] your folks; [vuestro bando] your lot.

vulgar *adj* - **1.** [no refinado] vulgar - **2.** [corriente, ordinario] ordinary, common; **vulgar y corriente** ordinary.

vulgaridad *sf* - **1.** [grosería] vulgarity; **hacer/decir una vulgaridad** to do/say sthg vulgar - **2.** [banalidad] banality.

vulgarizar *vt* to popularize.

vulgo *sm despec*: **el vulgo** [plebe] the masses *pl*; [no expertos] the lay public *(U)*.

vulnerable *adj* vulnerable.

vulnerar *vt* - **1.** [prestigio etc] to harm, to damage - **2.** [ley, pacto etc] to violate, to break.

vulva *sf* vulva.

w, W *sf* [letra] w, W.

walkie-talkie ['walki'talki] (*pl* **walkie-talkies**) *sm* walkie-talkie.

walkman® ['walkman] (*pl* **walkmans**) *sm* Walkman®.

Washington ['waʃiŋton] *n pr* Washington.

water ['bater] (*pl* **wateres**) = **váter**.

waterpolo [water'polo] *sm* water polo.

watio = **vatio**.

WC (*abrev de* water closet) *sm* WC.

web [weβ] *sf*: **la (World Wide) Web** the (World Wide) Web.

whisky ['wiski] = **güisqui**.

windsurf ['winsurf], **windsurfing** ['winsurfin] *sm* windsurfing.

WWW (*abrev de* World Wide Web) *sf* WWW.

x, X *sf* [letra] x, X. ◆ **X** *smf*: **la señora X** Mrs X.

xenofobia *sf* xenophobia.

xilofón, xilófono *sm* xylophone.

y¹, Y *sf* [letra] y, Y.

y² *conj* - **1.** [gen] and; **un ordenador y una impresora** a computer and a printer; **horas y horas de espera** hours and hours of waiting - **2.** [pero] and yet; **sabía que no lo conseguiría y seguía intentándolo** she knew she wouldn't manage it and yet she kept on trying - **3.** [en preguntas] what about; **¿y tu mujer?** what about your wife?

ya ⬦ *adv* - **1.** [en el pasado] already; **ya me lo habías contado** you had already told me; **ya en 1926** as long ago as 1926 - **2.** [ahora] now; [inmediatamente] at once; **hay que hacer algo ya** something has to be done now/at once; **bueno, yo ya me voy** right, I'm off now; **ya no**

es así it's no longer like that - **3.** [en el futuro]: **ya te llamaré** I'll give you a ring some time; **ya hablaremos** we'll talk later; **ya nos habremos ido** we'll already have gone; **ya verás** you'll (soon) see - **4.** [refuerza al verbo]: **ya entiendo/lo sé** I understand/know. ⬦ *conj* [distributiva]: **ya (sea) por... ya (sea) por...** whether for... or... ⬦ *interj*: **¡ya!** [expresa asentimiento] right!; [expresa comprensión] yes!; **¡ya, ya!** *irón* sure!, yes, of course! ▸ **ya no** *loc adv*: **ya no... sino** not only... but. ▸ **ya que** *loc conj* since; **ya que has venido, ayúdame con esto** since you're here, give me a hand with this.

yacer *vi* to lie.

yacimiento *sm* - **1.** [minero] bed, deposit; **yacimiento de petróleo** oilfield - **2.** [arqueológico] site.

yanqui *smf* - **1.** HIST Yankee - **2.** *fam* [estadounidense] yank.

yate *sm* yacht.

yegua *sf* mare.

yema *sf* - **1.** [de huevo] yolk - **2.** [de planta] bud, shoot - **3.** [de dedo] fingertip.

Yemen *n pr*: **(el) Yemen** Yemen.

yen (*pl* **yenes**) *sm* yen.

yerba = **hierba**. ▸ **yerba mate**: *R Dom* yerba maté.

yerbatero *sm Andes & Caribe* [curandero] healer; [vendedor de hierbas] herbalist.

yermo, ma *adj* [estéril] barren.

yerno *sm* son-in-law.

yeso *sm* - **1.** GEOL gypsum - **2.** CONSTR plaster - **3.** ARTE gesso.

yeyé *adj* sixties.

yo *pron pers* - **1.** (sujeto) I; **yo me llamo Luis** I'm called Luis - **2.** (predicado): **soy yo** it's me - **3.** *loc*: **yo que tú/él** *etc* if I were you/him *etc*.

yodo, iodo *sm* iodine.

yoga *sm* yoga.

yogur (*pl* **yogures**), **yogurt** (*pl* **yogurts**) *sm* yoghurt.

yonqui *smf fam* junkie.

yóquey (*pl* **yóqueys**), **jockey** (*pl* **jockeys**) *sm* jockey.

yoyó *sm* yoyo.

yuca *sf* - **1.** BOT yucca - **2.** CULIN cassava.

yudo, judo ['juðo] *sm* judo.

yugo *sm lit & fig* yoke.

Yugoslavia *n pr* HIST Yugoslavia.

yugoslavo, va ⬦ *adj* HIST Yugoslavian. ⬦ *sm, f* Yugoslav.

yugular *adj & sf* jugular.

yunque *sm* anvil.

yuxtaponer *vt* to juxtapose.

yuxtaposición *sf* juxtaposition.

yuxtapuesto, ta *pp* ▷ **yuxtaponer**.

Z

z, Z *sf* [letra] z, Z.

zafio, fia *adj* rough, uncouth.

zafiro *sm* sapphire.

zaga *sf* DEP defence; **a la zaga** behind, at the back; **no irle a la zaga a alguien** to be every bit *O* just as good as sb.

zaguán *sm* (entrance) hall.

Zaire *n pr* HIST Zaire.

zalamería (*gen pl*) *sf* flattery (*U*); **hacerle zalamerías a alguien** to sweet talk sb.

zalamero, ra *sm, f* flatterer; *despec* smooth talker.

zamarra *sf* sheepskin jacket.

zambo, ba *sm, f* - **1.** [persona] knock-kneed person - **2.** *Amér* [hijo de persona negra y otra india] *person who has one black and one Indian parent.*

zambullir *vt* to dip, to submerge. ▸ **zambullirse** *vprnl*: **zambullirse (en)** [agua] to dive (into); [actividad] to immerse o.s. (in).

zampar *fam vi* to gobble. ▸ **zamparse** *vprnl* to wolf down.

zanahoria *sf* carrot.

zanca *sf* [de ave] leg, shank.

zancada *sf* stride.

zancadilla *sf* trip; **poner una** *O* **la zancadilla a alguien** [hacer tropezar] to trip sb up; [engañar] to trick sb.

zancadillear *vt* [hacer tropezar] to trip up.

zanco *sm* stilt.

zancudo, da *adj* long-legged. ▸ **zancudo** *sm Amér* mosquito.

zángano, na *sm, f fam* [persona] lazy oaf. ▸ **zángano** *sm* [abeja] drone.

zanja *sf* ditch.

zanjar *vt* [poner fin a] to put an end to; [resolver] to settle, to resolve.

zapallo *sm Andes & R Plata* [calabaza] pumpkin.

zapata *sf* [de freno] shoe.

zapateado *sm type of flamenco music and dance.*

zapatear *vi* to stamp one's feet.

zapatería *sf* - **1.** [oficio] shoemaking - **2.** [taller] shoemaker's - **3.** [tienda] shoe shop.

zapatero, ra *sm, f* - **1.** [fabricante] shoemaker - **2.** [vendedor] shoe seller.

zapatilla *sf* - **1.** [de baile] shoe, pump; [de estar en casa] slipper; [de deporte] sports shoe, trainer - **2.** [de grifo] washer.

zapato *sm* shoe; **zapato de salón** court shoe; **zapato de tacón** high heeled shoe.

zapping ['θapin] *sm inv* channel-hopping; **hacer zapping** to channel-hop.

zar, zarina *sm, f* tsar (*f* tsarina), czar (*f* czarina).

zarandear *vt* - **1.** [cosa] to shake - **2.** [persona] to jostle, to knock about.

zarpa *sf* [de animal - uña] claw; [- mano] paw.

zarpar *vi* to weigh anchor, to set sail; **zarpar rumbo a** to set sail for.

zarpazo *sm* clawing *(U)*.

zarza *sf* bramble, blackberry bush.

zarzal *sm* bramble patch.

zarzamora *sf* blackberry.

zarzaparrilla *sf* sarsaparilla.

zarzuela *sf* MÚS *Spanish light opera.*

zas *interj*: ¡zas! wham!, bang!

zenit = **cenit**.

zepelín (*pl* zepelines) *sm* zeppelin.

zigzag (*pl* zigzags O zigzagues) *sm* zigzag; **caminar en zigzag** to walk in a zigzag.

zigzaguear *vi* to zigzag.

zinc = **cinc**.

zíper *sm Amér C, Méx & Ven* zip UK, zipper US.

zócalo *sm* - **1.** [de pared] skirting board - **2.** [de edificio, pedestal] plinth - **3.** *Méx* [plaza] main square.

zoco *sm* souk, Arabian market.

zodiaco, zodíaco *sm* zodiac.

zombi, zombie *smf lit & fig* zombie.

zona *sf* zone, area; **zona de exclusión** exclusion zone; **zona eura** FIN euro zone; **zona verde** [grande] park; [pequeño] lawn.

zoo *sm* zoo.

zoología *sf* zoology.

zoológico, ca *adj* zoological. ◆ **zoológico** *sm* zoo.

zoólogo, ga *sm, f* zoologist.

zopenco, ca *fam sm, f* nitwit.

zoquete ◇ *sm C Sur* [calcetín] ankle sock. ◇ *smf* [tonto] blockhead.

zorro, rra *sm, f lit & fig* fox. ◆ **zorro** *sm* [piel] fox (fur).

zozobra *sf* anxiety, worry.

zozobrar *vi* - **1.** [naufragar] to be shipwrecked - **2.** *fig* [fracasar] to fall through.

zueco *sm* clog.

zulo *sm* hideout.

zulú (*pl* zulúes O zulús) *adj* & *sm, f* Zulu.

zumbar *vi* [gen] to buzz; [máquinas] to whirr, to hum; **me zumban los oídos** my ears are buzzing.

zumbido *sm* [gen] buzz, buzzing *(U)*; [de máquinas] whirr, whirring *(U)*.

zumo *sm* juice.

zurcido *sm* - **1.** [acción] darning - **2.** [remiendo] darn.

zurcir *vt* to darn.

zurdo, da *adj* [mano etc] left; [persona] left-handed. ◆ **zurda** *sf* [mano] left hand.

zurrar *vt* [pegar] to beat, to thrash.

zutano, na *sm, f* so-and-so, what's-his-name (*f* what's-her-name).